Autores

Paul Horowitz é professor pesquisador em Física e Engenharia Elétrica na Universidade Harvard, onde, em 1974, deu início à disciplina denominada Laboratório de Eletrônica, berço deste livro. Além do trabalho em projeto de circuitos e instrumentação eletrônica, seus interesses incluem a astrofísica observacional, raios X, microscopia de partículas e interferometria óptica. Ele é um dos pioneiros na busca de vida inteligente fora da Terra (SETI). Ele é o autor de cerca de 200 artigos científicos e relatórios, consultor muito requisitado pela indústria e pelo governo e projetista de diversos instrumentos científicos e fotográficos.

Winfield Hill é guru de projetos de circuitos eletrônicos. Depois de deixar o programa de graduação em Físico-Química da Universidade Harvard e graduar-se em Engenharia Elétrica, ele começou sua carreira no Electronics Design Center de Harvard. Após sete anos de estudos, fundou a Sea Data Corporation, onde por 16 anos desenvolveu projetos de instrumentos de oceanografia física. Em 1988, foi recrutado por Edwin Land para se juntar ao Rowland Institute for Science. O Instituto passou a integrar a Universidade Harvard em 2003. Como diretor do Electronics Engineering Lab do Instituto, Hill projetou cerca de 500 instrumentos científicos. Seus interesses recentes incluem RF de alta tensão (15 kV), eletrônica pulsada de alta corrente (até 1200 A), amplificadores de baixo ruído (sub nV e pA), e geradores MOSFET de pulsos.

```
H811a    Horowitz, [Paul].
            A arte da eletrônica : circuitos eletrônicos e
         microeletrônica / [Paul] Horowitz, [Winfield] Hill ;
         tradução: José Lucimar do Nascimento ; revisão técnica:
         Antonio Pertence Jr. – 3. ed. – Porto Alegre : Bookman,
         2017.
            xxvi, 1192 p. : il. ; 28 cm.

            ISBN 978-85-8260-434-2

            1. Circuitos eletrônicos. 2. Eletrônica - Microeletrônica.
         I. Hill, [Winfield]. II. Título.

                                              CDU 621.3.049.77
```

Catalogação na publicação: Poliana Sanchez de Araujo – CRB 10/2094

HOROWITZ / HILL

A ARTE DA ELETRÔNICA

CIRCUITOS ELETRÔNICOS E MICROELETRÔNICA

3ª EDIÇÃO

Tradução:

José Lucimar do Nascimento
Engenheiro Eletrônico e de Telecomunicação (PUC-MG)
Especialista em Sistemas de Controle (UFMG)
MBA em Gestão Estratégica de Instituições de Educação Profissional e Tecnologia (Faculdade de Tecnologia Senai Florianópolis)
Professor e Coordenador de Ensino do Cetel

Revisão técnica:

Antonio Pertence Jr.
Engenheiro Eletrônico e de Telecomunicação (PUC-MG)
Mestre em Engenharia Mecânica (UFMG)
Especialista em Processamento de Sinais pela Ryerson University (Canadá)
Membro da Sociedade Brasileira de Eletromagnetismo
Professor da Universidade Fumec

2017

Obra originalmente publicada sob o título *The Art of Electronics, 3rd Edition*
ISBN 9780521809269

© Cambridge University Press, 2015

Cambridge University Press is part of the University of Cambridge.

Gerente editorial: *Arysinha Jacques Affonso*

Colaboraram nesta edição:

Capa: *Márcio Monticelli* (arte sobre capa original)

Preparação de originais: *Cristhian Herrera e Nathália Glasenapp*

Editoração: *Techbooks*

Reservados todos os direitos de publicação, em língua portuguesa, à
BOOKMAN EDITORA LTDA., uma empresa do GRUPO A EDUCAÇÃO S.A.
Av. Jerônimo de Ornelas, 670 – Santana
90040-340 Porto Alegre RS
Fone: (51) 3027-7000   Fax: (51) 3027-7070

Unidade São Paulo
Rua Doutor Cesário Mota Jr., 63 – Vila Buarque
01221-020 São Paulo SP
Fone: (11) 3221-9033

SAC 0800 703-3444 – www.grupoa.com.br

É proibida a duplicação ou reprodução deste volume, no todo ou em parte, sob quaisquer formas ou por quaisquer meios (eletrônico, mecânico, gravação, fotocópia, distribuição na Web e outros), sem permissão expressa da Editora.

IMPRESSO NO BRASIL
PRINTED IN BRAZIL

Para Vida e Ava

In Memorian: Jim Williams, 1948-2011

Prefácio da primeira edição

Este volume serve como um livro de projeto de circuitos eletrônicos e um livro de referência; ele começa em um nível adequado para aqueles sem experiência anterior com eletrônica e leva os leitores a um razoável grau de proficiência em projeto de circuitos eletrônicos. Usamos uma abordagem direta às ideias essenciais do projeto de circuitos, juntamente com uma seleção aprofundada de tópicos. Tentamos combinar a abordagem pragmática do físico prático com a abordagem quantitativa do engenheiro, que quer um projeto de circuito cuidadosamente avaliado.

Este livro evoluiu de um conjunto de notas escritas para acompanhar um curso de um semestre no laboratório de eletrônica em Harvard. Atende a públicos variados – estudantes em busca de habilidades para um futuro profissional na academia ou na indústria, estudantes de pós-graduação com um campo de pesquisa definido e pesquisadores de pós-doutorado que, de repente, veem a necessidade de "materializar seus estudos de eletrônica."

Os livros então existentes eram insuficientes para tal curso. Embora muito bons em cada uma das especialidades eletrônicas, escritos para atender a um currículo de quatro anos de engenharia ou para o engenheiro praticante, os que tentam abordar todo o campo da eletrônica parecem sofrer de excesso de detalhes (a síndrome do manual), de excessiva simplificação (a síndrome de livro de receitas), ou de falta de equilíbrio do material. Grande parte da pedagogia dos livros para iniciantes é desnecessária e, na verdade, não é usada por engenheiros praticantes, ao mesmo tempo que circuitos úteis e métodos de análise de uso diário de projetistas acabam escondidos em notas de aplicações, publicações acadêmicas e folhas de dados difíceis de adquirir. Em outras palavras, há uma tendência entre os autores de livros de falar da teoria, e não da arte da eletrônica.

Decidimos escrever este livro com a intenção específica de combinar o conhecimento de um engenheiro de projeto de circuitos com a perspectiva de um físico experimental praticante e professor de eletrônica. Assim, o tratamento dos assuntos reflete a nossa filosofia de que a eletrônica, como atualmente praticada, é basicamente uma arte simples, uma combinação de algumas leis básicas, regras de ouro e uma grande sacola mágica. Por estas razões, omitimos inteiramente as discussões usuais da física de estado sólido, o modelo de parâmetros h de transistores e a complicada teoria de redes, e reduzimos ao mínimo a menção das retas de carga e plano s. O tratamento é em grande parte não matemático, com forte estímulo ao debate de ideias de circuitos e cálculo mental dos valores de circuito e desempenho (ou, no máximo, um cálculo informal com números estimados e/ou arredondados).

Além dos temas geralmente tratados em livros de eletrônica, incluímos os seguintes:

- um modelo de transistor fácil de usar;
- ampla discussão sobre subcircuitos úteis, tais como fontes de corrente e espelhos de corrente;
- projeto de AOP de fonte simples;
- exposição clara de temas cujas informações de projetos práticos são muitas vezes difíceis de encontrar: compensação de frequência de AOP, circuitos de baixo ruído, malhas de fase sincronizadas (PLLs) e projetos lineares de precisão;
- projeto simplificado de filtros ativos, com tabelas e gráficos;
- uma seção sobre ruído, blindagem e aterramento;
- um método gráfico original para análise de amplificador de baixo ruído simplificado;
- um capítulo sobre referências de tensão e reguladores, incluindo fontes de corrente constante;
- uma discussão de multivibradores monoestáveis e suas particularidades;
- um conjunto de problemas de lógica digital, e o que fazer a respeito disso;
- uma discussão extensa de interfaceamento de circuitos lógicos, com ênfase nas novas famílias LSI NMOS e PMOS;
- uma discussão detalhada das técnicas de conversões A/D e D/A;
- uma seção sobre a geração de ruído digital;
- uma discussão sobre minicomputadores e interface com barramento de dados, com uma introdução à linguagem *assembly*;
- um capítulo sobre microprocessadores, com exemplos de projeto reais e discussão – como projetá-los utilizando instrumentos e como fazer com que eles executem o que você quer;
- um capítulo sobre técnicas de construção: prototipagem, placas de circuito impresso, projetos de instrumentos;
- uma forma simplificada de avaliar circuitos de comutação de alta velocidade;
- um capítulo sobre medição científica e processamento de dados: o que você pode medir, com que precisão e o que fazer com os dados;

- visão clara dos métodos de estreitamento de largura de banda: média de sinal, escalonamento multicanal, amplificadores síncronos e análise de altura do pulso;
- coleções divertidas de "circuitos ruins" e coleções de "ideias de circuito";
- apêndices úteis sobre desenho de diagramas esquemáticos, tipos genéricos de CIs, projeto do filtro *LC*, valores de resistores, osciloscópios, revisão de matemática e outros;
- tabelas de diodos, transistores, FETs, AOPs, comparadores, reguladores, referências de tensão, microprocessadores e outros dispositivos, geralmente listando as características dos mais populares e dos melhores tipos.

Neste livro decidimos citar nomes, muitas vezes comparando as características dos dispositivos concorrentes para uso em qualquer circuito, e as vantagens de configurações de circuito alternativos. Circuitos exemplo são desenhados com tipos de dispositivos reais, sem "caixas pretas". A intenção é trazer o leitor para o ponto de entendimento claro das escolhas feitas no projeto de um circuito – como escolher configurações de circuito, tipos de dispositivos e os seus valores. O uso de técnicas de projeto de circuito, em grande parte não matemáticas, não resulta em circuitos com limitações nem compromete o desempenho ou a confiabilidade. Pelo contrário, essas técnicas melhoram a compreensão das escolhas reais e compromissos enfrentados na engenharia de um circuito e representam a melhor abordagem para um bom projeto.

Este livro pode ser usado para um curso de projeto de circuitos eletrônicos de um ano de nível universitário, com um pré-requisito mínimo de matemática; ou seja, alguma familiaridade com funções trigonométricas e exponenciais, e de preferência um pouco do cálculo diferencial. (Uma breve revisão de números complexos e derivadas está em um dos apêndices.) Se as seções menos essenciais forem omitidas, ele pode servir como o texto de referência para um curso de um semestre (como é feito em Harvard).

Para ajudar o leitor no estudo, indicamos com quadros abertos na margem as seções de cada capítulo que achamos que podem ser ignoradas em uma leitura abreviada. Em um curso de um semestre, provavelmente seria bom omitir também os materiais do Capítulo 5 (primeira metade), 7, 12, 13, 14, e possivelmente 15, como explicado nos parágrafos introdutórios desses capítulos.

Gostaríamos de agradecer aos nossos colegas os comentários na preparação do manuscrito, particularmente Mike Aronson, Howard Berg, Dennis Crouse, Carol Davis, David Griesinger, John Hagen, Tom Hayes, Peter Horowitz, Bob Kline, Costas Papaliolios, Jay Sage e Bill Vetterling. Somos gratos a Eric Hieber e Jim Mobley, e a Rhona Johnson e Ken Werner de Cambridge University Press, pelos seus trabalhos criativos e altamente profissionais.

Paul Horowitz
Winfield Hill
Abril de 1980

Prefácio da segunda edição

A eletrônica, talvez mais do que qualquer outro campo da tecnologia, viveu um grande desenvolvimento nas últimas quatro décadas. Assim, foi com alguma ansiedade que tentamos, em 1980, apresentar um livro definitivo ensinando a arte do assunto. Por "arte" queríamos dizer o domínio que vem de uma intimidade com circuitos reais, dispositivos reais e assim por diante, em lugar de uma abordagem mais abstrata, muitas vezes privilegiada em livros didáticos de eletrônica. Claro que, em uma área que evolui rapidamente, uma abordagem tão detalhada oferece perigos – o mais óbvio deles a obsolescência assustadoramente rápida.

O ritmo da tecnologia eletrônica é avassalador! Difícil foi ler na primeira edição, não muito tempo depois de lançada, algo que nos fez sentir tolos: nosso texto sobre "a clássica EPROM 2716 [2Kbyte]... com um preço de cerca de 25 dólares." Tão clássica que não é mais possível adquiri-la; ela foi substituída pela EPROM 64 vezes maior e pela metade do preço! Assim, um elemento importante desta revisão tem a ver com dispositivos e métodos melhorados – capítulos totalmente reescritos sobre microcomputadores e microprocessadores (usando o IBM PC e os 68008) e a revisão de capítulos sobre eletrônica digital (incluindo PLDs e as novas famílias lógicas HC e AC), sobre AOPs e projetos de precisão (refletindo a disponibilidade de excelentes AOPs com entrada FET), e sobre técnicas de construção (incluindo CAD/CAM). As tabelas foram revistas, algumas substancialmente; por exemplo, na Tabela 4.1 (amplificadores operacionais) apenas 65% das 120 entradas originais sobreviveram, com 135 novos AOPs acrescentados.

Aproveitamos a nova edição para atender sugestões dos leitores e por em prática nossas próprias experiências da primeira edição. Assim, reescrevemos o capítulo sobre FET (era muito complicado) e o reposicionamos antes do capítulo sobre AOPs (que são cada vez mais construídos com FET). Adicionamos um novo capítulo sobre projetos de baixa potência e micropotência (analógico e digital), um campo importante e negligenciado. A maioria dos capítulos restantes foi extensivamente revisada. Adicionamos muitas novas tabelas, incluindo conversores A/D e D/A, componentes de lógica digital e dispositivos de baixa potência e, ao longo do livro, ampliamos o número de figuras. O livro agora contém 78 tabelas (disponíveis em separado como as *Tabelas de Seleção de Componentes de Horowitz e Hill*) e mais de 1.000 figuras.

Durante a revisão nos esforçamos para manter a sensação de informalidade e fácil acesso que fez a primeira edição tão bem-sucedida e popular, tanto como referência quanto como livro-texto. Estamos cientes das dificuldades que os estudantes muitas vezes experimentam quando se aproximam da eletrônica pela primeira vez: o campo é densamente entrelaçado, e não há nenhum caminho de aprendizagem que leve, por etapas lógicas, de principiante a projetista competente. Assim, adicionamos extensa referência cruzada em todo o texto; além disso, expandimos o Manual de Laboratório (em inglês) separado em um manual do aluno (*Student Manual for The Art of Electronics*, de Thomas C. Hayes e Paul Horowitz), com exemplos adicionais de projetos de circuitos desenvolvidos, material explicativo, exercícios de leitura, exercícios de laboratório e soluções para os problemas selecionados. Ao oferecer um suplemento ao estudante, somos capazes de manter este livro conciso e rico em detalhes, tal como solicitado pelos nossos muitos leitores que usam o livro principalmente como obra de referência.

Esperamos que esta nova edição responda a todas as necessidades dos nossos leitores – estudantes e engenheiros práticos. Congratulamo-nos com sugestões e correções, que devem ser enviadas diretamente para Paul Horowitz, Departamento de Física, Universidade de Harvard, Cambridge, MA 02138.

Nesta edição, contamos com a ajuda de Mike Aronson e Brian Matthews (AOX, Inc.), John Greene (University of Cape Town), Jeremy Avigad e Tom Hayes (Harvard University), Peter Horowitz (EVI, Inc.), Don Stern e Owen Walker. Agradecemos a Jim Mobley pela excelente edição de texto, Sophia Prybylski e David Tranah da Cambridge University Press por seu incentivo e dedicação profissional e os tipógrafos de Rosenlaui Publishing Services, Inc. pela sua composição magistral em TEX.

Finalmente, no espírito da jurisprudência moderna, pedimos que você leia o aviso legal aqui anexado.

Paul Horowitz
Winfield Hill
Março de 1989

NOTIFICAÇÃO LEGAL

Neste livro, buscamos ensinar as técnicas de projeto de eletrônica, usando exemplos de circuitos e dados que acreditamos serem precisos. No entanto, os exemplos, dados e outras informações se destinam exclusivamente ao ensino e não devem ser utilizados em qualquer aplicação particular sem testes e verificações independentes pela pessoa que faz a aplicação. Testes e verificações independentes são especialmente importantes em qualquer aplicação em que o funcionamento incorreto possa resultar em danos pessoais ou materiais.

Por estas razões, não damos garantias, expressas ou implícitas, que os exemplos, dados ou outras informações neste livro estejam livres de erros, que sejam consistentes com os padrões da indústria, ou que eles cumpram com os requisitos para aplicações específicas. OS AUTORES E A EDITORA EXPRESSAMENTE REJEITAM GARANTIAS DE COMERCIALIZAÇÃO E DE ADEQUAÇÃO A DETERMINADO FIM, mesmo que os autores tenham sido informados de um objetivo em particular e mesmo que uma finalidade específica esteja indicada no livro. Os autores e a editora também rejeitam responsabilidade por danos diretos, indiretos, acidentais ou outros danos que resultem de qualquer utilização dos exemplos, dados ou outras informações contidas neste livro.

Prefácio da terceira edição

A Lei de Moore continua firme e forte desde a publicação da segunda edição, 25 anos atrás. E nesta recente terceira edição (e última!) respondemos a essa turbulência com grandes melhorias:

- ênfase em dispositivos e circuitos de *conversão* A/D e D/A (Capítulo 13), porque os microcontroladores embutidos estão em toda parte.
- ilustração de CIs periféricos especializados para uso com microcontroladores (Capítulo 15).
- discussões detalhadas de escolhas de famílias lógicas e de sinais lógicos de interfaceamento com o mundo real (Capítulos 10 e 12).
- tratamento bastante ampliado de tópicos importantes das partes analógicas essenciais do projeto de instrumentos:
  - projeto de circuito de precisão (Capítulo 5)
  - projeto de baixo ruído (Capítulo 8)
  - comutação de potência (Capítulos 3, 9 e 12)
  - conversão de potência (Capítulo 9)

E adicionamos muitos tópicos inteiramente novos, incluindo:

- áudio e vídeo digitais (incluindo TV a cabo e via satélite)
- linhas de transmissão
- simulação de circuito com SPICE
- amplificadores de transimpedância
- MOSFETs de modo depleção
- MOSFETs protegidos
- acionadores para a alimentação
- propriedades do cristal de quartzo e osciladores
- uma exploração completa de JFETs
- reguladores de alta tensão
- optoeletrônica
- registradores lógicos de potência
- conversores delta-sigma
- conversão de múltipla rampa de precisão
- tecnologias de memória
- barramentos seriais
- seção de ilustrações "Projetados por Mestres"

Nesta nova edição, respondemos, também, ao fato de as edições anteriores terem sido muito bem recebidas pela comunidade de projetistas de circuito práticos, embora *A Arte da Eletrônica* (agora com 35 anos de impressão) tenha nascido como livro-texto. Desta forma, continuamos a abordagem de "como fazer" para o projeto de circuitos; e expandimos a profundidade do tratamento, ao mesmo tempo em que mantivemos a facilidade de acesso e a explicação dos princípios (assim esperamos). Também separamos materiais especificamente de ensino e de laboratório em um outro livro, *Learning the Art of Electronics*, uma ampliação substancial da edição anterior acompanhada do *Student Manual for The Art of Electronics*.[1]

Osciloscópios digitais tornaram mais fácil capturar, comentar e combinar formas de onda medidas, uma capacidade que exploramos com a inclusão de 90 imagens de tela de osciloscópio que ilustram o comportamento dos circuitos em operação. Junto com essas doses de realidade, incluímos (em tabelas e gráficos) quantidades substanciais de dados medidos muito úteis – como o ruído e as características de ganho do transistor (e_n, i_n, $r_{bb'}$; h_{fe}, g_m, g_{oss}), características de chave analógica (R_{ON}, Q_{inj}, capacitância), características de entrada e saída de AOP (e_n e i_n ao longo da frequência, faixa de modo comum de entrada, variação de saída, recuperação autozero, distorção, encapsulamentos disponíveis), e os preços aproximados (!) – aqueles dados que muitas vezes ficam escondidos ou omitidos em folhas de dados, mas que você precisa (e não tem tempo para medir) para projetar circuitos.

Trabalhamos muito durante 20 anos para preparar esta edição, que inclui informações importantes sobre o projeto de circuitos, na forma de cerca de 350 gráficos, 50 fotos e 87 tabelas (listando mais de 1.900 componentes ativos), estas últimas facilitando a escolha inteligente dos componentes do circuito ao listar características essenciais (especificadas e medidas) de dispositivos disponíveis.

Devido à ampliação significativa de temas e profundidade de detalhes, tivemos que deixar para trás alguns assuntos que foram tratados na segundo edição,[2] não obstante o uso de páginas maiores, fontes mais compactas e a maioria das figuras dimensionada para caber em uma única coluna. Alguns materiais adicionais relacionados que esperávamos incluir neste volume (sobre propriedades do mundo real de componentes e tópicos avançados em BJTs, FETs, AOPs, e controle de potência), serão publicados num futuro livro complementar, *The Art of Electronics: The x-Chapters*. O *site* artofelectronics.com, recém-atualizado, fornece uma continuação das coleções de *ideias de circuito* e *circuitos ruins*

---

[1] Ambos por Hayes, T. e Horowitz, P., Cambridge University Press, 1989 e 2015.

[2] Que, no entanto, continuará disponível como e-book (em inglês apenas).

da edição anterior; a nossa esperança é de que ele se torne uma comunidade, com um animado fórum de circuitos eletrônicos.

Como sempre, agradecemos correções e sugestões (e, é claro, os comentários de fãs), que podem ser enviados para horowitz@physics.harvard.edu ou para hill@rowland.harvard.edu.

Agradecimentos. Por onde começar a agradecer aos nossos colegas pelo apoio de valor inestimável? Certamente no topo da lista está David Tranah, incansável editor da Cambridge University Press, o nosso prestativo L^{A}T$_E$Xpert, conselheiro sábio e estudioso de todas as coisas e (você acreditaria?) *compositor*! Esse cara trabalhou duramente em 1.905 páginas de texto assinalado, reconvertendo os arquivos L^{A}T$_E$X com correções de múltiplos tipos, em seguida, inserindo alguns milhares de entradas de índice e fazendo todo o trabalho em suas mais de 1.500 figuras e tabelas vinculadas. E, ainda, aguentando uma dupla de autores agitados. Somos muito gratos a David.

Somos gratos também a Jim Macarthur, projetista de circuitos extraordinário, por sua leitura cuidadosa dos rascunhos de capítulo e sugestões invariavelmente úteis de melhoria; adotamos todas elas. Nosso colega Peter Lu nos ensinou as delícias do Adobe Illustrator, e apareceu no momento em que saíamos dos trilhos; as figuras do livro são prova da qualidade de sua curadoria. E nosso colega sempre divertido Jason Gallicchio generosamente contribuiu com seus talentos de mestre da matemática para revelar graficamente as propriedades de conversão delta-sigma, controle não linear, funções de filtro; ele deixou a sua marca, também, no capítulo sobre microcontroladores, contribuindo com sabedoria e propriedade.

Pelas suas muitas contribuições agradecemos a Bob Adams, Mike Burns, Steve Cerwin, Jesse Colman, Michael Covington, Doug Doskocil, Jon Hagen, Tom Hayes, Phil Hobbs, Peter Horowitz, George Kontopidis, Maggie McFee, Ali Mehmed, Angel Peterchev, Jim Phillips, Marco Sartore, Andrew Speck, Jim Thompson, Jim van Zee, GuYeon Wei, John Willison, Jonathan Wolff, John Woodgate, e Woody Yang. Agradecemos também a outros colegas que certamente esquecemos de mencionar aqui, com desculpas pela omissão. Aqueles que fizeram contribuições adicionais ao conteúdo deste livro (circuitos, ferramentas cheias de inspiração com base na web, medidas incomuns, etc., a partir dos *likes* de Uwe Beis, Tom Bruhns e John Larkin) são referenciados ao longo do texto.

Simon Capelim nos manteve longe do desânimo com o seu estímulo incansável e sua aparente incapacidade de nos repreender quanto a prazos não cumpridos (havíamos combinado de entregar o manuscrito em dezembro de... de 1994! Estávamos atrasados apenas 20 anos). Na cadeia de produção, estamos em débito com o nosso gerente de projeto Peggy Rote, nosso editor Vicki Danahy e um elenco de artistas gráficos que converteram nossos desenhos de circuitos a lápis em belos gráficos vetoriais.

Lembramos com carinho do nosso falecido colega e amigo Jim Williams pelas histórias maravilhosas de falhas e sucessos de circuitos, e pelas suas abordagens sem hesitação de projetos de circuitos de precisão. Sua postura franca é um modelo para todos nós.

E, finalmente, estamos sempre em dívida com nossas esposas amorosas, solidárias e sempre tolerantes, Vida e Ava, que sofreram décadas de desamparo, pois estávamos obcecados com cada detalhe da nossa segunda atualização.

Uma nota sobre as ferramentas. As tabelas foram montadas em Microsoft Excel, e os dados gráficos foram plotados com Igor Pro; ambos foram então "embelezados" com o Adobe Illustrator, com texto e anotações com o tipo Helvetica Neue LT sem serifa. As capturas de tela de osciloscópio são dos nossos TDS3044 e 3054 da Tektronix, tomadas para concluir os estudos no Illustrator, por meio de Photoshop. As fotos do livro foram tiradas principalmente com duas câmeras: uma Calumet Horseman 6 x 9 cm com uma lente de 105 milímetros Schneider Symmar f/5.6 e uma Kodak Plus-X 120 de filme de rolo (desenvolvida em Microdol-X 1:3 a ~24°C e digitalizados com um scanner multiformato Mamiya), e uma Canon 5D com uma lente de deslocamento de inclinação Scheimpflug[3] de 90 milímetros. Os autores fizeram a composição do manuscrito em L^{A}T$_E$X usando o software PCT$_E$X da Personal TeX, Incorporated. O texto foi escrito com as fontes Times New Roman e Helvetica, a primeira datando de 1931,[4] a última concebida em 1957 por Max Miedinger.

Paul Horowitz
Winfield Hill
Cambridge, Massachusetts

---

[3] O que é isso? Pesquise no Google!

[4] Desenvolvida em resposta a uma crítica à fonte antiquada do The Times (Londres).

ADENDO AO AVISO LEGAL

Em complemento ao Aviso Legal anexo ao Prefácio da Segunda Edição, não somos responsáveis por infração aos direitos autorais no que diz respeito ao uso, por terceiros, de exemplos, dados ou outras informações protegidas pela lei, incluindo patentes americanas e estrangeiras. É de exclusiva responsabilidade do leitor garantir que não esteja infringindo quaisquer direitos de propriedade intelectual, mesmo para uso de natureza experimental. Ao usar qualquer dos exemplos, dados ou outras informações deste livro, o leitor concorda em assumir toda a responsabilidade por eventuais danos decorrentes ou relacionados a essa utilização, independentemente de tal responsabilidade se basear na propriedade intelectual ou qualquer outra causa de ação, e independentemente do fato de os danos serem diretos, indiretos, incidentais, consequentes, ou de qualquer ordem. Os autores e a editora se isentam de tal responsabilidade.

CONTEÚDO ONLINE

Na edição brasileira de *A Arte da Eletrônica*, 3ª edição, os Apêndices de E a P foram disponibilizados online. Para ter acesso ao material, visite o site do Grupo A (loja.grupoa.com.br), cadastre-se gratuitamente, encontre a página do livro por meio do campo de busca e clique no ícone Conteúdo Online.

Sumário

1 Fundamentos — 1
- 1.1 Introdução — 1
- 1.2 Tensão, Corrente e Resistência — 1
  - 1.2.1 Tensão e Corrente — 1
  - 1.2.2 Relação Entre Tensão e Corrente: Resistores — 3
  - 1.2.3 Divisores de Tensão — 7
  - 1.2.4 Fontes de Tensão e Fontes de Corrente — 8
  - 1.2.5 Circuito Equivalente de Thévenin — 9
  - 1.2.6 Resistência de Pequenos Sinais — 12
  - 1.2.7 Um Exemplo: "Está Muito Quente!" — 13
- 1.3 Sinais — 13
  - 1.3.1 Sinais Senoidais — 14
  - 1.3.2 Amplitudes de Sinal e Decibéis — 14
  - 1.3.3 Outros Sinais — 15
  - 1.3.4 Níveis Lógicos — 17
  - 1.3.5 Fontes de Sinal — 17
- 1.4 Capacitores e Circuitos CA — 18
  - 1.4.1 Capacitores — 18
  - 1.4.2 Circuitos RC: V e I em Função do Tempo — 21
  - 1.4.3 Diferenciadores — 25
  - 1.4.4 Integradores — 26
  - 1.4.5 Não Exatamente Perfeito... — 28
- 1.5 Indutores e Transformadores — 28
  - 1.5.1 Indutores — 28
  - 1.5.2 Transformadores — 30
- 1.6 Diodos e Circuitos com Diodos — 31
  - 1.6.1 Diodos — 31
  - 1.6.2 Retificação — 31
  - 1.6.3 Filtragem da Fonte de Alimentação — 32
  - 1.6.4 Configurações de Retificador para Fontes de Alimentação — 33
  - 1.6.5 Reguladores — 34
  - 1.6.6 Aplicações de Circuito com Diodos — 35
  - 1.6.7 As Cargas Indutivas e a Proteção com Diodos — 38
  - 1.6.8 Entreato: Indutores como Amigos — 39
- 1.7 Impedância e Reatância — 40
  - 1.7.1 A Análise de Frequência de Circuitos Reativos — 41
  - 1.7.2 Reatância de Indutores — 44
  - 1.7.3 Tensões e Correntes como Números Complexos — 44
  - 1.7.4 Reatância de Capacitores e Indutores — 45
  - 1.7.5 A Lei de Ohm Generalizada — 46
  - 1.7.6 Potência em Circuitos Reativos — 47
  - 1.7.7 Divisores de Tensão Generalizados — 48
  - 1.7.8 Filtros *RC* Passa-Altas — 48
  - 1.7.9 Filtros *RC* Passa-Baixas — 50
  - 1.7.10 Diferenciadores e Integradores *RC* no Domínio da Frequência — 51
  - 1.7.11 Indutores *Versus* Capacitores — 51
  - 1.7.12 Diagramas Fasoriais — 51
  - 1.7.13 "Polos" e Decibéis por Oitava — 52
  - 1.7.14 Circuitos Ressonantes — 52
  - 1.7.15 Filtros *LC* — 54
  - 1.7.16 Outras Aplicações de Capacitores — 54
  - 1.7.17 Teorema de Thévenin Generalizado — 55
- 1.8 Juntando Tudo – Rádio AM — 55
- 1.9 Outros Componentes Passivos — 56
  - 1.9.1 Dispositivos Eletromecânicos: Chaves — 56
  - 1.9.2 Dispositivos Eletromecânicos: Relés — 59
  - 1.9.3 Conectores — 59
  - 1.9.4 Indicadores — 61
  - 1.9.5 Componentes Variáveis — 63
- 1.10 A Gota d'Água: Confusão de Marcações e Componentes Minúsculos — 64
  - 1.10.1 Tecnologia de Montagem em Superfície: a Alegria e a Dor — 65

Revisão do Capítulo 1 — 68

2 Transistores bipolares — 71
- 2.1 Introdução — 71
  - 2.1.1 Primeiro Modelo do Transistor: Amplificador de Corrente — 72
- 2.2 Alguns Circuitos Básicos com Transistor — 73
  - 2.2.1 Chave com Transistor — 73
  - 2.2.2 Exemplos de Circuitos de Comutação — 75
  - 2.2.3 Seguidor de Emissor — 79
  - 2.2.4 Seguidores de Emissor como Reguladores de Tensão — 82
  - 2.2.5 Polarização de um Seguidor de Emissor — 83
  - 2.2.6 Fonte de Corrente — 85
  - 2.2.7 Amplificador Emissor Comum — 87
  - 2.2.8 Divisor de Fase de Ganho Unitário — 88
  - 2.2.9 Transcondutância — 89
- 2.3 Modelo Ebers-Moll Aplicado aos Circuitos Básicos com Transistor — 90
  - 2.3.1 Melhoria do Modelo de Transistor: Amplificador de Transcondutância — 90
  - 2.3.2 Consequências do Modelo de Ebers-Moll: Regras Práticas para Projeto com Transistor — 91
  - 2.3.3 O Seguidor de Emissor Reexaminado — 93

2.3.4 O Amplificador Emissor Comum Reexaminado — 93
2.3.5 Polarização do Amplificador Emissor Comum — 96
2.3.6 Uma Discussão Paralela: o Transistor Perfeito — 99
2.3.7 Espelhos de Corrente — 101
2.3.8 Amplificadores Diferenciais — 102

2.4 Alguns Blocos Construtivos de Amplificador — 105
2.4.1 Estágios de Saída *Push-Pull* — 106
2.4.2 Conexão Darlington — 109
2.4.3 *Bootstrapping* — 111
2.4.4 Partilha de Corrente em BJTs em Paralelo — 112
2.4.5 Capacitância e Efeito Miller — 113
2.4.6 Transistores de Efeito de Campo — 115

2.5 Realimentação Negativa — 115
2.5.1 Introdução à Realimentação — 116
2.5.2 Equação do Ganho — 116
2.5.3 Efeitos da Realimentação em Circuitos Amplificadores — 117
2.5.4 Dois Detalhes Importantes — 120
2.5.5 Dois Exemplos de Amplificadores com Transistor com Realimentação — 121

2.6 Alguns Circuitos de Transistores Típicos — 123
2.6.1 Fonte de Alimentação Regulada — 123
2.6.2 Controlador de Temperatura — 123
2.6.3 Uma Lógica Simples com Transistores e Diodos — 123

Revisão do Capítulo 2 — 126
Exemplos de Circuito — 127

3 Transistores de efeito de campo — 131

3.1 Introdução — 131
3.1.1 Curvas Características de FETs — 131
3.1.2 Tipos de FET — 134
3.1.3 Curvas Características Universais FET — 136
3.1.4 Curvas Características de Dreno de FETs — 137
3.1.5 Amplitude de Valores dos Parâmetros de FETs na Fabricação — 139
3.1.6 Circuitos FET Básicos — 140

3.2 Circuitos Lineares com FET — 141
3.2.1 Alguns JFETs Representativos: Uma Breve Análise — 141
3.2.2 Fontes de Corrente JFET — 142
3.2.3 Amplificadores FET — 146
3.2.4 Amplificadores Diferenciais — 152
3.2.5 Osciladores — 156
3.2.6 Seguidores de Fonte — 156
3.2.7 FETs como Resistores Variáveis — 161
3.2.8 Corrente de Porta do FET — 163

3.3 Um Olhar Mais Atento aos JFETs — 165
3.3.1 Corrente de Dreno *versus* Tensão de Porta — 165
3.3.2 Corrente de Dreno *versus* Tensão Dreno-Fonte: Condutância de Saída — 166
3.3.3 Transcondutância *versus* Corrente de Dreno — 168
3.3.4 Transcondutância *versus* Tensão de Dreno — 170
3.3.5 Capacitância do JFET — 170
3.3.6 Por que Amplificadores JFET (*versus* MOSFET)? — 170

3.4 Chaves FET — 171
3.4.1 Chaves Analógicas FET — 171
3.4.2 Limitações de Chaves FET — 174
3.4.3 Alguns Exemplos de Chaves Analógicas FET — 182
3.4.4 Chaves Lógicas MOSFET — 184

3.5 MOSFETs de Potência — 187
3.5.1 Alta Impedância e Estabilidade Térmica — 187
3.5.2 Parâmetros de Chaveamento de MOSFET de Potência — 192
3.5.3 Chaveamento de Potência a Partir de Níveis Lógicos — 192
3.5.4 Cuidados com a Comutação de Potência — 196
3.5.5 MOSFETs *Versus* BJTs como Chaves de Altas Correntes — 201
3.5.6 Alguns Exemplos de Circuitos de MOSFET de Potência — 202
3.5.7 IGBTs e Outros Semicondutores de Potência — 207

3.6 MOSFETs em Aplicações Lineares — 208
3.6.1 Amplificador Piezoelétrico de Alta Tensão — 208
3.6.2 Alguns Circuitos de Modo Depleção — 209
3.6.3 MOSFETs em Paralelo — 212
3.6.4 Deriva Térmica — 214

Revisão do Capítulo 3 — 219

4 Amplificadores operacionais — 223

4.1 Introdução aos AOPs – o "Dispositivo Perfeito" — 223
4.1.1 Realimentação e AOPs — 223
4.1.2 Amplificadores Operacionais — 224
4.1.3 As Regras Práticas — 225

4.2 Circuitos Básicos com AOP — 225
4.2.1 Amplificador Inversor — 225
4.2.2 Amplificador Não Inversor — 226
4.2.3 Seguidor — 227
4.2.4 Amplificador de Diferença — 227
4.2.5 Fontes de Corrente — 228
4.2.6 Integradores — 230
4.2.7 Precauções Básicas para Circuitos AOP — 231

4.3 Uma Miscelânea de AOPs — 232
4.3.1 Circuitos Lineares — 232
4.3.2 Circuitos Não Lineares — 236
4.3.3 Aplicação de AOP: Oscilador de Onda Triangular — 239
4.3.4 Aplicação de AOP: Verificador da Tensão de Constrição — 240

4.3.5 Gerador de Largura de Pulso Programável	241
4.3.6 Filtro Passa-Baixas Ativo	241

4.4 Um Olhar Detalhado Sobre o Comportamento do AOP — 242

- 4.4.1 Desvio do Desempenho do AOP a Partir do Ideal — 243
- 4.4.2 Efeitos das Limitações dos AOPs no Comportamento do Circuito — 249
- 4.4.3 Exemplo: Milivoltímetro Sensível — 253
- 4.4.4 Largura de Banda e Fonte de Corrente com AOP — 254

4.5 Uma Análise Detalhada de Circuitos com AOP Selecionados — 254

- 4.5.1 Detector de Pico Ativo — 254
- 4.5.2 Amostragem e Retenção — 256
- 4.5.3 Ceifamento Ativo — 257
- 4.5.4 Circuito de Valor Absoluto — 257
- 4.5.5 Um Olhar mais Atento para o Integrador — 257
- 4.5.6 Um Circuito para Solucionar a Fuga do FET — 259
- 4.5.7 Diferenciadores — 260

4.6 Operação do AOP com uma Fonte de Alimentação Simples — 261

- 4.6.1 Polarização de Amplificadores CA de Alimentação Simples — 261
- 4.6.2 Cargas Capacitivas — 264
- 4.6.3 AOPs de "Fontes Simples" — 265
- 4.6.4 Exemplo: Oscilador Controlado por Tensão — 267
- 4.6.5 Implementação de um VCO: PTH *Versus* SMD — 268
- 4.6.6 Detector de Cruzamento Zero — 269
- 4.6.7 Uma Tabela de AOP — 270

4.7 Outros Amplificadores e Tipos de AOPs — 270

4.8 Alguns Circuitos AOPs Típicos — 274

- 4.8.1 Amplificador de Laboratório de Uso Geral — 274
- 4.8.2 Rastreador de Sinal — 276
- 4.8.3 Circuito de Detecção de Corrente de Carga — 277
- 4.8.4 Monitor do Nível de Bronzeado — 278

4.9 Compensação de Frequência de Amplificador com Realimentação — 280

- 4.9.1 Ganho e Deslocamento de Fase em Função da Frequência — 281
- 4.9.2 Métodos de Compensação de Amplificador — 282
- 4.9.3 Resposta de Frequência da Rede de Realimentação — 284

Revisão do Capítulo 4 — 288

5 Circuitos de precisão — 292

5.1 Técnicas de Projeto de AOPs de Precisão — 292

- 5.1.1 Precisão *Versus* Faixa Dinâmica — 292
- 5.1.2 Estimativa de Erro — 293

5.2 Um Exemplo: De Volta ao Milivoltímetro — 293

- 5.2.1 O Desafio: 10 mV, 1%, 10 MΩ, Fonte Simples de 1,8 V — 293
- 5.2.2 A Solução: Fonte de Corrente RRIO de Precisão — 294

5.3 As Lições: Estimativa de Erro, Parâmetros Não Especificados — 295

5.4 Outro Exemplo: Amplificador de Precisão com Cancelamento de *Offset* — 297

- 5.4.1 Descrição do Circuito — 297

5.5 Uma Estimativa de Erro de Projeto de Precisão — 298

- 5.5.1 Estimativa do Erro — 299

5.6 Erros de Componentes — 299

- 5.6.1 Resistores de Definição de Ganho — 300
- 5.6.2 O Capacitor de Retenção — 300
- 5.6.3 Chave de Cancelamento — 300

5.7 Erros de Entrada do Amplificador — 301

- 5.7.1 Impedância de Entrada — 302
- 5.7.2 Corrente de Polarização de Entrada — 302
- 5.7.3 Tensão de *Offset* — 304
- 5.7.4 Rejeição de Modo Comum — 305
- 5.7.5 Rejeição da Fonte de Alimentação — 306
- 5.7.6 Amplificador de Cancelamento: Erros de Entrada — 306

5.8 Erros de Saída do Amplificador — 307

- 5.8.1 Taxa de Variação: Considerações Gerais — 307
- 5.8.2 Largura de Banda e Tempo de Estabilização — 308
- 5.8.3 Distorção de Cruzamento e Impedância de Saída — 309
- 5.8.4 *Buffers* de Potência de Ganho Unitário — 311
- 5.8.5 Erro de Ganho — 312
- 5.8.6 Não Linearidade do Ganho — 312
- 5.8.7 Erro de Fase e "Compensação Ativa" — 314

5.9 AOPs RRIO: o Bom, o mau e o Feio — 315

- 5.9.1 Questões de Entrada — 316
- 5.9.2 Questões Sobre a Saída — 316

5.10 Escolha de AOP de Precisão — 319

- 5.10.1 "Sete AOPs de Precisão" — 319
- 5.10.2 Quantidade por Encapsulamento — 322
- 5.10.3 Tensão de Alimentação, Faixa de Sinal — 322
- 5.10.4 Operação com Fonte Simples — 322
- 5.10.5 Tensão de *Offset* — *323*
- 5.10.6 Tensão de Ruído — 323
- 5.10.7 Corrente de Polarização — 325
- 5.10.8 Corrente de Ruído — 326
- 5.10.9 CMRR e PSRR — 328
- 5.10.10 GBW, f_T, Taxa de Variação e "m" e Tempo de Estabilização — 328
- 5.10.11 Distorção — 329
- 5.10.12 Criação de um AOP Perfeito — 332

5.11 Amplificadores de Autozero (Chopper Estabilizado) — 333

- 5.11.1 Propriedades do AOP de Autozero — 334

5.11.2	Quando Usar AOPs de Autozero	338
5.11.3	Seleção de um AOP de Autozero	338
5.11.4	Miscelânea de Autozero	340

5.12 Projetados por Mestres: DMMs Precisos da Agilent ... 342
- 5.12.1 É Impossível! ... 342
- 5.12.2 Errado – É Possível! ... 342
- 5.12.3 Diagrama em Bloco: Um Plano Simples ... 343
- 5.12.4 Seção de Entrada de 6,5 Dígitos do 34401A ... 343
- 5.12.5 Seção de Entrada de 7,5 Dígitos do 34420A ... 344

5.13 Amplificadores de Diferença, Diferencial e de Instrumentação: Introdução ... 347

5.14 Amplificador de Diferença ... 348
- 5.14.1 Operação do Circuito Básico ... 348
- 5.14.2 Algumas Aplicações ... 349
- 5.14.3 Parâmetros de Desempenho ... 352
- 5.14.4 Variações de Circuito ... 355

5.15 Amplificador de Instrumentação ... 356
- 5.15.1 Um Primeiro (Porém Ingênuo) Palpite ... 357
- 5.15.2 Amplificador de Instrumentação Clássico de Três AOPs ... 357
- 5.15.3 Considerações do Estágio de Entrada ... 358
- 5.15.4 Construindo o seu Próprio Amplificador de Instrumentação ... 360
- 5.15.5 Proteção de Entrada Robusta ... 362

5.16 Variedades de Amplificadores de Instrumentação ... 362
- 5.16.1 Corrente de Entrada e Ruído ... 362
- 5.16.2 Rejeição de Modo Comum ... 364
- 5.16.3 Impedância de Fonte e CMRR ... 365
- 5.16.4 EMI e Proteção de Entrada ... 366
- 5.16.5 Ajustes de *Offset* e CMRR ... 366
- 5.16.6 Detecção de Corrente de Carga ... 366
- 5.16.7 Caminho de Polarização de Entrada ... 367
- 5.16.8 Faixa de Tensão de Saída ... 367
- 5.16.9 Exemplo de Aplicação: Fonte de Corrente ... 367
- 5.16.10 Outras Configurações ... 368
- 5.16.11 Amplificadores de Instrumentação de Autozero e *Chopper* ... 370
- 5.16.12 Amplificadores de Instrumentação de Ganho Programável ... 370
- 5.16.13 Gerando uma Saída Diferencial ... 372

5.17 Amplificadores Totalmente Diferenciais ... 373
- 5.17.1 Amplificadores Diferenciais: Conceitos Básicos ... 374
- 5.17.2 Exemplo de Aplicação de Amplificador Diferencial: Enlace Analógico de Banda Larga ... 380
- 5.17.3 ADCs de Entrada Diferencial ... 380
- 5.17.4 Casamento de Impedância ... 382
- 5.17.5 Critérios de Seleção de Amplificador Diferencial ... 383

Revisão do Capítulo 5 ... 388

6 Filtros — 391

6.1 Introdução ... 391

6.2 Filtros Passivos ... 391
- 6.2.1 Resposta de Frequência com Filtros *RC* ... 391
- 6.2.2 Desempenho Ideal com Filtros *LC* ... 393
- 6.2.3 Alguns Exemplos Simples ... 393
- 6.2.4 Introdução aos Filtros Ativos: uma Visão Geral ... 396
- 6.2.5 Os Principais Critérios de Desempenho do Filtro ... 399
- 6.2.6 Tipos de Filtro ... 400
- 6.2.7 Implementação de Filtros ... 405

6.3 Circuitos de Filtro Ativo ... 406
- 6.3.1 Circuitos VCVS ... 407
- 6.3.2 Projeto de Filtro VCVS Usando a Nossa Tabela Simplificada ... 407
- 6.3.3 Filtros de Variáveis de Estado ... 410
- 6.3.4 Filtros Notch Duplo T ... 414
- 6.3.5 Filtros Passa-Todas ... 415
- 6.3.6 Filtros a Capacitor Chaveado ... 415
- 6.3.7 Processamento Digital de Sinais ... 418
- 6.3.8 Miscelânea de Filtros ... 422

Revisão do Capítulo 6 ... 423

7 Osciladores e temporizadores — 425

7.1 Osciladores ... 425
- 7.1.1 Introdução aos Osciladores ... 425
- 7.1.2 Osciladores de Relaxação ... 425
- 7.1.3 555: o Chip Oscilador-Temporizador Clássico ... 428
- 7.1.4 Outros CIs Osciladores de Relaxação ... 432
- 7.1.5 Osciladores Senoidais ... 435
- 7.1.6 Osciladores a Cristal de Quartzo ... 443
- 7.1.7 Estabilidade Superior: TCXO, OCXO e além ... 450
- 7.1.8 Síntese de Frequência: DDS e PLL ... 451
- 7.1.9 Osciladores em Quadratura ... 453
- 7.1.10 *Jitter* do Oscilador ... 457

7.2 Temporizadores ... 457
- 7.2.1 Pulsos Disparados por Degraus ... 458
- 7.2.2 Multivibradores Monoestáveis ... 461
- 7.2.3 Uma Aplicação de Monoestável: Limitação de Largura de Pulso e Ciclo de Trabalho ... 465
- 7.2.4 Temporização com Contadores Digitais ... 466

Revisão do Capítulo 7 ... 470

8 Técnicas de baixo ruído — 473

8.1 "Ruído" ... 473
- 8.1.1 Ruído Johnson (Nyquist) ... 474
- 8.1.2 Ruído *Shot* ... 475
- 8.1.3 Ruído 1/*f* (Ruído *Flicker*) ... 476
- 8.1.4 Ruído de Rajada ... 477

8.1.5 Ruído de Banda Limitada 477
8.1.6 Interferência 478
8.2 Relação Sinal-Ruído e Figura de Ruído 478
    8.2.1 Densidade de Potência do Ruído e Largura de Banda 479
    8.2.2 Relação Sinal-Ruído 479
    8.2.3 Figura de Ruído 479
    8.2.4 Temperatura de Ruído 480
8.3 Ruído de Amplificador com Transistor Bipolar 481
    8.3.1 Tensão de Ruído, e_n 481
    8.3.2 Corrente de Ruído i_n 483
    8.3.3 Voltando à Tensão de Ruído do BJT 484
    8.3.4 Um Exemplo de Projeto Simples: Alto-Falante como Microfone 486
    8.3.5 Ruído *Shot* em Fontes de Corrente e Seguidores de Emissor 487
8.4 Determinando e_n a Partir das Especificações de Figura de Ruído 489
    8.4.1 Passo 1: NF *versus* I_C 489
    8.4.2 Passo 2: NF *versus* R_s 489
    8.4.3 Passo 3: Obtendo e_n 490
    8.4.4 Passo 4: O Espectro de e_n 491
    8.4.5 O Espectro de i_n 491
    8.4.6 Quando a Corrente de Operação Não For a Sua Escolha 491
8.5 Projeto de Baixo Ruído com Transistores Bipolares 492
    8.5.1 Exemplo de Figura de Ruído 492
    8.5.2 Gráficos de Ruído de Amplificador com e_n e i_n 493
    8.5.3 Resistência de Ruído 494
    8.5.4 Criação de Gráficos Comparativos de Ruído 494
    8.5.5 Projeto de Baixo Ruído com BJTs: Dois Exemplos 495
    8.5.6 Minimizando o Ruído: BJTs, FETs e Transformadores 496
    8.5.7 Um Exemplo de Projeto: Pré-Amplificador "Detector de Relâmpago" Barato 497
    8.5.8 Seleção de um Transistor Bipolar de Baixo Ruído 500
    8.5.9 Um Desafio de Projeto de Baixo Ruído Extremo: Pré-Amplificador de Microfone de Fita sem Transformador 505
8.6 Projeto de Baixo Ruído com JFETs 509
    8.6.1 Tensão de Ruído de JFETs 509
        A. Tensão de Ruído $1/f$ de JFETs 510
    8.6.2 Corrente de Ruído de JFETs 511
    8.6.3 Projeto Exemplo: Amplificadores "Híbridos" JFET de Banda Larga e Baixo Ruído 512
    8.6.4 Projetado por Mestres: Pré-Amplificador de Baixo Ruído SR560 512
    8.6.5 Seleção de JFETs de Baixo Ruído 515
8.7 Mapeando a Disputa Bipolar-FET 517
    8.7.1 Que Tal MOSFETs? 519
8.8 Ruído em Amplificadores Diferenciais e Realimentados 520
8.9 Ruído em Circuitos de Amplificadores Operacionais 521
    8.9.1 Guia para a Tabela 8.3: Escolha de AOPs de Baixo Ruído 525
    8.9.2 Razão de Rejeição da Fonte de Alimentação 532
    8.9.3 *Wrapup*: a Escolha de um AOP de Baixo Nível de Ruído 533
    8.9.4 Amplificadores de Instrumentação de Baixo Ruído e Amplificadores de Vídeo 533
    8.9.5 AOPs Híbridos de Baixo Ruído 534
8.10 Transformadores de Sinal 535
    8.10.1 Um Amplificador de Banda Larga de Baixo Nível de Ruído com Realimentação por Transformador 536
8.11 Ruído em Amplificadores de Transimpedância 537
    8.11.1 Resumo do Problema de Estabilidade 537
    8.11.2 Ruído de Entrada do Amplificador 538
    8.11.3 O Problema do Ruído e_nC 538
    8.11.4 Ruído no Amplificador de Transresistência 539
    8.11.5 Um Exemplo: Amplificador Fotodiodo de Banda Larga com JFET 540
    8.11.6 Ruído *versus* Ganho no Amplificador de Transimpedância 540
    8.11.7 Limitação da Largura de Banda de Saída no Amplificador de Transimpedância 542
    8.11.8 Amplificadores de Transimpedância Compostos 543
    8.11.9 Redução da Capacitância de Entrada: Amplificador de Transimpedância com *Bootstrap* 547
    8.11.10 Isolação da Capacitância de Entrada: Conectando um Cascode no Amplificador de Transimpedância 548
    8.11.11 Amplificadores de Transimpedância com Realimentação Capacitiva 552
    8.11.12 Pré-Amplificador de Microscópio de Tunelamento com Varredura 553
    8.11.13 Dispositivo de Teste para Compensação e Calibração 554
    8.11.14 Uma Observação Final 555
8.12 Medições de Ruído e Fontes de Ruído 555
    8.12.1 Medição Sem uma Fonte de Ruído 555
    8.12.2 Um Exemplo: Circuito de Teste de Ruído de Transistor 556
    8.12.3 Medição com uma Fonte de Ruído 556
    8.12.4 Fontes de Sinal e Ruído 558
8.13 Limitação de Largura de Banda e Medição de Tensão RMS 561
    8.13.1 Limitando a Largura de Banda 561
    8.13.2 Cálculo do Ruído Integrado 563
    8.13.3 "Ruído de Baixa Frequência" de AOP com Filtro Assimétrico 565

8.13.4	Determinando a Frequência de Corte de $1/f$	566
8.13.5	Medição da Tensão de Ruído	567
8.13.6	Medição da Corrente de Ruído	569
8.13.7	Outra Forma: Produzir o Seu Próprio Instrumento de $fA/\sqrt{Hz}$	571
8.13.8	Miscelânea de Ruído	574

8.14 Melhoria da Relação Sinal-Ruído Pelo Estreitamento da Largura de Banda — 574
- 8.14.1 Detecção Síncrona — 575

8.15 Ruído da Fonte de Alimentação — 578
- 8.15.1 Multiplicador de Capacitância — 578

8.16 Interferência, Blindagem e Aterramento — 579
- 8.16.1 Sinais de Interferência — 579
- 8.16.2 Terras de Sinais — 582
- 8.16.3 Aterramento Entre os Instrumentos — 583

Revisão do Capítulo 8 — 590

9 Regulação de tensão e conversão de potência — 594

9.1 Tutorial: do Zener ao Regulador Linear com Transistor de Passagem em Série — 595
- 9.1.1 Adicionando uma Realimentação — 596

9.2 Circuitos Reguladores Lineares Básicos com o Clássico 723 — 598
- 9.2.1 O Regulador 723 — 598
- 9.2.2 Em Defesa do Ameaçado 723 — 600

9.3 Reguladores Lineares Totalmente Integrados — 600
- 9.3.1 Classificação de CIs Reguladores Lineares — 601
- 9.3.2 Reguladores Fixos de 3 terminais — 601
- 9.3.3 Reguladores Ajustáveis de 3 Terminais — 602
- 9.3.4 Regulador Estilo 317: Sugestões de Aplicações — 604
- 9.3.5 Regulador Estilo 317: Exemplos de Circuito — 608
- 9.3.6 Reguladores de Baixa Queda de Tensão — 610
- 9.3.7 Reguladores de Baixa Queda de Tensão Verdadeiros — 611
- 9.3.8 Regulador de 3 terminais de Referência de Corrente — 611
- 9.3.9 Comparação de Quedas de Tensões Mínimas — 612
- 9.3.10 Exemplo de Circuito de Regulador de Tensão Dupla — 612
- 9.3.11 Escolhas para o Regulador Linear — 613
- 9.3.12 Variações dos Reguladores Lineares — 613
- 9.3.13 Ruído e Filtragem de Ondulação — 619
- 9.3.14 Fontes de Corrente — 620

9.4 Projeto Envolvendo Potência e Calor — 623
- 9.4.1 Transistores de Potência e Dissipadores — 624
- 9.4.2 Área de Operação Segura — 627

9.5 Da Linha CA para a Fonte sem Regulação — 628
- 9.5.1 Componentes de Linha CA — 629
- 9.5.2 Transformador — 632
- 9.5.3 Componentes CC — 633
- 9.5.4 Fonte Simétrica Sem Regulação – na Bancada! — 635
- 9.5.5 Linear *versus* Chaveada: Ondulação e Ruído — 635

9.6 Reguladores Chaveados e Conversores CC-CC — 636
- 9.6.1 Linear *versus* Chaveada — 636
- 9.6.2 Topologias de Conversores de Comutação — 638
- 9.6.3 Conversores Chaveados sem Indutores — 638
- 9.6.4 Conversores com Indutores: as Topologias Não Isoladas Básicas — 641
- 9.6.5 Conversor *Step-Down* (*Buck*) — 642
- 9.6.6 Conversor *Step-up* (*Boost*) — 647
- 9.6.7 Conversor Inversor — 648
- 9.6.8 Observações Sobre os Conversores Não Isolados — 649
- 9.6.9 Modo de Tensão e Modo de Corrente — 651
- 9.6.10 Conversores com Transformadores: Os Projetos Básicos — 655
- 9.6.11 O Conversor *Flyback* — 655
- 9.6.12 Conversores *Forward* — 656
- 9.6.13 Conversores em Ponte — 659

9.7 Conversores Chaveados Alimentados pela Rede Elétrica CA — 660
- 9.7.1 Estágio de Entrada CA-CC — 660
- 9.7.2 O Conversor CC-CC — 662

9.8 Um Exemplo Real de Fonte Chaveada — 665
- 9.8.1 Fontes Chaveadas: Visualização Superior — 665
- 9.8.2 Fontes Chaveadas: Operação Básica — 665
- 9.8.3 Fontes Chaveadas: Olhando Mais de Perto — 668
- 9.8.4 O "Projeto de Referência" — 671
- 9.8.5 Resumo: Comentários Gerais Sobre Fontes Chaveadas Alimentadas pela Rede Elétrica — 672
- 9.8.6 Quando Usar Fontes Chaveadas — 673

9.9 Inversores e Amplificadores Chaveados — 673

9.10 Referências de Tensão — 674
- 9.10.1 Diodo Zener — 674
- 9.10.2 Referência de Barreira de Potencial (V_{BE}) — 679
- 9.10.3 Referência JFET *pinch-off* (V_P) — 680
- 9.10.4 Referência de Porta Flutuante — 681
- 9.10.5 Referências de Precisão de 3 Terminais — 681
- 9.10.6 Ruído de Referência de Tensão — 682
- 9.10.7 Referências de Tensão: Comentários Adicionais — 683

9.11 Módulos de Fonte de Alimentação Comerciais — 684

9.12 Armazenamento de Energia: Baterias e Capacitores — 686
- 9.12.1 Características de Baterias — 687
- 9.12.2 Escolhendo uma Bateria — 688
- 9.12.3 Armazenamento de Energia em Capacitores — 688

9.13 Tópicos Adicionais na Regulação de Potência — 690
- 9.13.1 *Crowbars* de Sobretensão — 690
- 9.13.2 Extensão da Faixa de Tensão de Entrada — 693
- 9.13.3 Limitação Por Redução de Corrente — 693

	9.13.4 Transistor de Passagem Fora da Placa	694
	9.13.5 Reguladores de Alta Tensão	695

Revisão do Capítulo 9 — 699

10 Fundamentos de lógica digital — 703

10.1 Conceitos Básicos de Lógica — 703
- 10.1.1 Digital *versus* Analógico — 703
- 10.1.2 Estados Lógicos — 704
- 10.1.3 Códigos Numéricos — 705
- 10.1.4 Gates e Tabelas-Verdade — 708
- 10.1.5 Circuitos Discretos Para Portas — 711
- 10.1.6 Exemplo de Porta Lógica — 712
- 10.1.7 Notação de Nível Lógico Ativo — 713

10.2 Circuitos Integrados Digitais: CMOS e Bipolar (TTL) — 714
- 10.2.1 Catálogo de Portas Comuns — 715
- 10.2.2 Circuitos das Portas em CIs — 717
- 10.2.3 Características CMOS e Bipolar ("TTL") — 717
- 10.2.4 Dispositivos de Três Estados e de Coletor Aberto — 720

10.3 Lógica Combinacional — 722
- 10.3.1 Identidades Lógicas — 722
- 10.3.2 Minimização e Mapas de Karnaugh — 723
- 10.3.3 Funções Combinacionais Disponíveis como CIs — 724

10.4 Lógica Sequencial — 728
- 10.4.1 Os Dispositivos com Memória: *Flip-flops* — 728
- 10.4.2 *Flip-flops* com Clock — 730
- 10.4.3 Combinando Memória e Portas: Lógica Sequencial — 734
- 10.4.4 Sincronizador — 737
- 10.4.5 Multivibrador Monoestável — 738
- 10.4.6 Geração de Pulso Simples com *Flip-flops* e Contadores — 740

10.5 Funções Sequenciais Disponíveis Como Circuitos Integrados — 740
- 10.5.1 *Latches* e Registradores — 740
- 10.5.2 Contadores — 741
- 10.5.3 Registradores de Deslocamento — 744
- 10.5.4 Dispositivos Lógicos Programáveis — 745
- 10.5.5 Funções Sequenciais Diversas — 746

10.6 Alguns Circuitos Digitais Típicos — 748
- 10.6.1 Contador de Módulo *n*: um Exemplo de Temporização — 748
- 10.6.2 Display Digital de LED Multiplexado — 750
- 10.6.3 Um Gerador de *n* Pulsos — 752

10.7 Projeto Digital de Micropotência — 753
- 10.7.1 Mantendo CMOS com Baixa Potência — 754

10.8 Problemas em Circuitos Lógicos — 755
- 10.8.1 Problemas CC — 755
- 10.8.2 Problemas de Comutação — 756
- 10.8.3 Deficiências Congênitas de TTL e CMOS — 758

Revisão do Capítulo 10 — 762

11 Dispositivos lógicos programáveis — 764

11.1 Uma Breve História — 764

11.2 O Hardware — 765
- 11.2.1 O Dispositivo PAL Básico — 765
- 11.2.2 O PLA — 768
- 11.2.3 O FPGA — 768
- 11.2.4 A Memória de Configuração — 769
- 11.2.5 Outros Dispositivos Lógicos Programáveis — 769
- 11.2.6 O software — 769

11.3 Um Exemplo: Gerador de Byte Pseudoaleatório — 770
- 11.3.1 Como Fazer Bytes Pseudoaleatórios — 771
- 11.3.2 Implementação em Lógica Padrão — 772
- 11.3.3 Implementação com Lógica Programável — 772
- 11.3.4 Lógica Programável – Inserção em HDL — 775
- 11.3.5 Implementação com um Microcontrolador — 777

11.4 Conselho — 782
- 11.4.1 Por Tecnologias — 782
- 11.4.2 Por Comunidades de Usuários — 785

Revisão do Capítulo 11 — 787

12 Interfaceamento lógico — 790

12.1 Interfaceamento Lógico Entre CMOS e TTL — 790
- 12.1.1 Cronologia de Famílias Lógicas – um Breve Histórico — 790
- 12.1.2 Características de Entrada e Saída — 794
- 12.1.3 Interfaceamento Entre Famílias Lógicas — 798
- 12.1.4 Acionamento de Entradas Lógicas Digitais — 802
- 12.1.5 Proteção de Entrada — 804
- 12.1.6 Alguns Comentários Sobre Entradas Lógicas — 806
- 12.1.7 Acionamento de Lógica Digital a Partir de Comparadores ou AOPs — 806

12.2 Um Aparte: Sondagem de Sinais Digitais — 809

12.3 Comparadores — 810
- 12.3.1 Saídas — 810
- 12.3.2 Entradas — 812
- 12.3.3 Outros parâmetros — 815
- 12.3.4 Outros Cuidados — 817

12.4 Acionando Cargas Digitais Externas a Partir de Níveis Lógicos — 817
- 12.4.1 Cargas Positivas: Acionamento Direto — 817
- 12.4.2 Cargas Positivas: Auxiliadas por Transistor — 820
- 12.4.3 Cargas Negativas ou CA — 821
- 12.4.4 Proteção de Chaves de Potência — 823
- 12.4.5 Interfaceamento LSI nMOS — 826

12.5 Optoeletrônicos: Emissores — 829
- 12.5.1 Indicadores e LEDs — 829
- 12.5.2 Diodos Laser — 834
- 12.5.3 Displays — 836

12.6 Optoeletrônicos: Detectores — 840
- 12.6.1 Fotodiodos e Fototransistores — 841
- 12.6.2 Fotomultiplicadores — 842

12.7 Optoacopladores e Relés 843
    12.7.1 I: Optoacopladores de Saída de Fototransistor 844
    12.7.2 II: Optoacopladores de Saída Lógica 844
    12.7.3 III: Optoacopladores Acionadores de Porta 846
    12.7.4 IV: Optoacopladores Orientados para Analógico 847
    12.7.5 V: Relés de Estado Sólido (Saída de Transistor) 848
    12.7.6 VI: Relés de Estado Sólido (Saída Triac/SCR) 849
    12.7.7 VII: Optoacopladores de Entrada CA 851
    12.7.8 Interruptores 851

12.8 Optoeletrônicos: Enlaces Digitais de Fibra Óptica 852
    12.8.1 TOSLINK 852
    12.8.2 Versatile Link 854
    12.8.3 Módulos de Fibra de Vidro ST/SC 855
    12.8.4 Módulos Transceptores de Fibra de Alta Velocidade Totalmente Integrado 855

12.9 Sinais Digitais e Fios Longos 856
    12.9.1 Interconexões na Placa 856
    12.9.2 Conexões Entre Cartões 858

12.10 Acionamento de Cabos 858
    12.10.1 Cabo Coaxial 858
    12.10.2 Solução I: Terminação no Receptor 860
    12.10.3 Cabo de Par Diferencial 864
    12.10.4 RS-232 871
    12.10.5 Conclusão 874

Revisão do Capítulo 12 875

13 Integração entre analógico e digital 879

13.1 Algumas preliminares 879
    13.1.1 Os Parâmetros Básicos de Desempenho 879
    13.1.2 Códigos 880
    13.1.3 Erros do Conversor 880
    13.1.4 Sozinho *Versus* Integrado 880

13.2 Conversores Digital-Analógico 881
    13.2.1 DACs de Sequência de Resistores 881
    13.2.2 DACs de Escada *R-2R* 882
    13.2.3 DACs de Direcionamento de Corrente 883
    13.2.4 DACs Multiplicadores 884
    13.2.5 Gerando uma Saída de Tensão 885
    13.2.6 Seis DACs 886
    13.2.7 DACs Delta-sigma 888
    13.2.8 PWM como Conversor Digital-Analógico 888
    13.2.9 Conversores Frequência-Tensão 890
    13.2.10 Multiplicador de Taxa 890
    13.2.11 Escolha de um DAC 891

13.3 Alguns Exemplos de Aplicação de DACs 891
    13.3.1 Fonte de Laboratório de Uso Geral 891
    13.3.2 Fonte de Oito Canais 893
    13.3.3 Fonte de Corrente de Nanoamperes de Bipolaridade e Ampla Compliance 894
    13.3.4 Acionamento de Bobina de Precisão 897

13.4 Linearidade do Conversor – um Olhar mais Atento 899

13.5 Conversores Analógico-Digital 900
    13.5.1 Digitalização: Aliasing, Taxa de Amostragem e Profundidade da Amostragem 900
    13.5.2 Tecnologias de ADC 902

13.6 ADCs I: Codificador Paralelo (*Flash*) 903
    13.6.1 Codificadores *Flash* Modificados 903
    13.6.2 Acionando ADCs *flash*, *folding* e RF 904
    13.6.3 Exemplo de Conversor *Flash* Subamostrado 907

13.7 ADCs II: Aproximação Sucessiva 907
    13.7.1 Um Exemplo Simples de SAR 909
    13.7.2 Variações no Método de Aproximação Sucessiva 909
    13.7.3 Exemplo de Conversão A/D 910

13.8 ADCs III: Integração 912
    13.8.1 Conversão Tensão-Frequência 912
    13.8.2 Integração de Rampa Simples 914
    13.8.3 Conversores de Integração 914
    13.8.4 Integração de Dupla Rampa 914
    13.8.5 Chaves Analógicas em Aplicações de Conversão (um Desvio) 916
    13.8.6 Projetos de Mestres: Conversores de "Múltipla Rampa" de Classe Mundia da Agilent 918

13.9 ADCs IV: Delta-Sigma 922
    13.9.1 Um Delta-Sigma Simples para o Nosso Monitor de Bronzeamento 922
    13.9.2 Desmistificando o Conversor Delta-Sigma 923
    13.9.3 ADC e DAC $\Delta\Sigma$ 923
    13.9.4 O Processo $\Delta\Sigma$ 924
    13.9.5 Um aparte: "Modelamento do Ruído" 927
    13.9.6 O Ponto Principal 928
    13.9.7 Uma Simulação 928
    13.9.8 E os DACs? 930
    13.9.9 Prós e Contras de Conversores de Sobreamostragem $\Delta\Sigma$ 931
    13.9.10 Tons Inativos 932
    13.9.11 Alguns Exemplos de Aplicação de Delta-Sigma 932

13.10 ADCs: Escolhas e Compensações 938
    13.10.1 Delta-Sigma e a Competição 938
    13.10.2 Amostragem versus Cálculo da Média em ADCs: Ruído 940
    13.10.3 Conversores A/D de Micropotência 941

13.11 Alguns Conversores A/D e D/A Incomuns 943
    13.11.1 CI de Medição de Potência CA Multifunções ADE7753 943
    13.11.2 Digitalizador de *Touchscreen* AD7873 945
    13.11.3 ADC AD7927 com Sequenciador 945
    13.11.4 Subsistema de Medição em Ponte de Precisão AD7730 945

Sumário xxiii

13.12 Alguns Exemplos de Sistema de Conversão A/D — 946
    13.12.1 Sistema de Aquisição de Dados de 16 Canais Multiplexado — 946
    13.12.2 Sistema de Aquisição de Dados de Aproximação Sucessiva de Multicanais em Paralelo — 950
    13.12.3 Sistema de Aquisição de Dados Multicanal Paralelo Delta-Sigma — 952

13.13 Malhas de Fase Sincronizadas — 955
    13.13.1 Introdução à Malha de Fase Sincronizada (PLL) — 955
    13.13.2 Componentes do PLL — 957
    13.13.3 Projeto com PLL — 960
    13.13.4 Projeto Exemplo: Multiplicador de Frequência — 961
    13.13.5 Captura e Sincronismo do PLL — 964
    13.13.6 Algumas aplicações de PLL — 966
    13.13.7 Conclusão: Rejeição a Ruído e *Jitter* em PLLs — 974

13.14 Sequências de Bits Pseudoaleatórios e Geração de Ruído — 974
    13.14.1 Geração de Ruído Digital — 974
    13.14.2 Sequências de Registradores de Deslocamento Realimentados — 975
    13.14.3 Geração de Ruído Analógico a Partir de Sequências de Comprimento Máximo — 977
    13.14.4 Espectro de Potência de Sequências de Registradores de Deslocamento — 977
    13.14.5 Filtragem Passa-Baixas — 979
    13.14.6 Conclusão — 981
    13.14.7 "True" Geradores de Ruído Aleatório — 982
    13.14.8 Um "Filtro Digital Híbrido" — 983

Revisão do Capítulo 13 — 985

14 Computadores, controladores e enlaces de dados — 989

14.1 Arquitetura de Computador: CPU e Barramento de Dados — 989
    14.1.1 CPU — 990
    14.1.2 Memória — 991
    14.1.3 Memória de Massa — 991
    14.1.4 Displays, Redes e Portas Paralelas e Seriais — 992
    14.1.5 I/O em Tempo Real — 992
    14.1.6 Barramento de Dados — 992

14.2 Um Conjunto de Instruções de Computador — 993
    14.2.1 Linguagem *Assembly* e Linguagem de Máquina — 993
    14.2.2 Conjunto de Instruções Simplificado do "x86" — 993
    14.2.3 Um Exemplo de Programação — 996

14.3 Sinais de Barramento e Interface — 997
    14.3.1 Sinais de Barramentos Fundamentais: Dados, Endereço e *Strobe* — 997
    14.3.2 I/O Programado: Saída de Dados — 998
    14.3.3 Programação do Desenho Vetorial XY — 1000
    14.3.4 I/O Programado: Entrada de Dados — 1001
    14.3.5 I/O Programado: Registrador de Status — 1002
    14.3.6 I/O Programado: Registradores de Comando — 1005
    14.3.7 Interrupções — 1005
    14.3.8 Tratamento de Interrupção — 1006
    14.3.9 Interrupções em Geral — 1008
    14.3.10 Acesso Direto à Memória — 1010
    14.3.11 Resumo dos Sinais de Barramento de 8 Bits do PC104/ISA — 1012
    14.3.12 O PC104 Como um Computador de Placa Única Embarcado — 1013

14.4 Tipos de Memória — 1014
    14.4.1 Memória Volátil e Não Volátil — 1014
    14.4.2 RAM Estática *Versus* Dinâmica — 1015
    14.4.3 RAM Estática — 1015
    14.4.4 RAM Dinâmica — 1018
    14.4.5 Memória Não Volátil — 1021
    14.4.6 Conclusões Sobre Memórias — 1026

14.5 Outros Barramentos e Enlaces de Dados: Visão Geral — 1027

14.6 Barramentos Paralelos e Enlaces de Dados — 1028
    14.6.1 Interface de Barramento de Chips em Paralelo – Um Exemplo — 1028
    14.6.2 Enlaces de Dados de Chips em Paralelo – Dois Exemplos de Alta Velocidade — 1030
    14.6.3 Outros Barramentos Paralelos de Computador — 1030
    14.6.4 Barramentos Paralelos de Periféricos e Enlaces de Dados — 1031

14.7 Barramentos Seriais e Enlaces de Dados — 1032
    14.7.1 SPI — 1032
    14.7.2 Interface I^2C de 2 fios ("TWI") — 1034
    14.7.3 Interface Serial de "1 fio" da Dallas-Maxim — 1035
    14.7.4 JTAG — 1036
    14.7.5 Clock Perdido: Clock Recuperado — 1037
    14.7.6 SATA, eSATA, e SAS — 1037
    14.7.7 PCI Express — 1037
    14.7.8 Serial Assíncrono (RS-232, RS-485) — 1038
    14.7.9 Codificação Manchester — 1039
    14.7.10 Codificação Bifásica — 1041
    14.7.11 RLL Binário: Inserção de bits — 1041
    14.7.12 Codificação RLL: 8b/10b e Outras — 1041
    14.7.13 USB — 1042
    14.7.14 FireWire — 1042
    14.7.15 CAN (*Controller Area Network*) — 1043
    14.7.16 Ethernet — 1045

14.8 Formatos de Número — 1046
    14.8.1 Inteiros — 1046
    14.8.2 Números de Ponto Flutuante — 1046

Revisão do Capítulo 14 — 1049

15 Microcontroladores — 1053

- 15.1 Introdução — 1053
- 15.2 Projeto Exemplo 1: Monitor de Bronzeamento (V) — 1054
    - 15.2.1 Implementação com um Microcontrolador — 1054
    - 15.2.2 Código do Microcontrolador ("*Firmware*") — 1056
- 15.3 Visão Geral de Famílias de Microcontroladores Populares — 1059
    - 15.3.1 Periféricos Internos ao Chip — 1061
- 15.4 Exemplo de Projeto 2: Controle de Potência CA — 1062
    - 15.4.1 Implementação com Microcontrolador — 1062
    - 15.4.2 Código do Microcontrolador — 1064
- 15.5 Exemplo de Projeto 3: Sintetizador de Frequência — 1065
    - 15.5.1 Código do Microcontrolador — 1067
- 15.6 Projeto Exemplo 4: Controlador Térmico — 1069
    - 15.6.1 O Hardware — 1070
    - 15.6.2 O *Loop* de Controle — 1074
    - 15.6.3 Código do Microcontrolador — 1075
- 15.7 Projeto Exemplo 5: Plataforma Mecânica Estabilizada — 1077
- 15.8 CIs Periféricos para Microcontroladores — 1078
    - 15.8.1 Periféricos com Conexão Direta — 1079
    - 15.8.2 Periféricos com Conexão SPI — 1082
    - 15.8.3 Periféricos com Conexão I^{2}C — 1084
    - 15.8.4 Algumas Restrições de Hardware Importantes — 1086
- 15.9 Ambiente de Desenvolvimento — 1086
    - 15.9.1 Software — 1086
    - 15.9.2 Restrições de Programação em Tempo Real — 1088
    - 15.9.3 Hardware — 1090
    - 15.9.4 O Projeto Arduino — 1092
- 15.10 Conclusão — 1093
    - 15.10.1 Quão caras são as ferramentas? — 1093
    - 15.10.2 Quando Usar Microcontroladores — 1093
    - 15.10.3 Como Selecionar um Microcontrolador — 1094
    - 15.10.4 Uma Mensagem de Despedida — 1094

Revisão do Capítulo 15 — 1095

Apêndice A Revisão de matemática — 1097

Apêndice B Como desenhar diagramas esquemáticos — 1101

Apêndice C Tipos de resistores — 1104

Apêndice D Teorema de Thévenin — 1107

Apêndices no site do Grupo A:

Apêndice E Filtros LC Butterworth — 1109

Apêndice F Retas de carga — 1112

Apêndice G Traçador de curvas — 1115

Apêndice H Linhas de transmissão e casamento de impedância — 1116

Apêndice I Televisão: Um tutorial compacto — 1131

Apêndice J Spice Primer: Introdução à versão gratuita ICAP/4 DEMO — 1146

Apêndice K "Onde posso comprar eletrônicos?" — 1149

Apêndice L Instrumentos e ferramentas de bancada — 1151

Apêndice M Catálogos, revistas, databooks — 1152

Apêndice N Leitura e referências adicionais — 1153

Apêndice O O osciloscópio — 1157

Apêndice P Acrônimos e abreviações — 1165

Índice — 1171

Lista de tabelas

Tabela 1.1	Diodos representativos	32
Tabela 2.1	Transistores bipolares representativos	74
Tabela 2.2	Transistores bipolares de potência	106
	Características de FET: Amplitude dos Valores de Fabricação	139
Tabela 3.1	Minitabela de JFET (veja também a Tabela 3.7, sobre JFET)	141
Tabela 3.2	Seleção de AOPs rápidos com entrada JFET	155
Tabela 3.3	Chaves analógicas	176
Tabela 3.4a	MOSFETs – canal n pequeno (até 250 V), canal p (até 100 V)	188
Tabela 3.4b	MOSFETs de potência canal n, 55 V a 4500 Va (Página 1 de 3)	189
Tabela 3.5	Opções de chaves MOSFET	206
Tabela 3.6	MOSFETs canal n de modo depleção	210
Tabela 3.7	Transistores de efeito de campo de junção (JFETs)	217
Tabela 3.8	Acionadores de porta MOSFET "Low side"	218
Tabela 4.1	Parâmetros de AOP	245
Tabela 4.2a	Amplificadores operacionais representativos (ver também as Tabelas de 5.2 a 5.6 e 8.3)	271
Tabela 4.2b	AOPs monolíticos de potência e alta tensão	272
Tabela 5.1	AOPs candidatos a milivoltímetro	296
Tabela 5.2	AOPs de precisão representativos	302
Tabela 5.3	Oito AOPs de baixa corrente de entrada	303
Tabela 5.4	AOPs de alta velocidade representativos	310
Tabela 5.5	"Sete" AOPs de precisão (página 1: alta tensão)	320
Tabela 5.5	"Sete" AOPs de precisão (página 2: baixa tensão)	321
Tabela 5.6	AOPs *chopper* e autozero	335
Tabela 5.7	Amplificadores de diferença selecionados	353
Tabela 5.8	Amplificadores de instrumentação selecionados	363
Tabela 5.9	Seleção de amplificadores de instrumentação de ganho programável	370
Tabela 5.10	Amplificadores diferenciais selecionados	375
Tabela 6.1	Desempenho no domínio do tempo na comparação de filtros passa-baixas	406
Tabela 6.2	Filtros passa-baixas VCVS	408
Tabela 7.1	Osciladores do tipo 555	430
Tabela 7.2	Tipos de osciladores	452
Tabela 7.3	Multivibradores monoestáveis	462
Tabela 7.4	Temporização dos monoestáveis "tipo 123"	463
Tabela 8.1a	BJTs de baixo ruído	501
Tabela 8.1b	BJTs duais de baixo ruído	502
Tabela 8.2	JFETs de baixo ruído	516
Tabela 8.3a	AOPs de entrada BJT de baixo ruído	522
Tabela 8.3b	AOPs de entrada FET de baixo ruído	523
Tabela 8.3c	AOPs de baixo ruído e alta velocidade	524
Tabela 8.4	Integrais de ruído	564
Tabela 8.5	Medições de ruído de autozero	569
Tabela 9.1	Reguladores fixos tipo 7800	602
Tabela 9.2	Reguladores de tensão ajustáveis de 3 terminais ("estilo LM317")	605
Tabela 9.3	Reguladores lineares de baixa queda de tensão (*low dropout*, LDO)	614
Tabela 9.4	Seleção de conversores de bomba de carga	640
Tabela 9.5a	Reguladores chaveados integrados de modo de tensão	653
Tabela 9.5b	Reguladores chaveados integrados de modo de tensão	654
Tabela 9.6	Controladores com chaves externas	658
Tabela 9.7	Referências de tensão *shunt* (2 terminais)	677
Tabela 9.8	Referências de tensão de séries (3 terminais)	678
Tabela 9.9	Opções de bateria	689
Tabela 9.10	Armazenamento de energia: capacitor *versus* bateria	690
Tabela 10.1	Seleção de famílias lógicas	706
Tabela 10.2	Inteiros sinalizados de 4 bits em três sistemas de representação	707
Tabela 10.3	Portas lógicas padrão em famílias populares	716
Tabela 10.4	Identidades lógicas	722
Tabela 10.5	CIs contadores selecionados	742
Tabela 10.6	RESET/supervisores selecionados	756
Tabela 12.1	Comparadores Representativos	812
Tabela 12.2	Comparadores	813
Tabela 12.3	Registradores lógicos de potência	819
Tabela 12.4	Alguns MOSFETs Protegidosa	825
Tabela 12.5	Chaves de comutação para a fonte selecionadas	826
Tabela 12.6	LEDs para montagem em painel selecionados	832
Tabela 13.1	Seis Conversores Digital-Analogico	889
Tabela 13.2	Conversores D/A Selecionados	893

Tabela 13.3	Conversores D/A multiplicadores	894
Tabela 13.4	Conversores A/D rapidos selecionados	905
Tabela 13.5	Conversores A/D de aproximacao sucessiva selecionados	910
Tabela 13.6	Conversores A/D de micropotencia selecionados	916
Tabela 13.7	Chaves SPDT estilho 4053	917
Tabela 13.8	ADCs Multislope-III da Keysight	921
Tabela 13.9	Conversores A/D delta-sigma selecionados	935
Tabela 13.10	ADCs Delta-Sigma de Audio Selecionados	937
Tabela 13.11	Conversores D/A de audio selecionados	939
Tabela 13.12	Especialidades de conversores A/D	942
Tabela 13.13	PLLs selecionados	972
Tabela 13.14	LFSRs de derivacao simples	976
Tabela 13.15	LFSRs multiplos de 8	976
Tabela 14.1	Conjunto de instruções simplificado do x86	994
Tabela 14.2	Sinais do barramento PC104 /ISA	1013
Tabela 14.3	Barramentos comuns e enlaces de dados	1029
Tabela 14.4	Sinais RS-232	1039
Tabela 14.5	códigos ASCII	1040

Fundamentos

1.1 INTRODUÇÃO

O campo da eletrônica reúne grandes histórias de sucesso do século XX. A partir dos transmissores de centelha rudimentares e detectores de "ponto de contato" (também conhecidos pela expressão "bigode de gato") usados no princípio, a primeira metade do século trouxe uma era da eletrônica denominada tubo de vácuo (ou válvula termiônica), que promoveu sofisticação e encontrou aplicação imediata em áreas como comunicações, navegação, instrumentação, controle e computação. A última metade do século trouxe a eletrônica "de estado sólido" – primeiro, como transistores discretos e, em seguida, como magníficos arranjos dentro de "circuitos integrados" (CIs) –, em uma enxurrada de avanços impressionantes que não mostra sinais de diminuição. Produtos de consumo compactos e baratos agora normalmente contêm muitos milhões de transistores em chips VLSI (integração em escala muito ampla), combinados com optoeletrônica refinada (monitores, lasers e assim por diante); eles podem processar sons, imagens e dados, além de permitir, por exemplo, que redes sem fio e pequenos dispositivos portáteis acessem múltiplos recursos da Internet. Talvez tão notável quanto isso seja a tendência do aumento do desempenho por dólar.[1] Normalmente o custo de um microcircuito eletrônico diminui para uma fração de seu custo inicial à medida que o processo de fabricação é aperfeiçoado (ver Figura 10.87, por exemplo). Na verdade, muitas vezes os controles do painel e o gabinete do hardware de um instrumento custam mais do que seus componentes internos.

No estudo desta emocionante evolução da eletrônica, você pode ter a impressão de que é possível construir pequenos aparelhos poderosos e refinados, a baixo custo, para desempenhar qualquer tarefa – tudo o que você precisa saber é como todos esses dispositivos extraordinários funcionam. Se você já teve essa sensação, este livro é para você. Nele, buscamos transmitir a emoção e o conhecimento sobre a eletrônica.

Neste capítulo, começaremos o estudo das leis, regras práticas e dos truques que constituem a arte da eletrônica como a vemos. É necessário começar pelo princípio – abordando tensão, corrente, potência e os componentes que compõem os circuitos eletrônicos. Como você não pode tocar, ver, cheirar ou ouvir a eletricidade, será necessário um pouco de abstração (em especial no primeiro capítulo), e alguns instrumentos de visualização, como osciloscópios e voltímetros. Em muitos aspectos, o primeiro capítulo é também o que utilizará mais matemática, apesar de nossos esforços para manter a abordagem matemática no mínimo necessário, a fim de promover uma boa compreensão intuitiva do projeto e do comportamento dos circuitos.

Nesta nova edição, incluímos algumas aproximações intuitivas que nossos alunos consideram úteis. A introdução de um ou dois componentes "ativos" antes do momento que normalmente são apresentados possibilita irmos diretamente para algumas aplicações geralmente impossíveis de serem abordadas em um capítulo de "eletrônica passiva"; isso tornará as coisas interessantes e, até mesmo, estimulantes.

Depois dos fundamentos da eletrônica, entramos rapidamente nos circuitos ativos (amplificadores, osciladores, circuitos lógicos, etc.), que fazem o campo da eletrônica ser tão emocionante. O leitor que já tem algum conhecimento de eletrônica poderá pular este capítulo. Mais generalizações neste momento seriam inúteis, então vamos mergulhar no estudo.

1.2 TENSÃO, CORRENTE E RESISTÊNCIA

1.2.1 Tensão e Corrente

Há duas grandezas que gostamos de manter sob controle em circuitos eletrônicos: tensão e corrente. Em geral, elas variam com o tempo; caso contrário, nada de interessante aconteceria.

Tensão (símbolo V ou, algumas vezes, E). Conceitualmente, a tensão entre dois pontos é o custo da energia (trabalho) necessário para mover uma unidade de carga positiva a partir do ponto mais negativo (potencial mais baixo) para o ponto mais positivo (potencial mais elevado). Da mesma forma, é a energia liberada quando uma unidade de carga se move "para baixo" a partir do potencial mais elevado para o mais baixo.[2] A tensão

---

[1] Um computador de meados do século passado (o IBM 650) custava 300.000 dólares, pesava 2,7 toneladas e continha 126 lâmpadas em seu painel de controle; em uma engraçada reviravolta, atualmente uma lâmpada com controle de eficiência energética embutido contém um microcontrolador de maior capacidade *dentro de sua base* e custa cerca de 10 dólares.

[2] Esta é a *definição*, mas dificilmente é a forma como os projetistas de circuitos imaginam a tensão. Com o tempo, você desenvolverá um bom senso intuitivo do que realmente significa a tensão em um circuito eletrônico. Aproximadamente (*muito* aproximadamente) falando, tensão é o que você aplica para fazer a corrente fluir.

também é chamada de *diferença de potencial* ou *força eletromotriz* (FEM). A unidade de medida é o *volt*, com as tensões geralmente expressas em volts (V), quilovolts (1 kV = 10^3 V), milivolts (1 mV = 10^{-3} V) ou microvolts (1 μV = 10^{-6} V) (ver o quadro sobre prefixos). Um joule (J) de trabalho é gasto ao mover um Coulomb (C) de carga através de uma diferença de potencial de 1 V. (O Coulomb é a unidade de carga elétrica e é igual à carga de cerca de 6 × 10^{18} elétrons.) Por razões que se tornarão claras mais adiante, raramente faz-se uso de nanovolts (1 nV = 10^{-9} V) e megavolts (1 MV = 10^6 V).

Corrente (símbolo *I*). Corrente é a taxa de fluxo de carga elétrica que passa em um ponto. A unidade de medida é o ampère, com as correntes normalmente expressas em ampères (A), miliampères (1 mA = 10^{-3} A), microampères (1 μA = 10^{-6} A), nanoampères (1 nA = 10^{-9} A) ou, ocasionalmente, picoampères (1 pA = 10^{-12} A). Uma corrente de 1 ampère é igual a um fluxo de 1 coulomb de carga por segundo. Por convenção, considera-se que a corrente no circuito flui a partir de um ponto mais positivo para um ponto mais negativo, embora o fluxo real de elétrons seja no sentido oposto.

Importante: a partir dessas definições, você pode perceber que as correntes fluem *através* dos elementos e as tensões são aplicadas (ou aparecem) *sobre* os elementos. Então, podemos dizer que sempre nos referimos à tensão *entre* dois pontos ou *sobre* dois pontos em um circuito e sempre nos referimos à corrente *através* de um dispositivo ou uma conexão de um circuito.

Dizer algo como "a tensão através de um resistor..." é um absurdo. No entanto, frequentemente falamos da tensão *em um ponto* em um circuito. Isso é sempre entendido como a tensão entre esse ponto e o "terra", um ponto comum no circuito que todos conhecem. Em breve, você também o identificará.

Geramos tensões ao realizar trabalho sobre cargas em dispositivos, como baterias (conversão de energia eletroquímica), geradores (conversão da energia mecânica por forças magnéticas), células solares (conversão fotovoltaica da energia dos fótons), etc. Obtemos correntes ao aplicar tensões sobre elementos.

Neste ponto, você pode estar se perguntando como se faz para "ver" tensões e correntes. O instrumento eletrônico mais útil é o osciloscópio, que permite olhar para tensões (ou, às vezes, correntes) em um circuito como uma função do tempo.[3] Trataremos de osciloscópios, e também de voltímetros, quando discutirmos sinais; para uma consulta preliminar, veja o Apêndice O e o quadro sobre multímetro mais adiante neste capítulo.

Em circuitos reais, conectamos elementos com fios (condutores metálicos), cada um dos quais com a mesma tensão em todos os pontos (em relação ao terra, por exemplo).[4] Mencionamos isso agora para que você perceba que um circuito real não tem que parecer com o seu diagrama, pois os fios podem ser reorganizados.

Eis algumas regras simples sobre tensão e corrente:

1. A soma das correntes que entram em um ponto no circuito é igual à soma das correntes que saem (conservação de carga). Essa afirmação, às vezes, é denominada lei de Kirchhoff para corrente (LKC). Os engenheiros se referem a tal ponto como um *nó*. Disso resulta que, para um circuito em série (um monte de elementos de dois terminais, todos conectados com a extremidade de um na extremidade do outro), a corrente é a mesma em todos os pontos.
2. Elementos conectados em paralelo (Figura 1.1) têm a mesma tensão sobre eles. Dito de outra forma, a soma das "quedas de tensão" de A para B via um percurso através de um circuito é igual à soma por qualquer outro percurso e é simplesmente a tensão entre A e B. Ainda outra forma de dizer isto é que a soma das quedas de tensão ao longo de qualquer circuito fechado é zero. Essa é a lei de Kirchhoff para tensão (LKT).
3. A potência (energia por unidade de tempo) consumida por um dispositivo de circuito é

$$P = VI$$

Isso é simplesmente (energia/carga) × (carga/tempo). Para *V* em volts e *I* em ampères, *P* é dada em watts. Um watt é um joule por segundo (1 W = 1 J/s). Assim, por exemplo, a corrente que flui através de uma lâmpada de 60 W a 120 V é 0,5 A.

Potência se transforma (geralmente) em calor ou, às vezes, em trabalho mecânico (motores), energia irradiada (lâmpadas, transmissores) ou energia armazenada (baterias, capacitores, indutores). O gerenciamento de uma carga térmica em um sistema complicado (por exemplo, um grande computador, em que muitos quilowatts de energia elétrica são convertidos em calor, com o subproduto energeticamente insignificante de algumas páginas de resultados computacionais) pode ser uma parte crucial do projeto do sistema.

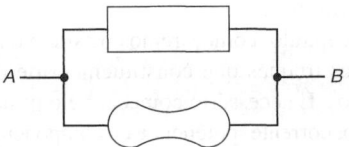

FIGURA 1.1 Conexão em paralelo.

---

[3] Engenheiros e técnicos da área elétrica têm essa esplêndida ferramenta de visualização de tensões e correntes em função do tempo. Saiba que existe, ainda, uma ferramenta igualmente poderosa, denominada analisador de espectro, em que o eixo horizontal é a frequência em vez do tempo.

[4] No domínio das frequências altas ou das baixas impedâncias, essa afirmação não é rigorosamente verdadeira. Teremos mais a dizer sobre isso mais tarde. Por enquanto, esta é uma boa aproximação.

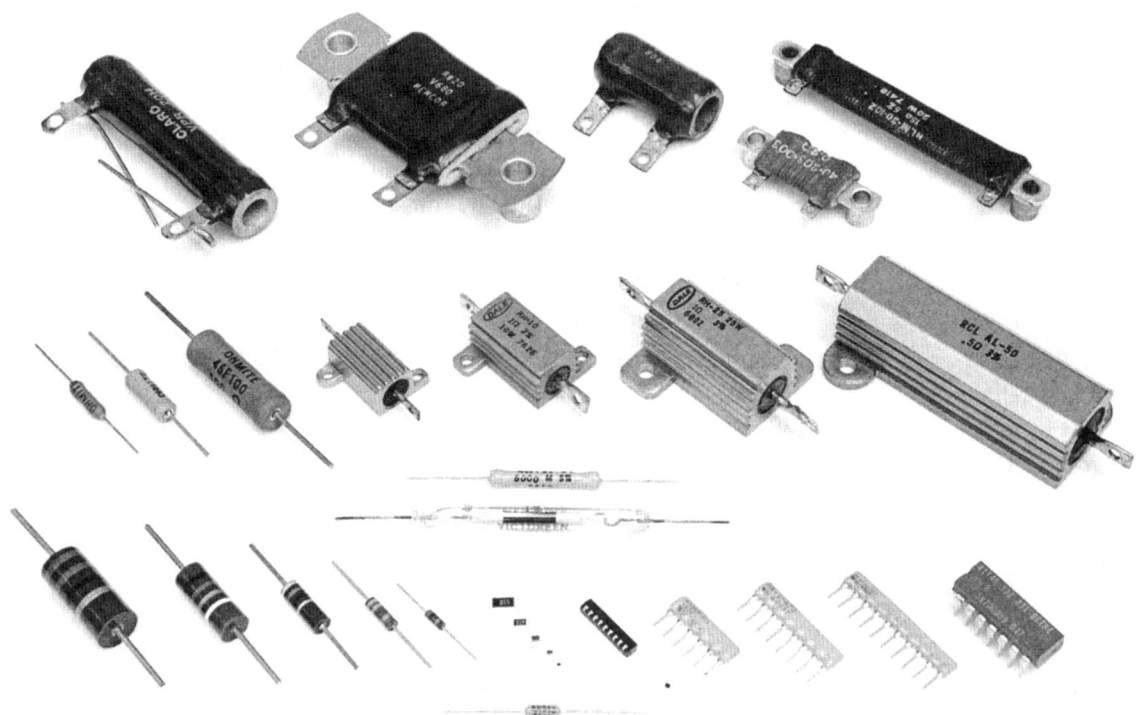

FIGURA 1.2 Uma seleção de tipos de resistores comuns. A linha superior, da esquerda para a direita (resistores cerâmicos de potência feitos de fio enrolado): esmalte vítreo com terminais de 20 W, montagem em chassi de 20 W, esmalte vítreo de 30 W, montagem em chassi de 5 W e 20 W. Linha do meio (resistores de potência feitos de fio enrolado): cerâmico axial de 1 W, 3 W e 5 W; montado em chassi com refrigeração por condução de 5 W, 10 W, 25 W e 50 W ("tipo Dale"). Linha inferior: composição de carbono de 2 W, 1 W, 1/2 W, 1/4 W e 1/8 W; filme espesso de montagem em superfície (tamanhos 2010, 1206, 0805, 0603 e 0402); matriz de resistor de montagem em superfície; matriz em linha de 6, 8 e 10 pinos; matriz DIP. O resistor na parte inferior é o onipresente RN55D 1/4 W, 1% do tipo filme metálico; e o par de resistores acima são *Victoreen* de alta resistência (vidro de 2 GΩ; cerâmica de 5 GΩ).

Em breve, quando lidarmos com tensões e correntes que variam periodicamente, teremos que generalizar a equação simples $P = VI$ para lidarmos com potência *média*, mas ela é uma expressão correta de potência *instantânea* tal como está.

Aliás, não chame corrente de "amperagem", que é uma expressão usada unicamente por amadores.[5] O mesmo cuidado se aplicará ao termo "ohmagem"[6] quando falarmos sobre resistência na próxima seção.

1.2.2 Relação Entre Tensão e Corrente: Resistores

Esta é uma história longa e interessante. É a essência da eletrônica. Grosseiramente falando, o x da questão é construir e usar aparelhos que tenham características *V versus I* interessantes e úteis. Resistores (*I* é proporcional a *V*), capacitores (*I* é proporcional à taxa de variação de *V*), diodos (*I* flui em apenas um sentido), termistores (resistor dependente da temperatura), fotorresistores (resistor dependente da luz), *strain gages*, ou extensômetros (resistor dependente de esforço de tensão ou compressão), etc., são alguns exemplos. Talvez mais interessantes ainda sejam os dispositivos de *três terminais*, como transistores, em que a corrente que pode fluir entre um par de terminais é controlada pela tensão aplicada a um terceiro terminal. Abordaremos gradualmente alguns desses dispositivos exóticos; por enquanto, começaremos com o elemento de circuito mais simples (e mais usado), o resistor (Figura 1.3).

A. Resistência e Resistores

É um fato interessante que a corrente através de um condutor metálico (ou outro material que conduz parcialmente) seja proporcional à tensão sobre ele. (No caso de fios condutores utilizados em circuitos, normalmente escolhemos uma bitola grossa o suficiente para que essas "quedas de tensão" sejam insignificantes.) Essa não é uma lei universal para todos os

---

[5] A menos que você seja um engenheiro que lida com altas potências, trabalhando com transformadores gigantes de 13 kV e assim por diante – aqueles caras, sim, podem dizer amperagem.

[6] ... neste caso também, meu amigo, "ohmagem" não é a nomenclatura preferida: utilize o termo *resistência*, por favor.

FIGURA 1.3 Resistor.

PREFIXOS

Múltiplo	Prefixo	Símbolo	Origem
10^{24}	yotta	Y	penúltima letra do alfabeto latino, faz alusão à letra grega *iota*
10^{21}	zetta	Z	última letra do alfabeto latino, faz alusão à letra grega *zeta*
10^{18}	exa	E	*Hexa* em grego (seis: potência de 1000)
10^{15}	peta	P	*Penta* em grego (cinco: potência de 1000)
10^{12}	tera	T	*Teras* em grego (monstro)
10^{9}	giga	G	*Gigas* em grego (gigante)
10^{6}	mega	M	*Megas* em grego (ótimo)
10^{3}	kilo	k	*Khilioi* em grego (mil)
10^{-3}	milli	m	*Milli* em latim (mil)
10^{-6}	micro	μ	*Mikros* em grego (pequeno)
10^{-9}	nano	n	*Nano* em grego (anão)
10^{-12}	pico	p	de italiano/espanhol *piccolo/pico* (pequeno)
10^{-15}	femto	f	Dinamarquês/norueguês *femten* (quinze)
10^{-18}	atto	a	Dinamarquês/norueguês *atten* (dezoito)
10^{-21}	zepto	z	Última letra do alfabeto latino, espelho de *zetta*
10^{-24}	yocto	y	Penúltima letra do alfabeto latino, espelho de *yotta*

Esses prefixos são universalmente utilizados para dimensionar unidades em ciência e engenharia. Suas origens etimológicas são controversas e não devem ser consideradas historicamente confiáveis. Quando se abrevia uma unidade com um prefixo, o símbolo para a unidade segue o prefixo sem espaço. Tenha cuidado com letras maiúsculas e minúsculas (especialmente m e M) em prefixo e unidade: 1 mW é 1 miliwatt, ou um milésimo de um watt; 1 MHz é um megahertz, ou 1 milhão de hertz. Em geral, as unidades são escritas com letras minúsculas, mesmo quando elas são derivadas de nomes próprios. O nome da unidade não é escrito em maiúsculo quando é expresso por extenso e usado com um prefixo, apenas quando abreviado. Assim: escrevemos hertz e quilohertz, mas escrevemos Hz e kHz; escrevemos watt, miliwatt e megawatt, mas escrevemos W, mW e MW.

objetos. Por exemplo, a corrente através de uma lâmpada de néon é uma função altamente não linear da tensão aplicada (que é igual a zero até uma tensão crítica, ponto no qual ela aumenta drasticamente). O mesmo vale para uma variedade de dispositivos interessantes especiais – diodos, transistores, lâmpadas, etc. (Se você está interessado em entender por que condutores metálicos se comportam dessa forma, leia as Seções 4.4 e 4.5 do livro *Electricity and Magnetism*, de Purcell e Morin.)

Um resistor é feito de algum material condutor (de carbono, filme de metal ou filme de carbono, ou fio de baixa condutividade), com um fio ou contatos em cada extremidade. Ele é caracterizado pela sua resistência:

$$R = V/I \qquad (1.2)$$

R é em ohms para V em volts e I em ampères. Isso é conhecido como lei de Ohm. Resistências típicas do tipo mais frequentemente utilizado (película de óxido metálico, metal filme ou filme de carbono) têm valores de 1 ohm (1 Ω) até cerca de 10 megaohms (10 MΩ). Resistores também são caracterizados por quanta potência eles podem dissipar com segurança (os mais usados têm especificações de 1/4 ou 1/8 W), a sua dimensão física[7] e outros parâmetros, como tolerância (precisão), coeficiente de temperatura, ruído, coeficiente de tensão (na medida em que R depende da tensão V aplicada), estabilidade com o tempo, indutância, etc. Veja o quadro sobre resistores, Apêndice C, para mais detalhes. A Figura 1.2 mostra uma coleção de resistores, com a maioria das morfologias disponíveis representada.

De forma geral, as resistências são usadas para converter uma tensão em corrente, e vice-versa. Isso pode soar terrivelmente banal, mas em breve você entenderá o que queremos dizer.

---

[7] Os tamanhos de chips de resistores e outros componentes destinados à montagem em superfície são especificados por um código de quatro dígitos, em que cada par de dígitos especifica uma dimensão em unidades de 0,010 pol. (0,25 mm). Por exemplo, um resistor de tamanho 0805 é de 2 mm ×1,25 mm, ou 80 mils ×50 mils (1 mil é 0,001 pol.); a altura deve ser especificada separadamente. Além disso, o código de extensão de quatro dígitos pode estar no sistema métrico (por vezes, sem o mencionar!), em unidades de 0,1 mm: assim, um "0805" (sistema inglês) também é um "2012" (métrico).

RESISTORES

Resistores são realmente onipresentes. Há quase tantos tipos deles quanto aplicações. Os resistores são usados em amplificadores como cargas para dispositivos ativos, em redes de polarização e como elementos de realimentação. Em combinação com capacitores, estabelecem constantes de tempo e atuam como filtros. Eles são usados para definir as correntes de operação e níveis de sinal. Resistores são usados em circuitos de alimentação para reduzir as tensões por meio de dissipação de potência, para medir correntes e para descarregar os capacitores após a alimentação ser removida. Eles são utilizados em circuitos de precisão para estabelecer as correntes, para fornecer relações precisas de tensão e para definir valores de ganhos precisos. Em circuitos lógicos, agem como barramentos e terminadores de linha e como resistores de *pull-up* e *pull-down*. Em circuitos de alta tensão, são utilizados para medir as tensões e equalizar correntes de fuga entre diodos ou capacitores conectados em série. Em circuitos de radiofrequência (RF), eles definem a largura de banda de circuitos ressonantes e ainda são usados como formas de bobina de indutores.

Os resistores estão disponíveis com resistências de $0{,}0002\ \Omega$ a $10^{12}\ \Omega$, especificações de potência padrão de 1/8 watt a 250 watts e precisão de 0,005% a 20%. Resistores podem ser fabricados a partir de filmes metálicos, filmes de óxidos metálicos ou filmes de carbono; a partir de molduras de composição de cerâmica ou de carbono; a partir de folha de metal ou fio de metal enrolado sobre uma forma; ou a partir de elementos semicondutores semelhantes aos transistores de efeito de campo (FETs). O tipo de resistor mais utilizado é formado a partir de filme de carbono, de metal ou de óxido e vem em dois "encapsulamentos" amplamente utilizados: o tipo cilíndrico de *terminais axiais* (tipificado pelo genérico resistor de filme metálico RN55D 1% 1/4 W)[8] e o " chip de resistor" bem menor para *montagem em superfície*. Esses tipos comuns são encontrados com tolerâncias de 5%, 2% e 1%, em um conjunto padrão de valores que variam de $1\ \Omega$ a $10\ M\Omega$. Os tipos de 1% têm 96 valores por década, enquanto os tipos de 2% e 5% têm 24 valores por década (ver Anexo C). A Figura 1.2 ilustra a maioria dos encapsulamentos de resistores comuns.

Os resistores são tão fáceis de usar e funcionam tão bem, que, muitas vezes, são esquecidos. No entanto, eles não são perfeitos, e você deve estar atento para algumas de suas limitações para que não seja surpreendido. Os principais defeitos são variações na resistência com temperatura, tensão, tempo e umidade. Outros defeitos referem-se à indutância (que pode ser grave em altas frequências), ao desenvolvimento de pontos quentes térmicos em aplicações de potência e à geração de ruído elétrico em amplificadores de baixo ruído.

---

[8] Especificado conservadoramente como 1/8 watt em sua especificação militar ("*MIL-spec*") RN55, mas especificado como 1/4 watt em sua especificação industrial CMF-55.

B. Resistores em Série e em Paralelo

A partir da definição de R, seguem alguns resultados simples:

1. A resistência de dois resistores em série (Figura 1.4) é

$$R = R_1 + R_2 \qquad (1.3)$$

Ao colocar resistores em série, você sempre terá uma resistência *maior*.

2. A resistência de dois resistores em paralelo (Figura 1.5) é

$$R = \frac{R_1 R_2}{R_1 + R_2} \quad \text{ou} \quad R = \frac{1}{\dfrac{1}{R_1} + \dfrac{1}{R_2}}. \qquad (1.4)$$

Ao colocar resistores em paralelo, você terá sempre uma resistência menor. A resistência é medida em ohms (Ω), mas, na prática, muitas vezes, omitimos o símbolo Ω quando se refere a resistências acima de $1.000\ \Omega$ ($1\ k\Omega$). Assim, uma resistência de $4{,}7\ k\Omega$ é, muitas vezes, referida como um resistor de 4,7k, e um resistor de $1\ M\Omega$, como um resistor de 1M (ou 1 mega).[9] Se você estiver se aborrecendo com esta

FIGURA 1.4   Resistores em série.

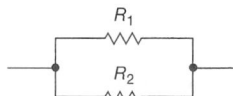

FIGURA 1.5   Resistores em paralelo

introdução, por favor, tenha paciência – chegaremos em breve a inúmeras aplicações divertidas.

Exercício 1.1   Você tem um resistor de 5k e um resistor de 10k. Qual é a sua resistência combinada (a) em série e (b) em paralelo?

Exercício 1.2   Se você colocar um resistor de 1 ohm nos terminais de uma bateria de carro de 12 volts, qual potência ele dissipará?

Exercício 1.3   Teste as fórmulas para o cálculo de resistores em séries e em paralelo.

---

[9] Uma notação alternativa popular "internacional" substitui o ponto decimal com o multiplicador da unidade, assim, podemos escrever 4k7 ou 1M0. Um resistor de $2{,}2\ \Omega$ torna-se 2R2. Há um esquema similar para capacitores e indutores.

Exercício 1.4 Mostre que vários resistores em paralelo têm resistência

$$R = \frac{1}{\frac{1}{R_1} + \frac{1}{R_2} + \frac{1}{R_3} + \cdots} \quad (1.5)$$

Iniciantes tendem a se afastar da álgebra complicada no projeto ou na tentativa de entender a eletrônica. Agora é a hora de começar a aprendizagem intuitiva e os atalhos. Eis dois bons truques:

Atalho n° 1 Uma grande resistência em série (em paralelo) com uma pequena resistência tem, aproximadamente, o valor da resistência maior (menor). Assim, você pode "cortar" um resistor, para obter um valor-alvo alto ou baixo, conectando um segundo resistor em série ou em paralelo: para obter um valor-alvo *alto*, escolha um valor de resistor disponível abaixo do valor-alvo e, em seguida, conecte-o em série ao resistor (que é muito menor) para completar a diferença; para obter um valor-alvo *baixo*, escolha um valor de resistor disponível acima do valor-alvo e, em seguida, conecte-o em paralelo ao resistor (que é muito maior). Para este último, pode-se aproximar com proporções – para diminuir o valor de uma resistência em 1%, por exemplo, coloque um resistor 100 vezes maior em paralelo.[10]

Atalho n° 2 Suponha que você queira uma resistência de 5k em paralelo com 10k. Se você imaginar o resistor de 5k como dois resistores de 10k em paralelo, então o circuito completo é semelhante a três resistores de 10k em paralelo. Uma vez que a resistência de n resistores iguais em paralelo é igual a $1/n$ vezes a resistência dos resistores individuais, a resposta, neste caso, é 10k/3, ou 3,33k. Esse truque é útil, pois permite analisar circuitos rapidamente por meio de cálculos mentais, sem distrações. Queremos incentivar a análise mental, ou, pelo menos, esboços mentais.

Um pouco mais de filosofia caseira: há uma tendência entre os iniciantes de querer calcular valores de resistência e valores de componente de circuito com muitos algarismos significativos, especialmente utilizando calculadoras e computadores. Há duas razões para você evitar esse hábito: (a) os componentes em si são de precisão finita (resistências normalmente têm tolerâncias de ±5% ou ±1%; para capacitores, é tipicamente ±10% ou ±5%; e os parâmetros que caracterizam transistores, por exemplo, frequentemente são conhecidos apenas por um fator de 2); (b) um sinal de um bom projeto de circuito é a insensibilidade do circuito final a valores precisos de componentes (há exceções, claro). Você também aprenderá a usar a intuição em circuito mais rapidamente se adquirir o hábito de fazer cálculos mentais aproximados em vez de observar números sem sentido aparecerem no visor da calculadora. Acreditamos firmemente que a confiança em fórmulas e equações logo no início de seus estudos sobre circuitos eletrônicos impede a compreensão do que está realmente acontecendo.

Na tentativa de desenvolver a intuição em operações com resistências, algumas pessoas acham que é útil pensar usando *condutâncias*, $G = 1/R$. A corrente através de um dispositivo de condutância G submetido a uma tensão V é, então, dada por $I = GV$ (lei de Ohm). Uma pequena resistência é uma grande condutância, com uma grande corrente correspondentemente sob a influência de uma tensão aplicada. Desse ponto de vista, a fórmula para resistências em paralelo é óbvia: quando várias resistências ou trilhas condutoras estão conectadas na mesma tensão, a corrente total é a soma das correntes individuais. Por conseguinte, a condutância resultante é simplesmente a soma das condutâncias individuais, $G = G_1 + G_2 + G_3 + \ldots$, que é a mesma fórmula deduzida anteriormente para resistores em paralelo.

Engenheiros gostam de definir unidades recíprocas, e eles designaram como unidade de condutância o siemens ($S = 1/\Omega$), também conhecido como mho (que é ohm escrito invertido, representado pelo símbolo ℧). Embora o conceito de condutância seja útil no desenvolvimento da intuição, não é amplamente utilizado;[11] a maioria das pessoas prefere lidar com resistência em vez disso.

C. Potência em Resistores

A potência dissipada por uma resistência (ou qualquer outro dispositivo) é $P = IV$. Usando a lei de Ohm, você pode obter as formas equivalentes $P = I^2R$ e $P = V^2/R$.

Exercício 1.5 Mostre que não é possível exceder a potência de um resistor de 1/4 watt de resistência maior do que 1k, não importando como você o conecte, em um circuito operando a partir de uma bateria de 15 volts.

Exercício 1.6 Exercício Opcional: A cidade de Nova York necessita de cerca de 10^{10} watts de potência elétrica, em 115 volts (isso é plausível: 10 milhões de pessoas consomem, em média, 1 quilowatt cada). Um cabo de alimentação para alta corrente pode ter uma polegada (2,54 cm) de diâmetro. Calculemos o que acontecerá se tentarmos transferir energia elétrica através de um cabo com 1 pé (30,48 cm) de diâmetro feito de cobre puro. Sua resistência é 0,05 $\mu\Omega$ (5×10^{-8} ohms) por pé. Calcule (a) a potência perdida por pé a partir da "perda I^2R"; (b) o comprimento do cabo sobre o qual você perderá toda a potência de 10^{10} watts; e (c) o quão quente o cabo estará, se você conhecer a física envolvida ($\sigma = 6 \times 10^{-12}$ W/K^4 cm^2). Se você tiver feito seus cálculos corretamente, o resultado deve parecer absurdo. Qual é a solução para este enigma?

---

[10] Com um erro, neste caso, de apenas 0,01%.

[11] No entanto, o inteligente *teorema Millman* tem seus admiradores: ele diz que a tensão de saída de um conjunto de resistores (chamemo-los de R_i) que são acionados a partir de um conjunto de tensões de entrada correspondente (V_i) e conectados entre si na saída é $V_{\text{out}} = (\sum V_i G_i)/\sum G_i$, onde G_i são as condutâncias ($G_i = 1/R_i$).

D. Entrada e Saída

Quase todos os circuitos eletrônicos aceitam algum tipo de *entrada* aplicada (geralmente uma tensão) e produzem algum tipo de *saída* correspondente (que, mais uma vez, geralmente é uma tensão). Por exemplo, um amplificador de áudio pode produzir uma tensão de saída (variável) 100 vezes maior que a tensão de entrada (que varia de forma semelhante). Ao descrever tal amplificador, imaginamos medir a tensão de saída para uma dada tensão de entrada aplicada. Engenheiros falam da *função de transferência* **H**, a relação da saída (medida) dividida pela entrada (aplicada); para o amplificador de áudio mencionado, **H** é simplesmente uma constante (**H** = 100). No próximo capítulo, abordaremos os amplificadores. No entanto, apenas com resistores já podemos olhar para um fragmento de circuito muito importante, o *divisor de tensão* (que pode ser chamado de "atenuador" ou "deamplificador").

1.2.3 Divisores de Tensão

Chegamos agora ao assunto do divisor de tensão, um dos fragmentos mais difundidos dos circuitos eletrônicos. Mostre-nos qualquer circuito real, e mostraremos meia dúzia de divisores de tensão. De forma mais simples, um divisor de tensão é um circuito que, dada uma determinada tensão de entrada, produz uma fração previsível da tensão de entrada como tensão de saída. O divisor de tensão mais simples está representado na Figura 1.6.

Uma explicação importante: quando os engenheiros projetam um circuito como esse, eles geralmente consideram que V_{in} à esquerda é uma tensão que você está aplicando ao circuito e que V_{out} à direita é a tensão de saída resultante (produzida pelo circuito) que você está medindo (ou pelo menos em que está interessado). Você deve saber tudo isso (a) por causa da convenção que sinaliza geralmente o fluxo da esquerda para a direita, (b) a partir dos nomes sugestivos ("in", "out") dos sinais e (c) a partir de familiaridade com circuitos como este. Isso pode ser confuso no início, mas com o tempo torna-se fácil.

O que é V_{out}? Bem, a corrente (a mesma em todos os pontos, considerando que não há "carga" na saída, ou seja, nada conectado na saída) é

$$I = \frac{V_{in}}{R_1 + R_2}.$$

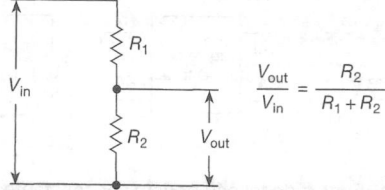

FIGURA 1.6 Divisor de tensão. Uma tensão V_{in} aplicada resulta numa tensão de saída (menor) V_{out}.

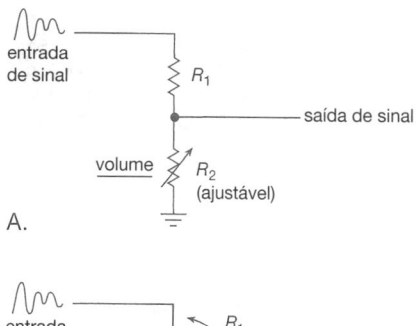

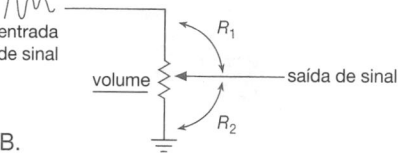

FIGURA 1.7 Um divisor de tensão ajustável pode ser feito a partir de um resistor fixo e um variável, ou a partir de um potenciômetro. Em alguns circuitos atuais, porém, você encontrará uma cadeia longa em série de resistências de mesmo valor, com um arranjo de chaves eletrônicas que lhe permite escolher qualquer uma das junções como a saída; isso soa muito mais complicado, mas tem a vantagem de possibilitar ajustar a relação de tensão eletricamente (em vez de mecanicamente).

(Usamos a definição da lei da resistência e da conexão em série.) Então, para R_2,

$$V_{\text{out}} = IR_2 = \frac{R_2}{R_1 + R_2} V_{\text{in}}. \quad (1.6)$$

Note que a tensão de saída é sempre inferior (ou igual) à tensão de entrada; é por isso que ele é denominado divisor. Você poderia obter amplificação (saída maior do que a entrada) se uma das resistências fosse negativa. Isso não é tão estranho quanto parece; é possível fazer dispositivos com resistências "incrementais" negativas (por exemplo, o componente conhecido como *diodo túnel*) ou mesmo verdadeiras resistências negativas (por exemplo, o conversor de impedância negativa, sobre o qual falaremos na Seção 6.2.4B). No entanto, essas aplicações são bastante especializadas, e você não precisa se preocupar com elas agora.

Divisores de tensão são, muitas vezes, utilizados em circuitos para gerar uma tensão específica a partir de uma tensão fixa (ou variável) maior. Por exemplo, se V_{in} for uma tensão variável e R_2 for um resistor ajustável (Figura 1.7A), você terá um "controle de volume"; de forma mais simples, a combinação $R_1 R_2$ pode ser feita a partir de um único resistor variável, ou potenciômetro (Figura 1.7B). Esta e outras aplicações semelhantes são comuns, e potenciômetros existem em uma variedade de estilos, alguns dos quais são mostrados na Figura 1.8.

O divisor de tensão simples é ainda mais útil como uma forma de *imaginar* um circuito: a tensão de entrada e resistência superior pode representar a saída de um amplificador, por exemplo, e a resistência inferior pode representar a

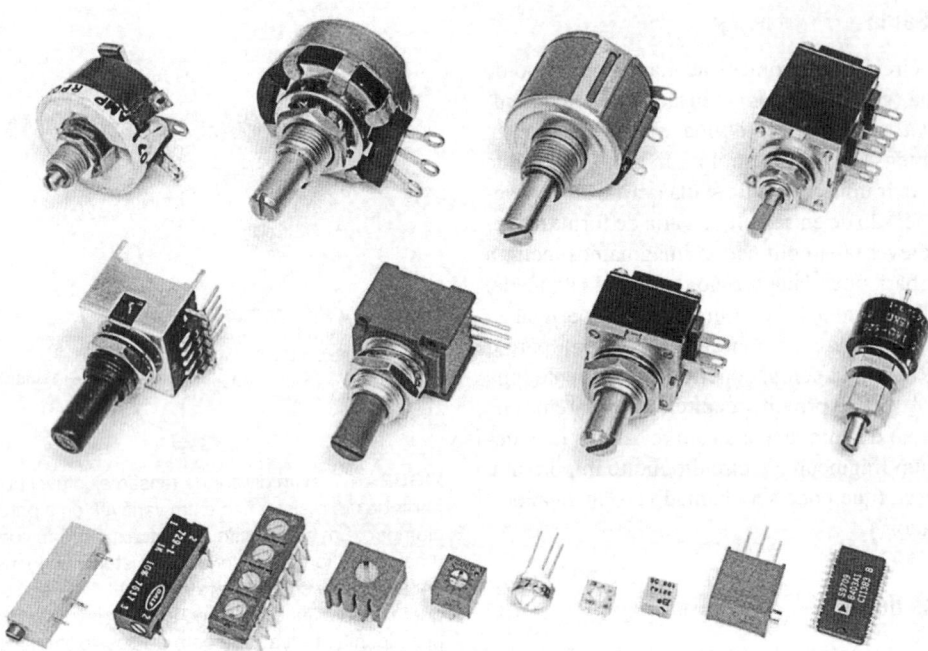

FIGURA 1.8 A maioria dos tipos de potenciômetros comuns é mostrada aqui. Linha superior, da esquerda para a direita (montagem em painel): fio enrolado de potência, "tipo AB" composição de carbono de 2 W, híbrido fio enrolado/plástico de 10 voltas, potenciômetro duplo. Linha média (montagem em painel): Encoder óptico (rotação contínua, 128 ciclos por volta), cermet (liga de cerâmica e metal) de uma volta, carbono de uma volta, ajuste por parafuso com trava de uma volta. Primeira fila (trimpots para montagem em placa): multivoltas com ajuste lateral (dois estilos), quádruplo de uma volta, quadrado de uma volta de 3/8" (9,5 mm), quadrado de uma volta de 1/4" (6,4 mm), redondo de uma volta de 1/4" (6,4 mm), quadrado de 4 milímetros para montagem em superfície, quadrado multivoltas de 4 milímetros para montagem em superfície, quadrado multivoltas de 3/8" (9,5 mm), potenciômetro quadrado não volátil de 256 degraus integrado (E^2POT) em CI de perfil baixo (SO) de 24 pinos.

entrada do estágio seguinte. Neste caso, a equação do divisor de tensão lhe diz quanto de sinal entra no último estágio. Isso ficará mais claro depois que você aprender sobre um fato notável (o teorema de Thévenin), que será discutido mais adiante. Primeiro, porém, abordaremos fontes de tensão e fontes de corrente.

1.2.4 Fontes de Tensão e Fontes de Corrente

Uma *fonte de tensão* perfeita é uma "caixa preta" de dois terminais que mantém uma tensão fixa em seus terminais, independentemente da resistência de carga. Isso significa, por exemplo, que ela deve fornecer uma corrente $I = V/R$ quando uma resistência R for conectada aos seus terminais. Uma fonte de tensão real pode fornecer apenas uma corrente máxima finita e, além disso, em geral, comporta-se como uma fonte de tensão perfeita com uma pequena resistência em série. Obviamente, quanto menor for essa resistência em série, melhor. Por exemplo, uma bateria alcalina de 9 volts padrão se comporta aproximadamente como uma fonte de tensão de 9 volts perfeita em série com um resistor de 3 Ω e pode proporcionar uma corrente máxima (quando em curto) de 3 ampères (que, no entanto, destruirá a bateria em poucos minutos). Uma fonte de tensão "gosta" de uma carga de circuito aberto e "odeia" uma carga em curto-circuito, por razões óbvias. (O significado de "circuito aberto" e "curto-circuito", algumas vezes, confunde o iniciante: um circuito aberto é caracterizado pela ausência de conexão, ao passo que um curto-circuito é um pedaço de fio que faz uma ponte na saída.) Os símbolos utilizados para indicar uma fonte de tensão são mostrados na Figura 1.9.

Uma *fonte de corrente* perfeita é uma caixa preta de dois terminais que mantém uma corrente constante através do circuito externo, independentemente da resistência de carga ou tensão aplicada. Para isso, ela deve ser capaz de fornecer qualquer tensão necessária entre os seus terminais. Fontes de corrente comuns (um assunto pouco abordado na maioria dos livros) têm um limite para a tensão

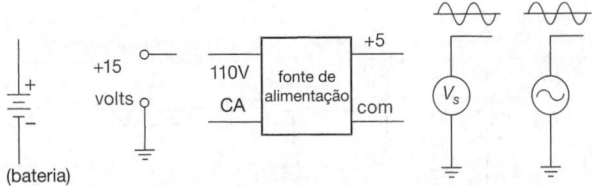

FIGURA 1.9 Fontes de tensão podem ser constantes (CC) ou variáveis (CA).

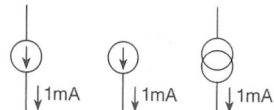

FIGURA 1.10 Símbolos de fontes de corrente.

que podem fornecer (denominado compliance da tensão de saída, ou apenas compliance) e, além disso, não fornecem a corrente de saída absolutamente constante. Uma fonte de corrente "gosta" de uma carga em curto-circuito e "odeia" uma carga de circuito aberto. Os símbolos utilizados para indicar uma fonte de corrente são mostrados na Figura 1.10.

Uma bateria é uma aproximação real para uma fonte de tensão (não há um análogo para uma fonte de corrente). Uma pilha padrão tamanho D de lanterna, por exemplo, tem uma tensão terminal de 1,5 V, uma resistência em série equivalente de cerca de 0,25 Ω e uma capacidade total de energia de cerca de 10.000 watts-segundos (as suas características se deterioram gradualmente com o uso; ao final da sua vida útil, a tensão pode ser de cerca de 1,0 V, com uma resistência interna em série de alguns ohms). É fácil construir fontes de tensão com características muito melhores, como você aprenderá quando estudarmos realimentação; esse é um dos principais tópicos do Capítulo 9. À exceção da importante classe de dispositivos destinados a portabilidade, o uso de baterias em dispositivos eletrônicos é raro.

1.2.5 Circuito Equivalente de Thévenin

O teorema de Thévenin afirma[12] que qualquer rede de dois terminais de resistores e fontes de tensão é equivalente a uma única resistência R em série com uma única fonte de tensão V. Isso é notável. Qualquer emaranhado de baterias e resistores pode ser mimetizado com uma bateria e um resistor (Figura 1.11). (Aliás, há outro teorema, o teorema de Norton, que diz que você pode fazer a mesma coisa com uma fonte de corrente em paralelo com um resistor.)

Como você pode descobrir o R_{Th} e o V_{Th} do equivalente de Thévenin para um determinado circuito? Fácil! V_{Th} é a tensão de circuito aberto do circuito equivalente de Thévenin; por isso, se os dois circuitos se comportam de forma idêntica, também deve ser a tensão de circuito aberto do circuito dado (que você obtém por cálculo, se você sabe o que o circuito é, ou por medição, caso não saiba). Então, você determina R_{Th} observando que a corrente de curto-circuito do circuito equivalente é V_{Th}/R_{Th}. Em outras palavras,

$$V_{Th} = V \text{ (circuito aberto)}$$
$$R_{Th} = \frac{V \text{ (circuito aberto)}}{I \text{ (curto-circuito)}}. \quad (1.7)$$

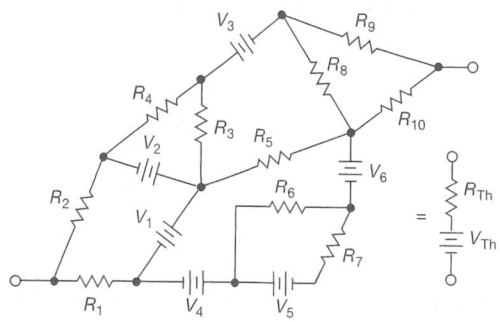

FIGURA 1.11 O circuito equivalente de Thévenin.

Apliquemos esse método para o divisor de tensão, que deve ter um equivalente de Thévenin:

1. A tensão de circuito aberto é

$$V = V_{in}\frac{R_2}{R_1+R_2}.$$

2. A corrente de curto-circuito é

$$V_{in}/R_1.$$

Assim, o circuito equivalente de Thévenin é uma fonte de tensão,

$$V_{Th} = V_{in}\frac{R_2}{R_1+R_2},$$

em série com um resistor de

$$R_{Th} = \frac{R_1 R_2}{R_1+R_2}.$$

(Não é uma coincidência que este passe a ser a resistência em paralelo de R_1 e R_2. A razão disso ficará clara mais adiante.)

A partir desse exemplo, é fácil ver que um divisor de tensão não é uma bateria muito boa, na medida em que a sua tensão de saída cai significativamente quando a carga é conectada. Como um exemplo, considere o Exercício 1.10. Você já sabe tudo o que precisa para calcular exatamente qual será a queda de saída para uma determinada resistência de carga: use o circuito equivalente de Thévenin, anexe uma carga e calcule a nova saída, observando que o novo circuito é nada além de um divisor de tensão (Figura 1.12).

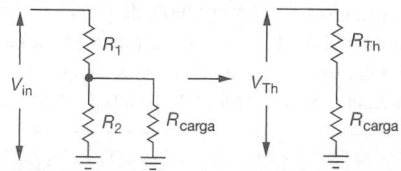

FIGURA 1.12 Equivalente de Thévenin do divisor de tensão.

---

[12] Fornecemos uma demonstração, para aqueles que estão interessados, no Apêndice D.

MULTÍMETROS

Existem diversos instrumentos que permitem medir tensões e correntes em um circuito. O osciloscópio é o mais versátil; ele permite "ver" tensões em função do tempo em um ou mais pontos em um circuito. Pontas de prova lógica e analisadores lógicos são instrumentos especiais para a resolução de problemas de circuitos digitais. Um simples multímetro fornece uma boa maneira de medir tensão, corrente e resistência, muitas vezes com boa precisão; no entanto, ele responde lentamente e, portanto, não pode substituir o osciloscópio quando as tensões de interesse são as variantes. Existem duas variedades de Multímetros: aqueles que indicam as medições em uma escala convencional, com um ponteiro em movimento, e aqueles que usam um mostrador digital.

O tradicional (e agora em grande parte obsoleto) multímetro VOM (volt-ohm-miliamperímetro) usa um galvanômetro que mede a corrente (geralmente 50 μA de fundo de escala). (Procure um livro menos voltado a projetos eletrônicos para ver fotos bonitas da parte interna de um galvanômetro; para os nossos propósitos, basta dizer que ele usa bobinas e ímãs.) Para medir a tensão, o VOM coloca um resistor em série com o galvanômetro. Por exemplo, um tipo de VOM terá um alcance de 1 V (fundo de escala), colocando uma resistência de 20k em série com um galvanômetro de 50 μA; faixas de tensão mais elevadas usam resistores correspondentemente maiores. Tal VOM é especificado como 20.000 Ω/V, o que significa que ele se parece com um resistor cujo valor é 20k multiplicado pela tensão de fundo de escala da faixa específica selecionada. Fundo de escala é qualquer faixa de tensão de 1/20.000 A, ou 50 μA. Deve ficar claro que um desses voltímetros produz menor perturbação em um circuito em uma escala maior, uma vez que ele se parece com uma resistência maior (pense no voltímetro como o resistor inferior de um divisor de tensão e a resistência de Thévenin do circuito que você está medindo como o resistor superior). Idealmente, um voltímetro deve ter resistência de entrada infinita.

A maioria dos multímetros atuais usa amplificação eletrônica e tem uma resistência de entrada de 10 MΩ a 1.000 MΩ quando se mede a tensão; eles exibem seus resultados digitalmente e são conhecidos coletivamente como multímetros digitais (DMMs). Uma advertência: às vezes, a resistência de entrada desses medidores é muito elevada nas faixas mais sensíveis, caindo para uma menor resistência para as faixas mais altas. Por exemplo, você pode tipicamente ter uma resistência de entrada de 10^9 Ω nos intervalos de 0,2 V e 2 V, e 10^7 Ω em todas as faixas mais elevadas. Leia as características atentamente! No entanto, para a maioria das medições de circuitos, essas resistências de entrada elevadas produzirão efeitos de carga desprezíveis. Em qualquer caso, é fácil calcular a gravidade do efeito utilizando a equação do divisor de tensão. Tipicamente, os multímetros fornecem faixas de tensão de um volt (ou menos) a um quilovolt (ou mais), de fundo de escala.

Um multímetro geralmente inclui a capacidade de medição de corrente, com um conjunto de faixas selecionáveis. Idealmente, um medidor de corrente deve ter resistência zero[13], a fim de não perturbar o circuito em teste, uma vez que deve ser colocado em série com o circuito. Na prática, você tolera alguns décimos de queda de tensão (algumas vezes, chamado de "tensão de carga") tanto para os multímetros VOM quanto digitais. Para qualquer tipo de medidor, a seleção de uma faixa de corrente coloca um pequeno resistor entre os terminais de entrada do medidor, tipicamente um valor de resistência para criar uma queda de tensão de 0,1 V a 0,25 V para o fundo de escala da corrente escolhida; a queda de tensão é, então, convertida em uma indicação de corrente correspondente.[14] Normalmente, os multímetros fornecem faixas de corrente de 50 μA (ou menos) a 1 A (ou mais), de fundo de escala.

Multímetros também têm uma ou mais baterias para alimentar o sistema de medição de resistência. Pelo fornecimento de uma pequena corrente e a medição da queda de tensão, eles medem a resistência, com várias faixas para cobrir valores de 1 Ω (ou menos) a 10 MΩ (ou mais).

Importante: não tente medir "a corrente de uma fonte de tensão" colocando os terminais do medidor na tomada da parede; o mesmo se aplica para ohms. Essa é uma das principais causas de queima de medidores.

Exercício 1.7 Qual será a indicação de um medidor de 20.000 Ω/V, na escala de 1 V, quando conectado a uma fonte de 1 V com uma resistência interna de 10k? O que ele indicará quando conectado a um divisor de tensão de 10k-10k acionado por uma fonte estável (resistência da fonte igual a zero)?

Exercício 1.8 Um galvanômetro de 50 μA tem uma resistência interna de 5k. Que resistência *shunt* (de derivação) é necessária para convertê-lo em um medidor de 0 a 1 A? Que resistência em série irá convertê-lo em um medidor de 0 a 10 V?

Exercício 1.9 A resistência interna muito elevada de multímetros *digitais*, em suas faixas de medição de tensão, pode ser usada para medir correntes extremamente baixas (embora um DMM não possa oferecer uma gama de correntes baixas explicitamente). Suponha, por exemplo, que você queira medir a pequena corrente que flui através de uma resistência de "fuga" de 1.000 MΩ (o termo é usado para descrever uma pequena corrente que, idealmente, deve ser inteiramente ausente, por exemplo, com o isolamento de um cabo subterrâneo). Você dispõe de um DMM padrão, cuja faixa de 2 V CC tem 10 MΩ de resistência interna, e de uma fonte CC de +10 V. Como você pode usar o que tem para medir com precisão a resistência de fuga?

---

[13] Este é o oposto de um medidor de tensão ideal, o qual deve apresentar resistência infinita entre os seus terminais de entrada.

[14] Uma classe especial de medidores de corrente conhecida como *medidores eletrônicos* opera com tensões de cargas muito pequenas (como 0,1 mV), utilizando a técnica de realimentação, algo que aprenderemos nos Capítulos 2 e 4.

Exercício 1.10 Para o circuito mostrado na Figura 1.12, com $V_{in} = 30$ V e $R_1 = R_2 = 10$k, determine (a) a tensão de saída sem carga conectada (a tensão de circuito aberto); (b) a tensão de saída com uma carga de 10k (tratar como um divisor de tensão, com R_2 e R_{carga} combinados em um único resistor); (c) o circuito equivalente de Thévenin; (d) o mesmo que em (b), mas utilizando o circuito equivalente de Thévenin [novamente, você acabará com um divisor de tensão; a resposta deve concordar com o resultado em (b)]; (e) a potência dissipada em cada uma das resistências.

A. Resistência de Fonte Equivalente e Efeito de Carga em Circuito

Como acabamos de ver, um divisor de tensão alimentado a partir de alguma tensão fixa é equivalente a uma fonte de tensão menor em série com uma resistência. Por exemplo, os terminais de saída de um divisor de tensão de 10k-10k acionado por uma bateria de 30 volts perfeita são precisamente equivalentes a uma bateria de 15 volts perfeita em série com uma resistência de 5k (Figura 1.13). Colocar uma resistência de carga faz a saída do divisor de tensão cair, devido à *resistência de fonte* finita (resistência equivalente de Thévenin da saída do divisor de tensão, visto como uma fonte de tensão). Isso é, muitas vezes, indesejável. Uma solução para o problema de fazer uma fonte de tensão estável ("estável" é utilizado, neste contexto, para descrever qualquer coisa que não se altere sob carga) pode ser a utilização de resistências muito menores em um divisor de tensão. Ocasionalmente, essa abordagem de "força bruta" é útil. No entanto, geralmente é melhor construir uma fonte de tensão ou fonte de alimentação, como é normalmente denominada, usando componentes ativos, como transistores ou amplificadores operacionais, que trataremos nos Capítulos 2 a 4. Desta forma, você pode facilmente fazer uma fonte de tensão com resistência interna (equivalente de Thévenin) muito pequena, como miliohms (milésimos de ohm), sem as grandes correntes e dissipação de potência características de um divisor de tensão de baixa resistência que fornece o mesmo desempenho. Além disso, com uma fonte de alimentação ativa, é fácil tornar a tensão de saída ajustável. Esses temas são tratados extensivamente no Capítulo 9.

O conceito de resistência interna equivalente é aplicável a todos os tipos de fontes, não apenas a baterias e divisores de tensão. Fontes de sinal (por exemplo, osciladores, amplificadores e dispositivos de detecção) têm uma resistência interna equivalente. Colocar uma carga cuja resistência seja menor ou mesmo comparável à resistência interna reduzirá consideravelmente a saída. Essa redução indesejável da tensão de circuito aberto (ou de sinal) pela carga é denominada "efeito de carga." Portanto, você deve se esforçar para fazer $R_{carga} \gg R_{interna}$, porque uma carga de alta resistência tem pouco efeito atenuante sobre a fonte (Figura 1.14).[15] Veremos diversos exemplos de circuitos nos próximos capítulos. Essa condição de alta resistência idealmente caracteriza instrumentos de medição, como voltímetros e osciloscópios.

Uma advertência sobre a linguagem usada: você costuma ouvir coisas como "a resistência olhando para o divisor de tensão" ou "a saída vê uma carga de tantos ohms", como se os circuitos tivessem olhos. A terminologia é realmente essa (na verdade, é uma boa maneira para indicar de qual resistência você está falando) para dizer qual parte do circuito está realizando a ação de "olhar".[16]

B. Transferência de Potência

Eis um problema interessante: qual resistência de carga resultará em máxima potência sendo transferida para a carga em uma determinada resistência de fonte? (Os termos *resistência de fonte*, *resistência interna*, e *resistência equivalente de Thévenin* significam a mesma coisa.) É fácil ver que tanto $R_{carga} = 0$ quanto $R_{carga} = \infty$ resultam em potência transferida igual

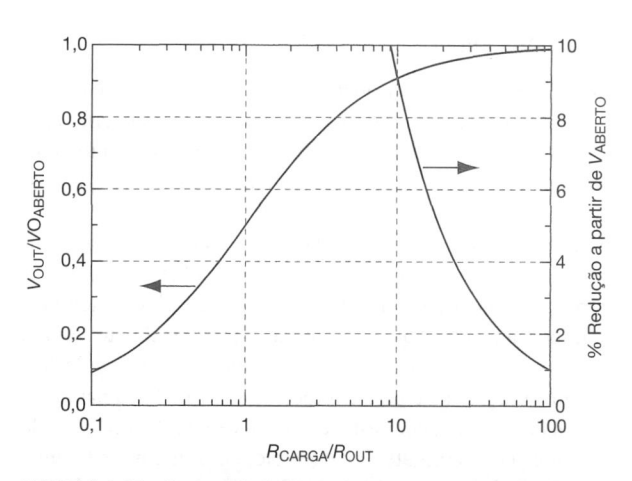

FIGURA 1.14 Para minimizar a atenuação de uma fonte de sinal abaixo da sua tensão de circuito aberto, mantenha a resistência de carga grande em comparação com a resistência de saída.

---

[15] Há duas exceções importantes a esse princípio geral: (1) uma fonte de corrente tem uma alta resistência interna (idealmente infinita) e deve acionar uma carga de resistência relativamente baixa; (2) quando se tratar de frequências de rádio e linhas de transmissão, você deve "casar as impedâncias " (ou seja, fazer $R_{carga} = R_{interna}$, a fim de evitar a reflexão e a perda de potência. Consulte o Apêndice H sobre linhas de transmissão.

[16] O desejo de antropomorfizar é forte na engenharia e na comunidade científica, apesar de advertências como "não antropomorfize computadores... eles não gostam disso."

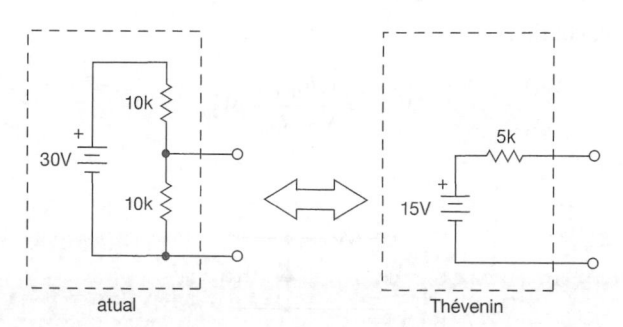

FIGURA 1.13 Exemplo de divisor de tensão.

a zero, porque $R_{carga} = 0$ significa que $V_{carga} = 0$ e $I_{carga} = V_{fonte}/R_{fonte}$, de modo que $P_{carga} = V_{carga}I_{carga} = 0$. Mas $R_{carga} = \infty$ significa que $V_{carga} = V_{fonte}$ e $I_{carga} = 0$, de modo que, novamente, $P_{carga} = 0$. Tem de haver um máximo no meio.

Exercício 1.11 Mostre que $R_{carga} = R_{fonte}$ maximiza a potência da carga para uma determinada resistência de fonte. Nota: ignore este exercício se você não sabe o cálculo e, por enquanto, apenas acredite que essa premissa é verdadeira.

Para que esse exemplo não deixe uma impressão errada, gostaríamos de enfatizar novamente que os circuitos são, normalmente, projetados de modo que a resistência da carga seja muito maior do que a resistência da fonte do sinal que aciona a carga.

1.2.6 Resistência de Pequenos Sinais

Muitas vezes, lidamos com dispositivos eletrônicos para os quais I não é proporcional a V; em tais casos, não há muito sentido em falar sobre resistência, uma vez que a relação V/I dependerá de V em vez de ser uma constante, independentemente de V. Para esses dispositivos, às vezes, é útil saber a inclinação da curva V–I – em outras palavras, a razão de uma pequena variação na tensão aplicada pela variação resultante na corrente através do dispositivo, ΔV (ou ΔV). Essa grandeza tem a unidade de resistência (ohms) e substitui a resistência em muitos cálculos. Ela é chamada de resistência de pequeno sinal, resistência incremental ou resistência dinâmica.

A. Diodos Zener

Como um exemplo, considere o *diodo zener*, que tem a curva I–V mostrada na Figura 1.15. Zeners são usados para criar uma tensão constante dentro de um circuito em algum ponto, simplesmente proporcionando uma corrente (mais ou menos constante) derivada a partir de uma tensão mais elevada no interior do circuito.[17] Por exemplo, o diodo zener na Figura 1.15 converte uma corrente aplicada na faixa indicada para uma faixa correspondente (mas fracionalmente mais estreita) de tensões. É importante saber quanto a tensão zener resultante variará com corrente aplicada; essa é uma medida de sua "regulação" contra variações na corrente fornecida a ele. Incluída nas especificações de um zener está a sua resistência dinâmica, dada para uma certa corrente. Por exemplo, um zener pode ter uma resistência dinâmica de 10 Ω em 10 mA, para uma tensão zener especificada de 5 V. Utilizando a definição de resistência dinâmica, descobrimos que uma variação de 10% na corrente aplicada, por conseguinte, resultará em uma variação de tensão de

$$\Delta V = R_{din}\Delta I = 10 \times 0{,}1 \times 0{,}01 = 10 \text{ mV}$$

---

[17] Os diodos zener pertencem à classe mais geral de *diodos* e *retificadores*, dispositivos importantes que estudaremos mais adiante neste capítulo (Seção 1.6) e durante todo o restante do livro. O diodo ideal (ou retificador) atua como um condutor perfeito para o fluxo de corrente em um sentido e como um isolante perfeito para o fluxo de corrente no sentido inverso; é uma "válvula unidirecional" para corrente.

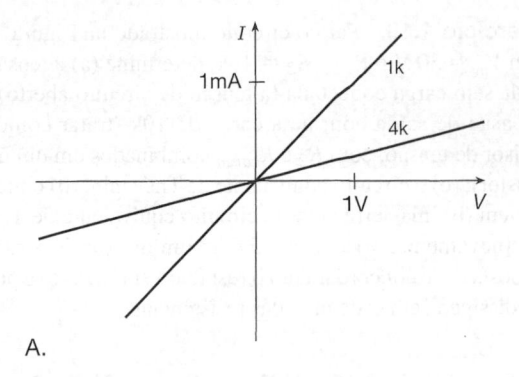

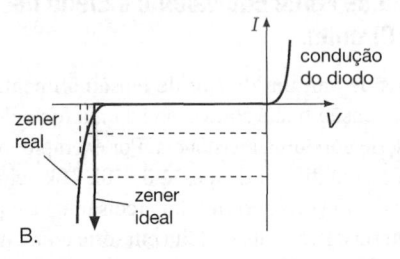

FIGURA 1.15 Curvas I–V: A. resistor (linear). B. Diodo zener (não linear).

ou

$$\Delta V/V = 0{,}002 = 0{,}2\%,$$

demonstrando uma boa capacidade de regulação de tensão. Nesse tipo de aplicação, você frequentemente obtém a corrente zener através de uma resistência de tensão mais elevada disponível em algum ponto do circuito, como mostra a Figura 1.16.

Então,

$$I = \frac{V_{in} - V_{out}}{R}$$

e

$$\Delta I = \frac{\Delta V_{in} - \Delta V_{out}}{R},$$

assim,

$$\Delta V_{out} = R_{din}\Delta I = \frac{R_{din}}{R}(\Delta V_{in} - \Delta V_{out})$$

e, por fim,

$$\Delta V_{out} = \frac{R_{din}}{R + R_{din}}\Delta V_{in}.$$

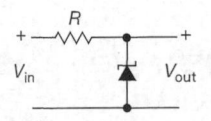

FIGURA 1.16 Regulador zener.

Aha! A equação do divisor de tensão outra vez! Assim, para *variações* na tensão, o circuito se comporta como um divisor de tensão, com o zener substituído por uma resistência igual à sua resistência dinâmica na corrente de operação. Essa é a utilidade da resistência incremental. Por exemplo, suponhamos que, no circuito anterior, tenhamos uma tensão de entrada que varia entre 15 e 20 V e que usemos um 1N4733 (diodo zener de 5,1 V, 1W), a fim de gerar uma fonte de alimentação estável de 5,1 V. Escolhemos $R = 300\ \Omega$, para uma corrente zener máxima de 50 mA: (20V − 5,1 V)/300 Ω. Agora podemos estimar a regulação de tensão de saída (variação de tensão de saída), sabendo que este zener tem uma resistência dinâmica máxima especificada de 7,0 Ω em 50 mA. A corrente zener varia de 50 mA a 33 mA ao longo da faixa de tensão de entrada; uma variação de 17 mA na corrente produz, então, uma variação de tensão de saída de $\Delta V = R_{din}\Delta I$, ou 0,12 V.

É um fato útil, quando se lida com diodos zener, que a resistência dinâmica de um diodo zener varie, aproximadamente, de forma proporcionalmente inversa à corrente. Vale a pena saber também que existem CIs projetados para substituir diodos zener; essas "referências de tensão de dois terminais" têm desempenho superior − resistência dinâmica muito menor (menos de 1 Ω, mesmo com correntes muito pequenas, como 0,1 mA; isso é mil vezes melhor do que o zener que acabamos de utilizar) e excelente estabilidade de temperatura (melhor que 0,01%/C). Veremos mais sobre zeners e referências de tensão nas Seções 2.2.4 e 9.10.

Na vida real, um zener proporcionará uma melhor regulação se acionado por uma fonte de corrente, que tem, por definição, $R_{inc} = \infty$ (a mesma corrente, independentemente da tensão). No entanto, fontes de corrente são mais complexas e, portanto, na prática, muitas vezes, recorremos ao resistor simples. Ao pensar sobre zeners, vale a pena lembrar que as unidades de baixa tensão (por exemplo, 3,3 V) comportam-se bastante mal em termos de constância de tensão *versus* corrente (Figura 1.17); se você acha que precisa de um zener de baixa tensão, utilize, então, uma referência de dois terminais (Seção 9.10).

1.2.7 Um Exemplo: "Está Muito Quente!"

Algumas pessoas gostam de aumentar bastante a temperatura do termostato, irritando outras pessoas que preferem um ambiente mais fresco. Eis um pequeno aparelho (Figura 1.18) que permite às pessoas deste último grupo saber quando se queixar − ele acende um diodo emissor de luz (LED) vermelho quando o ambiente da sala está a uma temperatura superior a 30°C (86°F). Ele também mostra como usar o divisor de tensão simples (e até mesmo a mais humilde lei de Ohm) e como lidar com um LED, que se comporta como um diodo zener (e, às vezes, é usado como tal).

O símbolo triangular é um *comparador*, um dispositivo prático (discutido na Seção 12.3) que alterna a sua saída de acordo com as tensões relativas em seus dois terminais de

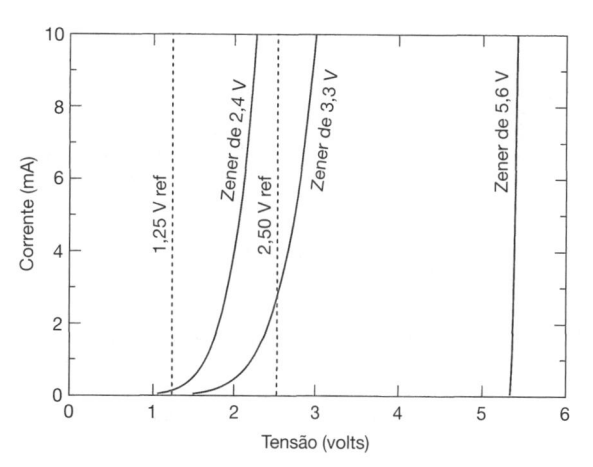

FIGURA 1.17 Zeners de baixas tensões são bastante decepcionantes, como pode ser visto nestas curvas de *I* versus *V* medidas (para três membros da série 1N5221-67), sobretudo em contraste com o excelente desempenho medido de um par de "CIs de referência de tensão" (LM385Z-1.2, LM385Z-2.5 e LM385Z-2.5, ver Seção 9.10 e Tabela 9.7). No entanto, diodos zener com valores próximos de 6 V (como o 1N5232B de 5,6 V ou o 1N5234B de 6,2 V) exibem curvas admiravelmente íngremes e são dispositivos úteis.

entrada. O dispositivo sensor de temperatura é R_4, que diminui a resistência em cerca de 4%/°C e que vale 10 kΩ a 25°C. Então, nós o colocamos como resistência inferior do divisor de tensão ($R_3 R_4$), cuja saída é comparada com o divisor $R_1 R_2$, não influenciado pela temperatura. Quando a temperatura é superior a 30°C, o ponto "X" está em uma tensão menor do que o ponto "Y", por isso o comparador puxa sua saída para o terra.

Na saída, existe um LED, que se comporta eletricamente como um diodo zener de 1,6 V, e quando a corrente está fluindo, ele acende. Seu terminal inferior está, então, em 5 V − 1,6 V, ou 3,4 V. Então, adicionamos um resistor em série, dimensionado para permitir 5 mA quando a saída do comparador está no terra: $R_5 = 3,4$ V/5 mA, ou 680 Ω.

Se você quisesse, poderia fazer o ponto operação ajustável, substituindo R_2 por um potenciômetro de 5k em série com um resistor fixo de 5k. Veremos mais tarde que também é uma boa ideia adicionar um pouco de *histerese*, para incentivar o comparador a ser decisivo. Note que esse circuito é insensível à tensão de alimentação exata, pois compara *razões*. Técnicas de medidas de relação são boas; nós as estudaremos novamente mais tarde.

1.3 SINAIS

Em uma seção mais adiante neste capítulo, lidaremos com capacitores, dispositivos cujas propriedades dependem da forma como as tensões e correntes em um circuito *variam*. Nossa análise de circuitos CC até agora (lei de Ohm, circuitos equivalentes de Thévenin, etc.) ainda se mantém, mesmo que as tensões e correntes variem com o tempo. Porém, para

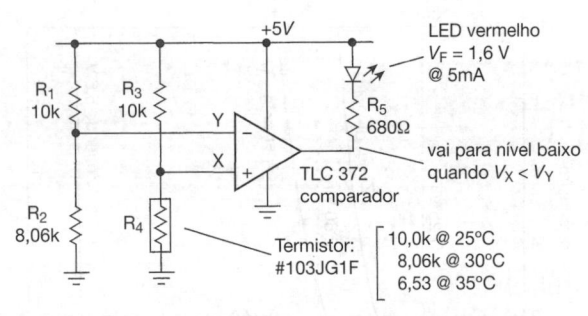

FIGURA 1.18 O LED acende quando está mais quente do que 30 °C. O comparador (que veremos mais adiante, nos Capítulos 4 e 12) puxa a sua saída para o terra quando a tensão em "X" é menor do que a tensão em "Y". R4 é um termistor, uma resistência com um coeficiente de temperatura deliberadamente negativo; ou seja, a sua resistência diminui com o aumento da temperatura – cerca de 4%/°C.

uma compreensão adequada de circuitos de corrente alternada (CA), é útil ter em mente certo tipos comuns de *sinais*, tensões que variam no tempo de forma especial.

1.3.1 Sinais Senoidais

Sinais senoidais são os sinais mais populares; são eles os que obtemos da tomada de parede. Se alguém diz algo como "obtenha um sinal de 10 μV em 1 MHz", quer dizer uma onda senoidal. Matematicamente, o que você tem é uma tensão descrita por

$$V = A \operatorname{sen} 2\pi f t \qquad (1.10)$$

onde A é denominado amplitude e f é a frequência em hertz (ciclos por segundo). A onda senoidal se parece com a onda mostrada na Figura 1.19. Às vezes, é importante conhecer o valor do sinal em algum momento arbitrário $t = 0$, caso em que você poderá ver uma fase ϕ na expressão:

$$V = A \operatorname{sen} (2\pm\pi f t + \phi)$$

A outra variação deste tema simples é a utilização de *frequência angular*, que é como a expressão a seguir:

$$V = A \operatorname{sen} \omega t$$

Aqui, ω é a frequência angular, medida em radianos por segundo. Basta lembrar a importante relação $\omega = 2\pi f$, e você não errará.

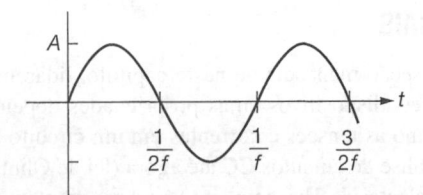

FIGURA 1.19 Senoide de amplitude A e frequência f.

O grande mérito das senoides (e a causa de sua popularidade perene) é o fato de que elas são as soluções para certas equações diferenciais lineares que descrevem muitos fenômenos na natureza, bem como as propriedades dos circuitos lineares. Um circuito linear tem a propriedade de a sua saída, quando acionada pela soma de dois sinais de entrada, ser igual à soma das suas saídas individuais quando acionadas por cada sinal de entrada; ou seja, se $\mathcal{O}(A)$ representa a saída quando acionada por um sinal A, então um circuito é linear se $\mathcal{O}(A+B) = \mathcal{O}(A) + \mathcal{O}(B)$. Um circuito linear acionado por uma onda senoidal sempre responde com uma onda senoidal, embora, em geral, a fase e a amplitude sejam alteradas. Para nenhum outro sinal periódico pode-se fazer essa afirmação. É uma prática padrão, na verdade, descrever o comportamento de um circuito pela sua *resposta de frequência*, pela qual se entende a forma como o circuito altera a amplitude de uma onda senoidal aplicada como uma função da frequência. Um amplificador de som, por exemplo, deve ser caracterizado por uma resposta de frequência "plana" em toda a faixa de 20 Hz a 20 kHz, pelo menos.

As frequências de onda senoidal com que costumamos lidar estão na faixa de poucos hertz a algumas dezenas de megahertz. As frequências mais baixas, até 0,0001 Hz ou inferior, podem ser geradas, se necessário, com o uso de circuitos construídos cuidadosamente. Frequências mais altas, até, digamos, 2.000 MHz (2 GHz) e acima, podem ser geradas, mas elas exigem técnicas especiais de linha de transmissão. Acima disso, você está lidando com micro-ondas, para as quais circuitos convencionais com fio com elementos de circuito concentrados tornam-se impraticáveis, e, dessa forma, guias de onda exóticos ou "*striplines*" são usados.

1.3.2 Amplitudes de Sinal e Decibéis

Em adição à sua amplitude, existem diversas outras maneiras de caracterizar o módulo de uma onda senoidal ou qualquer outro sinal. Às vezes, você o vê especificado pela amplitude de pico a pico (amplitude PP), que é nada mais do que o dobro da amplitude. O outro método é dar a *amplitude da raiz do valor médio quadrático* (amplitude RMS), que é $V_{\text{RMS}} = (1/\sqrt{2})A = 0,707A$ (isto é somente para ondas senoidais; a razão entre os valores PP e RMS é diferente para outras formas de onda). Por mais estranho que possa parecer, esse é o método habitual, porque a tensão RMS é a que é usada para calcular a potência. A tensão nominal entre os terminais de uma tomada de parede (nos Estados Unidos) é de 115 volts RMS, 60 Hz. A *amplitude* é de 163 volts (325 volts PP).[18]

---

[18] Ocasionalmente, você encontrará dispositivos (por exemplo, medidores com movimento mecânico de ponteiro) que respondem à amplitude *média* de um sinal CA. Para uma onda senoidal, a relação é $V_{\text{méd}} = V_{\text{RMS}}/1,11$. No entanto, tais medidores são geralmente calibrados de modo a indicar a amplitude RMS de uma onda senoidal. Para outros sinais, a indicação é uma medida errada; não se esqueça de usar um medidor "*True* RMS" ("RMS verdadeiro") se você quer a resposta certa.

A. Decibéis

Como você compara as amplitudes relativas de dois sinais? Pode-se dizer, por exemplo, que o sinal X é duas vezes maior que o sinal Y. Isso está correto, e útil para muitas finalidades. No entanto, como lidamos, muitas vezes, com proporções muito grandes, como um milhão, é melhor usar uma medida logarítmica, e para isso apresentamos o decibel (um décimo do tamanho de algo chamado bel, que ninguém nunca usa). Por definição, a razão entre dois sinais, em decibéis (dB), é

$$dB = 10\log_{10}\frac{P_2}{P_1}, \qquad (1.11)$$

em que P_1 e P_2 representam a *potência* dos dois sinais. No entanto, frequentemente lidamos com *amplitudes* de sinal, que, neste caso, podemos expressar a relação de dois sinais com a mesma forma de onda como

$$dB = 20\log_{10}\frac{A_2}{A_1}, \qquad (1.12)$$

em que A_1 e A_2 são as duas amplitudes de sinal. Assim, por exemplo, um sinal com o dobro da amplitude do outro é 6 dB em relação a ele, uma vez que $\log_{10} 2 = 0,3010$. Um sinal 10 vezes maior que o outro é $+20$ dB; um sinal igual a um décimo do outro é -20dB.

Embora decibéis sejam, normalmente, usados para especificar a relação de dois sinais, eles são, por vezes, utilizados como uma medida da amplitude absoluta. O que acontece é que você está assumindo um nível de sinal de referência e expressando qualquer outro nível em decibéis relativamente a ele. Existem vários níveis padrão (que não são declarados, mas subentendidos) que são utilizados dessa forma; as referências mais comuns são: (a) 0 dBV (1 V RMS); (b) 0 dBm (a tensão que corresponde a 1 mW em alguma impedância de carga considerada, que para as radiofrequências é normalmente 50 Ω, mas para áudio é, muitas vezes, 600 Ω; as amplitudes que correspondem a 0 dBm, quando carregadas por essas impedâncias, são, então, 0,22 V RMS e 0,78 V RMS); e (c) a pequena tensão de ruído gerada por um resistor à temperatura ambiente (este fato surpreendente é discutido na Seção 8.1.1). Além dessas, existem amplitudes de referência utilizadas para medições em outros campos da engenharia e da ciência. Por exemplo, em acústica, 0 dB SPL (nível de pressão sonora) é uma onda cuja pressão eficaz é de 20 μPa (que é 2×10^{-10} atm); em comunicações de áudio, os níveis podem ser indicados em dBrnC (referência de ruído relativa ponderada em frequência pela "curva C"). Ao expressar amplitudes dessa forma, o melhor é ser específico sobre a amplitude de referência de 0 dB; diga algo como "uma amplitude de 27 decibéis em relação a 1 V RMS", ou abrevie "27 dB relativo a 1 V RMS", ou, ainda, defina um termo como "dBV".[19]

---

[19] É claro que, a esta altura dos seus estudos, pode parecer estranho usar essa representação em dB e suas variantes. À medida que avançar nos estudos, você se deparará com situações envolvendo, por exemplo, ganhos e atenuações de sinais, em que verá a praticidade dessa representação.

Exercício 1.12 Determine as relações de tensão e potência para um par de sinais com as seguintes relações em decibéis: (a) 3 dB, (b) 6 dB, (c) 10 dB, (d) 20 dB.

Exercício 1.13 Podemos chamar este exercício divertido de "Ilha Deserta de dBs": na tabela a seguir, começamos a introduzir alguns valores para as relações de potência correspondentes à primeira dúzia completa de dBs, utilizando os resultados para as partes (a) e (c) do último exercício. Seu trabalho é completar a tabela sem recorrer a uma calculadora. Uma dica possivelmente útil: a partir de 10 dB, percorra a tabela de cima para baixo em degraus de 3 dB; em seguida, suba a tabela em um degrau de 10 dB e, então, desça novamente. Por fim, livre-se de números desagradáveis, como 3,125 (e seus parentes próximos), desnecessariamente próximo de π.

dB	relação (P/P_0)
0	1
1	
2	
3	2
4	
5	
6	4
7	
8	
9	8
10	10
11	

1.3.3 Outros Sinais

A. Rampa

A rampa é um sinal que se parece com o mostrado na Figura 1.20A. É simplesmente uma tensão ascendente (ou descendente) a uma taxa constante. Isso não pode continuar para sempre, é claro, mesmo em filmes de ficção científica. Por vezes, é aproximada por uma rampa finita (Figura 1.20B) ou por uma rampa periódica (conhecida como *dente de serra*, Figura 1.20C).

B. Triangular

A onda triangular é uma prima próxima da rampa; ela é simplesmente uma rampa simétrica (Figura 1.21).

C. Ruído

Os sinais de interesse são, muitas vezes, misturados com o ruído; essa é uma frase abrangente que normalmente se aplica ao ruído aleatório de origem térmica. Tensões de ruído podem ser especificadas pelo seu espectro de frequências (potência por hertz) ou pela sua distribuição de amplitude. Um dos tipos mais comuns de ruído é o ruído *Gaussiano branco*

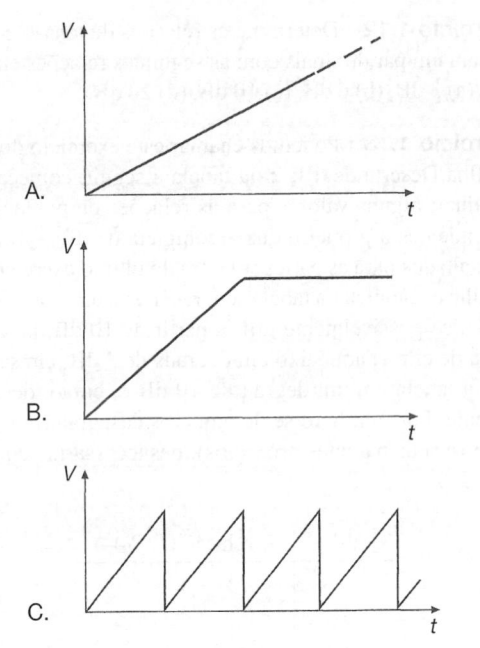

FIGURA 1.20 A: Forma de onda de tensão em rampa. B: Rampa com limite. C: Onda dente de serra.

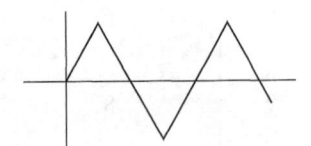

FIGURA 1.21 Onda triangular.

FIGURA 1.22 Ruído.

limitado em banda, que significa um sinal com igual potência por hertz em alguma banda de frequências e que apresenta uma distribuição Gaussiana (em forma de sino) de amplitudes quando muitas medições instantâneas de sua amplitude são feitas. Esse tipo de ruído é gerado por um resistor (ruído Johnson ou ruído de Nyquist), e aflige medições sensíveis de todos os tipos. Em um osciloscópio, ele aparece como mostrado na Figura 1.22. Discutiremos técnicas de ruído e de baixo ruído mais detalhadamente no Capítulo 8.

D. Onda Quadrada

Uma onda quadrada é um sinal que varia com o tempo, como mostrado na Figura 1.23. Como a onda senoidal, ela é carac-

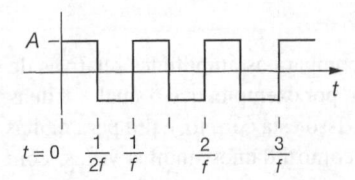

FIGURA 1.23 Onda quadrada.

terizada pela amplitude e frequência (e talvez a fase). Um circuito linear acionado por uma onda quadrada raramente responde com uma onda quadrada. Para uma onda quadrada, a amplitude de pico e a amplitude RMS são iguais.

As bordas de uma onda quadrada não são perfeitamente quadradas; em circuitos eletrônicos típicos, o *tempo de subida* t_r varia de alguns nanossegundos para alguns microssegundos. A Figura 1.24 mostra o tipo de situação geralmente vista. O tempo de subida é convencionalmente definido como o tempo necessário para o sinal ir de 10% a 90% de sua transição total.

E. Pulsos

Um pulso é um sinal como as formas mostradas na Figura 1.25. Eles são definidos pela largura de pulso e amplitude. Você pode gerar um trem de pulsos periódicos (igualmente espaçados), caso em que você pode falar sobre a frequência, ou a taxa de repetição de pulso e o "ciclo de trabalho", a razão entre a largura de pulso e o período de repetição (o ciclo de trabalho varia de zero a 100%). Pulsos podem ter polaridade positiva ou negativa; além disso, eles podem ser "de curso positivo" ou "de curso negativo." Por exemplo, o segundo pulso na Figura 1.25 é um pulso de curso negativo de polaridade positiva.

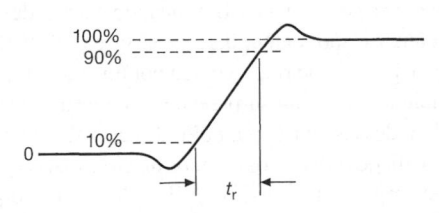

FIGURA 1.24 Tempo de subida de uma forma de onda em degrau.

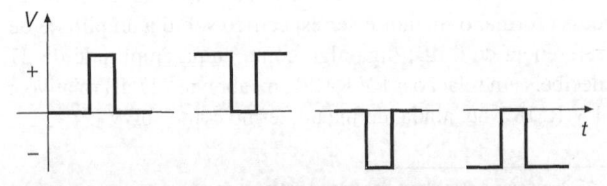

FIGURA 1.25 Pulsos de curso positivo e negativo de ambas as polaridades.

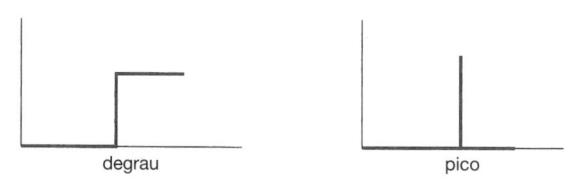

FIGURA 1.26 Degraus e picos.

F. Degraus e Picos

Degraus e picos (*spikes*) são sinais dos quais se fala muito, mas não são tão frequentemente utilizados. Eles fornecem uma boa maneira de descrever o que acontece em um circuito. Se você pudesse desenhá-los, eles seriam algo parecido com os exemplos na Figura 1.26. A função degrau é parte de uma onda quadrada; o pico é simplesmente um salto de duração extremamente curta.

1.3.4 Níveis Lógicos

Os pulsos e as ondas quadradas são utilizados extensivamente em eletrônica digital, em que os níveis de tensão predefinidos representam um de dois estados possíveis presentes em qualquer ponto no circuito. Esses estados são chamados simplesmente de ALTO e BAIXO e correspondem aos estados 1 (verdadeiro) e 0 (falso) da lógica booleana (a álgebra que descreve esses sistemas de dois estados).

Tensões precisas não são necessárias em eletrônica digital. Você precisa apenas distinguir qual dos dois estados possíveis está presente. Portanto, cada família lógica digital especifica os estados ALTO e BAIXO válidos. Por exemplo, a família lógica digital "74LVC" opera a partir de uma fonte simples de +3,3 V, com os níveis de saída que são tipicamente 0 V (BAIXO) e 3,3 V (ALTO), e um limiar de decisão de entrada de 1,5 V. No entanto, as saídas reais podem ser até 0,4 V acima do terra ou abaixo de +3,3 V sem defeito no componente. Teremos muito mais a dizer sobre níveis lógicos nos Capítulos 10 a 12.

1.3.5 Fontes de Sinal

Muitas vezes, a fonte de um sinal é alguma parte do circuito em que você está trabalhando. Porém, para fins de teste, uma fonte de sinal flexível é inestimável. Elas vêm em três versões: geradores de sinais, geradores de pulso e geradores de funções.

A. Geradores de Sinais

Geradores de sinal são osciladores de onda senoidal geralmente equipados para dar uma larga gama de frequência de cobertura, com provisão para um controle preciso da amplitude (usando uma rede de divisores resistivos denominada *atenuador*). Algumas unidades permitem *modular* (ou seja, variar no tempo) a amplitude de saída ("AM" para "amplitude modulada") ou a frequência ("FM" para "frequência modulada"). Uma variação desse tema é o *gerador de varredura*, um gerador de sinal que pode varrer sua frequência de saída repetidamente ao longo de um intervalo. Ele é útil para circuitos de teste cujas propriedades variam com a frequência de uma forma particular, por exemplo, "Circuitos sintonizados" ou filtros. Atualmente, esses dispositivos, assim como a maioria dos instrumentos de teste, estão disponíveis em configurações que permitem que você programe a frequência, amplitude, etc., a partir de um computador ou outro instrumento digital.

Para muitos geradores de sinal, a fonte de sinal é um *sintetizador de frequência*, um dispositivo que gera ondas senoidais cujas frequências podem ser definidas com precisão. A frequência é definida digitalmente, muitas vezes, para oito algarismos significativos ou mais e é internamente sintetizada a partir de um padrão preciso (um oscilador autônomo de cristal de quartzo ou padrão de frequência de rubídio, ou um oscilador derivado de GPS) por métodos digitais que discutiremos mais adiante (Seção 13.13.6). Típico entre sintetizadores é o SG384 programável da *Stanford Research Systems*, com um intervalo de 1 μHz a 4 GHz de frequência, uma variação de amplitude de -110 dBm a $+16,5$ dBm (0,7 μV a 1,5 V, RMS) e vários modos de modulação tais como AM, FM e ΦM; ele custa cerca de 4.600 dólares. Você pode sintetizar um gerador de varredura e pode obter sintetizadores que produzem outras formas de onda (ver Geradores de Funções, a seguir). Se a sua necessidade é gerar frequência sem uma precisão absurda, nada melhor que um sintetizador.

B. Geradores de Pulso

Geradores de pulsos produzem apenas pulsos, mas são pulsos excelentes! Largura de pulso, taxa de repetição, amplitude, polaridade, tempo de subida, etc., tudo pode ser ajustável. Os mais rápidos alcançam taxas de pulso de gigahertz. Além disso, muitas unidades permitem a geração de pares de pulsos, com espaçamento e taxa de repetição ajustáveis, ou até mesmo padrões programáveis (às vezes, são denominados geradores de padrão). A maioria dos geradores de pulsos contemporâneos está equipada com saídas de nível lógico para fácil conexão com circuitos digitais. Tal como acontece com os geradores de sinais, existe uma versão programável deles.

C. Geradores de Funções

Em muitos aspectos, os geradores de funções são as fontes de sinal mais flexíveis de todas. Pode-se produzir ondas senoidais, triangulares e quadradas ao longo de um intervalo de frequência enorme (0,01 Hz a 30 MHz é típico), com controle de amplitude e deslocamento (*offset*) CC (uma tensão CC constante adicionada ao sinal). Muitos deles têm provisão para a varredura de frequência, algumas vezes, de vários modos (variações de frequência linear ou logarítmica em função do tempo). Eles estão disponíveis com saídas de pulso (embora não com a flexibilidade que você obtém com um gerador de pulsos), e alguns deles têm provisão para modulação.

Geradores de funções tradicionais utilizam circuitos analógicos, mas os modelos atuais são geralmente geradores de funções digitais sintetizados, que exibem toda a flexibilidade de um gerador de funções, juntamente com a estabilidade e a precisão de um sintetizador de frequência. Além disso, eles permitem que você programe uma forma de onda "arbitrária", especificando a amplitude em um conjunto de pontos igualmente espaçados. Um exemplo é o Tektronix AFG3102, com um limite inferior de frequência de 1 *micro*hertz, que pode gerar ondas senoidais e quadradas de até 100 MHz, pulsos e "ruído" de até 50 MHz e formas de onda arbitrárias (até 128k pontos) de até 50 MHz. Ele tem modulações (cinco tipos), varreduras (linear e logarítmica) e modos rajada (1 a 10^6 ciclos), e tudo é programável, incluindo a frequência, largura de pulso e tempos de subida, modulação e amplitude (20 mV para 10V_{PP}); ainda, inclui algumas formas de onda bizarras embutidas, tais como sen(x)/x, subida e descida exponenciais, Gaussiana e Lorentziana. Ele tem duas saídas independentes e custa cerca de 5 mil dólares. Para uso geral, se você pode ter apenas uma fonte de sinal, o gerador de funções é o melhor para você.

1.4 CAPACITORES E CIRCUITOS CA

Uma vez que entramos no mundo das tensões e correntes variáveis, ou "sinais", deparamo-nos com dois elementos de circuito muito interessantes que são inúteis em circuitos puramente CC: capacitores e indutores. Como você verá, estes dispositivos simples, combinados com resistências, completam a tríade de elementos de circuito lineares passivos que formam a base de quase todos os circuitos.[20] Os capacitores, em especial, são essenciais em quase todas as aplicações de circuito. Eles são usados para geração de forma de onda, filtragem e aplicações de bloqueio e desvio. Também são usados em integradores e diferenciadores. Em combinação com indutores, eles tornam possíveis filtros pontiagudos (de banda estreita) para separar os sinais desejados dos de fundo. Você verá algumas dessas aplicações à medida que prosseguirmos neste capítulo, e haverá diversos exemplos interessantes em capítulos posteriores.

Prosseguiremos, então, no estudo dos detalhes dos capacitores. Parte da abordagem que segue é necessariamente

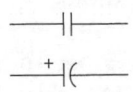

FIGURA 1.27 Capacitores. O eletrodo em curva indica o terminal negativo de um capacitor polarizado, ou a "folha exterior" de um capacitor de filme enrolado.

de natureza matemática; o leitor com menos conhecimento de matemática pode recorrer a uma útil revisão de matemática no Apêndice A. Em todo caso, uma compreensão dos detalhes é menos importante em longo prazo do que a compreensão dos resultados.

1.4.1 Capacitores

Um capacitor (Figura 1.27) (o nome antigo era *capacitor*) é um dispositivo que tem dois terminais que saem dele e tem a propriedade

$$Q = CV. \qquad (1.13)$$

Em sua forma básica, é um par de placas de metal estreitamente espaçadas, separadas por um material isolante, como o "capacitor axial de filme" enrolado da Figura 1.28. Um capacitor de C farads com V volts entre os seus terminais tem Q coulombs de carga armazenada em uma placa e $-Q$ na outra. A capacitância é proporcional à área e inversamente proporcional ao espaçamento. Para o simples capacitor de placas paralelas, com separação d e área da placa A (e com o espaçamento d muito menor do que as dimensões das placas), a capacitância C é dada por

$$C = 8{,}85 \times 10^{-14} \, \varepsilon A/d \; F \qquad (1.14)$$

em que ε é a constante dielétrica do isolante, e as dimensões são medidas em centímetros. Ele tem uma área relativamente grande e um espaçamento bem pequeno, para se obter as capacitâncias comumente usadas em circuitos.[21] Por exemplo, um par de placas de 1 cm^2 separadas por 1 mm é um capacitor de pouco menos do que 10^{-12} F (um picofarad); você precisaria de 100 mil deles só para obter o capacitor de 0,1 μF da Figura 1.28 (que não é nada especial; rotineiramente usamos capacitores com muitos microfarads de capacitância). Normalmente, você não precisa calcular capacitâncias, pois compra um capacitor como um componente eletrônico.

Para uma primeira aproximação, os capacitores são dispositivos que podem ser considerados simplesmente resistores dependentes da frequência. Eles permitem, por exemplo,

---

[20] Os leitores da revista científica *Nature* (Londres) foram recebidos, em 2008, com um artigo intitulado "*The missing memristor found*" (D. B. Strukov et al., **453**, 80, 2008), que diz ter encontrado o "quarto elemento fundamental [circuito passivo], que não existia até então. Nós somos céticos. Ainda que a controvérsia esteja finalmente resolvida, deve-se perceber que o memristor é um elemento *não* linear; há apenas três elementos de circuito passivos de dois terminais *lineares*.

[21] E não faz mal ter uma alta constante dielétrica também: o ar tem $\varepsilon = 1$, mas os filmes de plástico têm $\varepsilon = 2{,}1$ (polipropileno) ou 3,1 (poliéster). E certas cerâmicas são populares entre os fabricantes de capacitores: $\varepsilon = 45$ (tipo "C0G") ou 3.000 (tipo "X7R"). Observação: o "ε" aqui mencionado é a permissividade elétrica relativa do material.

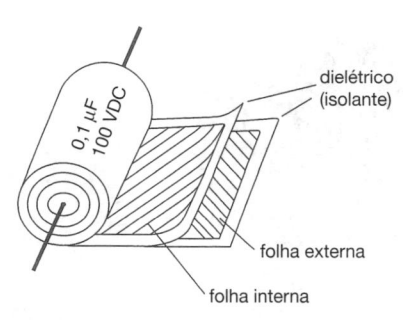

FIGURA 1.28 Você obtém uma grande área enrolando um par de filmes de plástico metalizados. E é muito divertido desenrolar um desses capacitores Mylar de terminais axiais (idem para as antigas bolas de golfe, com a sua longa banda de borracha).

que você faça divisores de tensão dependentes de frequência. Para algumas aplicações (desvio, acoplamento), isso é quase tudo o que você precisa saber, mas, para outras (filtragem, armazenamento de energia, circuitos ressonantes), é necessária uma compreensão mais profunda. Por exemplo, os capacitores ideais não podem dissipar energia, mesmo que a corrente possa fluir através deles, porque a tensão e a corrente estão 90° defasadas.

Antes de entrar em detalhes sobre capacitores nas páginas a seguir (incluindo alguma matemática necessária para descrever o seu comportamento no tempo e na frequência), queremos enfatizar as duas primeiras aplicações – desvio e acoplamento –, pois essas aplicações de capacitores são as mais comuns e são fáceis de entender no nível mais simples. Nós as veremos em detalhe mais adiante (Seções 1.7.1C e 1.7.16A), mas não há necessidade de esperar – é fácil e intuitivo. Como um capacitor se parece com um circuito aberto em CC, ele permite que você acople um sinal que varia enquanto bloqueia o seu nível médio CC. Esse é um capacitor de *bloqueio* (também denominado capacitor de *acoplamento*), como na Figura 1.93. Da mesma forma, devido ao capacitor se parecer com um curto-circuito em altas frequências, ele suprime ("desvia") sinais de onde você não os quer, por exemplo, sobre as tensões CC que alimentam seus circuitos, como na Figura 8.80A (em que capacitores suprimem sinais nas tensões de alimentação CC de +5 V e −5 V e também no terminal da base do transistor Q_2).[22] Demograficamente, essas duas aplicações representam a grande maioria dos capacitores usados nos circuitos pelo mundo.

Tomando a derivada da Equação 1.13, a da definição, você obtém

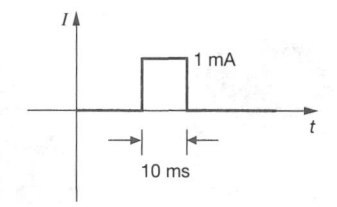

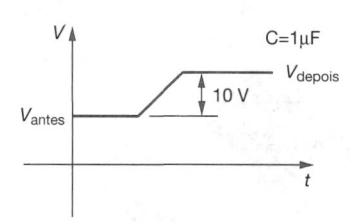

$$I = C\frac{dV}{dt}. \quad (1.15)$$

FIGURA 1.29 A tensão sobre um capacitor varia quando uma corrente flui através dele.

Assim, um capacitor é muito mais complicado do que um resistor: a corrente não é simplesmente proporcional à tensão, mas à taxa de variação da tensão. Se você variar a tensão em 1 volt por segundo sobre 1 farad, você estará fornecendo 1 A. Por outro lado, se você fornecer 1 A, a tensão variará 1 volt por segundo. Um farad é uma enorme capacitância, e você geralmente lida com valores de microfarads (μF), nanofarads (nF) ou picofarads (pF).[23] Por exemplo, se você fornecer uma corrente de 1 mA para um capacitor de 1 μF, a tensão subirá 1.000 volts por segundo. Um pulso de 10 ms desse valor de corrente aumentará a tensão sobre o capacitor em 10 volts (Figura 1.29).

Quando você carrega um capacitor, você está fornecendo energia. O capacitor não fica quente; em vez disso, ele armazena a energia em seus campos elétricos internos. Não é difícil descobrir que a quantidade de energia armazenada em um capacitor carregado é exatamente

$$U_C = \frac{1}{2}CV^2, \quad (1.16)$$

em que U_C está em joules para C em farads e V em volts. Esse é um resultado importante; nós o veremos muitas vezes.

Exercício 1.14 Eis o desafio energético: imagine a carga de um capacitor de capacitância C, a partir de 0 V até uma tensão final V_f. Se você fizer isso direito, o resultado não dependerá de como você chegar lá, de modo que você não precisa considerar uma carga com corrente constante (embora você possa fazê-lo). A qualquer instante, a taxa do

---

[22] Ironicamente, estes capacitores de desvio (*bypass*) essenciais estão tão presentes, que geralmente são omitidos de diagramas esquemáticos (uma prática que seguimos neste livro). Não cometa o erro de omiti-los também de seus circuitos reais!

[23] As unidades são, muitas vezes, omitidas nos valores de capacitores especificados em diagramas esquemáticos, tornando as coisas confusas para os menos experientes. Você tem que deduzi-las a partir do contexto.

FIGURA 1.30 Capacitores se disfarçam de qualquer coisa que quiserem! Aqui está uma coleção representativa. No canto inferior esquerdo, estão capacitores variáveis de pequeno valor (um de ar e três de cerâmica), com os eletrolíticos de alumínio polarizados de grande valor acima deles (os três do lado esquerdo têm terminais radiais, os três à direita têm terminais axiais e o exemplar com terminais de parafuso na parte superior é, muitas vezes, denominado *eletrolítico de computador*). Em seguida, na linha superior, está um capacitor de filme de baixa indutância (note os terminais cinta larga), em seguida, um capacitor de papel embebido em óleo e, por último, um conjunto de capacitores de cerâmica de disco à direita. Os quatro objetos retangulares abaixo são capacitores de filme (poliéster, policarbonato ou polipropileno). O conector D subminiatura parece ter sido colocado incorretamente, mas ele é um conector *com filtro*, com um capacitor 1.000 pF de cada pino para a carcaça. À sua esquerda, está um grupo de sete capacitores eletrolíticos polarizados de tântalo (cinco com terminais axiais, um com terminais radiais e um para montagem em superfície). Os três capacitores acima deles são capacitores de filme axiais. Os dez capacitores no centro, na parte inferior, são todos do tipo cerâmico (quatro com terminais radiais, dois axiais e quatro de montagem em superfície); acima deles, estão capacitores de alta tensão – um capacitor de vidro axial e um *capacitor de transmissão* de cerâmica com terminais de parafuso. Por fim, abaixo deles e à esquerda, estão quatro capacitores de mica e um par de diodos conhecidos como *varactores*, que são capacitores de capacitância variável com a tensão construídos a partir de um diodo de junção.

fluxo de energia no capacitor é VI (joules/s); então, você precisa integrar $dU = VI dt$ do início ao fim. Dê o devido prosseguimento.

Existem capacitores em uma incrível variedade de formas e tamanhos (a Figura 1.30 mostra exemplos da maioria deles); com o tempo, você reconhecerá os tipos mais comuns. Para as capacitâncias menores, você pode ver exemplos básicos de construção do tipo placas paralelas (ou pistão cilíndrico). Para uma maior capacidade, você precisa de mais área e espaçamento menor; a abordagem de construção usual é colocar um condutor sobre um fino material isolante (o dielétrico), por exemplo, um filme plástico aluminizado enrolado em uma configuração cilíndrica pequena. Outros tipos populares são pastilhas finas cerâmicas (capacitores SMD de cerâmica), folhas de metal com isoladores de óxido (capacitores eletrolíticos) e de mica metalizados. Cada um desses tipos tem propriedades únicas. Em geral, os tipos de cerâmico e de poliéster são usados na maioria das aplicações de circuito não críticas; capacitores com dielétrico de policarbonato, poliestireno, polipropileno, Teflon ou vidro são usados em aplicações críticas; capacitores de tântalo são usados quando é necessária uma maior capacitância; e eletrolíticos de alumínio são usados na filtragem de fontes de alimentação.

A. Capacitores em Paralelo e em Série

A capacitância de vários capacitores em paralelo é a soma de suas capacitâncias individuais. Isso é fácil de ver: coloque a tensão V sobre a combinação em paralelo; em seguida,

$$C_{total}V = Q_{total} = Q_1 + Q_2 + Q_3 + \cdots$$
$$= C_1V + C_2V + C_3V + \cdots$$
$$= (C_1 + C_2 + C_3 + \cdots)V$$

ou

$$C_{total} = C_1 + C_2 + C_3 + \cdots.$$

Para capacitores em série, a fórmula é como para resistores em paralelo:

$$C_{total} = \frac{1}{\frac{1}{C_1} + \frac{1}{C_2} + \frac{1}{C_3} + \cdots}$$

ou (dois capacitores apenas)

$$C_{total} = \frac{C_1 C_2}{C_1 + C_2}.$$

Exercício 1.15 Deduza a fórmula para a capacitância de dois capacitores em série. *Dica*: como não há nenhuma conexão externa no ponto onde os dois capacitores são interconectados, eles devem ter cargas armazenadas iguais.

A corrente que flui em um capacitor durante a carga ($I = C\,dv/dt$) tem algumas características incomuns. Ao contrário da corrente resistiva, ela não é proporcional à tensão, mas à taxa de variação (a "derivada temporal" – ao longo do tempo) da tensão. Além disso, ao contrário da situação em um resistor, a potência ($V \times I$) associada com a corrente capacitiva não é transformada em calor, mas é armazenada como energia no campo elétrico interno do capacitor. Você consegue toda essa energia de volta quando descarrega o capacitor. Veremos outra maneira de olhar para essas propriedades curiosas quando falarmos de reatância, começando na Seção 1.7.

1.4.2 Circuitos *RC*: *V* e *I* em Função do Tempo

Ao lidar com circuitos CA (corrente alternada) (ou, em geral, quaisquer circuitos que tenham variações de tensão e corrente), há duas abordagens possíveis. Você pode falar em *V* e *I* em função do tempo, ou pode falar em amplitude em função da frequência do sinal. Ambas as abordagens têm seus méritos, e você pode fazer sua própria escolha alternando entre uma e outra de acordo com a descrição que for mais conveniente em cada situação. Começamos nosso estudo de circuitos CA no *domínio do tempo*. Ao iniciar a Seção 1.7, abordaremos o *domínio da frequência*.

Quais são algumas das características de circuitos com capacitores? Para responder a essa pergunta, começaremos com o circuito *RC* simples (Figura 1.31). Ao aplicarmos as regras de capacitores, temos

$$C\frac{dV}{dt} = I = -\frac{V}{R}. \quad (1.19)$$

Esta é uma equação diferencial, e a sua solução é

$$V = Ae^{-t/RC}. \quad (1.20)$$

Assim, um capacitor carregado colocado sobre um resistor descarregará, como na Figura 1.32. O uso da intuição é adequado neste caso: a corrente que flui (a partir da equação do resistor) é proporcional à tensão remanescente, mas a inclinação da descarga (a partir da equação do capacitor) é proporcional àquela corrente. Assim, a curva de descarga tem que ser uma função cuja derivada seja proporcional ao seu valor, ou seja, uma exponencial.

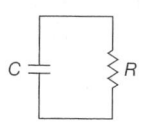

FIGURA 1.31 O circuito *RC* mais simples.

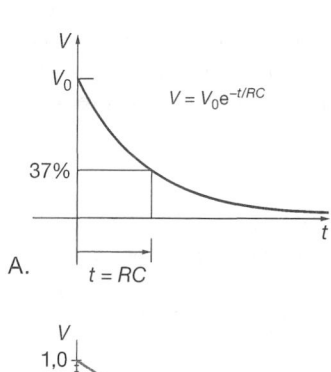

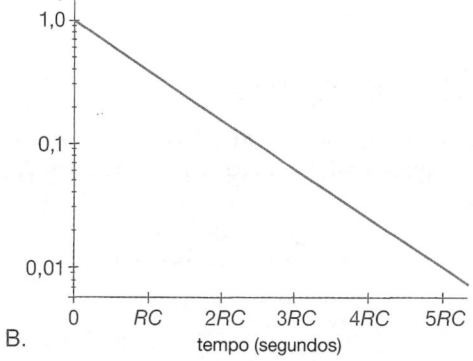

FIGURA 1.32 Forma de onda de descarga *RC*, desenhada com o eixo de tensão (A) linear e (B) logarítmico.

A. Constante de Tempo

O produto RC é denominado *constante de tempo* do circuito. Para R em ohms e C em farads, o produto RC é dado em segundos. Um microfarad sobre 1,0k tem uma constante de tempo de 1 ms; se o capacitor é carregado inicialmente até 1,0 V, a corrente inicial é 1,0 mA.

A Figura 1.33 mostra um circuito um pouco diferente. No tempo $t = 0$, alguém liga a bateria. A equação para o circuito é, então,

$$I = C\frac{dV}{dt} = \frac{V_f - V_{out}}{R},$$

com a solução

$$V_{out} = V_f + Ae^{-t/RC}.$$

(Não se preocupe se você não conseguir acompanhar a matemática. O que estamos fazendo é obtendo alguns resultados importantes, dos quais você deve se lembrar. Mais tarde, utilizaremos os resultados muitas vezes, sem mais a necessidade do uso da matemática para obtê-los. Para os leitores cujo conhecimento da matemática está um pouco "enferrujado", a breve revisão no Apêndice A pode ser útil.) A constante A é determinada pelas condições iniciais (Figura 1.34): $V = 0$ em $t = 0$; por conseguinte, $A = -V_f$ e

$$V_{out} = V_f(1 - e^{-t/RC}). \quad (1.21)$$

Mais uma vez, há uma boa possibilidade de intuição: conforme o capacitor carrega, a inclinação (que é proporcional à corrente, pois é um capacitor) é proporcional à tensão *restante* (pois isso é o que aparece sobre o resistor, produzindo a corrente); por isso, temos uma forma de onda cuja inclinação diminui proporcionalmente com a distância vertical ainda a percorrer – uma exponencial.

Você pode trocar os membros da última equação para descobrir o tempo necessário para atingir uma tensão V no caminho para a tensão final V_f. Experimente! (Consulte o Apêndice A se precisar de ajuda com logaritmos.) Você deve obter

$$t = RC \log_e\left(\frac{V_f}{V_f - V}\right)$$

B. Declínio Até o Equilíbrio

Eventualmente (quando $t \gg RC$), V atinge V_f. (Apresentação da "regra prática $5RC$": um capacitor carrega ou descarre-

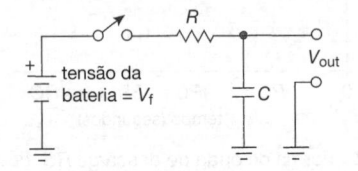

FIGURA 1.33 Circuito de carga RC.

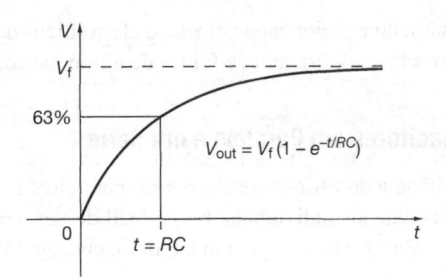

FIGURA 1.34 Forma de onda de carga RC.

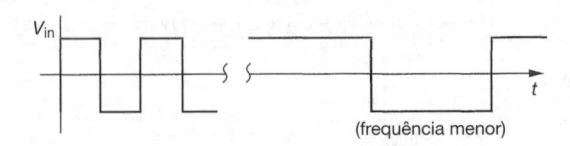

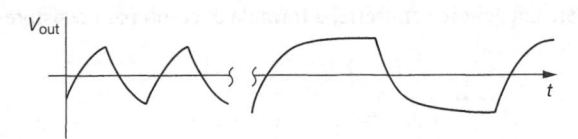

FIGURA 1.35 Formas de onda (inferior) de saída através de um capacitor, quando acionado por ondas quadradas através de um resistor.

ga dentro de 1% do seu valor final em cinco constantes de tempo.) Se, então, alterarmos a tensão da bateria para algum outro valor (digamos, 0 V), V decairá em direção a esse novo valor com uma exponencial $e^{-t/RC}$. Por exemplo, a substituição da entrada degrau da tensão da bateria de 0 a $+V_f$, por uma entrada de onda quadrada $V_{in}(t)$, deve produzir a saída mostrada na Figura 1.35.

Exercício 1.16 Mostre que o tempo de subida (o tempo necessário para passar de 10% a 90% do seu valor final) deste sinal é 2,2RC.

Você pode se fazer a seguinte pergunta: o que acontece se $V(t)$ for uma $V_{in}(t)$ arbitrária (t)? A solução envolve uma equação diferencial não homogênea e pode ser resolvida por métodos convencionais (que, no entanto, estão além do escopo deste livro). Você encontraria

$$V(t) = \frac{1}{RC}\int_{-\infty}^{t} V_{in}(\tau)e^{-(t-\tau)/RC}d\tau.$$

Ou seja, o circuito RC produz a média das entradas antecedentes com um fator de ponderação de

$$e^{-\Delta t/RC}$$

Na prática, você raramente faz essa pergunta. Em vez disso, você trabalha no *domínio da frequência*, no qual você pergunta quanto de cada componente de frequência presente na entrada é transmitido. Chegaremos a esse importante tó-

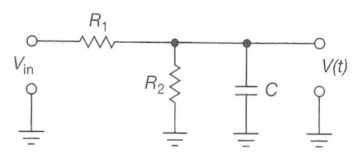

FIGURA 1.36 Parece complicado, mas não é! (O equivalente de Thévenin é a salvação.)

pico em breve (Seção 1.7). Antes disso, no entanto, existem alguns outros circuitos interessantes que podemos analisar simplesmente com esta abordagem no domínio do tempo.

C. Simplificação por Equivalentes de Thévenin

Poderíamos ir em frente e analisar circuitos mais complicados por meio de métodos semelhantes, anotando as equações diferenciais e tentando encontrar soluções. Para a maioria dos fins, simplesmente não vale a pena. Isso é tão complicado como um circuito RC que vamos precisar. Muitos outros circuitos podem ser reduzidos a ele; consideremos, por exemplo, o circuito da Figura 1.36. Apenas usando o equivalente de Thévenin do divisor de tensão formado por R_1 e R_2, você pode encontrar a saída $V(t)$ produzida por uma entrada em degrau V_{in}.

Exercício 1.17 No circuito mostrado na Figura 1.36, $R_1 = R_2 = 10k$ e $C = 0,1\ \mu F$. Determine $V(t)$ e desenhe-a.

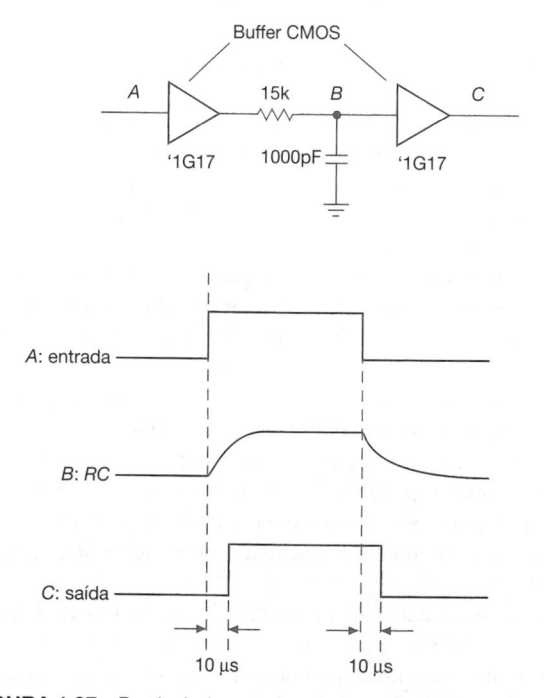

FIGURA 1.37 Produzindo uma forma de onda digital atrasada com a ajuda de um circuito RC e um par de *buffers* da família lógica LVC (partes pequenas com um enorme número de identificação [*part number*]: SN74LVC1G17DCKR!).

D. Um Exemplo de Circuito: Circuito Temporizador

Faremos um pequeno desvio para provar essas ideias teóricas em um par de circuitos reais. Os livros didáticos geralmente evitam tal pragmatismo, especialmente nos primeiros capítulos, mas acho divertido para fazer uso da eletrônica em aplicações práticas. Precisaremos introduzir alguns componentes "caixa-preta" para começar o trabalho, mas você aprenderá sobre eles em detalhe mais tarde, então não se preocupe.

Já mencionamos níveis lógicos, as tensões em que vivem os circuitos digitais. A Figura 1.37 apresenta uma aplicação de capacitores para produzir um pulso retardado. Os símbolos triangulares são "*buffers* CMOS[24]". Eles produzem uma saída de nível ALTO se a entrada for nível ALTO (mais do que a metade da tensão CC de alimentação usada para os alimentar), e vice-versa. O primeiro *buffer* fornece uma réplica do sinal de entrada, mas com baixa resistência de fonte, para evitar o efeito de carga no sinal de entrada pela malha RC (lembre-se da nossa discussão anterior do efeito de carga em circuitos na Seção 1.2.5A). A saída RC tem os decaimentos característicos e faz o *buffer* de saída comutar 10 μs após as transições da entrada (uma malha RC atinge a saída de 50% depois de um tempo $t = 0,7RC$). Em uma aplicação real, teríamos que considerar o efeito do desvio em relação a metade da tensão de alimentação do limiar de entrada do *buffer*, o que alteraria o atraso e também a largura do pulso de saída. Tal circuito é, por vezes, utilizado para atrasar um pulso, de modo que outra coisa possa acontecer antes. No projeto de circuitos, tente não confiar demasiadas vezes em truques como esse, mas eles são ocasionalmente úteis.

E. Outro Circuito Exemplo: "Um Minuto de Acionamento"

A Figura 1.38 mostra outro exemplo do que pode ser feito com simples circuitos de tempo RC. O símbolo triangular é um comparador, algo que trataremos em detalhe mais adiante, nos Capítulos 4 e 10; tudo o que você precisa saber por enquanto é que (a) esse componente é um CI (contendo um grupo de resistores e transistores), (b) ele é alimentado a partir de uma tensão CC positiva que você conecta ao pino identificado como "V_+" e (c) ele aciona a sua saída (o fio que sai do triângulo pelo lado direito) para V_+ ou para o terra, dependendo de a entrada marcada com "+" ser mais ou menos positiva do que a entrada marcada com "−", respectivamente. (Essas entradas são denominadas *não inversora* e *inversora*, respectivamente). Ele não consome qualquer corrente de suas entradas, mas, felizmente, aciona cargas que exigem até 20 mA. E um comparador é decisivo: sua saída é nível "ALTO" (em V_+) ou "BAIXO" (terra).

Eis como o circuito funciona: o divisor de tensão R_3R_4 mantém a entrada (−) a 37% da tensão de alimentação – neste caso, cerca de +1,8 V; vamos denominá-la "tensão de referência".

---
[24] Semicondutor de óxido metálico complementar, a forma dominante de lógica digital, como veremos a partir do Capítulo 10.

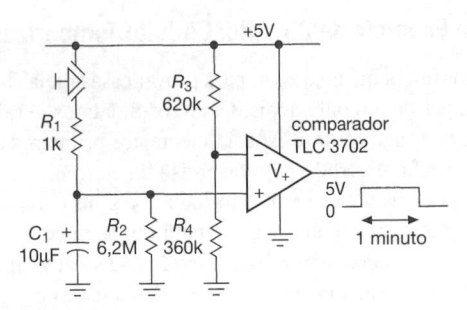

FIGURA 1.38 Circuito de temporização *RC*: um acionamento da chave → um minuto!

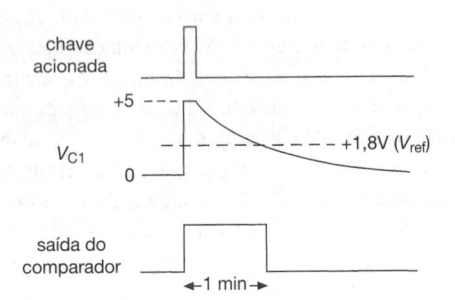

FIGURA 1.39 Produção de uma forma de onda digital temporizada pelo circuito da Figura 1.38. A tensão V_{C1} tem um tempo de subida de $R_1C_1 \approx 10$ ms.

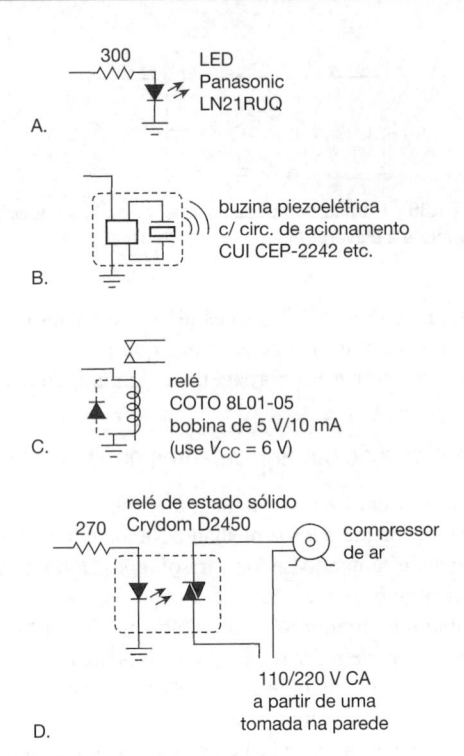

FIGURA 1.40 Exemplos de acionamentos interessantes a partir da saída do circuito temporizador na Figura 1.38.

Portanto, se o circuito está em repouso por algum tempo, C_1 está totalmente descarregado, e a saída do comparador está em nível BAIXO (terra). Quando você pressiona o botão PARTIDA momentaneamente, C_1 carrega rapidamente (constante de tempo de 10 ms) até +5 V, o que leva a saída do comparador para +5 V; ver Figura 1.39. Depois que o botão é liberado, o capacitor descarrega exponencialmente em direção ao terra, com uma constante de tempo de $\tau = R_2C_1$, que definimos para que seja de 1 minuto. Decorrido esse tempo, sua tensão cruza a tensão de referência, de modo que a saída do comparador muda rapidamente de volta para o terra. (Note que escolhemos convenientemente a tensão de referência para ser uma fração $1/e$ de V_+, de modo que leva exatamente uma constante de tempo τ para que isso aconteça. Para R_2, foi utilizado o valor padrão mais próximo de 6 MΩ; consulte o Apêndice C.) A linha inferior mostra que a saída permanece 1 minuto em +5 V depois que o botão é pressionado.

Adicionaremos alguns detalhes em breve, mas primeiro usaremos a saída para fazer algumas coisas interessantes, que são mostradas nas Figuras 1.40A-D. Você pode fazer um chaveiro-lanterna com autodesligamento conectando sua saída em um LED; você precisa colocar um resistor em série para definir a corrente (falaremos muito mais sobre isso depois). Se quiser, você pode conectar a ele uma *buzina piezoelétrica* para apitar continuamente (ou intermitentemente) por um minuto (esse pode ser um sinal de fim de ciclo para uma secadora de roupas). Outra possibilidade é anexar um pequeno *relé* eletromecânico, que é apenas uma chave mecânica operada eletricamente para acionar um par de contatos que pode ativar praticamente qualquer carga que você gostaria de ligar e desligar. O uso de um relé tem a importante propriedade de a carga – o circuito a ser ligado pelo relé – ser eletricamente isolada do +5 V e do terra do próprio circuito de temporização.

Por fim, para ligar e desligar máquinas industriais críticas, você provavelmente usaria um *relé de estado sólido* (SSR, Seção 12.7) robusto, que tem internamente um LED infravermelho acoplado a um dispositivo de comutação CA conhecido como *triac*. Quando ativado, o triac atua como uma chave mecânica excelente, capaz de comutar muitos ampères, e (como o relé eletromecânico) é completamente isolado eletricamente do seu circuito de entrada. O exemplo mostra esse dispositivo conectado a um compressor de ar, de modo que seus amigos receberão um crédito de ar de um minuto para inflar os pneus de suas bicicletas em seu "posto de gasolina caseiro" após inserirem uma moeda de 25 centavos em seu temporizador acionado por moeda. Você poderia fazer algo semelhante com um chuveiro de água quente que funciona com moedas (mas, hein, apenas *um minuto* para o banho?!).

Alguns detalhes: (a) no circuito da Figura 1.38, você poderia omitir R_1, e o circuito ainda funcionaria, mas haveria um grande transitório de corrente quando o capacitor descarregado fosse conectado na fonte de +5 V (lembre-se de que $I = C\,dv/dt$: aqui você estaria tentando produzir 5 V de "dV" em cerca de 0 s de "dt"). Ao adicionar um resistor R_1 em série, você limita a corrente de pico para um modesto 5 mA durante a suficientemente rápida carga do capacitor (> 99% em 5 constantes de tempo *RC*, ou 0,05 s). (b) A saída do comparador provavelmente ricocheteará um pouco (ver Figura 4.31), conforme a entrada (+) cruza a tensão de referência em seu vagaroso passeio exponencial em direção ao terra, devido a uma pequena porção inevitável de ruído elétrico. Para corrigir esse problema, você costuma ver o circuito organizado de modo que parte da saída é acoplada de volta para a entrada de uma maneira que reforça a comutação (isso é oficialmente denominado *histerese*, ou *realimentação positiva*; estudaremos o assunto nos Capítulos 4 e 10). (c) Em circuitos eletrônicos, é sempre uma boa ideia desviar (*bypass*) a fonte CC conectando um ou mais capacitores entre o "trilho" CC e o terra. O valor da capacitância não é crítico – valores de 0,1 μF a 10 μF são normalmente usados; ver Seção 1.7.16A.

Todos os nossos exemplos simples envolveram ligar e desligar cargas. Porém, existem outros usos para um sinal *lógico* eletrônico, como a saída do comparador, que está em um de dois possíveis estados binários, denominados ALTO e BAIXO (neste caso, +5 V e terra), 1 e 0, ou VERDADEIRO e FALSO. For exemplo, tal sinal pode ativar ou desativar a operação de algum outro circuito. Imagine que a abertura da porta do carro acione a nossa saída de nível ALTO de 1 min, que, em seguida, permite que um teclado numérico aceite um código de segurança para que você possa dar a partida no carro. Depois de um minuto, se você ainda não conseguiu digitar o código mágico, ele desliga, impedindo que um motorista possivelmente embriagado dirija.

1.4.3 Diferenciadores

Você pode fazer um circuito simples que diferencie um sinal de entrada; isto é, $V_\text{out} \propto dV_\text{in}/dt$. Analisemo-lo em duas etapas.

1. Primeiro, olhe para o circuito (impraticável) na Figura 1.41A: A tensão de entrada $V_{in}(t)$ produz uma corrente que passa pelo capacitor de $I_\text{cap} = C\, dV_\text{in}/dt$. Isso é justamente o que queremos – se ao menos pudéssemos, de alguma forma, usar a corrente através de *C* como a nossa "saída"! Mas não podemos.[25]
2. Então, adicionamos um pequeno resistor do lado inferior do capacitor para o terra, para funcionar como um resistor "sensor de corrente" (Figura 1.41B). A boa notícia é que agora temos uma saída proporcional à corrente através do capacitor. A notícia ruim é que o circuito não é mais um diferenciador matematicamente perfeito. Isso porque a tensão sobre *C* (cuja derivada produz a corrente que estamos detectando com *R*) não é mais igual a V_{in}; agora é igual à diferença entre V_{in} e

---

[25] Sempre existem situações em que parece não haver uma solução. Não desista, pois a solução é construída por nós mesmos. Continue a leitura sobre o diferenciador e você verá que não é tão difícil encontrar uma solução para a questão exposta.

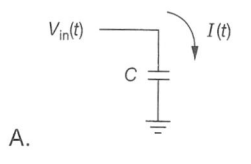

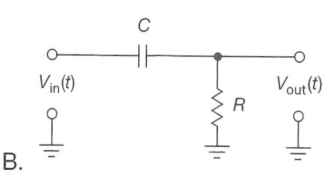

FIGURA 1.41 Diferenciadores. A. Perfeito (exceto por ele não ter terminal de saída). B. Aproximado (mas pelo menos ele tem uma saída!).

V_out. Eis como ele funciona: a tensão sobre *C* é $V_{in} - V_\text{out}$, de modo que

$$I = C\frac{d}{dt}(V_\text{in} - V_\text{out}) = \frac{V_\text{out}}{R}.$$

Se escolhermos *R* e *C* pequenos o suficiente para que $dV_\text{out}/dt \ll dV_\text{in}/dt$, então

$$C\frac{dV_\text{in}}{dt} \approx \frac{V_\text{out}}{R}$$

ou

$$V_\text{out}(t) \approx RC\frac{d}{dt}V_\text{in}(t).$$

Isto é, temos uma saída proporcional à taxa de variação da forma de onda de entrada.

Para manter $dV_\text{out}/dt \ll dV_\text{in}/dt$, fazemos o produto *RC* pequeno, tomando cuidado para não produzir "efeito de carga" na entrada fazendo *R* muito pequeno (na transição, a variação da tensão sobre o capacitor é zero, portanto *R* é a carga vista pela entrada). Teremos um critério melhor para isso quando analisarmos o circuito no domínio da frequência (Seção 1.7.10). Se você acionar esse circuito com uma onda quadrada, a saída será como mostrado na Figura 1.42.

Diferenciadores são úteis para detectar *bordas de subida* e *bordas de descida* em sinais de pulso, e, em circuitos digitais, às vezes, vemos coisas como as representadas na

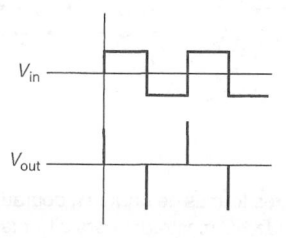

FIGURA 1.42 Forma de onda de saída (superior) a partir do diferenciador acionado por uma onda quadrada.

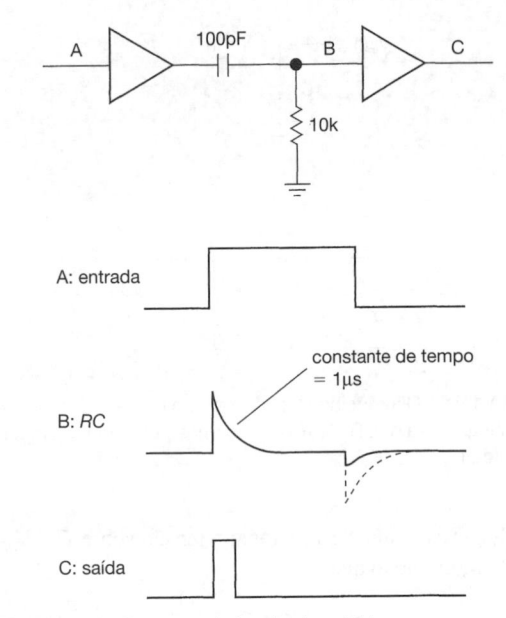

FIGURA 1.43 Detector de borda de subida.

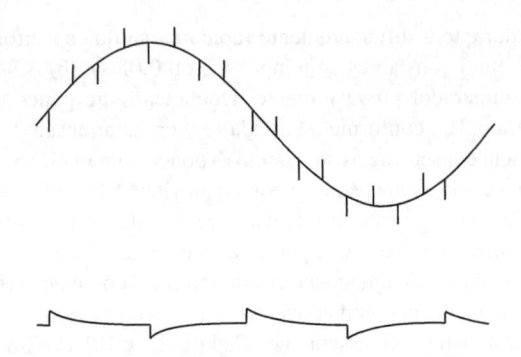

FIGURA 1.45 Dois exemplos de acoplamento capacitivo não intencional.

Figura 1.43. O diferenciador *RC* gera picos nas transições do sinal de entrada, e o *buffer* de saída converte os picos em pulsos retangulares curtos. Na prática, o pico negativo será pequeno, por causa de um diodo (um dispositivo útil discutido na Seção 1.6) interno ao *buffer*.

Para trazermos algum realismo neste momento, montamos um diferenciador que configuramos para sinais de alta velocidade e fizemos algumas medições. Para isso, usamos $C = 1$ pF e $R = 50\ \Omega$ (este último é o padrão mundial para circuitos de alta velocidade; consulte o Apêndice H), que acionamos com um degrau de 5 V com taxa de variação configurável (isto é, dV/dt). A Figura 1.44 mostra as formas de onda de entrada e saída para três configurações de $dV\text{in}/dt$. Os circuitos nessas velocidades (note a escala horizontal: 4 *nano*ssegundos por divisão!) frequentemente se afastam do desempenho ideal, como pode ser visto no tempo de subida mais rápido. Os dois degraus mais lentos mostram um comportamento razoável; ou seja, uma forma de onda de saída plana na parte superior durante a rampa ascendente da entrada; verifique por si mesmo que a amplitude de saída foi corretamente prevista pela fórmula.

A. Acoplamento Capacitivo Não Intencional

Diferenciadores, por vezes, surgem inesperadamente em situações em que não são bem-vindos. Você pode ver sinais como os mostrados na Figura 1.45. O primeiro caso é causado pela onda quadrada em algum ponto no circuito que acopla capacitivamente na linha de sinal que você está observando; isso pode indicar a falta de um resistor de terminação em sua linha de sinal. Se não for isso, você deve reduzir a resistência da fonte da linha de sinal ou encontrar uma maneira de reduzir o acoplamento capacitivo da onda quadrada ofensiva. O segundo caso é típico do que você pode verificar quando olha para uma onda quadrada, mas tem uma conexão partida em algum ponto, geralmente na ponta de prova do osciloscópio. A capacitância muito pequena da conexão partida combinada com a resistência de entrada do osciloscópio forma um diferenciador. Saber que você tem "algum sinal" diferenciado pode ajudá-lo a encontrar o problema e eliminá-lo.

1.4.4 Integradores

Se circuitos *RC* podem levar a derivadas, por que não a integrais? Como anteriormente, analisaremos em duas etapas.

1. Imagine que haja um sinal de entrada que é uma *corrente* que varia em função do tempo, $I_{in}(t)$ (Figura 1.46A).[26] Essa corrente de entrada é precisamente a corrente através do capacitor, de modo que $I_{in}(t) = C\,dV(t)/dt$, e, por conseguinte, $V(t) = (1/C)\int I_{in}(t)\,dt$.

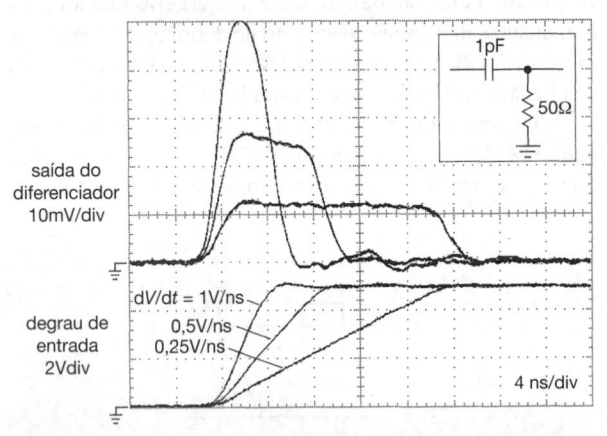

FIGURA 1.44 Três formas de onda em degrau rápidas diferenciadas pela rede *RC* mostrada. Para a forma de onda mais rápida (10^9 volts por segundo!), imperfeições nos componentes e instrumentos de medição causam o desvio do que seria ideal.

---

[26] Estamos acostumados a pensar em sinais como as tensões que variam no tempo, mas veremos como podemos converter esses sinais para *correntes* variáveis no tempo proporcionais usando "conversores tensão-corrente" (ou, com o nome mais sofisticado, "amplificadores de transcondutância").

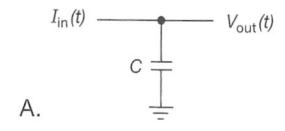

FIGURA 1.46 Integrador. A. Perfeito (mas requer um sinal de entrada de *corrente*). B. Aproximado (ver texto).

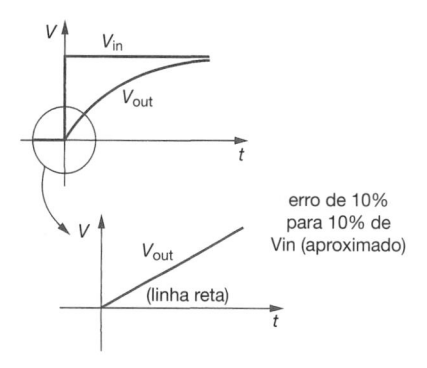

FIGURA 1.47 A aproximação de um integrador é boa quando $V_{out} \ll V_{in}$.

Isso é exatamente o que queríamos! Assim, um simples capacitor, com um lado conectado ao terra, é um integrador, *se* tivermos um sinal de entrada sob a forma de uma corrente de $I_{in}(t)$. Entretanto, na maioria dos casos, não o temos.

2. Então, conectamos um resistor em série com o sinal de *tensão* de entrada mais usual $V_{in}(t)$, para convertê-lo em corrente (Figura 1.46B). A boa notícia é que ele funciona razoavelmente. A notícias ruim é que o circuito não é mais um integrador perfeito. Isso porque a corrente através de C (cuja integral produz a tensão de saída) não é mais proporcional a V_{in}; agora é proporcional à diferença entre V_{in} e V. Eis como isso funciona: a tensão sobre R é $V_{in} - V$, assim,

$$I = C\frac{dV}{dt} = \frac{V_{in} - V}{R}.$$

Se conseguirmos manter $V \ll V_{in}$, mantendo o produto RC grande,[27] então

$$C\frac{dV}{dt} \approx \frac{V_{in}}{R}$$

ou

$$V(t) = \frac{1}{RC}\int^t V_{in}(t)\,dt + \text{constante}$$

Ou seja, temos uma saída proporcional à integral no tempo da forma de onda de entrada. Você pode ver como a aproximação funciona para uma entrada de onda quadrada: $V(t)$ é, então, a curva de carga exponencial que vimos anteriormente (Figura 1.47). A primeira parte da exponencial é uma rampa, a integral de uma constante; à medida que aumentamos a constante de tempo RC, pegamos uma menor parte da exponencial, ou seja, uma melhor aproximação de uma rampa perfeita.

Note que a condição $V \ll V_{in}$ é o mesmo que dizer que I é proporcional a V_{in}, que ocorreu no nosso primeiro circuito

---

[27] Assim como para o diferenciador, teremos outra maneira de enquadrar esse critério na Seção 1.7.10.

integrador. Uma tensão grande sobre uma resistência grande se aproxima de uma fonte de corrente e, de fato, é frequentemente usada como tal.

Logo mais, quando chegarmos ao estudo de amplificadores operacionais e realimentação, seremos capazes de construir integradores sem a restrição $V_{out} \ll V_{in}$. Eles trabalharão em grandes faixas de tensão e de frequência com erro insignificante.

O integrador é amplamente utilizado em computação analógica. É um subcircuito útil que encontra aplicação em sistemas de controle, realimentação, conversão analógico-digital e geração de forma de onda.

A. Geradores de Rampa

A este ponto, é fácil entender como um gerador de rampa funciona. Este interessante circuito é extremamente útil, por exemplo, em circuitos de temporização, geradores de funções e formas de onda, circuitos de varredura de osciloscópios analógicos e circuitos de conversão analógico-digital. O circuito usa uma corrente constante para carregar um capacitor (Figura 1.48). A partir da equação do capacitor $I = C(dV/dt)$, você obtém $V(t) = (I/C)t$. A forma de onda de saída é como mostrado na Figura 1.49. A rampa para quando a fonte de corrente "esgota a tensão", ou seja, atinge o limite de sua compliance. Na mesma figura, mostra-se a curva para um RC simples, com o resistor conectado a uma fonte de tensão igual à compliance da fonte de corrente, e com R escolhido de forma que a corrente na tensão de saída zero seja a mesma da fonte de corrente. (Fontes de corrente reais geralmente têm compliances de saída limitadas pela tensão de alimentação usada para construí-las, de modo que a comparação é realista.) No próximo capítulo, que trata de transistores, projetaremos algumas fontes de corrente, com alguns refinamentos para prosseguirmos para os capítulos sobre amplificadores operacionais (AOPs) e FETs. Aguardemos ansiosamente!

Exercício 1.18 Uma corrente de 1 mA carrega um capacitor de 1 μF. Quanto tempo a rampa leva para chegar a 10 volts?

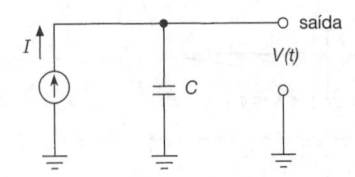

FIGURA 1.48 Uma fonte de corrente constante, ao carregar um capacitor, gera uma forma de onda de tensão em rampa.

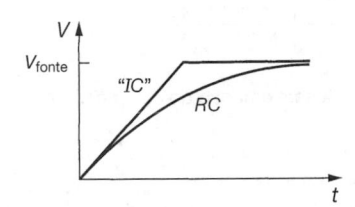

FIGURA 1.49 Carga de um capacitor por uma corrente constante (com compliance finita) *versus* uma carga *RC*.

1.4.5 Não Exatamente Perfeito...

Capacitores reais (o tipo que você pode ver, tocar e comprar) geralmente se comportam de acordo com a teoria; no entanto, eles têm algumas "características" adicionais que podem causar problemas em aplicações exigentes. Por exemplo, todos os capacitores apresentam *alguma resistência em série* (que pode ser uma função da frequência) e *alguma indutância em série* (ver a próxima seção), juntamente com uma resistência em paralelo dependente da frequência. Ainda, há um efeito "memória" (conhecido como *absorção do dielétrico*), o que raramente é discutido na sociedade civilizada: se você carregar um capacitor até alguma tensão V_0 e mantê-la por um tempo e, em seguida, descarregá-lo até 0 V, então, quando você remover o curto em seus terminais, ele tenderá a voltar um pouco em direção a V_0.

Por enquanto, você não precisa se preocupar com essas coisas.

1.5 INDUTORES E TRANSFORMADORES

1.5.1 Indutores

Se você entende os capacitores, não terá grandes problemas com indutores (Figura 1.50). Eles estão intimamente relacionados com capacitores: a taxa de variação da corrente em um indutor é proporcional à tensão aplicada nele (para um capacitor, ocorre o contrário – a taxa de variação de *tensão* é proporcional à *corrente* através dele). A equação de definição para um indutor é

$$V = L\frac{dI}{dt}, \qquad (1.23)$$

em que L é denominada *indutância* e é medida em henry (ou mH, μH, nH, etc.). Colocar uma tensão constante sobre um

FIGURA 1.50 Indutores. O símbolo com as barras em paralelo representa um núcleo de material magnético.

indutor faz a corrente subir como uma rampa (compare com um capacitor, em que uma *corrente* constante faz a *tensão* subir como uma rampa); 1 V sobre um indutor de 1 H produz uma corrente que aumenta 1 A por segundo.

Assim como com capacitores, a energia investida na elevação da corrente em um indutor é armazenada internamente – neste caso, na forma de campos magnéticos. A fórmula análoga é

$$U_L = \frac{1}{2}LI^2, \qquad (1.24)$$

em que U_L está em joules (watts segundos) para L em henrys e I em ampères. Tal como acontece com capacitores, este é um resultado importante, o qual está no cerne da conversão de energia por chaveamento (exemplificado por essas pequenas caixas pretas conectadas na tomada da parede, que alimentam todos os tipos de aparelhos eletrônicos de consumo). Veremos muito mais sobre isso no Capítulo 9.

O símbolo para um indutor parece uma bobina de fio; isso porque, em sua forma mais simples, é justamente isso que o indutor é. O seu comportamento um tanto peculiar se dá porque indutores são dispositivos magnéticos, em que duas coisas estão acontecendo: um fluxo de corrente através da bobina cria um campo magnético alinhado ao longo do eixo da bobina; e, assim, as variações nesse campo produzem uma tensão (às vezes, denominada "FEM reversa"), de forma a tentar anular essas variações (um efeito conhecido como lei de Lenz). A indutância L de uma bobina é simplesmente a relação entre o fluxo magnético que passa através da bobina dividido pela corrente através da bobina que produz esse fluxo (multiplicada por uma constante global). A indutância depende da geometria da bobina (por exemplo, diâmetro e comprimento) e das propriedades do material magnético ("core") que possa ser usado para confinar o campo magnético. Isso é tudo que você precisa entender sobre o motivo de a indutância de uma bobina de determinada geometria ser proporcional ao quadrado do número de espiras.

Exercício 1.19 Explique por que $L \propto n^2$ para um indutor que consiste de uma bobina de n espiras de fio, mantendo o diâmetro e o comprimento fixos enquanto n varia.

Vale a pena mostrar uma fórmula semiempírica aproximada para a indutância L de uma bobina de diâmetro d e comprimento l, em que a dependência de n^2 é exposta:

$$L \approx K\frac{d^2 n^2}{18d + 40l} \quad \mu H,$$

FIGURA 1.51 Indutores. Linha superior, da esquerda para a direita: toroide encapsulado, toroide hermeticamente fechado, núcleo em forma de pote para montagem em placa, toroide sem revestimento (dois tamanhos). Linha do meio: indutores de núcleo de ferrite sintonizado ajustável (três tamanhos). Linha inferior: choque de núcleo de ferrite de alta corrente, choque de ferrite em forma de anel, indutor de núcleo de ferrite revestido com chumbo, choque de ferrite SMD, choque de núcleo de ferrite de terminais axiais moldado (dois tipos), indutores de núcleo de ferrite envernizado (dois tipos).

em que $K = 1,0$ ou $0,394$ para dimensões em polegadas ou centímetros, respectivamente. Isso é conhecido como fórmula de Wheeler e tem precisão de 1% enquanto $l > 0,4d$.

Tal como acontece com a corrente capacitiva, a corrente indutiva não é simplesmente proporcional à tensão (como em um resistor). Além disso, ao contrário da situação em um resistor, a potência associada com a corrente indutiva ($V \times I$) não é transformada em calor, mas é armazenada como energia no campo magnético do indutor (lembre-se de que, para um capacitor, a potência associada com a corrente capacitiva é igualmente não dissipada como calor, mas é armazenada como energia no campo elétrico do capacitor). Você obtém toda essa energia de volta quando interrompe a corrente no indutor (com um capacitor, você obtém toda a energia de volta quando descarregar a tensão até zero).

O indutor básico é uma bobina, que pode ser apenas um anel com uma ou mais espiras de fio, ou pode ser uma bobina com algum comprimento, conhecida como solenoide. Variações incluem bobinas enroladas em vários materiais de núcleo, os mais populares sendo ferro (ligas, lâminas ou pó) e ferrite (um material magnético cinza, não condutor e quebradiço). Esses são todos os truques para multiplicar a indutância de uma bobina dada pela "permeabilidade" do material do núcleo. O núcleo pode ser em forma de uma haste, um toroide (forma de uma rosca) ou mesmo das formas mais bizarras, como um "núcleo em forma de pote" (que tem que ser visto para ser entendido; a melhor descrição que posso dar é a de um molde de uma rosca dividido horizontalmente ao meio, se roscas fossem feitas em moldes). Veja a Figura 1.51, com algumas geometrias típicas.

Indutores encontram uso intenso em circuitos de radiofrequência (RF), servindo como "choques" de RF e como partes de circuitos sintonizados (Seção 1.7.14). Um par de indutores estreitamente acoplados forma um objeto interessante conhecido como transformador. Nós o abordaremos em breve.

Um indutor é, em um sentido real, o oposto de um capacitor.[28] Você verá como ele funciona mais adiante neste capítulo quando lidarmos com um importante assunto denominado *impedância*.

A. Olhando um Pouco Adiante: Magia com os Indutores

Só para dar um gosto de alguns dos truques que você pode fazer com indutores, dê uma olhada na Figura 1.52. Entenderemos muito melhor esses circuitos quando chegarmos a eles, no Capítulo 9, no entanto é possível ver o que está acontecendo com o que já sabemos. Na Figura 1.52A, o lado esquerdo do indutor L é alternadamente comutado entre uma tensão de entrada CC V_{in} e o terra, em uma taxa relativamente rápida, gastando tempos iguais conectado em cada uma dessas tensões (um "ciclo de trabalho de 50%"). Mas a equação de definição $V = L dI/dt$ exige que a tensão *média* sobre um indutor seja zero – caso contrário, a intensidade da sua cor-

---

[28] Na prática, no entanto, os capacitores são muito mais usados em circuitos eletrônicos. Isso porque indutores práticos se distanciam significativamente do desempenho ideal – por terem resistência de enrolamento, perdas do núcleo e autocapacitância –, enquanto capacitores práticos são quase perfeitos. Indutores são indispensáveis, no entanto, em *conversores chaveados*, bem como em circuitos *LC* sintonizados para aplicações de RF.

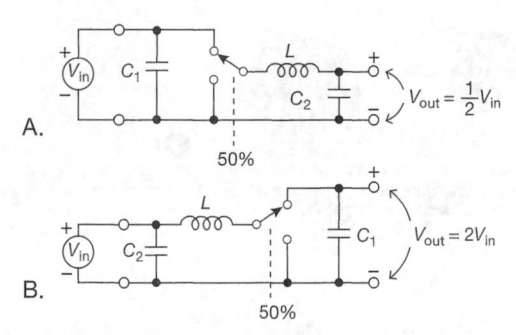

FIGURA 1.52 Indutores permitem que você faça truques, como *aumentar* a tensão de entrada CC.

rente média aumentaria sem limite. (Isso, às vezes, é denominado princípio de *equilíbrio volt-segundo*.) A partir disso, segue-se que a tensão de saída média é metade da tensão de entrada (certifique-se de compreender por que razão). Neste circuito, C_2 funciona como um capacitor de armazenamento para estabilizar a tensão de saída (mais sobre isso logo adiante, no Capítulo 9).

A produção de uma saída que é metade da tensão de entrada não é muito emocionante; afinal de contas, um simples divisor de tensão faz isso. Mas, ao contrário de um divisor de tensão, esse circuito o faz sem gastar energia; desconsiderando o comportamento não ideal dos componentes, ele é 100% eficiente. E, de fato, esse circuito é amplamente utilizado na conversão de energia; ele é denominado "conversor *buck* síncrono."

Mas observe agora a Figura 1.52B, que é apenas uma versão modificada da Figura 1.52A. Desta vez, o equilíbrio volts-segundo exige que a tensão de saída seja duas vezes a tensão de entrada. *Isso* você não pode fazer com um divisor de tensão! Mais uma vez, o capacitor de saída (C_1, neste momento) serve para manter a tensão de saída constante por meio da carga armazenada. Essa configuração é denominada "conversor *boost* síncrono".

Esses e outros conversores chaveados são amplamente discutidos no Capítulo 9, no qual a Tabela 9.5 lista cerca de cinquenta tipos representativos.

1.5.2 Transformadores

Um transformador é um dispositivo constituído por duas bobinas estreitamente acopladas (denominadas primário e secundário). Uma tensão CA aplicada ao primário aparece no secundário, com uma multiplicação de tensão proporcional à relação de espiras do transformador e com uma corrente de multiplicação inversamente proporcional à relação de espiras. A potência é conservada. A Figura 1.53 mostra o símbolo de circuito de um transformador de núcleo laminado (do tipo utilizado para conversão de potência CA de 60 Hz).

Transformadores são bastante eficientes (a potência de saída é quase igual à potência de entrada); assim, um

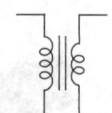

FIGURA 1.53 Transformador.

transformador elevador fornece uma tensão maior para uma corrente menor. Adiantando o assunto por um momento, um transformador de relação de espiras n aumenta a impedância em n^2. Há uma corrente muito pequena no primário se o secundário estiver sem carga.

Transformadores de potência (destinados para uso a partir da rede elétrica de 115 V) servem a duas funções importantes em instrumentos eletrônicos: eles mudam a tensão da rede CA para um valor útil (geralmente menor) que pode ser usado pelo circuito e "isolam" o dispositivo eletrônico a partir de conexão efetiva para a rede elétrica, pois os enrolamentos de um transformador estão eletricamente isolados um do outro. Eles podem ter uma enorme variedade de tensões e correntes secundárias: saídas muito baixas, como 1 volt, ou então até vários milhares de volts, especificações de correntes de alguns miliampères a centenas de ampères. Transformadores típicos para uso em instrumentos eletrônicos podem ter tensões de secundário de 10 a 50 V, com especificações de corrente de 0,1 a 5 ampères ou mais. Uma classe relacionada de transformadores é usada na conversão de potência em eletrônica, na qual flui bastante potência, mas geralmente como formas de onda de pulso ou quadrados, e há frequências muito mais altas (tipicamente de 50 kHz a 1 MHz).

Transformadores para sinais em frequências de áudio e frequências de rádio também estão disponíveis. Às vezes, em frequências de rádio, você utiliza transformadores sintonizados se apenas uma faixa estreita de frequências estiver presente. Há também uma classe interessante de transformadores de linhas de transmissão. Em geral, transformadores para uso em altas frequências devem usar materiais especiais no núcleo ou um tipo de construção que minimize as perdas no núcleo, ao passo que os transformadores de baixa frequência (por exemplo, transformadores da rede elétrica CA) possuem núcleos grandes e pesados. Os dois tipos de transformadores não são, em geral, permutáveis.

A. Problemas, Problemas...

Esta simples descrição, em uma "primeira análise", ignora interessantes e importantes questões. Por exemplo, existem indutâncias associadas com o transformador, como sugerido pelo seu símbolo de circuito: uma indutância em paralelo eficaz (denominada *indutância de magnetização*) e uma indutância em série eficaz (denominada *indutância de fuga*). A indutância de magnetização produz uma corrente no primário mesmo sem carga no secundário; isso significa que você não pode fazer um "transformador CC". A indutância de fuga provoca uma queda de tensão que depende da corrente de carga, além de excitar circuitos que têm pulsos ou bordas rápidos. Outras características que distanciam o desempenho do ideal incluem a resistência do enrolamento, as perdas do núcleo, a capacitância e o acoplamento magnético para o mundo exterior. Ao contrário dos capacitores (que se comportam quase idealmente na maioria das aplicações de circuitos), as deficiências de indutores têm efeitos significativos em aplicações de circuito reais. Abordaremos isso no Capítulo 9.

1.6 DIODOS E CIRCUITOS COM DIODOS

Não encerramos os capacitores e indutores! Nós os abordamos no *domínio do tempo* (circuitos *RC*, carga e descarga exponencial, diferenciadores e integradores, e assim por diante), mas ainda não abordamos o seu comportamento no *domínio da frequência*.

Chegaremos a isso em breve. Mas este é um bom momento para fazer uma pausa em "*RLC*" e usar o nosso conhecimento com alguns circuitos inteligentes e úteis. Começamos com a introdução de um novo dispositivo, o diodo. É o nosso primeiro exemplo de dispositivo não linear, e você pode fazer coisas interessantes com ele.

1.6.1 Diodos

Os elementos do circuito que discutimos até agora (resistores, capacitores e indutores) são todos *lineares*, o que significa que uma duplicação do sinal aplicado (a tensão, por exemplo) produz uma duplicação da resposta (a corrente, por exemplo). Isso é verdade mesmo para dispositivos reativos (capacitores e indutores). Esses componentes também são *passivos*, sendo o contrário dos dispositivos *ativos*, estes últimos exemplificados pelos transistores, os quais são dispositivos semicondutores que controlam o fluxo de potência. E eles são todos dispositivos de dois terminais, o que é autoexplicativo.

O diodo (Figura 1.54) é um dispositivo passivo *não linear* de dois terminais importante e útil. Ele tem a curva *V-I* mostrada na Figura 1.55. (Em conformidade com a filosofia geral deste livro, não tentaremos descrever a física do estado sólido que torna tais dispositivos possíveis.)

A seta do diodo (o terminal do anodo) aponta no sentido do fluxo da corrente direta. Por exemplo, se o diodo está em um circuito no qual uma corrente de 10 mA está fluindo do anodo para o catodo, então (a partir do gráfico) o anodo está cerca de 0,6 V mais positivo do que o catodo; isso é de-

FIGURA 1.54 Diodo.

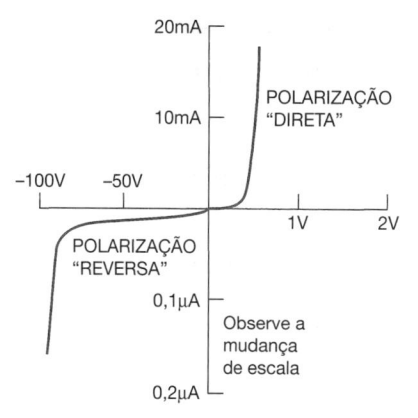

FIGURA 1.55 Curva *V-I* do diodo.

nominado "queda de tensão direta". A corrente reversa, que é medida na faixa de nanoampère para um diodo de propósito geral (observe as escalas bastante diferentes no gráfico para as correntes direta e reversa), quase nunca é útil até que seja atingida a tensão de ruptura reversa (também denominada tensão de pico inverso, PIV), tipicamente 75 volts para um diodo de uso geral como o 1N4148. (Normalmente, você não submete um diodo a tensões grandes o suficiente para provocar a ruptura reversa; a exceção é o diodo zener mencionado anteriormente.) Frequentemente, ainda, a queda de tensão direta de cerca de 0,5 a 0,8 V é de pouco interesse, e o diodo pode ser tratado, com uma boa aproximação, como um condutor unidirecional ideal. Há outras características importantes que distinguem os milhares de tipos de diodo disponíveis, como corrente máxima direta, capacitância, corrente de fuga e o tempo de recuperação reversa; a Tabela 1.1 inclui alguns diodos comuns, para dar uma ideia das capacidades desses pequenos dispositivos.

Antes de entrar em alguns circuitos com diodos, devemos salientar duas coisas: (a) um diodo não tem uma resistência (não obedece à lei de Ohm). (b) Se você colocar alguns diodos em um circuito, ele não terá um equivalente de Thévenin.

1.6.2 Retificação

Um retificador converte CA em CC; essa é uma das aplicações mais simples e mais importantes de diodos (que são, às vezes, denominados retificadores). O circuito mais simples é mostrado na Figura 1.56. O símbolo "CA" representa uma fonte de tensão CA; em circuitos eletrônicos, ela é normalmente obtida a partir de um transformador, alimentado a partir da rede elétrica CA. Para uma entrada de onda senoidal muito maior do que a queda de tensão direta (cerca de 0,6 V para diodos de silício, os tipos mais usuais), a saída será semelhante à da Figura 1.57. Se você pensar no diodo como um condutor unidirecional, não terá qualquer dificuldade para entender como o circuito funciona. Esse circuito é denomi-

TABELA 1.1 Diodos representativos

Nº Identif.	V_R máx (V)	I_R (típico, 25°C) (A@V)		V_F @I_F (mV)	(mA)	Capacitância (pF@ VR)		SMT[a] p/n	Observações
Silício									
PAD5	45	0,25pA	20V	800	1	0,5pF	5V	SSTPAD5	metal + cápsula de vidro
1N4148	75	10nA	20V	750	10	0,9pF	0V	1N4148W	diodo de sinal comum
1N4007	1000	50nA	800V	800	250	12pF	10V	DL4007	1N4004 tem V_R menor
1N5406	600	<10μA	600V	1.0V	10A	18pF	10V	nenhum	conduz calor pelos terminais
Schottky[b]									
1N6263	60	7nA	20V	400	1	0.6pF	10V	1N6263W	veja também o 1N5711
1N5819	40	10μA	32V	400	1000	150pF	1V	1N5819HW	comum
1N5822	40	40μA	32V	480	3000	450pF	1V	nenhum	Shottky de potência
MBRP40045	45	500μA	40V	540	400A	3500pF	10V	você está brincando!	Módulo duplo Schottky

Notas: (a) SMT, tecnologia de montagem em superfície. (b) Diodos Schottky têm menor tensão direta e tempo de recuperação reversa zero, porém mais capacitância.

nado *retificador de meia-onda*, porque só metade da forma de onda de entrada é usada.

A Figura 1.58 mostra outro circuito retificador, uma "ponte de onda completa". A Figura 1.59 apresenta a tensão sobre a carga; note que toda a forma de onda de entrada é usada. As lacunas na tensão zero ocorrem por causa da queda de tensão direta nos diodos. Nesse circuito, dois diodos estão sempre em série com a entrada; quando você projeta fontes

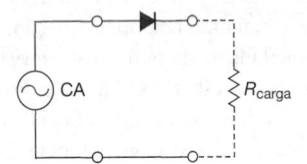

FIGURA 1.56 Retificador de meia-onda.

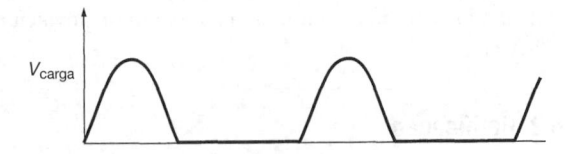

FIGURA 1.57 Tensão de saída de meia-onda (sem filtro).

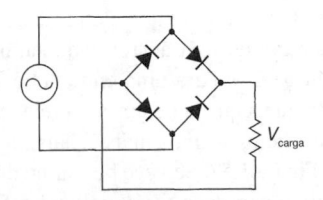

FIGURA 1.58 Retificador em ponte de onda completa.

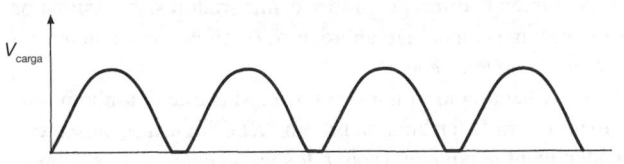

FIGURA 1.59 Tensão de saída de onda completa (sem filtro).

de alimentação de baixa tensão, a queda de tensão no diodo torna-se significativa (não se esqueça disso!).[29]

1.6.3 Filtragem da Fonte de Alimentação

As formas de onda retificadas anteriores não são adequadas para muitas aplicações tal como estão. Elas são "CC" apenas no sentido de que não mudam de polaridade. Porém, elas ainda têm muita "ondulação" (*ripple*) (variações periódicas na tensão sobre o valor estacionário), que deve ser suavizada a fim de gerar uma forma de onda genuinamente CC. Fazemos isso conectando um capacitor de valor relativamente grande (Figura 1.60); ele se carrega com a tensão de saída de pico durante a condução do diodo, e a sua carga armazenada ($Q = CV$) fornece a corrente de saída entre ciclos de carga. Note que os diodos evitam que o capacitor se descarregue de volta para a fonte CA. Nesta aplicação, você deve imaginar o capacitor como um dispositivo de armazenamento de energia, com a energia armazenada $U = \frac{1}{2}CV^2$ (lembre-se da Seção 1.4.1; para C em farads e V em volts, U é dado em joules, ou, equivalentemente, watt segundos).

O valor do capacitor é escolhido de forma que

$$R_{carga}C \gg 1/f,$$

---

[29] A queda do diodo pode ser eliminada com *comutação ativa* (ou *comutação síncrona*, uma técnica em que os diodos são substituídos por chaves transistorizadas acionadas em sincronismo com a forma de onda CA de entrada) (ver Seção 9.5.3B).

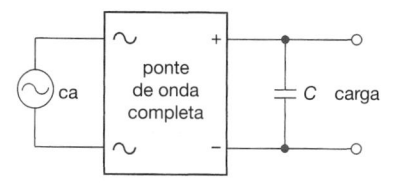

FIGURA 1.60 Ponte de onda completa com capacitor ("filtro") de armazenamento de saída.

(em que f é a frequência de ondulação – neste caso, 120 Hz), de modo a garantir uma pequena ondulação, fazendo a constante de tempo de descarga muito maior do que o tempo entre a recarga. Tornaremos essa vaga afirmação mais clara agora.

A. Cálculo da Tensão de Ondulação

É fácil calcular a tensão de ondulação aproximada, especialmente se for pequena em comparação com a tensão CC (ver Figura 1.61). A carga faz com que o capacitor descarregue um pouco entre ciclos (ou semiciclos, para a retificação de onda completa). Se você considerar que a corrente de carga permanece constante (o que ocorre para pequenas ondulações), você tem

$$\Delta V = \frac{I}{C} \Delta t \quad \left(\text{a partir de } I = C\frac{dV}{dt} \right).$$

Basta usar $1/f$ (ou $1/2f$ para retificação de onda completa) para Δt (essa estimativa tem uma margem de segurança, pois o capacitor começa a carregar novamente em menos de um semiciclo). Você obtém[30]

$$\Delta V = \frac{I_{\text{carga}}}{fC} \quad \text{(meia-onda)}$$

$$\Delta V = \frac{I_{\text{carga}}}{2fC} \quad \text{(onda completa)}$$

Se você quiser fazer o cálculo sem qualquer aproximação, use a fórmula exata de carga exponencial. Entretanto, você

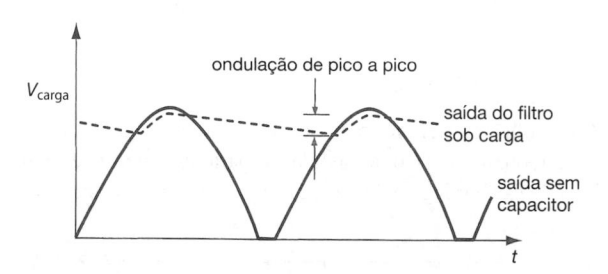

FIGURA 1.61 Cálculo da ondulação de uma fonte de alimentação.

---

[30] Enquanto ensinávamos eletrônica, notamos que os alunos gostam de memorizar essas equações! Uma pesquisa informal dos autores mostrou que dois em cada dois engenheiros não as memorizam. Por favor, não desperdice as células do cérebro dessa forma – em vez disso, aprenda a deduzi-las.

cometeria um equívoco ao insistir no tipo de precisão, por duas razões. (a) A descarga é exponencial somente se a carga for uma resistência; muitas cargas não são. De fato, a carga mais comum, um *regulador de tensão*, parece-se com uma carga de corrente constante. (b) Fontes de alimentação são construídas com capacitores com tolerâncias típicas de 20% ou mais. Percebendo, então, a extensão nos valores dos componentes fabricados, você projeta de forma conservadora, considerando a combinação de pior caso dos valores dos componentes.

Neste caso, visualizar a parte inicial da descarga como uma rampa é, de fato, bastante preciso, especialmente se a ondulação for pequena, e, de qualquer modo, o erro está dentro da orientação de um projeto conservador – que superestima a ondulação.

Exercício 1.20 Projete um circuito de uma ponte retificadora de onda completa para fornecer 10 V CC com uma ondulação menor do que 0,1 V (pp) em uma carga que consome até 10 mA. Escolha a tensão de entrada CA adequada, considerando quedas de diodos de 0,6 V. Certifique-se de usar a frequência de ondulação correta no cálculo.

1.6.4 Configurações de Retificador para Fontes de Alimentação

A. Ponte de Onda Completa

Uma fonte de alimentação CC com o circuito em ponte que acabamos discutir tem a aparência mostrada na Figura 1.62. Na prática, você geralmente compra uma ponte como um módulo pré-encapsulado. Os menores vêm com classificações de corrente máxima de 1 A média, com uma seleção de tensões de ruptura mínima especificada que vão desde 100 V a 600 V, ou mesmo 1.000 V. Grandes retificadores em ponte estão disponíveis com especificações de corrente de 25 A ou mais.

B. Retificadores de Onda Completa com Derivação Central

O circuito na Figura 1.63 é denominado retificador de onda completa com derivação central. A tensão de saída é metade do que você obteria se usasse uma ponte retificadora. Não é o circuito mais eficiente em termos de projeto do transformador, uma vez que cada metade do secundário é utilizada apenas metade do tempo. Para desenvolver alguma intuição sobre esse ponto sutil, considere duas configurações diferen-

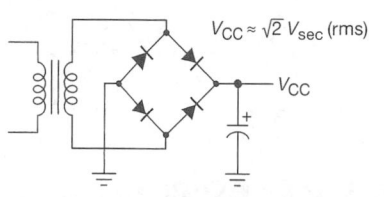

FIGURA 1.62 Circuito retificador em ponte. A marca de polaridade e o eletrodo curvo indicam um capacitor polarizado, que não permite uma carga com a polaridade oposta.

tes que produzam a mesma tensão CC de saída retificada: (a) o circuito da Figura 1.63 e (b) o mesmo transformador, desta vez com seu secundário com derivação central e reconectado com as duas metades em paralelo, a resultante do enrolamento secundário combinado conectado a uma ponte de onda completa. Agora, para fornecer a mesma potência de saída, cada metade do enrolamento em (a), durante o seu ciclo de condução, deve fornecer a mesma corrente que o par em paralelo em (b). Mas a potência dissipada nas resistências de enrolamento é I^2R, de modo que a potência perdida por aquecimento nos enrolamentos secundários do transformador é reduzida por um fator de 2 para a configuração em ponte (b).

Aqui está outra maneira de ver o problema: imagine que usemos o mesmo transformador como em (a), mas para o nosso circuito de comparação substituímos o par de diodos por uma ponte, como na Figura 1.62, e deixamos a derivação central desconectada. Agora, para fornecer a mesma *potência* de saída, a corrente através do enrolamento durante esse momento é duas vezes o que seria para um circuito de onda completa verdadeiro. Um detalhe: o aquecimento nos enrolamentos, calculado a partir da lei de Ohm, é I^2R, de modo que você tem quatro vezes o aquecimento para metade do tempo, ou duas vezes o aquecimento médio de um circuito em ponte de onda completa equivalente. Você teria que escolher um transformador com uma especificação de corrente 1,4 (raiz quadrada de 2) vez maior em comparação com o circuito em ponte (melhor); além de custar mais, a fonte resultante seria mais volumosa e pesada.

Exercício 1.21 Esta ilustração do aquecimento I^2R pode ajudá-lo a entender a desvantagem do circuito retificador com derivação central. Qual especificação (mínima) do fusível é necessária para a passagem da forma de onda de corrente mostrada na Figura 1.64, que tem uma corrente média de 1 A? *Dica*: um fusível "queima" derretendo (por aquecimento I^2R) um elo metálico ao ser percorrido por uma corrente estacionária maior do que a sua especificação. Suponha, para este problema, que a constante de tempo térmica para o elo fundível seja muito mais longa do que o intervalo de tempo da onda quadrada, isto é, que o fusível responda ao valor médio de I^2 ao longo de muitos ciclos.

C. Fonte Simétrica

Uma variação popular do circuito de onda completa com derivação central é mostrada na Figura 1.65. Ela mostra fontes simétricas (tensões positivas e negativas iguais), de que muitos circuitos precisam. É um circuito eficiente, pois as duas

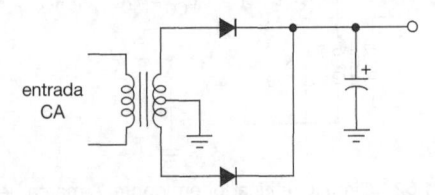

FIGURA 1.63 Retificador de onda completa usando o transformador de derivação central.

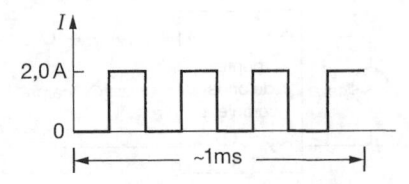

FIGURA 1.64 Ilustração do aquecimento I^2R maior com fluxo de corrente descontínuo.

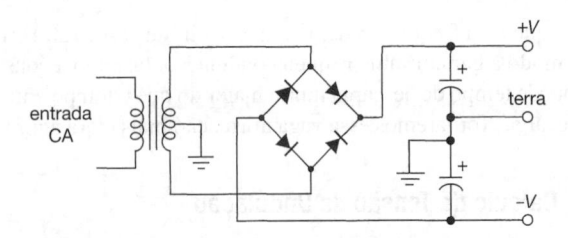

FIGURA 1.65 Fonte de polaridade dupla (simétrica).

metades da forma de onda de entrada são usadas em cada seção de enrolamento.

D. Multiplicadores de Tensão

O circuito mostrado na Figura 1.66 é denominado duplicador de tensão. Pense nele como dois circuitos retificadores de meia-onda em série. Ele é, oficialmente, um circuito retificador de onda completa, pois ambas as metades da onda de entrada são usadas – a frequência de ondulação é o dobro da frequência CA (120 Hz para a tensão de linha de 60 Hz nos Estados Unidos e em outros países).

Existem variações desse circuito para triplicadores de tensão, quadruplicadores de tensão, etc. A Figura 1.67 mostra os circuitos duplicador, triplicador e quadruplicador que permitem aterrar um lado do transformador. Você pode estender esse esquema tanto quanto quiser, produzindo o que é denominado gerador de Cockcroft-Walton; ele é usado em aplicações secretas (tais como aceleradores de partículas) e em aplicações cotidianas (como amplificadores de imagem, ionizadores de ar, copiadoras laser e até mesmo mata-mosquitos) que exigem uma alta tensão CC, mas pouca corrente.

1.6.5 Reguladores

Ao escolher capacitores que são suficientemente grandes, você pode reduzir a tensão de ondulação para qualquer nível desejado. Essa abordagem de "força bruta" tem três desvantagens.

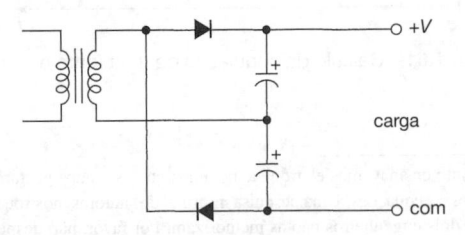

FIGURA 1.66 Dobrador de tensão.

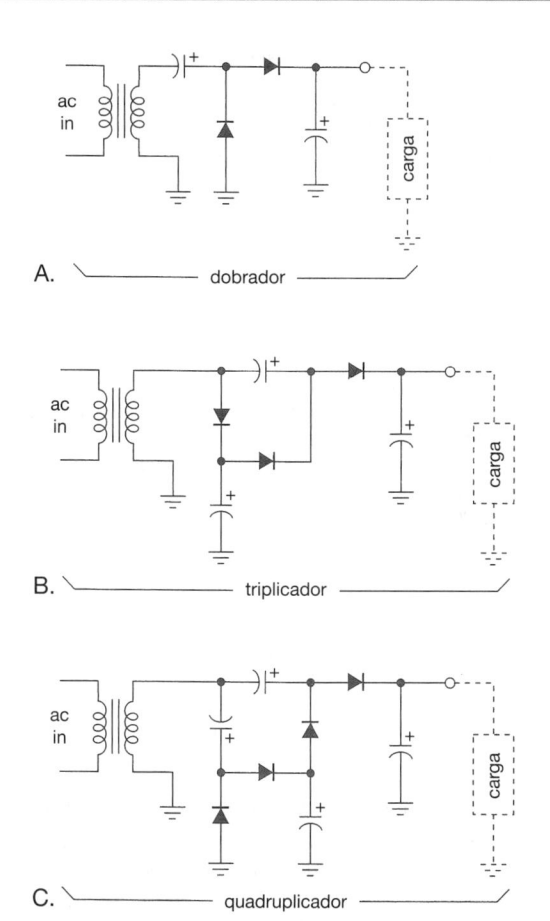

FIGURA 1.67 Multiplicadores de tensão; estas configurações não necessitam de uma fonte de tensão flutuante.

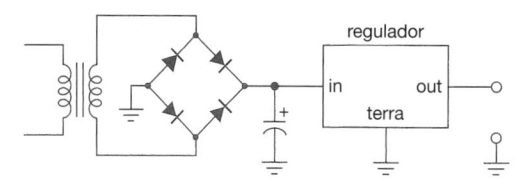

FIGURA 1.68 Fonte de alimentação CC regulada.

- Os capacitores necessários podem ser proibitivamente volumosos e caros.
- O intervalo muito curto do fluxo de corrente durante cada ciclo[31] (apenas muito próximo à parte superior da forma de onda senoidal) produz mais aquecimento I^2R.
- Mesmo com a ondulação reduzida a níveis insignificantes, você ainda tem as variações de tensão de saída devidas a outras causas. Por exemplo, a tensão de saída CC será aproximadamente proporcional à tensão de entrada CA, dando origem a flutuações provocadas por variações de tensão da linha de entrada. Além disso, alterações na corrente de carga continuarão a fazer a tensão de saída variar devido às resistências internas finitas do transformador, diodo, etc. Em outras palavras, o circuito equivalente de Thévenin da fonte de alimentação tem $R > 0$.

A melhor abordagem para o projeto de fonte de alimentação é a utilização de capacitância suficiente para reduzir a ondulação a baixos níveis (talvez 10% da tensão CC) e, em seguida, usar um *circuito de realimentação* ativo para eliminar a ondulação remanescente. Tal circuito de realimentação "olha para" a saída, fazendo alterações em um resistor em série controlável (um transístor) conforme necessário para manter constante a tensão de saída (Figura 1.68). Isso é conhecido como "fonte de alimentação CC regulada linear".[32]

Esses reguladores de tensão são usados quase universalmente como fontes de alimentação para os circuitos eletrônicos. Atualmente, os reguladores de tensão completos estão disponíveis em CIs de baixo custo (preço abaixo de 1 dólar). Uma fonte de alimentação construída com um regulador de tensão pode ser facilmente ajustável e autoprotegida (contra curtos-circuitos, sobreaquecimento, etc.), com excelentes propriedades como uma fonte de tensão (por exemplo, a resistência interna medida em miliohms). Abordaremos as fontes de alimentação CC reguladas no Capítulo 9.

1.6.6 Aplicações de Circuito com Diodos

A. Retificador de Signal

Há outras ocasiões em que você usa um diodo para fazer uma forma de onda de apenas uma polaridade. Se a forma de onda de entrada não é uma onda senoidal, você geralmente não pensa nisso como uma retificação no sentido de uma fonte de alimentação. Por exemplo, você pode querer um trem de pulsos correspondentes à borda de subida de uma onda quadrada. A maneira mais fácil é retificar a onda diferenciada (Figura 1.69). Tenha sempre em mente a queda direta (queda na polarização direta) do diodo de 0,6 V (valor aproximado). Esse circuito, por exemplo, não produz nenhuma saída para as ondas quadradas menores do que 0,6 V pp. Se isso for um problema, existem vários truques para contornar essa limitação. Uma possibilidade é usar diodos de portador quente (diodos Schottky), com uma queda direta de cerca de 0,25 V.

Uma *solução de circuito* possível para esse problema da queda de diodo finita é mostrada na Figura 1.70. Aqui, D_1 compensa a queda direta de D_2 fornecendo 0,6 V de *polarização* para manter D_2 no limiar da condução. O uso de um diodo (D_1) para proporcionar a polarização (em vez de, digamos, um divisor de tensão) tem várias vantagens: (a) não há nada para ajustar, (b) a compensação será quase perfeita e (c) as variações da queda direta (por exemplo, com a varia-

---

[31] Denominado ângulo de condução.

[32] Uma variação popular é o conversor de potência *chaveado* regulado. Embora o seu funcionamento seja muito diferente em detalhe, ele usa o mesmo princípio de realimentação para manter uma tensão de saída constante. Consulte o Capítulo 9 para saber muito mais sobre as duas técnicas.

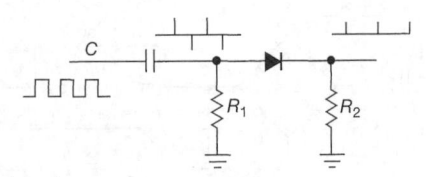

FIGURA 1.69 Retificador de sinal aplicado na saída de um diferenciador.

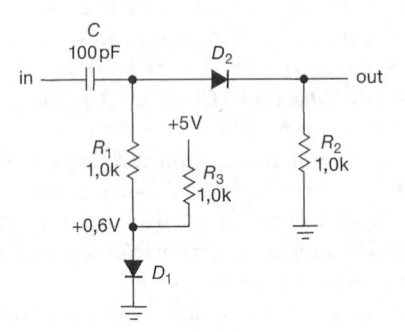

FIGURA 1.70 Compensação da queda de tensão direta de um retificador de sinal com diodo.

ção de temperatura) serão compensadas corretamente. Mais adiante, veremos outros exemplos de compensação de pares casados de quedas diretas em diodos, transistores e FETs. É um truque simples e eficaz.

B. Portas com Diodo

Outra aplicação de diodos, que conheceremos mais tarde sob o título geral de *lógica*, é passar a maior das duas tensões sem afetar a menor. Um bom exemplo disso é a bateria reserva (*backup*), um método de manter algo funcionando (por exemplo, um chip de "relógio de tempo real" de um computador, o qual mantém uma contagem de data e hora) mesmo quando o dispositivo está desligado. A Figura 1.71 mostra um circuito que faz esse trabalho. A bateria não faz nada até que a fonte de +5 V seja desligada; então, ela assume sem interrupção.

C. Diodo Ceifador

Às vezes, é desejável limitar o alcance de um sinal (isto é, evitar que exceda certos limites de tensão) em algum ponto em um circuito. O circuito mostrado na Figura 1.72 fará isso. O diodo impede a saída de exceder cerca de 5,6 V, não tendo efeito sobre tensões menores do que essa (incluindo tensões negativas). A única limitação é que a entrada não deve se tornar tão negativa a ponto de a tensão de ruptura reversa do diodo ser ultrapassada (por exemplo, −75 V para um 1N4148). A resistência em série limita a corrente do diodo durante a ação de ceifamento; no entanto, um efeito secundário é que se adiciona 1 kΩ de resistência em série (no sentido de resistência equivalente de Thévenin) para o sinal, por isso o seu valor é um compromisso entre manter uma resistência

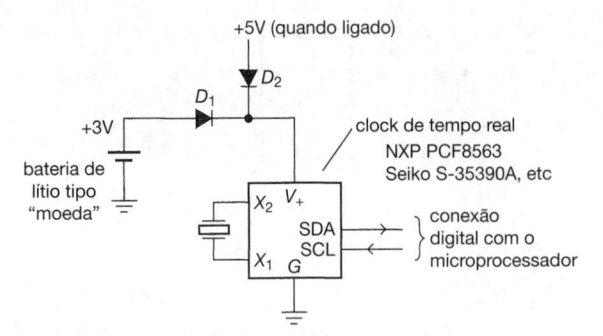

FIGURA 1.71 Porta OR com diodos: bateria reserva (*backup*). Os chips de relógio de tempo real são especificados para operar corretamente com tensões de alimentação de +1,8 V +a 5,5 V. Eles consomem mísero 0,25 μA, o que resulta em uma vida útil de 1 milhão de horas (cem anos) de uma célula tipo moeda CR2032 padrão!

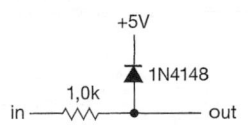

FIGURA 1.72 Ceifador de tensão com diodo.

(Thévenin) de fonte baixa desejável e uma baixa corrente de ceifamento desejável. Diodos ceifadores são componentes padrão em todas as entradas na lógica digital CMOS contemporânea. Sem eles, os circuitos de entrada delicados são facilmente destruídos por descargas de eletricidade estática durante o manuseio.

Exercício 1.22 Projete um ceifador simétrico, isto é, um que confine um sinal no intervalo de −5,6 a +5,6 V.

Um divisor de tensão pode fornecer a tensão de referência para um ceifador (Figura 1.73). Neste caso, você deve garantir que a resistência olhando para o divisor de tensão (R_{vd}) seja pequena em comparação com R, pois o que você tem se parece com o que é mostrado na Figura 1.74 quando o divisor de tensão é substituído pelo seu circuito equivalente de Thévenin. Quando o diodo conduz (tensão de entrada excede a tensão de ceifamento), a saída é realmente apenas

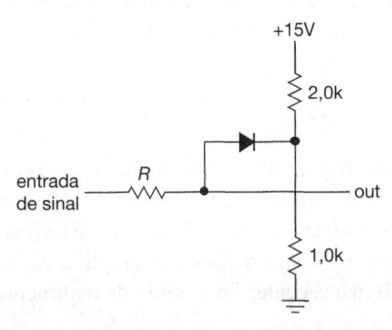

FIGURA 1.73 Divisor de tensão fornecendo a tensão de ceifamento.

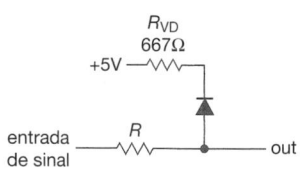

FIGURA 1.74 Ceifamento para o divisor de tensão: circuito equivalente.

a saída de um divisor de tensão, com a resistência equivalente de Thévenin da referência de tensão como a resistência mais baixa (Figura 1.75). Assim, para os valores mostrados, a saída do ceifador para uma entrada de onda triangular teria a aparência mostrada na Figura 1.76. O problema é que o divisor de tensão não fornece uma referência estável, na linguagem da eletrônica. Uma fonte de tensão estável é aquela em que a tensão não cai facilmente, ou seja, que tem uma resistência (Thévenin) interna baixa.

Na prática, o problema da impedância finita da referência do divisor de tensão pode ser facilmente resolvido com a utilização de um transistor ou um AOP. Isso é, normalmente, uma solução melhor do que usar valores de resistência muito pequenos, pois não consome grandes correntes, embora forneça uma tensão de referência com uma resistência Thévenin de alguns ohms ou menos. Além disso, existem outras maneiras de construir um ceifador, utilizando um AOP como parte do circuito de ceifamento. Você verá esses métodos no Capítulo 4.

Alternativamente, uma maneira simples para estabilizar o circuito de ceifamento da Figura 1.73, apenas para sinais que variam no tempo, é adicionar um denominado *capacitor de desvio* (*bypass*) no resistor inferior (1 kΩ). Para entender isso plenamente, precisamos ter conhecimentos sobre capacitores no domínio da frequência, um assunto que abordaremos em breve. Por enquanto, digamos simplesmente que você pode colocar um capacitor sobre o resistor de 1k,

FIGURA 1.75 Ceifamento insuficiente: o divisor de tensão não é estável o suficiente.

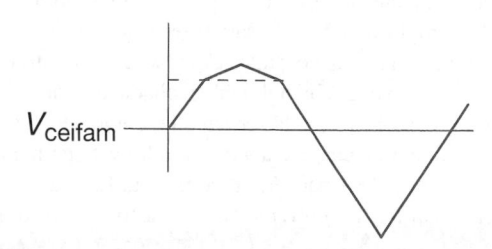

FIGURA 1.76 Forma de onda de saída para o circuito de ceifamento da Figura 1.73.

e sua carga armazenada age para manter esse ponto em tensão constante. Por exemplo, um capacitor de 15 μF para o terra faria o divisor parecer como se tivesse uma resistência Thévenin inferior a 10 Ω para frequências acima de 1 kHz. (Você poderia, de forma semelhante, adicionar um capacitor de desvio sobre D_1 na Figura 1.70.) Como aprenderemos, a eficácia desse truque diminui em baixas frequências, e ele não tem efeito em CC.

Uma aplicação de ceifamento interessante é a "restauração CC" de um sinal que foi acoplado em CA (acoplado capacitivamente). A Figura 1.77 mostra a ideia. Isso é especialmente importante para os circuitos cujas entradas se parecem com diodos (por exemplo, um transistor com emissor conectado ao terra, como veremos no próximo capítulo); caso contrário, um sinal acoplado em CA só desaparecerá quando o capacitor de acoplamento carregar com a tensão de pico do sinal.

D. Limitador

Um último circuito de ceifamento é mostrado na Figura 1.78. Esse circuito limita a "variação" da saída (novamente, um termo comum em eletrônica) para uma queda de diodo em uma ou outra polaridade, cerca de ± 0,6 V. Isso pode parecer muito pequeno, mas, se o próximo estágio for um amplificador com grande amplificação de tensão, a sua entrada estará sempre perto de 0 V; caso contrário, a saída estará em "saturação" (por exemplo, se o próximo estágio tiver um ganho de 1.000 e operar a partir de fontes de ±15 V, sua entrada deve ficar na faixa de ±15 mV para a sua saída não saturar). A Figura 1.79 mostra o que um limitador faz para sobredimensionar ondas senoidais e picos. Esse circuito ceifador é frequentemente utilizado como proteção de entrada para um amplificador de alto ganho.

E. Diodos como Elementos não Lineares

Para uma boa aproximação, a corrente direta através de um diodo é proporcional a uma função exponencial da tensão sobre ele a uma dada temperatura (para uma discussão so-

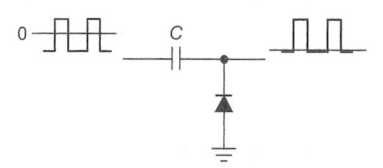

FIGURA 1.77 Restauração CC.

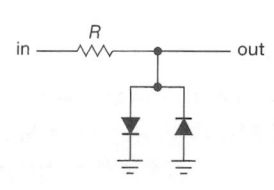

FIGURA 1.78 Limitador com diodos.

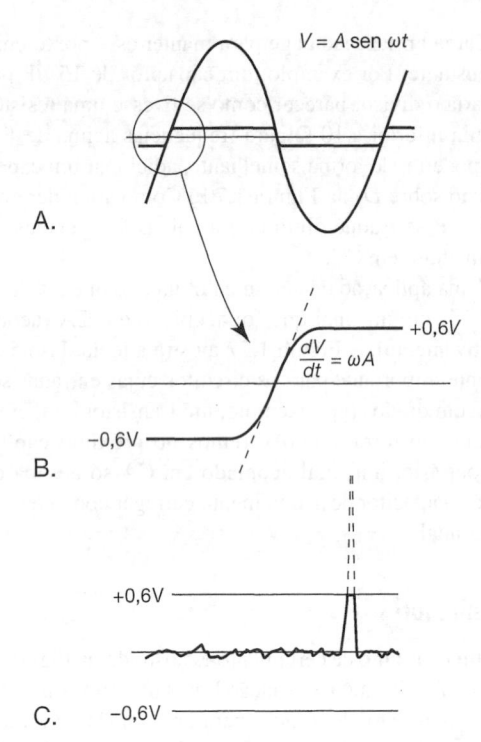

FIGURA 1.79 A. Limitação de ondas senoidais de grande amplitude; B. detalhes; e C. picos.

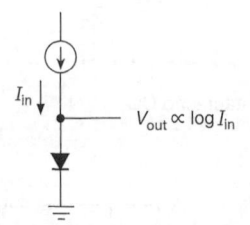

FIGURA 1.80 Explorando a curva não linear V-I do diodo: conversor logarítmico.

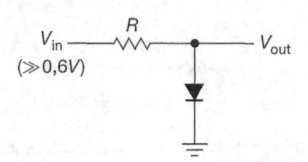

FIGURA 1.81 Conversor logaritmo aproximado.

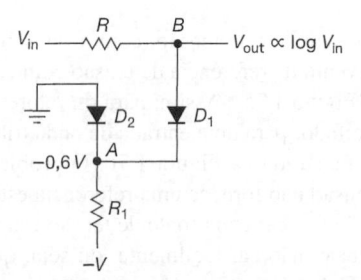

FIGURA 1.82 Compensação de queda de diodo no conversor logarítmico.

bre a lei exata, ver Seção 2.3.1). Assim, é possível utilizar um diodo para gerar uma tensão de saída proporcional ao logaritmo de uma corrente (Figura 1.80). Como V flutua na região de 0,6 V, com apenas pequenas variações de tensão que refletem as variações de corrente de entrada, é possível gerar a corrente de entrada com um resistor se a tensão de entrada for muito maior do que uma queda de diodo (Figura 1.81).

Na prática, pode ser que você queira uma tensão de saída não compensada pela queda de 0,6 V do diodo. Além disso, seria bom ter um circuito insensível às variações de temperatura (a queda de tensão de um diodo de silício diminui cerca de 2 mV/°C). O método de compensação de queda de diodo é útil aqui (Figura 1.82). R_1 faz D_2 conduzir, mantendo o ponto A em, aproximadamente, 0,6 V. O ponto B está, então, próximo do terra (aliás, fazendo I_{in} com precisão proporcional à V_{in}). Enquanto os dois diodos (idênticos) estão à mesma temperatura, existe um bom cancelamento das quedas diretas, exceto, evidentemente, pela diferença devida à corrente de entrada através de D_1, que produz o resultado desejado. Nesse circuito, R_1 deve ser escolhido de modo que a corrente através de D_2 seja significativamente maior do que a corrente máxima de entrada, a fim de manter D_2 em condução.

É necessária uma melhor compreensão das características de diodos e transistores, juntamente com uma compreensão de AOPs. Esta seção destina-se a servir apenas como uma introdução para as coisas que virão.

1.6.7 As Cargas Indutivas e a Proteção com Diodos

O que acontece se você abrir uma chave pela qual passa corrente para um indutor? Como os indutores têm a propriedade

$$V = LdI/dt,$$

não é possível desligar a corrente de repente, pois isso implicaria uma tensão infinita nos terminais do indutor. O que acontece é que a tensão através do indutor aumenta abruptamente e continua a subir até forçar a passagem de corrente. Dispositivos eletrônicos que controlam cargas indutivas podem ser facilmente danificados, especialmente o componente que "sofre ruptura" a fim de satisfazer o desejo do indutor para a continuidade da corrente. Considere o circuito na Figura 1.83. A chave está inicialmente fechada, e a corrente flui através do indutor (que pode ser um relé, como descrito mais adiante). Quando a chave é aberta, o indutor tenta manter a corrente fluindo de A para B, tal como era. Em outras palavras, ele tenta fazer a corrente fluir para fora de B, o que é

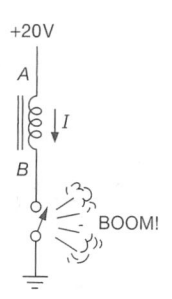

FIGURA 1.83 "Golpe" indutivo.

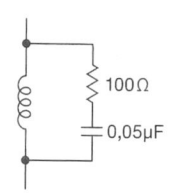

FIGURA 1.85 "Amortecedor" (*snubber*) RC para suprimir golpe indutivo.

feito forçando B com uma alta tensão positiva (em relação a A). Em um caso como esse, em que não há nenhuma conexão com o terminal B, a tensão pode ir a 1.000 V positivos antes de ocorrer um "arco elétrico" entre os contatos da chave. Isso reduz a vida útil da chave e também gera interferência impulsiva, que pode afetar outros circuitos nas proximidades. Se a chave for um transistor, seria eufemismo dizer que sua vida é encurtada; sua vida *acaba*.

A melhor solução, geralmente, é colocar um diodo sobre o indutor (em paralelo), como na Figura 1.84. Quando a chave estiver ligada, o diodo estará polarizado reversamente (a partir da queda CC na resistência do enrolamento do indutor). No desligamento, o diodo entra em condução, colocando o terminal da chave uma queda de diodo acima da tensão de alimentação positiva. O diodo deve ser capaz de lidar com a corrente inicial, que é igual à corrente estacionária que fluía através do indutor; algo como um 1N4004 é bom para quase todos os casos.

A única desvantagem desse circuito de proteção simples é que ele alonga o decaimento da corrente através do indutor, pois a taxa de variação da corrente no indutor é proporcional à tensão através dele. Para aplicações em que a corrente deve decair rapidamente (atuadores de alta velocidade ou relés, obturadores de câmera, bobinas magnéticas, etc.), pode ser melhor colocar um resistor em paralelo com o indutor, escolhendo o seu valor de modo que $V_{fonte} + IR$ seja menor do que a tensão máxima permitida sobre a chave. Para um decaimento mais rápido com uma dada tensão máxima, um zener (ou outro dispositivo de ceifamento de tensão) pode ser utilizado em vez disso, dando uma rampa linear decrescente de corrente em vez de um decaimento exponencial.

Para indutores acionados por CA (transformadores, relés CA), a proteção com diodo que acabamos de descrever não funcionará, pois o diodo conduzirá em semiciclos alternados quando a chave estiver fechada. Nesse caso, uma boa solução é um circuito "amortecedor" (*snubber*) RC (Figura 1.85). Os valores apresentados são típicos para as pequenas cargas indutivas acionadas a partir da rede elétrica CA. Tal amortecedor deve ser incluído em todos os instrumentos que operam a partir da rede elétrica CA, pois o transformador de potência é indutivo.[33]

Uma alternativa para o amortecedor RC é a utilização de um elemento de ceifamento de tensão como um zener bidirecional. Entre estes, os mais comuns são o zener supressor de transiente de tensão "TVS" (*transient voltage supressor*) bidirecional e o varistor de óxido metálico ("MOV" – *metal-oxide varistor*); este último é um dispositivo barato semelhante a um capacitor cerâmico de disco e se comporta eletricamente como um diodo zener bidirecional. Ambas as classes são projetadas para proteção contra transientes de tensão e estão disponíveis com variedade e especificações de tensão de 10 a 1.000 volts, podendo lidar com correntes transitórias de até milhares de ampères. Incluir um supressor transiente (com fusão apropriada) nos terminais da rede elétrica CA faz sentido em parte dos equipamentos eletrônicos, não só para evitar a interferência de pico indutivo a outros instrumentos nas proximidades, mas também para evitar que grandes picos ocasionais na rede elétrica danifiquem o próprio instrumento.

1.6.8 Entreato: Indutores como Amigos

Para não deixar a impressão de que indutância e indutores são apenas coisas a serem temidas, olharemos para o circuito da Figura 1.86. O objetivo é carregar o capacitor a partir de uma fonte de tensão CC V_{in}. No circuito superior (Figura 1.86A), fizemos isso da maneira convencional, com um resistor em série para limitar a corrente de pico exigida da fon-

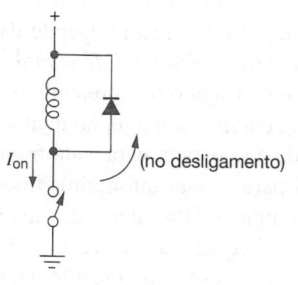

FIGURA 1.84 Bloqueio de golpe indutivo.

---

[33] Como explicado na Seção 9.5.1, você deve escolher um capacitor especificado para o serviço "em paralelo com a linha".

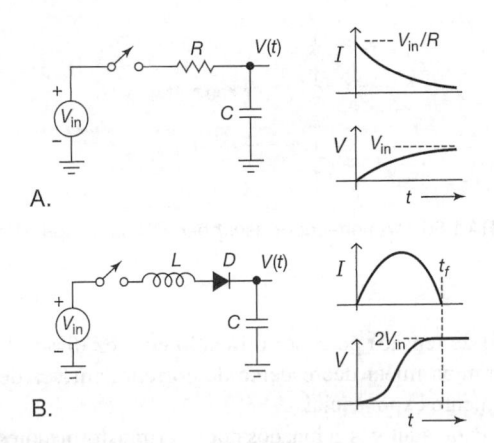

FIGURA 1.86 A carga de ressonância é sem perdas (com componentes ideais) em comparação com a eficiência de 50% da carga resistiva. A carga estará completa após t_f, igual a um semiciclo da frequência de ressonância. O diodo em série termina o ciclo, que, de outra forma, continuaria a oscilar entre 0 e $2V_{in}$.

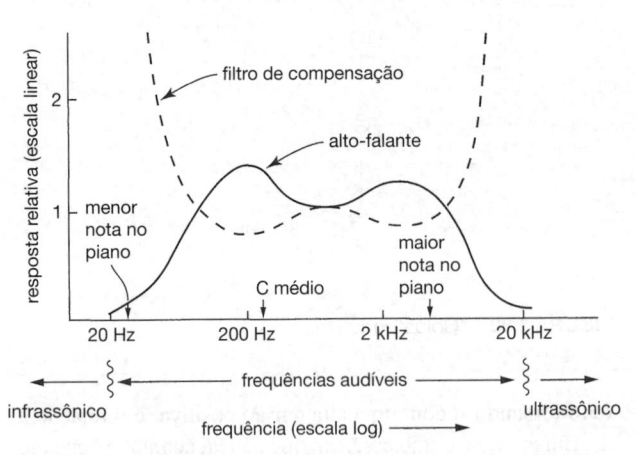

FIGURA 1.87 Exemplo de análise de frequência: equalização de alto-falantes de *boom-box* (*minisystem*). As notas de piano mais baixas e mais altas, chamadas de A0 e C8, estão em 27,5 Hz e 4,2 kHz; elas estão quatro oitavas abaixo de A440 e quatro oitavas acima do C médio, respectivamente.

te de tensão. OK, ele funciona – mas tem um inconveniente que pode ser grave: metade da potência é perdida na forma de calor no resistor. Por outro lado, no circuito com o indutor (Figura 1.86B), nenhuma potência é perdida (considerando componentes ideais); e, como bônus, o capacitor é carregado com o dobro da tensão de entrada. A forma de onda da tensão de saída é um semiciclo senoidal na frequência ressonante $f = 1/2\pi\sqrt{LC}$, um tema que veremos em breve (Seção 1.7.14).[34,35]

1.7 IMPEDÂNCIA E REATÂNCIA

Aviso: esta seção é um pouco matemática; pode ser que você queira ignorar a matemática, mas não deixe de prestar atenção aos resultados e gráficos.

---

[34] A analogia mecânica pode ser útil aqui. Imagine pacotes caindo em uma correia transportadora que se move a uma velocidade *v*; os pacotes são acelerados até esta velocidade por fricção, com uma eficiência de 50%, chegando por fim à velocidade da correia *v*, velocidade na qual eles se deslocam ao sair na extremidade da correia. Isso é uma carga resistiva. Agora tentamos algo completamente diferente, ou seja, equipamos uma correia transportadora com pequenos coletores conectados por molas na correia; e, ao lado dela, temos uma segunda correia, funcionando com o dobro da velocidade (2*v*). Agora, quando cai um pacote na primeira correia transportadora, ele pressiona a mola e, em seguida, ricocheteia para 2*v*; e faz um pouso suave na segunda correia transportadora. Nenhuma energia é perdida (molas ideais), e o pacote transportado sai na extremidade da correia em 2*v*. Isso é uma carga reativa.

[35] A carga ressonante é usada para a fonte de alta tensão em lâmpadas de flash e estroboscópios, com as vantagens de (a) carga completa entre flashes (espaçados não a menos do que t_f) e (b) nenhuma corrente imediatamente após a descarga (ver formas de onda), permitindo assim que a lâmpada "apague" depois de cada flash.

Circuitos com capacitores e indutores são mais complicados do que os circuitos resistivos de que falamos anteriormente, nos quais o comportamento depende da frequência: um "divisor de tensão" que contém um capacitor ou indutor terá uma relação de divisão em função da frequência. Além disso, os circuitos que contêm esses componentes (conhecidos coletivamente como componentes *reativos*) "distorcem" formas de onda de entrada, tais como ondas quadradas, como vimos anteriormente.

No entanto, capacitores e indutores são dispositivos *lineares*, o que significa que a amplitude da forma de onda de saída, qualquer que seja a sua forma, aumenta exatamente na proporção da amplitude da forma de onda de entrada. Essa linearidade tem muitas consequências, e a mais importante é, provavelmente, a seguinte: *a saída de um circuito linear, acionado com uma onda senoidal, em alguma frequência f, é, em si mesma, uma onda senoidal na mesma frequência (com, no máximo, alteração de amplitude e fase)*.

Devido a essa notável propriedade de circuitos que contêm resistências, capacitores e indutores (e, mais adiante, amplificadores lineares), é especialmente conveniente analisar qualquer circuito do tipo perguntando como a tensão de saída (amplitude e fase) depende da tensão de entrada *para uma entrada senoidal de uma única frequência*, mesmo que esse não seja o uso pretendido. Um gráfico da *resposta de frequência* resultante, no qual a relação entre a saída e a entrada é registada para cada frequência da onda senoidal, é útil para pensar em muitos tipos de formas de onda. Como exemplo, o alto-falante de uma *boom-box* pode ter a resposta de frequência mostrada na Figura 1.87, em que a "saída", neste caso, é de pressão acústica, é claro, e não de tensão. É desejável que um alto-falante tenha uma resposta "plana", o que significa que o gráfico de pressão sonora em função da frequência é constante ao longo da faixa de frequências audíveis. Neste caso, as deficiências do orador podem ser corrigidas com a introdução de um filtro passivo com a resposta inversa (como mostrado) dentro dos amplificadores do rádio.

Como veremos, é possível generalizar a lei de Ohm substituindo a palavra "resistência" por "impedância", a fim de descrever qualquer circuito contendo esses dispositivos passivos lineares (resistores, capacitores e indutores). Você poderia pensar no assunto de impedância (resistência generalizada) como a lei de Ohm para os circuitos que incluem capacitores e indutores.

Um pouco de terminologia: impedância (**Z**) é a "resistência generalizada"; indutores e capacitores, para os quais a tensão e a corrente estão sempre 90° fora de fase, são *reativos*; eles têm *reatância* (X). Resistores, com tensão e corrente sempre em fase, são *resistivos*; eles têm *resistência* (R). Em geral, em um circuito que combina componentes resistivos e reativos, a tensão e a corrente em algum ponto terão alguma relação de fase entre elas, descrita por uma impedância complexa: impedância = resistência + reatância, ou **Z** = $R + jX$ (veremos mais sobre isso depois).[36] No entanto, você verá declarações como "a impedância do capacitor nesta frequência é..." A razão pela qual você não tem que usar a palavra "reatância" em tal caso é que impedância abrange tudo. Na verdade, você costuma usar a palavra "impedância" mesmo quando sabe que é de uma resistência que está falando; você diz "a impedância da fonte" ou "a impedância de saída" quando quer dizer a resistência equivalente de Thévenin de alguma fonte. O mesmo vale para "impedância de entrada".

Em tudo o que vem a seguir, estaremos falando sobre circuitos acionados por ondas senoidais em uma única frequência. A análise de circuitos acionados por formas de onda complicadas é mais elaborada, envolvendo os métodos utilizados anteriormente (equações diferenciais) ou decomposição da forma de onda para ondas senoidais (análise de Fourier). Felizmente, esses métodos são raramente necessários.

1.7.1 A Análise de Frequência de Circuitos Reativos

Começaremos analisando um capacitor acionado por uma fonte de tensão de onda senoidal $V(t) = V_0 \operatorname{sen} \omega t$ (Figura 1.88). A corrente é

$$I(t) = C\frac{dV}{dt} = C\omega V_0 \cos \omega t,$$

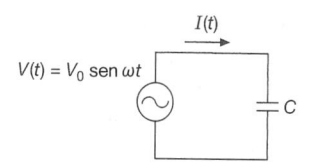

FIGURA 1.88 Uma tensão CA senoidal aciona um capacitor.

ou seja, uma corrente de amplitude $\omega C V_0$, com a sua fase adiantada da tensão de entrada de 90°. Se considerarmos apenas as amplitudes e desprezarmos as fases, a corrente é

$$I = \frac{V}{1/\omega C}.$$

(Lembre-se de que $\omega = 2\pi f$.) Ele se comporta como uma frequência dependente da resistência $R = 1/\omega C$, mas, além disso, a corrente está 90° fora de fase com a tensão (Figura 1.89).

Por exemplo, um capacitor de 1 μF colocado em uma rede elétrica de 115 V (RMS) de 60 Hz consome uma corrente de amplitude RMS:

$$I = \frac{115}{1/(2\pi \times 60 \times 10^{-6})} = 43,4 \, \text{mA (rms)}.$$

Em breve, complicaremos as coisas nos preocupando explicitamente com *deslocamentos de fase* e similares – o que nos levará a uma álgebra complexa que aterroriza iniciantes (muitas vezes) e os que têm fobia de matemática (sempre). Antes de fazer isso, porém, este é um bom momento para desenvolver a intuição sobre o comportamento dependente da frequência de alguns circuitos básicos e importantes que usam capacitores, ignorando no momento o fato problemático de que, quando acionado por um sinal senoidal, correntes e tensões em um capacitor não estão em fase.

Como acabamos de ver, a relação entre os *módulos* de tensão e corrente, em um capacitor acionado em uma frequência ω, é apenas

$$\frac{|V|}{|I|} = \frac{1}{\omega C},$$

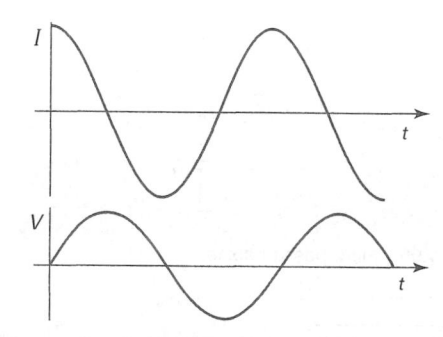

FIGURA 1.89 A corrente em um capacitor está adiantada 90° em relação à tensão senoidal.

---
[36] Mas, em poucas palavras, o módulo de **Z** dá a relação entre as amplitudes de tensão e corrente, e o ângulo polar de Z dá o ângulo de fase entre a corrente e a tensão.

que podemos pensar como uma espécie de "resistência" – o módulo da corrente é proporcional ao módulo da tensão aplicada. O nome oficial para essa grandeza é *reatância*, com o símbolo X. Assim, X_C representa a reatância de um capacitor,[37] de modo que, para um capacitor,

$$X_C = \frac{1}{\omega C}. \quad (1.26)$$

Isto significa que uma capacitância maior tem uma reatância menor. E isso faz sentido, porque, por exemplo, se você dobrar o valor de um capacitor, será necessário o dobro da corrente na carga e na descarga através da mesma oscilação de tensão e no mesmo tempo (lembre-se $I = C\, dV/dt$). Pela mesma razão, a reatância diminui à medida que a frequência aumenta – ao duplicar a frequência (mantendo V constante), a taxa de variação da tensão duplica, exigindo o dobro de corrente e, consequentemente, metade da reatância.

Assim, grosso modo, podemos pensar em um capacitor como uma "resistência dependente da frequência". Às vezes, isso é suficientemente bom; outras vezes, não é. Analisaremos alguns circuitos em que essa visão simplificada nos leva a resultados razoavelmente bons e fornece uma boa intuição; mais adiante, nós os corrigiremos, usando a álgebra complexa correta, para obter um resultado preciso. (Tenha em mente que os resultados a que estamos prestes a chegar são aproximados – estamos *"mentindo"* para você, mas é uma pequena mentira, e, de qualquer maneira, diremos a verdade mais tarde. Enquanto isso, usaremos o estranho símbolo $\asymp$ em vez de = em todas as tais "equações aproximadas", e sinalizaremos a equação como aproximada.)

A. Filtro *RC* Passa-Baixas (Aproximado)

O circuito na Figura 1.90 é denominado *filtro passa-baixas*, pois ele passa as baixas frequências e bloqueia as altas. Se você pensar nele como um divisor de tensão dependente da frequência, isso faz sentido: a parte inferior do divisor (o capacitor) tem uma reatância que diminui com o aumento da frequência, de modo que a relação V_{out}/V_{in} diminui em conformidade:

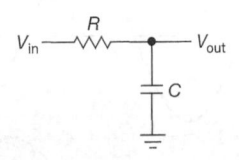

FIGURA 1.90 Filtro passa-baixas.

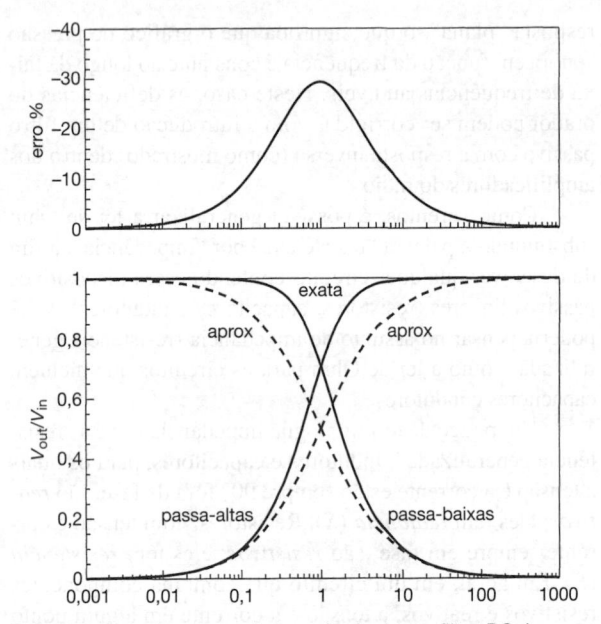

FIGURA 1.91 Resposta de frequência de um filtro *RC* de seção única, mostrando os resultados tanto de uma aproximação simples, que ignora fase (curva tracejada), quanto o exato (curva de linha contínua). O erro percentual (isto é, a tracejada/contínua) é apresentado acima.

$$\frac{V_{out}}{V_{in}} \asymp \frac{X_C}{R+X_C} = \frac{1/\omega C}{R+1/\omega C} = \frac{1}{1+\omega RC} \quad \text{(aproximado!)}$$
(1.27)

Temos essa relação plotada na Figura 1.91 (e também a de seu primo, o *filtro passa-altas*), juntamente com seus resultados exatos, que entenderemos em breve, na Seção 1.7.8.

Você pode ver que o circuito passa baixas frequências completamente (porque, em baixas frequências, a reatância do capacitor é muito alta, e por isso é como um divisor com um resistor menor acima de um maior) e que ele bloqueia as frequências altas. Em particular, a transição de "passar" para "bloquear" (muitas vezes, denominada ponto de interrupção) ocorre a uma frequência ω_0 na qual a reatância do capacitor ($1/\omega_0 C$) é igual à resistência R: $\omega_0 = 1/RC$. Em frequências muito além da transição (onde o produto $\omega RC \gg 1$), a saída diminui inversamente com o aumento da frequência; o que faz sentido, pois a reação do capacitor, já muito menor do que R, continua caindo como $1/\omega$. É interessante notar que, mesmo "ignorando os deslocamentos de fase", a equação (e gráfico) para a relação de tensões é muito precisa em ambas as frequências baixas e altas e está apenas ligeiramente errada quanto à frequência de transição, na qual a relação correta é $V_{out}/V_{in} = 1/\sqrt{2} \approx 0{,}7$, em vez do 0,5 que temos.[38]

---

[37] Mais adiante, estudaremos os *indutores*, que também têm um deslocamento de fase de 90° (embora de sinal oposto) e também são caracterizados por uma reatância X_L.

[38] Naturalmente, ela não consegue prever nada sobre os desvios de fase neste circuito. Como veremos mais adiante, a fase do sinal de saída atrasa a entrada em 90° nas frequências altas, indo suavemente a partir de 0° em baixas frequências, com um atraso de 45° em ω_0 (ver Figura 1.104 na Seção 1.7.9).

FIGURA 1.92 Filtro passa-altas.

B. Filtro Passa-Altas RC (Aproximado)

Você obtém o comportamento inverso (passa as altas frequências e bloqueia as baixas) trocando R e C, como na Figura 1.92. Tratando-o como um divisor de tensão dependente da frequência, e ignorando mais uma vez os deslocamentos de fase, obtemos (ver Figura 1.91)

$$\frac{V_{\text{out}}}{V_{\text{in}}} \asymp \frac{R}{R+X_C} = \frac{R}{R+1/\omega C} = \frac{\omega RC}{1+\omega RC} \quad (aproximado!) \tag{1.28}$$

As altas frequências (acima da mesma frequência de transição que antes, $\omega \gg \omega_0 = 1/RC$) passam (porque a reatância do capacitor é muito menor do que R), enquanto frequências muito abaixo da transição são bloqueadas (a reatância do capacitor é muito superior a R). Como antes, a equação e o gráfico são precisos em ambas as extremidades, e apenas ligeiramente errados na transição, em que a relação correta é, mais uma vez, $V_{\text{out}}/V_{\text{in}} = 1/\sqrt{2}$.

C. Capacitor de Bloqueio

Às vezes, você quer deixar alguma banda de frequências de sinal passar através de um circuito, mas deseja bloquear qualquer tensão CC estacionária que possa estar presente (veremos como isso pode acontecer quando aprendermos sobre amplificadores no próximo capítulo). Você pode fazer o trabalho com um filtro passa-altas *RC* se escolher a frequência de transição corretamente: um filtro passa-altas sempre bloqueia CC. Assim, o que você deve fazer é escolher valores de componentes de modo que a frequência de transição seja *inferior* a todas as frequências de interesse. Essa é uma das utilizações mais frequentes de um capacitor e é conhecida como *capacitor de bloqueio* CC.

Por exemplo, cada amplificador de áudio estéreo tem todas as suas entradas acopladas capacitivamente, porque ele não sabe em qual nível CC os sinais de entrada podem estar sobrepostos. Em tal aplicação de acoplamento, você deve sempre escolher R e C de modo que todas as frequências de interesse (neste caso, 20 Hz a 20 kHz) passem sem perdas (atenuação). Isso determina o produto RC: $RC > 1/\omega_{\text{mín}}$, para o qual você pode escolher $f_{mín} \approx 5$ Hz e, então, $RC = 1/\omega_{\text{mín}} = 1/2\pi f_{\text{mín}} \approx 30$ ms.

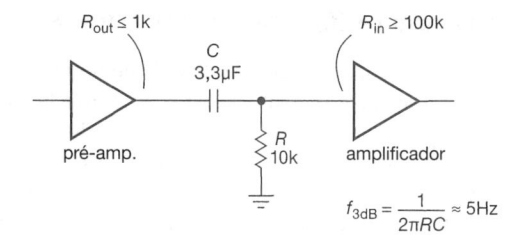

FIGURA 1.93 "Capacitor de bloqueio": um filtro passa-altas para o qual todas as frequências de sinal de interesse estão na banda de passagem.

Você obteve o produto, mas ainda tem que escolher valores individuais para R e C. Para fazer isso, note que o sinal de entrada vê uma carga igual a R nas frequências do sinal (onde a reatância de C é pequena – é apenas um pedaço de fio), você, então, escolhe R como uma carga razoável – ou seja, não tão pequeno, que seja difícil de acionar; e não tão grande, que torne o circuito propenso a captar sinal de outros circuitos nas proximidades. No mundo do áudio, é comum ver um valor de 10 kΩ, por isso, podemos escolher esse valor, para o qual o C correspondente é 3,3 μF (Figura 1.93). O circuito conectado à saída deve ter uma resistência de entrada muito maior do que 10 kΩ, para evitar os efeitos de carga na saída do filtro; e o circuito de condução deve ser capaz de acionar uma carga de 10 kΩ sem atenuação significativa (perda de amplitude de sinal), para evitar efeitos de carga do circuito pelo filtro sobre a fonte do sinal. É importante notar que o nosso modelo aproximado, ignorando deslocamentos de fase, é perfeitamente adequado para o projeto de um capacitor de bloqueio; isso acontece porque a banda do sinal está totalmente na banda de passagem, na qual os efeitos dos deslocamentos de fase são desprezíveis.

Nesta seção, temos pensado no domínio da frequência (ondas senoidais de frequência *f*). Porém, é útil pensar no domínio do tempo, em que, por exemplo, você pode usar um capacitor de bloqueio para acoplar pulsos ou ondas quadradas. Em tais situações, você encontra *distorção* de forma de onda, sob a forma de "inclinação" e *overshoot* (sobrelevação) (em vez da simples atenuação de amplitude e deslocamentos de fase que você obtém com ondas senoidais). Pensando no domínio do tempo, o critério que você usa para evitar a distorção de forma de onda em um pulso de duração T é que a constante de tempo $\tau = RC \gg T$. A inclinação resultante é de aproximadamente T/τ (seguido por um *overshoot* comparável na próxima transição).

Muitas vezes, você precisa saber a reatância de um capacitor em uma determinada frequência (por exemplo, para o projeto de filtros). A Figura 1.100, na Seção 1.7.8, fornece um gráfico muito útil que abrange grandes intervalos de capacitância e frequência, dando o valor de $X_C = 1/2\pi f C$.

D. Acionamento e Efeito de Carga de Filtros *RC*

Este exemplo de capacitor de bloqueio de áudio levantou a questão do acionamento e efeito de carga do filtro *RC*. Como discutimos na Seção 1.2.5A, no contexto de divisores de tensão, geralmente é preferível organizar as coisas de modo que o circuito a ser acionado não seja uma carga significativa para a resistência de acionamento (resistência equivalente de Thévenin) da fonte de sinal.

O mesmo raciocínio se aplica aqui, mas com um tipo generalizado de resistência que inclui a reatância de capacitores (e indutores), conhecida como *impedância*. Assim, a impedância da fonte de sinal deverá geralmente ser pequena quando comparada com a impedância do que será acionado.[39] Em breve, teremos uma maneira precisa de falar de impedância, mas é correto dizer que, sem considerar os deslocamentos de fase, a impedância de um capacitor é igual à sua reatância.

O que queremos saber, então, são as impedâncias de entrada e saída dos dois filtros *RC* simples (passa-baixas e passa-altas). Isso parece complicado, pois há quatro impedâncias e todas elas variam com a frequência. No entanto, se você fizer a pergunta da maneira certa, a resposta é simples, e a mesma em todos os casos!

Primeiro, suponha que, em cada caso, a coisa certa esteja sendo feita para a outra extremidade do filtro: quando queremos saber a impedância de entrada, consideramos que a saída aciona uma alta impedância (em comparação com a sua própria); e, quando queremos saber a impedância de saída, consideramos que a entrada é acionada por uma fonte de sinal de baixa impedância (Thévenin) interna. Em segundo lugar, colocamos de lado as variações de impedâncias com a frequência, procurando saber apenas o valor de *pior caso*; ou seja, nos importamos apenas com a impedância de saída *máxima* que um circuito de filtro pode ter (porque isso é a pior situação para o acionamento de uma carga), e nos preocupamos somente com a impedância de entrada *mínima* (porque essa é mais difícil de ser acionada).

Agora, a resposta é surpreendentemente simples: em todos os casos, a impedância de pior caso é exatamente *R*.

Exercício 1.23 Mostre que a afirmação anterior está correta.

Assim, por exemplo, se você quiser pendurar um filtro passa-baixas *RC* na saída de um amplificador cuja resistência de saída é 100 Ω, comece com *R* = 1k e, em seguida, escolha *C* para o ponto de interrupção que você deseja. Certifique-se de que tudo o que exerce carga na saída tenha uma impedância de entrada de, pelo menos, 10k. Você não errará.

Exercício 1.24 Projete um filtro *RC* "passa-faixa" de dois estágios, em que o primeiro estágio seja um passa-altas com um ponto de interrupção em 100 Hz e o segundo estágio seja um passa-baixas com um ponto de interrupção em 10 kHz. Considere que a fonte do sinal de entrada tem uma impedância de 100 Ω. Qual é a impedância de saída de pior caso do seu filtro e, portanto, qual é a impedância de carga mínima recomendada?

1.7.2 Reatância de Indutores

Antes de embarcar em um tratamento totalmente correto de impedância, repleto de exponenciais complexas e coisas semelhantes, usaremos nossos truques de aproximação para descobrir a reatância de um indutor.

Funciona como antes: imaginamos um indutor L acionado por uma fonte de tensão senoidal de frequência angular ω, de tal modo que flua uma corrente $I(t) = I_0 \sin \omega t$.[40] Então, a tensão sobre o indutor é

$$V(t) = L\frac{dI(t)}{dt} = L\omega I_0 \cos \omega t.$$

E, assim, a relação entre os *módulos* de tensão e corrente – a grandeza semelhante à resistência denominada *reatância* – é exatamente

$$\frac{|V|}{|I|} = \frac{L\omega I_0}{I_0} = \omega L.$$

Então, para um indutor,

$$X_L = \omega L.$$

Indutores, assim como capacitores, têm uma reatância dependente da frequência; no entanto, aqui a reatância aumenta com o *aumento* da frequência (o oposto dos capacitores, onde ela *diminui* com o aumento da frequência). Assim, em uma visualização mais simples, um indutor em série pode ser utilizado para a passagem de CC e de baixas frequências (onde a sua reatância for pequena) enquanto bloqueia altas frequências (onde a sua reatância é alta). Muitas vezes, você vê indutores utilizados dessa maneira, especialmente em circuitos que operam em frequências de rádio; nessa aplicação, eles, às vezes, são denominadas *choques*.

1.7.3 Tensões e Correntes como Números Complexos

Neste ponto, é necessário utilizar um pouco de álgebra complexa; pode ser que você queira ignorar a matemática em algumas das seções a seguir, tomando nota dos resultados à medida que os deduzimos. Não é necessário um conhecimento dos detalhes matemáticos para a compreensão do restante do livro. Muito pouco de matemática será utilizado em capítulos posteriores. A seção à frente é, seguramente, a mais difícil para o leitor com pouca preparação matemática. *Não desanime*!

---

[39] Com duas importantes exceções – a saber, linhas de transmissão e fontes de corrente.

[40] Tomamos o caminho fácil aqui, especificando a corrente em vez da tensão; somos recompensados com uma derivada simples (em vez de uma integral simples!).

Como acabamos de ver, não pode haver deslocamentos de fase entre a tensão e a corrente em um circuito CA sendo acionado por uma onda senoidal em alguma frequência. No entanto, enquanto o circuito possuir apenas elementos *lineares* (resistores, capacitores, indutores), as magnitudes das correntes em todos os pontos do circuito ainda serão proporcionais à magnitude da tensão de acionamento, de modo que podemos esperar encontrar alguma generalização de tensão, corrente e resistência, a fim de resgatar a lei de Ohm. Evidentemente, um único número não é suficiente para especificar a corrente, por exemplo, em algum ponto do circuito, porque devemos, de algum modo, ter informação sobre o módulo e o desvio de fase.

Embora possamos imaginar especificar os módulos e deslocamentos de fase de tensões e correntes em qualquer ponto do circuito escrevendo-os explicitamente, por exemplo, $V(t) = 23,7 \,\text{sen}(377t + 0,38)$, verifica-se que podemos atender mais às nossas necessidades simplesmente usando a álgebra de números complexos para representar as tensões e correntes. Então, podemos simplesmente somar ou subtrair as representações de números complexos em vez de laboriosamente ter que somar ou subtrair as funções senoidais reais no tempo. Como as verdadeiras tensões e correntes são quantidades reais que variam com o tempo, temos de desenvolver uma regra para conversão de quantidades reais para suas representações, e vice-versa. Lembrando mais uma vez de que estamos falando de uma única frequência de onda senoidal, ω, concordamos em usar as seguintes regras.

1. Tensões e correntes são representadas pelas quantidades complexas **V** e **I**. A tensão $V_0 \cos(\omega t + \phi)$ deve ser representada pelo número complexo $V_0 e^{j\phi}$. Lembre-se de que $e^{j\phi} = \cos \phi + j \,\text{sen}\, \phi$, em que $j = \sqrt{-1}$.
2. Obtemos tensões e correntes reais multiplicando suas representações de números complexos por $e^{j\omega t}$ e, em seguida, tomamos a parte real: $V(t) = \mathscr{R}e(\mathbf{V}e^{j\omega t})$, $I(t) = \mathscr{R}e(\mathbf{I}e^{j\omega t})$.

Em outras palavras,

tensão de circuito versus tempo	representação de número complexo
$V_0 \cos(\omega t + \phi)$ ⇄	$V_0 e^{j\phi} = a + jb$

multiplique por $e^{j\omega t}$ e obtenha a parte real

(Em eletrônica, o símbolo j é usado no lugar de i na exponencial, a fim de evitar confusão com o símbolo i, que significa corrente de pequeno sinal.) Assim, no caso geral, as tensões e correntes reais são dadas por

$$V(t) = \mathscr{R}e(\mathbf{V}e^{j\omega t})$$
$$= \mathscr{R}e(\mathbf{V})\cos \omega t - \mathscr{I}m(\mathbf{V})\,\text{sen}\,\omega t$$

$$I(t) = \mathscr{R}e(\mathbf{I}e^{j\omega t})$$
$$= \mathscr{R}e(\mathbf{I})\cos \omega t - \mathscr{I}m(\mathbf{I})\,\text{sen}\,\omega t.$$

Por exemplo, uma tensão cuja representação complexa é

$$\mathbf{V} = 5j$$

corresponde a uma tensão (real) em função do tempo de

$$V(t) = \mathscr{R}e[5j\cos \omega t + 5j(j)\,\text{sen}\,\omega t]$$
$$= -5\,\text{sen}\,\omega t \text{ volts}.$$

1.7.4 Reatância de Capacitores e Indutores

Com essa convenção, podemos aplicar a complexa lei de Ohm corretamente para circuitos que contêm capacitores e indutores, assim como para os resistores, uma vez que sabemos a reatância do capacitor ou indutor. Descobriremos o que isso significa. Começamos com uma tensão senoidal simples $V_0 \cos \omega t$ aplicada em um capacitor:

$$V(t) = \mathscr{R}e(V_0 e^{j\omega t}).$$

Então, utilizando $I = C(dV(t)/dt)$, obtemos

$$I(t) = -V_0 C\omega \,\text{sen}\,\omega t = \mathscr{R}e\left(\frac{V_0 e^{j\omega t}}{-j/\omega C}\right),$$
$$= \mathscr{R}e\left(\frac{V_0 e^{j\omega t}}{\mathbf{Z}_C}\right)$$

isto é, para um capacitor,

$$\mathbf{Z}_C = -j/\omega C \quad (= -jX_C);$$

$\mathbf{Z}_C$ é a impedância de um capacitor na frequência ω; ela é igual em módulo à reatância $X_C = 1/\omega C$ que encontramos anteriormente, mas com um fator de $-j$ que responde por 90° de deslocamento de fase adiantado da corrente em função da tensão. Como um exemplo, um capacitor de 1 μF tem uma impedância de $-2.653\,j\Omega$ em 60Hz, e $-0,16j\Omega$ em 1 MHz. As reatâncias correspondentes são 2653 Ω e 0,16 Ω.[41] Sua reatância (e também a sua impedância) em CC é infinita.

Se fizéssemos uma análise semelhante para um indutor, encontraríamos

$$\mathbf{Z}_L = j\omega L \quad (= jX_L).$$

Um circuito contendo apenas capacitores e indutores sempre tem uma impedância puramente imaginária, o que significa que a tensão e a corrente estão sempre 90° fora de fase – ele é puramente reativo. Quando o circuito contém resistores, tem

---
[41] Note a convenção de que a reatância X_C é um número real (o deslocamento de fase de 90° está implícito no termo "reatância"), mas a impedância correspondente é puramente imaginária: $Z = R - jX$.

também uma parte real da impedância. O termo "reatância", nesse caso, significa apenas a parte imaginária.

1.7.5 A Lei de Ohm Generalizada

Com estas convenções para representar tensões e correntes, a lei de Ohm toma uma forma simples. Ela é simplesmente

$$\mathbf{I} = \mathbf{V}/\mathbf{Z},$$
$$\mathbf{V} = \mathbf{IZ},$$

em que a tensão representada por $\mathbf{V}$ é aplicada no circuito de impedância $\mathbf{Z}$, resultando em uma corrente representada por $\mathbf{I}$. A impedância complexa de dispositivos em série ou em paralelo obedece às mesmas regras que a resistência:

$$\mathbf{Z} = \mathbf{Z}_1 + \mathbf{Z}_2 + \mathbf{Z}_3 + \cdots \quad \text{(em série)} \quad (1.30)$$

$$\mathbf{Z} = \cfrac{1}{\cfrac{1}{\mathbf{Z}_1} + \cfrac{1}{\mathbf{Z}_2} + \cfrac{1}{\mathbf{Z}_3} + \cdots} \quad \text{(em paralelo)} \quad (1.31)$$

Por fim, para completar, resumimos aqui as fórmulas para a impedância de resistores, capacitores e indutores:

$$\begin{aligned}\mathbf{Z}_R &= R & \text{(resistor)} \\ \mathbf{Z}_C &= -j/\omega C = 1/j\omega C & \text{(capacitor)} \\ \mathbf{Z}_L &= j\omega L & \text{(indutor)}\end{aligned} \quad (1.32)$$

Com essas regras, podemos analisar diversos circuitos CA pelos mesmos métodos gerais que foram utilizados ao lidarmos com circuitos CC, isto é, a aplicação das fórmulas para circuitos em série e paralelo e a lei de Ohm. Nossos resultados para circuitos tais como divisores de tensão parecerão quase os mesmos de antes. Para multiplicarmos redes conectadas, podemos usar as leis de Kirchhoff, assim como em circuitos CC, neste caso utilizando as representações complexas para V e I: a soma das (complexas) quedas de tensão em torno de uma malha fechada é zero, e a soma das (complexas) correntes em um ponto é zero. A última regra implica, como em circuitos CC, que a corrente (complexa) em um circuito em série é a mesma em todos os pontos.

Exercício 1.25 Use as regras precedentes para a impedância de dispositivos em paralelo e em série para deduzir as fórmulas (1.17) e (1.18) para a capacitância de dois capacitores (a) em paralelo e (b) em série. *Dica*: em cada caso, considere que os capacitores individuais tenham capacitâncias C_1 e C_2. Determine a impedância da combinação em paralelo ou em série; então, iguale-a com a impedância de um capacitor com capacitância C. Em seguida, determine C.

Experimentaremos essas técnicas no circuito mais simples que se possa imaginar, uma tensão alternada aplicada em um capacitor, que vimos anteriormente, na Seção 1.7.1. Então, depois de um breve olhar sobre a potência em circuitos reativos (para terminar de preparar o terreno), analisaremos (corretamente, desta vez) os circuitos de filtros RC passa-baixas e passa-altas simples, porém extremamente importantes e úteis.

Imagine colocar um capacitor de 1 μF em uma rede elétrica de 115 V(RMS)/60 Hz. Qual o valor da corrente que flui? Usando a lei de Ohm complexa, temos

$$\mathbf{Z} = -j/\omega C.$$

Portanto, a corrente é dada por

$$\mathbf{I} = \mathbf{V}/\mathbf{Z}.$$

A fase da tensão é arbitrária, de modo que escolheremos $\mathbf{V} = A$, ou seja, $V(t) = A\cos\omega t$, onde a amplitude $A = 115\sqrt{2} \approx 163$ volts. Então,

$$\mathbf{I} = j\omega CA \approx 0.061 \operatorname{sen} \omega t.$$

A corrente resultante tem uma amplitude de 61 mA (43 mA RMS) e está adiantada 90° em relação à tensão. Isso concorda com o nosso cálculo anterior. De forma mais simples, poderíamos ter notado que a impedância do capacitor é imaginária negativa, então, qualquer que seja a fase absoluta de V, a fase de I_{cap} tem de estar adiantada 90°. E, em geral, o ângulo de fase entre a corrente e a tensão, para qualquer circuito RLC de dois terminais, é igual ao ângulo da impedância (complexa) desse circuito.

Observe que, se quiséssemos saber apenas o módulo da corrente, não importando a fase relativa, poderíamos ter evitado fazer qualquer álgebra complexa: se

$$\mathbf{A} = \mathbf{B}/\mathbf{C}$$

então,

$$A = B/C$$

em que A, B e C são os módulos dos respectivos números complexos; isso vale para multiplicação também (ver Exercício 1.18). Assim, neste caso,

$$I = V/Z = \omega C V$$

Esse truque, que já utilizamos anteriormente (porque não conhecíamos um melhor), é frequentemente útil.

Surpreendentemente, não existe nenhuma potência dissipada pelo capacitor neste exemplo. Tal atividade não aumentaár a sua conta de energia elétrica; você verá por que na próxima seção. Então, seguiremos para os circuitos que contêm resistores e capacitores com a nossa lei de Ohm complexa.

Exercício 1.26 Mostre que, se $\mathbf{A} = \mathbf{BC}$, então $A = BC$, em que A, B e C são módulos. *Dica*: represente cada número complexo na forma polar, ou seja, $\mathbf{A} = Ae^{i\theta}$.

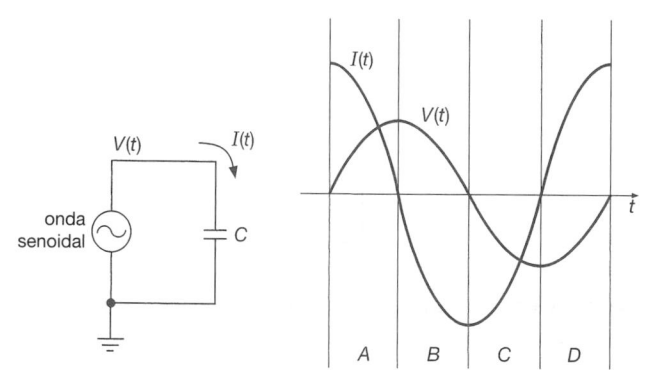

FIGURA 1.94 A potência fornecida a um capacitor é zero ao longo de um ciclo senoidal completo, devido ao deslocamento de fase de 90° entre tensão e corrente.

1.7.6 Potência em Circuitos Reativos

A potência instantânea entregue a qualquer elemento do circuito é sempre dada pelo produto $P = VI$. No entanto, em circuitos reativos em que V e I simplesmente não são proporcionais, você não pode simplesmente multiplicar as suas amplitudes. Coisas engraçadas podem acontecer; por exemplo, o sinal do produto pode inverter ao longo de um ciclo do sinal CA. A Figura 1.94 apresenta um exemplo. Durante os intervalos de tempo A e C, a energia está sendo entregue ao capacitor (embora a uma taxa variável), fazendo com que ele carregue; sua energia armazenada aumenta (potência é a taxa de variação de energia). Durante os intervalos B e D, a potência entregue ao capacitor é negativa; ele está descarregando. A potência média durante todo um ciclo deste exemplo é, na verdade, exatamente zero, uma afirmação que é sempre verdadeira para qualquer elemento de circuito puramente reativo (indutores, capacitores ou qualquer combinação dos mesmos). Se você conhece a sua integral trigonométrica, o próximo exercício mostrará como provar isso.

Exercício 1.27 Exercício Opcional: prove que um circuito cuja corrente está 90° fora de fase com a tensão de acionamento não consome energia, em média, em um ciclo completo.

Como é que encontraremos a potência média consumida por um circuito arbitrário? Em geral, podemos imaginar adicionar pequenos pedaços do produto VI, em seguida, dividindo-o pelo tempo decorrido. Em outras palavras,

$$P = \frac{1}{T}\int_0^T V(t)I(t)\,dt, \quad (1.33)$$

em que T é o tempo para um ciclo completo. Felizmente, isso quase nunca é necessário. Em vez disso, é fácil mostrar que a potência média é dada por

$$P = \mathcal{R}e(\mathbf{VI}^*) = \mathcal{R}e(\mathbf{V}^*\mathbf{I}), \quad (1.34)$$

em que $\mathbf{V}$ e $\mathbf{I}$ são amplitudes RMS complexas (e um asterisco significa *conjugado complexo* – veja a revisão de matemática, Anexo A, se isto não lhe for familiar).

Daremos um exemplo. Considere o circuito anterior, com uma onda senoidal de 1 volt (RMS) acionando um capacitor. Para simplificar, faremos tudo com amplitudes RMS. Temos

$$\mathbf{V} = 1,$$

$$\mathbf{I} = \frac{\mathbf{V}}{-j/\omega C} = j\omega C,$$

$$P = \mathcal{R}e(\mathbf{VI}^*) = \mathcal{R}e(-j\omega C) = 0.$$

Isto é, a potência média é zero, como mencionado anteriormente.

Como outro exemplo, considere o circuito mostrado na Figura 1.95. Nossos cálculos são estes:

$$\mathbf{Z} = R - \frac{j}{\omega C},$$

$$\mathbf{V} = V_0,$$

$$\mathbf{I} = \frac{\mathbf{V}}{\mathbf{Z}} = \frac{V_0}{R - (j/\omega C)} = \frac{V_0[R + (j/\omega C)]}{R^2 + (1/\omega^2 C^2)},$$

$$P = \mathcal{R}e(\mathbf{VI}^*) = \frac{V_0^2 R}{R^2 + (1/\omega^2 C^2)}.$$

(Na terceira linha, multiplicamos numerador e denominador pelo conjugado complexo do denominador a fim de tornar o denominador real.) A potência[42] calculada é menor do que o produto dos módulos de $\mathbf{V}$ e $\mathbf{I}$. Na verdade, a sua relação é denominada *fator de potência*:

$$|\mathbf{V}||\mathbf{I}| = \frac{V_0^2}{[R^2 + (1/\omega^2 C^2)]^{1/2}},$$

$$\text{fator de potência} = \frac{\text{potência}}{|\mathbf{V}||\mathbf{I}|}$$

$$= \frac{R}{[R^2 + (1/\omega^2 C^2)]^{1/2}}$$

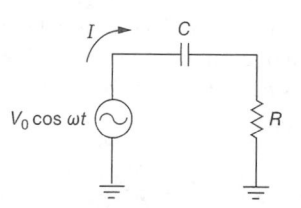

FIGURA 1.95 Potência e fator de potência em um circuito RC em série.

---

[42] É sempre uma boa ideia verificar valores limite: aqui vemos que $P \to V^2/R$ para C grande; e, para C pequeno, o módulo da corrente $|I| \to V_0/X_C$, ou $V_0\omega C$, assim, $P \to I^2 R = V_0^2 \omega^2 C^2 R$, de acordo com ambos os limites.

neste caso. O fator de potência é o cosseno do ângulo de fase entre a tensão e a corrente, e que varia de 0 (circuito puramente reativo) para 1 (puramente resistivo). Um fator de potência de menos de 1 indica uma componente de corrente reativa.[43] É interessante notar que o fator de potência vai para a unidade e a potência dissipada vai para V^2/R, no limite de capacitância grande (ou de alta frequência), em que a reação do capacitor se torna muito menor do que R.

Exercício 1.28 Mostre que toda a potência média entregue ao circuito anterior acaba no resistor. Para fazer isso, calcule o valor de V_R^2/R. Qual é a potência, em watts, para um circuito em série de um capacitor de 1 μF e uma resistência de 1,0k colocado entre os 115 volts (RMS)/60 Hz da rede elétrica?

O fator de potência é um assunto sério na distribuição de energia elétrica em grande escala, pois as correntes reativas não resultam em energia útil a ser entregue à carga, mas custa muito à companhia de energia elétrica em termos de aquecimento I^2R na resistência dos geradores, transformadores e fiação. Embora os usuários residenciais sejam cobrados somente pela potência "real" $[\mathcal{R}e(\mathbf{VI}^*)]$, as concessionárias de energia cobram os usuários industriais de acordo com o fator de potência. Isso explica os bancos de capacitores que você vê por trás de grandes fábricas, construídos para cancelar a reatância indutiva de máquinas industriais (ou seja, motores).

Exercício 1.29 Mostre que a adição de um capacitor em série de valor $C = 1/\omega^2 L$ torna o fator de potência igual a 1,0 em um circuito RL em série. Agora faça a mesma coisa, mas trocando a palavra "série" por "paralelo".

1.7.7 Divisores de Tensão Generalizados

O nosso divisor de tensão original (Figura 1.6) consistia de um par de resistências em série para o terra, com entrada na parte superior e saída na junção. A generalização desse divisor resistivo simples é um circuito semelhante em que um ou ambos os resistores são substituídos por um capacitor ou indutor (ou uma rede mais complicada feita a partir de R, L e C), como na Figura 1.96. Em geral, a relação de divisão $V_{\text{out}}/V_{\text{in}}$ de tal divisor não é constante, mas depende da frequência (como já foi visto em nossa abordagem aproximada dos filtros passa-baixas e passa-altas na Seção 1.7.1). A análise é simples:

$$\mathbf{I} = \frac{\mathbf{V}_{\text{in}}}{\mathbf{Z}_{\text{total}}},$$

$$\mathbf{Z}_{\text{total}} = \mathbf{Z}_1 + \mathbf{Z}_2$$

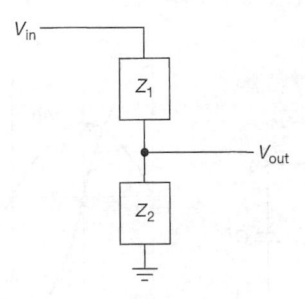

FIGURA 1.96 Divisor de tensão generalizado: um par de impedâncias arbitrárias.

$$\mathbf{V}_{\text{out}} = \mathbf{IZ}_2 = \mathbf{V}_{\text{in}}\frac{\mathbf{Z}_2}{\mathbf{Z}_1 + \mathbf{Z}_2}.$$

Em vez de nos preocuparmos com esse resultado em geral, veremos alguns exemplos simples (mas muito importantes), começando com os filtros RC passa-altas e passa-baixas estudados por aproximação anteriormente.

1.7.8 Filtros RC Passa-Altas

Vimos que, por meio da combinação de resistores com capacitores, é possível fazer divisores de tensão dependentes da frequência, devido à dependência que a impedância de um capacitor tem em relação à frequência, $\mathbf{Z}_C = -j/\omega C$. Tais circuitos podem ter a propriedade desejável de passar frequências de sinal de interesse, enquanto rejeita frequências de sinal indesejado. Nesta seção e na próxima, voltamos aos filtros RC passa-baixas e passa-altas simples, corrigindo a análise aproximada da Seção 1.7.1; embora simples, esses circuitos são importantes e amplamente utilizados. O Capítulo 6 e o Apêndice E descrevem filtros de maior sofisticação.

Voltando ao filtro RC passa-altas clássico (Figura 1.92), vemos que a lei de Ohm complexa (ou a equação do divisor de tensão complexo) nos dá

$$\mathbf{V}_{\text{out}} = \mathbf{V}_{\text{in}}\frac{R}{R - j/\omega C} = \mathbf{V}_{\text{in}}\frac{R(R + j/\omega C)}{R^2 + (1/\omega^2 C^2)}.$$

(Para a última etapa, multiplique o numerador e o denominador pelo conjugado complexo do denominador.) Na maioria das vezes, não nos importamos com a fase de V_{out}, apenas com sua amplitude:

$$V_{\text{out}} = (\mathbf{V}_{\text{out}}\mathbf{V}_{\text{out}}^*)^{1/2}$$

$$= \frac{R}{[R^2 + (1/\omega^2 C^2)]^{1/2}}V_{\text{in}}.$$

Observe a analogia com um divisor resistivo: onde

$$V_{\text{out}} = \frac{R_2}{R_1 + R_2}V_{\text{in}}.$$

---

[43] Ou, para circuitos não lineares, ele indica que a forma de onda de corrente não é proporcional à forma de onda da tensão. Mais sobre isso na Seção 9.7.1.

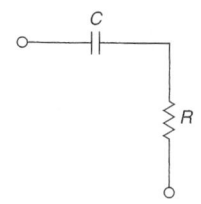

FIGURA 1.97 Impedância de entrada de um filtro passa-altas sem carga.

Aqui, a impedância da combinação RC em série (Figura 1.97) é como mostrado na Figura 1.98. Assim, a "resposta" do circuito, ignorando os desvios de fase por meio da tomada dos módulos das amplitudes complexas, é dada por

$$V_{out} = \frac{R}{[R^2 + (1/\omega^2 C^2)]^{1/2}} V_{in}$$
$$= \frac{2\pi f RC}{[1 + (2\pi f RC)^2]^{1/2}} V_{in} \quad (1.35)$$

e se parece com a Figura 1.99 (e anteriormente a Figura 1.91).

Note que poderíamos ter conseguido esse resultado imediatamente, tomando a razão entre os módulos das impedâncias, como no Exercício 1.26 e o exemplo imediatamente anterior a ele; o numerador é o módulo da impedância da parte inferior do divisor (R), e o denominador é o módulo da impedância da combinação em série de R e C.

Como observamos anteriormente, a saída é aproximadamente igual à entrada em altas frequências (quão alto? $\omega \gtrsim 1/RC$) e vai para zero em baixas frequências. O filtro

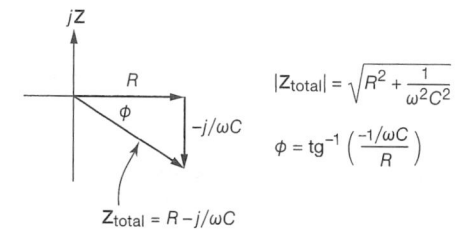

FIGURA 1.98 Impedância RC em série.

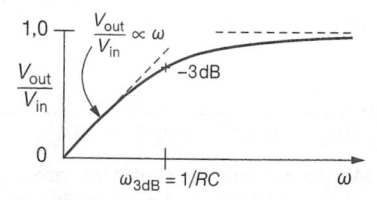

FIGURA 1.99 Resposta de frequência do filtro passa-altas. O deslocamento de fase correspondente varia lentamente de +90° (em $\omega = 0$), passando em +45° (em ω_{3dB}) até 0° (em $\omega = 0$), análogo ao deslocamento do filtro passa-baixas (Figura 1.104).

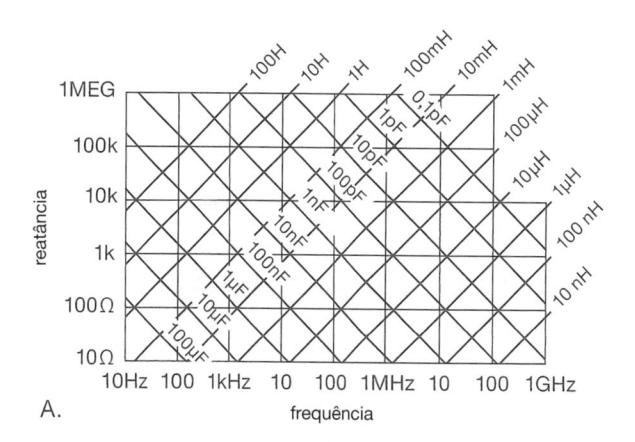

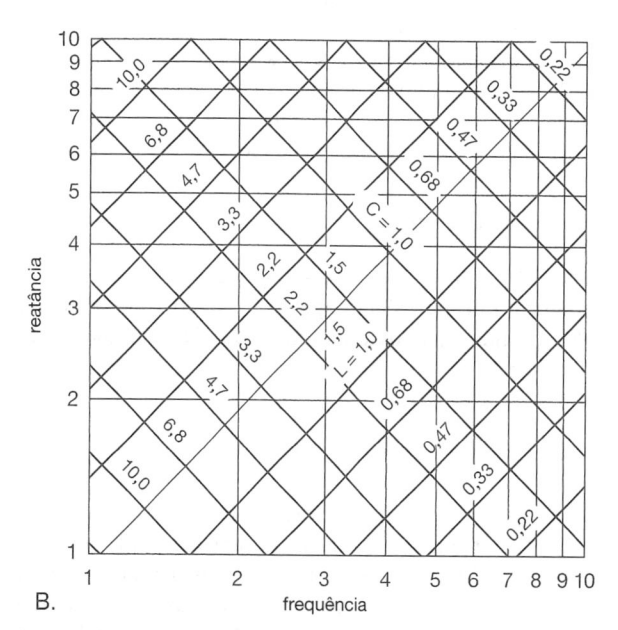

FIGURA 1.100 A: Reatância de indutores e capacitores em função da frequência; todas as décadas são idênticas, com exceção da escala. B: Uma única década da parte A ampliada, com valores de componente padrão de 20% (EIA "E6") mostrados.

passa-altas é muito comum; por exemplo, a entrada do osciloscópio pode ser mudada para "acoplamento CA". Isso é apenas um filtro RC de alta frequência com a mudança de inclinação em cerca de 10 Hz (você pode usar o acoplamento CA se quiser observar um pequeno sinal sobreposto a uma grande tensão CC). Engenheiros gostam de se referir ao "ponto de interrupção" de −3 dB de um filtro (ou de qualquer circuitos que se comporte como um filtro). No caso do filtro passa-altas RC simples, o ponto de interrupção de −3 dB é dado por

$$f_{3dB} = 1/2\pi RC.$$

Muitas vezes, você precisa saber a impedância de um capacitor em uma determinada frequência (por exemplo, para o projeto de filtros). A Figura 1.100 fornece um gráfico muito

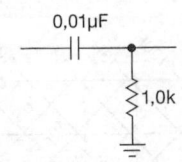

FIGURA 1.101 Exemplo de filtro passa-altas.

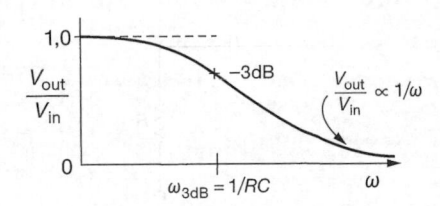

FIGURA 1.103 Resposta de frequência do filtro passa-baixas.

útil cobrindo grandes intervalos de capacitância e frequência, dando o valor de $|\mathbf{Z}| = 1/2\pi f C$.

Como um exemplo, considere o filtro mostrado na Figura 1.101. É um filtro passa-altas com o ponto de 3 dB[44] em 15,9 kHz. A impedância da carga acionada por ele deve ser muito maior do que 1,0k, a fim de evitar os efeitos de carga no circuito de saída do filtro, e a fonte de acionamento deve ser capaz de acionar uma carga de 1,0k sem atenuação significativa (perda de amplitude de sinal), a fim de evitar efeitos de carga sobre a fonte de sinal (lembre-se da Seção 1.7.1D para as impedâncias de fonte e carga de pior caso de filtros *RC*).

1.7.9 Filtros *RC* Passa-Baixas

Voltando ao filtro passa-baixas, em que você obtém o comportamento de frequência oposto trocando *R* e *C* (Figura 1.90, repetida aqui como Figura 1.102), encontramos o resultado exato

$$V_{\text{out}} = \frac{1}{(1+\omega^2 R^2 C^2)^{1/2}} V_{\text{in}}$$

como pode ser visto na Figura 1.103 (e anteriormente na Figura 1.91). O ponto de 3 dB está novamente a uma frequência[45] $f = 1/2\pi RC$. Filtros passa-baixas são bastante úteis na vida real. Por exemplo, um filtro passa-baixas pode ser usado para eliminar a interferência de estações de rádio e televisão nas proximidades (0,5 a 800 MHz), um problema que assola amplificadores de áudio e outros equipamentos eletrônicos sensíveis.

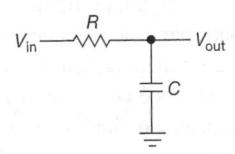

FIGURA 1.102 Filtro passa-baixas.

---

[44] Frequentemente se omite o sinal negativo para referir-se ao ponto de −3 dB.

[45] Como mencionado na Seção 1.7.1A, muitas vezes, gostamos de definir a frequência de ponto de interrupção $\omega_0 = 1/RC$ e trabalhar com as relações de frequência ω/ω_0. Então, uma forma útil para o denominador na Equação 1.36 é $\sqrt{1+(\omega/\omega_0)^2}$.. O mesmo se aplica para a Equação 1.35, em que o numerador se torna ω/ω_0.

Exercício 1.30 Mostre que a expressão precedente para a resposta de um filtro passa-baixas *RC* está correta.

A saída do filtro passa-baixas pode ser vista como uma fonte de sinal por si só. Quando acionado por uma tensão CA perfeita (impedância de fonte zero), a saída do filtro parece *R* em baixas frequências (a fonte de sinal perfeita pode ser substituída por um curto, ou seja, por sua impedância de fonte de pequeno sinal, para o propósito do cálculo da impedância). A impedância cai para zero em altas frequências, nas quais o capacitor domina a impedância de saída. O sinal que aciona o filtro vê uma carga *R* mais a resistência de carga em frequências baixas, caindo para apenas R em altas frequências. Como observamos na Seção 1.7.1D, a impedância da fonte de pior caso e a impedância de carga de pior caso de um filtro *RC* (passa-baixas ou passa-altas) são ambas iguais a *R*.

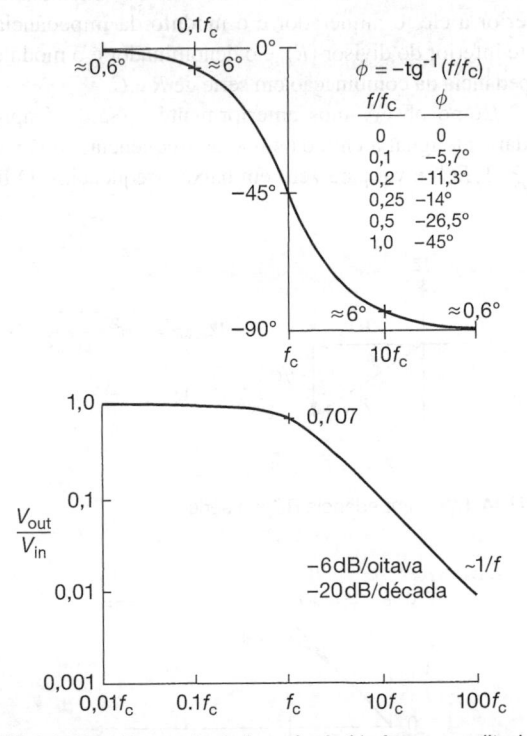

FIGURA 1.104 Resposta de frequência (de fase e amplitude) do filtro passa-baixas plotado em eixos logarítmicos. Note que o deslocamento de fase é −45° no ponto de −3 dB e está a 6° do seu valor assintótico para uma década de variação de frequência.

Na Figura 1.104, traçamos a mesma resposta do filtro passa-baixas com eixos logarítmicos, que é a maneira mais comum de isto ser feito. Você pode pensar no eixo vertical como decibéis e no eixo horizontal como oitavas (ou décadas). Em tal gráfico, distâncias iguais correspondem a relações iguais. Representamos também graficamente o desvio de fase, usando um eixo linear vertical (graus) e o mesmo eixo de frequência logarítmica. Esse tipo de gráfico é bom para ver a resposta detalhada, mesmo quando é muito atenuada (como à direita); veremos uma série de gráficos como esse no Capítulo 6, quando tratarmos de filtros ativos. Note que a curva de filtro plotada aqui se torna uma linha reta em grandes atenuações, com uma inclinação de -20 dB/década (engenheiros preferem dizer "-6dB/oitava"). Note também que o deslocamento de fase varia lentamente de $0°$ (em frequências bem abaixo do ponto de interrupção) até $-90°$ (bem acima dele), com um valor de $-45°$ no ponto de -3 dB. A regra prática para filtros RC de seção única é que o deslocamento de fase é $\approx 6°$ do seu valor assintótico em $0{,}1f_{3db}$ e em $10f_{3db}$.

Exercício 1.31 Prove a última afirmação.

Uma questão interessante: é possível fazer um filtro com alguma resposta de amplitude especificada arbitrária e alguma outra resposta de fase especificada arbitrária? Surpreendentemente, a resposta é não: as demandas de causalidade (ou seja, que a resposta deve seguir a causa, e não precedê-la) forçam uma relação entre a resposta de fase e a amplitude de filtros analógicos realizáveis (conhecida oficialmente como a relação Kramers-Kronig).

1.7.10 Diferenciadores e Integradores *RC* no Domínio da Frequência

O diferenciador RC que vimos na Seção 1.4.3 é exatamente o mesmo circuito que o filtro passa-altas desta seção. Na verdade, ele pode ser considerado como qualquer um deles, dependendo de você estar pensando em formas de onda no domínio do tempo ou na resposta no domínio da frequência. Podemos reafirmar a condição de domínio do tempo anterior para o seu bom funcionamento ($V_{\text{out}} \ll V_{\text{in}}$) em termos da resposta de frequência: para que a saída seja pequena em comparação com a entrada, a frequência do sinal (ou frequências) deve estar bem abaixo do ponto de 3 dB. Isso é fácil de verificar: suponha que tenhamos o sinal de entrada $V_{\text{in}} = \text{sen } \omega t$. Então, utilizando a equação anterior obtida para a saída do diferenciador, temos

$$V_{\text{out}} = RC \frac{d}{dt} \text{sen } \omega t = \omega RC \cos \omega t,$$

e, assim, $V_{\text{out}} \ll V_{\text{in}}$ se $\omega RC \ll 1$, ou seja, $RC \ll 1/\omega$. Se o sinal de entrada contém uma faixa de frequências, ele deve suportar as frequências mais elevadas presentes na entrada.

O integrador RC (Seção 1.4.4) é o mesmo circuito que o filtro passa-baixas; pelo raciocínio semelhante, o critério para um bom integrador é que as frequências mais baixas do sinal devem estar bem acima do ponto de 3 dB.

1.7.11 Indutores *Versus* Capacitores

Em vez de capacitores, indutores podem ser combinados com resistores para construir filtros passa-baixas (ou passa-altas). Na prática, porém, você raramente vê filtros RL passa-baixas ou passa-altas. A razão é que os indutores tendem a ser mais volumosos e caros e o desempenho é inferior (ou seja, eles estão mais longe do ideal) em relação aos capacitores. Se você puder escolher, use um capacitor. Uma exceção importante a essa declaração geral é o uso de anéis de ferrite e choques em circuitos de alta frequência. Você apenas coloca alguns anéis aqui e ali no circuito; eles tornam as interconexões de fio ligeiramente indutivas, aumentando a impedância em frequências muito altas e evitando oscilações, sem acrescentar resistência em série, o que faríamos em um filtro RC. Um *choque* de *RF* é um indutor, geralmente de algumas espiras de fio enrolado sobre um núcleo de ferrite, utilizado para o mesmo fim em circuitos de RF. Note, no entanto, que indutores são componentes essenciais em (a) circuitos LC sintonizados (Seção 1.7.14) e (b) conversores de energia chaveados (Seção 9.6.4).

1.7.12 Diagramas Fasoriais

Há um método gráfico agradável que pode ser útil quando tentamos compreender circuitos reativos. Daremos um exemplo: o fato de um filtro RC atenuar 3 dB na frequência $f = 1/2\pi RC$, que deduzimos na Seção 1.7.8. Isso é verdade para os filtros passa-altas e passa-baixas. É fácil ficar um pouco confuso aqui, pois, naquela frequência, a reação do capacitor é igual à resistência do resistor; desse modo, você pode esperar, no primeiro momento, 6 dB de atenuação (um fator de 1/2 na tensão). Isso é o que você obteria, por exemplo, se substituísse o capacitor por um resistor com o mesmo módulo da impedância. A confusão surge porque o capacitor é reativo, mas a questão é esclarecida por um diagrama de fase (Figura 1.105). Os eixos são as componentes real (resistiva) e imaginária (reativa) da impedância. Em um circuito em série como esse, os eixos também representam a tensão (complexa), porque a corrente é a mesma em todos os pontos. Portanto, para esse circuito (pense nele como um divisor de tensão RC), a tensão de entrada (aplicada no par RC em série) é proporcional ao comprimento da hipotenusa, e a tensão de saída (apenas sobre R) é proporcional ao comprimento do segmento R do triângulo. O diagrama representa a situação na frequência em que a reatância do capacitor é igual a R, isto é, $f = 1/2\pi RC$, e mostra que a relação entre a tensão de saída e a de entrada é $1/\sqrt{2}$, ou seja, -3 dB.

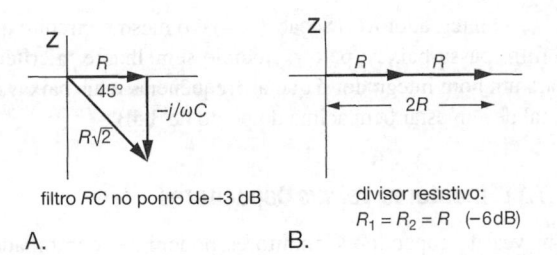

FIGURA 1.105 Diagrama fasorial para o filtro passa-baixas no ponto de 3 dB.

O ângulo entre os vetores fornece o deslocamento de fase da entrada para a saída. No ponto de 3 dB, por exemplo, a amplitude de saída é igual à amplitude de entrada dividida pela raiz quadrada de 2 e está adiantada 45° na fase. Esse método gráfico faz com que seja fácil obter as relações de amplitude e fase em circuitos RLC. Você pode usá-lo, por exemplo, para obter a resposta do filtro passa-altas que anteriormente deduzimos algebricamente.

Exercício 1.32 Use um diagrama fasorial para obter a resposta de um filtro passa-altas RC: $V_{out} = V_{in}R/\sqrt{R^2 + (1/\omega^2 C^2)}$.

Exercício 1.33 Em qual frequência um filtro passa-baixas RC atenua a saída em 6 dB (tensão de saída igual à metade da tensão de entrada)? Qual é o deslocamento de fase nessa frequência?

Exercício 1.34 Use um diagrama fasorial para obter a resposta do filtro passa-baixas anterior deduzido algebricamente.

No próximo capítulo (Seção 2.2.8), veremos um bom exemplo de diagramas fasoriais em conexão com um circuito de deslocamento de fase e amplitude constante.

1.7.13 "Polos" e Decibéis por Oitava

Olhe novamente para a resposta do filtro passa-baixas RC (Figuras 1.103 e 1.104). Mais para a direita do "joelho", a amplitude de saída cai de forma proporcional a $1/f$. Em uma oitava (como na música, uma oitava é o dobro da frequência), a amplitude de saída cairá pela metade, ou -6 dB; assim, um simples filtro RC tem uma queda de 6 dB/oitava. Você pode fazer filtros com várias seções RC; então, você obtém 12 dB/oitava (duas seções RC), 18 dB/oitava (três seções), e assim por diante. Essa é a maneira usual de descrever como um filtro se comporta além do corte. Outra forma popular é um "filtro de três polos", por exemplo, que significa um filtro com três secções RC (ou que se comporta como um). (A palavra "polo" deriva de um método de análise que está além do escopo deste livro e que envolve funções de transferência complexas no plano das frequências complexas, conhecido por engenheiros como "plano s".

Um cuidado com filtros de vários estágios: você não pode simplesmente conectar em cascata várias seções de filtros idênticos a fim de obter uma resposta de frequência que seja a concatenação das respostas individuais. A razão é que cada estágio exercerá uma carga significativa no anterior (uma vez que eles são idênticos), alterando a resposta geral. Lembre-se de que a função resposta para os filtros RC simples que deduzimos foi baseada em uma fonte acionadora de impedância zero e uma carga de impedância infinita. Uma solução é fazer com que cada seção sucessiva de filtro tenha uma impedância muito maior do que a anterior. Uma melhor solução envolve circuitos ativos como "*buffers*" entre estágios de transistor ou amplificador operacional (AOP), ou, então, filtros ativos. Esses assuntos serão tratados nos Capítulos 2 a 4, 6 e 13.

1.7.14 Circuitos Ressonantes

Quando capacitores são combinados com indutores ou são usados em circuitos especiais denominados filtros ativos, é possível fazer circuitos com características de frequência muito acentuadas (por exemplo, um pico grande na resposta a uma determinada frequência) em comparação com as características graduais de filtros RC que temos visto até agora. Esses circuitos encontram aplicações em vários dispositivos de áudio e de RF. Agora daremos uma olhada rápida em circuitos LC (falaremos mais sobre eles, e os filtros ativos, no Capítulo 6 e no Apêndice E).

A. Circuitos LC em Paralelo e em Série

Primeiro, considere o circuito mostrado na Figura 1.106. A impedância da combinação LC na frequência f é precisamente

$$\frac{1}{\mathbf{Z}_{LC}} = \frac{1}{\mathbf{Z}_L} + \frac{1}{\mathbf{Z}_C} = \frac{1}{j\omega L} - \frac{\omega C}{j}$$

$$= j\left(\omega C - \frac{1}{\omega L}\right),$$

ou seja,

$$\mathbf{Z}_{LC} = \frac{j}{(1/\omega L) - \omega C}.$$

Em combinação com R, forma um divisor de tensão. Por causa dos comportamentos opostos de indutores e capacito-

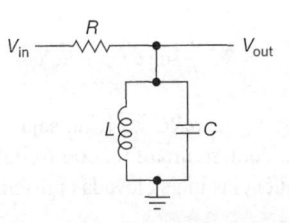

FIGURA 1.106 Circuito ressonante LC: filtro passa-faixa.

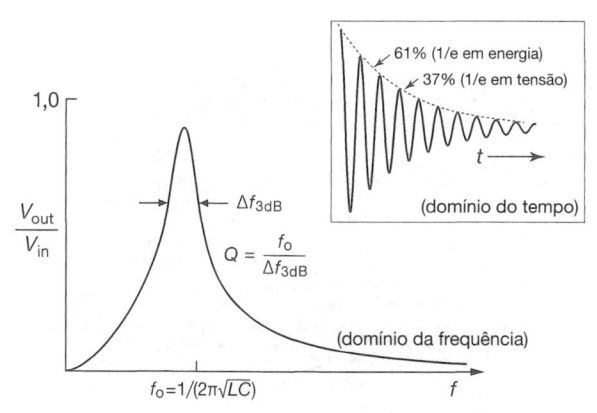

FIGURA 1.107 Resposta de frequência de um circuito "tanque" *LC* em paralelo. O conjunto mostra o comportamento no domínio do tempo: uma forma de onda de oscilação amortecida ("eco") em sequência a um degrau de tensão de entrada ou pulso.

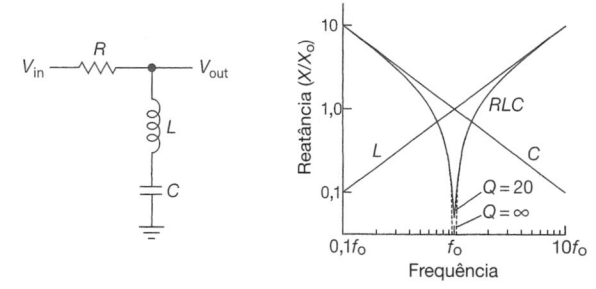

FIGURA 1.108 Filtro *notch LC* ("armadilha"). As reatâncias indutivas e capacitivas se comportam como mostrado, mas o sinal oposto de suas impedâncias complexas faz com que a impedância em série despenque. Para componentes ideais, a reatância do *LC* em série vai completamente a zero na ressonância; para componentes do mundo real, o mínimo é diferente de zero, e geralmente dominado pelo indutor.

res, a impedância de um *LC* em paralelo vai para infinito na *frequência ressonante*

$$f_0 = 1/2\pi\sqrt{LC}$$

(ou seja, $\omega_0 = 1/\sqrt{LC}$), dando um pico na resposta nessa frequência.

A resposta geral é como mostrado na Figura 1.107.

Na prática, as perdas de indutor e capacitor limitam a nitidez do pico, mas, com um bom projeto, essas perdas podem ser muito pequenas. Por outro lado, uma resistência de deterioração do fator *Q* é, às vezes, acrescentada intencionalmente para reduzir a acuidade do pico de ressonância. Esse circuito é conhecido simplesmente como um circuito ressonante *LC* paralelo (ou "circuito sintonizado", ou "tanque") e é amplamente utilizado em circuitos de *RF* para selecionar uma determinada frequência para a amplificação (*L* ou *C* podem ser variáveis, para que se possa sintonizar a frequência de ressonância). Quanto maior for a impedância de acionamento, mais nítido é o pico; não é incomum acioná-los com algo que se aproxima de uma fonte de corrente, como você verá mais adiante. O *fator de qualidade Q* é uma medida da acuidade do pico. Ele é igual à frequência de ressonância dividida pela largura nos pontos de −3 dB. Para um circuito *RLC* em paralelo, $Q = \omega_0 RC$.[46]

Outra variedade de circuito *LC* é o *LC* em série (Figura 1.108). Ao escrever as fórmulas de impedância envolvidas, e assumindo que tanto o capacitor como o indutor são ideais, ou seja, que eles não têm perdas resistivas,[47] você pode se convencer de que a impedância do *LC* vai para zero na ressonância ($f_0 = 1/2\pi\sqrt{LC}$). Tal circuito é uma "armadilha" para os sinais na frequência de ressonância ou próximos a ela, colocando-os em curto para o terra. Mais uma vez, esse circuito tem aplicação principalmente em circuitos de *RF*. A Figura 1.109 mostra a aparência da resposta. O *Q* de um circuito *RLC* em série é $Q = \omega_0 L/R$.[48] Para ver o impacto do aumento de *Q*, observe os gráficos precisos do circuito tanque e da resposta *notch* (resposta em forma de chanfro) na Figura 1.110.

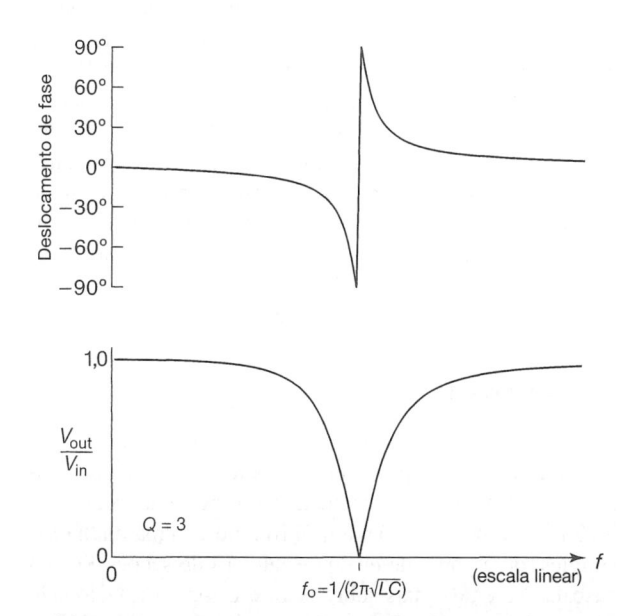

FIGURA 1.109 Frequência e resposta de fase da armadilha *LC* em série. A fase muda abruptamente na ressonância, um efeito observado em outros tipos de ressonadores (ver, por exemplo, a Figura 7.36).

---

[46] Ou, equivalentemente, $Q = R/X_C = R/X_L$, onde $X_L = X_C$ são a reatância em ω_0.

[47] Ao longo dos estudos, você verá que o comportamento dos componentes reais se distancia do ideal, muitas vezes expresso em termos de uma resistência efetiva em série.

[48] Ou, de forma equivalente, $Q = X_L/R = X_C/R$, em que $X_L = X_C$ são as reatâncias em ω_0.

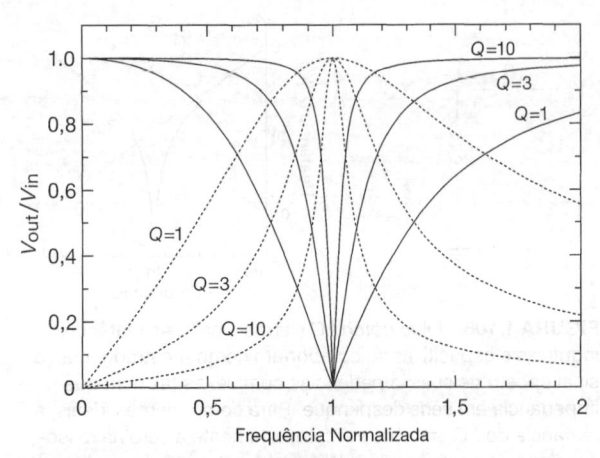

FIGURA 1.110 Resposta do tanque LC (curvas pontilhadas) e armadilha (curvas de linha contínua) para alguns valores do fator de qualidade, Q.

Exercício 1.35 Determine a resposta (V_{out}/V_{in} em função da frequência) para o circuito armadilha LC em série na Figura 1.108.

Essas descrições dos circuitos ressonantes LC são formuladas em termos da resposta de frequência, ou seja, no domínio da frequência. No domínio do tempo, você está geralmente interessado na resposta de um circuito a pulsos, ou degraus; nesse domínio, você vê o tipo de comportamento mostrado na inserção da Figura 1.107, um circuito LC com $Q = 20$. A tensão do sinal cai para $1/e$ (37%) em Q/π ciclos; a *energia* armazenada (proporcional a v^2) cai para $1/e$ (61% em amplitude) em $Q/2\pi$ ciclos. Pode ser que você prefira pensar em radianos: a energia cai para $1/e$ em Q radianos, e a tensão cai para $1/e$ em $2Q$ radianos. Circuitos LC ressonantes não são exclusivos para proporcionar um comportamento de circuito altamente seletivo em frequência; as alternativas incluem cristal de quartzo, cerâmica, e ressonadores de ondas acústicas de superfície (SAW – *surface acoustic-wave*); linhas de transmissão; e cavidades ressonantes.

1.7.15 Filtros LC

Ao combinar indutores com capacitores, você pode produzir filtros (passa-baixas, passa-altas e passa-faixa) com um comportamento muito mais acentuado na resposta de frequência do que seria possível com um filtro feito de uma malha RC simples, ou a partir de qualquer número de seções RC em cascata. Veremos mais sobre isso, e o tópico relacionado filtros ativos, no Capítulo 6. Contudo, vale a pena admirar agora como isso funciona bem, para apreciar a virtude de um simples indutor (um componente de circuito muitas vezes criticado).

Como exemplo, veja a Figura 1.111, uma fotografia de uma placa de circuito de um "misturador-digitalizador" que construímos para um projeto alguns anos atrás (especificamente, um receptor de rádio com 250 milhões de canais simultâneos). Há um monte de coisas na placa, que tem que

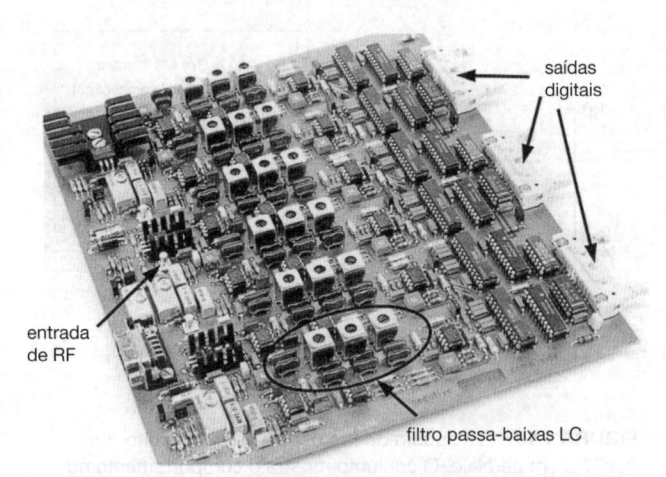

FIGURA 1.111 Existem seis filtros passa-baixas LC nesta placa de circuito, parte do processo de conversão de frequência e digitalização para o qual este "misturador-digitalizador" foi projetado.

deslocar a frequência e digitalizar três bandas de RF; seu projeto poderia ocupar um capítulo de livro. Por ora, apenas observe o filtro irregular dentro da linha oval (existem mais cinco na placa), composto por três indutores (os encapsulamentos metálicos quadrados) e quatro capacitores (os pares de retângulos brilhantes). É um filtro passa-baixas, projetado para cortar em 1,0 MHz; ele evita "*aliases*" (falseamento da frequência do sinal) na saída digitalizada, um assunto que abordaremos no Capítulo 13.

Como ele funciona? A Figura 1.112 mostra uma "varredura de frequência", em que uma entrada de onda senoidal vai desde 0 Hz a 2 MHz conforme o traço vai da esquerda para a direita na tela. As formas de salsicha são as "envoltórias" da saída de onda senoidal. Se compararmos o filtro LC com um filtro passa-baixas RC com a mesma frequência de corte, 1 MHz (1 kΩ e 160 pF), o filtro LC ganhará, de longe. O filtro RC tem desempenho comparativo muito inferior. A rigor, não poderíamos dizer que seu corte é em 1 MHz: ele dificilmente corta tudo.

1.7.16 Outras Aplicações de Capacitores

Em adição às suas utilizações em filtros, circuitos ressonantes, diferenciadores e integradores, capacitores são necessários para várias outras aplicações importantes. Trataremos deles em detalhe mais adiante no livro; eles foram mencionados aqui apenas como uma pré-estreia.

A. Desvio

A impedância de um capacitor diminui com o aumento da frequência. Essa é a base de outra aplicação importante: *desvio* (*bypassing*). Há pontos nos circuitos em que você deseja permitir uma tensão CC, mas você não quer sinais presentes. Colocar um capacitor em paralelo com o elemento de circuito (normalmente, um resistor) ajudará a eliminar todos os si-

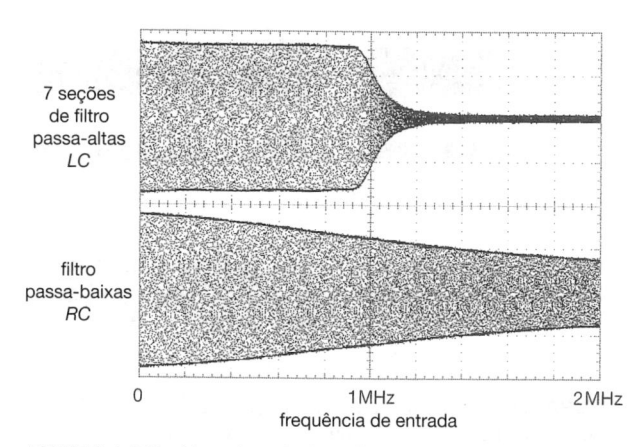

FIGURA 1.112 Varredura de frequência do filtro passa-baixas *LC* mostrado na Figura 1.111 em comparação com um filtro passa-baixas *RC* com a mesma frequência de corte de 1 MHz. O contorno escuro é a envoltória da amplitude da onda senoidal varrida rapidamente, que alcança um aspecto de lixa neste osciloscópio digital de captura.

nais desse ponto. Deve-se escolher o valor do capacitor (não crítico) de forma que a sua impedância nas frequências de sinal seja pequena em comparação com o que ele está desviando. Você verá muito mais sobre isso em capítulos posteriores.

B. Filtragem de Fonte de Alimentação

Vimos esta aplicação na Seção 1.6.3, para filtrar a ondulação de circuitos retificadores. Apesar de os projetistas de circuitos, muitas vezes, chamarem-nos de capacitores de *filtro*, essa é na realidade uma forma de desviar, ou armazenar energia, com capacitores de grande valor; preferimos o termo capacitor de *armazenamento*. E esses capacitores realmente são grandes – eles são os componentes redondos, grandes e brilhantes que você vê dentro da maioria dos instrumentos eletrônicos. Entraremos no projeto de fontes de alimentação CC em detalhe no Capítulo 9.

C. Temporização e Geração de Forma de Onda

Como vimos, um capacitor acionado por uma corrente constante se carrega com uma forma de onda de rampa. Essa é a base de geradores de rampa e dente de serra, usada em geradores de funções analógicos, circuitos de varredura de osciloscópios, conversores analógico-digitais e circuitos de temporização. Os circuitos *RC* também são usados para temporização, e eles formam a base de circuitos de atraso (multivibradores monoestáveis). Essas aplicações de temporização e formas de onda são importantes em muitas áreas da eletrônica e serão abordadas nos Capítulos 3, 6, 10 e 11.

1.7.17 Teorema de Thévenin Generalizado

Quando capacitores e indutores estão incluídos, o teorema de Thévenin deve ser atualizado: qualquer rede de dois terminais constituída de resistores, capacitores, indutores e fontes de sinal é equivalente a uma única impedância complexa em série com uma única fonte de sinal. Como antes, você encontra a impedância (complexa) e a fonte de sinal (forma de onda, amplitude e fase) a partir da tensão de saída em circuito aberto e da corrente de saída em curto-circuito.

1.8 JUNTANDO TUDO – RÁDIO AM

Em nosso curso de circuitos, unimos os tópicos deste capítulo agrupando-os em um rádio AM simples. O sinal que é transmitido é uma onda senoidal na frequência da estação na faixa AM (520 a 1720 kHz), com a sua amplitude variada ("modulada") de acordo com a forma de onda de áudio (Figura 1.113). Em outras palavras, uma forma de onda de áudio descrita por alguma função $f(t)$ seria transmitida como um sinal de RF $[A + f(t)]$ sen $2\pi f_c t$; aqui, f_c é a frequência da "portadora" da estação, e a constante A é adicionada à forma de onda de áudio, de modo que o coeficiente de $[A + f(t)]$ nunca é negativo.

No receptor (que somos *nós*!), a tarefa é selecionar essa estação (entre muitas) e, de alguma forma, extrair a *envoltória* da modulação, que é o sinal de áudio desejado. A Figura 1.114 mostra o rádio AM mais simples; é o "rádio de galena (ou cristal)" do passado. É realmente muito simples: o circuito ressonante *LC* em paralelo é sintonizado na frequência da estação pelo capacitor variável C_1 (Seção 1.7.14); o diodo D é um retificador de meia-onda (Seção 1.6.2), o qual (se ideal) passaria apenas os semiciclos positivos da portadora modulada; e R_1 proporciona uma carga leve, de modo que a saída retificada segue os semiciclos retornando para zero. Estamos quase terminando. Adicionamos um pequeno capacitor C_2 para evitar que a saída siga os semiciclos rápidos da portadora (que é um capacitor de armazenamento, Seção 1.7.16B), escolhendo a constante de tempo $R_1 C_2$ para ser longa quando comparada com um período da portadora (~1 μs), porém curta em comparação com o período da maior frequência de áudio (~200 μs).

As Figuras 1.115 e 1.116 mostram o que você vê quando conecta um osciloscópio. A antena de *fio nu* mostra gran-

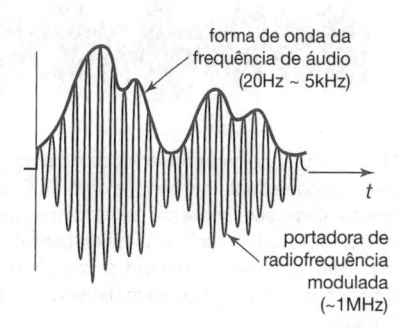

FIGURA 1.113 Um sinal AM é composto por uma portadora de *RF* (~1 MHz), cuja amplitude é variada pelo sinal de audiofrequência (voz ou música; frequências audíveis até ~5 kHz). A forma de onda de áudio é passada por compensação CC de modo que a envoltória não cruze o zero.

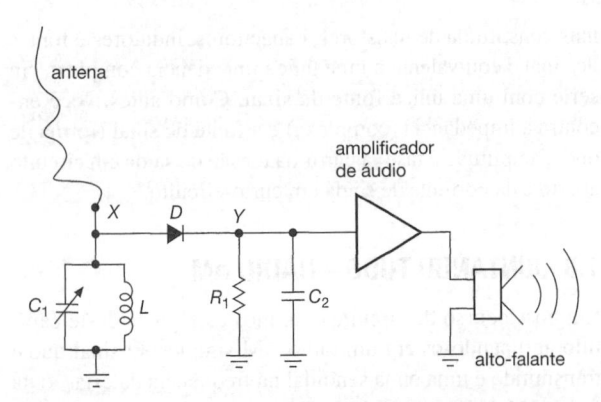

FIGURA 1.114 O receptor AM mais simples. O capacitor variável C_1 sintoniza a emissora desejada, o diodo D permite a passagem da envoltória positiva (suavizada por R_1C_2) e o sinal de áudio fraco resultante é amplificado para acionar o alto-falante.

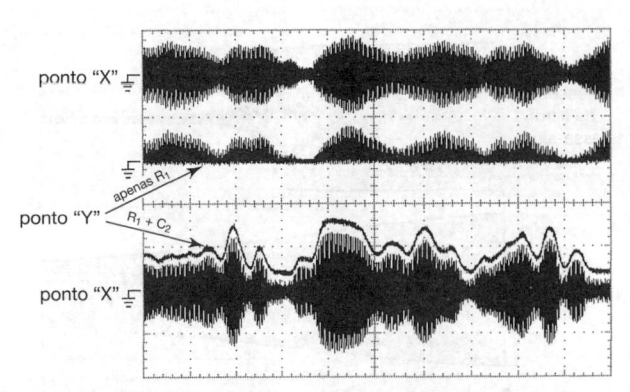

FIGURA 1.116 Formas de onda observadas no ponto "Y" com R_1 apenas (em cima) e com o capacitor de suavização C_2 incluído (embaixo). O par de formas de onda superior é uma captura de um único disparo (com a portadora de ~1 MHz aparecendo na área escura), e o par mais embaixo é uma captura de um único disparo separado, em que temos que compensar a onda retificada para maior clareza. Vertical: 1 V/div; horizontal: 1 ms/div.

de facilidade de captação de baixas frequências (principalmente 60 Hz da rede elétrica CA), e um pouquinho de sinal de todas as estações AM de uma vez. Mas, quando você conectá-la ao circuito ressonante LC, tudo o que for de baixa frequência desaparecerá (porque o LC se parece com uma impedância muito baixa, Figura 1.107) e ele só vê a estação AM selecionada. O interessante é que a amplitude da estação selecionada é muito maior com o LC conectado do que com nada conectado à antena: isso ocorre porque o Q elevado do circuito de ressonância armazena energia a partir de vários ciclos do sinal.[49]

O amplificador de áudio é divertido também, mas não estamos prontos para isso. Veremos como fazer um desses no Capítulo 2 (com transistores discretos) e novamente no Capítulo 4 (com amplificadores operacionais, um bloco construtivo Lego™ de projeto analógico).

E uma divertida nota final: em nossa aula de laboratório, gostamos de mostrar o efeito de uma ponta de prova em "X" com um comprimento de um cabo BNC (*Baioneta Neill-Concelman*) até a entrada de um osciloscópio (é assim que começamos, na primeira semana). Quando fazemos isso, a capacitância do cabo (cerca de 30 pF/pé) é acrescentada a C_1, diminuindo a frequência de ressonância e, assim, sintonizando uma estação diferente. Se escolhermos certo, ele muda a *língua* (de Inglês para Espanhol)! Os alunos se divertem com isso – um componente eletrônico "tradutor". Então, usamos uma ponta de prova de osciloscópio comum, com seus ~10 pF de capacitância: nenhuma mudança de estação, nem de língua.

1.9 OUTROS COMPONENTES PASSIVOS

Nas seções seguintes, gostaríamos de apresentar brevemente uma seleção de componentes diversos, mas essenciais. Se você é experiente na construção de sistemas eletrônicos, pode ser que queira avançar para o próximo capítulo.

1.9.1 Dispositivos Eletromecânicos: Chaves

Estes dispositivos banais, mas importantes, tornam-se cada vez menos presentes na maioria dos equipamentos eletrônicos. Vale a pena dedicar alguns parágrafos ao assunto. As Figuras 1.117 e 1.118 mostram alguns tipos de chaves comuns.

A. Chave de Alavanca

A chave de alavanca simples está disponível em várias configurações, dependendo do número de polos; a Figura 1.119 mostra as comuns (SPST indica uma chave de um polo e uma

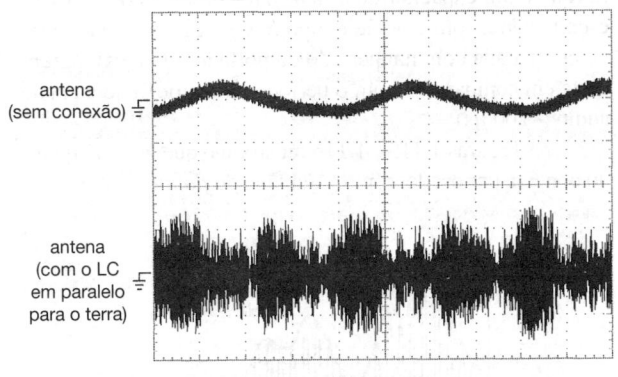

FIGURA 1.115 Formas de onda observadas no ponto "X" a partir da antena desconectada (em cima) e com o LC conectado. Note que os sinais sem interesse de baixa frequência desaparecem e que o sinal de rádio fica maior. Esse é o sinal de um único disparo, em que a portadora de radiofrequência de ~1 MHz aparece como uma área preenchida. Vertical: 1 V/div; horizontal: 4 ms/div.

---

[49] Há formas mais complicadas de explicar isso, mas você ainda não vai querer saber...

FIGURA 1.117 Miscelânea de chaves. As nove chaves à direita são chaves de contatos momentâneos ("botão de pressão" ou *pushbutton*), incluindo tanto o tipo de montagem em painel quanto o de montagem em placa de circuito impresso (PCI) ou PCB (*printed-circuit board*). À sua esquerda, estão os tipos adicionais, incluindo as chaves acionadas por alavanca e multipolo. Acima dessas, está um par de chaves *thumbwheel* codificada em binário para montagem em painel, à esquerda das quais está um teclado hexadecimal matricial. As chaves no centro em primeiro plano são chaves do tipo alavanca, nas variedades para montagem em painel e montagem em PCB; vários estilos de atuadores são mostrados, incluindo uma variedade de bloqueio (quarto da frente) que tem de ser puxado antes de comutar. As chaves rotativas na coluna da esquerda ilustram tipos codificados em binário (as três na frente e a quadrada maior) e as chaves tipo *wafer* tradicionais de multipolo-multiposição.

FIGURA 1.118 Chaves tipo "DIP switch" para montagem em placa. Grupo à esquerda, da frente para trás e da esquerda para a direita (todas são SPST): 1 via com alavanca de ação lateral; 3 vias ação lateral, 2 vias basculante e 1 via deslizante; 8 vias deslizante (perfil baixo) e 6 vias basculante; 8 vias deslizante e basculante. Grupo médio (todas são codificadas em hexadecimal): seis pinos de perfil baixo, seis pinos com ajuste superior ou lateral; 16 pinos com codificação verdadeira e de complemento. Grupo da direita: bloco cabeçote de 2 mm × 2 mm SMD com *jumper* móvel ("*shunt*"), bloco de cabeçote de 0,1" × 0,1" (2,54 mm × 2,54 mm) PTH com *shunts*; SPDT de 18 pinos (atuador comum); SPDT de 8 pinos duplo deslizante e de basculante; SPDT de 16 pinos quádruplo deslizante (dois exemplos).

FIGURA 1.119 Tipos de chaves fundamentais.

posição, SPDT indica uma chave de um polo e duas posições e DPDT indica uma chave de dois polos e duas posições.). As chaves de alavanca também estão disponíveis com a posição de "desligamento no centro" e com até quatro polos comutados simultaneamente. As chaves são sempre do tipo "abre antes de fechar"; o contato móvel nunca conecta os dois terminais em uma chave SPDT, por exemplo.

B. Chaves *Pushbutton*

Chaves *pushbutton* são úteis para aplicações de contato momentâneo; elas são desenhadas esquematicamente, como mostra a Figura 1.120 (NA e NF significam normalmente aberta e normalmente fechada). Para chaves SPDT de contato momentâneo, os terminais devem ser identificados por NA e NF, enquanto para os tipos SPST o símbolo é autoexplicativo. Chaves de contato momentâneo são sempre do tipo "abre antes de fechar". Na indústria elétrica (em oposição à eletrônica), os termos forma A, forma B e forma C são usados para dizer SPST (NA), SPST (NF) e SPDT, respectivamente.

C. Chaves Rotativas

Chaves rotativas estão disponíveis com muitos polos e muitas posições, muitas vezes como kits com módulos individuais e eixo rotativo. Os dois tipos, *com curto* (fecha antes de abrir) e *sem curto* (abre antes de fechar), estão disponíveis e podem ser misturados na mesma chave. Em muitas aplicações, o tipo com curto é útil para evitar um circuito aberto entre posições da chave, pois os circuitos podem perder o controle com entradas sem conexão. Os tipos sem curto são necessários em linhas separadas, que, ao serem comutadas para uma linha comum, não devem nunca ser conectadas umas às outras.

Às vezes, você não quer realmente todos esses polos, você só quer saber quantos cliques (batentes) o eixo girou. Para isso, uma forma comum de chave rotativa codifica sua posição como uma quantidade binária de 4 bits, economizando, assim, um monte de fios (apenas cinco são necessá-

rios: os quatro bits e uma linha comum). Uma alternativa é o uso de um *codificador rotativo*, um dispositivo montado em painel que cria uma sequência de N pulsos por cada rotação completa do botão. Esses são encontrados em dois tipos (utilizando internamente contatos mecânicos ou métodos electro-ópticos) e geralmente fornecem de 16 a 200 pares de pulsos por revolução. Os tipos ópticos custam mais, porém duram para sempre.

D. Chaves para Montagem PCBs

É comum ver pequenos conjuntos de chaves emplacas de circuito impresso (PCBs), como as mostradas na Figura 1.118. Eles são, muitas vezes, denominados *DIP switches*, referindo-se ao circuito integrado com encapsulamento DIP (*Dual In-Line Package*) de que eles fizeram uso, embora a prática contemporânea cada vez mais use o encapsulamento compacto da tecnologia de montagem em superfície (SMT – *surfasse-mount technology*). Como ilustra a fotografia, você pode obter chaves rotativas codificadas; e, por elas serem utilizadas para configurações internas que dificilmente são alteradas, você pode substituir um bloco de cabeçote de múltiplos pinos com poucas chaves deslizantes para fazer as conexões "*shunts*".

E. Outros Tipos de Chaves

Além desses tipos de chaves básicos, existem várias opções exóticas, tais como chaves de efeito Hall, *reed swiches*, sensores de proximidade, etc. Todas as chaves têm especificações máximas de corrente e tensão; uma pequena chave de alavanca pode ser especificada para 150 V / 5 A. A operação com cargas indutivas reduz drasticamente a vida útil da chave, por causa de arcos durante o desligamento. É sempre bom operar uma chave *abaixo* de suas especificações máximas, com uma notável exceção: uma vez que muitas chaves lidam com um fluxo substancial de corrente para limpar o óxido dos contatos, é importante usar uma chave projetada para "comutação de contato seco" quando se comutam sinais de nível baixo;[50] caso contrário, você terá uma operação com ruído e intermitente.

F. Exemplos de Chaves

Como um exemplo do que pode ser feito com chaves simples, consideraremos o seguinte problema: suponha que você queira fazer soar um aviso sonoro se o motorista de um carro estiver sentado e uma das portas do carro estiver aberta. Ambas as portas e o banco do motorista têm chaves, todas de contato normalmente aberto. A Figura 1.121 mostra um circuito que faz o que você quer. Se uma ou (OR) outra porta estiver aberta (chave fechada) e (AND) a chave do banco estiver fechada, o alarme soa. As palavras OR e AND são usadas em um sentido lógico (lógica digital) aqui, e veremos

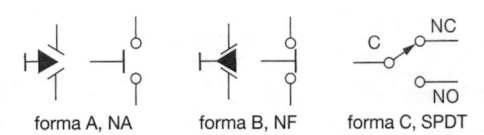

FIGURA 1.120 Chaves de contato momentâneo (botão de pressão ou *pushbutton*).

---
[50] Estas usam contato com revestimento de ouro.

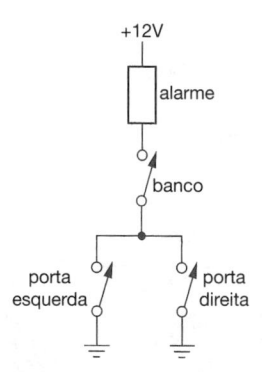

FIGURA 1.121 Exemplo de circuito com chave: aviso de porta aberta.

esse exemplo novamente nos Capítulos 2, 3 e 10 quando falarmos de transistores e lógica digital.

A Figura 1.122 mostra um circuito com chave clássico usado para ligar ou desligar uma lâmpada no teto a partir de um interruptor em qualquer uma das duas entradas de um ambiente.

Exercício 1.36 Embora poucos projetistas de circuito eletrônico saibam fazer, todo *eletricista* sabe como implementar o circuito de uma luminária de modo que qualquer um de N interruptores possa ligá-la ou desligá-la. Veja se você consegue descobrir essa generalização da Figura 1.122. São necessárias duas chaves SPDT e $N-2$ DPDT.

1.9.2 Dispositivos Eletromecânicos: Relés

Relés são chaves controladas eletricamente. No relé eletromecânico tradicional, uma bobina puxa uma armadura (para fechar os contatos) quando flui corrente suficiente. Muitas variedades estão disponíveis, incluindo relés "biestáveis" (ou de remanência) e "de passo" (ou seletor de Strowger).[51] Relés

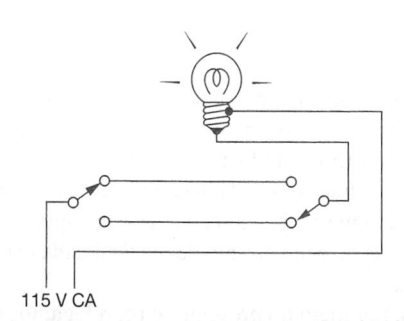

FIGURA 1.122 Diagrama de conexão de interruptores na configuração *three-way* usada por eletricistas.

---

[51] Uma nota de rodapé histórica e divertida: o relé de passo usado por um século como pedra angular de centrais telefônicas (o "seletor de Strowger") foi inventado por um empresário de Topeka (capital do Kansas), Almon Strowger, evidentemente porque ele suspeitava de que chamadas telefônicas destinadas ao seu negócio estavam sendo roteadas (pelas telefonistas em sua cidade) para uma funerária concorrente.

estão disponíveis para alimentação CC ou CA, e tensões de bobina de 3 a 115 V (CA ou CC) são comuns. Relés de mercúrio e *reed* destinam-se a aplicações de alta velocidade (~ 1 ms), e relés de grande porte destinados a comutar milhares de ampères são usados por concessionárias de energia elétrica.

O *relé de estado sólido* (SSR – *solid-state relay*) – que consiste de uma chave eletrônica semicondutora em que o estado ligado ou desligado é identificado por um LED – proporciona desempenho e confiabilidade melhores do que relés mecânicos, embora a um custo maior. SSRs operam rapidamente, sem "repique" de contato e geralmente fornecem uma comutação inteligente de potência CA (eles ligam no momento da tensão zero e desligam no momento da corrente zero). Veremos muito mais sobre esses dispositivos úteis no Capítulo 12.

Como aprenderemos, a comutação controlada eletricamente de sinais dentro de um circuito pode ser realizada com chaves transistorizadas, sem a necessidade do uso de relés de qualquer tipo (Capítulos 2 e 3). As principais utilizações de relés estão na comutação remota e na comutação de alta tensão (ou de alta corrente), nas quais é importante ter isolamento elétrico completo entre o sinal de controle e o circuito a ser comutado.

1.9.3 Conectores

Levar sinais para dentro e para fora de um instrumento, encaminhar sinal e alimentação CC entre as várias partes de um instrumento, proporcionar flexibilidade permitindo que as placas de circuito e módulos maiores do instrumento sejam desconectados (e substituídos) – essas são as funções do *conector*, um componente essencial (e geralmente a parte mais confiável) de qualquer peça de equipamento eletrônico. Conectores são encontrados em uma variedade desconcertante de tamanhos e formas.[52] As Figuras 1.123, 1.124 e 1.125 dão uma ideia da variedade.

A. Conectores de um Único Fio

O tipo mais simples de conector é o conector de pino banana ou *jack* simples usado em multímetros, fontes de alimentação, etc. É acessível e barato, mas não tão útil quanto o cabo blindado ou conectores multifio de que você muitas vezes precisa. O borne de conexão simples é outra forma de conector de um único fio, notável pela falta de jeito que ele inspira em quem tenta usá-lo.

B. Conectores para Cabo Blindado

Para evitar a captação capacitiva de sinais, e por outras razões que estão no Anexo H, geralmente é desejável confinar sinais que vão de um instrumento para outro em um cabo coaxial blindado. O conector mais popular é o tipo BNC que adorna a maioria dos painéis frontais de instrumentos. Ele se conecta

---

[52] Uma busca por "conector" no site da DigiKey retorna 116 categorias, com cerca de 43 mil variedades individuais em estoque.

FIGURA 1.123 Conectores retangulares. A variedade de conectores multipinos disponíveis é impressionante. Aqui está uma coleção de tipos comuns: os cinco conectores na parte inferior esquerda são conectores de alimentação multipinos de nylon (às vezes, denominados *tipo Molex* por razões históricas). Acima deles, estão quatro conectores header com pinos em duas linhas (espaçamento de 0,1", mostrado com e sem ejetores, também com Wire-Wrap® e pinos em ângulo reto), e à sua direita um conector header aberto ("sem proteção externa") de pinos em duas linhas e espaçamento de 0,1", juntamente com um par de conectores header de pinos em duas linhas e passos mais finos (2 mm e 1,27 mm). Esses conectores macho de pinos em duas linhas se encaixam com conectores IDC (*insulation displacement conector*), como o que é mostrado conectado a um pequeno pedaço de cabo flat (um pouco acima do conector header sem proteção externa). Logo abaixo da fita, são mostrados conectores header de pinos em linha única e passo de 0,1" com carcaça de encaixe (AMP MODU) que aceitam conexões de fios individuais. No canto inferior direito, há vários terminais usados para fiação elétrica e quatro tipo "Faston" de bornes crimpáveis. Acima deles, estão os conectores USB, e, à sua esquerda, estão os conectores modulares comuns RJ-45 e RJ-11 de telefonia/dados. Os conectores populares e confiáveis subminiaturas D estão no centro, incluindo (direita para esquerda) um par de 50 pinos micro-D (plugue do cabo e tomada PCB), um sub-D de 9 pinos, 26 pinos de alta densidade e um par sub-D de 25 pinos (um IDC). Acima deles, estão (direita para esquerda) um conector de 96 pinos VME para placa de expansão, um conector de borda de 62 pinos para solda, um conector tipo "Centronics" com alças de fixação e um conector de borda com flat IDC. Na parte superior esquerda, existe uma miscelânea – um par de conectores de encaixe duplo de banana do "tipo GR", um par de conectores de encaixe tipo RCA (ou Cinch), um par de conectores de encaixe encobertos tipo Winchester com parafusos do bloqueio e (à sua direita) um bloco de terminais com parafuso. Não são mostrados aqui os conectores *realmente* pequenos usados em pequenos dispositivos eletrônicos portáteis (smartphones, câmeras, etc.); você pode ver um bom exemplo na Figura 1.131.

com uma torção de um quarto de volta estabelecendo a conexão dos circuitos da blindagem (terra) e do condutor interno (sinal) simultaneamente. Como para todos os conectores usados para encaixar um cabo a um instrumento, existem a versão de montagem de painel e a de terminação de cabo.

Entre outros conectores para uso com cabo coaxial, estão o TNC ("*threaded Neill-Concelman*", um primo próximo do BNC, mas com blindagem e rosca externa); o tipo N de alto desempenho, mas volumoso; os tipos miniatura SMA e SMB; os tipos subminiatura LEMO e SMC; e os de alta tensão MHV e SHV. O chamado jack fono utilizado em equipamentos de áudio é uma boa lição de projeto ruim, pois o condutor interno (sinal) encaixa *antes* da blindagem (terra) quando você o conecta; além disso, o projeto do conector é tal que a blindagem e o condutor interno são propensos a um mau contato. Você certamente já *ouviu* os resultados! Para não ficar para trás, a indústria da televisão respondeu com seu próprio padrão ruim, o "conector" de cabo coaxial tipo F, que usa o fio interno do cabo coaxial sem suporte como pino do plugue macho e um arranjo de má qualidade para encaixar a blindagem.[53]

Nós, por meio do presente livro, relegamos esses perdedores ao Hall da Infâmia dos Componentes Eletrônicos, do qual alguns membros fundadores são mostrados na Figura 1.126.

---

[53] Os defensores de cada um provavelmente responderiam: "Este é o nosso receptáculo com preço mais *em conta*".

FIGURA 1.124 Conectores circulares. Uma seleção de conectores multipinos e outros conectores "não RF"; o receptáculo de montagem em painel é mostrado à esquerda de cada plugue que é montado no cabo. Linha superior, da esquerda para a direita: conector robusto tipo "MS" (MIL-C-5015) (disponível em centenas de configurações), conector "supericon" de alta corrente (50 A), conector multipino XLR com trava. Linha do meio: conector à prova de intempéries (Switchcraft EN3), conector de vídeo de 12 mm (Hirose RM), conector circular DIN, conector circular mini-DIN, conector de microfone de 4 pinos. Linha inferior: conector de 6 pinos com trava (Lemo), conector microminiatura de 7 pinos blindado (Microtech EP-7S), conector miniatura de 2 pinos encoberto (Litton SM), conector de alimentação de 2,5 mm, conector tipo banana e conector de pino tipo jack.

C. Conectores Multipino

Instrumentos eletrônicos frequentemente exigem cabos e conectores multifios. Há literalmente dezenas de diferentes tipos. O exemplo mais simples é um conector de cabo de alimentação de três fios "IEC". Entre os mais populares, estão o excelente subminiatura tipo-D, a série Winchester MRA, o venerável tipo MS e os conectores de cabo flat. Esses e outros são mostrados na Figura 1.123.

Cuidado com os conectores que não toleram uma queda no chão (os conectores miniatura hexagonais são clássicos exemplos) ou que não fornecem um mecanismo de trava seguro (por exemplo, a série Jones 300).

D. Conectores de Borda

O método mais comum usado para fazer conexão com cartões de circuito impresso é o conector de borda, que faz conexão a uma fila de contatos dourados na borda do cartão; exemplos comuns são os conectores da placa-mãe que aceitam módulos de memória de computador *plug-in*. Conectores de borda podem ter de 15 a 100 ou mais conexões e contam com diferentes estilos de terminais, de acordo com o método de conexão. É possível soldá-los a uma "placa-mãe" ou "placa de expansão", que é apenas outra PCB que contém interconexões entre as placas de circuitos individuais.

Alternativamente, pode ser que você queira usar conectores de borda padrão com terminações com furo para solda, especialmente em um sistema com apenas alguns cartões. Uma solução mais confiável (embora mais cara) é o uso de conectores PCB de "duas partes", em que uma parte (soldada na placa) encaixa com a outra parte (em uma placa de expansão, etc.); um exemplo é o conector amplamente utilizado VME (*VersaModule Eurocard*) (canto superior direito da Figura 1.123).

1.9.4 Indicadores

A. Medidores

Para ler o valor de alguma tensão ou corrente, você tem uma escolha a fazer entre o medidor tipo ponteiro móvel, consagrado pelo tempo, e o digital. Este último é mais caro e mais preciso. Ambos os tipos estão disponíveis em uma variedade de faixas de corrente e tensão. Há, além disso, medidores de painel exóticos que indicam medidas como VUs (Unidades de volume, uma escala de áudio em dB), volts CA em escala expandida (por exemplo, 105 para 130 V), temperatura (de um termopar), carga de motor percentual, frequência, etc. Medidores digitais de painel, muitas vezes, oferecem a opção de saídas de nível lógico, além do display visível, para uso interno pelo instrumento.

FIGURA 1.125 Conectores de RF e blindados. O receptáculo de montagem em painel é mostrado à esquerda de cada plugue montado no cabo. Linha superior, da esquerda para a direita: conector jack fono estéreo, conector de áudio tipo "XLR"; conector N e UHF (conectores RF). Segunda linha de cima para baixo: conectores BNC, TNC e tipo F; conectores MHV e SHV (alta tensão). Terceira fila de cima para baixo: conector de áudio de 2,5 mm (3/32"), conector estéreo de 3,5 mm, conector estéreo melhorado de 3,5 mm, conector fono ("tipo RCA"), conector LEMO coaxial. Linha inferior: conector SMA (jack de painel, plugue de coaxial flexível), conector SMA (jack de montagem em placa, plugue de coaxial rígido), conector SMB; conectores SC e ST (fibra óptica).

Como substituto para um medidor dedicado (seja analógico ou digital), você vê cada vez mais o LCD (tela de cristal líquido) ou painel de LED como um medidor padrão. Isso é flexível e eficiente: com um módulo de display LCD gráfico (Seção 12.5.3), você pode oferecer ao usuário uma escolha de "medidores", de acordo com a grandeza que está sendo exibida, todos sob o controle de um controlador embutido (um microprocessador interno; ver Capítulo 15).

B. Lâmpadas, LEDs e Displays

Luzes piscando, telas cheias de números e letras, sons misteriosos – essas são coisas de filmes de ficção científica e, exceto pelo último, compõem o assunto das lâmpadas e displays (ver Seção 12.5.3). Pequenas lâmpadas incandescentes costumavam ser padrão para os indicadores do painel frontal, mas elas foram substituídas por LEDs. Estes últimos se comportam como diodos eletricamente comuns, mas com uma queda de tensão na faixa de 1,5 a 2 volts (para os LEDs vermelho, laranja e alguns verdes; 3.6 V para o azul[54] e verde de alta luminosidade; ver Figura 2.8). Quando a corrente flui no sentido direto, eles acendem. Normalmente, de 2 mA a 10 mA produzem luminosidade adequada. LEDs são mais baratos do que as lâmpadas incandescentes, duram praticamente para sempre e estão disponíveis em quatro cores padrão, além do "branco" (que é normalmente um LED azul com um revestimento amarelo fluorescente). Eles vêm em convenientes encapsulamentos de montagem em painel, e alguns até mesmo fornecem um limitador de corrente interno.[55]

LEDs também pode ser usado para displays digitais, por exemplo, displays numéricos de 7 segmentos ou displays de 16 segmentos (para a exibição de letras, bem como números – "alfanuméricos"), ou displays de matriz de pontos. No entanto,

---

[54] O LED azul de nitreto de gálio foi produto da descoberta de um funcionário solitário e desvalorizado da Nichia Chemical Industries, Shuji Nakamura.

[55] E, é claro, para a iluminação residencial e comercial. Agora os LEDs têm amplamente relegado à lata de lixo da história a centenária lâmpada incandescente de filamento aquecido.

FIGURA 1.126 Componentes para evitar. É desaconselhado o uso de componentes como estes, se você puder evitar (veja o texto se você precisa se convencer!). Linha superior, da esquerda para a direita: potenciômetro de fio enrolado de baixo valor, conector tipo UHF, fita isolante ("apenas diga não!"). Linha do meio: conectores "tipo RCA", conector de microfone, conectores hexagonais. Linha inferior: chave deslizante, soquete de CI barato (e "pinos não torneados"), conector tipo-F, *trimmer* de elemento aberto, conector fono.

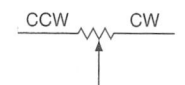

FIGURA 1.127 Potenciômetro (resistor variável de três terminais).

se mais do que alguns dígitos ou caracteres devem ser exibidos, os LCDs são geralmente preferidos. Eles vêm em matrizes organizadas em linhas (por exemplo, 16 caracteres por 1 linha, até 40 caracteres por 4 linhas), com uma interface simples que permite a entrada sequencial ou designável de caracteres alfanuméricos e símbolos adicionais. Eles são baratos, de baixa potência e visíveis mesmo sob luz solar. Versões com iluminação própria funcionam bem, mesmo em luz difusa, mas não são de baixa potência. Muito mais sobre esses (e outros) dispositivos optoeletrônicos você encontra na Seção 12.5.

1.9.5 Componentes Variáveis

A. Resistores Variáveis

Resistores variáveis (também chamados de controles de volume, potenciômetros ou *trimmers*) são úteis como controles de painel ou ajustes internos nos circuitos. Um tipo de painel clássico é o potenciômetro AB de 2 watts; ele usa o mesmo material básico que o resistor de composição de carbono fixo, com um cursor rotativo de contato. Outros tipos usados em painéis estão disponíveis com elementos de resistência de cerâmica ou plástico, com características melhoradas. Os tipos multivoltas (3, 5, ou 10 voltas) estão disponíveis, com indicadores (*dials*) de contagem, para melhores resolução e linearidade. Potenciômetros "agrupados" (várias seções independentes sobre um eixo) também são fabricados, embora em variedade limitada, para aplicações que os exigem. A Figura 1.8 mostra uma seleção representativa de potenciômetros e *trimmers*.

Para usar dentro de um instrumento, em vez de no painel frontal, os *trimmers* estão disponíveis nos estilos de uma volta única e multivoltas, a maioria destinada à montagem em PCBs. Eles são úteis para os ajustes de calibração do tipo "configurar e esquecer". Um bom conselho: resista à tentação de usar muitos *trimmers* em seus circuitos. Em vez disso, faça um bom projeto.

O símbolo de um resistor variável é mostrado na Figura 1.127. Às vezes, os símbolos CW e CCW são usados para indicar os sentidos horário e anti-horário, respectivamente.

Uma versão totalmente eletrônica de um potenciômetro pode ser feita com uma matriz de chaves eletrônicas (transistores) que selecionam uma derivação em uma longa cadeia de resistências fixas. Por mais estranho que isso possa parecer, é um esquema perfeitamente viável quando implementado em um CI. Por exemplo, Analog Devices, Maxim/Dallas Semiconductor e Xicor fazem uma série de "potenciômetros digitais" com até 1024 degraus; eles estão disponíveis como unidades individuais ou duplas, e alguns deles são "não voláteis", o que significa que eles se "lembram" do último ajuste, mesmo que a alimentação tenha sido desligada. Estes encontram aplicação em eletrônicos de consumo (televisores, aparelhos de som), nos quais você quer ajustar o volume a partir do seu controle remoto infravermelho em vez de girar um botão; veja a Seção 3.4.3E.

Um ponto importante sobre resistores variáveis: não tente usar um potenciômetro como substituto para um resistor de valor preciso em algum ponto de um circuito. Isso é tentador, pois você pode ajustar a resistência no valor desejado. O problema é que os potenciômetros não são tão estáveis quanto bons resistores (1%) e, além disso, eles podem não ter boa resolução (isto é, não podem ser ajustados para um valor preciso). Se você necessitar de um valor de resistor preciso e ajustável em algum ponto, use uma combinação de um resistor de precisão de 1% (ou melhor) com um potenciômetro, com o resistor fixo contribuindo mais na resistência final. Por exemplo, se você precisa de um resistor de 23,4k, use um resistor fixo de 22,6k 1% (um valor padrão) em série com um *trimmer* de 2k. Outra possibilidade é a utilização de uma combinação em série de vários resistores de precisão, selecionando o último (e menor) para dar a resistência em série desejada.

Como veremos mais adiante (Seção 3.2.7), é possível usar FETs como resistores variáveis controlados por tensão em algumas aplicações. Outra possibilidade é um "fotorresistor" (Seção 12.7). Transistores podem ser usados como amplificadores de ganho variável, novamente controlados por uma tensão. Mantenha a mente aberta quando fizer o *brainstorming* do projeto.

FIGURA 1.128 Capacitor variável.

B. Capacitores Variáveis

Capacitores variáveis são principalmente confinados aos valores de capacitância menores (até cerca de 1.000 pF) e são normalmente utilizados em circuitos de RF. Trimmers estão disponíveis para ajustes no circuito, em adição ao tipo de painel para a sintonização do usuário. A Figura 1.128 mostra o símbolo de um capacitor variável.

Diodos operados com aplicação de tensão reversa podem ser usados como capacitores de tensão variável; nessa aplicação, são chamados varactores ou, às vezes, varicaps ou epicaps. Eles são muito importantes em aplicações de *RF*, especialmente em malha de fase sincronizadas (PLL), controle automático de frequência (AFC), moduladores e amplificadores paramétricos.

C. Indutores Variáveis

Indutores variáveis são normalmente feitos por meio do movimento da peça do material do núcleo em uma bobina fixa. Eles estão disponíveis nessa forma com indutâncias que variam de microhenrys a henrys, tipicamente com uma faixa de sintonia 2:1 para qualquer indutor. Também estão disponíveis indutores rotativos (bobinas sem núcleo com um contato de rolamento.)[56]

D. Transformadores Variáveis

Transformadores variáveis são dispositivos acessíveis, especialmente os que são operados a partir da rede elétrica CA de 115 volts. Eles são geralmente configurados como "autotransformadores", o que significa que têm apenas um enrolamento, com um contato deslizante. Eles também são denominados apenas variacs (o nome dado a eles pela empresa General Radio) e são feitos pela TechniPower, pela Superior Electric e outras. A Figura 1.129 mostra uma unidade clássica da General Radio. Normalmente, eles fornecem de 0 a 135 volts CA na saída quando operados a partir de 115 volts e estão disponíveis com especificações de corrente de 1 a 20 ampères ou mais. Eles são bons para testar instrumentos que parecem ser afetados por variações de rede elétrica e, em qualquer caso, para verificar o desempenho de pior caso. *Aviso importante*: não se esqueça de que a saída não é eletricamente isolada da rede elétrica, como seria com um transformador!

FIGURA 1.129 Um transformador variável para rede elétrica ("Variac") permite ajustar a tensão de entrada CA para um valor de teste. Aqui é mostrada uma unidade de 5 A, tanto com o gabinete fechado quanto aberto.

1.10 A GOTA D'ÁGUA: CONFUSÃO DE MARCAÇÕES E COMPONENTES MINÚSCULOS

Em nosso curso de eletrônica,[57] e, de fato, no dia a dia da eletrônica na bancada, deparamo-nos com uma confusão maravilhosa na marcação de componentes. Capacitores, em especial, são simplesmente perversos: eles raramente se preocupam com especificação de *unidades* (mesmo que tenham um alcance da ordem de 12 na magnitude, picofarads para farads), e, para as variedades de dispositivos cerâmicos SMT, eles dispensam quaisquer marcações de qualquer natureza! Pior ainda, eles ainda são apanhados na transição da impressão do valor como um inteiro (por exemplo, "470", que significa 470 pF) *versus* usando a notação de expoente (por exemplo, "470", que significa 47×10^0, ou seja, 47 pF). A Figura 1.130 mostra exatamente esse caso. Outra armadilha para os descuidados (e, às vezes, os cautelosos também) é a *pegadinha* do código de data: o código de quatro dígitos (yydd) pode se passar pelo número de identificação do componente (*part number*), como nos quatro exemplos na foto. E, conforme os componentes se tornam cada vez menores, não há espaço para tudo, mas somente para a mais breve das marcações; assim, seguindo a indústria farmacêutica, os fabricantes inventam um código alfanumérico curto para cada compo-

---

[56] Uma forma interessante de indutor variável feito antigamente era o variômetro, uma bobina rotativa posicionada dentro de uma bobina exterior fixa e conectada em série com ela. Conforme a bobina interior era girada, a indutância total passava de máxima (quatro vezes a indutância de qualquer bobina sozinha) até chegar a zero. Essas coisas eram itens de *consumo*, listadas, por exemplo, no catálogo da Sears Roebuck de 1925.

[57] Física 123 ("laboratório de Eletrônica") Na Universidade de Harvard: "Metade do curso (período escolar do outono: repetido no período escolar da primavera). Uma introdução intensiva de laboratório para o projeto de circuitos eletrônicos. Desenvolve a intuição em circuitos e habilidades de depuração por meio de experiências diárias de laboratório, cada uma precedida por discussões em classe, com o uso mínimo de matemática e física. Move-se rapidamente a partir de circuitos passivos para transistores discretos e, em seguida, concentra-se em amplificadores operacionais, usado para fazer uma variedade de circuitos, incluindo integradores, osciladores, reguladores e filtros. A metade digital do curso aborda a interface analógico-digital, enfatizando o uso de microcontroladores e dispositivos lógicos programáveis (PLDs)". Ver http://webdocs.registrar.fas.harvard.edu/courses/Physics.html.

FIGURA 1.130 Central de confusão! Os três CIs são marcados tanto com um número de identificação (por exemplo, UA7812) e um "código de data" (por exemplo, UC7924, que significa a 24ª semana de 1979). Infelizmente, ambos são números de identificação perfeitamente válidos (um regulador de +12 V ou −24 V). O par de resistores (na verdade, duas visões de resistores marcados de forma idêntica) sofre do mesmo problema: ele poderia ser 7,32 kΩ ±1%, ou poderia ser 85,0 kΩ ±5% (é o primeiro, mas quem saberia?). Os dois capacitores de cerâmica são marcados com 470K (470.000 de algo?), mas, surpresa, o "K" significa uma tolerância de 10%; e, surpresa ainda maior, o capacitor quadrado é de 47 pF, e o outro nas proximidades é de 470 pF. E o que alguém deve fazer ao ler em um bloco preto a marcação 80K000: é um diodo com dois catodos (e sem anodo?)ou um resistor com uma única faixa preta no centro?

FIGURA 1.131 Somos "todos desajeitados" quando trabalhamos com tecnologia de montagem em superfície (SMT). Este é um canto de uma placa de circuito de um telefone celular, mostrando pequenos resistores e capacitores cerâmicos, circuitos integrados com pontos de conexão tipo *ball-grid* no lado inferior e os conectores Lilliputian para a antena e o painel do display. Veja também a Figura 4.84.

nente. E isso é tudo que você recebe. Por exemplo, o AOP LMV981 da National vem em vários encapsulamentos de 6 pinos: o SOT23 está marcado como "A78A", o SC70, que é menor, registra "A77", e os realmente minúsculos microS-MD revelam uma única letra "A" (ou "H", indicando que é livre de chumbo). E é isso aí.

1.10.1 Tecnologia de Montagem em Superfície: a Alegria e a Dor

Já que estamos reclamando, lamentemos um pouco sobre a dificuldade de prototipagem de circuitos com dispositivos de montagem em superfície (SMD) pequenos. Do ponto de vista *elétrico*, eles são excelentes: têm baixa indutância e são compactos. No entanto, é quase impossível conectá-los em uma matriz de contatos (protoboard) para confecção de um protótipo, como é fácil fazer com componentes PTH (*Pin Through Hole*), tais como resistores com terminais axiais (um fio saindo de cada extremidade) ou circuitos integrados com encapsulamento DIP (*Dual In-Line*). A Figura 1.131 dá uma ideia da escala desses pequenos componentes, e a Figura 1.132 exibe o verdadeiro horror do mais ínfimo dentre eles – o tamanho "01005" de componentes SMD (0402, na

dimensão métrica) que medem 200 μm × 400 μm: não muito mais espesso do que um fio de cabelo humano, e indistinguível de poeira!

Às vezes, você pode usar pequenos adaptadores (de empresas como Bellin Dynamic Systems, Capital Advanced Tecnologies ou Aries) para converter um circuito integrado SMT em um falso DIP. Mas o encapsulamento de montagem em superfície mais denso não tem nenhum terminal, apenas uma série de saliências (que pode somar até alguns milhares!) no lado de baixo; e estes requerem equipamento de "*reflow*" (técnica de soldagem) críticos antes que você possa fazer qualquer coisa com eles. Infelizmente, não podemos ignorar

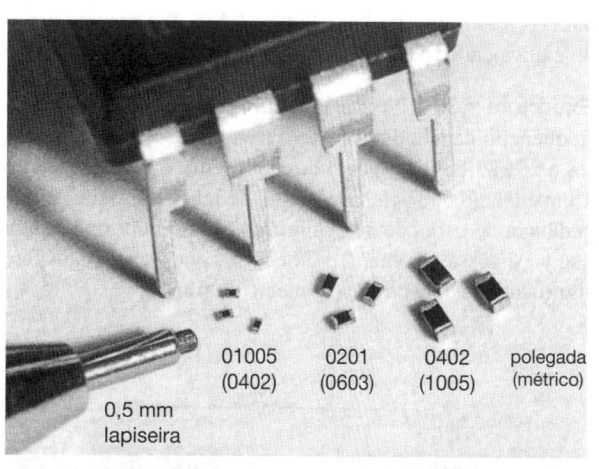

FIGURA 1.132 Quão pequenos esses componentes podem ser?! O SMT de tamanho "01005" (0,016" × 0,008", ou 0,4 mm × 0,2 mm) representa o maior insulto da indústria para o experimentador.

FIGURA 1.133 Uma pequena porção do mundo dos componentes passivos em encapsulamentos de montagem em superfície: conectores, chaves, *trimmers*, indutores, resistores, capacitores, cristais, fusíveis... seja lá o componente que você imagine, provavelmente poderá encontrá-lo em SMT.

essa tendência preocupante, pois a maioria dos novos componentes é oferecida em embalagens de montagem em superfície. Pobre do experimentador-inventor solitário de porão! A Figura 1.133 dá uma ideia da variedade de tipos de componentes passivos que existem em encapsulamentos SMD.

Exercícios Adicionais para o Capítulo 1

Exercício 1.37 Determine o circuito equivalente de Norton (uma fonte de corrente em paralelo com um resistor) para o divisor de tensão na Figura 1.134. Mostre que o equivalente de Norton dá a mesma tensão de saída que o circuito real quando conectado a um resistor de carga de 5k.

Exercício 1.38 Determine o equivalente de Thévenin para o circuito mostrado na Figura 1.135. É o mesmo que o do equivalente de Thévenin para o Exercício 1.37?

Exercício 1.39 Projete um "filtro *rumble*" (filtro de baixa frequência) para áudio. Ele deve passar frequências superiores a 20 Hz (defina o ponto de -3dB em 10 Hz). Considere a impedância da fonte zero (fonte de tensão perfeita) e impedância de carga de 10k (mínimo) (que é importante para que você possa escolher R e C de forma que a carga não afete significativamente o funcionamento do filtro).

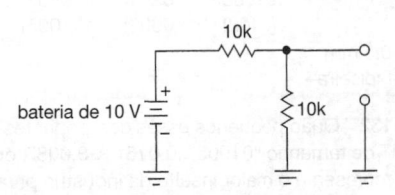

FIGURA 1.134 Exemplo para o circuito equivalente de Norton.

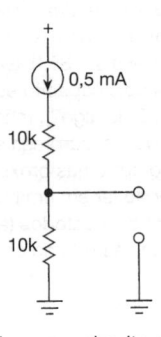

FIGURA 1.135 Exemplo para o circuito equivalente de Thévenin.

Exercício 1.40 Projete um "filtro de *scratch*" (filtro de ruído agudo) para sinais de áudio (queda de 3 dB em 10 kHz). Use as mesmas fonte e impedâncias de carga que as do Exercício 1.39.

Exercício 1.41 Como você faria um filtro com Rs e Cs para obter a resposta mostrada na Figura 1.136?

Exercício 1.42 Crie um filtro RC passa-faixa (como na Figura 1.137); f_1 e f_2 são os pontos de 3 dB. Escolha impedâncias de modo que o primeiro estágio não seja muito afetado pela carga do segundo estágio.

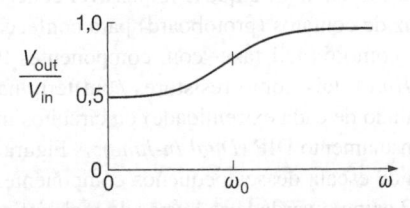

FIGURA 1.136 Resposta do filtro que enfatiza altas frequências.

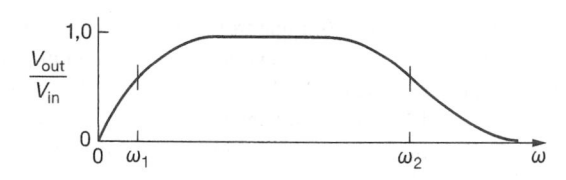

FIGURA 1.137 Resposta do filtro passa-faixa.

Exercício 1.43 Esboce a saída para o circuito mostrado na Figura 1.138.

Exercício 1.44 Projete uma "ponta de prova ×10" de osciloscópio para usar com um osciloscópio cuja impedância de entrada é 1 MΩ em paralelo com 20 pF para descobrir o que se passa no interior do cabo da sonda na Figura 1.139.

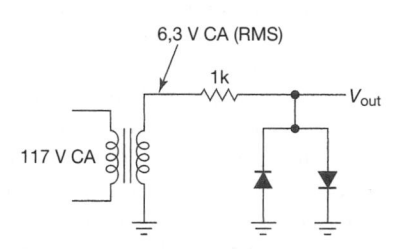

FIGURA 1.138 Circuito para o Exercício 1.43.

Considere que o cabo da ponta de prova acrescenta 100 pF e que os componentes da ponta de prova são colocados na extremidade da ponta do cabo (em vez de na extremidade do osciloscópio). A rede resultante deverá ter atenuação de 20 dB (relação de divisão de tensão ×10) em todas as frequências, incluindo CC. A razão para a utilização de uma ponta de prova ×10 é aumentar a impedância da carga vista pelo circuito a ser testado, o que reduz os efeitos de carga. Qual é o valor da impedância de entrada (R em paralelo com C) que a sua ponta de prova ×10 apresenta para o circuito em teste quando usado com o osciloscópio?

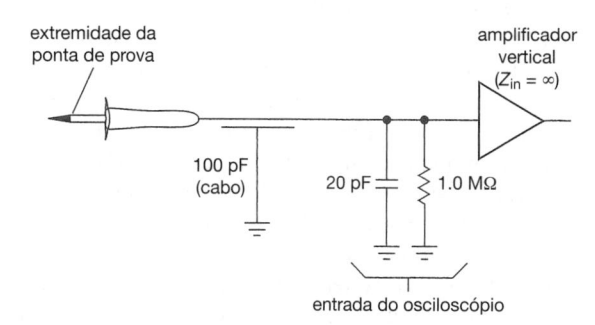

FIGURA 1.139 Ponta de prova ×10 de osciloscópio.

REVISÃO DO CAPÍTULO 1

Um resumo de A a H do que aprendemos no Capítulo 1. Revisaremos os princípios básicos e fatos do Capítulo 1, mas não abordaremos diagramas de circuitos de aplicações e conselhos práticos de engenharia apresentados durante o capítulo.

¶ A. Tensão e Corrente

Circuitos eletrônicos são constituídos por componentes conectados entre si com fios. A *Corrente* (I) é a taxa de fluxo de carga através de algum ponto nessas conexões; é medida em ampères (ou miliampères, microampères, etc.). A *Tensão* (V) entre dois pontos de um circuito pode ser vista como uma "força" de acionamento aplicada que faz com que flua corrente entre eles; a tensão é medida em volts (ou kilovolts, milivolts, etc.); ver Seção 1.2.1. Tensões e correntes podem ser constantes (CC) ou variáveis. Esta última pode ser tão simples quanto uma tensão alternada senoidal (CA) obtida da tomada na parede ou tão complexa quanto uma forma de onda de comunicação de alta frequência modulada, caso em que é normalmente denominado *sinal* (ver item ¶B a seguir). A soma algébrica das correntes em um ponto de um circuito (um *nó*) é *zero* (lei de Kirchhoff para corrente, LKC, uma consequência da conservação da carga), e a soma das quedas de tensão ao percorrer um caminho fechado em um circuito é *zero* (lei de Kirchhoff para tensão, LKT, uma consequência da natureza conservadora do campo eletrostático).

¶ B. Tipos e Amplitudes de Sinal

Veja a Seção 1.3. Em eletrônica digital, lidamos com *pulsos*, que são sinais que comutam entre duas tensões (por exemplo, $+5$ V e terra); no mundo analógico, são as *ondas senoidais* que ganham o concurso de popularidade. Em qualquer um dos casos, um sinal periódico é caracterizado pela sua frequência f (unidades de Hz, MHz, etc.) ou, de forma equivalente, o período T (unidades de ms μs, etc.). Para as ondas senoidais, muitas vezes, é mais conveniente usar a frequência *angular* (radianos/s), dada por $\omega = 2\pi f$.

Amplitudes digitais são especificadas simplesmente por níveis de tensão denominados ALTO e BAIXO. Com ondas senoidais, a situação é mais complicada: a amplitude de um sinal $V(t) = V_0 \operatorname{sen} \omega t$ pode ser dada como (a) amplitude de *pico* (ou apenas "amplitude") V_0, (b) raiz quadrática média (RMS) $V_{RMS} = V_0/\sqrt{2}$ ou (c) amplitude de pico a pico $V_{pp} = 2V_0$. Se não declarada, uma amplitude de onda senoidal é geralmente entendida como V_{RMS}. Um sinal de amplitude RMS, V_{RMS}, oferece potência $P = V_{RMS}^2/R_{carga}$ a uma carga resistiva (independentemente da forma de onda do sinal), o que explica a popularidade da medida de amplitude RMS.

Relações de amplitude de sinal (ou potência) são comumente expressas em decibéis (dB), definida como dB = $10 \log_{10}(P_2/P_1)$ ou $20 \log_{10}(V_2/V_1)$; ver Seção 1.3.2. Uma relação de amplitude de 10 (ou relação de potência de 100) é 20 dB; 3 dB é uma duplicação da potência; 6 dB é uma duplicação da amplitude (ou quádruplo da potência). A medida decibel também é utilizada para especificar a amplitude (ou potência) diretamente, dando um nível de referência: por exemplo, -30 dBm (dB relativamente a 1 mW) é 1 microwatt; $+3$ dBV$_{RMS}$ é um sinal de amplitude de 1,4 V RMS (2 V$_{pico}$, 4 V$_{pp}$).

Outras formas de onda importantes são ondas quadradas, triangulares, rampas, o ruído e uma série de esquemas de *modulação* pelos quais uma onda simples, a "portadora", é variada a fim de transmitir informações; alguns exemplos são AM e FM para comunicação analógica e PPM (modulação de posição de pulso) ou QAM (modulação de amplitude em quadratura) para a comunicação digital.

¶ C. A Relação entre Corrente e Tensão

Este capítulo se concentrou nos fundamentais, essenciais e onipresentes *dispositivos lineares de dois terminais*: resistores, capacitores e indutores. (Os capítulos subsequentes abordam os *transistores* – dispositivos de três terminais em que um sinal aplicado a um terminal controla o fluxo de corrente através do outro par – e as suas muitas aplicações interessantes. Essas incluem amplificação, filtragem, conversão de potência, comutação e similares.) O dispositivo linear mais simples é o resistor, para o qual $I = V/R$ (Lei de Ohm, ver Seção 1.2.2A). O termo "linear" significa que a resposta (por exemplo, corrente) para uma soma combinada de entradas (isto é, tensões) é igual à soma das respostas que cada entrada produziria: $I(V_1 + V_2) = I(V_1) + I(V_2)$

¶ D. Resistores, Capacitores e Indutores

O resistor é claramente linear. Mas não é o único componente linear de dois terminais, porque a linearidade não necessita de $I \propto V$. Os outros dois componentes lineares são *capacitores* (Seção 1.4.1) e *indutores* (Seção 1.5.1), para os quais existe uma relação de dependência do tempo entre tensão e corrente: $I = C \, dV/dt$ e $V = L \, dI/dt$, respectivamente. Essas são as descrições no *domínio do tempo*. Pensando agora no *domínio da frequência*, esses componentes são descritos pelas suas *impedâncias*, a relação entre tensão e corrente (como uma função da frequência) quando acionados por uma onda senoidal (Seção 1.7). Um dispositivo linear, quando acionado por uma senoide, responde com uma senoide da mesma frequência, mas com amplitude e fase modificadas. Impedâncias são, portanto, complexas, com a parte real representando a amplitude da resposta que está em fase e a parte imaginária representando a amplitude da resposta que está em quadratura (90° fora de fase). Alternativamente, na representação polar de impedância complexa ($Z=|Z|e^{i\theta}$), o módulo $|Z|$ é uma relação de amplitudes ($|Z|=|V|/|I|$) e a quantidade θ é o desvio de fase entre V e I. As impedâncias dos três componentes lineares de 2 terminais são $Z_R = R$, $Z_C = -j/\omega C$ e $Z_L = j\omega L$, onde (como sempre) $\omega = 2\pi f$; veja a Seção 1.7.5. A corrente de onda senoidal através de um resistor está em fase com a tensão, ao passo que, para um capacitor, ela está adiantada 90° e, para um indutor, atrasada 90°.

¶ E. Série e Paralelo

A impedância de componentes conectados em série é a soma das suas impedâncias; assim $R_{série} = R_1 + R_2 + \cdots$, $R_{série} = R_1 + R_2 + \cdots L_{série} = L_1 + L_2 + \cdots$ e $1/C_{série} = 1/C_1 + 1/C_2 + \cdots$. Quando conectado em paralelo, por outro lado, são as admitâncias (inverso da impedância) que são somadas. Assim, a fórmula para capacitores em paralelo se parece com a fórmula para resistores em série, $C_{paralelo} = C_1 + C_2 + \cdots$; e vice-versa para resistores e indutores, assim, $1/R_{paralelo} = 1/R_1 + R_2 + \cdots$. Para um par de resistores em paralelo, ela se reduz a $R_{paralelo} = (R_1R_2)/(R_1 + R_2)$. Por exemplo, dois resistores de valor R têm resistência $R/2$ quando conectados em paralelo, ou uma resistência de $2R$ em série.

A potência dissipada na resistência R é um $P = I^2R = V^2/R$. Não há dissipação de um capacitor ou indutor ideal, pois a tensão e a corrente estão 90° fora de fase. Veja a Seção 1.7.6.

¶ F. Circuitos Básicos com *R*, *L* e *C*

Resistores estão em toda parte. Eles podem ser usados para definir uma corrente de operação, por exemplo, ao ligar um LED ou polarizar um diodo zener (Figura 1.16); em tais aplicações, a corrente é simplesmente $I = (V_{fonte} - V_{carga})/R$. Em outras aplicações (por exemplo, como resistor de carga de um transistor em um amplificador, Figura 3.29), é a *corrente* que é conhecida, e um resistor é usado para convertê-la em tensão. Um fragmento de circuito importante é o *divisor de tensão* (Seção 1.2.3), cuja tensão de saída sem carga (sobre R_2) é $V_{out} = V_{in}R_2/(R_1 + R_2)$.

Se um dos resistores em um divisor de tensão for substituído por um capacitor, você terá um *filtro* simples: passa-baixas se a parte inferior for o capacitor, passa-altas se a parte superior for o capacitor (Seções 1.7.1 e 1.7.7). Em ambos os casos, a frequência de transição de -3 dB está em $f_{3dB} = 1/2\pi RC$. A taxa de atenuação final de tal filtro passa-baixas de "polo único" é -6 dB/oitava, ou -20 dB/década; ou seja, a amplitude do sinal cai como $1/f$ bem além de f_{3dB}. Mais filtros complexos podem ser criados pela combinação de indutores com capacitores; consulte o Capítulo 6. Um capacitor em paralelo com um indutor forma um *circuito ressonante*; sua impedância (para componentes ideais) vai para o infinito na frequência de ressonância $f=1/(2\pi\sqrt{LC})$.. A impedância de um *LC em série* vai para zero à mesma frequência ressonante. Veja a Seção 1.7.14.

Outras aplicações importantes de capacitores neste capítulo (Seção 1.7.16) incluem (a) *desvio (bypass)*, em que a baixa impedância do capacitor nas frequências do sinal suprime sinais indesejados, por exemplo, em um barramento de alimentação CC; (b) *bloqueio* (Seção 1.7.1C), em que um filtro passa-altas bloqueia CC, mas passa todas as frequências de interesse (ou seja, o ponto de interrupção, ou corte, é escolhido abaixo de todas as frequências do sinal); (c) *temporização* (Seção 1.4.2D), em que um circuito RC (ou uma corrente constante em um capacitor) gera uma forma de onda inclinada usada para criar uma oscilação ou um intervalo de temporização; e (d) *armazenamento de energia* (Seção 1.7.16B), na qual a carga armazenada do capacitor, $Q = CV$, suaviza as ondulações em uma fonte de alimentação CC.

Nos próximos capítulos, veremos algumas aplicações adicionais de capacitores: (e) *detecção de pico* e *amostragem e retenção* (Seções 4.5.1 e 4.5.2), que capturam o pico de tensão ou valor transitório de uma forma de onda, e (f) *integrador* (Seção 4.2.6), o qual realiza uma integração matemática de um sinal de entrada.

¶ G. Efeito de Carga; Circuito Equivalente de Thévenin.

Conectar uma carga (por exemplo, um resistor) na saída de um circuito (uma "fonte de sinal") faz a tensão de saída sem carga cair; o montante de tal efeito de carga depende da resistência de carga e da capacidade da fonte de sinal para acioná-la. Esta última é geralmente expressa como a *impedância de fonte equivalente* (ou impedância de Thévenin) do sinal. Isto é, a fonte de sinal é modelada como uma fonte de tensão perfeita V_{sinal} em série com um resistor R_{sinal}. A saída do divisor de tensão resistivo acionado a partir de uma tensão de entrada V_{in}, por exemplo, é modelada como uma fonte de tensão $V_{sinal} = V_{in}R_2/(R_1+R_2)$ em série com uma resistência $R_{sinal} = R_1R_2/(R_1 + R_2)$ (que é justamente $R_1 \| R_2$). Assim, a saída de um divisor de tensão de 1kΩ-1kΩ acionado por uma bateria de 10 V parece 5 V em série com 500 Ω.

Qualquer combinação de fontes de tensão, fontes de corrente e resistores pode ser modelada perfeitamente por uma única fonte de tensão em série com um único resistor (seu "circuito equivalente de Thévenin") ou por uma única fonte de corrente em paralelo com um único resistor (seu "circuito equivalente de Norton"); consulte o Apêndice D. Os valores da fonte e da resistência equivalentes de Thévenin são determinados a partir da tensão de circuito aberto (*open circuit*) e da corrente de curto-circuito (*short circuit*) como $V_{Th} = V_{oc}$, $R_{Th} = V_{oc}/I_{sc}$; e, para o equivalente de Norton, são $I_N = I_{sc}$, $R_N = V_{oc}/I_{sc}$.

Visto que a impedância de carga forma um divisor de tensão com impedância da fonte de sinal, geralmente é desejável que esta última seja pequena em comparação com qualquer impedância de carga antecipada (Seção 1.2.5A). No entanto, existem duas exceções: (a) uma *fonte de corrente* tem uma impedância alta (idealmente infinita) e deve acionar uma carga de impedância muito baixa; e (b) os sinais de *alta frequência* (ou tempo de subida rápido), deslocando-se através de um comprimento de cabo, sofrem reflexões a menos que a impedância da carga seja igual à chamada "impedância característica" Z_0 do cabo (geralmente 50 Ω); veja o Apêndice H.

¶ H. O Diodo, um Componente Não linear.

Existem dispositivos de dois terminais importantes que não são lineares, como o *diodo* (ou *retificador*); veja a Seção 1.6. O diodo ideal conduz em apenas um sentido; é uma "válvula de uma via". O início da condução nos diodos reais é aproximadamente a 0,5 V no sentido de "polarização direta", e há uma pequena corrente de fuga no sentido "reverso"; veja a Figura 1.55. Circuitos úteis com diodo incluem *retificação* da fonte de alimentação (conversão de CA em CC, Seção 1.6.2), *retificação* de sinal (Seção 1.6.6A), ceifamento (limitação de sinal, Seção 1.6.6C) e portas lógicas (Seção 1.6.6B). Diodos são geralmente utilizados para prevenir a polaridade reversa, como na Figura 1.84; e a sua corrente exponencial *versus* a tensão aplicada pode ser usada para moldar circuitos com resposta logarítmica (Seção 1.6.6E).

Os diodos têm uma especificação de tensão reversa máxima segura, para além da qual ocorre uma ruptura por avalanche (uma elevação abrupta de corrente). Não leve o diodo a esse ponto! Mas você pode (e deve) fazê-lo com um *diodo zener* (Seção 1.2.6A), para o qual uma tensão de ruptura reversa é especificada (em degraus, passando de cerca de 3,3 V a 100 V ou mais). Zeners são usados para estabelecer uma tensão dentro de um circuito (Figura 1.16) ou para limitar a oscilação de um sinal.

Transistores bipolares 2

2.1 INTRODUÇÃO

O transistor é nosso exemplo mais importante de componente "ativo", um dispositivo que pode amplificar, produzindo um sinal de saída com mais potência do que o sinal de entrada. A potência adicional vem de uma fonte externa de energia (a fonte de alimentação, para ser exato). Note que a amplificação de *tensão* não é o que importa, uma vez que, por exemplo, um transformador elevador, um componente tão "passivo" quanto um resistor ou capacitor, tem ganho de tensão, mas não de potência.[1] Dispositivos com ganho de potência são distinguíveis pela sua capacidade de implementar osciladores, alimentando parte do sinal de saída de volta para a entrada.

É interessante notar que a propriedade de amplificação de potência se mostrou muito importante para os inventores do transistor. A primeira coisa que eles fizeram para convencer-se de que tinham realmente inventado algo foi alimentar um alto-falante a partir de um transistor, observando que o sinal de saída soou mais alto do que o sinal de entrada.

O transistor é o ingrediente essencial de um circuito eletrônico, desde um simples amplificador ou oscilador até o computador digital mais elaborado. Circuitos integrados (CIs), que têm substituído em grande parte circuitos construídos a partir de transistores discretos, são eles próprios apenas matrizes de transistores e outros componentes construídos a partir de um único chip de material semicondutor.

Um bom entendimento de transistores é muito importante, mesmo que a maioria de seus circuitos seja feita de CIs, pois você precisa entender as propriedades de entrada e de saída do CI, a fim de conectá-lo ao restante do seu circuito e ao mundo exterior. Além disso, o transistor é o recurso único mais poderoso para a interface, seja entre CIs e outros circuitos ou entre um subcircuito e outro. Por fim, há situações frequentes (ou muito frequentes) em que o CI completo simplesmente não existe, e você tem que confiar em circuitos discretos com transistor para fazer o trabalho. Como você verá, transistores têm uma excitação própria. Aprender como eles funcionam pode ser muito divertido.

Há dois tipos principais de transistores: neste capítulo, aprenderemos sobre transistores de junção bipolar (BJTs), surgidos nos Laboratórios Bell e vencedores do Prêmio Nobel em 1947. O próximo capítulo trata dos transistores "de efeito de campo" (FET), o tipo agora dominante em eletrônica digital. Fazendo uma comparação superficial, BJTs se destacam em precisão e baixo nível de ruído, enquanto FETs se destacam em baixo consumo de potência, alta impedância e comutação de alta corrente; existe, naturalmente, muito mais sobre esse complexo assunto.

A nossa abordagem sobre transistores bipolares será muito diferente da que é feita em muitos outros livros. É prática comum usar o modelo de parâmetro h e circuito equivalente. Em nossa opinião, isto é desnecessariamente complicado e não é intuitivo. Não somente o comportamento do circuito tende a ser revelado a você como algo que sai de equações elaboradas, em vez de derivar de um entendimento claro em sua própria mente sobre a forma como o circuito funciona, como você também tem a tendência de perder de vista os parâmetros de comportamento do transistor que você pode contar e, o mais importante, quais podem variar ao longo de grandes intervalos.

Neste capítulo, em vez disso, construímos um modelo de transistor preliminar muito simples e imediatamente o utilizamos em alguns circuitos. Suas limitações em breve se tornarão aparentes, então expandiremos o modelo para que atenda às equações de Ebers-Moll. Com essas equações e um modelo de três terminais simples, você terá uma boa compreensão sobre transistores; você não precisará fazer muitos cálculos, e seus projetos serão de primeira classe. Em especial, eles serão bastante independentes dos parâmetros do transistor que apresentam pouco controle, tais como o ganho de corrente.

Algumas notações de engenharia importantes devem ser mencionadas. A tensão em um terminal do transistor (em relação ao terra) é indicada por um único subscrito (C, B ou E): V_C é a tensão de coletor, por exemplo. A tensão entre dois terminais é indicada por um subscrito duplo: V_{BE} é a queda de tensão base-emissor, por exemplo. Se a mesma letra é repetida, significa uma tensão de fonte de alimentação: V_{CC} é a tensão de alimentação (positiva) associada com o coletor,

---

[1] É até mesmo possível atingir um modesto ganho de tensão em um circuito compreendendo apenas resistores e capacitores. Para explorar essa ideia, que surpreende até mesmo engenheiros experientes, veja o Apêndice J sobre SPICE.

e V_{EE} é a tensão de alimentação (negativa) associada com o emissor.[2]

Por que circuitos com transistores são difíceis

Para aqueles que estão começando a aprender eletrônica, este capítulo será difícil. Eis a razão: todos os circuitos no último capítulo lidavam com *dispositivos de dois terminais*, sejam lineares (resistores, capacitores, indutores) ou não lineares (diodos). Então, só havia uma tensão (a tensão entre os terminais) e apenas uma corrente (a corrente que flui através do dispositivo) para se pensar. Transistores, pelo contrário, são *dispositivos de três terminais*, o que significa que existem duas tensões e duas correntes possibilitando diversos modos de operação.[3]

2.1.1 Primeiro Modelo do Transistor: Amplificador de Corrente

Comecemos. Um transistor bipolar é um dispositivo de três terminais (Figura 2.1), em que uma pequena corrente aplicada à base controla um fluxo de corrente muito maior entre o coletor e o emissor. Ele está disponível em dois tipos (*npn* e *pnp*), com propriedades que atendem às seguintes regras para transistores *npn* (para o *pnp*, simplesmente inverter todas as polaridades):

1. **Polaridade**   O coletor deve ser mais positivo do que o emissor.
2. **Junções**   Os circuitos de base-emissor e de base-coletor se comportam como diodos (Figura 2.2), em que uma pequena corrente aplicada à base controla um fluxo de corrente muito maior entre coletor e emissor. Normalmente, o diodo base-emissor está em condução, enquanto o diodo coletor base é polarizado reversamente, ou seja, a tensão aplicada é no sentido oposto ao fluxo de corrente fácil.
3. **Especificações máximas**   Qualquer transistor tem valores máximos de I_C, I_B e V_{CE} que não podem ser excedidos sem que esse excedente custe o preço de um novo transistor (para valores típicos, consulte a lista nas Tabelas 2.1, 2.2 e Tabela 8.1.) Existem também outros limites, tais como a dissipação de potência ($I_C V_{CE}$), temperatura e V_{BE}, que você deve ter em mente.
4. **Amplificador de corrente**   Quando as regras 1-3 são obedecidas, I_C é aproximadamente proporcional a I_B e pode ser escrita como

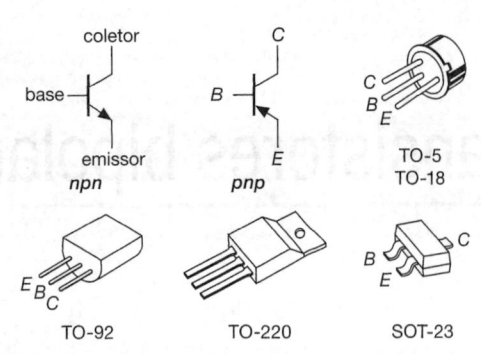

$$I_C = h_{FE} I_B = \beta I_B, \quad (2.1)$$

FIGURA 2.1   Símbolos do transistor e desenhos de pequenos encapsulamentos (sem escala). Uma seleção de encapsulamentos de transistores comuns é apresentada na Figura 2.3.

em que β, o ganho de corrente (por vezes, denominado[4] h_{FE}), é tipicamente cerca de 100. Tanto I_B quanto I_C fluem para o emissor. Nota: a corrente de coletor não se deve à condução direta do diodo base-coletor; esse diodo é polarizado reversamente. Basta pensar nisso como "ação transistor".

A regra 4 dá ao transistor sua utilidade: uma pequena corrente que flui para dentro da base controla uma corrente muito maior que flui para o coletor.

Um aviso importante: o ganho de corrente β não é um "bom" parâmetro do transistor; por exemplo, o seu valor pode variar de 50 a 250 para diferentes amostras de um determinado tipo de transistor. Depende também da corrente de coletor, da tensão de coletor-emissor e da temperatura. *Um circuito que depende de um valor específico de beta é um circuito ruim.*

Observe especialmente o efeito da regra 2. Isso significa que você não pode ir colocando uma tensão arbitrária sobre os terminais de base-emissor, porque uma corrente enorme fluirá se a base for mais positiva do que o emissor por mais de cerca de 0,6 a 0,8 V (queda do diodo polarizado diretamente). Essa regra implica também que um transistor operando tem $V_B \approx V_E + 0{,}6$ V ($V_B = V_E + V_{BE}$). Mais uma vez, as polaridades normalmente são dadas para transistores *npn*; inverta essas polaridades para o *pnp*.

Enfatizaremos novamente que você não deve tentar pensar na corrente de coletor como a condução de um diodo.

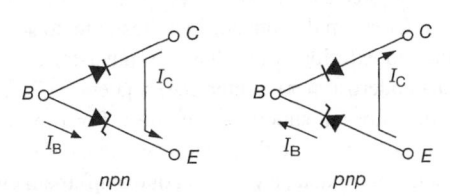

FIGURA 2.2   A visão de um ohmímetro dos terminais de um transistor.

---

[2] Na prática, os projetistas de circuitos usam V_{CC} para designar a alimentação positiva e V_{EE} para designar a alimentação negativa, embora logicamente eles devam ser trocados por transistores *pnp* (em que todas as polaridades são invertidas).

[3] Você pode pensar que haveria três tensões e três correntes; mas é um pouco menos complicado do que isso, pois existem apenas duas tensões independentes e duas correntes independentes, graças às leis de Kirchhoff para tensão e para corrente.

[4] Como o modelo de "parâmetro h" do transistor caiu em desuso, é mais comum você encontrar β (em vez de h_{FE}) como símbolo para o ganho de corrente.

FIGURA 2.3 A maioria dos encapsulamentos comuns são mostrados aqui, para os quais damos as designações tradicionais. Linha superior (de potência), da esquerda para a direita: TO-220 (com e sem dissipador de calor), TO-39, TO-5 e TO-3. Linha do meio (SMD): SM-8 (duplo), SO-8 (duplo), SOT-23, SOE cerâmico, SOT-223. Linha inferior: DIP-16 (quádruplo), DIP-4, TO-92, TO-18, TO-18 (duplo).

Ela não o é, porque o diodo coletor-base normalmente tem tensões aplicadas sobre ele no sentido reverso. Além disso, a corrente de coletor varia muito pouco com tensão de coletor (ela se comporta como uma fonte de corrente não muito grande), ao contrário de um diodo polarizado diretamente em condução, em que a corrente sobe muito rapidamente com a tensão aplicada.

A Tabela 2.1 inclui uma seleção de transistores bipolares comumente usados, com as curvas correspondentes de ganho de corrente[5] na Figura 2.4, e uma seleção de transistores destinados a aplicações de potência é apresentada na Tabela 2.2. Uma lista mais completa pode ser encontrada na Tabela 8.1 e na Figura 8.39, no Capítulo 8.

2.2 ALGUNS CIRCUITOS BÁSICOS COM TRANSISTOR

2.2.1 Chave com Transistor

Olhe para o circuito na Figura 2.5. Essa aplicação, em que uma pequena corrente de controle permite fluir uma corrente muito maior em outro circuito, é denominada chave com transistor. A partir das regras anteriores, é fácil de entender. Quando a chave mecânica é aberta, não há corrente de base. Assim, a partir da regra 4, não há corrente de coletor. A lâmpada está desligada.

Quando a chave é fechada, a tensão de base se eleva para 0,6 V (o diodo emissor-base está em condução, pois está polarizado diretamente). A queda sobre o resistor de base é de 9,4 V, de modo que a corrente de base é 9,4 mA. A aplicação cega da regra 4 dá I_C = 940 mA (para um beta típico de 100). Isso está errado. Por quê? Porque a regra 4 se aplica apenas se a regra 1 for obedecida: para uma corrente de coletor de 100 mA, a lâmpada tem 10 V através dela. Para obter uma corrente mais alta, você teria que puxar o coletor abaixo do potencial do terra. Um transistor não pode fazer isso, e o resultado é o que é denominado *saturação* – a tensão do coletor se aproxima o máximo do terra (tensões de saturação típicas são cerca de 0,05 a 0,2 V) e permanece lá. Nesse caso, a lâmpada liga, com a sua tensão especificada de 10 V sobre ela.

Um excesso de corrente de base (usamos 9,4 mA quando 1,0 mA seria suficiente) mantém o circuito nesse estado; neste caso em particular, é uma boa ideia, uma vez que uma lâmpada consome mais corrente quando fria (a resistência de uma lâmpada quando fria é 5 a 10 vezes menor do que a sua resistência na corrente de operação). Além disso, o beta do transistor cai em baixas tensões coletor-base, de modo que

---

[5] Além de listar betas típicos (h_{FE}) e tensões máximas coletor-emissor (V_{CEO}) permitidas, a Tabela 2.1 inclui a frequência de corte (f_T, em que o beta diminuiu para 1) e a capacitância de realimentação (C_{cb}) Elas são importantes quando se trata de sinais rápidos ou de altas frequências; nós as veremos na Seção 2.4.5.

TABELA 2.1 Transistores bipolares representativos

N° Identificação				V_{CEO} (V)	I_C (máx) (mA)	h_{FE} @ mA (typ)		curva de ganho	C_{cb}^a (pF)	f_T^a (MHz)	Observações
npn		pnp									
TO-92	SOT-23	TO-92	SOT-23								
2N3904	MMBT3904	2N3906	MMBT3906	40	150	200	10	6	2,5	300	jellybean (um tipo de balinha)
2N4401	MMBT4401	2N4403	MMBT4403	40	500	150	150	7	7	300	'2222 and '2907 dies
BC337	BC817	BC327	BC807	45	500	350	40	5	10	150	jellybean
2N5089	MMBT5089	2N5087	MMBT5087	30	50	500	1	3	1,8	350	beta alto
BC547C	BC847C	BC557C	BC857C	45	100	500	10	4	5	150	jellybean[b]
MPSA14	MMBTA14	MPSA64	MMBTA64	30	300	10000	50	–	7	125	Darlington
ZTX618	FMMT618	ZTX718	FMMT718	20	2500	320	3A	3a	–	120	I_C alto, encapsul. pequeno
PN2369	MMBT2369	2N5771	MMBT5771	15	150	100	10	10	3	500	comutação rápida, dopado com ouro
2N5550	MMBT5550	2N5401	MMBT5401	150	100	100	10	5a	2,5	100	disponível no SOT-223
MPSA42	MMBTA42	MPSA92	MMBTA92	300	30	75	10	9	1,5	50	pequeno sinal HV
MPS5179	BFS17	MPSH81	MMBTH81	15	25	90	20	8	0,9	900	amplificador de RF
–	BFR93[c]	–	BFT93[c]	12	50	50	15	10	0,5	4000	amplificador de RF
TIP142	–	TIP147	–	100	10A	>1000	5A	–	high	low	Darlington TO-220

Notas: (a) veja o Capítulo 2x para gráficos de C_{cb} e f_T. (b) Versões com betas menores têm um sufixo -A ou -B; versões de baixo ruído são BC850 (npn) e BC860 (pnp). (c) Também BFR25A e BFT25A. (d) Veja a Figura 2.4.

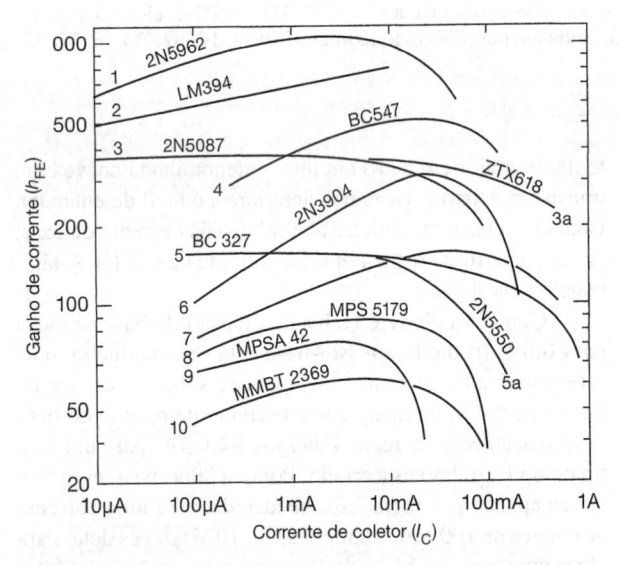

FIGURA 2.4 Curvas de ganho de corrente, β, de transistores típicos para uma seleção de transistores a partir da Tabela 2.1. Essas curvas são obtidas a partir da literatura dos fabricantes. Pode-se esperar difusão de produção de +100%, –50% em relação aos valores "típicos" representados graficamente. Veja também a Figura 8.39 para os gráficos de beta medidos para 44 tipos de transistores de "baixo ruído".

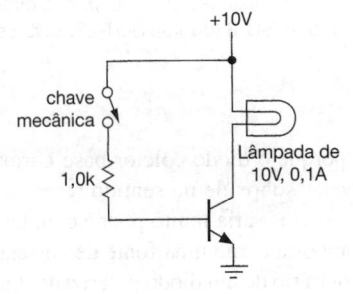

FIGURA 2.5 Exemplo de chave com transistor.

alguma corrente de base extra é necessária para colocar o transistor na saturação plena. Aliás, em um circuito real, você provavelmente coloca um resistor de base (talvez 10k, neste caso) para aterrar a base quando a chave está aberta. Ele não afeta a operação no estado ligado, pois consome apenas 0,06 mA do circuito de base.

Há certas precauções que devem ser observadas ao projetar chaves com transistor:

1. Escolha um resistor de base conservador para obter um excesso de corrente de base, especialmente para o acionamento de lâmpadas, por causa do beta reduzido em um V_{CE} baixo. Essa é também uma boa ideia para a comutação em alta velocidade, por causa dos efeitos capacitivos e beta reduzido em frequências muito altas (muitos megahertz).[6]
2. Se há oscilações na carga abaixo do terra por algum motivo (por exemplo, ela é acionada a partir de ac, ou é indutiva), use um diodo em série com o coletor (ou um diodo no sentido reverso para o terra) para evitar condução coletor-base ou oscilações negativas.

---

[6] Um pequeno capacitor *speed-up* típico de apenas alguns picofarads é, muitas vezes, conectado sobre o resistor de base para melhorar o desempenho em alta velocidade.

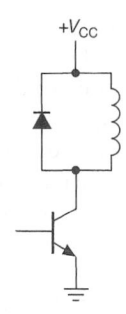

FIGURA 2.6 Sempre use um diodo de supressão quando comutar uma carga indutiva.

3. Para cargas indutivas, proteja o transistor com um diodo sobre a carga, como mostrado na Figura 2.6.[7] Sem o diodo, o indutor fará o coletor oscilar até uma tensão positiva grande quando a chave for aberta, provavelmente excedendo a tensão de ruptura coletor-emissor, à medida que o indutor tenta manter a corrente no coletor a partir de V_{CC} (ver a discussão sobre indutores na Seção 1.6.7).

Você pode perguntar por que estamos nos preocupando com um transistor, e toda a sua complexidade, quando poderíamos simplesmente usar essa chave mecânica sozinha para controlar a lâmpada ou outra carga. Existem várias boas razões: (a) uma chave com transistor pode ser acionada *eletricamente* a partir de algum outro circuito, por exemplo, um bit de saída do computador; (b) chaves com transistor permitem uma comutação muito rápida, normalmente em uma pequena fração de um microssegundo; (c) você pode comutar muitos circuitos diferentes com um sinal de controle; (d) as chaves mecânicas sofrem desgastes, e os seus contatos "ricocheteiam" quando a chave é acionada, muitas vezes abrindo e fechando o circuito algumas dezenas de vezes nos primeiros milissegundos após a ativação; e (e) com chaves com transistor, você pode tirar vantagem da *comutação fria* remota, em que apenas tensões de controle CC percorrem os cabos até chegar às chaves no painel frontal, em vez da abordagem eletronicamente inferior de ter os próprios sinais percorrendo os cabos e chaves (se você tiver muitos sinais através de cabos, é provável que haja interferência capacitiva, bem como alguma degradação do sinal).

A. "Homem-Transistor"

O desenho na Figura 2.7 pode ajudá-lo a compreender alguns limites do comportamento do transistor. A tarefa perpétua dessa pessoa é tentar manter $I_C = \beta I_B$; no entanto, só é permitido girar o botão no resistor variável. Assim, ele pode ir de um curto-circuito (saturação) para um circuito aberto (transistor no estado OFF), ou qualquer situação intermediá-

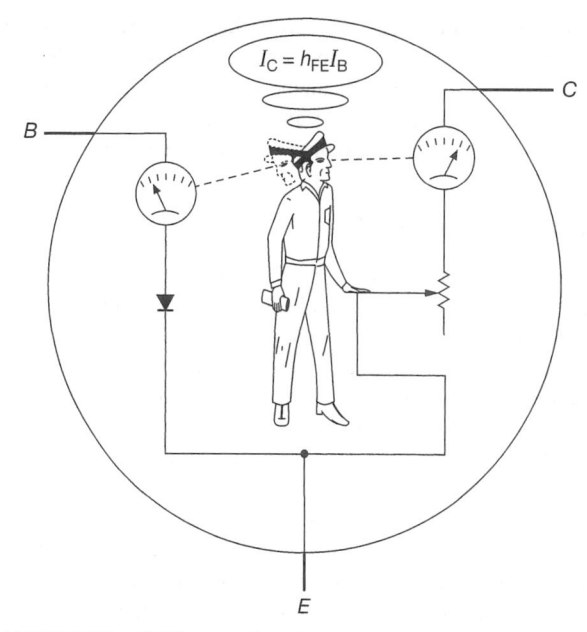

FIGURA 2.7 O "Homem-Transistor" observa a corrente de base e ajusta o reostato de saída em uma tentativa de manter a corrente de saída β vezes maior.

ria, mas ele não tem permissão para usar baterias, fontes de corrente, etc.

Um aviso: não pense que o coletor de um transistor se parece com um resistor. Ele não parece. Ele se parece com uma fonte de corrente constante de baixa qualidade (o valor da corrente depende do sinal aplicado à base), principalmente por causa dos esforços desse homenzinho.

Outro aspecto a ter em mente é que, em um dado momento, um transistor pode estar (a) cortado (sem corrente de coletor), (b) na região ativa (alguma corrente de coletor e tensão de coletor maior do que alguns décimos de um volt acima do emissor) ou (c) em saturação (coletor dentro de poucos décimos de um volt do emissor).

2.2.2 Exemplos de Circuitos de Comutação

A chave com transistor é um exemplo de um circuito *não linear*: a saída não é proporcional à entrada;[8] em vez disso, ela passa para um de dois estados possíveis (corte ou saturação). Tais circuitos de dois estados são extremamente comuns[9] e formam a base da eletrônica digital. Mas, para os autores, o assunto circuitos *lineares* (tais como amplificadores, fontes de corrente e integradores) oferece desafios mais interessantes e potencial para criar grandes circuitos. Abordaremos os

---

[7] Ou, para um desligamento mais rápido, com um resistor, uma malha *RC* ou limitador zener; veja a Seção 1.6.7.

[8] Um matemático definiria linearidade dizendo que a resposta para a soma de duas entradas é a soma das respostas individuais; isso implica, necessariamente, proporcionalidade.

[9] Se você fizesse um levantamento sobre a aplicação de transistores no mundo inteiro, verificaria que pelo menos 95% deles são usados como chaves.

circuitos lineares em outra oportunidade; agora é um bom momento para nos divertirmos com alguns exemplos de circuitos com transistores atuando como chaves – gostamos de proporcionar a sensação da riqueza da eletrônica mostrando exemplos do mundo real o mais rapidamente possível.

A. Acionando um LED

Diodos emissores de luz – LEDs – substituíram as lâmpadas incandescentes do passado para todas as aplicações de indicadores e displays eletrônicos; eles são baratos, vêm em muitas cores e duram praticamente uma eternidade. Eletricamente são semelhantes aos diodos de sinal de silício comuns que conhecemos no Capítulo 1, mas com uma queda de tensão direta maior (em geral, na faixa de 1,5 a 3,5 V, em vez de aproximadamente[10] 0,6 V); ou seja, à medida que aumenta a tensão lentamente através dos terminais de um diodo emissor de luz, você verifica que eles começam a conduzir corrente de, digamos, 1,5 V, e a corrente aumenta rapidamente à medida que você aplica um pouco mais de tensão (Figura 2.8). Eles emitem luz também! LEDs indicadores de "alta eficiência" típicos funcionam bem em alguns miliampères e serão bem perceptíveis na faixa de 10 a 20 mA.

Mostraremos uma variedade de técnicas para acionamento de LEDs no Capítulo 12, mas podemos acioná-los já com o que sabemos. A primeira coisa a saber é que não podemos apenas aplicar uma tensão sobre eles, como na Figura 2.5, por causa de sua curva *I* versus *V* íngreme; por exemplo, a aplicação de 5 V sobre um LED é garantia de queimá-lo. Precisamos, em vez disso, tratá-lo com mais cuidado, fazendo-o consumir uma corrente adequada.

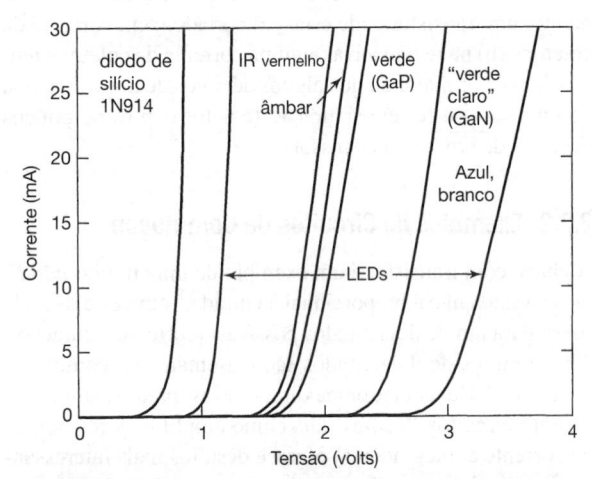

FIGURA 2.8 De forma semelhante aos diodos de silício, os LEDs aumentam rapidamente a corrente em função da tensão aplicada, porém com maiores quedas na tensão direta.

Suponhamos que queiramos que o LED acenda em resposta a uma linha de sinal digital, quando esse vai para um valor ALTO de +3,3 V (a partir de sua tensão de repouso normal perto do terra). Suponhamos também que a linha digital possa fornecer até 1 mA de corrente, se necessário. O procedimento é o seguinte: em primeiro lugar, escolha uma corrente de operação para o LED que proporcione brilho adequado, digamos 5 mA (pode ser que você queira experimentar alguns valores para se certificar de que você gosta da cor, do brilho e do ângulo de visualização). Em seguida, use um transistor *npn* como uma chave (Figura 2.9), escolhendo o resistor do coletor para permitir a corrente escolhida para o LED, sabendo que a queda de tensão sobre o resistor é a tensão de alimentação menos a queda direta do LED em sua corrente operacional. Por fim, escolha o resistor de base para garantir a saturação, considerando de forma conservadora um transistor de baixo beta ($\beta \geq 25$ é bastante seguro para um típico transistor de pequeno sinal como o popular 2N3904).

Note que o transistor está atuando como uma chave saturada, com o resistor de coletor definindo a corrente de operação. Como veremos em breve, você pode desenvolver circuitos que fornecem uma *corrente* de saída exata, em grande parte, independente da carga. Tal "fonte de corrente" também pode ser usada para acionar LEDs. Mas nosso circuito é simples e eficaz. Existem outras variações: veremos no próximo capítulo que um transistor do tipo MOSFET[11] é, muitas vezes, uma escolha melhor. E, nos Capítulos 10 a 12, veremos maneiras de acionar LEDs e outros dispositivos optoeletrônicos diretamente de circuitos integrados digitais, sem transistores discretos externos.

Exercício 2.1 Qual é a corrente, aproximadamente, do LED no circuito da Figura 2.9? Qual beta mínimo é necessário para Q_1?

B. Variações Sobre o Tema

Para estes exemplos de comutação, um lado da carga é conectado a uma tensão de alimentação positiva, e o outro lado

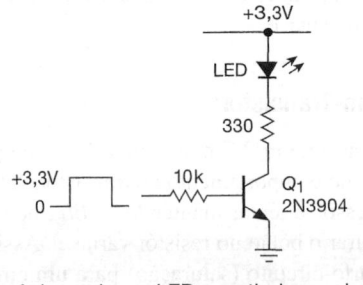

FIGURA 2.9 Acionando um LED a partir de um sinal de entrada "de nível lógico", através de uma chave *npn* saturada em série com um resistor limitador de corrente.

---

[10] As quedas de tensão maiores são devidas à utilização de diferentes materiais semicondutores, como GaAsP, GaAlAs e GaN, com os seus maiores intervalos entre bandas.

[11] Transistor de efeito de campo de semicondutor de óxido metálico.

é comutado ao terra pela chave com transistor *npn*. E se você quiser, em vez disso, aterrar um lado da carga e comutar o "lado alto" para uma tensão positiva?

É bastante fácil – mas você tem que usar o transistor de outra polaridade (*pnp*), com o seu emissor no trilho positivo, e seu coletor conectado ao lado alto da carga, como na Figura 2.10A. O transistor é cortado quando a base é mantida na tensão do emissor (neste caso, +15 V), e comutado para a saturação, levando o potencial da base para o coletor (ou seja, no sentido do terra). Quando a entrada é levada ao terra, há uma corrente de base de 4 mA através do resistor de base de 3,3 kΩ, suficiente para comutação de cargas até cerca de 200 mA ($\beta > 50$).

Uma restrição desse circuito é a necessidade de manter a entrada de +15 V para desligar a chave; seria muito melhor usar uma tensão de controle inferior, por exemplo, +3 V e terra, comumente disponível na lógica digital que veremos nos Capítulos 10 a 15. A Figura 2.10B mostra como fazer isso: a chave *npn* Q_2 recebe o "nível lógico" de entrada de 0 V ou +3 V, puxando sua carga no coletor para o terra em conformidade. Quando Q_2 está em corte, R_3 mantém Q_3 em corte; quando Q_2 está saturado (por uma entrada de +3 V), R_2 conduz a corrente de base de Q_3 para levá-lo à saturação.

O "divisor" formado por R_2R_3 pode ser confuso: o trabalho de R_3 é manter Q_3 desligado quando Q_2 é desligado; e, quando Q_2 puxa seu coletor para baixo, a maior parte da corrente de coletor vem da base de Q_3 (porque apenas ~0,6 mA dos 4,4 mA da corrente de coletor vem de R_3 – certifique-se de compreender por que razão). Ou seja, R_3 não tem muito efeito na saturação de Q_3. Outra maneira de dizer isso é que o divisor estaria em cerca de +11,6 V (em vez de +14,4 V), se não fosse pelo diodo emissor-base de Q_3, o que, consequentemente, recebe a maior parte da corrente de coletor de Q_2. Em qualquer caso, o valor de R_3 não é crítico e pode ser maior; em compensação, isso torna mais lento o desligamento de Q_3, devido a efeitos capacitivos.[12]

C. Gerador de Pulso - I

Ao incluir um *RC* simples, você pode fazer um circuito que dê uma saída de pulso a partir de uma entrada em degrau; a constante de tempo $\tau = RC$ determina a largura de pulso. A Figura 2.11 mostra uma maneira. Q_2 é normalmente mantido em saturação por R_3, de modo que sua saída está próxima do terra; note que é escolhido um R_3 suficientemente pequeno para garantir a saturação de Q_2. Com a entrada do circuito no terra, Q_1 está em corte, com o seu coletor em +5 V. O capacitor C_1 está, portanto, carregado, com +5 V em seu terminal esquerdo e cerca de +0,6 V em seu terminal direito; ou seja, tem cerca de 4,4 V sobre ele. O circuito está esperando que algo aconteça.

Um degrau de entrada positivo de +5 V leva Q_1 para saturação (observe os valores de R_1 e R_2), forçando seu coletor para o terra; devido à tensão sobre C_1, a base de Q_2 é levada momentaneamente para negativo, cerca de –4,4 V.[13] Q_2 está, então, em corte, sem corrente fluindo através de R_4, e, assim, a sua saída passa para +5 V; este é o começo do pulso de saída. Agora consideremos *RC*: C_1 não pode manter a base de Q_2 abaixo do terra para sempre, pois a corrente está fluindo através de R_3, tentando puxá-lo para cima. Então, o lado direito do capacitor carrega em direção a +5 V, com uma constante de tempo $\tau = R_3C_1$, neste caso igual a 100 μs. A largura do pulso de saída é definida por essa constante de tempo e é proporcional a τ. Para descobrir a largura de pulso

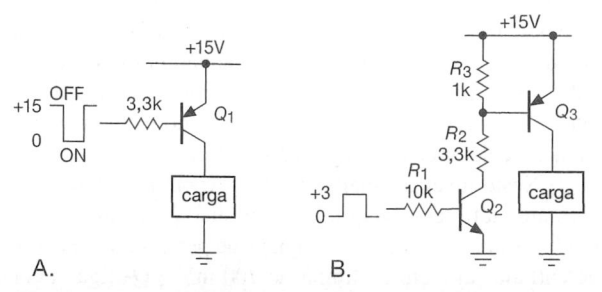

FIGURA 2.10 Comutação do lado alto de uma carga voltada para o terra.

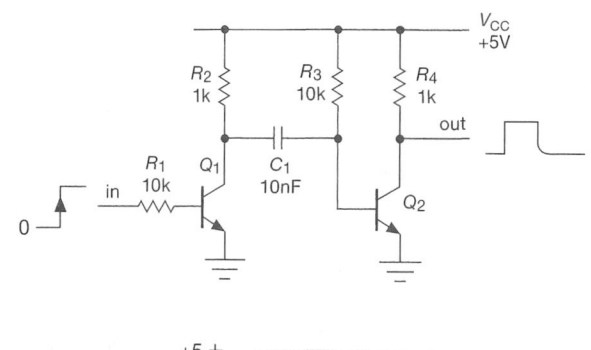

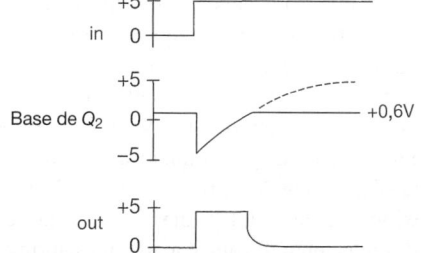

FIGURA 2.11 Gerando um curto pulso a partir de uma forma de onda de entrada em degrau.

---

[12] Mas não o deixe muito pequeno: Q_3 não comutaria se R_3 fosse reduzido a 100 Ω (por quê?). Ficamos surpresos ao ver este erro básico em um instrumento, com o restante do projeto do circuito exibindo a mais elevada sofisticação.

[13] Aviso: este circuito não deve operar a partir de uma tensão de alimentação maior do que 7 V, pois o pulso negativo pode atingir a ruptura reversa da base de Q_2. Esse é um descuido comum, mesmo entre os projetistas de circuito experientes.

com precisão, você tem que olhar em detalhe a operação do circuito. Neste caso, é fácil ver que o transistor Q_2 de saída ligará novamente, encerrando o pulso de saída, quando a tensão crescente no lado direito do transistor alcançar a queda V_{BE} de ≈0,6 V necessária para ligá-lo. Tente resolver este problema para testar sua compreensão.

Exercício 2.2 Mostre que a largura de pulso de saída para o circuito da Figura 2.11 é de, aproximadamente, $T_{pulso} = 0{,}76 R_3 C_1 = 76\ \mu s$. Um bom ponto de partida é notar que C_1 varia de forma exponencial a partir de –4,4 V em direção a +5 V, com a constante de tempo como acima.

D. Gerador de Pulso – II

Exploraremos um pouco este circuito. Ele funciona bem, como descrito, mas note que requer que a entrada permaneça alta durante toda a duração do pulso de saída, no mínimo. Seria bom eliminar essa restrição, e o circuito na Figura 2.12 mostra como. Adicionamos ao circuito original uma terceira chave com o transistor Q_3, cujo trabalho é manter o coletor de Q_1 no terra uma vez que o pulso de saída começar, independentemente do que o sinal de entrada fizer. Agora qualquer pulso de entrada positivo – seja mais longo ou mais curto do que a largura dos pulsos de saída desejada – produz a mesma largura de pulso de saída; observe as formas de onda da figura. Note que escolhemos R_5 relativamente grande para minimizar o efeito de carga de saída e ainda garantir a saturação completa de Q_3.

Exercício 2.3 Analise em detalhe esta última afirmação: qual é a tensão de saída durante o pulso, ligeiramente reduzido devido ao efeito de carga de R_5? Qual é o mínimo beta de Q_3 necessário para garantir a sua saturação durante o pulso de saída?

E. Gerador de Pulso – III

Para o nosso ato final, corrigiremos uma deficiência destes circuitos, ou seja, uma tendência do pulso de saída desligar um pouco devagar. Isso acontece porque a tensão na base de Q_2, com a sua tranquila constante de tempo RC de 100 μs, sobe suavemente (e de forma relativamente lenta) através do limiar de tensão de condução de ≈0,6 V. Note, a propósito, que esse problema não ocorre no início do pulso de saída, pois, nessa transição, a tensão de base de Q_2 cai abruptamente para aproximadamente –4,4 V, devido à forma de onda abrupta do degrau de entrada, que é ainda mais abrupta pela ação de comutação de Q_1.

A cura aqui é adicionar na saída um circuito inteligente conhecido como *Schmitt trigger*, mostrado na sua implementação com transistor[14] na Figura 2.13A. Ele funciona assim:

---
[14] Veremos outras maneiras de fazer um *Schmitt trigger*, usando AOPs ou comparadores, no Capítulo 4.

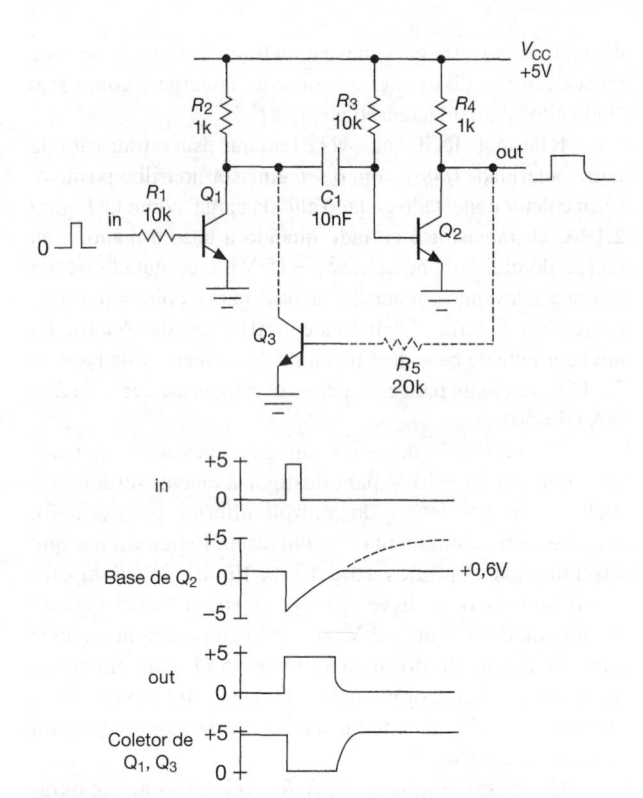

FIGURA 2.12 Gerando um curto pulso a partir de um degrau ou pulso a entrada.

imagine um tempo dentro do pulso de saída positiva dos circuitos anteriores, de modo que a entrada para este novo circuito *Schmitt* seja alta (próximo de +5 V). Isso mantém Q_4 em saturação, e, assim, Q_5 é cortado, com a saída em +5 V. A corrente de emissor de Q_4 é cerca de 5 mA, de modo que a tensão do emissor é cerca de +100 mV; a base é um V_{BE} mais elevado, cerca de +700 mV.

Agora imagine a borda posterior da forma de onda do pulso de entrada, cuja tensão cai suavemente para o terra. Conforme ela cai abaixo de 700 mV, Q_4 começa a desligar, com isso a sua tensão de coletor sobe. Se esta fosse uma chave com transistor simples (ou seja, se não houvesse Q_5), o coletor subiria para +5 V; aqui, no entanto, o resistor de coletor R7 fornece corrente para Q_5, colocando-o em saturação. Então, o coletor de Q_5 cai próximo ao terra.

Neste nível de análise simples, o circuito parece ser bastante inútil, pois sua saída é a mesma que a sua entrada! Porém, vamos olhar um pouco mais de perto: como a tensão de entrada cai além do limiar de 700 mV e Q_5 liga, a corrente total de emissor sobe para ≈10 mA (5 mA da corrente de coletor de Q_5 e outros ≈5 mA a partir de sua corrente de base, ambas as quais fluem do emissor). A queda no resistor de emissor agora é 200 mV, o que significa que o limiar de entrada aumentou para cerca de +800 mV. Assim, a tensão de entrada, que tinham acabado de cair abaixo de 700 mV, agora se encontra bem abaixo do novo limiar, fazendo com

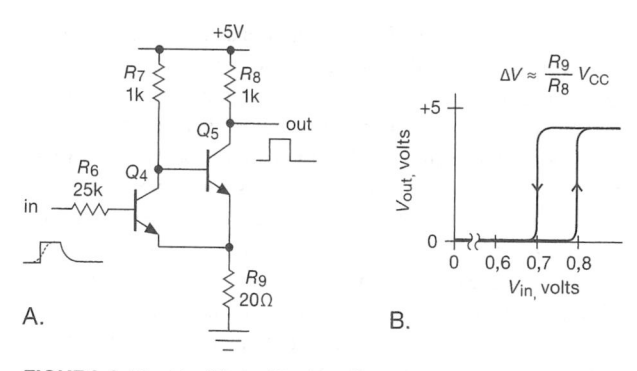

FIGURA 2.13 Um *"Schmitt trigger"* produz uma saída com transições bruscas, independentemente da velocidade da forma de onda de entrada.

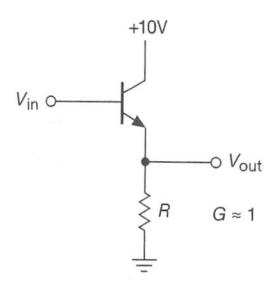

FIGURA 2.14 Seguidor de emissor.

que a saída comute abruptamente. Essa ação "regenerativa" é como o *Schmitt trigger* transforma uma forma de onda que se move lentamente em uma transição abrupta.

Uma ação semelhante ocorre quando a entrada sobe além desse limiar mais elevado; veja a Figura 2.13B, que ilustra como as variações de tensão de saída com a tensão de entrada passa pelos dois limiares, um efeito conhecido como *histerese*. O *Schmitt trigger* produz transições rápidas de saída conforme a de entrada passa por qualquer limiar. Veremos o *Schmitt trigger* novamente nos Capítulos 4 e 10.

Existem muitas boas aplicações de chaves com transistores, incluindo aplicações de "sinal" como esta (combinada com circuitos lógicos digitais mais complexos), bem como circuitos de "comutação de potência", em que os transistores que operam em altas correntes, tensões elevadas ou ambos são usados para controlar cargas pesadas, executar conversão de energia, e assim por diante. Chaves com transistor também podem ser usadas como substitutas para chaves mecânicas quando estamos lidando com formas de onda contínuas ("lineares" ou "analógicas"). Veremos exemplos delas no próximo capítulo, quando lidarmos com FETs, que são ideais para tais tarefas de comutação, e novamente no Capítulo 12, quando lidamos com o controle de sinais e cargas externas a partir de sinais de nível lógico.

Passamos agora a considerar o primeiro de vários circuitos de transistor *lineares*.

2.2.3 Seguidor de Emissor

A Figura 2.14 apresenta um exemplo de um *seguidor de emissor*. Ele é denominado assim porque o terminal de saída é o emissor, o qual segue a entrada (base), menos um diodo de queda:

$$V_E \approx V_B - 0{,}6 \text{ volts,}$$

A saída é uma réplica da entrada, porém 0,6 a 0,7 V menos positiva. Para esse circuito, V_{in} deve ficar em $+0{,}6$ V ou mais, ou então a saída vai para o terra. Ao colocar o resistor de emissor em uma tensão de alimentação negativa, você pode permitir variações de tensão negativa também. Note que não há nenhum resistor de coletor em um seguidor de emissor.

À primeira vista, este circuito pode parecer completamente inútil, até você perceber que a impedância de entrada é muito maior do que a impedância de saída, como será demonstrado em breve. Isto significa que o circuito requer menos potência da fonte de sinal para acionar uma dada carga do que seria necessário caso a fonte de sinal acionasse a carga diretamente. Ou um sinal de alguma impedância interna (no sentido de Thévenin) pode agora acionar uma carga de impedância comparável ou mesmo inferior, sem perda de amplitude (do efeito do divisor de tensão habitual). Em outras palavras, um seguidor de emissor tem ganho de corrente, mesmo que não tenha nenhum ganho de tensão. Ele tem ganho de *potência*. Ganho de tensão não é tudo!

A. Impedâncias de Fontes e Cargas

Este último ponto é muito importante e vale a pena um pouco mais de discussão antes de calcular em detalhe os efeitos benéficos dos seguidores de emissor. Em circuitos eletrônicos, você está sempre conectando a saída de algum circuito à entrada de outro, como sugerido na Figura 2.15. A fonte de sinal pode ser a saída de um estágio amplificador (com impedância em série equivalente de Thévenin $\mathbf{Z}_{out}$), acionando o próximo estágio ou talvez uma carga (com alguma impedância de entrada $\mathbf{Z}_{in}$). Em geral, o efeito de carga do estágio seguinte provoca uma redução de sinal, como discutido anteriormente na Seção 1.2.5A. Por essa razão, geralmente é melhor manter $Z_{out} \ll Z_{in}$ (um fator de 10 é uma regra prática confortável).

Em algumas situações, pode-se renunciar a esse objetivo geral de tornar a fonte estável em comparação com a carga. Em especial, se a carga está sempre conectada (por exemplo, dentro de um circuito) e se apresenta uma conhecida e constante $\mathbf{Z}_{in}$, não é muito grave se ela tem "efeito de carga" sobre a fonte. No entanto, é sempre melhor se os níveis de sinal não são alterados quando uma carga é conectada. Além disso, se $\mathbf{Z}_{in}$ varia com o nível do sinal, ter uma fonte estável

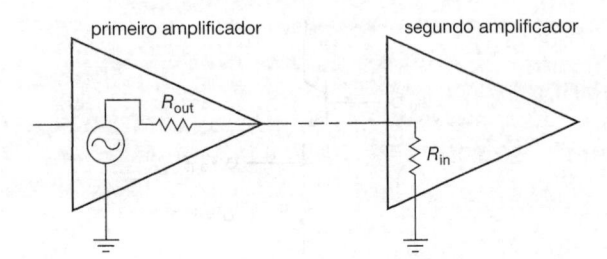

FIGURA 2.15 Circuito que ilustra o "efeito de carga" como um divisor de tensão.

($Z_{out} \ll Z_{in}$) garante a linearidade, onde, de outra forma, o divisor de nível de tensão dependente causaria distorção.[15]

Por fim, como observamos na Seção 1.2.5A, existem duas situações em que $Z_{out} \ll Z_{in}$ é, na verdade, a coisa errada a fazer: em circuitos de radiofrequência, normalmente *casamos* impedâncias ($\mathbf{Z}_{out} = \mathbf{Z}_{in}$), por razões que descrevemos no Apêndice H. Uma segunda exceção se aplica se o sinal a ser acoplado for uma *corrente* em vez de uma tensão. Nesse caso, a situação é inversa, e nós nos esforçamos para fazer $Z_{in} \ll Z_{out}$ ($Z_{out} = \infty$, para uma fonte de corrente).

B. Impedâncias de Entrada e de Saída de Seguidores de Emissor

Como já foi dito, o seguidor de emissor é útil para alterar impedâncias de sinais ou cargas. Para deixar claro, esse é realmente o ponto principal de um seguidor de emissor.

Calculemos as impedâncias de entrada e de saída do seguidor de emissor. No circuito anterior, consideramos R como a carga (na prática, é a carga *às vezes*; caso contrário, a carga está em paralelo com o R, mas com R dominando a resistência em paralelo de qualquer forma). Seja uma variação de tensão ΔV_B na base; a correspondente alteração no emissor é $\Delta V_E = \Delta V_B$. Então, a variação na corrente de emissor é

$$\Delta I_E = \Delta V_B / R,$$

de modo que

$$\Delta I_B = \frac{1}{\beta+1}\Delta I_E = \frac{\Delta V_B}{R(\beta+1)}$$

(usando $I_E = I_C + I_B$). A resistência de entrada é $\Delta V_B / \Delta I_B$. Portanto,

$$r_{in} = (\beta + 1)R.$$

---
[15] Usamos o símbolo **Z** em negrito quando a natureza complexa da impedância é importante. Em uso comum, o termo "impedância" pode referir-se livremente à *magnitude* da impedância, ou mesmo a uma impedância puramente real (por exemplo, impedância de linha de transmissão); para tais casos, usamos o símbolo matemático em itálico Z comum.

O ganho de corrente (β ou h_{fe}) de transistor de pequenos sinais (ou "incremental") é tipicamente cerca de 100, de modo que uma carga de baixa impedância se parece com uma impedância muito maior na base; assim, é mais fácil de acionar.

No cálculo anterior, foram utilizadas as *variações* das tensões e correntes, em vez dos valores constantes (CC) dessas tensões (ou correntes), para chegar à nossa resistência de entrada r_{in}. Tal análise de "pequeno sinal" é usada quando as variações representam um possível sinal, como em um amplificador de áudio, sobreposto a uma "polarização" CC estável (veja a Seção 2.2.7). Embora tenhamos explicitamente indicado variações na tensão e na corrente (com "ΔV," etc.), a prática usual é a utilização de letras minúsculas para variações de pequeno sinal (assim, $\Delta V \leftrightarrow v$); com essa convenção a equação mostrada para ΔI_E, por exemplo, seria $i_E = v_B/R$.

A distinção entre o ganho de corrente (h_{FE}) e ganho de corrente de pequeno sinal (h_{fe}) nem sempre é clara, e o termo beta é usado para ambos. Não há problemas, uma vez que $h_{fe} \approx h_{FE}$ (exceto em frequências muito altas), e você nunca considerará que sabe seus valores com precisão, de qualquer maneira.

Embora tenhamos usado resistências na dedução anterior, poderíamos generalizar para impedâncias complexas permitindo que ΔV_B, ΔI_B, etc. sejam números complexos. Descobriríamos que a mesma regra se aplica para transformação de impedâncias:

$$\mathbf{Z}_{in} = (\beta + 1)\mathbf{Z}_{carga} \quad (2.3)$$

Poderíamos fazer um cálculo semelhante ao descobrir que a impedância de saída $\mathbf{Z}_{out}$ de um seguidor de emissor (a impedância olhando para o emissor) acionada a partir de uma fonte de impedância interna $\mathbf{Z}_{fonte}$ é dada por

$$\mathbf{Z}_{out} = \frac{\mathbf{Z}_{fonte}}{\beta + 1}. \quad (2.4)$$

Estritamente falando, a impedância de saída do circuito também deve incluir a resistência em paralelo de R, mas, na prática, $\mathbf{Z}_{out}$ (a impedância olhando para o emissor) domina.

Exercício 2.4 Mostre que a relação anterior é correta. *Dica*: mantenha a tensão da fonte fixa e encontre a variação na corrente de saída para uma dada variação forçada na tensão de saída. Lembre-se de que a tensão da fonte é conectada à base por meio de um resistor em série.

Devido a essas propriedades, os seguidores de emissor encontram aplicação em várias situações, por exemplo, fazendo as fontes de sinal de baixa impedância dentro de um circuito (ou nas saídas) se tornarem referências de tensão estáveis a partir de uma referência de impedância alta (formada a partir de um divisor de tensão, por exemplo) e, geralmente, isolando fontes de sinal dos efeitos de carga dos estágios posteriores.

FIGURA 2.16 Colocar um seguidor de emissor na frente de uma chave facilita a um sinal de controle de baixa corrente comutar uma carga de alta corrente.

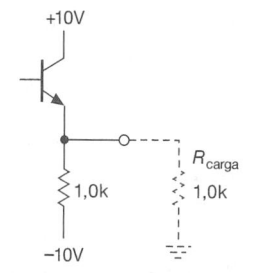

FIGURA 2.17 Um seguidor de emissor *npn* pode fornecer bastante corrente através do transistor, mas pode absorver apenas uma corrente limitada através de seu resistor de emissor.

Exercício 2.5 Use um seguidor com a base acionada a partir de um divisor de tensão para proporcionar uma fonte estável de 5 volts a partir de uma fonte de alimentação regulada de +15 V. Corrente de carga (máx) = 25 mA. Escolha os seus valores de resistor para que a tensão de saída não cai mais do que 5% sob carga total.

C. Seguidor Acionando Chave

A Figura 2.16 mostra um bom exemplo de um seguidor de emissor resgatando um circuito inadequado. Estamos tentando comutar um LED branco muito brilhante (o tipo que você usa para "iluminação de ambientes"), que tem uma queda de cerca de 3,6 V na sua desejada corrente direta de 500 mA, e temos um sinal de lógica digital de 0 a 3 V disponível para controlar a chave. O primeiro circuito utiliza uma única chave *npn* saturada, com uma resistência de base dimensionada para produzir 10 mA de corrente de base, e um resistor de limitação de corrente de 2,5 Ω em série com o LED.

Esse circuito está OK, mas nem tanto. Ele consome uma corrente desconfortavelmente grande da entrada de controle, o que exige que Q_1 tenha um abundante ganho de corrente na corrente de carga total de 0,5 A. No segundo circuito (Figura 2.16B), um seguidor de emissor veio para ajudar, reduzindo a corrente de entrada (por causa de seu ganho de corrente) e, ao mesmo tempo, flexibilizando o requisito de beta mínimo da chave (Q_3). Para sermos justos, devemos salientar que um MOSFET de baixo limiar oferece uma solução ainda mais simples aqui; explicaremos como nos Capítulos 3 e 12.

D. Pontos Importantes Sobre Seguidores

Fluxo de corrente em apenas um sentido. Observe (Seção 2.1.1, regra 4) que, em um seguidor de emissor, o transistor *npn* só pode *fornecer* (em oposição a *absorver*) corrente. Por exemplo, no circuito mostrado na Figura 2.17, a saída pode variar até a tensão V_{CC} menos a queda de tensão de saturação do transistor (cerca de 9,9 V), mas não pode ser mais negativa do que −5 volts. Isso porque, na variação extrema negativa, o transistor não pode fazer nada melhor do que desligar completamente, o que ele faz em −4,4 volts de entrada (−5 V saída, definido pelo divisor formado pelos resistores de carga e emissor). Além disso, a variação negativa na entrada resulta em polarização reversa da junção base-emissor, mas sem mais variação na saída. A saída, para uma entrada de onda sinusoidal de 10 volts de amplitude, é como se mostra na Figura 2.18.

Outra maneira de ver o problema é dizer que o seguidor de emissor tem um valor baixo de impedância de saída de *pequeno-sinal*, enquanto a sua impedância de saída de grande-sinal é muito mais elevada (tão grande quanto R_E). A impedância de saída muda ao longo do seu valor de pequeno-sinal para o seu valor de grande-sinal no ponto em que o transistor sai da região ativa (neste caso, a uma tensão de saída de −5 V). Colocando esse ponto de outra maneira, um valor baixo de impedância de saída de pequeno-sinal não significa necessariamente que o circuito pode gerar grandes variações de sinal em uma carga de baixa resistência. Uma impedância de saída de pequeno-sinal não implica uma grande capacidade de corrente de saída.

Possíveis soluções para este problema envolvem diminuir o valor do resistor de emissor (com maior dissipação de potência no resistor e no transistor), usando um transistor *pnp* (se todos os sinais são apenas negativo), ou utilizando uma configuração *push-pull*, em que dois transistores complementares (um *npn* e outro *pnp*) são usados (Seção 2.4.1). Esse tipo de problema também pode surgir quando a carga que um seguidor de emissor está acionando contém fontes de tensão ou

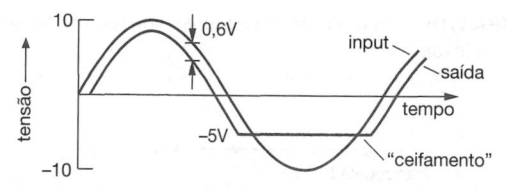

FIGURA 2.18 Ilustrando a capacidade de gerar corrente assimétrica do seguidor de emissor *npn*.

corrente próprias e, portanto, pode forçar uma corrente no sentido "errado". Isso acontece com mais frequência com fontes de alimentação reguladas (a saída é geralmente um seguidor de emissor) que acionam um circuito que tem outras fontes de alimentação.

Ruptura base-emissor. Lembre-se sempre de que a tensão de ruptura reversa base-emissor para transistores de silício é pequena, muitas vezes tão pequena quanto 6 volts. Variações de entrada suficientemente grandes para levar o transistor ao corte podem facilmente resultar em ruptura (causando degradação permanente do ganho de corrente β), a menos que um diodo de proteção seja acrescentado (Figura 2.19).

O ganho é ligeiramente menor que a unidade. O ganho de tensão de um seguidor de emissor é, na verdade, ligeiramente menor do que 1,0, uma vez que a queda de tensão base-emissor não é realmente constante, mas depende ligeiramente da corrente de coletor. Você verá como lidar com isso no final do capítulo, quando teremos a equação de Ebers-Moll.

2.2.4 Seguidores de Emissor como Reguladores de Tensão

A fonte de tensão regulada mais simples é simplesmente um zener (Figura 2.20). Alguma corrente tem que fluir através do zener, então você escolhe

$$\frac{V_{in}(min) - V_{out}}{R} > I_{out}(max).$$

Devido a V_{in} não ser regulada, você usa o menor valor de V_{in} que possa ocorrer. O projeto para um funcionamento satisfatório sob a pior combinação (aqui, V_{in} mínima e I_{out} máxima) é conhecido como projeto de "pior caso". Na prática, você também se preocuparia com tolerâncias de componentes, limites de tensão de linha, etc., projetando para acomodar a pior combinação possível que venha a ocorrer.

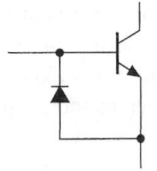

FIGURA 2.19 Um diodo impede a tensão de ruptura reversa base-emissor.

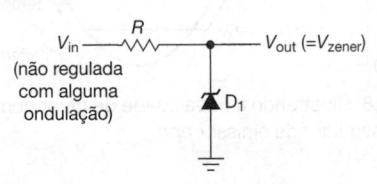

FIGURA 2.20 Regulador de tensão zener simples.

O zener deve ser capaz de dissipar

$$P_{zener} = \left(\frac{V_{in} - V_{out}}{R} - I_{out}\right) V_{zener}.$$

Mais uma vez, para o projeto de pior caso, você usaria V_{in} (máx) e I_{out} (mín).

Exercício 2.6 Projete uma fonte regulada de +10 V para correntes de carga de 0 a 100 mA; a tensão de entrada é de +20 a +25 V. Permita pelo menos uma corrente zener de 10 mA em todas as condições (pior caso). Como você avalia a especificação de potência que o zener deve ter?

Essa simples fonte zener regulada é usada, às vezes, para circuitos não críticos ou circuitos que usam pouca corrente de alimentação. No entanto, ela tem utilidade limitada, por várias razões:

- V_{out} não é ajustável ou definida para um valor exato.
- diodos zener oferecem apenas uma moderada rejeição à ondulação e regulação contra variações de entrada ou de carga, devido à sua impedância dinâmica finita.
- Para correntes de carga que variam amplamente, é necessário, muitas vezes, um zener de alta potência para lidar com a dissipação em baixa corrente de carga.[16]

Usando um seguidor de emissor para isolar o zener, você obtém o circuito melhorado mostrado na Figura 2.21. Agora a situação é muito melhor. A corrente zener pode setornar relativamente independente da corrente de carga, uma vez que a corrente de base do transistor é pequena, e é possível uma dissipação de potência zener muito mais baixa (reduzida até um fator β). O resistor de coletor R_C pode ser adicionado para proteger o transistor de curtos-circuitos momentâneos de saída por limitação da corrente, mesmo que ele não seja essencial para a função de seguidor de emissor. Escolha R_C de modo que a queda de tensão sobre ele seja menor que a queda sobre R para a corrente de carga máxima normal (ou seja, de modo que o transistor não sature na carga máxima).

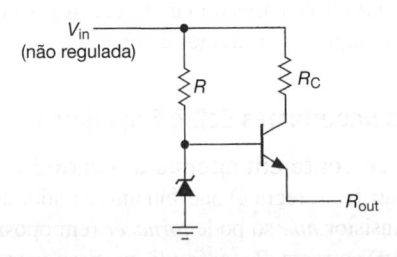

FIGURA 2.21 Regulador zener com seguidor, para o aumento da corrente de saída. R_C protege o transístor limitando a corrente de saída máxima.

---

[16] Esta é uma propriedade compartilhada por todos os *reguladores shunt*, dos quais o zener é o exemplo mais simples.

Exercício 2.7 Projete uma fonte de +10 V com as mesmas especificações do Exercício 2.6. Use um zener e um seguidor de emissor. Calcule a dissipação no transistor e no zener de pior caso. Qual é a variação percentual na corrente zener da condição sem carga até a carga plena? Compare com o seu circuito anterior.

Uma variação interessante desse circuito destina-se a eliminar o efeito da corrente de ondulação (através de R) sobre a tensão zener, fornecendo a corrente zener a partir de uma fonte de corrente, que é o assunto da Seção 2.2.6. Um método alternativo usa um filtro passa-baixas no circuito de polarização zener (Figura 2.22). R é escolhido de tal modo que o par em série fornece uma corrente zener suficiente. Então, C é escolhido suficientemente grande para que $RC \gg 1/f_{\text{ondulação}}$.[17]

Mais tarde, você verá melhores reguladores de tensão, aqueles em que você pode variar a saída facilmente e de forma contínua usando realimentação. Eles também são fontes de tensão melhores, com impedância de saída medida em miliohms, coeficientes de temperatura de algumas partes por milhão por grau centígrado e outras características desejáveis.

2.2.5 Polarização de um Seguidor de Emissor

Quando um seguidor de emissor é acionado a partir de um estágio anterior de um circuito, normalmente é adequado conectar sua base diretamente na saída do estágio anterior, como se mostra na Figura 2.23.

Devido ao sinal no coletor de Q_1 estar sempre dentro da faixa de fontes de alimentação, a base de Q_2 estará entre V_{CC} e terra, e, portanto, Q_2 está na região ativa (nem cortado nem saturado), com o seu diodo base-emissor em condução e o seu coletor pelo menos alguns décimos de um volt mais positivo do que o seu emissor. Por vezes, no entanto, a entrada para um seguidor pode não estar tão convenientemente situada no que diz respeito às tensões de alimentação. Um exemplo típico é um sinal acoplado capacitivamente (ou acoplado em CA) a partir de uma fonte externa (por exemplo, um sinal de áudio de entrada para um amplificador estéreo). Nesse caso, a tensão média do sinal é igual a zero, e o acoplamento direto de um seguidor de emissor produzirá uma saída como a mostrada na Figura 2.24.

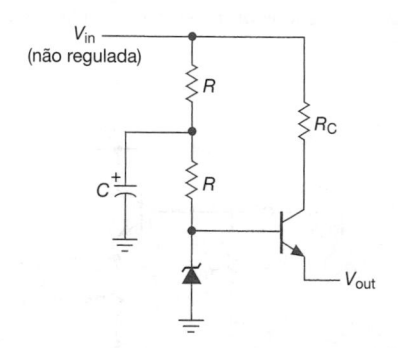

FIGURA 2.22 Redução de ondulação no regulador zener.

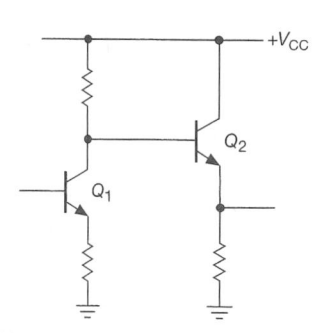

FIGURA 2.23 Polarização de um seguidor de emissor a partir de um estágio anterior.

É necessário polarizar o seguidor (na verdade, qualquer amplificador transistorizado), de modo que a corrente de coletor flua durante toda a variação do sinal. Neste caso, um divisor de tensão é a maneira mais simples (Figura 2.25). R_1 e R_2 são escolhidos para colocar a base a meio caminho entre o terra e V_{CC} quando não há sinal de entrada – isto é, R_1 e R_2 são aproximadamente iguais. O processo de seleção das tensões de operação em um circuito, na ausência de sinais aplicados, é conhecido como ajuste do *ponto quiescente*. Neste caso, como na maior parte dos casos, o ponto quiescente é escolhido para permitir a oscilação máxima simétrica do sinal da forma de onda de saída sem *ceifamento* (achatamento do topo ou da parte de baixo da forma de onda). Que valores devem ter R_1 e R_2? Aplicando nosso princípio geral (Seções 1.2.5A e 2.2.3A), tornamos a impedância da fonte de polarização CC (a impedância olhando para o divisor de tensão) pequena em comparação com a carga que ela aciona (a impedância CC olhando para a base do seguidor). Neste caso,

$$R_1 \parallel R_2 \ll \beta R_E.$$

Isso é aproximadamente equivalente a dizer que a corrente que flui no divisor de tensão deve ser grande em comparação com a corrente consumida pela base.

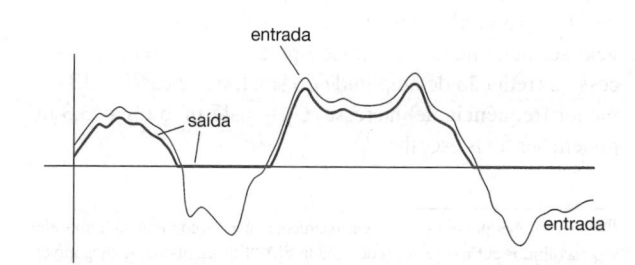

FIGURA 2.24 Um amplificador com transistor alimentado a partir de uma única alimentação positiva não pode gerar variações de tensão negativas no terminal de saída do transistor.

---
[17] Em uma variação deste circuito, o resistor superior é substituído por um diodo.

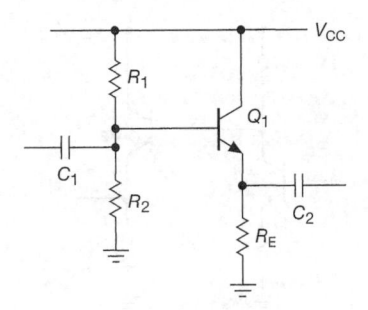

FIGURA 2.25 Um seguidor de emissor com acoplamento CA. Note o divisor de tensão de polarização da base.

A. Exemplo de Projeto de Seguidor de Emissor

Como exemplo de projeto real, faremos um seguidor de emissor de sinais de áudio (20 Hz a 20 kHz). V_{CC} é +15 V, e a corrente quiescente está em 1 mA.

Passo 1. *Escolha* V_E. Para a maior variação simétrico possível, sem ceifamento, $V_E = 0,5V_{CC}$, ou 7,5 volts.

Passo 2. *Escolha* R_E. Para uma corrente quiescente de 1 mA, $R_E = 7,5$k.

Passo 3. *Escolha* R_1 e R_2. V_B é $V_E + 0,6$ V, ou 8,1 V. Isto determina a proporção de R_1 para R_2 como 1:1,17. O critério de efeito de carga anterior requer que a resistência em paralelo de R_1 e R_2 seja cerca de 75k ou menos (um décimo de 7,5k × β). Os valores padrão adequados são $R_1 = 130$k e $R_2 = 150$k.

Passo 4. *Escolha* C_1. O capacitor C_1 forma um filtro passa-altas com a impedância que considera ser uma carga, ou seja, a impedância olhando para a base, em paralelo com a impedância olhando para o divisor de tensão da base. Se considerarmos que a carga que este circuito acionará é grande em comparação com o resistor de emissor, então a impedância olhando para a base é βR_E, cerca de 750k. O divisor parece de 70k. Assim, o capacitor vê uma carga de aproximadamente 63k e deve ter um valor de, pelo menos, 0,15, μF, de modo que o ponto de 3 dB será abaixo da frequência de interesse, 20 Hz.

Passo 5. *Escolha* C_2. O capacitor C_2 forma um filtro passa-altas em combinação com a impedância da carga, que é desconhecida. No entanto, é seguro considerar que a impedância de carga não será menor do que R_E, o que resulta em um valor para C_2 de pelo menos 1,0 μF para colocar o ponto de 3 dB abaixo de 20 Hz. Como agora existem dois estágios de filtro passa-altas em cascata, os valores do capacitor devem ser aumentados um pouco para evitar a atenuação excessiva (redução de amplitude do sinal; neste caso, 6 dB) na menor frequência de interesse. $C_1 = 0,47$ μF e $C_2 = 3,3$ μF podem ser boas escolhas.[18]

---
[18] Estes valores podem parecer curiosamente "não arredondados", mas eles são escolhidos entre os valores de década EIA "E6" amplamente disponíveis (veja o Apêndice C). Na verdade, os valores arredondados de 0,5 μF e 3,0 μF são mais difíceis de encontrar.

Do nosso modelo simples de transistor, a impedância de saída no emissor é apenas $Z_{out} = R_E \| [(Z_{in} \| R_1 \| R_2)/\beta]$, em que Z_{in} é a resistência (Thévenin) de saída do sinal que aciona esse circuito. Assim, tendo $\beta \approx 100$, uma fonte de sinal com resistência de saída de 10 kΩ resultaria em uma impedância de saída (no emissor) de aproximadamente 87 Ω. Como veremos mais adiante neste capítulo (Seção 2.3), há um efeito (a impedância emissor intrínseco, r_e) que adiciona uma resistência de 0,025/I_E efetivamente em série com o emissor; por isso, a impedância de saída aqui (com uma fonte de 10 kΩ) seria de aproximadamente 110 Ω.

B. Seguidores com Fontes Simétricas

Como os sinais, muitas vezes, são "próximos do terra", é conveniente usar fontes positivas e negativas simétricas. Isso simplifica a polarização e elimina capacitores de acoplamento (Figura 2.26).

Aviso: você deve sempre fornecer um caminho para a corrente de polarização de base, mesmo que ele seja apenas para o terra. Neste circuito, considera-se que a fonte de sinal tem um caminho CC para o terra. Se não (por exemplo, se o sinal é acoplado capacitivamente), você deve fornecer um resistor para o terra (Figura 2.27). R_B poderia ser cerca de um décimo de βR_E, como antes.

Exercício 2.8 Projete um seguidor de emissor com uma fonte de ±15 V para operar em toda a faixa de áudio (20 Hz a 20 kHz). Use uma corrente quiescente de 5 mA e acoplamento capacitivo de entrada.

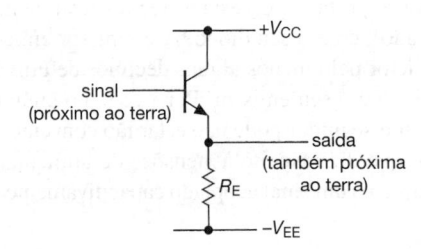

FIGURA 2.26 Um seguidor de emissor acoplado em CC com fonte dividida.

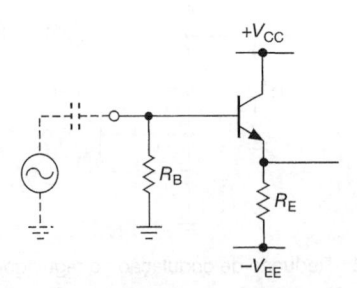

FIGURA 2.27 Sempre forneça um caminho para a polarização CC.

C. Polarização Ruim

Às vezes, você vê circuitos de indução de desânimo como o desastre mostrado na Figura 2.28. O projetista escolheu R_B, considerando um valor específico para beta (100), estimando a corrente de base e, em seguida, esperando por uma queda de 7 V sobre R_B. Este é um projeto ruim; o beta não é um bom parâmetro e variará consideravelmente. Ao utilizar polarização de tensão com um divisor de tensão estável, como detalhado no exemplo apresentado anteriormente, o ponto quiescente é insensível a variações no beta do transistor. Por exemplo, no exemplo de projeto anterior, a tensão de emissor aumentará apenas 0,35 V (5%) para um transistor com $\beta = 200$, em vez do valor nominal $\beta = 100$. E, como no exemplo do seguidor de emissor, é tão fácil cair nessa armadilha e projetar circuitos ruins com transistor como nas outras configurações do transistor (especialmente o amplificador emissor comum, que trataremoss mais adiante neste capítulo).

D. Cancelando o *Offset* – I

Não seria bom se um seguidor de emissor não causasse um *offset* (deslocamento) do sinal de saída pela queda base-emissor de $V_{BE} \approx 0{,}6$ V? A Figura 2.29 mostra como cancelar o *offset* CC, pela conexão em cascata de um seguidor *pnp* (que tem um *offset* V_{BE} positivo) com um seguidor *npn* (que tem um *offset* V_{BE} negativo comparável). Aqui configuramos o circuito com fontes divididas simétricas de ±10 V; e usamos resistores de emissor de valores iguais, de modo que os dois transistores tenham uma corrente quiescente comparável para um sinal de entrada próximo de 0 V.

Esse é um bom truque; ele é útil e, muitas vezes, eficiente. Mas o cancelamento não é perfeito, por razões que veremos mais adiante neste capítulo (VBE depende um pouco da corrente de coletor e do tamanho dos transistores, Seção 2.3) e novamente no Capítulo 5. Mas, como abordaremos no Capítulo 4, é de fato bastante fácil fazer um seguidor, usando *amplificadores operacionais*, com *offset* zero quase perfeito (10 μV ou menos); e, como um bônus, você pode obter impedâncias de entrada nos gigaohms (ou mais), correntes de entrada em nanoampères (ou menos) e impedâncias de saída

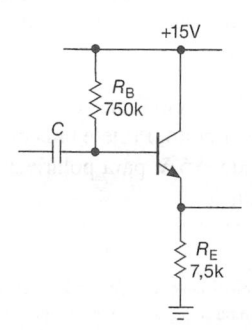

FIGURA 2.28 Não faça isto!

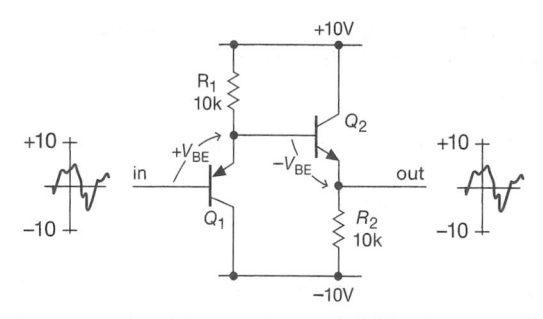

FIGURA 2.29 A conexão em cascata de um seguidor *npn* com um *pnp* produz cancelamento aproximado dos *offsets* de V_{BE}.

medidas em frações de um ohm. Dê uma olhada à frente, no Capítulo 4.

2.2.6 Fonte de Corrente

Fontes de corrente, embora muitas vezes negligenciadas, são tão importantes e tão úteis quanto fontes de tensão. Elas costumam oferecer uma excelente maneira de polarizar transistores e são inigualáveis como "cargas ativas" para estágios amplificadores de alto ganho e como fontes de emissor para amplificadores diferenciais. Integradores, geradores de dente de serra e geradores de rampa precisam de fontes de corrente. Eles fornecem *pull-ups* de grande faixa de tensão em circuitos amplificadores e reguladores. E, por fim, existem aplicações no mundo exterior que exigem fontes de corrente constante, como eletroforese ou eletroquímica.

A. Resistor mais Fonte de Tensão

A aproximação mais simples para uma fonte de corrente é mostrada na Figura 2.30. Enquanto $R_{carga} \ll R$ (em outras palavras, $V_{carga} \ll V$), a corrente é quase constante e é de aproximadamente

$$I \approx V/R$$

A carga não tem de ser resistiva. Um capacitor carregará a uma taxa constante, enquanto $V_{cap} \ll V$; esta é apenas a primeira parte da curva de carga exponencial de uma malha *RC*.

Existem vários inconvenientes para uma fonte de corrente com resistor simples. Para fazer uma boa aproximação para uma fonte de corrente, você deve usar grandes tensões, com perdas de dissipação de potência no resistor. Além disso,

FIGURA 2.30 Aproximação de uma fonte de corrente.

a corrente não é facilmente *programável*, ou seja, controlável através de uma grande faixa por meio de uma tensão em outro lugar no circuito.

Exercício 2.9 Se você quer uma fonte de corrente constante para 1% ao longo de um intervalo de tensão de carga de 0 a +10 volts, qual valor da fonte de tensão você deve usar em série com um único resistor?

Exercício 2.10 Suponha que você queira uma corrente de 10 mA no problema anterior. Quanto de potência é dissipada no resistor em série? Quanto fica com a carga?

B. Fonte de Corrente com Transistor

Felizmente, é possível fazer uma fonte de corrente muito boa com um transistor (Figura 2.31). Funciona assim: a aplicação de V_B na base, com $V_B > 0{,}6$ V, assegura que o emissor está sempre em condução:

$$V_E = V_B - 0{,}6 \text{ volts}.$$

Assim,

$$I_E = V_E/R_E = (V_B - 0{,}6 \text{ volts})/R_E$$

Porém, como $I_E \approx I_C$ para um beta grande,

$$I_C \approx (V_B - 0{,}6 \text{ volts})/R_E \qquad (2.5)$$

independente de V_C enquanto o transistor não está saturado ($V_C \gtrsim V_E + 0{,}2$ volts).

C. Polarização de Fonte de Corrente

A tensão de base pode ser fornecida de diversas formas. Um divisor de tensão é adequado, contanto que seja suficientemente estável. Como antes, o critério é que a sua impedância deve ser muito menor do que a impedância CC ao olhar para a base (βR_E). Ou você pode usar um diodo zener (ou um CI de referência de dois terminais, como o LM385), polarizado a partir de V_{CC}, ou mesmo alguns diodos polarizados diretamente[19] em série a partir da base para a fonte de emissor correspondente. A Figura 2.32 mostra alguns exemplos. No último exemplo (Figura 2.32C), um transistor *pnp fornece* corrente para uma carga que retorna para o terra. Os outros exemplos (usando transistores *npn*), corretamente, deveriam ser chamados de *absorvedores* de corrente, mas a prática usual é se referir a todos eles livremente como "fontes de corrente".[20] No primeiro circuito, a impedância do divisor de tensão de $\sim 1{,}3$k é estável em comparação com a impedância olhando para a base de aproximadamente 100k (para $\beta = 100$), de modo que quaisquer alterações no beta com tensão de coletor não afetarão muito a corrente de saída, fazendo com que a tensão de base mude. Nos outros dois circuitos, os resistores de polarização são escolhidos para proporcionar vários miliampères para colocar os diodos em condução.

D. Compliance

Uma fonte de corrente pode fornecer corrente constante para a carga somente ao longo de algum intervalo finito de tensão de carga. Fazer de outra forma seria equivalente a fornecer potência infinita. A faixa de tensão de saída sobre a qual uma fonte de corrente se comporta bem é denominada sua *compliance* de saída. Para as fontes de corrente com transistor anteriores, a compliance é definida pela exigência de que os transistores permaneçam na região ativa. Assim, no primeiro circuito, a tensão no coletor pode cair até que o transistor esteja quase em saturação, talvez +1,1 V no coletor. O segundo circuito, com a sua maior tensão do emissor, pode absorver corrente até uma tensão de coletor de cerca de +5,1 V.

Em todos os casos, a tensão do coletor pode variar entre um valor próximo da saturação por todo o caminho até à tensão de alimentação. Por exemplo, o último circuito pode fornecer corrente para a carga para qualquer tensão entre zero e cerca de 8,6 V sobre a carga. De fato, a carga pode até conter baterias ou fontes de alimentação próprias, o que poderia levar o coletor além da tensão de alimentação (Figura 2.32A, B) ou abaixo do terra (Figura 2.32C). No entanto, você deve tomar cuidado com a ruptura do transistor (V_{CE} não deve exceder BV_{CEO}, a tensão de ruptura coletor-emissor especificada) e também com a dissipação de potência excessiva (definida por $I_C V_{CE}$). Como você verá nas Seções 3.5.1B, 3.6.4C e 9.4.2, existe uma restrição de área de operação segura em transistores de potência.

Exercício 2.11 Você tem fontes reguladas de +5 e +15 V disponíveis em um circuito. Projete um consumo de corrente *npn* de 5 mA usando +5 V para polarizar a base. Qual é a compliance de saída?

---

[19] Um LED vermelho com a sua queda de tensão direta de $\approx 1{,}6$ V é um substituto conveniente para uma sequência de três diodos.

[20] "Absorver" e "fornecer" simplesmente se referem ao sentido do fluxo da corrente: se um circuito fornece corrente (positiva) a um ponto, ele é uma fonte, e vice-versa.

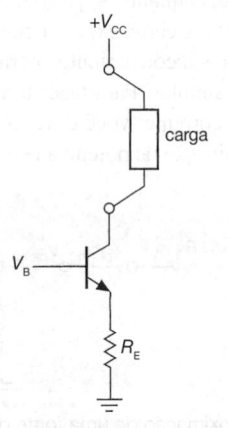

FIGURA 2.31 Fonte de corrente com transistor: conceito básico.

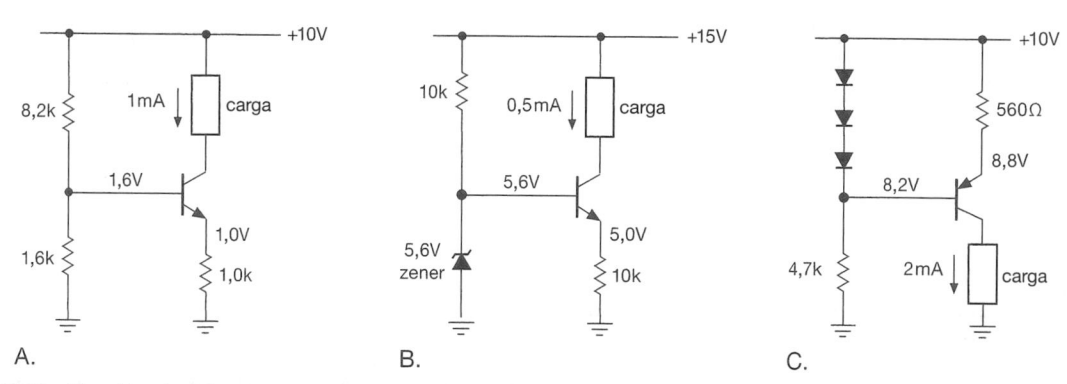

FIGURA 2.32 Circuitos de fonte de corrente com transistor, que ilustram três métodos de polarização de base; transistores *npn* absorvem corrente, enquanto transistores *pnp* a fornecem. O circuito em C ilustra uma carga conectada ao terra. Veja também a Figura 3.26.

Uma fonte de corrente não tem que ter uma tensão fixa na base. Variando V_B, você obtém uma fonte de corrente de tensão programável. A variação do sinal de entrada v_{in} (lembre-se de que os símbolos em minúsculo significam *variações*) deve permanecer pequena o suficiente para que a tensão do emissor nunca caia a zero, considerando que a corrente de saída deve refletir as variações da tensão de entrada sem problemas. O resultado será uma fonte de corrente com as variações na corrente de saída proporcionais à variação na tensão de entrada, $i_{out} = v_{in}/R_E$. Essa é a base do amplificador que veremos a seguir (Seção 2.2.7).

E. Cancelando o *Offset* – II

É uma pequena desvantagem desses circuitos de fonte de corrente você ter que aplicar uma tensão de base compensada por $V_{BE} \approx 0{,}6$ V a partir da tensão que você quer que apareça sobre o resistor de emissor; e, é claro, é esta última que define a corrente de saída. É o mesmo problema de *offset* que ocorre com um seguidor de emissor; e você pode usar o mesmo truque (Seção 2.2.5D) para provocar o cancelamento aproximado do *offset* em situações em que isso é um problema.

Observe a Figura 2.33. Ela tem o estágio de saída Q_2 da nossa fonte de corrente padrão, com a corrente ajustada pela tensão sobre o resistor de emissor: $I_L = V_R/R_2$. Assim, a base de Q_2 precisa ser um V_{BE} superior (*offset*), mas isso é apenas o que o seguidor de entrada *pnp* faz de qualquer maneira. Então, aqui, a tensão no emissor de Q_2 acaba sendo aproximadamente igual à V_{in} que você aplica; e, assim, a corrente de saída é simplesmente $I_L = V_{in}/R_2$, sem exceções e sem *offsets* de V_{BE}.

Salientamos, porém, que esse não é um cancelamento particularmente preciso, pois os dois transistores em geral têm diferentes correntes de coletor e, portanto, quedas base-emissor um pouco diferentes (Seção 2.3). Mas é um truque de primeira ordem, e muito melhor do que nada. E, mais uma vez, a magia dos amplificadores operacionais (Capítulo 4) fornecerá uma maneira de fazer fontes de corrente em que a corrente de saída é precisamente programada por uma tensão de entrada, sem o incômodo do *offset* de V_{BE}.

F. Deficiências de Fontes de Corrente

Esses circuitos de fonte de corrente com transistor têm bom desempenho, sobretudo quando comparados com um resistor simples polarizado a partir de uma tensão fixa (Figura 2.30). Quando você olhar de perto, no entanto, descobrirá, com um exame minucioso, que eles se afastam do ideal – ou seja, a corrente de carga mostra alguma variação (relativamente pequena) com a tensão. Outra maneira de dizer a mesma coisa é que a fonte de corrente tem uma resistência equivalente de Thévenin finita ($R_{Th} < \infty$).

Discutiremos as causas dessas deficiências e alguns circuitos de correção muito inteligentes mais adiante neste capítulo.

2.2.7 Amplificador Emissor Comum

Considere uma fonte de corrente com um resistor como carga (Figura 2.34). A tensão de coletor é

$$V_C = V_{CC} - I_C R_C$$

Poderíamos acoplar capacitivamente um sinal à base para fazer a tensão do coletor variar. Considere o exemplo na Figura 2.35. O capacitor C de bloqueio é escolhido de modo que

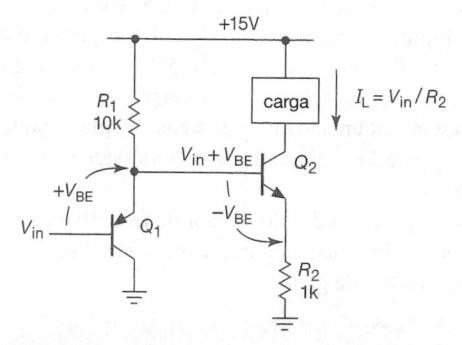

FIGURA 2.33 Compensando a queda de V_{BE} em uma fonte de corrente.

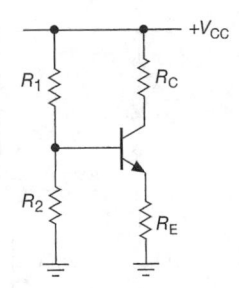

FIGURA 2.34 Fonte de corrente acionando um resistor como carga: um *amplificador*!

todas as frequências de interesse passem pelo filtro passa-altas que se forma na associação em paralelo dos resistores de polarização da base[21]; isto é,

$$C \geq \frac{1}{2\pi f (R_1 \| R_2)}.$$

A corrente quiescente de coletor é 1,0 mA por causa da polarização de base aplicada e do resistor de emissor de 1,0k. Essa corrente coloca o coletor em +10 volts (+ 20 V menos 1,0 mA através de 10k). Agora imagine uma variação aplicada na tensão base v_B. O emissor segue com $v_E = v_B$, o que provoca uma variação na corrente do emissor

$$i_E = v_E/R_E = v_B/R_E$$

e quase a mesma mudança de corrente de coletor (β é grande). Assim, a variação inicial na tensão de base, por fim, provoca uma variação na tensão de coletor

$$v_C = -i_C R_C = -v_B (R_C/R_E)$$

Aha! É um *amplificador de tensão*, com uma amplificação de tensão (ou "ganho") dada por

$$\text{ganho} = v_{out}/v_{in} = -R_C/R_E$$

Neste caso, o ganho é −10.000/1.000, ou −10. O sinal negativo significa que uma variação positiva na entrada é transformada em uma variação negativa (10 vezes maior) na saída. Isso é denominado *amplificador emissor comum* com realimentação negativa do emissor.

A. Impedâncias de Entrada e Saída do Amplificador Emissor Comum

Podemos facilmente determinar as impedâncias de entrada e saída do amplificador. O sinal de entrada vê, em paralelo,

---

[21] A impedância olhando para a própria base geralmente será muito maior, devido à forma como os resistores de base são escolhidos, e ela pode, geralmente, ser ignorada.

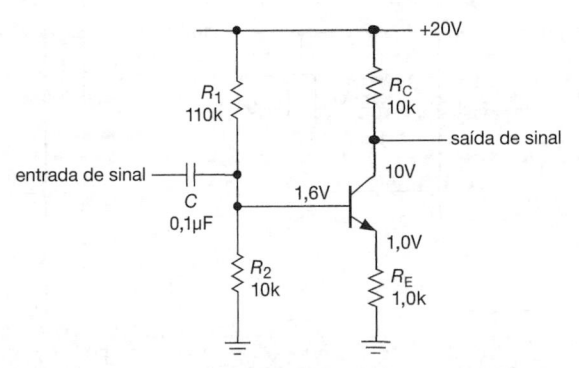

FIGURA 2.35 Um amplificador emissor comum CA com realimentação do emissor. Note que o terminal de saída é o coletor em vez do emissor.

110k, 10k e a impedância olhando para a base. Esta última é cerca de 100k (β vezes R_E), de modo que a impedância de entrada (dominada pelo 10k) é cerca de 8k. O capacitor de acoplamento de entrada forma, assim, um filtro passa-altas, com o ponto de 3 dB em 200 Hz. O sinal que aciona o amplificador vê 0,1 μF em série com 8k, que, para os sinais de frequências normais (bem acima do ponto de 3 dB), parece apenas 8k.

A impedância de saída é 10k em paralelo com a impedância olhando para o coletor. O que é isso? Bem, lembre-se de que, se cortar o resistor do coletor, você está simplesmente olhando para uma fonte de corrente. A impedância do coletor é muito grande (medida em megaohms), e, assim, a impedância de saída é simplesmente o valor do resistor de coletor, 10k. Vale a pena lembrar que a impedância olhando para o coletor de um transistor é alta, enquanto a impedância olhando para o emissor é baixa (como no seguidor de emissor). Embora a impedância de saída de um amplificador emissor comum seja dominada pelo resistor de carga do coletor, a impedância de saída de um seguidor de emissor não será dominada pelo resistor de carga do emissor, mas pela impedância olhando para o emissor.

2.2.8 Divisor de Fase de Ganho Unitário

Por vezes, é útil gerar um sinal e o seu inverso, ou seja, dois sinais 180° fora de fase. Isso é fácil de fazer – basta usar um amplificador com realimentação do emissor com um ganho de −1 (Figura 2.36). A tensão de coletor quiescente é definida como $0,75V_{CC}$ em vez do $0,5V_{CC}$ habitual, a fim de conseguir o mesmo resultado – variação de saída simétrica máxima sem ceifamento em cada saída. O coletor pode variar de $0,5V_{CC}$ para V_{CC}, enquanto o emissor pode variar do terra para $0,5V_{CC}$.

Note que as saídas do divisor de fase devem ter cargas com impedâncias iguais (ou muito altas) nas duas saídas para manter a simetria de ganho.

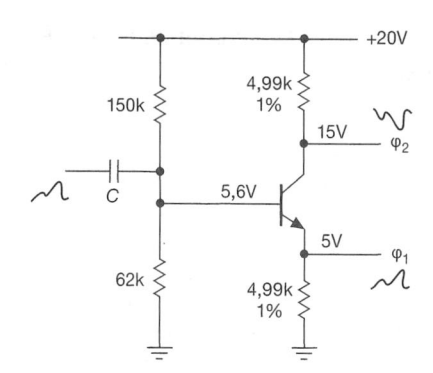

FIGURA 2.36 Divisor de fase de ganho unitário.

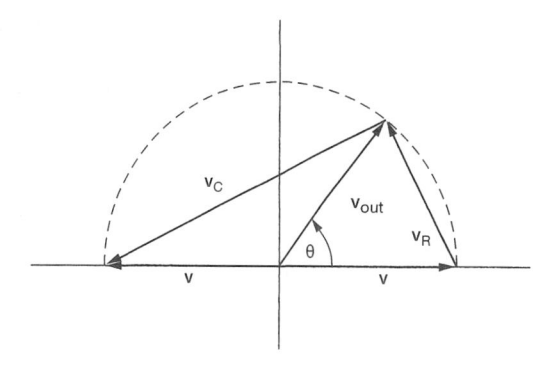

FIGURA 2.38 Diagrama fasorial para o deslocador de fase, para o qual $\theta = 2\,\text{arctg}\,(\omega RC)$.

A. Deslocador de Fase

Um bom uso do divisor de fase é mostrado na Figura 2.37. Esse circuito produz (para uma entrada de onda senoidal) uma onda senoidal de saída de fase ajustável (de zero a 180°) e com uma amplitude constante. Ele pode ser mais bem entendido com um diagrama fasorial de tensões (Seção 1.7.12); com o sinal de entrada representado por um vetor unitário ao longo do eixo real, os sinais são como mostrado na Figura 2.38.

Os vetores de sinal v_R e v_C devem formar ângulos retos e ser somados para formar um vetor de comprimento constante ao longo do eixo real. Há um teorema da geometria que diz que o lugar geométrico desses pontos é um círculo. Assim, o vetor resultante (a tensão de saída) tem sempre unidade de comprimento, ou seja, a mesma amplitude do que a entrada, e a sua fase pode variar de cerca de zero a cerca de 180° em relação à onda de entrada ao passo que R varia de próximo de zero até um valor muito maior do que X_C na frequência de operação. No entanto, note que a mudança de fase depende da frequência do sinal de entrada para uma determinada posição do potenciômetro R. Vale a pena notar que uma simples rede passa-altas RC (ou passa-baixas) também pode ser utilizada como um deslocador de fase ajustável. Contudo, a sua amplitude de saída variaria ao longo de uma faixa enorme conforme o deslocamento de fase fosse ajustado.

Uma preocupação adicional aqui é a capacidade de o circuito divisor de fase acionar o deslocador de fase RC como uma carga. Idealmente, a carga deve apresentar uma impedância grande em comparação com os resistores de coletor e emissor. Como resultado, esse circuito é de utilidade limitada, sendo necessária uma grande faixa de deslocamentos de fase. Você verá técnicas melhoradas de divisão de fase no Capítulo 4, onde usamos AOPs como *buffers* de impedância, e no Capítulo 7, onde uma conexão em cascata de várias seções de deslocadores de fase gera um conjunto de sinais em "quadratura" que amplia a faixa de deslocamento de fase para um total de 0° a 360°.

2.2.9 Transcondutância

Na seção anterior, descobrimos o funcionamento do amplificador com realimentação do emissor (a) imaginando uma variação de tensão de base aplicada e vendo que a tensão do emissor teve a mesma variação, em seguida (b) calculando a variação da corrente de emissor; depois, ignorando a pequena contribuição da corrente de base, temos a variação da corrente do coletor e, portanto, (c) a tensão do coletor varia. O ganho de tensão foi, então, simplesmente a razão entre a variação da tensão do coletor (saída) e a variação da tensão da base (entrada).

Há outra maneira de pensar sobre esse tipo de amplificador. Imagine dividi-lo em partes, como na Figura 2.39. A

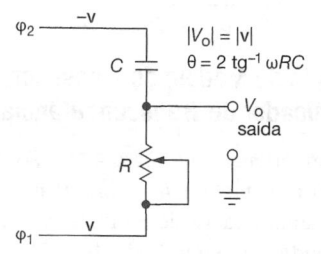

FIGURA 2.37 Divisor de fase de amplitude constante.

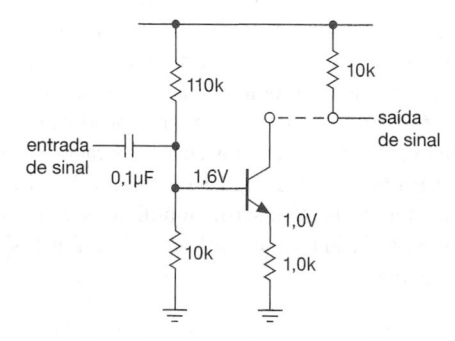

FIGURA 2.39 O amplificador emissor comum é um estágio de transcondutância que aciona uma carga (resistiva).

primeira parte é uma fonte de corrente controlada por tensão, com corrente quiescente de 1,0 mA e ganho de −1 mA/V. Ganho significa a razão entre a saída e a entrada; neste caso, o ganho tem unidades de corrente/tensão, ou 1/resistência. O inverso da resistência é denominado condutância.[22] Um amplificador cujo ganho tem unidade de condutância é denominado amplificador de *transcondutância*; a razão de variações $\Delta I_{out}/\Delta V_{in}$ (geralmente escrita com variações de pequeno sinal indicadas em letras minúsculas: i_{out}/v_{in}) é denominada transcondutância, g_m;

$$g_m = \frac{\Delta I_{out}}{\Delta V_{in}} = \frac{i_{out}}{v_{in}}. \quad (2.7)$$

Pense na primeira parte do circuito como um amplificador de transcondutância, ou seja, um amplificador de tensão para corrente com transcondutância g_m (ganho) de 1 mA/V (1.000 μS, ou 1 mS, que é apenas $1/R_E$). A segunda parte do circuito é o resistor de carga, um "amplificador" que converte a corrente em tensão. Esse resistor poderia ser denominado conversor *transresistência*, e seu ganho (r_m) tem unidade de tensão/corrente, ou resistência. Neste caso, a sua tensão quiescente é V_{CC}, e seu ganho (transresistência) é de 10 V/mA (10 kΩ), que é apenas R_C. Conectar as duas partes em conjunto resulta em um amplificador de tensão. Você obtém o ganho global multiplicando os dois ganhos. Neste caso, o ganho de tensão $G_V = g_m R_C = -R_C/R_E$, ou −10, uma unidade um número adimensional igual à razão (variação da tensão de saída)/(variação da tensão de entrada).

Essa é uma maneira útil de pensar sobre um amplificador, pois você pode analisar o desempenho das seções de forma independente. Por exemplo, você pode analisar a parte da transcondutância do amplificador calculando g_m para diferentes configurações de circuito ou até mesmo dispositivos diferentes, tais como transistores de efeito de campo FETs. Em seguida, você pode analisar a parte da transresistência (ou carga) considerando o dilema do ganho em função da variação de tensão. Se você estiver interessado no ganho geral de tensão, ele é dado por $G_V = g_m r_m$, em que r_m é a transresistência da carga. Em última análise, a substituição de uma carga ativa (fonte de corrente), com a sua transresistência extremamente alta, pode render ganhos de tensão de fase única de 10.000 ou mais. A configuração *cascode*, que discutiremos mais adiante, é outro exemplo de fácil compreensão com esta abordagem.

No Capítulo 4, que trata de amplificadores operacionais, você verá outros exemplos de amplificadores com tensões ou correntes como entradas ou saídas: amplificadores de tensão (tensão para tensão), amplificadores de corrente (corrente para corrente) e amplificadores de transresistência (corrente para tensão).

---

[22] O inverso da reatância é *susceptância* (e o inverso da impedância é admitância), e tem uma unidade especial, o *siemens* ("S", para não ser confundido com "s" minúsculo, que significa segundos), que costumava ser chamado de *mho* (ohm escrito ao contrário, com símbolo "℧").

A. Aumentando o Ganho: Limitações do Modelo Simples

O ganho de tensão do amplificador com realimentação do emissor é $-R_C/R_E$, de acordo com o nosso modelo. O que acontece quando R_E é reduzido para zero? A equação prevê que o ganho subirá sem limite. Mas, se fizermos medições reais do circuito anterior, mantendo constante a corrente quiescente em 1 mA, descobriríamos que o ganho estabilizaria em cerca de 400 quando R_E fosse zero, ou seja, com o emissor aterrado. Também descobriríamos que o amplificador se tornaria significativamente não linear (a saída não seria uma réplica fiel da entrada), a impedância de entrada se tornaria pequena e não linear e a polarização seria crítica e instável com a temperatura. Claramente, nosso modelo de transistor é incompleto e precisa ser modificado para lidar com esta situação de circuito, bem como outras que abordaremos em breve. Nosso modelo melhorado, que denominaremos modelo de transcondutância, será suficientemente preciso para o restante do livro.

B. Recapitulando: as "Quatro Topologias"

Antes de saltar para a complexidade logo à frente, lembremos os quatro circuitos de transistores que vimos, ou seja, chave, seguidor de emissor, fonte de corrente e amplificador emissor comum. Fizemos um desenho esquemático na Figura 2.40, omitindo detalhes como a polarização e até mesmo a polaridade do transistor (ou seja, *npn* ou *pnp*). Para completar, incluímos também um quinto circuito, o *amplificador de base comum*, que encontraremos em breve (Seção 2.4.5B).

2.3 MODELO EBERS-MOLL APLICADO AOS CIRCUITOS BÁSICOS COM TRANSISTOR

Gostamos de alguns feitos do modelo BJT mais simples – chave, seguidor, fonte de corrente, amplificador –, mas nos deparamos com algumas limitações sérias (ganho *infinito*, dá para acreditar?!). Agora é hora de ir para um nível mais profundo para resolver essas limitações. O material que se segue será suficiente para os nossos objetivos. E – a boa notícia – para muitas aplicações de BJT, o modelo simples que você já viu é completamente adequado.

2.3.1 Melhoria do Modelo de Transistor: Amplificador de Transcondutância

A mudança importante é na regra 4 (Seção 2.1.1), em que dissemos anteriormente que $I_C = \beta I_B$. Pensamos no transistor como um amplificador de corrente cujo circuito de entrada se comporta como um diodo. Isso é aproximadamente correto e, para algumas aplicações, é bom o suficiente. Mas, para compreender amplificadores diferenciais, conversores

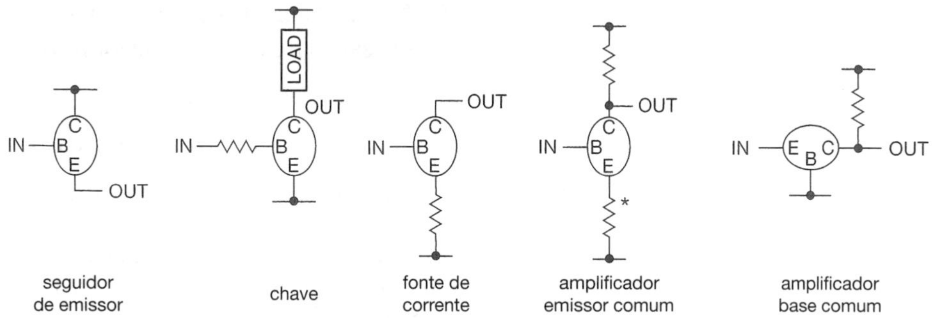

FIGURA 2.40 Cinco circuitos básicos com transistor. Tensões fixas (fontes de alimentação ou terra) são indicadas por conexões com segmentos de linha horizontal. Para a chave, a carga pode ser um resistor, para produzir uma saída de tensão com variação total; para o amplificador emissor comum, o resistor de emissor pode ser desviado ou totalmente omitido.

logarítmicos, compensação de temperatura e outras aplicações importantes, você deve pensar no transistor como um dispositivo de *transcondutância* – a corrente de coletor é determinada pela *tensão* base-emissor.

Aqui está a regra 4 modificada.

4. **Amplificador de transcondutância** Quando as regras de 1 a 3 (Seção 2.1.1) são obedecidas, I_C está relacionada com V_{BE} por[23]

$$I_C = I_S(T)\left(e^{V_{BE}/V_T} - 1\right), \quad (2.8)$$

ou, de forma equivalente,

$$V_{BE} = \frac{kT}{q} \log_e\left(\frac{I_C}{I_S(T)} + 1\right), \quad (2.9)$$

em que

$$V_T = kT/q = 25,3 \text{ mV}$$

à temperatura ambiente (68°F, 20°C), q é a carga do elétron ($1,60 \times 10^{-19}$ coulombs), k é a constante de Boltzmann ($1,38 \times 10^{-23}$ joules/K, por vezes escrito como k_B), T é a temperatura absoluta em graus Kelvin (K = °C + 273,16) e $I_S(T)$ é a *corrente de saturação* do transistor específico (que depende fortemente da temperatura, T, como veremos em breve). Em seguida, a corrente de base, que também depende de V_{BE}, pode ser aproximada por

$$I_B = I_C/\beta,$$

em que a "constante" β está tipicamente na faixa de 20 a 1.000, mas depende do tipo de transistor, da I_C, da V_{CE} e da temperatura. $I_S(T)$ aproxima-se da corrente de fuga reversa (aproximadamente 10^{-15} A para um transistor de pequeno sinal, como o 2N3904). Na região ativa $I_C \gg I_S$, e, portanto, o termo -1 pode ser desprezado, em comparação com a exponencial:

$$I_C \approx I_S(T)e^{V_{BE}/V_T}. \quad (2.11)$$

A equação para o I_C é conhecida como equação de Ebers-Moll.[24] Ela também descreve aproximadamente a corrente *versus* a tensão de um diodo, se V_T for multiplicado por um fator de correção m entre 1 e 2. Para transistores, é importante perceber que a corrente de coletor é determinada com precisão pela tensão base-emissor em vez de pela corrente de base (a corrente de base é, então, mais ou menos determinada por β) e que essa lei exponencial é precisa sobre uma vasta faixa de correntes, tipicamente de nanoampères para miliampères. A Figura 2.41 deixa isso claro graficamente.[25] Se você medir a corrente de base para várias correntes de coletor, obterá um gráfico de β *versus* I_C como o da Figura 2.42.

Embora a equação de Ebers-Moll nos diga que a tensão base-emissor "programa" a corrente de coletor, essa propriedade não é fácil de usar na prática (polarização de um transistor pela aplicação de uma tensão de base) por causa do grande coeficiente de temperatura da tensão base-emissor. Você verá mais adiante como a equação de Ebers-Moll proporciona compreensão e soluções para esse problema.

2.3.2 Consequências do Modelo de Ebers-Moll: Regras Práticas para Projeto com Transistor

A partir da equação de Ebers-Moll (2.8), obtemos estas "regras de relação" simples (mas acessíveis) para a corrente de coletor: $I_{C2}/I_{C1} = \exp(\Delta V_{BE}/V_T)$ e $\Delta V_{BE} = V_T \log_e(I_{C2}/I_{C1})$.

---

[23] Indicamos a importante dependência da temperatura de I_S explicitamente mostrando-a na forma funcional – "$I_S(T)$".

[24] J.J. Ebers & J.L. Moll, "*Large-signal behavior of junction transistors*" (Comportamento de grande sinal de transistores de junção), *Procedimento IRE* **42**, 1761 (1954).

[25] Isto é, às vezes, denominado gráfico de Gummel.

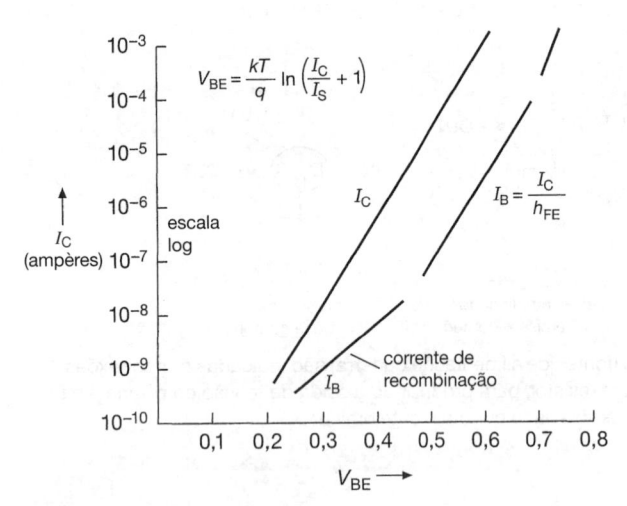

FIGURA 2.41 Correntes de base e coletor do transistor como funções da tensão base-emissor V_{BE}.

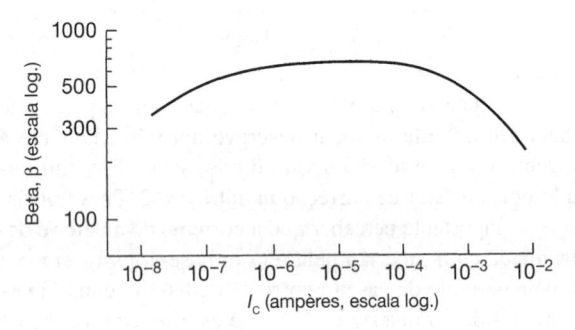

FIGURA 2.42 Ganho de corrente de um transistor típico (β) *versus* a corrente de coletor.

Também obtemos as seguintes quantidades importantes que utilizaremos frequentemente em projetos de circuitos.

A. O Grau de Inclinação da Curva do Diodo

Quanto precisamos aumentar V_{BE} para aumentar I_C por um fator de 10? A partir da equação de Ebers-Moll, que é apenas $V_T \log_e$, ou 58,2 mV à temperatura ambiente. Gostamos de lembrar isso como a *tensão base-emissor aumenta cerca de 60 mV por década de corrente de coletor.* (Duas outras formulações: a corrente de coletor dobra para cada 18 mV de aumento na tensão base-emissor; a corrente de coletor aumenta 4% por milivolt de aumento na tensão base-emissor.) De modo equivalente, $I_C = I_{C0} e^{\Delta V/25}$, em que ΔV está em millivolts.[26]

B. A Impedância de Pequeno Sinal Olhando para o Emissor, r_e, com a Base Mantida a uma Tensão Fixa

Tomando a derivada de V_{BE} com relação à I_C, obtemos

$$r_e = V_T/I_C = 25/I_C \text{ ohms}, \quad (2.12)$$

onde I_C está em milliampères.[27] O valor numérico $25/I_C$ é para a temperatura ambiente. Essa resistência de emissor *intrínseca*, r_e, age como se estivesse em série com o emissor do transistor em todos os circuitos. Ela limita o ganho de um amplificador de emissor aterrado, faz um seguidor de emissor ter um ganho de tensão de um pouco menos do que a unidade e impede que a impedância de saída de um seguidor de emissor alcance zero. Note que a transcondutância[28] de um amplificador de emissor aterrado é apenas

$$g_m = I_C/V_T = 1/r_e \, (= 40 I_C \text{ à temperatura ambiente}) \quad (2.13)$$

C. A Dependência da Temperatura de V_{BE}

Um olhar sobre a equação de Ebers-Moll sugere que V_{BE} (para I_C constante) tem um coeficiente positivo de temperatura por causa do fator de multiplicação de T em V_T. No entanto, a forte dependência da temperatura de $I_S(T)$ mais do que compensa esse termo, de tal forma que V_{BE} (para I_C constante) diminui cerca de 2,1 mV/°C. Isso é mais ou menos proporcional a $1/T_{abs}$, onde T_{abs} é a temperatura absoluta. Às vezes, no entanto, é útil expressar isso em termos da dependência da temperatura de I_C (para V_{BE} constante): I_C *aumenta* cerca de 9%/°C; ela dobra para um aumento de 8°C.

Há uma quantidade adicional de que precisaremos em algumas ocasiões, embora não seja derivável da equação de Ebers-Moll. Ela é conhecida como o efeito Early,[29] e estabelece limites importantes no desempenho da fonte de corrente e do amplificador.

D. Efeito Early

V_{BE} (para I_C constante) varia um pouco com a variação de V_{CE}. Este efeito é causado pela variação da largura efetiva da base e é dado, aproximadamente, por

$$\Delta V_{BE} = -\eta \Delta V_{CE}, \quad (2.14)$$

em que $\eta \approx 10^{-4}$ a 10^{-5}. (Por exemplo, o *npn* 2N5088 tem $\eta = 1,3 \times 10^{-4}$, assim, 1,3 mV de variação de V_{BE} mantém a corrente de coletor constante quando V_{CE} varia 10 V.)

---

[26] O "25" nesta e na discussão a seguir é mais precisamente 25,3 mV, o valor de $K_B T/q$ à temperatura ambiente. É proporcional à temperatura absoluta – os engenheiros americanos gostam de dizer "PTAT" – *Proportional to Absolute Temperature*. Isso tem consequências interessantes (e úteis), como a oportunidade de fazer um "termômetro de silício". Vamos ver mais disso no Capítulo 9.

[27] Gostamos de lembrar o fato que $r_e = 25 \, \Omega$ para uma corrente de coletor de 1 mA. Então, apenas aplicamos uma proporção inversa para outras correntes: assim, $r_e = 2,5 \, \Omega$ para $I_C = 10$ mA, etc.

[28] No próximo nível de sofisticação, veremos que, uma vez que a quantidade r_e é proporcional à temperatura absoluta, um amplificador de emissor aterrado cuja corrente de coletor é PTAT tem transcondutância (e ganho) independente da temperatura.

[29] J.M. Early, "Effects of space-charge layer widening in junction transistors" (Efeitos do alargamento da camada de depleção em transistores de junção", *Procedimento IRE* **40**, 1401 (1952). James Early morreu em 2004.

Como alternativa, isso é, muitas vezes, descrito como um aumento linear de corrente de coletor com o aumento da tensão de coletor quando V_{BE} é mantida constante; você o vê expresso como

$$I_C = I_{C0}\left(1 + \frac{V_{CE}}{V_A}\right), \quad (2.15)$$

em que V_A (tipicamente, de 50 a 500 V) é conhecida como tensão Early.[30] Isso é mostrado graficamente na Figura 2.59, na Seção 2.3.7A. A baixa tensão Early indica uma resistência de saída de coletor baixa; transistores *pnp* tendem a ter baixo V_A – consulte valores medidos na Tabela 8.1.[31]

Essas são as quantidades essenciais de que necessitamos. Com elas, seremos capazes de lidar com a maioria dos problemas de projeto de circuito com transistor e teremos pouca necessidade de nos referir à equação de Ebers-Moll em si.[32]

2.3.3 O Seguidor de Emissor Reexaminado

Antes de voltar para o amplificador emissor comum com o benefício de nosso novo modelo de transistor, daremos uma rápida olhada no seguidor de emissor simples. O modelo de Ebers-Moll prevê que um seguidor de emissor deve ter impedância de saída diferente de zero, mesmo quando acionado por uma fonte de tensão, devido a r_e ser finito (item 2 na lista acima). O mesmo efeito também produz um ganho de tensão ligeiramente menor do que a unidade, devido a r_e formar um divisor de tensão com a resistência de carga.

Esses efeitos são fáceis de calcular. Com a tensão de base fixa, a impedância olhando de volta para o emissor é apenas $R_{out} = dV_{BE}/dI_E$; mas $I_E \approx I_C$, de modo que $R_{out} \approx r_e$; a resistência de emissor intrínseca [lembrando $r_e = 25/I_C$ (mA)]. Por exemplo, na Figura 2.43A, a carga vê uma impedância de acionamento de $r_e = 25\ \Omega$, pois $I_C = 1$ mA. (Esta está em paralelo com o resistor de emissor R_E, se for utilizado; mas, na prática, R_E será sempre muito maior do que r_e). A Figura 2.43B mostra uma situação mais típica, com uma resistência da fonte finita R_S (por simplicidade, omitimos os componentes de polarização obrigatórios – divisor de base e capacitor de bloqueio –, os quais são mostrados na Figura 2.43C). Neste caso, a impedância de saída do seguidor de emissor é apenas r_e em série com $R_S/(\beta + 1)$ (novamente em paralelo com um R_E sem importância, se houver). Por exemplo, se $R_S = 1$k e $I_C = 1$ mA, $R_{out} = 35\ \Omega$ (considerando $\beta = 100$). É fácil mostrar que a resistência r_e de emissor intrínseca também figura na impedância de *entrada* de um seguidor de emissor, tal como se estivesse em série com a carga (na realidade, a combinação em paralelo do resistor de carga e do resistor de emissor). Em outras palavras, para o circuito seguidor de emissor, o efeito do modelo de Ebers-Moll é simplesmente adicionar uma resistência de emissor r_e série aos nossos resultados anteriores.[33]

O ganho de tensão de um seguidor de emissor é ligeiramente menor que a unidade, devido ao divisor de tensão produzido por r_e e à carga. É simples calcular, pois a saída está na junção de r_e e R_{carga}: $G_V = v_{out}/v_{in} = R_L/(r_e + R_L)$. Assim, por exemplo, um seguidor operando com uma corrente quiescente de 1 mA, com carga de 1k, tem um ganho de tensão de 0,976. Engenheiros, às vezes, gostam de escrever o ganho em termos de transcondutância, para colocá-lo em uma forma que é válida também para FETs (veja a Seção 3.2.3A); nesse caso (usando $g_m = 1/r_e$), você obtém $G_V = R_L g_m/(1 + R_L g_m)$.

2.3.4 O Amplificador Emissor Comum Reexaminado

Anteriormente, tivemos respostas erradas para o ganho de tensão do amplificador emissor comum com resistor de emissor (às vezes, chamado de realimentação do emissor), quando definimos o resistor de emissor igual a zero; recordamos que a nossa resposta errada foi $G_V = -R_C/R_E = \infty$!

O problema é que o transistor tem $25/I_C$(mA) ohms de resistência de emissor r_e interna (intrínseca) que deve ser adicionada à resistência de emissor externa real. Essa resistência é significativa apenas quando pequenas resistências de emissor (ou nenhuma) são usadas.[34] Assim, por exemplo, o amplificador considerado anteriormente terá um ganho de tensão de $-10k/r_e$, ou -400, quando o resistor de emissor externo for zero. A impedância de entrada não é zero, como teríamos previsto anteriormente (βR_E); ela é aproximadamente βr_e, ou, neste caso (com uma corrente quiescente de 1 mA), cerca de 2,5k.[35]

---

[30] A conexão entre a tensão Early e η é $\eta = V_T/(V_A + V_{CE})$.

[31] Visualizando alguns dos resultados lá, o efeito Early (a) determina uma resistência de saída de coletor do transistor $r_o = V_A/I_C$; (b) estabelece um limite sobre o ganho de tensão de um único estágio; e (c) limita a resistência de saída de uma fonte de corrente. Outras coisas sendo iguais, os transistores *pnp* tendem a ter baixas tensões Early, assim como os transistores com alto beta; transistores de alta tensão geralmente têm altas tensões Early, juntamente com beta baixo. Essas tendências podem ser vistas nas tensões Early medidas indicadas na Tabela 8.1.

[32] O programa de computador de análise de circuito SPICE inclui simulação precisa de transistor com as fórmulas de Ebers-Moll e o modelo de carga de Gummel-Poon. É muito divertido "montar" circuitos na tela do computador e executá-los com o SPICE.

[33] Há mais, se você olhar mais a fundo: em altas frequências (acima de f_T/β), o ganho de corrente efetivo cai inversamente com a frequência, de modo a obter uma impedância de saída crescente linear a partir de um seguidor de emissor que é acionado com R_S baixo. Ou seja, parece que uma indutância e uma carga capacitiva podem causar repique ou até mesmo oscilação.

[34] Ou, de forma equivalente, quando o resistor de emissor for desviado por um capacitor, cuja impedância nas frequências do sinal é comparável a r_e, ou inferior a ela.

[35] Estas estimativas de ganho e impedância de entrada são razoavelmente boas, contanto que fiquemos longe da operação em frequências muito altas ou de circuitos em que o resistor de carga de coletor é substituído por uma fonte de corrente "carga ativa" ($R_C \to \infty$). O ganho de tensão final de um amplificador de emissor aterrado, nesta última situação, é limitado pelo efeito Early.

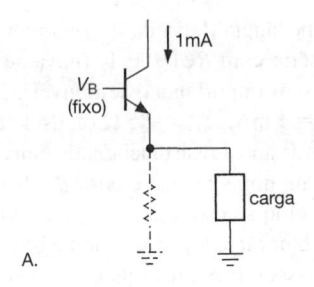

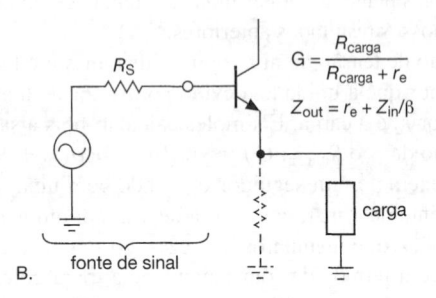

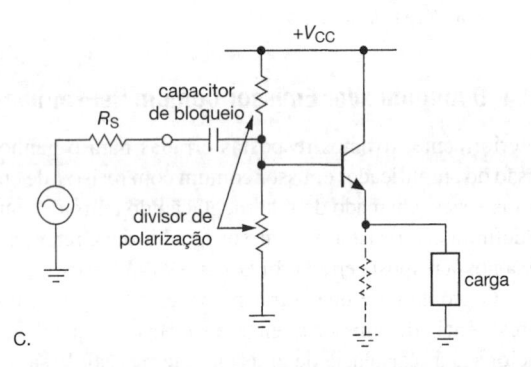

FIGURA 2.43 Impedância de saída de seguidores de emissor (veja o texto).

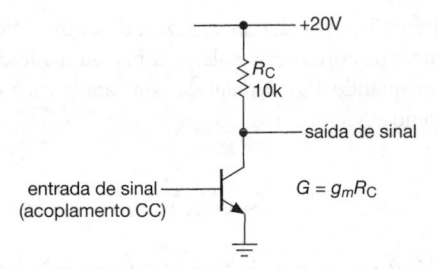

FIGURA 2.44 Amplificador emissor comum sem realimentação do emissor.

Os termos "emissor aterrado" e "emissor comum" são, por vezes, usados como sinônimos, e podem gerar confusão. Usaremos a frase "amplificador de emissor aterrado" para nos referirmos a um amplificador emissor comum com $R_E = 0$ (ou com um desvio equivalente). Um estágio amplificador emissor comum pode ter um resistor de emissor; o que importa é que o circuito do emissor é comum para os circuitos de entrada e de saída.

A. Deficiências do amplificador de emissor aterrado de estágio único

O ganho de tensão extra que você obtém usando $R_E = 0$ vem à custa de outras propriedades do amplificador. Na verdade, o amplificador de emissor aterrado, a despeito da sua popularidade nos livros-texto, deve ser evitado, exceto em circuitos com realimentação global negativa. Para ver o porquê, considere a Figura 2.44.

1. Não linearidade. O ganho de tensão é $G = -g_m R_C = -R_C/r_e = -R_C I_C(\text{mA})$, assim, para uma corrente quiescente de 1 mA, o ganho é de -400. Mas I_C varia conforme o sinal de saída. Para este exemplo, o ganho variará de -800 ($V_{out} = 0$, $I_C = 2$ mA) até zero ($V_{out} = V_{CC}$, $I_C = 0$). Para uma entrada de onda triangular, a saída será como na Figura 2.45. O amplificador tem muita distorção, ou pouca linearidade. O amplificador de emissor aterrado sem realimentação é útil somente para variações de pequeno sinal sobre o ponto quiescente. Por outro lado, o amplificador com realimentação do emissor tem um ganho quase inteiramente independente da corrente de coletor enquanto $R_E \gg r_e$ e pode ser usado para a amplificação não distorcida mesmo com variações de grande sinal.

É fácil estimar a distorção, tanto com o resistor de emissor externo quanto sem ele. Com um emissor *aterrado*, o ganho (de pequeno sinal) incremental é $G_V = -R_C/r_e = -I_C R_C/V_T = -V_{queda}/V_T$, onde V_{queda} é a queda de tensão instantânea através do resistor de coletor. Uma vez que o ganho é proporcional à queda através do resistor coletor, a não linearidade (variação fracional de ganho com a oscilação) é igual à razão entre a oscilação instantânea e a queda média quiescente sobre o resistor de coletor: $\Delta G/G \approx \Delta V_{out}/V_{queda}$, em que V_{queda} é a queda de tensão média, ou quiescente, sobre o resistor de coletor R_C. Como esta representa a variação extrema do ganho (isto é, para os picos da oscilação), a forma de onda geral de "distorção" (normalmente referida como a amplitude da forma de onda residual após subtração do componente estritamente linear) será menor em, aproximadamente, um fator 3. Note que a distorção depende somente da relação entre a oscilação e a queda quiescente, e não diretamente da corrente de operação, etc.

Como exemplo, em um amplificador de emissor aterrado alimentado a partir de $+10$ V, polarizado em metade da alimentação (ou seja, $V_{queda} = 5$ V), medimos uma distorção de 0,7% com uma amplitude de saída senoidal de 0,1 V e 6,6% para amplitude de 1 V; esses valores estão de acordo com os valores previstos. Compare isso com a situação de um resistor de emissor R_E externo adicional, em que o ganho de tensão se torna $G_V = -R_C/(r_e + R_E) = -I_C R_C/(V_T + I_C R_E)$. Só o primeiro termo no denominador contribui com a distorção, de modo que a distorção é reduzida pela relação de r_e e a resistência de emissor efetiva total: a não linearidade se torna $\Delta G/G \approx (\Delta V_{out}/V_{queda})[r_e + R_E)] = (\Delta V_{out}/V_{queda})[V_T/(V_T + I_E R_E)]$; o segundo termo é o fator pelo qual a distorção é reduzida. Quando se adicionou um resistor de emissor, escolhido para uma queda de 0,25 V na corrente quiescente – que, por esta estimativa, deve reduzir a não linearidade por um fator de 10 –, a distorção medida do amplificador anterior caiu para 0,08% e 0,74% para as amplitudes de saída 0,1 V e 1 V, respectivamente. Mais uma vez, essas medições estão de acordo com a nossa previsão.

Exercício 2.12 Calcule a distorção prevista para estes dois amplificadores nos dois níveis de saída que foram medidos.

Como observamos, a não linearidade de um amplificador emissor comum, quando acionado por uma onda triangular, assume a forma assimétrica da distorção "telhado de celeiro" esboçada na Figura 2.45.[36] Para efeito de comparação, pegamos um osciloscópio para ver as formas de onda de um amplificador de emissor aterrado (Figura 2.46); usamos um 2N3904 com um resistor de coletor de 5k para uma fonte de +10 V, polarizado (cuidadosamente!) na metade do valor da fonte. Com uma régua, estimamos o ganho incremental nas tensões de saída de +5V (metade de V_+) e +7,5 V, como mostrado, onde a corrente de coletor é 1 mA e 0,5 mA, respectivamente. Os valores de ganho estão bem de acordo com as previsões ($G = R_C/r_e = I_C$(mA)$R_C/25\Omega$) de $G = -200$ e $G = -100$, respectivamente. Em comparação, a Figura 2.47 mostra o que aconteceu quando adicionamos um resistor de emissor de 225 Ω: o ganho é reduzido por um fator de 10 no ponto quiescente ($G = R_C/(R_E + r_e) \approx R_C/250\Omega$), mas com uma linearidade bastante melhorada (porque as variações em r_e pouco contribuem para a resistência global no denominador, que agora é dominada pelo resistor de emissor externo fixo de 225 Ω).

Para uma entrada senoidal, a saída contém todas os harmônicos da onda fundamental. Mais adiante, neste capítulo, veremos como fazer amplificadores diferenciais com um par de transistores; para eles, a distorção residual é simétrica e contém apenas os harmônicos ímpares. E no Capítulo 2x vamos ver alguns métodos muito inteligentes para cancelamento de distorção em amplificadores diferenciais, juntamente com o uso do software de simulação SPICE para análise rápida e circuito de iteração. Por fim, para definir as coisas em perspectiva, devemos acrescentar que a distorção

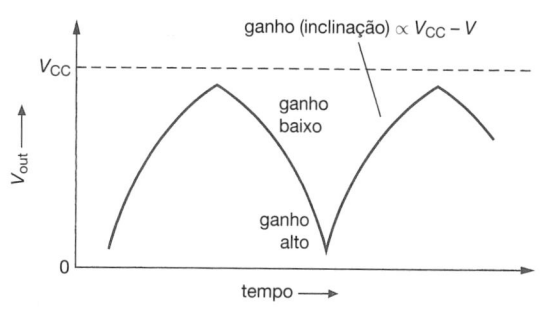

FIGURA 2.45 Forma de onda de saída não linear de um amplificador de emissor aterrado.

residual de qualquer amplificador pode ser drasticamente reduzida pelo uso de *realimentação negativa*. Introduziremos a realimentação mais adiante neste capítulo (Seção 2.5), depois de termos adquirido familiaridade com circuitos comuns com transistores. A realimentação, por fim, tomará o centro do palco quando chegarmos a *amplificadores operacionais* no Capítulo 4.

2. Impedância de entrada. A impedância de entrada é de aproximadamente $Z_{in} = \beta r_e = 25\beta/I_C$(mA) ohms. Mais uma vez, I_C varia ao longo da oscilação do sinal, que dá uma impedância de entrada que varia. A menos que a fonte do sinal que aciona a base tenha baixa impedância, você acabará com não linearidade por causa do divisor de tensão não linear (variável) formado a partir da fonte de sinal e da impedância de entrada do amplificador. Em contraste, a impedância de entrada de um amplificador com realimentação do emissor é quase constante, e alta.

3. Polarização. O amplificador de emissor aterrado é difícil de polarizar. Pode ser tentador apenas aplicar uma

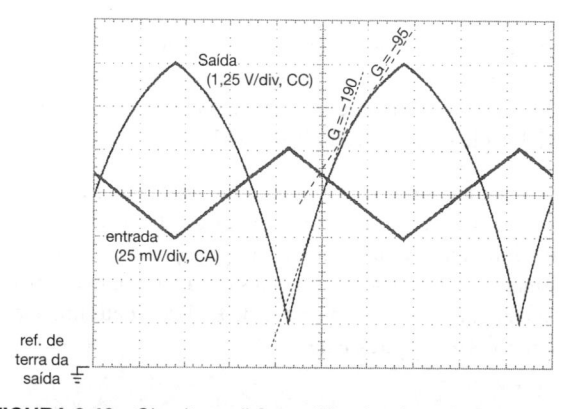

FIGURA 2.46 *Circuito real!* O amplificador de emissor aterrado da Figura 2.44, com R_C = 5k, V_+ = +10V e uma entrada de onda triangular de 1 kHz. As linhas superior e inferior da tela são +10 V e terra para a saída com acoplamento CA (note a escala sensível para o sinal de entrada com acoplamento CA). As estimativas de ganho (linhas tangentes) estão nos valores V_{out} de $0,5V_+$ e $0,75V_+$. Horizontal: 0,2 ms/div.

---

[36] Uma vez que o ganho (isto é, a inclinação de V_{out} *versus* V_{in}) é proporcional à distância a partir da linha V_{CC}, a forma da curva é, de fato, uma exponencial.

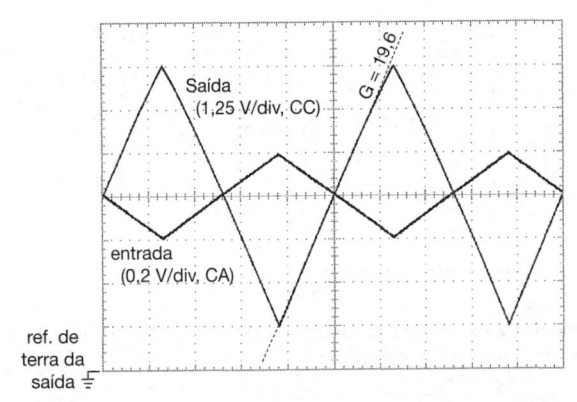

FIGURA 2.47 A adição de um resistor de emissor de 225 Ω melhora a linearidade drasticamente à custa de ganho (que diminui por um fator de 10 no ponto quiescente). Horizontal: 0,2 ms/div.

tensão (a partir de um divisor de tensão) que forneça a corrente quiescente correta de acordo com a equação de Ebers-Moll. Isso não funcionará, por causa da dependência da temperatura de V_{BE} (para I_C fixo), que varia cerca de 2,1 mV/°C [na realidade, ele diminui com o aumento da T por causa da variação de $I_S(T)$ com a temperatura; como resultado, V_{BE} é aproximadamente proporcional a $1/T$, a temperatura absoluta]. Isso significa que a corrente de coletor (para V_{BE} fixo) aumentará por um fator de 10 para um aumento de 30°C de temperatura (o que corresponde a uma variação de 60 mV em V_{BE}), ou cerca de 9%/°C. Tal polarização instável é inútil, pois mesmo variações bem pequenas na temperatura farão o amplificador saturar. Por exemplo, um estágio de emissor aterrado com o coletor na metade da tensão de alimentação entrará em saturação se a temperatura subir até 8°C.

Exercício 2.13 Verifique se um aumento de 8°C na temperatura ambiente fará um estágio de emissor aterrado polarizado por tensão na base saturar, supondo que ele tenha sido inicialmente polarizado em $V_C = 0{,}5V_{CC}$.

Algumas soluções para o problema de polarização são discutidas nas seções a seguir. Por outro lado, o amplificador com realimentação do emissor atinge a polarização estável por meio da aplicação de uma tensão na base, a maior parte da qual aparece sobre o resistor de emissor, determinando, assim, a corrente quiescente.

B. Resistor de Emissor como Realimentação

A adição de um resistor externo em série com a resistência intrínseca de emissor r_e (realimentação do emissor) melhora muitas propriedades do amplificador de emissor comum, mas à custa de ganho. Você verá a mesma coisa acontecer nos Capítulos 4 e 5, quando discutirmos *realimentação negativa*, uma técnica importante para melhorar as características do amplificador por meio do retorno de parte do sinal de saída para reduzir o sinal de entrada efetivo. A similaridade aqui não é por acaso – o próprio amplificador com realimentação do emissor usa uma forma de realimentação negativa. Pense no transistor como um dispositivo de transcondutância, determinando a corrente de coletor (e, portanto, a tensão de saída) de acordo com a tensão aplicada entre a base e o emissor; mas a entrada do amplificador é a tensão a partir da base para o *terra*. Assim, a tensão da base para o emissor é a tensão de entrada *menos uma amostra da saída* (ou seja, $I_E R_E$). Essa é a realimentação negativa, e é por isso que a realimentação do emissor melhora a maioria das propriedades do amplificador (aqui melhorou linearidade e estabilidade e aumentou a impedância de entrada[37]). Mais adiante neste capítulo, na Seção 2.5, quantificaremos essas afirmações quando virmos a realimentação. E há grandes coisas pelas quais esperar, com o pleno progresso no estudo da realimentação nos Capítulos 4 e 5!

2.3.5 Polarização do Amplificador Emissor Comum

Se você precisa ter o maior ganho possível (ou se o estágio amplificador está dentro de uma malha de realimentação), é possível planejar uma polarização bem-sucedida de um amplificador emissor comum. Há três soluções que podem ser aplicadas separadamente ou em combinação: resistor de emissor com desvio (*bypass*), transistor de polarização casado e realimentação CC.

A. Resistor de Emissor com Desvio

É possível utilizar um resistor de emissor com desvio (*bypass*) como polarização para o amplificador com realimentação do emissor, conforme mostrado na Figura 2.48. Neste caso, R_E foi escolhido como aproximadamente $0{,}1R_C$, para facilidade de polarização; se R_E for muito pequena, a tensão do emissor será muito menor do que a queda base-emissor, levando

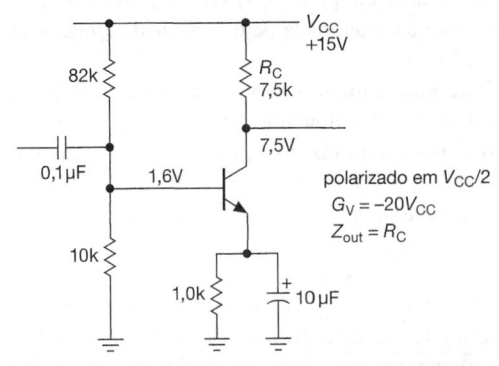

FIGURA 2.48 Um resistor de emissor com desvio pode ser usado para melhorar a estabilidade da polarização de um amplificador de emissor aterrado.

---

[37] E, como aprenderemos, a impedância de saída seria reduzida – uma característica desejável em um amplificador de tensão – se a realimentação fosse obtida diretamente do coletor.

o ponto quiescente à instabilidade da térmica conforme V_{BE} varia com a temperatura. O capacitor de desvio do emissor é escolhido para tornar a sua impedância pequena em comparação com r_e (não R_E – por quê?) na menor frequência de interesse. Neste caso, a sua impedância é 25 Ω em 650 Hz. Nas frequências do sinal, o capacitor de acoplamento de entrada vê uma impedância de 10k em paralelo com a impedância de base – neste caso, $\beta \times 25$ Ω, ou seja, aproximadamente 2,5k. Em CC, a impedância olhando para a base é muito maior (β vezes o resistor de emissor, ou cerca de 100k).

Uma variação desse circuito consiste no uso de dois resistores de emissor em série, um deles com desvio. Por exemplo, suponha que você queira um amplificador com um ganho de tensão de 50, corrente quiescente de 1 mA e V_{CC} de 20 volts, para sinais de 20 Hz a 20 kHz. Se você tentar usar o circuito com realimentação do emissor, terá o circuito mostrado na Figura 2.49. O resistor de coletor é escolhido para colocar a tensão de coletor quiescente em $0,5V_{CC}$. Em seguida, o resistor de emissor é escolhido para o ganho requerido, incluindo os efeitos de r_e de $25/I_C(mA)$. O problema é que a tensão do emissor de apenas 0,175 V variará significativamente à medida que ~0,6 V de queda base-emissor variar com a temperatura (−2,1 mV/°C, aproximadamente), uma vez que a base é mantida na tensão constante por R_1 e R_2; por exemplo, você pode verificar que um aumento de 20°C fará a corrente do coletor aumentar cerca de 25%.

Exercício 2.14 Mostre que esta afirmação está correta.

A solução aqui é adicionar alguma resistência de emissor com desvio por polarização estável, sem qualquer alteração no ganho nas frequências do sinal (Figura 2.50). Como antes, o resistor de coletor é escolhido para colocar o coletor em 10 volts ($0,5V_{CC}$). Em seguida, o resistor de emissor sem desvio é escolhido para dar um ganho de 50, incluindo a resistência de emissor intrínseca $r_e = 25/I_C(mA)$. Uma resistência de emissor com desvio suficiente é adicionada para tornar possível a polarização estável (um décimo da resistência de coletor é uma boa orientação). A tensão de base é escolhida para se obter 1 mA de corrente de emissor, com impedância de cerca de um décimo da impedância CC olhando para a base (neste caso, cerca de 100k). O capacitor

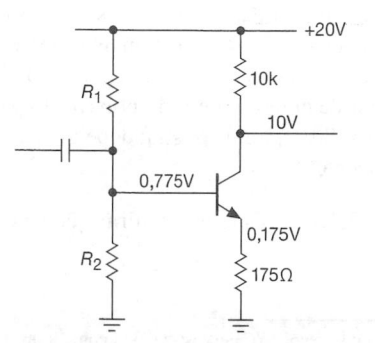

FIGURA 2.49 Um estágio de ganho 50 que apresenta problema de estabilidade de polarização.

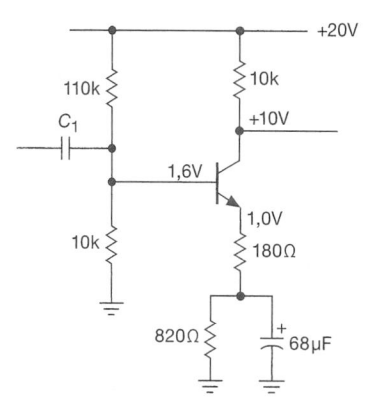

FIGURA 2.50 Um amplificador de emissor comum combinando estabilidade de polarização, linearidade e ganho de tensão de grande sinal.

de desvio do emissor é escolhido para ter baixa impedância em comparação com 180 + 25 Ω nas frequências mais baixas do sinal. Por fim, o capacitor de acoplamento de entrada é escolhido para ter baixa impedância quando comparado com a impedância de entrada do amplificador na *frequência do sinal*, que é igual à impedância do divisor tensão em paralelo com $\beta \times (180 + 25)$ Ω (o resistor de 820 Ω é desviado e parece um curto nas frequências de sinal).

Um circuito alternativo divide os caminhos do sinal e CC (Figura 2.51). Isso permite variar o ganho (alterando o resistor de 180 Ω) sem alterar a polarização.

B. Transistor de Polarização Casado

Você pode usar um transistor casado para gerar a tensão de base correta para a corrente de coletor requerida; isso garante compensação automática de temperatura (Figura 2.52).[38] O coletor de Q_1 absorve 1 mA, uma vez que seguramente está próximo ao terra (cerca de uma queda V_{BE} acima do terra, para ser exato); se Q_1 e Q_2 são um par casado (disponível

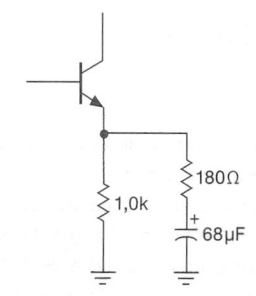

FIGURA 2.51 Circuito de emissor equivalente para a Figura 2.50.

---
[38] R. Widlar, "*Some circuit design techniques for linear integrated circuits*" (Algumas técnicas de projeto para circuitos integrados lineares), *IEEE Trans. Circuit Theory* **CT-12**, 586 (1965). Veja também a Patente dos Estados Unidos 3.364.434.

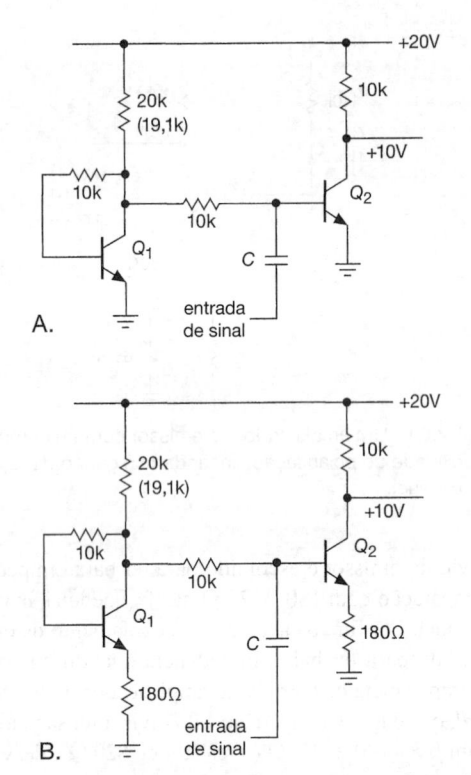

FIGURA 2.52 Esquema de polarização com queda V_{BE} compensada tanto para o estágio de emissor aterrado (A) como para o com realimentação do emissor (B). Com os valores mostrados, V_C seria de aproximadamente 10,5 V; reduzir o resistor de 20k para 19,1 k (um valor padrão) levaria em conta os efeitos de V_{BE} e β finito e colocaria V_C em 10 V.

como um único dispositivo, com os dois transistores em uma pastilha de silício), então Q_2 também estará polarizado para absorver 1 mA, colocando seu coletor em +10 volts e permitindo uma oscilação simétrica completa de ±10 V em seu coletor. As variações de temperatura não são importantes, desde que ambos os transistores estejam à mesma temperatura. Essa é uma boa razão para usar um transistor "monolítico" duplo.

C. Realimentação em CC

Você pode usar a realimentação CC para estabilizar o ponto quiescente. A Figura 2.53A mostra um método. Ao tomar a tensão de polarização do coletor em vez de da V_{CC}, você tem alguma medida de estabilidade de polarização. A base fica uma queda de um diodo acima do terra – e, devido à sua polarização vir de um divisor 10:1, o coletor deve estar a 11 quedas de diodo acima do terra, ou cerca de 7 volts. Qualquer tendência de o transistor saturar (por exemplo, se acontecer um aumento anormal de beta) é estabilizada, uma vez que queda da tensão de coletor reduzirá a polarização de base. Esse esquema é aceitável se uma grande estabilidade não for necessária. O ponto quiescente é suscetível de deslocar-se um volt ou mais, conforme a variação da temperatura ambiente (em torno do circuito), devido à tensão base-emissor ter um coeficiente de temperatura significativo (Ebers-Moll

novamente). Uma melhor estabilidade será possível se vários estágios de amplificação estiverem incluídos dentro da malha de realimentação. Você verá exemplos mais adiante em conexão com realimentação.

Uma melhor compreensão da realimentação é realmente necessária para compreender este circuito. Por exemplo, a realimentação atua de modo a reduzir as impedâncias de entrada e de saída. O sinal de entrada vê a resistência de R_1 efetivamente reduzida pelo ganho de tensão do estágio. Neste caso, é equivalente a um resistor de cerca de 200 Ω para o terra (isso não é bom!). Mais adiante neste capítulo (e novamente no Capítulo 4), trataremos de realimentação de forma suficientemente detalhada para você ser capaz de descobrir o ganho de tensão e a impedância terminal deste circuito.

A Figuras 2.53B-D ilustra algumas variações sobre o esquema básico de polarização de realimentação CC: o circuito B acrescenta alguma realimentação de emissor para melhorar a linearidade e a previsibilidade do ganho; o circuito C acrescenta um seguidor na entrada para aumentar a impedância de entrada (com o aumento apropriado dos valores do divisor $R_1 R_2$ e relação alterada para acomodar a queda V_{BE} adicional); e o circuito D combina os métodos da Figura 2.51 com o circuito B para conseguir uma maior estabilidade de polarização.

Note que os valores do resistor de polarização de base nestes circuitos poderiam ser aumentados para aumentar a impedância de entrada, mas deve-se, então, levar em consideração que a corrente de base não é desprezível. Os valores adequados podem ser $R_1 = 220k$ e $R_2 = 33k$. Uma abordagem alternativa poderia ser desviar a resistência de realimentação de modo a eliminar a realimentação (e, portanto, reduzir a impedância de entrada) nas frequências do sinal (Figura 2.54).[39]

D. Comentários Sobre Polarização e Ganho

Um ponto importante sobre estágios do amplificador com emissor aterrado: você pode pensar que o ganho de tensão pode ser aumentado por meio do aumento da corrente quiescente, uma vez que a resistência intrínseca de emissor r_e cai com a corrente ascendente. Embora r_e diminua com o aumento da corrente de coletor, o menor resistor de coletor que você precisa para obter a mesma tensão de coletor quiescente apenas anula a vantagem. Na verdade, você pode mostrar que o ganho de tensão para pequenos sinais de um amplificador de emissor aterrado polarizado para $0,5 V_{CC}$ é dado por $G = 20 V_{CC}$ (em volts), independentemente da corrente quiescente.

Exercício 2.15 Mostre que a afirmação anterior é verdadeira.

---

[39] Mas *atenção*: as seções RC em cascata (33k com 10 μF, 33k com o capacitor de entrada) podem causar pico ou instabilidade, a menos que se tome cuidado (por exemplo, evitando produtos RC similares).

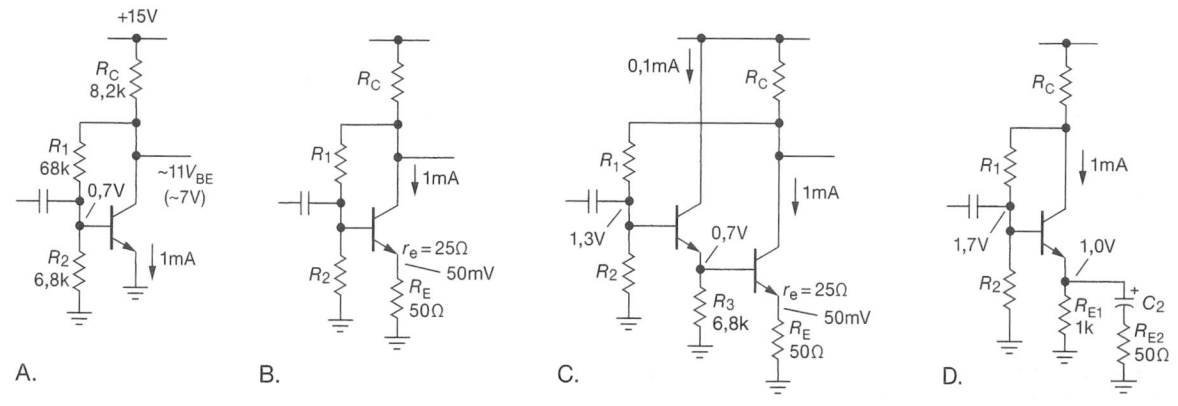

FIGURA 2.53 A estabilidade de polarização é melhorada pela realimentação.

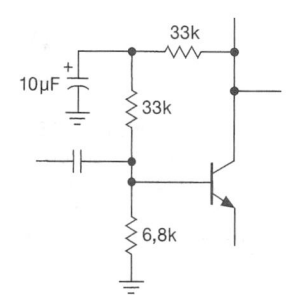

FIGURA 2.54 Eliminando a realimentação que reduz a impedância nas frequências do sinal.

Se precisar de mais ganho de tensão em um estágio, uma abordagem possível é usar uma fonte de corrente como uma *carga ativa*. Como a sua impedância é muito alta, ganhos de tensão de 1.000 ou mais em um único estágio são possíveis.[40] Tal acordo não pode ser utilizado com os esquemas de polarização que discutimos, mas deve ser parte de um ciclo global de realimentação, um assunto que discutiremos no Capítulo 4. Você deve ter certeza de que tal amplificador olha para uma carga de alta impedância; caso contrário, o ganho obtido pela alta impedância de carga do coletor será perdido. Algo como um seguidor de emissor, um FET ou um AOP apresenta uma boa carga.

Em amplificadores RF destinados a utilização apenas sobre uma faixa de frequências estreita, é comum a utilização de um circuito *LC* em paralelo, como uma carga de coletor. Neste caso, um ganho de tensão muito alto é possível, uma vez que o circuito *LC* tem alta impedância (como uma fonte de corrente) na frequência do sinal, com baixa impedância em CC. Como o circuito *LC* está "sintonizado", sinais de interferência (e distorção) fora da faixa são efetivamente rejeitados. Os bônus adicionais são a possibilidade de oscilações de saída de pico a pico (pp) de $2V_{CC}$ e a utilização do transformador de acoplamento do indutor.

---

[40] Em última análise, limitados pela resistência de saída finita do coletor do transistor (uma consequência do efeito Early).

Exercício 2.16 Projete um estágio amplificador emissor comum sintonizado para operar em 100 kHz. Use um resistor de emissor com desvio e defina a corrente quiescente em 1,0 mA. Suponha $V_{CC} = +15$ V e $L = 1,0$ mH e coloque um resistor de 6,2k em paralelo com *LC* para definir $Q = 10$ (para obter uma banda passante de 10%; veja a Seção 1.7.14). Use acoplamento de entrada capacitivo.

2.3.6 Uma Discussão Paralela: o Transistor Perfeito

Olhando para as propriedades do transistor BJT, como o V_{BE} diferente de zero (e dependente da temperatura), a impedância de emissor r_e finita (e dependente da corrente) e a transcondutância g_m, a corrente de coletor que varia com a tensão de coletor (efeito Early), etc., somos tentados a perguntar qual transistor é melhor? Existe um transistor "melhor", ou talvez mesmo um transistor *perfeito*? Se você olhar nossas tabelas de transistores, por exemplo, as Tabelas 2.1 e 2.2, e especialmente a Tabela 8.1 para transistores de pequeno sinal, verá que não há melhor candidato a transistor. Isso porque todos os transistores bipolares físicos estão sujeitos à mesma física do dispositivo, e seus parâmetros tendem a ser dimensionados com o tamanho da pastilha e com a corrente, etc.

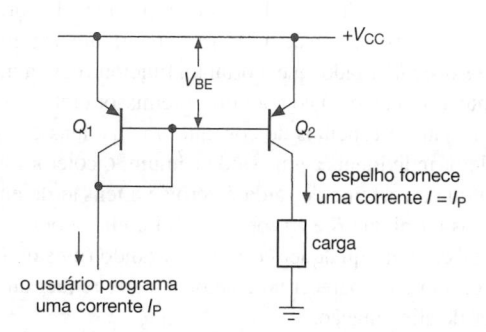

FIGURA 2.55 Espelho de corrente com um par casado de transistores bipolares clássicos. Note a convenção de se referir à alimentação positiva como V_{CC}, mesmo quando transistores *pnp* são usados.

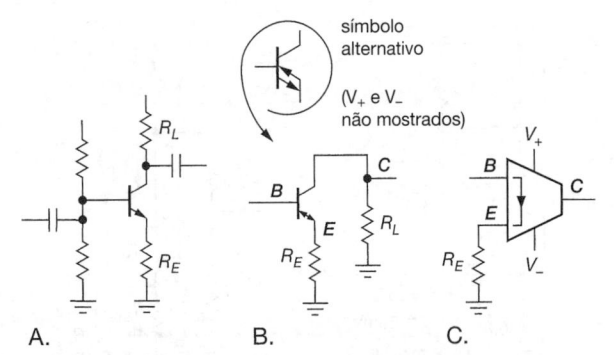

FIGURA 2.56 A. Um estágio amplificador BJT em emissor comum usual, com uma resistência de realimentação do emissor R_E e um resistor de carga R_L. B. Em um amplificador emissor comum construído com o transistor "perfeito", todos os sinais são referenciados ao terra, para que a carga R_L retorne também ao terra (as fontes de alimentação não são mostradas). C. O símbolo OTA para o transistor perfeito, implementado como um dispositivo Amplificador Operacional de Transcondutância (*Operational Transconductance Amplifier*). O símbolo de um vértice truncado significa que o dispositivo tem uma saída de corrente.

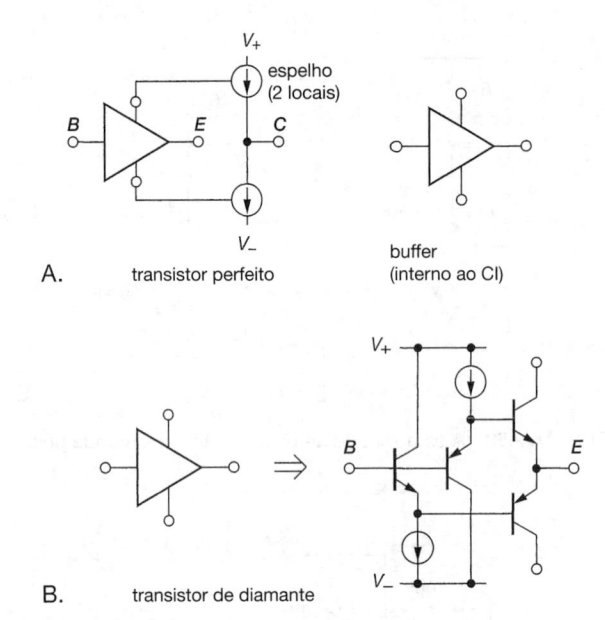

FIGURA 2.57 A. O transistor perfeito OPA860 inclui um transistor de diamante (o triângulo) e um par de espelhos de corrente. Um segundo transistor de diamante age como um *buffer* de saída. B. O transistor de diamante consiste em um par complementar de seguidores de emissor casados com *offset* cancelado.

No entanto, verifica-se que *há* um candidato para um "transistor perfeito", se você não se limitar a uma única estrutura *npn* ou *pnp*; veja a Figura 2.56. Esse dispositivo tem propriedades quase ideais: $V_{BE} = 0$ V (!), juntamente com uma g_m muito alta (portanto, r_e baixa) e beta muito alto. E, só para finalizar, a corrente pode fluir em qualquer sentido – é ambidestro, ou de "bipolaridade" (dizer que ele é de bipolaridade é melhor do que dizer que é um transistor bipolar-bipolar). Como um BJT regular, é um dispositivo de transcondutância: quando acionado com um sinal de entrada V_{BE} positivo, ele fornece uma corrente de saída g_m vezes maior, e vice-versa (com uma V_{BE} negativa, ele absorve uma corrente). Ao contrário de um BJT, porém, é não inversor. Todos os sinais são referenciados ao terra. Muito bom.

Como é que o transistor perfeito funciona? A Figura 2.57 mostra um circuito de quatro transistores conhecido como *estágio de transistor de diamante*. Esse circuito é uma variação do seguidor de emissor *pnp* e *npn* em cascata da Figura 2.29: um seguidor de entrada complementar *npn* e *pnp* é conectado em paralelo e polarizado com fontes de corrente; as saídas de emissor (exceto $2V_{BE}$) acionam um seguidor de saída *push-pull* casado, que, portanto, funciona com a mesma corrente quiescente. O nó comum é o emissor efetivo, *E*. Por fim, um par de espelhos de corrente traz as duas correntes de coletor individuais a uma saída comum, o coletor efetivo, *C*, em que a corrente de saída é zero se a tensão de entrada (entre os terminais *B* e *E*) for zero. Tal como acontece com um BJT comum, qualquer corrente entrando (ou saindo) do emissor tem que aparecer no coletor. A parte requer duas conexões de alimentação.

A Texas Instruments chama seu transistor perfeito (seu código de identificação é OPA860[41]) de Amplificador Operacional de Transcondutância (OTA). Outros nomes que eles usam são "fonte de corrente controlada por tensão", "Transcondutor", "Macrotransistor" e "transportador de corrente de segunda geração positivo" (CCII+). Tememos que ele tenha uma crise de identidade de marca, assim, com modéstia característica, estamos chamando-o de "transistor perfeito".

Quão próximo da perfeição estão esses dispositivos? Os transistores perfeitos OPA860 e OPA861 têm estas características: $V_{os} = 3$ mV típico (12 mV máx), $g_m = 95$ mS, $r_e = 10,5$ Ω, $Z_{out} = 54\text{k}\Omega \| 2$ pF, $Z_{in} = 455\text{k}\Omega\|2\text{pF}$, $I_{out(max)} = \pm 15$ mA. Seu ganho máximo é 5.100. Longe de ser perfeito, mas nem tão ruim assim. Você pode criar muitos circuitos interessantes com esses blocos construtivos (por exemplo, filtro ativo, circuito de soma de corrente de banda larga ou integrador de pulsos para escala de nanossegundos); veja a folha de dados do OPA860 para mais detalhes.

---

[41] A versão OP861 da Texas Instruments omite o *buffer* de saída e está disponível em um encapsulamento pequeno, SOT-23. Esse é um dos nossos tipos favoritos de encapsulamento para montagem em superfície, disponível para muitos dos outros transistores mencionados em nossas tabelas. Leitores capacitados reconhecerão o circuito a partir de uma realimentação de corrente, ou AOP com realimentação de corrente. Alguns desses dispositivos (por exemplo, o AD844) permitem acesso ao nó interno.

2.3.7 Espelhos de Corrente

A técnica de combinar polarização base-emissor pode ser usada para fazer o que é denominado *espelho de corrente*, um circuito de fonte de corrente interessante que simplesmente inverte o sinal de uma corrente "programável" (Figura 2.55). Você programa o espelho absorvendo a corrente do coletor de Q_1. Isso produz um V_{BE} para Q_1 apropriado para essa corrente na temperatura do circuito e para esse tipo de transistor. Q_2, casado com Q_1,[42] é programado para fornecer a mesma corrente para a carga. As pequenas correntes de base não são importantes.[43]

Um recurso interessante desse circuito é a compliance de tensão da fonte de corrente do transistor de saída dentro de alguns décimos de volts de V_{CC}, pois não há queda no resistor de emissor para lidar. Além disso, em muitas aplicações, é muito útil ser capaz de programar uma corrente com outra. Uma maneira fácil de gerar a corrente de controle I_P é com um resistor (Figura 2.58). Como as bases estão a uma queda de diodo abaixo de V_{CC}, o resistor de 14,4k produz uma corrente de controle e, por conseguinte, uma corrente de saída de 1 mA. Espelhos de corrente podem ser usados em circuitos de transistores sempre que é necessária uma fonte de corrente. Eles são muito comuns em circuitos integrados, em que (a) transistores casados são abundantes e (b) o projetista tenta fazer circuitos que trabalharão ao longo de uma grande variedade de tensões de alimentação. Há, ainda, CIs de AOPs sem resistores, em que a corrente de operação de todo o amplificador é ajustada por uma resistência externa, com todas as correntes quiescentes dos estágios amplificadores individuais internos sendo determinadas por espelhos de corrente.

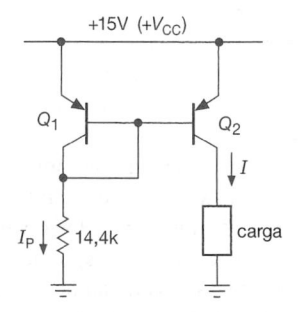

FIGURA 2.58 Programação da corrente de um espelho de corrente.

---

[42] Um transistor monolítico duplo é ideal; a Tabela 8.1b relaciona os transistores casados mais disponíveis. Alguns, como o DMMT3904 e 3906, são casados para 1 mV e são bastante acessíveis, custando 36 centavos de dólar em pequenas quantidades.

[43] Este circuito é, muitas vezes, denominado espelho de corrente de Widlar; consulte a Patente dos Estados Unidos 3.320.439.

A. Limitações do Espelho de Corrente Devidas ao Efeito Early

Um problema com o espelho de corrente simples é que a corrente de saída varia um pouco com as variações na tensão de saída, isto é, a impedância de saída não é infinita. Isto é devido à pequena variação de V_{BE} com a tensão de coletor a uma dada corrente em Q_2 (que é devida ao efeito Early); dito de uma maneira diferente, a curva de corrente de coletor *versus* a tensão emissor-coletor para uma tensão base-emissor fixa não é plana (Figura 2.59). Na prática, a corrente pode variar 25% ou menos em toda a faixa da compliance de saída – desempenho muito inferior ao da fonte de corrente com uma resistência de emissor discutida anteriormente.

Uma solução, se for necessária uma melhor fonte de corrente (o que, muitas vezes, não é), é o circuito mostrado na Figura 2.60. Os resistores de emissor são escolhidos para ter, pelo menos, alguns décimos de um volt de queda; isso torna o circuito uma fonte de corrente muito melhor, uma vez que as pequenas variações de V_{BE} com V_{CE} são agora desprezíveis na determinação da corrente de saída. Mais uma vez, devem ser usados transistores casados. Note que este circuito perde sua eficácia se for destinado a operar ao

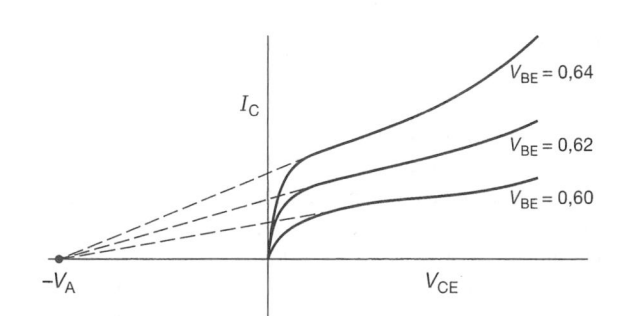

FIGURA 2.59 Efeito Early: a corrente de coletor varia de acordo com V_{CE}. (Curiosamente, você obtém uma curva muito semelhante, com V_A comparável, se, em vez disso, você aplicar uma família de *correntes* de base constantes.)

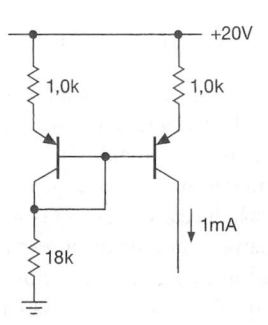

FIGURA 2.60 Espelho de corrente melhorado com resistores de emissor.

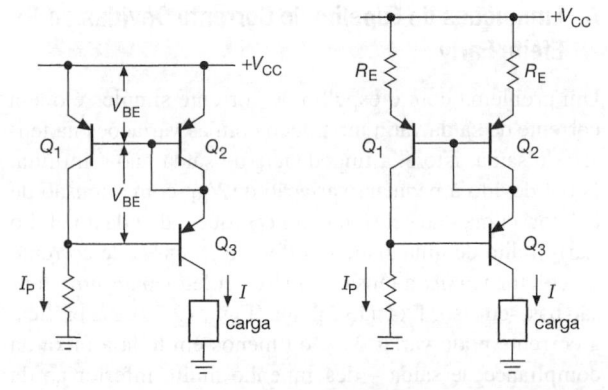

FIGURA 2.61 Espelho de corrente de Wilson. Boa estabilidade com variações de carga é obtida por meio do transistor Q_3 cascode, o que reduz as variações de tensão sobre Q_1. A adição de um par de resistências de emissor R_E, como mostrado, reduz o erro de corrente de saída causado pelo descasamento de V_{BE}, quando escolhido de tal modo que $I_P R_E$ seja da ordem de 100 mV ou mais.

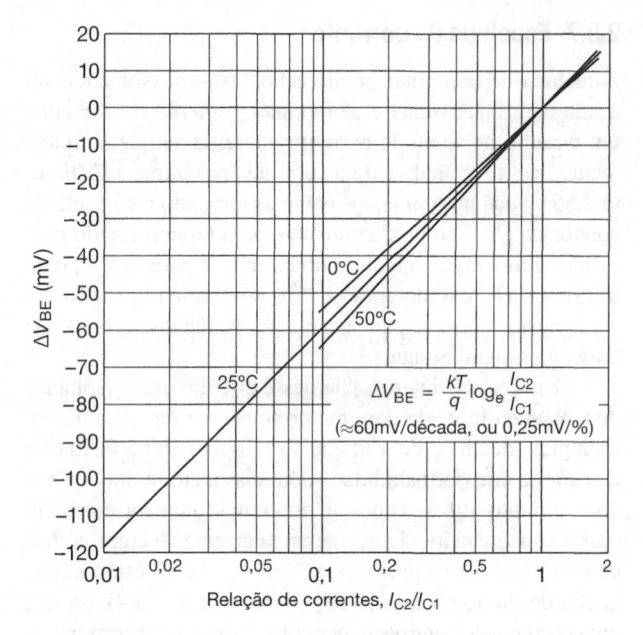

FIGURA 2.62 Relação de correntes de coletor para transistores casados, como determinado pela diferença de tensões base-emissor aplicadas. Veja a Tabela 8.1b para casamento de BJTs de baixo ruído.

$$\Delta V_{BE} = \frac{kT}{q} \log_e \frac{I_{C2}}{I_{C1}}$$

($\approx$60mV/década, ou 0,25mV/%)

longo de uma ampla faixa de corrente de programação (descubra o porquê).[44]

B. Espelho de Wilson

Outro espelho de corrente com maior consistência de corrente é mostrado no circuito inteligente de Figura 2.61. Q_1 e Q_2 estão na configuração espelho de costume, mas Q_3 mantém agora o coletor de Q_1 fixo em duas quedas de diodo abaixo de V_{CC}. Isso contorna o efeito Early em Q_1, cujo coletor é agora o terminal de programação, com Q_2 agora fornecendo a corrente de saída. O resultado é que ambos os transistores que determinam a corrente (Q_1 e Q_2) têm quedas coletor-emissor fixas; você pode pensar que Q_3 está simplesmente passando a corrente de saída através de uma carga de tensão variável (um truque semelhante é usado na conexão cascode, que você verá mais adiante neste capítulo). O transistor Q_3, por sinal, não tem de ser casado com Q_1 e Q_2; mas, se ele tem o mesmo beta, então você obtém um cancelamento exato do erro de corrente de base (pequeno) que aflige o espelho simples da Figura 2.55.

Exercício 2.17 Mostre que essa afirmação é verdadeira.

Há truques adicionais interessantes que você pode fazer com espelhos de corrente, como a geração de múltiplas saídas independentes ou uma saída que é um múltiplo fixo da corrente de programação. Um truque (inventado pelo lendário Widlar) é desbalancear os resistores R_E na Figura 2.61; como uma estimativa aproximada, a relação de corrente de saída é aproximadamente a razão entre os valores dos resistores (porque as quedas base-emissor são aproximadamente iguais). Mas, para acertar, você precisa levar em conta a diferença dos V_{BE}s (porque os transistores estão operando com correntes diferentes), para a qual o gráfico da Figura 2.62 é útil. Esse gráfico também é útil para estimar o desequilíbrio de corrente em um espelho de corrente construído com transistores discretos (isto é, sem serem casados).

2.3.8 Amplificadores Diferenciais

O amplificador diferencial é uma configuração muito comum utilizada para amplificar a diferença de tensão entre os dois sinais de entrada. No caso ideal, a saída é totalmente independente dos níveis de sinal individuais – apenas a diferença importa.

Amplificadores diferenciais são importantes em aplicações em que sinais fracos são contaminados pela "captura" (*pickup*) de outros sinais e ruídos diversos. Exemplos incluem sinais digitais e de RF transportados através de cabos de pares trançados, sinais de áudio (o termo "balanceado" significa diferencial, geralmente uma impedância de 600 Ω em sistemas de áudio), sinais de redes locais (como Ethernet 100BASE-TX e 1000BASE-T), tensões de eletrocardiograma, amplificadores de cabeçote de disco magnético e diversas outras aplicações. Um amplificador diferencial no terminal receptor restaura o sinal original, se os sinais de interferência em "modo comum" (ver a seguir) não são muito grandes. Amplificadores diferenciais são universalmente usados em amplificadores operacionais, um bloco construtivo essencial que é o assunto do Capítulo 4. Eles são muito importantes no projeto de amplificadores CC (amplificadores que amplificam até sinais CC, ou seja, não têm capacitores

---
[44] Fontes de corrente e espelhos de corrente são discutidos em mais detalhe posteriormente.

de acoplamento), pois seu projeto simétrico é inerentemente compensado contra derivas térmicas.

Um pouco da nomenclatura: quando ambas as entradas alteram os níveis juntas, isso é uma variação de entrada de *modo comum*. Uma variação diferencial é denominada *modo normal* ou, às vezes, *modo diferencial*. Um bom amplificador diferencial tem uma alta *razão de rejeição de modo comum* (CMRR), a razão entre a resposta para um sinal de modo normal e a resposta de um sinal de modo comum de mesma amplitude. CMRR é especificado em decibéis. O intervalo de entrada de modo comum é o nível de tensão ao longo do qual as entradas podem variar. O amplificador diferencial é, às vezes, denominado "par de cauda longa".

A Figura 2.63 apresenta o circuito básico. A saída é obtida de um coletor em relação ao terra, a qual é denominada saída com terminação simples (não balanceada) e é a configuração mais comum. Você pode pensar nisso como um dispositivo amplificador que amplifica um sinal de diferença e converte para um sinal de terminação simples para que subcircuitos comuns (seguidores, fontes de corrente, etc.) possam fazer uso da saída. (Se, em vez disso, uma saída diferencial for desejada, ela é obtida entre os coletores.)

Qual é o ganho? Isso é fácil de calcular: imagine uma variação simétrica do sinal de entrada, em que a entrada 1 aumenta em v_{in} (uma variação de pequeno sinal) e a entrada 2 cai o mesmo valor. Enquanto ambos os transistores ficam na região ativa, o ponto A permanece fixo. Você, então, determina o ganho da mesma forma que com o amplificador de transistor único, lembrando que a variação de entrada é, na verdade, o dobro da variação em qualquer base: $G_{diff} = R_C/2(r_e + R_E)$. Tipicamente, R_E é pequeno, 100 Ω ou menos, ou pode ser totalmente omitido. Ganhos de tensão diferencial de algumas centenas são possíveis.

Você pode determinar o ganho de modo comum colocando v_{in} de sinais idênticos em ambas as entradas. Se você pensar sobre isso corretamente[45] (lembrando que R_1 carrega ambas as correntes de emissor), encontrará $G_{CM} = -RC/(2R_1 + R_E)$. Aqui ignoramos o pequeno r_e, pois R_1 é tipicamente grande, tendo, pelo menos, alguns milhares de ohms. Realmente poderíamos ter ignorado R_E também. O CMRR é, portanto, mais ou menos $R_1(r_e + R_E)$. Vejamos um exemplo típico (Figura 2.64) para obter familiaridade com amplificadores diferenciais.

O resistor de coletor R_C é escolhido para uma corrente quiescente de 100 μA. Como de costume, colocaremos o coletor em $0,5V_{CC}$ para uma faixa dinâmica grande. O resistor de coletor de Q_1 pode ser omitido, uma vez que nenhuma saída é obtida dele.[46] R_1 é escolhido para proporcionar corrente de emissor total de 200 μA, dividida igualmente entre os dois lados, quando a entrada (diferencial) é zero. A partir das fórmulas há pouco derivadas, este amplificador tem um ganho diferencial de 10 e um ganho de modo comum de 0,55. Omitir os resistores de 1,0k eleva o ganho diferencial para 50, mas reduz a impedância de entrada (diferencial) de cerca de 250k para cerca de 50k (você pode substituir por transistores Darlington[47] no estágio de entrada para aumentar a impedância para a faixa de megaohm, se necessário).

Lembre-se de que o ganho máximo de um amplificador de emissor aterrado de saída de terminação simples polarizado para $0,5V_{CC}$ é $20V_{CC}$ (em volts). No caso de um amplificador diferencial, o ganho diferencial máximo ($R_E = 0$) é metade desse valor, ou (para um ponto quiescente arbitrário) 20 vezes a tensão (em volts) sobre o resistor de coletor. O CMRR máximo correspondente (novamente com $R_E = 0$) é igual a 20 vezes a tensão (em volts) sobre R_1. Assim como

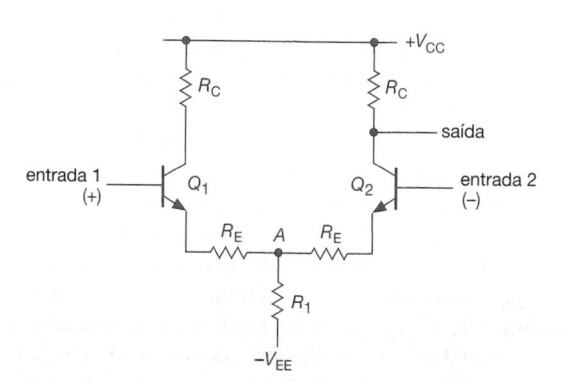

FIGURA 2.63 Amplificador diferencial com transistor clássico.

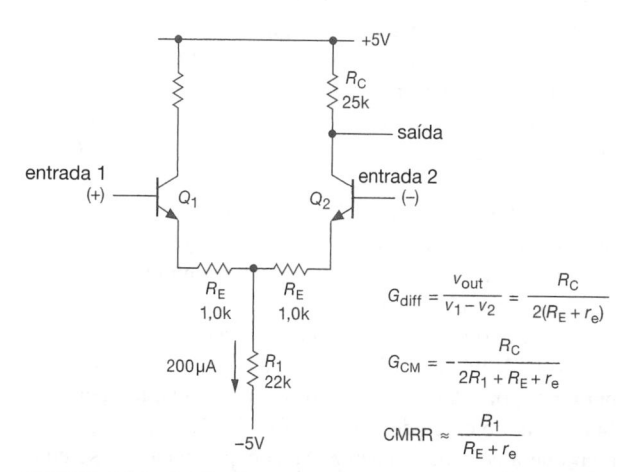

FIGURA 2.64 O cálculo do desempenho do amplificador diferencial.

$$G_{diff} = \frac{v_{out}}{v_1 - v_2} = \frac{R_C}{2(R_E + r_e)}$$

$$G_{CM} = -\frac{R_C}{2R_1 + R_E + r_e}$$

$$CMRR \approx \frac{R_1}{R_E + r_e}$$

---

[45] *Dica*: substitua R_1 por um par em paralelo, cada um de resistência $2R_1$; em seguida, perceba que você pode cortar o fio que os interconecta no ponto A (porque nenhuma corrente flui); continue a partir daí.

[46] *Pode* ser omitido, mas à custa das quedas base-emissor precisamente balanceadas: você obtém um balanceamento melhor se mantiver os dois resistores de coletor (evitando efeito Early); mas você suprime o efeito Miller (Seção 2.4.5) na entrada 1 se omitir o resistor de coletor de Q_1.

[47] Veja a Seção 2.4.2.

com o amplificador de emissor comum de terminação simples, os resistores de emissor R_E reduzem a distorção à custa de ganho.

Exercício 2.18 Verifique se estas expressões estão corretas. Em seguida, projete um amplificador diferencial para operar com alimentação de ±5 V, com $G_{\text{dif}} = 25$ e $R_{\text{out}} = 10k$. Como de costume, coloque o ponto quiescente do colecionador na metade de V_{CC}.

A. Polarização com uma Fonte de Corrente

O ganho de modo comum do amplificador diferencial pode ser bastante reduzido pela substituição de uma fonte de corrente por R_1. Então, R_1 efetivamente se torna muito grande, e o ganho de modo comum é quase zero. Se preferir, basta imaginar uma oscilação de entrada de modo comum; a fonte de corrente de emissor mantém uma corrente de emissor total constante, dividida em partes iguais pelos dois circuitos de coletor, por simetria. A saída é, portanto, inalterada. A Figura 2.65 apresenta um exemplo. O CMRR desse circuito, utilizando um par de transistores monolítico LM394 para Q_1 e Q_2, será de cerca de 100.000:1 (100 dB) em CC. A faixa de entrada de modo comum para esse circuito vai de $-3,5$ V a $+3$ V; ele é limitado na extremidade inferior pela compliance da fonte de corrente do emissor e na extremidade superior pela tensão quiescente de colecionador.[48]

Certifique-se de lembrar que esse amplificador, como todos os amplificadores com transistor, deve ter um caminho de polarização CC para as bases. Se a entrada for acoplada capacitivamente, por exemplo, você deve ter resistores de base para o terra. Um cuidado adicional para amplificadores diferenciais, especialmente aqueles sem resistores entre emissores: transistores bipolares podem tolerar apenas 6 volts de polarização reversa emissor-base antes da ruptura; assim, a aplicação de uma tensão de entrada diferencial maior do que essa destruirá o estágio de entrada (se não houver nenhum resistor entre os emissores). Um resistor entre emissores limita a corrente de ruptura e previne a destruição, mas os transistores podem ser degradados (em beta, ruído, etc.). Em qualquer caso, a impedância de entrada cai drasticamente durante a condução reversa.

Um fato interessante: a absorção da corrente de emissor mostrada na Figura 2.65 tem alguma variação com a temperatura, pois V_{BE} diminui com o aumento da temperatura (na ordem de cerca de $-2,1$ mV/°C, Seção 2.3.2), fazendo com que a corrente aumente. Mais explicitamente, se chamamos o zener de 1,24 V de referência "V_{ref}", então a queda no resistor de emissor é igual a $V_{\text{ref}} - V_{BE}$; a corrente é proporcional, aumentando, assim, com a temperatura. Da forma como acontece, isso é, de fato, *benéfico*, o que pode ser mos-

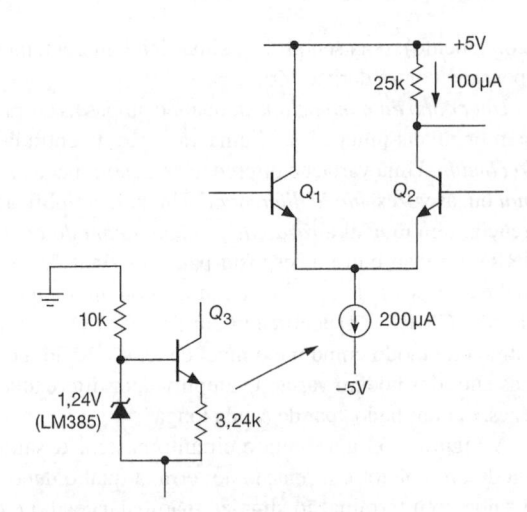

FIGURA 2.65 Melhorando a CMRR do amplificador diferencial com uma fonte de corrente.

trado a partir da teoria básica do transistor de que a quantidade $V_{g0} - V_{BE}$ é aproximadamente proporcional à temperatura absoluta (PTAT), em que V_{g0} é a tensão da banda proibida do silício (extrapolado para o zero absoluto), cerca de 1,23 V. Assim, escolhendo a tensão V_{ref} igual à tensão da banda proibida, temos uma corrente de emissor que aumenta proporcionalmente à temperatura absoluta (PTAT); esta cancela a dependência da temperatura do ganho de tensão do par diferencial ($g_m \propto 1/T_{\text{abs}}$, Seção 2.3.2). Exploraremos esse tipo de esperteza um pouco mais na Seção 9.10.2. E, no Capítulo 9, há uma ampla discussão sobre o amplificador diferencial e o "amplificador de instrumentação", que estão intimamente relacionados.

B. Uso em Amplificadores CC com Terminação Simples

Um amplificador diferencial produz um excelente amplificador CC, mesmo para as entradas com terminação simples. Você apenas aterra uma das entradas e conecta o sinal na outra (Figura 2.66). Você pode pensar que o transistor "não utilizado" poderia ser eliminado. Não é bem assim! A configuração diferencial é inerentemente compensada por variações de temperatura, e, mesmo quando uma entrada está aterrada, o transistor correspondente ainda está fazendo alguma coisa: a mudança de temperatura faz com que as duas tensões V_{BE} variem igualmente, sem alterar o balanceamento ou a saída. Ou seja, as alterações em V_{BE} não são amplificadas por G_{dif} (apenas pelo G_{CM}, que pode ser tornado essencialmente zero). Além disso, o cancelamento de tensões V_{BE} significa que não existem quedas de 0,6 V na entrada para se preocupar. A qualidade de um amplificador CC construído dessa maneira está limitada apenas pelo descasamento das tensões V_{BE} de entrada ou seus coeficientes de temperatura. Pares de transistores monolíticos comerciais e CIs de amplificador diferencial comerciais estão disponíveis com casamentos extremamente bons (por exemplo, o par casado monolítico

---

[48] Você pode fazer bons coletores de corrente também com JFETs (veja a discussão na Seção 3.2.2C), mas BJTs são melhores para essa tarefa de muitas maneiras. Veja, por exemplo, a Figura 3.26, em que mostramos quatro configurações de pias atuais BJT melhores que a alternativa JFET.

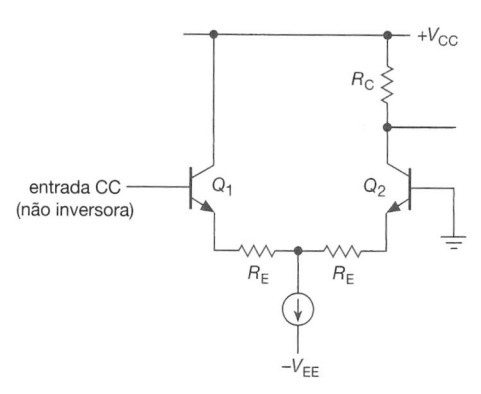

FIGURA 2.66 Um amplificador diferencial pode ser utilizado como amplificador CC de terminação simples de precisão.

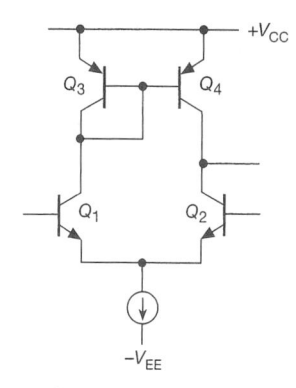

FIGURA 2.67 Amplificador diferencial com carga ativa de espelho de corrente.

npn MAT12 tem um desvio típico de V_{BE} entre os dois transistores de 0,15 μV/°C). Veja a Tabela 8.1b para uma lista de BJTs casados.

Qualquer entrada poderia ter sido aterrada no exemplo do circuito anterior. A escolha depende de o amplificador dever ou não inverter o sinal. (A configuração mostrada é preferível, no entanto, em altas frequências, devido ao *efeito Miller*; veja a Seção 2.4.5.) A conexão mostrada é não inversora, e, por isso, a entrada inversora foi aterrada. Essa terminologia é transferida para os AOPs, que são amplificadores diferenciais de alto ganho versáteis.

C. Espelho de Corrente com Carga Ativa

Tal como acontece com o amplificador de emissor aterrado simples, é, por vezes, desejável ter um amplificador diferencial de um único estágio com ganho muito elevado. Uma solução elegante é um espelho de corrente com carga ativa (Figura 2.67). Q_1Q_2 é o par diferencial com fonte de corrente no emissor. Q_3 e Q_4, um espelho de corrente, formam a carga coletor. A impedância de carga efetiva alta do coletor fornecida pelo espelho resulta em ganhos de tensão de 5000 ou mais, considerando que não há carga na saída do amplificador.[49] Tal amplificador é muito comum como estágio de entrada em um circuito maior e é normalmente usado somente dentro de uma malha de realimentação, ou como um comparador (discutido na próxima seção). Certifique-se de manter a impedância de carga de tal amplificador muito alta, ou o ganho cairá muito.

D. Amplificadores Diferenciais como Divisores de Fase

Os coletores de um amplificador diferencial simétrico geram oscilações de sinais iguais de fase oposta. Ao tomar as saídas de ambos os coletores, você tem um divisor de fase. Claro, você também pode usar um amplificador diferencial com as duas entradas diferenciais e saídas diferenciais. Esse sinal de saída diferencial poderia, então, ser utilizado para acionar um estágio de amplificador diferencial adicional, com uma rejeição de modo comum geral muito melhorada.

E. Amplificadores Diferenciais como Comparadores

Devido ao seu alto ganho e às suas características estáveis, o amplificador diferencial é o principal bloco construtivo do *comparador* (que vimos na Seção 1.4.2E), um circuito que informa qual das duas entradas é maior. Eles são usados para todos os tipos de aplicações: comutação de luzes e aquecedores; geração de ondas quadradas a partir de triangulares; detecção de quando um nível em um circuito excede um limite particular, amplificadores classe D e modulação por codificação de pulso; fontes chaveadas, etc. A ideia básica é conectar um amplificador diferencial, de modo que ele ligue ou desligue uma chave com transistor, dependendo dos níveis relativos dos sinais de entrada. A região linear de amplificação é ignorada, com um ou o outro dos dois transistores de entrada em corte de cada vez. Uma conexão típica é ilustrada na Seção 2.6.2 por um circuito de controle de temperatura que utiliza um sensor de temperatura resistivo (termistor).

2.4 ALGUNS BLOCOS CONSTRUTIVOS DE AMPLIFICADOR

Agora já vimos a maioria das configurações básicas e importantes – de circuitos com transistor: chave, seguidor, fonte de corrente (e espelho) e amplificador emissor comum (tanto o de terminação simples quanto o diferencial). No restante do capítulo, examinaremos algumas elaborações de circuito e as suas consequências: *push-pull*, Darlington e Sziklai, *bootstrapping**, efeito Miller e a configuração cascode. Terminaremos com uma introdução à técnica maravilhosa (e essencial) da *realimentação negativa*.

---

[49] O ganho CC é limitado principalmente pelo efeito Early; veja a Seção 2.3.2.

* N. de T.: O termo *bootstrap* ou *bootstrapping* significa, em geral, algo que se pode fazer por si só, sem auxílio externo.

TABELA 2.2 Transistores bipolares de potência[a]

NPN	PNP	Encapsulamento	V_{CEO} máx (V)	I_C max[b] (A)	P_{diss} max[b,h] (W)	$R^c_{\theta JC}$ (°C/W)	h_{FE} mín	h_{FE} típ	at	I_C (A)	f_T min (MHz)	múltiplos fabricantes?
BJT padrão												
BD139	BD140	TO-126	80	1.5	12.5	10	40[e]	100		0.15	50	•
2N3055	2N2955	TO-3	60	15	115	1.5	20	–		4	2.5	•
2N6292	2N6107	TO-220	70	7	40	3.1	30	–		2	4	–
TIP31C	TIP32C	TO-220	100	3	40	3.1	25	100		1	3	•
TIP33C	TIP34C	TO-218[d]	100	10	80	1.6	40	100		1	3	•
TIP35C	TIP36C	TO-218[d]	100	25	125	1.0	25	150		1.5	3	•
MJ15015	MJ15016	TO-3	120	15	180	1.0	20	35		4	0.8[g]	–
MJE15030	MJE15031	TO-220	150	8	50	2.5	40	80		3	30	•,[z]
MJE15032	MJE15033	TO-220	250	8	50	2.5	50	100		1	30	•
2SC5200	2SA1943	TO-264	230	17	150	0.8	55	80		1	30	•
2SC5242[k]	2SA1962[k]	TO-3P	250	s	s	s	s	s		s	s	•
MJE340	MJE350	TO-126	300	0,5	20	6	30	–		0,05	–	•
TIP47	MJE5730	TO-220	250	1	40	3,1	30	–		0,3	10	•
TIP50[u]	MJE5731A[u]	TO-220	400	s	s	s	s	–		s	s	•
MJE13007	MJE5852	TO-220	400[f]	8	80	1.6	8[g]	20[g]		2	14[t]	–
Darlington												
MJD112	MJD117	DPak	100	2	20	6.3	1000	2000	4	2	25	•
TIP122	TIP127	TO-220	100	5	65	1.9	1000	–		3	–	•
TIP142	TIP147	TO-218	100	10	125	1.0	1000	–		5	–	•
MJ11015	MJ11016	TO-3	120	30	200	0.9	1000	–		20	4	•
MJ11032	MJ11033	TO-3	120	50	300	0.6	1000	–		25	–	•
MJH11019	MJH11020	TO-218	200[v]	15	150	0.8	400	–		10	3	•

Notas: (a) escolhidos mais ou menos por tensão, corrente e famílias. (b) Com o encapsulamento em 25ºC. (c) P_{diss} (realidade) = $(T_J[\text{seu valor máx}] - T_{amb})/(R_{\theta JC} + R_{\theta CS} + R_{\theta SA})$; este é um número muito menor do que a "especificação", especialmente se você tiver cuidado com T_J máx, por exemplo, 100ºC. (d) Semelhante a TO-247. (e) Tipos de maior ganho estão disponíveis. (f) V_{CES} muito mais elevados de capacidade de "bloqueio" (em comparação com V_{CEO}), por exemplo, 700 V para o MJE13007. (g) Mais elevada para o dispositivo de PNP. (h) P_{diss}(máx) = $(150ºC-25ºC)/R_{\theta JC}$; esse é um valor de especificação de folha de dados clássico usado intencionalmente (muitas vezes, inadequadamente) para mostrar uma suposta superioridade de um fabricante. (k) Versão de encapsulamento maior do indicado acima. (s) Mesmo que acima. (t) Típico. (u) Versão de tensão maior do indicado acima. (v) Também existem versões de 150 V e 250 V. (z) Se estes são difíceis de obter, experimente as versões '028 e '029 (120 V em vez de 150 V).

2.4.1 Estágios de Saída *Push-Pull*

Como mencionamos anteriormente, um seguidor de emissor *npn* não pode absorver corrente, e um seguidor *pnp* não pode fornecer corrente. O resultado é que um seguidor de terminação simples operando entre fontes divididas pode acionar uma carga aterrada apenas se uma alta corrente quiescente for usada.[50] A corrente quiescente deve ser, pelo menos, tão grande quanto a corrente de saída máxima durante os picos da forma de onda, resultando em alta dissipação de potência quiescente. Por exemplo, a Figura 2.68 mostra um circuito seguidor para acionar uma carga de um alto-falante de 8 Ω com até 10 watts de áudio.

Uma explicação sobre o estágio acionador: o seguidor *pnp* Q_1 está incluído para reduzir os requisitos de acionamento e para cancelar o *offset* do V_{BE} de Q_2 (0 V de entrada dá aproximadamente uma saída de 0 V). Q_1 poderia, é claro, ser omitido para simplificar. A fonte de corrente robusta na carga no emissor de Q_1 é usada para assegurar que haja um acionamento suficiente na base de Q_2 na parte superior da oscilação do sinal. Um resistor como carga do emissor seria inferior, porque ele teria que ser um valor bastante baixo (50 Ω ou menos) a fim de garantir pelo menos 50 mA de acionamento na base Q_2 no pico da oscilação, quando a corrente de carga seria máxima e a queda através do resistor seria mínima; a corrente quiescente resultante em Q_1 seria excessiva.

A saída deste exemplo de circuito pode oscilar cerca de ±15 volts (pico) em ambos os sentidos, dando a potência de saída desejada (9 V RMS sobre 8 Ω). No entanto, o transistor de saída dissipa 55 watts sem sinal (daí o símbolo de dissipador de calor), e a resistência de emissor dissipa outros 110 watts. A dissipação de potência quiescente, muitas vezes maior do que a potência máxima de saída, é característica deste tipo de circuito classe A (transistor sempre em condução); isso, obviamente, deixa muito a desejar em aplicações em que qualquer quantidade significativa de potência está envolvida.

---
[50] Um amplificador em que a corrente flui no transistor de saída ao longo de toda a oscilação da forma de onda é, às vezes, denominado amplificador "classe A".

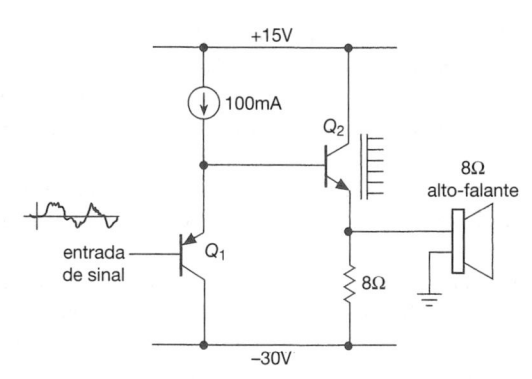

FIGURA 2.68 Um amplificador com alto-falante de 10 W, construído com um seguidor de emissor de terminação simples, dissipa 165 W de potência quiescente!

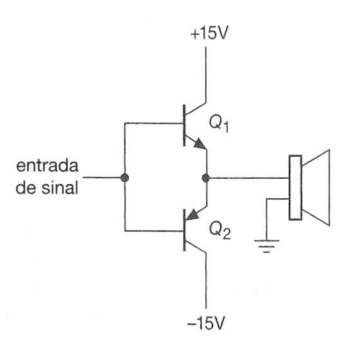

FIGURA 2.69 Seguidor de emissor *push-pull*.

A Figura 2.69 mostra um seguidor *push-pull* fazendo o mesmo trabalho. Q_1 conduz nas oscilações positivas e Q_2 nas negativas. Com tensão de entrada zero, não há nenhuma corrente de coletor nem dissipação de potência. Aos 10 watts de potência de saída, há menos de 10 watts de dissipação em cada transistor.[51]

A. Distorção de Cruzamento em Estágios *Push-Pull*

Existe um problema com o circuito anterior, tal como desenhado. A saída reproduz a entrada com uma queda V_{BE}; nas oscilações positivas, a saída é cerca de 0,6 V menos positiva do que a entrada, e o inverso para oscilações negativas. Para uma entrada de onda senoidal, a saída teria a aparência mostrada na Figura 2.70. Na linguagem do mundo do áudio, isso é chamado de *distorção de cruzamento* (*crossover distortion*). A melhor solução (a realimentação oferece outro método, embora por si só não seja inteiramente satisfatório; veja a Seção 4.3.1E) é a polarização do estágio *push-pull* em ligeira condução, como na Figura 2.71.

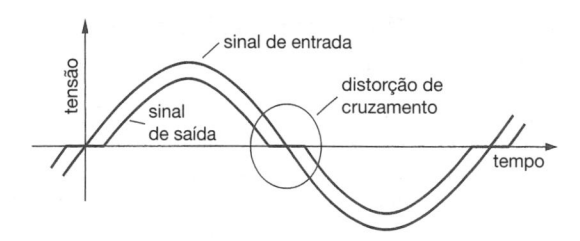

FIGURA 2.70 Distorção de cruzamento no seguidor *push-pull*.

Os resistores de polarização R colocam os diodos em condução direta, mantendo a base de Q_1 uma queda de diodo acima do sinal de entrada e a base de Q_2 uma queda de diodo abaixo do sinal de entrada. Agora, quando o sinal de entrada cruzar o zero, a condução passa de Q_2 para Q_1; um dos transistores de saída está sempre ligado. O valor de R dos resistores de base é escolhido para fornecer corrente de base suficiente para os transistores de saída na oscilação de saída de pico. Por exemplo, com uma fonte de ±20 V e uma carga de 8 Ω operando até 10 watts de potência de onda senoidal, a tensão de pico na base é de cerca de 13,5 volts, e a corrente de pico na carga é de cerca de 1,6 ampères. Considerando um beta de transistor de 50 (transistores de potência geralmente têm ganho de corrente menor do que transistores de pequeno sinal), os 32 mA da corrente de base necessária exigirão resistores de base de cerca de 220 Ω (6,5 V a partir da V_{CC} até a base no pico da oscilação).

Neste circuito, adicionamos um resistor da entrada para a saída (o que poderia ter sido feito na Figura 2.69 também). Isso serve para eliminar a "zona morta" de condução na passagem de um transistor para o outro (em especial, no primeiro circuito), o que é desejável, especialmente quando esse circuito está incluído dentro de um circuito de realimentação maior. No entanto, isso não substitui o melhor procedimento de linearização por polarização, como na Figura 2.71, para atingir a condução do transistor ao longo de toda a forma de onda de saída.

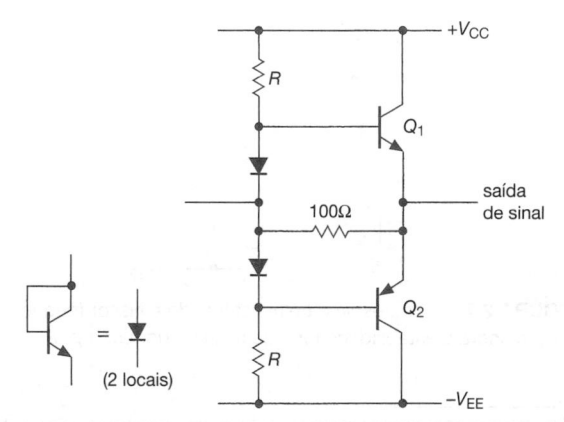

FIGURA 2.71 Polarização do seguidor *push-pull* para eliminar a distorção de cruzamento.

---

[51] Um amplificador como este, com a condução de meio ciclo em cada um dos transistores de saída, é, por vezes, denominado amplificador "classe B".

B. Estabilidade Térmica em Amplificadores Push-Pull Classe B

O amplificador anterior tem uma característica infeliz: não é termicamente estável. À medida que os transistores de saída aquecem (e eles ficarão quente, pois dissipam potência quando o sinal é aplicado), suas tensões V_{BE} caem, fazendo a corrente quiescente fluir. O calor adicionado faz a situação piorar, com a forte possibilidade do que é chamado de *deriva térmica* (se há um desvio ou não depende de uma série de fatores, incluindo quão grande é o "dissipador de calor" usado, quão bem a temperatura do diodo acompanha a temperatura do transistor, etc.). Mesmo sem deriva, é necessário um melhor controle sobre o circuito, geralmente com o tipo de arranjo mostrado na Figura 2.72.

Para variar, a entrada é mostrada provindo do coletor do estágio anterior; R_1 agora serve ao duplo propósito de ser o resistor de coletor de Q_1 e fornecer corrente para polarizar os diodos e o resistor de ajuste de polarização no circuito de base *push-pull*. Aqui, R_3 e R_4, tipicamente de alguns ohms ou menos, proporcionam um "amortecedor" para a polarização da corrente quiescente crítica: a tensão entre as bases dos transistores de saída deve agora ser um pouco maior do que duas quedas de diodos, e você fornecerá um resistor adicional de polarização ajustável R_2 (muitas vezes, substituído por um terceiro diodo em série ou, melhor, o circuito de polarização da Figura 2.78, mais elegante). Com alguns décimos de um volt sobre R_3 e R_4, a variação de temperatura de V_{BE} não fará a corrente aumentar muito rapidamente (quanto maior a queda sobre R_3 e R_4, menos sensível ela é), e o circuito será estável. A estabilidade é aprimorada pela montagem do diodos[52] em contato físico com os transistores de saída (ou seus dissipadores de calor).

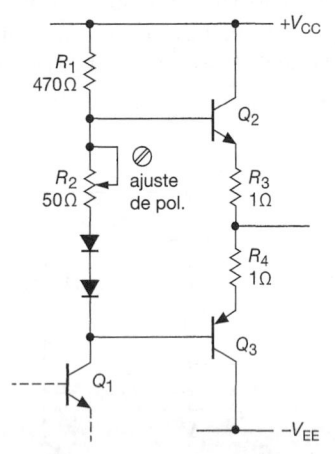

FIGURA 2.72 O acréscimo de resistores de emissor (pequenos) melhora a estabilidade térmica no seguidor *push-pull*.

É possível estimar a estabilidade térmica de tal circuito, lembrando que a queda base-emissor diminui cerca de 2,1 mV para cada 1°C de aumento e que a corrente de coletor aumenta por um fator de 10 para cada aumento de 60 mV na tensão base-emissor (ou 4% por mV). Por exemplo, se R_2 fosse substituído por um diodo, haveria três quedas de diodo entre as bases de Q_2 e Q_3, deixando cerca de uma queda de diodo sobre a combinação em série de R_3 e R_4. (Esta última, então, seria escolhida para dar uma corrente quiescente adequada, talvez 100 mA para um amplificador de potência de áudio.) O pior caso para a estabilidade térmica ocorre se os diodos de polarização não são acoplados termicamente aos transistores de saída.

Suponhamos o pior e calculemos o aumento da corrente quiescente no estágio de saída que corresponda a um aumento de temperatura de 30°C na temperatura de saída do transistor. A propósito, isso não é muito para um amplificador de potência. Para esse aumento da temperatura, o V_{BE} de cada transistor de saída diminuirá cerca de 63 mV em corrente constante, aumentando a tensão sobre R_3 e R_4 em cerca de 50% (ou seja, a corrente quiescente aumentará em cerca de 50%). O valor correspondente para o circuito amplificador anterior sem resistores de emissor (Figura 2.71) será um fator de 10 de aumento da corrente quiescente (lembre-se de que I_C aumenta uma década para um aumento de 60 mV em V_{BE}), ou seja, 1.000%. A estabilidade térmica melhorada para esse arranjo de polarização (mesmo sem ter os diodos acoplados termicamente aos transistores de saída) é evidente. E ficará muito melhor quando os diodos (ou transistores conectados como diodo, ou, melhor ainda, a polarização referenciada a V_{BE}, como mostrado na Figura 2.78) forem montados juntos no dissipador de calor.

Este circuito tem a vantagem adicional de que, mediante o ajuste da corrente quiescente, você tem algum controle sobre a quantidade de distorção de cruzamento residual. Um amplificador *push-pull* polarizado dessa maneira para obter corrente quiescente substancial no ponto de cruzamento é, por vezes, referido como um amplificador "classe AB", o que significa que ambos os transistores conduzem simultaneamente durante uma parte significativa do ciclo. Na prática, você escolhe uma corrente quiescente que seja um bom compromisso entre baixa distorção e dissipação quiescente excessiva. A realimentação, introduzida posteriormente neste capítulo (e explorada intensamente no Capítulo 4), é quase sempre utilizada para reduzir a distorção ainda mais.

Veremos uma evolução desse circuito na Seção 2.4.2, em que o complementaremos com as técnicas de polarização referenciada a V_{BE}, coletor *bootstrapping* e estágio de saída Darlington complementar para reforço de β.

C. Amplificadores "Classe D"

Uma solução interessante para todo esse negócio de dissipação de potência (e distorção) em amplificadores de potência

---

[52] Ou, melhor, transistores conectados como diodos: conecte a base e o coletor como "anodo" e o emissor como "catodo".

linear classe AB é abandonar a ideia de um estágio totalmente linear e usar um esquema de *chaveamento*: imagine que os transistores seguidores *push-pull* Q_2 e Q_3 na Figura 2.72 sejam substituídos por um par de chaves com transistores, com uma ligada (ON) e a outra desligada (OFF) em qualquer momento, de modo que a saída seja completamente chaveada para $+V_{CC}$ ou para $-V_{CC}$ a qualquer instante. Imagine também que essas chaves sejam acionadas em uma alta frequência (pelo menos 10 vezes a maior frequência de áudio, digamos) e que o seu tempo relativo seja controlada (por técnicas que veremos mais adiante, nos Capítulos 10 a 13) de tal forma que a tensão *média* de saída seja igual à saída analógica desejada. Por fim, adicionamos um filtro passa-baixa *LC* para eliminar o sinal de alta frequência de chaveamento, deixando a saída analógica desejada (baixa frequência) intacta.

Este é um *Classe D*, ou amplificador *chaveado*. Ele tem a vantagem de eficiência muito elevada, pois os transistores de chaveamento ou estão desligados (sem corrente), ou em saturação (tensão próxima a zero); isto é, a potência dissipada nos transistores de chaveamento ($V_{CE} \times I_C$) é sempre pequena. Também não existe preocupação com a deriva térmica. As desvantagens são os problemas de emissão de ruídos de alta frequência, a passagem do chaveamento para a saída e a dificuldade de alcançar excelente linearidade.

Amplificadores Classe D são quase universais no equipamento de áudio de baixo custo e estão cada vez mais encontrando seu caminho em equipamentos de áudio de alta qualidade. A Figura 2.73 mostra formas de onda de um CI amplificador classe D de baixo custo (e minúsculo!) acionando uma carga de 5 Ω com uma onda senoidal na extremidade superior da faixa de áudio (20 kHz). Esse CI em particular utiliza frequência de chaveamento de 250 kHz e pode acionar um par de alto-falantes estéreo com 20 watts em cada um; praticamente tudo de que você precisa (exceto pelos filtros de saída *LC*) está no chip, que custa cerca de 3 dólares em pequenas quantidades. Perfeito!

2.4.2 Conexão Darlington

Se ligar dois transistores em conjunto, como na Figura 2.74, o resultado – denominado *conexão Darlington*[53] (ou *par Darlington*) – se comporta como um único transistor com beta igual ao produto dos dois betas dos transistores.[54] Isso pode ser muito útil quando altas correntes estão envolvidas (por exemplo, os reguladores de tensão ou estágios de saída

---

[53] Sidney Darlington, patente dos Estados Unidos 2.663.806: "Dispositivo Semicondutor de Transformação de Sinal". Darlington queria a patente que abrangesse qualquer número de transistores em um encapsulamento, mas os advogados da Bell Laboratories anularam seu pleito, impedindo, assim, uma patente que se estenderia a cada CI.

[54] Na corrente de operação de cada transistor, é claro.

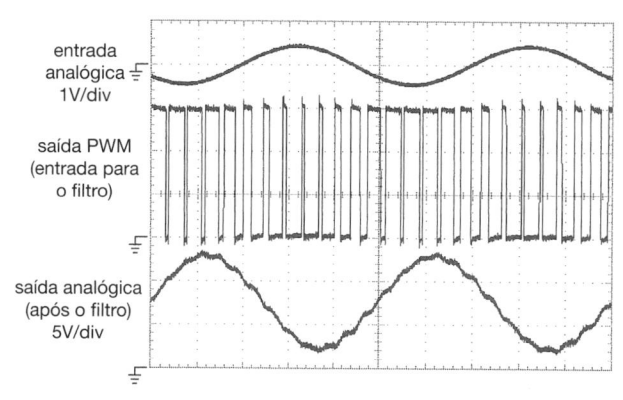

FIGURA 2.73 Formas de onda de um amplificador classe D: uma entrada de onda senoidal de 20 kHz controla o "ciclo de trabalho" (fração de tempo em que a saída é nível ALTO) de uma saída chaveada *push-pull*. Essas formas de onda são de um chip amplificador estéreo TPA3123 que opera a partir de +15 V e mostra a saída PWM (modulação por largura de pulso) pré-filtrada e a saída suavizada final após o filtro de saída passa-baixas *LC*. Horizontal: 10 μs/div.

de um amplificador de potência), ou para estágios de entrada de amplificadores em que uma impedância muito elevada de entrada é necessária.

Para um transistor Darlington, a queda base-emissor é o dobro do normal, e a tensão de saturação é, pelo menos, uma queda de diodo (visto que o emissor de Q_1 deve ser uma queda de diodo acima do emissor de Q_2). Além disso, a combinação tende a agir como um transistor bastante lento, pois Q_1 não pode desligar Q_2 rapidamente. Esse problema é normalmente tratado com a inclusão de um resistor da base para o emissor de Q_2 (Figura 2.75). O resistor R também impede que a corrente de fuga através de Q_1 polarize Q_2, colocando-o em condução;[55] seu valor é escolhido de modo que a corrente de fuga de Q_1 (nanoampères para transistores de pequeno sinal, e centenas de microampères para transistores de potência) produz menos do que uma queda de diodo através de R e de modo que R não consuma uma grande percentagem da corrente de base de Q_2 quando se tem um diodo de queda sobre ela. Normalmente, R pode ser de algumas centenas de

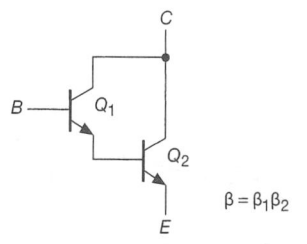

FIGURA 2.74 Configuração do transistor Darlington.

---

[55] E, por meio da estabilização da corrente de coletor de Q_1, melhora a previsibilidade do V_{BE} total do Darlington.

FIGURA 2.75 Melhorando a velocidade de desligamento de um par Darlington. (A fórmula de beta é válida desde que R não absorva um valor significativo da corrente de base de Q_2.)

FIGURA 2.77 Conexão Sziklai ("Darlington complementar").

ohms em um transistor Darlington de potência ou alguns milhares de ohms para um Darlington de pequeno sinal.

Transistores Darlington estão disponíveis como encapsulamentos individuais, geralmente com a resistência de base-emissor incluída. Um exemplo típico é o Darlington *npn* de potência MJH6284 (e seu primo *pnp* MJH6287), com um ganho de corrente de 1.000 (típico) em uma corrente de coletor de 10 ampères. Outro Darlington de potência popular é o *npn* de baixo custo TIP142 (e seu primo *pnp* TIP147): eles custam 1 dólar em pequenas quantidades e têm valores típicos de $\beta = 4.000$ para $I_C = 5$ A. E, para aplicações de pequeno sinal, gostamos dos transistores amplamente disponíveis MPSA14 ou MMBTA14 (nos encapsulamentos TO-92 e SOT23, respectivamente), com um beta mínimo de 10.000 para 10 mA a 20.000 para 100 mA. Esses dispositivos de 30 volts não têm resistor base-emissor interno (para que você possa usá-los em correntes muito baixas); eles custam menos de 10 centavos de dólar em pequenas quantidades. A Figura 2.76 mostra o beta *versus* a corrente coletor para esses dispositivos; observe os altos valores de beta, mas com uma dependência substancial tanto da temperatura quanto da corrente de coletor.

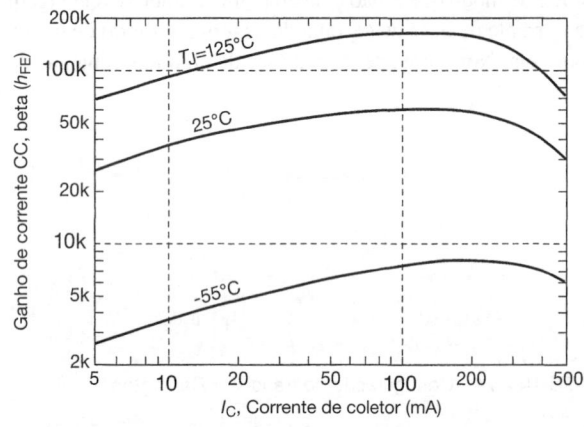

FIGURA 2.76 Beta típico *versus* corrente de coletor para o Darlington *npn* popular MPSA14 (adaptado a partir da folha de dados).

A. Conexão Sziklai

Uma configuração com aumento de beta semelhante é a conexão Sziklai,[56] por vezes referida como Darlington complementar (Figura 2.77). Essa combinação se comporta como um transistor *npn*, novamente com um beta grande. Tem uma única queda de base-emissor, mas (como o Darlington) também não pode saturar a menos do que uma queda de diodo. Um resistor da base para o emissor do Q_2 é aconselhável, por razões idênticas às do Darlington (corrente de fuga, velocidade, estabilidade de V_{BE}). Essa conexão é comum em estágios de saída de potência *push-pull* em que o projetista pode querer usar apenas uma polaridade de transistor de saída de alta corrente. No entanto, mesmo quando utilizado como pares de polaridade complementares, ele é geralmente preferido (em detrimento do Darlington) para amplificadores e outras aplicações lineares; isso porque tem a vantagem de uma única queda V_{BE} (*versus* duas) e da queda de tensão que é estabilizada pelo resistor de base-emissor do transistor de saída. Por exemplo, se R_B for escolhido de tal modo que sua corrente (com uma queda V_{BE} nominal sobre ele) seja 25% da corrente de base do transistor de saída na saída de pico, o transistor acionador verá uma corrente de coletor, que variará somente sobre um fator de 5; assim, seu V_{BE} (que é o V_{BE} do Sziklai) varia apenas 40 mV ($V_T$ln5) sobre a oscilação da corrente de saída total.

A Figura 2.78 mostra um bom exemplo de um estágio Sziklai de saída *push-pull*. Ele tem uma vantagem importante em comparação com a alternativa Darlington: a polarização do par Q_3Q_5 na condução classe AB (para minimizar a di-

---

[56] George C. Sziklai, "*Symetrical properties of transistors and their applications*" (Propriedades simétricas de transistores e suas aplicações), *Procedimento IRE* **41**, 717-24 (1953) e patentes dos EUA 2.762.870 e 2.791.644. Sua nova configuração complementar está escondida conforme a Figura 8, em que se observa que "A simetria complementar de transistores encontra uma aplicação interessante quando é aplicada à conexão em cascata de estágios de amplificador *push-pull*". O circuito, evidentemente, foi concebido por Sziklai, Lohman e Herzog, para uma demonstração de uma TV transistorizada na RCA; a percepção comum era que os transistores não eram bons o suficiente para a tarefa. Nos primeiros CIs, em que apenas transistores *pnp* medianos estavam disponíveis, um transistor *npn* adicional foi adicionado, no estilo Sziklai, para aumentar a capacidade de corrente do *pnp*; a combinação foi chamado de "*pnp* lateral composto".

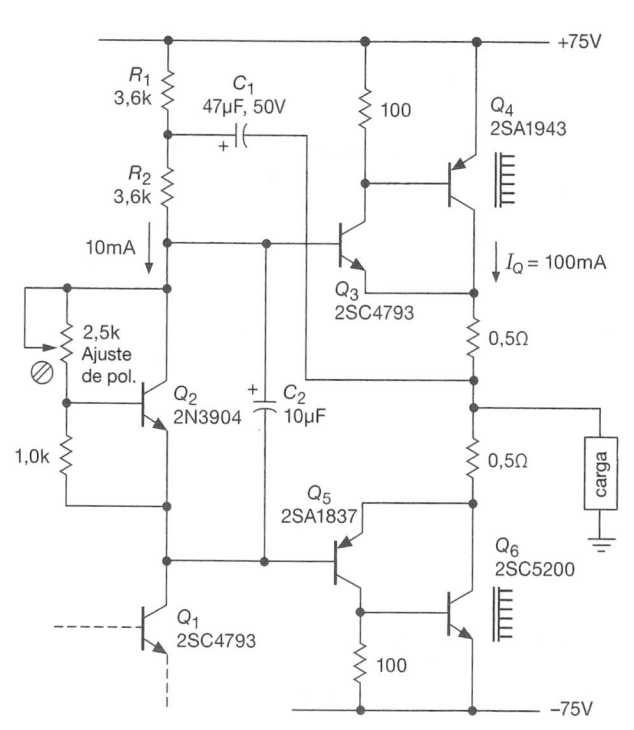

FIGURA 2.78 Estágio de potência *push-pull* com um par Sziklai de transistores de saída, capaz de variar a saída até ±70 V e correntes de saída de ±2A de pico.

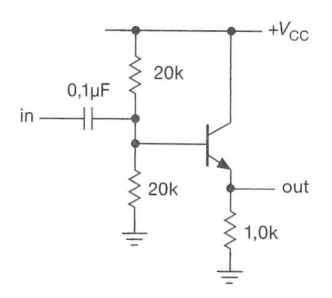

FIGURA 2.79 Rede de polarização diminui a impedância de entrada.

sorção de cruzamento) tem apenas duas quedas base-emissor em vez de quatro, e, mais importante, Q_3 e Q_5 operam frios em comparação com os transistores de saída (Q_4 e Q_6), de modo que eles podem servir de referência para ter uma queda de base-emissor estável. Isso permite correntes quiescentes maiores do que com o Darlington convencional, em que você tem que deixar uma maior margem de segurança; linha inferior, distortion[57] mais baixa.

Neste circuito, Q_2 funciona como um "multiplicador V_{BE} ajustável" para a polarização, aqui configurável de 1 a 3,5 V_{BE}s; que é desviada nas frequências do sinal. Outro truque é o "*bootstrapping*" do resistor de coletor de Q_1 por C_1 (veja a Seção 2.4.3), aumentando sua resistência efetiva nas frequências do sinal e aumentando o ganho de malha do amplificador para produzir menor distorção.

B. Transistor de Superbeta

A conexão Darlington e seus parentes próximos não devem ser confundidos com o chamado transistor de superbeta, um dispositivo com ganho muito elevado de corrente obtido por meio do processo de fabricação. Um transistor típico superbeta é o 2N5962, com um ganho mínimo de corrente garantido de 450 para uma corrente de coletor de 10 μA a 10 mA (veja, por exemplo, a Tabela 8.1a). Pares casados de superbeta estão disponíveis para uso em amplificadores de baixo nível que exijam características casadas – por exemplo, o amplificador diferencial da Seção 2.3.8. Exemplos lendários são o LM394 e a séries MAT-01; estes fornecem pares de transistores *npn* de alto ganho cujas tensões V_{BE} são casadas com uma fração de um milivolt (pequeno como 50 μV, nas melhores versões) e cujos betas são casados para cerca de 1%. A MAT-03 é um par *pnp* casado (veja a Tabela 8.1b). Algumas AOPs comerciais usam estágios de entrada diferenciais de superbeta para conseguir correntes de entrada (ou seja, polarização de base) tão baixas quanto 50 pA dessa forma; exemplos são o LT1008 e o LT1012.

2.4.3 *Bootstrapping*

Quando se polariza um seguidor de emissor, por exemplo, você escolhe os resistores do divisor de tensão na base de modo que o divisor seja uma fonte de tensão estável para a base, ou seja, de modo que a sua impedância em paralelo seja muito menor do que a impedância olhando para a base. Por essa razão, o circuito resultante tem uma impedância de entrada dominada pelo divisor de tensão – o sinal de acionamento vê uma impedância muito mais baixa do que de outro modo seria necessário. A Figura 2.79 apresenta um exemplo. A resistência de entrada de cerca de 9,1k é devida principalmente à impedância do divisor de tensão de 10k. É sempre desejável manter a impedância de entrada alta, e mesmo assim é uma vergonha carregar a entrada com o divisor, que, afinal, está lá apenas para polarizar o transistor.

"*Bootstrapping*" é o nome pitoresco dado a uma técnica que contorna esse problema (Figura 2.80). O transistor é polarizado pelo divisor R_1R_2 através de um resistor em série R_3. O capacitor C_2 é escolhido para ter baixa impedância nas frequências do sinal em comparação com os resistores de polarização. Como sempre, a polarização é estável se a impedância CC vista a partir da base (neste caso, 9,7k) é muito menor do que a impedância CC olhando para a base (neste caso, aproximadamente 100k). Mas agora a impedância de

---
[57] Para lidar com maior potência, uma prática comum é conectar em paralelo vários estágios de Q_3Q_4 idênticos (cada um com seu resistor de emissor de 0,5 Ω), e da mesma forma para Q_5Q_6. Veja a Seção 2.4.4.

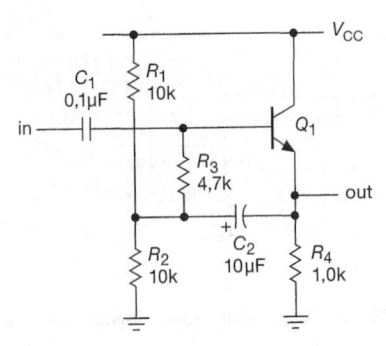

FIGURA 2.80 Aumentando a impedância de entrada de um seguidor de emissor nas frequências do sinal por meio do *bootstrapping* do divisor de polarização da base.

entrada do sinal de frequência já não é mais a mesma que a impedância CC. Veja isso deste modo: uma oscilação de entrada v_{in} resulta em uma oscilação de emissor $v_E \approx v_{in}$. Assim, a variação na corrente através do resistor de polarização R_3 é $i = (v_{in} - v_E)/R_3 = 0$, ou seja, Z_{in} (da sequência de polarização) $= v_{in}/i_{in} \approx$ infinito. Tornamos a impedância de carga (*shunt*) da rede de polarização muito grande *nas frequências do sinal*.

Outra maneira de ver isso é notar que R_3 tem sempre a mesma tensão sobre ele nas frequências do sinal (uma vez que ambas as extremidades do resistor têm as mesmas variações de tensão), ou seja, é uma fonte de corrente. Mas uma fonte de corrente tem impedância infinita. Na realidade, a impedância efetiva é menor do que o infinito, pois o ganho de um seguidor é ligeiramente menor que a unidade. Isso é assim porque a queda base-emissor depende da corrente de coletor, que varia com o nível do sinal. Você poderia ter previsto o mesmo resultado a partir do efeito do divisor de tensão da impedância olhando para o emissor [$r_e = 25/I_C$ (mA) ohms] combinada com a resistência de emissor. Se o seguidor tem ganho de tensão A (ligeiramente menor que a unidade), o valor efetivo de R_3 nas frequências do sinal é

$$R_3/(1 - A)$$

O ganho de tensão de um seguidor pode ser escrito como $A = R_L/(R_L + r_e)$, em que R_L é a carga total vista no emissor (aqui, $R_1 \parallel R_2 \parallel R_4$), de modo que o valor efetivo do resistor de polarização R_3 nas frequências do sinal pode ser escrito como $R_3 \rightarrow R_3(1 + R_L/r_e)$. Na prática, o valor de R_3 é efetivamente aumentado por uma centena ou mais, e a impedância de entrada é, então, dominada pela impedância de base do transistor. O amplificador com realimentação do emissor pode usufruir do *bootstrap* da mesma maneira, uma vez que o sinal no emissor segue a base. O circuito divisor de polarização é acionado pela saída do emissor de baixa impedância nas frequências do sinal, que é o que isola o sinal de entrada a partir dessa tarefa usual e torna possível o aumento benéfico da impedância de entrada.

A. *Bootstrapping* dos Resistores de Carga do Coletor

O princípio do *bootstrap* pode ser usado para aumentar o valor eficaz do resistor de carga do coletor do transistor, se esse estágio acionar um seguidor. Isso pode aumentar o ganho de tensão do estágio substancialmente – lembre-se de que $G_V = -g_m R_C$, com $g_m = 1/(R_E + r_e)$. Essa técnica é usada na Figura 2.78, em que fazemos o *bootstrap* do resistor de carga do coletor de Q_1 (R_2), formando uma carga de fonte de corrente aproximada. Isso fornece duas funções úteis: (a) levanta o ganho de tensão de Q_1 e (b) fornece corrente de acionamento da base para Q_3Q_4 que não deixa cair em direção ao topo da oscilação (como faria uma carga resistiva, justamente quando você mais precisa).

2.4.4 Partilha de Corrente em BJTs em Paralelo

Não é incomum no projeto de eletrônica de potência descobrir que o transistor de potência que você escolheu não é capaz de lidar com a dissipação de potência necessária e precisa compartilhar o trabalho com transistores adicionais. Essa é uma boa ideia, mas você precisa de uma maneira de garantir que cada transistor lide com uma porção igual da dissipação de potência. Na Seção 9.13.5, ilustramos o uso de transistores em série. Isso pode simplificar o problema, pois sabemos que todos eles operarão com a mesma corrente. Mas, muitas vezes, é mais tentador dividir a corrente conectando os transistores em paralelo, como na Figura 2.81A.

Há dois problemas com essa abordagem. Em primeiro lugar, sabemos que o transistor bipolar é um dispositivo de transcondutância, com sua corrente de coletor determinada de forma precisa por sua tensão base-emissor V_{BE}, como dado pelas equações de Ebers-Moll 2.8 e 2.9. Como vimos na Seção 2.3.2, o coeficiente de temperatura de V_{BE} (para uma corrente de coletor constante) é de cerca de –2,1 mV/°C; ou, de forma equivalente, I_C aumenta com a temperatura para um V_{BE}[58] fixo. Isso é lamentável, porque, se a junção de um dos transistores se torna mais quente do que o restante, é necessário mais da corrente total, aquecendo ainda mais. Ele corre o risco da temida deriva térmica.

O segundo problema é que os transistores de mesmo código não são idênticos. Eles vêm da prateleira com dife-

---

[58] Este resultado vem diretamente de $\partial I_C/\partial T = g_m \partial V_{BE}/\partial T$, que, depois da substituição $g_m = I_C/V_T$, nos diz que a mudança fracionária da corrente de coletor é apenas $(\partial I_C/\partial T)/I_C = (\partial V_{BE}/\partial T)$. Assim, a corrente de coletor aumenta fracionalmente em cerca de 2,1 mV/25 mV (ou 8,4%) por °C – uma quantidade bastante grande!

rentes valores de V_{BE} para um determinado I_C. Isso se aplica mesmo para os dispositivos feitos ao mesmo tempo na mesma linha de fabricação e a partir da mesma pastilha de silício. Para ver quão grande a variação pode ser, medimos 100 transistores ZTX851 adjacentes em um carretel, com uma variação observada de cerca de 17 mV, mostrada na Figura 8.44. Isso representa realmente um "melhor caso", pois você não pode ter certeza de que um lote de transistores de entrada derivem de um único lote, muito menos de um único *wafer*. Ao construir algo, as tensões V_{BE} de transistores "idênticos" podem estar na faixa de 20 a 50 mV umas das outras, mas esse casamento é perdido quando um deles tem de ser substituído algum dia. É sempre mais seguro considerar uma possível extensão de 100 mV ou mais nas tensões base-emissor. Recordando que $\Delta V_{BE} = 60$ mV corresponde a um fator de dez na relação de corrente, fica claro que você não pode fazer uma conexão em paralelo direta, como na Figura 2.81A.

A solução usual para esse problema é a utilização de pequenos resistores nos emissores, conforme mostrado na Figura 2.81B. Eles são chamados de *resistores de emissor de controle do fluxo de corrente*, e seu valor é escolhido para uma queda de, pelo menos, alguns décimos de volts no ponto mais alto da faixa de corrente de operação prevista. Essa queda de tensão tem de ser adequada para ocultar a amplitude de valores de V_{BE} dos transistores individuais e é escolhida normalmente em algum ponto na faixa de 300 a 500 mV.

Em altas correntes, os resistores podem sofrer uma dissipação de potência inconvenientemente alta, de modo que pode ser que você queira usar o truque de compartilhamento de corrente mostrado na Figura 2.82. Aqui, os transistores detectores de corrente Q_4 a Q_6 controlam o acionamento da base dos transistores de potência em "paralelo" Q_1 a Q_3 para manter as correntes de emissor iguais (você pode pensar em Q_4 a Q_6 como um amplificador diferencial de alto ganho com três entradas). Essa técnica de "controle de corrente ativo" funciona bem com os BJTs Darlington de potência e funciona particularmente bem com MOSFETs (ver Figura 3.117),

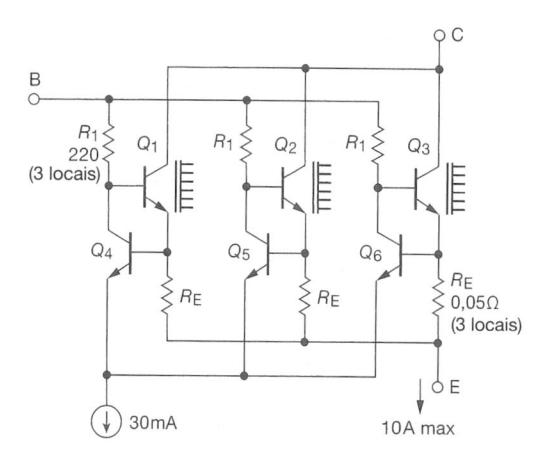

FIGURA 2.82 Controle de corrente ativo de transistores em paralelo Q_1 a Q_3 via realimentação a partir dos transistores detectores de corrente Q_4 a Q_6 permite configurar um transistores de potência em paralelo com quedas muito baixas sobre os resistores de emissor.

graças à sua corrente de entrada (porta) desprezível, tornando os MOSFETs uma boa escolha para circuitos com muita dissipação de potência.[59]

2.4.5 Capacitância e Efeito Miller

Em nossa discussão até agora, usamos o que equivale a um modelo CC, ou de baixa frequência, do transistor. O nosso modelo de amplificador de corrente simples e o modelo de transcondutância Ebers-Moll mais sofisticado lidam com tensões, correntes e resistências vistas nos vários terminais. Apenas com esses modelos já conseguimos ir muito longe, e, na verdade, esses modelos simples contêm quase tudo que você sempre precisa saber para projetar circuitos com transistor. No entanto, um importante aspecto que tem um impacto sério em circuitos de alta velocidade e de alta frequência tem sido negligenciado: a existência de capacitância no circuito externo e nas próprias junções dos transistores. De fato, em altas frequências, os efeitos da capacitância, muitas vezes, dominam o comportamento do circuito; a 100 MHz, a capacitância de junção típica de 5 pF tem uma impedância de apenas 320 Ω!

Nesta breve subseção, apresentamos o problema, ilustramos alguns tipos de circuito e sugerimos alguns métodos de contornar seus efeitos. Seria um erro deixar este capítulo sem perceber a natureza do problema. Ao longo desta breve discussão, encontramos o abominável *efeito Miller* e a utilização de configurações, tais como a cascode, para superá-lo.

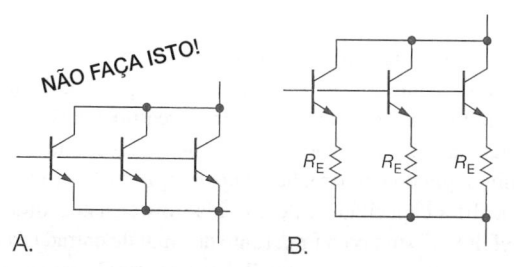

FIGURA 2.81 Para equalizar as correntes de transistores em paralelo, use resistores de controle de corrente do emissor R_E, como no circuito B.

---

[59] Outra característica interessante de MOSFETs é a falta da segunda ruptura e, portanto, de uma área de operação segura mais ampla: veja a Seção 3.6.4C.

A. Capacitâncias de Junção e de Circuito

A capacitância limita a velocidade a que as tensões no interior de um circuito podem oscilar ("taxa de variação"), devido à impedância ou à corrente de acionamento finita. Quando uma capacitância é acionada por uma resistência de fonte finita, você vê um RC com comportamento exponencial de carga, enquanto uma capacitância acionada por uma fonte de corrente produz formas de onda limitadas pela taxa de variação (rampas). Como orientação geral, reduzir as impedâncias de fonte e capacitâncias de carga e aumentar as correntes de acionamento dentro de um circuito acelerará as coisas. No entanto, existem algumas sutilezas relacionadas à capacitância de realimentação e à capacitância de entrada. Daremos uma breve olhada nisso.

O circuito na Figura 2.83 ilustra a maior parte dos problemas de capacitância de junção. A capacitância de saída forma uma constante de tempo com a resistência de saída R_L (R_L inclui tanto a resistência de coletor quanto a de carga, e C_L inclui tanto a capacitância de junção quanto a de carga), dando uma atenuação a partir de alguma frequência $f = 1/2\pi R_L C_L$.

O mesmo se aplica à capacitância de entrada, C_{be}, em combinação com a impedância de fonte R_S. De maior importância, em altas frequências, a capacitância de entrada subtrai corrente da base, diminuindo efetivamente o beta do transistor. Na verdade, as folhas de dados de transistor especificam uma frequência de corte, f_T, em que o beta diminui para a unidade – não é mais um amplificador!

B. Efeito Miller

A impedância de entrada C_{cb} é outra questão. O amplificador tem algum ganho total de tensão G_V, então uma pequena oscilação de tensão na entrada resulta em uma oscilação G_V vezes maior (e invertida) no coletor. Isso significa que a fonte de sinal vê uma corrente através de C_{cb} que é G_V + 1 vez tão grande quanto se C_{cb} fosse conectada da base para o terra; ou seja, para efeitos de cálculos de frequência de atenuação de entrada, a capacitância de realimentação se comporta como um capacitor de valor $C_{cb}(G_V + 1)$ da entrada para o terra. Esse aumento eficaz de C_{cb} é conhecido como efeito Miller. Ele, muitas vezes, domina a característica de atenuação dos amplificadores, pois uma capacitância de realimentação típica de 4 pF pode parecer algumas centenas de picofarads para o terra. Existem alguns métodos disponíveis para combater o efeito Miller: (a) você pode diminuir a impedância da fonte acionando um estágio com emissor aterrado usando um seguidor de emissor. A Figura 2.84 mostra três outras possibilidades; (b) o circuito amplificador diferencial sem resistor de coletor em Q_1 (Figura 2.84A) não tem efeito Miller – você pode pensar nisso como um seguidor de emissor acionando um amplificador de base aterrada (veja a seguir); (c) a famosa configuração cascode (Figura 2.84B) elegantemente anula o efeito Miller. Aqui, Q_1 é um amplificador de emissor aterrado com R_L como seu resistor de coletor: Q_2 se interpõe no caminho do coletor para evitar oscilação a partir do coletor de Q_1 (eliminando, assim, o efeito Miller), enquanto a corrente do coletor passa através da resistência de carga inalterada. A entrada indicada por V_+ é uma tensão de polarização fixa, geralmente ajustada em alguns volts acima da tensão do emissor de Q_1 para fixar o coletor de Q_1 e mantê-lo na região ativa. Esse fragmento de circuito está incompleto, pois a polarização não é mostrada; você poderia incluir um resistor de emissor com derivação e um divisor de base para a polarização de Q_1 (como fizemos no início do capítulo) ou incluí-lo dentro de uma malha global de realimentação CC. V_+ pode ser fornecida a partir de um divisor ou zener, com uma derivação para mantê-la estável nas frequências do sinal. (d) Por fim, o amplificador de base aterrada pode ser utilizado por si só, como mostrado na Figura 2.84C. Ele não tem nenhum efeito Miller, pois a base é acionada por uma impedância de fonte zero (terra), e o amplificador não apresenta inversão da entrada para a saída.

Exercício 2.19 Explique em detalhes por que não há nenhum efeito Miller em qualquer transistor nos circuitos do amplificador diferencial e cascode anteriores.

Efeitos capacitivos podem ser um pouco mais complicados do que esta breve introdução pode indicar. Em especial: (a) as atenuações devidas à realimentação e às capacitâncias de saída não são totalmente independentes; na terminologia do negócio, há *compensação Miller* (*pole splitting*); (b) a capacitância de entrada do transistor ainda tem um efeito, mesmo com uma fonte de sinal de entrada estável. Em particular, a corrente que flui através de C_{be} não é amplificada pelo transistor. Essa corrente de base "roubada" pela capacitância de entrada faz o ganho de corrente de pequeno sinal do transistor, h_{fe}, cair em altas frequências, alcançando, eventualmente, a unidade em uma frequência conhecida

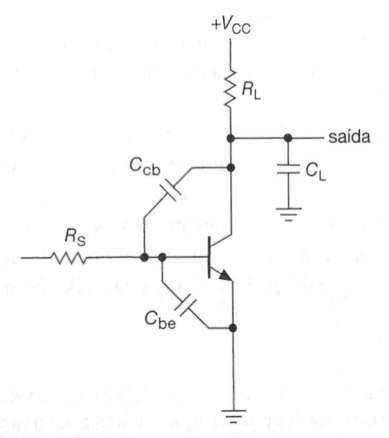

FIGURA 2.83 Capacitâncias de junção e de carga em um amplificador com transistor.

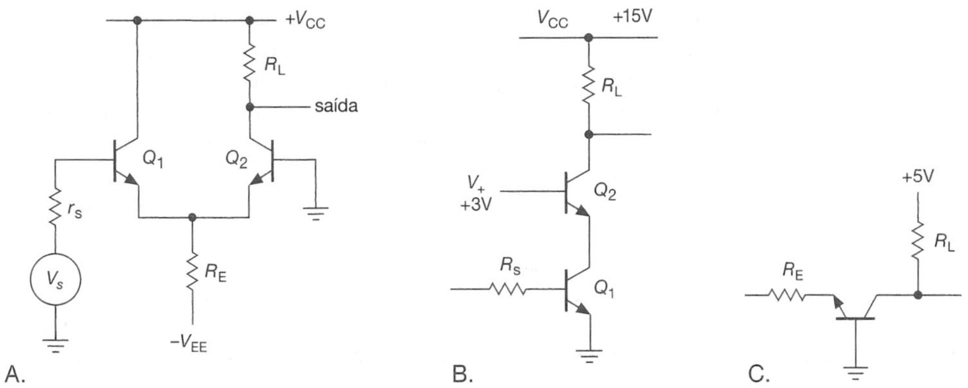

FIGURA 2.84 Três configurações de circuito que evitam o efeito de Miller. A. Amplificador diferencial com a entrada inversora aterrada. B. Conexão cascode. C. Amplificador de base aterrada.

como f_T. (c) Para complicar, as capacitâncias de junção dependem da tensão: uma parcela dominante de C_{be} varia proporcionalmente com a corrente de operação, de modo que é dada f_T.[60] (d) Quando um transistor é operado como uma chave, os efeitos associados com carga armazenada na região da base de um transistor saturado causam uma perda adicional de velocidade.

O efeito Miller se agiganta em circuitos de alta velocidade e banda larga, e nós o veremos frequentemente nos próximos capítulos.

2.4.6 Transistores de Efeito de Campo

Neste capítulo, tratamos exclusivamente de BJTs, caracterizados pela equação de Ebers-Moll. BJTs foram os transistores originais, e são amplamente utilizados no projeto de circuitos analógicos. No entanto, seria um erro continuar sem mencionar o outro tipo de transistor, o FET, que será abordado em detalhes no Capítulo 3.

O FET se comporta de várias formas como um transistor bipolar comum. É um dispositivo de amplificação de três terminais, disponível em ambas as polaridades, com um terminal (a *porta*) que controla o fluxo de corrente entre os outros dois terminais (*fonte* e *dreno*). Contudo, ele tem uma propriedade única: a porta não consome qualquer corrente CC, com exceção de fuga. Isso significa que impedâncias de entrada extremamente elevadas são possíveis, limitadas apenas pela capacitância e pelos efeitos de fuga. Com FETs, você não tem que se preocupar sobre o fornecimento de uma corrente de base substancial, como era necessário com o projeto de circuitos com BJT deste capítulo. Correntes de entrada medidas em *pico*ampères são comuns. No entanto, o FET é um dispositivo robusto e capaz, com tensão e corrente comparáveis às dos transistores bipolares.

A maioria dos dispositivos disponíveis fabricados com BJTs (pares casados, amplificadores diferenciais e operacionais, comparadores, chaves de alta corrente e amplificadores e amplificadores RF) também estão disponíveis com FET, muitas vezes com um desempenho superior. Além disso, a lógica digital, microprocessadores, memória e todos os tipos de maravilhosos e complexos chips digitais de larga escala são construídos quase exclusivamente com FETs. Por fim, a área do projeto de micropotência é dominada por circuitos FET. Não é exagero dizer que, demograficamente, quase todos os transistores são FETs.[61]

FETs são tão importantes no projeto eletrônico, que dedicamos o próximo capítulo a eles, antes de tratar de amplificadores operacionais e realimentação no Capítulo 4. Pedimos ao leitor que tenha paciência conosco enquanto estabelecemos as bases nestes difíceis três primeiros capítulos; essa paciência será recompensada muitas vezes nos capítulos seguintes, à medida que explorarmos os temas de projeto de circuitos com amplificadores operacionais e circuitos integrados digitais.

2.5 REALIMENTAÇÃO NEGATIVA

Sugerimos anteriormente neste capítulo que a realimentação oferece uma resposta para alguns problemas inquietantes: polarização do amplificador de emissor aterrado (Seções 2.3.4 e 2.3.5), polarização do amplificador diferencial com espelho de corrente como carga ativa (Seção 2.3.8C) e minimização da distorção de cruzamento em seguidores *push-pull* (Seção 2.4.1A). Ela é ainda melhor do que isso – a *realimentação*

---

[60] Este parâmetro, f_T, será abordado quando tratarmos da largura de banda de AOPs.

[61] Para que esta manifestação de entusiasmo não deixe uma impressão errada, devemos salientar que os BJTs estão vivos e com saúde, em grande parte porque são imbatíveis quando se trata de características como precisão e ruído (os assuntos dos Capítulos 5 e 8). Eles também se destacam em transcondutância (ou seja, ganho). Essas FETs de potência sofrem com uma capacitância de entrada muito elevada; e, como para componentes discretos, você não pode obter MOSFETs de pequeno sinal, apenas MOSFETs de *potência*.

negativa é uma técnica maravilhosa que pode curar todos os tipos de males: distorção e não linearidades, dependência de ganho do amplificador, desvio do desempenho ideal de fontes de tensão, fontes de corrente e praticamente qualquer outra coisa.

Aproveitaremos os benefícios da realimentação negativa totalmente no Capítulo 4, em que introduziremos o componente analógico universal denominado *amplificador operacional* ("AOP"), um dispositivo que prospera na realimentação negativa. Mas este é um bom lugar para introduzir a realimentação, tanto porque ela é amplamente utilizada em circuitos com transistores discretos quanto porque está presente no nosso amplificador emissor comum, cuja melhoria da linearidade (em comparação com a do amplificador de emissor aterrado) é devida à realimentação negativa.

2.5.1 Introdução à Realimentação

Em sistemas de controle, a realimentação consiste em comparar a saída real do sistema com a saída desejada e fazer uma correção em conformidade. O "sistema" pode ser quase qualquer coisa: por exemplo, o processo de condução de um carro na estrada, em que a saída (a posição e a velocidade do veículo) é sentida pelo condutor, que a compara com as expectativas e efetua correções na entrada (volante, acelerador, freio). Em circuitos amplificadores, a saída deve ser um múltiplo da entrada, de modo que, em um amplificador realimentado, a entrada é comparada com uma versão atenuada da saída.

Tal como em amplificadores, a realimentação negativa é aplicada de forma simples acoplando a saída de volta de tal maneira a cancelar parte da entrada. Você pode pensar que isso só teria o efeito de reduzir o ganho do amplificador e que seria uma coisa muito estúpida de se fazer. Harold S. Black, que tentou patentear a realimentação negativa em 1928, foi recebido com a mesma resposta. Nas suas palavras, "O nosso pedido de patente foi tratado do mesmo modo que uma máquina moto-contínuo".[62] É verdade que ela faz diminuir o ganho, mas, em troca, melhora outras características, sobretudo a imunidade à distorção e à não linearidade, a planicidade de resposta (ou conformidade com alguma resposta de frequência desejada) e a previsibilidade. Na verdade, quanto mais realimentação negativa for usada, menos dependente das características do amplificador de malha aberta (sem realimentação) as características resultantes do amplificador se tornam, e, por fim, dependerá apenas das propriedades da própria rede de realimentação. Amplificadores operacionais (os blocos construtivos de amplificadores diferenciais de ganho muito alto do Capítulo 4) são normalmente utilizados nesse limite de ganho de malha alto, com ganho de tensão em *malha aberta* (sem realimentação) de um milhão ou mais.

Uma rede de realimentação pode ser dependente da frequência, para produzir um amplificador de equalização (com características específicas de ganho *versus* frequência), ou pode ser dependente da amplitude, produzindo um amplificador não linear (um exemplo é um amplificador logarítmico, construído com realimentação que explora a tensão logarítmica de V_{BE} em função de I_C do díodo ou do transistor). Ela pode ser configurada para produzir uma fonte de corrente (com impedância de saída quase infinita) ou uma fonte de tensão (com impedância de saída próxima de zero), e pode ser conectada para gerar impedância de entrada muito elevada ou muito baixa. Falando em termos gerais, a propriedade que é amostrada para produzir a realimentação é a propriedade que é melhorada. Assim, se você realimentar um sinal proporcional à corrente de saída, gerará uma boa fonte de corrente.[63]

Vejamos como a realimentação funciona e como afeta o que um amplificador faz. Determinaremos as expressões simples para impedância de entrada, impedância de saída e ganho de um amplificador com realimentação negativa.

2.5.2 Equação do Ganho

Observe a Figura 2.85. Para começar, desenhamos o familiar amplificador emissor comum com realimentação do emissor. Pensando no transistor considerando o modelo de Ebers-Moll, a tensão da base para o emissor (ΔV_{BE}) programa a corrente de coletor. Mas ΔV_{BE} é menor do que a tensão de entrada V_{in}, por causa da queda em R_E. Se a saída estiver sem carga, é fácil chegar à equação na figura. Em outras palavras, o amplificador emissor comum com realimentação do emissor é um amplificador de emissor aterrado com realimentação negativa, como sugerido anteriormente.

Esse circuito tem algumas sutilezas, que gostaríamos de deixar de lado por ora para observar a configuração mais simples mostrada na Figura 2.85B. Desenhamos aqui um amplificador diferencial (com ganho diferencial A), com uma fração de seu sinal de saída subtraída da entrada v_{in} do circuito. Essa fração, é claro, é dada simplesmente pela equação do divisor de tensão, como mostrado. Essa é uma configuração muito comum, amplamente utilizada com AOPs (Capítulo 4) e conhecida simplesmente como " amplificador não inversor".

---

[62] Veja o fascinante artigo na *IEEE Spectrum*. Dezembro de 1977. Sua patente de realimentação negativa (N° 2.102.671, modestamente intitulada "*Wave translation system*" (Sistema de conversão de onda) foi concedida em 1937, nove anos após sua apresentação inicial.

[63] A realimentação também pode ser positiva; é assim que você faz um oscilador, por exemplo. Embora possa parecer algo divertido, ela simplesmente não é tão importante quanto a realimentação negativa. Na verdade, ela é frequentemente um incômodo, pois um circuito com realimentação negativa pode ter deslocamentos de fase suficiente grandes em alguma frequência alta para produzir realimentação positiva e oscilações. É surpreendentemente fácil isso acontecer, e a prevenção de oscilações indesejadas é o assunto denominado *compensação*, que tratamos brevemente no final do Capítulo 4.

Em outras palavras,

$$V_{\text{out}} = \frac{A}{1+AB}V_{\text{in}},$$

E, assim, o ganho de tensão de malha fechada, $V_{\text{out}}/V_{\text{in}}$, é exatamente

$$G = \frac{A}{1+AB}. \qquad (2.16)$$

Alguma terminologia: as designações padrão para essas quantidades são as seguintes: G = ganho de malha fechada, A = ganho de malha aberta, AB = ganho de malha, $1 + AB$ = diferença de retorno, ou dessensibilização. A rede de retorno é, às vezes, denominada rede beta (nenhuma relação com o beta do transistor, h_{fe}).[64]

2.5.3 Efeitos da Realimentação em Circuitos Amplificadores

Analisemos os efeitos importantes da realimentação. Os mais significativos são a previsibilidade de ganho (e redução da distorção) e a alteração da impedância de entrada e da impedância de saída.

A. Previsibilidade de Ganho

O ganho de tensão é $G = A/(1 + AB)$. No limite do ganho de malha aberta A infinito[65], $G = 1/B$. Para um ganho finito A, a realimentação atua para reduzir os efeitos das variações de A (com frequência, temperatura, amplitude, etc.). Por exemplo, suponha que A dependa da frequência, como na Figura 2.86. Isso certamente satisfará a definição de qualquer amplificador inferior (o ganho varia ao longo de um fator de 10 com frequência). Agora, imaginemos a introdução da realimentação, com $B = 0,1$ (um divisor de tensão simples fará isso). O ganho de tensão de malha fechada agora varia de $1000/[1 + (1000 \times 0,1)]$, ou 9,90, para $10.000/[1 + (10.000 \times 0,1)]$, ou 9,99, uma variação de apenas 1% em relação ao mesmo intervalo de frequência! Colocando em termos de áudio, o amplificador original é plano em ±10 dB, enquanto o amplificador com realimentação é plano em ±0,04 dB. Podemos agora recuperar o ganho original de 1.000 com aproximadamente essa linearidade simplesmente conectando em cascata três desses estágios.

---

[64] Veremos mais adiante que amplificadores usados com realimentação geralmente têm significativos deslocamentos de fase atrasados da entrada para a saída. Assim, o ganho de tensão de malha aberta A deve ser representado adequadamente como um número complexo. Trataremos disso na Seção 2.5.4; por ora, adotaremos a simplificação em que a tensão de saída do amplificador é proporcional à sua tensão de entrada.

[65] O que não é uma má aproximação para um AOP, cujo ganho típico de malha aberta está em torno de $A_{\text{OL}} \approx 10^6$.

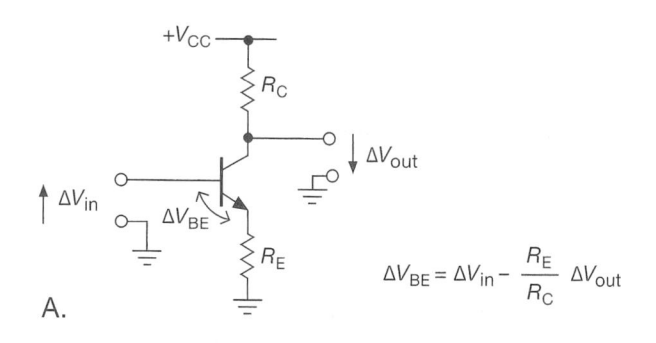

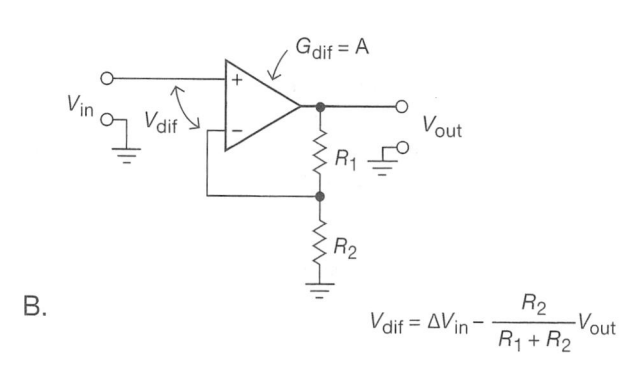

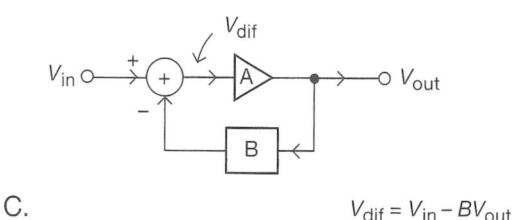

FIGURA 2.85 A realimentação negativa subtrai uma fração da saída a partir da entrada: A. Amplificador emissor comum. B. Amplificador diferencial configurado como um amplificador de tensão não inversor. C. Diagrama em blocos convencional.

Ao falar sobre a realimentação negativa, é convencional desenhar um diagrama como o da Figura 2.85C, em que a fração de realimentação é simplesmente identificada por B. Isso é útil, pois permite mais generalização do que um divisor de tensão (a realimentação pode incluir componentes dependentes da frequência, como capacitores, e componentes não lineares, como diodos) e mantém as equações simples. Para um divisor de tensão, é claro, B seria simplesmente igual a $R_2/(R_1 + R_2)$.

Descubramos o ganho. O amplificador tem um ganho de tensão de malha aberta de A, e a rede de realimentação subtrai uma fração B da tensão de saída a partir da entrada. (Mais tarde, generalizaremos as coisas de modo que as entradas e as saídas possam ser correntes ou tensões). A entrada para o bloco de ganho é, então, $V_{\text{in}} - BV_{\text{out}}$. Mas a saída é apenas a entrada vezes A:

$$A(V_{\text{in}} - BV_{\text{out}}) = V_{\text{out}}$$

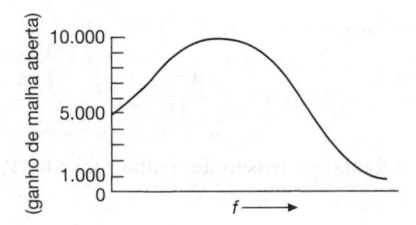

FIGURA 2.86 Amplificador com ganho de malha aberta *A* que varia muito com frequência *f*.

Foi exatamente por esse motivo (ou seja, a necessidade de amplificadores repetidores de telefonia de resposta extremamente plana) que a realimentação negativa em eletrônica foi inventada. Como o inventor, Harold Black, descreveu em sua primeira publicação aberta sobre a invenção [Elec. Eng., **53**, 114, (1934)], "através da construção de um amplificador cujo ganho é feito deliberadamente, digamos, 40 decibéis mais elevado do que o necessário (excesso de 10.000 vezes em termos de energia), e, em seguida, alimentando a saída de volta para a entrada, de tal maneira a jogar fora o excesso de ganho, verificou-se ser possível efetuar melhoria extraordinária na inconstância da amplificação e na independência da não linearidade". A patente de Black é espetacular, com dezenas de elegantes figuras; reproduzimos uma delas aqui (Figura 2.87), o que torna o argumento convincente.

É fácil mostrar, tomando a derivada parcial de *G* em relação a *A* (ou seja, $\partial G/\partial A$), que as variações relativas de ganho de malha aberta são reduzidas pela dessensibilização:

$$\frac{\Delta G}{G} = \frac{1}{1+AB}\frac{\Delta A}{A}.$$

Assim, para um bom desempenho, o ganho da malha AB deve ser muito maior do que 1. Isso é equivalente a dizer que o ganho de malha aberta deve ser muito maior do que o de malha fechada.

Uma consequência muito importante disso é que não linearidades, que são simplesmente variações de ganho que dependem do nível do sinal, são reduzidas exatamente da mesma maneira.

B. Impedância de Entrada

A realimentação pode ser configurada para subtrair uma tensão ou uma corrente a partir da entrada (estas são, por vezes, denominadas *realimentação em série* e *realimentação shunt*, respectivamente). A configuração do amplificador não inversor que consideramos, por exemplo, subtrai uma amostra de tensão da *tensão* diferencial que aparece na entrada, enquanto o esquema de realimentação na Figura 2.53 subtrai uma *corrente* a partir da entrada. Os efeitos sobre a impedância de entrada são opostos nos dois casos: a realimentação de tensão multiplica a impedância de entrada de malha aberta por 1 + *AB*, enquanto a realimentação de corrente a reduz pelo mesmo fator. No limite de ganho de malha infinito, a impedância de entrada (no terminal de entrada do amplificador) vai para o infinito ou zero, respectivamente. Isso é fácil de entender, uma vez que a realimentação de tensão tende a subtrair do sinal de entrada, o que resulta em uma variação menor (pelo fator *AB*) na resistência de entrada do amplificador; é uma forma de *bootstrapping*. A realimentação de corrente reduz o sinal de entrada pela oposição com uma corrente igual.

Realimentação em série (tensão)

Vejamos explicitamente como a impedância de entrada é efetivamente alterada pela realimentação. Ilustramos o caso da realimentação de tensão apenas, uma vez que as derivações são semelhantes para os dois casos. Começamos com um modelo de amplificador diferencial com a resistência de entrada (finita), como mostrado na Figura 2.88. Uma entrada V_{in} é reduzida por BV_{out}, colocando uma tensão $V_{dif} = V_{in} - BV_{out}$ nas entradas do amplificador. A corrente de entrada é, por conseguinte,

$$I_{in} = \frac{V_{in} - BV_{out}}{R_i} = \frac{V_{in}\left(1 - B\dfrac{A}{1+AB}\right)}{R_i} = \frac{V_{in}}{(1+AB)R_i},$$

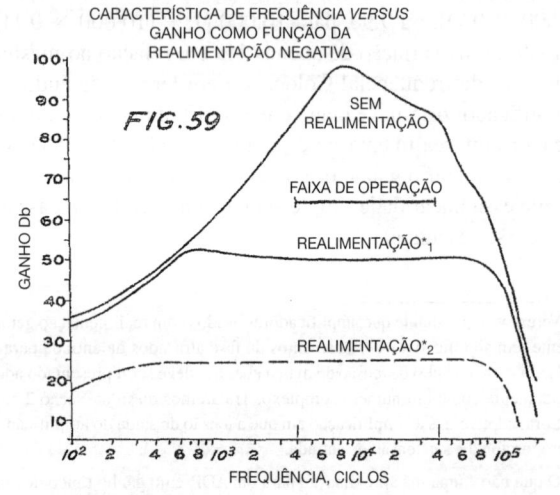

FIGURA 2.87 Explicação de Harold Black em sua histórica patente de 1937, com o modesto título "sistema de conversão de onda".

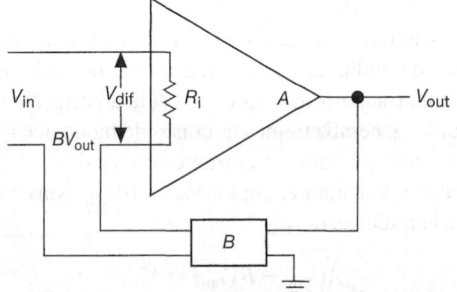

FIGURA 2.88 Impedância de entrada para uma realimentação em série.

dando uma impedância de entrada efetiva

$$Z_{in} = V_{in}/I_{in} = (1 + AB)R_i.$$

Em outras palavras, a impedância de entrada é aumentada por um fator de ganho de malha mais um. Se você fosse usar o circuito da Figura 2.85B para fechar a malha de realimentação em torno de um amplificador diferencial cuja impedância de entrada inerente é de 100 kΩ e cujo ganho diferencial é de 10^4, escolhendo a relação de resistor (99:1) para uma meta de ganho de 100 (no limite de ganho infinito do amplificador), a impedância de entrada vista pela fonte de sinal seria cerca de 10 MΩ, e o ganho de malha fechada seria 99.[66]

Realimentação *Shunt* (corrente)

Observe a Figura 2.89A. A impedância vista olhando para a entrada de um amplificador de tensão com realimentação de corrente é reduzida pela corrente de realimentação, que se opõe às variações de tensão na entrada.[67] Ao considerar a variação de corrente produzida por uma variação de tensão na entrada, você descobre que o sinal de entrada vê uma combinação em paralelo (a) da impedância de entrada inerente R_i do amplificador e (b) do resistor de realimentação R_f dividido por $1 + A$. Isto é,

$$Z_{in} = R_i \| \frac{R_f}{1+A}$$

(veja se você pode provar isso). Em casos de ganho de malha muito elevado (por exemplo, um AOP), a impedância de entrada é reduzida para uma fração de um ohm, o que pode parecer ruim. Mas, na verdade, essa configuração é utilizada para converter uma corrente de entrada em uma tensão de saída (um "amplificador de transresistência), para a qual uma baixa impedância de entrada é uma boa característica. Veremos exemplos no Capítulo 4.

Por meio da adição de um resistor de entrada (Figura 2.89B), o circuito se torna um "amplificador inversor", com resistência de entrada como mostrado. Você pode pensar nisso (especialmente no limite alto de ganho de malha) como um resistor que alimenta um amplificador de corrente-tensão. Nesse limite, R_{in} é aproximadamente igual R_1 (e o ganho de malha fechada é aproximadamente igual a $-R_2/R_1$).

É um exercício simples derivar uma expressão para o ganho de tensão de malha fechada do amplificador inversor com ganho de malha finito. A resposta é

$$G = -A(1 - B)/(1 + AB)$$

em que B é definido como anteriormente, $B = R_1/(R_1 + R_2)$. No limite do ganho de malha aberta grande A, $G = 1 - 1$ (ou seja, $G = -R_2/R_1$).

---

[66] É claro que, sabendo que o ganho de malha aberta é de aproximadamente 10^4, você pode levar a relação de resistor até 100:1 para compensar. Com um AOP, não há necessidade: com um ganho típico de circuito aberto de ~10^6, o ganho de malha fechada seria $G_{CL} = 99,99$.

[67] Tal como no circuito da Figura 2.53, na Seção 2.3.5C.

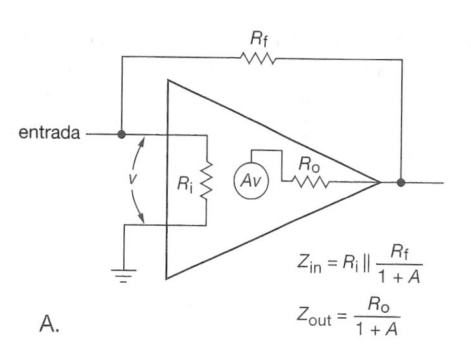

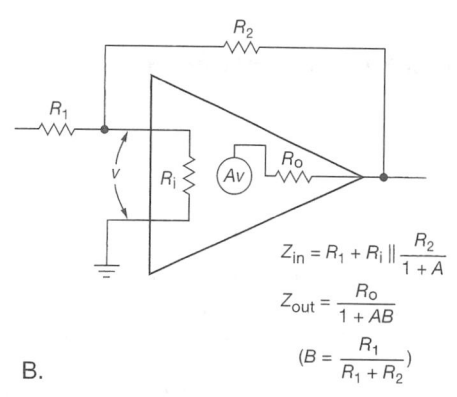

FIGURA 2.89 Impedâncias de entrada e de saída para (A) amplificador de transresistência e (B) amplificador inversor.

$$Z_{in} = R_i \| \frac{R_f}{1+A}$$
$$Z_{out} = \frac{R_o}{1+A}$$

$$Z_{in} = R_1 + R_i \| \frac{R_2}{1+A}$$
$$Z_{out} = \frac{R_o}{1+AB}$$
$$\left(B = \frac{R_1}{R_1 + R_2}\right)$$

Exercício 2.20 Deduza as expressões precedentes para a impedância de entrada e o ganho do amplificador inversor.

C. Impedância de Saída

Mais uma vez, a realimentação pode extrair uma amostra da tensão de saída ou da corrente de saída. No primeiro caso, a impedância de saída de malha aberta será reduzida pelo fator $1 + AB$, ao passo que, no segundo caso, será aumentada pelo mesmo fator. Ilustraremos esse efeito para o caso de amostragem de tensão.

Começamos com o modelo mostrado na Figura 2.90. Desta vez, mostramos a impedância de saída explicitamente. O cálculo é simplificado por um truque: coloque em curto

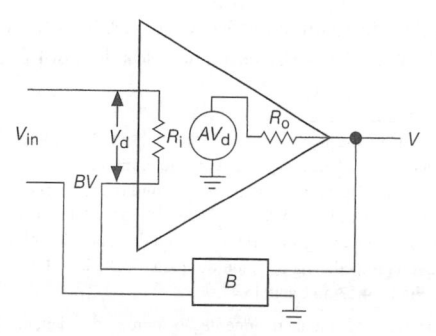

FIGURA 2.90 Impedância de saída.

a entrada e aplique uma tensão V para a saída; calculando a corrente de saída I, obtemos a impedância de saída $R'_o = V/I$. A tensão V na saída coloca uma tensão $-BV$ na entrada do amplificador, produzindo uma tensão $-ABV$ no gerador interno do amplificador. A corrente de saída é, por conseguinte,

$$I = \frac{V - (-ABV)}{R_o} = \frac{V(1+AB)}{R_o}$$

dando uma impedância de saída efetiva[68] de

$$Z_{out} = V/I = R_o/(1 + AB).$$

D. Detecção de *Corrente* de Saída

A realimentação também pode ser conectada, para amostrar a *corrente* de saída. Então, a expressão da impedância de saída se torna

$$Z_{out} = R_o/(1 + AB).$$

Na verdade, é possível ter vários caminhos de realimentação, amostrando tensão e corrente. No caso geral, a impedância de saída é dada pela relação de impedância de Blackman[69]

$$Z_{out} = R_o \frac{1 + (AB)_{SC}}{1 + (AB)_{OC}},$$

em que $(AB)_{SC}$ é o ganho da malha com a saída em curto-circuito (*short circuit*) para o terra e $(AB)_{OC}$ é o ganho de malha sem carga conectada, ou seja, circuito aberto (*open circuit*). Assim, a realimentação pode ser usada para gerar uma impedância de saída desejada. Essa equação reduz os resultados anteriores para a situação normal em que a realimentação é derivada a partir de qualquer tensão ou corrente de saída.

2.5.4 Dois Detalhes Importantes

A realimentação é um assunto rico, que intencionalmente simplificamos nesta breve introdução. No entanto, aqui estão dois detalhes que não devem ser desconsiderados, mesmo neste nível um tanto superficial de entendimento.

A. Efeito de Carga pela Rede de Realimentação

Em cálculos de realimentação, você geralmente considera que a rede beta não exerce carga na saída do amplificador. Se for assim, isso deve ser levado em conta no cálculo do ganho de malha aberta. Da mesma forma, se a conexão da rede beta na entrada do amplificador afeta o ganho de malha aberta (realimentação removida, mas a rede ainda conectada), você deve usar o ganho de malha aberta modificado. Por fim, as expressões anteriores consideram que a rede beta é unidirecional, ou seja, que não faz par com qualquer sinal da entrada para a saída.

B. Deslocamentos de Fase, Estabilidade e "Compensação"

O ganho A do amplificador de malha aberta é central nas expressões que encontramos para o ganho de malha fechada e as impedâncias de entrada e saída correspondentes. Por padrão, seria razoável considerar que A é um número real – isto é, que a saída está em fase com a entrada. Na vida real, as coisas são mais complexas[70], por causa dos efeitos das capacitâncias do circuito (e efeito Miller, Seção 2.4.5) e também da largura de banda limitada (f_T) dos próprios componentes ativos. O resultado é que o amplificador de malha aberta apresentará desvios de fase atrasadas que aumentam com a frequência. Isso tem várias consequências para o amplificador de malha fechada.

Estabilidade

Se o deslocamento de fase atrasadas do amplificador de malha aberta alcançar 180°, então a realimentação negativa se torna uma realimentação positiva, com a possibilidade de oscilação. Isso não é o que você quer! (O critério real para a oscilação é que o deslocamento de fase seja de 180°, com uma frequência na qual o ganho de malha AB é igual a 1.) Esse é um problema sério, especialmente em amplificadores com abundância de ganho (como os AOPs). O problema só é agravado se a rede de realimentação contribuir com um deslocamento de fase de atraso adicional (como, muitas vezes, ocorre). O assunto *compensação de frequência* em amplificadores de realimentação lida diretamente com essa questão essencial; você pode ler sobre isso na Seção 4.9.

Ganho e Deslocamento de Fase

As expressões que encontramos para o ganho de malha fechada e para as impedâncias de entrada e de saída contêm o ganho de malha aberta A. Por exemplo, o amplificador de tensão com realimentação em série (Figuras 2.85B e C, 2.88 e 2.90) tem ganho de malha fechada $G_{CL} = A/(1 + AB)$, em que $A = G_{OL}$, ganho de malha aberta do amplificador. Imaginemos que o ganho de malha aberta A seja 100 e que escolhamos $B = 0,1$ como meta de ganho de malha fechada de $G_{CL} \approx 10$. Agora, se o amplificador de malha aberta não tinha deslocamentos de fase, então $G_{CL} \approx 9,09$, também sem deslocamento de fase. Se, em vez disso, o amplificador tem

---

[68] Se o ganho de malha aberta A for real (ou seja, sem deslocamento de fase), então a impedância de saída Z_{out} será real (isto é, resistiva: R_{out}). No entanto, como veremos no Capítulo 4, A pode ser (e, muitas vezes, é) complexo, representando um deslocamento de fase de atraso. Para AOPs, o deslocamento de fase é de 90° sobre a maior parte da largura de banda do amplificador. O resultado é uma impedância de saída de malha fechada indutiva. Veja, por exemplo, a Figura 4.53 no Capítulo 4.

[69] R.B. Blackman, "Efeito da realimentação sobre a impedância", Bell. Sys. Tech. J. **22**, 269 (1943).

[70] Isto é um trocadilho, entendeu?

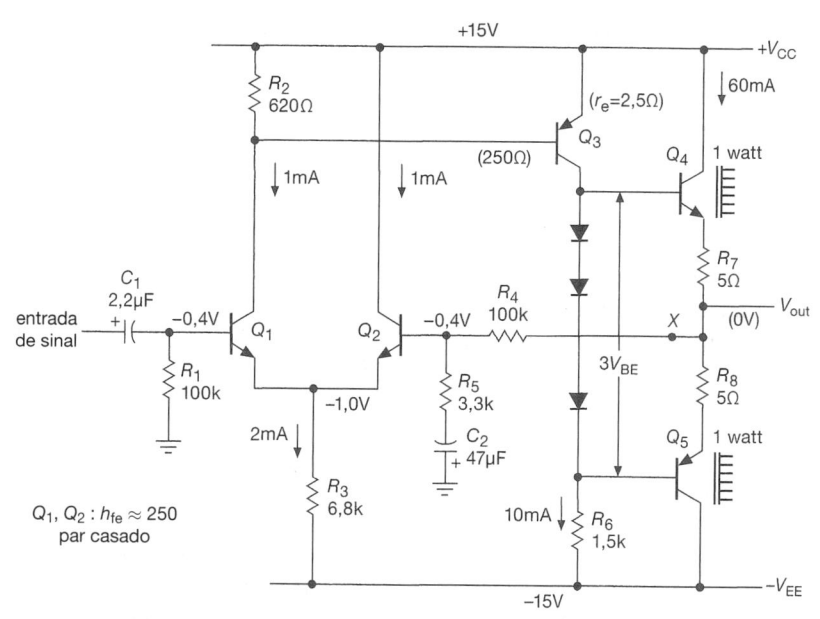

FIGURA 2.91 Amplificador de potência com transistor com realimentação negativa.

um deslocamento de fase atrasado de 90°, então A é imaginário puro ($A = -100j$), e o ganho de malha fechada se torna $G_{CL} = 9{,}90 - 0{,}99\,j$. Isso é uma magnitude $|G_{CL}| = 9{,}95$, com um deslocamento de fase de atraso de aproximadamente 6°. Em outras palavras, o efeito de um deslocamento de fase de malha aberta bastante significativo (a meio caminho da oscilação!), de fato, acaba por ser favorável: o ganho de malha fechada é apenas 0,5% menor do que a meta, em comparação com 9% para o caso do mesmo amplificador sem deslocamento de fase. O preço que você paga é algum deslocamento de fase residual, é claro, uma aproximação à instabilidade.

Por mais artificial que esse exemplo possa parecer, ele de fato reflete uma realidade de AOPs, que geralmente têm um deslocamento de fase de ~90° ao longo de quase toda a sua largura de banda (tipicamente de ~10 Hz a 1 MHz ou mais). Por causa de seu ganho de malha aberta muito mais elevado, o amplificador com realimentação exibe muito pouco deslocamento de fase e um ganho preciso definido quase inteiramente pela rede de realimentação. Há muito mais sobre isso no Capítulo 4, Seção 4.9.

Exercício 2.21 Verifique se as expressões anteriores para G_{CL} estão corretas.

2.5.5 Dois Exemplos de Amplificadores com Transistor com Realimentação

Examinemos dois tipos de amplificadores com transistor para ver como o desempenho é afetado pela realimentação negativa. Há uma certa complexidade nesta análise... não desanime![71]

A Figura 2.91 mostra um amplificador com transistor completo com realimentação negativa. Vejamos como ele opera.

A. Descrição do Circuito

Pode parecer complicado, mas é um projeto extremamente simples e relativamente fácil de analisar. Q_1 e Q_2 formam um par diferencial, com o amplificador emissor-comum Q_3 amplificando sua saída. R_6 é o resistor de carga do coletor de Q_3, e o par *push-pull* Q_4 e Q_5 formam o seguidor de emissor de saída. A tensão de saída é amostrada pela rede de realimentação que consiste de divisor de tensão R_4 e R_5, com C_2 incluído para reduzir o ganho à unidade para uma polarização estável CC. R_3 define a corrente quiescente no par diferencial, e, uma vez que a realimentação geral garante que a tensão de saída quiescente está no terra, a corrente quiescente de Q_3 é facilmente identificada como 10 mA (V_{EE} sobre R_6, aproximadamente). Como discutimos anteriormente (Seção 2.4.1B), os diodos polarizam o par *push-pull* em condução, deixando uma queda de diodo no par em série R_7 e R_8, ou seja, 60 mA de corrente quiescente. Isso é operação classe *AB*, boa para minimizar a distorção de cruzamento, ao custo de dissipação em repouso de 1 watt em cada transistor de saída.

Do ponto de vista dos nossos circuitos anteriores, a única característica incomum é a tensão de coletor quiescente de Q_1, uma queda de diodo abaixo de V_{CC}. É aí que ele deve se fixar, a fim de manter Q_3 em condução, e o caminho de realimentação garante que ele se manterá. (Por exemplo, se Q_1 puxasse seu coletor para próximo do terra, Q_3 conduziria fortemente, aumentando a tensão de saída, que, por sua vez, forçaria Q_2 a conduzir mais fortemente, reduzindo a corrente do coletor de Q_1 e, consequentemente, restabelecendo o

---
[71] Pode ser que aqueles com medo de desanimar queiram pular esta seção em uma primeira leitura.

status quo.) R_2 foi escolhido para dar uma queda de diodo na corrente quiescente de Q_1, a fim de manter as correntes de coletor no par diferencial aproximadamente iguais ao ponto quiescente. Nesse circuito com transistor, a corrente de polarização de entrada não é desprezível (4 μA), resultando em uma queda de 0,4 V nos resistores de entrada de 100k. Nos circuitos amplificadores com transistor como este, em que as correntes de entrada são consideravelmente maiores do que em AOPs, é especialmente importante certificar-se de que as resistências CC vistas das entradas sejam iguais, como mostrado (o estágio de entrada Darlington provavelmente seria melhor aqui).

B. Análise

Analisaremos este circuito em detalhe, determinando o ganho, as impedâncias de entrada e de saída e a distorção. Para ilustrar a utilidade da realimentação, determinaremos esses parâmetros para situações de malha aberta e malha fechada (reconhecendo que a polarização seria impossível no caso de malha aberta). Para termos uma ideia do efeito de linearização da realimentação, o ganho será calculado para uma saída de +10 volts e −10 volts, bem como no ponto quiescente (0 V).

Malha aberta

Impedância de entrada. Cortamos a realimentação no ponto X e aterramos o lado direito de R_4. O sinal de entrada vê 100k em paralelo com a impedância olhando para a base. O último é h_{fe} multiplicado por duas vezes a resistência intrínseca de emissor mais a impedância vista no emissor de Q_2 produzida pela impedância finita da rede de realimentação na base de Q_2. Para $H_{fe} = 250$, $Z_{in} \approx 250 \times [(2 \times 25) + (3,3k/250)]$; ou seja, $Z_{in} \approx 16k$.

Impedância de saída. Como a impedância olhando para trás para o coletor de Q_3 é alta, os transistores de saída são acionados por uma fonte de 1,5k (R_6). A impedância de saída é de cerca de 15 Ω ($\beta \approx 100$) mais a resistência de emissor de 5 Ω, ou 20 Ω. A resistência do emissor intrínseca de 0,4 Ω é desprezível.

Ganho. O estágio de entrada diferencial vê uma carga de R_2 em paralelo com a resistência da base de Q_3. Como Q_3 está operando com 10 mA de corrente quiescente, sua resistência intrínseca de emissor é 2,5 Ω, dando uma impedância de base de cerca de 250 Ω (novamente, $\beta \approx 100$). O par diferencial tem, assim, um ganho de

$$\frac{250 \| 620}{2 \times 25 \Omega} \quad \text{ou} \quad 3,5.$$

O segundo estágio, Q_3, tem um ganho de tensão de 1,5k Ω/ 2,5 Ω, ou 600. O ganho total de tensão no ponto quiescente é 3,5 × 600, ou 2.100. Como o ganho de Q_3 depende da sua corrente de coletor, há uma mudança substancial do ganho com a oscilação do sinal, ou seja, não linearidade. O ganho é tabulado na seção seguinte para três valores de tensão de saída.

Malha fechada

Impedância de entrada. Este circuito utiliza a realimentação em série, de modo que a impedância de entrada é aumentada por (1 + ganho loop). A rede de realimentação é um divisor de tensão com $B = 1/30$ nas frequências do sinal, portanto o ganho da malha AB é 70. A impedância de entrada é, portanto, 70 × 16k, ainda em paralelo com o resistor de polarização de 100k, ou seja, cerca de 92k. O resistor de polarização domina agora a impedância de entrada.

Impedância de saída. Uma vez que a *tensão* de saída é amostrada, a impedância de saída é reduzida por (1 + ganho de malha). A impedância de saída é, portanto, 0,3 Ω. Note que esta é uma impedância de pequeno sinal, o que não significa que uma carga de 1 Ω poderia ser acionada em quase toda a oscilação, por exemplo. Os resistores de emissor de 5 Ω no estágio de saída limitam a grande oscilação do sinal. Por exemplo, uma carga de 4 Ω pode ser acionada apenas para 10 Vpp, aproximadamente.

Ganho. O ganho é $A/(1+ AB)$. No ponto quiescente, é igual a 30,84, usando o valor exato de B. Para ilustrar a estabilidade de ganho conseguida com a realimentação negativa, o ganho total de tensão do circuito com e sem realimentação é tabulado em três valores de nível de saída ao final deste parágrafo. Deveria ser óbvio que a realimentação negativa trouxe melhoria considerável nas características do amplificador, embora, com franqueza, devamos salientar que o amplificador poderia ter sido projetado para um melhor desempenho de malha aberta, por exemplo, usando fonte de corrente para a carga do coletor de Q_3 e realimentando seu emissor, utilizando uma fonte de corrente para o circuito de emissor do par diferencial, etc. Mesmo assim, a realimentação ainda faria uma grande melhoria.

	Malha aberta			Malha fechada		
V_{out}	−10	0	+10	−10	0	+10
Z_{in}	16k	16k	16k	92k	92k	92k
Z_{out}	20Ω	20Ω	20Ω	0,3Ω	0,3Ω	0,3Ω
Ganha	1360	2100	2400	30,60	30,84	30,90

C. Par de Realimentação em Série

A Figura 2.92 mostra outro amplificador transistorizado com realimentação. Pensando em Q_1 como um amplificador de sua queda de tensão base-emissor (considerando o modelo Ebers-Moll), a realimentação amostra a tensão de saída e subtrai uma fração dela a partir do sinal de entrada. Esse circuito é um pouco complicado, pois o resistor do coletor de

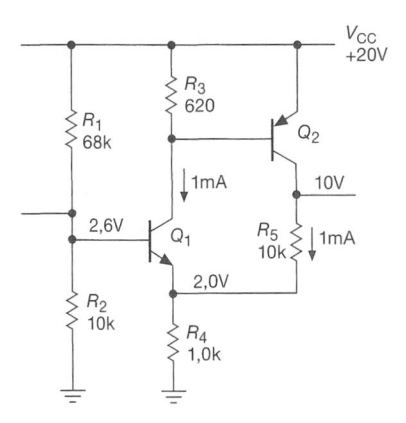

FIGURA 2.92 Par de realimentação em série.

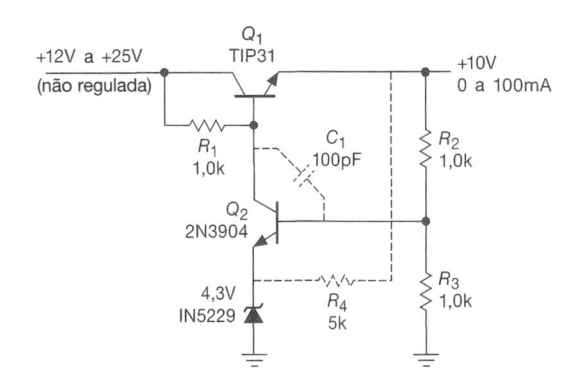

FIGURA 2.93 Regulador de tensão com realimentação.

Q_2 funciona como rede de realimentação. Aplicando as técnicas que usamos anteriormente, pode-se mostrar que G (malha aberta) ≈ 200, ganho de malha ≈ 20, Z_{out} (malha aberta) ≈ 10, Z_{out} (malha fechada) $\approx 500\ \Omega$ e G (malha fechada) $\approx 9{,}5$.

Exercício 2.22 Vá em frente!

2.6 ALGUNS CIRCUITOS DE TRANSISTORES TÍPICOS

Para ilustrar algumas das ideias do presente capítulo, analisaremos alguns exemplos de circuitos com transistores. A faixa de circuitos que podemos abordar neste momento é limitada, pois os circuitos do mundo real geralmente incorporam AOPs (o assunto do Capítulo 4) e outros CIs úteis – mas veremos uma abundância de transistores usados com CIs nos capítulos posteriores.

2.6.1 Fonte de Alimentação Regulada

A Figura 2.93 mostra uma configuração muito comum. R_1 normalmente mantém Q_1 ligado; quando a saída atinge 10 volts, Q_2 entra em condução (base em 5 V), impedindo novo aumento da tensão de saída por desvio de corrente de base a partir da base de Q_1. Pode-se tornar a base ajustável substituindo-se R_2 e R_3 por um potenciômetro. Neste *regulador de tensão* (ou "fonte CC regulada") do circuito, a realimentação negativa atua para estabilizar a tensão de saída: Q_2 "olha" a saída e faz alguma coisa se a saída não estiver na tensão correta.

Alguns detalhes: (a) O acréscimo de um resistor de polarização R_4 assegura uma corrente zener relativamente constante, de modo que a tensão zener não varia significativamente com a corrente de carga. É tentador prover essa corrente de polarização a partir da entrada, mas é muito melhor usar a saída regulada. Uma advertência a considerar: sempre que você usar uma tensão de saída para fazer algo acontecer dentro de um circuito, certifique-se de que o circuito será iniciado corretamente; aqui, no entanto, não há nenhum problema (por que não?). (b) O capacitor C_1 provavelmente seria necessário neste circuito para assegurar a estabilidade (isto é, para evitar a oscilação), especialmente se a saída fosse desviada capacitivamente (como deveria ser), por razões que veremos mais adiante juntamente com a estabilidade da malha de realimentação (Seção 4.9).

Veremos muito mais sobre esse assunto no Capítulo 9.

2.6.2 Controlador de Temperatura

O diagrama esquemático na Figura 2.94 apresenta um controlador de temperatura com base em um elemento de detecção *termistor*, um dispositivo que varia a resistência com a temperatura. O Darlington diferencial Q_1-Q_4 compara a tensão do divisor de referência ajustável R_4-R_6 com o divisor formado a partir do termistor e R_2. (Ao comparar as *relações* a partir da mesma fonte, a comparação se torna insensível às variações da fonte; esta configuração específica é denominada ponte de Wheatstone.) O espelho de corrente Q_5Q_6 fornece uma carga ativa para aumentar o ganho, e o espelho Q_7Q_8 fornece a corrente de emissor. Q_9 compara a saída do amplificador diferencial com uma tensão fixa, saturando o Darlington $Q_{10}Q_{11}$ (que fornece energia para o aquecedor) se o termistor está demasiado frio. R_9 é o resistor de detecção de corrente que liga o transistor de proteção Q_{12} se a corrente de saída excede cerca de 6 A; isso subtrai corrente da base de $Q_{10}Q_{11}$, evitando danos. E R_{12} acrescenta uma pequena quantidade de realimentação positiva, para fazer o aquecedor ligar e desligar rapidamente; este é o mesmo truque (um "Schmitt Trigger") que o mostrado na Figura 2.13.

2.6.3 Uma Lógica Simples com Transistores e Diodos

A Figura 2.95 mostra um circuito que executa uma tarefa ilustrada na Seção 1.9.1F: soar um alarme se qualquer porta do carro estiver aberta e o motorista estiver sentado. Neste circuito, todos os transistores operam como chaves (desligados ou saturados). Os Diodos D_1 e D_2 formam o que é denominado porta OR, desligando Q_1 se qualquer porta do carro

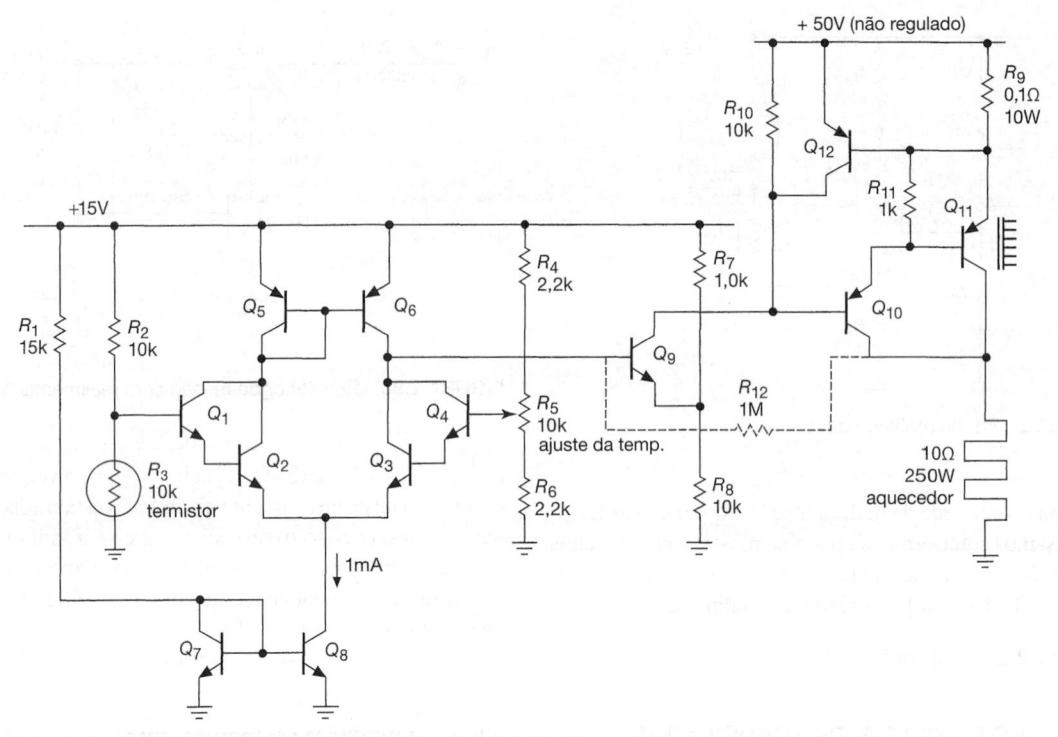

FIGURA 2.94 Controlador de temperatura para um aquecedor de 50 W.

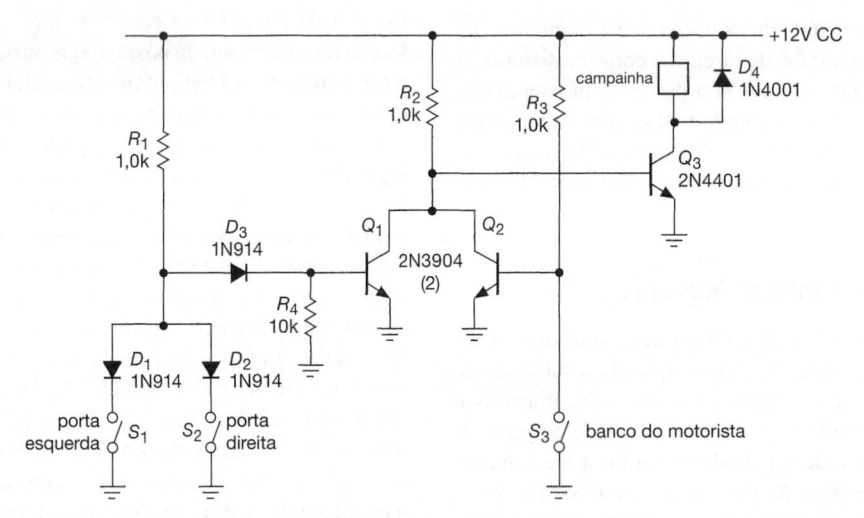

FIGURA 2.95 Os diodos e transistores são usados para fazer as "portas" da lógica digital neste circuito da campainha do cinto de segurança.

estiver aberta (chave fechada). No entanto, o coletor de Q_1 permanece próximo do terra, impedindo a campainha de soar a menos que a chave S_3 também esteja fechada (motorista sentado); neste caso R_2 liga Q_3, colocando 12 volts na campainha. D_3 fornece uma queda de diodo para que Q_1 esteja desligado com S_1 ou S_2 fechadas, e D_4 protege Q_3 do transitório de desligamento indutivo da campainha. Nos Capítulos 10 a 15, discutiremos circuitos lógicos em detalhe.

Exercícios Adicionais para o Capítulo 2

Exercício 2.23 Projete um circuito de uma chave com transistor que permita comutar duas cargas para o terra por meio de transistores *npn* saturados. Ao fechar a chave *A*, as duas cargas devem ser ligadas, ao passo que fechar a chave *B* deve ligar apenas uma carga. *Dica*: use diodos.

Exercício 2.24 Considere a fonte de corrente na Figura 2.96. (a) O que é I_carga? Qual é a compliance de saída? Suponha $V_\text{BE} = 0{,}6$ V. (b) Se β varia de 50 a 100 para tensões de coletor dentro compliance de saída, quanto variará a corrente de saída? (Há dois efeitos aqui.) (c) Se V_BE varia de acordo com $\Delta V_\text{BE} = -0{,}0001\ \Delta V_\text{CE}$ (efeito Early), quanto variará a corrente de carga ao longo da faixa de compliance? (d) Qual é o coeficiente de temperatura da corrente de saída, considerando que β não varia com a temperatura? Qual é o coeficiente de temperatura da corrente de saída, considerando que os aumentos de β, a partir do seu valor nominal de 100, são de 0,4%/°C?

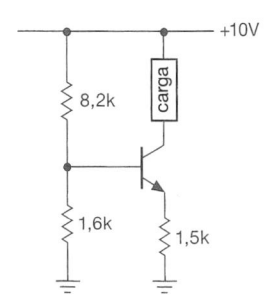

FIGURA 2.96 Exercício de fonte de corrente.

Exercício 2.25 Projete um amplificador emissor comum *npn* com um ganho de tensão de 15, V_CC de $+15$ V e I_C de 0,5 mA. Polarize o coletor em $0{,}5V_\text{CC}$ e coloque o ponto de 3 dB da baixa frequência em 100 Hz.

Exercício 2.26 *Bootstrap* o circuito no problema anterior para aumentar a impedância de entrada. Escolha a atenuação do *bootstrap* de forma adequada.

Exercício 2.27 Projete um amplificador diferencial com acoplamento CC e um ganho de tensão de 50 (para uma saída de terminação simples) para sinais de entrada próximos do terra, tensões de alimentação de ±15 volts e correntes quiescentes de 0,1 mA em cada transistor. Use uma fonte de corrente no emissor e um estágio de saída seguidor de emissor.

Exercício 2.28 Neste problema, você projetará um amplificador cujo ganho é controlado por uma tensão aplicada externamente (no Capítulo 3, você verá como fazer a mesma coisa com FETs). (a) Comece projetando um amplificador diferencial com um par de cauda longa com uma fonte de corrente emissor e sem resistor de emissor (sem realimentação). Use fontes de ±15 V. Defina I_C (cada transistor) como 100 μA e use $R_\text{C} = 10$k. Calcule o ganho de tensão a partir de uma entrada com terminação simples (a outra entrada aterrada) para uma saída com terminação simples. (b) Agora modifique o circuito de modo que uma tensão aplicada externamente controle a fonte de corrente de emissor. Expresse a fórmula aproximada para o ganho como uma função da tensão de controle. (Em um circuito real, você pode configurar um segundo conjunto de fontes de corrente controladas por tensão para cancelar o deslocamento do ponto quiescente que as variações de ganho produzem neste circuito, ou um segundo estágio de entrada diferencial poderia ser adicionado ao seu circuito.)

Exercício 2.29 Desconsiderando as lições deste capítulo, um estudante descontente constrói o amplificador mostrado na Figura 2.97. Ele ajusta R até que o ponto quiescente esteja em $0{,}5V_\text{CC}$. (a) Qual é o Z_in (em altas frequências, onde $Z_\text{C} \approx 0$)? (b) Qual é o ganho de tensão de pequeno sinal? (c) Qual aumento da temperatura ambiente (aproximadamente) fará o transistor saturar?

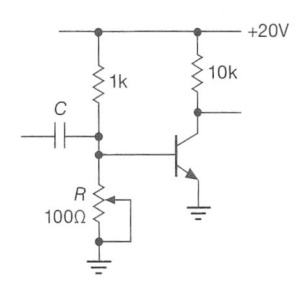

FIGURA 2.97 Polarização ruim.

Exercício 2.30. Alguns AOPs de precisão disponíveis comercialmente (por exemplo, o venerável OP-07) usam o circuito na Figura 2.98 para cancelar a corrente de polarização de entrada (apenas metade do amplificador diferencial de entrada simétrica é mostrada em detalhe; a outra metade funciona da mesma maneira). Explique como o circuito funciona. Nota: Q1 e Q2 formam um par de beta casado. Dica: tudo é feito com espelhos.

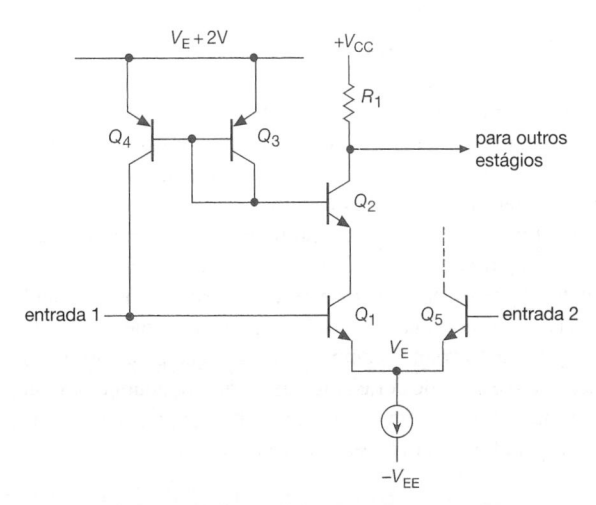

FIGURA 2.98 Esquema de cancelamento da corrente de base utilizado em amplificadores operacionais de precisão.

REVISÃO DO CAPÍTULO 2

Um resumo de A a W do que aprendemos no Capítulo 2. Esta revisão não segue a ordem exata de tópicos no capítulo: aqui iniciaremos a abordagem da teoria do transistor e, depois, discutiremos algumas aplicações. No capítulo, os circuitos foram intercalados com teoria para fornecer motivação e ilustrar o seu uso.

¶ A. Convenções na Identificação de Pinos

A introdução (Seção 2.1) descreve algumas convenções de rotulação de transistores e circuitos. Por exemplo, V_B (com um único subscrito) indica a tensão no terminal da base, e, de modo semelhante, I_B indica a corrente que flui para o terminal da base. V_{BE} (dois subscritos) indica tensão de base-emissor. Símbolos como V_{CC} e V_{EE} (subscritos repetidos) indicam as tensões positivas e negativas de alimentação.

¶ B. Tipos de Transistores e Polaridades

Os transistores são dispositivos de três terminais capazes de amplificar sinais. Eles estão disponíveis em duas grandes classes, *transistores de junção bipolar* (BJTs, o tema deste capítulo), e *transistores de efeito de campo* (FET, o assunto do Capítulo 3). BJTs têm um terminal de controle, denominado *base*, e um par de terminais de saída, denominados *coletor* e *emissor* (os terminais correspondentes em um FET são *porta*, *dreno* e *fonte*). Um sinal aplicado à base controla a corrente que flui do emissor para o coletor. Há duas polaridades de BJT disponíveis, *npn* e *pnp*; para dispositivos *npn*, o coletor é mais positivo do que o emissor, e o oposto é verdadeiro para o *pnp*. A Figura 2.2 ilustra isso e identifica os diodos intrínsecos que fazem parte da estrutura do transistor, veja ¶D e ¶ a seguir. A figura também ilustra que a corrente de coletor e a corrente de base (muito menor) se combinam para formar a corrente de emissor.

Modos de operação. Transistores podem funcionar como chaves – que ligam (ON) ou desligam (OFF) – ou podem ser utilizados como dispositivos lineares, por exemplo, como amplificadores, com uma corrente de saída proporcional ao sinal de entrada. Dito de outra forma, um transistor pode estar em um de três estados: *corte* (V_{CE} diferente de zero, mas I_C igual a zero), saturado (I_C diferente de zero, mas V_{CE} próximo de zero) ou na região linear (V_{CE} e I_C diferentes de zero). Se preferir explicado desta forma (e usando "tensão" como uma abreviação para tensão coletor-emissor V_{CE}, I_C), e "corrente" como uma abreviação para corrente de coletor o estado de corte tem tensão, mas nenhuma corrente, o estado saturado tem corrente, mas tensão próxima de zero, e a região linear tem tensão e corrente.

¶ C. Homem-Transistor e Ganho de Corrente

Na análise mais simples, Seção 2.1.1, o transistor é simplesmente um amplificador de corrente, com um ganho de corrente denominado beta (símbolo β, ou, por vezes, H_{FE}).
A corrente na base produz uma corrente β vezes maior que flui do coletor para o emissor, $I_C = \beta I_B$, se o circuito externo permitir. Quando as correntes estão fluindo, o diodo base-emissor está conduzindo, portanto a base é 0,65 V mais positiva (para *npn*) do que o emissor. O transistor não *cria* a corrente de coletor do nada; ele simplesmente regula a corrente a partir da fonte de alimentação disponível. Este ponto importante é enfatizado pela nossa criação "Homem-Transistor" (Figura 2.7), um homenzinho minúsculo cujo trabalho é examinar continuamente a corrente de base e tentar ajustar a corrente de coletor para ser um fator β (ou h_{FE}) vezes maior. Para um BJT típico, o beta pode ser em torno de 150, mas o beta é apenas vagamente especificado, e um tipo específico de transistor pode ter uma amplitude de valores de 3:1 (ou mais) no beta especificado para alguma corrente de coletor (e uma amplitude de valores adicional de 3:1 de β *versus* I_C e β *versus* a temperatura; veja, por exemplo, a Figura 2.76).

¶ D. Chaves e Saturação

Quando operado como uma chave, Seção 2.2.1, uma corrente deve ser injetada dentro da base para manter o transistor "ON". Essa corrente deve ser substancialmente maior do que $I_B = I_C/\beta$. Na prática, um valor de 1/10 da máxima corrente de coletor esperada é comum, mas você poderia usar menos, dependendo das recomendações do fabricante. Nessa condição, o transístor está em saturação, com uma tensão de 25 a 200 mV entre os terminais. Em tais tensões coletor-emissor, o diodo base-coletor, na Figura 2.2, está em condução e subtrai um pouco da corrente de base. Isso cria um equilíbrio na tensão de saturação. Em ¶K, observaremos alguns exemplos de circuito.

¶ E. O BJT é um Dispositivo de Transcondutância

Como destacamos na Seção 2.1.1, "Um circuito que depende de um valor específico para beta é um circuito ruim". Isso porque β pode variar de acordo com fatores de 2 a 3 a partir do valor nominal da folha de dados do fabricante. A abordagem de projeto mais confiável é a utilização de outros parâmetros de BJT altamente previsíveis que levem em conta que se trata de um dispositivo de *transcondutância*. De acordo com a definição de transcondutância (uma saída de corrente proporcional a uma tensão de entrada), a corrente de coletor do BJT, I_C, é controlada por sua tensão de base-emissor, V_{BE}, conforme a Seção 2.3. (Podemos, então, confiar em $I_B = I_C/\beta$ para estimar a corrente de base, ao contrário da abordagem simples em ¶C.) A ideia de transcondutância de BJTs é útil em muitas circunstâncias (para estimar ganho, distorção, coeficiente de temperatura) e é essencial para a compreensão e o projeto de circuitos tais como amplificadores diferenciais e espelhos de corrente. No entanto, em muitas situações, você pode contornar o problema da incerteza do beta com truques de projeto, tais como realimentação CC ou realimentação do emissor, sem recorrer explicitamente ao modelo de Ebers-Moll (¶F). Note também que, da mesma forma que seria uma má ideia polarizar um BJT pela aplicação de uma corrente de base calculada a partir de I_C/β (a partir de um valor de β considerado), seria ainda pior tentar polarizar um BJT pela aplicação de um V_{BE} calculado (a partir de um valor de I_S considerado; veja ¶F); mais sobre isso em ¶Q, a seguir. Poderíamos parafrasear isso dizendo que "um circuito que depende de um valor específico para I_S, ou para operar a uma determinada temperatura ambiente, é um circuito ruim".

¶ F. Ebers-Moll

A Figura 2.41 mostra um *gráfico Gummel* típico, com V_{BE} ditando I_C e, portanto, um valor de I_B aproximado. As equações (2.8) e (2.9) mostram a natureza exponencial (ou logarítmica) dessa relação. Uma forma simples da equação $I_C = I_s \exp(V_{BE}/V_T)$ e o seu inverso, $V_{BE} = V_T \log_e(I_C/I_s)$, onde a constante $V_T = 25$ mV a 25°C, revela que a corrente de coletor é determinada pelo V_{BE} e um parâmetro I_S, este último relacionado com o tamanho dos chips de transistores e sua densidade de corrente. I_S é uma corrente muito pequena, tipicamente cerca de 10^{11} vezes menor do que I_C. A fórmula Ebers-Moll aplica-se com precisão para toda a faixa de tipos de BJT de silício; por exemplo, aqueles listados na Tabela 8.1. A indústria de circuito integrado (CI) depende de Ebers-Moll para o projeto de seus circuitos lineares BJT altamente bem-sucedidos.

¶ G. Corrente do Coletor *versus* Tensão de Base: Regras Práticas

Veja a Seção 2.3.2. É útil lembrar algumas regras práticas, que podemos derivar de Ebers-Moll: I_C aumenta por um fator de dez para um aumento de $\approx$60 mV em V_{BE}; ele dobra para um aumento de $\approx$18 mV em V_{BE} e aumenta em 4% para um aumento de 1 mV em V_{BE}.

¶ H. Pequeno Sinal, Transcondutância e r_e

Veja a Seção 2.3.2B. É conveniente considerar uma operação com I_C fixo e observar o efeito de pequenas variações ("pequenos sinais"). Em primeiro lugar, pensando nas regras práticas, podemos calcular (equação 2.13) a transcondutância, $g_m = \partial I_C/\partial V_{BE} = I_C/V_T$. Ela é calculada como $g_m = 40$ mS em 1 mA, com g_m proporcional à corrente. Dito de outra forma, podemos atribuir uma resistência interna efetiva r_e em série com o emissor, $r_e = 1/g_m = V_T/I_C$; consulte a equação 2.12. (Um r pequeno indica *pequeno sinal*.) Um fato útil para memorizar: r_e é cerca de 25 Ω para uma corrente de coletor de 1 mA e varia inversamente com a corrente.

¶ I. Dependência da Temperatura

Veja a Seção 2.3.2C. Em ¶F, dissemos que $V_T = 25$ mV a 25°C, o que sugere que não é exatamente uma constante, mas varia com a temperatura. Como $V_T = kT/q$ (Seção 2.3.1), você pode imaginar que V_{BE} é proporcional à temperatura absoluta, assim, um coeficiente de temperatura de cerca de +2 mV/°C (porque $V_{BE} \approx 600$ mV para $T = 300$K). Mas o parâmetro de escala I_S tem um grande coeficiente de temperatura oposto, produzindo um coeficiente de temperatura global de cerca de 2 mV/°C. Memorize esse fato também! Devido a V_T ser proporcional à temperatura absoluta, o coeficiente de temperatura de transcondutância para uma corrente de coletor fixa é inversamente proporcional à temperatura absoluta (lembre-se de que $g_m = I_C/V_T$), e, assim, diminui em cerca de 0,34%/°C a 25°C.

¶ J. Efeito Early

Veja a Seção 2.3.2D. Em nosso entendimento simples, até agora, as tensões (ou correntes) de base "programam" a corrente de coletor do BJT, independentemente da tensão de coletor. Mas, na realidade, I_C aumenta ligeiramente com o aumento da V_{CE}. Isso é denominado *efeito Early*, visto na equação 2.14 e na Figura 2.59, que pode ser caracterizado por uma *tensão Early* V_A, um parâmetro independente da corrente de operação; veja a equação 2.15. Se a tensão Early é baixa (uma desvantagem comum de transistores *pnp*), o efeito pode ser muito grande. Por exemplo, um *pnp* 2N5087 com $V_A = 55$ V tem $\eta = 4 \times 10^{-4}$ e sofreria uma variação de 4 mA de V_{BE} com uma variação de 10 V de V_{CE}; se, em vez disso, a tensão de base fosse mantida constante, um aumento de 10 V na tensão de coletor provocaria um aumento de 17% da corrente de coletor. Lembramos que existem configurações de circuito, como *realimentação de emissor*, ou o *cascode*, que aliviam o efeito Early.

Exemplos de Circuito

Feito esse resumo da teoria básica do BJT, agora completaremos e reveremos alguns exemplos de circuito do Capítulo 2. Uma maneira de rever os circuitos é folhear o capítulo olhando as fotos (e lendo as legendas) e consultando o texto associado onde quer que haja dúvidas sobre os princípios fundamentais.

¶ K. Chaves com Transistor

Chaves com BJT são discutidas na Seção 2.2.1, e exemplos de circuitos aparecem nas Figuras 2.9 (acionamento de um LED), 2.10 (comutação do lado alto de uma carga, incluindo deslocamento do nível de acionamento) e 2.16 (com um acionador seguidor de emissor). Simplificando, você planeja inserir uma corrente na base para colocar o transistor em saturação forte na corrente de carga de coletor prevista (ou seja, $I_B \gg I_C/\beta$), trazendo seu coletor para dezenas de milivolts do emissor. Mostraremos mais sobre isso no Capítulo 12 (Interfaceamento Lógico). Olhando para frente, o uso de chaves MOSFET, muitas vezes, fornece uma solução superior de comutação (Seções 3.4.4 e 3,5); o seu terminal de controle (a porta) convenientemente não requer *nenhuma* corrente estática de porta, mas você pode ter que fornecer correntes transitórias significativas para carregar sua capacitância de porta durante comutações rápidas.

¶ M. Geradores de Pulsos com Transistor

Circuitos básicos de temporizador e gerador de pulsos são mostrados nas Figuras 2.11 (pulso a partir de um degrau) e 2.12 (um pulso a partir de outro). Estes são simples, mas não muito precisos ou estáveis; melhor usar CIs dedicados de temporizador ou gerador pulsos; consulte a Seção 7.2.

¶ N. *Schmitt Trigger*

Um *Schmitt trigger* é um circuito de detecção de nível limiar (Figura 2.13) com histerese para evitar várias transições quando sinais de entrada ruidosos alcançam o(s) nível(is) de limiar. Embora você possa fazer um circuito *Schmitt trigger* com transistores discretos, boas práticas de projeto favorecem o uso de CIs *comparadores* dedicados; consulte as Seções 4.3.2 e 12.3.

¶ O. Seguidor de Emissor

O seguidor de emissor é um amplificador linear com um ganho de tensão ideal unitário; veja a Seção 2.2.3. O beta do transistor aumenta a impedância de entrada do seguidor e reduz a sua impedância de saída; consulte a Seção 2.2.3B e a equação 2.2. Há mais detalhe na Seção 2.3.3 e na Figura 2.43, em que o efeito da resistência de emissor intrínseca r_e é levado em conta. Na forma simplificada, $R_{out} = r_e + R_s/\beta$, em que R_S é a resistência da fonte de sinal vista da base. A tensão de saída CC está deslocada da tensão CC de entrada por V_{BE}, cerca de 0,6 V a 0,7 V, a menos que um circuito de cancelamento seja usado; consulte a Seção 2.2.3D e a Figura 2.29. Seguidores de emissor também são usados como reguladores de tensão; veja a Seção 2.2.4 e as Figuras 2.21 e 2.22. Uma alternativa precisa é o seguidor com AOP; veja a Seção 4.2.3, no Capítulo 4.

¶ P. Fornecimento de Corrente (ou Absorção de Corrente)

Ao contrário da *fonte de tensão* conhecida (que proporciona uma tensão constante independentemente da corrente de carga; pense em uma bateria), uma f*onte de corrente* proporciona uma corrente constante, independentemente da queda de tensão da carga; veja a Seção 2.2.6 e a Figura 2.31; não há nenhuma "bateria equivalente" usual. Dispositivos de transcondutância como BJTs, com suas correntes de coletor relativamente constantes, são candidatos naturais para fazer fontes de corrente. Para a fonte de corrente mais simples, a base é polarizada com uma tensão de, digamos, V_b, com relação a um ponto de referência (muitas vezes, o terra), e o emissor é conectado através de uma resistência à mesma referência. Para um transistor *npn* com referência no terra, a corrente de saída (absorvida) será $I_C = (V_b - V_{BE})/R_E$; veja a Figura 2.32. Para uma melhor estabilidade e previsibilidade, o termo V_{BE} pode ser cancelado; veja a Figura 2.33. A faixa de tensão de operação de uma fonte de corrente é denominada *faixa de compliance*, definida na extremidade inferior pela corrente de saturação do coletor e na extremidade superior pela tensão de ruptura do transistor ou por problemas de dissipação de potência. Fontes de corrente são frequentemente criadas usando circuitos de espelho de corrente; veja ¶P a seguir. Fontes de corrente precisas e estáveis podem ser feitas com AOPs (Seção 4.2.5); há também circuitos integrados de fontes de corrente dedicados (Seção 9.3.14).

¶ Q. Espelhos de Corrente

Um espelho de corrente (Seção 2.3.7) é um circuito de fonte de corrente de três terminais que gera uma saída de corrente proporcional a uma entrada de "programação" da corrente. Em uma configuração típica (Figuras 2.55 e 2.58), o espelho é conectado a um trilho CC (ou ao terra), refletindo a corrente de programação, esta talvez estabelecida por um resistor. O circuito frequentemente omite quaisquer resistores de emissor, conseguindo-se, assim, uma compliance dentro de uma fração de um volt da tensão do trilho (alimentação). Normalmente, você não tentaria aplicar exatamente o V_{BE} correto para gerar um I_C prescrito (à la Ebers-Moll); mas isso é exatamente o que você está fazendo aqui. O truque é que um transistor (Q_1) do par casado inverte Ebers-Moll, criando a partir da corrente de programação I_P exatamente o V_{BE} correto para recriar a mesma corrente na saída do transistor Q_2. Maravilha!

Esses circuitos consideram transistores casados, como os que você encontraria no interior de um CI (lembre-se de ¶G que mesmo uma diferença de 1 mV de V_{BE} produz uma mudança 4% na corrente). A Figura 2.62 mostra o gráfico da diferença de tensão base-emissor em relação à taxa da corrente de coletor, $\Delta V_{BE} = V_T \log_e (I_{C2}/I_{C1})$.

Tão agradável quanto parece, o espelho de corrente básico da Figura 2.55 sofre, a partir do efeito Early, variação na corrente de saída quando a tensão de saída varia. O efeito é particularmente grave com transistores *ppn*: no exemplo de um 2N5087 anteriormente, em ¶J, a variação de 4 mV em VBE (para uma variação de saída 10 V) causaria um erro de corrente de 17%. Uma solução (Figura 2.60) é adicionar resistores de realimentação do emissor, em detrimento da compliance perto do trilho de referência e da faixa dinâmica. Uma solução mais elegante é o espelho de Wilson (Figura 2.61), que anula o efeito Early através da exploração da sempre útil configuração cascode (Figura 2.84B). O transistor cascode Q_3 passa a corrente de coletor do transistor de saída Q_2 para a carga, enquanto Q_2 opera com um V_{CE} fixo de uma queda de diodo (seu próprio V_{BE}). A engenhosa configuração do espelho Wilson também cancela erros de corrente de base (um espelho comum com BJTs tendo $\beta = 100$ tem um erro de corrente de 2%). Resistores de realimentação podem ser adicionados, como mostrado no circuito B, para a supressão adicional do efeito Early, mas ela é omitida em um "espelho de Wilson puro". CIs lineares estão cheios de espelhos de Wilson.

¶ R. Amplificadores Emissor-Comum

Veja as Seções 2.2.7 e 2.3.4 e as Figuras 2.35, 2.48 e 2.50. A forma mais simples de amplificador BJT tem um emissor aterrado, um resistor de carga R_L do coletor para a fonte V_+ e uma polarização CC mais uma tensão de pequeno sinal aplicada à base. O ganho é $G_V = -R_L/r_e$. Se a polarização de base for cuidadosamente definida de modo que a corrente de coletor puxe a tensão do coletor para meio caminho até o terra, então $I_C = V_s/2R_L$, $r_e = V_T/I_C = 2R_L V_T/V_s$ e, assim, o ganho de tensão (lembre-se $V_T \approx 25$ mV) é $G_V = -20V_s$, em que V_s está em unidades de volts. Para $V_s = 20$ V, por exemplo, o ganho de tensão é -400.

Isso é muito ganho! A menos que os sinais sejam pequenos; no entanto, há um problema sério: o ganho é inverso ao r_e, portanto proporcional à I_C. Mas esta última varia conforme a tensão de saída varia para cima e para baixo, produzindo variações de primeira ordem no ganho, com uma consequente distorção grave (Figura 2.46). Isso pode ser aliviado (à custa de ganho) pela adição de *realimentação de emissor* sob a forma de um resistor de emissor R_E. O ganho é, então, $G_V = -R_L/(R_E + r_e)$, com efeitos muito reduzidos das variações de r_e; veja a Figura 2.47, em que a realimentação de emissor foi adicionada para reduzir o ganho por um fator de dez ($(R_E = 9r_e)$. Essa é também uma forma de realimentação negativa; consulte a Seção 2.3.4B e ¶W a seguir. Você pode pensar nesse circuito como uma fonte de corrente clássica (¶O) acionando um resistor como carga; o ganho de tensão é a transcondutância da fonte de corrente multiplicada pela resistência de carga, $G_V = g_m R_L$, em que $g_m = -1/r_e$.

Evitamos a importante questão da definição da tensão de polarização de base para produzir a corrente de coletor quiescente desejada. Mas não sabemos a tensão adequada V_{BE}, e uma pequena variação tem um efeito grande; veja ¶G acima (por exemplo, uma incerteza de 60 mV em V_{BE}, que é a respeito do que você pode encontrar a partir de diferentes lotes de um determinado transistor, produz um erro de 10× em I_C!). Existem muitas soluções de circuito (veja a Seção 2.3.5), mas a mais simples envolve a adição de realimentação do emissor em CC, desviada, quando necessário, para produzir ganho superior nas frequências do sinal (Figuras 2.50 e 2.51). Outra abordagem é a utilização de um transistor casado para ajustar a polarização, análogo ao espelho de corrente (Figura 2.52); esse método é inerente ao *amplificador diferencial* amplamente utilizado (Figura 2.65). Uma terceira abordagem é a de explorar a realimentação para definir a polarização (Figuras 2.53 e 2.54), um método que está presente em circuitos com AOP (Capítulo 4).

¶ S. Amplificadores diferenciais

O amplificador diferencial (Seção 2.3.8) é uma configuração simétrica de dois transistores casados, utilizados para amplificar a diferença dos dois sinais de entrada. Pode incluir realimentação do emissor (Figura 2.64), mas não precisa (Figura 2.65). Para um melhor desempenho, o resistor *pull-down* do emissor é substituído por uma fonte de corrente, e (para maior ganho) a carga resistiva do coletor é substituída por um espelho de corrente (Figura 2.67). Amplificadores diferenciais devem rejeitar veementemente qualquer sinal de entrada de modo comum, conseguindo uma boa relação rejeição de modo comum (CMRR, a relação G_{dif}/G_{CM}). Amplificadores diferenciais podem ser usados para amplificar sinais de entrada de terminação simples (aterrar a outra entrada), em que o cancelamento inerente de desvios de V_{BE} permite desempenho CC preciso (Seção 2.3.8B). Normalmente, você usa apenas uma saída de um amplificador diferencial; isto é, ela é utilizada para converter uma entrada balanceada para uma saída de terminação simples (não balanceada). Mas você pode usar ambas as saídas (um "amplificador diferencial completo", Seção 5.17) para acionar uma carga balanceada, ou para criar um par de sinais 180° fora de fase (um *divisor de fase*). Veja também as Seções 5.13 a 5.16 (amplificadores de instrumentação e diferencial de precisão).

¶ T. Comparadores

Um amplificador diferencial com bastante ganho G_{dif} é levado à saturação diferencial com uma pequena entrada diferencial (Seção 2.3.8E). Por exemplo, apenas alguns milivolts de diferença de entrada são suficientes para saturar a saída se $G_{dif} = 1.000$ (facilmente realizado com uma carga de coletor de espelho de corrente). Quando operado dessa maneira, o amplificador diferencial é um *comparador* de tensão, um circuito utilizado amplamente para detectar limiares ou comparar níveis de sinal; que é a base da conversão analógico-digital e tem destaque no Capítulo 12 (veja a Seção 12.3 e as Tabelas 12.1 e 12.2).

¶ U. Amplificadores *Push-Pull*

Um único transistor conduz apenas em um único sentido (por exemplo, um transistor *npn* só pode absorver corrente de seu coletor e fornecer corrente a partir de seu emissor). Isso faz com que seja difícil acionar uma carga de alto consumo com polaridade alternada (por exemplo, um alto-falante, servomotor, etc.), embora possa ser feito, desperdiçando energia, com um estágio de terminação simples ("classe A") com alta corrente quiescente; consulte a Figura 2.68. A configuração *push-pull* usa um par de transistores conectados nos trilhos opostos da fonte (Seção 2.4.1), um arranjo que pode fornecer grandes correntes de saída de qualquer polaridade com pouca ou nenhuma corrente quiescente. A Figura 2.69 mostra um seguidor *push-pull* com polaridades complementares e com corrente quiescente zero ("classe B"); isso produz alguma distorção de cruzamento (*crossover*), que pode ser eliminada pela polarização do par em condução quiescente ("classe AB", Figura 2,71). Os transistores de saída pode ter configurações que reforçam o beta como o Darlington ou Sziklai (¶U), veja, por exemplo, a Figura 2.78. A configuração *push-pull* é amplamente utilizada em circuitos lógicos (veja a Figura 10.25), CIs de acionamento de portas (veja a Figura 3.97) e em combinação com AOPs para entregar correntes de saída superiores (ver Figura 4.26).

¶ V. As Conexões Darlington e Sziklai

Estas combinações simples de dois transistores cria um transistor equivalente de 3 terminais com $\beta = \beta_1\beta_2$. O Darlington (Figuras 2.74 e 2.75) é a conexão em cascata de dois transistores de mesma polaridade e tem uma queda base-emissor de $2V_{BE}$; o Sziklai (Figura 2.77) é a combinação de um par de polaridades opostas e tem uma única queda base-emissor (a qual é apenas fracamente dependente da corrente de saída, graças à R_B). Para qualquer configuração, um resistor R_B deve ser conectado entre os terminais de base-emissor do transistor de saída.

¶ W. Efeito Miller.

Como todos os componentes eletrônicos, os transistores têm capacitâncias interterminais, designadas (por pares de terminais) C_{be}, C_{ce} e C_{cb}.[1] Enquanto C_{be} e C_{ce} retardam as formas de onda de entrada e saída através da criação de filtros passa-baixas com as resistências de fonte e de carga, o efeito da capacitância de realimentação C_{cb} é mais traiçoeiro: ele cria uma capacitância de entrada adicional para o terra igual a C_{cb} multiplicada pelo ganho de tensão de inversão do estágio; assim, a sua capacitância de entrada efetiva se torna $C_{ef} = (G_V + 1)\, C_{cb}$. Esse é o detestável efeito Miller (Seção 2.4.5B), cujo impacto pode ser devastador em alta velocidade e em amplificadores de banda larga. Algumas soluções de circuito incluem o amplificador base aterrada, o amplificador diferencial e a configuração cascode.

¶ X. Realimentação negativa.

Se houvesse um prêmio Nobel para "grandes conceitos em projetos de circuitos", ele iria certamente para Harold Black pela sua elucidação elegante de realimentação negativa. Na sua forma mais simples, é constituída por subtração, a partir do sinal de entrada, de uma fração B do sinal de saída V_{out} de um amplificador (Figura 2.85). Se o ganho de malha aberta do amplificador é A, então o ganho em malha fechada se torna (Equação 2.16) $G_{cl} = A/(1 + AB)$. A quantidade AB, que geralmente é grande em comparação com a unidade, é denominada *ganho de malha* (mais precisamente a quantidade $1 + AB$) e é o multiplicador pelo qual a realimentação negativa melhora o desempenho do amplificador: linearidade melhorada e constância de ganho, e (nesta configuração de circuito com *realimentação em série*) eleva a impedância de entrada e reduz a impedância de saída; veja a Seção 2.5.3.

A realimentação é a essência do projeto de circuitos lineares e é tecida profundamente no DNA de circuitos com AOP (o assunto do Capítulo 4) e circuitos de potência (Capítulo 9). Com a realimentação negativa, você pode fazer amplificadores com 0,0001% de distorção, fontes de tensão com impedância de saída de 0,001 Ω e muitas outras coisas maravilhosas demais para mencionar aqui. Fique ligado. Ou, melhor ainda, *continue a leitura*!

---

[1] Estas têm muitas pseudônimos (um conjunto comum usa as iniciais de "in" e "out" em vez de "base" e "coletor", assim, C_{ie}, C_{oe} e C_{ob}, respectivamente).

Transistores de efeito de campo 3

3.1 INTRODUÇÃO

Transistores de efeito de campo (FETs – *field-effect transistors*) são diferentes dos transistores bipolares[1] que abordamos no último capítulo. Em termos gerais, no entanto, eles são dispositivos semelhantes, os quais podemos chamar de *dispositivos de controle de carga*: em ambos os casos (Figura 3.1), temos um dispositivo de três terminais em que a condução entre dois eletrodos depende da disponibilidade de portadores de carga, o que é controlado por uma tensão aplicada a um terceiro *eletrodo de controle*.

Veja como eles diferem: em um transistor bipolar, a junção coletor-base é polarizada reversamente, então nenhuma corrente flui normalmente. A polarização direta da junção base-emissor em ≈0,6 V supera a "barreira de potencial de junção" do seu diodo, fazendo elétrons entrarem na região da base, onde são fortemente atraídos para o coletor. Apesar de resultar em corrente de base, a maioria desses "portadores minoritários" é capturada pelo coletor. Isto resulta em uma corrente de coletor, controlada por uma corrente de base (muito menor). A corrente de coletor é proporcional à taxa de injeção de portadores minoritários na região da base, que é uma função exponencial do V_{BE} (a equação de Ebers-Moll). Você pode pensar em um transistor bipolar como um amplificador de corrente (com ganho de corrente – mais ou menos constante) ou como um dispositivo de transcondutância (Ebers-Moll: corrente de coletor programada pela tensão base-emissor).

Em um FET, tal como o nome sugere, a condução no canal é controlada por um campo elétrico, produzido por uma tensão aplicada ao eletrodo de porta. Não há junções polarizadas diretamente, de modo que a porta não absorve corrente. Essa é, talvez, a vantagem mais importante do FET. Tal como acontece com o BJT, existem duas polaridades, FET canal *n* (condução por elétrons) e FET canal *p* (condução por lacunas). Essas duas polaridades são análogas aos familiares transistores bipolares *npn* e *pnp*, respectivamente. Além disso, como sempre, FETs tendem a ser confusos no início, pois podem ser feitos com dois tipos diferentes de portas (portanto, JFETs e MOSFETs) e com dois tipos diferentes de dopagem de canal (produzindo os modos *intensificação* e *depleção*). Distinguiremos esses tipos em breve.

Primeiro, porém, proporcionaremos alguma motivação e perspectiva. A corrente de porta inexistente nos FETs é a sua característica mais importante. A impedância de entrada alta resultante (que pode ser maior do que 10^{14} Ω) é essencial em muitas aplicações e, de qualquer modo, torna o projeto do circuito simples e divertido. Para aplicações como chaves analógicas e amplificadores de impedância de entrada ultra-alta, os FETs são os melhores. Eles podem ser facilmente utilizados sozinhos ou combinados com transistores bipolares na construção de circuitos integrados. No próximo capítulo, veremos quão bem-sucedido esse processo tem sido para fazer amplificadores operacionais quase perfeitos (e maravilhosamente fáceis de usar) e, nos Capítulos 10 a 14, veremos como a eletrônica digital foi revolucionada pelos circuitos integrados MOSFET. Como muitos FETs que usam correntes muito baixas podem ser construídos em uma área pequena, eles são especialmente úteis para circuitos digitais de integração em escala muito ampla (VLSI), tais como microprocessadores, memória e chips de "aplicações específicas" do tipo usado em telefones celulares, televisores e afins. Na outra extremidade do espectro, MOSFETs robustos de alta corrente (50 A ou mais) substituíram transistores bipolares em muitas aplicações, muitas vezes fornecendo circuitos mais simples, com um desempenho melhorado.

3.1.1 Curvas Características de FETs

Iniciantes, por vezes, ficam paralisados quando confrontados diretamente com a confusa variedade de tipos de FET. Essa variedade surge a partir das opções combinadas de polaridade (*canal n* ou *canal p*), forma de isolação da porta [*junção* semicondutora (JFET) ou óxido *isolante* (MOSFET)] e dopagem do canal (modos de *intensificação* ou *depleção*). Das oito possibilidades resultantes, seis *poderiam* ser feitas,

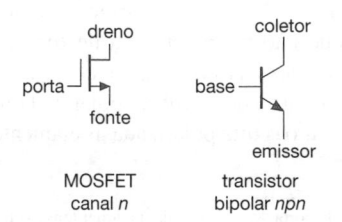

FIGURA 3.1 O MOSFET canal *n* e o seu análogo transistor *npn*.

---

[1] Muitas vezes, chamados de BJTs, de "*bipolar junction transistors*" (transistores de junção bipolar), para distingui-los dos FETs.

e cinco efetivamente o são. Quatro dessas cinco são de grande importância.

No entanto, para nossa compreensão (e nossa sanidade!), é melhor começarmos com apenas um tipo, assim como fizemos com o transistor bipolar *npn*. Uma vez confortáveis com FETs, teremos pouca dificuldade com a sua árvore genealógica.

A. Curvas *V-I* do FET

Observemos primeiro o MOSFET de modo de intensificação (ou crescimento) de canal *n*, que é análogo ao transistor bipolar *npn* (Figura 3.2). Em operação normal, o dreno ($\sim$coletor) é mais positivo do que a fonte ($\sim$emissor). Nenhuma corrente flui do dreno para a fonte, a menos que a porta ($\sim$base) seja positiva em relação à fonte. Uma vez que a porta seja, assim, "polarizada diretamente", haverá corrente de dreno, que flui toda para a fonte. A Figura 3.2 mostra como a corrente de dreno I_D varia com a tensão dreno-fonte V_{DS} para alguns valores de tensão de controle porta-fonte V_{GS}. Para efeito de comparação, é mostrada a "família" de curvas correspondente de I_C *versus* V_{BE} para um transistor bipolar *npn* comum. Evidentemente há uma série de semelhanças entre MOSFETs de canal *n* e transistores bipolares *npn*.

Como o transistor *npn*, o FET tem uma impedância de dreno incremental alta, proporcionando uma corrente praticamente constante para V_{DS} maior do que um ou dois volts. Por uma infeliz escolha de nomenclatura, essa é chamada de região de "saturação" do FET e corresponde à região "ativa" do transistor bipolar. De forma análoga ao transistor bipolar, uma polarização maior porta-fonte produz uma corrente de dreno maior. E, analogamente aos transistores bipolares, FETs não são dispositivos de transcondutância perfeitos (corrente de dreno constante para tensão porta-fonte constante): assim como a característica de transcondutância ideal de Ebers-Moll de transistores bipolares é degradada pelo efeito Early, há uma saída análoga a partir do comportamento da transcondutância ideal para FETs, caracterizada por uma resistência de saída de dreno finita r_o (mais comumente chamada $1/g_{os}$, veja a Seção 3.3.2).

Até agora, o FET se parece com o transistor *npn*. Porém, observemo-lo mais de perto. Por algum motivo, ao longo da faixa normal de correntes, a corrente de saturação do dreno aumenta modestamente com o aumento da tensão da porta (V_{GS}). Na verdade, é aproximadamente proporcional à $(V_{GS} - V_{th})^2$, em que V_{th} é a tensão de limiar da porta na qual a corrente de dreno começa ($V_{th} \approx 1,63$V para o FET na Figura 3.2); compare essa simples lei quadrática com a complicada lei exponencial do transistor dada por Ebers e Moll. Em segundo lugar, há *zero* corrente de porta CC, então você não deve pensar no FET como um dispositivo com ganho de corrente (que seria infinito). Em vez disso, pense no FET como um dispositivo de transcondutância, com tensão porta-fonte que programa a corrente de dreno, como fizemos com o transistor bipolar na abordagem de Ebers-Moll. Lembre-se de que a transcondutância g_m é simplesmente a relação i_d/v_{gs} (usando a convenção de letras minúsculas para indicar variações de "pequenos sinais" em um parâmetro; por exemplo, $i_d/v_{gs} = \delta I_D/\delta V_{GS}$). Em terceiro lugar, a porta de um MOSFET é realmente isolada do canal dreno-fonte; assim, ao contrário da situação dos transistores bipolares (ou JFETs, como veremos), você pode torná-la positiva (ou negativa) pelo menos 10 V ou mais sem se preocupar com a condução do diodo. Por fim, o FET difere do transistor bipolar na chamada região *linear* (tensão baixa) do gráfico, em que se comporta como um resistor de precisão, *mesmo para* V_{DS} *negativo*; isso acaba sendo bastante útil, pois a resistência dreno-fonte equivalente é, como você pode imaginar, programada pela tensão porta-fonte.

B. Dois exemplos

FETs ainda terão mais surpresas guardadas para nós. Porém, antes de entrar em mais detalhes, observemos duas aplicações de chaveamento simples. A Figura 3.3 mostra o equivalente MOSFET da Figura 2.5, a nosso primeira chave com transistor saturado. O circuito FET é ainda mais simples, pois não temos de nos preocupar com o compromisso inevitável de fornecer corrente de acionamento de base adequada (considerando o pior caso de β mínimo combinado com a resistência fria da lâmpada) sem desperdiçar energia em excesso. Em vez disso, simplesmente aplicamos uma tensão CC que varia integralmente para acionar a alta impedância cooperativa da porta. Enquanto o FET ligado se comporta como uma resistência pequena em comparação com a carga, ele traz sua tensão de dreno para próximo do terra; MOSFETs de potência típicos têm $R_{ON} < 0,1$ Ω, o que é bom para esta aplicação.

Nós demonstramos esse circuito na nossa disciplina de eletrônica, mas colocamos um resistor em série com a porta. Os alunos ficam surpresos quando descobrem a sua resistência – 10 MΩ –, que implica um "beta" de, pelo menos, 100.000. Eles ficam ainda mais surpresos quando percebem que a luz fica acesa quando a porta é, então, deixada aberta: a tensão da porta é mantida na capacitância da porta e fica assim pelo restante da nossa aula.[2] Isso uma corrente de porta bem abaixo de um *pico*ampère!

A Figura 3.4 mostra a aplicação de uma chave analógica,[3] que não pode ser feita de forma alguma com transistores bipolares. A ideia aqui é chavear a condução de um FET de circuito aberto (porta polarizada reversamente) para curto-circuito (porta polarizada diretamente), de modo a

---

[2] A capacitância da porta "se lembra" de qualquer tensão que tenha sido aplicada por último. Assim, você pode fazer a lâmpada permanecer ON ou OFF, ou mesmo no meio-brilho, sem alteração perceptível, mesmo com a porta flutuante.

[3] Também chamada de "chave linear".

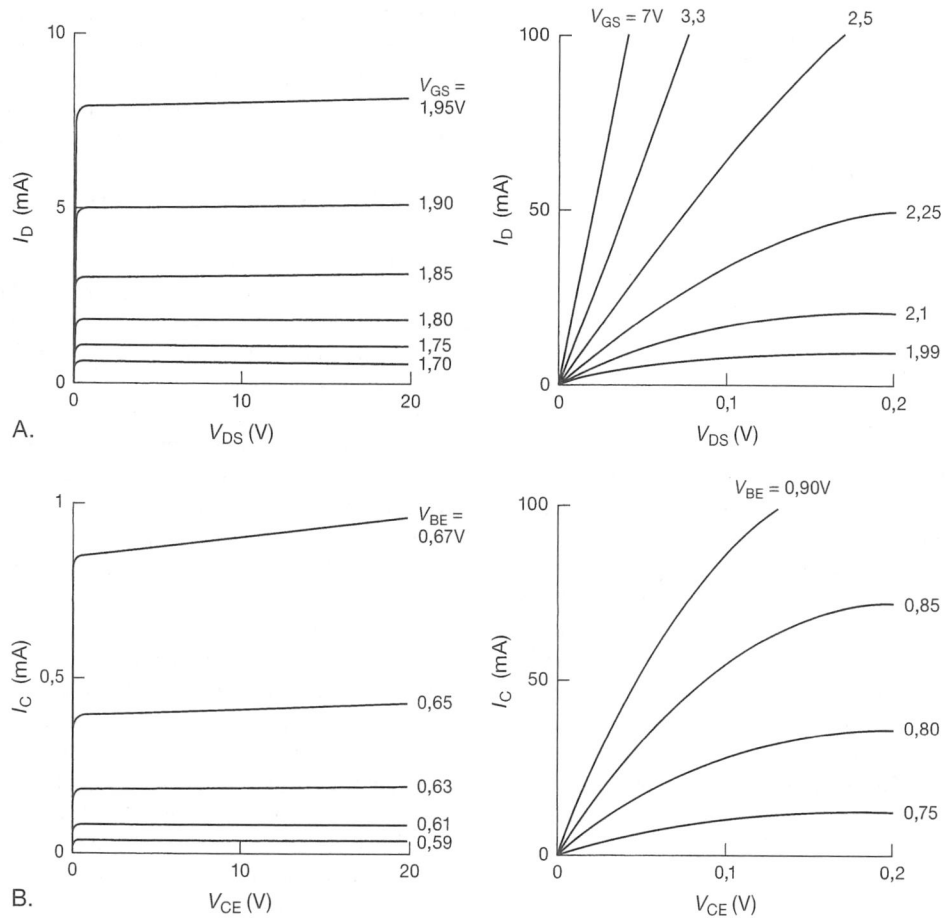

FIGURA 3.2 Curvas características medidas do MOSFET/transistor: A. VN0106 (semelhante ao popular 2N7000) é um MOSFET canal *n*: I_D versus V_{DS} para vários valores de V_{GS}. B. 2N3904 é um transistor bipolar *npn*: I_C versus V_{CE} para vários valores de V_{BE}.

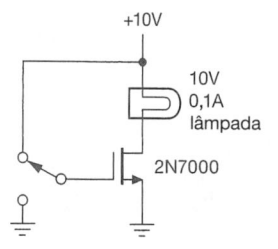

FIGURA 3.3 Chave de potência MOSFET.

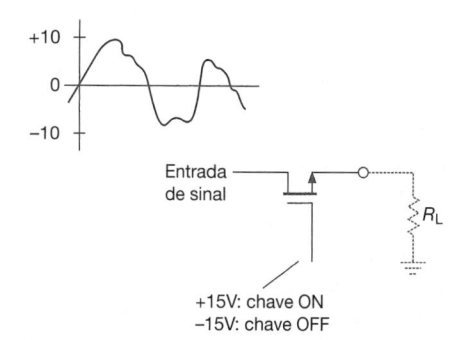

FIGURA 3.4 Interruptor MOSFET (de sinal) analógico.

bloquear ou passar o sinal analógico (veremos muitas razões para fazer isso mais adiante). Neste caso, apenas configuramos para a porta ser acionada por uma tensão mais negativa do que qualquer oscilação do sinal de entrada (chave *aberta*), ou alguns volts mais positiva do que qualquer oscilação do sinal de entrada (interruptor *fechada*). Transistores bipolares não são adequados para esta aplicação, pois a base consome corrente e forma diodos com emissor e coletor, produzindo uma ação de grampeamento inadequada. Em comparação com eles, o MOSFET é muito mais simples, precisando ape- nas de uma variação de tensão na porta[4] (essencialmente de circuito aberto).

---

[4] É justo mencionar que o nosso tratamento deste circuito foi um pouco simplista, por exemplo, ignorando os efeitos da capacitância porta-canal e a variação de R_{ON} com a variação do sinal. Teremos mais a dizer sobre chaves analógicas mais adiante.

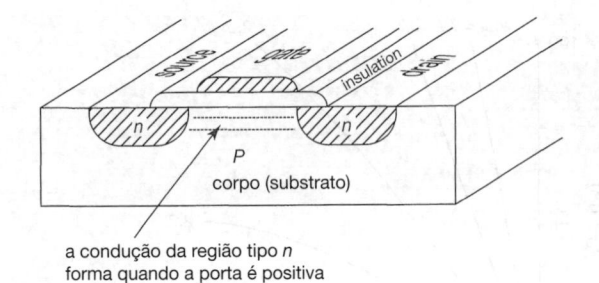

FIGURA 3.5 Um MOSFET "lateral" canal *n*.

3.1.2 Tipos de FET

A. Canal *n* e canal *p*

Agora vamos para a árvore genealógica. Em primeiro lugar, os FETs (assim como os BJTs) podem ser fabricados em ambas as polaridades. Assim, o inverso de nosso MOSFET canal *n* é um MOSFET canal *p*. O seu comportamento é simétrico, imitando transistores *pnp*: o dreno é normalmente negativo em relação à fonte, e a corrente de dreno flui se a porta for colocada em, pelo menos, um ou dois volts negativos em relação à fonte. A simetria não é perfeita porque os portadores são lacunas, e não elétrons, com menor mobilidade e tempo de vida dos portadores minoritários.[5] É bom lembrar a consequência disso – FETs de canal *p* normalmente têm pior desempenho, que se manifesta como uma tensão de limiar de porta maior, R_{ON} mais alto e corrente de saturação inferior.[6]

B. MOSFET e JFET

Em um MOSFET (*Metal-Oxide-Semiconductor Field-Effect*, transistor de efeito de campo de semicondutor de óxido metálico) a região da porta é separada do canal de condução por uma fina camada de SiO_2 (vidro) acrescida sobre o canal (Figura 3.5). A porta, que pode ser metal ou silício dopado, é realmente isolada do circuito dreno-fonte, com resistência de entrada característica > 10^{14} Ω. A porta afeta a condução do canal simplesmente pelo seu campo elétrico. MOSFETs são chamados, às vezes, de FETs de porta isolada (*insulated-gate*), ou IGFETs. A camada de isolamento da porta é bastante fina, tipicamente menor do que um comprimento de onda de luz, e pode resistir a tensões de porta de até ±20 V em MOSFETs de potência típicos (menos para os MOSFETs pequenos em circuitos integrados de baixa tensão). MOS-FETs são fáceis de usar, pois a porta pode variar entre uma ou outra polaridade em relação à fonte sem que flua qualquer corrente de porta. No entanto, eles são bastante suscetíveis a danos causados por eletricidade estática; você pode destruir um dispositivo MOSFET simplesmente tocando nele.

Os símbolos para os MOSFETs são apresentados na Figura 3.6. O terminal extra, que, por vezes, é mostrado, é o "corpo" ou "substrato", a peça de silício em que o FET é fabricado. Devido ao corpo formar uma junção de diodo com o canal, deve-se manter uma tensão não condutora. Ele pode ser conectado à fonte ou a um ponto do circuito mais negativo (positivo) do que a fonte para MOSFETs canal *n* (canal *p*). É comum o terminal do corpo ser omitido; além disso, os engenheiros costumam usar o símbolo com a porta simétrica. Infelizmente, com o que sobrou, não é possível diferenciar fonte de dreno; pior ainda, não se pode diferenciar canal *n* de canal *p*! Neste livro, na maioria das vezes, usamos o par inferior de símbolos esquemáticos, que, embora pouco convencional, não é ambíguo e é mais fácil de desenhar (por não ter muitos detalhes).[7]

Em um JFET (*Junction Field-Effect Transistor*, transistor de efeito de campo de junção), a porta forma uma junção de semicondutor com o canal subjacente. Isso tem como consequência importante que *a porta de um JFET não deve ser polarizada diretamente em relação ao canal, para evitar a corrente de porta*. Por exemplo, a condução do diodo ocorrerá conforme a porta de um JFET de canal *n* se aproxima de +0,6 V em relação à extremidade mais negativa do canal (que é, normalmente, a fonte). A porta é, por conseguinte, operada com polarização reversa em relação ao canal, e nenhuma corrente (exceto a de fuga do diodo) flui no circuito

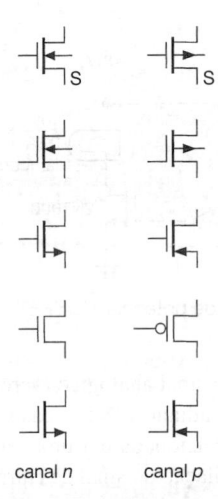

FIGURA 3.6 Símbolos esquemáticos de MOSFETs.

---

[5] Estes são parâmetros de semicondutores importantes no desempenho do transistor.

[6] No caso dos chamados "pares complementares" (um de canal *n* e um de canal *p* com especificações de tensão e corrente semelhantes), o de canal *p* é normalmente construído com uma área maior, a fim de coincidir com o desempenho do canal *n*. Você pode ver a evidência na folha de dados sob a forma de uma maior capacitância para o de canal *p*.

[7] Na prática, os projetistas de circuitos lógicos gostam de usar o segundo par de baixo para cima, enquanto os usuários de MOSFET de potência preferem o segundo par de cima para baixo.

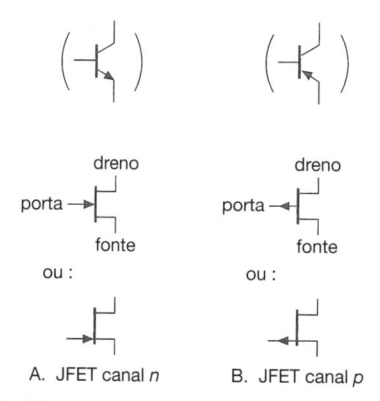

FIGURA 3.7 Símbolos esquemáticos de JFETs: A. JFET canal *n*. B. JFET canal *p*.

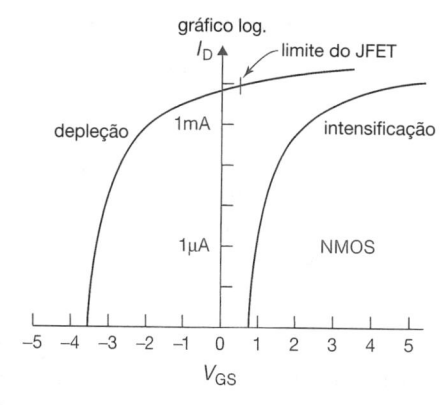

FIGURA 3.8 Curvas características de transferência (I_D versus V_{GS}) para transistores JFET (modo depleção) e MOSFET (modo intensificação). Veja também as curvas medidas na Figura 3.19.

de porta. Os símbolos de circuito para JFETs são mostrados na Figura 3.7. Novamente, favorecemos o símbolo com a porta deslocada para identificar a fonte (embora JFETs e pequenos MOSFETs integrados sejam simétricos, MOSFETs de potência são bastante assimétricos, com capacitâncias e tensões de ruptura muito diferentes).

C. Intensificação e depleção

Os MOSFETs canal *n* que abordamos no início do capítulo eram não condutores, com polarização de porta zero (ou negativa), e foram levados à condução ao colocar a porta positiva em relação à fonte. Esse tipo de FET é conhecido como *modo intensificação*. A outra possibilidade é a fabricação do FET de canal *n* com o semicondutor do canal "dopado", de modo que haja uma abundância de condução do canal mesmo com polarização de porta zero, e a porta deve ser polarizada reversamente por alguns volts para cortar a corrente de dreno. Tal FET é conhecido como *modo depleção*. MOSFETs podem ser feitos em qualquer variedade, pois a porta, sendo isolada do canal, pode variar em qualquer polaridade. No entanto, JFETs, com seu diodo porta-canal, permitem apenas a polarização reversa da porta e, portanto, são feitos somente no modo depleção.

Um gráfico da corrente de dreno *versus* tensão porta-fonte, para um valor fixo de tensão de dreno, pode ajudar a esclarecer essa distinção (Figuras 3.8 e 3.9). O dispositivo de modo intensificação não estabelece nenhuma corrente de dreno até que a porta seja positiva (estes são os FETs canal *n*) em relação à fonte, ao passo que o dispositivo de modo depleção opera próximo do seu valor máximo de corrente de dreno quando a porta está na mesma tensão que a fonte. Em certo sentido, as duas categorias são artificiais, pois as duas curvas são idênticas, exceto por um deslocamento ao longo do eixo V_{GS}. Na verdade, é possível fabricar MOSFETs "intermediários". No entanto, a distinção é importante quando se trata de projeto de circuitos.

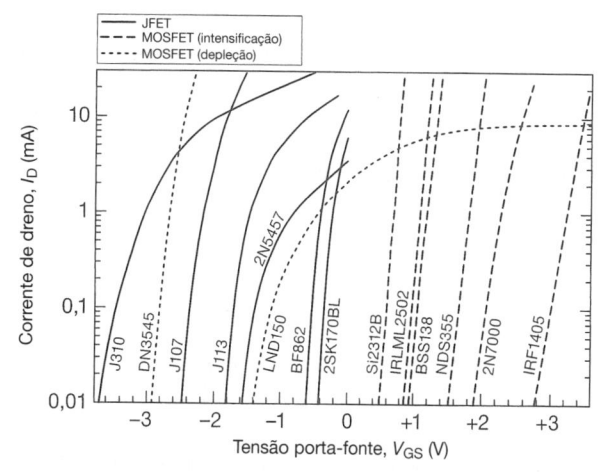

FIGURA 3.9 Conferindo autenticidade ao esboço teórico da Figura 3.8: I_D versus V_{GS} medido para uma seleção de FETs canal *n*.

Note que JFETs são sempre dispositivos de modo depleção e que a porta não pode ser cerca de 0,5 V (para canal *n*) mais positiva do que a fonte, uma vez que o diodo porta-canal conduzirá. MOSFETs *podem* ser tanto intensificação quanto depleção, mas, na prática, a espécie dominante é o modo intensificação, com uma pequena porção de MOSFETs de modo depleção.[8] Na maioria das vezes, então, você precisa se preocupar apenas com (a) JFETs de modo depleção e (b) MOSFETs de modo intensificação. Cada um está disponível em duas polaridades, canal *n* e canal *p*.

---

[8] FETs GaAs na forma de canal *n*, cascodes "dupla porta" para aplicações de radiofrequência e uma seleção de MOSFETs de potência de modo depleção de alta tensão (como o Supertex lateral LND150 ou vertical DN3435, bem como os ofertados por seis outros fabricantes).

3.1.3 Curvas Características Universais FET

A árvore genealógica (Figura 3.10) e um mapa (Figura 3.11) da tensão de entrada-saída (fonte aterrada) pode ajudar a simplificar as coisas. Os diferentes dispositivos (incluindo os tipos usuais de transistores bipolares *npn* e *pnp*) são desenhados no quadrante que caracteriza as suas tensões de entrada e de saída quando estão na região ativa com fonte (ou emissor) aterrada. Contudo, você não tem que lembrar as propriedades dos cinco tipos de FETs, pois todas eles são, basicamente, iguais todos os tipos.

Primeiro, com a fonte aterrada, um FET é ligado (colocado em condução), colocando a tensão da porta "em direção à" tensão de alimentação de dreno ativa. Isso é verdade para todos os cinco tipos de FETs, bem como para os transistores bipolares. Por exemplo, um JFET canal *n* (que é necessariamente de modo depleção) utiliza uma fonte de dreno positiva, assim como todos os dispositivos do tipo *n*. Assim, uma tensão de porta que vai para positivo tende a ligar o JFET. A sutileza para dispositivos de modo depleção é que a porta deve ser polarizada reversamente (negativamente) para uma corrente de dreno zero, ao passo que, para os dispositivos de modo intensificação, a tensão de porta zero é suficiente para proporcionar zero de corrente de dreno.

Em segundo lugar, devido à quase simetria de fonte e dreno, qualquer um deles pode atuar como fonte efetiva (exceção: isso não se aplica a MOSFETs de potência, em que o corpo está internamente conectado à fonte). Ao pensar em ação FET, e, para efeitos de cálculo, lembre-se de que o terminal efetivo da fonte é sempre o mais "distante" da fonte de dreno ativa. Por exemplo, suponhamos que um FET seja usado para comutar uma linha para o terra e que sinais positivos e negativos estejam presentes na linha comutada, que é geralmente selecionada para ser o dreno do FET. Se a chave for um MOSFET canal *n* (portanto, intensificação) e uma tensão negativa estiver presente no terminal de dreno (desligado), então o outro terminal é, na verdade, a "fonte" para fins de cálculo da tensão de porta para ligar o dispositivo. Assim, uma tensão de porta negativa maior do que o sinal mais negativo, em vez do terra, é necessária para garantir o desligamento.

O gráfico da Figura 3.12 pode ajudar a resolver todas essas ideias confusas. Mais uma vez, a diferença entre os modos intensificação e depleção é meramente uma questão de deslocamento ao longo do eixo V_{GS} – ou seja, se há muita ou nenhuma corrente de dreno quando a porta está no mesmo potencial que a fonte. Os FETs de canal *n* e canal *p* são complementares da mesma maneira que transistores bipolares *npn* e *pnp*.

Na Figura 3.12, usamos símbolos padrão para os parâmetros de FET importantes de corrente de saturação e tensão de corte. Para JFETs, o valor da corrente de dreno com a porta em curto com a fonte é especificada nas folhas de dados como I_{DSS} e é quase a máxima corrente de dreno possível. (I_{DSS} significa corrente de dreno para fonte com a porta em curto-circuito com a fonte. Ao longo do capítu-

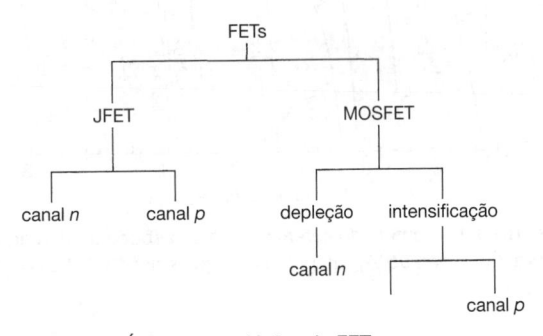

FIGURA 3.10 Árvore genealógica do FET.

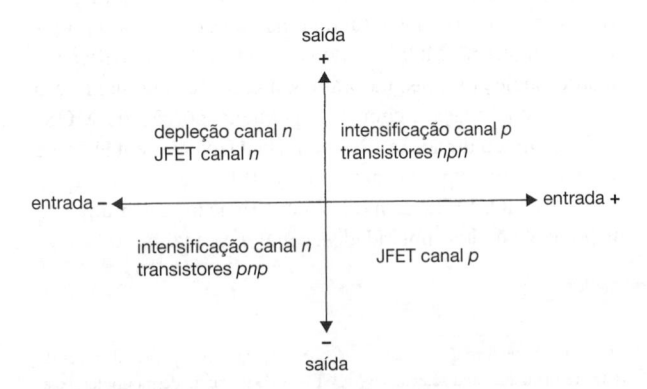

FIGURA 3.11 "Mapa de polaridade" de transistores.

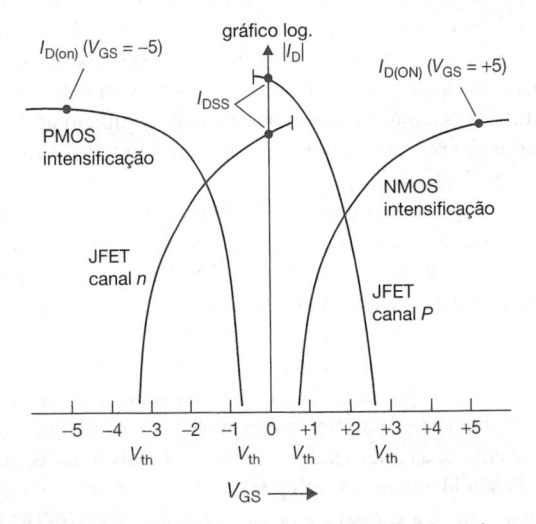

FIGURA 3.12 Tensões de porta e correntes de dreno importantes.

lo, você verá essa notação, em que as duas primeiras letras subscritas designam o par de terminais e a terceira especifica a condição.) Para MOSFETs de modo intensificação, a especificação análoga é $I_{D\,(ON)}$ dada em algum tensão de porta direta ("I_{DSS}" seria zero para qualquer dispositivo de modo intensificação).

Para JFETs, a tensão porta-fonte em que a corrente de dreno é levada essencialmente a zero[9] é denominada "tensão de corte porta-fonte", $V_{GS\,(OFF)}$, ou (às vezes) "tensão de constrição" (*pinch-off*), V_P, e está tipicamente na faixa de -1 V a -5 V (positiva para o canal p, é claro). O parâmetro análogo normalmente não é especificado para MOSFETs de modo intensificação;[10] em vez disso, as folhas de dados especificam a "tensão de limiar porta-fonte", $V_{GS(th)}$, na qual o surgimento da corrente de dreno atinge um valor de limiar arbitrário, mas pequeno, tipicamente de 0,25 mA. $V_{GS(th)}$ se encontra tipicamente na faixa de 0,5 a 5 V, no sentido "direto", é claro.

Com FETs, é fácil ficar confuso sobre polaridades. Por exemplo, dispositivos canal n, que normalmente têm o dreno positivo em relação à fonte, podem ter uma tensão de porta positiva ou negativa e tensões de limiar positiva (intensificação) ou negativa (depleção). Para piorar a situação, o dreno pode ser (e geralmente é) operado com tensão negativa em relação à fonte. Claro, todas essas afirmações têm sentido inverso para dispositivos de canal p. A fim de minimizar a confusão, sempre consideraremos que estamos falando de dispositivos canal n, salvo quando indicado o contrário. Da mesma forma, devido aos MOSFETs serem quase sempre do modo intensificação e aos JFETs serem sempre do modo depleção, omitiremos essas designações de agora em diante.

3.1.4 Curvas Características de Dreno de FETs

Na Figura 3.2, mostramos uma família de curvas de I_D *versus* V_{DS} que medimos para um VN0106, um MOSFET de modo intensificação canal n.[11] Observamos que os FETs se comportam como dispositivos muito bons de transcondutância na maior parte do gráfico (por exemplo, I_D quase constante para um determinado V_{GS}, exceto para V_{DS} pequena, caso em que eles se aproximam a uma resistência (isto é, I_D é proporcional à V_{DS}). Em ambos os casos, a tensão porta-fonte aplicada controla o comportamento, que pode ser bem descrito pela equação do FET análoga à de Ebers-Moll. Observemos agora essas duas regiões um pouco mais de perto; reveremos esse importante assunto em mais detalhes na Seção 3.3.

A Figura 3.13 mostra a situação de forma esquemática. Em ambas as regiões, a corrente de dreno depende de $V_{GS} - V_{th}$, o montante pelo qual a tensão porta-fonte aplicada excede a tensão limiar (ou de constrição). A região linear, em que a corrente de dreno é aproximadamente proporcional à V_{DS}, estende-se a uma tensão $V_{DS(sat)}$, depois da qual a corrente de dreno é, aproximadamente, constante. A inclinação da região linear, I_D/V_{DS}, é proporcional à polarização da porta, $V_{GS} - V_{th}$. Além disso, a tensão de dreno na qual as curvas entram na "região de saturação", $V_{DS(sat)}$, é aproximadamente $V_{GS} - V_{th}$, tornando a corrente de saturação do dreno, $I_{D(sat)}$, proporcional a $(V_{GS} - V_{th})^2$, a lei quadrática que mencionamos anteriormente. Para referência, aqui estão as fórmulas universais de corrente de dreno de FETs:

$$I_D = 2\kappa[(V_{GS} - V_{th})V_{DS} - V_{DS}^2/2] \quad \text{(região linear)} \quad (3.1)$$

$$I_D = \kappa(V_{GS} - V_{th})^2 \quad \text{(região de saturação)} \quad (3.2)$$

Se chamarmos $V_{GS} - V_{th}$ (o valor pelo qual a tensão porta-fonte portão excede o limiar) de "acionamento da porta", os resultados importantes são que (a) a resistência na região linear é inversamente proporcional ao acionamento da porta, (b) a região linear se estende a uma tensão de dreno-fonte aproximadamente igual ao acionamento da porta e (c)

---

[9] Normalmente considerado de 10 nA; um circuito de teste para a tensão de constrição é descrito na Seção 4.3.4.

[10] Usaremos o símbolo V_{th} para designar o parâmetro análogo "tensão de corte porta-fonte" para MOSFETs, de que precisaremos mais adiante. Na literatura eletrônica, o símbolo V_T é utilizado para esse parâmetro, o chamado "limiar de tensão"; mas nós preferimos evitar o mesmo símbolo que é usado para o V_T "tensão térmica" na equação de Ebers-Moll, onde $V_T \approx kT/q \approx 25$mV E não confunda V_{th} com $V_{GS(th)}$: V_{th} é obtida a partir de uma extrapolação de um gráfico de $\sqrt{I_D}$ *versus* V_{GS}; que não é encontrado em folhas de dados, mas é bastante útil. Em contrapartida, $V_{GS(th)}$ não é muito útil, mas é o parâmetro que você encontra em folhas de dados.

[11] O VN0106 não está amplamente disponível. Ele é muito semelhante ao popular 2N7000 ou BS170 (no encapsulamento TO-92) e ao 2N7002, BSS138 ou MMBF170 (nos encapsulamentos SMT).

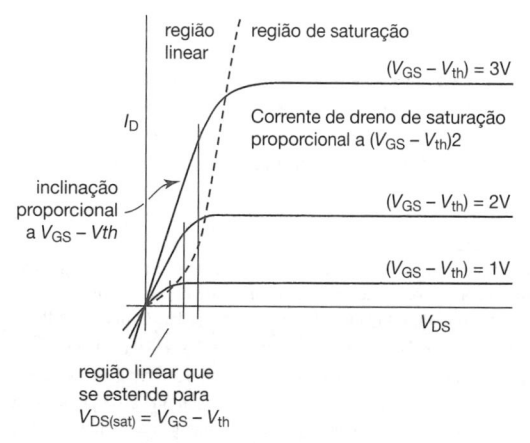

FIGURA 3.13 Regiões linear e de saturação de operação do FET.

a corrente de saturação do dreno é proporcional ao quadrado do acionamento da porta. Essas equações assumem que o substrato é ligado à fonte. Note que a "região linear" não é realmente linear por causa do termo V_{DS}^2; mostraremos um circuito inteligente de correção mais tarde.

O fator de escala κ — depende de informações tais como a geometria do FET, capacitância do óxido e mobilidade do portador.[12] Ele tem uma dependência de temperatura $\kappa \propto T^{-3/2}$, que por si só faria ID diminuir com o aumento da temperatura. No entanto, V_{th} também depende ligeiramente da temperatura (2 a 5 mV/°C); o efeito combinado produz a curva de corrente de dreno em função da temperatura, como mostrado na Figura 3.14.

Em tensões de porta maiores, o coeficiente de temperatura negativo de κ faz a corrente de dreno diminuir com o aumento da temperatura. Como consequência, os FETs de um determinado tipo, funcionando nesse regime de alta corrente, podem, muitas vezes, ser conectados em paralelo sem resistores externos de equalização de corrente que você deve usar com transistores bipolares (limitação de corrente do emissor) (veja a Seção 3.6.3).[13] Esse mesmo coeficiente negativo também impede a deriva térmica em regiões localizadas da junção (um efeito conhecido como "corrente dominante"), o que limita muito a capacidade de potência de grandes transistores bipolares, como veremos quando discutirmos "segunda ruptura" e "área de operação segura" no Capítulo 9.

Em correntes de dreno pequenas (em que o coeficiente de temperatura de V_{th} domina), I_D tem um coeficiente de temperatura positivo, com um ponto de coeficiente de temperatura zero em alguma corrente de dreno no meio. Esse efeito é explorado em AOPs de FET para minimizar a deriva de temperatura, como veremos no próximo capítulo.

A. Região sublimiar

Nossa expressão dada anteriormente para corrente de dreno de saturação não se aplica para as correntes de dreno muito pequenas. Esta é a região conhecida como "sublimiar" (*subthreshold*), em que o canal está abaixo do limiar para a condução, mas alguma corrente flui de qualquer forma por causa de uma pequena população de elétrons estimulados termicamente. Se você estudou física ou química, provavelmente sabe de cor e salteado que a corrente de dreno resultante é exponencial (com algum fator de escala) na diferença de tensão $V_{GS} - V_{th}$.

Medimos alguns MOSFETs ao longo de nove décadas de corrente (1 nA a 1 A) e plotamos o resultado como um gráfico de I_D *versus* V_{GS} (Figura 3.15). A região a partir de 1 nA a 1 mA é exponencialmente bastante precisa; acima dessa região sublimiar, as curvas entram na região normal "quadrática". Para o MOSFET canal *n* (Supertex tipo VN01, semelhante ao sempre popular 2N7000), verificamos uma amostra de 20 transistores (a partir de quatro experimentos de fabricações diferentes, distribuídos por dois anos), traçando o in-

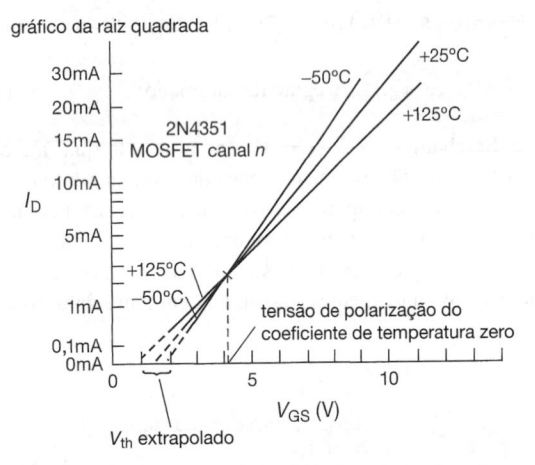

FIGURA 3.14 A "tensão de limiar" V_{th} é encontrada extrapolando o gráfico da raiz quadrada de I_D para uma corrente de dreno zero. A corrente de dreno de saturação do FET tem um coeficiente de temperatura negativo no regime de alta corrente.

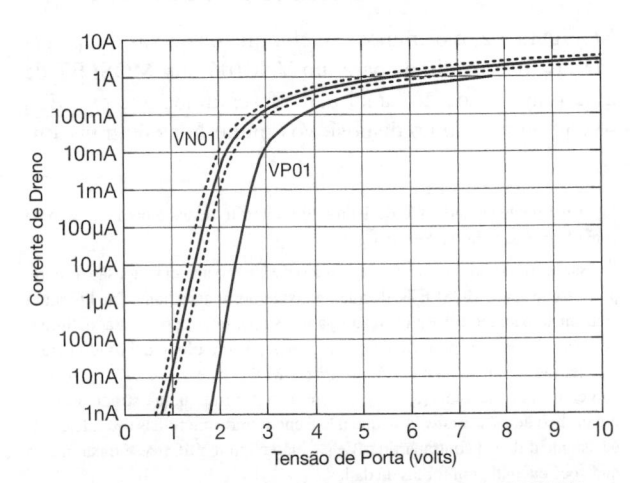

FIGURA 3.15 Corrente de dreno de saturação de MOSFET medida *versus* tensão porta-fonte. Para o VN01, as curvas tracejadas são as amostras extremas, e a curva de linha contínua representa a mediana, de um grupo de 20 MOSFETs.

---

[12] Você normalmente verá o símbolo k usado aqui. Preferimos κ para evitar confusão com a constante de Boltzmann k que figura na equação de Ebers-Moll para o comportamento do transistor bipolar. O modelo SPICE para JFETs chama esse parâmetro de β (e, para V_{th}, ele usa o parâmetro "VTO").

[13] Alguns cuidados se aplicam, principalmente com MOSFETs de potência ("'verticais") comuns em aplicações lineares, em que são operados em correntes de dreno bem abaixo da região de coeficiente de temperatura negativo – veja as Seções 3.5.1B e 3.6.3. Em tais aplicações (por exemplo, amplificadores de potência de áudio), o MOSFET "lateral" alternativo é popular, devido ao seu coeficiente negativo de estabilização.

Capítulo 3   Transistores de efeito de campo   **139**

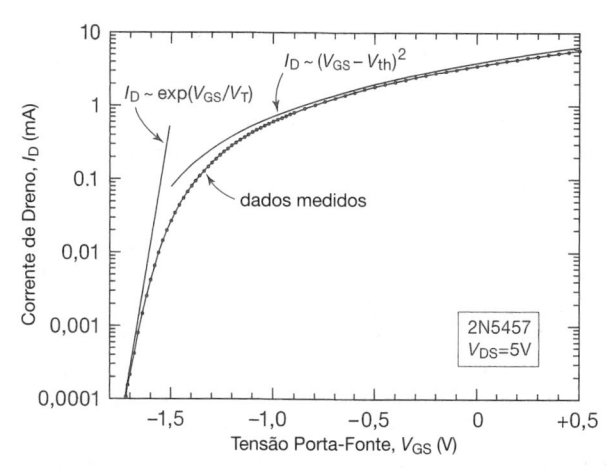

FIGURA 3.16 Cinco décadas de medidas de corrente de dreno *versus* tensão porta-fonte para o JFET canal *n* 2N5457. Na região de sublimiar, a corrente de dreno é exponencial, como um BJT, com quase o mesmo fator de escala V_T (k_T/q, ou 25,3 mV à temperatura ambiente); em correntes mais altas, torna-se quadrática (a curva calculada foi deslocada em +10%, para maior clareza).

Características de FET: Amplitude dos Valores de Fabricação

Característica	Faixa Disponível	Amplitude de Valores
I_{DSS}, $I_{D(ON)}$	1 nA a 500 A	×5
$R_{DS(ON)}$	0,001 Ω a 10 k	×5
g_m @ 1mA	500-3000 μS	×5
V_P (JFETs)	0,5-10 V	5 V
$V_{GS(th)}$ (MOSFETs)	0,5-5 V	2 V
$BV_{DS(OFF)}$	6-1000 V	
$BV_{GS(OFF)}$	6-125 V	

$R_{DS(ON)}$ é a resistência fonte-dreno (região linear, isto é, V_{DS} pequeno) quando o FET está conduzindo totalmente, por exemplo, com a porta aterrada, no caso de JFETs, ou com uma grande tensão porta-fonte aplicada (normalmente especificada como 10 V) para MOSFETs. I_{DSS} e $I_{D(ON)}$ são correntes de dreno na região de saturação (V_{DS} grande) sob as mesmas condições de acionamento de porta para o estado ligado. V_P é a tensão de constrição (JFETs), $V_{GS(th)}$ é a tensão de limiar de porta para ligar o dispositivo (MOSFETs), e as tensões de ruptura são os BVs. Como você pode ver, um JFET com uma fonte aterrada pode ser uma boa fonte de corrente, mas você não pode prever muito bem qual será a corrente. Da mesma maneira, o V_{GS} necessário para produzir algum valor de corrente de dreno pode variar consideravelmente, em contraste com o previsível V_{BE} ($\approx$0,6 V) dos transistores bipolares. A Figura 3.17 ilustra graficamente este último ponto: medimos os valores de V_{GS} a uma corrente de dreno de 1 mA para uma centena de peças (eles são muito baratos: cada um custa cerca de 10 centavos de dólar) de três tipos populares de

tervalo extremo para lhe dar uma ideia de variabilidade (veja a seção seguinte). Observe as características ligeiramente inferiores (V_{th}, $I_{D(ON)}$) do "complementar" VP01 (similar ao popular BS250).

JFETs apresentam um comportamento semelhante, como se ilustra nos dados medidos da Figura 3.16 (embora VGS esteja necessariamente limitado à tensão de polarização reversa, ou no máximo, a uma polarização direta inferior a uma queda de diodo). A região quadrática, onde $I_D \propto (V_{GS} - V_{th})^2$, é vista mais claramente traçando a *raiz quadrada* da corrente de dreno *versus* tensão da porta; veja a Figura 3.14 e a Figura 3.51 mais adiante.

3.1.5 Amplitude de Valores dos Parâmetros de FETs na Fabricação

Antes de observarmos alguns circuitos, daremos uma olhada na faixa de parâmetros de FETs (como I_{DSS} e $V_{GS(th)}$), bem como na sua amplitude de valores de fabricação entre dispositivos do mesmo tipo nominal, a fim de ter uma melhor ideia do FET. Infelizmente, muitas das características dos FETs mostram uma amplitude de valores de processo muito maior do que as características correspondentes dos transistores bipolares, um fato que o projetista de circuitos deve ter em mente. Por exemplo, o 2N7000 (um típico MOSFET canal *n*) tem um V_{GS} especificado de 0,8 a 3 V (I_D = 1 mA), em comparação com a amplitude de valores análogos de V_{BE} de 0,63 a 0,83 V (também em I_C = 1 mA) para um pequeno transistor bipolar *npn*. Aqui está o que você pode esperar:

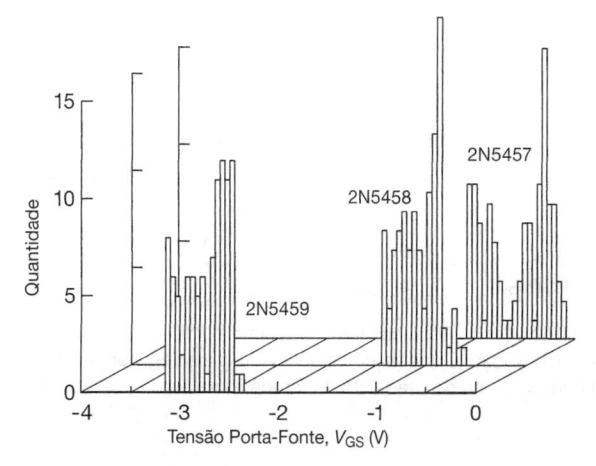

FIGURA 3.17 Este é o resultado do nosso trabalho árduo a partir da coleta de valores de V_{GS} (para V_{DS} = 5 V e I_D = 1 mA) para 300 JFETs da popular série 2N5457-59. Compare com os histogramas análogos na Figura 8.44.

JFET (a série 2N5457-59, graduada pelo seu I_{DSS}). A amplitude de valores das tensões porta-fonte, dentro de cada tipo, é cerca de 1 V. Para efeito de comparação, observe o gráfico análogo para BJTs na Figura 8.44; lá a amplitude de valores é apenas de 10 a 20 mV.

A. Casamento de curvas características

Como você pode ver, FETs são inferiores aos transistores bipolares em previsibilidade de V_{GS}, ou seja, eles têm uma grande amplitude de valores de V_{GS} necessários para produzir um determinado I_D. Os dispositivos com uma grande amplitude de valores, em geral, têm um *offset* (tensão não balanceada) maior quando utilizado como pares diferenciais. Por exemplo, transistores bipolares comuns podem ter uma amplitude de valores de V_{BE} de 25 mV ou mais, em alguma corrente de coletor, para uma seleção de transistores comerciais. O valor comparável "oficial" (tal como especificado em folhas de dados) para MOSFETs está mais para 1 V a 2 V![14] Devido aos FETs terem algumas características muito desejáveis, vale a pena dedicar um esforço adicional para reduzir esses *offsets* em pares casados especialmente manufaturados. Os projetistas de CIs usam técnicas como interdigitação (dois dispositivos que compartilham a mesma área física de um CI)

e esquemas de cancelamento de gradiente térmico para melhorar o desempenho (Figura 3.18).

Os resultados são impressionantes. Embora os dispositivos FET ainda não possam se igualar aos transistores bipolares no casamento de V_{GS}, o seu desempenho é adequado para a maioria das aplicações. Por exemplo, o melhor FET casado disponível anteriormente tinha[15] um *offset* de 0,5 mV e coeficiente de temperatura de 5 μV/°C (máx) da tensão, ao passo que o melhor par bipolar tem valores de 25 μV e 0,3 μV/°C (máx), cerca de 20 vezes melhor.

Amplificadores operacionais (os amplificadores diferenciais universais de alto ganho que veremos no próximo capítulo) estão disponíveis em dois tipos; você geralmente escolhe um com estrutura interna bipolar de alta precisão (por causa do estreito casamento de V_{BE} dos transistores de entrada), ao passo que um AOP de entrada FET é a escolha óbvia para aplicações de alta impedância (porque suas entradas – portas do FET – não consome nenhuma corrente). Por exemplo, os AOPs de baixo custo e com entrada JFET LF411 e LF412, que usaremos como nossos AOPs versáteis no próximo capítulo, têm uma corrente de entrada típica (fuga) de 50 pA e custa 60 centavos de dólar; o popular TLC272 de entrada MOSFET custa aproximadamente o mesmo e tem uma corrente de entrada típica (de fuga) de apenas 1 pA! Compare isso com um AOP bipolar comum, o LM324, com corrente típica de entrada (polarização) de 45.000 pA (45 nA).[16]

3.1.6 Circuitos FET Básicos

Agora estamos prontos para observar os circuitos FET. Normalmente você pode encontrar uma maneira de converter um circuito que usa BJTs em um que usa FETs – mas o novo circuito pode não ser uma melhoria! Para o restante do capítulo, gostaríamos de ilustrar situações de circuito que se aproveitam das propriedades únicas do FET, ou seja, circuitos que funcionam melhor com FETs ou que você não pode construir de qualquer modo com transistores bipolares. Para isso, pode ser útil agrupar as aplicações FET em categorias; aqui estão as que, na nossa opinião, são as mais importantes.

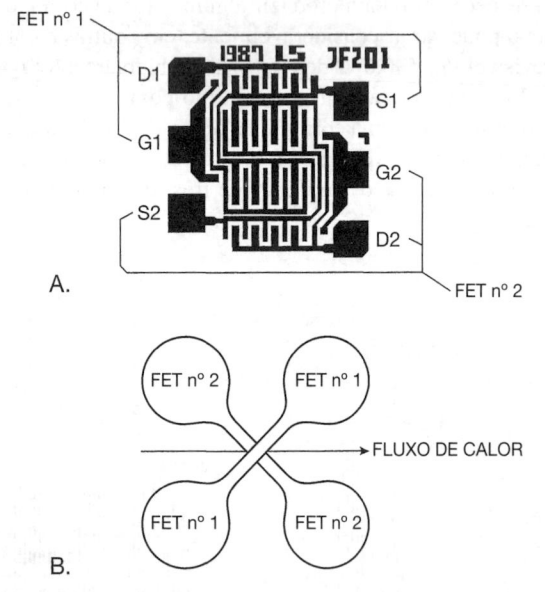

FIGURA 3.18 Técnicas para o casamento de transistores: A. Interdigitação (Cortesia de Lineares Integrated Systems.) B. Cancelamento de gradiente de temperatura.

---

[14] Na prática, encontramos casamentos consideravelmente melhores dentro de um único lote de MOSFETs – às vezes, muito fortemente casados, como aproximadamente 50 mV. Por outro lado, uma amplitude de valores mais típica dentro de um lote é várias centenas de milivolts, como ilustrado mais adiante na Figura 3.41. Se o casamento for importante em alguma aplicação (quando vários transistores são usados em paralelo, por exemplo), você deve medir os componentes reais.

[15] Infelizmente, estes dispositivos não estão mais disponíveis. Mas a arte do casamento de transistores está viva e bem nas entranhas de AOPs, para os quais o melhor espécime de JFET tem um *offset* e coeficiente de temperatura de 0,1 mV e 1 μV/°C, respectivamente, enquanto o melhor espécime de BJT tem 0,01 mV e 1 μV/°C, ou seja, 10 vezes melhor.

[16] Os entusiastas de BJTs gritariam "falta!" e salientariam que você pode usar BJTs de superbeta, associadas a esquemas de cancelamento de corrente de polarização, para trazer a corrente de entrada até 25 pA; eles ressaltariam ainda que a corrente de entrada do FET (que é de fuga) aumenta drasticamente com a temperatura, enquanto a corrente de entrada de BJTs (que é uma corrente de polarização justa) é estável ou até mesmo tende a diminuir ligeiramente (ver Figura 3.48). Os entusiastas de FETs levariam a melhor, no entanto, argumentando que amplificadores com entrada MOSFET como o duplo LMC6042 têm correntes de entrada típicas de 2 *femto*ampères (que é 0,000002 nA!).

TABELA 3.1 Minitabela de JFET[a] (veja também a Tabela 3.7, sobre JFET)

nº identif.	Curva I_D	I_{dss} (mA)	$V_{GS(off)}$ mín (V)	$V_{GS(off)}$ máx (V)	medido a 1 mA V_{GS} (V)	medido a 1 mA g_m (mS)	medido a 1 mA $G_{máx}$[b] (V/V)	C_{rss} típico (pF)	R_{ON} típico (Ω)
2N5484	A	1–5	–0,3	–3	–0,73	2,3	180	1	-
2N5485	B	4–10	–0,4	–4	–1,7	2,1	110	1	-
2N5486	C	8–20	–2	–6	–2,4	2,1	50	1	-
2N5457	D	1–5	–0,5	–6	–0,81	2,0	200	1,5	-
2N5458	E	2–9	–1	–7	–2,3	2,3	170	1,5	-
2N5459	F	4–16	–2	–8	–2,8	2,0	100	1,5	-
BF862	G	10–25	–0,3	–1,2	–0,40	12	250	1,9	-
J309	H	12–30	–1	–4	–1,6	4,2	300	2	50
J310	J	24–60	–2	–6.5	–3,0	4,3	100	2	50
J113	K	2–	–0,5	–3	–1,5	5,7	140	3	50
J112	L	5–	–1	–5	–3,3	5	100	3	30
PN4393	M	5–30	–0,5	–3	–0,83	6,2	100	3,5	100
PN4392	N	25–75	–2	–5	–2,6	5,4	130	3,5	60
LSK170B	P	6–12	–0,2	–2	–0,09	11	160	5	-
J110	Q	10–	–0,5	–4	–1,2	6,1	220	8	18
J107	R	100–	–0,5	–4,5	–2,6	8,2	340	35	8
J105	-	500–	–4,5	–10	–8,7	6,4	60	35	3
IF3601	S	30–	–0,04	–3	–0,24	27	1400	300	-

Notas: (a) (a) classificado pelo C_{rss} da família, e dentro de cada família, aumentando I_{DSS}. (b) $G_{max} = g_m/g_{os}$, o ganho de tensão de fonte aterrada máximo em uma fonte de corrente como carga do dreno; $G_{máx}$ é proporcional à V_{DS} (os valores tabulados são para $V_{DS} = 5$ V), e, para a maioria dos JFETs, $G_{máx}$ é relativamente constante ao longo da variação de I_D.

Alta impedância/baixa corrente. *Buffers* ou amplificadores de aplicações nas quais a corrente de base e a impedância de entrada finita de BJTs limitam o desempenho. Embora você possa construir tais circuitos com FETs discretos, a prática atual favorece o uso de circuitos integrados construídos com FETs. Alguns desses usam FETs como uma alta impedância de entrada para um projeto bipolar, ao passo que outros usam FETs por toda parte. Quando CIs FET disponíveis não fornecem um desempenho adequado, uma abordagem híbrida (JFET discreto na entrada assistido por um AOP) pode elevar o desempenho.

Chaves analógicas. MOSFETs são excelentes chaves analógicas controladas por tensão, como demos a entender na Seção 3.1.1B. Examinaremos brevemente este assunto. Mais uma vez, você deve geralmente usar CIs de "chaves analógicas" dedicados em vez de construir circuitos discretos.

Lógica digital. MOSFETs dominam microprocessadores, memória, VLSI para fins especiais e a lógica digital de mais alto desempenho. Eles são usados exclusivamente em lógica de baixa potência e dispositivos portáteis de baixo consumo de energia. Também aqui os MOSFETs fazem sua aparição em circuitos integrados. Veremos por que FETs são preferíveis a BJTs.

Chaveamento de potência. MOSFETs de potência são geralmente preferíveis a transistores de potência bipolares comuns para comutação de cargas, como sugerimos em nosso primeiro circuito do capítulo. Para essa aplicação, você usa FETs de potência *discretos*.

Resistores variáveis; fontes de corrente. Na região "linear" das curvas de dreno, os FETs se comportam como resistores controlados por tensão; na região de "saturação", eles são fontes de corrente controladas por tensão. Você pode explorar esse comportamento intrínseco de FETs em seus circuitos.

Substituição generalizada para transistores bipolares. Você pode usar FETs em osciladores, amplificadores, reguladores de tensão e circuitos de radiofrequência (para citar alguns exemplos), nos quais transistores bipolares também são usados normalmente. FETs não oferecem garantias de tornar um circuito melhor –1 às vezes, tornam; às vezes, não. Você deve mantê-los em mente como uma alternativa.

Agora analisaremos esses assuntos. Adotaremos uma ordem ligeiramente diferente, para maior clareza.

3.2 CIRCUITOS LINEARES COM FET

Uma nota ao leitor: Esta seção e a próxima (Seções 3.2 e 3.3) lidam, principalmente, com JFETs, que são adequados para aplicações lineares, como fontes de corrente, seguidores e amplificadores. Se você precisa de um amplificador de baixo ruído com impedância de entrada extremamente alta, o JFET é seu amigo (e talvez seu *único* amigo). Os leitores que desejam ir diretamente para MOSFETs, começando com chaves FET, podem decidir ignorar este material sobre JFET[17] e ir diretamente para a Seção 3.4, na qual iniciamos os assuntos dominados pelos MOSFETs: comutação de sinais, lógica digital e comutação de potência.

3.2.1 Alguns JFETs Representativos: Uma Breve Análise

A Tabela 3.1 lista uma pequena seleção de JFETs canal *n* representativos.[18] Vamos dar uma olhada no que você aprenderá.

Essa seleção inclui apenas JFETs canal *n*, a polaridade dominante. Complementos com características semelhantes estão, por vezes, disponíveis; por exemplo, o canal *p*

---

[17] Você deve estudar este material, porém, se quiser entender amplificadores MOSFET lineares, pois nele abordamos temas como a importância da transcondutância de um FET e a condutância de saída e sua variação com a tensão e a corrente de dreno.

[18] A Tabela 3.7 inclui muito mais JFETs; mais adiante, neste capítulo, há tabelas similares de MOSFETs (Tabelas 3.4a e 3.4b, Tabela 3.5 e Tabela 3.6).

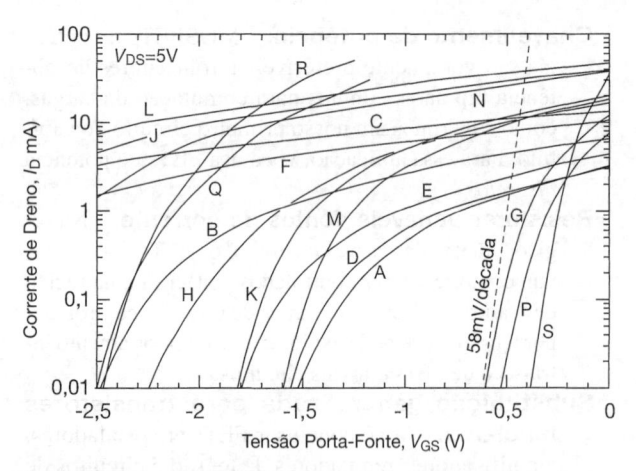

FIGURA 3.19 Corrente de dreno *versus* tensão porta-fonte medida para os JFETs na Tabela 3.1.

2N5460-62 para o canal *n* 2N5457-59. Consulte a Tabela 3.7 para exemplos adicionais.

Muitos JFETs estão disponíveis em famílias de três ou quatro dispositivos, classificados por I_{DSS} e $V_{GS(off)}$, o que alivia um pouco os irritantes problemas de projeto de circuitos criados pela amplitude de valores desses parâmetros. Mas mesmo essas famílias classificadas podem apresentar uma amplitude de valores de até 5:1 (ou mais). Note também que JFETs destinados a aplicações de comutação (aqueles que especificam R_{ON}) podem especificar apenas um *valor mínimo* de I_{DSS}: o que você pode dizer, por exemplo, sobre o valor provável para um J110 (especificado com I_{DSS} = 10 mA, no mínimo)? Resposta: não muito – a nossa amostra teve 122 mA!

Em muitas aplicações (amplificadores, seguidores), você quer bastante ganho de transcondutância, g_m. As folhas de dados de JFETs geralmente especificam g_m para o I_{DSS} do dispositivo, mas isso não é muito útil se você não sabe qual é o I_{DSS}. Além disso, o g_m listado para I_{DSS} sofre com a amplitude de valores da especificação usual, tipicamente 5:1 ou mais. Ao contrário de BJTs, para os quais a transcondutância é previsivelmente dada por $g_m = 1/r_e = I_C/V_T$ (onde $V_T = kT/q \approx 25{,}3$ mV), a transcondutância de diferentes tipos de JFET pode variar de acordo com uma ordem de grandeza, mesmo quando cada um é acionado com a mesma corrente de dreno. Na Tabela 3.1, listamos os valores medidos de g_m, todos a um corrente padrão de 1 mA.[19] Nessas correntes, sua transcondutância é muito menor do que a de um BJT (onde g_m = 40 mS a 1 mA), embora sejam bem competitivos em correntes muito baixas (região de sublimiar). Esse comportamento pode ser visto nas diferentes inclinações das curvas de I_D *versus* V_{GS} medidas da Figura 3.19.

A coluna intitulada $G_{máx}$ lista o ganho de tensão, quando utilizado como um amplificador de fonte aterrada com carga de fonte de corrente; nesse caso, a resistência de carga efetiva está relacionada ao parâmetro denominado g_{os}, a condutância de saída vista olhando para o dreno com a tensão de porta mantida constante (análogo ao efeito Early em BJTs). Aqui também há uma grande amplitude de valores entre os tipos de JFET.

Um parâmetro importante na amplificação de tensão de baixo nível é o ruído de entrada de JFETs, não listado aqui, mas tratado em detalhes no Capítulo 8. O destaque passa a ser o IF3601 (um incrível e_n=0,3 nV/$\sqrt{\text{Hz}}$), mas o seu pacto com o diabo é a alta capacitância de 300 pF da junção de grande área.[20]

Há muito mais a dizer sobre os JFETs, como veremos com a Tabela 3.7. O Capítulo 8 discute JFETs em relação ao ruído (Seções 8.6 e 8.6.5), com uma tabela de dispositivos relevante (Tabela 8.2).

3.2.2 Fontes de Corrente JFET

JFETs são usados como fontes de corrente dentro de circuitos integrados (especialmente AOPs) e também, por vezes, em projetos discretos. A mais simples fonte de corrente JFET é mostrada na Figura 3.20; escolhemos um JFET em vez de um MOSFET, pois ele não precisa de polarização da porta (é o modo de depleção). A partir de um gráfico das curvas características de dreno do FET (Figura 3.21), é possível ver que a corrente será razoavelmente constante para V_{DS} maiores do que um par de volts. No entanto, por causa da amplitude de valores de I_{DSS}, a corrente é imprevisível. Por exemplo, o MMBF5484 (um JFET canal *n* típico) tem um I_{DSS} específico de 1 a 5 mA. Entretanto, o circuito é desejável devido à simplicidade de um dispositivo de corrente constante de dois terminais. Se isso lhe agrada, está com sorte. Você pode comprar "diodos reguladores de corrente" que são nada mais do que JFETs com portas conectadas na fonte, escolhidos de acordo com a corrente. Eles são os dispositivos análogos ao diodo zener (regulador de tensão). Aqui estão as curvas características da série 1N5283-1N5314:[21]

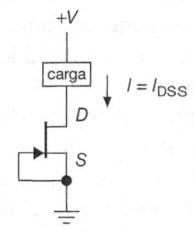

FIGURA 3.20 Absorção de corrente por um JFET canal *n*.

---

[19] Na região "quadrática" normal da corrente de dreno, a transcondutância varia aproximadamente como $\sqrt{I_D}$; veja a Seção 3.3.3.

[20] Veja a Tabela 8.2 para o IF3601 e o IF3602 (dual). Os vice-campeões na competição de baixo ruído são o LSK170B e o BF862, com capacitâncias consideravelmente mais baixas.

[21] Comercializado por vários fabricantes. As alternativas incluem as séries MS5283, MV5283 e MX5283, da Microsemi; as séries SST502-SST511 e CR160-CR470, da Vishay; e as séries J500-J511, J553-J557 e U553-U557, da InterFET. Fontes alternativas: Central Semiconductor e Linear Integrated Systems.

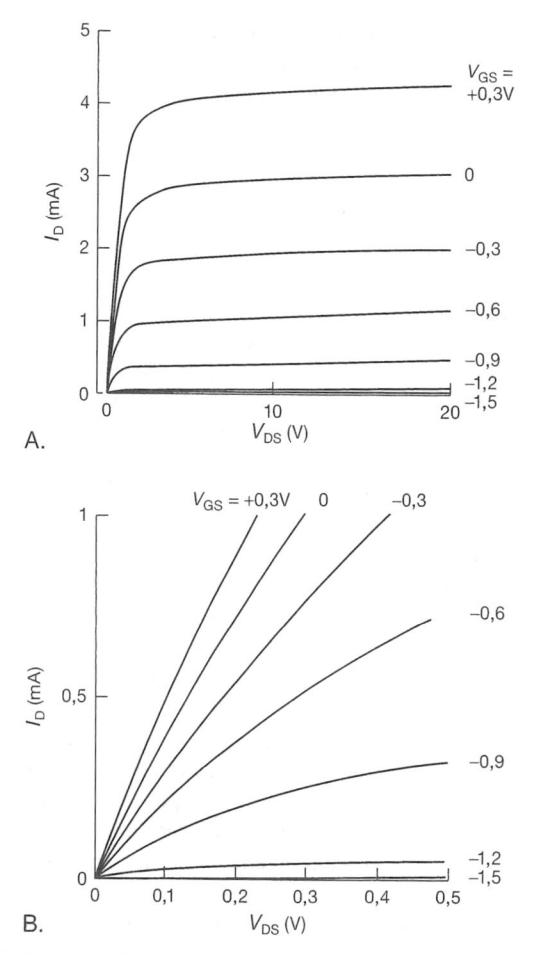

FIGURA 3.21 Curvas características medidas do JFET 2N5484 canal *n*: I_D versus V_{DS} para vários valores de V_{GS}. Veja também a Figura 3.47.

Característica	Valor
Correntes disponíveis	0,22-4,7 mA
Tolerância	±10%
Coeficiente de temperatura	0,4%/°C
Faixa de tensão	1-2,5 V mín, 100 V máx
Regulação de corrente	5% típico
Impedância	1M típico (para o dispositivo em 1 mA)

Medimos *I versus V* para um 1N5294 (especificado para 0,75 mA), aplicando pulsos de tensão de 1 ms em intervalos de 100 ms para evitar um aquecimento. A Figura 3.22A mostra uma boa constância de corrente até a tensão de ruptura (~145 V para este dispositivo em particular). Você pode ver também o efeito de aquecimento quando uma tensão é aplicada continuamente em uma medição CC, causada pelo coeficiente de temperatura negativo da corrente de dreno. A Figura 3.22B mostra que o dispositivo alcança a corrente total com pouco menos de 1,5 V sobre ele (aqui as curvas pulsada e CC são plotadas, demonstrando os efeitos térmicos desprezíveis com menos de 0,4 mW de dissipação). Mostraremos como usar esses dispositivos para fazer um gerador de onda triangular na Seção 7.1.3E e teremos muito mais a dizer sobre fontes de corrente nas Seções 4.2.5 e 9.3.14.

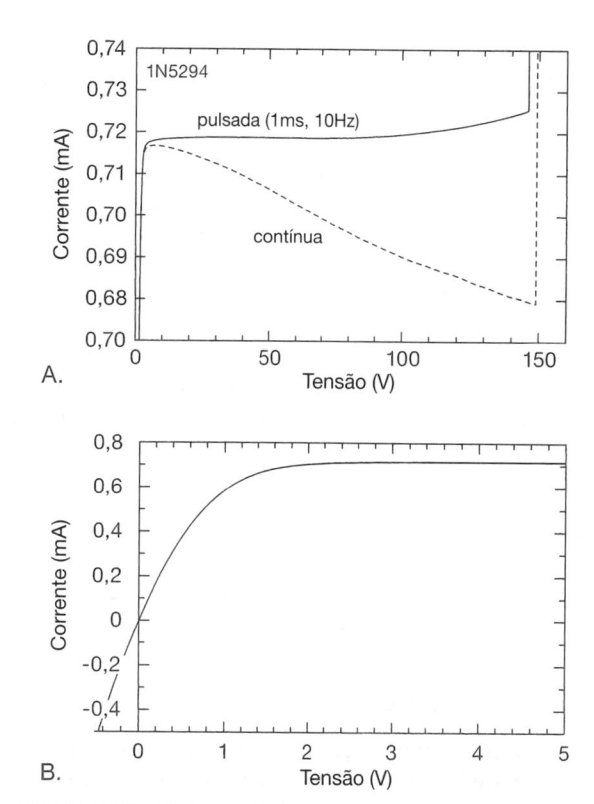

FIGURA 3.22 Diodo regulador de corrente 1N5294.

A. Autopolarização da fonte

Uma variação do circuito anterior (Figura 3.23) resulta em uma fonte de corrente ajustável. O resistor *R* de autopolarização polariza reversamente a porta por meio de $I_D R$, reduzindo I_D e levando o JFET mais perto da constrição. É possível estimar o valor de *R* a partir das curvas de dreno para

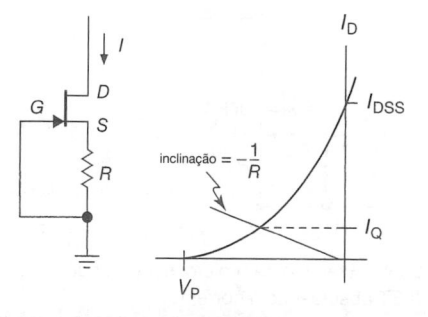

FIGURA 3.23 JFET absorvendo corrente ($I = V_{GS}/R$) para $I_D < I_{DSS}$.

o JFET específico. Esse circuito permite que você defina a corrente (que deve ser menor do que I_{DSS}), bem como torná-lo mais previsível. Além disso, o circuito é uma fonte de corrente melhor (impedância mais alta), pois o resistor de fonte fornece "uma realimentação por detecção de corrente" (que aprenderemos na Seção 4.2.5A). Lembre-se, no entanto, de que as curvas de corrente de I_D para alguns valores de V_{GS} obtidos com um FET real podem diferir muito dos valores lidos a partir de um conjunto de curvas publicadas, devido à amplitude de valores de fabricação. (Isso é bem ilustrado pelos exemplos das Figuras 3.25 e 3.41, utilizando curvas características de dreno reais medidas a partir de um lote de JFETs.) Pode ser, assim, que você deseje usar um resistor de fonte ajustável se for importante ter uma corrente específica.

Exercício 3.1 Use as curvas medidas do 2N5484 na Figura 3.21 para projetar uma fonte de corrente JFET para fornecer 1 mA. Agora pondere o fato de que o I_{DSS} especificado de um 2N5484 é 1 mA (mín) e 5 mA (máx).

B. Exemplo: seguidor de emissor *pull-down*

Vejamos um exemplo para explorar ainda mais este problema da imprevisibilidade da corrente de dreno do JFET com polarização zero, I_{DSS} (ou, de forma equivalente, a dificuldade de prever a polarização porta-fonte necessária para produzir uma corrente de dreno desejada).

A Figura 3.24 mostra um seguidor de emissor BJT, operando entre fonte simétrica de ±12 V, com um JFET *pull-down* absorvendo a corrente para o terminal negativo da fonte. Especificamos que o circuito deve ser capaz de fornecer uma variação completa de ±10 V em uma carga de 2 kΩ (isto é, ±5 mA de corrente de carga). Pode ser que, no início, você pense em usar um simples resistor *pull-down* R_E para o trilho de −12 V. Mas a exigência de variação de saída torna as coisas difíceis, pois você precisaria manter R_E menor do que 400 Ω (podemos escolher 365 Ω, um valor padrão de 1%) para obter uma variação negativa completa; e a baixa resistência produziria uma corrente quiescente relativamente alta (para uma saída de 0 V) de 33 mA (assim com uma dissipação quiescente de ~400mW em Q_1 e R_E), em comparação com o pico de corrente de 5 mA fornecido à carga (lembre-se da discussão na Seção 2.4.1). Pior ainda, um resistor *pull-down* também degrada significativamente a linearidade, devido a variações no r_e do seguidor causadas pela grande variação de corrente de coletor (65 mA no topo da variação, caindo para 0,5 mA na parte inferior, correspondendo, assim, a um r_e de 0,4 Ω e 50 Ω para uma resistência de carga combinada de ~300 Ω). Por fim, o pequeno resistor *pull-down* (em comparação com a resistência de carga mínima) reduz indesejavelmente a impedância de entrada do circuito por um fator de 6.

Então, um circuito ativo de absorção de corrente é o caminho a seguir. Uma primeira possibilidade é escolher um JFET cujo I_{DSS} mínimo especificado seja pelo menos igual à nossa corrente de 5,5 mA exigida. Apenas o 2N5486, membro da família 2N5484-86, satisfaz esse requisito (8 mA < I_{DSS} < 20 mA, consulte a Tabela 3.1). Mas essas correntes são um pouco mais do que gostaríamos, e um dispositivo com I_{DSS} = 20 mA produz muito calor: a dissipação de pior caso é de 440 mW no JFET (no pico positivo da variação) ou no BJT (no pico negativo da variação sem carga), que é demais para um transistor em um encapsulamento TO-92 ou SOT-23 sem um dissipador de calor.

Então, adicionemos um resistor de fonte para que possamos adequar a corrente de dreno do JFET; visaremos a uma corrente de absorção mínima de 5,5 mA, de modo que retemos uma reserva de 0,5 mA na oscilação negativa total. O I_{DSS} mínimo de 8 mA do 2N5486 garante que um circuito de autopolarização da fonte possa absorver a corrente necessária de 5,5 mA. Agora precisamos apenas escolher o resistor de fonte R_S.

O problema é que as curvas de folha de dados de I_D *versus* V_{GS} (denominadas "curvas características de transferência"), quando disponibilizadas, não mostram toda a faixa de possibilidades; em vez disso, elas mostram curvas típicas de dispositivos com dois ou três valores selecionados de I_{DSS} dentro do intervalo permitido. E, às vezes, tudo o que você tem são limites para I_{DSS} e para $V_{GS(off)}$.[22] Mas você pode medir alguns JFETs para ter uma noção das coisas. Nós fizemos isso, e a Figura 3.25 mostra as curvas medidas de I_D *versus* V_{GS} para sete JFETs 2N5486 de diferentes fabricantes e lotes.[23] Considerando que isso representa toda a faixa de

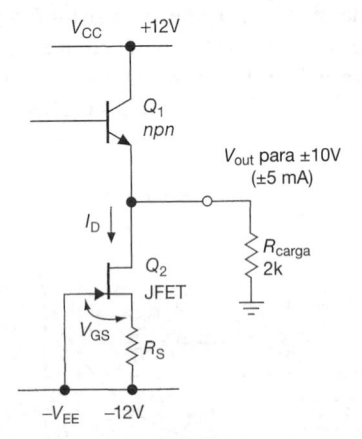

FIGURA 3.24 Exemplo de projeto: seguidor de emissor *npn* com um JFET absorvendo a corrente.

---

[22] É possível extrapolar as curvas publicadas (ou medidas) estimando k e V_{th} para a lei quadrática simples $I_D = k(V_{GS} - V_{th})^2$.

[23] Fazendo uma mera aparição aqui, em comparação com o seu pleno desempenho nas Figuras 3.55 e 3.56 e na discussão relacionada.

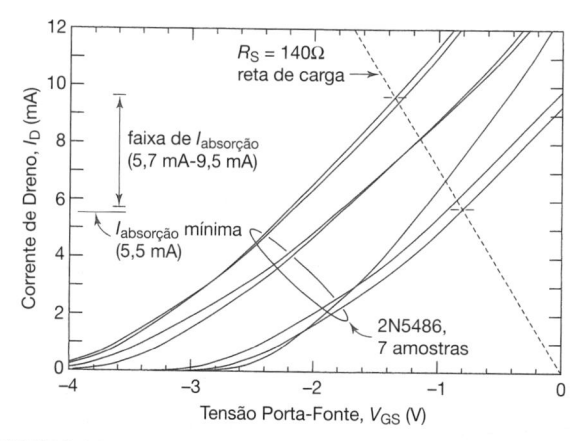

FIGURA 3.25 Escolhendo um resistor de fonte R_S para polarizar um JFET para absorção de corrente produzindo $I_{absorção} \geq$ 5,5 mA.

variabilidade (não é bem assim, como visto a partir do I_{DSS} mínimo de 9,2 mA), podemos variar uma carga alinhando desde a origem até que a menor interseção esteja acima de $I_D = 5,5$ mA. Isso é um R_S de 140 Ω (mostrado), para o qual a faixa de corrente de dreno é de 5,7 mA (mínimo) a 9,5 mA (máximo).

A boa notícia é que o circuito funcionará; a má notícia é que a faixa de correntes de coletor é quase 2:1 (tendo em conta a possibilidade de dispositivos de produção cujas curvas abrangem uma faixa um pouco mais larga do que a que vimos nestes sete dispositivos). Mas a boa notícia, mais uma vez, é que, mesmo para um JFET na extremidade superior da faixa (portanto, $I_{absorção} \approx 10$ mA), a dissipação de pior caso do seguidor é limitada a 220 mW (no pico negativo da variação, sem carga) e a dissipação de pior caso do JFET é igualmente limitada a 220 mW (no pico positivo da variação). Isso está bem dentro da dissipação admissível para um transistor TO-92 (350 mW a 25°C de temperatura ambiente).

C. Absorção de corrente para amplificadores JFET

Recuando um pouco, alguém pode perguntar-se se um JFET para absorção de corrente, com sua amplitude de valores 2:1 da corrente quiescente, foi uma boa escolha. É verdade, ele funciona. Mas você pode fazer melhor com um simples BJT para absorção de corrente, do qual são mostradas quatro versões na Figura 3.26. Eles usam mais dispositivos, mas a absorção é de uma corrente previsível. E se você *realmente* se preocupar em minimizar a quantidade de dispositivos, pode sempre usar a alternativa de um JFET selecionado para uma faixa estreita de I_{DSS}, sem resistor de auto-polarização, ou seja, a Figura 3.24 com $R_S = 0$ (o 2N5485 especifica I_{DSS}

como 4 a 10 mA; você pode selecionar dispositivos de 5,5 a 8 mA).[24]

Esse exemplo ilustra o lado negativo das características de especificação da corrente de dreno pouco precisa (e a correspondente tensão de porta) de todos os JFETs. Por mais atraente que possa parecer optar por um JFET quando você precisa de uma fonte de corrente, isso é problemático. No entanto, JFETs se diferenciam quando você precisa de um amplificador com alta impedância de entrada e baixo nível de ruído – embora as especificações pouco precisas ainda sejam desafiadoras, os resultados valem a pena. Veremos exemplos em breve.

D. Fonte de corrente imperfeita

Uma fonte de corrente JFET, mesmo se construída com um resistor de fonte, mostra algumas variações da corrente de saída com a tensão de saída; ou seja, tem uma impedância de saída finita em vez do desejável Z_{out} infinito.[25] A Figura 3.21, por exemplo, sugere que, ao longo de uma faixa de tensão de dreno de 5 a 20 V, um 2N5484 mostra uma variação de corrente de dreno de 5% quando operado com a porta conectada à fonte (ou seja, I_{DSS}), podendo cair para 2% ou menos se você usar um resistor de fonte. Uma solução elegante é a utilização de um transistor cascode para suprimir as variações da tensão de dreno no transistor que define o valor da corrente. Ele pode ser utilizado em fontes de corrente BJT e fontes de corrente JFET, como mostrado na Figura 3.27. A ideia (como com BJTs) é a utilização de um segundo JFET para manter constante a tensão dreno-fonte da fonte de corrente. Q_1 é uma fonte de corrente JFET comum, mostrado neste caso com um resistor de fonte. Q_2 é um JFET de maior I_{DSS}, conectado "em série" com a fonte de corrente. Ele passa a corrente de dreno de Q_1 (constante) através da carga, enquanto mantém no dreno de Q_1 uma tensão fixa – ou seja, a tensão porta-fonte que faz Q_2 operar na mesma corrente de Q_1. Assim, Q_2 protege Q_1 de variações de tensão na sua saída; como Q_1 não vê variações na tensão de dreno, ele fornece uma corrente constante. Se você olhar para trás, para o espelho de Wilson (Figuras 2.61, 3.26D), verá que ele usa essa mesma ideia de ceifamento de tensão.

Você pode reconhecer esse circuito JFET como o "cascode", que é normalmente utilizado para contornar o efeito Miller (Seção 2.4.5). No entanto, um cascode JFET é mais

---

[24] Uma alternativa de alto custo é usar um "diodo regulador de corrente" de dois terminais pré-selecionado, como aqueles na nota de rodapé 3.2.2. Eles parecem ser uma espécie em extinção, e a faixa de correntes é bastante limitada. (Uma queixa dupla, que lembra o diálogo "A comida lá é muito ruim." "Sim, e as porções são tão pequenas".)

[25] Isto é importante também para amplificadores JFET (Seções 3.2.3A e 3.3.2).

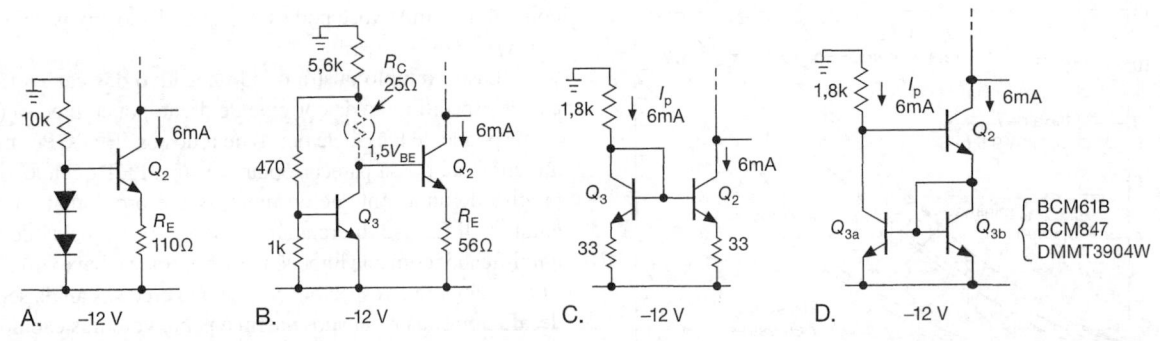

FIGURA 3.26 Alternativas para o JFET *pull-down* da Figura 3.24. A. Clássico circuito de absorção de corrente com BJT, com a base polarizada em ~$2V_{BE}$. B. Q_3 cria uma polarização de base de "$1,5V_{BE}$" para o circuito de absorção de corrente Q_2; acrescentar o resistor opcional R_C, escolhido igual a r_e de Q_3, habilmente compensa a mudança deste último em V_{BE} com variações na tensão de alimentação (ou seja, variações de I_C sobre o resistor de 5,6k). Essa configuração é útil se a saída do circuito de absorção de corrente tiver que operar muito próximo da alimentação negativa – digamos, algumas centenas de mV abaixo, se configurado com uma polarização de "$1,25V_{BE}$". C. Espelho de corrente com resistor limitador de corrente no emissor em ≈200 mV (necessário para equalizar correntes de coletor tendo em vista o descasamento de V_{BE} e para suprimir as variações de corrente de saída devidas ao efeito Early). D. Espelho Wilson com par casado; sem a necessidade de resistores de emissor.

simples do que um cascode BJT, já que você não precisa de uma tensão de polarização para a porta do FET superior: como ele é de modo depleção, pode-se simplesmente conectar a porta do superior ao terminal fonte inferior (compare com a Figura 2.84). A tensão porta-fonte de Q_2 na corrente de operação (definida por Q_1 com seu R_S) define, então, a tensão de operação dreno-fonte de Q_1: $V_{DS1} = -V_{GS2}$. Um benefício adicional é que o circuito resultante é uma fonte de corrente de *dois terminais*.

É importante perceber que uma boa fonte de corrente com transistor bipolar dará muito mais previsibilidade e estabilidade do que uma fonte de corrente JFET. Além disso, as fontes de corrente assistida por AOP que veremos no próximo capítulo são melhores ainda. Por exemplo, uma fonte de corrente FET pode variar 5% ao longo de uma típica faixa de temperatura e variações de tensão de carga, mesmo depois de ter sido ajustada para a corrente desejada atuando no resistor de fonte, ao passo que uma fonte de corrente AOP/transistor (ou AOP/FET) é previsível e estável com valores melhores do que 0,5% sem grande esforço.

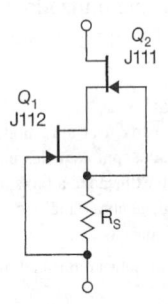

FIGURA 3.27 Coletor de corrente JFET cascode.

3.2.3 Amplificadores FET

Seguidores de fonte e amplificadores FET de fonte comum são análogos aos seguidores de emissor e amplificadores de emissor comum feitos com transistores bipolares de que falamos no capítulo anterior. No entanto, a ausência de corrente CC de porta torna possível obter impedâncias de entrada muito altas. Esses amplificadores são essenciais quando se lida com as fontes de sinal de alta impedância encontradas em medição e instrumentação. Para algumas aplicações especializadas, pode ser que você queira construir seguidores ou amplificadores com FETs discretos; na maioria das vezes, no entanto, você pode tirar vantagem de AOPs com entrada FET. Em ambos os casos, vale a pena saber como eles funcionam.

Com JFETs, é conveniente utilizar o mesmo esquema de autopolarização, assim como em fontes de corrente JFET (Seção 3.2.2), com um único resistor de polarização de porta para o terra (Figura 3.28); MOSFETs requerem um divisor a partir da fonte do dreno, ou fontes simétricas, assim como utilizamos com BJTs. Os resistores de polarização de porta podem ser muito grandes (um megaohms ou mais), devido à corrente de fuga de porta ser medida em picoampères a nanoampères.

A. Transcondutância

A ausência de corrente de porta torna a *transcondutância* (a relação entre a corrente de saída e a tensão de entrada: $g_m = i_{out}/v_{in}$) o parâmetro de ganho natural para FETs. Isso diverge dos transistores bipolares no último capítulo, em que primeiro nos deparamos com a ideia de ganho de corrente, ou beta (i_{out}/v_{in}), e, em seguida, foi introduzido o modelo Ebers-Moll de transcondutância orientada: é útil pensar em BJTs de qualquer forma, dependendo da aplicação.

A transcondutância do FET pode ser estimada a partir das curvas características, seja olhando para o aumento em

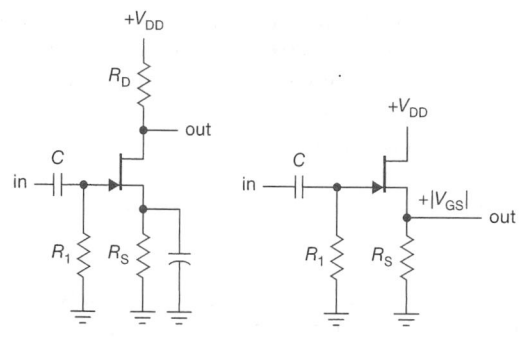

FIGURA 3.28 Amplificador de fonte comum e seguidor de fonte. Para ambas as configurações, a tensão da fonte está acima do terra, devido à corrente da fonte que flui através de R_S, com um ponto quiescente $V_S = V_{GS} = R_S I_D(V_{GS})$.

I_D a partir de uma curva de tensão de porta para a próxima da família de curvas (Figuras 3.2 ou 3.21), seja, mais simplesmente, a partir do declive da curva de características de transferência de I_D versus V_{GS} (Figuras 3.15 ou 3.51). A transcondutância depende da corrente de dreno (veremos como em breve) e, é claro,

$$g_m(I_D) = i_d/v_{gs}.$$

(Lembre-se de que as letras minúsculas indicam parâmetros que são variações de pequeno sinal). A partir disso, conseguimos obter o ganho de tensão,

$$G_{\text{tensão}} = v_d/v_{gs} = -R_D i_D/v_{gs}$$

ou seja,

$$G = -g_m R_D, \qquad (3.3)$$

da mesma forma que o resultado do transistor bipolar na Seção 2.2.9, com resistor de carga R_C substituído por R_D. Tipicamente, os FETs de pequeno sinal têm transcondutâncias na vizinhança de 10 milissiemens[26] (mS) em alguns miliampères.[27] Devido a g_m depender da corrente de dreno, haverá variação de ganho (não linearidade) sobre a forma de onda enquanto a corrente de dreno varia, assim como temos com amplificadores de emissor aterrado (onde $g_m = 1/r_e$, proporcional a I_C).

Na discussão a seguir, usaremos o conceito de acionamento da porta do FET, $V_{GS} - V_{th}$. Lembre-se de que V_{th} é a tensão de limiar da porta extrapolada que discutimos nas Seções 3.1.3 e 3.1.4.

A variação de g_m com a corrente de dreno é fácil de calcular e altamente útil ao projetar seguidores JFET e amplificadores. Para operações acima do sublimiar ($I_D > I_{DSS}/25$, por exemplo), vimos que a corrente de dreno é quadrática no acionamento da porta

$$I_D = \kappa(V_{GS} - V_{th})^2, \qquad (3.4)$$

a partir da qual a transcondutância ($g_m = i_d/v_{gs} = \partial I_D/\partial V_{GS}$) é vista como

$$g_m = 2\kappa(V_{GS} - V_{th}) = 2\sqrt{\kappa I_D}. \qquad (3.5)$$

Em outras palavras, na "região quadrática" da corrente de dreno, g_m é proporcional ao acionamento de porta, aumentando de forma quase linear da constrição até o seu valor especificado de I_{DSS}; alternativamente, você pode dizer que é proporcional à raiz quadrada da corrente de dreno.[28] Esta é uma regra útil, especialmente porque as folhas de dados especificam g_m apenas com seu valor máximo, para I_{DSS}; vamos usá-lo em breve.[29]

Como exemplo, se você está operando um JFET na sua região quadrática (como é frequentemente o caso) e pretende estimar a transcondutância em alguma corrente de dreno I_D, então, se você sabe o valor de g_m em alguma outra corrente de dreno I_{D0} (que pode ser I_{DSS}), você pode explorar a dependência da raiz quadrada na corrente de dreno na equação 3.5 para encontrar, simplesmente

$$g_m/g_{m0} = (I_D/I_{D0})^{\frac{1}{2}}. \qquad (3.6)$$

FETs, em geral, têm transcondutância consideravelmente menor do que os transistores bipolares,[30] o que os torna menos impressionantes enquanto amplificadores e seguidores. No entanto, a sua característica marcante de corrente de entrada extremamente baixa (porta), muitas vezes na ordem de um picoampère ou menos, faz valer a pena usá-los para desenvolver soluções de circuito que contornam os problemas de baixo ganho (por exemplo, fonte de corrente como carga de dreno) ou que melhoram a sua transcondutância efetiva ("intensificador de transcondutância").

Neste ponto, é útil ver alguns exemplos de amplificador JFET.

---

[26] No princípio, expressa em milimhos, ou m℧.

[27] Esta é substancialmente menor do que a de um BJT na mesma corrente; este último tem $g_m = 40$ ms em 1 mA e 200 ms em 5 mA, por exemplo. Há uma discussão mais aprofundada na Seção 3.3.3.

[28] Tenha cuidado com sinais: nessas equações, V_{th} e V_{GS} são negativos (para JFETs canal n), mas V_{th} é mais negativo, portanto um valor positivo para g_m. Contanto que você respeite os sinais, essas expressões funcionam para canal n ou canal p e para os modos intensificação ou depleção. Note que o valor κ não é dado em folhas de dados, mas pode ser determinado empiricamente para um determinado tipo de dispositivo e fabricante. De modo geral, dentro de um determinado lote ou tipo de JFET, você encontrará variações em V_{th}, com κ relativamente constante. Assim, uma medição de I_{DSS} e V_{th} permite calcular κ a partir da equação 3.4, supondo-se que a região quadrática da corrente de dreno se estenda por todo o caminho até I_{DSS} (o que normalmente ocorre).

[29] A curva de transcondutância de um JFET é um gráfico da corrente de saída versus a tensão de entrada (I_D versus V_{GS}).

[30] Exceto na região de baixa corrente de dreno ("sublimiar"); veja a Figura 3.54.

B. Configurações de amplificadores JFET

A Figura 3.29 mostra as configurações básicas para um estágio amplificador JFET de fonte comum. No circuito A, o JFET está operando em seu I_{DSS}, com R_D dimensionado pequeno o suficientemente para o dreno ser, pelo menos, um ou dois volts acima do terra para o I_{DSS} máximo especificado. (Isso é, muitas vezes, uma restrição chata, dada a relação pouco precisa de $I_{DSS(max)}/I_{DSS(min)}$ especificada – comumente 5:1 para a maioria dos JFETs. Veja as Tabelas 3.1, 8.2 e 3.7; em breve, veremos maneiras de lidar com essa situação.) O resistor na entrada pode ser muito grande – 100 MΩ ou mais –, com um capacitor de bloqueio na entrada (para um amplificador acoplado em CA); ou pode ser omitido completamente para um sinal acoplando em CC próximo do terra. Para este circuito, o ganho de tensão ideal é $G = g_m R_D$, em que g_m é a transcondutância da corrente de operação do dreno; ele é análogo ao amplificador BJT de emissor aterrado da Figura 2.44.[31]

Para ilustrar os valores dos componentes reais e desempenho, escolhemos o BF862, devido à sua elevada transcondutância (45 mS típico em I_{DSS}) e especificação curta de I_{DSS} (10 a 25 mA); além disso, ele também é de baixo ruído, como veremos no Capítulo 8. O resistor de dreno R_D é dimensionado para manter um mínimo de 2,5 V em Q_1 (para o $I_{DSS(máx)}$ especificado); o ganho de tensão típica é, então, $G = -g_m R_D \approx -13$ (inversor).

A adição de um resistor de fonte R_S ao circuito B permite operar em uma corrente de dreno menor que I_{DSS}, como nas Figuras 3.23 e 3.25. Mas a realimentação da fonte reduz o ganho para $G = -R_D/(R_S + 1/g_m)$. Isso é análogo à realimentação de emissor do amplificador BJT emissor comum da Figura 2.49 (mas, devido à autopolarização simples, a junção porta-fonte é polarizada reversamente), com $1/g_m$ substituindo r_e (você pode pensar em $1/g_m$ como uma "impedância intrínseca de fonte" do JFET, análoga à resistência intrínseca de emissor do BJT).[32] Ilustrando com o mesmo BF862, visamos a uma corrente de dreno de 2 mA, escolhendo um resistor de autopolarização de fonte $R_S = 200$ Ω, estimando que 0,4 V de polarização reversa de porta é razoável.[33] Estimando que $g_m \approx 20$ mS nesta corrente de dreno,[34] chegamos a um ganho de tensão estimada (a partir da equação anterior) de $G \approx -8$.

No circuito C, o resistor de fonte é desviado nas frequências do sinal para poder operar na mesma corrente de dreno CC que o circuito B, mas com ganho maior, como no circuito A (em que g_m é a transcondutância na corrente de dreno real, aqui reduzida a partir do I_{DSS} do circuito A); isso é análogo ao circuito BJT da Figura 2.48. Você pode diminuir o ganho adicionando um resistor R_S, em série com o capacitor (circuito D), para um ganho na frequência do sinal de $G = -R_D/(R_{S'} + 1/g_m)$; isso é análogo ao circuito BJT da Figura 2.50. Ou você pode pisar no acelerador, adicionando um segundo estágio de ganho de tensão, como no circuito E, com o segundo estágio amplificador emissor comum multiplicando o ganho do primeiro estágio de qualquer um dos circuitos de único estágio anteriores por um fator $R_C I_C/V_T$ (ou seja, R_C/r_e), em que, como sempre, $V_T = k_T/q \approx 25$ mV. Essa aproximação considera que Q_2 é acionado por uma fonte de tensão, isto é, $R_D \ll \beta r_e$; a maior parte do ganho da combinação vem do BJT, com a sua elevada transcondutância. O circuito de aparência semelhante F cria um "dispositivo" híbrido de três terminais, com o g_m do BJT contribuindo para alcançar uma transcondutância global eficaz elevada; nessa configuração, o BJT é um "intensificador de transcondutância". Essa configuração é intimamente análoga ao BJT complementar Darlington (Sziklai) da Figura 2.77.

C. Adicionando um cascode

Os últimos quatro circuitos mostram como implementar um cascode de ceifamento do dreno para o estágio de fonte comum. Esta configuração elegante é geralmente caracterizada como uma forma de contornar o efeito de Miller (a multiplicação efetiva da capacitância dreno-porta pelo ganho de tensão do estágio); essa é a forma como foi apresentado na Figura 2.84, em que fez sua primeira aparição. Aqui ele realmente o faz (ele é um "destruidor do efeito Miller"), o que é útil para manter a alta impedância de entrada. Mas é melhor do que isso: (a) ele também permite que você mantenha a tensão dreno-fonte baixa (evitando o aumento precipitado da corrente de porta de "ionização por impacto", Seção 3.2.8); e (b) pelo ceifamento da tensão dreno-fonte, ele contorna o "efeito g_{os}" (impedância de saída finita r_o, causada pela dependência de I_D sobre V_{DS}); assim, o ganho de tensão não é reduzido e é simplesmente $G = g_m R_D$. Esta última vantagem lembra o uso de um transistor cascode no espelho de corrente Wilson (Figura 2.61); é um "destruidor do efeito Early".

No circuito G, a polarização de base do BJT define a tensão de operação dreno-fonte do JFET. É mais simples de utilizar um segundo JFET (Q_2 no circuito H), o qual deve ser escolhido para ter uma polarização de VGS maior do que Q_1 na mesma corrente de dreno, embora as especificações de tensão de porta geralmente pouco precisas tor-

---

[31] No entanto, devido à impedância de saída finita do JFET (denominada r_o, ou $1/g_{os}$), o resistor de carga do dreno vê efetivamente uma resistência em paralelo de r_o, de modo que o ganho é reduzido a $G = g_m(R_D \| r_o)$;; isso tem um efeito insignificante para os valores do componente aqui. Isso é análogo ao efeito Early em BJTs e se torna importante para grandes valores de R_D, ou (especialmente) quando R_D é substituído por uma fonte de corrente.

[32] Desta vez, ignoramos a impedância de saída finita do JFET.

[33] Nossa confiança é reforçada um pouco por termos medido I_D *versus* V_{GS} de uma amostra.

[34] Medimos isso também.

FIGURA 3.29 Amplificadores JFET de fonte comum com tensão de alimentação simples.

nem este um método incerto. O circuito J é um "cascode invertido", em que as variações de corrente de dreno de Q_1 desviam da corrente de Q_2; é um circuito útil para quando você se encontrar na situação em que esbarra no trilho positivo. Por fim, no circuito K, um cascode de transimpedância com AOP (conversor corrente-tensão; veja a Seção 4.3.1) substitui o cascode de ceifamento do dreno com o transistor Q_2: a realimentação através de R_f mantém a sua entrada inversora (a entrada "–") na tensão de polarização ao produzir uma tensão de saída $V_o = I_D R_f + V_{pol.}$; o resistor opcional R_2 permite que você adicione um *offset* para reposicionar a tensão de saída quiescente de acordo com sua vontade.

Os circuitos da Figura 3.29 operam a partir de uma tensão de alimentação simples positiva; eles são simples, mas, dadas as especificações de I_{DSS} e V_{GS} caracteristicamente pouco precisas de JFETs, eles sofrem de uma incerteza significativa da corrente de operação. Se você tem disponível uma tensão de alimentação negativa, existem várias maneiras de manipular as coisas para garantir polarização previsível. Veja a Figura 3.30A, em que a corrente de operação do JFET canal *n* é definida pelo resistor de fonte *pull-down*, $I_D = -(V_- + V_{GS})$, ou aproximadamente V_-/R_S para grandes tensões de alimentação negativas em comparação com a tensão porta-fonte dos JFETs. Como na Figura 3.29C, o capacitor de desvio permite que as frequências do sinal participem do ganho total do JFET, ou seja, $G_V = -g_m R_D$, em que

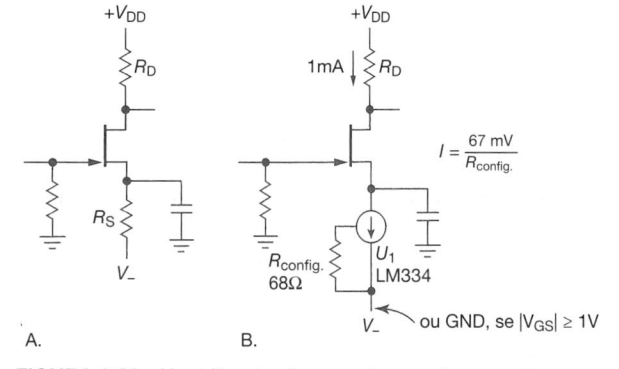

FIGURA 3.30 Um trilho de alimentação negativa permite uma polarização de fonte *pull-down* previsível de amplificadores JFET de fonte comum.

g_m é a transcondutância na corrente de operação. Uma solução mais elegante é a utilização de um *pull-down* de absorção de corrente, como na Figura 3.30B. O LM334 é uma fonte de corrente com resistor programável de baixo custo (~50 centavos de dólar) (veja a Seção 9.3.14B), aqui configurada para 1 mA ($I \approx 0,067/R_{config.}$). Com esse circuito, não há nenhuma incerteza sobre a corrente de operação (ele não depende em V_{GS}); melhor ainda, o LM334 opera até uma queda de 1 V, de modo que você pode usar uma fonte positiva simples se a tensão porta-fonte especificada mínima do JFET na corrente programada for, pelo menos, um volt.[35]

D. Par de realimentação em série ("realimentação de corrente")

Os amplificadores JFET há pouco ilustrados têm uma admiravelmente alta impedância de entrada, mas eles sofrem de ganho bastante baixo (e não muito previsível). Transistores bipolares possibilitam ganho previsível, e muito ganho mesmo; mas você paga o preço em termos de corrente de entrada. No entanto, você pode ter o melhor dos dois mundos por meio da combinação de um JFET de ganho modesto (e não muito previsível) no estágio de entrada com um ganho respeitável de segundo estágio. Dessa forma, você usufrui de uma corrente de entrada ultrabaixa (alta impedância de entrada) de um JFET, mas com ganho de circuito aberto global suficiente para que a realimentação negativa possa fechar a malha para produzir ganho previsível.

O próximo circuito é um amplificador de baixa potência (660 μA) alimentado por bateria. Nós o exploraremos mais detalhadamente do que o habitual, introduzindo alguns novos conceitos ao longo do caminho. A Figura 3.31 mostra o primeiro de vários exemplos de amplificador JFET que exploram a corrente de entrada ultrabaixa do JFET, combinado com um estágio de ganho adicional (e realimentação) para conseguir ganho de tensão previsível e estável. É semelhante ao par bipolar com realimentação em série ilustrado na Figura 2.92: Q_1 é um amplificador de fonte comum, com o BJT Q_2 proporcionando ganho de tensão de segundo estágio para a saída (via seguidor Q_3, cuja queda base-emissor em R_3 define a corrente de coletor de Q_2). Isso fornece o ganho de tensão necessário (que o g_m baixo do JFET é incapaz de fornecer). A realimentação negativa fecha a malha via divisor de tensão R_6 e $R_5 \| R_1$ (nas frequências do sinal) e a polarização via R_6 e R_1 em CC. Essa configuração é conhecida também como "realimentação em série" ou "realimentação de corrente".

A amplitude de valores do I_{DSS} especificado (ou, de forma equivalente, de $V_{GS(off)}$) cria um problema em qualquer projeto JFET. Para lidar com isso, escolhemos um JFET com uma especificação estreita de $V_{GS(off)}$ ($-1,2$ a $-2,7$ V) e o operamos com uma corrente de dreno bem abaixo de I_{DSS} (10 mA mínimo) para que a tensão porta-fonte esteja próxima de $V_{GS(off)}$. O caminho de realimentação define o ganho do sinal. Com uma cuidadosa reflexão (e alguns malabarismos e iterações), o mesmo caminho de realimentação pode ser feito para estabelecer a condição de polarização (acoplamento CC).

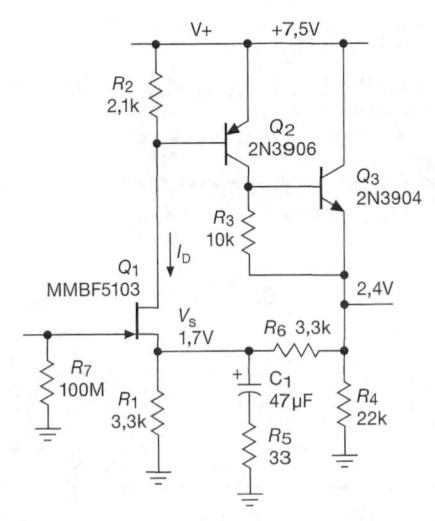

FIGURA 3.31 Par JFET-BJT com realimentação em série.

Eis como ele funciona. A porta está no terra; começamos supondo uma fonte de tensão de aproximadamente 1,7 V e escolhemos R_1 para 500 μA. Desse total, cerca de 300 μA vêm da corrente de dreno do JFET (V_{BE} de Q_2 sobre R_2); assim, ~200 μA são provenientes de R_6. Isso coloca a saída em cerca de 2,4 V e define a corrente de emissor de Q_3 em cerca de 300 μA (110 μA através de R_4, mais 200 μA através de R_6, menos 60 μA de R_3).

Essa é a situação autoconsistente, sob o V_{GS} adotado $-1,7$ V. Para um V_{GS} diferente, a tensão de saída CC mudaria em conformidade, podendo variar de $+1,3$ a $+4$ V ao longo da extrema faixa especificada de tensão de limiar da porta. Isso degrada a máxima variação de saída possível, mas normalmente não haveria problemas para um amplificador que manipula pequenos sinais (se houver, R_1 pode ser selecionado para diferentes faixas de V_{GS} de dispositivos JFET).[36]

O ganho nominal nas frequências do sinal é aproximadamente 100, definido por R_5 (bloqueados por C_1): $G = 1 + R_6/(R_5 \| R_1)$. A frequência baixa no ponto de -3dB é 100 Hz (onde a reatância de C_1 é igual a R_5). A frequência alta no ponto de -3 dB não é tão facilmente calculada, mas um modelo SPICE a coloca em cerca de 800 kHz (720 kHz medido em nosso *protoboard*, em que há algumas capacitâncias parasitas acrescentadas). A última é devida principalmente ao decaimento RC da impedância do sinal de saída de Q_1 de 2,1 kΩ (ou seja, R_2), que aciona a capacitância de entrada de Q_2 de ~4 pF, com esta última muito ampliada pelo efeito Miller.

---

[35] A capacitância efetiva de um LM334, uma fonte/coletor de corrente, é de 10 pF, pequena o suficiente para ser ignorada na maioria das aplicações. Calculamos isso a partir do gráfico da taxa de variação na folha de dados. A nota LB-41 do "Aplication Note" da Texas Instruments tem informações adicionais úteis sobre o LM334.

[36] A melhor maneira de assegurar a polarização adequada é substituir R_1 com uma absorção de corrente de 0,5 mA. Um JFET vem à mente, mas, dadas as suas características CC imprevisíveis, uma escolha muito melhor seria um coletor de corrente BJT ilustrado na Figura 3.26. Outra maneira de lidar com esse problema espinhoso é usar uma malha de realimentação lenta para estabilizar I_D em um valor desejado menor do que o mínimo I_{DSS} especificado.

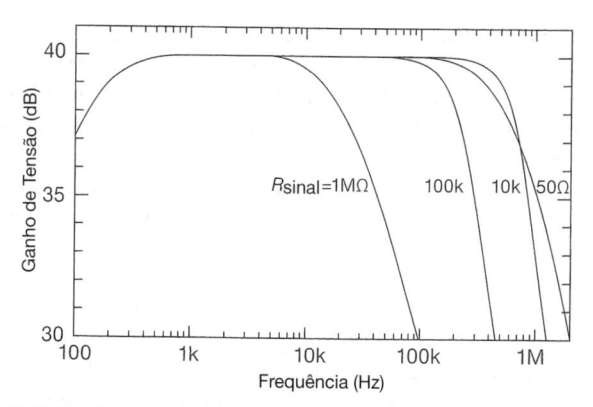

FIGURA 3.32 Ganho medido em função da frequência para o amplificador da Figura 3.31. O f_{3dB} com $R_{sinal} = 1$ MΩ mostra que $C_{in} = 7$ pF.

Para grandes sinais acionando impedâncias R_{sinal}, a largura de banda do amplificador é reduzida[37], devido a uma capacitância de entrada de ∼5 pF; veja a Figura 3.32. Isso se deve principalmente à capacitância dreno-porta do JFET (mais a capacitância da fiação), dado que o terminal de fonte tem *bootstrap* pela realimentação. Existem vários truques para lidar com esse efeito (se uma largura de banda maior for desejada), incluindo um cascode no dreno do JFET (que pode ter *bootstrap* para suprimir ainda mais a sua capacitância de entrada) e um cascode no estágio de ganho BJT de Q_2.

Equações e dicas de projeto
Agregando-as em um só lugar:

$$G = 1 + \frac{R_6}{R_5 \| R_1} \approx 1 + \frac{R_6}{R_5} \quad \text{(ganho CA)}$$

$$G_{OL} = g_{m1}R_2 g_{m2}R_3 g_{m3}(R_4\|R_6) \quad \text{(ganho de malha aberta}^{38}\text{)}$$

$$I_D = \frac{V_{BE2}}{R_2} \approx \frac{0{,}7}{R_2} \quad \text{(polarização do JFET)}$$

$$I_{C2} = \frac{V_{BE3}}{R_3} \approx \frac{0{,}65}{R_3} \quad \text{(polarização de } Q_2\text{)}$$

$$V_{out} = V_S\left(1 - \frac{R_6}{R_1}\right) + \frac{R_6}{R_2}V_{BE2} + \frac{R_6}{R_1}|V_{EE}| \quad \text{(polarização de saída)}$$

---

[37] Embora, paradoxalmente, para valores R_{sinal} de alguns kΩ, ela seja um tanto *estendida* devido a alguma resposta de "pico".

[38] Esta expressão superestima o ganho de malha aberta por negligenciar o efeito Early de limitação do ganho em Q_2, o estágio em que a maior parte do ganho total do circuito reside. A tensão Early $V_A \approx 25$ V (Seção 2x.8) medida no 2N3906 implica um ganho de tensão máxima do estágio Q_2Q_3 de ∼1.000 (em comparação com o seu ideal $G \approx 2.500$), portanto um ganho de malha fechada de ∼5.000. Este é bastante amplo para o modesto ganho ×100 de malha fechada.

Para uma operação com fonte simples, o último termo é zero. Basicamente, R_2 define I_D, e a relação R_6/R_1 define V_{out}. Para a operação com fonte simples ($V_{EE} = 0$), use um valor pequeno para R_6 se o JFET tiver um V_{GS} substancial na sua corrente de operação e valores maiores para R_6 para dispositivos com V_{GS} inferiores. Este último é complicado, pois a "influência" de R_6/R_1 pode empurrar V_{out} por todo o mapa. Escolha R_4 para ajudar a definir I_{C3} depois de você lidar com V_{out}. Pode ser necessário selecionar R_1 para acompanhar lotes de dispositivos com V_{GS} semelhante. Uma fonte V_{EE} negativa contribui com a polarização e também permite variações de saída para ambos os lados do terra.

Outra forma de lidar com a incerteza em V_{out} é aplicar uma polarização positiva na porta, como na Figura 3.33A. Isso adiciona um *offset* positivo de V_B no terminal de fonte (cuja tensão é agora $V_S = V_B - V_{GS}$, em que V_{GS} é negativo para um JFET canal *n*), tornando V_{GS} menos importante e, portanto, uma menor incerteza fracionária em V_S. Você também pode facilmente fazer o *bootstrap* do divisor de polarização da porta,[39] como na Figura 3.33B, para aumentar a impedância de entrada.

E. Amplificador JFET "híbrido" simples

Com o auxílio de um AOP (o magnífico dispositivo principal do Capítulo 4), você pode fazer maravilhas. Simplificando, um AOP é um "amplificador de diferença de altíssimo ganho em uma garrafa", que se destina a ser alimento para a realimentação como o núcleo universal de praticamente qualquer circuito analógico. É um *motor puro*: um monociclo Harley turboalimentado com entradas duplas. Este exemplo e o próximo mostram duas maneiras de usar as propriedades de um AOP em apoio a um amplificador JFET. Observe primeiro a a Figura 3.34. Aqui nós escolhemos o excelente 2SK170B (com o LSK170B como uma segunda fonte) para o estágio de entrada: ele tem muita transcondutância (cerca de 25 mS

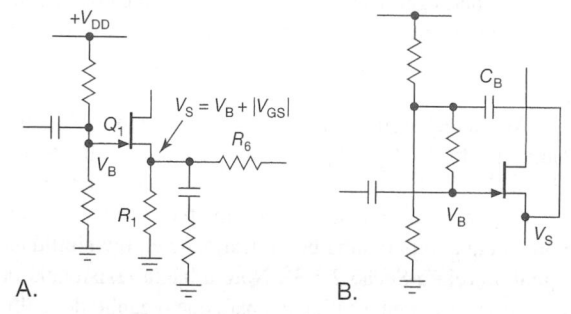

FIGURA 3.33 A. Polarização positiva na porta de Q_1 na Figura 3.31 melhora a previsibilidade do V_{out}. B. Adição de um *bootstrap* para elevar R_{in}.

---

[39] Você pode, é claro, fazer o *bootstrap* do resistor de porta mesmo quando a porta é polarizada no terra, via R_7 na Figura 3.31.

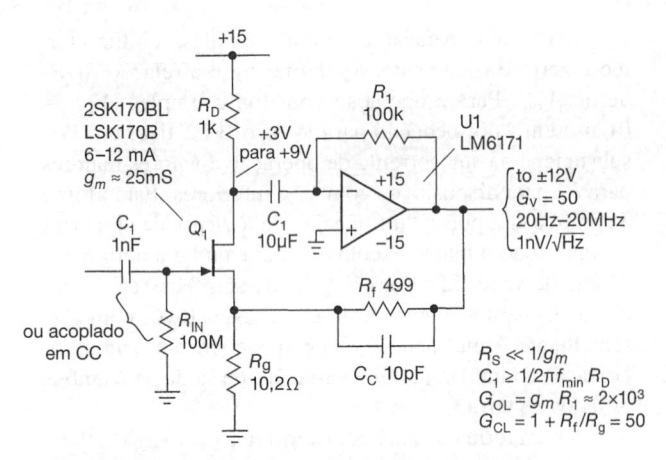

FIGURA 3.34 Amplificador JFET híbrido: amplificador de Z alto, baixo ruído e banda larga. Um pico na resposta (para $R_{sinal} \sim 1\,k\Omega$) pode ser domado pela adição de um capacitor de 10 a 20 pF na entrada; consulte a Figura 3.35.

para o seu I_{DSS} de 6 a 12 mA), juntamente com uma tensão de ruído muito baixa ($\sim 1\,nV/\sqrt{Hz}$). Nós o operamos com tensão de porta zero; e lidamos com uma amplitude de valores de 2:1 do I_{DSS} especificado (uma especificação mais estreita do que o previsto para a maioria dos JFETs), escolhendo o resistor de carga do dreno R_D pequeno o suficiente para evitar a saturação CC mesmo em I_{DSS} (máx). A tensão de dreno real não é importante, pois nós usamos acoplamento CA para o segundo estágio (via C_1). Ignorando por enquanto o segundo estágio (e definindo $R_g = 0$), o ganho de tensão do estágio de entrada seria $G = g_m R_D$, ou cerca de $G \approx 25$, talvez com $\pm 25\%$ com incerteza a partir das variações no processo de fabricação do JFET.

Mas a carga vista pelo dreno (nas frequências do sinal) é, de fato, a baixa impedância de entrada do segundo estágio, um AOP aqui configurado como um conversor corrente-tensão ("transresistência") (veja a Seção 4.3.1C). O seu "ganho" (relação entre a tensão de saída e a corrente de entrada, portanto unidades de resistência) é apenas R_1, fazendo o ganho de malha aberta geral ser $G = g_m R_1$ (novamente considerando sem realimentação e $R_g = 0$). Assim, para os valores de circuito mostrados, o ganho em malha aberta (*open-loop*) é $G_{OL} \approx 2500$.

Agora fecharemos a malha via R_f, subtraindo da entrada uma fração $R_g/(R_g + R_f)$, para um ganho de malha fechada ideal $G_{CL} = 1 + R_f/R_g = 50$. O ganho da malha (relação entre os ganhos de malha aberta e malha fechada) é cerca de 50, adequado para uma boa linearidade e previsibilidade de ganho (veja a Seção 2.5.3). Note a baixa resistência de R_g: deve ser pequena o suficiente para que o ganho de malha aberta não seja muito reduzido (assim, $R_g < 1/g_m$); e também deve ser suficientemente pequeno para que a sua contribuição de ruído Johnson seja insignificante (Seção 8.1). Para uma transcondutância JFET de 25 mS, a primeira restrição limita R_g para um pouco menos de 40 Ω; e, para a tensão de ruído deste JFET de $\sim 1\,nV/\sqrt{Hz}$, a segunda restrição limita R_g para um pouco menos de 25 Ω. Assim, escolhemos o valor baixo de 10 Ω. Com os valores mostrados, o ganho de malha aberta é reduzido em 20%, a tensão de ruído de entrada é aumentada em 8% e a malha de realimentação exerce uma carga no AOP de ± 20 mA na variação total.[40]

O AOP aqui foi escolhido por sua ampla largura de banda (ele cai para o ganho unitário em 100 MHz), assim, o ganho de malha fechada do circuito decai em cerca de 20 MHz,[41] como visto nos dados medidos da Figura 3.35. Um bônus é a impressionante capacidade de acionamento de saída: até 100 mA, e uma variação total de ± 10 V a quase 10 MHz. O pequeno capacitor de compensação C_c melhora a estabilidade: sem compensação, medimos 5 dB de um pico de 16 MHz; acrescentar C_c resultou em um insignificante pico de 0,1 dB em 10 MHz e um decaimento de -3 dB na alta frequência de 22 MHz.[42]

Um circuito alternativo que explora a alta impedância de entrada do JFET é um seguidor de fonte com entrada JFET (Seção 3.2.6) acionando um estágio de ganho de tensão. Essa é uma configuração muito boa, especialmente se um coletor de corrente for usado para a fonte *pull-down*. Mas o circuito da Figura 3.34 se destaca por conseguir tanto menor ruído quanto melhor linearidade.

3.2.4 Amplificadores Diferenciais

Até agora, lidemos com as relações I_D *versus* V_{GS} incertas do JFET restringindo-nos a projetos de amplificador com acoplamento CA. Mas podemos fazer melhor: um par JFET casado nos permite fazer amplificadores com acoplamento CC de desempenho respeitável. E, claro, a corrente de entrada muito baixa deles significa que esses circuitos podem servir como estágios de entrada de alta impedância de entrada para amplificadores diferenciais bipolares, assim como para os importantes AOPs e comparadores que encontraremos no próximo capítulo. Como mencionamos anteriormente, o substancial *offset* de VGS dos FETs geralmente resulta em maiores *offsets* de tensão de entrada e derivas de *offset* do

---

[40] Se você não estiver feliz com isso, pode dobrar ou triplicar R_f e R_g, à custa do ruído do amplificador um pouco maior. Veja a Seção 8.6 para muito mais informações sobre projeto JFET de baixo ruído.

[41] Quando acionado com uma impedância de sinal baixa. Com uma fonte de sinal de impedância mais elevada, o decaimento é dominado pela capacitância de entrada do circuito: Q_1 tem uma capacitância dreno-porta C_{rss} de 6 pF, assim, é observada uma largura de banda em -3 dB de ~ 400 kHz com uma fonte de 100 kΩ. Felizmente, a maior capacitância porta-fonte ($C_{iss} \approx 30$ pF) é reduzida a um valor insignificante por *bootstrap* pela realimentação. "E o que dizer do perverso efeito Miller?", você se pergunta. Isso é suprimido aqui, pois o AOP mantém a sua entrada ($-$) fixa (um "terra virtual") pela realimentação através de R_1; veja a Seção 4.3.1C.

[42] Em qualquer circuito de realimentação, há a possibilidade de alguns "picos" na resposta a alguma frequência (ou, no pior dos casos, uma oscilação total). Este circuito apresenta pico modesto para impedâncias de entrada na faixa de alguns kΩ, como pode ser visto na Figura 3.35. Sua amplitude pode ser domada pela adição de uma capacitância *shunt* de entrada de ~ 10 a ~ 20 pF, com uma consequente redução da largura de banda.

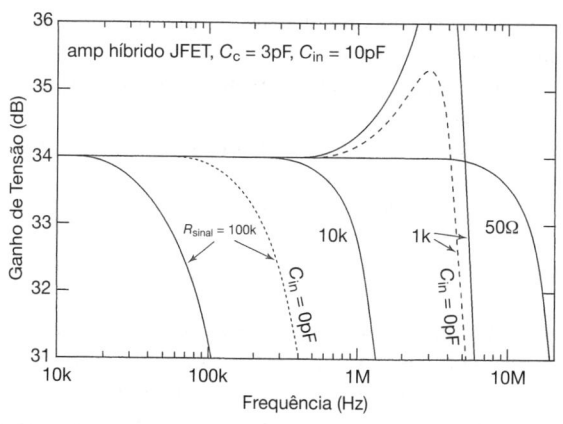

FIGURA 3.35 Ganho medido em função da frequência para o amplificador da Figura 3.34. As curvas em linha contínua são com um capacitor *shunt* de 10 pF na entrada, um valor de compromisso para um bom desempenho ao longo de uma ampla faixa de impedâncias de sinal de entrada (omita o capacitor para impedância de fonte alta, aumente-o para o pior caso de $R_\text{sinal} \approx 1\text{k}\Omega$).

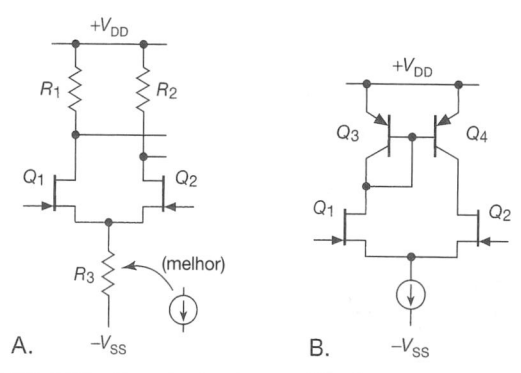

FIGURA 3.36 Os mais simples amplificadores diferenciais JFET.

que com um amplificador comparável construído inteiramente com transistores bipolares, mas, é claro, a impedância de entrada será enormemente aumentada.

A Figura 3.36 mostra as configurações mais simples, análogas aos amplificadores diferenciais BJT simples das Figuras 2.63 e 2.67. O ganho diferencial do par clássico de cauda longa na Figura 3.36A (definido como $\Delta V_\text{out}/\Delta V_\text{in}$, $R_1 = R_2$ e saída diferencial, como mostrado) é apenas $G = g_m R_1$; a rejeição de modo comum é muito melhorada com um coletor de corrente substituindo o resistor de fonte R_S. Uma desvantagem desse circuito é a incerteza no ganho (devido à incerteza na transcondutância); e o ganho é modesto, devido à limitada transcondutância dos JFETs em geral. Você pode contornar a limitação de ganho substituindo o(s) resistor(es) de carga do dreno por um espelho de corrente, como na Figura 3.36B. Entretanto, esse fragmento de circuito não é de polarização estável: ele deve ser acompanhado por um estágio seguidor que é configurado para fornecer realimentação CC.

Esses circuitos também sofrem do efeito Miller (Seção 2.4.5), cuja ação multiplicadora sobre a capacitância de realimentação C_rss age para aumentar a capacitância efetiva de entrada, assim (em combinação com a impedância da fonte do sinal) reduzindo a largura de banda. O espelho de corrente no circuito (B) ceifa o dreno de Q_1, mas o efeito Miller ainda está presente na entrada de Q_2.[43] Como com estágios amplificadores BJT, um método efetivo de eliminação do efeito Miller é o uso de um transistor cascode (seja JFET ou BJT) no(s) dreno(s), uma configuração desejável e discutida mais adiante. Ceifando a tensão de dreno, o cascode também elimina uma redução no ganho visto em circuitos simples, como o da Figura 3.36A: isso se dá porque a corrente de dreno do JFET depende um pouco da tensão de dreno (a inclinação ascendente em gráficos de corrente de dreno *versus* tensão de dreno-fonte, que você pode pensar como uma impedância de saída finita), que pode reduzir o ganho $g_m R_1$ ideal em até 25%.

Por essa e outras razões, o cascode é altamente recomendado, mesmo quando a largura de banda não é um problema. Curioso sobre as "outras razões"? Considere isto: a corrente de porta nos JFETs, normalmente de picoampères, sobe vertiginosamente com a tensão dreno-fonte – veja a Figura 3.49, em que picoampères se tornam microampères! Um cascode nos permite ceifar o dreno em uma tensão de operação baixa, suprimindo esse efeito.

A. Exemplo: um amplificador JFET híbrido com acomplamento CC

No exemplo de projeto de amplificador híbrido anterior (Figura 3.34), evitamos a questão da corrente de dreno JFET imprevisível, contentando-nos com um amplificador com acoplamento CA. Isso serve para algo como um amplificador de áudio ou RF; mas, às vezes, você gostaria de resposta totalmente para CC.

Você pode conseguir isso explorando um estágio de entrada diferencial JFET de par casado em um arranjo com acoplamento totalmente CC, como na Figura 3.37. A configuração geral é um amplificador diferencial de fonte comum com o sinal de entrada conectado a um dos lados. Sua saída de tensão diferencial aciona um AOP de banda larga, cuja saída (dividida pelo divisor de tensão de ajuste do ganho) fornece realimentação negativa para o outro terminal do par de entrada. Tal como acontece com o circuito anterior, o ganho de malha fechada é $G_\text{CL} = 1 + R_f/R_g = 50$, com um pequeno capacitor de compensação C_c escolhido para a melhor resposta sem pico.

O perigo está nos detalhes, os quais, se você tiver sorte, podem vir juntos em uma harmonia sinfônica. Esse circuito funcionou bem; por isso nosso entusiasmo para um pouco de discussão. Aqui vai.

---
[43] A menos que essa saída acione um estágio de transimpedância que ceifa sua tensão, como nas Figuras 3.31 ou 3.34.

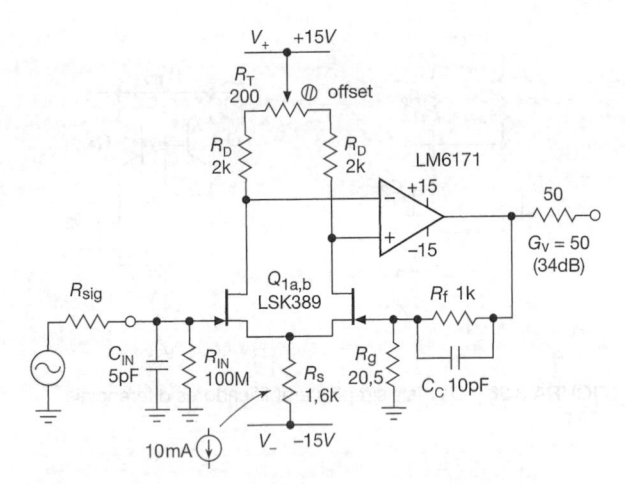

FIGURA 3.37 Um AOP fecha a malha em torno de um par JFET casado para criar um amplificador de baixo ruído de banda larga com acoplamento CC com impedância de entrada alta. A substituição do resistor de polarização de fonte R_S por um coletor de corrente (veja a Figura 3.26) aumenta a rejeição da alimentação.

O LSK389 é um par JFET[44] casado monolítico de baixíssimo ruído ($\sim 1\,\text{nV}/\sqrt{\text{Hz}}$), disponível em três classes de I_{DSS}. Escolhemos o dispositivo de sufixo B de média corrente (com um I_{DSS} especificado entre 6 mA e 12 mA) e forçamos cada JFET do par a operar em 5 mA absorvendo 10 mA a partir do par de terminais de fonte. Isso coloca os drenos em +5 V (os AOPs impõem a igualdade), com um ganho de malha aberta (da entrada com terminação simples até a saída diferencial) de aproximadamente $G = g_m(R_D + 0{,}5R_T) \approx 40$. Para isso, o AOP contribui com o seu ganho substancial em malha aberta (90 dB, ou seja, ×30.000), em uma configuração que parece assustadora, cuja estabilidade pode parecer estar seriamente em dúvida. Mas não se preocupe – o divisor ÷50 na malha de retorno limita com segurança o ganho da malha,[45] com qualquer tendência em direção à instabilidade facilmente domesticada com a escolha apropriada de C_c.

De acordo com a folha de dados, o par de entrada Q_{1ab} tem "Casamento Estreito". Mas isso na escala de JFETs, não BJTs – aqui esse "casamento" é um gritante ±20 mV máximo (cerca de 100 vezes o casamento de um bom par BJT), em que o $G = 50$ do circuito seria amplificado para o *offset* de saída de 1 V! Daí o R_T de ajuste de *offset*, com faixa suficiente para equilibrar o *offset* de entrada de pior caso.

Nosso projeto inicial incluía um capacitor de desvio a partir do dreno do transistor de entrada para o terra, para suprimir efeito Miller. Parece bom, mas a realidade é que o efeito Miller é quase inteiramente ausente devido ao efeito de ceifamento do AOP no par de drenos. E o capacitor de desvio apresenta dois problemas: ele desequilibra o par de transistores, de modo que o circuito fica sensível ao ruído no trilho positivo de alimentação; e introduz um desvio de fase no interior da malha, causando alguns picos indesejáveis, necessitando, assim, de um valor maior de C_c e, portanto, uma largura de banda reduzida.

Agora, para a "compensação" da estabilidade da realimentação. No circuito com terminação simples, como o da Figura 3.34, você pode colocar um pequeno capacitor sobre R_1 ou R_f. Aqui, porém, queremos manter a simetria do estágio de entrada, então C_c tem que ser colocado sobre R_f. Na bancada, descobrimos que 10 pF foram necessários para eliminar um pico na resposta de frequência, quando testado com uma entrada senoidal de baixo nível; a Figura 3.38 mostra os dados.

Um dado final da compensação é o capacitor shunt C_{in} na entrada para suprimir alguns picos modestos que se veem em fontes de sinal de impedância de $\sim 1\,\text{k}\Omega$ (R_{sinal}). Aqui, 5 pF funcionaram muito bem (embora tenham aumentado a capacitância de entrada do circuito para ~ 20 pF). A Figura 3.39 apresenta o ganho medido em função da frequência para o circuito finalizado (valores dos componentes mostrados na Figura 3.37) para nove valores de R_{sinal} (abrangendo quatro décadas de resistência).

Tal como acontece com o circuito anterior, o AOP LM6171 fornece uma variação de saída completa de ±10 V para quase 10 MHz. O resistor de 50 Ω em série com a saída garante a estabilidade em cargas capacitivas; ele também fornece "terminação de saída" em um cabo coaxial de 50 Ω (veja o Apêndice H sobre Linhas de Transmissão). Esse AOP não é particularmente silencioso ($e_n \sim 12\,\text{nV}/\sqrt{\text{Hz}}$), mas é bom o suficiente: um ganho do estágio de entrada do circuito de ~ 40 reduz a contribuição de ruído do AOP para $\sim 0{,}3\,\text{nV}/\sqrt{\text{Hz}}$ quando se refere à entrada. O ruído global do amplificador é $\sim 2\,\text{nV}/\sqrt{\text{Hz}}$.[46]

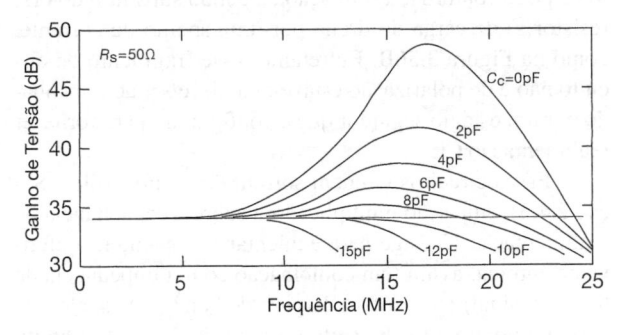

FIGURA 3.38 Seleção do capacitor de compensação C_c para o amplificador da Figura 3.37. Um valor de 8 ou 10 pF funciona bem.

---

[44] Uma substituição para o lendário (e descontinuado) 2SK389 da Toshiba.

[45] Para aproximadamente o mesmo valor que o do AOP sozinho, que foi conectado como um seguidor de ganho unitário estável.

[46] Se é *silêncio* o que você quer, pode substituir pelo JFET duplo IF3602. Isso reduzirá o ruído de entrada para $\sim 0{,}7\,\text{nV}/\sqrt{\text{Hz}}$, mas com uma capacitância de entrada muito maior (cerca de 300 pF!). (E o ruído térmico da rede de realimentação o degradará, a menos que R_g seja diminuído para ~ 5 Ω; veja a Seção 8.1 e a Figura 8.80A.)

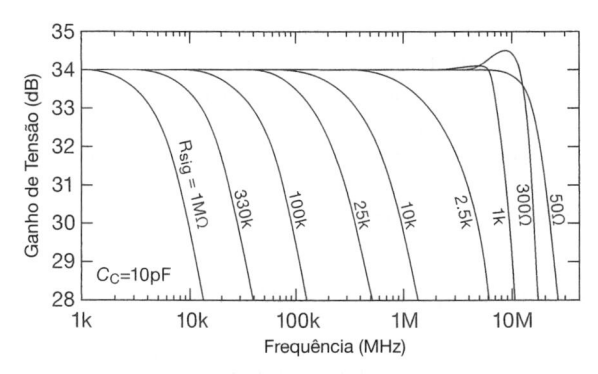

FIGURA 3.39 Ganho medido em função da frequência para o amplificador da Figura 3.37 para uma faixa de valores de impedância de fonte de sinal R_{sinal}.

Este é um bom amplificador! Com um pouco de refinamento (substituindo principalmente um coletor de corrente de baixo ruído for R_S), dois desses amplificadores, combinados em uma configuração chamada "amplificador de instrumentação" (INA), superarão qualquer INA integrado disponível tanto em termos de ruído quanto de velocidade; veja a Figura 8.49 na Seção 8.6.3.

B. Comparação com AOPs com entrada JFET

Já podemos ouvi-lo: "Sim, sim... vocês gostam de mostrar seus circuitos inteligentes, com muitos componentes discretos. Mas, hoje em dia, essa técnica de circuito é obsoleta, porque você pode conseguir todo esse desempenho, e mais, em circuitos integrados facilmente disponíveis – AOPs, em especial".

Mas será que pode *mesmo*? A Tabela 3.2 relaciona os amplificadores operacionais disponíveis atualmente com entradas JFET que têm uma chance de competir. Como é que o seu desempenho se compara com o do nosso amplificador híbrido com acoplamento CC da Figura 3.37? Vejamos...

TABELA 3.2 Seleção de AOPs rápidos com entrada JFET[a]

Nº identif.	Alimentação Faixa de tensão (V)	I_Q typ (mA)	$I_{pol.}$ 25°C typ (pA)	e_n 1kHz typ (nV/√Hz)	GBW typ (MHz)	Taxa de variação typ (V/μs)	Custo qty 25 (dólar)
OPA604A	9–50	5	50	10	20	25	2,93
OPA827A	8–40	5	15	4	22	28	9,00
ADA4637	9–36	7	1	6	80[d]	170	10.12
OPA656	9–13	14	2	7[b]	230	290	5,59
OPA657	9–13	14	2	7	1600[d]	700	10,01
ADA4817	5–10,6	19	2	4[c]	1050	870	4,93

Notas: (a) Amplificadores candidatos a largura de banda e baixo ruído. (b) Baixo ruído $e_n C$: C_{in} = 2,8 pF. (c) Menor ruído $e_n C$: C_{in} = 1,5 pF. (d) Decomp, G_{CL} > 7.

Variação de saída. Apenas os três primeiros AOPs podem variar sobre a faixa completa de ±15 V; OK, mas...

Largura de banda. O mais rápido desses AOPs "de alta tensão" tem GBW de 80 MHz, assim, para G = 50, a largura de banda é menos de 2 MHz; e os dois AOPs mais rápidos, que podem emparelhar a largura de banda com o nosso amplificador, podem variar apenas ±4 V, ou menos. Em contrapartida, o GBW do nosso amplificador é de 4 GHz (40 vezes o f_T = 100 MHz do AOP) e, assim, tem excesso de ganho (por exemplo, 400 em 10 MHz) com distorção resultante menor.

Ruído. O ruído do nosso amplificador, ~2 nV/√Hz, é 6 dB mais silencioso do que o melhor dentre os apresentados na Tabela 3.2.

Custo. De 5 a 10 dólares para a solução com AOP, aproximadamente o mesmo para o amplificador híbrido de melhor desempenho (2,5 dólares pelo LM6171, 3,25 pelo JFET duplo LSK389).

Como está a competição até agora? O amplificador híbrido está ganhando em termos da métrica de desempenho combinado de largura de banda, oscilação de saída e tensão de ruído. Mas ainda não terminamos...

Tensão de offset. Os AOPs ganham aqui, com valores de V_{os} de fábrica de 2 mV (máx) para os três dispositivos mais rápidos; o amplificador híbrido requer ajuste manual do seu *offset* de pior caso de 20 mV (sem ajuste), se for necessário um melhor.

Número de dispositivos. Uma vitória, mais uma vez, para os AOPs.

Capacitância de entrada. Apenas 1,5 pF para o ADA4817, *versus* 10 pF ou mais para o híbrido (o preço que pagamos para um ruído 2 × menor).

Corrente de entrada. 20 pA (máx) para o ADA4817 (mas este é um dispositivo de baixa tensão), contra 200 pA para o híbrido (*injusto*! – este está especificado para uma grande polarização negativa, V_{GS} = −30V).

O veredito? Uma decisão dividida: a solução com AOP JFET é simples e pode oferecer uma abundância de velocidade (ou variação abundante, mas não ambas), juntamente com uma precisão que não depende de ajuste e uma capacitância de entrada muito baixa (portanto, baixo ruído "$e_n C$"; veja o Capítulo 8). A abordagem híbrida oferece velocidade, variação e a menor tensão de ruído; mas requer ajuste manual, é mais complicada e tem mais capacitância de entrada. Note também que um AOP é, em geral, um bloco de construção mais flexível, fornecendo, por exemplo, uma ampla faixa de tensão de entrada em modo comum que o nosso circuito híbrido não tem, mas que não é necessária aqui, pois a entrada está sempre próxima do terra (devido a um ganho do circuito de 50).

3.2.5 Osciladores

Em geral, FETs têm características que os tornam substitutos úteis para transistores bipolares em quase qualquer circuito que pode se beneficiar da sua excepcionalmente alta impedância de entrada e baixa corrente de polarização. Um exemplo especial é a utilização de um estágio amplificador JFET para implementar um oscilador *LC* de alta estabilidade ou a cristal; mostraremos exemplos na Seção 7.1.5D.

3.2.6 Seguidores de Fonte

Devido à transcondutância relativamente baixa de FETs, muitas vezes, é melhor usar um FET "seguidor de fonte" (análogo a um seguidor de emissor) como um *buffer* de entrada para um amplificador BJT convencional em vez de tentar fazer um amplificador FET de fonte comum diretamente. Você ainda usufrui da alta impedância de entrada e da corrente CC de entrada zero do FET, e a grande transcondutância do BJT permite alcançar um alto ganho em um único estágio. Além disso, FETs discretos (ou seja, aqueles que não fazem parte de um circuito integrado) tendem a ter maior capacitância entre eletrodos do que BJTs, levando a um efeito Miller (Seção 2.4.5B) mais significativo em amplificadores de fonte comum; a configuração seguidor de fonte, como a seguidor de emissor, não tem efeito Miller.

Seguidores FET, com sua alta impedância de entrada, são normalmente utilizados como estágios de entrada em osciloscópios, bem como em outros instrumentos de medição. Existem muitas aplicações em que a impedância da fonte de sinal é intrinsecamente alta – por exemplo, microfones de capacitor, ponta de prova de pH, detectores de partículas carregadas ou sinais de microeletrodo em biologia e medicina. Nesses casos, um estágio de entrada FET (seja discreto ou como parte de um circuito integrado) é uma boa solução. Nos circuitos, existem situações em que o estágio seguinte deve absorver pouca ou nenhuma corrente. Exemplos comuns são os circuitos analógicos de "amostragem e retenção" e "detector de pico", nos quais o nível é armazenado em um capacitor e "cairá" se o próximo amplificador absorver uma corrente de entrada significativa. Em todas essas aplicações, a vantagem da corrente de entrada insignificante de um FET mais do que compensa sua baixa transcondutância, tornando seguidores de fonte (ou mesmo amplificadores de fonte comum) alternativas atraentes ao seguidor de emissor bipolar.

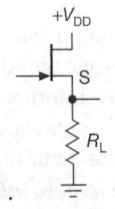

FIGURA 3.40 Seguidor de fonte JFET canal *n*. Ao contrário do seguidor de emissor BJT *npn* (no qual a saída segue a entrada com uma diferença de V_{BE} de ≈0,6 V), a saída é aqui mais positiva do que a entrada.

A Figura 3.40 mostra o mais simples seguidor de fonte, que idealmente deve produzir uma réplica exata da forma de onda de entrada enquanto absorve uma corrente de entrada essencialmente zero. Descubramos algumas coisas importantes, como o seu ponto de operação quiescente, seu ganho exato de tensão, sua impedância de saída e a tensão de *offset* da entrada para a saída.

A. Ponto de operação quiescente

O seguidor de fonte JFET não é analisado de forma tão simples quanto o seu análogo seguidor de emissor BJT, no qual a tensão do emissor simplesmente segue a tensão de base por uma diferença relativamente constante (e previsível) de V_{BE} ≈ 0,6 V. Isso porque o FET tem uma curva características de transferência (I_D *versus* V_{GS}) menos abrupta (e muito menos previsível) – o mesmo problema que acabamos de enfrentar na conexão entre a fonte de corrente JFET (Seção 3.2.2) e o amplificador JFET (Seção 3.2.3).

Poderíamos usar a mesma abordagem iterativa aqui, procurando a tensão quiescente da fonte V_S (e, portanto, $V_{GS} = V_S$), que produz uma corrente de fonte I_S (e, portanto, $I_D = I_S$) consistente com V_S. E poderíamos fazer isso por interpolação entre as curvas, como as da Figura 3.21A (uma família de curvas de I_D *versus* V_{DS} para alguns valores de V_{GS}), ou percorrendo subindo e descendo uma curva característica de transferência, como a da Figura 3.41 (uma única curva de I_D *versus* V_{GS}, para algum V_{DS} fixo), até encontrarmos o ponto em que $I_D R_L = -V_{GS}$.

Mas há um método gráfico elegante, amplamente utilizados na época das válvulas termoiônicas, que nos permite encontrar o ponto de operação imediatamente: o método da "reta de carga".

B. Reta de carga

Para encontrar o ponto de operação para o seguidor de fonte na Figura 3.40, simplesmente note que o resistor de carga R_L impõe suas regras sobre os valores admissíveis de V_{GS} *versus* I_S, ou seja, a lei de Ohm: $I_S R_L = -V_{GS}$. Podemos traçar essa restrição no mesmo gráfico da curva de transferência da Figura 3.41, como uma linha reta com inclinação $-1/R_L$; note que ela "inclina para trás", pois $V_S = -V_{GS}$. O ponto de operação tem de ser coerente com essa restrição e, simultaneamente, com a curva característica de transferência do JFET. Em outras palavras, o ponto de operação é a interseção das duas curvas. Neste caso, com $R_L = 1k$, o ponto quiescente está em $V_S = +1,6$ V (e, a partir da menor curva do 2N5458, $I_D = 1,6$ mA).

Para que ninguém fique logo tentado por essa técnica, devemos salientar que as curvas características para um tipo particular de JFET exibem uma grande amplitude de valores. Para o 2N5458 ilustrado na Figura 3.41, por exemplo, a especificação permite que I_{DSS} esteja em qualquer ponto entre 2 e 9 mA (e a tensão de constrição $V_{GS(off)}$ pode variar de $-1,0$ a -7 V). Na prática, é raro encontrar dispositivos nestes extremos, e tende a haver boa consistência em um único lote de

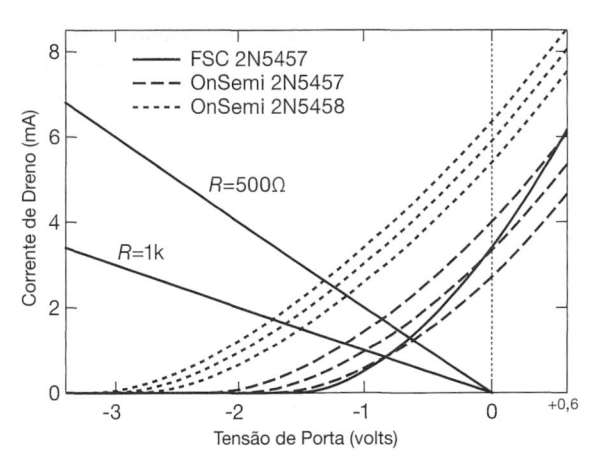

FIGURA 3.41 Curvas de transferência medidas para um conjunto de JFETs canal *n* 2N5457 e 2N5458 para $V_{DS} = 10$ V. Estas medições vão além de I_{DSS}, para V_{GS} 0,6 V positivo. As curvas dos dispositivos da OnSemi mostram as partes mais baixa, média e mais alta de I_{DSS} a partir de um lote de dez cada.

fabricação (como indicado pelo código da data estampado nos dispositivos); por exemplo, medindo um lote de 10 unidades do 2N5458 (Figura 3.41), determinamos que o ponto quiescente nesse circuito varia de 1,52 a 1,74 V.

C. Amplitude de saída e ganho de tensão

Podemos descobrir a amplitude de saída, como fizemos para o seguidor de emissor na Seção 2.3.3, usando a transcondutância. Temos

$$v_s = R_L i_d$$

visto que i_g é insignificante; mas

$$i_d = g_m v_{gs} = g_m(v_g - v_s),$$

assim,

$$v_s = \left[\frac{R_L g_m}{(1 + R_L g_m)}\right] v_g.$$

Isto é, o ganho é

$$G = \frac{1}{1 + \dfrac{1}{g_m R_L}}. \tag{3.7}$$

Para $R_L \gg 1/g_m$, é um bom seguidor $v_s \approx v_g$, com ganho próximo da unidade, mas sempre inferior. Não estamos próximos desse limite neste exemplo, em que o valor $g_m = 1,9$ mS medido implica um ganho de tensão de $G_V = 0,66$ na carga de 1 kΩ, longe do ideal de ganho unitário. Além disso, a variação de transcondutância ao longo da variação do sinal resulta em uma não linearidade indesejável. Uma solução é a utilização de um JFET com maior transcondutância, ou (melhor) adicionar um intensificador de transcondutância BJT (Figura 3.29F).

Porém, em situações em que a impedância de carga externa é alta, uma solução elegante é usar um coletor de corrente como carga ativa, como veremos em breve (Seção 3.2.6F).

D. Impedância de entrada

Nossa esperança de que seguidores de fonte JFET tenham impedância de entrada infinita é amplamente cumprida, mas eles têm alguma corrente de fuga de porta (veja a Seção 3.2.8) e capacitância de entrada (consulte a Tabela 3.7). A corrente de fuga da porta pode se tornar uma tensão dreno--porta superior a cerca de 5 V (Figura 3.49), por isso não deixe de verificar a folha de dados do JFET e, se necessário, considere a adição de um cascode para limitar V_{DG}.

A resposta de frequência de um seguidor quando acionado por sinais de alta impedância da fonte é limitada pela capacitância de entrada, $f_{3dB} = 1/2\pi C_{in}$, onde $C_{in} = C_{iss} + C_{rss} + C_{parasita}$. A capacitância porta-fonte C_{iss} é, geralmente, cerca de duas a cinco vezes maior do que a capacidade porta--dreno C_{rss}, mas, felizmente, ela tem *bootstrap* pela ação do seguidor e é efetivamente reduzida para $(1 - G_V)C_{iss}$. Se você seguir o nosso conselho (mais adiante) de modo que G_V seja quase 1,0, apenas a C_{rss} do JFET continuará a limitar a largura de banda. Mas é possível fazer o *bootstrap* do dreno e reduzir o efeito de C_{rss} por um fator de 5. Isso deixa $C_{parasita}$ como a última a limitar a largura de banda – mas você pode ser capaz de derrubá-la também por meio da "proteção" da maior parte da capacitância de fiação da entrada (ou seja, usando o sinal de saída do seguidor para acionar a blindagem do cabo; veja a discussão de proteção de sinal na Seção 5.15.3).

E. Impedância de saída

A equação anterior para v_s é exatamente o que você poderia prever se a impedância de saída do seguidor de fonte fosse igual a $1/g_m$ (experimente realiza o cálculo, considerando uma fonte de tensão v_g em série com $1/g_m$ acionando uma carga R_L). Isso é exatamente análogo à situação do seguidor de emissor, na qual a impedância de saída era $r_e = 25/I_e$, ou $1/g_m$. Pode-se facilmente mostrar explicitamente que um seguidor de fonte tem impedância de saída $1/g_m$ encontrando a corrente da fonte para um sinal aplicado na saída com a porta aterrada (Figura 3.42). A corrente de dreno é

$$i_d = g_m v_{gs} = g_m v,$$

assim,

$$r_{out} = v/i_d = 1/g_m$$

tipicamente de algumas centenas de ohms para correntes de alguns miliampères.[47]

---

[47] Na prática, uma maneira mais conveniente para medir a impedância de saída do seguidor é injetar uma *corrente* de sinal e medir a tensão de fonte resultante, como na Figura 3.42B. Obtenha a corrente a partir de um gerador de sinal, com um resistor em série R_{sinal} muito maior do que r_{out}, tendo o cuidado de manter v_{out} pequeno, digamos ∼50 mV; então, a equação na figura dá o r_{out}.

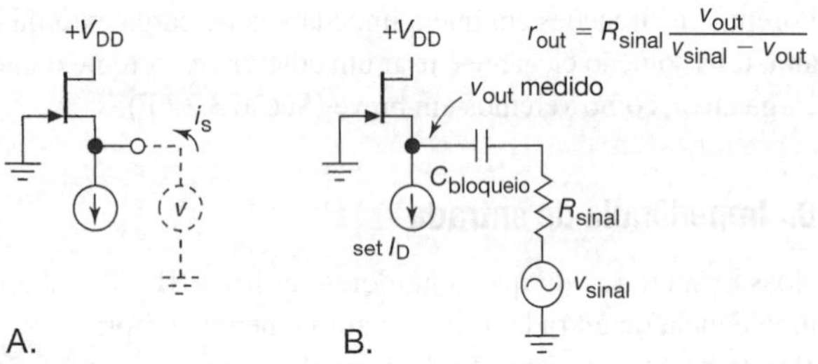

FIGURA 3.42 Calculando a impedância de saída de um seguidor de fonte.

Em geral, os seguidores de fonte FET não são tão estáveis quanto os seguidores de emissor. A exceção é em correntes muito baixas, na região sublimiar, em que a transcondutância de alguns JFETs se aproxima de um BJT operado na mesma corrente; veja a Figura 3.54.

Neste exemplo, com $g_m = 1,9$ mS, a impedância olhando de volta para a fonte do JFET é $r_{out} = 525\ \Omega$, que combina com o resistor de carga da fonte de 1k em paralelo para produzir uma impedância de 345 Ω, um pouco maior do que o valor análogo de $r_e = 16\ \Omega$ para um BJT operando com a mesma corrente de 1,6 mA.

Fomos capazes de calcular o ganho de tensão e a impedância de saída com razoável precisão neste exemplo porque tivemos o trabalho de medir as curvas características de I_D versus V_{GS}. É importante ressaltar, no entanto, que a folha de dados do fabricante para o 2N5458 nos ajuda pouco aqui: ela não fornece nenhuma curva característica para o 2N5458, apenas para o dispositivo de corrente inferior (2N5457); e, para o 2N5458, ela apenas especifica g_m para I_{DSS}, em que fornece um intervalo de 1,5 mS a 5,5 mS. A partir desses limites, juntamente com os limites acima de I_{DSS} e $V_{GS(off)}$ referidos, não seríamos capazes de formar uma boa estimativa da transcondutância de operação, pois o ponto de operação com um valor fixo de resistor de carga de fonte é indeterminado. Poderíamos fazer melhor considerando que ajustamos R_S para, digamos, tornar $I_D = 1,6$ mA; em seguida, usando o fato de que $g_m \propto \sqrt{I_D}$, os limites especificados de I_{DSS} e de g_m (em I_{DSS}) garantem que a g_m está na faixa de 0,6 mS a 4,9 mS.[48] Nosso valor medido de g_m cai muito bem dentro dessa faixa, sendo bem próximo da média geométrica desses limites.

Há duas desvantagens para esse circuito.

1. A impedância de saída relativamente alta significa que a variação de saída pode ser significativamente menor do que a variação de entrada, mesmo com alta impedância de carga, porque R_L sozinho forma um divisor com a impedância de saída da fonte. Além disso, devido à corrente de dreno estar variando ao longo da forma de onda do sinal, g_m e, portanto, a impedância de saída variarão, produzindo não linearidade (distorção) na saída. A situação é melhorada se os FET de alta transcondutância forem utilizados, é claro, mas uma combinação de seguidor FET-BJT (ou um "intensificador de g_m" FET-BJT, Figura 3.29F) é, muitas vezes, uma solução melhor.

2. Como o VGS necessário para produzir uma determinada corrente de operação é um parâmetro mal controlado na fabricação de FETs, um seguidor de fonte tem um *offset* CC imprevisível, uma séria inconveniência para circuitos com acoplamento CC.

(Um problema adicional é causado pelo fato de que a corrente de dreno do FET depende, em certa medida, da tensão dreno-fonte. Você pode chamar isso de "efeito do g_{os}", que também age para reduzir o ganho a partir do valor ideal $G = 1$. Isso é discutido mais adiante, na Seção 3.3.2).

Talvez este seja um bom momento para fazer uma pausa e perceber que muitos dos circuitos que consideramos seriam mais fáceis de implementar, e poderiam funcionar melhor, se tivéssemos acesso a uma tensão de alimentação negativa. Mas, muitas vezes, esse não é o caso, por isso, no espírito de reais restrições de projeto de circuito (e como um exercício de aprendizagem útil), estamos trabalhando duro com as dificuldades extras colocadas pelo projeto do seguidor JFET com alimentação simples. Mas, se você tem uma alimentação negativa disponível, use-a!

F. Carga ativa

A adição de alguns componentes melhora o seguidor de fonte enormemente. Acompanhe-nos aqui à medida que avançamos nos estágios (Figura 3.43).

Primeiro substituiremos o resistor de carga (chamado R_S na Figura 3.43A) por um coletor de corrente (*pull-down*) (circuito B). (Você pode pensar nisso como no caso anterior, com R_S infinito.) A corrente de fonte constante torna V_{GS} aproximadamente constante, reduzindo, assim, as não linearidades. Um truque bom (circuito B') tem um seguidor BJT trabalhando em dobro, fornecendo baixa impedância de saída enquanto absorve uma corrente constante (aproximadamente) de V_{BE}/R_B.

Temos ainda o problema da imprevisibilidade da tensão de *offset* (e, portanto, diferente de zero), da entrada para a saída, de V_{GS} (ou $V_{GS} + V_{BE}$, para o circuito B'). Claro, poderíamos simplesmente ajustar $I_{absorção}$ para o valor específico de I_{DSS} para o FET dado (no primeiro circuito) ou ajustar R_B (no segundo). Essa solução é ruim por duas razões: (a) ela exige um ajuste individual para cada FET; e (b) mesmo assim, a I_D pode variar por um fator de 2 ao longo de uma faixa de temperatura normal de operação para um determinado V_{GS}.

---

[48] De fato, pode-se estreitar essa estimativa um pouco, pois g_m e I_{DSS} estão correlacionados: em uma amostra de JFETs com g_m excepcionalmente elevado, o valor de I_{DSS} também recairá na parte alta da distribuição.

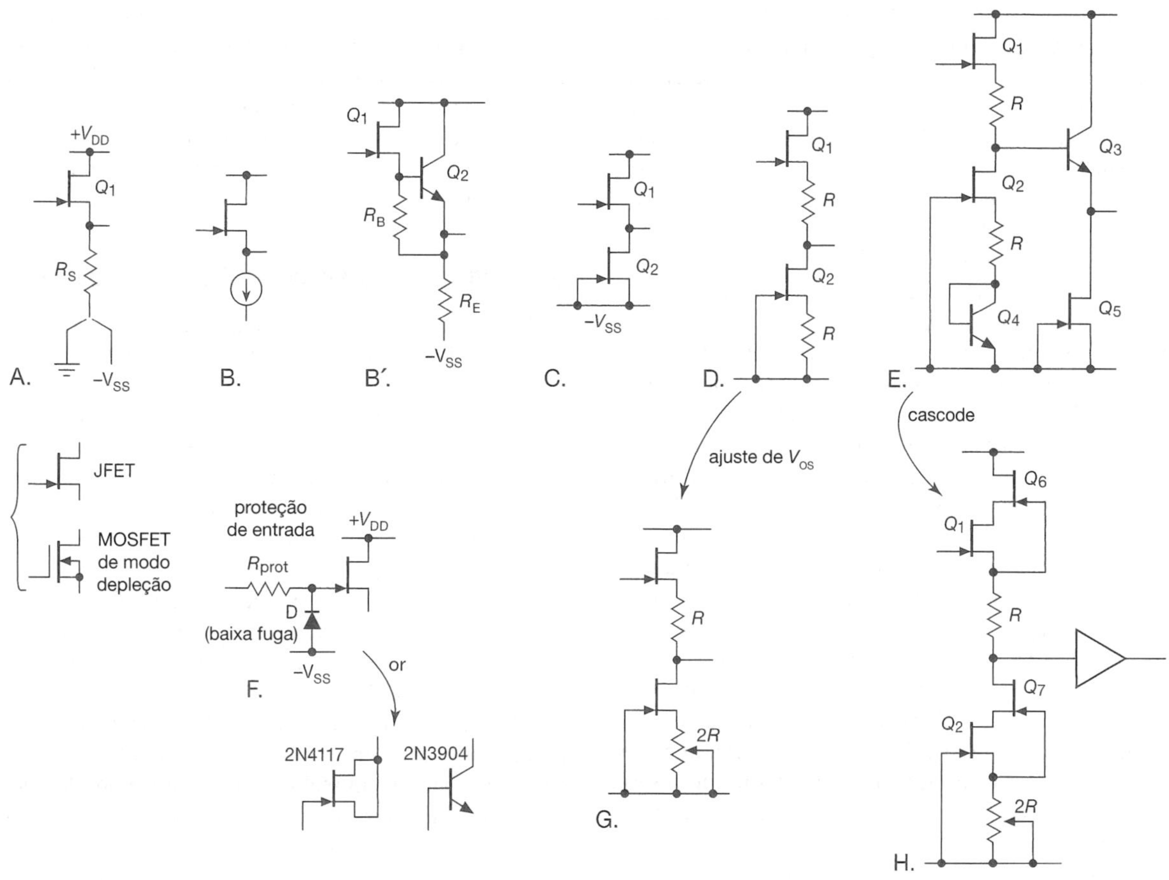

FIGURA 3.43 Seguidores de tensão JFET de ganho unitário – do mais simples ao melhor.

Um circuito melhor usa um par de FET casado para atingir *offset* zero (circuito C). Q_1 e Q_2 são um par casado, em um único chip de silício – por exemplo, o excelente LSK389 (veja a Tabela 3.7), com Q_2 absorvendo uma corrente I_{DSS}, ou seja, sua corrente de dreno correspondente a $V_{GS} = 0$. Mas os JFETs são casados, por isso $V_{GS} = 0$ para ambos os transistores: aqui, Q_1 é um seguidor com *offset* zero. Como Q_2 segue Q_1 na temperatura, o *offset* permanece próximo de zero, independente da temperatura.

Você normalmente vê o circuito anterior com resistores de fonte acrescentados (D). Um pouco de reflexão deve lhe convencer que o resistor R superior é necessário e que valores iguais de resistores garantem que $V_{out} = V_{in}$ se Q_1 e Q_2 forem casados. Essa modificação no circuito dá uma melhor previsibilidade de I_D, ela permite que você defina a corrente de dreno para algum valor menor do que I_{DSS}, e a realimentação da fonte proporciona uma melhor linearidade. A variação do circuito G permite ajustar a tensão de *offset* residual (já pequena) causada pelo casamento imperfeito de Q_1 e Q_2; o LSK389, por exemplo, especifica um descasamento de pior caso (para uma corrente de dreno de 1 mA) de $\Delta V_{GS} = 20$ mV.[49]

O circuito E acrescenta um seguidor de saída BJT (Q_3), com um absorvedor de corrente JFET *pull-down* (Q_5). O transistor Q_4 adiciona um V_{BE} de compensação na fonte de Q_2 para manter um *offset* CC de aproximadamente zero da entrada para a saída.

---

[49] Mas uma "pegadinha" complicada: a especificação de *offset* considera V_{DS} igual para os dois JFETs, mas, no circuito D, há um descasamento de VDS que depende da tensão do sinal de entrada à alimentação. Para estimar a tensão de *offset* resultante do seguidor, você precisa saber a condutância de saída dos JFETs (g_{os}), o que provoca um *offset* de entrada-saída proporcional ao descasamento de V_{DS}. Esse parâmetro não é especificado na folha de dados deste JFET, mas, a partir de nossas medições (veja a Tabela 3.7), sabemos que $g_{os} \approx 100$ μS, o que provoca um *offset* do seguidor de $\Delta V = \Delta V_{DS}/G_{max}$; aqui, isso equivale a ≈ 60 mV para uma diferença de 10 V em V_{DS}, um pouco maior do que os 20 mV máximos de *offset* sem ajuste do par JFET (quando os V_{DS} estão balanceados). A solução? O circuito H, um cascode em cada JFET para manter cada V_{DS} constante. Aplausos, mais uma vez, para o notável cascode.

Todos os circuitos de A a D partilham de um problema, ou seja, a tensão dreno-fonte de Q_1 varia diretamente com o sinal de entrada. Isso pode causar vários efeitos indesejáveis. Por exemplo, imagine que o circuito C esteja operando entre os trilhos de uma fonte de alimentação de ± 10 V, com variações do sinal de entrada entre $+5$ e -5 V. No pico positivo do sinal, Q_1 tem menos de 5 V do dreno para a fonte, enquanto Q_2 tem mais de 15 V. Devido à corrente de dreno do FET (para V_{GS} fixo) variar ligeiramente com a tensão dreno-fonte (discutido na Seção 3.3.2), as consequências aqui são um distanciamento do estrito ganho unitário e (pior) uma não linearidade potencial; outra consequência é que a corrente de porta de entrada pode aumentar drasticamente as tensões dreno-fonte superiores a 5 V (veja a Figura 3.49), degradando seriamente a corrente de entrada até então admiravelmente baixa.

Uma excelente solução para esses problemas (entre outros!) é a configuração cascode, como no circuito H. Aqui acrescentamos os JFETs Q_6 e Q_7, que não precisam ser casados, mas devem ser escolhidos para ter um V_{GS} maior do que o V_{DS} mínimo desejado de Q_1 e Q_2. Os transistores cascode fazem o *bootstrap* de V_{DS} de Q_1 e Q_2 para uma tensão igual ao V_{GS} de Q_6 e Q_7 enquanto passam através das correntes de dreno. Dessa forma, Q_1 e Q_2 operam com V_{DS} constante (e baixo), com os transistores cascode eliminando a folga conforme o sinal oscila, lidando, assim, com ambos os problemas descritos no parágrafo anterior. Os resultados são drásticos, como veremos em breve em um "estudo de caso" de baixa distorção.

Um melhoramento adicional sobre esses circuitos seguidores JFET é a adição de um intensificador de transcondutância *pnp* no circuito de dreno de Q_1 (como na Figura 3.29, em que o grande aumento de transcondutância resgata um estágio amplificador até então medíocre); isso é especialmente útil se o seguidor estiver acionando uma impedância de carga relativamente baixa.

JFETs podem lidar com muita corrente de porta direta, mas eles podem ser danificados facilmente por ruptura reversa. Quando essa possibilidade existe, é uma boa ideia adicionar proteção de porta, como no circuito F. O resistor em série R_{prot} limita a corrente através do diodo de ceifamento D (que deve ser um dispositivo de baixa fuga como o 1N3595, se uma corrente de entrada baixa for importante). Você pode usar a junção base-coletor de um BJT comum, ou o diodo porta-canal de um JFET. Mas há uma questão aqui: um grande valor de R_{prot} limita com segurança a corrente de ceifamento, mas introduz um ruído Johnson (térmico) excessivo, um grave problema em aplicações de baixo ruído. O uso de um limitador de corrente com MOSFET de modo depleção resolve elegantemente esse problema; veja a Seção 5.15.4 para mais detalhes.

Note que os JFETs nesses exemplos podem ser substituídos por MOSFET de modo depleção, que estão disponíveis com especificações de tensão de até 1.000 V; nesse caso, é necessário proteger a porta contra sobretensões direta e reversa maiores do que ± 20 V.

Em outra variação desses circuitos, você pode usar o sinal de saída para acionar uma blindagem de "proteção" interna, a fim de efetivamente eliminar os efeitos da capacitância da blindagem do cabo, que de outra forma seriam devastadoras para as impedâncias altas da fonte que você pode ver com esse tipo de amplificador de *buffer* com entrada de alta impedância.

G. Estudo de caso: seguidor JFET de baixa distorção

Para explorar quantitativamente a melhoria que você obtém com um coletor de corrente *pull-down*, e ainda com um arranjo cascode, montamos os três circuitos de seguidor na Figura 3.44, cada um com um JFET duplo LSK389; estes correspondem aos circuitos A, D, e H da Figura 3.43. Para desafiar seriamente a linearidade desses circuitos, acionamos cada um com a onda senoidal pura de 1 kHz,[50] em amplitudes de sinal que chegaram precariamente próximo às tensões de alimentação.

O circuito com um simples resistor *pull-down* (Figura 3.44A) apresentou um *offset* CC esperado (cerca de 0,25 V no ponto quiescente), com a distorção medida (Figura 3.45) variando de 0,02% (em 1 V_{RMS}) até cerca de 0,14% (em 5 V_{RMS}). Esse é um desempenho bastante decente, especialmente tendo em conta que esse circuito é totalmente de malha aberta (sem realimentação); é melhor do que esperávamos. A distorção foi quase inteiramente do segundo harmônico (isto é, em $2f_{in}$).

Adicionar um coletor de corrente JFET casado LSK389 com realimentação de fonte (Figura 3.44B) proporcionou uma boa melhora: um *offset* CC de cerca de 10 mV e uma distorção medida reduzida por um fator de dez (20

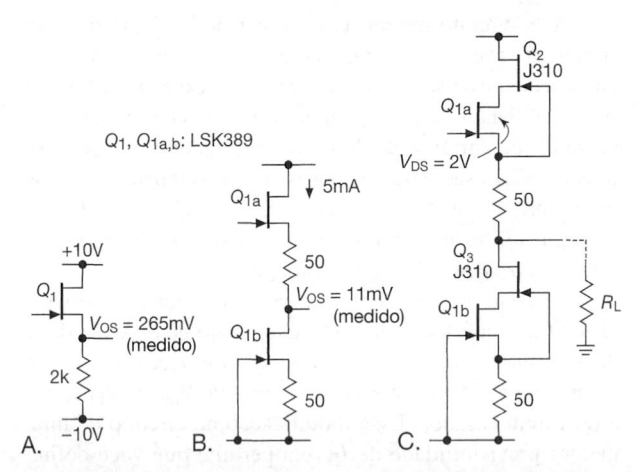

FIGURA 3.44 Três candidatos a seguidor JFET de baixa distorção com medalha de honra.

---

[50] A partir de um "gerador de função de distorção ultrabaixa" SRS DS360: distorção menor que 0,0003%. Medimos a distorção de saída com um analisador de distorção ShibaSoku 725B.

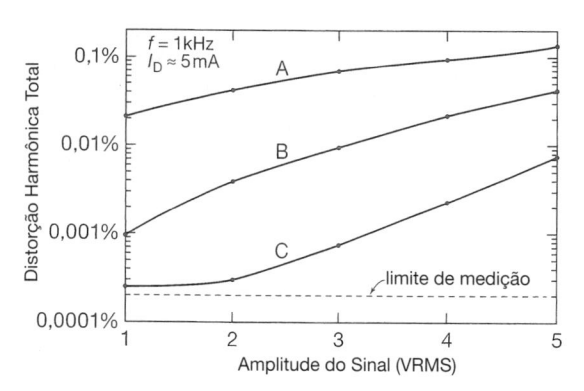

FIGURA 3.45 Distorção medida *versus* amplitude do sinal para os seguidores JFET da Figura 3.44, com R_L = 1M.

dB), com uma distorção agora quase inteiramente de terceiro harmônico ($3f_{in}$). Estamos aqui em um sério território de audiófilos. Por fim, a adição de um cascode (o V_{GS} do J310 é muito maior do que o de Q_1, de modo que este último opera em $V_{DS} \approx 2$ V) melhora a linearidade em mais 20 dB, esbarrando nas medidas inferiores do nosso modesto aparelho.[51] A baixa tensão de dreno-fonte em Q_{1a} imposta pelo cascode também garante uma corrente de porta de entrada baixa.[52]

3.2.7 FETs como Resistores Variáveis

A Figura 3.21 mostrou a região das curvas característica do JFET (corrente de dreno *versus* V_{DS} para uma pequena família de tensões V_{GS}), tanto em regime normal ("saturado") quanto na região "linear" de V_{DS} pequeno. Mostramos o par equivalente de gráficos de um MOSFET no início do capítulo (Figura 3.2). As curvas de I_D *versus* V_{DS} são linhas aproximadamente retas para V_{DS} menor do que $V_{GS} - V_{th}$ e elas se estendem em ambos os sentidos passando por zero, ou seja, o dispositivo pode ser usado como uma resistência controlada por tensão para pequenos sinais de ambas as polaridades. A partir da nossa equação para I_D *versus* V_{GS} na região linear (Seção 3.1.4, equação 3.1), descobrimos facilmente a relação (I_D/V_{DS}) como

$$\frac{1}{r_{DS}} = 2\kappa\left[(V_{GS}-V_{th}) - \frac{V_{DS}}{2}\right]. \quad (3.9)$$

O último termo representa uma não linearidade, ou seja, afasta-se de um comportamento resistivo (resistência não deve depender de tensão do sinal). No entanto, para tensões de dreno substancialmente menores do que o montante em que a porta está acima do limiar ($V_{DS} \to 0$), o último termo se torna

---

[51] Oscilador cortesia do eBay; analisador de distorção cortesia do MIT Flea Market.
[52] Essas distorções impressionantemente baixas foram medidas em uma impedância alta. Se você quiser acionar uma carga substancial, pode ser necessário agregar um "intensificador g_m" para Q_{1a}.

sem importância, e os FET se comportam aproximadamente como uma resistência:

$$r_{DS} \approx 1/[2\kappa(V_{GS} - V_{th})]. \quad (3.10)$$

Como o parâmetro κ, que dependente do dispositivo, não é uma quantidade que você provavelmente saiba, é mais útil escrever R como

$$r_{DS} \approx r_{G0}(V_{G0} - V_{th})/(V_G - V_{th}), \quad (3.11)$$

em que a resistência r_{DS} para qualquer tensão de porta V_G é escrita em termos da resistência r_{G0} (conhecida) para alguma tensão de porta V_{G0}.

Exercício 3.2 Faça a dedução da lei de "escala" anterior.

A partir de qualquer fórmula, você pode ver que a condutância (=1/r_{DS}) é proporcional ao valor pelo qual a tensão de porta excede o limite. Outro fato útil é que $r_{DS} = 1/g_m$, ou seja, a resistência no canal na região *linear* é o inverso da transcondutância na região saturada. Isso é uma coisa útil de saber, pois g_m ou r_{DS} é um parâmetro quase sempre especificado em folhas de dados de FETs.

Exercício 3.3 Mostre que $r_{Ds} = 1/g_m$ determinado a transcondutância a partir da fórmula da corrente de saturação do dreno na Seção 3.1.4.

Normalmente, os valores de resistência que você pode produzir com FETs variam de algumas dezenas de ohms (tão baixas quanto 0,001 Ω para MOSFETs de potência) até um circuito aberto. Uma aplicação típica pode ser um controle automático de ganho (AGC – *automatic-gain control*), em que o ganho de um amplificador é ajustado (por meio de realimentação) para manter a saída dentro da faixa linear. Em tal circuito AGC, você deve ter cuidado para colocar a resistência variável do FET em um ponto no circuito em que a variação do sinal seja pequena, de preferência menos de 200 mV.

A faixa de V_{DS} na qual o FET se comporta como um bom resistor depende do FET específico e é aproximadamente proporcional ao valor no qual a tensão de porta excede o limiar. Tipicamente, você pode ver não linearidade de cerca de 2% para $V_{Ds} < 0{,}1(V_{GS} - V_{th})$ e talvez 10% de não linearidade para $V_{Ds} \approx 0{,}25(V_{GS} - V_{th})$. FETs casados tornam fácil projetar um resistor variável agrupado para controlar vários sinais ao mesmo tempo. Você também pode encontrar alguns JFETs destinados especificamente para uso como resistores variáveis (por exemplo, a série InterFET 2N4338-41 e a série VCR), com resistência ON nominal especificada para algum V_{GS} (geralmente, 0 V).

A. Truque de linearização

É possível melhorar a linearidade e, simultaneamente, a faixa de V_{DS} ao longo da qual um FET se comporta como um resistor usando simplesmente um esquema de compensação. Observe a expressão 3.9 para $1/r_{DS}$; você pode ver que a linearidade será quase perfeita se você adicionar à tensão da porta uma tensão igual à metade da tensão dreno-fonte. A Figura 3.46 mostra dois circuitos para fazer exatamente isso.

No primeiro, o JFET forma a metade inferior de um divisor de tensão resistivo, formando assim um atenuador controlado por tensão (ou "controle de volume"). R_1 e R_2 melhoram a linearidade adicionando uma tensão de $0,5V_{DS}$ a V_{GS}, como acabamos de discutir. Os JFETs mostrados têm uma resistência ON (porta aterrada) de 60 Ω (máx), dando ao circuito uma faixa de atenuação de 0 a 40 dB. No segundo circuito, a resistência controlável do JFET constitui a parte inferior do divisor da realimentação que define o ganho de um amplificador de tensão não inversor com AOP (o ganho de tensão é $G = [10k/R_{FET}] + 1$).

A linearização de R_{DS} com um circuito divisor resistivo de porta é notavelmente efetiva. Na Figura 3.47, comparamos as curvas reais medidas de I_D versus V_{DS} na região linear (V_{DS} baixo) para FETs, ambos com e sem circuito de linearização. O circuito de linearização é essencial para aplicações de baixa distorção com variações de sinal maiores do que alguns milivolts. Utilizamos esse circuito no controle de amplitude no circuito oscilador da Figura 7.22, em que o JFET foi combinado com um resistor em série para criar um ajuste de ganho de baixa distorção; a distorção medida foi de apenas 0,0002%.

Ao considerar FETs para uma aplicação que requer um controle de ganho, por exemplo, um AGC ou "modulador"

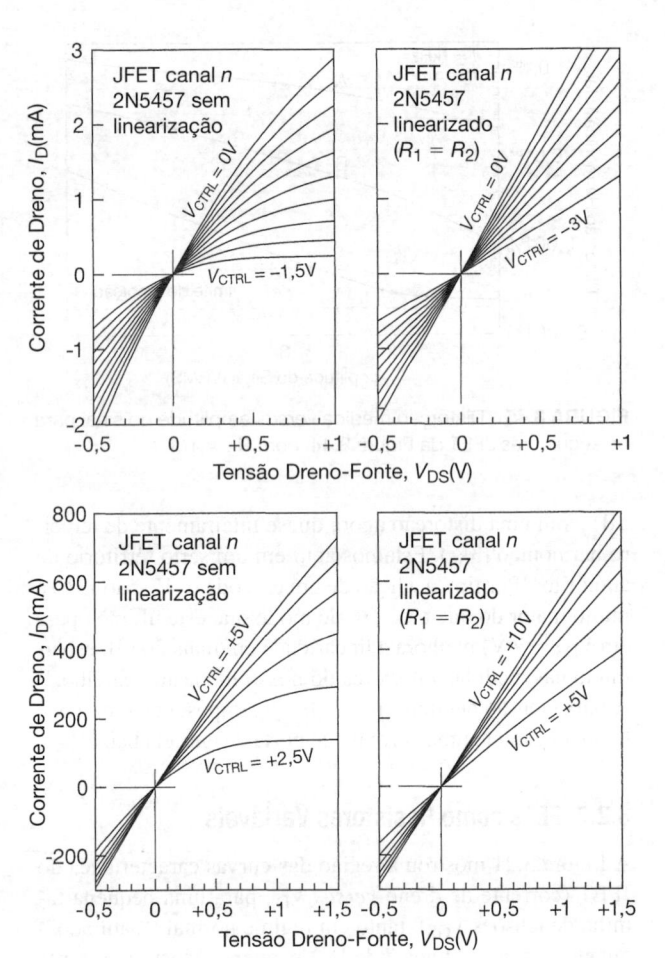

FIGURA 3.47 Curvas medidas de I_D versus V_{DS} para um JFET (topo) e um MOSFET (parte inferior), mostrando o efeito da linearização de um par de resistores (como na Figura 3.46). Note a escala de corrente relativamente alta para o MOSFET.

(em que a amplitude da alta frequência do sinal é variada a uma taxa de áudio, por exemplo), vale a pena observar também os CIs "multiplicadores analógicos". Estes são dispositivos de alta precisão com uma boa faixa dinâmica, normalmente utilizados para formar o produto de duas tensões. Uma das tensões pode ser um sinal de controle CC, definindo o fator de multiplicação do dispositivo para o outro sinal de entrada, isto é, o ganho. Multiplicadores analógicos exploram a curva característica g_m versus I_C de transistores bipolares [$g_m = I_C(mA)/25$ siemens], em uma configuração conhecida como "célula de Gilbert", usando arranjos casados para contornar problemas de *offsets* e desvios de polarizações. Em frequências muito altas (100 MHz e acima), "misturadores balanceados" passivos são, muitas vezes, os melhores dispositivos para realizar a mesma tarefa.

É importante lembrar que um FET em condução para um V_{DS} baixo se comporta como um bom resistor até atingir zero volt, do dreno para a fonte (e até um pouco além,

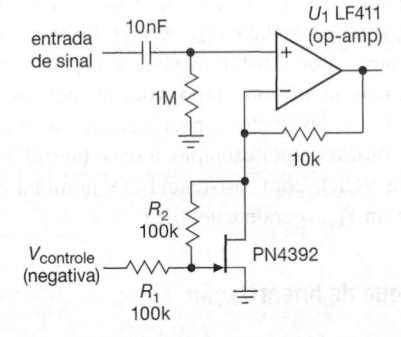

FIGURA 3.46 Linearização do resistor variável JFET.

no quadrante oposto). Não há quedas de diodo, tensões de saturação ou semelhantes para se preocupar. Veremos AOPs e famílias lógicas digitais (CMOS) que se aproveitam dessa propriedade agradável, dando saídas que saturam corretamente para as tensões de alimentação.

3.2.8 Corrente de Porta do FET

Dissemos desde o início que FETs em geral, e MOSFETs específicos, têm, essencialmente, uma corrente de porta zero em estado estacionário. Talvez essa seja a propriedade mais importante dos FETs; ela foi explorada nos amplificadores de alta impedância e seguidores nas seções anteriores. Isso se mostrará essencial também nas aplicações a seguir – mais notavelmente em chaves analógicas e lógica digital.

É claro que, em algum nível de análise, poderíamos esperar ver alguma corrente de porta. É importante saber sobre a corrente de porta, pois um modelo de corrente zero ingênuo é a garantia de colocá-lo em dificuldades mais cedo ou mais tarde. Na verdade, a corrente de porta finita surge a partir de vários mecanismos. (a) Mesmo em MOSFETs, o isolamento da porta com dióxido de silício não é perfeito, levando a correntes de fuga na faixa de picoampère. (b) Em JFETs, a "isolação" da porta é realmente um diodo polarizado reversamente, com as mesmas impurezas e os mesmo mecanismos de corrente de fuga que diodos comuns. (c) Além disso, JFETs (de canal n, especialmente) sofrem de um efeito adicional conhecido como corrente de porta de "ionização por impacto", que pode atingir níveis surpreendentes. (d) Por fim – e mais importante para circuitos de alta velocidade –, os JFETs e MOSFETs têm corrente de porta *dinâmica*, provocada pelos sinais CA que acionam a capacitância da porta; isso pode causar o efeito Miller, assim como com transistores bipolares.[53] Lidaremos com esse importante tópico mais adiante, nas Seções 3.5 e 3.5.4.

Na maioria dos casos, as correntes de entrada de porta são insignificantes em comparação com correntes de base de BJTs. No entanto, há situações em que um FET pode realmente ter uma corrente de entrada *maior*. Vejamos os números.

A. Corrente de fuga da porta

A impedância de entrada de baixa frequência de um amplificador FET (ou seguidor) é limitada pela corrente de fuga da porta. As folhas de dados de JFETs geralmente especificam uma tensão de ruptura, BV_{GSS}, definida como a tensão da porta para o canal (fonte e dreno conectados entre si) em que a corrente de porta atinge 1 μA. Para tensões porta-canal aplicadas menores, a corrente de fuga, I_{GSS}, medida novamente com a fonte e o dreno conectados entre si, é consideravelmente menor, caindo rapidamente para a faixa de picoampères para tensões porta-dreno bem abaixo da ruptura. Com MOSFETs, você nunca deve permitir que o isolamento da porta seja rompido; em vez disso, a fuga da porta é especificada como alguma corrente de fuga máxima para uma tensão porta-canal especificada. Amplificadores em circuitos integrados com FETs (por exemplo, AOPs FET) usam o termo enganoso "corrente de polarização de entrada", I_B, para especificar a corrente de fuga de entrada; ele geralmente está na faixa de picoampère.

A boa notícia é que essas correntes de fuga estão na faixa de picoampère à temperatura ambiente. A má notícia é que elas aumentam rapidamente (na verdade, exponencialmente) com a temperatura, aproximadamente dobrando a cada 10°C. Por outro lado, a corrente de base de BJTs não é de fuga, mas uma corrente de polarização, e na verdade tende a *diminuir* ligeiramente com o aumento da temperatura. A comparação é mostrada graficamente na Figura 3.48, um gráfico da corrente de entrada em função da temperatura para alguns CIs amplificadores (AOPs). Os AOPs com entrada FET têm as mais baixas correntes de entrada à temperatura ambiente (e abaixo), mas a sua corrente de entrada aumenta rapidamente com a temperatura, cruzando as curvas para amplificadores com estágios de entrada BJT cuidadosamente projetado, como o LM10 e LT1012. Esses

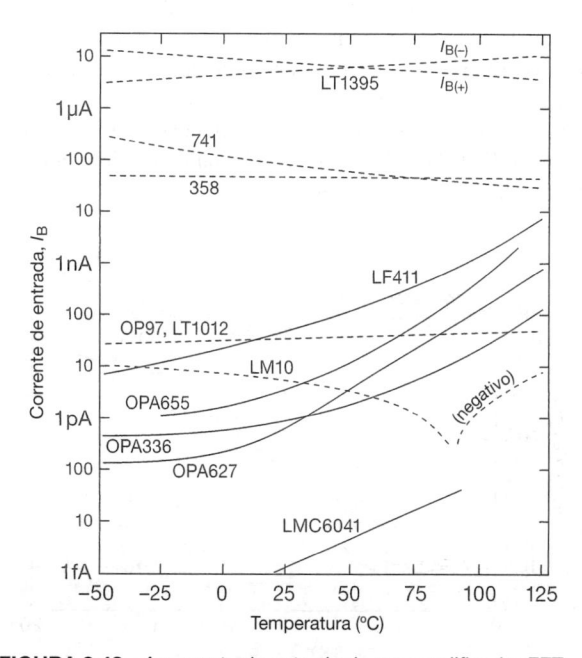

FIGURA 3.48 A corrente de entrada de um amplificador FET é a fuga da porta, que é duplicada a cada 10°C. Os amplificadores com entrada FET neste gráfico (linhas contínuas) são facilmente vistos por suas curvas características de inclinação ascendente.

---
[53] Em casos extremos – por exemplo, comutação de potência de alta tensão –, ela pode requerer ampères de corrente de acionamento de porta para comutar um MOSFET de grande capacidade na escala de tempo de nanossegundos. Esse não é um efeito trivial!

AOPs BJT, juntamente com os AOPs JFET "premium" de baixa corrente de entrada, como o OPA111 e OPA627, são bastante caros. No entanto, incluímos também AOPs comuns, de uso cotidiano, como o bipolar LM358 e o JFET LF411/2 na figura para dar uma ideia das correntes de entradas que você pode esperar de AOPs de baixo custo (menos de um dólar).

B. Corrente de ionização por impacto do JFET

Além dos efeitos de fuga da porta convencionais, JFETs canal n sofrem bastante com grandes correntes de fuga de porta quando operados com V_{DS} e I_D substanciais (a corrente de fuga de porta em folhas de dados é medida em condições irrealistas, em que $V_{DS} = 0$ e $I_D = 0$!). A Figura 3.49 mostra o que acontece. A corrente de fuga da porta permanece próxima do valor I_{GSS} até que se alcance a tensão dreno-porta crítica, ponto no qual ela sobe vertiginosamente. Essa corrente extra de "ionização por impacto" é proporcional à corrente de dreno e sobe exponencialmente com a tensão e a temperatura. O início dessa corrente ocorre em tensões dreno-porta de cerca de 25% de BV_{GSS} e pode alcançar correntes de porta de microampères ou mais. Obviamente, um "*buffer* de alta impedância" com uma corrente de entrada de microampères é inútil. Isso é o que você obteria se usasse um BF862 como seguidor, operando com 1 mA de corrente de dreno de uma tensão de alimentação de 20 V.

Essa corrente de fuga de porta adicional aflige principalmente JFETs canal n e ocorre em valores maiores de tensão dreno-porta. Algumas soluções são (a) operar em uma tensão dreno-porta baixa, ou com uma tensão de alimentação do dreno baixa ou ainda com um cascode, (b) usar um JFET canal p, em que o efeito é muito menor, ou (c) utilizar um MOSFET. O mais importante é estar ciente do efeito, de modo que ele não o surpreenda.

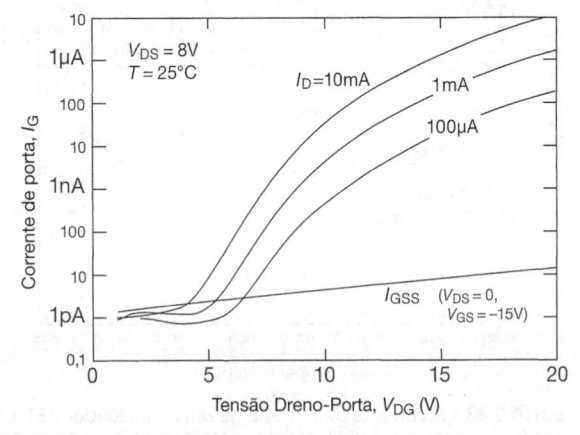

FIGURA 3.49 A corrente de fuga da porta do JFET aumenta desastrosamente em tensões dreno-porta maiores e é proporcional à corrente de dreno, como visto nas curvas da folha de dados para o, de resto, excelente JFET canal n BF862.

C. Corrente de porta dinâmica

A corrente de fuga da porta é um efeito CC. O que quer que acione a porta, também deve fornecer uma corrente CA, por causa da capacitância de porta. Considere um amplificador de fonte comum. Assim como com transistores bipolares, você pode ter o efeito simples de uma capacitância de entrada para o terra (denominada C_{iss}) e pode ter o efeito Miller de multiplicação de capacitância (que atua sobre a capacitância de realimentação C_{rss}). Há duas razões pelas quais os efeitos capacitivos são mais graves em FETs do que em transistores bipolares. Em primeiro lugar, você usa FETs (em vez de BJTs) porque deseja uma corrente de entrada muito baixa: assim, as correntes capacitivas se tornam relativamente maiores para a mesma capacitância. Em segundo lugar, FETs têm, muitas vezes, capacitância consideravelmente maior do que transistores bipolares equivalentes.

Para apreciar o efeito da capacitância, considere um amplificador FET destinado a uma fonte de sinal de impedância 100k. Em CC, não há problema, pois as correntes de picoampères produzem apenas microvolts de queda na impedância interna da fonte de sinal. Mas, em 1 MHz, digamos, a capacitância de entrada de 5 pF apresenta uma impedância *shunt* de cerca de 30k, atenuando seriamente o sinal. Na verdade, qualquer amplificador apresenta dificuldades com um sinal de alta impedância em altas frequências, e a solução habitual é operar com impedância baixa (50 Ω é o típico) ou utilizar circuitos *LC* sintonizados em ressonância distante da capacitância parasita. A questão a ser entendida é que o amplificador JFET não se parece com uma carga de 10^{12} Ω nas frequências do sinal.

Como outro exemplo, imagine comutar uma carga de 5 A de alta tensão com um MOSFET de potência (não existem quaisquer JFETs de alta potência), conforme a Figura 3.50. Poderíamos ingenuamente supor que a porta poderia ser acionada a partir de uma saída lógica digital com baixa capacidade de fornecimento de corrente, por exemplo, a assim chamada lógica CMOS série 4000, que pode fornecer uma corrente da ordem de 1 mA com uma variação do terra para +10 V. Na verdade, tal circuito seria um desastre, pois 1 mA da porta lógica acionando uma capacitância de realimentação média de 200 pF do IRF740 estenderia a velocidade de comutação da saída para tranquilos 50 μs.[54]

Pior ainda, as correntes de porta dinâmicas ($I_{porta} = C\, dV_D/dt$) forçariam correntes de volta para a saída do dis-

---

[54] Nosso modelo é inaceitavelmente imperfeito, pois a capacitância de realimentação varia rapidamente com a tensão de dreno (veja a Seção 3.5.4A). para É possível usar um valor constante para a capacitância de realimentação C_{rss} para cálculos de pequeno sinal; mas, para uma aplicação de comutação como esta, você precisa consultar na folha de dados os valores de *carga da porta*, que levam em conta o comportamento não linear das capacitâncias. Neste exemplo, a folha de dados especifica $Q_G \approx 40$ nC de carga de porta, produzindo um tempo de comutação de $t = Q_G/i = 40$ μs para uma corrente (dinâmica) de acionamento i de 1 mA.

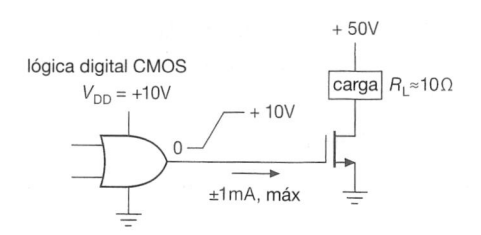

FIGURA 3.50 Exemplo de corrente de porta dinâmica: acionando uma carga de comutação rápida.

positivo lógico, possivelmente destruindo-o por meio de um perverso efeito conhecido como "SCR *latchup*" (mais sobre isso nos Capítulos 10 e 11).

Por esta e outras razões, uma resistência em série (não mostrado na figura) é geralmente acrescentada entre o dispositivo de acionamento e a porta do MOSFET. Transistores de potência bipolares têm capacitâncias um pouco menores e, portanto, correntes de entrada dinâmicas um pouco mais baixas (mas ainda na mesma estimativa); no entanto, quando se projeta um circuito para acionar um BJT de potência de 5 A, *espera-se* fornecer aproximadamente algumas centenas de miliampères de base (através de um Darlington ou outro qualquer), ao passo que, com um FET, tende-se a tomar como certo uma corrente de entrada baixa. Neste exemplo – em que você teria que fornecer um par de *ampères* de corrente de acionamento de porta para trazer para cerca de 25 ns a velocidade de comutação de que o MOSFET é capaz –, a impedância ultra-alta do FET perdeu um pouco do seu brilho.

Exercício 3.4 Estime os tempos de comutação para o circuito da Figura 3.50, com 1 A de corrente de acionamento de porta, considerando (a) uma capacitância de realimentação média de 200 pF, ou (mais precisamente) (b) uma carga de porta exigida de 40 nC.

3.3 UM OLHAR MAIS ATENTO AOS JFETS

Na Seção 3.1.4, apresentamos um panorama das regiões de operação do JFET: para tensões de dreno de um volt ou mais (para ir além da região resistiva "linear"), há a região de operação convencional em que a corrente de saturação do dreno[55] I_D é proporcional a $(V_{GS} - V_{th})^2$ e (para correntes de dreno muito inferiores) à região sublimiar em que I_D é exponencial em V_{GS}.

Essa é a parte simples. Como JFETs são os dispositivos de escolha para circuitos de precisão ou baixo ruído (ou ambos) com alta impedância de entrada, vale a pena olhar mais de perto suas particularidades, de preferência com medições de dispositivos reais.

Empreendemos uma revisão exaustiva (e cansativa!) da maioria dos JFETs disponíveis, coletando lotes de amostras de cada um, frequentemente de múltiplos fabricantes. A Tabela 3.7 inclui a maioria deles, com alguns parâmetros medidos (I_{DSS} e g_{os}, g_m e V_{GS} em uma corrente de dreno útil) ao lado das especificações de folha de dados.[56] Veja também a Tabela 8.2, que lista uma boa seleção de JFETs de baixo ruído.

Aqui discutimos alguns assuntos essenciais – regiões de operação do JFET (incluindo a região de sublimiar muitas vezes negligenciada), transcondutância do JFET e capacitância do JFET.

3.3.1 Corrente de Dreno *versus* Tensão de Porta

Um problema persistente com projeto de circuitos JFET é a amplitude de valores dos parâmetros. Isso é bem ilustrado nas Figuras 3.51 e 3.52, em que plotamos os valores medidos de ID *versus* V_{GS} para seis amostras do JFET canal *n* 2N5457 (três de cada um de dois fabricantes[57]) e três amostras do relacionado 2N5458 (da mesma família 2N5457-59). Em cada caso, escolhemos os dispositivos com os valores mais elevados, os menores e os medianos de I_{DSS} medido em um lote de dez dispositivos. Para essas medições, aventuramo-nos em tensões de porta positivas (até próximo de uma queda de diodo, o início da condução da porta), bem além do habitual limite de polarização zero; nada terrível acontece, mas, em geral, essa é uma prática que deve ser evitada.

Observemos mais de perto os dados para esses nove dispositivos para entender os diferentes aspectos de seu desempenho e o impacto em projetos de circuitos JFET.

A. A região quadrática

O gráfico *linear* é o que você costuma ver em folhas de dados e livros. Essa escala revela bem o comportamento quadrático da corrente de dreno em uma fração significativa da corrente de dreno com polarização zero (I_{DSS}), em que JFETs são operados mais frequentemente [equação 3.4]. Pode-se ver também a variação de I_{DSS} entre amostras (a faixa especificada para as amostras de meia dúzia de 2N5457 é indicada por uma barra vertical), assim como a inclinação ligeiramente mais significativa para as amostras Fairchild 2N5457. A

---

[55] O termo "saturação" pode ser confuso: para FETs, ele é usado para indicar a saturação da *corrente*, a região de tensões de dreno maiores do que um volt onde a corrente de dreno é aproximadamente constante. Em comparação, para BJTs, o termo "saturação" indica a *tensão* de saturação (uma chave ON), em que a tensão do coletor é próxima de zero. Não custa nada adicionar o adjetivo qualificativo (embora as pessoas raramente o façam).

[56] Veja também a Tabela 8.2 para parâmetros de ruído. Essas tabelas de JFETs representam o trabalho de alguns meses – de comparar as especificações de folha de dados, de verificar estoque de distribuidores e medições em laboratório. Descobrimos que é revelador e gratificante e esperamos que seja útil para o leitor.

[57] Usamos linhas tracejadas para os dispositivos Fairchild, para não embaraçar as linhas.

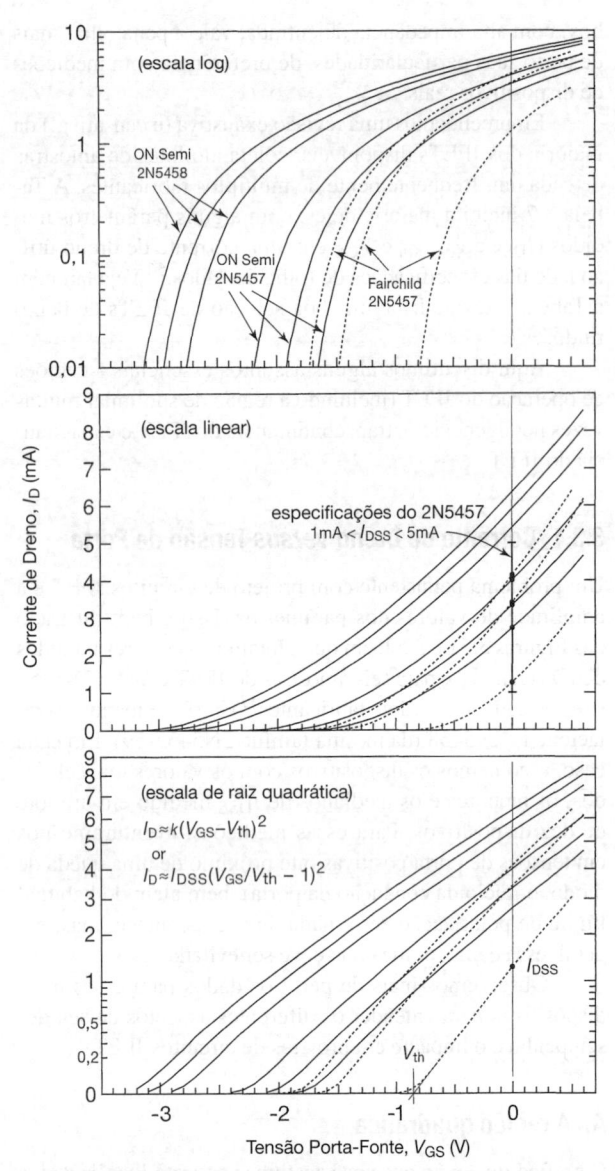

FIGURA 3.51 Corrente de dreno *versus* tensão de porta para nove dispositivos da família JFET canal *n* 2N5457-9, operando com V_{DS} = 5 V. Os mesmos dados são plotados nos eixos linear, log e raiz quadrada. Os dispositivos da ONSemi e Fairchild atendem à especificação de I_{DSS} (gráfico do meio) apesar de suas curvas substancialmente diferentes. Note que as medidas vão além de I_{DSS}, para V_{GS} = +0,6 V.

inclinação é, naturalmente, apenas o ganho de transcondutância, $g_m = dI_D/dV_{GS}$, aumentando de forma linear com V_{GS} [Equação 3.5] nesse regime em que a corrente de dreno é quadrática em $V_{GS} - V_{th}$.

Determinado V_{th}: Gráfico da raiz quadrada

Olhe a seguir o gráfico da *raiz quadrada*, que dá à região quadrática uma chance para esticar seus membros. A extrapolação para zero da corrente de dreno define a tensão de limiar V_{th}. Nessa tensão, a corrente não é *zero* – ela está logo abaixo do topo da região sublimiar.

B. A Região sublimiar

Por fim, o gráfico *log* expande enormemente a região de baixa corrente. As curvas encurvam no sentido de um comportamento linear (portanto, exponencial) nas correntes mais baixas – essa é a região sublimiar, que é explorada com uma ordem de grandeza seis vezes maior na Figura 3.52.

C. A região sublimiar profunda

A partir das curvas estendidas na Figura 3.52, podemos ver que os JFETs continuam a fazer o seu trabalho para correntes de dreno abaixo de *pico*ampères, precisamente em conformidade a lei da corrente de dreno exponencial (análoga a Ebers-Moll do BJT), que pode ser escrita como

$$I_D = I_0 \exp(V_{GS}/nV_T) \quad (3.12)$$

com o mesmo $V_T = kT/q \approx 25$ mV que em Ebers-Moll (mas com um fator *n* camuflado adicionado). Os dados medidos na Figura 3.52 correspondem a um valor quase unitário para *n* ($n = 1,05$). Em outras palavras, em correntes de dreno muito baixas, um JFET tem aproximadamente a mesma transcondutância que um BJT operando na mesma corrente de coletor (como confirmado nos dados medidos de transcondutância da Figura 3.54).[58] Note que os dispositivos Fairchild não são mais anômalos – ao contrário de seus comportamentos na região quadrática (em que eram os campeões de transcondutância), em baixas correntes, eles apresentam a mesma transcondutância (inclinação) que os outros dispositivos.

3.3.2 Corrente de Dreno *versus* Tensão Dreno-Fonte: Condutância de Saída

A corrente de dreno (para VGS constante) *tem* alguma dependência da tensão dreno-fonte, em contraste com a imagem idealizada que você costuma ver (e pela promulgação da qual também somos culpados: veja a Seção 3.1.4 e a Figura 3.13). Você pode pensar nisso como um efeito análogo ao efeito Early em BJTs ou, de forma equivalente, como uma impedância de saída finita r_O (ou, mais comumente, *condutância* de saída finita $g_{os} = 1/r_o$) vista no terminal de dreno quando a tensão porta-fonte é mantida constante.

---
[58] Mas não muita largura de banda! Por exemplo, para I_D = 10 pA, um 2N5457 teria um produto ganho-largura de banda f_T insignificante de apenas 140 Hz ($f_T = g_m/2\pi C_{iss}$). É bom saber que JFETs (como BJTs) funcionam bem em correntes muito baixas, uma característica útil para aplicações de micropotência e nanopotência. Mas não se esqueça de que as capacitâncias dos dispositivos se tornam grandes em baixas correntes, por isso os projetos que consomem mais corrente são mais lentos do que os circuitos que operam com correntes normais.

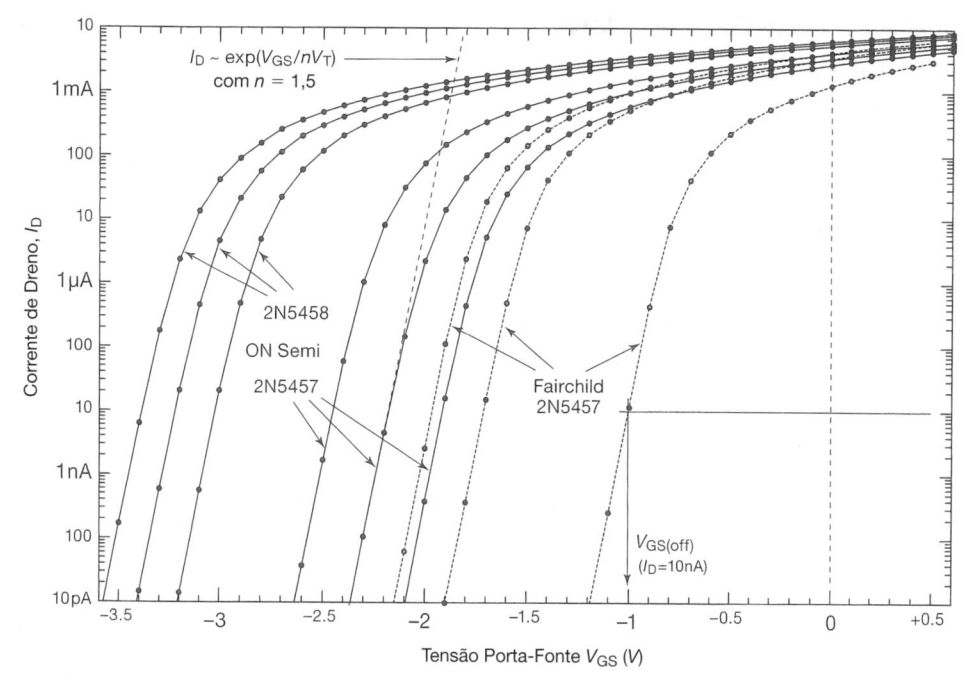

FIGURA 3.52 Gráfico log (pontilhado) das correntes de dreno medidas *versus* tensão de porta para os mesmos JFETs que na Figura 3.51. JFETs funcionam bem em 10 pA, muito abaixo dos 10 nA arbitrários da corrente de dreno que convencionalmente definem a tensão de corte porta-fonte $V_{GS(off)}$.

Esse efeito limita o ganho máximo do amplificador de fonte aterrada configurado com uma fonte de corrente como carga do dreno (que é o parâmetro $G_{máx}$ na Tabela 3.1), e você precisa levá-lo em consideração se o seu ganho se aproxima de $G_{máx}$. Ele também degrada mais o desempenho de um seguidor de fonte (já degradado por $g_m R_L$ baixo; veja a Seção 3.2.6) se $G_{máx}$ for comparável ou inferior a $g_m R_L$. Essas consequências são importantes o suficiente para serem mencionadas aqui.

A. Ganho e linearidade degradados no amplificador fonte comum

Este "efeito g_{os}" limita o ganho máximo do amplificador fonte comum, colocando efetivamente uma resistência $r_o = 1/g_{os}$ na impedância de carga do dreno. Para uma simples carga de dreno resistiva R_D que reduz o ganho do ideal $G = g_m R_D$ para $G = g_m(R_D \parallel r_o)$, ou

$$G = g_m R_D \frac{1}{1 + g_{os} R_D} \quad (3.13)$$

Outra consequência indesejável é uma não linearidade devida à dependência de g_{os} em relação à tensão de dreno.

B. Erro de ganho no seguidor de fonte

O "efeito de g_{os}" também atua de modo a reduzir o ganho do seguidor de fonte a partir do ideal $G = 1$. Isso é mais perceptível com cargas relativamente leves, em que $R_L \gg 1/g_m$ (e, portanto, em que você esperaria que o ganho de tensão fosse muito próximo da unidade). Levando em conta esse efeito, o ganho de tensão do seguidor JFET simples da Figura 3.40 se torna

$$G = \frac{1}{1 + \dfrac{1}{g_m R_L} + \dfrac{1}{G_{máx}}} \quad (3.14)$$

em que $G_{máx}$ é a relação entre a condutância e a transcondutância do dreno ($G_{max} = g_{os}/g_m$) na tensão e na corrente de operação. (Definimos $G_{máx}$ porque é aproximadamente constante com a corrente[59] e, portanto, mais útil do que os r_O e g_{os} dependentes da corrente). Assim, por exemplo, você precisa de $g_m R_L$ e $G_{máx}$ superiores a 100 para um erro de ganho <1% – você precisa usar alguns truques, como uma carga ativa, conexão cascode ou um "intensificador de g_m". Olhando novamente o tutorial da evolução do seguidor de fonte na Figura 3.43, essa é a razão para a utilização de uma carga ativa e uma conexão cascode no circuito H. A Tabela 3.1 lista os valores medidos para $G_{máx}$ para JFETs comuns.

---

[59] Olhando mais de perto, tanto g_m como g_{os} dependem da corrente de dreno, aproximadamente proporcional à $\sqrt{I_D}$ (Seção 3.3.3); sua relação $G_{máx}$ com a corrente de dreno é relativamente plana, mas aproximadamente proporcional à tensão dreno-fonte (Seção 3.3.4).

3.3.3 Transcondutância *versus* Corrente de Dreno

Lembre-se de que a transcondutância ($g_m \equiv i_d/v_{gs}$, a variação da corrente de dreno com a tensão porta-fonte) é a medida natural de ganho dos FETs. Isso é análogo à visão de Ebers-Moll de transistores bipolares, em que $g_m = qI_D/kT = I_D/V_T$. De forma geral, a qualquer corrente de dreno dada, um FET terá uma transcondutância menor do que um BJT. A partir das menores correntes de dreno (Seção 3.3.1 e Figura 3.52), a transcondutância na região de sublimiar do FET é proporcional à corrente de dreno (como um BJT), mas um pouco menor que um BJT operando com a mesma corrente; veja a Figura 3.53. Se você escreve $g_m = I_D/nV_T$, JFETs típicos têm n valores na faixa de 1,05 a 3, como pode ser visto nos dados medidos na Figura 3.54.

Com correntes mais altas, na "região quadrática" dos FETs da corrente de dreno em que $I_D \infty (V_{GS} - V_{th})^2$, a transcondutância se torna proporcional à raiz quadrada da corrente de dreno, caindo abaixo da transcondutância crescente (∞I_C) do BJT. Em correntes ainda maiores, a transcondutância aplaina mais. Para JFETs, a história termina aqui; mas, para MOSFETs (em que você pode aumentar suficientemente a tensão da porta até alcançar uma corrente de dreno máxima constante), a parte superior da curva de transcondutância se volta para baixo, por exemplo, com o LND150 cuja curva de I_D *versus* V_{GS} é plotada na Figura 3.9.

Não é difícil medir diretamente a transcondutância – veja a Seção 3x.3 para obter detalhes de circuito de um método simples (em que o ingrediente secreto é um estágio cascode para ceifar a tensão de dreno). Usamos esse circuito para medir a transcondutância de cerca de sessenta JFETs, em correntes de dreno variando de 1 μA a 30 mA em degraus de meia década.

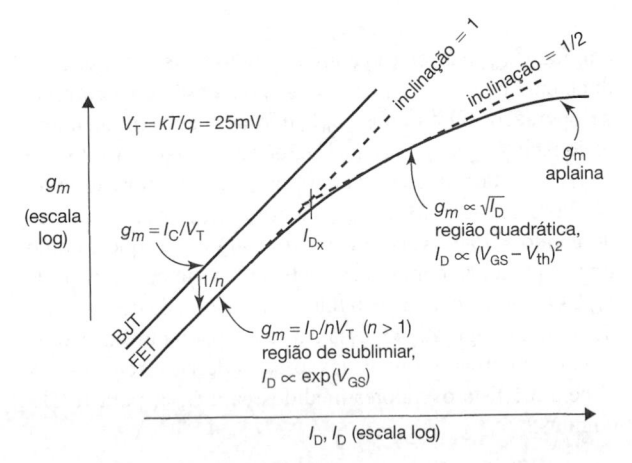

FIGURA 3.53 Transcondutância *versus* corrente de dreno: na região sublimiar, a transcondutância de um FET é proporcional à corrente (como um BJT); em correntes normais, em que $I_D \propto (V_{GS}-V_{th})^2$ ela passa a ser $\sqrt{I_D}$; então, para correntes de operação ainda mais elevadas, ela aplaina em direção a um máximo.

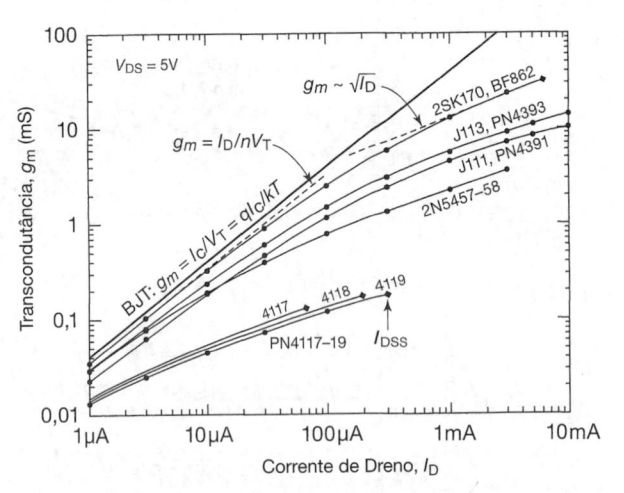

FIGURA 3.54 Transcondutância de baixa frequência medida para alguns JFETs representativos.

A Figura 3.54 mostra a transcondutância medida em função da corrente de dreno para alguns JFETs representativos.[60] Em correntes maiores, a transcondutância é aproximadamente proporcional à raiz quadrada da corrente de dreno (assim, proporcional à $V_{GS} - V_{th}$). E, mesmo que essas curvas se voltem para baixo "apenas" em 1 μA, a maior parte dos JFETs (as quatro curvas superiores) já está bem dentro da região de sublimiar (com transcondutância proporcional à corrente de dreno) abaixo dessa corrente.

Então, o que está acontecendo com os PN4117-19? Bem, eles são JFETs muito pequenos (você pode dizer isso pelos seus valores de I_{DSS} muito baixos), por isso, mesmo em uma corrente de dreno de 1 μA, a *densidade* de corrente é alta o suficiente para colocá-los na região quadrática deles. Dito de outra forma, na discussão anterior, deveríamos ter nos referido à "densidade de corrente" (em vez de simplesmente corrente de dreno) como medida para saber se um dado JFET está em sua região sublimiar ou quadrática.

Note que isso vale também para MOSFETs: um grande MOSFET de potência (com especificações de corrente de dreno de centenas de ampères) funcionará em sua região sublimiar se usado em uma aplicação de circuito linear.[61] Como veremos na Seção 3.6.3, isso tem um efeito importante na estabilidade térmica quando múltiplos MOSFETs são conectados em paralelo em aplicações de potência, pois, na região sublimiar, os MOSFETs têm um coeficiente térmico *positivo* da corrente de dreno com a temperatura; isso pode causar danos graves quando não for devidamente considerado pelo projetista do circuito.

---

[60] A curva de transcondutância de um JFET, I_D *versus* V_{GS}, tem característica quadrática. Ou seja, não é linear.

[61] Entusiastas do SPICE, atenção! Os modelos de simulação para MOSFETs de potência são quase inúteis na região sublimiar.

A. Transcondutância dentro de uma família JFET

A partir da Figura 3.54 e da discussão precedente, parece que você não pode realmente prever a transcondutância de um JFET em qualquer corrente de operação; o gráfico mostra uma variação de 50:1 de g_m a uma dada corrente. Pior ainda, os dados da Figura 3.51 sugerem que você não pode sequer prever com razoável certeza a corrente de operação de um tipo de dispositivo JFET para uma dada polarização de porta (ou vice-versa).

Porém, como veremos, a situação não é tão obscura. Dentro de uma família (ou família estendida) de JFETs semelhantes, a transcondutância depende principalmente (e previsivelmente) da corrente de dreno, embora a tensão da porta correspondente esteja, talvez, por todo o gráfico. Dê uma olhada na Figura 3.55, que mostra as curvas de corrente de dreno medidas para uma variada seleção de sete JFETs 2N5486 (fabricados ao longo de um período de 35 anos[62]), juntamente com uma amostra de irmãos de correntes menores (2N5484 e 2N5485) e um primo relacionado (SST4416, também caracterizado para aplicações de RF, com capacitância semelhante baixa e faixa comparável de I_{DSS}).

Essas curvas medidas apresentam uma grande variação de comportamento para essa seleção de dispositivos (existe uma amplitude de valores 3:1 de $V_{GS(off)}$ e 5:1 de I_{DSS}), sugerindo uma imprevisibilidade semelhante de ganho de transcondutância.[63] Mas essa sugestão seria enganosa. Quando você mede as transcondutâncias deles, obtém as curvas da Figura 3.56: dentro dessa seleção deliberadamente variada de dez dispositivos, existe, no máximo, uma variação de pico de $\pm 20\%$ da transcondutância para uma determinada corrente de dreno.

Moral da história: dentro de uma família JFET *de tipos de dispositivos similares*, a corrente de dreno (para qualquer tensão de porta é necessário obter essa corrente) prevê razoavelmente a transcondutância. E a consequência prática é que um circuito amplificador JFET terá ganho razoavelmente previsível se for configurado com realimentação de polarização para definir a corrente de dreno em um valor desejado (que deve ser escolhido como não superior ao I_{DSS} mínimo especificado, a menos que você esteja disposto a classificar seus dispositivos recebidos).

Mas um conselho: para uma melhor previsibilidade de ganho em amplificadores JFET, é uma boa ideia (a) usar uma realimentação de fonte, de preferência em combinação com um circuito intensificador de transcondutância, ou (b) usar realimentação global com ganho de malha mínimo suficiente (com g_m de pior caso) para garantir a precisão de ganho de que você precisa (como nas Figuras 3.31, 3.34 e 3.37).

---

[62] A, Intersil, código de data 7328 (28ª semana de 1973); B, Central Semiconductor, atual; C e E, Fairchild, código de data BF44; D, Vishay, SST5486, atual; F, Vishay, código de data 0536; G, Motorola, safra de 1990.

[63] No entanto, existem algumas correlações úteis: a tensão de limiar da porta V_{th} é preditiva da corrente de dreno de polarização zero I_{DSS}.

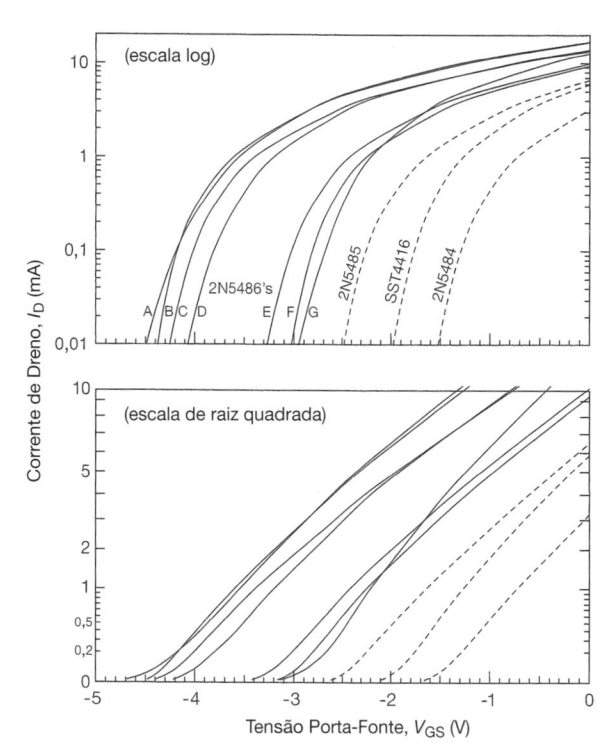

FIGURA 3.55 Corrente de dreno medida em função da tensão porta-fonte para uma coleção de sete JFETs 2N5486 de safras e fabricantes diferentes (juntamente com três tipos de JFET menores, indicados por linhas tracejadas), plotados nos eixos logarítmico e de raiz quadrada, ilustrando a grande amplitude de valores das tensões de limiar V_{th} (a extrapolação linear das curvas deste último). Compare a grande amplitude de valores vista aqui com a Figura 3.56, na qual o mesmo conjunto de JFETs exibe apenas variações menores na transcondutância para qualquer corrente de dreno dada.

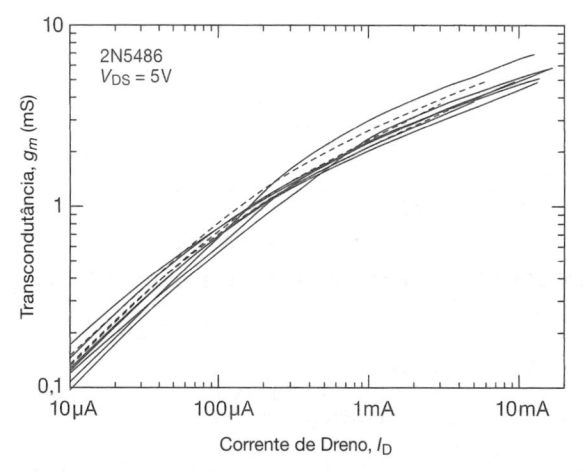

FIGURA 3.56 Transcondutância medida *versus* corrente de dreno para o mesmo conjunto de JFETs que na Figura 3.55.

3.3.4 Transcondutância *versus* Tensão de Dreno

A transcondutância de um FET a uma dada corrente de dreno é relativamente independente da *tensão* de dreno, exceto para tensões de dreno-fonte abaixo de um ou dois volts. Isso contrasta com sua forte dependência da *corrente* de dreno.

3.3.5 Capacitância do JFET

Assim como com transistores bipolares (e, mais adiante, MOSFETs), a capacitância vista entre os terminais de um JFET depende da polarização (reversa); ela é, muitas vezes, denominada "capacitância não linear" e diminui acentuadamente com polarizações reversas crescentes. A Figura 3.57 mostra gráficos de folha de dados de realimentação e capacitâncias de entrada para dois JFETs canal *n* comuns. Esses valores – de apenas poucos picofarads – são típicos de JFETs de pequeno sinal e um pouco menores do que você vê em MOSFETs de potência (compare com a Figura 3.100). JFETs geralmente são simétricos, mas, devido à polarização reversa maior, a capacitância porta-dreno é menor do que a de porta-fonte.[64] Isso é uma coisa boa, é claro, pois o efeito Miller multiplica o efeito do C_{rss} em um amplificador de fonte comum sem cascode.

Os fabricantes geralmente fornecem gráficos de capacitância *versus* V_{GS} e, às vezes, também *versus* V_{DS} ou V_{DG}. Mas você consegue apenas um conjunto de gráficos para uma família de dispositivos, mesmo admitindo que suas especificações de I_{DSS} podem variar ao longo de um fator de dez ou mais; fica-se imaginando se suas capacitâncias estão correlacionadas com seus valores de I_{DSS}, sugerindo, assim, que os dados de capacitância devem ser considerados apenas um guia para a realidade.

3.3.6 Por que Amplificadores JFET (*versus* MOSFET)?

Dedicamos um espaço considerável neste capítulo para FETs de junção (JFETs), um tema que, muitas vezes, recebe a uma discussão mínima em referências padrão, em que a ênfase é em FETs de porta isolada (ou seja, MOSFETs). Mudaremos, em breve, o foco para este último, por boas razões: pequenos MOSFETs integrados são dominantes em (a) circuitos analógicos de baixa tensão e de baixa potência (AOPs, eletrônicos portáteis, circuitos de RF e similares); (b) chaveamento analógico; (c) circuitos lógicos, microprocessadores e memória; e, sob a forma de transistores de potência em encapsulamentos discretos, (d) aplicações de comutação e linear de potência. Esses são todos temas importantes em eletrônica contemporânea, e os MOSFETs são os tipos de transistor dominantes no planeta, com uma margem enorme.

Antes de prosseguir, porém, vale a pena enfatizar que JFETs são os dispositivos a escolher para circuitos analógicos que exijam uma combinação de alta impedância de entrada, baixo ruído e boa precisão; isso em adição a suas aplicações de nicho como fontes de corrente de dois terminais, resistores controlados por tensão e chaves analógicas de R_{ON} constantes.

Os exemplos anteriores de amplificadores, seguidores e fontes de corrente ilustram muitas das virtudes do JFET. Indo além deste primeiro olhar sobre JFETs, o Capítulo 8 discute o importante tópico de ruído, com dados medidos. Para uma prévia deste último, veja a Figura 3.58, na qual plotamos a densidade da tensão de ruído de três dispositivos comuns favoritos: o transistor bipolar *npn* 2N3904, o JFET 2N5457 e o MOSFET 2N7000. Esses dispositivos não têm nenhuma pretensão de filiação *premium*; eles custam muito

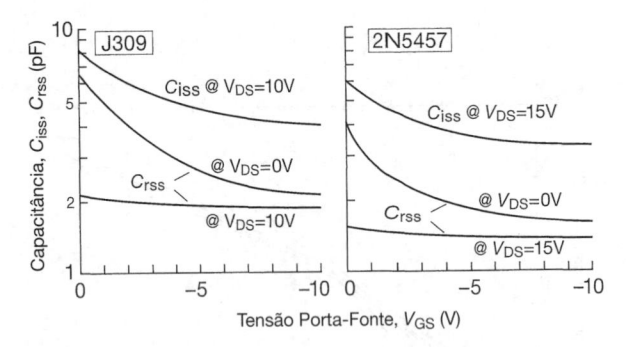

FIGURA 3.57 Capacitância de entrada e realimentação de JFETs.

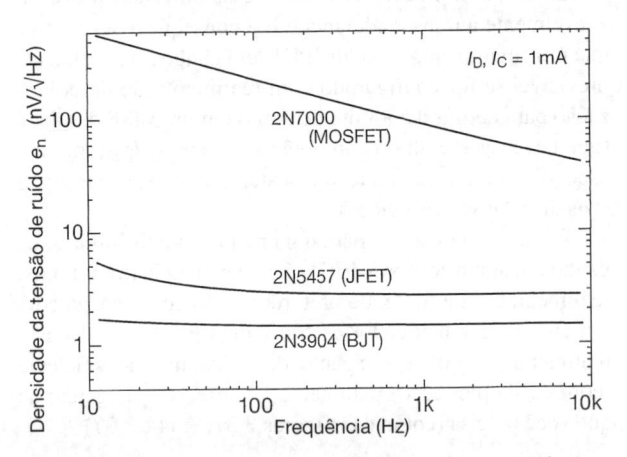

FIGURA 3.58 Tensão de ruído de três dispositivos populares, ilustrando as ruins propriedades de ruído de baixa frequência de MOSFETs.

---

[64] Por "porta" e "fonte", entendemos os pinos que seu circuito usa para essas funções, não os rótulos reais sobre os pinos.

pouco[65] e não são destinados a aplicações de baixo ruído. Mas eles ilustram uma tendência importante: MOSFETs são inerentemente ruidosos em baixas frequências, em até 40 dB em relação aos seus primos BJT e JFET.[66] Não os utilize em aplicações de áudio de baixo nível – mas MOSFETs de potência podem ser usados para estágio de saída de potência de um amplificador de áudio.

3.4 CHAVES FET

Os dois exemplos de circuitos FET que demos no início desse capítulo eram de *chaves*: uma aplicação de chaveamento lógico e um circuito de chaveamento de sinal linear. Essas são algumas das aplicações de FET mais importantes, e elas exploram as características únicas do FET: alta impedância de porta e condução resistiva de bipolaridade evidente até zero volt. Na prática, você costuma usar circuitos integrados MOSFET (em vez de transistores discretos[67]) em todas as aplicações de chaveamento de lógica digital e chaveamento linear, e é apenas em aplicações de chaveamento de potência que você normalmente recorre a FETs discretos. Mesmo assim, é essencial (e divertido!) entender o funcionamento desses chips.

3.4.1 Chaves Analógicas FET

Um uso comum do FET, especialmente MOSFETs, é como chave analógica. Sua combinação de baixa resistência ON (todo o percurso até zero volt), altíssima resistência OFF, correntes de fuga baixas e baixa capacitância os torna elementos ideais como chave controlada por tensão para sinais analógicos. Uma chave analógica, ou linear, ideal se comporta como uma chave mecânica perfeita: no estado ON, ela passa o sinal para a carga sem atenuação ou não linearidade; no estado OFF, é um circuito aberto. Ela deve ter capacitância insignificante para o terra e acoplamento insignificante do sinal aplicado para a entrada de controle.

Vejamos um exemplo (Figura 3.59). Q_1 é um MOSFET canal *n* de modo intensificação e é não condutor quando a porta está aterrada ou negativa. Nesse estado, a resistência dreno-fonte (R_off) é tipicamente maior do que 10.000M, e nenhum sinal consegue passar (embora em altas frequências haja algum acoplamento através da *capacitância* dreno-fon-

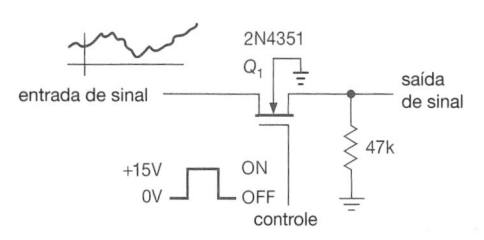

FIGURA 3.59 Chave analógica nMOS, com o terminal do corpo e o diodo mostrados.

te; mais sobre isso depois). Levar a porta para +15 V coloca o canal dreno-fonte em condução, normalmente de 20 a 200 Ω em FETs destinados a chaves analógicas. O nível do sinal de porta não é crítico enquanto ela for suficientemente mais positiva do que o maior sinal (para manter R_ON baixo), e isso pode ser fornecido a partir de um circuito lógico digital (talvez usando um FET ou BJT para gerar uma variação de tensão de alimentação total) ou mesmo a partir de um AOP operando a partir de uma alimentação de +15 V. Variar a porta negativa (a partir de uma saída de AOP de bipolaridade) não faz mal e, de fato, tem a vantagem a mais de permitir o chaveamento de sinais analógicos de qualquer polaridade, como será descrito mais adiante. Note que a chave FET é um dispositivo bidirecional; os sinais podem passar em qualquer sentido através dela. Chaves mecânicas comuns funcionam assim também, por isso deve ser fácil entender.

O circuito, como mostrado, funcionará para sinais positivos até cerca de 10 V; para sinais de maior dimensão, o acionamento de porta é insuficiente para manter o FET em condução (R_ON começa a subir), e sinais negativos farão o FET ligar com a porta aterrada (isso também polarizaria diretamente a junção canal-corpo). Se você quiser chavear sinais que têm as duas polaridades (por exemplo, sinais na faixa de −10 V a +10 V), você pode usar o mesmo circuito, mas com a porta acionada a partir de −15 V (OFF) a +15 V (ON); o terminal corpo deve, então, ser conectado a −15 V.

Com qualquer chave FET, é importante proporcionar uma resistência de carga na faixa de 1k a 100k, a fim de reduzir a conexão capacitiva do sinal de entrada que, de outra forma, ocorreria durante o estado OFF. O valor da resistência de carga é um compromisso: valores baixos reduzem a conexão, mas eles começam a atenuar o sinal de entrada devido ao divisor de tensão formado por R_ON e a carga. Devido a R_ON variar ao longo da variação do sinal de entrada (a partir da variação de V_GS), essa atenuação também produz alguma não linearidade indesejável. Uma resistência de carga excessivamente baixa aparece na entrada da chave, é claro, exercendo efeito de carga na fonte de sinal também. Várias soluções possíveis para esse problema (chaves de múltiplos estágios, cancelamento de R_ON) são mostradas na Seção 3.4.2. Uma

---

[65] Cerca de 2, 5 e 4 centavos de dólar, respectivamente, em quantidades de 1000 peças.

[66] De acordo com John Willison, esse fenômeno pode estar associado ao armazenamento e à liberação de cargas na porta isolada.

[67] Dificilmente será uma escolha sua – você *é forçado* a isso, pois MOSFETs de pequeno sinal discretos são um tipo de dispositivo em extinção (talvez qualificado com o status de "espécie protegida").

alternativa atraente é usar uma segunda seção de chave FET para conectar a saída ao terra quando os FETs em série estiverem desligados, assim efetivamente formando uma chave de um polo e duas posições (SPDT) (mais sobre isso na próxima seção).

A. Chaves lineares CMOS

Frequentemente é necessário chavear sinais que podem se aproximar das tensões de alimentação. Nesse caso, o circuito do chaveamento canal *n* simples que acabamos de descrever não funcionará, pois a porta não está polarizada diretamente no pico da variação do sinal. A solução é usar chaves MOSFET (CMOS) complementares em paralelo (Figura 3.60). O símbolo triangular é um inversor digital, que discutiremos em breve; ele inverte uma entrada de nível ALTO para uma saída de nível BAIXO, e vice-versa. Quando a entrada de controle é alta, Q_1 é mantido ON para sinais desde o terra até alguns volts de $+V_{DD}$ (em que R_{ON} começa a aumentar drasticamente). Q_2 é igualmente mantido ON (por meio da porta aterrada) para sinais desde $+V_{DD}$ até alguns do terra (onde seu R_{ON} aumenta drasticamente). Assim, sinais em qualquer ponto entre $+V_{DD}$ e o terra passam através da baixa resistência em série (Figura 3.61). Aproximar o sinal de controle do terra desliga ambos os FETs, proporcionando um circuito aberto. O resultado é uma chave analógica para sinais do terra até $+V_{DD}$. Esta é a construção básica do clássico CMOS 4066 ("porta de transmissão"). Ela é bidirecional, como as chaves descritas anteriormente: qualquer terminal pode ser a entrada.

Há uma variedade de chaves analógicas em circuito integrado CMOS disponíveis, com diferentes faixas de tensão de operação e com várias configurações (por exemplo, várias seções independentes com vários polos cada). Voltando à "Pré-História", há a clássica "porta de transmissão analógica" CD4066, que pertence à série original CMOS 4000 de lógica digital e que atua como uma chave analógica para sinais entre o terra e uma fonte de alimentação positiva simples.[68]

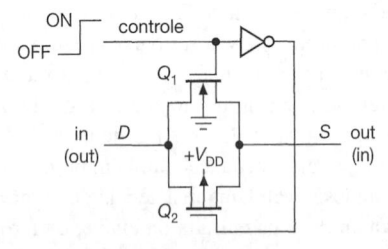

FIGURA 3.60 Chave analógica CMOS.

[68] Nessa função, ela tem o prazer de comutar sinais digitais também – ou seja, os membros da sua família.

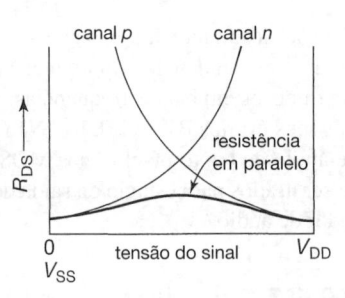

FIGURA 3.61 Resistência ON da chave analógica CMOS.

Normalmente, porém, você escolherá um CI de chave analógica dedicado, por exemplo, um membro da família DG211, que é um padrão industrial. Esses dispositivos (e suas muitas variações; veja a Tabela 3.3) são especialmente convenientes de usar: eles aceitam sinais de controle de níveis de lógicos (0 V = BAIXO, >2,4 V = ALTO), lidam com sinais analógicos de até ±15 V (em comparação com apenas ±7,5 V para a série 4000), vêm em uma variedade das configurações e têm uma resistência ON relativamente baixa (25 Ω ou menos para alguns membros dessas famílias, e abaixo de uma fração de ohm para chaves de baixa tensão). Analog Devices, Intersil, Maxim, Vishay-Siliconix e outros fabricantes oferecem boas opções de chaves analógicas.

B. Chaves analógicas JFET

Embora a maioria das chaves analógicas disponíveis seja construída com um par de MOSFETs em paralelo de polaridades complementares – a arquitetura CMOS que acabamos de descrever –, é possível construir uma chave analógica com JFETs com algumas vantagens.

O circuito básico (Figura 3.62) usa um único JFET canal *n*, Q_1, como a chave analógica. Sua condução é controlada por uma chave com transistor, Q_2, que puxa a porta para baixo para uma tensão negativa grande (–15 V, por exemplo) para cortar a condução do JFET (chave OFF). O desligamento de Q_2 permite que a porta flutue para a tensão da fonte, colocando o JFET (modo de depleção) em condução plena (chave ON). O resistor de porta R_1 é feito deliberadamente grande para que a linha de sinal de saída não sinta um efeito de carga significativo no estado OFF; seu valor é um compromisso, pois uma resistência maior acarreta um maior atraso para ligar. Com uma fonte de sinal de baixa impedância (por exemplo, a saída de um AOP), pode ser preferível colocar o resistor no lado de entrada (isto é, transferir o sinal para o lado direito).

Como há apenas um único JFET canal *n*, essa chave não pode aceitar sinais de entrada que vão até a alimentação negativa: tensões de sinal que se aproximam mais da alimentação negativa do que de $V_{GS(off)}$ do FET o colocarão nova-

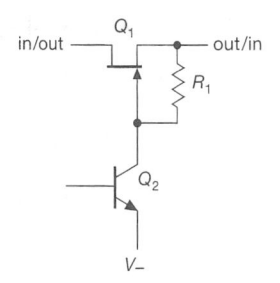

FIGURA 3.62 Chave analógica JFET.

mente em condução.[69] Não há qualquer limitação no lado positivo.

Um recurso interessante dessa chave analógica JFET é a constância de R_{ON} com o nível do sinal: devido à porta permanecer na tensão da fonte, *não* há variação de R_{ON} com a tensão do sinal; o JFET nem sequer sabe que o sinal está variando! Essa característica agradável é mostrada na Figura 3.63, que compara um gráfico de R_{ON} *versus* V_{sinal} para uma chave analógica JFET (SW06) com a chave CMOS DG211.[70]

Na prática, é inconveniente ter que acionar o controle da chave com um sinal perto do trilho de alimentação negativa (e o mesmo duplamente para chaves CMOS). Em vez disso, você teria provavelmente que usar um circuito de deslocamento de nível de modo que uma entrada de nível de lógico entre 0 V e +3 V, por exemplo, ativasse a chave. A Figura 3.64 mostra uma maneira simples de fazer isso, usando comparadores com saídas "de coletor aberto" (Seção 12.3) para acionar as portas das chaves JFET discretas. Para chaves analógicas *integradas*, esse tipo de circuito de sinal de controle é normalmente embutido. A chave analógica JFET SW06 (e a família quase extinta DG180-189 da Vishay-Siliconix) inclui esses acionadores, juntamente com alguns outros truques elegantes.[71]

Chaves analógicas JFET são inerentemente mais robustas que suas primas CMOS, para as quais são necessários circuitos de proteção contra degradação do desempenho para robustez contra falhas de sobretensão. Entretanto, elas sofrem de injeção de carga alta (veja a Seção 3.4.2E). Apesar de suas características interessantes, as chaves e os multiplexadores JFET integrados (ver próxima seção) estão quase

---

[69] Na verdade, você tem que ficar um pouco mais longe do $V_{GS(off)}$ real: lembre-se (Seção 3.1.3) de que ele é definido como a tensão porta-fonte que resulta em uma corrente de dreno pequena (mas diferente de zero), geralmente $I_D = 10$ nA.

[70] A ligeira variação de R_{ON} é causada por efeitos de substrato: o SW06 é um circuito integrado construído sobre um substrato de silício; então, o JFET e os componentes associados têm alguma noção do nível de sinal absoluto. Se essa pequena variação ainda for inaceitável, você pode montar até uma implementação discreta (como na Figura 3.62); você verá tais circuitos usados em alguns multímetros digitais de precisão da Agilent.

[71] Tal como uma chave MOSFET interna que desconecta o resistor da porta (R_1, na Figura 3.62) quando a chave está OFF, para eliminar o efeito de carga do circuito.

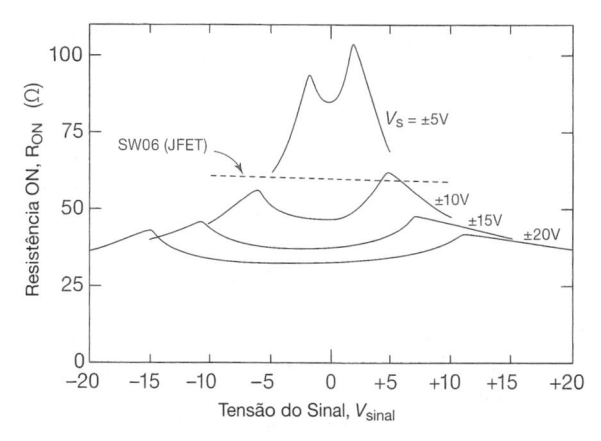

FIGURA 3.63 Contrastado com uma chave analógica CMOS como o DG211 (curvas de linhas contínuas, mostradas para diferentes tensões de alimentação), a chave analógica JFET mantém R_{ON} admiravelmente plano ao longo do nível do sinal.

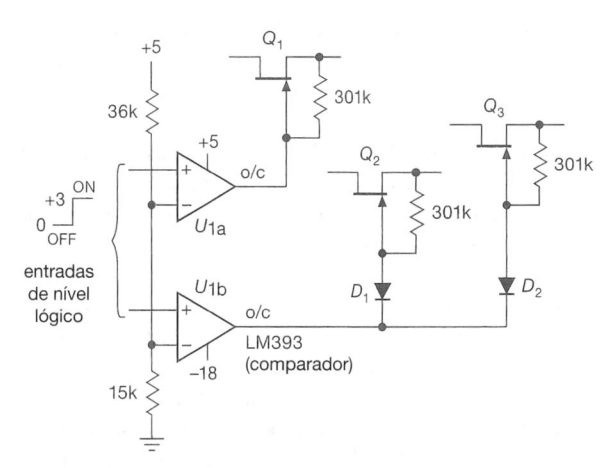

FIGURA 3.64 Um comparador com saídas de coletor aberto, alimentado a partir de +5 V e −18 V, converte uma entrada de nível de lógico de 0 a 3 V em um acionamento de porta de JFET que varia até −18 V. Este método é usado em alguns dos multímetros digitais da Agilent (veja "Projetos de Mestres", 13.8.6) para acomodar os sinais analógicos ao longo de uma faixa completa de ±12 V. Os diodos adicionados permitem que um sinal de controle acione mais de uma chave JFET.

extintos, com bons exemplos, como o SW-01, SW-7510 e a série MUX-08 da Precision Monolithics (agora Analog Devices), que se foram para sempre (mas, felizmente, o SW06 se mantém em produção!).

C. Multiplexadores

Uma boa aplicação das chaves analógicas FET é o "multiplexador" (ou MUX), um circuito que permite selecionar qualquer uma das várias entradas, conforme especificado por um sinal de controle digital.

O sinal analógico presente na entrada selecionada será encaminhado para a saída (única). A Figura 3.65 mostra o esquema básico. Cada uma das chaves de SW0 a SW3 é uma chave analógica CMOS. A "lógica de seleção" decodifica o endereço e *habilita* (ou seja, liga) apenas a chave endereçada, desabilitando as chaves restantes. Tal multiplexador é normalmente usado em conjunto com um circuito digital que gera os endereços apropriados (veremos mais nos Capítulos 10 e 11). Uma situação típica pode envolver um instrumento de aquisição de dados, no qual um número de tensões analógicas de entrada deve ser amostrado, convertido para valores digitais e utilizado como entrada para algum cálculo.

Devido às chaves analógicas serem bidirecionais, um multiplexador analógico como esse é também um "demultiplexador": um sinal pode ser inserido na "saída" e aparecerá na "entrada" selecionada. Quando discutirmos circuitos digitais nos Capítulos 10 e 11, você verá que um multiplexador analógico como este pode também ser usado como "multiplexador-demultiplexador digital", pois níveis lógicos são, afinal de contas, nada mais do que tensões que devem ser interpretadas como 1s e 0s binários.

Típicos multiplexadores analógicos são as séries padrão industrial DG408-09 e DG508-09 (e suas muitas versões melhoradas), circuitos MUX de entrada 8 ou 16 que aceitam entradas de endereços de nível lógico e operam com tensões analógicas de até ±15 V. Os dispositivos 4051-4053 na família digital CMOS são multiplexadores-demultiplexadores analógicos com até 8 entradas, mas com níveis de sinal até um máximo de 15 V_{PP}; eles têm um pino V_{EE} (e deslocamento de nível interno) para que você possa usá-los com sinais analógicos bipolares e sinais de controle unipolares (níveis lógicos). Gostamos especialmente da série '4053, com três chaves SPDT. Nosso interesse é, evidentemente, compartilhado por outros, com uma grande número de dispositivos interessantes disponíveis – consulte a Tabela 13.7 (chaves SPDT 4053).

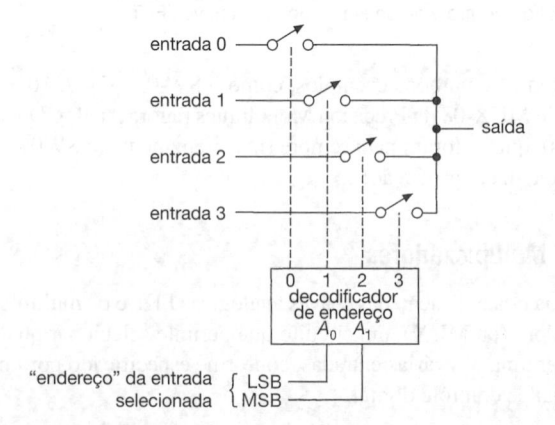

FIGURA 3.65 Multiplexador analógico.

D. Outras aplicações de chaves analógicas

Chaves analógicas controladas por tensão formam essencialmente os blocos construtivos para alguns dos circuitos AOP que veremos no próximo capítulo – integradores, circuitos de amostragem e retenção e detectores de pico. Por exemplo, com AOPs, seremos capazes de construir um integrador "verdadeiro" (ao contrário da aproximação para um integrador que vimos na Seção 1.4.4): uma entrada constante gera uma saída de rampa linear (não é uma exponencial), etc. Com tais integradores, você deve ter um método para reinicializar a saída; chaves FET sobre o capacitor de integração fazem esse truque. Não tentaremos descrever essas aplicações aqui. Devido aos AOPs serem os dispositivos essenciais dos circuitos, eles se encaixam naturalmente no próximo capítulo. Aguardaremos ansiosamente!

3.4.2 Limitações de Chaves FET

Chaves analógicas não são perfeitas – elas têm resistência diferente de zero quando no estado ON e correntes de fuga diferentes de zero quando em OFF, bem como conexão capacitiva e injeção de carga durante a mudança de estado da chave. Você pode ver algumas variedades na Tabela 3.3. Daremos uma olhada nessas limitações.

A. Faixa de tensão e *latchup*

Chaves analógicas e multiplexadores estão disponíveis em três amplas faixas de tensão: (a) dispositivos "padrão" (que, mais apropriadamente, podem ser chamados de "alta tensão"), que lidam com sinais na faixa de tensão de AOP bem tradicional de ±15 V; (b) dispositivos de tensão reduzida ("média tensão"), que podem lidar com sinais de ±7,5 V (ou de 0 a +15 V), e (c) dispositivos de baixa tensão destinados a aplicações em que a variação do sinal não é superior a ±3 V (ou de 0 a 6 V). Em todos os casos, chaves analógicas funcionam corretamente (e com R_{ON} especificado) com sinais de entrada que variam entre as tensões de alimentação positiva e negativa (com a exceção de chaves JFET como o SW06, para o qual a faixa de tensão de sinal de operação não atinge a tensão de alimentação positiva).

No entanto, os sinais de entrada que *ultrapassam* os trilhos de alimentação são outra história. Todos os circuitos integrados CMOS têm alguma forma de circuito de proteção de entrada, pois, caso contrário, a isolação da porta seria facilmente destruída (veja a Seção 3.5.4H, sobre as precauções de manuseio). A rede de proteção habitual é mostrada na Figura 3.66. Embora possa utilizar diodos distribuídos, a rede é equivalente a diodos de ceifamento para V_{SS} e V_{DD}, em combinação com o limitador resistivo de corrente. Se você acionar as entradas (ou saídas) mais do que uma queda de diodo além das tensões de alimentação, os diodos de ceifamento entram em condução, tornando as entradas (ou saídas) parecidas com uma baixa impedância para as res-

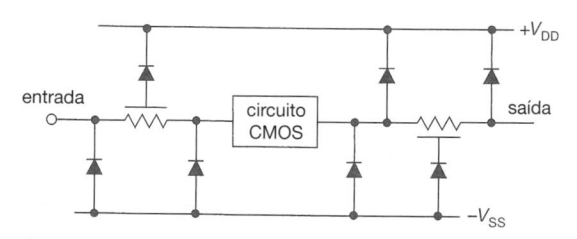

FIGURA 3.66 Redes de proteção de entrada e saída CMOS. Os resistores em série na saída são, muitas vezes, omitidos.

pectivas alimentações. Pior ainda, o chip pode ser levado à condição de "SCR *latchup*", uma terrível (e destrutiva) condição que descreveremos com mais detalhes na Seção 10.8. Por enquanto, tudo que você precisa saber sobre ela é que você não quer que ela aconteça! SCR *latchup* é disparado por correntes de entrada (através da rede de proteção) de cerca de 20 mA ou mais. Assim, você deve ter cuidado para não acionar as entradas analógicas em um valor cerca de uma queda de diodo além das tensões de trilho.[72] Isso significa, por exemplo, que, para a maioria dos dispositivos, você deve ter certeza de que as tensões de alimentação são aplicadas antes de quaisquer sinais que têm capacidade de corrente de acionamento significativa; de forma alternativa, você pode usar diodos em série nas linhas de alimentação, de modo que os sinais de entrada aplicados antes da alimentação CC não produzam corrente de entrada.

O problema com as redes de proteção diodo-resistor é que elas comprometem o desempenho da chave ao aumentar R_{ON}, a capacitância *shunt* e a corrente de fuga. Uma abordagem diferente faz uso de "isolação dielétrica" para eliminar o SCR *latchup* sem os graves compromissos de desempenho inerentes a redes de proteção tradicionais. Ambos os métodos resultam em uma chave analógica "protegida" (ou *protegida contra falhas*), na qual você pode ultrapassar com segurança os limites de acionamento das entradas sem danos. Note, no entanto, que a saída não segue a entrada quando elas ultrapassam as tensões dos trilhos.[73]

---

[72] Esta proibição vale para CIs CMOS *digitais*, bem como para as chaves analógicas que estamos discutindo.

[73] Com algumas poucas exceções exóticas, por exemplo, o MAX14778 "Duplo Multiplexador Analógico 4:1 de ±25 V acima e abaixo dos trilhos de alimentação". Esse componente, que funciona com uma fonte simples de +3 a +5 V, não é apenas protegido por falha para ±25 V, mas também funciona corretamente com tensões de sinal além dessa faixa total! Como eles fazem isso?! Acontece que eles têm incluído no chip um conversor de tensão tipo "bomba de carga" (Seção 3.4.3D) para alimentá-los. Ainda mais notável, esse dispositivo tem uma resistência ON muito baixa (1,5 Ω), que é notavelmente plana com a tensão do sinal (0,003 Ω) sobre a faixa total de ±25 V. E ele pode lidar com até 300 mA de corrente de sinal. Esse dispositivo se destina a aplicações em que os sinais externos de grandes variações precisam ser chaveados por um circuito com apenas uma fonte de alimentação simples de baixa tensão. Infelizmente para nós, experimentadores, ele estão disponíveis apenas no pequeno encapsulamento TQFN (*Thin Quad Flat-pack, No Leads*), exigindo um forno de refluxo para soldá-lo na placa de circuito.

Por exemplo, o multiplexador MAX4508 adiciona proteção contra falha para o multiplexador analógico de 8 entradas padrão DG508A, tornando-o tolerante a oscilações de entrada de ±30 V; ele tem um R_{ON} (típico) de 300 Ω. A série AD7510DI de "Chaves Analógicas Protegidas", da Analog Devices, utiliza isolação dielétrica para conseguir proteção contra falha de sinais de entrada até ±25 V além das fontes de alimentação, mantendo um respeitável $R_{ON(típico)}$ de 75 Ω na faixa de sinal normal de operação. Entretanto, atenção a proteção contra falha é uma exceção na arena das chaves analógicas, e a maioria dos CIs de chaves analógicas não perdoa!

A Maxim oferece uma boa solução externa que você pode colocar na frente de uma chave sem proteção (ou qualquer outro componente analógico), sob a forma de CIs de "proteção de linhas de sinais" multicanal (MAX4506-07 de três e oito canais).[74] Eles aceitam oscilações de sinais de entrada de até ±36 V (alimentado ou não alimentado), estão livres de *latchup* independentemente da sequência de alimentação e passam sinais que estão devidamente dentro dos limites da alimentação enquanto ceifam suas saídas para os trilhos da alimentação (que podem ser fontes simétricas de ±8 V a ±18 V, ou uma fonte simples de +9 a +36 V) quando há uma entrada além das tensões de trilhos. Eles ainda têm a graça de abrir o circuito de entrada quando a entrada ultrapassa os limites (UL) – veja a Figura 3.67. O preço que você paga (acima do seu custo literal de 4 e 6 dólares, respectivamente) é uma resistência ON na faixa de 50 a 100 Ω (dependendo, como sempre, da tensão total de alimentação) e uma capacitância de entrada de 20 pF (por conseguinte, um decaimento em 100 MHz).

B. Resistência ON

Chaves CMOS operadas a partir de uma fonte de alimentação relativamente elevada (±15 V, por exemplo) terão

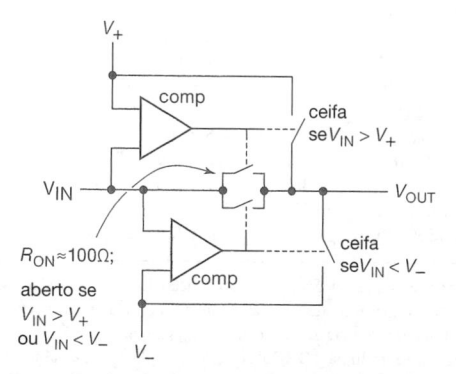

FIGURA 3.67 O "protetor de linhas de sinais" protegido contra falhas MAX4506-7, da Maxim, evita oscilações de sinais para além dos trilhos de alimentação, ceifando a saída e desconectando a entrada quando excede os limites.

---

[74] A Analog Devices oferece um dispositivo de canal único semelhante, o ADG465, no conveniente encapsulamento SOT23-6.

TABELA 3.3 Chaves analógicas

Nº identif.[a]	SPST (NO)	SPST (NC)	SPDT[u]	MUXV	Fonte simétrica (±V)	Fonte simples (+V)	R_{on} típ. em V_{fonte} (Ω)	V_{fonte} (V)	Q_{inj} típ. (pC)	Cap típ. ON (pF)	Lógica[d]	Controle[e]	SOT-23	DIP	SOIC	other	Preço quant. 25 ($US)	Observações
alta tensão (HV)																		
MAX4800-02	-	-	-	8:1	40 to 100	c	22	±100	600	36	V_L	S	-	-	-	28	16,18	realmente HV![1]
MAX326-27	4	4	-	-	5 to 18	10 to 30	1500	±15	2	6	T	P	-	16	16	16	6,76	fuga baixa[2]
MAX4508-09	-	-	-	84	4,5 to 20	9 to 36	300	±15	2	28, 22	T	P	-	16	16	-	6,78	UL até ±30 V
MAX354-55	-	-	-	84	4,5 to 18	4,5 to 36	285	±15	80	28, 14	T	P	-	16	16	-	8,43	UL até ±25 V
DG508-09	-	-	-	84	5 to 20	10 to 36	180	±15	2	18, 11	T	P	-	16	16	16	2,56	fuga baixa[3]
ADG1211-13	w	w	-	-	5 to 15	10 to ?	120	±15	0,3	2,6	T	P	-	-	-	16	4,63	C baixa, Q_{inj}
ADG1221-23	x	x	-	-	5 to 16,5	5 to 16,5	120	±15	0,1	3	T	P	-	-	-	10	3,04	Q_{inj} plana baixa
AD7510-12DI	4	4	2	-	5 to 15	-	75	±15	30	17	T	P	-	16	-	20	13,90	UL trilhos ±25 V
SW06	4	-	-	-	12 to 18	-	60	±15	-	15	T	P	-	16	16	20	4,30	JFET, R_{ON} plano
DG441-42	4	4	-	-	4,5 to 22	5 to 24	50	±15	2	16	V_L	P	-	16	16	16	2,05	1μA/fonte
DG211-12	4	4	-	-	4,5 to 22	5 to 22	45	±15	1	16	V_L	P	-	16	16	16	2,08	ADG211-12
DG408-09	-	-	-	84	5 to 20	5 to 30	40	±15	20	37, 25	T	P	-	16	16	16	3,06	ADG408-09
ADG417-19	1	1	1	-	5 to 20	5 to 20	25	±15	3	30	V_L	P	-	8	8	8	2,72	DG417-19
MAX317-19	1	1	1	-	4,5 to 20	10 to 30	20	±15	3	30	V_L	P	-	8	8	-	3,34	
DG411-13	w	w	-	-	4,5 to 20	10 to 30	17	±15	5	35	V_L	P	-	16	16	20	2,70	ADG411-13
DG447-48	1	1	-	-	4,5 to 20	7 to 36	13	±15	10	30	T	P	-	-	6	-	1,14	
ADG5412-13	y	y	-	-	9 to 22	9 to 40	10	±15	240	60	T	P	-	-	-	16	5,66	sem latchup[4]
DG467-68	1	1	-	-	4,5 to 20	7 to 36	5	±15	21	76	T	P	-	-	8	-	0,75	ADG467-68
média tensão																		
DG4051-53	-	-	-	842	2,5 to 5	2,7 to 12	66	±5	0,25	3,4	V+	P	-	-	16	16	1,35	Tabela 13.7
74HC4051-53	-	-	-	842	2,5 to 5	2 to 10,5	40	±5	-	5, 25	V+	P	-	16	16	16	0,41	Tabela 13.7
MAX4541-44	x	x	1	-	-	2,7 to 12	30	+5	1	13, 20	T	P	8	8	8	8	1,33	
ISL5120-23	x	x	1	-	-	2,7 to 12	19	+5	3	28	T	P	8,6	-	8	-	1,71	
ISL43210	-	-	1	-	-	2,7 to 12	19	+5	3	28	T	P	6[s]	-	-	-	1,33	
ADG619-20[k]	-	-	1	-	2,7 to 5,5	2,7 to 5,5	7	+5	6	95	T	P	8	-	-	8	2,56	
baixa tensão																		
ADG708-09	-	-	-	84	2,5	1,8 to 5,5	3	+5	3	96, 48	T	P	-	-	16	-	3,01	
ADG719	-	-	1	-	-	1,8 to 5,5	2,5	+5	-	27	T	P	6	-	-	-	1,76	SC70='749
MAX4624-25[k]	-	-	1	-	-	1,8 to 5,5	0,65	+5	65	100	T	P	6	-	-	-	2,10	
ADG884	-	-	2	-	-	1,8 to 5,5	0,3	+5	125	300	T	P	-	-	-	10	2,42	(5)
ISL84467	2xDPDT	-	-	-	-	1,8 to 5,5	0,55	+3	126	102	V+	P	-	-	16	16	1,19	igual a 80 mΩ
ISL84714	-	-	1	-	-	1,8 to 3,6	0,44	+3	20	100	V+	P	6	-	-	-	1,24	igual a 5 mΩ
NLAS52231	-	-	2	-	-	1,65 to 4,5	0,38	+3	53	85	V+	P	-	-	-	8	0,90	(6)
ISL43L110-11	1	1	-	-	-	1,1 to 4,7	0,25	+3	72	160	V+	P	5[s]	-	-	-	0,65	R_{ON} mais baixo
Chave T, RF																		
MAX4565-67	y	y	2	-	2,7 to 6	2,7 to 12	46	±5	25	6	T	P	-	16,20	16,20	4,74	vídeo[7]	
DG540-42	z	z	-	-	+15 & -3	-	30	nom	25	14	T	P	-	16	16	20	5,00	
AD8170, 74			1	4:1	4 to 6	-	NA	-	NA	1,1	T	P	-	8,14	-	-	5,11[n]	MUX+amp[8]
ADG918-19	-	-	1	-	-	1,65 to 2,75	-	-	-	1,6	V+	P	-	-	-	8	2,52	RF[9]
matriz																		
AD75019	16x16				4,5 to 12	9 to 25	150	±12	-	10 m	T	S	-	-	-	44	26,20	20 MHz
ADG2188	8x8				4,5 to 5,5	8 to 12	34	±5	3	9,5	V_L	I	-	-	-	32	9,37	200 MHz
MAX4359-60	4x4, 8x8				4,5 to 5,5	-	x1 buf	-	NA	8	T	P, ser	-	40	24	44	9,68[n]	35 MHz
MAX9675	16x16				2,5 to 5,5	-	x1,x2 buf	-	(g)	5	V_L	S	-	-	-	100	24,14	110 MHz
MAX4550, 70	duplo4x2				2,7 to 5,5	2,7 to 5,5	43	±5	7	11[o]	V+	S or I	-	2	-	28	6,39	áudio[10]

Notas: (a) Listados nas categorias pela diminuição de R_{ON}; todos são CMOS, exceto SW06; dispositivos em **negrito itálico** são dispositivos comuns amplamente utilizados. (b) Números representam a quantidade de cada tipo de chave em um único encapsulamento; as letras se referem a notas de rodapé explicativas para os dispositivos numerados sucessivamente. (c) V_{neg} pelo menos −5V, V_{pos} pelo menos +40V, total não mais do que 200 V. (d) T = limiares TTL; V_L = fonte de limiar de lógica externa; V+ = limiar "CMOS", que depende da tensão de alimentação analógica positiva. (e) P = entradas lógicas em paralelo; I = serial I²C; S = serial SPI. (g) *Glitch* de 50 mV. (h) 0,1dB para 14MHz, −95dB de interferência em 20 kHz & R_L = 10k, THD + N = 0,014% (R_L = 1k, f = 1 kHz). (k) Segundo p/n é fechar antes de abrir. (m) Mín ou máx. (n) p/n maior é 50% a mais. (o) Chave OFF. (s) SC-70. (u) SPDT são do tipo abrir antes de fechar, salvo indicado o contrário. (v) 84 = 8:1 & duplo 4:1; 842 = 8:1, duplo 4:1 e triplo 2:1, todo duplo 4:1 tem endereço de 2 bits. (w) 4xNF, 4xNA, 2 cada. (x) 2xNA, 2xNF, 1 cada. (y) 4xNA, 2 cada. (z) 4xNA, 4xNA, 2 cada.

Comentários: (1) Supertex HV2203. (2) 1 pA típico. (3) 3 pA típico; I_S = 10 μA típico. MAX308-09 é semelhante. (4) 8 kV HBM ESD. (5) 0,40 em V_S = +3V; 400mA; −3 dB/50 Ω em 18 MHz. (6) R_{ON} baixo, por exemplo, chave de alto-falante. (7) −3dB em 350 MHz, −90 dB de interferência em 10 MHz. (8) 250 MHz; ajuste de ganho ext. (9) −3 dB em 4 GHz, −30 dB de interferência a 4 GHz. (10) *clickless*.

uma R_{ON} baixa sobre toda a variação do sinal, pois um dos FETs de transmissão terá uma polarização direta de porta de pelo menos metade da tensão de alimentação. No entanto, quando operados com tensões de alimentação mais baixas, o valor R_{ON} da chave sobe, com o máximo ocorrendo quando o sinal está na metade do caminho entre a fonte e o terra (ou a meio caminho entre as fontes, para tensões de alimentação dupla). A Figura 3.68 mostra o porquê. Conforme V_{DD} é reduzida, o FET começa a ter uma resistência ON significativamente maior (especialmente próximo de $V_{GS} = V_{DD}/2$), pois os FETs de modo intensificação podem ter um $V_{GS(th)}$ de, pelo menos, alguns volts, e uma tensão porta-fonte de cerca de 5 a 10 volts pode ser necessária para se obter um R_{ON} baixo. Não apenas a resistência em paralelo dos dois FETs aumenta para tensões de sinal entre a tensão de alimentação e o terra, mas também a resistência de pico aumenta (na metade de V_{DD}) conforme V_{DD} é reduzida, e, para um V_{DD} suficientemente baixo, a chave se tornará um circuito aberto para sinais próximos de $V_{DD}/2$.

Existem vários truques usados pelos projetistas de CIs de chaves analógicas para manter R_{ON} baixa e aproximadamente constante (para distorção baixa) ao longo da variação do sinal. Por exemplo, a chave analógica 4016 original usa o circuito simples da Figura 3.60, que produz curvas R_{ON} que se parecem com aquelas na Figura 3.69. Na chave 4066 melhorada, os projetistas acrescentam alguns FETs adicionais para que a tensão de corpo de canal n siga a tensão do sinal, produzindo as curvas de R_{ON} da Figura 3.70. A forma de "vulcão", com o seu R_{ON} central rebaixado, substitui o formato "Everest" do 4016. Chaves melhoradas, como o padrão da indústria DG408-09, destinadas a aplicações analógicas cruciais, têm êxito ainda maior, com curvas R_{ON} baixas e planas que desviam menos de 10% ao longo da faixa de tensão do sinal. Isso frequentemente se consegue à custa do aumento da "transferência de carga" (veja a seção posterior sobre *glitches*).

Olhando as tabelas de seleção de chaves analógicas dos fabricantes, você encontrará unidades de tensão padrão com R_{ON} muito baixa, de apenas alguns ohms, e planicidade de alguns décimos de um ohm; chaves de baixa tensão podem ser encontradas com R_{ON} tão baixo quanto 0,25 Ω, e planici-

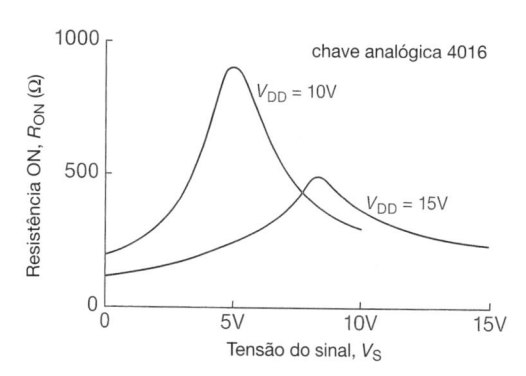

FIGURA 3.69 Resistência ON para a chave CMOS 4016.

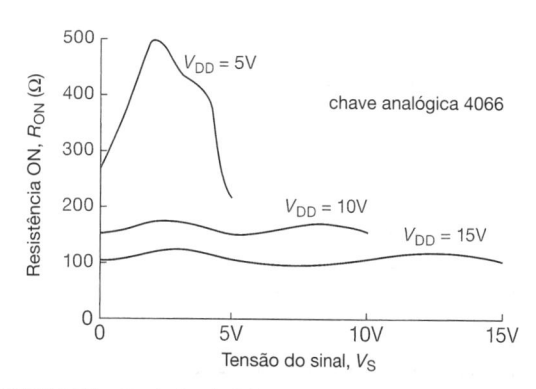

FIGURA 3.70 Resistência ON para a chave CMOS 4066 melhorada; note a mudança de escala da figura anterior.

dade de 0,03 Ω. Contudo, esse desempenho estático tem um custo real, ou seja, alta capacitância e alta injeção de carga (veja a discussão a seguir e a Tabela 3.3). Se sua aplicação requer baixa distorção em impedâncias de carga moderadas, a melhor abordagem pode ser escolher uma chave com excelente especificação de "planicidade de resistência ON" ($R_{PLANO(ON)}$) e aceitar uma R_{ON} superior global com a sua capacitância mais baixa.

Tenha em mente também que, em alguns casos, você pode atenuar o problema por completo com uma escolha diferente da configuração do circuito, como na Figura 3.71, que mostra três abordagens para um circuito que seleciona um dos dois sinais de entrada. O ganho do circuito A é $R_2/R_1 + R_{ON}$, de modo que uma variação de R_{ON} com a amplitude do sinal produz variações de ganho e, portanto, não linearidade. O circuito B é melhor, pois a saída da chave é mantida no terra pela realimentação em torno do AOP; mas a resistência ON ainda reduz o ganho um pouco, degradando a precisão do circuito. O circuito C não nota R_{ON}, devido à impedância de entrada muito alta do AOP; é o mais linear e preciso de todos.

Esta lição pode ser aplicada a outras configurações de circuito também. Como exemplo, dê uma olhada na Figura 3.84, em que um multiplexador analógico é usado para selecionar o ganho de tensão total de um amplificador. No

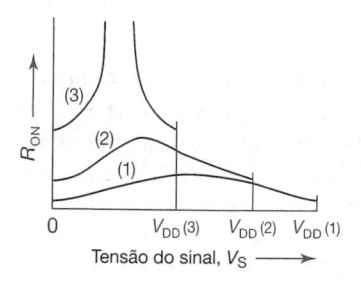

FIGURA 3.68 A R_{ON} da chave analógica CMOS aumenta em uma tensão de alimentação baixa.

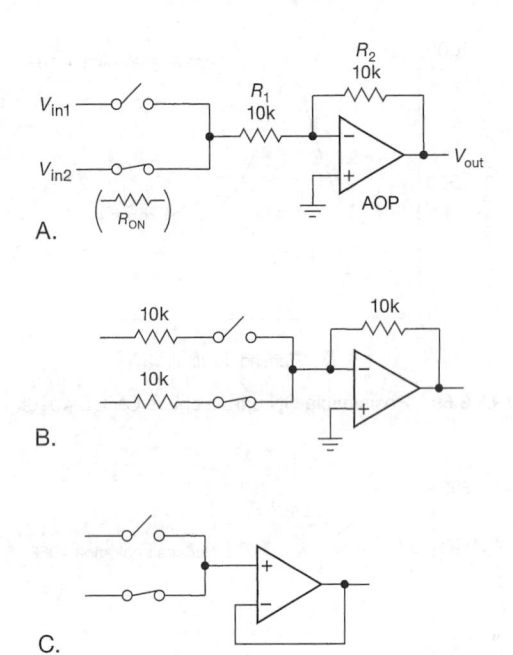

FIGURA 3.71 Sutileza das variações de R_{ON} em chaves analógicas: três formas de seleção entre um par de sinais de entrada, com um AOP como *buffer* de saída.

circuito da Figura 3.84A, a R_{ON} do multiplexador está em série com a resistência selecionada e representa um termo de erro (no ganho e na não linearidade); por outro lado, no circuito da Figura 3.84B, a R_{ON} da chave é irrelevante, devido à impedância de entrada do AOP ser essencialmente infinita ($> 10^{12}\,\Omega$).

Outro truque explora o uso de duas chaves JFET idênticas (ou bastante semelhantes) para cancelar, em grande parte, os efeitos de R_{ON}.

C. Velocidade

Chaves analógicas com FET de alta tensão têm uma resistência ON, R_{ON}, geralmente na faixa de 20 a 200 Ω.[75] Em combinação com o substrato e as capacitâncias parasitas, essa resistência forma um filtro passa-baixas, que limita as velocidades de funcionamento às frequências da ordem de 10 MHz ou menos (Figura 3.72). FETs com R_{ON} inferior tendem a ter capacitâncias maiores (até 50 pF ou mais), portanto sem ganho em resultados de velocidade (a menos que o projetista faça outras compensações de projeto). Grande parte do decaimento é devido a componentes de proteção – resistência em série de limitação de corrente e capacitância de diodos *shunt*.

---

[75] Como se observou, você pode obter chaves com menor R_{ON}, tão baixa quanto 0,25 Ω, à custa de uma combinação de aumento da capacitância, aumento da injeção de carga e faixa de tensão de operação reduzida.

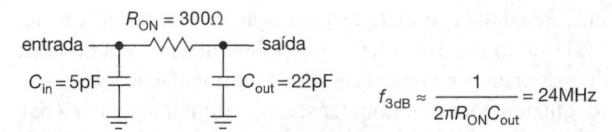

FIGURA 3.72 Os *RC*s parasitas de uma chave CMOS limitam a largura de banda do sinal analógico.

No entanto, chaves analógicas de baixa tensão são melhores em termos de largura de banda (como é geralmente o caso com semicondutores de geometria menor): uma chave analógica atual, como a popular ADG719, tem resistência ON de 2,5 Ω, capacitância de 27 pF e largura de banda de 400 MHz. Há também uma classe de chaves analógicas e multiplexadores destinada especificamente para aplicações de vídeo e RF. Ela inclui tanto MUX/chaves passivos ("sem *buffer*") quanto MUX/chaves combinados com um amplificador ("ativo" ou "com *buffer*"). MUX/chaves ativos operam com fontes de +5 V ou ±5 V e têm ganhos de tensão fixos de ×1 ou ×2 (estes últimos são destinados a acionar linhas de transmissão de 50 Ω ou 75 Ω através de um resistor de casamento em série, que atenua a saída por um fator de 2); em alguns casos, você ajusta o ganho com um par de resistores externo. Um exemplo deste último é o multiplexador de 4 entradas AD8174, com uma largura de banda de 270 MHz a ganhos de +1 ou +2 (em ganhos maiores, a largura de banda cai, por exemplo, para 55 MHz para $G = +10$).

Para aplicações especializadas, você pode obter algumas chaves analógicas realmente rápidas, por exemplo, o ADG918-19 relacionado na Tabela 3.3, que é utilizável para 2 GHz (ponto de 3 dB em 4 GHz). Dispositivos como esses são utilizados em aplicações sem fio, por exemplo, para alternar entre duas fontes de sinal na "recepção de diversidade" ou rotear sinais de gigahertz através de uma escolha de filtros. Para reduzir a interferência, essas chaves de banda larga geralmente empregam uma topologia de chave T (veja a Figura 3.77 na próxima seção).

D. Capacitância

Chaves FET exibem capacitância da entrada para a saída (C_{DS}), do canal para o terra (C_D, C_S), da porta para o canal e de um FET para outro dentro de um encapsulamento de CI (C_{DD}, C_{SS}); veja a Figura 3.73. Observemos os efeitos.

C_{DS}: capacitância da entrada para a saída

A capacitância da entrada para a saída provoca acoplamento de sinal em uma chave OFF, aumentando em altas frequências. A Figura 3.74 mostra o efeito para as séries populares DG211 e DG411. Note a caracterização com uma carga de 50 Ω, comum em circuitos RF, mas muito menor do que o normal para sinais de baixa frequência, para os quais uma impedância de carga típica é 10k ou mais. Mesmo com uma carga de 50 Ω, a

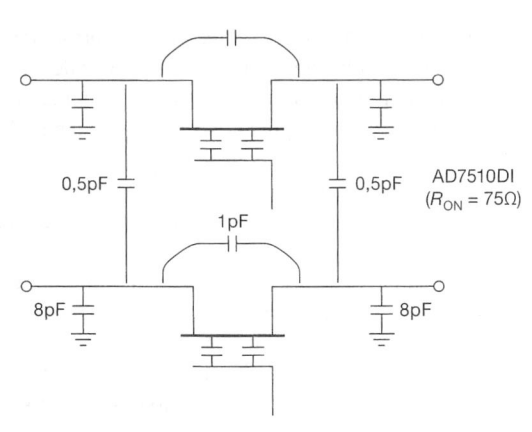

FIGURA 3.73 Capacitâncias entre seções isoladas da chave analógica quádrupla AD7510 causam interferência de sinal.

conexão se torna significativa em altas frequências (1 pF tem uma reatância de 5k em 30 MHz, dando −40 dB de conexão). E, claro, há atenuação significativa (e não linearidade) ao acionar uma carga de 50 Ω, pois, para esses dispositivos, R_{ON} é tipicamente 45 Ω e 17 Ω, respectivamente. Com uma carga de 10k, a situação de conexão é muito pior, é claro.

Exercício 3.5 Calcule a conexão para 10k em 1 MHz, considerando $C_{DS} = 1$ pF.

Na maioria das aplicações de baixa frequência, a conexão capacitiva não é um problema. Se for, a melhor solução é usar um par de chaves em cascata (Figura 3.75) ou, melhor ainda, uma combinação de chaves em série e *shunt*, habilitadas alternadamente (Figura 3.76). As chaves em série dobram a atenuação (em dB) à custa de uma R_{ON} adicional, enquanto o circuito em série-*shunt* (efetivamente, uma configuração SPDT) reduz a conexão deixando cair a resistência de carga efetiva para R_{ON} quando a chave em série estiver OFF. Algumas chaves analógicas comerciais são construídas

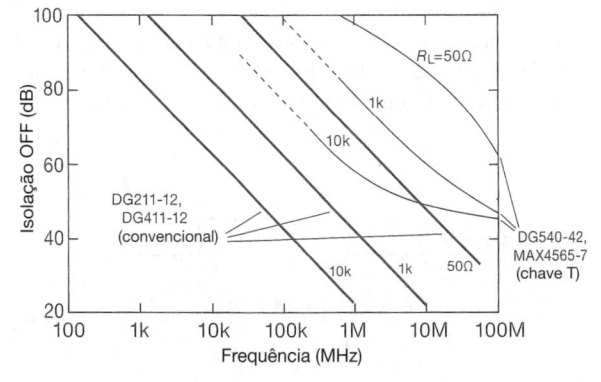

FIGURA 3.74 Conexão de alta frequência em chaves analógicas. Há menos conexão com uma resistência de carga baixa e menos ainda com uma configuração de "chave T".

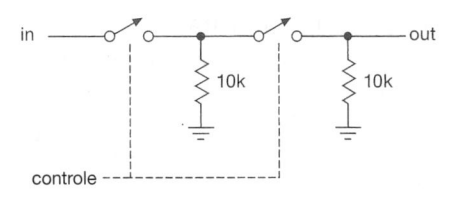

FIGURA 3.75 Chaves analógicas em cascata para redução de conexão.

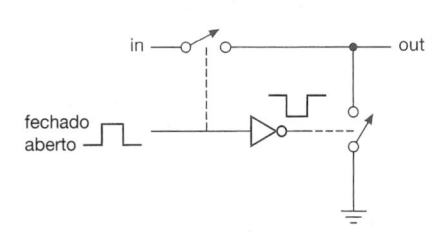

FIGURA 3.76 Configuração de chave analógica SPDT para conexão reduzida.

com uma rede T de três chaves (Figura 3.77) para alcançar uma baixa conexão para sinais em qualquer sentido; olhando por fora, você nem diria que eles usaram esse truque, exceto percebendo as excelentes especificações de isolamento, como na Figura 3.74 (a não ser, é claro, que eles mencionem isso na folha de dados).

Exercício 3.6 Rtecalcule a conexão da chave para 10k em 1 MHz, considerando $C_{DS} = 1$ pF e $R_{ON} = 50$ Ω, para a configuração da Figura 3.76.

A maioria das chaves SPDT CMOS tem a característica abrir antes de fechar (BBM – *break-before-make*) controlada de modo que as fontes de sinais não estejam momentaneamente conectadas durante o chaveamento. Em alguns casos, no entanto, é necessário o inverso, ou seja, fechar antes de abrir (MBB – *make-before-break*), por exemplo, em um circuito de realimentação com seleção de ganho, como na Figura 3.84B. Para lidar com isso, algumas chaves CMOS estão disponíveis em ambos os tipos, por exemplo, o ADG619 e o ADG620 (BBM e MBB, respectivamente, como observado na Tabela 3.3).

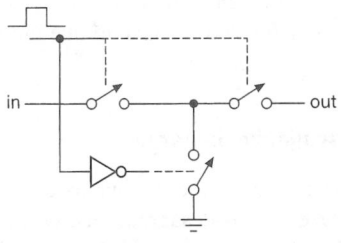

FIGURA 3.77 Uma chave T reduz ainda mais a conexão de alta frequência.

C_D, C_S: capacitância para o terra

A capacitância *shunt* para o terra leva a um decaimento em alta frequência mencionado anteriormente. A situação é pior com fonte de sinal de alta impedância, mas, mesmo com uma fonte estável, o R_{ON} da chave se combina com a capacitância *shunt* na saída para fazer um filtro passa-baixas. O problema a seguir mostra como isso acontece.

Exercício 3.7 Um AD7510 (aqui escolhido por suas especificações completas de capacitância, mostradas na Figura 3.73) é acionado por uma fonte de sinal de 10k, com uma impedância de carga de 100k na saída da chave. Onde está o ponto de −3 dB na alta frequência? Agora repita o cálculo, considerando uma fonte de sinal perfeitamente estável e uma R_{ON} de 75 ohms para a chave.

Capacitância da porta para o canal

A capacitância da porta de controle para o canal causa um efeito diferente, ou seja, o acoplamento de pequenos transientes desagradáveis em seu sinal quando a chave é ligada ou desligada. Esse assunto merece uma discussão séria, por isso a adiaremos para a próxima seção, sobre *glithes*.

C_{DD}, C_{SS}: capacitância entre chaves

Se você encapsular algumas chaves em um único dispositivo de silício do tamanho de um grão de arroz, não deve surpreendê-lo se houver algum acoplamento entre os canais ("interferência"). O culpado, é claro, é a capacitância entre os canais. O efeito aumenta com a frequência e com a impedância do sinal no canal para o qual o sinal é acoplado. Eis uma oportunidade para você pesquisar por si mesmo.

Exercício 3.8 Calcule o acoplamento, em decibéis, entre um par de canais com $C_{DD} = C_{SS} = 0,5$ pF (Figura 3.73) para as impedâncias de fonte e carga do exercício anterior. Suponha que o sinal de interferência seja de 1 MHz. Em cada caso, calcule o acoplamento para (a) chave OFF a chave OFF, (b) chave OFF a chave ON, (c) chave ON a chave OFF e (d) chave ON a chave ON.

Deveria ser óbvio, a partir desse exemplo, por que a maioria dos circuitos RF de banda larga utiliza impedâncias de sinal baixas, geralmente 50 Ω. Se a interferência for um problema sério, não coloque mais do que um sinal em um único chip.

E. Glitches e injeção de carga

Durante transientes de liga e desliga, as chaves analógicas FET podem fazer coisas desagradáveis. O sinal de controle aplicado na(s) porta(s) pode acoplar de modo capacitivo para o(s) canal(is), inserindo transientes "feios" no seu sinal. A situação é mais grave se o sinal estiver em níveis de alta impedância. Os multiplexadores podem apresentar um comportamento semelhante durante as transições de endereço de entrada, bem como uma conexão momentânea entre entradas, se o atraso para desligar exceder o atraso para ligar (isto é, MBB). Um mau hábito relacionado é a propensão de algumas chaves (por exemplo, o 4066) de colocar em curto a entrada para o terra momentaneamente durante as mudanças de estado.

Observemos esse problema mais detalhadamente. A Figura 3.78 mostra uma forma de onda típica que você pode ver na saída de um circuito de chave MOSFET canal n, semelhante ao da Figura 3.59, com um nível de sinal de entrada de zero volt e uma carga de saída que consiste de 10k em paralelo com 20 pF, valores realistas para o circuito de uma chave análoga. Os transientes perfeitos são causados pela carga transferida para o canal, através da capacitância porta-canal, na transição da porta. A porta faz um salto súbito de uma tensão de alimentação para a outra – neste caso, entre as alimentações de ±15 V, transferindo uma certa carga

$$Q = C_{GC}\,[V_G(\text{fim}) - V_G(\text{início})].$$

Aqui, C_{GC} é a capacitância porta-canal, tipicamente em torno de 5 pF. Note que a quantidade de carga transferida para o canal ("injeção de carga") depende apenas da variação total da tensão na porta, não do seu tempo de subida. Retardar o sinal da porta dá origem a um *glitch* (pulso aleatório) de amplitude menor de longa duração, com a mesma área total sob seu gráfico. Uma filtragem passa-baixas do sinal de saída da chave tem o mesmo efeito. Tais medidas podem ajudar se a amplitude do pico do *glitch* dever ser mantida pequena, mas, em geral, são ineficazes na eliminação da conexão da porta. Em alguns casos, a capacitância porta-canal pode ser previsível o suficiente para você cancelar os picos pelo acoplamento de uma versão invertida do sinal de porta através de um pequeno capacitor ajustável.

A capacitância porta-canal é distribuída ao longo do comprimento do canal, o que significa que algumas das cargas acopladas voltam para a entrada da chave. Como resultado, o tamanho do *glitch* de saída depende da impedância sinal-fonte e é menor quando a chave é acionada por uma fonte de tensão. Reduzir o tamanho da impedância de carga

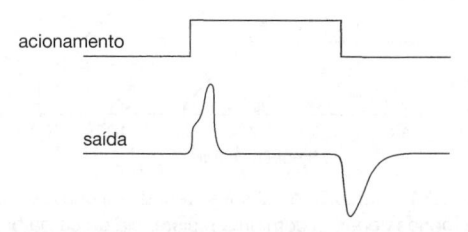

FIGURA 3.78 *Glitches* de transferência de carga em uma escala bastante estendida.

reduzirá o tamanho do *glitch*, é claro, mas isso também exerce carga na fonte e introduz erro e não linearidade por causa da R_{ON} finita. Por fim, todas as outras coisas sendo iguais, uma chave com capacitância porta-canal menor apresentará transientes de chaveamento menores, embora você pague um preço, na forma do aumento de R_{ON}.

A Figura 3.79 mostra uma comparação interessante de transferências de carga induzida na porta para uma coleção de chaves analógicas, incluindo JFETs. Para as chaves CMOS, o sinal de porta interno varia totalmente de trilho a trilho (por exemplo, $\Delta V = 30$ V para chaves que operam a partir de ±15 V); para a chave JFET, a porta varia de −15 V para a tensão do sinal. A chave JFET mostra uma dependência forte do tamanho do *glitch* no sinal, pois a variação da porta é proporcional ao nível do sinal acima de −15 V. Chaves CMOS bem balanceadas têm conexão relativamente baixa, pois as contribuições de carga dos MOSFETs complementares tendem a anular (uma porta está aumentando, enquanto a outra está caindo). Apenas para dar dimensão a esses valores, deve-se salientar que 30 pC correspondem a um degrau de 3 mV sobre um capacitor de 0,01 μF. É um capacitor de filtro bem grande, e você pode ver que esse é um problema real, uma vez que um *glitch* de 3 mV é muito grande quando se trata de sinais analógicos de baixo nível.

Na Figura 3.80, plotamos, em escala ampliada, a cena da injeção de carga para uma seleção de chaves analógicas

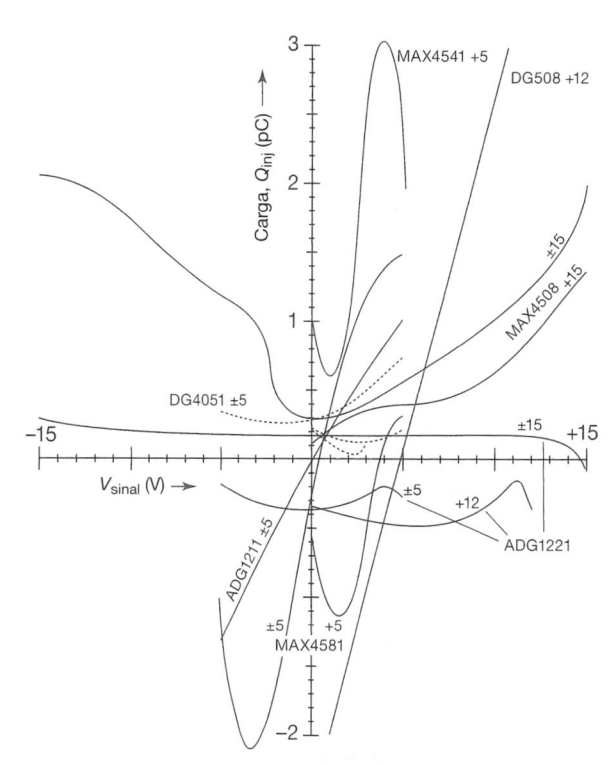

FIGURA 3.80 Precisa de uma chave analógica com baixa injeção de carga? Aqui estão alguns candidatos, plotados em uma escala muito expandida. As três curvas pontilhadas são para o DG4051, com alimentações de ±5 V, +5 V e +3 V. Verifique a folha de dados para gráficos análogos para a tripla chave SPDT DG4053.

que exibem injeções de carga especialmente baixas. Chaves otimizadas para baixa injeção de carga normalmente se gabarão disso já no título da folha de dados. Por exemplo, a folha de dados da série ADG1221, da Analog Devices, destaca, em negrito, **"Chaves SPDT duplas iCMOS® de ±15 V/+12 V de Baixa Capacitância e Baixa Injeção de Carga"**; um título e tanto, mas também uma chave e tanto!

Como seria de se esperar, as chaves com menor resistência ON geralmente apresentam maior injeção de carga. A Figura 3.81 mostra essa tendência, em um gráfico de dispersão dos valores das folhas de dados de Q_{inj} *versus* R_{ON} para as chaves analógicas CMOS de baixa tensão oferecidas atualmente pela Analog Devices.

F. Outras limitações de chaves

Algumas características adicionais de chaves analógicas que podem ou não ser importantes em qualquer aplicação são tempo de chaveamento, tempo de estabilização, atraso BBM, fuga de corrente de canal (ON e OFF), corrente quiescente do dispositivo, corrente de entrada durante a sobretensão, casamento de R_{ON} entre múltiplos canais e coeficiente de

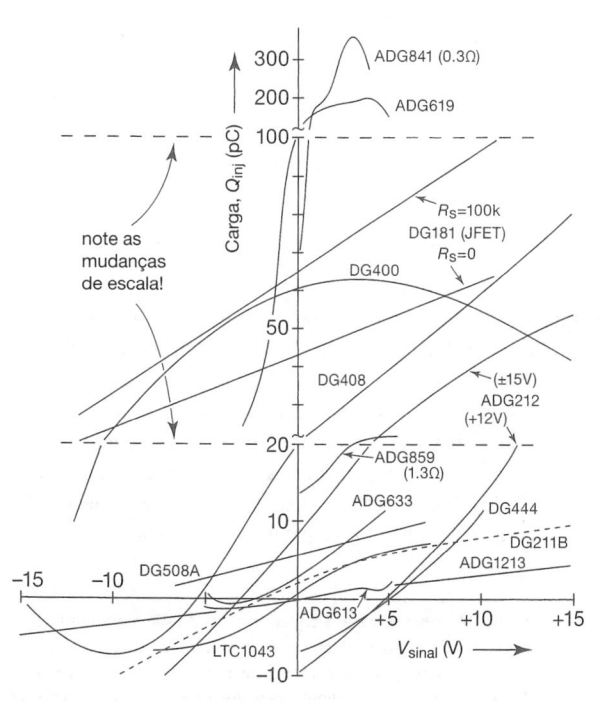

FIGURA 3.79 Transferência de carga para algumas chaves lineares FET como uma função da tensão do sinal, retirados das respectivas folhas de dados.

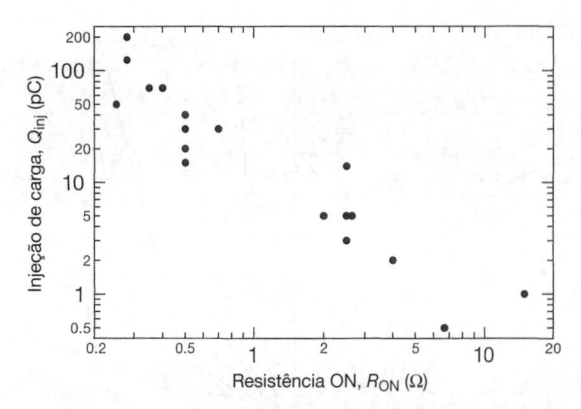

FIGURA 3.81 Gráfico de dispersão de injeção da carga especificada *versus* resistência ON para chaves analógicas de baixa tensão da Analog Devices, que ilustra o dilema R_{ON} versus Q_{inj}.

temperatura de R_{ON}. Terminaremos a discussão neste ponto, deixando para o leitor a tarefa de observar esses detalhes quando o circuito da aplicação exigir.

3.4.3 Alguns Exemplos de Chaves Analógicas FET

Como indicamos anteriormente, muitas das aplicações naturais de chaves analógicas FET estão em circuitos com AOP, que abordaremos no próximo capítulo. Nesta seção, mostraremos algumas aplicações de chaves que não exigem AOPs, para dar uma ideia dos tipos de circuitos em que você pode usá-las.

A. Filtros passa-baixas *RC* selecionáveis

A Figura 3.82 mostra como você poderia fazer um filtro passa-baixas *RC* simples com pontos de 3 dB selecionáveis. Usamos um multiplexador para selecionar um dos quatro resistores predefinidos, usando um endereço de 2 bits (digital). Escolhemos colocar a chave na entrada em vez de após os resistores, pois há uma injeção de carga menor no ponto de impedância de sinal mais baixo. Outra possibilidade, é claro, é a utilização de chaves FET para selecionar o *capacitor*. Para gerar uma faixa muito ampla de constantes de tempo, você pode ter que fazer isso, mas o R_{ON} finito da chave limitaria a atenuação em altas frequências, para um máximo de $R_{ON}/R_{série}$. Também indicamos um *buffer* de ganho unitário, seguindo o filtro, uma vez que a impedância de saída é alta. Você verá como fazer seguidores "perfeitos" (ganho preciso, Z_{in} alto, Z_{out} baixo e nenhum *offset* de V_{BE}, etc.) no próximo capítulo. Claro, se o amplificador que segue o filtro tiver uma impedância de entrada alta, você não precisará do *buffer*.

A Figura 3.83 apresenta uma variação simples em que usamos quatro chaves independentes em vez de um multiplexador de 4 entradas. Com os resistores dimensionados como mostrado, você pode gerar 16 frequências de 3 dB

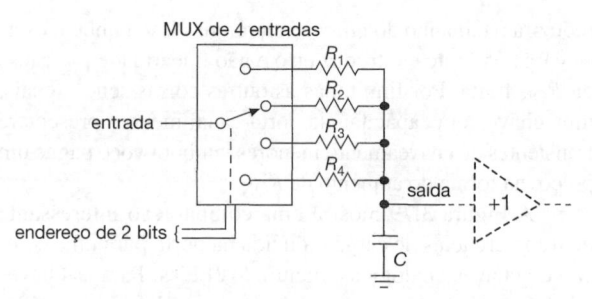

FIGURA 3.82 Filtro passa-baixas *RC* selecionável por um MUX analógico.

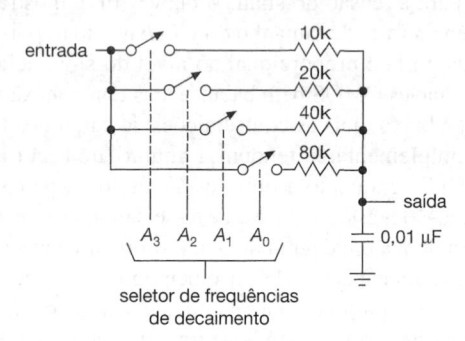

FIGURA 3.83 Filtro passa-baixas *RC* com a escolha de 15 frequências de corte igualmente espaçadas.

igualmente espaçadas ligando as combinações binárias das chaves.[76]

Exercício 3.9 Quais são as frequências de 3 dB para esse circuito? Estime a amplitude do *glitch* na seleção do ganho, considerando uma especificação de injeção de carga de 20 pC, distribuída igualmente nos terminais de entrada e saída da chave e uma fonte de sinal de baixa impedância.

B. Amplificador de ganho selecionável

A Figura 3.84 mostra como você pode aplicar a mesma ideia de comutação de resistores para produzir um amplificador de ganho selecionável. Embora essa ideia seja natural para AOPs, podemos usá-la com o amplificador com realimentação do emissor. Usamos um coletor de corrente constante como carga do emissor para permitir ganhos muito menores que a unidade. Em seguida, usamos o multiplexador para selecionar um dos quatro resistores de emissor. Note o capacitor de bloqueio, necessário para manter a corrente quiescente independente do ganho.

---

[76] Uma maneira fácil de ver que as frequências de 3 dB são múltiplos inteiros da configuração mais baixa é reescrever f_{3dB} em termos da *condutância* da resistência em paralelo R_p dos resistores selecionados: $f_{3dB} = 1/2\pi R_p C = G_p/2\pi C$. Então é fácil, pois as condutâncias dos resistores em paralelo são a soma de suas condutâncias individuais. Assim, para esse circuito $f_{3dB} = nG_{80k}/2\pi C = 199n$ Hz, em que $G_{80k} = 12,5\mu S$, $C = 10nF$ e n é o número inteiro [1 ... 15] representado pelas A_n chaves selecionadas.

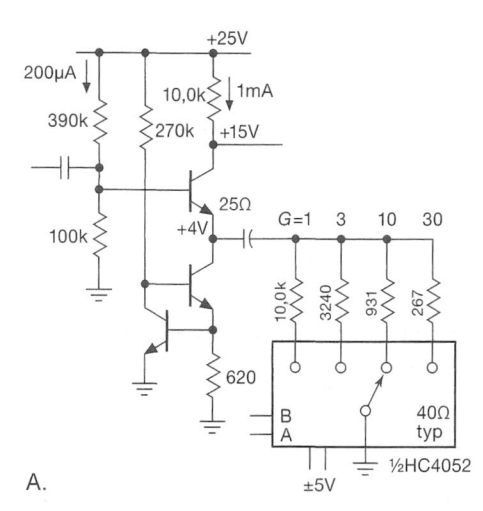

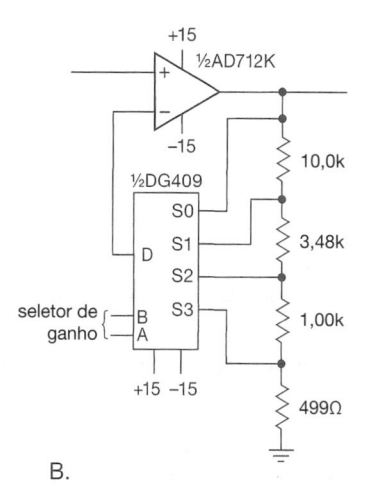

FIGURA 3.84 A. Um multiplexador analógico seleciona resistências de realimentação do emissor adequadas para atingir ganho selecionáveis (décadas). B. Uma técnica similar, mas com a versatilidade do bloco construtivo AOP (o "herói" do Capítulo 4).

No circuito A, o valor R_{ON} da chave é parte da equação do ganho. Em contrapartida, no circuito B, a chave seleciona uma derivação no divisor de tensão e a apresenta para uma entrada de alta impedância do AOP, assim, a R_{ON} da chave não afeta a precisão de ganho. Outros exemplos (mais complexos) dessa abordagem são encontrados nas Figuras 5.59, 5.62 e 5.80.

C. Amostragem e retenção

A Figura 3.85 mostra como fazer um circuito de "amostragem e retenção" (S/H – *sample-and-hold*), que vem a calhar quando você quer converter um sinal analógico para uma sequência digital ("conversão analógico-digital") – você tem que manter cada nível analógico constante enquanto descobre qual é a sua amplitude. O circuito é simples: um *buffer* de entrada de ganho unitário gera uma cópia de baixa impedância do sinal de entrada, forçando-o sobre um pequeno capacitor. Para manter o nível analógico, a qualquer momento, você simplesmente abre a chave. A alta impedância de entrada alta do segundo *buffer* (que deve ter transistores de entrada FET

para manter a corrente de entrada próxima de zero) impede a carga do capacitor, por isso ele mantém sua tensão até que a chave FET seja fechada novamente.

Exercício 3.10 O *buffer* de entrada deve fornecer corrente para manter o capacitor seguindo um sinal variável. Calcule a corrente de saída de pico do *buffer* quando o circuito é acionado por uma entrada senoidal de amplitude 1 V em 10 kHz.

Você pode fazer bem melhor fechando uma malha de realimentação em torno do circuito S/H; dê uma olhada na Seção 4.5.2. Melhor ainda, compre um circuito integrado S/H completo (por exemplo, os AD783 têm um capacitor de retenção interno, definido para 0,01% em 0,25 μs, e cai menos de 0,02 μV/μs) – deixe o trabalho pesado para outra pessoa!

D. Conversor de tensão de capacitor flutuante

Aqui está uma boa maneira (Figura 3.86) de gerar uma tensão de fonte de alimentação negativa necessária em um circuito alimentado por uma única fonte de alimentação positiva. O par de chaves FET à esquerda conecta C_1 na fonte de alimentação positiva, carregando-o até V_{in}, enquanto as chaves à direita são mantidas abertas.[77] Em seguida, as chaves de entrada são abertas e as chaves à direita são fechadas, conectando C_1 carregado na saída, transferindo parte de sua carga para C_2. As chaves são intencionalmente configuradas de modo que C_1 fique de "cabeça para baixo", gerando uma saída *negativa*! Esse circuito específico, muitas vezes referido como *conversor CC-CC de bomba de carga*, originou-

FIGURA 3.85 Amostragem e retenção.

---
[77] O dispositivo com o rótulo "inversor" transforma uma tensão de nível lógico ALTO em uma tensão de nível lógico BAIXO, e vice-versa. Mostraremos como fazer um na próxima seção (e realmente o encorajaremos a utilizá-lo nos Capítulos 10 a 14!).

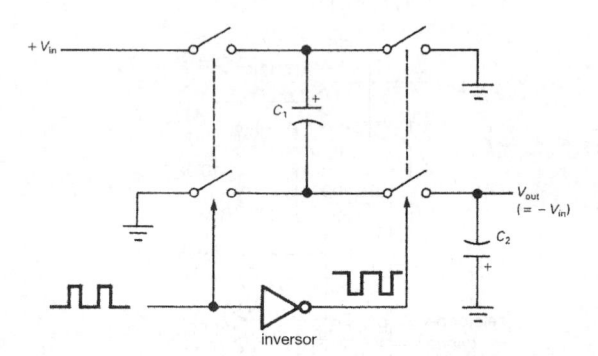

FIGURA 3.86 Inversor de tensão de capacitor flutuante.

-se como o chip conversor de tensão da Intersil 7660 e está amplamente disponível em versões melhoradas, incluindo versões de dobrador de tensão e reguladas. Você os encontrará também como partes de circuitos integrados maiores que requerem tensões de alimentação dupla, por exemplo, o CI de porta serial RS-232C. Estudaremos esse dispositivo em mais detalhe na Seção 9.6.3.

E. Potenciômetro digital

É bom ser capaz de transformar um potenciômetro eletricamente – por exemplo, para ajustar o controle de volume de um aparelho de televisão pelo controle remoto. Esse tipo de aplicação é comum, e a indústria de semicondutores respondeu com uma variedade de potenciômetros eletricamente ajustáveis, conhecidos como *EEPOT*, E^2POT ou simplesmente *potenciômetro digital* plano. Um potenciômetro digital consiste de uma longa cadeia de resistores, com um arranjo de chaves FET que conectam a derivação selecionada no pino de saída (Figura 3.87); a derivação é selecionada por uma entrada digital (Capítulos 10 em diante).[78] Potenciômetros digitais estão disponíveis em unidades individuais, duplas e múltiplas; muitos têm memória "não volátil", para reter (memorizar) a posição do potenciômetro após a energia ser desligada. Alguns têm derivações nãolineares, por exemplo, para controles de volume de áudio, para os quais é melhor ter degraus em decibéis (ou seja, cada degrau produz o mesmo incremento *fracional* na relação do divisor de tensão). Note que, seja qual for a configuração, a R_{ON} da chave aparece como uma resistência em série no pino saída ("cursor").

Como exemplo, o site da Analog Devices lista cerca de 50 potenciômetros digitais, de 32 a 1024 degraus (modelos de 256 degraus parecem ser os mais populares), e de um a seis canais (simples e duplos parecem ser os mais populares); eles usam uma conexão de dados em série (apenas dois ou três pinos são necessários, independentemente do comprimento

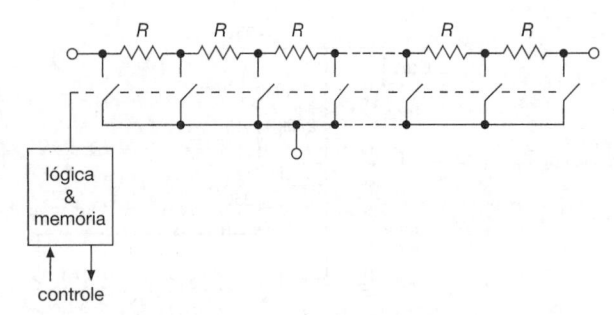

FIGURA 3.87 Um CI "potenciômetro digital". Lógica digital interna conecta uma das *n* chaves analógicas para selecionar uma derivação ao longo de uma cadeia de *n* − 1 resistores fixos.

dos dados de controle) e custam, em média, cerca de 1 dólar (quantidade de 1.000 peças). Uma seleção a partir de Maxim/Dallas inclui unidades com cursores lineares e logarítmicos (o termo cursor veio antes dos potenciômetros digitais e se refere à característica de resistência *versus* rotação do eixo de um potenciômetro; o cursor logarítmico é para aplicações de áudio), novamente em unidades simples e múltiplas, e com até 1024 degraus por unidade. E, no final da tabela de seleção da Intersil, depois de todos os potenciômetros digitais habituais, você ainda encontrará os *capacitores* digitais![79]

3.4.4 Chaves Lógicas MOSFET

Os *outros* tipos de aplicações de chaves FET são circuitos de *chaveamento lógico* e de *potência*. A distinção é simples: no chaveamento de sinal analógico de comutação, utiliza-se um FET como uma chave em série, passando ou bloqueando um sinal que tem alguma faixa de tensão analógica. O sinal analógico é, normalmente, um sinal de baixa amplitude em níveis de potência insignificantes. No chaveamento lógico, por outro lado, as chaves MOSFET abrem e fecham para gerar variações completas entre as tensões de alimentação. Os "sinais" aqui são realmente digitais, e não analógicos – eles variam entre as tensões de alimentação, representando os dois estados ALTO e BAIXO. As tensões entre esses estados não são úteis ou desejáveis; na verdade, elas não são nem *legais*! Por fim, o "chaveamento de potência" se refere a ligar ou desligar a alimentação em uma carga, como uma lâmpada, bobina de relé ou enrolamento de motor; nessas aplicações, ambas as tensões e correntes tendem a ser grandes. Abordaremos, em primeiro lugar, o chaveamento lógico.

A Figura 3.88 mostra o tipo mais simples de chaveamento lógico com MOSFETs: ambos os circuitos usam um resistor como carga e implementam a função lógica de *inversão* – uma entrada de nível ALTO gera uma saída de nível BAIXO, e vice-versa. A versão de canal *n* puxa a saída para o terra quando a porta vai para nível ALTO, enquanto a versão

---

[78] Existem dois tipos aqui: um usa um protocolo de dados digitais em série, assim a posição da derivação desejada pode ser enviada, como um número, a partir de um microprocessador; o outro tipo tem pinos UP e DOWN (aumentar e diminuir) com memória interna para "memorizar" a posição da derivação de corrente.

[79] O truque do resistor derivado é usado em conversores digital-analógicos (veja a Seção 13.2.1), e muitos ADCs utilizam capacitores digitais (veja a Seção 13.7).

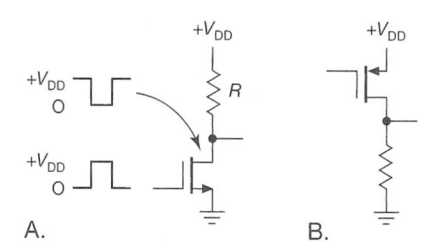

FIGURA 3.88 Inversores lógicos nMOS e pMOS, com "*pull-ups*" resistivos.

de canal *p* puxa o resistor para nível ALTO para uma entrada aterrada (nível BAIXO). Note que os MOSFETs nesses circuitos são usados como inversores de fonte comum em vez de seguidores de fonte. Em circuitos lógicos digitais como esses, geralmente estamos interessados na tensão de saída ("nível lógico") produzida por uma certa tensão de entrada; a resistência serve meramente como uma carga de dreno passiva, para fazer a variação da saída para a tensão de alimentação do dreno quando o FET está desligado. Se, por outro lado, substituirmos o resistor por uma lâmpada, relé, agulhas do cabeçote de impressão ou alguma outra carga pesada, teremos uma aplicação de chaveamento de potência (Figura 3.3). Embora usemos o mesmo circuito "inversor", na aplicação de chaveamento de potência, estamos interessados em ligar e desligar a carga.

A. Inversor CMOS

Os inversores nMOS e pMOS dos circuitos anteriores têm as desvantagens de consumirem corrente no estado ON e de terem uma impedância de saída relativamente alta no estado OFF. É possível reduzir a impedância de saída (reduzindo *R*), mas só à custa do aumento da dissipação, e vice-versa. Exceto para fontes de corrente, é claro, nunca é uma boa ideia ter alta impedância de saída. Mesmo que a carga prevista fosse de alta impedância (outra porta MOSFET, por exemplo), você estaria convidando problemas de captação de ruído capacitivo e sofreria com velocidades de chaveamento reduzidas para a borda de ON para OFF ("posterior") (por causa da carga da capacitância parasita). Nesse caso, por exemplo, os inversores com um valor de compromisso de resistor de dreno, digamos 10k, produziriam a forma de onda mostrada na Figura 3.89.

A situação faz lembrar o seguidor de emissor com terminação simples na Seção 2.4.1, no qual a dissipação de potência quiescente e a potência entregue à carga estavam envolvidas em um compromisso semelhante. A solução existe – a configuração *push-pull* – e é especialmente adequada para chaveamento com MOSFET. Observe a Figura 3.90, a qual você poderia pensar em termos de uma chave *push-pull*: a entrada aterrada desliga o transistor inferior e liga o superior, levando a saída para nível ALTO. Uma entrada de nível ALTO ($+V_{DD}$) faz o inverso, colocando a saída no terra. Esse é um inversor com baixa impedância de saída em *ambos* os estados, sem qualquer corrente quiescente. Ele é chamado de inversor CMOS (MOS complementar) e é a estrutura básica de toda a

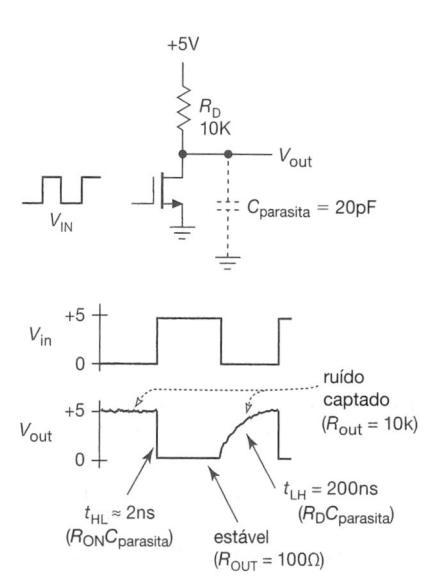

FIGURA 3.89 A alta impedância OFF no inversor nMOS causa longos tempos de subida e suscetibilidade ao ruído acoplado capacitivamente.

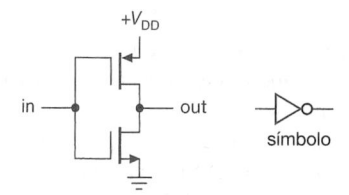

FIGURA 3.90 Inversor lógico CMOS e símbolo de circuito.

lógica CMOS digital, a família lógica que se tornou universal em circuitos integrados de escalas ampla e muito ampla (LSI, VLSI) e substituiu consideravelmente as famílias lógicas anteriores (com nomes como lógica transistor-transistor, TTL) baseados em transistores bipolares. Note que o inversor CMOS é duas chaves MOSFET complementar *em série*, habilitadas alternadamente, ao passo que a chave analógica CMOS (abordada anteriormente neste capítulo) é duas chaves MOSFET complementar *em paralelo*, habilitadas simultaneamente.

Exercício 3.11 Os transistores MOS complementares no inversor CMOS são ambos operados como inversores de fonte comum, ao passo que transistores bipolares complementares no circuito *push-pull* da Seção 2.4.1 (por exemplo, a Figura 2.69) são seguidores de emissor (não inversor). Experimente desenhar um "inversor BJT complementar" análogo ao inversor CMOS. Por que ele não funcionará?

B. Portas CMOS

Veremos muito mais sobre CMOS digital nos capítulos sobre lógica digital e microprocessadores (Capítulos 10 a 14). Por ora, deve estar claro que CMOS é uma família lógica de baixa potência (com potência quiescente *zero*) com entradas

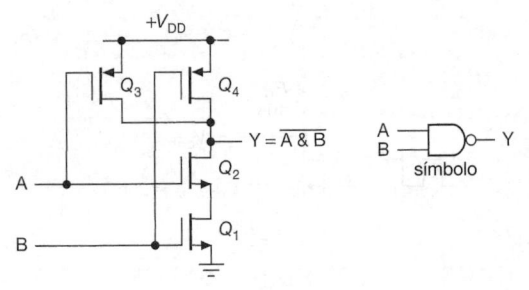

FIGURA 3.91 Porta NAND CMOS e símbolo de circuito.

de alta impedância e saídas estáveis que variam em toda a faixa de alimentação. No entanto, antes de deixar o assunto, não podemos resistir à tentação de mostrar-lhe um circuito CMOS adicional (Figura 3.91). Trata-se de uma *porta* lógica NAND, cuja saída vai para nível BAIXO somente se as entradas A *e* B estiverem ambas em nível ALTO. A operação é surpreendentemente fácil de entender: se A e B estiverem ambas em nível ALTO, as chaves nMOS Q_1 e Q_2 em série estão no estado ON, puxando a saída estavelmente para o terra; as chaves pMOS Q_3 e Q_4 cooperam estando no estado OFF; assim, nenhuma corrente flui. Entretanto, se A ou B (ou ambas) estiverem em nível BAIXO, o transistor pMOS correspondente estará ON, levando a saída para nível ALTO; visto que um (ou ambos) da cadeia Q_1Q_2 em série está OFF, nenhuma corrente flui.

Esse circuito é chamado de porta NAND, pois ele executa a função lógica AND, mas com a saída invertida ("NOT") – é uma NOT-AND, abreviando-se como NAND. Embora as portas e as suas variantes sejam propriamente um tema para o Capítulo 10, você poderá se divertir tentando resolver os seguintes problemas.

Exercício 3.12   Desenhe uma porta AND CMOS. *Dica*: AND = NOT NAND.

Exercício 3.13   Desenhe uma porta NOR: a saída é nível BAIXO se qualquer entrada, A *ou* B (ou ambas), for nível ALTO.

Exercício 3.14   Sim, você adivinhou! – desenhe uma porta OR CMOS.

Exercício 3.15   Desenhe uma porta NAND CMOS de 3 entradas.

Veremos mais tarde que a lógica digital CMOS é construída a partir de combinações dessas portas básicas. A combinação de dissipação de baixíssima potência e oscilações de saída de trilho a trilho estáveis faz da lógica CMOS a família escolhida para a maioria dos circuitos digitais, sendo isso responsável por sua popularidade. Além disso, para os circuitos de micropotência (como relógios de pulso e pequenos instrumentos movidos a bateria), é a única opção.

Entretanto, para não deixar a impressão errada, é interessante notar que a lógica CMOS não dissipa potência *zero*. Há dois mecanismos de corrente de dreno:

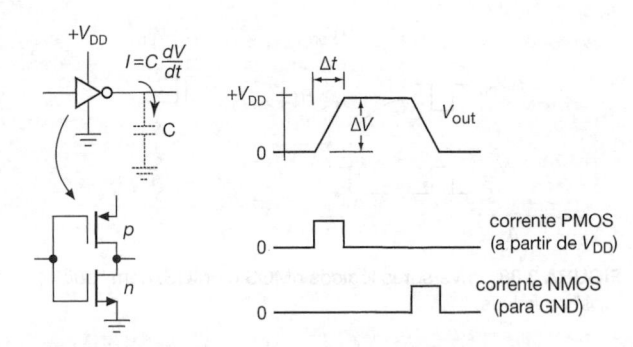

FIGURA 3.92   Corrente de carga capacitiva. A corrente de alimentação média é proporcional à taxa de chaveamento, e é igual a *CVf*.

(a) Durante as transições, uma saída CMOS deve fornecer um transitório de corrente $I = CdV/dt$ para carregar qualquer capacitância que ele vê (Figura 3.92). Você ganha capacitância de carga tanto da fiação (capacitância "parasita") quanto da entrada da lógica adicional que está sendo acionada. Na verdade, devido a um chip CMOS complexo que contém muitas portas internas, em que cada uma aciona alguma capacitância interna ao chip, há alguma corrente de dreno em qualquer circuito CMOS em transição, mesmo se o chip não estiver acionando qualquer carga externa. Não é uma surpresa que essa corrente de dreno "dinâmica" seja proporcional à taxa em que as transições ocorrem.

(b) O segundo mecanismo da corrente de dreno CMOS é mostrado na Figura 3.93: conforme a entrada salta entre a tensão de alimentação e o terra, há uma região em que os dois MOSFETs conduzem, resultando em grandes picos de corrente de V_{DD} para o terra. Isso, às vezes, é chamado de "corrente classe A", "disparo" ou "*crowbar*" (curto) da fonte de alimentação". Você verá algumas consequências disso nos Capítulos de 10 a 12.

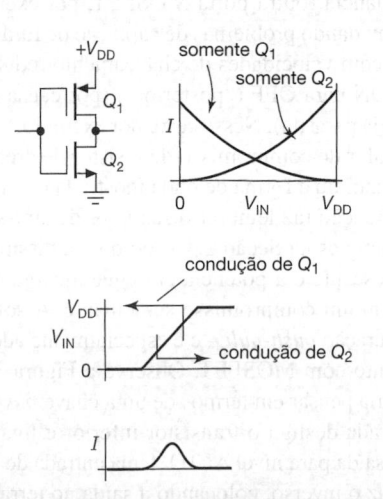

FIGURA 3.93   Quando a tensão da porta de entrada de um inversor CMOS é intermediada entre V_{DD} e terra, ambos MOSFETs conduzem parcialmente, causando a "condução classe A", também conhecida como corrente de "disparo".

Já que estamos fazendo *dumping* do CMOS, devemos mencionar que uma desvantagem adicional do CMOS (e, na verdade, de todos os MOSFETs) é sua vulnerabilidade a danos causados por eletricidade estática. Teremos mais a dizer sobre isso na Seção 3.5.4H.

3.5 MOSFETS DE POTÊNCIA

MOSFETs funcionam bem como chaves saturadas, como sugerimos com o nosso circuito simples na Seção 3.1.1B. MOSFETs de potência agora são disponibilizados por muitos fabricantes, tornando as vantagens dos MOSFETs (alta impedância de entrada, paralelismo fácil, ausência de "segunda ruptura") aplicáveis a circuitos de potência. De modo geral, MOSFETs de potência são mais fáceis de usar do que transistores bipolares de potência. No entanto, existem alguns efeitos sutis a considerar, e uma substituição descuidada de MOSFETs em aplicações de chaveamento pode levar a um desastre. Já visitamos cenários de tais catástrofes e esperamos evitar que se repitam. Leia a seguir a nossa visão geral resumida.

FETs eram dispositivos fracos de baixa corrente, que mal conseguiam operar com mais do que algumas dezenas de miliampères, até o final dos anos 1970, quando os japoneses introduziram os transistores MOS de "ranhura vertical". MOSFETs de potência são feitos agora por todos os fabricantes de semicondutores discretos (por exemplo, Diodes-Inc, Fairchild, Intersil, IR, ON Semiconductor, Siliconix, Supertex, TI, Vishay e Zetex, juntamente com empresas europeias como Amperex, Ferranti, Infineon, NXP e ST, e muitas empresas japonesas, como Renesas e Toshiba); esses dispositivos têm nomes variados, como VMOS, TMOS, DMOS vertical e HEXFET. Mesmo em encapsulamentos de transistores de potência convencionais, tais como TO-220, TO-247 e D-PAK, eles podem lidar com tensões surpreendentemente elevadas (até 1500 V ou mais) e correntes de pico de mais de 1000 A (corrente contínua de 200 A), com R_{ON} abaixo de 0,001 Ω. MOSFETs de pequena potência são vendidos por muito menos do que um dólar e estão disponíveis em todos os encapsulamentos de transistor comuns. Você também pode fazer arranjos (vários MOSFETs) em encapsulamentos de CIs multipinos padrão, tais como o encapsulamento DIP e as variedades menores de montagem em superfície, tais como SOT-23, SOIC e TSOP. Ironicamente, agora são os MOSFETs de *baixo nível* discretos que são difíceis de encontrar, não havendo escassez de MOSFETs de potência; a Tabela 3.4a apresenta uma seleção de pequenos MOSFETs canal *n* de até 250 V, a Tabela 3.4b apresenta outros tamanhos e tensões de MOSFETs canal *n* e a Tabela 3.6 tem uma boa seleção de MOSFETs de potência modo depleção.

3.5.1 Alta Impedância e Estabilidade Térmica

Duas vantagens importantes do MOSFET de potência em comparação com o transistor de potência bipolar são (a) a sua impedância de entrada extremamente alta (essencialmente infinita em CC) e (b) a sua estabilidade térmica inerente.

Embora possa parecer muito simples, ainda há mais a dizer, e alguns cuidados importantes.

A. Impedância de entrada

Primeiro, a impedância de entrada "infinita" é válida apenas para CC por causa da capacitância de entrada substancial, que pode ser de 1.000 a 10.000 pF em MOSFETs de potência típicos. Além disso, para aplicações de *chaveamento*, você também tem que atentar para a capacitância de realimentação, ou seja, a capacitância dreno-porta (também chamada de *capacitância de transferência inversa*, C_{rss}), pois o efeito Miller (Seção 2.4.5) aumenta o valor efetivo pelo ganho de tensão. Na Seção 3.5.4, discutiremos isso melhor e apresentaremos algumas formas de onda que mostram como o efeito Miller luta contra seus esforços para tornar o chaveamento rápido. Falando do ponto principal, você pode ter que fornecer vários *ampères* de corrente de acionamento de porta para comutar cargas de potência nas dezenas de nanossegundos que os MOSFETs podem alcançar – muito longe das características de um dispositivo de impedância de entrada infinita!

B. Estabilidade térmica

Em segundo lugar, existem dois mecanismos que afetam a estabilidade térmica em MOSFETs, ou seja, um aumento de R_{ON} com o aumento da temperatura e, *apenas na extremidade superior da corrente de dreno do transistor*, uma diminuição da corrente de dreno (para *VGS* constante) com o aumento da temperatura; veja a Figura 3.14 e as Figuras 3.115 e 3.116 na Seção 3.6.3. Este último efeito é muito importante em circuitos de potência e vale a pena entendê-lo: a grande área de junção de um transistor de potência (seja BJT ou FET) pode ser considerada um grande número de pequenas junções em paralelo (Figura 3.94), todas com as mesmas tensões aplicadas. No caso de um transistor de potência bipolar, o coeficiente de temperatura positivo da corrente de coletor para um V_{BE} fixo (aproximadamente +9%/ºC, veja a Seção 2.3) significa que um ponto quente na junção terá uma densidade de corrente mais elevada, produzindo, então, um aquecimento adicional. Para V_{CE} e I_C suficientemente altos, essa "corrente dominante" pode causar deriva térmica local. Como resultado, os transistores de potência bipolares são limitados a uma "área de operação segura" (em um gráfico de corrente de coletor *versus* tensão de coletor) menor do que o permitido pela dissipação de potência do transistor isolado. O ponto importante aqui é que o coeficiente de temperatura *negativo* da corrente de dreno MOS, quando operando em correntes relativamente altas, impede inteiramente esses pontos quentes da junção. MOSFETs também não têm segunda ruptura, e sua área de operação segura (SOA – *safe operating area*) é limitada apenas pela dissipação de potência (veja a Figura 3.95, em que comparamos o SOA de um transistor de potência *npn* e um nMOS de mesmos $I_{máx}$, $V_{máx}$ e P_{diss}). Esse é um motivo de os MOSFETs serem favorecidos em aplicações de alimentação lineares, tais como amplificadores de áudio de potência.

TABELA 3.4A MOSFETs – canal *n* pequeno (até 250 V), canal *p* (até 100 V)

canal *n* pequeno até 250 V

tipo nMOS	Pkg^p	SMT^x	V_{DSS} (V)	P_D^c (W)	I_D^y (A)	R_{DS}^r@V_{GS} (mΩ) (V)	Q_G^s (nC^t)	C_{iss} (pF^t)	Custo (dólar EUA)
ZVN4424	TO-92	•	240	0,7	0,3	4,3Ω 2,5	8	110	0,85
BSP89	SOT-223	•	240	1,5	0,4	2,8Ω 10	–	100	0,48
ZVNL120	TO-92	•	200	0,7	0,2	6Ω 3	2	55	0,53
BS107A	TO-92	–	200	0,4	0,2	5Ω 10	–	60	0,31
FQT4N20L	SOT-223	•	200	2,2	0,7	1,0Ω 4,5	4	240	0,34
FQT7N10L	SOT-223	•	100	2	1,2	300 5	4,6	220	0,37
ZXMN10A08E	SOT-23	•	100	1,1	0,6	200 10	7,8	500	0,57
ZXMN10A08G	SOT-223	•	100	2	1,5	200 10	7,7	405	0,48
VN2222LL	TO-92	–	60	0,4	0,1	7,5Ω 10	–	<60	0,36
VN10KN3	TO-92	–	60	0,7	0,2	6,6Ω 5	1,1	48	**0,18**
RHU002N06T	SOT-323	•	60	0,2	0,1	2,8Ω 4	1	15	0,21
2N7000	TO-92	–	60	0,4	0,2	2,5Ω 5	1	20	**0,17**
2N7002	SOT-23	•	60	0,2	0,1	2,5Ω 4,5	0,9	20	**0,16**
2N7002W	SOT-323	•	60	0,28	0,1	2,5Ω 4,5	0,7	25	**0,15**
NDS7002A	SOT-23	•	60	0,36	0,20	1,3Ω 4,5	0,8	80	**0,27**
Si1330EDL	SOT-323	•	60	0,18	0,15	1,4Ω 4,5	0,4	–	0,38
BSS138	SOT-23	•	50	0,36	0,25	1.0Ω 4,5	0,95	27	**0,15**
ZVN2106A	TO-92	–	60	0,7	0,3	800 10	1,5	75	0,49
ZVN4306A	TO-92	•	60	0,85	1,0	320 5	3,5	350	1,11
NDT3055	SOT-223	•	60	3	1,7	84 10	9	250	0,34
PHT8N06LT	SOT-223	•	55	8,3	5^z	65 5	11,2	500	0,75
IRF7470	SO-8	•	40	1,0	7	10 4,5	29	3400	0,76
2SK3018	SOT-323	•	30	0,2	0,05	5Ω 4	–	13	0,20
FDV303N	SOT-23	•	25	0,35	0,4	330 2,7	1,1	50	**0,23**
IRLML2030	SOT-23	•	30	1,3	0,9	123 4,5	1	110	0,32
NDS355AN	SOT-23	•	30	0,5	1,0	105 4,5	3,5	195	**0,29**
FDN337N	SOT-23	•	30	0,5	1,3^z	70 2,5	4,2	300	**0,16**
FDT439N	SOT-223	•	30	1,3	4	55 4,5	10,7	500	0,60
NTR4170N	SOT-23	•	30	0,8	2	50 4,5	4,8	430	0,12
PMV40UN	SOT-23	•	30	1,9	2^u	45 2,5	5,5	445	0,39
NDT451AN	SOT-223	•	30	3	5	42 4,5	11	720	0,72
IRLML0030	SOT-23	•	30	1,3	2^u	33 4,5	2,6	380	0,18
NTLJS4114N	WDFN	•	30	1,9	2,5^v	26 2,5	5	650	0,30
NTMS4800N	SO-8	•	30	0,75	5	20 4,5	7,7	940	0,22
IRF7807Z	SO-8	•	30	2,5	10	14,5 4,5	7,2	770	0,61
FDS6680A	SO-8	•	30	1,0	7	10 4,5	16	1600	0,68
FDS8817NZ	SO-8	•	30	2,5	10	7 4,5	17	1800	0,75
NDS331N	SOT-23	•	20	0,5	0,8	150 2,7	2,2	160	**0,30**
FDG327NZ	SC70-6	•	20	0,42	1,2	90 1,8	2,1	410	0,40
IRLML2502	SOT-23	•	20	1,25	1,25	50 2,5	5	740	**0,30**
Si2312CDS	SOT-23	•	20	0,8	2^u	35 1,8	3,8	870	0,28
Si2312BDS	SOT-23	•	20	0,8	2^v	30 2,5	3,8	770	**0,40**
IRF6201	SO-8	•	20	2,5	15	2,1 2,5	130	8600	1,06

canal *p* até 100 V

tipo nMOS	Pkg^p	SMT^x	V_{DSS} (V)	P_D^c (W)	I_D^y (A)	R_{DS}^r@V_{GS} (mΩ) (V)	Q_G^s (nC^t)	C_{iss} (pF^t)	Custo (dólar EUA)
pequeno									
FQT5P10	SOT-223	•	100	2	0,5	820 10	6,3	190	0,38
VP0106N3	TO-92	–	60	0,7	0,2	8Ω 5	0,5	45	0,55
BS250P	TO-92	•	45	0,7	0,2	9Ω 10	–	60	**0,61**
ZVP2106A	TO-92	•	60	0,7	0,25	3Ω 10	1,8	100	0,61
BSS84	SOT-23	•	50	0,3	0,13	3Ω 5	1	25	**0,26**
NDS0605	SOT-23	•	60	0,4	0,18	1,3Ω 4,5	0,8	79	**0,27**
FDV304P	SOT-23	•	25	0,4	0,3	1,2Ω 2,7	0,75	63	**0,27**
FDN358P	SOT-23	•	30	0,5	1,5	161 4,5	4	182	0,34
ZXMP4A16G	SOT-223	•	40	2	3	83 4,5	14	1000	0,93
IRF7205	SO-8	–	30	2,5	3	60 10	27	870	**0,37**
NTR4171P	SOT-23	•	30	0,5	1,5	60 4,5	16	720	**0,13**
DMP4050	SO-8	•	40	1,6	3	55 4,5	6,9	670	0,54
Si4435DDY	SO-8	•	30	2,5	6	28 4,5	15	1350	**0,53**
IRF7424	SO-8	•	30	2,5	7	20 4,5	75	4000	0,73
Si4463DY	SO-8	•	30	3	7^z	13 2,5	28	5800	1,03
LP0701N3	TO-92	–	16,5	1	0,4	1,7Ω 3	1,6	120	0,82
ZXM61P02F	SOT-23	•	20	0,5	0,5	550 2,7	1,8	150	0,29
NDS332P	SOT-23	•	20	0,5	0,7	350 2,7	2,4	195	**0,30**
IRLML6402	SOT-23	•	20	1,3	2,2	80 2,5	5	630	**0,33**
SI3443DV	TSOP-6	•	20	2	3.4	70 2,7	5,5	610	0,42
Si2312BDS	SOT-23	•	20	0,75	3,3	36 1,8	3	800	**0,43**
FDS6575	SO-8	•	20	1,5	6^z	11 2,5	53	4950	1,19
CSD25401	SON	•	20	2,8	8^z	14 2,5	5,5	1100	1,96
IRLML6401	SOT-23	•	12	1,3	2	125 1,8	6	830	0,19
IRF7702	TSSOP-8	•	12	1,5	6	15 2,5	30	3500	0,90
IRF7420	SO-8	•	12	2,5	8	15 2,5	24	3500	0,66
IRF7410G	SO-8	•	12	2,5	12	8 2,5	55	8700	**0,97**
IRF7210	SO-8	•	12	2,5	10	7 2,5	115	17200	**1,03**
grande									
IRF9540	TO-220	–	100	150	19	120 10	40	1400	**2,20**
IRF9540N	TO-220	–	*	140	20	110 *	60	1300	**1,28**
IRFP9140	TO-247	–	100	180	19	120 10	38	1400	3,07
IRFP9140N	TO-247	–	*	140	18	111 *	60	1300	**1,42**
IRF5210	TO-220	–	100	200	25	50 10	115	2700	1,93
IXTR90P10P	TO-247	–	100	190	55	20 10	120	5800	8,10
IXTK170P10	TO-264	–	100	890	130	10 10	240	12600	14,20
IXTN170P10	SOT-227	–	*	*	170	* *	*	*	19,37
SUD08P06	DPak	•	60	25	2^z	158 4,5	7	450	0,75
NTD2955G	DPak	•	60	55	2^z	155 10	14	500	0,45
NTP2955	TO-220	–	*	62	11	* *	*	*	**0,69**
MJE2955^b	*TO-220*	–	*60*	*75*	*–*	*80^b*	*–*	*–*	*0,64*
FQB11P06	D^{2}Pak	•	60	53	2^z	140 10	13	420	0,61
FQP27P06	TO-220	–	60	120	19	55 10	33	1100	0,72
FQB27P06	D^{2}Pak	•	*	*	5^z	* *	*	*	0,92
IRF4905	TO-220	–	55	200	50	16 10	120	3400	**2,04**
STB80PF55	D^{2}Pak	•	55	2,4	7	16 10	190	5500	2,53
STP80PF55	TO-220	–	*	300	55	* *	*	*	1,78
SUM55P06	D^{2}Pak	•	60	125	7^z	15 10	76	3500	2,75
IRF9Z34	TO-220	–	55	68	15	10 10	23	620	**0,97**
SUP90P06	TO-220	–	60	250	90	9 4,5	90	9200	3,06
SUP75P05	TO-220	–	55	250	75	8 10	140	8500	5,42
IRFP064V	TO-247	–	60	250	80	5,5 10	175	6800	1,89
IRF9204	TO-220	–	40	143	35	20 4,5	150	7700	1,47
MTP50P03HDL	TO-220	–	30	125	30	20 5	74	3500	3,37
FDD6637	DPak	•	35	57	7^z	14 4,5	25	2400	0,71
SUP75P03	TO-220	–	30	187	75	5,5 10	140	9000	1,91
IPB80P03P4L-04	D^{2}Pak	•	30	137	16	4,7 4,5	60	8700	1,02

Notas: (*) mesmo que as linhas acima. (b) BJT para comparação. (c) P_{diss} para $T_{carcaça} = 25°C$. (m) máx. (p) o I^2-PAK (T0-262) é um dispositivo "TO-220 serrado" com inclinação de 0,1" (3 terminais mais aba), enquanto D^2-PAK (T0-263) é uma versão SMT (2 terminais mais aba), o I-PAK (T0-251) é uma versão menor do I^{2}PAK (ou seja, vertical, 3 terminais mais aba, inclinação de 0,09") com sua versão SMT D-PARK (TO-252) correspondente (2 terminais mais aba). (q) Quant. 100; dispositivos comuns de baixo custo são indicados em negrito. (r) R_{DS} típico para $T_J = 25°C$, multiplicar por 1,5 se quente; o valor BJT é para $I_B = 0,3$ A. (s) Carga de porta total para V_{GS}; perda de comutação = $Q_G V_{GS} f$. (t) Típico. (u) Com um cobre de PCB de 6 cm^2. (v) Com um cobre de PCB de 0,4 cm^2. (x) Dispositivo de montagem em superfície, ou SMT disponível se indicado PTH (por exemplo, TO-92 ou TO-220). (y) Diretriz de estimativa conservadora, chave saturada para VGS, $T_{carcaça} = 70°C$. (z) Com um cobre de PCB de 2 a 5 cm^2; adicionar dissipador de calor para corrente maior.

Esta tabela mostra MOSFETs representativos selecionados. A coluna da esquerda, nMOS, lista dispositivos TO-92 e de montagem em superfície pequenos. A coluna da direita lista todos os dispositivos pMOS de até 100 V. As listas estão em ordem decrescente pela especificação $R_{DS(ON)}$ das chaves. Ignore os dispositivos com V_{DS} inadequado e avalie os dispositivos com uma boa margem de especificação I_D. Estude as folhas de dados dos candidatos para viabilidade. Amplificadores e reguladores lineares contam com a especificação de P_D. Porém, $R_{ΘJC} = 125°/P_D$, e a temperatura da junção será $T_J = T_A + P_D(R_{ΘJC} + R_{ΘJA})$, em que o último termo é o seu percurso de dissipação térmica. Os dois termos $R_Θ$ variam bastante para diferentes encapsulamentos, e a especificação de P_D é usada apenas nesse contexto. Você pode descobrir que dispositivos de alta tensão têm $R_{ΘJC}$ baixo.

TABELA 3.4B MOSFETs de potência canal n, 55 V a 4500 V[a] (Página 1 de 3)

Nº ident.[k]	Encapsu- lamento[p]	Fabricante[n]	Mont. superfície	V_{DSS} 25°C (V)	P_{diss}[c] (W)	I_D (V_{GS}=10V) pulso (A)	I_D 25°C[b] (A)	I_D 70°C[z] (A)	$R_{\theta JC}$ (°C/W)	$R_{DS(on)}$[e] típico[r] (mΩ)	$R_{DS(on)}$ máx (mΩ)	para V_{DS} (V)	Porta com zener	Superjunção[S]	Carga $Q_G^{v,s}$ typ (nC)[t]	Carga Q_{GD}^{s} typ (nC)[t]	C_{iss} typ (pF)	C_{oss} typ (pF)	C_{rss} typ (pF)	Custo[q] US$	ano de introd.[y]
IXTT02N450	TO-268	Ix	-	4500	113	0,6	0,2	*0,14*	1,1	480Ω	625Ω	10	-	-	10,6	5,5	246	19	5,8	17,05	2013
IXTT1N450HV	TO-268HV	Ix	-	4500	520	3	1	*0,8*	0,24	72Ω	85Ω	10	-	-	40	20	1730	78	28	28,67	2013
IXTL2N450	i5-Pak	Ix	-	4500	220	8	2	*1,3*	0,56	16Ω	20Ω	10	-	-	180	83	6860	267	105	88,80	2013
IXTH02N250	TO-247	Ix	-	2500	83	0,6	0,2	*0,14*	1,5	385Ω	450Ω	10	-	-	7,4	5,3	116	8	3	9,52	2013
1500V																					
2SK1317	TO-3P	R	-	1500	100	7	2,5	*1,5*	1,25	9000	12000	10	-	-	-	-	990	125	60	5,46	2004
STP3N150	TO-220	ST	-	1500	140	10	2,5	1,6	0,89	6000	9000	10	-	-	29,3	17	939	102	13,2	4,64	2008
STP4N150	TO-220	ST	-	1500	160	12	4	2,5	0,78	5000	7000	10	-	-	30	9	1300	120	12	4,15	2003
IXTH6N150	TO-247	Ix	-	1500	540	24	6	*4*	0,23	2905	3500	10	-	-	67	36	2230	170	64	6,07	2010
1200V																					
IXTY02N120	D-Pak	Ix	•	1200	33	0,6	0,2	*0,2*	3,80	60Ω	75Ω	10	-	-	4,7	3,2	104	8,6	1,9	2,92	2009
IXTP1N120P	TO-220	Ix	-	1200	63	1,8	1	*0,7*	2	16Ω	20Ω	10	-	-	17,6	10,6	550	25	5,4	2,46	2007
IXTP3N120	TO-220	Ix	-	1200	200	12	3	2,5	0.62	*3735*	4500	10	-	-	42	21	1100	110	40	4,65	2003
STP6N120K3	TO-220	ST	-	1200	150	20	6	3,8	0,83	1950	2400	10	•	-	39	23,5	1050	90	3	4,28	2010
IXFH16N120P	TO-247	Ix	-	1200	680	35	16	8	0,19	850	950	10	-	-	120	47	6900	390	48	11,02	2007
IXFX26N120P	TO-264	Ix	-	1200	960	60	26	*19*	0,13	*380*	460	10	-	-	225	96	16000	735	58	19,28	2007
IXFN32N120	SOT-227	Ix	-	1200	780	128	32	*20*	0,16	*290*	350	10	-	-	400	188	15900	1000	260	27,15	2001
CMF20120D[x]	TO-247	Cr	-	1200	215	90	42	24	0,44	80	100	20	-	-	91	43	1915	120	13	32,05	2011
800-1000V																					
IXTY01N100	D-Pak	Ix	-	1000	25	0,4	0,1	*0,1*	5	60Ω	80Ω	10	-	-	6,9	3	54	6,9	2	0,93	2004
IXTA05N100	D-Pak	Ix	•	1000	40	3	0,75	*0,5*	3,1	15Ω	17Ω	10	-	-	7,8	4,1	260	22	8	1,68	2006
IXTP1N100	TO-220	Ix	-	1000	54	6	1,5	*0,9*	2,3	8300	11000	10	-	-	14,5	7,5	400	37	13	0,93	2002
FQD2N100	D-Pak	F	•	1000	50	6,4	1,6	1	2,5	7100	9000	10	-	-	12	6,5	400	40	5	0,79	2001
STD2NK100Z	D-Pak	ST	•	1000	70	7,4	1,85	1,16	1,8	6250	8500	10	•	-	16	9	499	53	9	2,19	2006
STP2NK100Z	TO-220	ST	-	1000	70	7,4	1,85	1,16	1,8	6250	8500	10	•	-	16	9	499	53	9	2,16	2006
IRFBG20	TO-220	IR	-	1000	54	5,6	1,4	0,86	2,3	8000	11000	10	-	-	27	15	500	52	17	1,02	1993
IRFBG30	TO-220	IR	-	1000	125	12	3,1	2	1	4000	5000	10	-	-	50	30	980	140	50	1,31	1993
STP5NK100Z	TO-220	ST	-	1000	125	14	3,5	2,2,	1	2700	3700	10	•	-	42	22	1154	106	21	2,52	2005
FQA8N100	TO-3P	F	-	1000	225	32	8	5	0,56	1200	1450	10	-	-	53	23	2475	195	16	2,28	2005
IXTX24N100	TO-247	Ix	-	1000	568	96	24	16	0,22	333	400	10	-	-	267	142	8700	785	315	15,53	2009
FQP9N90C	TO-220	F	-	900	205	32	8	2,8	1,85	1120	1400	10	-	-	45	18	2100	175	14	1,73	2002
FQD1N80	DPak	F	•	800	45	4	1	0,63	2,78	15000	20000	10	-	-	5,5	3,3	150	20	2,7	0,22	1999
STQ1NK80	TO-92	ST	-	800	3	5	0,25	0,16	40	13000	16000	10	•	-	7,7	4,5	160	26	7	0,35	2004
STN1NK80	SOT-223	ST	•	800	2,5	5	*	*	50	*	*	*	•	-	*	*	*	*	*	0,75	2004
STD1NK80	DPak	ST	•	800	45	5	*	*	2,78	*	*	*	•	-	*	*	*	*	*	0,64	2004
SPP02N80C3	TO-220	Inf	-	800	42	6	2	1,2	3	2400	2700	10	-	-	12	6	290	130	6	1,04	2005
FQP7N80C	TO-220	F	-	800	167	26	6,6	4,2	0,75	1570	1900	10	-	-	27	11			10	1,25	2000
SPP11N80C3	TO-220	Inf	-	800	156	33	11	7,1	0,8	390	450	10	-	-	50	25	1600	800	40	2,72	2003

Notas: (a) Classificado por grupos de tensão e, em seguida, pelo decréscimo de $R_{DS(ON)}$; dispositivos com especificações abaixo de 55 V não estão incluídas; muitos MOSFETs têm um esquema de número de identificação, por exemplo, 10N60, em que 10 é a capacidade de corrente contínua, N significa canal *n* e o último número é $V_{DS}/10$, de modo que 60 significa 600 volts; para esses dispositivos, uma letra de prefixo geralmente indica o tipo de encapsulamento. (*) O mesmo que a linha de cima. **(b)** Corrente contínua máxima com $T_C = 25°C$ (manifestamente impossível), considerando $T_J = 150°C$; em alguns casos, a corrente é limitada pelo encapsulamento (fios de ligação). **(c)** P_{diss} para $T_{carcaça} = 25°C$ a partir da folha de dados. **(e)** Para $T_J = 25°C$. **(k)** Dispositivos em itálico têm tecnologia de superjunção, as especificações são para $V_{DS} = 50$ ou 100 V. **(m)** máx. **(n)** Cr = Cree, F = Fairchild, Inf = Infineon, IR = International Rectifier, Ix = IXYS, N = NXP, R = Renesas, ST = STMicroelectronics, Su = Supertex, To = Toshiba, V = Vishay. **(p)** Tipos de encapsulamentos (veja folha de dados para saber qual encapsulamento o fabricante oferece para esse dispositivo); tipos de potência de plástico com três terminais são (maior primeiro): TO-264 com espaçamento de terminais 0,215" (para coincidir com o orifício central do TO-3 e isolar os entalhes laterais da montagem), TO-247 (o mesmo espaçamento, orifício central opcional), TO-3P (mesmos espaçamento e orifício central, ambos para coincidir com o TO-3), TO-220 (menor com aba de 0,2" com furo, espaçamento de terminais de 0,1", muito popular); o I2-PAK (TO-262) é um "TO-220 cerrado" vertical com passo (*pitch*) de 0,1" (três terminais mais aba), enquanto o D2-PAK (TO-263) é uma versão SMT (2 terminais mais aba); o I-PAK (TO-251) é uma versão menor do I2-PAK (ou seja, vertical, 3 terminais mais aba, passo de 0,09"), com o seu correspondente D-PAK (TO-252) versão SMT (2 terminais mais aba); SOT-223 de 3 terminais espaçados 0,09" com aba curta; SO-8P de potência é similar ao SOIC-8 com um "*power pad*" metálico; LFPAK = SOT-669 tem o *footprint* do SO-8 substituindo 4 pinos por uma aba de drenagem; o encapsulamento SOT-227 mede 1×1,5 pol., tem quatro conexões de terminais *spade-lug* de porca cativa nº 4 e uma placa de metal dissipadora de calor isolada super útil. **(q)** Quant. 100. **(r)** R_{DS} típico para $T_J = 25°C$; se quente, fator de escala de 1,5 a 2× para dispositivos de baixa tensão, ou de 2,2 a 3,5× para dispositivos de alta tensão. **(s)** Carga de porta total para VGS; perda de chaveamento de porta = $Q_G V_{GS} f$. **(s2)** Comutação capacitiva de dreno $I_{OSS} = C_{OSS} V_{DS}^2 f$. **(t)** Típico. **(v)** Para o V_{GS} no qual $R_{DS(ON)}$ é especificado. **(w)** A versão N mais recente custa menos, mas tem maior $R_{\theta JC}$. **(x)** Este é um MOSFET de carbeto de silício (SiC) em vez de silício;eles têm capacitâncias menores, mas exigem tensões de porta superiores. **(y)** Ano de introdução. **(z)** Diretriz de estimativa conservadora, chave saturada para V_{GS}, $T_C = 70°C$.

Comentários de utilização: • Quando se busca na lista por C_{oss} baixo, ou potência máxima, ou R_{on} baixo, etc., você pode encontrar um dispositivo melhor para a sua especificação com um V_{DSS} muito maior do que o necessário – especialmente verdadeiro para capacidade de potência maior, um servo linear ou transistor de passagem. • Dispositivos de 500 V foram substituídos por dispositivos de 600 V por vários fabricantes. • Aplicações lineares, muitas vezes, precisam de capacidade de dissipação de potência – isto é, muitas vezes, melhor com os dispositivos de matriz grande mais antigos; modelos mais recentes usam ranhuras V estreitas para conseguir um baixo $R_{DS(on)}$ e, portanto, requerem uma área de matriz muito menor. Existem bons candidatos na tabela.

TABELA 3.4B MOSFETs de potência canal n, 55 V a 4500 Va (Página 2 de 3)

Nº ident.[k]	Encapsulamento[p]	Fabricante[n]	Mont. superfície	V_{DSS} 25°C (V)	P_{diss}[c] (W)	I_D (V_{GS}=10V) pulso (A)	I_D 25°C[b] (A)	I_D 70°C[z] (A)	$R_{\theta JC}$ (°C/W)	$R_{DS(on)}$[e] típico[r] (mΩ)	$R_{DS(on)}$ máx (mΩ)	para V_{DS} (V)	Porta com zener	Superjunção[k]	Carga $Q_G^{v,s}$ typ (nC)[t]	Carga Q_{GD}^s typ (nC)[t]	Capacitância[s,s2] (V_{DS}=25V[k]) C_{iss} typ (pF)	C_{oss} typ (pF)	C_{rss} typ (pF)	Custo[q] US$	ano de introd.[y]
600V																					
VN2460N3, N8	TO-92	Su	•	600	1	0,5	0,16	0,12	125	25000	25000	5	-	-	5,5	4	120	10	5	0,84	2000
FQN1N60C	TO-92	F	-	600	3	1,2	0,3	0,18	50	9300	11500	10	-	-	4,8	2,7	130	19	3,5	0,31	2003
FQD1N60C	DPak	F	•	600	28	4	1	1,6	4,5	*	*	*	-	-	*	*	*	*	*	0,47	2003
SPD01N60c3	DPak	IR	•	600	11	1,6	0,8	0,5	11	5600	6000	10	-	-	2,2	0,9	100	40	2,5	0,60	2003
IXTP2N60P	TO-220	Ix	-	600	55	4	2	1,4	2,25	4200	5500	10	-	-	7	2,1	240	28	3,5	0,79	2005
FQP2N60C	TO-220	F	-	600	54	8	2	1,35	2,32	3600	4700	10	-	-	8,5	4,1	180	20	4,3	0,60	2002
FQP3N60C	TO-220	F	-	600	75	12	3	1,8	1,67	2800	3400	10	-	-	10,5	4,5	435	45	5	0,70	2005
FQP5N60C	TO-220	F	-	600	100	18	4,5	2,6	1,25	2000	2500	10	-	-	15	6,6	515	55	6,5	0,75	2003
FDP5N60NZ	TO-220	F	-	600	100	18	4,5	2,7	1,25	1650	2000	10	•	-	10	4	450	50	5	0,82	2011
SPD03N60	DPak	Inf	•	600	38	9,6	3,2	2	3,3	1280	1400	10	-	-	13	6	400	150	5	0,84	2002
FDP7N60NZ	TO-220	F	-	600	147	26	6,5	3,9	0,85	1050	1250	10	-	-	13	5,6	550	70	7	1,10	2010
STP7NM60	TO-220	ST	-	600	45	20	5	3	2,8	840	900	10	-	•	14	7,7	363	25	1,1	1,31	2008
FQB7N60	D2Pak	F	•	600	142	30	7,4	4,7	0,88	800	1000	10	-	-	29	14,5	1100	135	16	1,14	2000
FDP10N60NZ	TO-220	F	-	600	185	40	10	6	0,68	640	750	10	•	-	23	8	1110	130	10	1,49	2010
STP8N65M5	TO-220	ST	-	650	70	28	7	4,4	1,8	560	600	10	-	•	15	6	690	18	2	4,48	2009
FCP7N60N	TO-220	F	-	600	64	20	6,8	4,3	1,95	460	520	10	-	•	18	6	719	30	2,1	1,60	2009
STP11N65M5	TO-220	ST	-	650	85	36	9	5,6	1,5	430	480	10	-	•	17	8,5	644	18	2,5	1,67	2012
FCP9N60N	TO-220	F	-	600	83	27	9	5,7	1,5	330	385	10	-	•	22	7,1	930	35	2	2,37	2009
TK10E60W	TO-220	To	-	600	100	39	9,7		1,25	327	380	10	-	•	20	9,5	700	20	2,3	2,04	2012
FQA19N60	TO-3P	F	-	600	300	74	18,5	11,7	0,42	300	380	10	-	-	70	33	2800	350	35	2,71	2000
SPP15N60CFD	TO-220	Inf	-	600	156	33	13	8,4	0,80	280	330	10	-	-	63	38	1820	520	21	2,87	2006
STP15NM60ND	TO-220	ST	-	600	125	56	14	9	1	270	299	10	-	•	40	22	1250	65	5	3,42	2007
IPP60R280C6	TO-220	Inf	-	600	104	40	14	8,7	1,2	250	280	10	-	•	43	22	950	60		1,95	2009
SPP15N60C3	TO-220	Inf	-	600	156	45	15	9,4	0,8	250	280	10	-	•	63	29	1660	540	40	2,33	2002
FCP13N60N	TO-220	F	-	600	116	39	13	8,2	1,07	244	258	10	-	•	30	9,5	1325	50	3	2,41	2009
SiHP15N60E	TO-220	V	-	600	180	39	15	9,6	0,7	230	280	10	-	•	38	17	1350	70	5	1,77	2011
STP16N65M5	TO-220	ST	-	650	90	48	12	7,3	1,4	230	279	10	-	•	31	12	1250	30	3	2,96	2011
IPP60R250CP	TO-220	Inf	-	600	104	40	12	8	1,2	220	250	10	-	•	26	9	1200	54		2,56	2010
STP22NM60N	TO-220	ST	-	600	125	64	16	10	1	200	220	10	-	•	44	25	1330	84	4,6	3,82	2009
IPP60R199CP	TO-220	Inf	-	600	139	51	16	10	0,9	180	199	10	-	•	32	11	1520	72	2	2,88	2006
IRFP27N60K	TO-247	IR	-	600	500	110	27	18	0,29	180	220	10	-	-	105	50	4660	460	41	5,53	2002
TK16E60W	TO-220	To	-	600	130	63	16,8	11	0,96	160	190	10	-	•	38	16	1350	35	4	2,86	2012
STP21N65M5	TO-220	ST	-	650	125	68	17	10,7	1	150	179	10	-	•	50	23	1950	46	3	2,33	2010
SiHP24N65E	TO-220	V	-	700	250	70	24	16	0,5	120	145	10	-	-	81	37	2740	122	4	2,45	2009
IXFH50N60P3	TO-247	Ix	-	600	1040	125	50	35	0,12	118	145	10	-	-	94	23	6300	630	2,5	4,95	2011
IPP60R099CP	TO-220	Inf	-	600	255	93	31	19	0,5	90	99	10	-	•	60	20	2800	130	100	4,68	2005
SPW47N60C3	TO-247	Inf	-	600	415	141	47	30	0,3	60	70	10	-	•	252	121	9800	2200	145	5,00	2004
FCH47N60N	TO-247	F	-	600	368	141	47	30	0,34	52	62	10	-	•	115	34	5037	200	2,5	9,97	2010
IXKN75N60C	SOT-227	Ix	-	600	568	-	75	60	0,22	30	36	10	-	-	500	220	15000	6000	300	33,33	2003
FCH76N60N	TO-247	F	-	600	543	228	76	48	0,23	28	36	10	-	•	218	66	9310	370	3,3	18,80	2010
500V																					
IRF820	TO-220	IR	-	500	50	8	2,5	1,6	2,5	2500	3000	10	-	-	16	8,2	360	92	37	0,43	1980
IRF830	TO-220	IR	-	500	74	18	4,5	2,9	1,7	1200	1500	10	-	-	26	12	610	160	68	0,59	1980
IRF840	TO-220	IR	-	500	125	32	8	5,1	1	800	850	10	-	-	52	22	1300	310	120	0,70	1982
FDP5N50NZ	TO-220	F	-	500	78	18	4,5	2,7	4,1	1380	1500	10	•	-	9	4	330	50	4	0,95	2010
STD5NK50Z	DPak	ST	•	500	70	17,6	4,4	2,7	1,78	1220	1500	10	•	-	20	10	535	75	17	1,06	2002
FDP7N50	TO-220	F	-	500	89	28	7	4,2	1,4	760	900	10	-	-	12,8	5,8	720	95	9	1,07	2006
FQP9N50	TO-220	F	-	500	147	36	9	5,7	0,85	580	730	10	-	-	28	12,5	1100	160	20	0,72	2002
IRFP450	TO-247	IR	-	500	190	56	14	9	0,65	350	400	10	-	-	110	55	2600	720	340	2,12	1993
IRFP460	TO-247	IR	-	500	280	80	20	13	0,45	230	270	10	-	-	150	70	4200	870	350	2,58	1993
STW20NK50Z	TO-247	ST	-	500	190	68	20	12,6	0,66	230	270	10	•	-	85	42	2600	328	72	3,15	2002
FDA28N50	TO-3P	F	-	500	310	112	28	17	0,4	122	155	10	-	-	80	32	3866	576	42	3,81	2007
FCP22N60N	TO-220	F	-	500	205	66	22	13,8	0,61	140	165	10	-	•	45	14,5	1950	76	3	4,67	2007
FDH44N50	TO-247	F	-	500	750	176	44	32	0,2	110	120	10	-	-	90	31	5335	645	40	6,80	1998
IXFN80N50P	SOT-227	Ix	-	500	700	200	80	45	0,18	54	65	10	-	-	195	64	12700	1280	120	18,77	2004
IXFB100N50P	TO-264	Ix	-	500	1250	250	100	75	0,10	44	49	10	-	-	240	78	20000	1700	140	16,18	2005

TABELA 3.4B MOSFETs de potência canal n, 55 V a 4500 Va (Página 3 de 3)

Nº ident.[k]	Encapsulamento[p]	Fabricante[n]	Mont. superfície	V_{DSS} 25°C (V)	P_{diss}[c] (W)	I_D (V_{GS}=10V) pulso (A)	25°C[b] (A)	70°C[z] (A)	$R_{\theta JC}$ (°C/W)	$R_{DS(on)}$[e] típico[r] (mΩ)	máx (mΩ)	para V_{DS} (V)	Porta com zener	Superjunção[k]	Carga $Q_G^{v,s}$ typ (nC)[t]	Q_{GD}^s typ (nC)[t]	C_{iss} typ (pF)	C_{oss} typ (pF)	C_{rss} typ (pF)	Custo[q] US$	ano de introd.[y]
200-400V																					
IRF710	TO-220	IR	-	400	36	6	2	1,2	3,5	3100	3600	10	-	-	5,7	2,2	170	34	6,3	0,38	1980
IRF720	TO-220	IR	-	400	50	13	3,3	2,1	2,5	1300	1800	10	-	-	15	7	410	120	47	0,28	1980
IRF730	TO-220	IR	-	400	74	22	5,5	3,5	1,7	740	1000	10	-	-	24	13	700	170	64	0,53	1980
IRF740	TO-220	IR	-	400	125	40	10	6,3	1,0	435	550	10	-	-	43	21	1400	330	120	0,67	1981
STP7NK40Z	TO-220	ST	-	400	70	22	5,4	3,4	1,78	850	1000	10	-	-	19	10	535	82	18	1,13	2002
STP11NK40Z	TO-220	ST	-	400	110	36	9	5,67	1,14	490	550	10	-	-	32	18,5	930	140	30	1,45	2003
FQP17N40	TO-220	F	-	400	170	64	16	10,1	0,74	210		10	-	-	45	21,7	1800	270	30	1,45	2006
IRFP244	TO-220	V	-	250	150	60	15	9,7	0,83	180	280	10	-	-	63,0	39	1400	320	73	2,99	1997
FQP16N25	TO-220	F	-	250	250	64	16	10	0,88	180	230	10	-	-	27	15	920	190	23	1,36	2000
FQA30N40	TO-3P	F	-	400	290	120	30	19	0,43	107	140	10	-	-	90	46	3400	580	60	3,53	1999
FDP33N25	TO-220	F	-	250	235	132	33	20	0,53	77	94	10	-	-	36,8	17	1640	30	39	1,23	2006
FDP2710	TO-220	F	-	250	403		50	31	0,48	36	42	10	-	-	78	18	5470	426	97	2,92	2007
FDA69N25	TO-3P	F	-	250	480	276	69	44	0,28	34	41	10	-	-	77	37	3570	780	84	2,50	2006
IXTK120N25P	TO-264	Ix	-	250	700	300	120	80	0,18	19	24	10	-	-	185	80	8000	1300	220	8,16	2004
IRF610	TO-220	IR	-	200	36	10	3,3	2,1	3,5	1250	1500	10	-	-	6,3	3,2	140	53	15	0,28	1980
IRL620	TO-220	IR	-	200	50	21	5,2	3,3	2,5	630	800	5	-	-	8,2	5,5	360	91	27	1,03	1993
IRF620	TO-220	IR	-	200	50	18	5,2	3,3	2,5	550	800	10	-	-	10,6	5	260	100	30	0,38	1980
IRL630	TO-220	IR	-	200	74	36	9	5,7	1,7	290	400	5	-	-	24	24	1100	220	70	1,08	1989
IRF630	TO-220	IR	-	200	74	36	9	5,7	1,7	220	400	10	-	-	27	14	800	240	76	0,46	1980
IRL640	TO-220	IR	-	200	125	68	17	11	1,0	125	180	5	-	-	42	24	1800	400	120	0,78	1992
IRF640	TO-220	IR	-	200	125	72	18	11	1,0	130	180	10	-	-	45	24	1300	430	130	0,59	1981
PSMN102-200Y	LFPak	N	•	200	113	65	21,5	13,6	1,1	86	102	10	-	-	31	10	1568	170	55	0,92	2008
IRFP260N	TO-247	IR	-	200	300	200	50	35	0,50	35	40	10	-	-	234	110	4057	603	161	2,15	2009
IRFP4668	TO-247	IR	-	200	520	520	130	92	0,29	8	9,7	10	-	-	161	52	10720	810	160	4,88	2008
55-100V																					
IRF510	TO-220	IR	-	100	43	20	5,6	4	3,5	410	540	10	-	-	5,2	2,2	180	81	15	0,35	1980
IRF520	TO-220	IR	-	100	60	37	9,2	6,5	2,5	200	270	10	-	-	10,3	3,9	360	150	34	0,38	1980
IRF530	TO-220	IR	-	100	88	56	14	10	1,7	100	160	10	-	-	16,2	7	670	250	60	0,44	1980
IRF540	TO-220	IR	-	100	130	110	28	20	1,0	50	77	10	-	-	47	17	1700	560	120	0,60	1980
FQP33N10	TO-220	F	-	100	127	132	33	23	1,18	40	52	10	-	-	38	18	1150	320	62	0,89	1995
PSMN039-100YS	LFPak	N	•	100	74	112	28	20	1	31	40	10	-	-	23	8	1847	86	64	0,57	2010
FQP44N10	TO-220	F	-	100	146	174	43	31	1	30	39	10	-	-	48	24	1400	425	85	1,02	2000
SUP85N10	TO-220	V	-	100	250	240	85	60	0,6	10	12	5	-	-	105	23	6550	665	265	4,88	2000
HUF75652G3	TO-247	F	-	100	515	1200	75 h	75	0,29	6,7	8	10	-	-	393	74	7585	2345	630	4,87	1998
IRFB4110	TO-220	IR	-	100	370	670	180	120	0,4	3,7	4,5	10	-	-	150	43	9620	670	250	2,84	2005
IRFZ14	TO-220	IR	-	60	43	40	10	7,2	3,5	135	200	10	-	-	9,7	4,7	300	160	29	0,44	1986
IRFZ24	TO-220	IR	-	60	60	68	12	17	2,5	68	100	10	-	-	19	8	640	360	79	0,53	1986
IRFZ34	TO-220	IR	-	60	88	120	30	21	1,7	42	50	10	-	-	30	15	1200	600	100	0,65	1986
IRFZ44[w]	TO-220	IR	-	60	150	200	50	36	1,0	24	28	10	-	-	42	17	1900	920	170	0,77	1986
IRLZ44N	TO-220	IR	-	55	110	160	47	33	1,4	20	25	5	-	-	28	17	1700	400	150	0,47	1992
NDP6060L	TO-220	F	-	60	100	144	48	24	1,5	20	28	5	-	-	43	21	1630	460	150	1,63	1995
IRL3705N	TO-220	IR	-	55	170	310	89	63	0,9	11	12	5	-	-	95	49	3600	870	320	1,30	2004
IRFP054N	TO-247	IR	-	60	170	290	81	57	0,9	10	12	10	-	-	130	53	2900	880	330	1,36	1996
IRL2505	TO-220	IR	-	55	200	360	104	74	0,75	9	10	5	-	-	130	67	5000	1100	390	1,65	1996
STP80NF55-08	TO-220	ST	-	55	300	320	80 h	80	0,5	6,5	8	10	-	-	112	40	3740	830	265	2,57	2007
IRF3205Z	TO-220	F	-	55	170	440	110	78	0,9	6,5		10	-	-	76	30	3450	550	310	1,26	2001
IRF1405	TO-220	IR	-	55	330	680	169	118	0,45	4,6	5,3	10	-	-	170	62	5480	1210	280	1,76	2001
FDP025N06	TO-220	F	-	60	395	1060	265	120	0,38	1,9	2,5	10	-	-	174	50	11190	1610	750	3,41	2006
FDP020N06B	TO-220	F	-	60	333	1252	313	221	0,45	1,65	2,0	10	-	-	87	34	16100	3640	127	3,79	2011

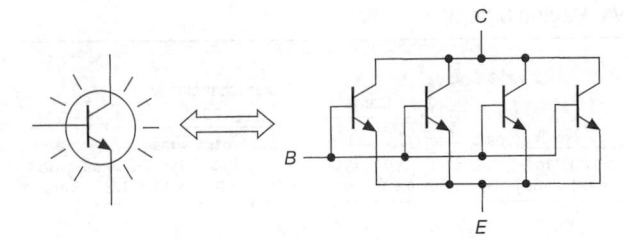

FIGURA 3.94 Um transistor de área de junção grande pode ser pensado como muitos transistores de área pequena em paralelo.

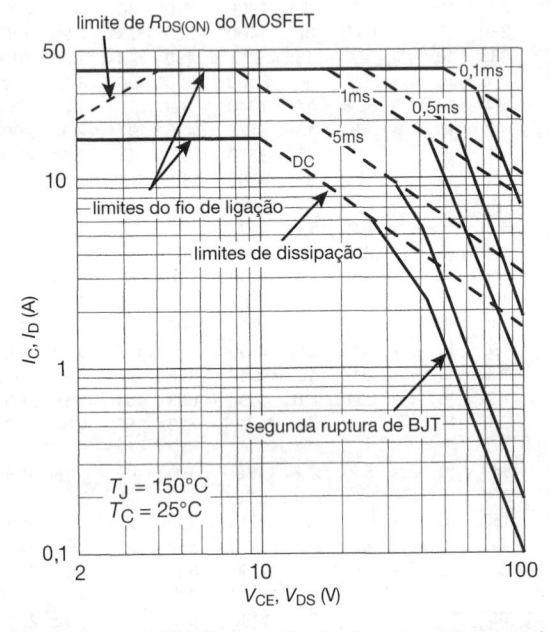

FIGURA 3.95 MOSFETs de potência não sofrem de segunda ruptura: comparando as áreas de operação segura (SOAs) de um BJT de 160 W (MJH6284) e um MOSFET (RFP40N10).

Esse coeficiente de temperatura negativo de I_D (para V_{GS} fixo) produziu algumas recomendações ruins na comunidade de amplificadores, em especial, a afirmação de que é sempre correto conectar um conjunto de MOSFETs de potência em paralelo sem resistores de equalização de corrente, "limitação de corrente do emissor", que são necessários com transistores bipolares.[80] Você *poderia* fazer isso se os MOSFETs devessem ser operados em regime de alta corrente em que você obtém a estabilização do coeficiente de temperatura negativo. Mas, na prática, você geralmente não pode operar assim de qualquer maneira, por causa de limitações de dissipação de potência que veremos na Seção 9.4.1A. E, nas correntes mais baixas, em que o coeficiente de temperatura é positivo e desestabilizante, um dos MOSFETs em paralelo tenderá a monopolizar a corrente e sofrer dissipação de potência excessiva, levando, muitas vezes, a falha prematura. A solução é a utilização de uma pequena resistência de limitação de corrente de fonte em cada um dos MOSFETs em paralelo (que devem ser do mesmo tipo e do mesmo fabricante), escolhidos para produzir uma queda de cerca de um volt na corrente de operação.

Por outro lado, você *pode* conectar MOSFETs de potência em paralelo em aplicações de *chaveamento*. Isso porque o MOSFET está operado na região ôhmica de V_{DS} baixo (caracterizada pela resistência aproximadamente constante R_{ON}, em oposição à região de "corrente de saturação" de maior tensão, em que o transistor é caracterizado por I_D aproximadamente constante): é o coeficiente de temperatura positivo de R_{ON} que estabiliza o compartilhamento de corrente nos MOSFETs de potência em paralelo. Nenhum resistor de limitação de corrente é necessário, ou mesmo desejável. Falaremos mais sobre isso na Seção 3.6.3.

3.5.2 Parâmetros de Chaveamento de MOSFET de Potência

A maioria dos MOSFETs de potência é do tipo intensificação, disponível nas polaridades de canal *n* e canal *p*. Parâmetros relevantes são a tensão de ruptura V_{DSS} (variando de 12 V a 4,5 kV para o canal *n*, e 500 V para o canal *p*); a resistência de canal ON $R_{DS(on)}$ (tão baixa quanto 0,8 mΩ); a capacidade de manipulação de corrente e potência (até 1.000 A e 1.000 W) e as capacitâncias de porta C_{rss} e C_{iss} (até 2.000 pF e 20.000 pF, respectivamente).

Essas especificações de corrente e potência impressionantemente altas são geralmente especificadas à temperatura de carcaça de 25°C, permitindo que a temperatura da junção suba até 175°C (enquanto a R_{ON} impressionante baixa é especificada para a temperatura de *junção* de 25°C!). A menos que você resida no Polo Sul, essas são condições completamente irrealistas durante um contínuo chaveamento de alta potência.[81] Veja a discussão na Seção 3.5.4D.

3.5.3 Chaveamento de Potência a Partir de Níveis Lógicos

Muitas vezes, você quer controlar um MOSFET de potência a partir de uma saída de lógica digital. Embora existam famílias lógicas que geram oscilações de 10 V ou mais (o "legado" da série CMOS 4000), as famílias lógicas mais comuns (conhecidas genericamente como CMOS) utilizam tensões de alimentação de +5, +3,3 ou +2,5 V e geram níveis de saída próximos dessas tensões para o terra (ALTO e BAIXO, respectivamente).[82] A Figura 3.96 mostra como comutar

---

[80] Por causa do coeficiente de temperatura *positivo* de I_C para um V_{BE} constante, veja a Seção 2.3.

[81] Em defesa deles, as folhas de dados fornecem coeficientes de redução de capacidade, mas as reduções de capacidade de corrente e potência, de alguma forma, são negligenciadas quando a informação da primeira página é editada.

[82] A família conhecida como TTL opera a partir de 5 V, mas sua saída de nível ALTO pode ser tão baixa quanto +2,4 V, uma característica compartilhada por alguns outros dispositivos de 5 V.

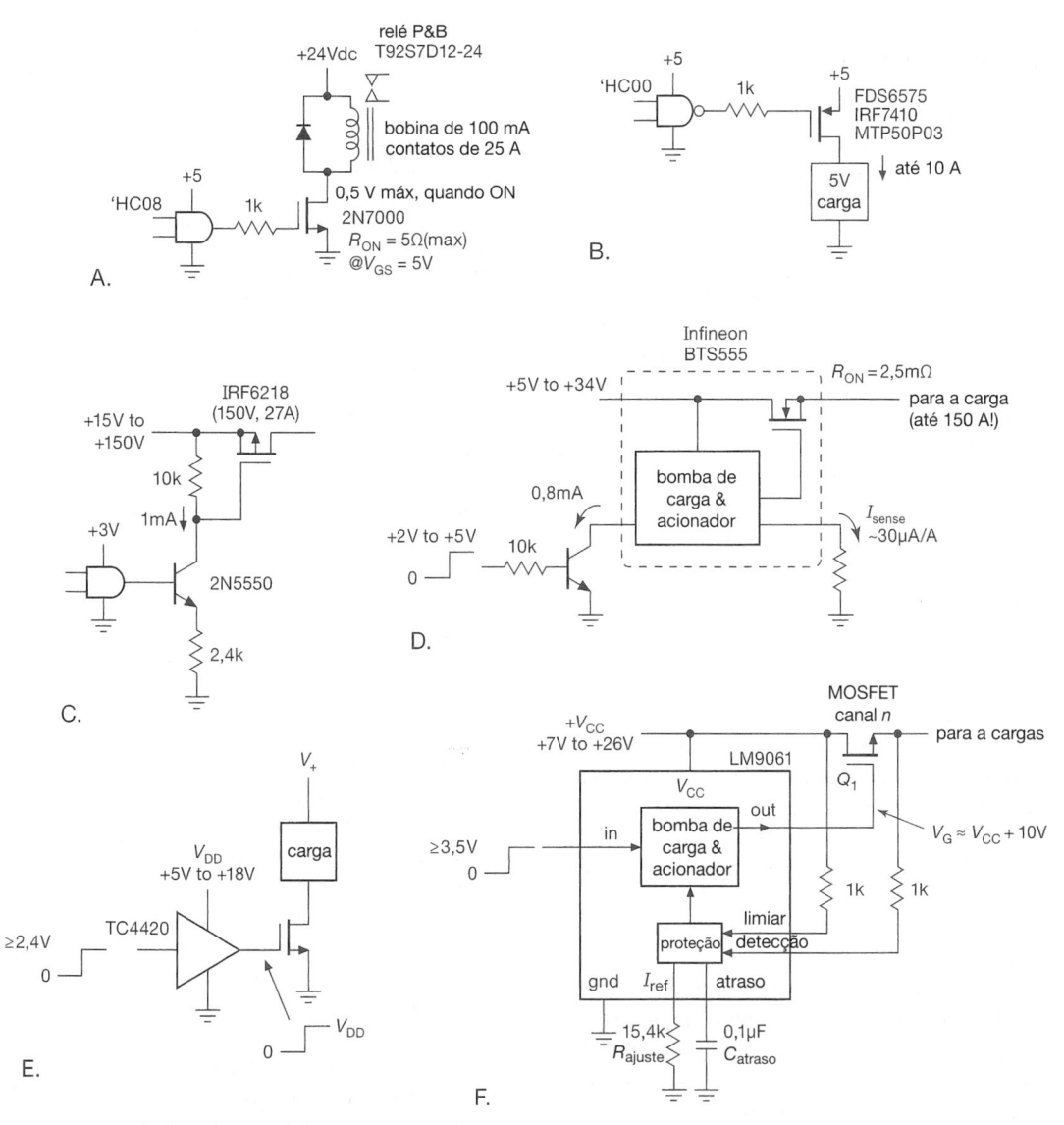

FIGURA 3.96 MOSFETs podem chavear cargas de potência quando acionadas a partir de níveis lógicos digitais. Veja também a Figura 3.106.

cargas dessas famílias lógicas. No primeiro circuito (Figura 3.96A), o acionamento de porta de +5 V ligará totalmente uma variedade de MOSFETs, de modo que escolhemos o 2N7000, um transistor de baixo custo (4 centavos de dólar em quantidade) que especifica $R_{ON} < 5\,\Omega$ para $V_{GS} = 4{,}5$ V. O diodo protege contra picos indutivos (Seção 1.6.7). O resistor de porta em série, embora não essencial, é uma boa ideia, pois a capacitância dreno-porta do MOSFET pode acoplar os transientes indutivos da carga de volta para a delicada lógica CMOS (mais sobre isso em breve).

Para variar, no segundo circuito (Figura 3.96B), usamos o MTP50P03HDL canal *p*, acionando uma carga com retorno para o terra. Em uma técnica normalmente usada chamada *chaveamento de potência*, a "carga" pode ser circuitos adicionais, ligados eletricamente sob um comando. O '50P03 especifica um máximo de R_{ON} de 0,025 Ω para $V_{GS} = -5$ V e pode lidar com uma corrente de carga de 50 A; para um R_{ON} inferior, você poderia selecionar o IRF7410 (0,007 Ω, 16 A, 1,50 dólar); veja a Tabela 3.4a.

A lógica de tensão mais baixa é cada vez mais popular em circuitos digitais. As configurações de chaveamento das Figuras 3.96A e B podem ser usadas para tensões mais baixas, mas não se esqueça de usar MOSFETs com "limiares de lógica" especificados. Por exemplo, o FDS6574A de canal *n* de 20 V de 16 A da Fairchild especifica uma R_{ON} máxima de 0,009 Ω para uma V_{GS} irrisória de 1,8 V, e seu irmão FDS6575 de canal *p* especifica uma R_{ON} máxima de 0,017 Ω para uma V_{GS} de −2,5 V; eles custam cerca de 1,25 dólar em pequenas quantidades. Ao escolher MOSFETs de baixo limiar, atente para as especificações enganosas. Por exemplo, o MOSFET IRF7470 especifica "$V_{GS(th)} = 2$ V (máx)", que parece bom até você ler as letras miúdas ("para $I_D = 0,25$ mA"). Ele necessita de uma tensão de porta consideravelmente maior do que $V_{GS(th)}$ para ligar inteiramente um MOSFET (veja a Figura 3.115). No entanto, o circuito funcionará bem, porque o IRF7470 especifica ainda "R_{ON} (máx) $= 30$ mΩ e $V_{GS} = 2,8$ V".

Os próximos dois circuitos mostram outra maneira de lidar com tensões de acionamento mais baixas a partir de uma lógica de baixa tensão. Na Figura 3.96C, usamos um coletor de corrente *npn* chaveado para gerar um acionamento de porta conectada à alimentação ("*high-side*") para um MOSFET de chaveamento de potência canal *p*. Observe que, se o coletor de corrente fosse substituído por uma *chave* bipolar, o circuito seria um fracasso imediatamente para tensões de comutação maiores do que a tensão de ruptura porta-fonte. Na Figura 3.96D, um MOSFET integrado e acionador conectado à alimentação (a partir da linha "PROFET" da Infineon de chaves de potência inteligentes conectadas à alimentação) é usado para comutar correntes realmente prodigiosas – até 165 A para este dispositivo específico.[83] Eles tornam fácil o acionamento a partir de níveis lógicos, incluindo circuitos de conversão de nível de tensão interno e uma bomba de carga (Seção 9.6.3) para acionamento de porta conectada à alimentação. Você também pode usar CIs acionadores conectados à alimentação com um MOSFET canal *n* externo, por exemplo, o LM9061 mostrado na Figura 3.96F. Esse acionador específico também tem uma bomba de carga interna para gerar a tensão da porta para a chave de potência externa nMOS Q_1; as correntes de porta são modestas, de modo que as velocidades de comutação são relativamente baixas. Esse acionador inclui, ainda, um esquema de proteção para Q_1 que detecta $V_{DS(ON)}$, desligando o acionador se a queda direta do MOSFET exceder um limiar (definido por R_{ajuste}), com um atraso (para acomodar correntes de partida maiores) definido por C_{atraso}.

Por fim, a figura 3.96E mostra como você pode contornar essa questão inteiramente e garantir tensão *e* corrente de acionamento de porta saudáveis, usando um chip "acionador de porta MOSFET", como o TC4420. Ele aceita entrada de nível lógico (limiar garantido menor do que 2,4 V) e produz uma saída de variação completa de boa capacidade com MOSFETs *push-pull* internos ao chip (Figura 3.97). Ele pode fornecer ou absorver alguns ampères de corrente de porta, garantindo comutação rápida com as grandes cargas capacitivas que os MOSFETs de potência apresentam (veja a Seção 3.5.4B). A contrapartida aqui é custo (cerca de 1 dólar) e complexidade. A Tabela 3.8 apresenta uma boa seleção de CIs acionadores de porta. Veremos isso novamente em detalhes no Capítulo 12 (Seção 12.4), no contexto do controle de cargas externas a partir de sinais de nível de lógico, e na Seção 12.7, em conexão com acionadores MOSFET optoisolados.

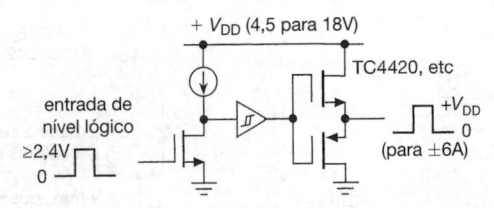

FIGURA 3.97 Um acionador MOSFET como o TC4420 aceita sinais de entrada de nível lógico e gera uma saída de variação completa, rápida ($\sim$25 ns) e de alta corrente ($\pm$6 A). O TC4429 é semelhante, mas com a saída invertida.

A. Mais alguns exemplos de comutação com MOSFET

Quanto mais, melhor: observemos mais alguns circuitos que tiram proveito da combinação do MOSFET de baixo R_{ON} e corrente de porta desprezível. Manteremos as descrições breves.

Extensor de pulso

A Figura 3.98A é incrivelmente simples: a chave MOSFET Q_1, acionada por um pulso positivo curto, descarrega o capacitor C_1, fazendo a saída ir para o trilho positivo (aqui, +5 V); quando o capacitor carrega até o limite de comutação do inversor de saída (que pode ser outro transistor nMOS ou inversor lógico), a saída retorna para zero. Note que a temporização começa na borda de subida da entrada. Veja a Seção 2.2.2 para alguns circuitos discretos mais sofisticados que geram uma largura de pulso de saída insensível à duração do impulso de entrada. E, no Capitulo 7, entraremos em mais detalhes (Seções 7.2.1 e 7.2.2), incluindo circuitos integrados de temporização, tais como os multivibradores monoestáveis (também chamado de temporizador monoestável).

Acinador de relé

Um relé eletromecânico muda seus contatos em resposta a uma corrente de energização da bobina. Esta última tem alguma tensão nominal que garante a comutação dos contatos e os mantém em posição de energizado. Por exemplo, os relés especificados na Figura 3.98B têm uma especificação de bobina de +5V CC, em que eles consomem 185 mA (ou seja, uma resistência da bobina de 27 Ω).[84] Em certo sentido, a tensão especificada é um compromisso: o suficiente para operar o relé de forma confiável, mas sem excesso de

---

[83] Um dos nossos conhecidos utiliza a poderosa chave BT555 em seu dispositivo de resgate do tipo "*Jaws of Life*" (uma cunha expansora hidráulica para resgate em acidentes de carro).

[84] Há mais: ele especifica uma tensão de bobina na qual "deve operar" de 3,75 V e uma tensão que "deve liberar" de 0,5 V. Também há mais especificações sobre os contatos comutáveis: configuração, especificações de tensão e corrente, duração, e assim por diante.

Controle de uma fonte programável

É bom controlar as coisas à distância, com um computador inteligente no comando. Você pode montar (ou comprar) uma fonte de tensão que aceite uma entrada analógica de baixo nível, como na Figura 3.98C, em que o símbolo "A" representa um amplificador CC que produz uma tensão de saída $V_{out} = AV_{in}$, talvez capaz de uma corrente substancial também. Mas é sempre bom prover uma maneira de desativar o controle externo, de modo que as coisas não enlouqueçam quando o computador trava ou está inicializando (ou é controlado por um malfeitor!). A figura mostra uma forma simples de implementar um controle DESABILITAR manual (que duplica a entrada DISABLE externa); poderia também ter um modo de tensão manual, como mostrado.

Controle ON/OFF de bateria

É conveniente alimentar instrumentos que funcionam por bateria com uma bateria de 9 volts: fácil de obter; oferece uma faixa de tensão relativamente ampla; pode ser utilizada para criar uma fonte simétrica (veja a Seção 4.6.1B); mas você tem que conservar a vitalidade da bateria, que pode acabar depois de cerca de 500 mAh.

A Figura 3.99 mostra algumas maneiras de implementar o chaveamento de potência com MOSFETs. O circuito A é o flip-flop clássico (dois botões: SET e RESET; ele é chamado de "flip-flop SR"). O botão OFF desliga Q_2, cujo dreno vai para nível ALTO, mantendo Q_1 ligado e mantendo simultaneamente o transistor de passagem Q_3 desligado; você pode facilmente acreditar que o botão ON faz o contrário (e você estará certo). Dois botões estão OK (embora possamos fazer melhor – fique atento), mas este circuito tem a desvantagem de consumir corrente nos dois estados. Você pode minimizar a corrente de *standby* (estado de prontidão) usando um resistor de 10 MΩ para R_1, por exemplo; assim, ele consome 1 μA quando desligado, o que resulta em 50 anos de vida útil da bateria – muito mais do que sua vida útil de 10 anos ou menos.

Mas há uma maneira melhor. Observe o Circuito B, em que o par complementar Q_1Q_2 do flip-flop não consome qualquer corrente (exceto a corrente de fuga na escala de nanoampère) no estado OFF. O próximo passo é o Circuito C (também de potência zero quando desligado), que alcança a contagem mínima do botão, em que um único acionamento do botão age como uma "alternância" ON/OFF. Este circuito é um pouco complicado, porque você tem que conciliar várias constantes de tempo apropriadamente.[85] Mas o conceito básico é simples e elegante: carregar um capacitor a partir da saída invertida relativa à entrada de controle do flip-flop e, em seguida, conectar momentaneamente o capacitor carregado na entrada de controle para alterná-lo.

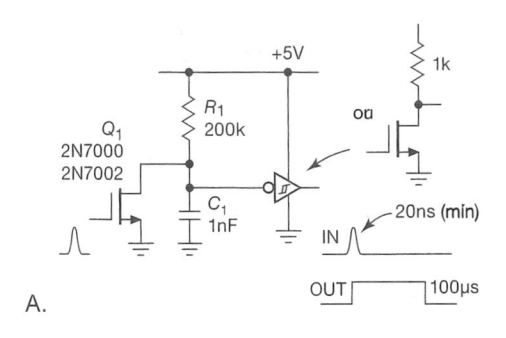

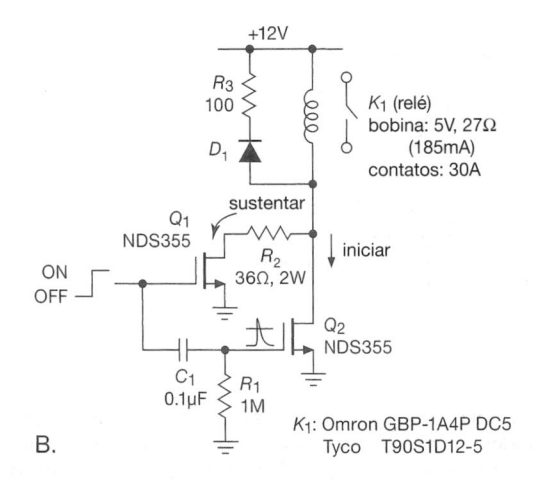

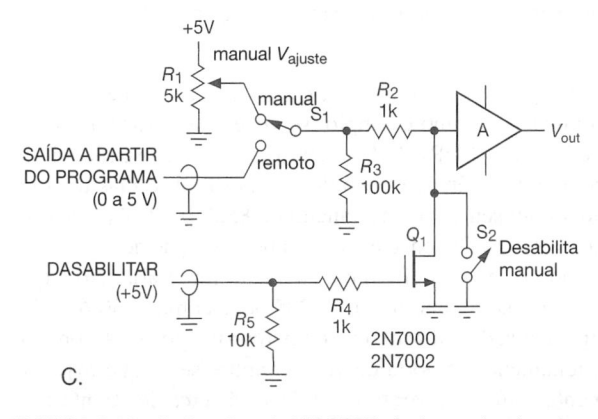

FIGURA 3.98 Aplicações de MOSFETs úteis – e simples: A. Extensor de pulso; B. Acionador de relé com sobreacionameto pulsado inicial; C. Fonte de alimentação programável com controle de desabilitação.

corrente. Mas você pode trapacear um pouco e conseguir fechar mais rápido se sobreacinar a bobina momentaneamente, como mostrado na figura. Aqui, Q_2 aplica 12 V para um tempo inicial de ~0,1 s, após o qual Q_1 mantém os contatos firmemente fechados com o valor especificado de 5 V na bobina. O diodo D_1 proporciona um percurso de condução para a corrente indutiva na liberação, com o resistor R_3 em série permitindo ~20 V durante o decaimento da corrente para a liberação mais rápida.

---

[85] O tempo de carga do capacitor para o novo estado $\tau_C = R_1C_1$ deve ser ~100 ms para permitir que a chave repique; R_3C_1 deve ser muito mais curto, e a constante de tempo de descarga da capacitância de porta do transistor de saída $(R_3 + R_1)C_g$ deve ser mais rápida ainda. Aqui, escolhemos 100 ms, 2ms e ~ 0,4 ms, respectivamente.

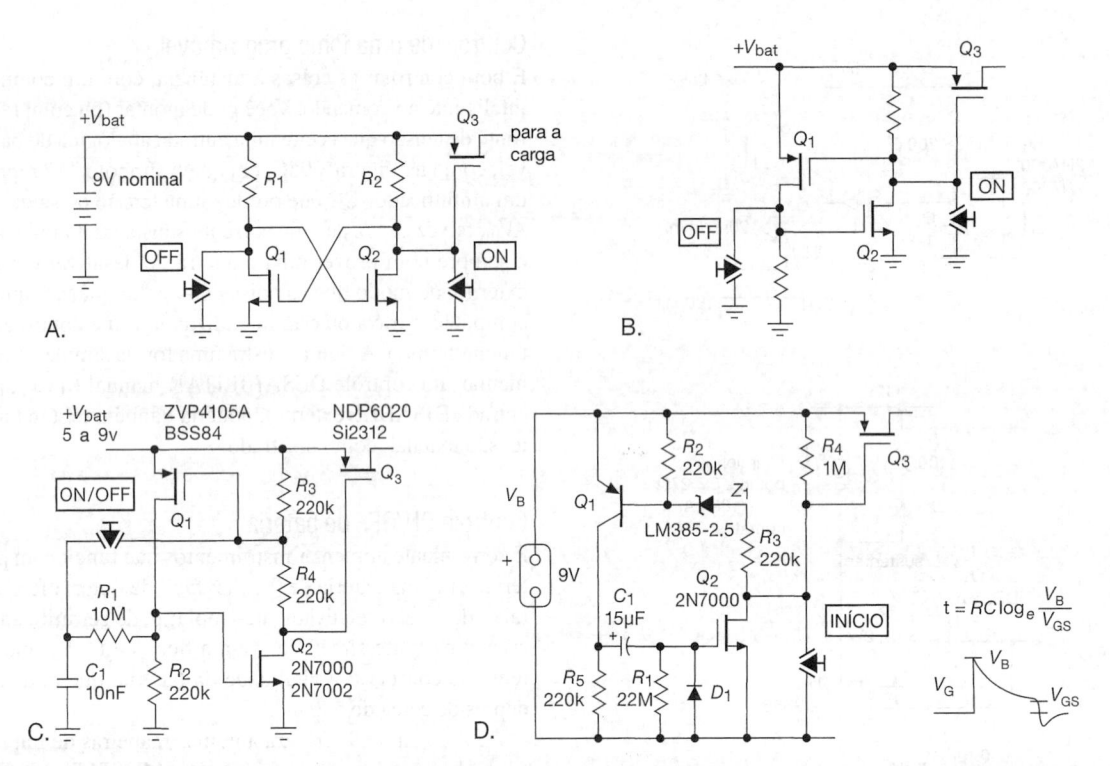

FIGURA 3.99 Controle ON/OFF de potência da bateria com MOSFETs (nenhum circuito integrado extravagante permitido!): A. Flip-flop clássico que habilita chaves em série canal p; botões ON e OFF separados. B. Idem, mas de potência zero quando desligado. C. Único botão que alterna (ON/OFF) a potência; potência zero quando desligado. Para cada MOSFET, duas opções serão exibidas: a superior é um tipo PTH TO-92, o inferior, um tipo SMD SOT23. D. "Cinco minutos de potência" (aproximadamente); potência zero quando desligado. O transistor de passagem MOSFET canal p pode ter a capacidade que você precisar; veja a Tabela.3.4a.

Por fim, para os esquecidos, sugerimos algo como o Circuito D, um controle de um botão que desliga automaticamente (potência zero) após cerca de cinco minutos. Aqui, Q_1Q_2 formam um flip-flop complementar, mantido no estado ON por acoplamento CA através de C_1; uma vez no estado ON, este último se descarrega através de R_1, com uma constante de tempo de 330 s. Essa é uma aproximação para o intervalo de tempo de desligamento real, que é definido em detalhe pela relação de tensão de comutação da porta de Q_2 e a tensão real da bateria.[86] Há um pouco de complexidade aqui, na forma do zener Z_1, que nos foi imposta pela necessidade de manter Q_3 totalmente no estado ON durante o intervalo crítico quando o flip-flop está decidindo comutar para o estado OFF. Escolhemos um BJT (em vez de um MOSFET) para Q_1 por causa de sua tensão para ligar bem definida; mesmo assim, há as habituais dores de cabeça aqui, causadas pela incerteza das tensões de limiar de porta de Q_2 e Q_3.

Em todos os quatro circuitos na Figura 3.99, você pode usar um transistor de passagem canal p de grande capacidade, conforme necessário; veja a Tabela 3.4a para sugestões. Mas lembre-se de que grandes MOSFETs têm alta capacitância de entrada C_{iss}, o que torna mais lenta a comutação. Como exemplo, se você fosse usar um MOSFET canal p SUP75P05 no circuito D, você se beneficiaria de uma resistência ON muito baixa (8 mΩ), mas teria de lidar com seu valor substancial de 8500 pF de C_{iss} (assim, quase 10 ms de constante de tempo R_4C_{iss} de desligamento de porta). Nesses circuitos, isso não importaria. Note que um transistor como o SUP75P05 pode comutar 50 A e dissipar cerca de um watt quando percorrido por 10 A com um acionamento de porta de 10 V (lembre-se de que R_{ON} aumenta com a temperatura – a 75°C, é cerca de 10 mΩ); no máximo, é necessário um pequeno dissipador de calor para 2 W (veja a Seção 9.4.1).[87]

3.5.4 Cuidados com a Comutação de Potência

Embora os MOSFETs sejam muito bons, projetar circuitos com eles não é inteiramente simples, devido a inúmeros detalhes que podem nos atormentar. Simplesmente resumimos algumas das questões importantes aqui e aprofundaremos ainda mais a comutação de potência no Capítulo 9.

---

[86] Uma bateria alcalina de 9 V nova tem cerca de 9,4 V e atinge o fim da vida útil com 6 V (1 V/célula) ou, com um pouco mais de uso, com 5,4 V (0,9V/célula).

[87] Se você quiser trabalhar para trás a partir de sua capacidade de dissipação disponível, use $I=\sqrt{P/R_{ON}}$.

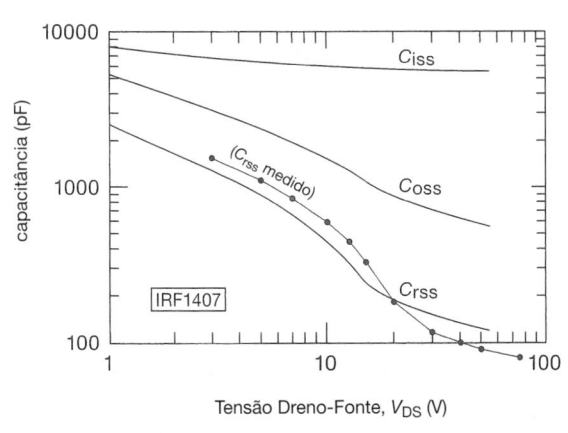

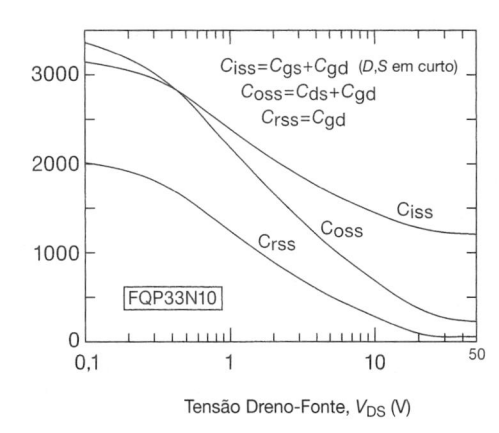

FIGURA 3.100 Capacitâncias entre eletrodos em dois MOSFETs de potência, a partir de dados gráficos em suas respectivas folhas de dados. A capacitância de realimentação C_{rss}, embora menor do que a capacitância de entrada C_{iss}, é efetivamente multiplicada pelo efeito Miller e normalmente domina as aplicações de chaveamento.

A. Capacitância de porta de MOSFET

MOSFETs de potência têm *resistência* de entrada essencialmente infinita, mas têm abundância de capacitância de entrada e também capacitância de realimentação, de tal forma que a comutação rápida pode exigir, literalmente, ampères de corrente de acionamento de porta.[88] Embora você possa não se importar com velocidade em muitas aplicações, você ainda tem que se preocupar, pois a baixa corrente de acionamento de porta faz a dissipação de potência aumentar drasticamente (a partir do produto V/Δt durante as transições de comutação estendidas); isso pode também permitir oscilações durante a transição lenta. As várias capacitâncias entre eletrodos são *não lineares* e aumentam com o decréscimo da tensão, como se mostra na Figura 3.100. A capacitância da porta para o terra (chamada C_{iss}) requer uma corrente de entrada de $i = C_{iss}\, dV_{GS}/dt$, e a capacitância de realimentação (menor) (chamada C_{rss}) produz uma corrente de entrada $i = C_{rss} dV_{DG}/dt$. Esta última geralmente domina em uma chave de fonte comum, pois ΔV_{DG} é geralmente muito maior do que a tensão de acionamento de porta ΔV_{GS}, efetivamente multiplicando a capacidade de realimentação pelo ganho de tensão (efeito Miller). Uma boa maneira de observar isso é em termos de *carga* de porta, que vem a seguir.

B. Carga de porta

Em uma chave de fonte comum, a carga das capacitâncias porta-fonte e porta-dreno exige uma corrente de acionamento de porta de entrada sempre que a tensão da porta está variando. Além disso, durante as transições de tensão de dreno, o efeito Miller contribui para uma corrente de porta adicional. Esses efeitos são, muitas vezes, expressos como um gráfico de "carga de porta *versus* tensão porta-fonte", como na Figura 3.101.

A inclinação inicial é a carga de C_{iss}. A porção horizontal começa na tensão em que o MOSFET liga, em que a queda rápida do dreno força o acionador de porta a fornecer uma carga adicional a C_{rss} (efeito Miller). Se a capacitância de realimentação fosse independente da tensão, o comprimento da porção horizontal seria proporcional à tensão de dreno inicial, após o que a curva continuaria para cima na inclinação original. De fato, a capacitância de realimentação "não linear" C_{rss} aumenta rapidamente em tensão baixa (Figura 3.100), o que significa que a maior parte do efeito Miller ocorre durante

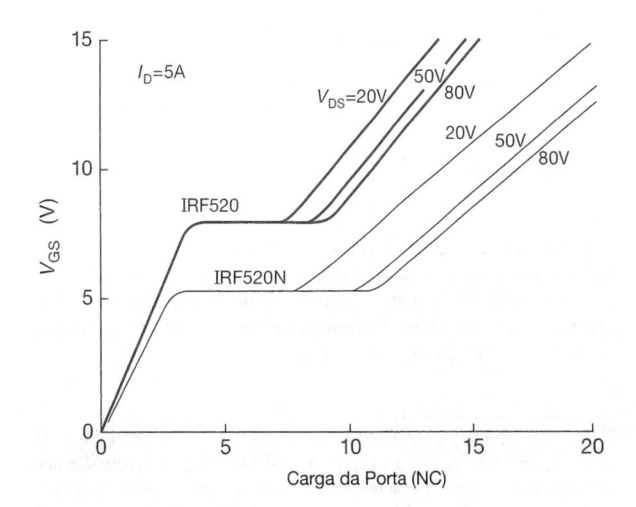

FIGURA 3.101 Carga de porta *versus* V_{GS}. O mais recente IRF520N de geometria pequena ("*shrunk-die*") tem uma tensão de limiar inferior, mas carga de porta comparável. Note em todos os casos a capacitância maior (reduzida inclinação da V_{GS} *versus* Q_g) à direita da "plataforma Miller", o resultado de maiores capacitâncias entre eletrodos para V_{DS} baixo (Figura 3.100).

---

[88] MOSFETs de geração mais recente geralmente apresentam capacitâncias um pouco mais baixas, mas seu tamanho menor permite menos dissipação de energia, portanto, para aplicações de alta potência, você pode ser forçado a optar por um dispositivo de maior capacidade, abrindo mão da vantagem da capacitância.

a porção de baixa tensão da forma de onda do dreno.[89] Isso explica a mudança na inclinação da curva de carga da porta, bem como o fato de o comprimento da parte horizontal ser quase independente da tensão de dreno inicial.[90]

Conectamos uma chave MOSFET de fonte comum e acionamos a porta com um degrau de *corrente* constante, produzindo o gráfico deste "livro-texto" na Figura 3.102 (ei, isto é um livro-texto, certo?). Com corrente de porta constante, o eixo horizontal (tempo) é proporcional à carga da porta, neste caso 3nC/div. Aqui você pode ver claramente as três regiões de atividade da porta: na região 1, a porta é carregada até a tensão de limiar; na região 2, a tensão da porta é ceifada na tensão que produz correntes de dreno de 0 a 40 mA (trilho positivo de 40 V, resistor de carga de 1k); após o dreno ser levado para o terra, a porta retoma a sua rampa crescente de tensão, mas com inclinação reduzida (devido ao aumento da capacitância de entrada em tensão de dreno zero).

Observe também que a linha de tensão do dreno é curva, causada pela capacitância dreno-porta crescente conforme se volta em direção ao terra: com I_G de entrada aplicada constante, o aumento de C_{rss} estabelece a diminuição de dV_D/dt (para manter o produto, ou seja, a corrente de realimentação, igual à corrente de entrada).

O efeito Miller e a carga de porta em chaves MOSFET não são nada engraçados – eles limitam seriamente a velocidade de comutação, e você pode precisar fornecer centenas de miliampères, ou até mesmo ampères, para obter tempos de transi-

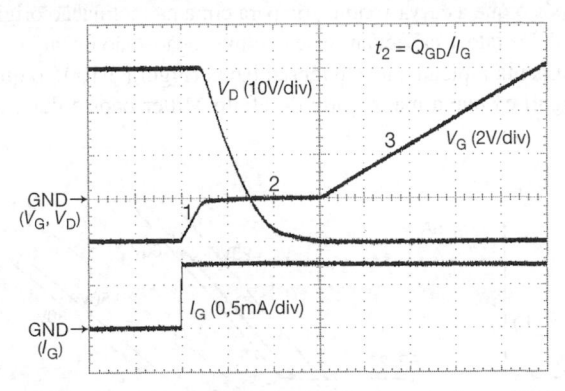

FIGURA 3.102 Carga de porta. Formas de onda de um MOSFET canal *n* IRLZ34N, conectado como uma chave de fonte comum (carga de 1k +40 V), com 0,75 mA de corrente de acionamento de porta. A escala horizontal de 4 μs/div corresponde, portanto, a 3 nC/div de carga de porta.

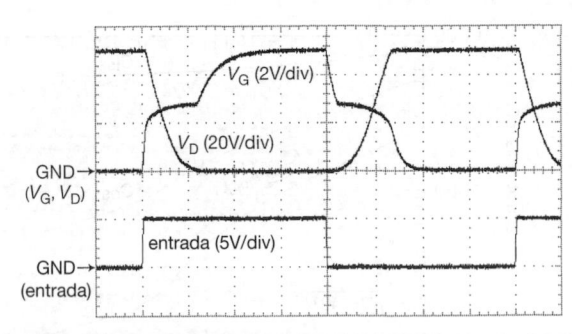

FIGURA 3.103 Uma chave MOSFET 2N7000 (carga de 1k até +50 V), cuja porta é acionada por um degrau de tensão de 5 V (nível lógico) através de um resistor em série de 10K. O efeito Miller estende o tempo de comutação para ~2 μs. Escala horizontal: 2 μs/div.

ções rápidos em uma chave de potência robusta. Por exemplo, o robusto IRF1405 destacado anteriormente tem $Q_g \sim 100$ nC; assim, ligá-lo em 10 ns requer $I = Q_g/t = 10$ ampères![91]

Em uma escala mais modesta, imagine acionar uma simples chave 2N7000 a partir de uma onda quadrada de 0 a 5 V, talvez a partir da saída de alguma lógica digital. A Figura 3.103 mostra o que acontece se você acionar a porta através de um resistor de 10k. O efeito Miller é o problema aqui, causando tempos de transição de ~2 μs em um transistor que a folha de dados diz poder comutar 200 vezes mais rápido (10 ns). Claro, a folha de dados também informa que $R_{GEN} = 25\,\Omega$... e é isso mesmo que eles querem dizer!

Há muito mais a dizer sobre carga de porta em MOSFETs: dependência de corrente de carga, forma do "platô Miller", variações entre os tipos de MOSFET e técnicas de medição.

C. Capacitâncias de dreno de MOSFETs

Além da capacitância porta-terra C_{iss}, os MOSFETs também têm uma capacitância de realimentação C_{dg} (geralmente chamada C_{rss}) e uma capacitância de saída (chamada C_{oss}) que é as capacitâncias combinadas do dreno para a porta C_{dg} e do dreno para a fonte C_{ds}. Como acabamos de ver, o efeito da capacitância de realimentação C_{rss} é evidente na forma de onda da carga da porta na Figura 3.102. A capacitância de saída também é importante: é a capacitância que tem de ser carregada e descarregada a cada ciclo de comutação, que, se não recicla de forma reativa, consome potência $P = C_{oss}fV_{DD}^2$, que pode se tornar significante em frequências elevadas de comutação. Veja a Seção 9.7.2B para mais detalhes.

---

[89] Este efeito pode ser bastante abrupto em MOSFETs de potência, como visto no gráfico de C_{rss} *versus* V_{DS} para o IRF1407 (Figura 3.100). De fato, os nossos dados de medição apresentam um comportamento ainda mais acentuado do que o gráfico da folha de dados. Isso se deve à formação efetiva de um cascode dentro do MOSFET, em que um JFET de modo de depleção age para ceifar o dreno do MOSFET ativo, isolando a porta deste último e, assim, reduzindo bastante a capacitância de realimentação.

[90] A altura (V_{GS}) da parte horizontal depende modestamente da corrente de dreno.

[91] Muitas vezes, é com o tempo de *transição* de saída que você se preocupa; isto é, o tempo gasto apenas na região 2 (além do tempo de atraso na região 1, ou o tempo de sobrecarga da porta na região 3); por essa razão, as folhas de dados de MOSFETs especificam separadamente Q_{gd}, a carga "Miller" de porta para dreno. Para o IRF1405, por exemplo, $Q_{gd} = 62$ nC, exigindo, portanto, uma corrente de entrada de porta de 6,2 A para proporcionar um tempo de transição de 10 ns.

D. Especificações de corrente e potência

As folhas de dados de MOSFETs especificam uma corrente de dreno contínua máxima, mas isso é feito considerando uma temperatura de encapsulamento irrealista de 25°C. Ela é calculada a partir de $I^2_{D(max)}R_{DS(ON)} = P_{max}$, substituindo uma potência máxima (veja a Seção 9,4) $P_{max}R_{\Theta JC} = \Delta T_{JC} = 150°C$, em que se considerou $T_{J(max)} = 175°C$ (portanto, um ΔT_{JC} de 150°C) e se usa o valor de $R_{DS(ON)}$ (máx) a 175°C a partir de um gráfico de coeficiente de temperatura de R_{DS} (por exemplo, veja a Figura 3.116). Isto é, $I_{D(max)} = \sqrt{\Delta T_{JC}/R_{\Theta JC}R_{ON}}$. Algumas folhas de dados listam a potência e a corrente de dreno em uma temperatura de encapsulamento mais realista, de 75°C ou 100°C. Assim está melhor, mas você realmente não deseja operar a junção do seu MOSFET em 175°C, por isso recomendamos o uso de uma especificação de ID máximo ainda menor para corrente contínua e correspondente à potência dissipada.

E. Diodo de corpo

Com raras exceções[92], MOSFETs têm o corpo conectado ao terminal fonte. Devido ao corpo formar um diodo com o canal, isso significa que há um diodo efetivo entre dreno e fonte (Figura 3.104) (alguns fabricantes até mesmo desenham o diodo explicitamente no símbolo do MOSFET para que você não se esqueça). Isso significa que você não pode usar MOSFETs de potência de forma bidirecional, ou pelo menos com mais do que uma queda de diodo de tensão dreno-fonte reversa. Por exemplo, você não poderia usar um MOSFET de potência até zero em um integrador cuja saída oscila para os dois lados do terra e também não poderia usar um MOSFET de potência como uma chave analógica para sinais de bipolaridade. Esse problema não ocorre com MOSFETs em *circuitos integrados* (chaves analógicas, por exemplo), nos quais o corpo está conectado ao terminal mais negativo da fonte de alimentação.

O diodo de corpo de MOSFETs apresenta o mesmo efeito de recuperação reversa que diodos discretos comuns. Se polarizado para condução direta, ele exigirá algum tempo de fluxo de corrente reversa para remover a carga armazenada, terminando com um "degrau" acentuado. Isso pode causar um mau comportamento curioso, análogo aos transientes em degrau de retificadores.[93]

F. Ruptura porta-fonte

Outra armadilha para os descuidados é o fato de que tensões de ruptura porta-fonte (±20 V é um valor comum) são menores do que tensões de ruptura dreno-fonte (que variam de 20 V a mais de 1.000 V). Isso não importa se você estiver acionando a porta a partir de pequenas variações de lógica digital, mas pode ter problemas imediatamente se acha que pode usar as variações de dreno de um MOSFET para acionar a porta de outro.

G. Proteção de porta

Como discutiremos a seguir, todos os dispositivos MOSFET são extremamente suscetíveis a ruptura do óxido da porta, causada por descargas eletrostáticas. Diferentemente de JFETs ou outros dispositivos de junção, nos quais a corrente de avalanche da junção pode descarregar com segurança a sobretensão, MOSFETs são danificados de forma irreversível por uma única ocorrência de ruptura de porta. Por essa razão, é uma boa ideia utilizar um resistor de porta em série de 1k ou mais (considerando que a velocidade não seja um problema), especialmente quando o sinal de porta vem de uma outra placa de circuito. Isso reduz muito as chances de danos; ele também impede que o circuito de porta exerça carga se a porta estiver danificada, pois o sintoma mais comum de um MOSFET danificado é uma corrente de porta CC substancial.[94] Você pode obter proteção adicional usando um par de diodos de ceifamento (para V_+ e para o terra), ou um único zener de ceifamento para o terra, após o resistor de porta (que, então, pode ser uma resistência muito menor, ou omitida por completo); mas note que um ceifador zener acrescenta alguma capacitância de entrada.[95] Também é uma boa ideia evitar portas de MOSFETs flutuantes (desconectadas), que são suscetíveis a danos quando flutuam (não há nenhum percurso de

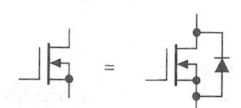

FIGURA 3.104 MOSFETs de potência com o corpo conectado à fonte, formando um diodo dreno-fonte.

---

[92] Tal como o 2N4351 e a série SD210 de MOSFETs laterais. Estes são produzidos pela Linear Systems, Fremont, CA.

[93] Isto pode ser um problema sério em certos tipos de circuitos de comutação em que as correntes indutivas continuam a fluir após o término da condução da chave. Pode-se lidar com isso pela adição de um diodo externo entre dreno e fonte, que estará em paralelo com o diodo intrínseco dreno-fonte do MOSFET. Você pode usar um diodo Schottky para tensões abaixo de cerca de 60 V, mas, em tensões mais altas, até mesmo diodos Schottky têm queda demais de tensão e, assim, deixam de assumir o lugar de diodo intrínseco do FET. Para lidar com isso, há MOSFETs de potência disponíveis que incluem diodos especiais de recuperação suave em seus projetos. Esses diodos têm baixa carga de recuperação reversa Q_{rr} e, portanto, tempo de recuperação t_{rr} mais rápido, de modo que eles não adquiram tanta carga a partir dessa corrente indutiva persistente. Eles também podem ter um degrau mais lento, reduzindo ainda mais a energia do pico.

[94] Um MOSFET com porta danificada pode apresentar condução quando não deveria: corrente de fuga do dreno para a porta (danificada) reduz a tensão do dreno para um valor que produz o V_{GS} correspondente à corrente de dreno.

[95] MOSFETs de potência utilizados para incorporar proteção zener interna, mas agora isso é raro: o próprio zener se tornou um mecanismo de falha dominante! MOSFETs com diodos zener de porta internos são marcadas na coluna "porta com zener" na Tabela 3.4b.

circuito para descarga estática, o que forneceria uma medida de segurança). Isso pode acontecer inesperadamente se a porta for acionada a partir de uma outra placa de circuito. Uma boa prática é conectar um resistor de *pull-down* (digamos, de 100k a 1M) da porta para a fonte de quaisquer MOSFETs cujas portas sejam acionadas a partir de uma fonte de sinal externa. Isso também garante que o MOSFET esteja no estado OFF quando desconectado ou sem alimentação.

H. Precauções no manuseio de MOSFETs

A porta do MOSFET é isolada por uma camada de vidro (SiO_2) com espessura de centenas de nanômetros (menos de um comprimento de onda de luz). Como resultado, ela tem uma resistência muito alta e nenhum caminho resistivo ou algo como uma junção que possa descarregar a eletricidade estática quando ela é acumulada. Em uma situação clássica, você tem um MOSFET (ou circuito integrado MOSFET) em sua mão. Você caminha em direção ao seu circuito, coloca o dispositivo em seu soquete e liga a alimentação, descobrindo que o FET está danificado. Você deve ter tocado na placa de circuito com a outra mão antes de inserir o dispositivo. Isso teria descarregado sua tensão estática, que, no inverno, pode chegar a milhares de volts.[96] Dispositivos MOS não combinam com "choque de tapete", que é oficialmente denominado *descarga eletrostática* (ESD – *electrostatic discharge*). Para fins de eletricidade estática, você pode ser aproximado pelo "modelo de corpo humano" (HBM), que é 100 pF em série com 1,5k;[97] no inverno, a sua capacitância poderá carregar até 10kV ou mais se arrastando um pouco sobre um tapete fofo, e até mesmo um simples movimento de braço com camisa ou blusa pode gerar alguns quilovolts. Eis alguns números de aparência assustadora:

Tensões eletrostáticas típicas[a]

	Tensão eletrostática	
Ação	10%-20% humidade (V)	65%-90% humidade (V)
Andar sobre carpete	35.000	1.500
Andar sobre piso de vinil	12.000	250
Trabalhar na bancada	6.000	100
Manusear envelope de vinil	7.000	600
Manusear sacola de polietileno	20.000	1.200
Mudar de posição em uma cadeira de espuma	18.000	1.500

(a) Adaptado de folhas de dados de MOSFETs de potência da Motorola.

---

[96] "Caro amigo, você está entrando em um mundo de sofrimento."

[97] Um pouco simplista, no entanto. O modelo do corpo humano, carregado até 2,5 kV, atinge o pico em 1,7 A, com uma constante de tempo de 150 ns. Há outros modelos – por exemplo, o modelo de "máquina" (vários ciclos de 12 kHz, até 6 A) ou o "modelo de dispositivo carregado" (CDM), que reconhece que uma parte de um objeto carregado com menos resistência em série pode descarregar diretamente no circuito com pulsos de 6 A e largura de 2 ns. Veja também a Seção 12.1.5.

Embora qualquer dispositivo semicondutor possa ser derrotado por uma forte faísca, dispositivos MOS são especialmente suscetíveis, pois a energia armazenada na capacitância porta-canal, quando atinge a tensão de ruptura, é suficiente para abrir um buraco através da delicada isolação de óxido da porta. (Se a faísca vier de seu dedo, os seus 100 pF adicionais só contribuem para o dano). A Figura 3.105 (a partir de uma série de testes ESD em um MOSFET[98] de potência) mostra o tipo de desordem que isso pode causar. Chamar isso de "colapso de porta" dá uma ideia errada; o termo "ruptura de porta" pode estar mais próximo da realidade!

A indústria eletrônica leva o ESD muito a sério. Ele é, provavelmente, a principal causa do mau funcionamento de semicondutores em instrumentos ainda na linha de montagem. São publicados livros sobre o assunto, e você pode fazer cursos sobre isso.[99] Dispositivos MOS, bem como outros semicondutores sensíveis,[100] devem ser transportados em espuma ou sacola condutora, e você tem que ter cuidado com tensões em ferros de solda, etc., durante a fabricação. É melhor aterrar o ferro de solda, tampos de mesa, etc. e usar pulseira antiestática. Além disso, você pode usar tapetes, estofamentos e até mesmo roupas antiestáticas (por exemplo, blusas antiestáticas que contêm 2% de fibras de aço inoxidável). Uma boa estação de trabalho antiestática inclui controle de humidade, ionizadores de ar (para tornar o ar ligeiramente condutor, o que mantém as coisas livres de cargas) e profissionais bem treinados. Apesar de tudo isso, taxas de falhas aumentam drasticamente no inverno.

Uma vez que um dispositivo semicondutor é soldado com segurança em seu circuito, as chances de dano são extremamente reduzidas. Além disso, a maioria dos dispositivos MOS de geometria pequena (por exemplo, circuitos integrados digitais CMOS, exceto MOSFETs de potência) têm diodos de proteção nos circuitos de porta de entrada. Embora as redes de proteção internas de resistores e diodos de ceifamento (ou, por vezes, zeners) comprometam o desempenho um pouco, muitas vezes, é útil escolher esses dispositivos, devido ao risco muito reduzido de danos pela eletricidade estática. No caso de dispositivos desprotegidos, por exemplo, MOSFETs de potência, dispositivos de geometria pequena (baixa corrente) tendem a ser os mais problemáticos, pois a sua baixa capacitância de entrada atinge facilmente uma alta tensão quando entra em contato com

---

[98] O MOSFET é um MTM6M60, para o qual C_{iss} = 1.100 pF. Isso forma um divisor capacitivo com os 100 pF do modelo de corpo humano, atenuando o pico de 1 kV e 150 ns para cerca de 80 V. Mas isso ainda está acima da especificação de V_{GS} máxima de 20 V do dispositivo.

[99] É claro, nós, acadêmicos, gostamos de dar cursos de praticamente qualquer coisa.

[100] Que inclui praticamente tudo: transistores bipolares RF de geometria pequena são muito delicados; e você pode destruir um BJT antigo se bater forte o suficiente.

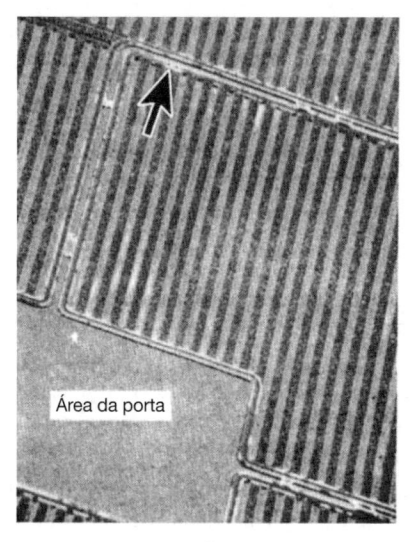

AMPLIAÇÃO BAIXA   AMPLIAÇÃO ALTA

FIGURA 3.105 Micrografia eletrônica de varredura de um MOSFET de 6 ampères destruído por uma carga de 1 kV em um "equivalente de corpo humano" (1,5k em série com 100 pF) aplicado na porta. (Cortesia da Motorola, Inc.)

um humano de 100 pF. Nossa experiência pessoal com o MOSFET VN13 de geometria pequena foi tão desanimadora a esse respeito, que paramos de usá-lo em instrumentos de produção.

É difícil apresentar exaustivamente o problema de dano da porta causado pela ruptura em MOSFETs. Projetistas de chips perceberam a gravidade do problema e avaliam rotineiramente a "tolerância a ESD" de seus dispositivos. Normalmente, CIs MOS suportam 2 kV aplicados pelo "capacitor humano" de 100 pF carregado em série com um resistor de 1,5k, e a folha de dados dirá isso. Os dispositivos que possam estar expostos a pulsos externos (por exemplo, interfaces e acionadores de linha) são, por vezes, especificados para 15 kV (por exemplo, os chips de interfaces RS-422/485 e RS-232 da Maxim com o sufixo "E", e muitos dos dispositivos análogos de outros fabricantes).

Veja também a discussão de proteção de entrada no Capítulo 12 (Seção 12.1.5).

I. MOSFETs em paralelo

Algumas vezes, você precisa usar vários transistores de potência em paralelo, seja para lidar com correntes maiores, seja para ser capaz de dissipar mais potência, ou ambos. Como discutimos anteriormente, transistores bipolares, devido aos seus coeficientes de temperatura de +9%/°C da corrente de coletor, precisam de resistores de limitação de corrente para garantir que a corrente seja distribuída igualmente entre os transistores associados. Para MOSFETs, como mencionamos na Seção 3.5.1, a situação é diferente:

às vezes, você pode conectá-los em paralelo sem quaisquer resistores (por exemplo, como chaves saturadas), e, às vezes, você não pode (como dispositivos de potência lineares[101]). Há também o tópico relacionado à deriva térmica. Esses são temas importantes e merecem uma discussão mais ampla, na Seção 3.6.3.

3.5.5 MOSFETs *Versus* BJTs como Chaves de Altas Correntes

MOSFETs de potência são alternativas atraentes para BJTs de potência convencional na maioria das vezes. Eles são comparáveis no preço, mais simples de acionar, não sofrem de segunda ruptura e, consequentemente, reduzem as restrições de área de operação segura (Figura 3.95).

Tenha em mente que, para pequenos valores de tensão de dreno, um MOSFET ON se comporta como uma pequena resistência (R_{ON}) em vez de exibir a tensão de saturação finita ($V_{CE(sat)}$) do seu primo transistor bipolar. Isso pode ser uma vantagem, pois a "tensão de saturação" vai nitidamente para zero para pequenas correntes de dreno. Há uma percepção geral de que MOSFETs não saturam bem em altas correntes, mas nossa pesquisa mostra que isso é, em grande parte, enganador. Na tabela a seguir, escolhemos pares comparáveis (*npn versus* MOSFET canal *n*), para os quais buscamos $V_{CE(sat)}$ ou $R_{DS(ON)}$ especificados. O MOSFET de *baixa corrente* é comparável ao seu primo *npn* de "pequeno sinal", mas, na faixa de 6 a 10 A e 0 a 100 V, o

---

[101] Exceção: MOSFETs de potência "laterais", tais como o 2SK1058.

MOSFET funciona melhor. Note especialmente que correntes de base muito grandes são necessárias para colocar o transistor de potência bipolar em boa saturação – 10% ou mais da corrente de coletor (portanto, até 1 A!) – em comparação com os 10 V de polarização (corrente zero) em que os MOSFETs são geralmente especificados. Note também que MOSFETs de alta tensão (digamos, $BV_{DS} > 200$ V) tendem a ter $R_{DS(ON)}$ maior, com coeficientes de temperatura maiores, do que unidades de baixa tensão; aqui, IGBTs superam MOSFETs acima de 300 a 400 volts. Listamos capacitâncias na tabela, pois MOSFETs de potência tradicionalmente têm maior capacitância do que BJTs de mesma corrente especificada. Em algumas aplicações (especialmente se a velocidade de comutação for importante), você pode considerar o produto da capacitância pela tensão de saturação uma figura de mérito.

Comparação entre BJT-MOSFET-IGBT[a]

classe	nº identif.	V_{sat} 25°C (V)	V_{sat} 125°C (V)	C_r^b (pF)	preço (dólar)
60 V, 0,5A	2N4401$_N$	0,75	0,8	8	$0,06
	2N7000$_V$	0,6	0,95	25	$0,09
60 V, 6A	TIP42A $_N$	1,5	1,7	50	$0,63
	IRFZ34E$_V$	0,25	0,43	50	$1,03
100 V, 10A	TIP142 $_D$	3,0	3,8	low	$1,11
	IRF540N$_V$	0,44	1,0	40	$0,98
400 V, 10A	2N6547$_N$	1,5	2,5	125	$2,89
	FQA30N40$_V$	1,4	3,2	60	$3,85
600 V, 10A	STGP10NC60$_I$	1,75	1,65	12	$0,86

(a) $I_B = I_C/10$, $V_{GS} = 10$ V, exceto para Darlington, em que $I_B = I_C/250$.
(b) C_{ob} ou C_{rss}.
(D) Darlington. (I) IGBT. (N) BJT *npn*. (V) nMOS vertical.

Lembre-se de que MOSFETs de potência podem ser usados como substitutos de BJTs para circuitos de potência lineares, como amplificados de áudio e reguladores de tensão (abordaremos estes últimos no Capítulo 9). MOSFETs de potência também estão disponíveis como dispositivos de canal *p*, embora haja a tendência de a variedade de dispositivos canal *n* (de melhor desempenho) disponível ser muito maior. Os MOSFETs de canal *p* disponíveis só vão até 500 V (ou, ocasionalmente, 600 V), e geralmente custam mais para um desempenho comparável em alguns parâmetros ($V_{DS(máx)}$ e $I_{D(máx)}$, por exemplo), com desempenho reduzido em outros parâmetros (capacitância, R_{ON}). Aqui, por exemplo, estão as especificações para um par de MOSFETs complementares da Fairchild, com especificações de tensão e corrente casadas e inseridos no mesmo encapsulamento de potência TO-220.

parâmetro	canal *n* FQP9N25	canal *p* FQP9P25
$V_{máx}$	250V	250V
$I_{máx}$	9,4A	9,4A
R_{ON}(máx)	0,42Ω	0,62Ω
C_{rss}(típ)	15pF	27pF
C_{iss}(típ)	540pF	910pF
Q_g(típ)	15,5 nC	29 nC
T_{JC}(máx)	1,39°C/W	1,04°C/W
Preço (quant. 1k)	$0,74	$0,97

Note que o dispositivo de canal *p*, fabricado com uma área maior para alcançar um $I_{D(máx)}$ comparável, resulta em capacitância, carga de porta, R_{ON} e preço maiores (ou seja, piores). Ele também é mais lento e tem menor transcondutância, de acordo com a folha de dados. Paradoxalmente, o dispositivo canal *p* tem condutividade térmica melhorada (veja a Seção 9.4.1A), provavelmente resultante do tamanho de chip maior necessário.

3.5.6 Alguns Exemplos de Circuitos de MOSFET de Potência

Chega de teoria! Observemos agora alguns exemplos de circuitos com MOSFETs de potência.

A. Algumas chaves de potência básicas

A Figura 3.106 mostra seis maneiras de usar um MOSFET para controlar a potência CC de alguns subcircuitos que você deseja ligar e desligar. Se você tem um instrumento operado por bateria que precisa fazer algumas medições ocasionalmente, pode usar o Circuito A para desligar a alimentação do microprocessador, exceto durante essas medidas intermitentes. Usamos aqui uma chave pMOS, ligada por um sinal lógico que varia de 1,5 V para o terra; a parte especial mostrada é especificada para uma tensão de porta baixa – especificamente, $R_{ON} = 17$ mΩ (máx) para $V_{GS} = -1,5$ V. O "sinal lógico de 1,5 V" vem de um circuito digital CMOS de baixa potência, que continua operando mesmo quando o microprocessador está desligado (lembre-se, a lógica CMOS tem zero de dissipação estática).

Um ponto importante: você tem que se preocupar com a operação adequada da chave em tensões mais baixas caso a "tensão de 1,5 V" seja, na verdade, uma pilha alcalina, com uma tensão de fim de vida útil de $\sim 1,0$ V. Nesse caso, pode ser melhor usar um transistor *pnp*.

No segundo circuito (B), estamos comutando uma potência CC para uma carga que precisa de +12 V em uma corrente considerável; talvez ele seja um transmissor de rádio, ou qualquer outro sistema. Devido a termos apenas variações de nível lógico de 3,3 V disponíveis, usamos um pequeno coletor de corrente *npn* para gerar uma variação negativa de 8 V (em relação a +12 V) para acionar a porta pMOS. Note o valor alto do resistor de coletor, perfeitamente adequada aqui, pois a porta pMOS não consome corrente CC (até mesmo um dispositivo de 10 A) e não precisamos de alta velocidade de comutação em uma aplicação como essa.

O terceiro circuito (C) é uma versão elaborada do circuito B, com uma cortesia de limitação de corrente de curto-circuito de um transistor *pnp*. Isso é sempre uma boa ideia no projeto da fonte de alimentação – por exemplo, é impressionantemente fácil percorrer o circuito com a ponta de prova do osciloscópio. Nesse caso, a limitação de corrente também evita curto-circuito momentâneo da fonte de +12 V através do capacitor de derivação inicialmente descarregado. Veja se você consegue descobrir como o circuito limitador de corrente funciona.

Exercício 3.16 Como é que o circuito limitador de corrente funciona? Até que valor de corrente de carga ele permite?

Um detalhe interessante: nos Circuitos B e C, poderíamos ter conectado o transistor acionador como uma *chave* (em vez de uma fonte de corrente), omitindo o resistor de emissor e acrescentando um resistor de base de limitação de corrente de 100k ou mais. Porém, esse circuito criaria problemas se você tentasse operá-lo a partir de uma tensão de alimentação maior, devido às tensões de ruptura de porta limitadas dos MOSFETs (±20 V ou menos). Ele também anularia o esquema de limitação de corrente do Circuito C. Você poderia corrigir esses problemas adicionando um resistor diretamente em série com o coletor, adequando o seu valor para o acionador de porta correto; mas o esquema de limitação de corrente que usamos resolve esses problemas automaticamente e pode ser usado para comutar 24 ou 48 V sem alterações de componentes.

Exercício 3.17 Você tem uma fonte CC que usa 120 V CA retificados em onda completa. Projete uma versão de 155 a 175 V da Figura 3.106C para gerar um pulso de 0,5 A em um flash que consiste de uma sequência de 38 LEDs brancos em série. Explique sua escolha para R_1 e R_2 e a relação R_2/R_1. Selecione Q_1 e Q_2 e calcule as suas dissipações de potência. Use a Tabela 2.1, juntamente com as tabelas de MOSFETs neste capítulo. *Ponto extra*: Calcule o aquecimento de pior caso de Q_2 com um máximo de 10 ms de duração do flash (dica: use o gráfico de "Impedância Térmica Transiente" da folha de dados).

Ainda há um problema com o Circuito C, isto é, a grande dissipação de potência no transistor de passagem Q_2 em condições de falha como um curto-circuito na saída. A abordagem de "força bruta" (que adotamos mais frequentemente do que admitimos) é usar um MOSFET de maior capacidade com um dissipador de calor suficiente para lidar com $P = V_{IN}I_{lim}$; isso funciona bem para tensões e correntes modestas. O melhor é acrescentar a limitação de corrente por retrocesso (*foldback*), como na Figura 12.45C. Mas, idealmente, queremos algo como um transistor de passagem com limitação térmica interna.[102] Essa é uma das vantagens de dispositivos como aquele no Circuito E.

Uma alternativa popular, pelo menos para comutação de baixa tensão, é o uso de uma chave analógica de R_{ON} baixo (lembre-se da Tabela 3.3), como no Circuito D. A chave relacionada lá opera com tensões de fonte de alimentação de 1,1 V a 4,5 V, com um R_{ON} de pior caso que é bom o suficiente para alimentar cargas de até cerca de 100 mA. Pode parecer estranho usar uma chave analógica, projetada com MOSFETs canal *n* e canal *p* complementares para boas propriedades de sinal ao longo de toda a faixa de trilho a trilho, como uma simples chave de potência de tensão positiva; mas esses dispositivos são baratos e cuidam do interfaceamento lógico e de outros detalhes para você – então, por que não?

No Circuito E, mostramos a alternativa interessante de uma chave MOSFET canal *n*, para a qual você precisa gerar um acionamento de porta que seja mais positivo do que a tensão de alimentação de entrada – de preferência, cerca de 10 volts. Você pode obter CIs "acionadores conectados à alimentação" para esse trabalho, em variedades que equilibram velocidade e tensão (por exemplo, o LM9061, na Figura 3.96; veja também as Seções 3.5.3, 12.4.2 e 12.4.4 e a Tabela 12.5). Aqui, fomos um passo adiante, usando um acionador conectado à alimentação que inclui também o MOSFET de potência. Ele recebe o sinal de acionamento de porta com um oscilador interno e um conversor bomba de carga (do tipo que vimos na Seção 3.4.3D). Esse dispositivo, em especial, foi projetado para operação em baixa tensão e inclui limitação de corrente interna e proteção contra sobretemperatura.

Por que se preocupar com tudo isso, quando um MOSFET canal *p* é mais fácil de acionar? Embora o uso de uma chave nMOS com acionamento conectado à alimentação acrescente complexidade, ela tem o benefício de características melhores e da mais ampla variedade de MOSFETs canal *n*; esse é, geralmente, o esquema preferido.

Por fim, o Circuito F mostra como comutar um trilho de alimentação negativa para uma carga; é análogo ao circuito B, mas com uma chave canal *n* e um transistor *pnp* de base aterrada para converter um nível lógico positivo em um fornecimento de corrente que cria uma variação de porta de 10 V sobre R_2. É possível adicionar limitação de corrente (e isso provavelmente deve ser feito) como no circuito C.

B. Chaves de potência flutuantes

Às vezes, você precisa comutar uma tensão (e sua carga), que "flutua" longe do terra. Por exemplo, pode ser que você queira testar a capacidade de potência pulsada de um resistor enquanto detecta a corrente no lado de baixo; ou pode ser que você queira fazer medições pulsadas na escala de milissegundos de um transistor para contornar os efeitos de aquecimento; ou

---

[102] Se, em vez disso, comutássemos o lado de *baixo* (com uma chave *n*MOS), usaríamos um MOSFET protegido; consulte a Tabela 12.4.

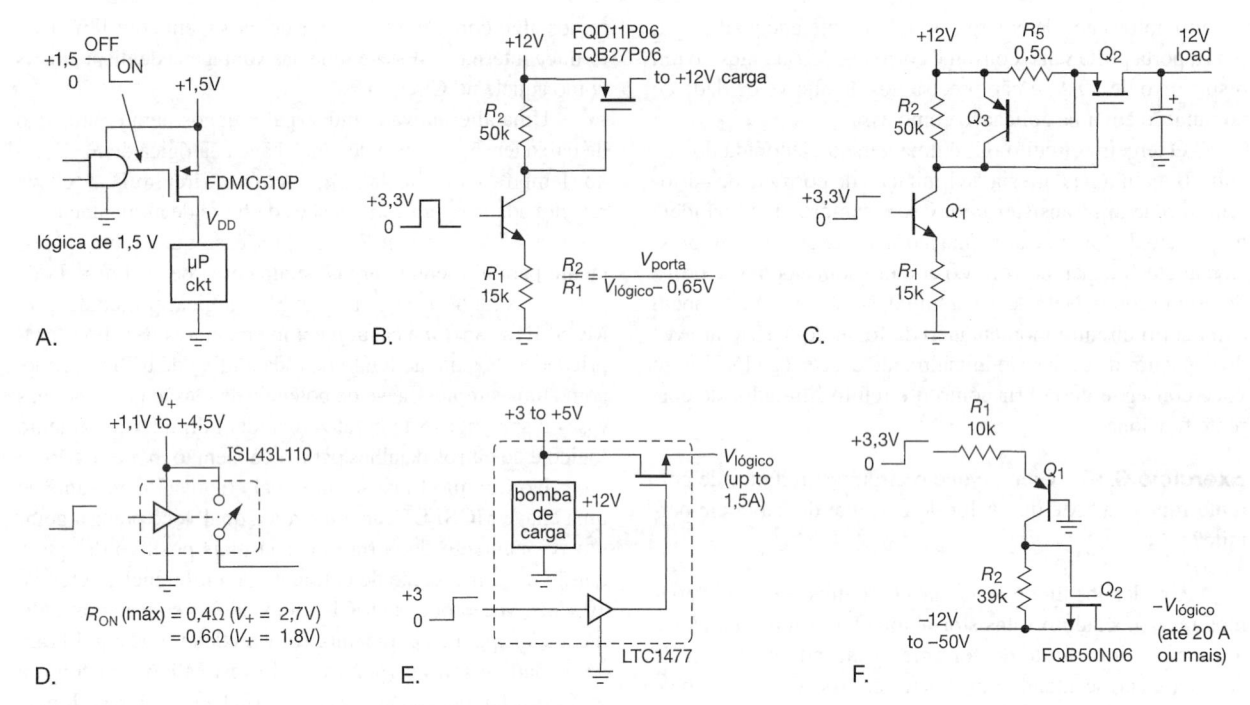

FIGURA 3.106 Comutação de potência CC com MOSFETs.

pode ser que você queira uma chave de dois terminais flutuante de propósito geral que possa operar em AC ou CC. Em tais situações, você não pode usar os esquemas básicos referenciados no terra da Figura 3.106. A Figura 3.107 mostra duas abordagens simples, ambas usando um optoisolador (Seção 12.7) para transmitir o comando de comutação a partir de sua referência de terra original para o circuito de chave flutuante.

No Circuito A, as portas de um par de MOSFETs de potência canal n conectados em série são acionadas por um seguidor BJT *push-pull* que recebe o sinal de acionamento da base a partir de um optoacoplador autoalimentado ("fotovoltaico"), U_2. Este último usa um arranjo fotovoltaico conectado em série para gerar um sinal flutuante de ~8 V em resposta a uma corrente de acionamento LED de 10 mA (veja a Figura 12.91), com algum circuito interno para melhorar o tempo de desligamento. O par Q_1Q_2 de acionamento de porta poderia ser omitido à custa de um tempo de comutação maior (veja a seguir). Esses acionadores reduzem a capacitância de carga efetiva dos MOSFETs por um fator de beta, de modo que os tempos de comutação resultantes (com MOSFETs de potência típicos para Q_3 e Q_4) são limitados pela velocidade intrínseca do acoplador, da ordem de 200 μs.

É claro que os acionadores de porta Q_1 e Q_2 precisam de uma fonte de tensão flutuante, aqui fornecida por um segundo gerador fotovoltaico de baixo custo, U_1, que não precisa ser rápido (considerando que o circuito não opera a uma taxa de comutação rápida), pois ele serve apenas para manter C_1 carregado até ~8 V. Você pode substituir uma bateria flutuante de 9 V por U_1: ele pode fornecer muito mais corrente do que a fraca saída de ~20 μA de U_1, mas é claro que você tem que substituí-lo de vez em quando (uma bateria alcalina de 9 V do tipo "1604" é adequada para cerca de 500 mAh e tem uma vida útil de cerca de 5 anos). Este circuito pode comutar qualquer polaridade – quando está ON, o MOSFET em série atinge o valor de 2RON (os diodos conduzem somente durante a transição ON-OFF ou em correntes muito altas). Note que esse circuito é uma chave "desprotegida" – não há nenhuma provisão para limitação de corrente ou potência dos transistores de saída.

O Circuito B resolve essa vulnerabilidade e aproveita os benefícios da chave protegida integrada BTS555. Aqui fizemos uso de uma abordagem simples de uma bateria de 9 V flutuante para fornecer alimentação para o seu circuito interno (15 μA típico quando desligado, 1 mA quando ligado). Esse circuito é protegido praticamente contra qualquer coisa ruim que você possa jogar nele. Sua velocidade de comutação é comparável à do Circuito A (tipicamente 300 μs para ligar, 100 μs para desligar), e ele é bom para correntes elevadas (100 A ou mais); mas ele é limitado a 34 V em seus terminais da chave. Veja a Seção 12.4.4 para obter mais detalhes e a Tabela 12.5 para sugestões de componentes adicionais.

Retornando ao Circuito A na Figura 3.107, que tipo de desempenho você pode obter com MOSFETs canal n prontamente disponíveis? Aqui está uma seleção de candidatos (veja a Tabela 3.5), selecionados entre milhares de possibilidades,[103] abrangendo toda a faixa de tensões.[104]

---

[103] Uma busca hoje por MOSFETs discretos canal n encontra 20.330 tipos na Digi-Key, 11.662 na Mouser e 4.607 na Newark. É uma superestimativa, pois as diferentes opções de encapsulamentos são listadas separadamente – mas dá para entender o recado.

[104] Consulte as tabelas de MOSFETs neste capítulo para dados adicionais sobre estes e outros MOSFETs de potência.

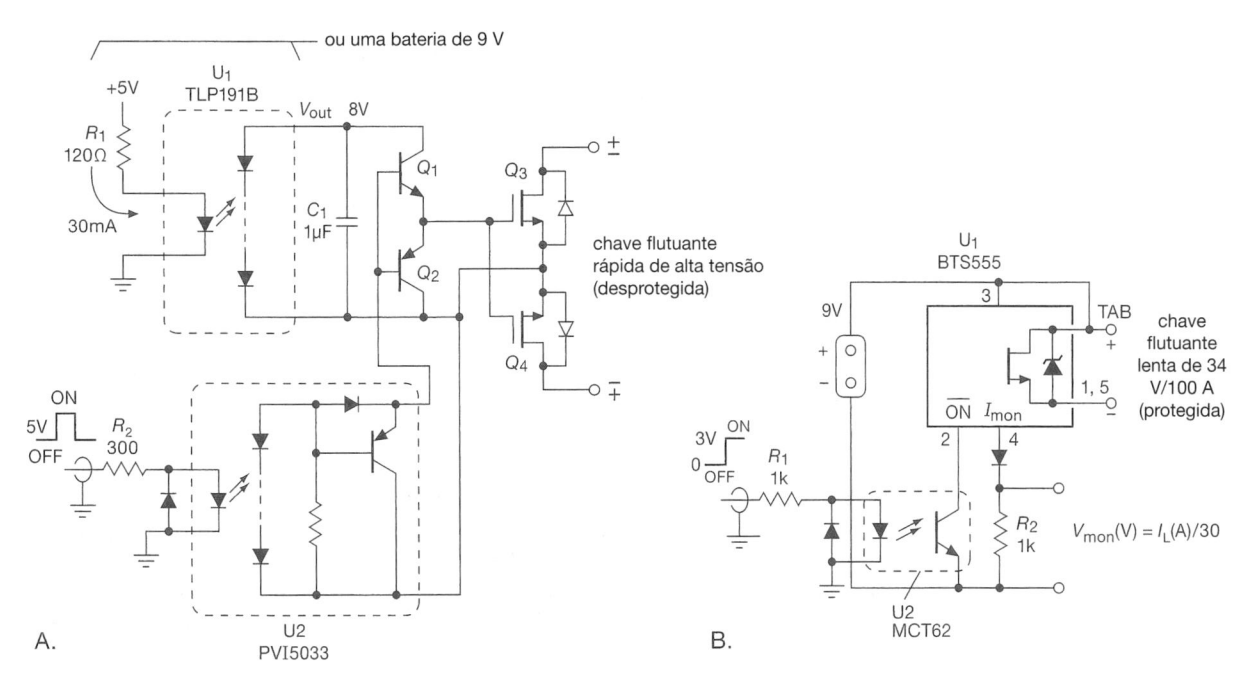

FIGURA 3.107 Chaves de MOSFET de potência flutuantes: A. bipolaridade, desprotegida; B. unipolar, tensão limitada, protegida.

Várias tendências são perfeitamente evidentes:

(a) Há um dilema grave de R_{ON} *versus* especificação de tensão – para os tipos listados, a resistência ON abrange uma faixa de ~100.000:1 sobre a faixa de tensão ~100:1.

(b) Você também, literalmente, paga um preço por dispositivos de tensão muito alta; por exemplo, o dispositivo listado de 4,5 kV custa 22 dólares.

(c) Dispositivos de correntes mais elevadas têm maior capacitância (que é o que você vê nos terminais da chave quando no estado OFF), mesmo aqui, onde cuidadosamente selecionamos dispositivos para minimizar o dilema da figura de mérito $R_{ON}C_{oss}$. Eles também têm maior capacitância de entrada e carga de porta, que são relevantes para a velocidade de comutação.

(d) Dados importantes estão *faltando*! Você precisa consultar as folhas de dados para obter informações importantes, tais como resistência térmica, corrente de pulso e especificações de energia de pulso, carga de porta e coisas semelhantes. Os dados aqui apresentados são, no máximo, recomendações, e você precisa usar especificações detalhadas no contexto do circuito para prever o desempenho real. Por exemplo, as especificações de "corrente pulsada máxima" são, geralmente, aplicáveis a larguras de pulsos um pouco mais curtas do que esse circuito pode produzir; e a especificação R_{ON} considera 10 V de acionamento de porta, também ligeiramente maior do que nós temos aqui.

Terminaremos este exemplo estimando a velocidade de comutação do circuito da Figura 3.107A. Imagine que queiramos uma capacidade de 600 V e escolhamos o moderado FCP22N60N, um MOSFET que oferece uma boa combinação de resistência ON e capacitância para um custo modesto (cerca de 5 dólares, em uma quantidade de 100). Para a velocidade de comutação, o parâmetro relevante aqui é a carga de porta ($Q_{GS} + Q_{GD}$), aproximadamente 25 nC de acordo com dados tabulados e de gráficos. Isso deve ser fornecido pelo acionador isolado U_2, reforçado pelo ganho de corrente β de Q_1 e Q_2. A partir da folha de dados de U_2, podemos estimar a corrente fornecida pela saída (a partir de seu gráfico "Tempo de Resposta Típico") como aproximadamente 3 μA. Se imaginarmos que Q_1 e Q_2 são omitidos, com U_2 acionando a porta do MOSFET diretamente, o tempo de ligamento seria $t \approx Q_{porta}/I_{U2}$, ou 8,3 ms. Agora, magicamente restaure os acionadores BJT, e o tempo de comutação estimado cai por um fator de beta; para um típico $\beta \sim 200$, ele se torna 40 μs.[105]

Não tão rápido! Olhe novamente a folha de dados para U_2, e você verá que o tempo de ligamento se aproxima de 100 μs; da mesma forma, o seu tempo de desligamento intrínseco é de cerca de 350 μs, mesmo com uma capacitância de carga pequena. Esses números dominam o desempenho do circuito A para quase todos os MOSFETs listados, partindo do princípio, é claro, de que os acionadores BJT Q_1Q_2 estão incluídos. Se você puder tolerar uma comutação mais lenta, pode simplificar as coisas omitindo os drivers e sua fonte de alimentação flutuante.

Se você precisar de comutação *mais rápida*, há muitos chips acionadores integrados conectados à alimentação que

---

[105] Se você observar os acionadores de MOSFETs na Tabela 3.8, verá que o ZXGD3002-04 é simplesmente um par de BJTs *npn* e *pnp* de ganho muito alto, no encapsulamento S0T23-6, perfeito para Q_1 e Q_2.

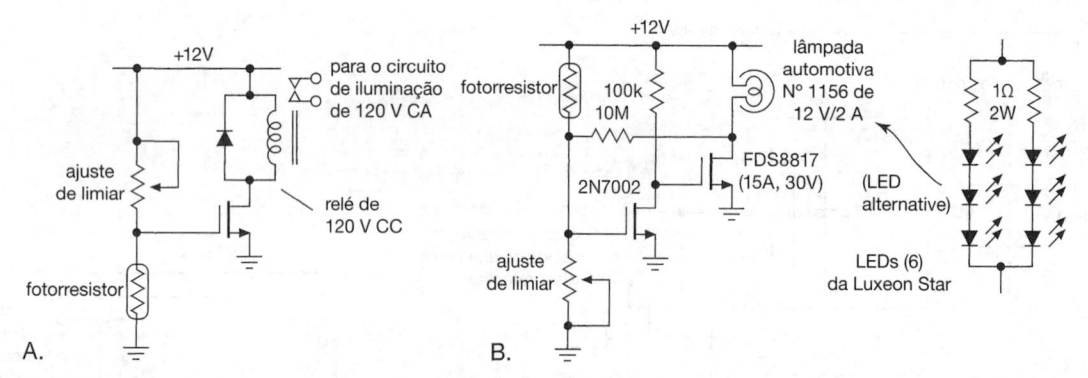

FIGURA 3.108 Chave de potência controlada pela luminosidade ambiente.

TABELA 3.5 Opções de chaves MOSFET[a]

		$I_{D(máx)}$[b]			
n° identif.	BV_{DS} (V)	pulso (A)	cont (A)	$2R_{ON}$[c] (Ω)	C_{oss}[t] (pF)
IXTT02N450[$$]	4500	0,6	0,2	960	19
IXTH02N250[$]	2500	0,6	0,2	770	9
STW4N150	1500	12	2	10	120
IXTP3N120	1200	12	3	6,5	100
IXFH16N120P[$]	1200	35	10	1,7	390
IRFBG20	1000	5,6	1	16	52
IRFBG30	1000	12	2	8	140
IXFH12N100[$]	1000	48	5	2	320
IPP60R520CP	650	17	4	1	32
FCP22N60N	600	66	12	0,28	76
FCH47N60N[$]	600	140	30	0,1	200
IRF640N	200	72	12	0,24	190
FQP50N06L	60	210	25	0,08[d]	450
IRLB3034	40	1400	125	0,003[e]	2000
FDP8860	30	1800	100	0,004[d]	1700

Notas: (a) Todos estão nos encapsulamentos TO-220 ou TO-247. (b) Itálico designa corrente de dreno pulsada máxima, para uma largura de pulso especificada na folha de dados do dispositivo (por exemplo, 80 μs); negrito designa corrente de dreno contínua máxima para $T_J = 70°C$. (c) Para $V_{GS} = 10$ V, a menos que indicado outro valor. (d) Para $V_{GS} = 5V$. (e) Para $V_{GS} = 4,5 V$. (t) Típico. ($) Custo relativamente alto. ($$) Caro.

dão conta do recado, por exemplo, a série de "CIs acionadores de porta de alta tensão" a partir de um retificador interno. Eles usam transistores de alta tensão internos para enviar os sinais de controle a cargas conectadas à alimentação, com as especificações de tensão máxima, mais comumente, de 600 V. Esses geralmente têm tempos de comutação na faixa de 100 ns a 1 μs. Eles se destinam a aplicações cíclicas, como acionadores de ponte modulada por largura de pulso, e usam bombas de carga conectadas à alimentação para desenvolver a tensão de acionamento de porta além do trilho; mas você pode adaptá-los para aplicações pulsadas substituindo a bateria de 9 V flutuante, como fizemos aqui.

Outra classe de CIs que pode ser usada em aplicações como essa é tipificada pela série ACPL-300 da Avago de "optoacopladores acionadores de porta", que combina um optoacoplador com um estágio de saída *push-pull* isolado. Por exemplo, o estágio de saída do ACPLW343 pode fornecer ou absorver 3 A (no mínimo), com 40 ns de tempos de subida e de descida (para uma carga de 25 nF em série com 10 Ω) e isolação de 2 kV. Devem ser alimentados por uma fonte CC isolada de 15 a 30 V para o estágio de saída,[106] como na Figura 3.107B, com o capacitor de derivação usual (para correntes de saída de pico); a corrente quiescente é 2 mA, fornecendo 200 horas de operação se você usar um par de baterias de 9 V. Veja a Seção 12.7.3 e a Figura 12.87 para mais discussão e sugestões sobre circuitos.

C. Alguns exemplos de chaveamento incomuns

Luz ao anoitecer

A Figura 3.108A mostra um simples exemplo de chaveamento com MOSFET, que tira proveito da alta impedância de porta. Pode ser que você queira ligar a iluminação exterior automaticamente ao pôr do sol. O fotorresistor tem baixa resistência à luz solar e alta resistência na escuridão. Você o torna parte de um divisor resistivo, acionando a porta diretamente (não há efeito de carga CC!). A iluminação liga quando a tensão da porta atinge o valor que produz corrente de dreno suficiente para fechar o relé. Leitores atentos podem ter notado que esse circuito não é particularmente preciso ou estável; está tudo bem, pois os fotorresistores sofrem uma enorme variação na resistência (de 10k até 10M, por exemplo) quando escurece. Note que o MOSFET tem que dissipar alguma potência durante o tempo em que a polarização da porta está avançando, já que estamos operando na região linear; mas é

---
[106] Um pouco alto para o acionamento da porta do MOSFET (eles são apropriados para IGBTs); mas você pode obter dispositivos com tensão mínima de alimentação de saída menor – por exemplo, o HCPL-3180 ou o PS9506 da Renesas (ambos podem operar com 10 V mín).

apenas uma comutação de relé, não uma carga de potência, de modo que você não precisa se preocupar muito. A falta de um limiar preciso e estável do circuito significa que a luz pode ligar alguns minutos mais cedo ou mais tarde – mais uma vez, nada demais. Mas uma preocupação adicional é o comportamento do relé, que não opera adequadamente com uma tensão de acionamento de bobina marginal (que mantém os contatos fechados com menos do que a força mecânica especificada, assim encurtando potencialmente a vida do relé).

Esses problemas estão corrigidos na Figura 3.108B, em que um par de MOSFETs em cascata proporciona um ganho muito maior, aumentado por uma realimentação positiva através do resistor de 10M; este último adiciona histerese, o que faz o circuito ligar de modo regenerativo uma vez que atinge o limiar.

Acionador piezoelétrico robusto

A Figura 3.109 mostra um trabalho real para MOSFET de potência: um amplificador de 200 W aciona um transdutor subaquático piezoelétrico em 200 kHz. Usamos um par de transistores nMOS robustos acionados alternadamente para criar um acionador CA (alta frequência) no primário do transformador. O indutor em série no secundário entra em ressonância com a capacitância do transdutor para elevar a tensão no dispositivo piezoelétrico para alguns kilovolts. O TC4425A é um prático "Duplo Acionador de MOSFET de Potência de Alta Velocidade" (como o TC4420, na Figura 3.97), que recebe um nível lógico na entrada (0 V = BAIXO, $\geq$2,4 V = ALTO) e gera variação completa (0 a $+V_{DD}$) no par de saída, um invertido e o outro não invertido; consulte a Tabela 3.8. É necessário superar o efeito de carga capacitiva, uma vez que os MOSFETs devem ligar totalmente em uma fração de um microssegundo. Os diodos em paralelo com os resistores em série com a porta provocam um desligamento rápido para evitar sobreposição de condução indesejável dos transistores de potência.

3.5.7 IGBTs e Outros Semicondutores de Potência

O MOSFET de potência atual é um versátil transistor para aplicações de comutação de potência (por exemplo, controle de potência CC, ou conversores chaveados CC-CC) e aplicações lineares (tais como amplificadores de áudio). Mas há alguns inconvenientes e algumas alternativas úteis.

A Transistor bipolar de porta isolada (IGBT)

O IGBT é um híbrido MOSFET-bipolar interessante, mais simplesmente descrito como uma conexão integrada complementar de um MOSFET de entrada com um transistor de potência bipolar de saída semelhante a um Darlington (Sziklai) (Figura 3.110). Por isso, ele tem características de entrada de um MOSFET (zero de corrente de porta) combinadas com as características de saída de um transistor bipolar de potência; contudo, note que ele não pode saturar com menos do que V_{BE}. Ao contrário dos MOSFETs, IGBTs não têm um diodo reverso intrínseco, assim, um repique indutivo, etc., pode facilmente exceder a especificação de tensão reversa (por exemplo, 20 V). Muitos IGBTs incluem um diodo interno "antiparalelo" para proteger contra esse problema.[107]

Quase todos os IGBTs disponíveis vêm apenas na polaridade nMOS-*pnp* e, assim, comportam-se como dispositivos tipo *n*.[108] Eles são, geralmente, dispositivos de alta tensão e de alta potência, disponíveis em encapsulamentos de transistores de potência discretos, como o TO-220 e o TO-247, e encapsulamentos SMD, como o D^{2}PAK e o SMD-220, com especificações para 1200 V e 100 A. Para correntes maiores, você pode obtê-los em "módulos" de potência retangulares maiores, com especificações de tensão mais elevadas e especificações de corrente de 1.000 A ou mais.

Os IGBTs se sobressaem na arena do chaveamento de alta tensão, pois os MOSFETs de alta tensão sofrem de um aumento muito grande de R_{ON}: uma regra prática aproximado para MOSFETs é que o R_{ON} aumenta com o quadrado da

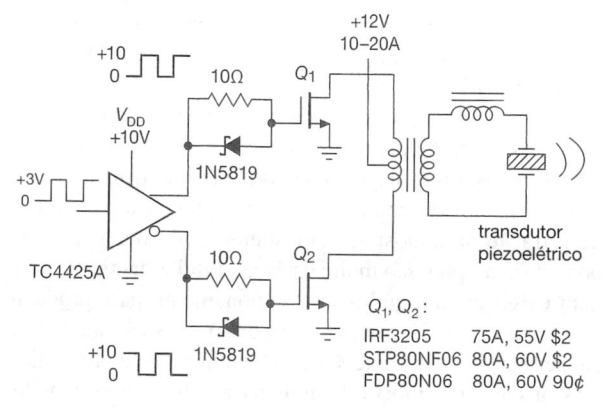

FIGURA 3.109 Acionador piezoelétrico com MOSFETs de potência.

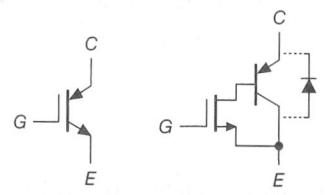

FIGURA 3.110 Símbolo do IGBT e circuito equivalente simplificado mostrando o diodo "antiparalelo" opcional.

---

[107] Alguns dispositivos estão disponíveis com e sem o diodo, indicado, por exemplo, por um sufixo D no número de identificação.

[108] Atualmente, os únicos IGBTs do tipo *p* que conhecemos são os da série GT20D200, da Toshiba.

especificação de tensão.[109] Por exemplo, compararemos dois produtos de potência da International Retifier (juntamente com um BJT de especificações comparáveis).

		MOSFET	IGBT	BJT
Tipo		IRFPG50	IRG4PH50S	TT2202
$V_{máx}$		1000V	1200V	1500V
$I_{máx}$	CC	6,1 A	57 A	10A
	pulso	24A	114A	25A
R_{ON}(típico)	25°C	1,5Ω	–	–
	150°C	4Ω	–	–
V_{ON}	25°C	23V	1,2V	IV(@8A)
(15 A típico)	150°C	60V	1,2V	IV(@8A)

Esses são comparáveis em preço (cerca de 5 dólares) e encapsulamento (TO-247), têm características de entrada semelhantes (capacitância de entrada de 2,8 nF e 3,6 nF), e a tensão de saturação resultante V_{ON} ao comutar 15 A é mostrada para o mesmo acionamento de entrada completo de $V_{in} = +15$ V. O IGBT é claramente o vencedor nesse regime de alta tensão e alta corrente.[110] E, quando comparado com um BJT de potência, ele compartilha as vantagens do MOSFET de alta impedância de entrada estática (embora ainda exibindo a impedância de entrada dinâmica reduzida drasticamente durante a comutação, como vimos na Seção 3.5.4B). O BJT tem a vantagem de uma menor tensão de saturação (o V_{ON} do IGBT é, pelo menos, V_{BE}) e menor tensão de acionamento, à custa de uma elevada corrente de acionamento estática; este último problema é agravado em altas correntes, em que o beta de BJTs cai rapidamente. Um BJT saturado também sofre de recuperação lenta devido à carga armazenada na região da base.

Com as tensões e correntes muito altas encontradas em IGBTs, é obrigatório incluir proteção contra falta no projeto do circuito: um IGBT que pode ser obrigado a comutar uma carga de até 50 A a partir de uma fonte 1.000 V será destruído em milisegundos se a carga se tornar um curto-circuito, devido à dissipação de potência de 50 kW(!). O método usual é desligar o acionador se V_{CE} não cair para apenas alguns volts depois de aproximadamente 5 μs do acionamento da entrada (veja a Figura 12.87B).

B. Tiristores

Para obter o máximo em comutação de potências *realmente* altas (estamos falando de quiloampères e quilovolts), os dispositivos preferidos são a família do *tiristor*, que incluem os "retificadores controlados de silício" unidirecionais (SCRs) e bidirecionais "TRIACs". Esses dispositivos de três terminais se comportam de modo um pouco diferente dos transistores que vimos (BJTs, FETs e IGBTs): uma vez colocados em condução por uma pequena corrente de controle (alguns miliampères) em seus eletrodos de controle (a *porta*), eles permanecem ON até que eventos externos levem a corrente controlada (do *anodo* para o *catodo*) para zero. Eles são usados universalmente em *dimmers* para lâmpadas nas casas, onde são ligados por uma fração de cada semiciclo da tensão CA da rede, variando, assim, o *ângulo de condução*.

Tiristores estão disponíveis em especificações desde 1 A até vários milhares de ampères e especificações de tensão de 50 V até vários quilovolts. Eles vêm em encapsulamentos de transistores pequenos, os habituais encapsulamentos de transistores de potência, módulos maiores e encapsulamentos de "Disco de hóquei" realmente assustadores, que são capazes de comutar megawatts. Eles são dispositivos robustos; você pode se machucar apenas deixando cair um no seu pé.

3.6 MOSFETS EM APLICAÇÕES LINEARES

Embora tenhamos lidado extensivamente com aplicações lineares no tratamento de JFETs neste capítulo, nossa discussão sobre MOSFETs concentrou-se quase exclusivamente em aplicações de comutação. Para não deixar uma impressão errada, abordaremos nesta seção algumas aplicações de MOSFETs de potência discretos em aplicações lineares, em especial as que se beneficiam de suas propriedades únicas. Veja também aplicações adicionais para reguladores de tensão lineares no Capítulo 9 (por exemplo, as Figuras 9.17, 9.20, 9.104, 9.110 e 9.113).

3.6.1 Amplificador Piezoelétrico de Alta Tensão

Uma boa aplicação dos MOSFETs como amplificadores lineares aproveita os tipos disponíveis com especificação de alta tensão, e suas imunidades à segunda ruptura. Transdutores *piezoeléctricos* cerâmicos são frequentemente utilizados em sistemas ópticos para a produção de pequenos movimentos controlados; por exemplo, em *óptica adaptativa*, é possível usar um "espelho de borracha" controlado piezoeletricamente para compensar as variações locais no índice de refração da atmosfera. Transdutores piezoelétricos são bons de usar, pois são muito estáveis. Infelizmente, eles podem exigir até um quilovolt de acionamento para produzir movimentos significativos. Além disso, eles são altamente capacitivos – tipicamente, 0,01 μF ou mais – e têm ressonâncias mecânicas na faixa de quilohertz gama, apresentando, assim, uma carga desagradável. Precisamos de dezenas de

---

[109] Você encontra expoentes de 1,6 a 2,5 na literatura; é provável que a extremidade inferior desta faixa seja mais precisa.

[110] Onde ele se destaca também na manutenção da alta transcondutância, em comparação com o MOSFET. A vantagem vai para o IGBT, começando em torno de 200 V. Veja também a tabela comparativa na Seção 3.5.5.

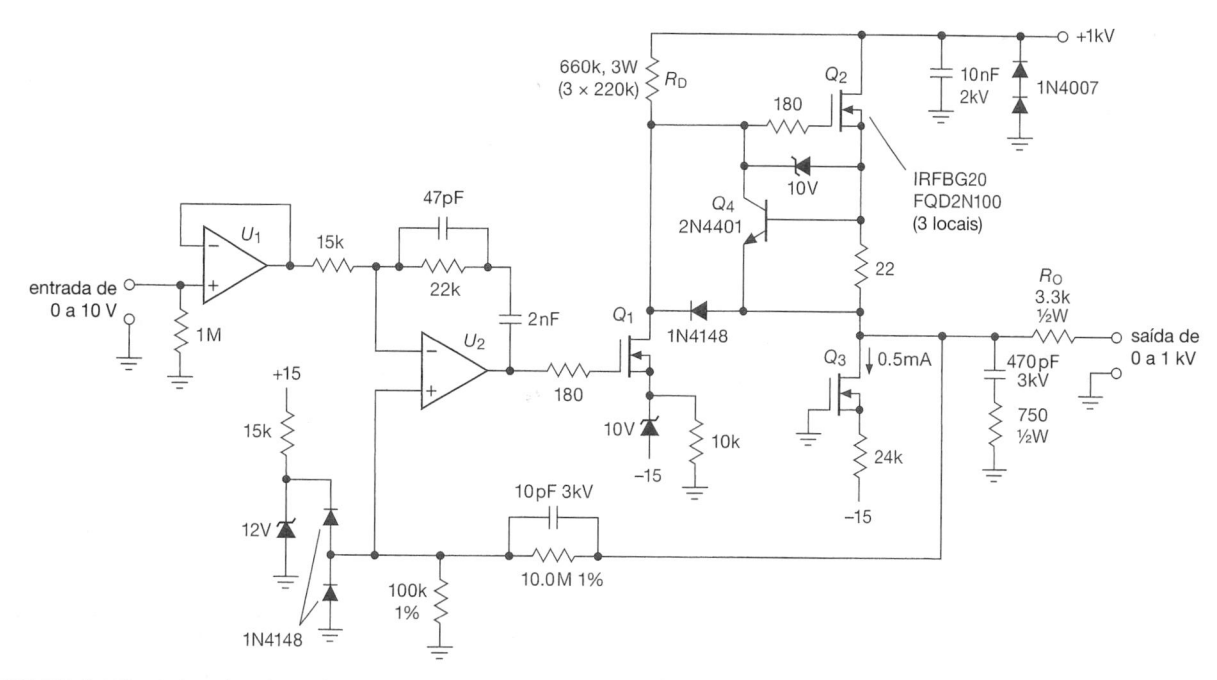

FIGURA 3.111 Acionador piezoelétrico de baixa potência de 1 kV com estágio de saída *totem-pole*. Um projeto semelhante é usado para a fonte de alimentação de alta tensão regulada CC mostrada na Figura 9.110.

tais amplificadores acionadores, que, por alguma razão, custam alguns milhares de dólares cada um, se você comprá-los comercialmente.

Resolvemos o nosso problema com o circuito mostrado na Figura 3.111. O IRFBG20 é um MOSFET de baixo custo (cerca de 2 dólares), bom para 1 kV e 1,4 A; o FQD2N100 (1 kV, 1,6 A), similar a ele, custa cerca de 0,85 dólar. O primeiro transistor é um amplificador inversor de fonte comum, acionado um seguidor de fonte com carga de coletor de corrente ativo. O transistor *npn* é um limitador de corrente e pode ser uma unidade de baixa tensão, uma vez que ele flutua na saída. Uma característica sutil do circuito é o fato de ele ser, na verdade, *push-pull*, embora pareça de terminação simples: você precisa de muita corrente (20 mA) para elevar a tensão em 10.000 pF em torno de 2 V/μs; o transistor de saída pode *fornecer* corrente, mas o resistor *pull-down* não pode absorver o suficiente (volte na Seção 2.4.1, na qual incentivamos o *push-pull* com o mesmo problema). Neste circuito, o transistor acionador é o *pull-down*, com condução através do diodo porta-fonte![111] O restante do circuito envolve realimentação com AOP, um assunto proibido até o próximo capítulo; neste caso, a magia da realimentação torna o circuito geral linear (100 V de saída por volt de entrada), ao passo que, sem ele, a tensão de saída dependeria da característica I_D *versus* V_{GS} do transistor de entrada. Uma boa melhoria para este circuito consiste em substituir o resistor de *pull-up* de 660 kΩ/3 W (cuja corrente cai em tensões de saída altas – por exemplo, para 0,15 mA a 900 V), com uma fonte de corrente MOSFET de modo depleção configurada, por exemplo, em 0,25 mA. Veja a discussão a seguir (Seção 3.6.2C e também a Figura 3.23, a Tabela 3.6 e a Seção 9.3.14C).

Exercício 3.18 Modifique este circuito de modo que a saída de alta tensão possa ser ligada e desligada, sob o controle de um sinal de entrada (0 V para desligar, +3V para ligar).

3.6.2 Alguns Circuitos de Modo Depleção

MOSFETs de modo depleção são os irmãos negligenciados dos MOSFETs de modo intensificação, muito mais populares. Entretanto, eles podem fazer alguns truques interessantes que valem a pena conhecer. E eles estão disponíveis em variedades de alta tensão (até 1 kV) e alta corrente (até 6 A). A Tabela 3.6 lista quase todos os dispositivos disponíveis dessa espécie um tanto escassa. Aqui estão algumas aplicações que exploram suas propriedades de condução para uma tensão de porta zero.

---
[111] Isso é chamado de estágio de saída *"totem-pole"* e se tornou popular no início dos anos de 1970 na lógica TTL bipolar; veja a Figura 10.25A.

TABELA 3.6 MOSFETs canal *n* de modo depleção

nº identif.	Fabricante	TO-92	SOT-23	TO-243	SOT-223	TO-220	TO-247	D2-Pak	D-Pak	BV_{DS} (V)	$P_D{}^c$ (W)	I_{DSS} mín (mA)	I_{DSS} máx (mA)	$R_{ON}{}^t$ @V_{GS}=0 (Ω)	$g_m{}^t$ (mS)	@ I_D (A)	$V_{GS(th)}$ mín (V)	$V_{GS(th)}$ máx (V)	C_{iss} típico (pF)	C_{oss} típico (pF)	C_{rss} típico (pF)	Custo^y $US
pequeno, RF																						
BF998	NXP	-	f	-	-	-	-	-	-	12	-	2	18	-	24	0,01	-	-2	2,1	1,1	0,025	-
BF999	Vishay	-	●	-	-	-	-	-	-	20	-	5	18	-	16	0,01	-	-2,5	2,5	1,0	0,025	-
SKY65050^s	Skyworks	-	g	-	-	-	-	-	-	6	-	40	70	-	80	0,12	-1	-0,7	realmente pequeno			-
pequeno																						
DN2470K4	Supertex	-	-	-	-	-	-	-	●	700	2,5	500^t		42^m	100^n	0,1	-1,5	-3,5	540	60	25	0,81
BSS126	Infineon	-	●	-	-	-	-	-	-	600	0,5	7	-	320	17	0,01	-2,7	-1,6	21	2,4	1	0,13
BSP135	Infineon	-	-	-	●	-	-	-	-	600	1,8	20	-	30	160	0,1	-1,8	-1,0	98	8,5	3,4	1,38
LND150	Supertex	◊	k	●	-	-	-	-	-	500	0,7	1	3	850	2	0	-1,0	-3	7,5	2	0,5	0,58
DN3145	Supertex	-	●	-	-	-	-	-	-	450	1,3	120	-	60^m	140^n	0,1	-1,5	-3,5	120	15	10	0,68
DN3545	Supertex	●	-	◊	-	-	-	-	-	450	1,6	200	-	20^m	150^n	0,1	-1,5	-3,5	360	40	15	0,74
DN2540	Supertex	●	-	◊	-	●	-	-	-	400	1,6	150	-	17	325	0,1	-1,5	-3,5	200	12	1	0,81
DN3135	Supertex	-	●	◊	-	-	-	-	-	350	1,3	180	-	35^m	140	0,1	-1,5	-3,5	60	6	1	0,62
CPC3720C	Clare	-	-	●	-	-	-	-	-	350	1,6	130	-	22^m	225	0,1	-1,6	-3,9	70	20	10	0,37
CPC5603C	Clare	-	-	-	●	-	-	-	-	415	2,5	130	-	14^m	-	-	-3,6	-2	300	-	-	0,69
CPC5602C	Clare	-	-	-	●	-	-	-	-	350	2,5	130	-	14^m	-	-	-3,6	-2	300	-	-	0,60
DN3535	Supertex	-	-	●	-	-	-	-	-	350	1,6	200	-	10^m	200^n	0,1	-1,5	-3,5	360	40	10	0,68
BSS139	Infineon	-	●	-	-	-	-	-	-	250	0,4	30	-	12,5	130	0,08	-1,4	-	60	6,7	2,6	0,57
BSP129	Infineon	-	-	-	●	-	-	-	-	240	1,8	50	-	6,5	360	0,28	-2,1	-1,0	82	12	6	0,47
DN3525N8	Supertex	-	●	-	-	-	-	-	-	250	1,6	300	-	6^m	225^n	0,15	-1,5	-3,5	270	20	5	0,66
CPC3703	Clare	-	-	●	-	-	-	-	-	250	1,6	300	-	4^m	225^n	0,1	-1,6	-3,9	327	51	27	0,57
BSP149	Infineon	-	-	-	●	-	-	-	-	200	1,8	140	-	1,7	800	0,48	-1,8	-1,0	326	41	17	0,80
BSS159	Infineon	-	●	-	-	-	-	-	-	50	0,4	70	-	4	160	0,16	-2,5	0,0	70	15	6	0,31
grande		*veja a nota x*																				
IXTx01N100D^x	IXYS	-	-	-	-	P	-	-	Y	1000	25	100^t		90	150	0,1	-2,5	-	120	25	5	0,75
IXTx08N100D2^x	IXYS	-	-	-	-	P	-	-	Y	1000	60	100^t		21^m	560	0,4	-2	-4	325	24	6,5	0,69
IXTx1R6N100D2^x	IXYS	-	-	-	-	P	-	-	Y	1000	100	100^t		21^m	1100	0,8	-2,5	-4,5	645	43	11	1,66
IXTx3N100D2^x	IXYS	-	-	-	-	P	-	A	-	1000	125	3000	-	5,5^m	4200	3	-2,5	-4,5	1020	68	17	2,11
IXTx6N100D2^x	IXYS	-	-	-	-	P	H	A	-	1000	300	6000	-	5,5^m	4200	3	-2,5	-4,5	2650	167	41	4,66
IXTx02N50D2^x	IXYS	-	-	-	-	P	-	-	Y	500	25	250^t		20	150	0,2	-2	-5	120	25	5	1,05
IXTx08N50D2^x	IXYS	-	-	-	-	P	-	A	-	500	60	800	-	4,6^m	570	0,4	-2	-4	312	35	11	1,62
IXTx1R6N50D2^x	IXYS	-	-	-	-	P	-	-	Y	500	100	1600^t		2,3	1750	0,8	-2	-4	645	65	17	1,66
IXTx3N50D2^x	IXYS	-	-	-	-	P	-	A	-	500	125	1600^t		1,5	2100	1,5	-2	-4	1070	102	24	2,13
IXTx6N50D2^x	IXYS	-	-	-	-	P	H	A	-	500	300	6000	-	0,5^m	4500	3	-2	-4	2800	255	64	4,66
IXTH20N50D^{x,e}	IXYS	-	-	-	-	-	H	-	-	500	400	1500^{t,e}		0,5^m	7500	10	-1,5	-3,5	2500	400	100	8,61

Notas: (c) P_D para $T_C = 25°C$, para o encapsulamento marcado com ◊. (e) O IXTH20N50D entrega a maior parte da sua corrente na região de modo intensificação.
(f) Tem duas portas, encapsulamento SOT-143 de 4 terminais. (G) Encapsulamento SC-70. (k) Experimente também o LND250K1. (m) No máximo. (n) No mínimo.
(s) Nome completo do dispositivo SKY: SKY65050-372LF. (t) Típico. (x) Substitua a letra listado na coluna encapsulamento por "x" no número de identificação; por exemplo, IXTP01N100D é um encapsulamento TO-220. (y) Quantidade 100.

A. Proteção de entrada

Circuitos de níveis baixos (tais como amplificadores sensíveis) não gostam de ser acionados para além dos seus trilhos de alimentação. Um simples esquema de proteção usa um resistor em série na entrada, com um par de diodos de ceifamento a jusante para os trilhos de alimentação do amplificador. Isso está OK para pequenos sobreacinamentos; mas é insatisfatório se a entrada puder ir a algumas centenas de volts (pense na *rede elétrica*!), pois o grande valor do resistor (~100k ou mais, para limitar a corrente de falha e a potência dissipada) compromete a largura de banda do sinal e o ruído. A Figura 3.112 mostra como utilizar um par de MOSFET de modo de depleção (em vez de um resistor grande) como o elemento em série. O dispositivo específico mostrado é pequeno (SOT23, SOT89 ou TO-92), de baixo custo (0,60 dólar) e capaz de suportar entradas momentâneas de até ±500 V. O par se parece com uma resistência em série de ~1,7k

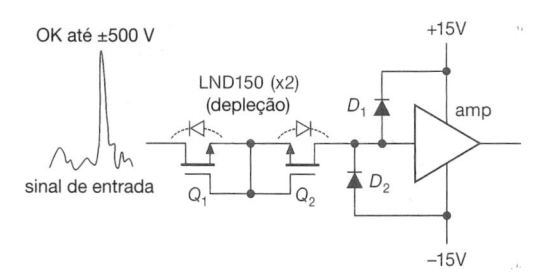

FIGURA 3.112 Protegendo uma entrada de baixo nível contra "falhas" de sobretensão ultrajantes. Em condições normais, os MOSFETs Q_1 e Q_2 de modo depleção conectados em série (com o seu diodo de corpo intrínseco mostrado) conduzem com uma resistência em série efetiva $R_{ON} \sim 1\ K\Omega$ cada. Um sinal de entrada para além dos trilhos de $\pm 15\ V$ do amplificador é ceifado pelos diodos D_1 ou D_2, com Q_1 e Q_2 limitando com segurança a corrente ceifada para seus $I_{DSS} \sim 2\ mA$. Veja também a Figura 5.81.

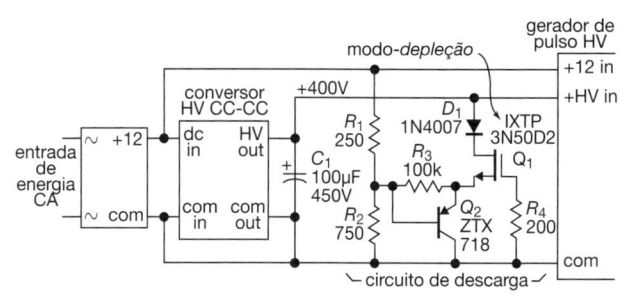

FIGURA 3.113 O MOSFET de modo depleção Q_1 descarrega a alta tensão retificada da rede elétrica sobre C_1 quando a alimentação é removida; quando alimentado, ele é inativo.

(duas vezes $R_{DS(ON)}$) até a entrada ir além dos trilhos do amplificador, quando, então, limita a corrente através dos diodos de ceifamento em 2 mA. Veja algumas sutilezas em "Proteção de Entrada Robusta" (Seção 5.15.5).

B. Descarga de Capacitor de Alta Tensão

O contato humano com um circuito em algumas centenas de volts pode ser, bem... uma experiência *chocante*. É por isso que considera-se uma boa prática organizar as coisas de modo que os capacitores de armazenamento carregados com essas tensões sejam descarregados imediatamente após a alimentação ser removida. Capacitores, apesar de tudo, têm memória muito boa – eles podem ficar carregados por horas, ou até mesmo anos (é como os bits são armazenados na "memória flash", veja a Seção 14.4.5).

A abordagem tradicional é colocar um resistor "sangrador" sobre o capacitor de armazenamento, dimensionado para descarregá-lo em ~ 10 s. bombom o bastante. Mas isso não é realmente satisfatório quando se tem um capacitor de valor grande, por exemplo, o que é usado em fontes chaveadas alimentadas pela rede elétrica onipresente (veja a Seção 9.7). Essas são, tipicamente, algumas centenas de microfarads, carregados diretamente a partir da rede elétrica CA retificada até 170 V ou (mais frequentemente) 340 V, ou (na maioria das vezes, em fontes de alimentação de "PFCs corrigidos") até 400 V: para obter uma constante de tempo RC de 10 s com 200 μF, é necessária uma $R = 50\ k\Omega$, dissipando mais de 3 W. Não muito ecológico.

O ideal seria um resistor sangrador que fosse conectado apenas quando a alimentação externa fosse removida. A Figura 3.113 mostra uma boa maneira de fazer isso: o MOSFET de modo depleção Q_1 é mantido no estado de corte quando a fonte de alimentação é ligada ($V_{GS} = -5\ V$), mas é colocado em condução ($V_{GS} = 0$) quando a tensão auxiliar de +5 V está ausente. O dispositivo específico listado é adequado para 450 V, tem um I_{DSS} mínimo de 200 mA e custa cerca de 0,75 dólar. Pode-se obter MOSFETs de modo depleção de até 1 kV de fabricantes como a IXYS.

C. Fonte de corrente

MOSFETs de potência de modo depleção se tornam excelentes fontes de corrente de 2 terminais, capazes de altas tensões (até 1.000 V para alguns dispositivos; consulte a Tabela 3.6) e muitos watts de dissipação de potência. Eles estendem a ideia básica, vista anteriormente com JFETs (Seção 3.2.2, Figuras 3.20 e 3.23), para níveis de tensão e potência maiores. Como essas aplicações são associadas a potência, adiamos a discussão para o Capítulo 9 (Seção 9.3.14C), em que você poderá ver que os circuitos são os mesmos que com JFETs (Figura 9.36), e você pode se divertir com as curvas de corrente *versus* tensão medidas (Figuras 9.40 e 9.41).[112] Tal fonte de corrente MOSFET de modo depleção é ideal para uma aplicação como o acionador piezoelétrico de alta tensão que acabamos de ver (Seção 3.6.1), em que ela pode substituir o primitivo resistor *pull-up* de potência de 660k e, assim, fornecer uma corrente de dreno do estágio acionador aproximadamente constante ao longo da variação do sinal.

D. Estendendo o V_{IN} do regulador

Às vezes, você precisa estender o alcance permissível de tensão de entrada CC para algum dispositivo de baixa tensão. A Figura 3.114A mostra um exemplo: um regulador de tensão linear (Seção 9.3) que fornece +3,3 V (por exemplo) a partir de uma entrada CC maior. Tais reguladores têm alcance máximo de tensão de entrada limitado – talvez +20 a +30 V (se implementados com BJTs), ou muito pequeno, como +6 V (se implementados com CMOS). Aqui, o MOSFET canal n de modo depleção Q_1 é conectado como um seguidor, fornecendo na entrada do regulador uma tensão maior do que V_{OUT} pelo valor do seu V_{GS}; como o V_{GS} do IXTP08N50

---

[112] Analogamente ao zener, que tem uma corrente máxima que ele pode suportar e, ainda, manter a tensão de saída constante, um diodo de corrente constante tem uma tensão máxima que ele pode suportar e, ainda, manter a corrente nele constante.

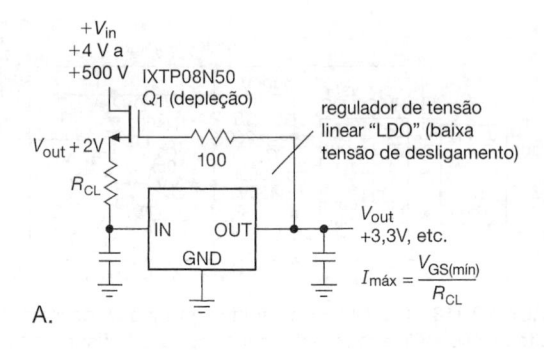

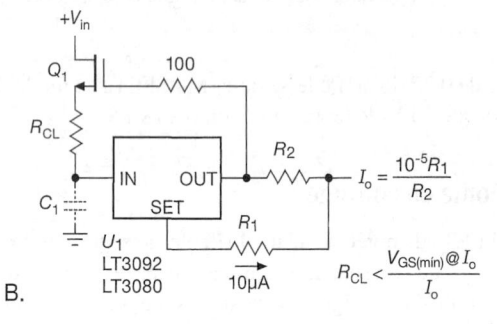

FIGURA 3.114 A. MOSFET de modo depleção de alta tensão estende a faixa de tensão de entrada de um regulador de tensão em série. B. Um circuito análogo para uma fonte de corrente. Para um bom desempenho em altas frequências, C_1 deve ser pequeno, ou mesmo eliminado por completo. Veja a Figura 9.104, em que este circuito é explicado.

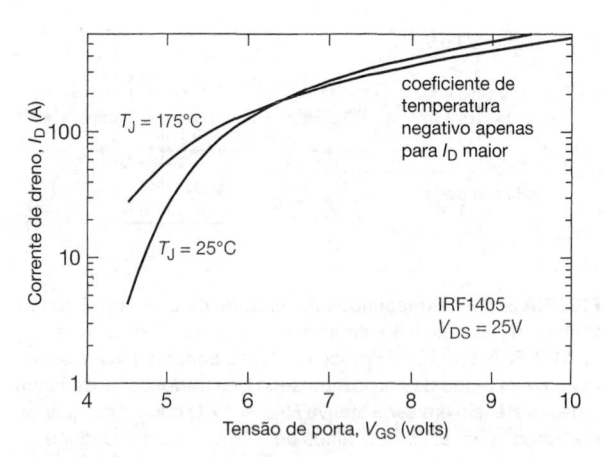

FIGURA 3.115 Características de transferência (I_D versus V_{GS}) para o MOSFET de potência canal n RF1405. Note que o coeficiente de temperatura é *positivo*, exceto para as correntes de dreno maiores (> 175 A); para aplicações lineares, você raramente excederá 10 A de corrente de dreno.

está entre -2 e -4 V, de modo que a entrada do regulador é mantida entre 2 e 4 V acima de sua saída. A tensão de entrada do circuito pode ir até +500 V (especificação máxima de Q_1), com o devido respeito à dissipação de calor, é claro. O resistor R_{CL} protege Q_1 ajustando um limite de corrente grosseiro. Você pode aplicar o mesmo truque com um regulador de *corrente* constante (Figura 3.114B). Para detalhes, veja uma discussão mais completa no Capítulo 9 (Seção 9.13.2).

3.6.3 MOSFETs em Paralelo

Você, às vezes, ouve a afirmação de que MOSFETs de potência podem ser conectados em paralelo diretamente (sem resistores de limitação de corrente nos terminais de fonte), pois o seu coeficiente de temperatura negativo de I_D para um V_{GS} fixo garante redistribuição automática de correntes de dreno em um arranjo em paralelo. Além disso, a mesma propriedade evita a deriva térmica.

A. Como *chaves* – Sim!

MOSFETs de potência exibem coeficiente de temperatura negativo de I_D – mas apenas para correntes de dreno elevadas (ou, mais precisamente, para valores relativamente grandes de V_{GS}), como pode ser visto na Figura 3.115. Para aplicações de chaveamento, em que você opera essencialmente com um V_{DS} zero (limitado por R_{ON}), o grande acionamento da porta coloca o dispositivo na região de coeficiente de temperatura de I_D negativo, de modo que você pode (e deve) simplesmente conectar vários MOSFETs em paralelo, sem resistores de limitação de corrente.[113] Aqui, R_{ON} aumenta com a temperatura crescente (Figura 3.116), e as conexões em paralelo dividem a corrente de dreno (e a potência) adequadamente.

O coeficiente de temperatura positivo de R_{ON}, embora útil para a operação em paralelo de chaves MOSFET, cria um novo problema – a saber, a possibilidade de *deriva térmica*. Veja a Seção 3.6.4.

B. Em circuitos de potência lineares – Não!

Eis uma situação mais complicada: na maioria das aplicações *lineares* (por exemplo, amplificadores de potência de áudio, em que há tensão V_{DS} substancial sobre o transistor), você opera na região de coeficiente de temperatura positivo de correntes de dreno relativamente baixas – porque, caso contrário, a dissipação de potência ($I_D V_{DS}$) seria muito maior do que o permitido por considerações térmicas (por exemplo, temperatura excessiva da junção; veja a Seção 9.4.1A). Por exemplo, o transistor da Figura 3.115 é limitado a uma dissipação de 200 watts a uma temperatura de encapsulamento de 75°C; assim, em um circuito com 25 V sobre ele, a corrente média de dreno é limitada a 8 A, em que ID tem um grande coeficiente de temperatura positivo. Assim, para aplicações práticas lineares – em que se opera com V_{DS} substancial –,

---
[113] No entanto, cada FET deve ter seu próprio resistor de porta em série para evitar oscilações durante as transições de comutação; esses estão, tipicamente, na faixa de alguns ohms a algumas dezenas de ohm e devem ser utilizados normalmente também para os MOSFETs de comutação individuais. Anéis de ferrite nos terminais de porta ou dreno também podem pode ser úteis para domesticar as oscilações.

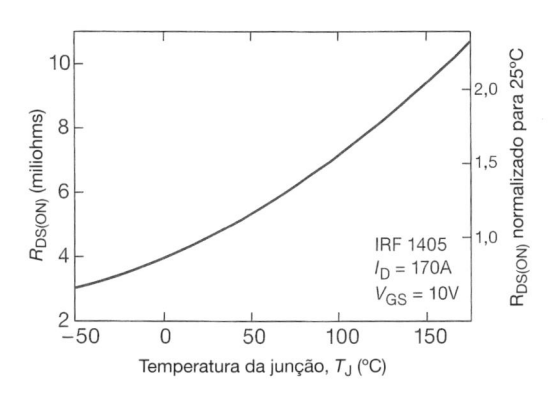

FIGURA 3.116 A resistência ON aumenta com o aumento da temperatura: R_{ON} em função da temperatura para o MOSFET de potência canal n IRF1405.

a divisão desigual de corrente nos MOSFETs em paralelo é, de fato, agravada. E, devido a estar usando vários transistores exatamente porque um único não lidaria com a potência, o circuito está em sérios apuros; um único transistor provavelmente monopolizará uma quota excessiva da corrente, colocando sua dissipação bem acima do limite definido pela resistência térmica e pelo dissipador de calor.

Resistores de limitação de corrente de fonte

A solução é adicionar pequenos resistores de limitação de corrente nos terminais de fonte individuais, escolhido mais ou menos de modo que a queda de tensão sobre eles seja, pelo menos, comparável à dispersão nas tensões de operação porta-fonte (Figura 3.117A). Descobrimos que uma queda de alguns décimos de volt é frequentemente adequada para MOSFETs de um determinado tipo, a partir de um único lote de fabricação ou a partir de transistores selecionados para V_{GS} casado;[114] no entanto, as especificações de folha de dados sugerem (conservadoramente) quedas maiores – um ou dois volts em corrente de operação total. A menos que você esteja disposto a se preocupar com transistores casados (durante a construção inicial e, mais tarde, em substituições), você deve ter uma abordagem conservadora para produzir um projeto robusto, com resistores de limitação de corrente de fonte dimensionados para proporcionar queda de um ou dois volts nas correntes em que a dissipação de potência se torna importante.

Esse exemplo ilustra um dilema frequente do projetista, ou seja, uma escolha entre um circuito conservador que atende a estritos critérios de projeto de pior caso – e, portanto, que é *garantido* que funciona – e um projeto de circuito com melhor desempenho que não atende às especificações de pior caso, mas é extremamente provável que funcione sem problemas. Há momentos em que você se encontrará encolhendo este último, ignorando a vozinha sussurrando em seu ouvido.

Realimentação ativa

Este problema de casamento de corrente exemplifica um dilema de circuito típico de robustez *versus* desempenho: uma queda de tensão grande nos resistores de limitação de corrente de forma conservadora produz aumento de R_{ON} e de dissipação de potência. Como é frequentemente o caso, um circuito inteligente pode recuperar os benefícios perdidos.

A Figura 3.117B mostra uma boa solução, e outra é encontrada em nossa série "*Design from the Masters*" (Projeto dos Mestres); apenas um recorte desta vez, mas um recorte valioso. Os pequenos resistores sensores de corrente nos terminais de fonte do MOSFET fornecem realimentação ativa através de um amplificador diferencial primitivo. Comparado com um circuito de limitação de corrente de fonte conservador (Figura 3.117A), em que os resistores de fonte são escolhidos para fornecer uma queda de 2 V (para 1 A nominal de corrente de operação por transistor), o circuito ativo usa resistores sensores de corrente muito menores, 0,1 Ω, que fornecem 100 mV de queda, que é aplicada ao par diferencial *npn* para ajustar as tensões de porta conforme necessário para equalizar as correntes de fonte. Esse circuito exige uma tensão de acionamento de porta maior, o que raramente é um problema; em troca, ele minimiza a queda de tensão e a impedância no caminho de alta corrente do MOSFET. Esse esquema é adequado para circuitos relativamente lentos – por exemplo, o elemento de passagem em série de uma fonte de alimentação linear. Note que esse arranjo é facilmente expandido para qualquer número de MOSFETs.[115]

Há uma exceção a essa característica geral dos coeficientes de temperatura positivo de I_D em MOSFETs de potência: dispositivos *laterais* (ao contrário da estrutura *vertical* de quase todos os MOSFETs de potência) exibem um coeficiente de temperatura negativo começando em tensões de porta muito baixas (e um I_D muito baixo); veja a Figura 3.118. MOSFETs de potência laterais não atingem a tensão de ruptura mais alta e as especificações de R_{ON} mais baixas dos MOSFETs de potência verticais, mas são favorecidos em aplicações de potência lineares, tais como amplificadores de áudio por sua linearidade e estabilidade térmica. Uma escolha comum é o par complementar 2SK1058 (canal n) e 2SJ162 (canal p), da Renesas (Hitachi), limitada a 160 V e 7 A; seu R_{ON} é um inexpressivo ~1 Ω. Isso não é de grande preocupação no contexto do amplificador linear, no qual eles não operam próximo da saturação; mas é suficientemente alto, de modo que, muitas vezes, você vê vários deles usado em paralelo.

O coeficiente de temperatura positivo de I_D em MOSFETs de potência cria um problema adicional – a saber, a possibilidade de *deriva térmica*.

---

[114] No exemplo na Seção 3.6.3ª, você pode colocar quatro IRF1405s em paralelo, com resistores de 0,1 Ω/10 W em cada terminal de fonte para lidar com uma corrente total de 25 A.

[115] Encontramos este truque de circuito usado em algumas fontes de alimentação lineares da série E3610, da HP (que passou a ser da Agilent, agora Keysight). É muito mais simples do que usar AOPs individuais para polarizar cada transistor, como alguns fabricantes de MOSFET sugerem. Uma maneira diferente de se beneficiar da capacidade de dissipação de potência maior de vários transistores é conectá-los *em série*; consulte o exemplo na Figura 9.111. Uma conexão em série garante distribuição de corrente igual.

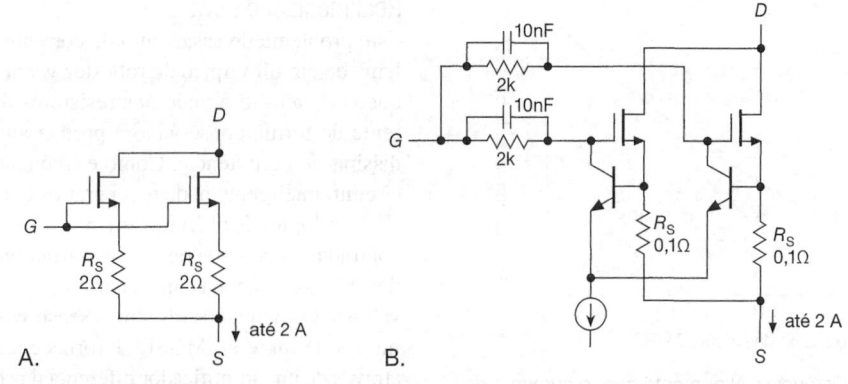

FIGURA 3.117 MOSFETs de potência em paralelo: A. com resistores de limitação de corrente de fonte; B. com resistores sensores e realimentação ativa.

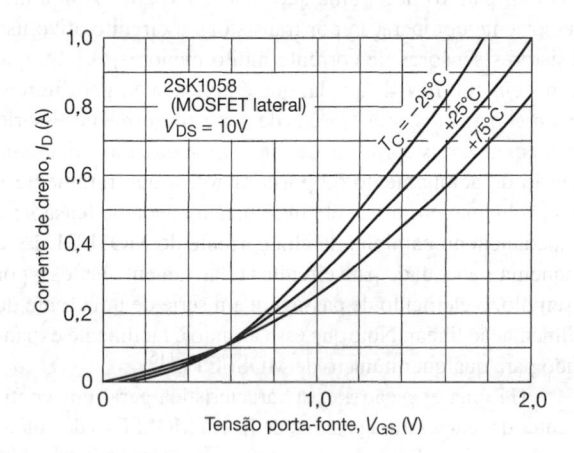

FIGURA 3.118 Características de transferência (I_D versus V_{GS}) para o MOSFET de potência canal n lateral 2SK1058, comum para uso em amplificadores de potência de áudio de alta fidelidade. Aqui, o coeficiente de temperatura é *negativo* ao longo da maior parte da região de operação.

3.6.4 Deriva Térmica

Até agora, evitamos a letra D, pois a "deriva térmica" é bastante independente de os transistores serem ou não usados em paralelo; ela se refere sobretudo a configurações de circuito em que a dissipação de potência produz um aumento na temperatura, que, por sua vez, aumenta a potência que deve ser dissipada. Dois exemplos importantes são o amplificador linear *push-pull* e a chave de potência saturada.

A. Amplificador de potência *push-pull*

No amplificador de potência *push-pull* classe AB, normalmente usado em estágios de saída de áudio, o par *push-pull* é polarizado com uma corrente quiescente substancial (tipicamente ~100 mA) para preservar a linearidade durante o cruzamento da forma de onda. A corrente quiescente varia com a temperatura, pois I_D (com MOSFETs) e I_C (com transistores bipolares) têm coeficiente de temperatura positivo para uma tensão de acionamento constante. Dependendo da configuração do circuito e do grau de dissipação de calor, os transistores de saída podem ou não atingir uma temperatura estável; se não o fizerem, você terá deriva térmica (independentemente de você ter ou não múltiplos transistores em paralelo).

Vimos isso antes, na Seção 2.4.1B, em que introduzimos o amplificador de potência de áudio *push-pull* construído com transistores *bipolares* complementares. Devido aos transistores bipolares terem um coeficiente de temperatura positivo da corrente de coletor para um V_{BE} fixo,[116] a abordagem usual é a polarização das bases separadas com uma fonte de tensão que acompanha o coeficiente de temperatura do estágio de saída dos VBEs – normalmente, usando diodos ou junções base-emissor de transistor, acopladas termicamente ao dissipador de calor do estágio de saída –, muitas vezes, em conjunto com pequenos resistores de emissor no estágio de saída (Figura 3.119B).

MOSFETs de potência em amplificadores *push-pull* lineares apresentam o mesmo problema, devido a eles serem operados na região de coeficiente de temperatura positivo de I_D (Seção 3.6.3B). Você pode usar o mesmo truque (gerador de polarização com rastreamento de coeficiente de temperatura negativo, talvez em combinação com resistores de fonte de pequeno valor no estágio de saída). No entanto, o problema é resolvido usando MOSFETs de potência laterais, cujo coeficiente de temperatura negativo de I_D (Figura 3.118), começando em $I_D \approx 100$ mA, garante nenhuma deriva térmica. A abordagem usual é polarizar as portas do estágio de saída separadas com uma tensão CC constante (ajustável), como mostrado na Figura 3.119, desviada para as frequências do sinal.[117] A polarização é tipicamente definida para uma corrente quiescente I_Q próxima do cruzamento do coeficien-

---

[116] Ou, alternativamente, um coeficiente de temperatura negativo de V_{BE} para I_C constante.

[117] A figura mostra circuitos simples. Na prática, os transistores bipolares seriam configurados como pares Darlington ou Sziklai, e o estágio acionador de terminação simples pode ser substituído por um par simétricos de acionadores, acionados a partir do estágio de entrada diferencial. Para um amplificador de 150 W, você provavelmente usaria pares de transistores em paralelo para ficar dentro da temperatura da junção permitida: nenhum resistor de limitação de corrente seria necessário para a versão MOSFET.

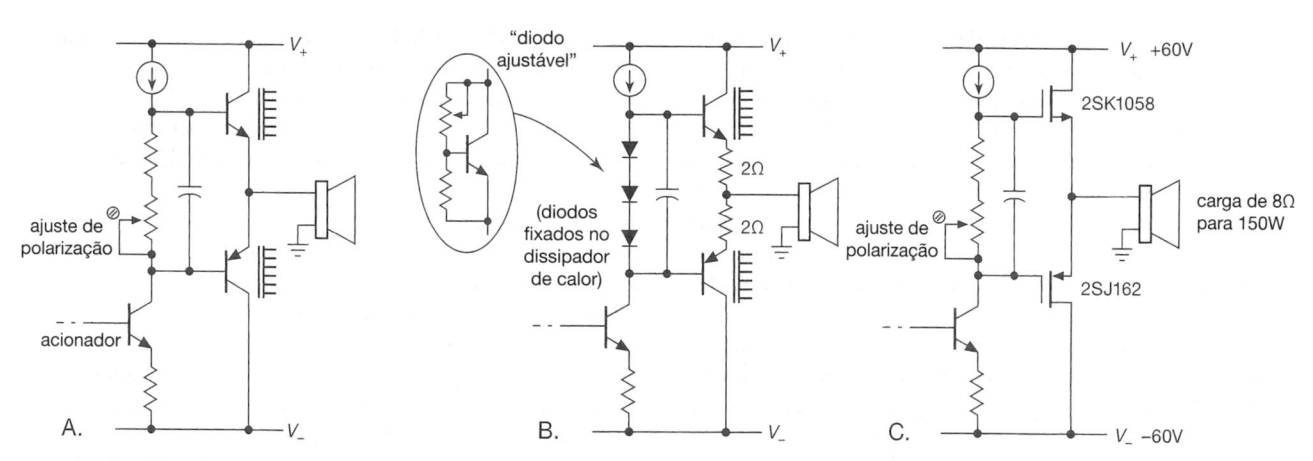

FIGURA 3.119 A estabilidade térmica em amplificadores de potência *push-pull* – configurações de estágio de saída simplificadas. A. Polarização de V_{BE} fixa promove a deriva, devido ao coeficiente de temperatura positivo de I_C no estágio de saída bipolar. B. O rastreamento do gerador de polarização acoplado termicamente domestica a deriva. C. Corrente quiescente estável em MOSFETs laterais polarizados com V_{GS} fixo; não é necessária qualquer compensação térmica.

te de temperatura zero (100 mA para o par complementar 2SK1058/2SJ162), garantindo que I_Q permaneça relativamente constante à medida que o amplificador aquece.[118]

B. Chave saturada

Acredita-se amplamente que MOSFETs são imunes à deriva térmica quando usado para *chaveamento* de potência. O processo de raciocínio é o seguinte: "Esses dispositivos têm uma R_{ON} realmente baixa quando levados à condução total, de modo que quase não precisam de qualquer dissipador de calor; além disso, se eles aquecerem (enquanto são percorridos por uma grande corrente, mas limitada), a coisa será estabilizar em uma temperatura elevada, pois a potência liberada pelo dissipador de calor aumenta mais ou menos proporcionalmente ao aumento acima da temperatura ambiente e, por fim, alcança a potência que está sendo dissipada".

Um bom raciocínio. Mas a realidade pode ser diferente. Isso porque R_{ON} não é constante, mas aumenta com a temperatura (Figura 3.116), de modo que a chave dissipa mais potência à medida que se aquece, e, se o dissipador de calor for muito pequeno, o calor liberado nunca será suficiente – caso em que o processo deriva!

Para dar alguma perspectiva: você não precisa ter uma *deriva térmica* para causar superaquecimento e destruição – um dissipador de calor subdimensionado[119] fará o trabalho

muito bem, permitindo que a temperatura da junção suba acima de $T_{J(máx)}$. E, como veremos em breve, a melhor abordagem é reduzir a dissipação de potência reduzindo R_{ON} em vez de usar dissipadores de calor maiores. Levando em conta essa advertência, veremos como uma deriva térmica real poderia ocorrer em um projeto desaconselhável.

A Figura 3.120 mostra uma maneira gráfica em que é fácil de ver o que está acontecendo e descobrir de quanta dissipação de calor você precisa para evitar a deriva (e, a propósito, para manter a temperatura da junção T_J abaixo do especificado $T_{J(máx)}$). Começamos traçando a R_{ON} da folha de dados em função da temperatura para um MOSFET de potência de baixo custo (seu gráfico chega a até 175°C, pois

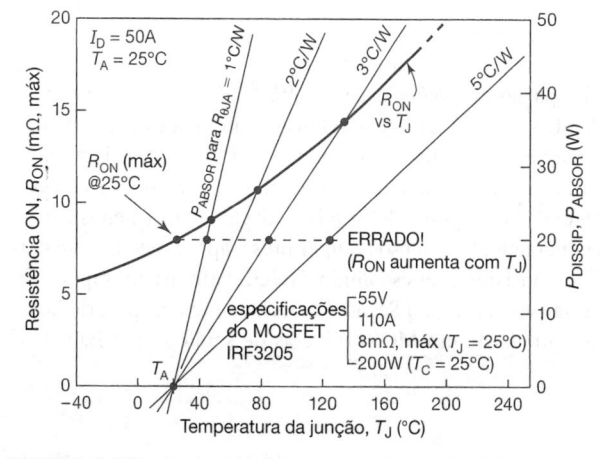

FIGURA 3.120 Deriva térmica em uma chave MOSFET. A linha curva traça o R_{ON} máximo e a dissipação de potência correspondente a 50 A para um MOSFET de potência canal *n* IRF3205. As linhas retas traçam a potência removida por três opções de resistência térmica do dissipador de calor $R_{\theta JA}$. A deriva térmica ocorre com o menor dissipador de calor, em que não há interseção gráfica.

---

[118] Como os MOSFETs laterais pode ser difíceis de obter, um MOSFET de potência comum pode ser usado em lugar do "diodo V_{BE}" do BJT (como na Figura 3.119B) para polarizar um par complementar de MOSFETs de potência comuns. Essa abordagem impede a deriva térmica, pois o coeficiente de temperatura de um MOSFET é maior em baixas correntes que em altas correntes; veja a Figura 3.115.

[119] Ou mesmo nenhum! As especificações impressionantes de $I_{D(máx)}$ nas folhas de dados poderiam tentá-lo a omitir o dissipador de calor inteiramente, mesmo em um circuito de comutação de potência que opera com correntes de dreno substanciais.

essa é a máxima temperatura de junção especificada; tomamos a liberdade de alargar o gráfico em 75°). Assim, usamos isso para avaliar a dissipação de potência, como $P_{diss} = I^2 R_{ON}$; para a nossa corrente de dreno escolhida de 50 A, temos os valores marcados no eixo do lado direito. Por fim, traçamos separadamente a potência dissipada pelos quatro valores de resistência térmica $R_{\Theta JA}$ de dissipadores de calor (dada por $P_{diss} = (T_J - T_A)/R_{\Theta JA}$), considerando uma temperatura ambiente de $T_A = 25°C$ (muito mais discussão sobre esse assunto na Seção 9.4.1A).

Os dissipadores dissipam uma quantidade de energia proporcional ao aumento da temperatura acima da temperatura ambiente, como representado graficamente; o transistor gera energia de acordo com o seu gráfico. A interseção (se houver!) é a temperatura de equilíbrio, que, neste caso, é cerca de 45°C ou 75°C, para os dois maiores dissipadores. Mas o menor dissipador de calor não tem interseção – ele não pode dissipar a quantidade de calor que o transistor gera, em qualquer temperatura: *deriva térmica*! Na vida real, você deve supor que a temperatura ambiente será maior (o equipamento é colocado em racks, ou empilhado com outro equipamento, e estará sujeito a uma temperatura maior!): você faria isso deslizando as curvas do dissipador de calor para a direita.

A partir deste exemplo simples, você pode concluir que dissipadores de calor maiores são a solução para a deriva térmica em aplicações de comutação saturadas. Mas olhe novamente para os números: estamos comutando 50 A com uma R_{ON} de ordem de 10 a 15 mΩ – que é uma queda de 0,5 a 0,75 V e 25 a 40 W de dissipação. Para esses tipos de correntes, realmente devemos usar um transistor maior, ou vários em paralelo, para reduzir R_{ON} (e, portanto, a potência dissipada). A especificação de "I_D máximo" (aqui, 110 A) parece muito boa em uma folha de dados, mas não é um guia realista para a operação adequada do dispositivo. Neste exemplo, uma escolha melhor seria um dispositivo de R_{ON} baixo, como o FDB8832,[120] com $R_{ON} = 2,3$ mΩ (máx) para 25°C, e com uma tensão ON típica de 115 mV para 50 A e dissipação de potência de 5,8 W.[121] Este é um dispositivo de 30 V (MOSFETs de alta tensão têm maior R_{ON}); se você quiser comutar tensões um pouco maiores com baixo R_{ON} e P_D, suas opções são usar um módulo MOSFET de alta potência[122] ou alguns MOSFETs convencionais (menos caros) em paralelo. Para tensões superiores a aproximadamente 400 V, o transistor a ser escolhido é o IGBT (transistor bipolar de porta isolada; veja a Seção 3.5.7A), que tem as propriedades de entrada de um MOSFET e as de saída de um BJT. Um exemplo é o Mitsubishi CM1200HC-50H, especificado para 2500 V e 1200 A: Para uma corrente total, ele satura em apenas 3 V (equivalente a uma resistência ON de 2,5 mΩ). Isso é muito bom... mas tem 3,6 *quilo*watts de dissipação! (Essas coisas são usadas para comutar potência em aplicações como locomotivas elétricas.)

Para não deixar a impressão errada, devemos destacar que os cálculos térmicos e a seleção do dissipador não exigem o tipo de gráfico que fizemos aqui (em que estávamos interessados principalmente na possibilidade de uma deriva térmica verdadeira). Você pode apenas aplicar um fator de segurança m para o valor R_{ON} em 25°C da folha de dados para obter uma estimativa razoável de R_{ON} à temperatura máxima da junção (150°C); a partir disso, você obtém

$$T_J \approx T_A + I_D^2 \cdot mR_{ON(25C)} \cdot R_{\Theta JA}. \qquad (3.15)$$

O multiplicador m varia um pouco com a especificação de tensão do MOSFET; baseado em dados de muitas folhas de dados, ele varia de aproximadamente $m \approx 15$ (para MOSFETs de baixa tensão) até aproximadamente $m \approx 2,5$ (para MOSFETs de alta tensão). Como regra prática, você estará seguro se usar $m = 2$ para MOSFETs especificados para 100 V e $m = 2,5$ para aqueles de tensões maiores (pelo menos até 1 kV).

C. Segunda ruptura e área de operação segura

É importante ressaltar um efeito térmico relacionado ("segunda ruptura") que foi discutido anteriormente, na Seção 3.5.1B: transistores de potência falham (geralmente[123]) se operados além de sua tensão máxima, corrente máxima ou temperatura de junção máxima (esta última dependente da dissipação de potência, duração de pulso, resistência térmica do dissipador de calor e temperatura ambiente; veja a Seção 9.4.2). Os limites definem a *área de operação segura*, ou SOA, por exemplo, como mostrado na Figura 3.95. Transistores bipolares sofrem de uma falha adicional conhecida como *segunda ruptura*, uma instabilidade não entendida completamente, caracterizada por aquecimento local, redução da tensão de ruptura e, muitas vezes, destruição da junção. É a segunda ruptura que impõe a restrição adicional sobre os SOAs dos bipolares na Figura 3.95. Felizmente, MOSFETs são menos passíveis de uma segunda ruptura[124], o que contribui para sua popularidade em circuitos de potência. Note que, para os dois tipos de transistores, os limites máximos de corrente e potência são maiores para pulsos curtos.

---

[120] Do mesmo fabricante, a Fairchild Semiconductor.

[121] Aumentando para 3,6 mΩ, 180 mV e 9 W (máximo) para $T_J = 150°C$.

[122] Estes vêm em grandes encapsulamentos "SOT-227", com terminais de parafuso no topo, uma base de metal isolada e nomes como "ISOTOP" e "miniBLOC".

[123] Ou, talvez mais precisamente, não há garantias de que eles *não* falham!

[124] Alguns novos tipos de geometria são suscetíveis à ruptura. Veja IR App-note AN-1155.

Capítulo 3 Transistores de efeito de campo **217**

TABELA 3.7 Transistores de efeito de campo de junção (JFETs)[a]

nº identif.[b]	Canal n ou p	Jellybean?	TO-92: 2N, PN	SOT23: MMBF	SOT23: PMBF	MMBF_LT	V_{DSS} máx (V)	I_{DSS} mín (mA)	I_{DSS} máx (mA)	I_{DSS} meas (mA)	R_{ON} máx (Ω)	$V_{GS(off)}$[c] mín (V)	$V_{GS(off)}$[c] máx (V)	V_{GS} @ I_D medido (V)	V_{GS} @ I_D (mA)	g_m mín (mS)	g_m máx (mS)	g_m @I_D (mA)	g_m meas (mS)	g_m @I_D (mA)	$G_{máx}$[e]	C_{iss} típico (pF)	C_{rss} típico (pF)
PN4117	N	•	A	C	-	-	40	0,03	0,09	0,07	-	-0,6	-1,8	-0,33	0,03	0,07	0,21	z	0,09	0,03	420[r]	1,2	0,3
'4118	N	-	A	C	-	-	40	0,08	0,24	0,20	-	-1	-3	-1,33	0,1	0,08	0,25	z	0,13	0,1	260[r]	1,2	0,3
'4119	N	-	A	C	-	-	40	0,20	0,60	0,30	-	-2	-6	0,0	0,3	0,10	0,33	z	0,18	0,3	140[r]	1,2	0,3
BFT46	N	-	-	C	-	-	25	0,20	1,5	0,63	-	-	-1,2	-0,16	0,3	1	-	z	1,7	0,3	190[s]	3,5	0,8
BF511	N	-	-	D	-	-	20	0,7	3	4,2	-	-	-1,5	-0,75	1	4	-	z	2,7	1	120	-	0,3
2N5457	N	•	A	C	-	-	25	1	5	3,5	-	-0,5	-6	-0,81	1	1	5	z	2,3	1	220	4,5	1,5
'5458	N	-	A	C	-	-	25	2	9	4,1	-	-1	-7	-0,97	1	1,5	5,5	z	2,2	1	190	4,5	1,5
'5459	N	-	A	C	-	-	25	4	16	9,9	-	-2	-8	-1,82	3	2	6	z	2,9	3	100	4,5	1,5
2N5460	P	•	A	C	-	-	25	-1	-5	3,4	-	0,75	6	+0,97	1	1	4	z	1,9	1	260	4,5	1,2
'5461	P	-	A	C	-	-	25	-2	-9	2,7	-	1	7,5	+0,67	1	1,5	5	z	2	1	210	4,5	1,2
'5462	P	-	A	C	-	-	25	-4	-16	5,9	-	1,8	9	+4,15	1	2	6	z	2,5	3	30	4,5	1,2
MMBF4416	N	•	A	C	C	C	30	5	15	5,9	-	-	-6	-0,19	5	4,5	7,5	z	3,9	5	70	4	0,8
2N5484	N	-	A	C	-	C	25	1	5	3,3	-	-0,3	-3	-0,73	1	3	6	z	2,3	1	230	10	2,2
'5485	N	-	A	C	-	-	25	4	10	6,6	-	-0,5	-4	-1,65	1	3,5	7	z	2,1	1	150	10	2,2
'5486	N	-	A	C	-	-	25	8	20	14	-	-2	-6	-2,61	1	4	8	z	2,1	1	75	10	2,2
2SK170BL	N	-	B	C	-	-	40	6	12	6,1	-	-0,2	-1,5	-0,04	5	22[t]		z	29	5	470	30	6
LSK170B	N	-	B	C	-	-	40	6	12	7,6	-	-0,2	-2	-0,17	5	10[t]		1	20	3	160	20	5
LSK170C	N	-	B	C	-	-	40	10	20	13	-	-0,2	-2	-0,26	5	10[t]		1	24	5	90	20	5
BF861B	N	-	-	C	-	-	25	6	15	8	-	-0,5	-1,5	-0,47	1	16	25	z	16	5	150	7,5	
BF545C	N	-	-	C	-	-	30	12	25	19	-	-3,2	-7,8	-1,80	5	3,0	6,5	z	3,7	5	30	1,7	0,8
BF862	N	-	-	C	-	-	20	10	25	12	-	-0,3	-1,2	-0,21	5	35	45[t]	z	26	5	270	10	1,9
PF5103	N	-	A	C	-	-	40	10	40	19	30	-1,2	-2,7	-1,00	5	7,5		2	10	5	160	16	6
PN4391	N	•	A	C	C	C	40	50	150	115	30	-4	-10	-7,15	5	12[t]		5	8,8	5	30	12	3,5
'4392	N	-	A	C	C	C	40	25	75	38	60	-2	-5	-1,67	5	16[t]		10	10	5	130	12	3,5
'4393	N	-	A	C	C	C	40	5	30	16	100	-0,5	-3	-1,25	1	13[t]		10	6,2	1	150	12	3,5
J105	N	-	A	C	-	-	25	500	-	-	3	-4,5	-10	-8,39	5	40[t]		5	37	10	60	160[m]	35[m]
J106	N	-	A	C	-	-	25	200	-	-	6	-2	-6	-2,42	5	53[t]		5	43	10	230	160[m]	35[m]
J107	N	-	A	C	-	-	25	100	-	-	8	-0,5	-4,5	-1,93	5	75[t]		5	48	10	340	160[m]	35[m]
J108	N	•	A	C	C	-	25	80	-	325	8	-3	-10	-5,83	5	37[t]		5	31	10	60	85	15
J109	N	-	A	C	C	-	25	40	-	201	12	-2	-6	-2,85	5	26[t]		5	32	10	160	85	15
J110	N	-	A	C	C	-	25	10	-	122	18	-0,5	-4	-1,80	5	20[t]		5	34	10	220	85	15
J111	N	-	A	C	C	-	35	20	-	115	30	-3	-10	-7,6	5	-		-	8,4	5	30	28	5
J112	N	•	A	C	C	-	35	5	-	47	50	-1	-5	-2,8	5	6,7[t]		1	9,5	5	100	28	5
J113	N	-	A	C	C	-	35	2	-	21	100	-0,5	-3	-1,0	5	8[t]		1	11	5	100	28	5
J174	P	-	B	C	C	-	30	-20	-135	26	85	-5	-10	+2,08	5	4,5		5	-	-	15	13	6
J175	P	•	B	C	C	C	30	-7	-60	13	125	-3	-6	+1,58	1	-	-	-	-	-	30	13	6
J176	P	-	B	C	C	C	30	-2	-25	6,1	250	-1	-4	+0,86	1	6,3	-	5	-	-	40	13	6
J177	P	•	B	C	C	C	30	-1,5	-20	4,2	300	-0,8	-2,5	+0,62	1	-	-	-	-	-	50	13	6
J308	N	-	A	C	C	-	25	12	60	35	-	-1	-6,5	-	-	8	-	10	12	5	120	4	2
J309	N	•	A	C	C	C	25	12	30	23	-	-1	-4	-1,2	5	10	20	10	11	5	300	4	2
J310	N	-	A	C	C	C	25	24	60	39	-	-2	-6,5	-2,4	5	8	18	10	8,9	5	100	4	2
dual JFETs																								
LS840-42	N		F				60	0,5	5	3,3	-	-1	-4,5	-0,85	1	0,5	1	0,2	2.1	1	180	4	1,2
'843-5	N		F				60	1,5	15	-	-	-1	-3,5	-	-	1	1,5[t]	0,5	-	-	-	8[m]	3[m]
LSK389A	N		F, J				40	2,6	6,5	-	-	-0,15	-2	-	-	8	20[t]	3	-	-	25	5,5	
'389B	N		F, J				40	6	12	12	-	-0,15	-2	-0,24	5	8	20[t]	3	23	5	170	25	5,5
'389C	N		F, J				40	10	20	-	-	-0,15	-2	-	-	8	20[t]	3	-	-	-	25	5,5
LS5912	N		F, J, K[p]				25	7	40	18	-	-1	-5	-1,75	5	4	10	5	5,7	5	70	5	1,2
IFN146	N		F[v]				40	-	30	6	-	-0,3	-1,2	-0,19	1	30	40[t]	z	25	5	660	75[m]	15[m]

(a) Listado geralmente pelo aumento de I_{DSS}, mas também pelo número de identificação dentro de uma família (por exemplo, J105 a J113); ver também a Tabela 8.2 para parâmetros de ruído. (b) Para famílias de dispositivos relacionados, **negrito** designa a matriarca da família. (c) Geralmente especificado para I_D = 1 nA ou 10 nA, embora, às vezes, para 10 μA ou, ainda, 200 μA (por exemplo, para as "chaves" J105-J113); isso não importa muito, dada a ampla faixa de $V_{GS(off)}$ especificada. (d) Veja a figura da pinagem que o acompanha; todos os JFETs parecem ser simétricos (fonte e dreno são intercambiáveis), mas *itálico* designa uma pinagem da folha de dados na qual os terminais S e D são intercambiados. (e) $G_{máx}$ = g_m/g_{os}, o ganho de tensão de fonte aterrada máximo em uma fonte de corrente como carga de dreno; valores medidos listados para I_D = 1 mA e V_{DS} = 5 V, salvo indicação em contrário. $G_{máx}$ é proporcional à V_{DS} e, para a maioria dos JFETs, $G_{máx}$ é relativamente constante ao longo das variações de I_D. Use $G_{máx}$ tabulado para encontrar $q_{os} = g_m/G_{máx}$. (m) Máximo. (p) Vários encapsulamentos PDIP-8 disponíveis. (r) Para I_D = 30 μA. (s) Para I_D = 300 μA. (t) Típico. (v) Variante da pinagem "F"; terminais D e G intercambiados. (z) Para I_{DSS}.

TABELA 3.8 Acionadores de porta MOSFET "Low side"

Nº identif.	Mfg[d]	nº de canais	$V_{mín}$ (V)	$V_{máx}$ (V)	I_{pk} (A)	$t_d + 0.5t_r$ (ns, typ)	C_{carga} (nF)	limiar de lógica[p]	fonte abaixo do terra?	limite de corrente	UVLO?	habilitado?	inversor?	não inversor?	saída de trilho a trilho?	TO220, Dpak	DIP	SOIC, MSOP	SOT23	menor	Observações
TC4426-28	MC+	2	4,5	18	1,5	55	1	T	-	-	-	-	n	n	•	-	•	•	•	•	G,H
TC4423-25	MC+	2	4,5	18	3	70	1.8	T	-	-	-	-	n	n	•	-	•	•	•	•	G,H
TC4420,29	MC+	2	4,5	18	6	80	2.5	T	-	-	-	-	•	•	•	-	•	•	•	•	G
TC4421-22	MC+	1	4,5	18	9	85	10	T	-	-	-	-	•	•	•	-	•	•	•	•	G,J
FAN3111	F	1	4,5	18	1	20	0.5	C	-	-	-	c	c	c	•	-	-	-	•	-	
FAN3100C,T	F	1	4,5	18	2	20	1	C,T	-	•	-	c	c	c	-	-	-	-	•	•	A
FAN3180	F	1	5	18	2	30	1	T	-	•	-	-	-	-	•	-	-	-	•	•	B
FAN3216-17	F	2	4,5	18	2	25	2.2	T	-	•	-	-	•	•	•	-	-	-	•	•	D
FAN3226-29C,T	F	2	4,5	18	2	25	1	C,T	-	•	-	c	c	c	•	-	-	-	•	•	C,E
FAN3213-14	F	2	4,5	18	4	20	2.2	T	-	•	-	-	•	•	•	-	-	-	•	•	C
FAN3223-25C,T	F	2	4,5	18	4	25	2.2	C,T	-	•	-	c	c	c	•	-	-	-	•	•	E
FAN3121-22	F	1	4,5	18	9	21	10	T	-	•	-	-	•	•	•	-	-	-	•	•	
IRS44273L	IR	1	12	20	1,5	50	1	T	-	-	-	-	•	-	•	-	-	-	•	•	
IR25600	IR	2	6	20	1,5	75	1	T	-	-	-	-	•	-	•	-	-	-	•	•	
MAX17600-05	MA	2	4	14	4	15	1	C5,T	-	-	-	•	n	n	•	-	-	-	•	•	H
MAX5054-07	MA	2	4	15	4	38	5	C,T	-	-	-	c	c	c	•	-	-	-	•	•	
MAX5048A,B	MA	1	4	12,6	7,6[h]	18	1	C,T	-	-	-	c	c	c	•	-	-	-	•	•	
UCC37323-25[k]	TI	2	4,5	15	4	47	1.8	T	-	•	-	c	c	c	•	-	-	-	•	•	
UCC27517	TI	1	4,7	20	4	17	1.8	T	-	•	-	c	c	c	•	-	-	-	•	•	
UCC27516-19	TI	1	4,7	20	4	17.21	1.8	T,C	-	•	-	-	•	•	•	-	-	-	•	•	
UCC27523-26	TI	2	4,7	20	5	17	1.8	T	-	•	-	-	•	•	•	-	-	-	•	•	E,H
UCC37321-22[k]	TI	1	4	15	9	50	10	T	-	•	-	-	•	•	•	-	-	-	•	•	
MIC44F18-20	MI	1	4,5	13,2	6	24	1	T	-	•	-	-	•	•	•	-	-	-	•	•	
ADP3623-25	A	2	4,5	18	4	28	2.2	T	-	•	-	-	•	•	•	-	-	-	•	•	H,P
LM5110	TI	2	3,5	14	5[f]	38	2	T	•	-	-	-	n	n	•	-	-	-	•	•	H,L
LM5112	TI	2	3,5	14	7[g]	38	2	T	•	-	-	-	n	n	•	-	-	-	•	•	H,L,M
LM5114	TI	1	4	12,6	7,6[h]	16	1	C	-	-	-	c	c	c	•	-	-	-	•	•	
ISL89367	IN	2	4,5	16	6	45	10	F	-	•	-	n	o	o	•	-	-	-	•	•	N
ISL89160-62	IN	2	4,5	16	6	45	10	C5,T	-	•	-	-	•	•	•	-	-	-	•	•	O
MC34151	O	2	6,5	18	1,5	50	1	T	-	-	-	-	•	-	•	-	•	•	•	-	
IR2121	IR	1	12	18	2[e]	200	3.3	T	-	•	-	-	•	-	•	-	•	•	•	-	F
UC3708	TI	2	5	35	3	37	1	T	-	-	-	-	•	•	•	-	•	•	-	-	
IXDD602	IX	1	4,5	35	2	50	1	C5	-	-	-	-	•	•	•	-	•	•	•	-	H,R
IXDD604	IX	1	4,5	35	4	40	1	C5	-	-	-	-	•	•	•	-	•	•	•	-	H,R
IXDD609	IX	1	4,5	35	9	60	10	C5	-	-	-	-	•	•	•	-	•	•	•	-	R
IXDD614	IX	1	4,5	35	14	70	15	C5	-	-	-	-	•	•	•	•	•	•	-	-	R
IXDD630	IX	1	10	35	30	65	5,6	C5	-	-	-	-	•	•	•	•	-	-	-	-	K,R
ZXGD3002-04	D	1	-	20.40	9.5	11	1	-	-	-	-	-	-	-	-	-	-	-	•	-	M,S

Notas: (a) Classificado segundo a família, dentro da classificação por I_{out}; exceto para a série ZXGD3000, todos os dispositivos variam de trilho a trilho, ou quase isso. (b) Em C_{carga} para $V_S = 12$ V. (c) Porta de entrada com entradas inversora e não inversora. (d) A = Analog Devices; D = Diodes, Inc; F = Fairchild; IN = Intersil; IR = International Rectifier; IX = Ixys/Clare; L = LTC; MA = Maxim; MC = Microchip; MI = Micrel; O = On-Semiconductor; S = STMicroelectronics; TI = Texas Instruments. (e) Fornece 1 A, absorve 2 A. (f) Fornece 3 A, absorve 5 A. (g) Fornece 3 A, absorve 7A. (h) Fornece 1,3 A, absorve 7,6 A. (k) 37xxx para 0 a 70°C, 27xxx para 40°C a 105°C. (n) Veja observações específicas dos dispositivos. (o) A entrada XOR define inversor opcional. (p) C = CMOS; C5 = 5 V CMOS; F = flexível, definido pelos pinos de entrada de V_{ref} e V_{ref+}; T = TTL.

Observações: (**A**) Sufixo especifica limiar lógico. (**B**) Inclui saída LDO de 3,3 V. (**C**) Casamento de canal com td de 2 ns. (**D**) Casamento de canal com td de 1 ns. (**E**) Duplo inversor + habilitação, duplo não inversor + habilitação, entradas duplas. (**F**) Terminal de entrada fonte-resistor sensor de corrente, adequado para a condução de um IGBT. (**G**) Indústria padrão, muitos fabricantes (mfgrs). (**H**) duplo inversor, duplo não inversor, ou um de cada. (**J**) Para encapsulamentos de 8 pinos, drenos de canais n e p em pinos separados. (**K**) t_r, t_f = 50 ns em 68 nF. (**L**) Saída oscila para o trilho negativo, pode ser 5 V abaixo do terra lógico. (**M**) Drenos de canais n e p em pinos separados. (**N**) Temporizadores de atraso de borda programado por resistores; entrada de sinal em AND de 2 entradas. (**O**) Igual ao ISL89163-65, mas incluem entradas de habilitação; igual ao ISL89166-68, mas incluem entradas de temporizador de atraso de borda programadas por resistor. (**P**) Proteção contra sobretemperatura e saída. (**R**) p/n total é IXDx6..., em que x = N, I, D e F para não inv, inv, duplo não inv + habilitação, ou um de cada. (**S**) A série é um de cada seguidor de emissor com transistor *npn* e *pnp* de alta corrente e alto ganho para *pull-up* e para *pull-down*.

REVISÃO DO CAPÍTULO 3

Um resumo de A a Z do que aprendemos no Capítulo 3. Revisaremos os princípios básicos e fatos do Capítulo 3, mas não abordaremos diagramas de circuitos de aplicação e conselhos práticos de engenharia apresentados neste capítulo.

¶ A. FETs

No Capítulo 3, exploramos o mundo dos Transistor de Efeito de Campo, ou FETs. FETs têm um canal de condução com terminais nomeados por *Dreno* e *Fonte*. A condução no canal é controlada por um campo eléctrico criado por um terceiro eletrodo de *Porta* (Seção 3.1). Tal como acontece com transistores bipolares (BJTs), FETs são dispositivos de transcondutância (veja ¶G a seguir), o que significa que a *corrente* de dreno (considerando a tensão dreno-fonte suficiente) é controlada pela *tensão* da porta.

¶ B. Canal *n* e Canal *p*

Como BJTs com seus tipos *npn* e *pnp*, FETs estão disponíveis nas polaridades de canal *n* e canal *p* (Seção 3.1.2). Em ambos os casos, a condutância do canal aumenta se a tensão for em direção à tensão de dreno. Por exemplo, para um FET canal *n* com uma tensão de dreno positiva, o canal pode ser ligado com uma tensão positiva suficiente e desligado (cortado) com uma tensão negativa suficiente. Isso não quer dizer que o dispositivo de canal *n* requer tensões positivas e negativas para ligar e desligar. Uma tensão de limiar V_{th} pode ser definida quando o FET está apenas ligeiramente ligado, e o canal responde às tensões de porta acima e abaixo de V_{th} para controle.

¶ C. Modos Intensificação e Depleção

Veja a Figura 3.8. Dispositivos de modo intensificação têm uma tensão de limiar V_{th} alta o suficiente para não conduzir (isto é, OFF) quando sua tensão de porta for $V_{GS} = 0$ V. Para levar tal FET à condução, a porta é tornada positiva (se for canal *n*) ou negativa (se for canal *p*). Dispositivos de modo depleção, pelo contrário, têm a sua tensão de limiar bem na direção "OFF", então eles estão conduzindo (ou seja, ON) com a sua tensão de porta em $V_{GS} = 0$ V. Assim, por exemplo, você deve aplicar uma considerável tensão de porta negativa V_{GS} para desligar um FET de modo depleção canal *n*. Consulte a Figura 3.9, em que a corrente de dreno *versus* tensão da porta é mostrada para uma seleção de dispositivos canal *n*. FETs podem ser fabricados com a curva de transferência deslocada para a esquerda ou para a direita (mais sobre isso em ¶H a seguir). As Figuras 3.10 e 3.11 mostram mapas convenientes dos tipos de FET.

¶ D. MOSFETs e JFETs

Em FETs de *óxido metálico* (MOSFET), o eletrodo da porta está totalmente isolado do canal e pode ser tornado positivo ou negativo, tipicamente até ±20 V. Em FETs de junção (JFETs), a porta semicondutora faz contato com o canal e age como uma junção de diodo, por isso é isolado somente na direção reversa. Portanto, JFETs são necessariamente dispositivos de modo depleção; não se pode fazer um JFET de modo intensificação. As Figuras 3.6 e 3.7 mostram símbolos de FET.

¶ E. Curvas Características de FET, Porta e Dreno

Veja a Figura 3.13. A condutância de canal de um FET e a corrente são controladas principalmente pela sua tensão de porta, mas também são afetadas pela tensão de dreno V_{DS}. Em tensões de dreno muito baixas, o canal age como um resistor, cujo valor é controlado pela porta (Seções 3.1.2 e 3.2.7); essa é a chamada região *linear*. Em tensões de dreno maiores, os níveis de corrente de dreno estabilizam, sendo controlados pela tensão da porta e apenas um pouco dependentes da tensão de dreno; essa é a chamada região *saturada*. Na região saturada, o dreno do FET atua como uma fonte de corrente (ou coletor de corrente), e o dispositivo é caracterizado pela sua transcondutância g_m (veja ¶G a seguir). MOSFETs são usados frequentemente como chaves. Nesse modo de operação, uma tensão de porta grande (por exemplo, 10 V) é aplicada para tornar a resistência do canal baixa o suficiente para aproximar-se à de uma chave fechada. Mais sobre chaves FET nas Seções ¶O a ¶Q a seguir.

¶ F. Lei Quadrática

Ao longo de uma grande região de tensões de porta superiores a V_{th}, e para tensões de dreno acima de aproximadamente um volt (isto é, na região saturada), a corrente de dreno do FET se comporta segundo uma lei quadrática; isto é, a corrente de dreno é proporcional ao quadrado da tensão de acionamento de porta $(V_{GS} - V_{th})^2$ excedente; veja a Figura 3.14 e a Equação 3.2. Essa, às vezes, é chamada de região *quadrática*. A tensão de limiar V_{th} é geralmente determinada com um gráfico de $\sqrt{I_D}$ extrapolado, como mostra a figura. Para V_{GS} abaixo do limite, o FET está na região subliminar; veja ¶I a seguir.

¶ G. Transcondutância e Amplificadores

Transcondutância g_m é a variação na corrente de dreno de saída causada por uma variação na tensão de porta: $g_m = i_D/v_{GS}$ (as letras minúsculas *i* e *v* significam pequenos sinais). Amplificadores FET de fonte comum (Seção 3.2.3, Figuras 3.28 e 3.29) têm ganhos de tensão $G = -g_m R_D$, em que R_D é a resistência de carga de dreno. Em contraste com BJT (em que $g_m \propto I_C$), a transcondutância dos FETs sobe apenas conforme $\sqrt{I_D}$ na região quadrática importante; veja as Figuras 3.53 e 3.54. Como consequência, amplificadores FET com cargas de dreno resistivas têm menor ganho quando projetados para operar em uma corrente mais alta, pois R_D é geralmente escolhido inversamente proporcional à corrente de dreno. A resistência de saída interna do FET também funciona como uma resistência de carga, limitando, assim, o ganho ("$G_{máx}$"), mesmo com uma carga de dreno de fonte de corrente ideal; veja a Seção 3.3.2, a Equação 3.13 e a Tabela 3.1.

Quando usado como *seguidor*, um FET tem uma impedância de saída $r_{out} = 1/g_m$, veja ¶K a seguir.

¶ H. Polarização de Amplificadores JFET
JFETs são adequados para fazer amplificadores de sinal (em contrapartida, há poucos pequenos MOSFETs discretos viáveis) e funcionam especialmente bem em amplificadores de baixo ruído. Mas há uma questão muito dolorosa para projetistas analógicos enfrentarem: o valor incerto da tensão de operação da porta para qualquer dispositivo dado. Buscando nas colunas de mínimo e máximo por $V_{GS(off)}$ na Tabela 3.1, de JFET, vemos os valores para um determinado JFET que variam de -1 V até -7 V, ou $-0,4$ V a -4 V. Este último é uma relação de 10:1! A Figura 3.17 mostra histogramas de V_{GS} para 300 dispositivos, 100 de cada para três tipos de JFET diferentes em uma família. Aqui vemos a amplitude de valores de tensão de porta de cerca de 1 V, em que você pode confiar se comprar um lote de dispositivos de um fabricante e medi-los. Mas *cuidado*: as Figuras 3.51 e 3.52 mostram como o mesmo tipo de dispositivo pode variar quando adquirido de fabricantes diferentes. Para lidar com a incerteza, os esquemas especiais de polarização são, muitas vezes, necessários em circuitos amplificadores FET. As Figuras 3.25 e 3.41 mostram exemplos do conceito de reta de carga para analisar a polarização do amplificador.

¶ I. Região de Sublimiar
A fórmula FET simples da Equação 3.2 prevê corrente de dreno zero quando a tensão da porta atinge o limiar ($V_{GS} = V_{th}$). Na realidade, a corrente de dreno não é zero e transita suavemente para uma região sublimiar (veja a Figura 3.16) quando o FET se parece mais com um BJT, com a sua característica Ebers-Moll exponencial (Seção 2.3.1). Nessa região (em que I_D sobe exponencialmente com V_{GS}), estamos contentes de ver um $g_m \propto I_D$ maior; mas, infelizmente, a constante de proporcionalidade FET é geralmente de 2× a 5× menor do que para BJTs; veja a Figura 3.53.

¶ J. Amplificadores Autopolarizados
MOSFETs de modo depleção (e todos os JFETs) operam com uma tensão reversa em suas portas, o que permite que eles sejam autopolarizados (Seção 3.2.6A). O terminal de fonte é "maior" do que o terminal de porta, de modo que um resistor de fonte conectado entre eles define a corrente de dreno em $I_D = V_{GS}/R$. Essa é também uma forma conveniente de fazer uma fonte de corrente de 2 terminais, mas a tolerância será fraca, devido à grande variabilidade de V_{GS}; veja ¶H. Alternadamente, a tensão V_{GS} disponível no pino da fonte pode ser usada para operar um CI de configuração de corrente, como o LM334.

¶ K. Seguidores de Fonte
Seguidores de fonte (Seção 3.2.6), na Figura 3.40, têm um ganho nominal de 1, análogo ao seguidor de emissor BJT. Devido ao seu g_m inferior, no entanto, eles têm resistência de saída consideravelmente mais elevada, $r_{out} = 1/g_m$, de modo que o ganho unitário ideal é reduzido pela resistência de carga; veja a equação 3.7.

¶ L. FETs como Resistores Variáveis
Em baixas tensões de dreno ($V_{DS} \ll V_{GS}$), os FETs atuam como resistências variáveis programadas pela tensão da porta. No entanto, uma vez que a inclinação varia de acordo com V_{DS}, a resistência é um pouco não linear. Mas há um truque simples para linearizar essa resistência, por meio da exploração do comportamento quadrático dos FETs; veja as Figuras 3.46 e 3.47.

¶ M. Corrente de Porta do FET
A porta de um JFET forma uma junção de diodo com o canal; ela é normalmente polarizada reversamente, com alguma corrente de fuga CC diferente de zero (Seção 3.2.8). Essa corrente praticamente dobra para cada aumento de temperatura de 10°C; além disso, aumenta drasticamente em correntes e tensões de dreno elevadas, devido à ionização por impacto; veja a Figura 3.49. As portas de MOSFETs não sofrem de qualquer um desses efeitos de aumento da corrente de fuga. Em contraste com fuga de porta CC geralmente insignificante, a capacitância de entrada C_{iss} de FETs (a qual pode ser bastante elevada, muitas centenas de pF para MOSFETs de potência grandes) apresenta frequentemente uma carga CA substancial. Use um chip acionador (*driver*) de porta (Tabela 3.8) para fornecer as altas correntes transitórias necessárias para a rápida comutação.

¶ N. Chaves JFET
JFETs podem ser utilizados como chaves de sinais analógicos, como a chave canal n na Figura 3.62. A chave está OFF (desligada) quando a porta está com pelo menos V_{th} abaixo do que o sinal de entrada mais negativo. Para ligar a chave, a tensão da porta deve se igualar à da fonte. JFETs são simétricos, por isso, por exemplo, para um dispositivo canal *n*, a "fonte" deve ser o pino mais negativo. Grandes matrizes de JFETs funcionam bem como chaves de potência até 100 mA; a Tabela 3.1 lista dispositivos com R_{ON} muito baixa, de até 3 Ω.

¶ O. Chaves CMOS
Chaves de sinal CMOS são feitas com um par complementar (canais *n* e *p*) de MOSFETs em paralelo. Isso reduz R_{ON} tal como mostrado na Figura 3.61 e vantajosamente provoca o cancelamento da maior parte da transferência de carga injetada (Seção 3.4.2E); veja a Figura 3.79. A carga injetada é mais

ou menos inversamente proporcional à R_{ON} (Figura 3.81), então há um compromisso entre a resistência ON baixa e a capacitância própria baixa desejáveis. Como exemplo, a Tabela 3.3 lista uma chave com uma impressionante $R_{ON} = 0,3$ Ω – mas ela está sobrecarregada com uma gritante capacitância própria de 300 pF. Uma configuração de chave T pode ser usada para reduzir a conexão do sinal para altas frequências; veja a Figura 3.77.

¶ P. Portas Lógicas CMOS

Veja a Figura 3.90. Um par de MOSFETs complementares (canais *n* e *p*) de geometria pequena em série entre o trilho positivo e o terra forma o inversor lógico mais simples (Figura 3.90); mais chaves podem ser organizadas para fazer portas lógicas CMOS (por exemplo, a Figura 3.91, Seção 3.4.4), com a propriedade atraente de potência estática quase nula, exceto na comutação. A lógica CMOS é abordada extensivamente nos Capítulos 10 e 12 e é a base para todos os processadores digitais atuais.

¶ Q. Chaves de Potência MOSFET

A maioria dos MOSFETs de potência (Seção 3.5) é do tipo intensificação, disponível nas polaridades de canais *n* e *p*. Eles são muito populares para uso como chaves de potência de alta tensão e alta corrente. Alguns parâmetros relevantes são a tensão de ruptura V_{DSS} (especificada de 20 V a 1,5 kV para canal *n*, e até 500 V para canal *p*); a resistência ON do canal $R_{DS(on)}$ (tão baixa quanto 2 mΩ); a capacidade de potência (tão alta quanto 1.000 W com a carcaça mantida irrealisticamente em 25°C); e a capacitância de porta C_{iss} (tão alta quanto 10.000 pF), que deve ser carregada e descarregada durante a comutação do MOSFET – veja ¶S a seguir. A Tabela 3.4a lista dispositivos de canal *n* de encapsulamentos pequenos representativos especificados para +250 V e dispositivos canal *p* de todos os tamanhos para −100 V; a Tabela 3.4b estende a seleção de canal *n* para tensão e corrente maiores.

¶ R. Corrente Máxima

As folhas de dados de MOSFETs listam uma corrente nominal máxima contínua, especificada, no entanto, para uma temperatura de carcaça não realística de 25°C. Esse valor é calculado a partir de $I_{D(max)}^2 R_{DS(ON)} = P_{max}$, substituindo a potência máxima $P_{max} R_{\Theta JC} = \Delta T_{JC} = 150°C$ (veja a Seção 9.4), em que eles consideram $T_{J(máx)} = 175°C$ (portanto, um ΔT_{JC} de 150ºC) e eles utilizam o valor de $R_{DS(ON)}$ (máx) para 175ºC a partir do gráfico do coeficiente de temperatura de RDS (por exemplo, veja a Figura 3.116). Isto é, $I_{D(max)} = \sqrt{\Delta T_{JC}/R_{\Theta JC} R_{ON}}$. Algumas folhas de dados mostram os cálculos para uma temperatura de carcaça mais realista de 75°C ou 100°C. Mesmo assim, você realmente não deseja que a junção do seu MOSFET opere em 175°C, por isso recomendamos a utilização de um I_D contínuo máximo menor e o correspondente P_{diss}.

¶ S. Carga da Porta

A capacitância em MOSFETs de potência que retardam a comutação é mais facilmente analisada com gráficos de carga da porta, como a Figura 3.101. Primeiro, considere a chave ligada: conforme a corrente flui para a capacitância de porta $C_{iss} + C_{rss}$ (dominada por C_{iss}), a tensão da porta sobe. Há um atraso de comutação, pois o dreno do FET permanece desligado até que a tensão da porta seja alta o suficiente para o FET absorver a corrente de dreno. Em seguida, a tensão de dreno começa a cair, como pode ser visto nas Figuras 3.102 e 3.103. O dreno caindo cria uma corrente de porta reversa $I = C_{rss} dV_D/dt$ que impede ainda mais o aumento na tensão da porta. Dito de outra forma, a queda da taxa de variação $dV_D/dt = I_G/C_{rss}$ é definida pela corrente de porta disponível para carregar a capacitância (Miller) de realimentação C_{rss}. Quando V_{DS} chega a zero, a porta retoma o carregamento, agora em um ritmo mais lento, pois a contribuição de C_{rss} para a capacitância de porta total é maior para $V_{DS} = 0$, veja a Figura 3.100. O MOSFET não atinge o seu baixo valor pretendido de $R_{DS(ON)}$ até a porta atingir a sua tensão de acionamento máxima. O desligamento ocorre de forma semelhante. As folhas de dados de MOSFETs incluem valores para C_{iss} e C_{rss}, mas este último é tipicamente para $V_{DS} = 25$ V, então você precisa consultar os gráficos das folhas de dados de capacitâncias *versus* tensão de dreno.

¶ T. Danos de Portas de MOSFETs

As portas de MOSFETs têm tipicamente especificações máximas de ±20 V a ±30 V, para além do qual a isolação porta-canal muito fina de metal-óxido pode ficar permanentemente danificada; veja a Figura 3.105. Certifique-se de descarregar a carga estática antes da instalação de MOSFETs discretos e CIs MOS.

¶ U. FET *versus* BJT para Comutação de Potência

Veja a Seção 3.5.4H; veja também ¶Z a seguir.

¶ V. Polaridade de Chaves MOSFET

As polaridades dos canais *n* e *p* de MOSFETs podem ser utilizadas para comutar uma tensão; veja a Figura 3.106, em que a maioria dos circuitos mostra uma abordagem convencional com um FET de canal *p* comutando uma tensão positiva. Mas o circuito E mostra um FET de canal *n* fazendo a mesma tarefa, com uma fonte de tensão adicional alimentando a porta (o melhor desempenho do FET de canal *n* é preferido se ele puder ser facilmente utilizado; veja a Seção 3.1.2). A Figura 3.107 ilustra a utilização de fotodiodos para alimentar portas conectadas à alimentação, para fazer chaves "flutuantes".

¶ W. Amplificadores de Potência MOSFET

Ao contrário de transistores de potência bipolares, MOSFETs de potência têm uma ampla área de operação segura (SOA) e não sofrem de segunda ruptura (veja a Figura 3.95), o que se deve a um problema de aquecimento que gera a deriva térmica. A Figura 3.119 mostra técnicas de polarização de classe AB típicas necessárias para uso em amplificadores de potência linear.

¶ X. MOSFETs de Potência de Modo Depleção
Embora a maioria dos MOSFETs de potência seja de modo intensificação, os tipos de modo depleção de canal n estão disponíveis; a Seção 3.5.6D mostra algumas aplicações. Veja também a Tabela 3.6.

¶ Y. MOSFETs de Potência em Paralelo
Quando usados como chaves, sim, mas, quando utilizados em amplificadores de potência, não, pelo menos não sem resistores de limitação de corrente de fonte de alto valor! A Figura 3.117B mostra uma elegante solução alternativa de uma realimentação ativa para uso com dispositivos de passagem de reguladores.

¶ Z. IGBTs
IGBTs são uma alternativa para MOSFETs de potência; veja a Seção 3.5.7, em que mostramos uma comparação entre MOSFETs de potência, IGBTs e BJTs. Eles são úteis principalmente com tensões acima de 300 V e taxas de comutação abaixo de 100 kHz, apesar de existirem alguns bons IGBTs para uso em RF – por exemplo, o IRGB4045, adequado para 150 W ou mais em 20 MHz.

Amplificadores operacionais

4.1 INTRODUÇÃO AOS AOPS – O "DISPOSITIVO PERFEITO"

Nos três capítulos anteriores, aprendemos sobre o projeto de circuito com "componentes discretos", tanto ativos como passivos. Nossos blocos construtivos básicos foram transistores, tanto bipolar (BJT) como de efeito de campo (FET), juntamente com resistores, capacitores e outros componentes necessários para definir polarização, casamento e bloqueio de sinais, criar impedâncias de carga e assim por diante.

Com essas ferramentas, fomos muito longe. Aprendemos como projetar fontes de alimentação simples, amplificadores e seguidores de sinal, fontes de corrente, amplificadores CC e diferenciais, chaves analógicas, acionadores e reguladores de potência e até mesmo um pouco de lógica digital elementar.

Mas também aprendemos a lutar contra imperfeições. Amplificadores de tensão sofrem de não linearidade (um amplificador de emissor aterrado com um sinal de entrada de 1 mV tem ~1% de distorção), que você pode negociar com o ganho de tensão (adicionando realimentação do emissor); amplificadores diferenciais têm entradas desbalanceadas, tipicamente dezenas de milivolts (com transistores bipolares), dez vezes mais com FET de junção (JFETs) discretos; no projeto com transistor bipolar, você tem que se preocupar com a corrente de entrada (muitas vezes, substancial) e com a sempre presente V_{BE} e sua variação com a temperatura; no projeto com transistor FET, você negocia ausência de corrente de entrada com a imprevisibilidade de V_{GS}; e assim por diante.

Vimos indícios de que as coisas podem ser melhores, em especial os efeitos notáveis da linearização da realimentação negativa (Seção 2.5.3) e sua capacidade de fazer o desempenho geral do *circuito* menos dependente das imperfeições de *componentes*. É a realimentação negativa que dá ao amplificador com realimentação do emissor sua vantagem de linearidade sobre o amplificador de emissor aterrado (à custa do ganho de tensão). E, no limite do ganho de malha alto, a realimentação negativa promete um desempenho do circuito bastante independente das imperfeições do transistor.

Prometido, mas ainda não cumprido: os blocos do amplificador de alto ganho de que precisamos para obter um alto ganho de malha em um arranjo de realimentação ainda envolvem esforços de projeto substanciais – a marca registrada de circuitos complexos implementada com componentes discretos (em vez de integrados).

Com este capítulo, entramos na terra prometida! O AOP é, essencialmente, um "dispositivo perfeito": um bloco de ganho de amplificador integrado completo, que pode ser pensado como um amplificador diferencial com acoplamento CC e saída de terminação simples e com ganho extraordinariamente alto. Ele também se destaca na simetria de entrada precisa e corrente de entrada quase zero. AOPs são projetados como "motores de ganho" para realimentação negativa, com ganho tão alto, que o desempenho do circuito é definido quase inteiramente pelos circuitos de realimentação. AOPs são pequenos e baratos, e eles devem ser o ponto de partida para quase todos os circuitos analógicos que você projeta. Na maioria dos projetos de circuitos AOP, estamos no regime em que eles são essencialmente perfeitos: com eles, aprenderemos a construir amplificadores, fontes de corrente, integradores, filtros, reguladores, conversores corrente-tensão quase perfeitos e uma série de outros módulos.

AOPs são os nossos primeiros exemplos de *circuitos integrados* – diversos elementos de circuito individuais, tais como transistores e resistores, fabricados e interligados em um único "chip" de silício.[1] A Figura 4.1 mostra alguns esquemas de encapsulamentos de CIs AOPs.

4.1.1 Realimentação e AOPs

Fomos apresentados à realimentação negativa no Capítulo 2, em que observamos que o processo de acoplamento do sinal de saída para trás, de modo a anular uma parte do sinal de entrada, melhorou características tais como a linearidade, a planicidade da resposta e a previsibilidade. Como vimos, quantitativamente, quanto mais realimentação negativa era usada, menos as características resultantes do amplificador dependiam das características do amplificador em malha aberta (sem realimentação), em última análise, dependendo apenas das propriedades da própria malha de realimentação. Os amplificadores operacionais são normalmente utilizados nesse limite de *ganho de malha alto*, com ganho de tensão em circuito aberto (sem realimentação) de aproximadamente um milhão.

---
[1] Os primeiros amplificadores operacionais foram feitos com válvulas termoiônicas (tubos de vácuo), seguidos pela implementações com transistores discretos.

FIGURA 4.1 AOPs (e outros CIs lineares) estão disponíveis em uma variedade desconcertante de "encapsulamentos", a maioria dos quais está representada nesta fotografia. Linha superior, da esquerda para a direita: DIP plástico de 14 pinos, DIP plástico de 8 pinos ("mini-DIP"). Linha do meio: encapsulamento de perfil baixo fino e curto (TSSOP) de 14 pinos, encapsulamento de perfil baixo de 8 pinos (SO-8), TSSOP de 8 pinos ("μMAX"). Linha inferior: encapsulamento de transistor de perfil baixo de 5 pinos (SOT23), encapsulamento CSP com 6 terminais em forma de esfera (vistas superior e inferior), SC-70 de 5 pinos. Os encapsulamentos de 14 pinos comportam um AOP quádruplo (ou seja, quatro AOPs independentes), os encapsulamentos de 8 pinos comportam dois AOPs, e o restante é simples. (Os encapsulamentos TSSOP e menores são cortesia de Travis Eichhorn, Maxim Semiconductor.)

Uma rede de realimentação pode ser dependente da frequência, para produzir um amplificador de equalização (por exemplo, o estágio de "controle de tom" de agudos e graves da amplificação que você encontra na maioria dos sistemas de áudio); ou pode ser dependente da amplitude, produzindo um amplificador não linear (um exemplo popular é um amplificador logarítmico, construído com realimentação que explora a curva logarítmica de V_{BE} versus I_C de um diodo ou transistor). Ela pode ser configurada para produzir uma fonte de corrente (impedância de saída próxima do infinito) ou uma fonte de tensão (impedância de saída próxima de zero) e pode ser conectada para gerar impedância de entrada muito elevada ou muito baixa. Falando em termos gerais, a propriedade que é amostrada para produzir a realimentação é a propriedade que é melhorada. Assim, se você realimenta um sinal proporcional à corrente de saída, gera uma boa fonte de corrente.

Como observamos na Seção 2.5.1, a realimentação pode ser configurada intencionalmente para ser *positiva*, por exemplo, para fazer um oscilador, ou, como veremos mais tarde, para fazer um circuito Schmitt trigger. Esse é o tipo *bom* de realimentação positiva. O tipo ruim aparece, sem ser convidado (e sem ser bem-vindo), quando um circuito de realimentação negativa está sobrecarregado com suficientes desvios de fase acumulados em alguma frequência para produzir uma realimentação global positiva e oscilações. Isso

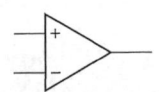

FIGURA 4.2 Símbolo do AOP.

pode ocorrer por uma variedade de razões. Discutiremos esse importante tema, e veremos como evitar oscilações indesejadas por meio de *compensação de frequência*, tema da Seção 4.9, no final do capítulo.

Feitas essas observações gerais, podemos agora observar alguns exemplos de realimentação com AOPs.

4.1.2 Amplificadores Operacionais

O amplificador operacional é um amplificador diferencial de ganho muito alto com acoplamento CC e uma saída de terminação simples. Você pode pensar no "par de cauda longa" clássico (Seção 2.3.8), com suas duas entradas e saída simples, como um protótipo, embora AOPs reais tenham ganho muito maior (tipicamente 10^5 a 10^6) e impedância de saída mais baixa, e eles permitem que a saída varie em toda (ou quase toda) a faixa de alimentação (muitas vezes, você usa uma fonte simétrica – por exemplo ± 5 V). Os amplificadores operacionais estão disponíveis em milhares de tipos, com o símbolo universal mostrado na Figura 4.2, em que as entradas $(+)$ e $(-)$ fazem como o esperado: a saída fica positiva quando a entrada não inversora $(+)$ estiver mais positiva do que a entrada inversora $(-)$, e vice-versa. Os símbolos $(+)$ e $(-)$ não significam que você tenha que manter uma positiva em relação à outra, ou qualquer coisa do tipo; eles apenas indicam a fase relativa da saída (que é importante para manter *negativa* a realimentação negativa). Usar as palavras "não inversora" e "inversora" em vez de "mais" e "menos" ajuda a evitar confusão. As conexões de fonte de alimentação frequentemente não são exibidas, e não há terminal de aterramento. Amplificadores operacionais têm um ganho de tensão enorme e *nunca* (bem, quase nunca) são utilizados sem realimentação. Pense em um AOP como nutriente para a realimentação. O ganho de malha aberta é tão elevado, que, para qualquer ganho em malha fechada razoável, as características dependem apenas da malha de realimentação. É claro que, em um nível de exame mais minucioso, essa generalização deve falhar. Começaremos com uma visão ingênua do comportamento do AOP e detalharemos alguns dos pontos mais delicados depois, quando precisarmos.

Há milhares de AOPs diferentes, que oferecem diversas vantagens e desvantagens de desempenho que explicaremos mais tarde (consulte as Tabelas 4.2a, b, 5.5 ou 8.3 se você quiser ver uma pequena amostra do que está disponível). Um dos que se destacam é o popular LF411 ("411", para abreviar), originalmente introduzido pela National Semiconductor. Como muitos AOPs, ele é um exemplar pequeno encapsulado no assim chamado mini-DIP (*Dual In-Line Package*) ou SOIC (CI de perfil baixo) e é como mostrado na

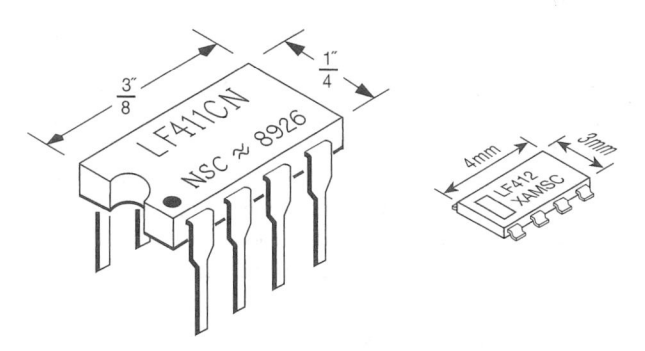

FIGURA 4.3 Encapsulamentos mini-DIP e SOIC.

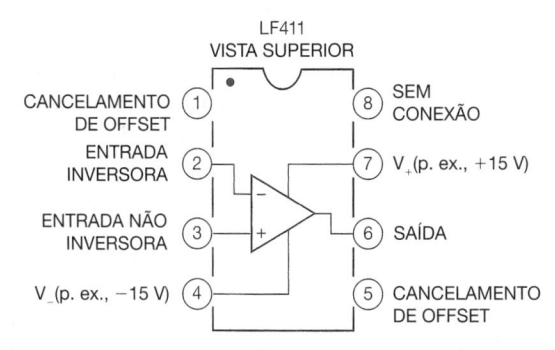

FIGURA 4.4 Conexões de pinos para o AOP LF411 em um DIP de 8 pinos.

Figura 4.3. É barato (menos de 1 dólar) e fácil de utilizar; ele vem em uma versão melhorada (LF411A) e também em uma que contém dois AOPs independentes (LF412, chamado AOP "dual"). Adotaremos o LF411/LF412 ao longo deste capítulo como o nosso AOP "padrão" e o recomendamos (ou talvez o versátil LMC6482) como um bom ponto de partida para seus projetos de circuitos.

Dentro do 411, há um pedaço de silício contendo 24 transistores (21 BJTs, 3 FETs), 11 resistores e um capacitor. (Você pode consultar a Figura 4.43 para ver um diagrama simplificado do circuito interno.) As conexões dos pinos são mostradas na Figura 4.4. O ponto no canto superior esquerdo, ou o entalhe no final do encapsulamento, identifica a extremidade a partir da qual inicia a numeração dos pinos. Conforme a maioria dos encapsulamentos eletrônicos, você conta os pinos no sentido anti-horário, a partir do topo. Os terminais "cancelamento de *offset*" (também conhecidos como "balanceamento" ou "ajuste") têm a ver com a correção (externamente) de pequenas assimetrias que são inevitáveis na fabricação do AOP. Mais sobre isso posteriormente neste capítulo.

4.1.3 As Regras Práticas

Aqui estão as regras simples para entender o comportamento do AOP com realimentação negativa externa. Elas são boas o suficiente para quase tudo o que você fará.

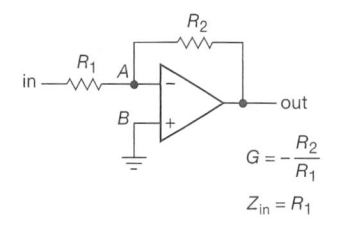

FIGURA 4.5 Amplificador inversor.

Em primeiro lugar, o ganho de tensão do AOP é tão alto, que uma fração de um milivolt entre os terminais de entrada variará a saída em sua faixa completa, então ignoramos essa pequena tensão e enunciamos a regra prática I.

I. A saída tenta fazer tudo o que é necessário para tornar a diferença de tensão entre as entradas zero.

Em segundo lugar, AOPs consomem pouquíssima corrente de entrada (cerca de 50 pA para o barato LF411 com entrada JFET e, muitas vezes, menos do que um picoampère para tipos com entradas MOSFET); simplificamos isso enunciando a regra prática II.

II. As entradas não consomem corrente.

Uma nota de explicação importante: a regra prática I não quer dizer que o AOP realmente muda a tensão em suas *entradas*. Ele não pode fazer isso. (Como poderia fazer isso e ser consistente com a regra prática II?) O que ele faz é "olhar" para seus terminais de entrada e variar seu terminal de saída de modo que a malha de realimentação externa traga para zero (se possível) a diferença da entrada.

Essas duas regras o levam bem longe. Ilustramos com alguns circuitos com AOP básicos e importantes, e eles solicitarão alguns cuidados listados na Seção 4.2.7.

4.2 CIRCUITOS BÁSICOS COM AOP

4.2.1 Amplificador Inversor

Começaremos com o circuito representado na Figura 4.5. A análise é simples se você se lembrar de suas regras práticas.

1. O ponto B está aterrado, então a regra I implica que o ponto A também está.
2. Isso significa que (a) a tensão em R_2 é V_{OUT} e (b) a tensão em R_1 é V_{in}.
3. Assim, usando a regra II, temos $V_{out}/R_2 = -V_{in}/R_1$.

Em outras palavras, o ganho de tensão ($G_V = V_{OUT}/V_{in}$) é

$$G_V = -R_2/R_1 \tag{4.1}$$

Mais tarde, você verá que, às vezes, é melhor não aterrar B diretamente, mas através de um resistor – mas não se preocupe com isso agora.

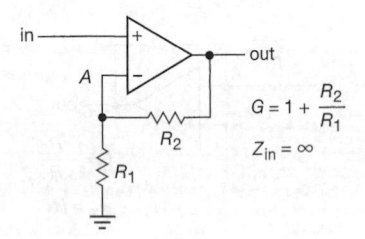

FIGURA 4.6 Amplificador não inversor.

Nossa análise parece quase fácil demais! De certa forma, ela mascara o que está realmente acontecendo. Para entender como funciona a realimentação, basta imaginar algum nível de entrada, digamos +1 volt. Para concretude, imagine que R_1 é 10k e que R_2 é 100k. Agora, suponha que a saída decida não cooperar e estacione em zero volt. O que acontece? R_1 e R_2 formam um divisor de tensão, mantendo a entrada inversora em 0,91 volt. O AOP vê um enorme desbalanceamento de entrada, forçando a saída para negativo. Essa ação continua até que a saída esteja no valor necessário de $-10,0$ volts, ponto em que as duas entradas do AOP estão com a mesma tensão, isto é, o terra. Da mesma forma, qualquer tendência para a saída ser mais negativa do que $-10,0$ volts puxará a entrada inversora abaixo do terra, forçando a tensão de saída a subir.

Qual é a impedância de entrada? Simples. O ponto A está sempre em zero volt (ele é denominado *terreno virtual*). Então, $Z_{in} = R_1$. Neste ponto, você ainda não sabe como descobrir a impedância de saída; para este circuito, ela é uma fração de um ohm.

Note que esta análise é verdadeira mesmo para CC – ele é um amplificador CC. Então, se você tem um *offset* CC a partir do terra (o coletor de um estágio anterior, por exemplo), você pode querer usar um capacitor de acoplamento (às vezes, denominado capacitor de bloqueio, uma vez que bloqueia CC, mas acopla o sinal). Por razões que você verá mais adiante (tendo a ver com o desvio de comportamento do AOP em relação ao ideal), é geralmente uma boa ideia usar um capacitor de bloqueio se você estiver interessado apenas em sinais CA.

Esse circuito é conhecido como *amplificador inversor*. Uma característica indesejável é a sua baixa impedância de entrada, especialmente para amplificadores com ganho de tensão grande (malha fechada), onde R_1 tende a ser bastante pequena. Isso é resolvido no próximo circuito (Figura 4.6).

4.2.2 Amplificador Não Inversor

Considere a Figura 4.6. Mais uma vez, a análise é muito simples:

$$V_A = V_{in}$$

Mas V_A vem de um divisor de tensão: $V_A = V_{out}R_1/(R_1 + R_2)$. Faça $V_A = V_{in}$, e você terá um ganho de tensão de

$$G_V = 1 + R_2/R_1 \quad (4.2)$$

Esse é um *amplificador não inversor*. Na aproximação que estamos usando, a impedância de entrada é infinita (com a entrada JFET do 411, ela seria 10^{12} Ω ou mais; um AOP com entrada BJT normalmente excede 10^8 Ω). A impedância de saída ainda é uma fração de um ohm. Tal como acontece com o amplificador inversor, um olhar detalhado sobre as tensões nas entradas irá convencê-lo de que ele funciona como informado.

A. Um amplificador CA

O amplificador não inversor básico, como o amplificador inversor anterior, é um amplificador CC. Se a fonte de sinal for acoplada em CA, você deve fornecer um retorno ao terra para a corrente de entrada (muito pequena), como na Figura 4.7A. Os valores dos componentes mostrados dão um ganho de tensão de 10 e um ponto de 3 dB de baixa frequência de 16 Hz.

Se apenas sinais CA estão sendo amplificados, muitas vezes, é uma boa ideia "atenuar" o ganho para a unidade em CC, especialmente se o amplificador tem ganho de tensão grande, para reduzir os efeitos da "tensão de *offset* de entrada" finita (Seção 4.4.1A). O circuito na Figura 4.7B tem um ponto de 3 dB de baixa frequência de 17 Hz, a frequência na qual a impedância do capacitor C_1 é igual a R_1, ou 2,0k. Note o grande valor de capacitor necessário. Para amplificadores não inversores com ganho elevado, o capacitor nessa configuração de amplificador CA pode ser indesejavelmente grande. Neste caso, pode ser preferível omitir o capacitor e

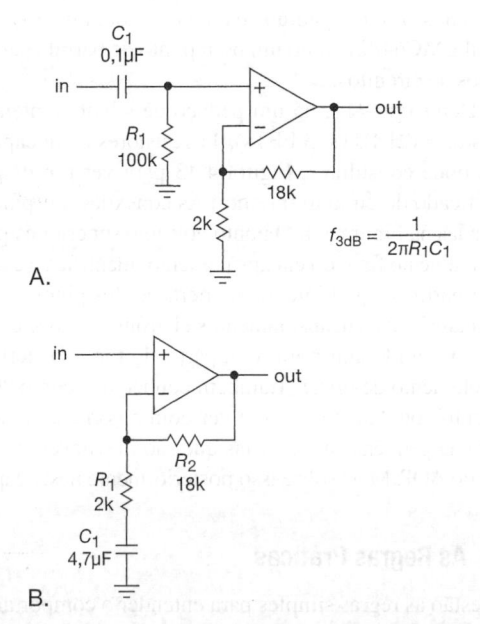

FIGURA 4.7 Amplificadores para sinais AC: A. Amplificador não inversor com acoplamento CA. B. Capacitor de bloqueio atenua o ganho para a unidade em CC.

FIGURA 4.8 Seguidor com AOP.

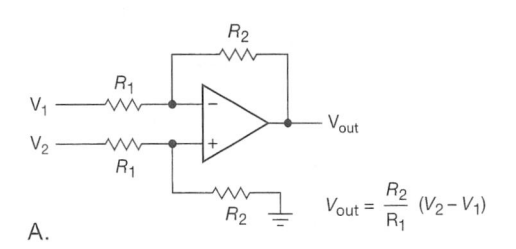

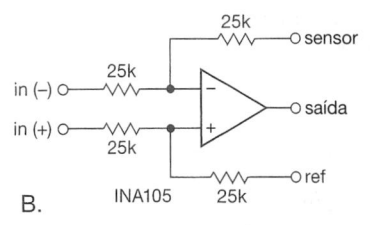

$G = 1,0$
$Z_{in} \approx \infty$
$Z_{out} \approx 0$

FIGURA 4.9 Amplificador de diferença Clássico: A. AOP com relações de resistores casados. B. Versão integrada, com pinos "sensor" e "referência" independentes. No melhor grau (INA105A), a relação do resistor tem um casamento melhor do que 0,01%, com um coeficiente de temperatura melhor do que 5 ppm/°C.

A. $V_{out} = \dfrac{R_2}{R_1}(V_2 - V_1)$

ajustar a tensão de *offset* para zero, como discutiremos mais tarde. Uma alternativa é elevar R_1 e R_2, talvez usando uma rede T para a última (Figura 4.66).

Apesar da sua desejável alta impedância de entrada, a configuração do amplificador não inversor não é, necessariamente, preferida em relação à do amplificador inversor em todas as circunstâncias. Como veremos mais adiante, o amplificador inversor demanda menos do AOP e, portanto, dá um desempenho um pouco melhor. Além disso, o seu terra virtual oferece uma maneira prática de combinar vários sinais sem interação. Por fim, se o circuito em questão é acionado a partir de uma saída (estável) de outro AOP, não faz diferença se a impedância de entrada é 10k (digamos) ou infinita, porque o estágio anterior não tem problemas para acioná-lo em qualquer caso.

4.2.3 Seguidor

A Figura 4.8 mostra a versão AOP de um seguidor de emissor. Ele é simplesmente um amplificador não inversor com R_1 infinito e R_2 zero (ganho = 1). Um amplificador de ganho unitário é chamado, às vezes, de *buffer*, por causa de suas propriedades de isolamento (alta impedância de entrada, baixa impedância de saída).

4.2.4 Amplificador de Diferença

O circuito na Figura 4.9A é um *amplificador de diferença* (algumas vezes, denominado *amplificador diferencial*) com ganho de R_2/R_1. Esse circuito exige casamento de resistor preciso para alcançar uma razão de rejeição de modo comum (CMRR) alta. Você pode ter sorte e encontrar um lote de resistores de 100k e 0,01% em uma loja de eletrônica ou de uma produção excedente; caso contrário, você pode comprar *arranjos* de resistores de precisão, com um casamento estreito de índices e coeficientes de temperatura.[2] Todos os seus amplificadores de diferença terão ganho unitário, mas isso é facilmente remediado com mais estágios de ganho (terminação simples). Se você não consegue encontrar bons resistores (ou mesmo que consiga!), deve saber que pode comprar este circuito como um amplificador de diferença encapsulado convenientemente, com resistores bem casados: exemplos são o INA105 ou AMP03 ($G = 1$), INA106 ($G = 10$ ou 0,1) e INA117 ou AD629 ($G = 1$ com divisores de entrada; sinais de entrada de até ± 200 V) da TI/Burr-Brown e da Analog Devices (muitos outros fabricantes estão listados na Tabela 5.7). A configuração INA105 de ganho unitário é mostrada na Figura 4.9B, com os seus descompromissados pinos "sensor" e "referência". Você obtém um amplificador de diferença clássico conectando *sensor* na saída e *ref* no terra. Mas a flexibilidade adicional permite que você faça todos os tipos de circuitos elegantes, como um inversor de precisão de ganho unitário, amplificador não inversor de ganho 2 e amplificador não inversor de ganho 0,5. Tratamos de amplificadores de diferença em mais detalhes na Seção 5.14.

Exercício 4.1 Mostre como fazer esses três circuitos com um INA105.

Há, além disso, configurações mais sofisticadas de amplificadores diferenciais, conhecidos oficialmente como "amplificadores de instrumentação"; eles são discutidos em detalhes nas Seções 5.15 e 5.16, juntamente com uma lista na Tabela 5.8.

---

[2] Por exemplo, as tecnologias BI tipo filme fino 664 quádruplo (quatro resistores de mesmo valor) em um encapsulamento de 8 pinos de CI SMD (SOIC); estes vêm em precisões de 0,1%, seguindo a proporção de 0,05%, e rastreando coeficientes de temperatura até ± 5 ppm/°C. Eles são baratos (cerca de 2 dólares para a melhor classe) e são disponibilizados pela Mouser Electronics, entre outras. Empresas como a Vishay têm ofertas com um surpreendentemente bom desempenho: seus melhores arranjos de resistores especificam um rastreamento de índice de pior caso de 0,001% e coeficiente de temperatura de rastreamento de até $\pm 0,1$ ppm/°C.

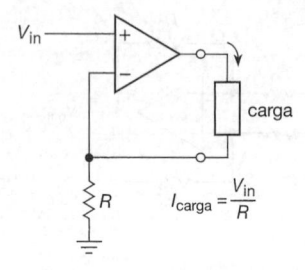

FIGURA 4.10 Fonte de corrente básica com AOP (carga flutuante). V_{in} pode vir de um divisor de tensão ou pode ser um sinal que varia com o tempo.

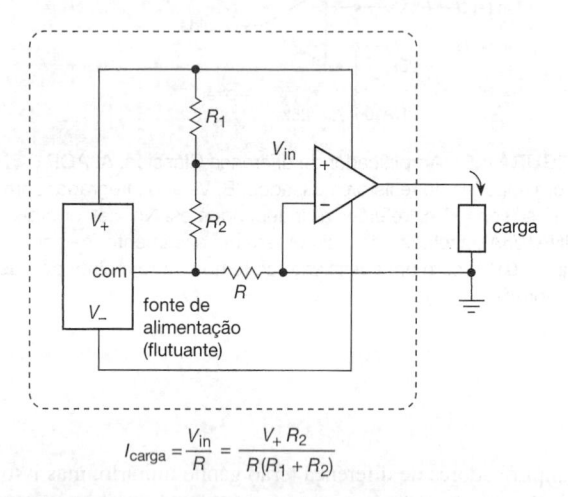

$$I_{carga} = \frac{V_{in}}{R} = \frac{V_+ R_2}{R(R_1 + R_2)}$$

FIGURA 4.11 Fonte de corrente com carga aterrada e fonte de alimentação flutuante.

4.2.5 Fontes de Corrente

O circuito na Figura 4.10 se aproxima de uma fonte de corrente ideal, sem o *offset* de V_{BE} de uma fonte de corrente com transistor. A realimentação negativa resulta em V_{in} na entrada inversora, produzindo uma corrente $I = V_{in}/R$ na carga. A principal desvantagem desse circuito é a carga "flutuante" (nenhum dos lados aterrado). Não se poderia gerar uma onda dente de serra utilizável em relação ao terra com essa fonte de corrente, por exemplo. Uma solução é tornar todo o circuito flutuante (fontes de alimentação e tudo) para que se possa aterrar um lado da carga (Figura 4.11). O circuito na caixa é a fonte de corrente anterior, com as suas fontes de alimentação explicitamente mostradas. R_1 e R_2 formam um divisor de tensão para ajustar a corrente. Se esse circuito parecer confuso, lembre-se de que "terra" é um conceito relativo. Qualquer ponto em um circuito poderia ser chamado de terra. Esse circuito é útil para gerar correntes para uma carga que retornam para o terra, mas tem a desvantagem de que a entrada de controle agora é flutuante, de modo que você não pode programar a corrente de saída com uma tensão de entrada referenciada ao terra. Além disso, você tem que se certificar de que a fonte de alimentação flutuante seja realmente flutuante – por exemplo, você teria problemas ao fazer uma fonte de corrente CC de microampères dessa forma se tentasse usar uma fonte de alimentação CC alimentada por uma tomada padrão instalada na parede, pois a capacitância entre enrolamentos em seu transformador introduziria correntes reativas, na frequência da linha de 60 Hz, que podem muito bem exceder a corrente de saída de microampères desejada; uma solução possível seria a utilização de baterias. Algumas outras abordagens para este problema são apresentadas no Capítulo 9 (Seção 9.3.14) na discussão de fontes de alimentação de corrente constante.[3]

A. Fontes de corrente para cargas com retorno ao terra

Com um AOP e transistor externo, é possível fazer uma fonte de corrente de alta qualidade simples para uma carga com retorno ao terra; um pequeno circuito adicional torna possível a utilização de uma entrada de programação referenciada ao terra (Figura 4.12). No primeiro circuito, a realimentação força uma tensão $V_{CC} - V_{in}$ em R, dando uma corrente de emissor (e, por conseguinte, uma corrente de saída) $I_E = (V_{CC} - V_{in})/R$. Não há *offsets* de V_{BE}, ou suas variações com a temperatura, com I_C, com V_{CE}, etc., com que se preocupar. A fonte de corrente é imperfeita (ignorando erros do AOP: I_B, V_{OS}) apenas na medida em que a pequena corrente de base pode variar um pouco com V_{CE} (considerando que o AOP não consome nenhuma corrente de entrada), o que não é um preço muito alto a pagar pela conveniência de uma carga aterrada; um Darlington para Q_1 reduziria consideravelmente esse erro. Esse erro surge, naturalmente, porque o AOP estabiliza a corrente de *emissor*, ao passo que a carga vê a corrente de *coletor*. Uma variação desse circuito, usando um MOSFET em vez de um transistor bipolar, evita esse problema completamente, uma vez que FETs não consome nenhuma corrente CC na porta (mas grandes MOSFETs de potência têm uma grande capacitância de entrada, que pode causar problemas; veja o comentário no final desta seção).

Com esse circuito, a corrente de saída é proporcional à queda de tensão inferior a V_{CC} aplicado na entrada não inversora do AOP; em outras palavras, a tensão de programação está referenciada a V_{CC}, que é bom se V_{in} for uma tensão fixa gerada por um divisor de tensão, mas uma situação difícil se uma entrada externa for utilizada. Isso é remediado no segundo circuito, em que uma fonte de corrente semelhante com um transistor npn é utilizada para converter uma tensão de entrada (com referência ao terra) em uma entrada referenciada em V_{CC} para a fonte de corrente definitiva; para o último, usamos um MOSFET canal p para a variação (e para eliminar o pequeno erro de corrente de base que obtemos

---

[3] Outra limitação de circuitos de fonte de corrente com AOP é o seu desempenho degradado em frequências mais altas: a saída de um AOP é inerentemente de baixa impedância (geralmente um seguidor *push-pull*, com $R_{out} \sim 100\,\Omega$, olhe adiante a Figura 4.43), de modo que o circuito de fonte de corrente deve contar com realimentação (que diminui com o aumento da frequência) para aumentar a impedância de saída do AOP. Ver discussão adicional na Seção 4.2.5B e 4.4.4.

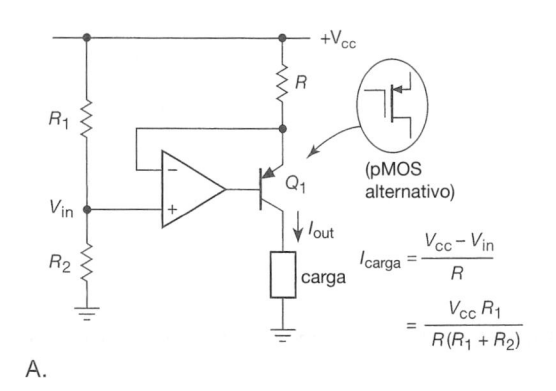

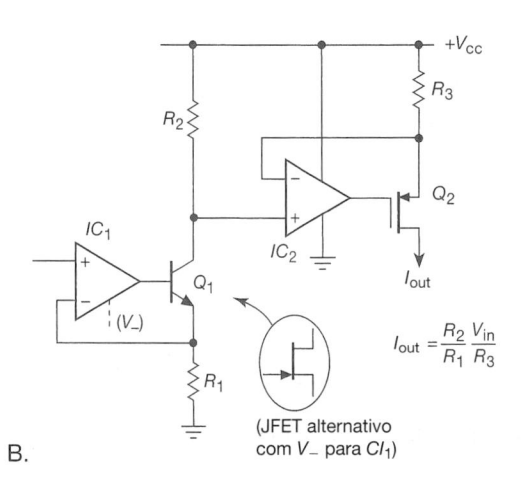

FIGURA 4.12 Fontes de corrente para cargas aterradas que não necessitam de uma fonte de alimentação flutuante. Os AOPs podem precisar ter uma capacidade de entrada e saída trilho a trilho; veja o texto.

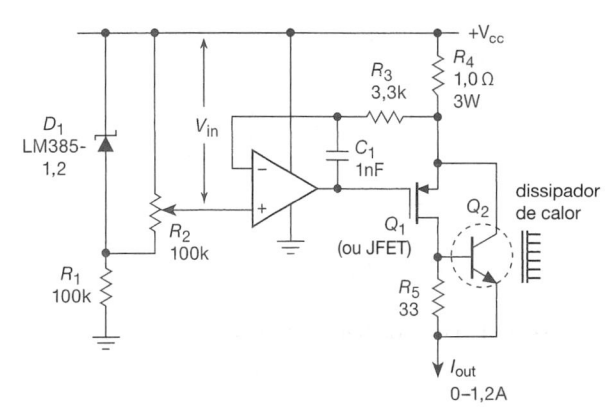

FIGURA 4.13 Fonte de corrente FET bipolar adequada para altas correntes.

com transistores bipolares). AOPs e transistores são baratos. Não hesite em usar alguns componentes extras para melhorar o desempenho ou a conveniência no projeto do circuito.

Uma nota importante sobre esses circuitos: em baixas correntes de saída, a tensão nos resistores de emissor (ou fonte) pode ser bastante pequena, o que significa que os AOPs devem ser capazes de operar com suas entradas em valores próximos ou iguais à tensão de alimentação positiva. Por exemplo, no circuito da Figura 4.12B, o CI_2 precisa operar com as suas entradas próximas ao trilho de alimentação positivo. Não suponha que um determinado AOP fará isso, sem a permissão explícita da folha de dados! A folha de dados do LF411 discute um pouco sobre isso, mas, a contragosto, admite que ele vai funcionar, embora com um desempenho degradado com as entradas no trilho positivo. (Entretanto, ele não vai funcionar abaixo do trilho negativo; mas com o CI_1 alimentado a partir de tensões de alimentação simétricas, não há nenhum problema.) Por outro lado, AOPs como o LMC7101 ou o LMC6482 *garantem* operação adequada por todo o percurso até o trilho positivo (e um pouco além) (veja a coluna "Variação até as fontes?" na Tabela 4.2a). Em alter-

nativa, o AOP pode ser alimentado a partir de uma tensão V_+ separada maior do que V_{CC}.

Exercício 4.2 Qual é o valor da corrente de saída no último circuito para uma determinada tensão de entrada V_{in}? (Nós a obtivemos corretamente na figura?)

A Figura 4.13 mostra uma variação interessante sobre a fonte de corrente AOP-transistor. Embora você possa obter muita corrente com um MOSFET de potência simples, as capacitâncias elevadas entre eletrodos de FETs de alta corrente podem causar problemas. Quando um MOSFET[4] de corrente relativamente baixa é combinado com um transistor de potência *npn* de alta corrente, esse circuito tem a vantagem de erro de corrente de base zero (o que se consegue com FETs), juntamente com uma capacitância de entrada muito menor. Neste circuito, o qual é análogo ao "Darlington complementar" (ou circuito Sziklai; ver Seção 2.4.2A), o transistor bipolar Q_2 retrocede quando a corrente de saída é superior a cerca de 20 mA.

Para não deixar a impressão errada, ressaltamos que o circuito mais simples só com MOSFET (na forma da Figura 4.12B) é uma configuração preferível, dada a grande desvantagem de BJTs de potência, ou seja, sua suscetibilidade à "segunda ruptura" e consequente limite de área de operação segura (como vimos na Seção 3.5.1B, ver em particular a Figura 3.95). MOSFETs de potência grandes têm grande capacitância de entrada, de modo que, nesse tipo de circuito, deve-se usar uma rede como R_3C_1 na Figura 4.13 para evitar oscilação.

B. Fonte de corrente Howland

A Figura 4.14 mostra uma boa fonte de corrente de "livro-texto". Se os resistores são escolhidos de modo que $R_3/R_2 = R_4/R_1$, então pode-se mostrar que $I_{carga} = -V_{in}/R_2$.

Exercício 4.3 Mostre que o resultado anterior está correto.

---
[4] Tal como BS250P ou BSS84; consulte a Tabela 3.4a.

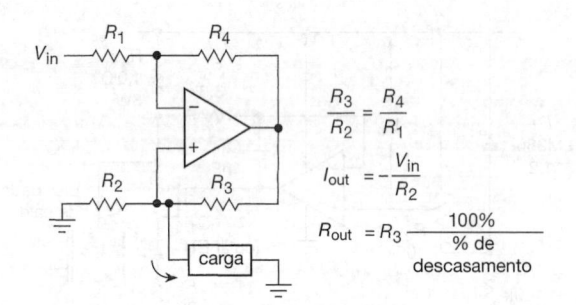

FIGURA 4.14 Fonte de corrente Howland.

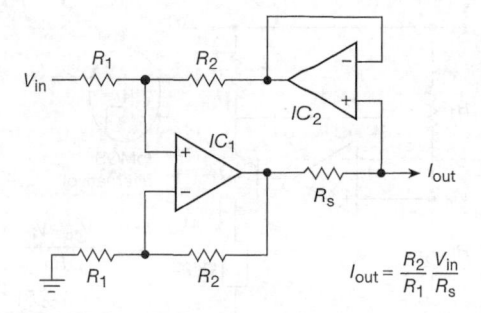

FIGURA 4.15 Fornecimento-absorção de corrente de bipolaridade.

Isso soa muito bem, mas há um empecilho: as relações de resistores devem ser exatamente casadas; caso contrário, não será uma fonte de corrente perfeita. Mesmo assim, seu desempenho é limitado pela razão de rejeição de modo comum do AOP (CMRR, Seção 2.3.8). Para correntes de saída grandes, os resistores devem ser pequenos, e a compliance é limitada. Além disso, em altas frequências (onde o ganho da malha é baixo, como aprenderemos em breve), a impedância de saída pode cair a partir do valor desejado de infinito para tão pouco quanto algumas centenas de ohms (a impedância de saída de malha aberta do AOP). Essas desvantagens limitam a aplicabilidade deste circuito inteligente.

Você pode converter esse circuito em uma fonte de corrente não inversora aterrando R_1 (onde V_{in} é mostrado) e aplicando a tensão de entrada V_{in} de controle em vez de R_2.

A Figura 4.15 é uma boa melhoria no circuito de Howland, porque a corrente de saída é fornecida através de um resistor sensor R_s, cujo valor pode ser escolhido independentemente do arranjo de resistores casados (com o par de resistores R_1 e R_2). A melhor maneira de compreender esse circuito é pensar no CI_1 como um amplificador de diferença cujas conexões *sensor* e *referência* de saída amostram a queda em R_s (ou seja, a corrente); este último tem o seguidor IC_2 como *buffer* para que não haja erro de corrente.

Para essa configuração, você pode explorar a precisão interna dos resistores casados em um amplificador de diferença integrado: use algo como um INA106 para R_1, R_2 e IC_1, conectado "para trás" (para $G = 0{,}1$) para reduzir a queda sobre o resistor sensor. Veja a Seção 5.14 e a Tabela 5.7.

4.2.6 Integradores

AOPs permitem que se façam integradores quase perfeitos, sem a restrição de que $V_{out} \ll V_{in}$. A Figura 4.16 mostra como ele é feito. A corrente de entrada V_{in}/R flui através de C. Devido à entrada inversora ser um terra virtual, a tensão de saída é dada por

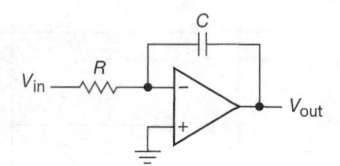

$$V_{in}/R = -C(dV_{out}/dt)$$

FIGURA 4.16 Integrador.

ou

$$V_{out}(t) = -\frac{1}{RC}\int V_{in}(t)\,dt + \text{const.} \qquad (4.3)$$

A entrada pode, é claro, ser uma corrente, em cujo caso R é omitido.

Por exemplo, se escolher $R = 1M$ e $C = 0{,}1\ \mu F$ neste circuito, então uma entrada CC constante de $+1$ V produz um $1\ \mu A$ de corrente para a junção de soma, por conseguinte, uma tensão de saída que está em rampa descendente $dV_{out}/dt = -V_{in}/RC = -10$ V/s. Para dizê-lo algebricamente, para um V_{in} constante ou I_{in} constante,

$$\Delta V_{out} = -\frac{V_{in}}{RC}\Delta t = -\frac{I_{in}}{C}\Delta t.$$

Montamos o integrador da Figura 4.16, com $R = 1\ M\Omega$ e $C = 1$ nF e o acionamos com a forma de onda de teste simples mostrada na Figura 4.17. Sem mesmo ter assistido a uma aula de matemática, o circuito sabe calcular!

Leitores atentos podem ter notado que esse circuito não tem qualquer realimentação CC, e, assim, não há como ter um ponto quiescente estável: para *qualquer* tensão de entrada V_{in} diferente de zero, a saída vai para *algum ponto*! Como veremos em breve, mesmo com V_{in} exatamente em zero volt, a saída tende a vagar, devido a imperfeições do AOP (corrente de entrada diferente de zero e "tensão de *offset*"). Estes últimos problemas podem ser minimizados por meio da escolha cuidadosa do AOP e dos valores do circuito; mas, mesmo assim, você geralmente tem que fornecer alguma maneira de *resetar* o integrador. A Figura 4.18 mostra como isso é feito geralmente, seja com um botão

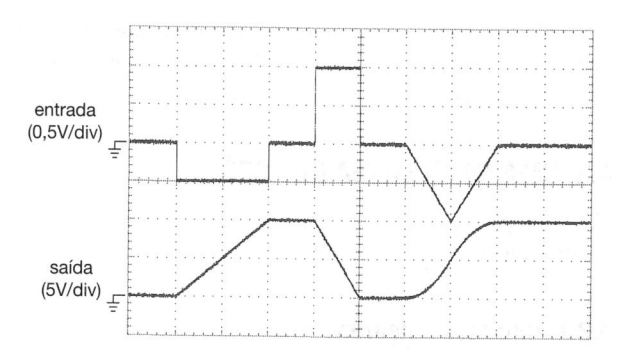

FIGURA 4.17 Formas de onda do integrador. A saída pode ir a qualquer lugar que desejar, ao contrário de nosso "integrador" RC simples da Seção 1.4.4. Horizontal: 10 ms/div.

de *reset* (exemplos de chaves analógicas discretas JFET e integradas CMOS são mostrados) ou com um resistor de realimentação de grande valor sobre o capacitor de integração. Fechar uma chave de *reset*[5] (Figuras 4.18A e B) zera o integrador ao descarregar rapidamente o capacitor, permitindo a integração perfeita quando aberta. O uso de um resistor de realimentação (Figura 4.18D) produz polarização estável pela restauração da realimentação em CC (onde o circuito se comporta como um amplificador inversor de alto ganho), mas o efeito é para atenuar a ação integradora em frequências muito baixas, $f < 1/R_fC$. Uma chave analógica em série adicional na entrada (Figura 4.18C) permite controlar os intervalos durante os quais o integrador está ativo; quando essa chave está aberta, a saída do integrador é congelada em seu último valor.

Você não tem que se preocupar em zerar o integrador, é claro, se ele for parte de um circuito maior, que faz a coisa certa. Veremos um exemplo bonito em breve (Seção 4.3.3), ou seja, um elegante gerador de onda triangular, em que um integrador simples é exatamente o que você quer.

Este primeiro olhar para o integrador AOP considera que o AOP é perfeito, em especial que (a) as entradas não consomem nenhuma corrente e que (b) o amplificador é balanceado com as duas entradas precisamente na mesma tensão. Quando a nossa lua de mel com o AOP acabar, veremos que os AOPs reais têm alguma corrente de entrada (chamada "corrente de polarização", I_B), e que eles exibem algum desbalanceamento de tensão (chamado "tensão de *offset*", V_{OS}). Estas imperfeições não são grandes – correntes de polarização de picoamps são comuns, assim como tensões de *offset* menores que um milivolt –, mas podem causar problemas em circuitos como integradores, nos quais o efeito de um pequeno erro cresce com o tempo. Abordaremos esses tópicos essenciais no final do capítulo (Seção 4.4), após você se sentir confortável com o básico.

---

[5] Consulte a Seção 3.4 para uma discussão detalhada sobre chaves FET.

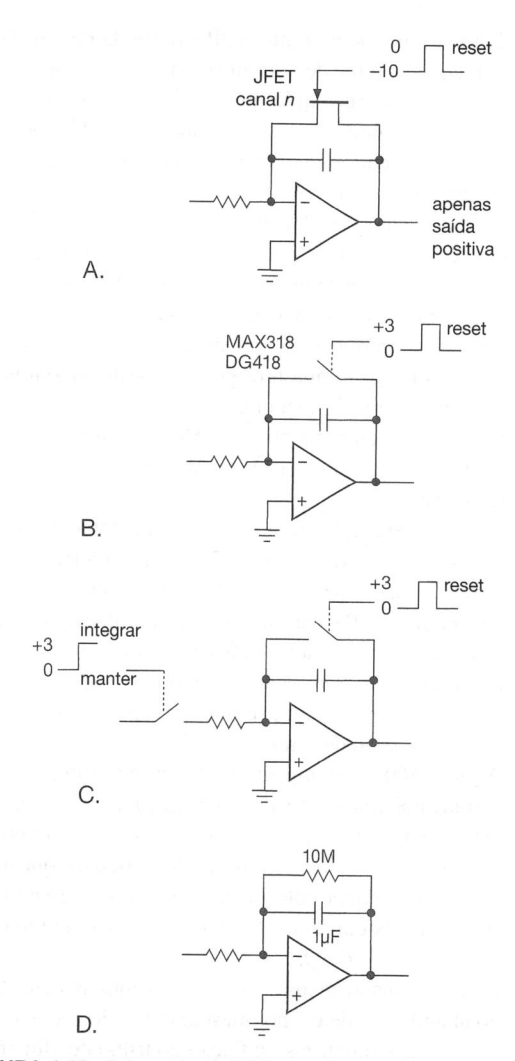

FIGURA 4.18 Integradores AOP com chaves de *reset*.

4.2.7 Precauções Básicas para Circuitos AOP

- Em todos os circuitos AOP, as regras práticas I e II (Seção 4.1.3) são obedecidas somente se o AOP estiver na região ativa, ou seja, se as entradas e saídas não estiverem saturados em uma das tensões de alimentação.

  Por exemplo, sobreacionar uma das configurações do amplificador fará a saída ser ceifada nas variações de saída próximas de V_{CC} ou V_{EE}. Durante o ceifamento, as entradas deixarão de ser mantidas na mesma tensão. A saída do AOP não pode variar para além das tensões de alimentação (tipicamente podem variar apenas para dentro de 2 V das fontes, embora certos AOPs sejam projetados para variar em toda a faixa de tensão de uma fonte ou de outra, ou de ambas; estes últimos são conhecidos como AOPs de "saída trilho a trilho"). Da mesma forma, a compliance de saída de uma fonte de corrente AOP é definida pela mesma limitação. A fonte de corrente com carga flutuante (Figura 4.10), por exemplo, pode colocar um máximo de $V_{CC} - V_{in}$ sobre a carga no sentido "normal" (corrente no mesmo sentido que a tensão aplicada) e $V_{in} - V_{EE}$ no sentido inverso[6].

- As realimentações devem ser dispostas de modo que ela seja negativa. Isso significa (entre outras coisas) que você não deve misturar as entradas inversora e não inversora. Veremos mais adiante que você pode se deparar com problemas semelhantes se montar uma rede de realimentação que tem grandes deslocamentos de fase em alguma frequência.
- Deve haver sempre realimentação CC em um circuito AOP. Caso contrário, o AOP entrará com certeza em saturação.

    Por exemplo, fomos capazes de colocar um capacitor da rede de realimentação para o terra no amplificador não inversor (para reduzir o ganho de 1 em CC, Figura 4.7B), mas não podíamos colocar de forma semelhante um capacitor em série entre a saída e a entrada inversora. Do mesmo modo, um integrador, em última análise, saturará sem algum circuito adicional, como um botão de *reset*.
- Alguns AOPs têm um limite de tensão diferencial de entrada máximo relativamente pequeno. A diferença de tensão máxima entre as entradas inversora e não inversora pode ser limitada a valores tão pequenos quanto 5 volts em qualquer polaridade. Quebrar essa regra fará fluir grandes correntes de entrada, com a degradação ou destruição do AOP.
- AOPs são dispositivos de alto ganho, muitas vezes tendo abundância de ganho, mesmo em radiofrequências, em que as indutâncias na fiação do trilho de alimentação podem levar a instabilidades nos amplificadores. Resolvemos esse problema com capacitores de desvio (*bypass*) obrigatórios (estamos falando sério!) nos trilhos de alimentação do AOP.[7] *Nota*: As figuras neste capítulo e em outros lugares (e, geralmente, no mundo real) não mostram capacitores de desvio, para fins de simplificação. Você foi avisado.

Consideramos mais algumas questões desse tipo na Seção 4.4 e, novamente, no Capítulo 5, junto a projetos de circuitos de precisão.

4.3 UMA MISCELÂNEA DE AOPS

Nos exemplos a seguir, suprimimos a análise detalhada, deixando essa diversão para o leitor.

4.3.1 Circuitos Lineares

A. Inversor opcional

Os circuitos da Figura 4.19 lhe permitem inverter, ou amplificar sem inversão, comutando uma chave. O ganho de tensão é +1 ou −1, dependendo da posição da chave. As "chaves" podem ser chaves analógicas CMOS[8], que permitem controlar o sentido de inversão com um sinal (digital). A modificação inteligente na Figura 4.20 permite variar o ganho continuamente do seguidor ao inversor. E quando o potenciômetro R_1 estiver na posição média, o circuito não faz nada!

Exercício 4.4 Mostre que os circuitos da Figura 4.19 funcionam conforme indicado.

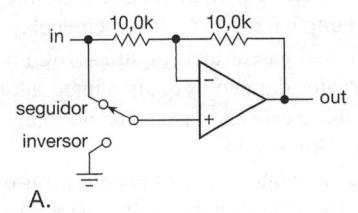

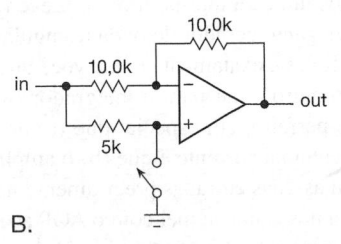

FIGURA 4.19 Inversores opcionais; $G = \pm 1,0$.

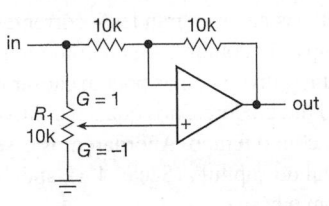

FIGURA 4.20 Seguidor para inversor: ganho continuamente ajustável de $G = +1$ para $G = -1$.

---

[6] A carga poderia ser um pouco estranha, por exemplo, poderia conter baterias, exigindo o sentido inverso da tensão para obter uma corrente direta; a mesma coisa pode acontecer com uma carga indutiva acionada por correntes que variam.

[7] Quando éramos jovens, aprendemos que cada AOP necessitava de seu próprio conjunto de capacitores de desvio. Mas, com a experiência, percebemos que um par de capacitores pode trabalhar para estabilizar AOPs próximos. Além disso, a indutância da fiação local com vários conjuntos de capacitores de desvio pode levar a ressonâncias, que permitem que um AOP interfira com outro. Por exemplo, se $L = 25$ nH e $C = 0,01$ μF, então $f_{LC} = 10$ MHz e $X_{LC} = 1,6$ Ω. O pico de impedância na ressonância será Q vezes maior. É possível resolver esse problema por meio da adição de um capacitor de desvio em paralelo com perdas adicionais, tal como um pequeno eletrolítico. Sua resistência em série equivalente, da ordem de 0,5 Ω ou mais, age para amortecer o Q ressonante.

[8] Por exemplo, as chaves SPDT de ±20 V ADG419 ou MAX319 em convenientes encapsulamentos de 8 pinos; consulte a Seção 3.4 e a Tabela 3.3.

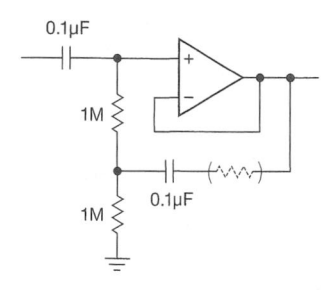

FIGURA 4.21 Seguidor AOP com *bootstrap*.

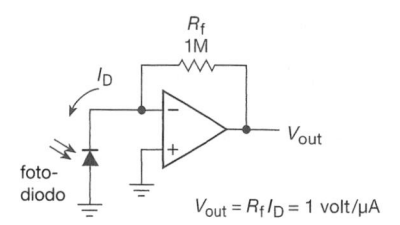

FIGURA 4.22 Amplificador com fotodiodo.

$V_{out} = R_f I_D = 1$ volt/μA

B. Seguidor com *boostrap*

Tal como acontece com amplificadores transistorizados, o caminho da polarização pode comprometer a alta impedância de entrada obtida de outra forma com um AOP, especialmente com entradas com acoplamento CA, para o qual um resistor aterrado é obrigatório. Se isso for um problema, o circuito de *bootstrap* mostrado na Figura 4.21 é uma solução possível. Como no circuito de *bootstrap* do transistor (Seção 2.4.3), o capacitor de 0,1 μF faz o resistor de 1M ser visto como uma fonte de corrente de alta impedância para sinais de entrada. A atenuação de baixa frequência para esse circuito começa em cerca de 10 Hz, caindo 12 dB por oitava para frequências um pouco abaixo dessa.[9] Esse circuito pode exibir algum pico de frequência, de forma análoga ao circuito Sallen-Key da Seção 4.3.6; este pode ser domesticado pela adição de um resistor de 1 a 10k em série com o capacitor de realimentação.

A corrente de entrada muito baixa (e, portanto, alta impedância de entrada) de AOPs com entrada FET geralmente torna o *bootstrapping* desnecessário; você pode usar resistores de 10 M ou mais para o caminho de polarização de entrada em amplificadores com acoplamento CA.

C. Conversor corrente-tensão ideal

Lembre-se de que um resistor é o conversor *I-V* mais simples. No entanto, ele tem a desvantagem de apresentar uma impedância diferente de zero para a fonte de corrente de entrada; isso pode ser fatal se o dispositivo que fornece a corrente de entrada tem muito pouca compliance ou não produz uma corrente constante à medida que a tensão de saída varia. Um bom exemplo é uma *célula fotovoltaica*, uma junção de diodo que foi otimizada como um detector de luz. Mesmo as variedades de diodos de sinal que você usa em circuitos têm um pequeno efeito fotovoltaico (há histórias divertidas de comportamento de circuitos bizarros por fim atribuído a esse efeito). A Figura 4.22 mostra a maneira correta de converter corrente para tensão, mantendo a entrada estritamente no terra. A entrada inversora é um terra virtual; isso é muito bom, pois um diodo fotovoltaico pode gerar apenas alguns décimos de um volt. Esse circuito especial tem uma saída de 1 volt por microampère de corrente de entrada. (Em circuitos AOP com entrada BJT, às vezes, você vê um resistor conectado entre a entrada não inversora e o terra. A sua função será explicada em breve junto com as deficiências do AOP.)

Claro, essa configuração de *transresistência* pode ser usada igualmente bem para dispositivos que fornecem suas correntes a partir de uma tensão de excitação positiva, como V_{CC}. Fotodiodos e fototransistores (ambos os dispositivos que fornecem corrente a partir de uma fonte de alimentação positiva quando exposto à luz) são frequentemente utilizados desta forma (Figura 4.23). O fotodiodo tem fotocorrente menor, mas se destaca em linearidade e velocidade; fotodiodos muito rápidos podem operar a velocidades de *giga*hertz. Em contraste, o fototransistor tem uma fotocorrente consideravelmente mais elevada (devido ao beta do transistor, o que aumenta a fotocorrente nativa coletor-base), com linearidade e velocidade mais pobres. Você pode até obter foto-Darlingtons, que ampliam essa tendência.

Em aplicações do mundo real, geralmente é necessário incluir um pequeno capacitor sobre o resistor de realimentação, para garantir a estabilidade (ou seja, prevenir oscilação ou repique). Isso ocorre porque a capacitância do detector, em combinação com a resistência de realimentação, forma um filtro passa-baixas; o deslocamento de fase em atraso resultante em altas frequências, combinado com o deslocamento de fase em atraso próprio dos AOPs (ver Seção 4.9.3), pode adicionar até 180°, produzindo, assim, uma realimentação *positiva* global e, por conseguinte, a oscilação. Não se esqueça de ler esta seção com cuidado se você está construindo amplificadores para fotodiodos. (E problemas de estabilidade análogos ocorrem, por razões semelhantes, quando você aciona cargas capacitivas com AOPs; ver Seção 4.6.1B).

Exercício 4.5 Use um 411 e um medidor de 1 mA (fundo de escala) para a construção de um medidor de corrente "perfeito" (isto é, um com impedância de entrada zero) com 5 mA de fundo de escala. Projete o circuito para que o medidor nunca seja acionado com mais de ±150% do fundo de escala. Suponha que a saída do 411 possa variar para ±13 volts (alimentação de ±15 V) e que o medidor tenha 500 Ω de resistência interna.

---
[9] Você pode ser tentado a reduzir o capacitor de acoplamento de entrada, visto que sua carga tem *bootstrap* para alta impedância. No entanto, isso pode gerar um pico na resposta de frequência, como com um filtro ativo (ver Seção 6.3).

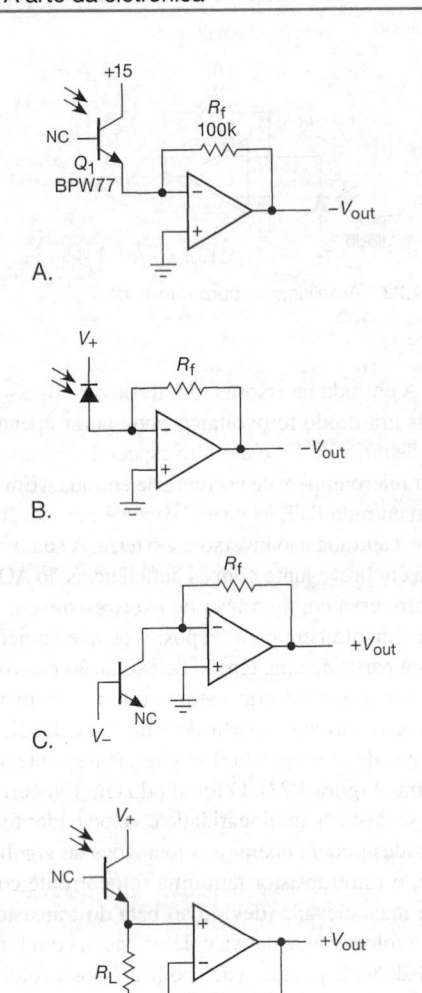

FIGURA 4.23 Amplificadores fotodiodo com polarização reversa: A. Fototransistor; note que o terminal de base não é usado. B. Fotodiodo. C. Fototransistor usado como fotodiodo; para variar, nós o mostramos *absorvendo* corrente. D. Fototransistor com resistor de carga acionando seguidor de tensão.

D. Amplificador somador

O circuito mostrado na Figura 4.24 é apenas uma variação do amplificador inversor. O ponto X é um terra virtual, de modo que para valores de resistores iguais a corrente de entrada é $V_1/R + V_2/R + V_3/R$. Isso resulta em $V_{out} = -(V_1 + V_2 + V_3)$. Note que as entradas podem ser positivas ou negativas. Além disso, os resistores de entrada não necessitam ser iguais; se forem diferentes, a soma obtida é ponderada. Por exemplo, poderiam ser quatro entradas, cada uma das quais com +1 volt ou zero, representando os valores binários 1, 2, 4 e 8. Utilizar resistores de entrada de 10k, 5k, 2,5k e 1,25k resulta em uma saída negativa em volts igual à entrada da contagem binária. Esse esquema pode ser facilmente expandido para vários dígitos. Ele é a base da conversão digital-analógica, embora um circuito de entrada diferente (uma escada $R-2R$) seja normalmente utilizado.

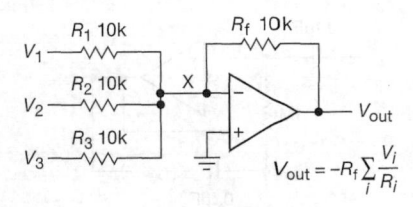

FIGURA 4.24 Amplificador somador.

Exercício 4.6 Mostre como fazer um conversor digital-analógico (DAC) de dois dígitos definindo adequadamente os valores dos resistores de entrada em um amplificador somador. A entrada digital representa dois dígitos, cada um consistindo de quatro linhas que representam os valores de 1, 2, 4 e 8, para os respectivos dígitos. Uma linha de entrada é ou +1 volt ou terra, ou seja, as oito linhas de entrada representam 1, 2, 4, 8, 10, 20, 40 e 80. Com alimentações de ±15 V, saídas de o AOP, em geral, não podem variar além de ±13 volts; você terá que se contentar com uma saída em volts igual a um décimo do valor do número de entrada.

E. Reforçador de potência

Para corrente de saída alta, um seguidor com transistor de potência pode ser conectado na saída de um AOP (Figura 4.25). Neste caso, um amplificador não inversor foi desenhado, embora um seguidor possa ser adicionado a qualquer configuração do AOP. Observe que a realimentação é obtida a partir do emissor; assim, a realimentação impõe a tensão de saída desejada, apesar da queda V_{BE}. Este circuito tem o habitual problema de que a saída do seguidor só pode *fornecer* corrente. Tal como acontece com os circuitos transistorizados, a solução é um reforçador *push-pull* (Figura 4.26). Veremos mais tarde que a velocidade limitada com a qual o AOP pode mover a sua saída (taxa de variação) limita seriamente a velocidade desse reforçador na região de transição, criando distorção. Para aplicações de baixa velocidade, você não precisa polarizar o par *push-pull* em condução quiescente, pois a realimentação cuidará da maior parte da distorção de cruzamento. CIs reforçadores de potência completos estão disponíveis; por exemplo, o LT1010 e o BUF633/4. Esses são amplificadores *push-pull* de ganho unitário com capacidade

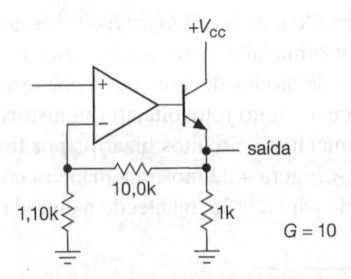

FIGURA 4.25 Seguidor de emissor de terminação simples reforça a corrente de saída do AOP (somente fornecendo corrente).

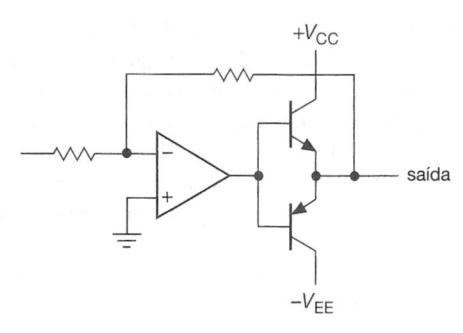

FIGURA 4.26 Seguidor *push-pull* reforça a corrente de saída do AOP, tanto fornecendo quanto absorvendo. Você geralmente vê um pequeno resistor (100 Ω) conectado entre as bases e os emissores para reduzir a não linearidade de cruzamento, mantendo a realimentação ao longo da variação do sinal. Consulte a Figura 2.71 para uma melhor polarização do estágio de saída.

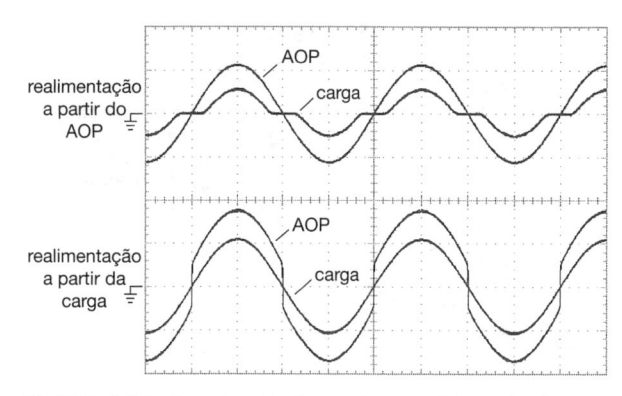

FIGURA 4.27 A realimentação resolve o problema da distorção de cruzamento no seguidor *push-pull*. Vertical: 1 V/div; Horizontal: 2 ms/div.

de 200 mA de corrente de saída e que operam de 20 a 100 MHz (ver Seção 5.8.4); eles são cuidadosamente polarizados para uma baixa distorção de cruzamento de malha aberta e incluem uma proteção interna (limitação de corrente e, muitas vezes, desligamento térmico também). Enquanto você garantir que o AOP que os aciona tem largura de banda significativamente menor, pode incluí-los no interior da malha de realimentação sem quaisquer preocupações.[10]

Realimentação e reforçador push-pull

O circuito reforçador *push-pull* ilustra bem o efeito de linearização da realimentação negativa. Conectamos um AOP LF411 como um seguidor não inversor de ganho unitário, que aciona um estágio de saída *push-pull* BJT no qual conectamos um resistor de carga de 10 Ω para o terra. A Figura 4.27 apresenta os sinais de saída no AOP e na carga, com uma onda senoidal de entrada de amplitude 1 V a 125 Hz. Para o par superior de formas de onda, tomamos a realimentação (de forma insensata) a partir da saída do AOP, a qual produz uma boa réplica do sinal de entrada; mas a carga vê uma grave distorção de cruzamento (a partir da zona morta de $2V_{BE}$). Com a realimentação vinda da saída do *push-pull* (onde a carga está conectada), conseguimos o que queremos, como visto no par inferior de formas de onda. O AOP inteligentemente cria uma forma de onda exagerada para acionar o seguidor *push-pull*, com a forma exata para compensar o cruzamento.

A Figura 4.28 mostra como são essas formas de onda quando tentamos acionar um alto-falante real, uma carga que é mais complicada do que um resistor (porque ela é tanto um "motor" quanto um "gerador", exibe ressonâncias e outras propriedades desagradáveis; ela também tem uma rede de cruzamento reativa, e uma bobina indutiva para impulsionar o cone). Mais uma vez, a magia da realimentação faz o tra-

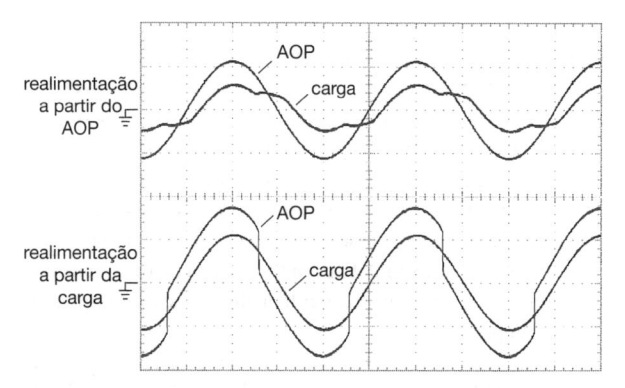

FIGURA 4.28 O mesmo que a Figura 4.27, mas com um alto-falante de impedância nominal de 6 Ω como carga.

balho, desta vez com uma saída de AOP que é encantadoramente assimétrica.[11]

F. Fonte de alimentação

Um AOP pode fornecer o ganho para um regulador de tensão com realimentação (Figura 4.29). O AOP compara uma amostra da saída com a referência zener, alterando o acionamento do "transistor de passagem" Darlington conforme necessário. Esse circuito fornece uma saída estável de 10 volt ("regulada") para até 1 A de corrente de carga. Algumas notas sobre este circuito:

---

[10] Mas cuidado com um erro comum: um circuito em funcionamento é atualizado pela substituição por um AOP mais rápido, após o que o circuito "melhorado" oscila!

[11] Devemos notar, com toda a franqueza, que o bom desempenho é visto aqui em uma frequência muito baixa (nós a escolhemos perto da ressonância de graves do alto-falante, para ilustrar o quão inteligente a realimentação pode ser). Mas a situação se degrada em altas frequências, devido a uma taxa de variação finita e a um ganho de malha que decai (tópicos que veremos na Seção 4.4). É muito melhor eliminar a maior distorção de cruzamento no próprio estágio *push-pull*, por meio de uma polarização "classe AB" adequada (ver Figura 2.71, na Seção 2.4.1A), ou usando um *buffer* de ganho unitário externo (veja a Figura 4.87 e a Seção 5.8.4) e, em seguida, usar realimentação para suprimir qualquer distorção residual.

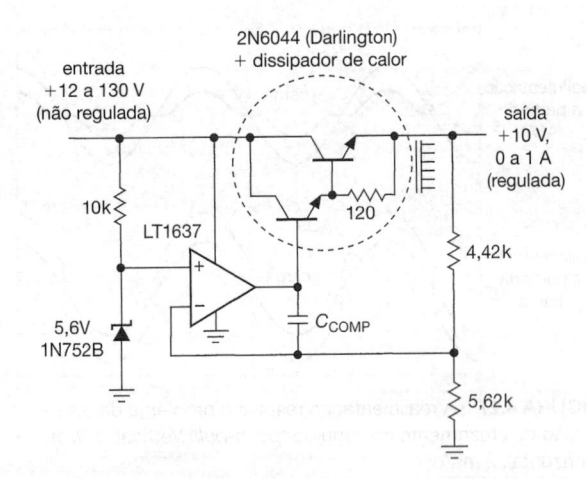

FIGURA 4.29 Regulador de tensão.

- O divisor de tensão que amostra a saída pode ser um potenciômetro, para uma tensão de saída ajustável.
- Para reduzir a ondulação no zener, o resistor de 10k deve ser substituído por uma fonte de corrente. Outra abordagem é a polarização do zener a partir da saída; desta forma, tira-se proveito do regulador construído. *Cuidado*: ao usar esse truque, você deve analisar o circuito cuidadosamente para ter certeza de que o circuito entrará em operação quando a alimentação for aplicada pela primeira vez.
- Foi utilizado um AOP trilho a trilho, o qual pode variar sua saída para o trilho positivo,[12] assim a tensão de entrada pode ser tão baixa quanto +12 V, sem colocar o transistor de passagem Darlington em saturação. Com um 411, por outro lado, teria que existir uma margem de 1,5 a 2 V, pois a saída do AOP não pode chegar mais perto do que isso do trilho de alimentação positiva.
- O circuito desenhado poderia ser danificado por um curto-circuito temporário na saída, pois o AOP tentaria acionar o par Darlington para um estado de condução intensa. Fontes de alimentação reguladas sempre devem ter um circuito para limitar uma corrente de "falha" (ver Seção 9.1.1C para mais detalhes).
- Sem o "capacitor de compensação" C_C, o circuito provavelmente oscilaria quando a saída CC fosse desviada (como seria quando alimentasse um circuito) por causa do deslocamento de fase de atraso adicional. O capacitor C_C garante a estabilidade em uma carga capacitiva, um assunto que abordaremos nas Seções 4.6.1B, 4.6.2 e 9.1.1C.

[12] O LT1637 que sugerimos é um AOP de 44 volts que se destaca e que exibe as correntes de entrada e de polarização notavelmente mais altas quando sua entrada está perto do trilho positivo (tanto quanto $I_B = 20\ \mu A$, cerca de 100 vezes a sua corrente de polarização normal). O LT1677, com $I_B = 0,2\ \mu A$, pode ser uma escolha melhor.

- CIs reguladores de tensão estão disponíveis em uma enorme variedade, desde o consagrado 723 até os convenientes reguladores ajustáveis de 3 terminais com limitação de corrente interna e desligamento térmico (ver Seção 9.3). Esses dispositivos, completos com referência de tensão interna com compensação de temperatura e transistor de passagem, são tão fáceis de usar, que você quase nunca usará um AOP de propósito geral como um regulador. A exceção pode ser para gerar uma tensão estável dentro de um circuito que já tem uma tensão fonte de alimentação estável disponível.

No Capítulo 9, discutimos reguladores de tensão e fontes de alimentação em detalhe, incluindo CIs especiais destinados a ser utilizados como reguladores de tensão.

4.3.2 Circuitos Não Lineares

A. Comparador – uma Introdução

É bastante comum querer saber qual dentre dois sinais é o maior ou quando um determinado sinal de entrada excede a tensão previamente determinada. Por exemplo, o método usual de produção de ondas triangulares é fornecer correntes positivas ou negativas a um capacitor, invertendo a polaridade da corrente quando a amplitude atinge um valor de pico predefinido. Outro exemplo é um voltímetro digital. A fim de converter uma tensão em um número, a tensão desconhecida é aplicada a uma entrada de um comparador, com uma rampa linear (capacitor + fonte de corrente) aplicada à outra. Um contador digital conta os ciclos de um oscilador durante o tempo em que a rampa for menor do que a tensão desconhecida e mostra o resultado quando a igualdade de amplitudes é atingida. A contagem resultante é proporcional à tensão de entrada. Isso é chamado de integração de rampa simples; em instrumentos mais sofisticados, é usada uma integração de dupla rampa (Capítulo 13).

A forma mais simples de comparador é um amplificador diferencial de alto ganho, feito com transistores ou com um AOP (Figura 4.30). Neste circuito, não há realimentação – o AOP entra em saturação positiva ou negativa de acordo com a diferença das tensões de entrada. Devido ao enorme ganho de tensão dos AOPs (tipicamente de 10^5 a 10^6), as entradas terão de ser iguais dentro de uma fração de um milivolt para que a saída não seja saturada. Embora um AOP comum possa ser utilizado como um comparador (e frequentemente é), existem CIs especiais destinados a ser utilizados como comparadores. Eles permitem que você defina os níveis de tensão de saída, independentemente das tensões usadas para alimentar o comparador (por exemplo, você pode ter os níveis de saída de 0 V e +5 V a partir de um comparador alimentado com ± 15 V); e eles são geralmente muito mais rápidos, pois não estão tentando ser AOPs, ou seja, amplificadores lineares destinados para uso com realimentação negativa. Falaremos sobre eles em detalhes no Capítulo 12 (Seções 12.1.7 e 12.3 e a Tabela 12.2).

FIGURA 4.30 Comparador: um AOP sem realimentação.

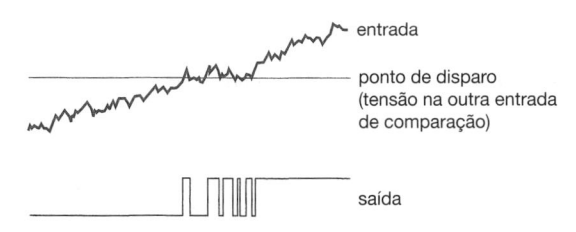

FIGURA 4.31 Um comparador sem histerese produz múltiplas transições a partir de um sinal de entrada ruidoso.

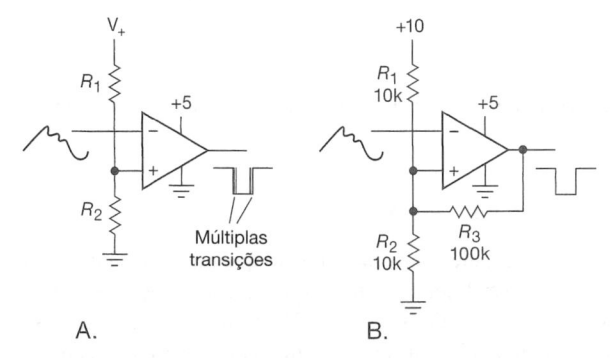

FIGURA 4.32 A realimentação positiva impede múltiplas transições do comparador. A. Comparador sem realimentação. B. A configuração *Schmitt trigger* usa um realimentação positiva para evitar várias transições de saída. CIs comparadores especiais são geralmente preferidos e são desenhadas com o mesmo símbolo.

B. Schmitt trigger

O circuito comparador simples na Figura 4.30 tem duas desvantagens. Para uma entrada variando muito lentamente, a variação de saída pode ser um pouco lenta. Pior ainda, se a entrada contiver ruído, a saída pode fazer várias transições conforme a entrada passa pelo ponto de disparo (*trigger*) (Figura 4.31). Esses dois problemas podem ser remediados pelo uso de realimentação *positiva* (Figura 4.32). O efeito de R_3 é fazer com que o circuito tenha dois limiares, dependendo do estado da saída. No exemplo mostrado, o limiar, quando a saída está no terra (entrada alta), é 4,76 volts, enquanto o limite com a saída em +5 volts é 5,0 volts. Uma entrada ruidosa é menos propensa a produzir múltiplos disparos (Figura 4.33). Por outro lado, a realimentação positiva assegura uma rápida transição de saída, independentemente da velocidade da forma de onda de entrada. (Um pequeno capacitor "*speed-up*" de 10 a 100 pF é, muitas vezes, conectado sobre R_3 para uma velocidade de comutação ainda melhor.) Essa configuração é conhecida como *Schmitt trigger*, uma função que

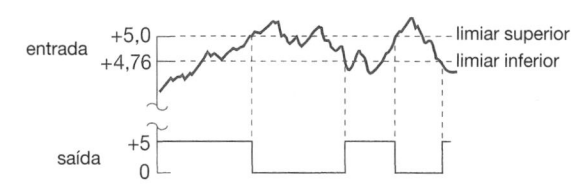

FIGURA 4.33 A histerese doma um comparador propenso ao ruído.

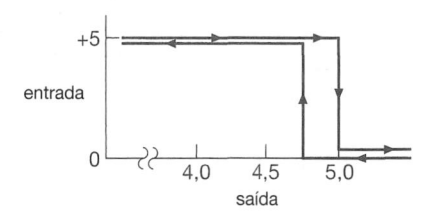

FIGURA 4.34 Saída *versus* entrada ("função de transferência") para *Schmitt trigger*.

vimos anteriormente em uma implementação com transistor discreto (Figura 2.13).

A saída depende tanto da tensão de entrada quanto da sua "história recente", um efeito denominado *histerese*. Isto pode ser ilustrado com um diagrama de saída *versus* entrada, como na Figura 4.34. O procedimento de projeto é fácil para *Schmitt triggers* que têm uma pequena quantidade de histerese. Use o circuito da Figura 4.32B. Primeiro, escolha um divisor resistivo (R_1, R_2) para colocar o limiar aproximadamente na tensão correta; se você quiser o limiar próximo do terra, é só usar um único resistor da entrada não inversora para o terra. Em seguida, escolha o resistor de realimentação (positiva) R_3 para produzir a histerese desejada, observando que a histerese é igual à variação da saída, atenuada por um divisor resistivo formado por R_3 e $R_1 \| R_2$. Por fim, se você estiver usando um comparador com saída de "coletor aberto", você deve adicionar um resistor *pull-up* na saída pequeno o suficiente para garantir uma variação quase completa no valor da alimentação, levando em conta o efeito de carga de R_3 (leia sobre saídas do comparador na Seção 12.3 e veja a Tabela 12.2). Para o caso em que você deseje limiares simétricos em relação ao terra, ligue um resistor de compensação de valor adequado da entrada não inversora para a alimentação negativa. Você pode querer dimensionar todos os valores de resistência para manter a corrente de saída e os níveis de impedância dentro de um intervalo razoável.

C. Acionador de chaveamento de potência

A saída de um comparador *Schmitt trigger* comuta abruptamente entre as tensões alta e baixa; não é um sinal contínuo (ou "linear"). Você pode querer usar a sua saída para ligar ou

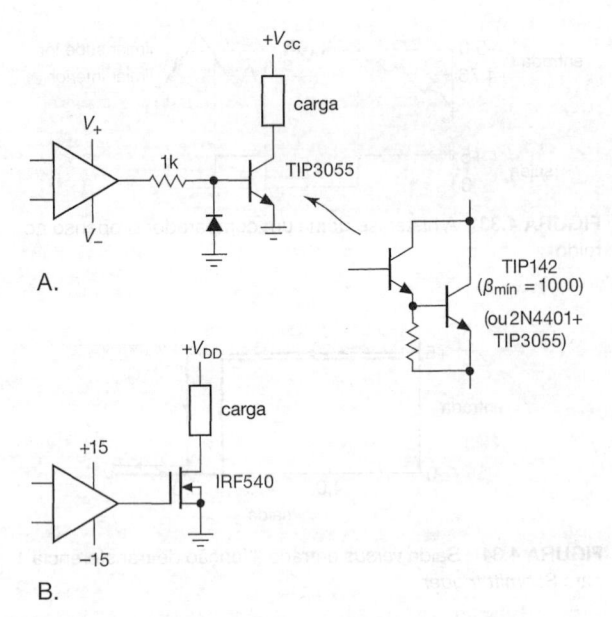

FIGURA 4.35 Chaveamento de potência com um AOP. A. Com bipolar *npn*; observe o limite de corrente de base e a proteção reversa. B. Com MOSFET de potência; observe o circuito de acionamento simplificado.

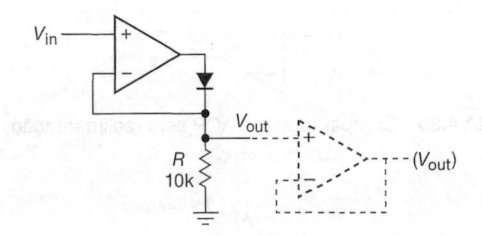

FIGURA 4.36 Retificador de meia onda ativo simples.

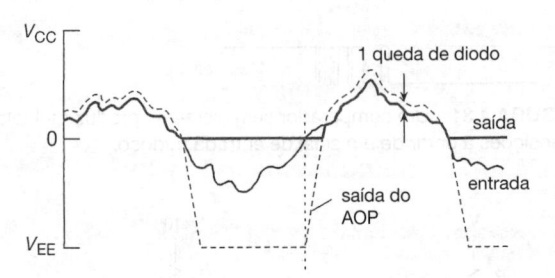

FIGURA 4.37 Efeito da taxa de variação finita no retificador ativo simples.

desligar uma carga substancial. Exemplos disso podem ser um relé, laser ou motor.

Para cargas que são ligadas ou desligadas, um transistor de comutação pode ser acionado a partir de um comparador ou AOP. A Figura 4.35A mostra como. Note que o diodo evita a ruptura base-emissor reversa (AOPs alimentados a partir de trilhos de alimentação dupla facilmente variam mais do que a tensão de ruptura base-emissor de −6 V); ele seria omitido se a alimentação negativa do AOP não fosse maior que −5 V. O TIP3055 é um transistor de potência comum clássico para aplicações de alta-corrente não críticas, mas você encontrará muita variedade de tipos disponíveis com tensão, corrente, dissipação de potência e velocidade máximas melhores (consulte a lista na Tabela 2.2). Um Darlington pode ser usado se correntes maiores do que cerca de 1 A forem necessárias no acionamento.

No entanto, em geral, você estará em melhor situação usando um MOSFET de potência canal *n*, caso em que você pode dispensar o resistor e o diodo completamente (Figura 4.35B). O IRF520[13] é um quase clássico – mas a variedade de MOSFETs de potência prontamente disponíveis é esmagadora (ver Tabela 3.4); em geral, você troca uma tensão de ruptura alta por uma resistência ON baixa.

Quando comutar cargas externas, não se esqueça de incluir um diodo reverso se a carga for indutiva (Seção 1.6.7).

D. Retificador ativo

A retificação de sinais menores do que uma queda de diodo não pode ser feita com uma simples combinação diodo-resistência. Como de costume, AOPs vêm para o resgate, neste caso, colocando um diodo na malha de realimentação (Figura 4.36). Para V_{in} positiva, o diodo fornece realimentação negativa; a saída do circuito segue a entrada, acoplado pelo diodo, mas sem uma queda V_{BE}. Para V_{in} negativa, o AOP vai para saturação negativa e V_{out} fica no terra. R pode ser escolhida menor para uma baixa impedância de saída, com o dilema da maior corrente de saída do AOP. A melhor solução é a utilização de um seguidor AOP na saída, como se mostra, para a produção de uma impedância de saída muito baixa, independentemente do valor da resistência.

Existe um problema com esse circuito, que se torna grave com sinais de alta velocidade. Como um AOP não pode variar sua saída infinitamente rápido, a recuperação a partir de saturação negativa (conforme a forma de onda de entrada passa por zero a partir de baixo) leva algum tempo, durante o qual a saída está incorreta. É como a curva mostrada na Figura 4.37. A saída (traço mais grosso) é uma versão retificada exata da entrada (traço mais fino), com exceção de um curto intervalo de tempo após a entrada aumentar ao passar por zero volt. Durante esse intervalo, a saída do AOP aumenta a partir da saturação nas proximidades de $-V_{EE}$, de modo que a saída do circuito ainda está no terra. Um AOP de uso geral como o 411 tem uma *taxa de variação* (taxa máxima em que a saída pode variar) de 15 V/µs; a recuperação da saturação negativa, por conseguinte, leva cerca de 1 µs (quando se opera a partir de fontes de ±15 V), o que pode introduzir um erro de saída significativo para sinais rápidos. Uma mo-

---
[13] Junto com dispositivos similares de maior corrente, o IRF530 e o IRF540 e os de alta tensão, as séries IRF620 a 640 e IRF720 a 740.

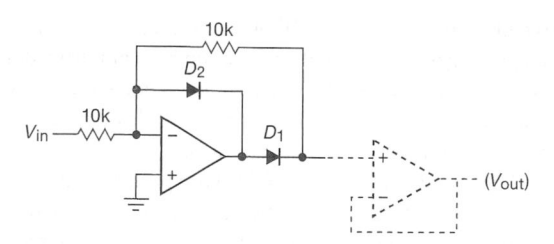

FIGURA 4.38 Retificador de meia onda ativo melhorado.

dificação no circuito melhora consideravelmente a situação (Figura 4.38).

D_1 faz do circuito um inversor de ganho unitário para sinais de entrada negativos. D_2 ceifa a saída do AOP em uma queda de diodo abaixo do terra para entradas positivas e, como D_1 é polarizado reversamente, V_{out} fica no terra. A melhora vem por causa de a saída do AOP variar apenas duas quedas de diodo conforme o sinal de entrada passa por zero. Devido à saída do AOP ter que variar apenas cerca de 1,2 volt em vez de V_{EE} volts, o "*glitch*" nos cruzamentos de zero é reduzido mais de 10 vezes. Aliás, esse retificador é inversor. Se você precisar de uma saída não inversora, conecte um inversor de ganho unitário na saída.

O desempenho desses circuitos é melhorado se você escolher um AOP com uma alta taxa de variação. A taxa de variação também influencia o desempenho de outras aplicações de AOP discutidas, por exemplo, os circuitos amplificadores de tensão simples. Em breve, daremos uma olhada no que os AOPs reais diferem do ideal – corrente de entrada, tensão de *offset*, largura de banda, taxa de variação e assim por diante –, pois você precisa saber sobre essas limitações se quiser projetar bons circuitos. Com esse conhecimento, também analisaremos alguns circuitos retificadores de *onda completa* ativos para complementar esses retificadores de meia-onda.[14] Em primeiro lugar, entretanto, gostaríamos de demonstrar um pouco de como é divertido projetar com AOPs mostrando alguns exemplos de circuitos do mundo real.

4.3.3 Aplicação de AOP: Oscilador de Onda Triângular

Esses fragmentos de circuitos AOP que exploramos – amplificadores, integradores, Schmitt triggers, etc. – são bastante interessantes; mas a verdadeira emoção em projetar circuitos vem quando você criativamente associa dispositivos para fazer "algo" com alguma aplicação. Um bom exemplo é um *oscilador* de onda triangular. Ao contrário de todos os outros circuitos anteriores, este não tem nenhum sinal de entrada; em vez disso, ele produz um sinal

de saída – neste caso, uma onda de triangular simétrica de 1 volt de amplitude. Como subproduto, você também ganha uma onda quadrada grátis. (Veremos muito mais exemplos de osciladores no Capítulo 7).

A ideia é primeiro utilizar um integrador (com uma tensão de entrada CC constante) para gerar uma rampa; precisamos mudar a inclinação da rampa quando ela atinge os seus limites de ±1 V, para isso, fazemos a saída do integrador (rampa) acionar um *Schmitt trigger* com limiares em ±1 V. Então, a saída do *Schmitt trigger* é o que deve determinar o sentido da rampa. Ah! Basta usar a sua saída (que alterna entre as tensões dos trilhos de alimentação) como a entrada para o integrador.

A Figura 4.39 apresenta uma implementação de circuito. É mais fácil começar com CI_2, que está conectado como um *Schmitt trigger não inversor* (parece com um amplificador inversor, mas não é; note que a realimentação vai para a entrada não inversora), por uma razão que veremos em breve. Essa configuração é usada com menos frequência do que o circuito de inversão convencional da Figura 4.32B, por causa de sua baixa impedância de entrada (e substancial corrente reversa no limiar). Importante, o LMC6482 tem uma variação de saída trilho a trilho, portanto, com fontes de alimentação de ±5 V, os seus limiares estão em ±1 V, definido por uma relação de 5: 1 de R_3 para R_2.

A saída de ±5 V do *Schmitt trigger* é a entrada do integrador CI_1. Escolhemos C_1 com um valor conveniente de 0,01 μF e, em seguida, calculamos R_1 para a rampa variar até 2 V em meio período (0,5 ms), usando 5 V/R_1 = I_{in} = $C_1 [dV/dt]_{rampa}$. O valor do resistor calculado de 125 kΩ (na figura, mostramos o resistor de valor padrão de 1%, "E96", mais próximo; ver Apêndice C) saiu razoável, dadas as características do AOP do mundo real, como aprenderemos mais adiante neste capítulo. Caso contrário, trocaríamos C_1; esta é a forma típica de como você chega a seus valores de componentes de circuito finais.

Exercício 4.7 Confirme se o valor de R_1 está correto e se os limiares de *Schmitt trigger* estão em ±1 V.

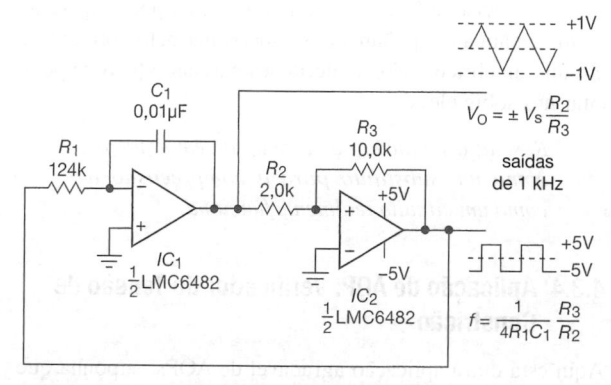

FIGURA 4.39 Oscilador de onda triangular.

---

[14] A associação de diodos retificadores comuns com AOPs permite que sinais próximos (e abaixo) da tensão de limiar de condução do diodo sejam retificados com precisão.

Agora, a razão para a conexão do CI$_2$ como um *Schmitt trigger não inversor* torna-se clara: se a saída do CI$_2$ estiver em -5 V, por exemplo, então a onda triangular estará aumentando para cima no sentido do limiar de $+1$ V do *Schmitt trigger*, ponto no qual a saída do *Schmitt trigger* alterna para $+5$ V, invertendo o ciclo. Se, ao contrário, tivéssemos usado a configuração do *Schmitt trigger* inversor mais convencional, o oscilador não oscilaria; nesse caso, ele "travaria" em um limite, como você pode verificar analisando um ciclo de operação.

As expressões para frequência e amplitude de saída são mostradas na figura. É interessante notar que a frequência é independente da tensão de alimentação; mas, se você alterar a relação dos resistores R_2/R_3 para alterar a amplitude de saída, também alterará a frequência. Às vezes, é bom desenvolver expressões algébricas para a operação do circuito, para ver essas dependências. Aqui estão as expressões neste caso:

$$\frac{dV}{dt} = \frac{I}{C} = \frac{V_S/R_1}{C_1},$$

assim

$$\Delta t = C_1 \frac{R_1}{V_S} \Delta V,$$

mas

$$\Delta V = 2\frac{R_2}{R_3}V_S,$$

assim

$$\Delta t = 2C_1 R_1 \frac{R_2}{R_3},$$

e assim, por fim,

$$f = \frac{1}{2\Delta t} = \frac{1}{4R_1 C_1}\frac{R_3}{R_2}. \quad (4.4)$$

Note como V_S é cancelada no quarto passo, que leva a uma frequência de saída independente da tensão de alimentação.

Um aviso: é fácil se deslumbrar com o poder aparente da matemática e rapidamente se apaixonar pelo "projeto de circuito algébrico". Nosso alerta neste assunto (e você pode citar-nos sobre ele) é:

> *Resista à tentação de se refugiar em equações como um substituto para a compreensão de como um circuito realmente funciona.*

4.3.4 Aplicação de AOP: Verificador da Tensão de Constrição

Aqui está outra aplicação agradável de AOPs: suponha que você queira medir um lote de JFETs, a fim de separá-los em grupos que são classificados pela tensão de constrição (*pinch-off*) V_{GS} (*off*) (às vezes, denominado V_P; ver Seção 3.1.3).

Isso é útil, pois a grande amplitude de valores de V_P especificada, por vezes, torna difícil projetar um bom amplificador.[15] Suponhamos que você deseje determinar a polarização reversa porta-fonte que resulta em uma corrente de dreno de 1 μA com o dreno em 10 V e a fonte aterrada.

Se você não sabia sobre AOPs, você poderia imaginar (a) aterrar a fonte, (b) conectar um medidor de corrente sensível do dreno para a alimentação de $+10$ V e, então, (c) ajustar a tensão da porta com uma alimentação negativa variável para um valor que produzisse uma corrente de dreno medida de 1 μA.

A Figura 4.40 mostra uma maneira melhor. O dispositivo sob teste (muitas vezes, você verá o acrônimo DUT – *device under test*) tem o seu dreno conectado em $+10$ V; mas o terminal da fonte, em vez de ser aterrado, está conectado à entrada inversora (terra virtual) de um AOP cuja entrada não inversora é aterrada. O AOP controla a tensão da porta, mantendo, assim, a fonte no terra. Uma vez que a fonte é puxada para baixo para -10 V através do resistor de 10M, a corrente da fonte (e, portanto, a corrente de dreno) é um 1 μA. A saída do AOP é a mesma que a tensão da porta, de modo que a saída deste circuito é a tensão de constrição que você queria saber.

Alguns detalhes:

- Escolhemos tensões de alimentação de ± 10 V para o AOP para tornar o restante do circuito mais simples, já que queríamos medir V_P com $+10$ V no dreno. Isso está bem, pois a maioria dos AOPs funciona bem ao longo de uma faixa de tensões de alimentação (na verdade, a tendência é voltada a tensões operacionais mais baixas, impulsionada pelo mercado de dispositivos de consumo alimentados por bateria). Mas, se você tiver apenas ± 15 V disponíveis, teria que gerar $+10$ V dentro do seu circuito, seja com um divisor de tensão, um zener ou um regulador de tensão de 3 terminais (ver Capítulo 9).
- Colocamos um resistor de 100k (R_1) como proteção em série com a porta para impedir que qualquer corrente de porta significativa flua durante os transientes de conexão, etc. Isso pode introduzir um deslocamento de fase

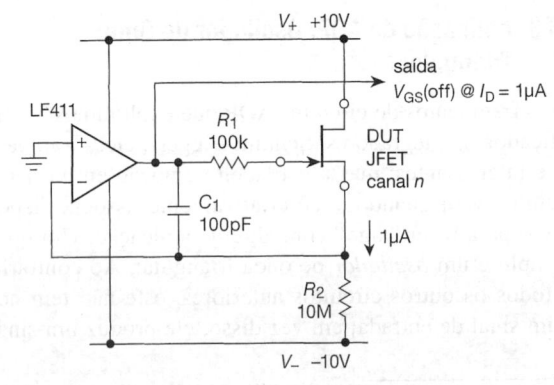

FIGURA 4.40 Testador de tensão de constrição simples.

---
[15] Você também pode usar este mesmo circuito para classificar a tensão de limiar, V_{GSth}, de um conjunto de MOSFETs.

atrasada em torno do circuito em frequências elevadas (tal como o grande resistor *pull-down* R_2), então adicionamos um pequeno capacitor C_1 de realimentação para manter a estabilidade. Falamos sobre esse negócio de estabilidade até o final do capítulo, na Seção 4.9.

- Para este circuito funcionar corretamente, é importante que a entrada inversora do AOP não exerça carga no terminal da fonte, por exemplo, consumindo algo que se aproxime de 1 μA de corrente. Conforme aprenderemos em breve, esse nem sempre é o caso. Para este exemplo, o nosso AOP 411 de propósito geral, com seus transistores de entrada JFET, é bom (com correntes de entrada de picoampères); mas um AOP que utiliza transistores bipolares em seu estágio de entrada tem, em geral, correntes de entrada de dezenas a centenas de nanoampères e deve ser evitado para uma aplicação de baixa corrente como esta.

- A corrente de dreno na qual a tensão de constrição é especificada nem sempre é 1 μA. Você verá $V_{GS(off)}$ especificada em valores de corrente de dreno que variam de 1 nA a dezenas de microampères, dependendo do tamanho do JFET e dos caprichos do fabricante. (Em uma pesquisa informal em folhas de dados, encontramos 1 nA como o valor mais comum, seguido de 1 μA, 10 nA e 0,5 nA, com cinco outros valores utilizados ocasionalmente.) Seria fácil modificar o circuito para acomodar maiores correntes der teste; mas, para passar para 10 nA, digamos, seria necessário um resistor de 1 GΩ para R_2! Nesse caso, a melhor solução é retornar o resistor *pull-down* para uma tensão mais baixa, por exemplo, $-0{,}1$ V, que poderia ser gerada com um divisor de tensão a partir da alimentação negativa de -10 V. Você teria a preocupação novamente sobre correntes de entrada AOP com tal corrente de teste pequena.

Exercício 4.8 Mostre como fazer o testador de constrição operar a partir de alimentações de ± 15 V, com a medição feita ainda para $V_D = +10$ V; considere que o maior valor do resistor disponível é 10 MΩ.

Exercício 4.9 Modifique o circuito testador de constrição da Figura 4.40 de modo que seja possível medir V_{GS} em três valores de corrente de dreno – a saber, 1 μA, 10 μA e 100 μA – através do ajuste de uma chave de 3 posições. Suponha que o maior valor de resistor que você pode facilmente obter seja de 10 MΩ.

Exercício 4.10 Agora altere o circuito para que ele meça $V_{GS(off)}$ para $I_D = 1$ nA. Suponha que você possa obter resistores de 100 MΩ/5%.

4.3.5 Gerador de Largura de Pulso Programável

Quando disparado por um curto pulso de entrada, o circuito na Figura 4.41 gera um pulso[16] de saída cuja largura é definida pelo potenciômetro de 10 voltas R_1. Eis como ele funciona.

CI_1, CI_2 e Q_1 formam uma fonte de corrente que carrega o capacitor de temporização C, como veremos detalhadamente a seguir. O CI_3 é um CI temporizador versátil, cujas muitas proezas desfrutaremos no Capítulo 7. Ele mantém C descarregado (através de uma chave MOSFET saturada cujo dreno aciona o pino DIS para o terra) e, simultaneamente, mantém a saída aterrada, até que ele receba um pulso de disparo negativo no pino de entrada TRIG, ponto no qual ele libera DIS e comuta sua saída para V_+, neste caso, $+5$ V.

A fonte de corrente agora carrega C com uma rampa positiva contínua, de acordo com $I = C dv/dt$. Isso continua até que a tensão do capacitor, que também aciona a entrada TH do CI_3, atinge uma tensão igual a 2/3 da tensão de alimentação, $V_{TH} = \frac{2}{3}V_+$; neste ponto, o CI_3 puxa abruptamente DIS de volta ao terra, simultaneamente comutando a sua saída para o terra. Isso completa o ciclo.

A fonte de corrente é um circuito elegante. Queremos fornecer uma corrente para o capacitor, com compliance desde o terra até pelo menos $+3{,}3$ V (2/3 de $+5$ V), com controle linear por um potenciômetro que retorna ao terra. Por razões que veremos em breve, queremos que a corrente programada seja proporcional à tensão de alimentação V_+. Neste circuito, Q_1 é a fonte de corrente, com o CI_2 controlando sua base para manter seu emissor em 5 V. O CI_1 é um amplificador inversor referenciado em $+5$ V; ele articula a sua saída para uma tensão que excede $+5$ V por um valor proporcional à corrente que flui através de R_1 e R_2. Esse excesso de tensão aparece em R, gerando a corrente de saída. Você aprenderá como ele funciona resolvendo o seguinte problema.

Exercício 4.11 Determine a corrente fornecida por Q_1 por meio do cálculo da tensão de saída do CI_1 como uma função de R_X (a soma de R_1 e R_2), R_3 e V_+. Agora use esse cálculo para determinar a largura de pulso de saída, sabendo que o CI_3 comuta quando a tensão em TH atinge $\frac{2}{3}V_+$.

Esse circuito é uma ilustração da utilização de técnicas *ratiométrica*: para um dado valor de R_1, a corrente de carga I do capacitor e a tensão de limiar do CI temporizador V_{TH} dependem individualmente da tensão de alimentação V_+; mas a sua variação é tal que a largura final do pulso T não depende de V_+. É por isso que a fonte de corrente foi projetada com $I \propto V_+$. O uso de técnicas ratiométricas é uma maneira elegante de projetar circuitos com excelente desempenho, muitas vezes sem a necessidade de um controle preciso de tensões da fonte de alimentação.

4.3.6 Filtro Passa-Baixas Ativo

Os filtros RC simples que vimos no Capítulo 1 têm um decaimento suave; isto é, a sua resposta em função da frequência não progride acentuadamente da banda de passagem para a banda de corte. Talvez, surpreendentemente, esse comportamento não possa ser resolvido simplesmente conectando

---
[16] Mais sobre pulsadores, para os interessados, na Seção 7.1.4B e 7.2.

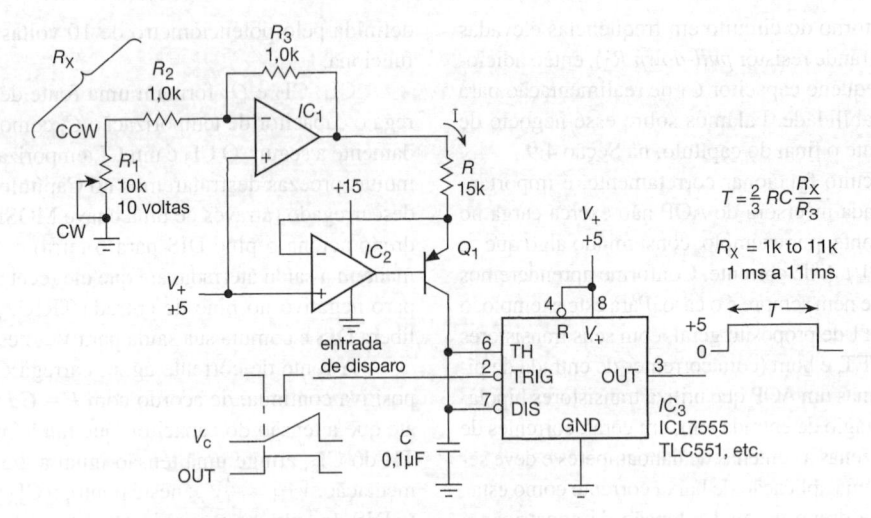

FIGURA 4.41 Gerador de pulso com largura programável.

em cascata múltiplos estágios, como veremos em detalhes no Capítulo 6 (e, em especial, em conexões com *filtros ativos*, Seção 6.3). Filtros de desempenho muito melhores podem ser obtidos se forem incluídos indutores e capacitores, ou, de forma equivalente, se você "ativar" o projeto do filtro usando AOPs.

A Figura 4.42 apresenta um exemplo de um filtro simples e intuitivo, mesmo parcialmente. Esta configuração é conhecida como filtro Sallen-Key, em homenagem a seus inventores. O amplificador de ganho unitário pode ser um AOP conectado como um seguidor, ou um CI *buffer* de ganho unitário, ou apenas um seguidor de emissor. Este filtro em especial é um filtro passa-baixas de segunda ordem. Note que seria simplesmente um par de filtros passa-baixas RC passivos conectados em cascata, com exceção para o fato de que a parte inferior do primeiro capacitor faz o *bootstrap* pela saída. É fácil ver que, a altas frequências (bem além de $f = 1/2\pi RC$), cai como um RC em cascata, isto é, a -12 dB/oitava, pois a saída é, essencialmente, zero (e, portanto, a primeira extremidade inferior do capacitor é eficientemente aterrada). À medida que a frequência é reduzida e se aproxima da banda passante, no entanto, a ação de *bootstrap* tende a reduzir a atenuação, dando, assim, um "joelho" mais pronunciado para a curva de resposta em função da frequência. Plotamos a resposta em função da frequência, com três valores de "sintonia" de R e C.[17]

Claro, tal aceno não pode substituir uma análise honesta, que felizmente já foi feita para uma variedade prodigiosa de bons filtros. E as ferramentas de simulação analógica baseada no SPICE de propósito geral contemporâneas, ou software de análise de filtro especial, permitem que você crie e visualize curvas de resposta de filtro com relativa facilidade.

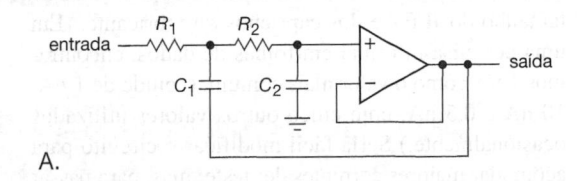

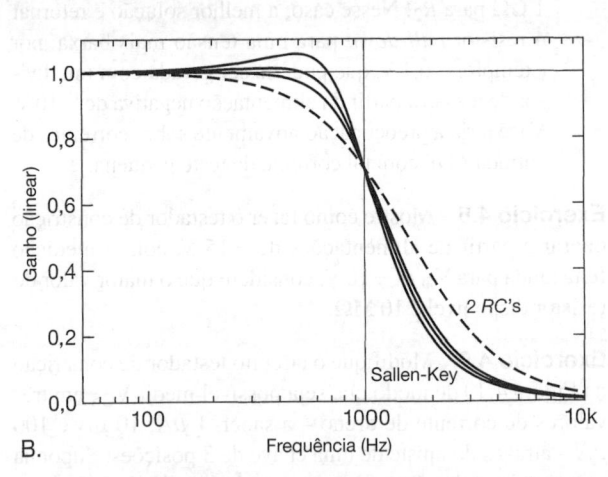

FIGURA 4.42 Filtro passa-baixas ativo Sallen-Key: A. Esquemático; B. Resposta de frequência, em comparação com uma conexão em cascata de duas seções passivas RC.

4.4 UM OLHAR DETALHADO SOBRE O COMPORTAMENTO DO AOP

Temos indicado que AOPs não são perfeitos e que o desempenho dos circuitos, tais como retificadores ativos e Schmitt triggers, é limitado pela velocidade do AOP, ou "taxa

---

[17] Butterworth e dois Chebyshevs (0,1 dB e 0,5 dB de ondulação na banda de passagem), passando de uma resposta mais plana para uma de maior ondulação; para o Butterworth, por exemplo, os valores dos componentes são $C_1 = 10$ nF, $C_2 = 2$nF, $R_1 = 12,7$k e $R_2 = 100$k. Filtros ativos são discutidos em detalhe no Capítulo 6.

de variação". Para essas aplicações, um AOP de alta velocidade é, muitas vezes, necessário. Mas a taxa de variação é apenas um de uma meia dúzia de parâmetros importantes de AOPs, que incluem tensão de *offset* de entrada, corrente de polarização de entrada, faixa de modo comum de entrada, ruído, largura de banda, variação de saída e tensão e corrente de alimentação. Para fazer uma afirmação justa, AOPs são dispositivos notáveis, com desempenho próximo do ideal para a maioria das aplicações que possam vir a encontrar. Para expressar isso quantitativamente, pense na dificuldade de projetar, com transistores discretos e outros componentes, um amplificador diferencial CC de alto ganho que tenha uma corrente de entrada inferior a um picoampère, um *offset* a partir de um balanceamento perfeito de menos de um milivolt, uma largura de banda de vários megahertz e que opera com suas entradas em qualquer ponto entre as duas tensões de alimentação. Você pode obter tal AOP por um dólar; ele vem em um encapsulamento minúsculo, medindo 1,5 mm × 3 mm, e consome menos de um miliampère.

Mas AOPs *têm* limitações de desempenho – é por isso que existem milhares de tipos disponíveis –, e, em geral, você se depara com um dilema: conseguir uma corrente de polarização muito mais baixa (por exemplo) em detrimento da tensão de *offset*. Um bom entendimento das limitações do AOP e sua influência no projeto e no desempenho do circuito lhe ajudará a escolher seus AOPs com sabedoria e a desenvolver projetos com eles de forma eficaz.

Para motivar o assunto, imagine que você tenha sido convidado a projetar um amplificador CC, de modo que pequenas tensões (0 a 10 mV) possam ser vistas em uma escala de um medidor analógico. IeE deve ter, pelo menos, 10 MΩ de resistência de entrada e uma precisão de 1% ou menos. Sem problemas, você diz... Eu só vou usar a configuração do amplificador não inversor (para obter alta resistência de entrada), com muito ganho (×1000, digamos, de modo que 10 mV são amplificados para 10 V). A velocidade não é um problema, deste modo você não se preocupa com a taxa de variação. Com total confiança, você desenha o circuito (com um AOP LF411), o técnico o monta e... o seu chefe o demite! A coisa foi um desastre: ele indicou 20% do fundo de escala sem nenhuma entrada conectada e sofreu uma deriva louca quando foi usado ao ar livre. Ele funciona bem... como um *peso de papel*.[18]

Para começar, veja a Figura 4.43, um esquema simplificado do LF411. Seu circuito é relativamente simples, considerando os tipos de circuitos transistorizados que discutimos nos dois últimos capítulos. Ele tem um estágio de entrada diferencial JFET, com uma carga ativa espelho de corrente, função *buffer* com um seguidor *npn* (para impedir o efeito de carga do estágio de entrada de alto ganho) acionando um estágio *npn* de emissor aterrado (com fonte de corrente como carga ativa). Este aciona o estágio de saída seguidor

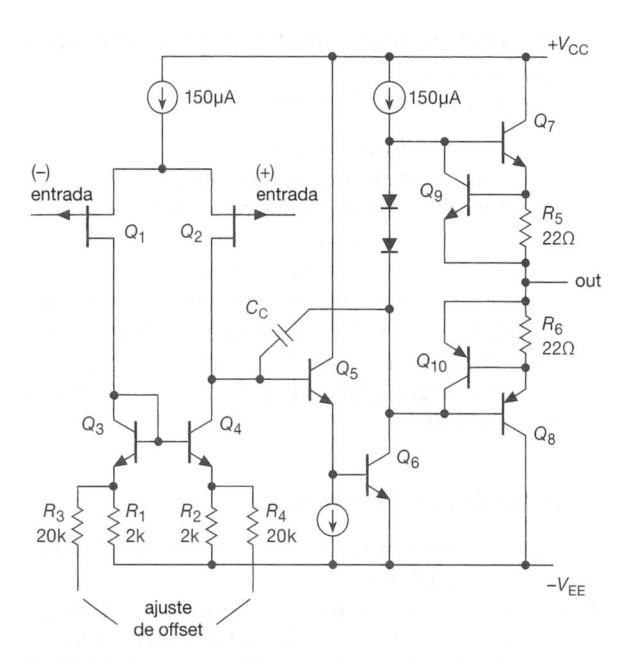

FIGURA 4.43 Esquemático simplificado do AOP LF411.

de emissor *push-pull* ($Q_7 Q_8$), com circuito de limitação de corrente ($R_5 Q_9$ e $R_6 Q_{10}$) para proteger contra curto-circuito na saída.[19] O curioso capacitor de realimentação C_C assegura a estabilidade; aprenderemos sobre isso mais tarde. Esse circuito apresenta a característica de circuito interno de um AOP típico, e, a partir dele, podemos ver como e por que o desempenho do AOP se afasta do ideal.

Exercício 4.12 Explique como o circuito limitador de corrente na Figura 4.43 funciona. Qual é a corrente máxima de saída?

Exercício 4.13 Explique a função dos dois diodos no estágio de saída.

Observaremos esses problemas e veremos quais são as consequências para o projeto de circuitos e o que fazer sobre isso.

4.4.1 Desvio do Desempenho do AOP a Partir do Ideal

O AOP ideal tem as seguintes características:

- Corrente de entrada = 0 (impedância de entrada = ∞).
- $V_{out} = 0$ quando ambas as entradas estão precisamente na mesma tensão ("tensão de *offset*" zero).
- Impedância de saída (malha aberta) = 0.
- Ganho de tensão = ∞.
- Ganho de tensão de modo comum = 0.

---

[18] Consultaremos este exemplo na Seção 4.4.3 e novamente, com mais detalhes, no Capítulo 5.

[19] O esquemático *detalhado* do LF411 revela uma configuração de limitação de corrente negativa mais elaborada; verifique-a na folha de dados para ver se consegue entender como ela funciona.

- A saída pode mudar instantaneamente (taxa de variação infinita).
- Ausência de "ruído" adicionado.

Todas essas características devem ser independentes de variações de temperatura e tensão de alimentação.

Nos parágrafos seguintes, descrevemos como os AOPs reais se afastam dessas características ideais. À medida que você se empenha ao longo de seções cheias de dados, pode ser que queira consultar a Tabela 4.1 para manter a perspectiva. As Tabelas 4.2a, b, 5.5 e 8.3 podem ser úteis também para ver alguns números reais. E veremos novamente estes em mais detalhes no Capítulo 5 (Seções 5.7 e 5.8) junto com o projeto de circuitos de precisão.

A. Tensão de *offset* de entrada

AOPs não têm estágios de entrada perfeitamente balanceados, devido a variações de fabricação. O problema é pior com FETs, com seu casamento menos eficaz dos limiares de entrada. Se conectar as duas entradas do AOP em conjunto para criar exatamente o sinal de entrada diferencial zero, a saída geralmente saturará em V_+ ou V_- (você não pode prever qual). A diferença nas tensões de entrada necessária para levar a saída para zero é denominada tensão de *offset* de entrada, V_{OS} (é como se houvesse uma bateria com essa tensão em série com uma das entradas). Tensões de *offset* típicas estão em torno de 1 mV, mas AOPs de "precisão" podem ter tensões de *offset* tão pequenas quanto 10 μV. Alguns AOPs fazem provisão para ajustar a tensão de *offset* de entrada para zero. Para um 411, conecta-se um potenciômetro de 10k entre os pinos 1 e 5 ("ajuste de *offset*" na Figura 4.43), com o cursor conectado a V_{EE}, e ajusta-se para zero o *offset*; o efeito é desbalancear deliberadamente o espelho de corrente para compensar o *offset*.

B. Deriva da tensão de *offset*

De maior importância para aplicações de precisão é a deriva da tensão de *offset* de entrada com a temperatura e o tempo, uma vez que qualquer *offset* inicial poderia ser ajustado manualmente para zero. Um 411 tem uma típica tensão de *offset* de 0,8 mV (2 mV máximo), com um coeficiente de temperatura de $\Delta V_{OS}/\Delta T = 7$ μV/°C e um coeficiente não especificado de deriva do *offset* com o tempo. O OP177A, um AOP de precisão, é ajustado com laser para um *offset* máximo de 10 μV, com um coeficiente de temperatura de 0,1 μV/°C (máx) e deriva de longo prazo de 0,2 μV/mês (típico) – cerca de uma centena de vezes melhor tanto no *offset* quanto no coeficiente de temperatura.

C. Corrente de entrada

Os terminais de entrada absorvem (ou fornecem, dependendo do tipo de AOP) uma pequena corrente denominada corrente de polarização de entrada, I_B, que é definida como metade da soma das correntes de entrada com as entradas interconectadas (as duas correntes de entrada são aproximadamente iguais e são simplesmente as correntes de base ou porta dos transistores de entrada). Para o 411, com entrada JFET, a corrente de polarização é tipicamente de 50 pA (200 pA máx) à temperatura ambiente (mas até 4 nA a 70°C), enquanto um AOP com entrada BJT típico, como o OP27, tem uma corrente de polarização de 15 nA, que varia pouco com a temperatura. Como uma aproximação, os AOPs com entrada BJT têm correntes de polarização de dezenas de nanoampères, enquanto AOPs com entrada JFET têm correntes de entrada de dezenas de picoampères (ou seja, 1000 vezes inferior), e AOPs com entrada MOSFET têm correntes de entrada de tipicamente um picoampère ou menos. De um modo geral, pode-se ignorar a corrente de entrada de AOPs FET, mas não com AOPs com entrada bipolar.[20]

A importância da corrente de polarização de entrada é que ela provoca uma queda de tensão nos resistores da rede de realimentação, rede de polarização ou impedância de fonte. O quão pequeno um resistor que limita você depende do ganho CC de seu circuito e de quanta variação de saída você pode tolerar. Por exemplo, a corrente de entrada máxima de um LF412 de 200pA significa que você pode tolerar resistências (visto a partir dos terminais de entrada) de até ~5 MΩ antes de ter que se preocupar com isso no nível de 1 mV.

Veremos mais sobre como isso funciona posteriormente. Se o seu circuito é um integrador, a corrente de polarização produz uma rampa lenta, mesmo quando não há corrente de entrada externa para o integrador.

AOPs estão disponíveis com correntes de polarização de entrada abaixo de um nanoampère ou menos para os tipos de circuitos com entrada bipolar, ou abaixo de uma fração de picoampère (10^{-6} μA) para os tipos de circuitos com entrada MOSFET. As correntes de polarização muito mais baixas são caracterizadas pelo LT1012 com entrada BJT, com uma corrente típica de 25 pA, o OPA129 com entrada JFET, com uma corrente de entrada de 0,03 pA, e o LMC6041 com entrada MOSFET, com uma corrente de entrada de 0,002 pA. Em contrapartida, AOPs BJT muito rápidos, como o THS4011/21 (~300 MHz), têm correntes de entrada de 3 μA. Em geral, AOPs BJT destinados à operação de alta velocidade têm correntes de polarização superiores.

D. Corrente de *offset* de entrada

Corrente de *offset* de entrada é um nome chique para a diferença das correntes de entrada entre as duas entradas. Ao contrário da corrente de polarização de entrada, a corrente de *offset*, I_{OS}, é resultado de variações de fabricação, visto que um circuito de entrada simétrica de AOP, de outro modo, resultaria em correntes de polarização idênticas nas duas entradas. Sua importância é que, mesmo quando ele é acionado por impedância de fonte idênticas, o AOP verá quedas de ten-

---

[20] Há um bom truque, chamado *cancelamento de corrente de polarização*, usado em alguns AOPs BJT para conseguir correntes de entrada muito baixas, de até décimos de picoampère. Consulte novamente a Figura 2.98.

TABELA 4.1 Parâmetros[a] de AOP

Parâmetro	bipolar (BJT)		entrada JFET		CMOS		Unidades
	comum	premium	comum	premium	comum	premium	
V_{os} (máx)	3	0,025	2	0,1	2	0,1	mV
TCV_{os} (máx)	5	0,1	20	1	10	3	μV/°C
I_B (típico)	50nA	25pA	50pA	40fA	1pA	2fA	@ 25°C
e_n (típico)	10	1	20	3	30	7	nV/√Hz @ 1kHz
f_T (típico)	2	2000	5	400	2	10	MHz
SR (típico)	2	4000	15	300	5	10	V/μs
V_s (mín)[b]	5	1,5	10	5	2	1	V
V_s (máx)[b]	36	44	36	36	15	15	V

Notas: (a) valores típicos e "melhores" de parâmetros de desempenho de AOPs importantes. (b) fonte total: $V_+ - V_-$.

Valores típicos e "melhores" de importantes parâmetros de desempenho de AOPs. Nesta tabela, listamos os valores para os dispositivos comuns e para os melhores AOP que você pode obter *para cada parâmetro individual*. Ou seja, você não pode obter um único AOP que tenha a combinação de excelente desempenho apresentado em qualquer uma das colunas "*premium*". Nesta tabela, você pode ver claramente que AOPs bipolares se sobressaem em precisão, estabilidade, velocidade, ampla faixa de tensão de alimentação e ruído, em detrimento da corrente de polarização; os tipos com entrada JFET são intermediários, com os AOPs CMOS exibindo a menor corrente de polarização.

são diferentes e, portanto, uma diferença de tensão entre suas entradas. Você verá em breve como isso influencia o projeto.

Normalmente, a corrente *offset* está em algum ponto entre metade e um décimo da corrente de polarização. Para o 411, I_{offset} = 25 pA, típico. No entanto, para AOPs com polarização compensada (como a OPA177), a corrente de *offset* especificada e a corrente de polarização são comparáveis, por razões que veremos no Capítulo 5.

E. Impedância de entrada

Impedância de entrada se refere à resistência de entrada diferencial de pequeno sinal[21] (impedância olhando para uma entrada, com a outra entrada aterrada), que é geralmente muito menor do que a resistência de modo comum (um estágio de entrada típico se parece com um par de cauda longa com fonte de corrente). Para o 411 com entrada FET, é de cerca de 10^{12} Ω, enquanto para AOPs com entrada BJT, como o LT1013, é de cerca de 300 MΩ. Por causa do efeito de *bootstrap* na entrada de realimentação negativa (ele tenta manter as entradas na mesma tensão, eliminando, assim, a maior parte do sinal diferencial de entrada), Z_{in}, na prática, é aumentado para valores muito altos e, geralmente, não é tão importante como o parâmetro de corrente de polarização de entrada.

F. Faixa de entrada de modo comum

As entradas para um AOP deve permanecer dentro de uma determinada faixa de tensão, tipicamente menor do que a faixa de alimentação total, para uma operação adequada. Se as entradas forem além dessa faixa, o ganho do AOP pode mudar drasticamente, mesmo invertendo o sinal! Para um 411 operando a partir de fontes de ±15 volts, a faixa de entrada de modo comum garantida é ±11 volts mínimo.

No entanto, o fabricante afirma que o 411 operará com entradas de modo comum por toda a alimentação positiva, ainda que o desempenho possa ser prejudicado. Trazer uma ou outra entrada até a tensão de alimentação negativa faz o amplificador ficar fora de controle, com sintomas como inversão de fase[22] e saturação da saída para a alimentação positiva. A partir do circuito na Figura 4.43, você pode ver por que o LF411 não pode operar com valores de tensões de entrada do trilho negativo; isso colocaria os terminais de fonte do par de JFETs de entrada abaixo do trilho negativo, levando-os para fora da região ativa.

Há muitos AOPs disponíveis com entrada de modo comum que variam até a alimentação negativa – por exemplo, o bipolar LT1013 e os tipos CMOS TLC2272 e LMC6082; estes são, muitas vezes, referidos como "AOPs de alimentação simples" (ver Seção 4.6.3). Existem também alguns AOPs cuja faixa de entrada de modo comum inclui a alimentação positiva – por exemplo, o LF356 com entrada JFET. Com a tendência de menores tensões de alimentação para equipamentos movidos a bateria, os projetistas de AOPs têm oferecido variedades que podem acomodar sinais de entrada em toda a faixa entre as tensões de alimentação; estes são chamados trilho a trilho, porque as tensões de alimentação são,

---

[21] Não V_{in}/I_{pol}!

[22] Os AOPs populares e baratos (0,07 dólar em grande quantidade) LM358 e LM324 de alimentação simples sofrem de reversão de fase de entrada para entradas maiores que 400 mV abaixo do trilho negativo. Substituições por dispositivos melhores, como o LT1013 e o LT1014, corrigem esse problema (e também o problema de distorção de cruzamento de saída).

muitas vezes, denominadas *trilhos* de alimentação.[23] Exemplos são o CMOS LMC6482 e a série TLV2400 e os bipolares LM6132, LT1630 e a série LT6220. Estes têm uma característica adicional boa de serem capazes de variar suas saídas por todo o percurso até os trilhos (consulte a seção sobre variação da saída a seguir). Eles parecem ser AOPs ideais; no entanto, como discutimos nas Seções 5.7, 5.9 e 5.10, AOPs trilho a trilho tipicamente fazem ajustes que afetam outras características, sobretudo a tensão de *offset*, a impedância de saída e a corrente de alimentação. Há, além disso, alguns AOPs (*muito* poucos) que operam corretamente para tensões de entrada *acima* do trilho positivo (por exemplo, o destaque LT1637, listado na Tabela 4.2a).

Em adição à faixa de modo comum de *operação*, existem tensões de entrada máximas admissíveis, para além das quais haverá danos. Para o 411, são ±15 volts (mas não exceda a tensão de alimentação negativa, se for menor).

G. Faixa de entrada diferencial

Alguns AOPs bipolares permitem apenas uma tensão limitada entre as entradas, às vezes tão pequena como ±0,5 volts, embora a maioria seja mais tolerante, permitindo entradas diferenciais quase tão grande quanto as tensões de alimentação. Superar as especificações máximas pode degradar ou destruir o AOP.

H. Variação da saída *versus* resistência de carga

O LF411, típico de muitos AOPs, não pode variar sua saída mais próximo do que um ou dois volts de qualquer linha de alimentação, mesmo com uma carga leve ($R_L > 5k$, por exemplo). Isso porque o estágio de saída é um seguidor de emissor *push-pull*, por isso mesmo um acionamento trilho a trilho completo em suas bases deixaria a saída a uma queda de diodo próxima de ambos os trilhos; o circuito de acionamento tem também suas próprias dificuldades chegando perto dos trilhos, e os resistores sensores de limitação de corrente R_5 e R_6 impõem uma queda de tensão adicional, o que explica o déficit.

Para baixos valores de resistência de carga, o circuito de limitação de corrente interno definirá a variação máxima. Por exemplo, o 411 pode variar a sua saída para dentro de cerca de dois volts de V_{CC} e V_{EE} em resistências de carga maiores do que cerca de 1k. Resistências de carga significativamente menores do que essa permitirão apenas uma pequena variação. Isso é frequentemente mostrado em folhas de dados em forma de gráfico da variação da tensão de saída de pico a pico V_{om} como uma função da resistência de carga, ou,

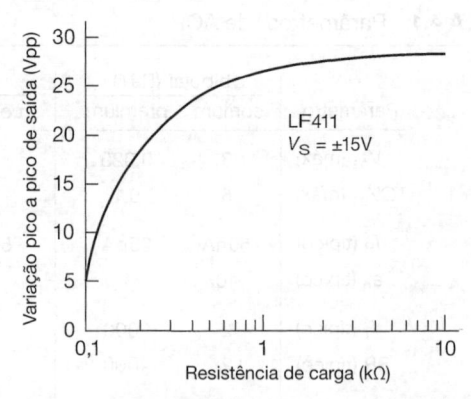

FIGURA 4.44 Variação máxima de pico a pico de saída *versus* carga (LF411).

por vezes, apenas alguns valores para as resistências de carga típicas. A Figura 4.44 mostra o gráfico da folha de dados para o LF411. Muitos AOPs têm capacidade de acionamento de saída assimétrica, com a capacidade de absorver mais corrente do que eles podem fornecer (ou vice-versa). Por essa razão, muitas vezes, você vê variações de saída máxima plotadas *versus* a corrente de carga como curvas separadas para saída fornecendo e absorvendo corrente de uma carga. A Figura 4.45 mostra esses gráficos para o LF411.

Alguns AOPs podem produzir variações de saída até a alimentação negativa (por exemplo, o bipolar LT1013 e CMOS TLC2272), um recurso especialmente útil para circuitos que operam a partir de uma fonte de alimentação simples positiva, porque as variações de saída até o terra são, dessa forma, possíveis. Por fim, AOPs com saídas a transistor CMOS em uma configuração de amplificador de fonte comum[24] (por exemplo, a série LMC6xxx) podem variar por todo o percurso para ambos os trilhos. Para tais AOPs, um gráfico muito mais útil traça o quão perto a saída pode chegar de cada trilho da fonte de alimentação em função da corrente de carga (tanto fornecendo quanto absorvendo). Um exemplo é mostrado na Figura 4.46 para o CMOS de trilho a trilho LMC6041. Observe o uso efetivo dos eixos log-log, assim você pode constatar com precisão o fato de que esse AOP pode variar para dentro de 1 mV dos trilhos quando fornece 10 μA de corrente de saída e que a sua resistência de saída é de aproximadamente 80 Ω (absorção) e 100 Ω (fornecimento). Você pode encontrar AOPs bipolares que partilham essa propriedade sem a faixa de tensão de alimentação limitada dos AOPs CMOS (geralmente, ±8 V máximo) – por exemplo, a família LM6132/42/52 e o LT1636/7.

I. Impedância de saída

Impedância de saída R_o significa impedância de saída intrínseca do AOP *sem realimentação* (veja a Figura 2.90). Para

---

[23] O termo "Rail-to-Rail®" (trilho a trilho) aparentemente é uma marca registada da Nippon Motorola Ltd, que acreditamos ter sido de uso comum em eletrônica por décadas. Isto pode vir a ser uma reivindicação de propriedade precipitada por parte da empresa, assim como a marca registrada "TRISTATE®" da National Semiconductor, que simplesmente levou a indústria a adotar o termo não proprietário "3-state" em referências escritas (e, na maioria dos casos, para a pronúncia ficar como "tristate").

[24] Ou saídas de transistor bipolar em uma configuração emissor-comum.

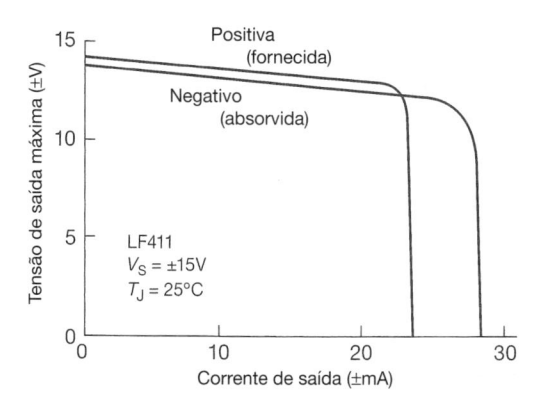

FIGURA 4.45 Tensão máxima de saída (fornecida e absorvida) em função da corrente de carga (LF411). A capacidade de corrente de saída máxima diminui ~25% para $T_J = 125°C$.

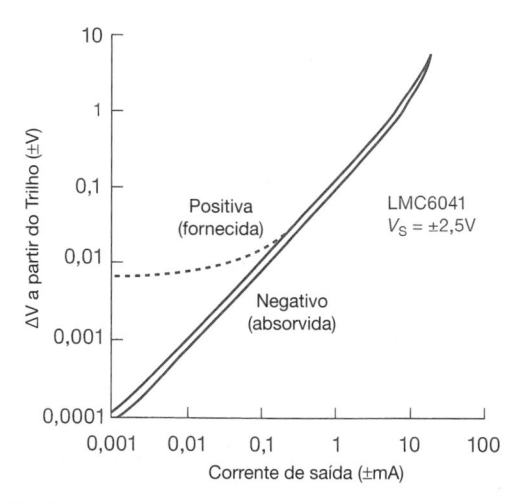

FIGURA 4.46 Variação máxima (conforme ΔV a partir dos respectivos trilhos) *versus* corrente de carga para um AOP CMOS com saída trilho a trilho. As curvas em linha contínua são valores medidos; você não pode confiar sempre em folhas de dados – neste caso, a curva de fornecimento da folha de dados (curva tracejada) é evidentemente um erro.

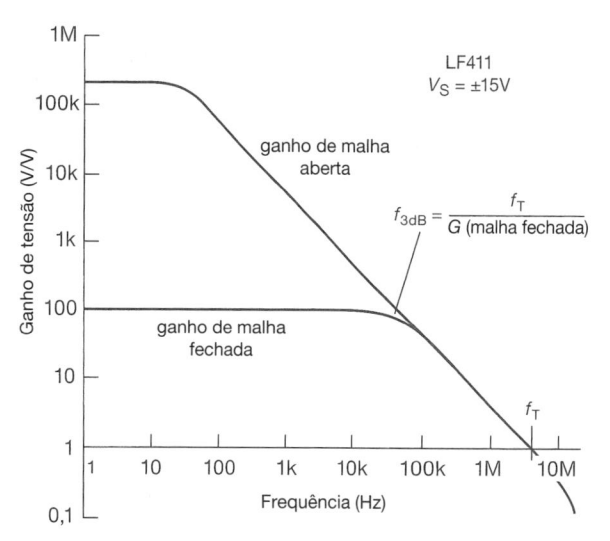

FIGURA 4.47 Ganho em função da frequência ("gráfico de Bode") do LF411.

o 411, é cerca de 40 Ω, mas, com alguns AOPs de baixa potência, pode ser tão elevada quanto vários milhares de ohms, uma característica compartilhada por alguns AOPs com saídas trilho a trilho. A realimentação diminui a impedância de saída para um valor insignificante (ou a aumenta, para uma fonte de corrente), por um fator de ganho de malha AB (ver Seção 2.5.3C); então, o que geralmente é mais importante é a corrente de saída máxima, com valores típicos de ±20 mA ou menos (mas muito maior para o raro grupo de AOP de "alta corrente"; ver Tabela 4.2b).

J. Ganho de tensão, largura de banda e deslocamento de fase

Tipicamente, o ganho de tensão A_{vo} (às vezes, chamado A_{VOL}, A_V, G_V ou G_{VOL}) em CC é de 100.000 a 1.000.000 (muitas vezes especificado em decibéis, portanto, de 100 dB a 120 dB), caindo para o ganho unitário a uma frequência (chamada f_T ou, às vezes, produto ganho-largura de banda, GBW), mais frequente na faixa de 0,1 MHz a 10 MHz. Esse é, normalmente, expresso como um gráfico do ganho de tensão em malha aberta como uma função da frequência, em que o valor f_T é claramente visto; veja, por exemplo, a Figura 4.47, que mostra a curva para o nosso LF411.

Para AOPs *compensados internamente*, este gráfico é simplesmente um decaimento de 6 dB/oitava começando em alguma frequência bastante baixa (para o 411, ela começa em cerca de 10 Hz), uma característica intencional necessária para a estabilidade, como veremos na Seção 4.9. Esse decaimento (o mesmo como em um filtro passa-baixas RC simples) resulta em um deslocamento de fase de atraso de 90° constante da entrada para a saída (em malha aberta) em todas as frequências acima do início do decaimento, aumentando para 120° a 160° conforme o ganho em malha aberta se aproxima da unidade. Como um deslocamento de fase de 180° a uma frequência em que o ganho de tensão é igual a 1 resulta em uma realimentação positiva (oscilações), o termo "margem de fase" é utilizado para especificar a diferença entre o deslocamento de fase em f_T e 180°.

Há um preço a pagar por uma maior largura de banda f_T, ou seja, correntes de operação do transistor maiores e, portanto, maiores correntes de alimentação do AOP. Pode-se obter AOPs com correntes de alimentação menores do que 1 μA, mas eles têm queda de f_T abaixo de cerca de 10 kHz! Além de correntes de *alimentação* maiores, AOPs muito rápidos podem ter correntes de polarização de entrada relativamente altas, muitas vezes maiores do que 1 μA, devido aos seus estágios de entrada bipolar operarem em uma corrente de coletor alta. Não use AOPs rápidos se você não precisa deles – além dos inconvenientes já mencionados, o alto ganho deles em alta frequência torna mais fácil o seu circuito entrar em oscilação.

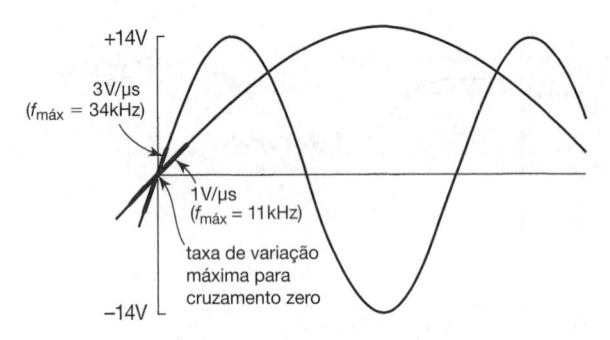

FIGURA 4.48 A taxa de variação máxima de uma onda senoidal, $SR = 2\pi Af$, ocorre nos cruzamentos de zero.

K. Taxa de variação

A capacitância de "compensação" do AOP (discutido novamente na Seção 4.9.2) e pequenas correntes de acionamento internas agem em conjunto para limitar a velocidade em que a saída pode variar, mesmo quando ocorre um desbalanceamento de entrada grande. Essa velocidade limitante é normalmente especificada como *taxa de variação* ou taxa de giro (SR – *slew rate*). Para o 411, é 15 V/μs; AOPs de baixo consumo de potência normalmente têm taxas de variação inferiores a 1 V/μs, enquanto um AOP de alta velocidade pode variar centenas de volts por microssegundo. A taxa de variação limita a amplitude de uma variação senoidal de saída não distorcida acima de alguma frequência crítica (a frequência na qual a variação na amplitude da tensão de alimentação requer a taxa de variação máxima do AOP), daí o gráfico da "variação da tensão de saída como uma função da frequência" (observado em folhas de dados; ver, por exemplo, a Figura 4.54). Uma onda senoidal de frequência f hertz e amplitude A volts requer um SR mínimo de $2\pi Af$ volts por segundo, com a variação de pico ocorrendo nos cruzamentos zero (Figura 4.48). A Figura 4.49 mostra a "distorção provocada pela taxa de variação" de uma onda real vista na tela de um osciloscópio.

Para AOPs compensados externamente, a taxa de variação depende da rede de compensação utilizada. Em geral, ela será menor para a "compensação de ganho unitário", aumentando para talvez 30 vezes mais rápido para uma compensação de ganho ×100. Isso é discutido na Seção 4.9.2B.[25] Tal como acontece com o produto ganho largura de banda FT, AOPs de SR mais elevados operam em correntes de alimentação mais elevadas.

Uma nota importante: a taxa de variação é normalmente especificada para uma configuração de ganho unitário (ou seja, um seguidor) com uma entrada em degrau de variação completa. Portanto, há um grande acionamento diferencial na entrada do AOP, o que realmente deixa as correntes fluindo lá. A taxa de variação será consideravelmente menor para uma pequena entrada – digamos, 10 mV.

---

[25] Onde mostramos, entre outras coisas, o fato de que a taxa de variação em AOPs BJT convencionais é limitada pela largura de banda: $S = 0{,}32 f_T$. Felizmente, isso pode ser contornado com um pouco de técnica de projeto não convencional.

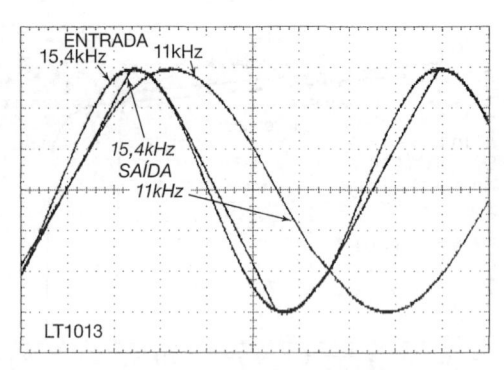

FIGURA 4.49 Distorção induzida pela taxa de variação. Esta tela de um osciloscópio de um seguidor AOP LT1013, para o qual a folha de dados especifica um SR típico de 0,4 V/μs, mostra as formas de onda de entrada e saída para uma onda senoidal cujo SR de pico é de 0,6 V/μs ($A = 6{,}0$ V, $f = 15{,}4$ kHz); também é mostrada uma onda senoidal mais lenta, que se sobrepõe à sua saída (idêntica) ($A = 6{,}0$ V, $f = 11$ kHz: SR = 0,4 V/μs). Escalas: 2 V/div, 10 μs/div.

L. Dependência da temperatura

A maioria desses parâmetros tem alguma dependência da temperatura. No entanto, isso geralmente não faz qualquer diferença, já que pequenas variações no ganho, por exemplo, são quase totalmente compensadas pela realimentação. Além disso, as variações desses parâmetros com a temperatura são tipicamente pequenas em comparação com as variações de unidade para unidade.

As exceções são a tensão de *offset* de entrada e a corrente de *offset* de entrada; esses erros de entrada preocupam, especialmente se você tiver ajustado os *offsets* em aproximadamente zero, e provocará derivas na saída. Quando uma alta precisão é importante, deve ser usado um AOP de "instrumentação" de baixa deriva, com cargas externas mantida acima de 10k para minimizar os efeitos terríveis sobre o desempenho do estágio de entrada causado por gradientes de temperatura. Teremos muito mais a dizer sobre esse assunto no Capítulo 5.

M. Tensão e corrente de alimentação

Tradicionalmente, a maioria dos AOPs era projetada para fontes de alimentação de ± 15 V, com um punhado de AOPs de "alimentação simples" que operavam com fontes individuais (ou seja, $+V$ e terra), tipicamente de $+5$ V a $+15$ V. AOPs de fonte simétrica tradicionais eram um pouco flexíveis; por exemplo, o LF411 de terceira geração aceita fontes desde ± 5 a ± 18 V. A maioria desses primeiros AOPs operava com correntes de alimentação de alguns miliampères.

Houve uma tendência importante para reduzir a corrente e, especialmente, a tensão de operação para viabilizar a alimentação do equipamento por bateria. Assim, por exemplo, agora é comum ver AOPs que operam com tensões de alimentação totais (uma extensão de V+ a V−) de 5 V, ou ainda 3 V, e correntes de alimentação 10 μA a 100 μA. Esses

FIGURA 4.50 Amplificador inversor.

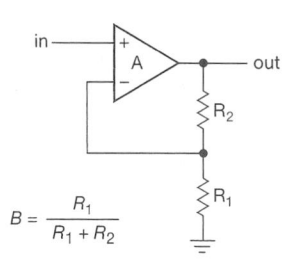

ganho: $G_V = -\dfrac{R_2}{R_1}$

erro CC: $\Delta V_{out} = \left(1 + \dfrac{R_2}{R_1}\right) V_{os} + I_B R_2$

FIGURA 4.51 AOP amplificador não inversor com ganho em malha aberta finito.

$B = \dfrac{R_1}{R_1 + R_2}$

A.

$Z_{in} = \dfrac{R_2}{1 + A}$

$Z_{out} = \dfrac{Z_{(\text{malha aberta})}}{1 + A}$

B.

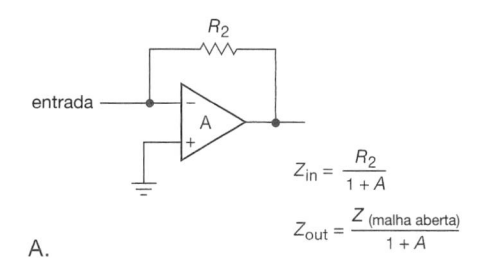

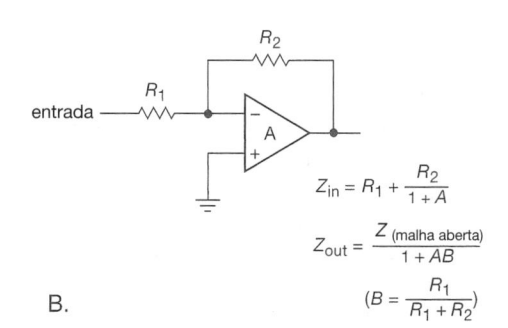

$Z_{in} = R_1 + \dfrac{R_2}{1 + A}$

$Z_{out} = \dfrac{Z_{(\text{malha aberta})}}{1 + AB}$

$\left(B = \dfrac{R_1}{R_1 + R_2}\right)$

FIGURA 4.52 Impedâncias de entrada e saída: A. amplificador de transresistência; B. amplificador inversor de tensão.

são geralmente construídos com 100% de circuitos CMOS, mas existem alguns modelos bipolares também. Eles são geralmente estágios de saída trilho a trilho – obviamente, tais AOPs não podem se dar o luxo de "não se aproximar menos de 2 volts de qualquer trilho"!

Ao considerar esses AOPs, atente para as restrições máximas de tensão de alimentação raramente baixas. Muitos desses AOPs estão limitados a uma tensão de alimentação total tão pequena quanto 10 V (isto é, ±5 V), e um número cada vez maior deles está limitado a 5 volts ou menos. Além disso, observe que um AOP com corrente *quiescente* de microampères necessariamente absorverá muita corrente se você o fizer fornecer essa quantidade de corrente a uma carga conectada; a corrente de saída não surge do nada!

N. Miscelânea: CMRR, PSRR, e_n, i_n

Para completar, devemos mencionar aqui que AOPs também são limitados na razão de rejeição de modo comum (CMRR – *common-mode rejection ratio*) e NA razão de rejeição de fonte de alimentação (PSRR – *power-supply rejection ratio*), ou seja, sua rejeição incompleta de variações de entrada de modo comum e as flutuações na fonte de alimentação. Isso se torna mais importantes em frequências elevadas, em que o ganho da malha diminui e o capacitor de compensação C_C acopla flutuações do trilho negativo na sequência do sinal.

Além disso, AOPs não estão livres de produzir ruído – eles introduzem tanto tensão de ruído (e_n) quanto corrente de ruído (i_n) em sua entrada. Essas limitações se tornam significativas, principalmente com circuitos de precisão e amplificadores de baixo ruído; isso será tratado nos Capítulos 5 e 8.

4.4.2 Efeitos das Limitações dos AOPs no Comportamento do Circuito

Voltemos a observar o amplificador inversor com essas limitações em mente. Veremos como elas afetam o desempenho e aprenderemos como projetar eficazmente apesar delas. A partir da compreensão que obteremos deste exemplo, você deverá ser capaz de lidar com outros circuitos AOPs. A Figura 4.50 mostra o circuito novamente.

A. Ganho de malha aberta

O ganho em malha aberta finito afeta a largura de banda, a impedância de entrada e saída e a linearidade. Vimos isso antes, no contexto de amplificadores discretos com transistor, quando introduzimos a realimentação negativa no Capítulo 2 (Seção 2.5.3). O assunto daquela seção representa uma fundamentação essencial para o que se segue aqui; não se esqueça de revê-lo se você não tiver domínio sobre o assunto.

Largura de banda

Por causa do ganho de malha aberta finito, o ganho de tensão do amplificador com realimentação (ganho de malha fechada) começará caindo em uma frequência em que o ganho em malha aberta se aproxima de R_2/R_1 (Figura 4.47). Para AOPs comuns, como o 411, isso significa que você está lidando com um amplificador de frequência relativamente baixa; o ganho de malha aberta fica abaixo de 100 para 40 kHz, e f_T é 4 MHz. Note que o ganho de malha fechada é sempre menor do que o ganho de malha aberta, de modo que o amplificador global apresentará uma queda notável de ganho em uma fração de f_T. Lembre-se, do Capítulo 2, de que o ganho de malha fechada do amplificador não inversor na Figura 4.51 é dado por

$$G = \frac{A}{1+AB},$$

em que B é a fração da realimentação da saída – neste caso, $B = R_1/(R_1 + R_2)$. A saída será, portanto, 3 dB abaixo na frequência em que o módulo do ganho de malha AB é unitário (isto é, o módulo do ganho de malha aberta A é igual ao ganho de malha fechada desejado $1/B$), cerca de 40 kHz para o LF411.[26]

Na Seção 4.2.5, comentamos que as fontes de corrente AOP contam com o ganho de tensão do AOP (portanto, ganho de malha) para aumentar a sua inerentemente baixa resistência de saída R_o (da ordem de $\sim 100\ \Omega$, veja a Figura 5.20) e que a diminuição do ganho de malha aberta com o aumento da frequência degrada a impedância de saída da fonte de corrente. Isso pode ser quantificado: Z_{out} para frequências crescentes é da forma $R_o \cdot f_T/f$

Impedância de saída

O ganho de malha finito também afeta as impedâncias de entrada e saída de um circuito AOP de malha fechada. A realimentação pode extrair uma amostra da tensão de saída (por exemplo, os amplificadores não inversores de tensão que estivemos considerando) ou a corrente de saída (por exemplo, um AOP fonte de corrente). Para a realimentação de tensão, a impedância de saída do AOP em malha aberta é reduzida por um fator de $1 + AB$, levando a impedâncias de saída de circuito aberto típicas de dezenas a centenas de ohms até miliohms (para um ganho de malha grande), mas subindo de volta até valores de malha aberta conforme o ganho de malha cai para a unidade em frequências mais altas.

Esse aumento linear da impedância de saída em malha fechada é bem ilustrado na Figura 4.53, adaptado a partir da folha de dados do LT1055. Você pode ver como o ganho de malha maior (realimentação configurada para um ganho de malha fechada inferior) produz impedância de saída correspondentemente menor; e você pode ver o aumento linear até o R_{out} nativo do AOP (por vezes, designado r_o) – aqui, cerca de 60 Ω. Note também que uma impedância que aumenta linearmente com a frequência é como um indutor. E, de fato, isso é exatamente o que a saída parece para sinais nessa faixa

---

[26] O ganho de malha aberta A tem um deslocamento de fase de 90° em atraso ao longo da maior parte da largura de banda do AOP, como pode ser visto a partir de um gráfico de Bode, como na Figura 4.47; ou seja, você pode aproximar o ganho de malha aberta, então, por $A(f) = j \cdot f_T/f$. É por isso que o ganho de malha fechada é 3 dB abaixo, e não 6 dB, quando o ganho da malha AB tem módulo unitário.

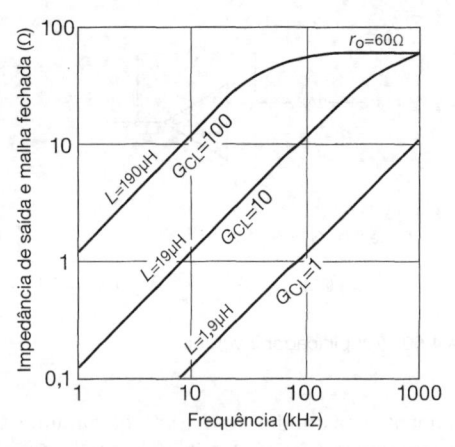

FIGURA 4.53 A impedância de saída de malha fechada do AOP sobe de forma aproximadamente linear com a frequência ao longo de uma grande parte de sua largura de banda, comportando-se, assim, como uma indutância $L_{out} \approx r_0 G_{CL}/2\pi f_T$. Após o ganho de malha cair para a unidade, Z_{out} parece-se com a resistência de saída de malha aberta do AOP r_o. Essas curvas foram adaptadas da folha de dados do LT1055.

de frequência. Isso pode ter importantes consequências – por exemplo, a criação de um circuito ressonante LC em série quando a carga do AOP é capacitiva.

O efeito do ganho de malha reduzido (em altas frequências) é degradar os efeitos benéficos da realimentação negativa. Assim, um amplificador de *tensão* sofre de aumento da impedância de saída, como vimos. E o inverso é verdadeiro para um amplificador com realimentação que detecta a *corrente* de saída: aqui, a realimentação atua normalmente para *aumentar* a impedância de saída nativa por um fator de ganho de malha (isso é *bom*: você quer uma impedância de saída alta em uma fonte de corrente), que, em seguida, cai de volta aos seus valores de malha aberta conforme o ganho da malha cai. Alguns AOPs (sobretudo aqueles com saídas trilho a trilho) usam um estágio de saída com impedância de saída intrinsecamente alta; para esses AOPs, um ganho de malha alto é essencial para alcançar uma baixa impedância de saída.

Impedância de entrada

A impedância de entrada de um amplificador não inversor é aumentada por um fator de $1 + AB$ a partir do seu valor de malha aberta, normalmente uma questão de pouca importância devido às altas impedâncias de entrada nativas dos AOPs.

O circuito amplificador *inversor* é diferente do circuito não inversor e tem de ser analisado separadamente. É melhor pensar nele como uma combinação de um resistor de entrada acionando um estágio de realimentação *shunt* (Figura 4.52). O estágio *shunt* sozinho tem a sua entrada no "ponto de soma" (a entrada inversora do amplificador), onde as corren-

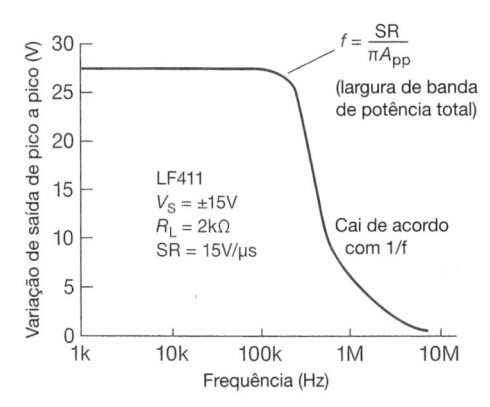

FIGURA 4.54 Variação de saída de pico a pico em função da frequência (LF411).

tes dos sinais de realimentação e de entrada são combinadas (essa conexão de amplificador é realmente uma configuração de "transresistência", que converte uma entrada de corrente em uma saída de tensão). A realimentação reduz a impedância olhando para o ponto de soma, R_2, por um fator de $1 + A$ (veja se pode provar isso). Em casos de ganho de malha muito alto, a impedância de entrada é reduzida para uma fração de um ohm, uma boa característica de um amplificador de corrente de entrada.

A conexão do amplificador inversor AOP clássico é uma combinação de um amplificador de transresistência de realimentação *shunt* e um resistor de entrada em série, como indicado na figura. Como resultado, a impedância de entrada é igual à soma de R_1 com a impedância olhando para o ponto de soma. Para o ganho de malha alto, R_{in} é aproximadamente igual a R_1.

É um exercício simples deduzir uma expressão para o ganho de tensão de malha fechada do amplificador inversor com ganho da malha finito. A resposta é

$$G = -A(1 - B)/(1 + AB) \tag{4.5}$$

em que B é definido como anteriormente, $B = R_1/(R_1 + R_2)$. No limite do ganho de malha aberta grande A, $G = -1/B + 1$ (isto é, $G = -R_2/R_1$).

Exercício 4.14 Deduza as expressões precedentes para impedância de entrada e ganho do amplificador inversor.

B. Taxa de Variação

Por causa da taxa de variação limitada, a variação de saída senoidal máxima não distorcida cai acima de uma certa frequência. A Figura 4.54 mostra a curva para um 411, com a sua taxa de variação de 15 V/μs. Para a taxa de variação S, a amplitude de saída é limitada a $A(pp) \leq S/\pi f$ para uma onda senoidal de frequência f, explicando, assim, a queda $1/f$ da curva. A porção plana da curva reflete os limites da fonte de alimentação de variação da tensão de saída. Uma fórmula fácil de lembrar é[27]

$$S_{mín} = \omega A = 2\pi f A \tag{4.6}$$

em que $S_{mín}$ é o SR mínimo exigido para uma onda senoidal de amplitude A (que é metade da amplitude pico a pico: $A_{pp} = 2A$) e frequência angular ω; lembre-se de que $\omega = 2\pi f$. A limitação da taxa de variação de AOPs pode ser explorada de forma útil para filtrar picos de ruído pronunciados de um sinal desejado, com uma técnica conhecida como *filtragem passa-baixas não linear*: se a taxa de variação é deliberadamente limitada, os picos rápidos podem ser drasticamente reduzido com menor distorção do sinal subjacente.

Linearidade

No limite do ganho de malha infinito, o comportamento de um circuito com realimentação depende apenas da rede de realimentação; as não linearidades nativas do AOP (por exemplo, a dependência da tensão do ganho, distorção de cruzamento, e assim por diante) são compensadas por realimentação. Esses defeitos reaparecem conforme o ganho da malha é reduzido – por exemplo, em frequências mais altas. É por essa razão que se escolhem os AOPs com cuidado, por exemplo, quando você quer projetar circuitos amplificadores de áudio de baixa distorção. AOPs destinados a esse tipo de aplicação tem seus estágios de saída cuidadosamente projetados e, muitas vezes, especificam a distorção em função da frequência e do ganho. Um exemplo é o excelente AD797, que especifica uma distorção máxima de 0,0003% a 20 kHz e 3 V (RMS) de saída.

C. Corrente de saída

Por causa da limitada capacidade de corrente de saída, a variação de saída de um AOP é reduzida para resistências de carga pequenas, como vimos na Figura 4.44. Para aplicações de precisão, é uma boa ideia evitar correntes de saída grandes, a fim de evitar gradientes térmicos no chip produzidos pela dissipação de potência excessiva no estágio de saída.

D. Tensão de *offset*

Por causa da tensão de *offset* de entrada, uma entrada zero produz um *output*[28] $V_{out} = G_{CC}V_{OS} = (1 + R_2/R_1)V_{OS}$. Para um amplificador inversor com um ganho de tensão de 100 construído com um 411, a saída pode ser tão grande quanto

---

[27] Leitores mais familiarizados com cálculo reconhecerão isso simplesmente como o módulo da derivada no tempo de uma senoide, que traz um fator de ω.

[28] Note que o ganho relevante é o ganho do *não inversor*; isso porque o erro V_{OS} não age na entrada do *circuito*, mas nos terminais de entrada do *AOP*. Assim, o efeito é como se o erro V_{OS} fosse aplicado ao terminal não inversor do amplificador.

±0,2 volt quando a entrada é aterrada (V_{OS} = 2 mV máx). Soluções: (a) Se você não precisa de ganho em CC, utilize um capacitor para diminuir o ganho para a unidade em CC, como na Figura 4.7B. Neste caso, você poderia fazê-lo acoplando capacitivamente o sinal de entrada. (b) Ajustar a tensão de *offset* em zero com a malha de ajuste recomendada pelo fabricante. (c) Usar um AOP com menor V_{OS}. (d) Ajustar a tensão de *offset* em zero com uma rede externa, como na Seção 4.8.3 (ver Figura 4.91).

E. Corrente de polarização de entrada

Mesmo com um AOP perfeitamente ajustado (isto é, V_{OS} = 0), o circuito amplificador inversor produzirá uma tensão de saída diferente de zero quando o seu terminal de entrada for aterrado. Isso porque a corrente de polarização de entrada finita, I_B, produz uma queda de tensão sobre os resistores, que é, então, amplificada pelo ganho de tensão do circuito. Nesse circuito, a entrada inversora vê uma impedância de acionamento de $R_1 \| R_2$, de modo que a corrente de polarização produz uma tensão $V_{in} = I_B (R_1 \| R_2)$, que é, então, amplificada pelo ganho em CC, $1 + R_2/R_1$ (ver nota de rodapé 28); o resultado é uma tensão de erro de saída $V_{out} = I_B R_2$.

Com AOPs de entrada FET, o efeito é geralmente insignificante, mas a corrente de entrada substancial de AOPs bipolares (e também AOPs de *realimentação de corrente*) pode causar problemas reais. Por exemplo, considere um amplificador inversor com R_1 = 10k e R_2 = 1M; esses são valores razoáveis para um estágio inversor de audiofrequência, em que gostaríamos de manter Z_{in} em pelo menos 10k. Se escolhermos o bipolar NE5534 de baixo ruído (I_B = 2 μA, máx), a saída (para a entrada aterrada) pode ser tão grande quanto 100 × 2 μA × 9,9k, ou 1,98 volt ($G_{CC} I_B R_{\text{desbalanceado}}$), o que é inaceitável. Em comparação com o nosso AOP comum LF411 (entrada JFET), a saída de pior caso correspondente (para a entrada aterrada) é de 0,2 mV; para a maioria das aplicações, isto é insignificante e, de qualquer forma, é ofuscado pelo erro de saída produzido pela V_{OS} (200 mV, pior caso sem ajuste, para o LF411).

Existem várias soluções para o problema dos erros da corrente de polarização. Se for necessário usar um AOP com grande corrente de polarização, é uma boa ideia garantir que ambas as entradas vejam a mesma resistência de acionamento CC, como na Figura 4.55. Nesse caso, 91k é escolhida como a resistência em paralelo de 100k e 1 M. Além disso, é melhor manter a resistência da rede de realimentação suficientemente pequena, de modo que a corrente de polarização não produza grandes *offsets*; os valores típicos para a resistência vista a partir das entradas do AOP são de aproximadamente 1k a 100k. Uma terceira solução envolve a redução do ganho para a unidade em CC, como na Figura 4.7B.

Na maioria dos casos, no entanto, a solução mais simples é a utilização de AOPs com corrente de entrada insignificante. AOPs com estágios de entrada JFET ou MOSFET geralmente têm correntes de entrada na faixa de picoampères (porém,

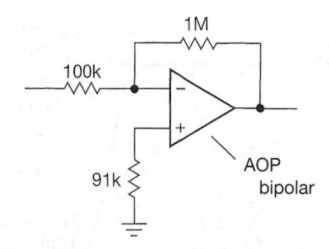

FIGURA 4.55 Com AOPs bipolares, use um resistor de compensação para reduzir os erros causados pela corrente de polarização de entrada.

atente para a sua rápida ascensão em função da temperatura, que praticamente dobra a cada 10°C), e muitos projetos modernos usam transistores bipolares de superbeta ou esquemas de cancelamento de polarização para alcançar correntes de polarização quase tão baixas e *diminuindo* ligeiramente com a temperatura. Com esses AOPs, você pode ter as vantagens de AOPs bipolares (precisão, baixo nível de ruído) sem os problemas irritantes causados pela corrente de entrada. Por exemplo, o bipolar de precisão e de baixo ruído OP177 tem I_B < 2 nA, e o bipolar de polarização compensada LT1012 tem I_B = ±25 pA (típico). Entre os AOPs FET de baixo custo, o LF411 JFET tem I_B = 50 pA (típico), e a série MOSFET TLC270, com preço abaixo de um dólar, tem I_B = 1 pA (típico).

F. Corrente de *offset* de entrada

Como acabamos de descrever, é geralmente melhor projetar circuitos para que as impedâncias do circuito, combinadas com a corrente de polarização do AOP, produzam erros insignificantes. No entanto, ocasionalmente, pode ser necessária a utilização de um AOP com elevada corrente de polarização, ou para lidar com sinais de impedâncias Thévenin extraordinariamente elevadas. Exemplos de amplificadores de correntes de polarização altas são os AOPs de realimentação de corrente (por exemplo, o AD844), AOPs de baixo ruído (e_n) (por exemplo, o AD797) e AOPs de banda larga (por exemplo, o LM7171), cada um com correntes de entrada de vários microampères.

Nesses casos, o melhor que se pode fazer é balancear as resistências de acionamento CC vistas pelo AOP em seus terminais de entrada. Haverá ainda algum erro na saída ($G_{CC} I_{\text{offset}} R_{\text{fonte}}$) devido à assimetria inevitável nas correntes de entrada do AOP. Em geral, I_{offset} é menor do que $I_{\text{pol.}}$ por um fator de 2 a 20 (com AOPs bipolares geralmente mostrando um casamento melhor do que AOPs FET).

G. Limitações implicam dilemas

Nos parágrafos anteriores, discutimos os efeitos das limitações de AOPs, tomando o exemplo de um circuito simples, o amplificador inversor de tensão. Assim, por exemplo, a corrente de entrada do AOP causou um erro de *tensão* na saída. Em uma aplicação de AOP diferente, pode-se obter um efeito diferente; por exemplo, em um circuito integrador AOP, uma corrente de entrada finita produz uma *rampa* de saída (em vez de uma constante) com zero de entrada aplicado. Conforme você se familiariza com circuitos AOP, será capaz de prever os efeitos das limitações do AOP em um determinado circuito e, portanto, escolher qual AOP usar em uma determinada aplicação. Em geral, não há o "melhor" AOP (mesmo quando o preço não é o alvo): por exemplo, AOPs com correntes de entrada muito mais baixas (os tipos MOSFET) geralmente têm *offsets* de tensão maiores e maior ruído, e vice-versa. Bons projetistas de circuito escolhem seus componentes com as compensações certas para otimizar o desempenho, sem exagerar usando dispositivos com características acima das necessárias.

Para ajudar a colocar esta discussão de "realidades de AOPs" em perspectiva, pode ser que você queira olhar novamente a Tabela 4.1, na qual resumimos os tipos de desempenho que você pode esperar de AOPs que podem ser descritos como medianos, ou comuns (por exemplo, o LF412 é um AOP JFET comum), e aqueles que estão entre os melhores disponíveis ("*premium*") *para cada parâmetro dado*. Infelizmente, você não pode obter um AOP que combina todas as características de uma coluna "*premium*"; *engenharia é a arte da transigência*.

As limitações de desempenho de AOPs de que falamos terão uma influência sobre os valores dos componentes em quase todos os circuitos. Por exemplo, os resistores de realimentação devem ser grandes o suficiente para que não exerçam carga na saída de forma significativa, mas não devem ser tão grandes a ponto de a corrente de polarização de entrada produzir *offsets* consideráveis. Impedâncias elevadas na rede de realimentação causam efeitos de carga e desestabilizam os deslocamentos de fase a partir de capacitâncias parasitas; elas também aumentam a suscetibilidade de captura capacitiva de sinais de interferência. Essas compensações normalmente ditam valores de resistência de 2k a 100k com AOPs de propósito geral.

Tipos semelhantes de compensações estão envolvidos em quase todos os projetos eletrônicos, incluindo os circuitos mais simples construídos com transistores. Por exemplo, a escolha da corrente quiescente em um amplificador transistorizado é limitada na extremidade alta por dissipação do dispositivo, aumento da corrente de entrada, corrente de alimentação excessiva e ganho de corrente reduzido, ao passo que o limite inferior da corrente de operação é limitado por corrente de fuga, ganho de corrente reduzido e velocidade reduzida (a partir da capacitância parasita em combinação com os elevados valores de resistência). Por esses motivos, normalmente as correntes de coletor se restringem à faixa de algumas dezenas de microampères a algumas dezenas de miliampères (mais elevadas para os circuitos de potência, às vezes um pouco mais baixas em aplicações de "micropotência"), como mencionado no Capítulo 2.

Nos próximos capítulos, observaremos mais atentamente alguns desses problemas a fim de obter uma boa compreensão dos dilemas envolvidos.

Exercício 4.15 Desenhe um amplificador inversor acoplado em CC com um ganho de 100 e $Z_{in} = 10k$. Inclua a compensação para a corrente de polarização de entrada e mostre a rede de ajuste da tensão de *offset* (potenciômetro de 10k entre os pinos 1 e 5, cursor conectado em V_-). Agora acrescente circuitos para que $Z_{in} \geq 10^8 \, \Omega$.

4.4.3 Exemplo: Milivoltímetro Sensível

Para termos uma noção concreta, observaremos um exemplo de projeto muito simples – um amplificador CC com bastante ganho, alta impedância de entrada e (para variar, no mundo demasiadamente digital de hoje) um medidor *analógico* de zero central de painel. Teremos como objetivo uma sensibilidade de fundo de escala de ±10 mV e impedância de entrada de 10 megaohms.

A Figura 4.56 mostra o projeto inicial, no qual consideramos ter fontes de ±5 V disponíveis (mais sobre isso mais adiante) e usamos um ganho não inversor de 100 para produzir na saída do AOP ±1 V para o fundo de escala. Esse circuito aciona um galvanômetro de zero central de ± 100 μA, que renomeamos com uma escala de "−10 mV ⋯ 0 ⋯ 10 mV".

Parece simples, e é. Mas isso não vai funcionar bem se não formos cuidadosos. Imagine escolher o nosso padrão LF411 para o CI$_1$, imaginando que a baixa corrente de polarização de um AOP com entrada JFET é exatamente do que precisamos. Colocamos em curto as pontas de prova de entrada e encontramos, para nossa surpresa, o ponteiro do medidor fora do centro, tanto quanto ±2 mV. Isso porque o 411 tem $V_{OS} = 2$ mV (máx). Idealmente, gostaríamos que o medidor indicasse zero com as pontas de prova de entrada em curto ou abertas, em que "zero" pode realisticamente significar não mais do que 1% do fundo de escala.

OK, adicionamos um ajuste de *offset* e atuamos nele até que a saída seja zero com a entrada em curto. Depois o deixamos na bancada, vamos almoçar e, então, voltamos e encontramos o medidor indicando −0,2 mV com a entrada em curto. Isso porque ele ficou exposto ao sol, aumentando a temperatura em 10°C e, portanto, sofrendo uma deriva de 200 μV (o LF411 tem um coeficiente de temperatura de

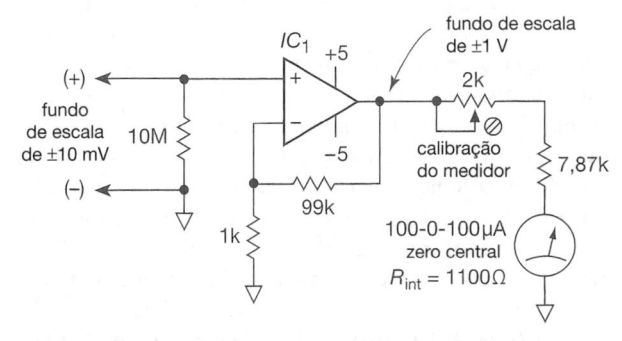

FIGURA 4.56 Milivoltímetro sensível analógico; veja o texto para a escolha do CI$_1$.

tensão de *offset* $TCV_{OS} = 20~\mu V/°C$, no máximo). Bem, não vamos usá-lo no sol mesmo!

Então, esperamos que ele esfrie e observamos com satisfação que ele indica novamente zero.

Agora o testaremos em um divisor de tensão, mas percebemos que, quando removemos o curto (pontas de prova em circuito aberto), o medidor indica ± 2 mV! Desta vez, o problema é a corrente de polarização, especificada como 200 pA (máx) à temperatura ambiente. Isso não é muita corrente, mas desenvolve 2.000 μV sobre o resistor de entrada de 10M, que o medidor obedientemente relata como uma entrada.

Poderíamos resolver o problema de V_{OS} com um AOP bipolar de precisão, mas estaríamos em um problema pior com I_B. Precisamos de um AOP com $V_{OS} < 100~\mu V$ e $I_B < 10$ pA. A solução é um AOP de entrada FET de precisão, por exemplo, o OPA336 (125 μV sem ajuste e 10 pA), que já é bom o suficiente sem ajuste e, certamente, excelente se estamos dispostos a ajustar o *offset* inicial.

Uma solução melhor é usar um AOP "*chopper*", como o LTC1050C ou o AD8638 (ver Tabela 5.6). Eles são, às vezes, denominados amplificadores de "deriva zero" ou de "autozero". Aprenderemos sobre eles em breve, e mais detalhadamente no próximo capítulo; por agora, tudo o que você precisa saber é que eles oferecem especificações como $V_{OS} < 5~\mu V$, $TCV_{OS} < 0,05~\mu V/°C$ e $I_B < 50$ pA (essas são, de fato, as especificações de pior caso para o LT1050 em sua categoria de baixo custo com sufixo C).

Uma reflexão final: ter um ajuste de calibração é correto se você está construindo apenas alguns desses medidores. Porém, em uma produção, seria bom evitar as etapas manuais de calibração. Uma solução com um circuito elegante que contorna a calibração é usar um resistor de detecção de corrente na parte inferior do medidor. Incluiremos esse recurso quando tornarmos a ver este exemplo no início do Capítulo 5 (Seção 5.2), em uma abordagem mais rigorosa para um projeto de precisão.

4.4.4 Largura de Banda e Fonte de Corrente com AOP

Na Seção 4.2.5, comentamos que fontes de correntes com AOPs contam com o ganho de tensão do amplificador operacional (portanto, ganho de malha) para aumentar a sua resistência de saída inerentemente baixa R_O (da ordem de $\sim 100~\Omega$; veja a Figura 5.20) e que a diminuição do ganho de malha aberta com a frequência crescente degrada a impedância de saída da fonte de corrente. Dito de outra forma, a fonte de corrente com AOP é um circuito peculiar, porque uma qualidade do AOP (impedância de saída inerentemente baixa, ou seja, uma fonte de tensão) se torna um vício, que deve ser punido com o bastão de ganho de malha abundante. Isto pode ser quantificado: por causa da largura de banda finita f_T, a impedância de saída de uma fonte de corrente com AOP em frequências crescentes é da forma $R_O f_T/f$, caindo em última análise para a resistência de saída nativa R_O do AOP na frequência de ganho unitário f_T.

Da mesma forma, a taxa de variação finita afeta a impedância de saída da fonte de corrente, fazendo-a parecer-se com uma capacitância *shunt*. Veja como analisar isso: uma fonte de corrente ideal com uma carga capacitiva *real* varia a uma taxa $S = dV/dt = I/C$; assim, uma fonte de corrente que é afetada com uma taxa de variação máxima S se parece com uma fonte de corrente ideal sobrecarregada com uma capacitância *shunt* efetiva $C_{eff} = I_{out}/S$. Por exemplo, uma fonte de corrente de 10 mA feita com um AOP de taxa de variação 1 V/μs tem uma carga capacitiva efetiva de 10 nF; isso é bastante, mesmo em comparação com um MOSFET grande.

4.5 UMA ANÁLISE DETALHADA DE CIRCUITOS COM AOP SELECIONADOS

O desempenho dos próximos circuitos é afetado significativamente pelas limitações do AOPs; veremos um pouco mais detalhes em sua descrição.

4.5.1 Detector de Pico Ativo

Existem inúmeras aplicações em que é necessário determinar o valor de pico de alguma forma de onda de entrada. O método mais simples é um diodo e um capacitor (Figura 4.57). O capacitor C carrega com o ponto mais alto da forma de onda de entrada, que detém esse valor enquanto o diodo estiver polarizado reversamente.

Esse método tem alguns problemas graves. A impedância de entrada é variável e é muito baixa durante os picos da forma de onda de entrada. Além disso, a queda de diodo torna o circuito insensível aos picos menores do que cerca de 0,6 volt e impreciso (por uma queda de diodo) para tensões de pico maiores. Além disso, uma vez que a queda de diodo depende da temperatura e da corrente, imprecisões do circuito dependem da temperatura ambiente e da taxa de variação da saída; lembre-se de que $I = C(dV/dt)$. Um seguidor de emissor de entrada melhoraria apenas o primeiro problema.

A Figura 4.58A mostra um circuito melhor, que apresenta os benefícios da realimentação. Ao obter a realimentação a partir da tensão no capacitor, a queda de díodo não causa quaisquer problemas. O tipo de forma de onda de saída que você pode obter é mostrado na Figura 4.59.

As limitações AOP afetam este circuito de três maneiras.

(a) A taxa de variação finita do AOP provoca um problema, mesmo com formas de onda de entrada relativamente lentas. Para entender isso, note que a saída do AOP vai para a saturação negativa quando a entrada

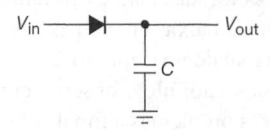

FIGURA 4.57 Detector de pico passivo.

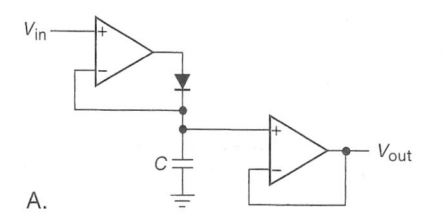

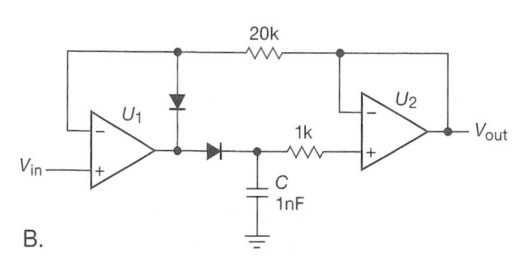

FIGURA 4.58 A. AOP detector de pico (mais precisamente, um "rastreador de pico"). B. Rastreador de pico melhorado responde aos picos curtos, devido ao AOP de entrada não ter que variar a partir de saturação negativa.

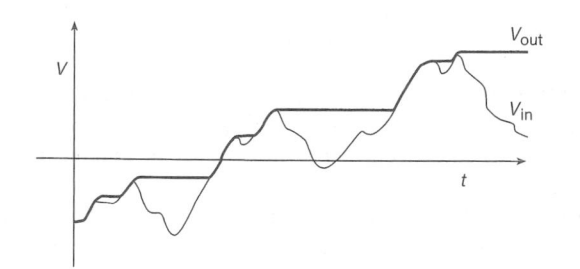

FIGURA 4.59 Forma de onda de saída do detector de pico.

é menos positiva do que a saída (tente esboçar a tensão do AOP no gráfico; não se esqueça da queda direta do diodo). Então, a saída do AOP tem que acelerar de volta até a tensão de saída (mais uma queda de diodo) quando a próxima forma de onda de entrada excede a saída. Na taxa de variação S, isso leva aproximadamente $(V_{out} - V_-)/S$, onde V_- é a tensão de alimentação negativa. O circuito melhorado na Figura 4.58B resolve esse problema.

(b) A corrente de polarização de entrada provoca uma descarga lenta (ou carga lenta, dependendo do sinal da corrente de polarização) do capacitor. Isso, às vezes, é chamado de "inclinação", e é melhor evitar usando AOPs com corrente de polarização muito baixa. Pela mesma razão, o diodo deve ser um tipo de baixa fuga (por exemplo, o FJH1100, com menos de 1 pA de corrente reversa a 20 V, um "diodo FET", como o PAD5, ou um JFET conectado como diodo, tal como o 2N4417), e o estágio seguinte deve também apresentar alta impedância (idealmente, deve ser também um FET ou AOP com entrada FET).

(c) A corrente de saída máxima do AOP limita a taxa de variação da tensão nos terminais do capacitor, isto é, a taxa à qual a saída pode seguir uma entrada crescente. Assim, a escolha do valor do capacitor é um compromisso entre baixa inclinação e taxa de variação elevada de saída.

Por exemplo, um capacitor de 1 μF utilizado neste circuito com o LM358 comum (o que seria uma escolha ruim, devido à sua elevada corrente de polarização) inclinaria conforme $dV/dt = I_B/C = 0.04$ V/s (usando o valor "típico" $I_B = 40$ nA; o valor de pior caso de $I_B = 500$ nA produz uma inclinação de 0,5 V/μs) e seguiria as variações de entrada somente até $dV/dt = I_{saída}/C = 0,02$ V/μs. Essa taxa máxima de acompanhamento é muito menor do que a taxa de variação do AOP de 0,5 V/μs, sendo limitada pela corrente máxima de saída de 20 mA acionando 1 μF. Ao diminuir C, você poderia alcançar uma maior taxa de variação de saída, à custa de uma maior inclinação. Uma escolha mais realista de componentes seria o popular AOP de entrada MOSFET TLC2272 como acionador e seguidor de saída (corrente de polarização típica de 1 pA) e um valor de $C = 0,01$ μF. Com essa combinação, você teria uma inclinação de apenas 0,0001 V/s e uma taxa de variação do circuito global de 2 V/μs. Para um desempenho ainda melhor, use um AOP MOSFET como o LMC660 ou o LMC6041, com uma corrente de entrada típica de 2 *femto*ampères. A fuga do capacitor (ou a fuga do diodo, ou ambos) pode, então, limitar o desempenho, mesmo se capacitores extraordinariamente bons sejam usados – por exemplo, poliestireno ou polipropileno.[29]

A. *Resetando* um detector de pico

Na prática, é geralmente desejável *resetar** a saída de um detector de pico de alguma forma. Uma possibilidade é colocar um resistor sobre o capacitor que retém o valor de pico, de modo que a saída do circuito decaia com uma constante de tempo RC. Dessa forma, ele retém apenas os valores de pico mais recente. Um método melhor é colocar uma chave transistorizada sobre C; um pulso curto na base, então, zera a saída. Uma chave FET é frequentemente usada em vez disso.

---

[29] Há mais sobre "fuga" do capacitor do que se poderia suspeitar a princípio: um efeito conhecido como *absorção dielétrica* ("DA") pode causar dano sério em circuitos que dependam do desempenho de um capacitor ideal. Ele se manifesta de modo bastante claro no seguinte experimento simples: carregue um capacitor de tântalo até aproximadamente 10 volts, deixe-o assim por um tempo, e, em seguida, rapidamente descarregue-o momentaneamente colocando um resistor de 100 Ω em paralelo com ele. Remova o resistor e verifique a tensão do capacitor em um voltímetro de alta impedância. Você se surpreenderá ao ver a carga do capacitor subir, atingindo, talvez, por volta de um volt depois de alguns segundos! Esse efeito, aparentemente inútil, é tratado mais detalhadamente na Seção 5.6.2.

* N. de T.: Diversos circuitos têm uma entrada *reset*, que, quando ativada, retorna o estado do circuito para uma condição inicial. O termo *resetar*, bem como as variações, é amplamente usado quando se refere à ação de ativar a entrada *reset*.

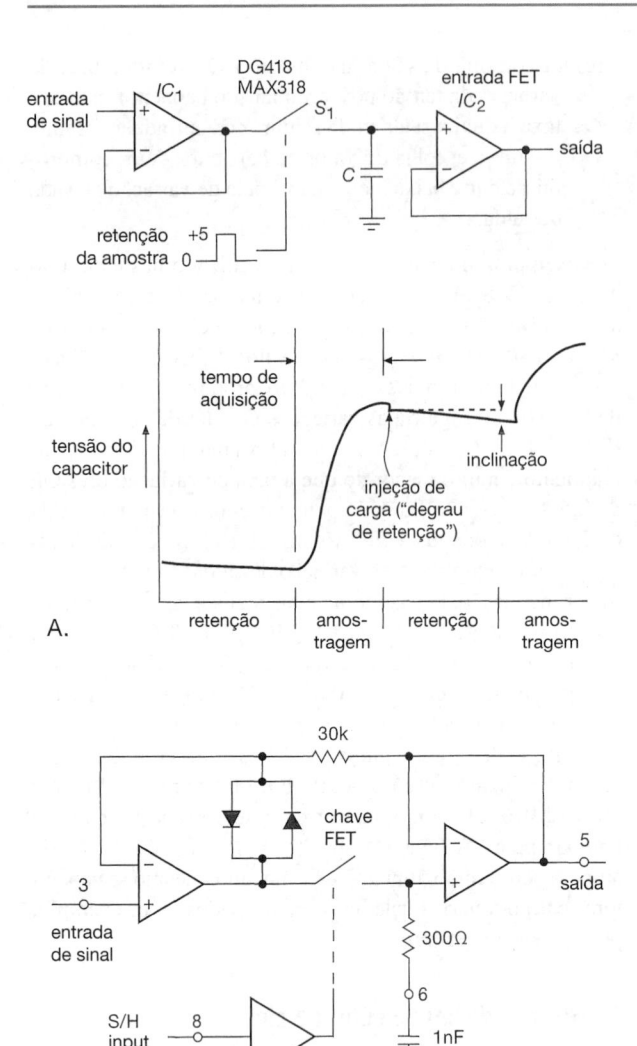

FIGURA 4.60 Amostragem e retenção: A. Configuração padrão, com forma de onda exagerada. B. Chip S/H LF398.

Por exemplo, na Figura 4.58, pode-se conectar um MOSFET canal *n*, tal como um 2N7000 sobre C; tornar a porta momentaneamente positiva zera a tensão do capacitor. Uma chave analógica CMOS em CI (tal como o MAX318, com uma pequena resistência em série para limitar a corrente) pode ser usada em vez de um transistor nMOS (semicondutor de óxido metálico tipo *n*) discreto.

4.5.2 Amostragem e Retenção

Intimamente relacionado com o detector de pico está o circuito de "amostragem e retenção" (S/H – *sample-and-hold*) (às vezes, denominado em inglês "*follow-and-hold*"). Esses são especialmente populares em sistemas digitais em que você deseja converter uma ou mais tensões analógicas para números, de modo que um computador possa processá-los: o método favorito é amostrar e reter a(s) tensão(s) e, em seguida, fazer a conversão para digital antes da próxima amostragem. Os ingredientes básicos de um circuito S/H são um AOP e uma chave FET; a Figura 4.60A mostra a ideia. O CI_1 é um seguidor para fornecer uma réplica de baixa impedância de entrada. A chave analógica CMOS S_1 deixa passar o sinal durante a "amostragem" e o desconecta durante a "retenção". Seja qual for o sinal presente quando S_1 estava OFF, a tensão amostrada antes é mantida no capacitor C. O CI_2 é um seguidor de impedância de entrada (entradas FET), de modo que a corrente do capacitor durante a "retenção" é minimizada. O valor de C é um compromisso: as correntes de fuga em S_1 e no seguidor fazem com que a tensão em C "incline" durante o intervalo de retenção de acordo com $dV/dt = I_{fuga}/C$. Assim, C deve ser grande para minimizar a inclinação. No entanto, a resistência ON de S_1 forma um filtro passa-baixas em combinação com C, de modo que C deverá ser pequeno se sinais de alta velocidade deverem ser seguidos com precisão. O CI_1 deve ser capaz de fornecer a corrente de carga de C ($I = CdV/dt$) e deve ter taxa de variação suficiente para seguir o sinal de entrada. Na prática, a taxa de variação do circuito completo será normalmente limitada pela corrente de saída do CI_1 e pela resistência ON de S_1.

Exercício 4.16 Suponha que o CI_1 possa fornecer 10 mA de corrente de saída e C = 0,01 μF. Qual é a taxa de variação máxima de entrada que o circuito pode seguir com precisão? Se S_1 tem 50 Ω de resistência ON, qual será o erro de saída para um sinal de entrada que varia 0,1 V/μs? Se a fuga combinada de S_1 e IC_2 for 1 nA, qual é a taxa de declínio durante o estado de "retenção"?

Tanto no circuito S/H quanto no detector de pico, um AOP aciona uma carga capacitiva. Ao projetar tais circuitos, certifique-se de escolher um AOP que seja estável para o ganho unitário quando a carga for o capacitor C. Alguns AOPs (por exemplo, o LT1457, um AOP membro da "estável CLOAD™" da Linear Technology) são projetados especificamente para conduzir grandes cargas capacitivas (0,01 μF) diretamente. Alguns outros truques que você pode usar são discutidos na Seção 4.6.1B.

Você não tem que projetar circuitos S/H a partir do zero, pois há bons CIs monolíticos que contêm todos os dispositivos de que você precisa. O LF398 da National é um dispositivo popular, que contém uma chave FET e dois AOPs em um encapsulamento de 8 pinos de baixo custo (1,25 dólar). A Figura 4.60B mostra como usá-lo. Note como a realimentação fecha a malha em torno dos *dois* AOPs. Há uma abundância de chips S/H sofisticados disponíveis caso precise de um desempenho melhor do que o LF398 oferece. Por exemplo, o AD783 da Analog Devices inclui um capacitor interno e garante um tempo máximo de aquisição de 0,4 μs para uma precisão de 0,01% após um degrau de 5 volt.

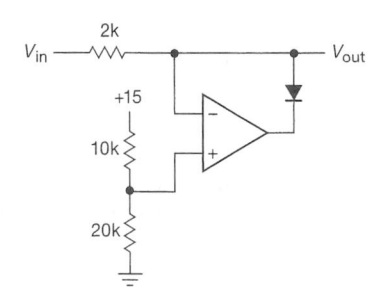

FIGURA 4.61 Ceifador ativo.

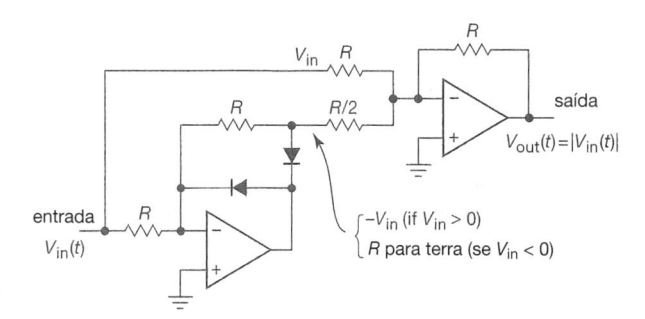

FIGURA 4.63 Retificador de onda completa ativo.

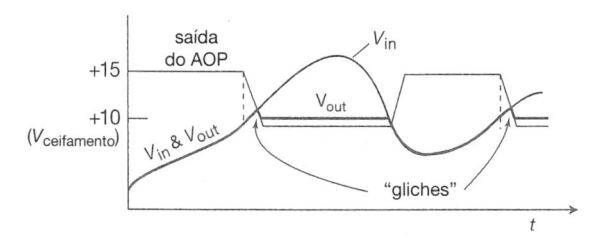

FIGURA 4.62 A taxa de variação finita causa "*gliches*" de saída ceifados.

4.5.3 Ceifamento Ativo

A Figura 4.61 mostra um circuito que é uma versão ativa da função de ceifamento que discutimos no Capítulo 1. Para os valores mostrados, $V_{in} < +10$ volts coloca a saída do AOP em saturação positiva e $V_{out} = V_{in}$. Quando V_{in} excede $+10$ volts, o diodo fecha a malha de realimentação, ceifando a saída em 10 volts. Nesse circuito, as limitações da taxa de variação do AOP permitem pequenos *gliches* conforme a entrada atinge a tensão de ceifamento por baixo (Figura 4.62).

Exercício 4.17. O ceifador ativo na Figura 4.5.3 sofre de uma limitação de velocidade da taxa de variação semelhante à do rastreador de pico da Figura 4.58A. Determine uma melhoria para o circuito ceifador, análoga ao truque usado na Figura 4.58B.

4.5.4 Circuito de Valor Absoluto

O circuito mostrado na Figura 4.63 dá uma saída positiva igual ao módulo do sinal de entrada; ele é um retificador de onda completa. Como de costume, o uso de AOPs e realimentação eliminam as quedas de diodo de um retificador de onda completa passivo.

Você pode imaginar situações em que quer uma saída proporcional ao *logaritmo* do valor absoluto. Uma simples mudança no circuito poderia ser a substituição do resistor de realimentação do segundo AOP por um diodo (ou transistor com a base conectada ao coletor), explorando a relação de Ebers-Moll entre a tensão do diodo e a corrente no ponto de soma. Essa é a base do *amplificador logarítmico*; no entanto,

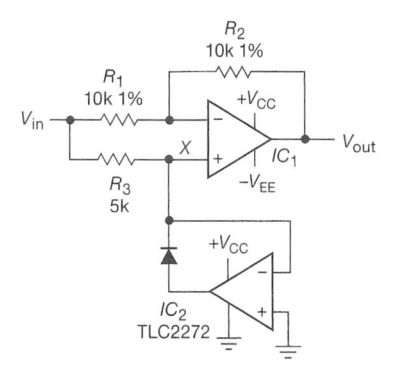

FIGURA 4.64 Outro retificador de onda completa; note que o terra é a tensão de alimentação negativa para o CI₂.

o circuito necessita de alguns componentes adicionais para compensar o coeficiente de temperatura de V_{BE}.

Exercício 4.18 Determine como o circuito da Figura 4.63 funciona. *Sugestão*: aplique primeiro uma tensão de entrada positiva e veja o que acontece; em seguida, aplique uma tensão negativa.

A Figura 4.64 mostra outro circuito de valor absoluto. Ele é facilmente compreensível como uma combinação simples de um AOP inversor opcional (CI₁) e um ceifador ativo (CI₂). Para níveis de entrada negativos, o ceifador mantém o ponto X no terra, tornando CI₁ um inversor de ganho unitário; para níveis de entrada positivos, o ceifamento fica fora de operação, com a sua saída em saturação negativa, tornando o CI₁ um seguidor. Assim, a saída é igual ao valor absoluto da tensão de entrada. Com o CI₂ operando a partir de uma única fonte positiva, evitam-se problemas de limitações da taxa de variação no ceifador, uma vez que sua saída se desloca sobre uma queda de diodo apenas. Note que não é exigida uma precisão grande de R_3.

4.5.5 Um Olhar mais Atento para o Integrador

Introduzimos o integrador AOP na Seção 4.2.6, antes de lidar com a corrente de polarização de entrada e a tensão de *offset*.

Um problema com esse circuito (Figura 4.16) é que a saída tende a se desviar, mesmo com a entrada aterrada, por causa da corrente de polarização e *offsets* do AOP (não há realimentação em CC, o que viola o terceiro item na Seção 4.2.7). Esse problema pode ser minimizado através de um AOP FET para corrente de entrada e *offset* baixos, ajustando a tensão de *offset* de entrada do AOP e usando grandes valores de R e C. Além disso, em aplicações em que o integrador é zerado periodicamente pelo fechamento de uma chave colocada sobre o capacitor (Figuras 4.18A-C), apenas a deriva ao longo do curto espaço de tempo importa.

Vale a pena observar isso mais detalhadamente. Consulte o integrador na Figura 4.65, mostrado com uma escolha de uma tensão de entrada V_{in} (que, na ausência de erros do AOP, produz uma corrente para o ponto de soma de $I = V_{in}/R$), ou uma entrada de corrente I_{in} (caso no qual se omite o resistor de entrada R). O integrador ideal produz uma saída

$$V_{out}(t) = -\frac{1}{C}\int I_{in}(t)\,dt = -\frac{1}{RC}\int V_{in}(t)\,dt.$$

É suficientemente fácil determinar o efeito dos erros de entrada do AOP I_B e V_{OS}. Veremos primeiro o caso de um circuito integrador com entrada de corrente.[30] A corrente de polarização do AOP I_B é somada (ou subtraída) da corrente de entrada verdadeira I_{in}; na ausência de qualquer corrente de entrada externa, a saída do integrador aumentaria em forma de rampa a uma taxa $dV_{out}/dt = I_B/C$. O efeito da tensão de *offset* de entrada do AOP, por outro lado, é simplesmente deslocar a tensão de saída de V_{OS}, sem a variação em rampa;[31] então, quando se *reseta* o integrador colocando em curto-circuito o capacitor C de realimentação, a saída vai para uma tensão igual a V_{OS} em vez de zero.

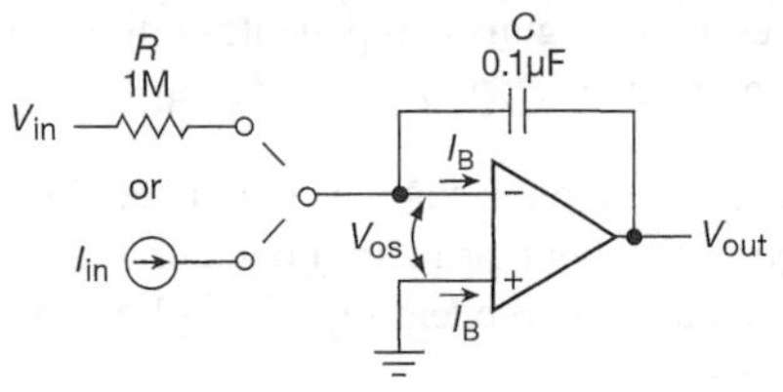

Vejamos alguns valores reais. Na Figura 4.65, escolhemos, um tanto arbitrariamente, valores de 0,1 μF para C e 1 MΩ para R (para a entrada de tensão). Então, uma corrente positiva de entrada de 1 μA produz uma rampa de saída de -10 V/s. Se tivéssemos de escolher o bipolar OP27E de precisão, sua corrente de entrada relativamente alta de ± 40 nA (máx) causaria uma rampa de saída de até $dV_{out}/dt = I_B/C = \pm 0{,}4 V/s$.

Isso não é bom, especialmente se você quiser integrar por alguns segundos ou mais. Portanto, consertaremos as coisas escolhendo um AOP que se sobressaia na corrente de polarização baixa – por exemplo, o CMOS LMC6041A (os sufixos denotam a classe particular; escolhemos o melhor de todos). Ele tem uma corrente de polarização máxima especificada de 4 pA ao longo de sua faixa de temperatura (porém, um valor "típico" surpreendente[32] de 2 fA, ou 2×10^{-15} A). Agora, a rampa de saída de pior caso, na ausência de qualquer corrente de sinal de entrada, é reduzida a $dV_{out}/dt = I_B/C = \pm 40$ μV/s. A taxa de rampa "típica" é 2.000 vezes menor, se podemos acreditar nas especificações; isso é um mero 0,02 μV/s.

Neste ponto, a moral da história parece ser que o melhor AOP para qualquer integrador é aquele com a menor corrente de polarização I_B. Mas, infelizmente, a vida é mais complicada do que isso. Em especial, se o integrador está configurado para entrada de *tensão*, com um resistor de entrada em série R, então a tensão de *offset* do AOP, V_{OS}, agora produz uma rampa quando a entrada para o circuito é mantida no terra. Imagine que a entrada está aterrada ($V_{in} = 0$), e imagine isso desta maneira: o AOP procura alinhar suas entradas com uma tensão V_{OS} entre elas; essa pequena voltagem, então, produz uma corrente $I = V_{OS}/R$ sobre o resistor de entrada. Essa corrente tem que vir através do capacitor de realimentação, ou seja, a saída deve ser uma rampa para produzir a corrente necessária para satisfazer a crença distorcida sobre o AOP de que suas entradas devem diferir em V_{OS}. Outra maneira de dizer isso é que a corrente age apenas como uma corrente de entrada $I = -V_{OS}/R$.

Agora, a escolha de AOP não é tão clara! Observe a Figura 4.65 novamente. O AOP CMOS com a sua corrente de polarização muito baixa tem uma tensão de *offset* mui-

	Erro de corrente		
	sempre	se há entrada de tensão	
	$I_e = I_B$	$[+ V_{os}/R]$	Erro de corrente total
			$V_{entrada}$ | $V_{entrada}$
OP27E	**40nA**	[+ 25pA] (25μV/1M)	40nA | 40nA
LMC6042A	4pA	[+ **3nA**] (3mV/1M)	0,004nA | 3nA
OP97E	100pA	[+ 25pA] (25μV/1M)	0,1nA | 0,13nA

FIGURA 4.65 Erros do integrador: corrente de polarização e tensão *offset*.

---

[30] Exemplos de sinais que estão naturalmente sob a forma de uma corrente incluem aqueles a partir de um fotodiodo, um PMT ou um detector de íon, ou a partir de medições em um dielétrico, semicondutor ou nanomateriais.

[31] Se o sinal de entrada não for uma fonte de corrente verdadeira, mas vier de uma tensão V_{in} em série com um resistor R_{in}, então o V_{OS} do AOP provoca uma pequena corrente de erro adicional de V_{OS}/R_{in}.

[32] Especialmente quando se considera que a sua entrada é protegida por diodo ceifadores para os trilhos de alimentação. Como é que esses magos conseguiram isso? (Da mesma forma como você aperta s mão de um gorila – *com muito cuidado*!).

to grande, V_{OS} = 3 mV (máx). Portanto, nesse circuito, ele pode produzir uma corrente de entrada equivalente de 3 nA (3 mV sobre 1 MΩ); isso é quase mil vezes maior do que a contribuição de pior caso de sua corrente de polarização e está ficando no mesmo patamar que a corrente de entrada do AOP bipolar OP27E que consideramos anteriormente.

Se a deriva mínima for necessária com esses valores de circuito particulares, a solução é escolher um AOP com o melhor compromisso de corrente de polarização e tensão de *offset* baixos; para ser mais preciso, ele deve ter o valor mínimo da corrente de erro de pior caso total $I_E = I_B + V_{OS}/R$. Uma boa escolha seria o bipolar OP97E, um AOP de precisão (baixo *offset*) com circuitos de cancelamento de polarização internos. Ele ostenta valores máximos de I_B = 0,1 nA e V_{OS} = 25 μV; o erro de corrente de pior caso correspondente é I_E = 0,125 nA, que é 25 vezes melhor do que o do LMC6041A e 320 vezes melhor do que o do OP27.

Note que a contribuição relativa de V_{OS} e I_B para o erro do integrador é dimensionada pelo valor de R. Assim, você pode simplesmente escolher um valor de resistor maior se tiver um AOP com excelente I_B, mas apenas um V_{OS} modesto.

Se a deriva residual de um circuito integrador ainda for muito grande para uma determinada aplicação, ou se a precisão de longo prazo não for importante, uma solução consiste em colocar uma grande resistência R_2 sobre C para proporcionar realimentação para polarização estável, como mostrado na Figura 4.18D. O efeito é atenuar a ação integradora em frequências muito baixas, $f < 1/R_2v$. O resistor de realimentação pode se tornar bastante grande nesse tipo de aplicação. A Figura 4.66 mostra um truque para produzir o efeito de um grande resistor de realimentação usando valores menores em qualquer circuito AOP. Nesse caso – um circuito amplificador inversor –, a rede de realimentação se comporta como um único resistor de 10 MΩ, produzindo, assim, um ganho de tensão de −100. Essa técnica tem a vantagem de usar resistores de valores convenientes, sem os problemas de capacitância parasita, etc., que ocorrem com valores de resistores muito grandes. Note que esse truque de "rede T" pode aumentar a tensão de *offset* de entrada efetiva se usado em uma configuração transresistência (Seção 4.3.1C). Por exemplo, o circuito da Figura 4.66, acionado a partir de uma fonte de alta impedância (ou seja, a corrente de um fotodiodo, com o resistor de entrada omitido), tem um *offset* de saída de 100 vezes V_{OS}, enquanto o mesmo circuito com um resistor de realimentação de 10 MΩ tem uma saída igual a V_{OS} (supondo que o *offset*, que é devido à corrente de entrada, é insignificante).

4.5.6 Um Circuito para Solucionar a Fuga do FET

Algumas vezes, uma técnica de circuito é tão elegante e fascinante, que nos sentimos compelidos a contar aos outros sobre isso. Esse é o caso para o circuito nesta seção, que trouxemos de nossa 2ª edição e atualizamos. Leia agora sobre ele e

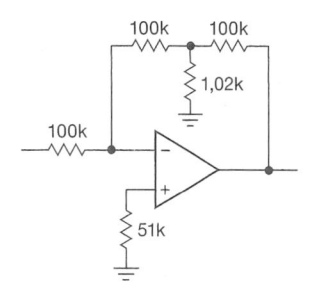

FIGURA 4.66 "Rede T" simula um resistor de grande valor (aqui, 10 MΩ).

se encante com a sua inteligência; mas, em seguida, verifique nossas observações no parágrafo conclusivo.

No integrador com uma chave FET como *reset* (Figura 4.18), a fuga dreno-fonte fornece uma pequena corrente no ponto de soma mesmo quando o FET está OFF. Com um AOP de corrente de entrada muito baixa e capacitor de baixa fuga, esse pode ser o erro dominante no integrador. Por exemplo, o excelente AOP "eletrômetro" LMC6001A com entrada JFET tem uma corrente de entrada máxima de 0,025 pA, e um capacitor de poliestireno ou Teflon metalizado de alta qualidade de 0,1 μF especifica uma resistência de fuga como 10^7 *mega*ohms, mínimo. Assim, o integrador, exclusivo do circuito de *reset*, mantém correntes parasitas no ponto de soma inferior a 1 pA (para um pior caso de 10 V de saída de fundo de escala), correspondente a uma saída dV/dt de menos de 0,01 mV/s. Compare isso com a contribuição de fuga de um MOSFET, tal como o SD210 (modo intensificação), que especifica uma corrente máxima de fuga de 10 nA para V_{DS} = 10 V e V_{GS} = −5V! Em outras palavras, a chave FET de *reset* pode contribuir com até 10.000 vezes mais fugas que todo o restante combinado.

A Figura 4.67 mostra uma solução de circuito inteligente. Embora ambos os MOSFETs canal *n* sejam comutados em conjunto, Q_1 é comutado com tensões de porta de 0 e +15 volts, de modo que a fuga de porta (assim como fuga de dreno-fonte) é totalmente eliminada durante o estado OFF (tensão de porta zero). No estado ON, o capacitor é descarregado como antes, mas com o dobro de R_{ON}. No estado OFF, a pequena fuga de Q_2 passa para o terra através de R_2 com queda insignificante. Não há nenhuma fuga de corrente no ponto de soma, porque a fonte, o dreno e o substrato de Q_1 estão todos à mesma tensão. (Leitores atentos podem ter notado que o terra virtual na entrada inversora do AOP é imperfeito na medida da sua tensão de *offset* V_{OS}.[33] Esta pode ser ajustada para eliminar completamente qualquer corrente de fuga de Q_1).

O limite final para a "inclinação" do capacitor, neste circuito, uma vez que a fuga da chave FET tenha sido eliminada, é definido pela corrente de entrada do AOP e pela

---
[33] "Não há uma conexão *literal*, caro leitor."

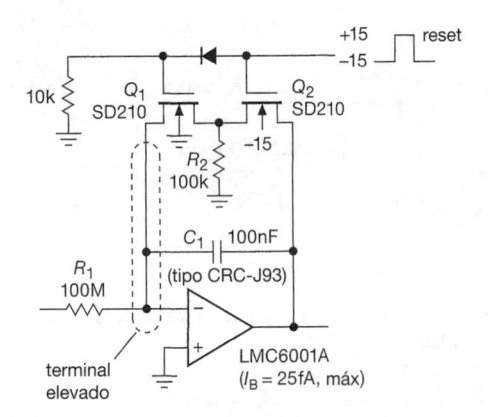

FIGURA 4.67 Fuga do MOSFET derrotada pelo circuito inteligente.

autodescarga do capacitor. O capacitor mostrado tem uma resistência de fuga especificada[34] de 10^7 MΩ, ou seja, 10^{13} Ω. As correntes de fuga resultantes, da ordem de 10^{-16} A (em seguida ao *reset*), são totalmente insignificantes em comparação com as correntes de polarização do AOP. Para o AOP mostrado, a corrente de polarização especificada é 25 fA máxima (10 fA típico) a 25°C; essa corrente de polarização produz uma inclinação máxima de 0,25 μV/s. Não há AOPs com menor corrente de polarização máxima especificada atualmente disponíveis; no entanto, você pode encontrar AOPs cuja corrente de polarização "típica" é menor, por exemplo, o LMC6041, um AOP barato cuja folha de dados proclama $I_B = 2$ fA (típico) a 25°C (nenhum máximo é dado à temperatura ambiente; $I_B = 4$ pA máximo ao longo da faixa total de temperatura). O que se deve fazer com um AOP cuja corrente de entrada típica é 2.000 vezes menor do que a máxima garantida? O fabricante *sabe* apenas que ele é muito bom, mas é muito difícil de testar na produção. Você faria bem em usar essas unidades baratas nesse tipo de circuito, se estiver disposto a pesquisar os AOPs; caso contrário, pague o preço por uma unidade que tenha um limite garantido (mas note que o LMC6001A, uma unidade desse tipo, tem uma I_B típica que é cinco vezes maior do que a do menos dispendioso LMC6041).

Ao projetar circuitos nos quais é necessária baixa corrente de entrada, atente para efeitos de temperatura: todos os AOPs FET (tanto os tipos JFET quanto CMOS) apresentam um aumento drástico na corrente de entrada com o aumento da temperatura, normalmente dobrando a cada 10°C, garantido um salto de corrente de polarização máxima do LMC6001A de 25 fA a 25°C para 2.000 fA a 85°C. Em altas temperaturas, as correntes de entrada (de fuga) dos AOPs FET podem, muitas vezes, ser mais elevadas do que as correntes de entrada (polarização) dos tipos bipolares de baixo I_B; isso porque as correntes de fuga aumentam exponencialmente com a temperatura, enquanto as correntes de polarização do transistor permanecer mais ou menos constantes (ou diminuem ligeiramente). Olhe novamente a Figura 3.48 para um bom exemplo; veja também as Figuras 5.6 e 5.38.

Pode ser difícil encontrar MOSFETs discretos de baixa capacitância com pinos de substrato; atualmente, a família SD210 (com versões SMT com prefixo SST) está disponível pela Linear Systems (Fremont, CA). As duas chaves em configuração T são boas, embora possa ser um desafio encontrar componentes adequados sem a condução substrato-diodo, etc. Esses MOSFETs funcionam bem, mas, se eles não forem encontrados, sugerimos que você modifique o circuito para usar JFETs, como na Figura 5.5.

4.5.7 Diferenciadores

Diferenciadores são semelhantes aos integradores, mas com R e C invertidos (Figura 4.68). Uma vez que a entrada inversora está no terra, a taxa de variação da tensão de entrada produz uma corrente $I = C(dV_{in}/dt)$ e, portanto, uma tensão de saída

$$V_{out} = -RC\frac{dV_{in}}{dt}. \quad (4.7)$$

Diferenciadores têm polarização estável, mas geralmente têm problemas com ruído e instabilidades em altas frequências por causa de alto ganho do AOP e deslocamentos de fase internos. Por essa razão, é necessário atenuar a ação do diferenciador em alguma frequência máxima. O método usual é mostrado na Figura 4.69. A escolha dos componentes de atenuação R_1 e C_2 depende do nível de ruído do sinal e da largura de banda do AOP, com valores maiores proporcionando uma maior estabilidade e menos ruído, à custa da largura de banda do diferenciador. Um valor mínimo recomendado para R_1 é dado por $R_1 = 0,5\sqrt{R_2/C_1 f_T}$; C_2 pode ser acrescentado para uma maior redução de ruído, com um valor inicial de $C_2 \approx C_1 R_1/R_2$. Em altas frequências ($f \gg 1/2\pi R_1 C_1$), esse circuito se torna um integrador por causa de R_1 e C_2. Explicaremos o que está acontecendo aqui em mais detalhes na Seção 4.9.3.

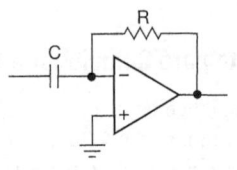

FIGURA 4.68 Diferenciador AOP (ruidoso, provavelmente instável!).

---

[34] Em medições cuidadosas de fuga feitas por vários em alguns capacitores de poliéster e polipropileno em baixas tensões. Tom Bruins da Agilent identificou que as resistências de fuga reais são cerca de 10.000 vezes maiores do que o especificado. Usando capacitores de 160 V em 10 V, ele mediu constantes de tempo (em segundos, às vezes chamados de "produtos megohm-microfarad") de 2 x 10^7 segundos (poliéster) e > 10^9 segundo (polipropileno). Na verdade, o que é comumente chamado de "fuga" em tais capacitores parece principalmente ser corrente de absorção dielétrica; ver Seção 5.6.2.

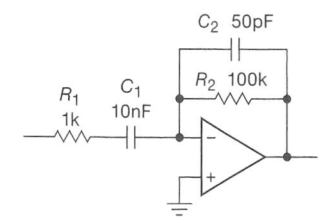

FIGURA 4.69 Adicionar R_1 e C_2 estabiliza o diferenciador AOP básico (que consiste em C_1, R_2 e AOP); eles também reduzem o ruído de alta frequência.

4.6 OPERAÇÃO DO AOP COM UMA FONTE DE ALIMENTAÇÃO SIMPLES

AOPs não *necessitam* de fontes reguladas de ±15 volts. Eles podem ser operados a partir de fontes simétricas de tensões mais baixas[35] ou a partir de tensões de alimentação assimétricas (por exemplo, +12 e −3), enquanto a tensão de alimentação total (V_+ e $V_−$) está dentro das especificações (veja a Tabela 4.1 para valores genéricos e as Tabelas 4.2a, b para dispositivos específicos). Tensões de alimentação não reguladas são frequentemente adequadas por causa da "razão de rejeição de fonte de alimentação" alta que se obtém a partir de realimentação negativa (para o 411 é 90 dB típico). Mas há muitas ocasiões em que seria bom operar um AOP de uma fonte simples – por exemplo, 9 volts. Isso pode ser feito com AOPs comuns gerando uma tensão de "referência" acima do terra, se tiver cuidados com tensões de alimentação mínimas, limitações de variação de saída e faixa máxima de entrada de modo comum.

Em muitos casos, no entanto, você pode simplificar esses circuitos, tirando partido de uma classe de AOPs projetada para operação com fonte simples. Com objetividade característica, os engenheiros chamam esses de "AOPs de fontes simples". Sua característica comum é que tanto a sua faixa de modo comum de entrada como sua variação de saída se estendem ao trilho da fonte negativa (ou seja, terra, quando opera a partir de uma única fonte positiva). Uma subclasse desses pode variar suas saídas para as *duas* fontes ("saídas trilho a trilho"), e alguns deles até mesmo permitem variações de entrada para ambos os trilhos ("I/O trilho a trilho"). Tenha em mente, porém, que a operação com as fontes simétricas deve ser considerada a técnica normal de alimentação de AOPs para a maioria das aplicações.

4.6.1 Polarização de Amplificadores CA de Alimentação Simples

Para um AOP de propósito geral, como o 411, as entradas e a saída normalmente podem variar para dentro de cerca de 1,5

---

[35] Em um mundo de tensões de operação cada vez mais baixas, os AOPs que podem trabalhar em ±15 V agora são chamados de "AOPs de alta tensão".

volts de qualquer fonte. Com $V_−$ conectado ao terra, você não pode ter qualquer uma das entradas ou a saída no terra; ou seja, ele não funcionará corretamente se você acionar as entradas para o terra, e ele simplesmente não pode variar sua saída para o terra.

Assim, uma razão pela qual o circuito na Figura 4.70 não funcionará é que o sinal de baixo nível com acoplamento CA a partir do microfone é centrado no terra, onde o AOP não funcionará. No entanto, mesmo se a faixa de modo comum de entrada do AOP incluísse o trilho negativo (terra, aqui), ainda estaríamos em apuros, pois, neste circuito, a saída amplificada também estaria centrada no terra (de modo que ela teria que variar acima e abaixo do terra). É importante compreender que esse problema com a saída não pode ser resolvido dessa maneira – um AOP simplesmente não pode variar para além dos seus trilhos de alimentação. Mesmo um AOP com entradas *e* saídas trilho a trilho não funcionaria.

Exercício 4.19 Faça um esboço da forma de onda de saída do circuito da Figura 4.70, quando acionado com uma entrada senoidal de 10 mV, considerando que o AOP é de classe especial com entradas e saídas trilho a trilho.

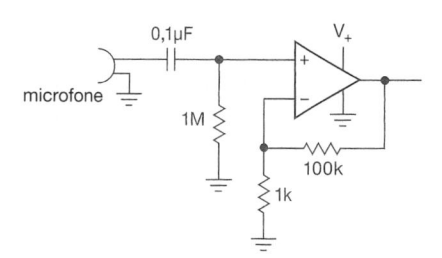

FIGURA 4.70 Amplificador de microfone de alimentação simples com defeito.

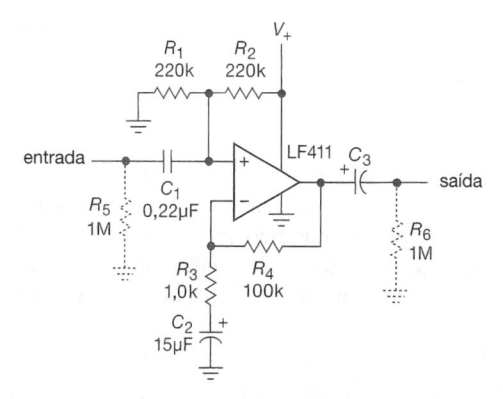

FIGURA 4.71 A tensão de referência em ½ V_+ (criada pelo divisor R_1R_2) permite a operação de alimentação simples com um AOP comum.

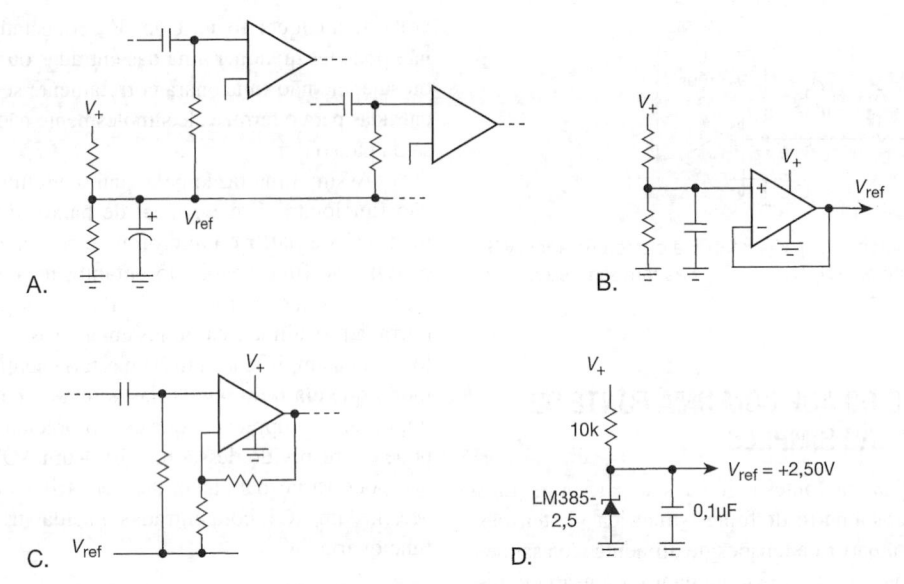

FIGURA 4.72 Esquemas de polarização para operação com alimentação simples. A. Referência comum (também conhecido, confusamente, como uma "terra virtual") para múltiplos estágios; note o capacitor de desvio. B. Seguidor gera referência de baixa impedância. C. A referência pode servir como via de retorno para a realimentação, com correntes de sinal significativas. D. Tensão de referência fixada por um zener.

A. Tensão de referência

Uma solução é gerar uma *tensão de referência* em algum ponto entre o terra e a fonte positiva (por exemplo, na metade de V_+) para polarizar o AOP para uma operação bem sucedida (Figura 4.71). Esse circuito é um amplificador de áudio com ganho de 40 dB. Escolher $V_+ = 12$ V e $V_{ref} = 0,5V_+$ dá uma variação de saída de cerca de 9 volts de pico a pico antes do início do ceifamento. O acoplamento capacitivo é utilizado na entrada e na saída para bloquear o nível CC, que equivale a V_{ref}. Os resistores opcionais devem ser utilizados se este circuito for conectado ao mundo exterior; eles garantirão que não haverá tensão CC na entrada e na saída, o que impede cliques e estalos altos quando um elemento externo é conectado.

A tensão de referência pode ser gerada na entrada do amplificador operacional com um simples divisor resistivo, tal como mostrado. Se o circuito requer vários estágios AOP, é mais simples gerar uma referência comum, com um único resistor de polarização para cada estágio, como na Figura 4.72A. Certifique-se de fazer o desvio (*bypass*) da referência, para evitar acoplamento de sinal. Você também pode passar a referência por um *buffer* usando um seguidor (Figura 4.72B), que é particularmente útil se quaisquer correntes significativas de sinais ou CC fluem através desse caminho, como na Figura 4.72C. Note que o seguidor pode ser qualquer amplificador operacional comum, pois ele opera com um sinal de alimentação médio. Neste circuito, a tensão de referência não tem de ser a metade da tensão de alimentação; pode ser melhor dividir a alimentação assimetricamente, para permitir variação máxima do sinal. Em alguns casos, pode ser preferí-

vel colocá-lo em uma tensão fixa a partir do trilho, utilizando um CI de referência fixa tipo zener, como na Figura 4.72D; este trilho é, então, uma fonte regulada em relação à referência comum.

O projeto de circuito contemporâneo está buscando adotar tensões de alimentação mais baixas, muitas vezes sob a forma de uma fonte simples positiva. Para a operação com uma fonte simples de +5 V, por exemplo, um AOP convencional, como o 411, simplesmente não servirá: Não só suas saídas não podem variar tipicamente mais perto do que 1,5 V dos trilhos de alimentação; na verdade, nem mesmo se prevê seu funcionamento a partir de uma tensão total de alimentação de menos de 10 V. Assim, para esses circuitos, você deve usar AOPs projetados para operarem com baixa tensão. Esses são, muitas vezes, chamados de AOPs de "fonte simples" e vêm em diversas formas, algumas das quais incluem a operação especificada de entradas e saídas até o trilho negativo; outros apresentam variações de saída para ambos os *trilhos*, dos quais um subconjunto permite que as entradas e as saídas cheguem a ambos os trilhos. Lidaremos com isso em breve, na Seção 4.6.3.

B. Fonte simétrica

O circuito na Figura 4.72C sugere uma abordagem diferente para a operação com uma bateria. Em vez de criar uma linha chamada V_{ref} em torno de um sinal comum, com o terminal negativo da bateria chamado terra, por que não aterrar a saída de "referência", efetivamente dividindo a fonte simples em um par positivo-negativo? Essa é uma técnica comum em

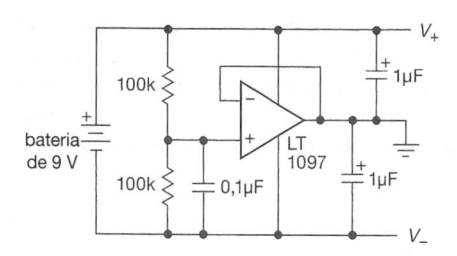

FIGURA 4.73 Gerador de fonte simétrica com AOP. Um seguidor gera uma tensão de saída de baixa impedância de metade da tensão da bateria, que se torna o terra do circuito.

equipamentos operados por bateria e é mostrada na Figura 4.73. A tensão da bateria é dividida pelo divisor resistivo, que alimenta um seguidor para gerar uma tensão comum de baixa impedância. Para o mundo exterior, essa tensão comum é o terra com as extremidades da bateria flutuando.

A saída deve ser desviada, como sempre, para manter os trilhos de alimentação de baixa impedância, em relação ao terra, em frequências do sinal. Isso é necessário porque o terra é geralmente o retorno comum para filtros, redes de polarização, cargas, etc. Olhe para quase qualquer circuito de fonte simétrica normal e você verá correntes CC e de sinal fluindo para dentro e para fora do terra.

Isso levanta um problema interessante, que discutiremos em detalhes na Seção 9.1.1C, ou seja, que a resistência de saída do AOP, em combinação com o capacitor de desvio, cria um deslocamento de fase em atraso em altas frequências, o que pode fazer a malha de realimentação entrar em oscilação. Alguns AOPs são projetados para contornar esse problema – por exemplo, o LT1097 mostrado na figura (cuja folha de dados indica que ele é estável com qualquer carga capacitiva). Mesmo assim, esse circuito apresenta um pico na sua impedância de saída em função da frequência (Figura 4.74), e um efeito relacionado, ou seja, uma oscilação transiente com a mesma frequência característica (Figura 4.75); você pode pensar nesses efeitos como o fantasma não totalmente eliminado de uma oscilação. Como as figuras mostram, um pequeno resistor de amortecimento em série com a saída do AOP (Figura 4.76A) trava eficazmente esse comportamento ressonante, à custa de um aumento da impedância saída CC.

Se o aumento da impedância de saída for indesejável (o que geralmente não é), outra abordagem é usar uma realimentação "lenta" a jusante da resistência de amortecimento (que preserva o desempenho CC preciso, ou seja, impedância de saída CC baixa), com um caminho de realimentação "rápida" em paralelo a partir do lado de entrada (Figura 4.76B) para evitar a oscilação transiente. Você pode ver o resultado na Figura 4.75, onde usamos $R_1 = 2,7\ \Omega$, $R_2 = 10k$, e $C = 2,7$ nF: o transiente inicial parece-se exatamente com um resistor de amortecimento de 2,7 Ω, mas, em seguida, retorna ao nível CC correto, porque a realimentação CC é obtida a partir do ponto de carga. Uma terceira possibilidade é "so-

brecompensar" o AOP, para o qual o LT1097 oferece essa possibilidade na forma de um conveniente pino de "sobrecompensação"; a adição de um capacitor para terra a partir desse pino aumenta a margem de fase, deslocando o polo dominante para baixo na frequência (Seção 4.9).

Há uma boa solução integrada da Texas Instruments, os CIs TLE2425 e TLE2426 de "trilhos simétricos". Eles vêm em um encapsulamento conveniente de 3 terminais TO-92 (pequeno transistor), consomem menos de 0,2 mA de corrente quiescente, são estáveis em qualquer carga capacitiva maior do que 0,33 μF e podem fornecer ou absorver uma corrente desequilibrada de 20 mA (Figura 4.77). O TLE2426 divide os trilhos 50% com um divisor resistivo interno, enquanto o TLE2425 usa uma referência interna de tensão para colocar a saída comum 2,50 V acima do trilho negativo.

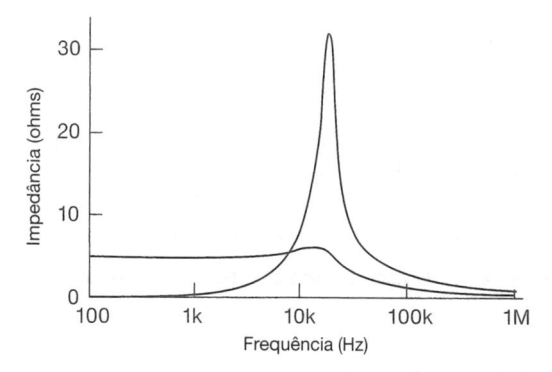

FIGURA 4.74 Um dos efeitos da carga capacitiva é um impacto na impedância de saída, que é muito reduzida com uma resistência de amortecimento de 5 Ω; veja o texto.

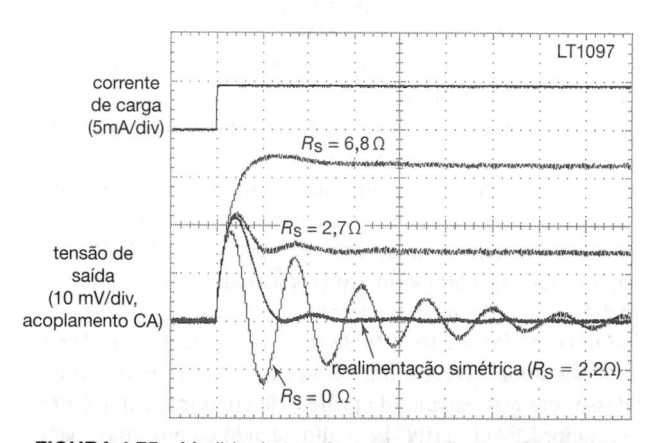

FIGURA 4.75 Medida do transiente da tensão de saída do circuito divisor de trilho da Figura 4.76A causado por um degrau de corrente de carga de 4,5 mA, com vários valores de resistor de amortecimento em série. Este último elimina a oscilação transiente, à custa da impedância de saída CC. Uma alternativa é o esquema de "realimentação dividida" da Figura 4.76B. Escalas: 5 mA/div e 10 mV/div; 40 μs/div.

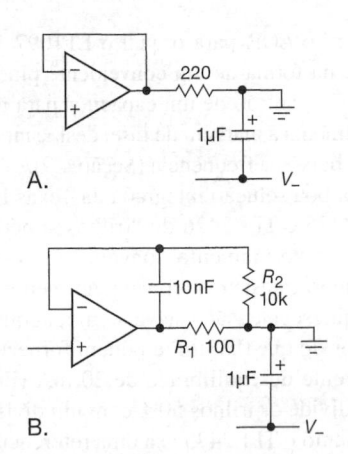

FIGURA 4.76 Estabilização do gerador de fonte simétrica: A. Resistor de desacoplamento; B. Resistor de desacoplamento com caminhos de realimentação rápidos e lentos.

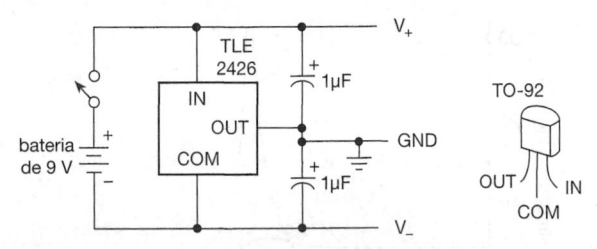

FIGURA 4.77 Divisor de trilho de 3 terminais integrado.

4.6.2 Cargas Capacitivas

Este exemplo específico de uma fonte simétrica evidencia um problema mais geral, isto é, o efeito da carga capacitiva na saída de *qualquer* circuito AOP. É importante avaliar agora as causas e as soluções, pois ela pode causar dano mesmo ao mais simples dos circuitos AOPs.

Digamos que você tenha construído uma pequena caixa, com alguns AOPs dentro e a(s) saída(s) levada(s) para o meio externo através dos sempre populares conectores de painel BNC. É fácil esquecer que algo parecido com um cabo BNC blindado de comprimento de, digamos, 2 m, indo de um conector de saída para algum outro instrumento, tem bastante capacitância: um cabo de ligação blindado RG-58 padrão tem 100 pF por metro (ver apêndice H). Assim, um cabo de ligação inócuo sozinho exerce carga na saída do AOP com 200 pF. Isso, às vezes, é o suficiente para fazer um seguidor AOP oscilar (conectamos apenas um cabo desses em nossas aulas de projeto de circuitos, em que um seguidor LF411 "grita" bem alto quando o colocamos para acionar um cabo de 8 pés (~2,4 m)). E, ainda que ele não pare de variar, provavelmente apresentará picos de resposta em altas frequências, evidentes como *overshoot* (sobre-elevação) e oscilação transiente.

As causas são as mesmas que com o divisor de alimentação: a carga capacitiva cria um deslocamento de fase de atraso e ela está dentro de uma malha de realimentação.[36]

E as possíveis soluções são as mesmas (Figura 4.78); observando os circuitos da figura em ordem (A-E):

- Você pode adicionar um pequeno resistor em série (talvez de 25 a 100 Ω) na saída do AOP, fora da malha de realimentação. (É bastante comum ver um resistor de saída de 50 Ω que constitui uma fonte casada a um "cabo de 50 Ω"; consulte o Apêndice H.) Isso está bem e é algo fácil, mas não significa que a realimentação não atua sobre o sinal de saída real, que pode ser significativo com cargas desagradáveis, ou em altas frequências, etc.

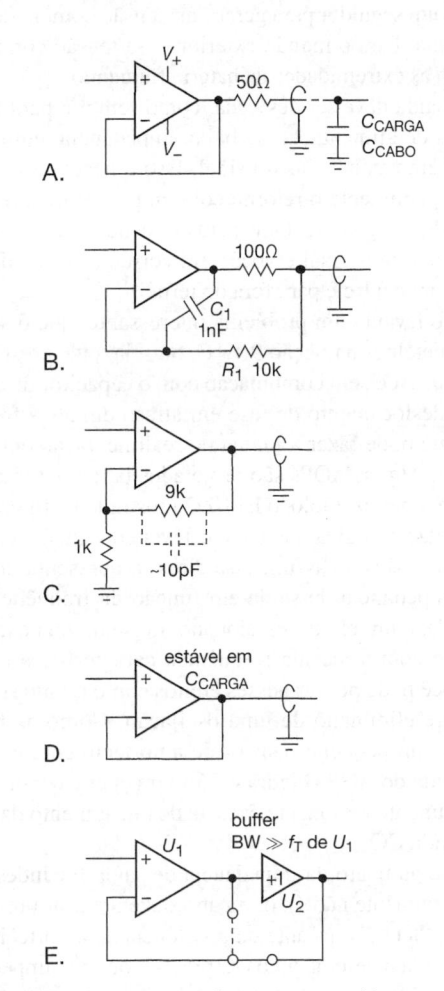

FIGURA 4.78 Acionamento de cargas capacitivas.

---

[36] Você também pode pensar nisso como um efeito da impedância de saída tipo indutivo do AOP (veja a Figura 4.53) combinando-se com a capacitância para formar uma ressonância, com todos os seus deslocamentos de fase, mais uma vez dentro da malha de realimentação.

- Você pode dividir a malha de realimentação, como mostrado, para que a realimentação venha diretamente da saída do AOP em altas frequências, em que a instabilidade se esconde. E, em frequências mais baixas, a realimentação controla com precisão o sinal visto pela carga. Isso não é realmente uma transigência, porque essas altas frequências estão exatamente onde a coisa oscilaria de qualquer maneira se você fosse permitir a realimentação a partir da carga.
- Você pode reduzir o ganho da malha, por exemplo, aumentando o ganho de malha fechada, para recuperar a estabilidade.
- Você pode buscar um AOP que garante estabilidade para a faixa de capacitância de carga que você espera. Muitos AOPs oferecem bons dados na forma de gráficos de "Estabilidade *versus* Carga Capacitiva". A Figura 4.79 mostra um exemplo, retirado da folha de dados do LMC6482.
- Você pode adicionar um *buffer* de ganho unitário, com a sua baixa impedância de saída nativa, seja dentro ou fora da malha de realimentação. Se adicioná-lo dentro da malha, você precisa se preocupar com mudanças de fase introduzidas pelo *buffer*; ele deve ter um f_T significativamente maior do que o AOP, e é, muitas vezes, uma boa ideia incluir um resistor em série de 50 a 100 Ω na entrada do *buffer* (não mostrado). Você pode precisar atenuar a resposta do AOP com um pequeno capacitor, como na Figura 4.87.

4.6.3 AOPs de "Fontes Simples"

Conforme apenas observado, alguns AOPs são projetados especificamente para permitir que as entradas e saídas cheguem ao trilho negativo. Eles são chamados de AOPs de "fonte simples", com a ideia de que o seu trilho negativo é realmente conectado ao terra. O intervalo de entrada na verdade se estende ligeiramente abaixo do terra, normalmente até $-0,3$ V. Em alguns casos, as saídas podem "variar também para o trilho positivo ("saída trilho a trilho"), e um subconjunto desses permite variações de entrada para os trilhos (e ligeiramente além deles) (entrada trilho a trilho). A Linear Technology introduziu uma nova tendência – AOPs que permitem variações de entrada bem além do trilho positivo (que eles chamam de amplificadores "Over-The-Top^{TM}").

Esses amplificadores podem simplificar os circuitos de fontes simples, pois você não precisa de uma referência em metade da alimentação, dividir o trilho, etc. Mas você tem que lembrar que a saída não pode ir *abaixo* do terra – assim, você não pode construir um amplificador de áudio como na Figura 4.70, cuja saída precisaria variar em ambos os lados do terra. Antes de conhecer as características desses AOPs de forma mais detalhada, analisaremos um exemplo de projeto.

A. Exemplo: fotômetro de fonte simples

A Figura 4.80 apresenta um exemplo típico de um circuito de operação para o qual a operação com fonte simples é conveniente. Discutimos um circuito semelhante anteriormente sob o título de conversores corrente-tensão. Devido ao circuito de célula fotoelétrica poder também ser usado em um instrumento portátil de medição de luminosidade e sabendo-se que a saída é apenas positiva, este é um bom candidato para um circuito de fonte simples operado por bateria. R_1 define a saída de fundo de escala em 5 volts para uma fotocorrente de entrada de 0,5 μA. O pequeno capacitor de realimentação é adicionado para garantir a estabilidade, como explicaremos na Seção 4.9.3. Nenhum ajuste de tensão de *offset* é necessário neste circuito, uma vez que o pior caso de *offset* não ajustado de 10 mV corresponde a uma indicação de fundo de escala insignificante de 0,2%. O TLC27L1 é um AOP CMOS de micropotência (corrente de alimentação de 10 μA) de baixo custo com variações de entrada e saída para o trilho negativo. A sua baixa corrente de entrada (0,6 pA, típica, à temperatura ambiente[37]) torna-o bom para aplicações de bai-

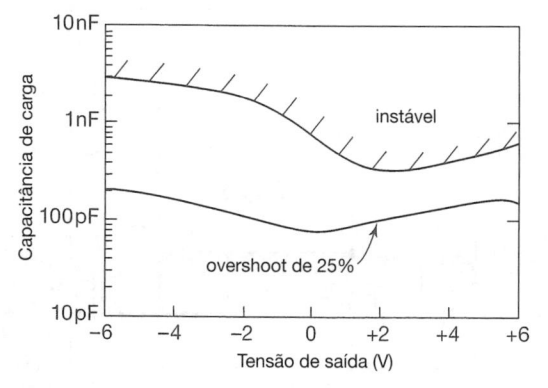

FIGURA 4.79 Estabilidade *versus* carga capacitiva para um seguidor AOP LMC6482 com R_{carga} = 2k e fontes de $\pm 7,5$ V.

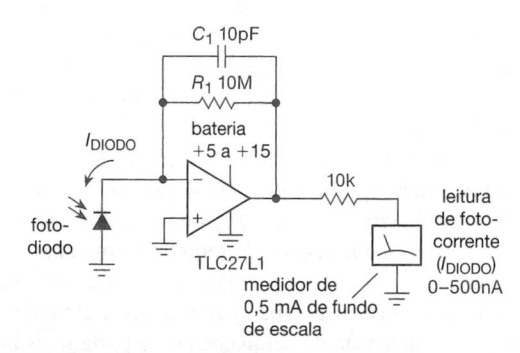

FIGURA 4.80 Fotômetro de fonte simples.

---

[37] Normalmente especificada para 25°C em folhas de dados. Isso é um pouco mais quente do que um típico escritório ou laboratório, mas você pode racionalizar essa escolha, dizendo que ela permite algum aquecimento no interior do gabinete do equipamento.

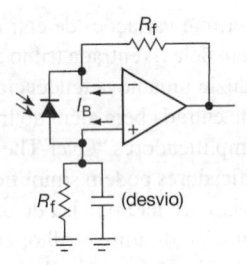

FIGURA 4.81 Amplificador do fotodiodo com cancelamento de corrente de polarização simples.

xa corrente como esta. Se você escolher um AOP bipolar para este tipo de circuito de baixa corrente de sinal, um melhor desempenho em baixos níveis de luz será obtido se o fotodiodo for conectado como no circuito mostrado na Figura 4.81.

É interessante notar que a "estimativa de corrente" deste circuito é dominada pela corrente de saída que aciona o medidor, que pode ir tão alto quanto 500 μA. É fácil ignorar um ponto assim, considerando que a bateria precisa fornecer apenas a corrente quiescente de 10 μA do AOP. Fornecendo 10 μA, uma bateria padrão de 9 V dura 40.000 horas (5 anos), ao passo que, com a operação contínua em 500 μA, ela duraria um mês.

B. A parte interna de um AOP de fonte simples

É útil olhar para o circuito de um AOP de fonte simples típico, tanto para entender como esses tipos conseguem operar até um ou ambos os trilhos como também para analisar algumas das sutilezas e armadilhas de usá-los nos projetos de seus circuitos. A Figura 4.82 é um esquema simplificado da série TLC270 de AOPs CMOS de fonte simples. O estágio de entrada é um amplificador diferencial MOSFET canal p com espelho corrente como carga ativa. O uso de transistores de entrada de canal p modo intensificação permite que as entradas cheguem ao trilho negativo (e um pouco além, até que os diodos de proteção de entrada onipresentes comecem a conduzir), mas evita a operação da entrada para o trilho positivo (porque não haveria tensão porta-fonte direta).

Ao contrário do AOP convencional clássico, com o seu estágio de saída seguidor *push-pull* (Figura 4.43), este estágio de saída é assimétrico: um seguidor canal n, Q_6, para o *pull-up* e outro amplificador de fonte comum canal n, Q_7, para o *pull-down*. Isso acontece porque um seguidor em Q_7 (que teria que ser canal p) não poderia puxar até embaixo, dado que a sua tensão de acionamento de porta mais baixa é o terra. Essa saída assimétrica exige que a fonte comum acione Q_5, que aciona a porta de Q_6, com tensões de limiares casadas para Q_5 e Q_7 para definir a corrente quiescente do estágio de saída. O capacitor de realimentação C_{comp} é para a compensação de frequência (ver Seção 4.9.2). Este estágio de saída pode saturar até o terra, com uma impedância de R_{ON} de Q_7; mas não pode chegar a V_+, porque Q_6 é um seguidor MOSFET canal n.

Exercício 4.20 O que define a tensão da fonte de Q_1 e Q_2 quando as entradas estão aproximadamente no terra? E o que determina o limite superior da faixa de entrada? Por que é que este último é sempre abaixo de V_+?

Exercício 4.21 O que define a tensão máxima positiva para que Q_6 possa puxar a saída, considerando o AOP com uma carga leve?

Essa mesma estrutura de estágio de saída – seguidor *pull-up* com amplificador *pull-down* – pode ser construída com transistores bipolares; um exemplo são os AOPs populares LT1013/LT1014 (duplo/quádruplo) de fonte simples, que são variantes melhoradas dos clássicos AOPs LM358/LM324. Uma advertência: não cometa o erro de supor que pode fazer *qualquer* saída de AOP funcionar até o trilho negativo simplesmente fornecendo um coletor de corrente externa. Na maioria dos casos, os circuitos que acionam o estágio de saída não permitirão isso. Procure pela permissão explícita na folha de dados!

Uma maneira de conseguir saídas trilho a trilho – ou seja, a operação em *ambos* os trilhos de alimentação – é substituir o seguidor *pull-up* canal n, Q_6, na Figura 4.82, por um amplificador de fonte comum canal p; assim, cada transistor pode saturar para seu respectivo trilho. Isso requer algumas mudanças no circuito acionador, é claro. Um circuito análogo pode ser construído com transistores bipolares – emissor comum *pnp pull-up* e *npn pull-down*. Exemplos atuais incluem os CMOS TLC2270, o LMC6000 e a série MAX406 e os bipolares LM6132, LT1881 e a série MAX4120. Esses amplificadores diferem em aspectos importantes, e você deve tomar cuidado com as declarações enganosas sobre variações de saída para o trilho negativo (terra).

Esses estágios de saída são bastante simples e não surpreendem. Mas eles não generalizam para o estágio de *entra-*

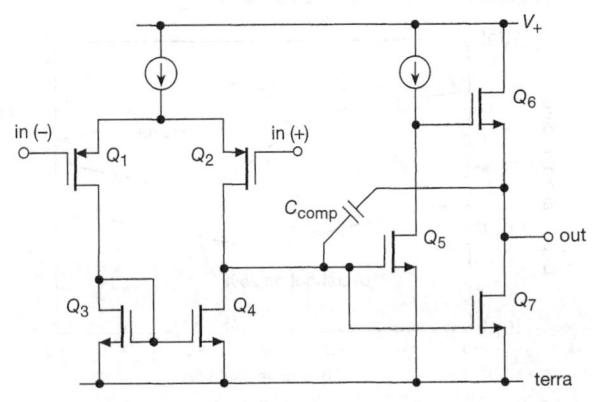

FIGURA 4.82 Esquema simplificado do AOP série TLC271 de fonte simples.

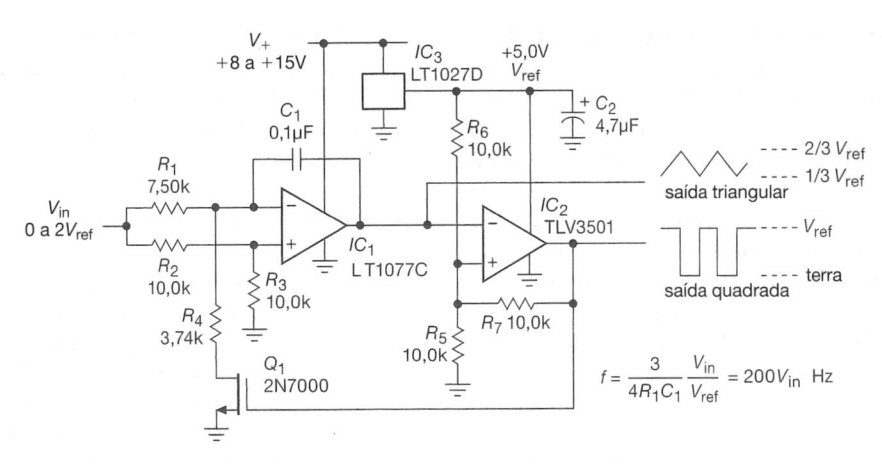

FIGURA 4.83 Gerador de forma de onda de precisão controlado por tensão.

da. Como, de fato, é que você pode eventualmente alcançar capacidade de entrada trilho a trilho? Para completar o quadro, sem entrar em qualquer detalhe, o truque é projetar um amplificador com dois estágios independentes de entrada, um canal *p* (ou *pnp*) e o outro canal *n* (ou *npn*). AOPs de fonte simples são indispensáveis em equipamentos operados por bateria.

4.6.4 Exemplo: Oscilador Controlado por Tensão

A Figura 4.83 mostra um circuito inteligente, emprestado das notas de aplicação de diversos fabricantes. O CI_1 é um integrador, configurado de modo que a corrente do capacitor ($V_{in}/15k$) mude o sinal, mas não o módulo, quando Q_1 conduz. O CI_2 é conectado como um *Schmitt trigger*, com valores de referência a um terço e dois terços de V_{ref}. O MOSFET canal *n* Q_1 é usado aqui como uma chave, puxando o lado inferior de R_4 para o terra quando a saída do CI_2 for nível ALTO e deixando-o em circuito aberto quando a saída for nível BAIXO.

Um recurso interessante desse circuito é a sua operação a partir de uma fonte positiva simples. O TLV3501 é um comparador CMOS com variação de saída trilho a trilho, o que significa que a saída do *Schmitt trigger* varia de V_{ref} para o terra; isso garante que os limiares do *Schmitt trigger* não derivem, como ocorreria com um AOP de projeto de estágio de saída convencional, com seus limites mal definidos de variação de saída. Neste caso, o resultado são a frequência estável e a amplitude da onda triangular. Note que a frequência depende somente da relação V_{in}/V_{ref}; isto significa que, se V_{in} for gerada a partir de V_{ref} por um divisor resistivo (feita a partir de algum tipo de transdutor resistivo, por exemplo), a frequência de saída não variará com V_{ref}, somente com variações na resistência. Esse é outro exemplo de técnica ratiométrica; projetistas de circuitos gostam de usar esse truque para minimizar a dependência de tensões da fonte de alimentação.

Alguns pontos adicionais.

- Tanto o coeficiente de conversão de frequência quanto a amplitude da variação da saída são definidos pela tensão de referência que alimenta o CI_2 (V_{ref}) – neste caso, um preciso e estável +5,00 V fornecido pelo CI_3, uma tensão de referência de 3 terminais. Essa tensão pode ser deixada sem regulação se a tensão de controle for disposta de modo a ser proporcional a ela, como descrito anteriormente. A amplitude de saída seria, no entanto, ainda dependente desse trilho de alimentação. A solução mostrada há pouco é preferível.

- O AOP integrador, CI_1, é um AOP de "precisão", com uma tensão de *offset* máxima de 60 μV. Ele foi escolhido para fornecer com precisão frequência proporcional até uma entrada próxima de zero volt. Você pode pensar nisso em termos de *faixa dinâmica* do controle de frequência: a tensão de *offset* de entrada no AOP integrador produz um erro na frequência equivalente a um valor de V_{in} de duas vezes a tensão de *offset* (por causa do divisor $R_2 R_3$); para dizer de outra forma, a uma tensão de entrada $V_{in} \sim 2 V_{OS}$, a frequência de saída terá um erro de 100% (que poderia ser tão grande quanto o dobro da frequência programada e tão baixo quanto zero). Assim, a razão entre a frequência máxima e a mínima é aproximadamente igual ao V_{ref}/V_{OS}. O LT1077C mostrado na figura fornece uma faixa dinâmica de cerca de 100.000:1 (a relação V_{ref}/V_{OS} = 5V/60 μV).

- O AOP integrador deve operar até uma entrada de zero volt; ou seja, deve ser um AOP de "fonte simples" (ou "detector de terra"), dos quais o LT1077C é um exemplo.

- A corrente de entrada I_B do AOP integrador também causa um erro, mais grave quando a tensão de controle V_{in} está próximo de zero volt. O LT1077C tem entradas bem casadas com I_B (máx) = 11 nA, o causa um erro de pior caso equivalente a cerca de 30 μV de desbalanceamento quando ela flui através da rede de resistores de entrada desiguais. Esse é menor do que a contribuição de erro devida ao V_{OS} de pior caso; essa combinação resulta em um erro de pior caso equivalente a 90 μV, ou uma faixa dinâmica (não ajustada) de 50.000:1. O fato de os efeitos da tensão de *offset* dominarem sobre os efeitos da corrente de polarização não é por acaso: é por isso que os valores dos resistores de R_1 a R_4 foram escolhidos tão pequenos (e o valor do capacitor C_1 foi, então, escolhido para produzir a faixa de frequência desejada).

- O LT1077C poderia ser ajustado para estender a faixa dinâmica; em última análise, é a *deriva* em V_{OS} e I_B (ao longo do tempo e da temperatura) que define a estabilidade geral do circuito próximo da frequência zero.
- O TLV3501 é um comparador excepcionalmente rápido (4,5 ns) com variação de saída trilho a trilho. No entanto, a sua tensão de alimentação é limitada a 5,5 V máximo. Se quiser operar essa parte do circuito em uma tensão mais elevada, pode substituir um AOP rápido trilho a trilho pelo CA3130. Este último dispositivo já tem um bom tempo e está em fase de extinção,[38] mas supera em velocidade um AOP de baixa potência porque é *descompensado* (ver Seção 4.9.2B). Não seria apropriado para o AOP de entrada, no entanto, uma vez que não é estável como um integrador, por razões que veremos em breve. Ele também tem grande tensão de *offset* de entrada.
- Outra possibilidade é substituir o circuito *Schmitt trigger* por um CI temporizador CMOS 555, por exemplo, um ICL7555. Eles têm limiares de entrada estáveis a um terço e dois terços do trilho de alimentação e variação rápida de saída trilho a trilho.
- Chaves alternativas: chaves em CI como o SD210 ou o 74HC4066 (este último pertence à família de lógica digital 74HC) poderiam substituir o MOSFET discreto Q_1; sua capacitância inferior melhoraria a operação em altas frequências.
- Outra possibilidade, se o consumo de potência importa mais do que a frequência ou a faixa dinâmica, é usar AOPs CMOS de baixa potência trilho a trilho nos dois CIs – por exemplo, um AOP dual TLC2252 (35 μA por canal). Neste caso, amplie os valores de resistência, em especial no estágio de entrada, pois os AOPs CMOS têm correntes de entrada insignificantes para essa aplicação.
- Se o uso de um AOP dual em um único encapsulamento parece especialmente atraente, então uma boa escolha, em geral, é o bipolar LM6132, com entradas e saídas trilho a trilho e uma taxa de variação de 14 V/μs; na mesma família, você pode obter AOPs mais rápidos (LM6142, LM6152) à custa de correntes de entrada e de alimentação mais elevadas.
- Uma solução elegante de CI único é o uso de um CI que combina AOP-comparador-referência, como o MAX951. Procuramos uma maneira de usar um chip como esse aqui, mas, infelizmente, não pudemos reduzir o excelente desempenho da Figura 4.83 a partir de qualquer uma das combinações de chips atualmente disponíveis, nem de temporizadores para fins especiais, como a série LTC699x (Seção 7.1.4B). Isso ilustra a vantagem de desempenho do circuito que se ganha quando se pode combinar os melhores CIs disponíveis para uma determinada tarefa em vez de ter de aceitar uma combinação pré-montada.

Exercício 4.22 Deduza a expressão para a frequência de saída mostrada na Figura 4.83. Ao longo do desenvolvimento, verifique se os limiares de *Schmitt trigger* e as correntes do integrador são como anunciado.

4.6.5 Implementação de um VCO: PTH *Versus* SMD

Tradicionalmente, os componentes eletrônicos foram feitos com terminais saindo das extremidades (por exemplo, resistores e capacitores de "terminais axiais"), ou linhas de pinos virados para baixo (por exemplo, CIs com encapsulamento DIP). A prática atual se voltou fortemente para componentes "de montagem em superfície" (*surface-mount componentes*, SMDs), em que as conexões são feitas diretamente nos contatos sobre um encapsulamento de cerâmica ou plástico. Veja, por exemplo, as fotografias de resistências no Capítulo 1 (Figura 1.2), de AOPs mostrados antes neste capítulo (Figura 4.1) ou de pequenos CIs lógicos (Figura 10.23) no Capítulo 10.

A *boa notícia* é que a tecnologia de montagem em superfície (*surface-mount technology*, SMT) permite que você faça aparelhos menores; e é melhor *eletricamente* também, devido à indutância reduzida nos encapsulamentos menores.

A *má notícia* é que SMT torna difícil a conexão de um circuito de improviso, em uma "placa de ensaio" de protótipo (seja no estilo soldado ou plugado), um exercício que é fácil e rápido com componentes PTH. O problema é agravado pelo fato de que muitos novos componentes de alto desempenho (por exemplo, AOPs) estão disponíveis *apenas* em encapsulamentos SMD.

Em poucas palavras, as suas opções resumem-se a (a) usar componentes PTH (se você pode obter os dispositivos de que precisa) e apreciar a prototipagem fácil e a capacidade de construir um aparelho extraordinário rapidamente; (b) seguir a tendência e utilizar componentes, principalmente SMD, roteando uma placa de circuito impresso para cada circuito que você quer construir; ou (c) tentar reter o melhor dos

---
[38] Ver a seção "Ontem Estava Aqui, Hoje Não".

dois mundos, protótipos com componentes PTH, quando disponível, e o uso de adaptadores (ou "portadores") SMD para os componentes SMD que você não consegue em encapsulamentos PTH. Estes últimos são pequenas placas de circuito em que você solda um componente SMD, cujos terminais se conectam a uma fila de pinos, produzindo um componente PTH artificial. Lutamos com todas essas situações e concluímos que esta última opção, embora atraente a princípio, está desaparecendo rapidamente, por causa da disponibilidade decrescente de componentes PTH.

Para dar uma visão rápida dos dilemas, roteamos o circuito oscilador controlado por tensão (VCO) da Figura 4.83 em placas de circuito impresso, explorando as alternativas de (a) componentes PTH, (b) componentes SMDs relativamente grandes e (c) componentes SMDs pequenos. A Figura 4.84 mostra esses circuitos em tamanho real; mostramos apenas o contorno dos componentes e as "ilhas" (*pads*) (padrões de folha de metal que fazem as conexões com os componentes). Para a placa PTH, usamos AOPs e comparadores DIP padrão e resistores de terminais axiais de 1/4 watt; para os SMDs grandes, usamos AOPs e comparadores SOIC-8 e resistores SMD 0805; e, para os SMDs pequenos, usamos AOPs e comparadores SOT-23 e resistores 0603 menores.[39] Esta última placa é 4,5 vezes menor que uma placa PTH. E não há nenhuma queda no desempenho; na verdade, componentes menores geralmente fornecem desempenho um pouco melhor devido a indutâncias parasitas menores.

4.6.6 Detector de Cruzamento Zero

Este exemplo ilustra o uso de um *comparador* de fonte simples, um parente mais próximo do AOP de fonte simples. Tal como este último, ele operará com sinais de entrada até o trilho inferior de alimentação, que, muitas vezes, é o terra. O circuito, mostrado na Figura 4.85, gera uma onda quadrada de saída para uso com lógica "TTL" de 5 V (faixa de 0 a 5 V) a partir de uma onda de entrada de qualquer amplitude de até 150 volts RMS. O LM393 é um CI comparador (como o TLV3501 que usamos no último exemplo), especializado para esse tipo de aplicação; ele poder ser utilizado como um amplificador, tal como um AOP, pois seus desvios de fase internos não são concebidos ("compensados", ver Seção 4.9) para permitir a realimentação sem oscilação. Ele também tem uma saída de "coletor aberto", que você deve puxar externamente a um trilho de alimentação, como mostrado. Seu circuito interno é mostrado na Figura 4.86; note a semelhança geral com um AOP (Figura 4.43), com a omissão do importante capacitor de compensação C_C e a ausência de um

---

[39] A designação de 4 dígitos dá o comprimento e a largura, em unidades de 0,01" (0,25 mm); assim, por exemplo, uma resistência de 0603 é 0,06" (1,5 μ x 0,75 μ). Achamos que é muito pequeno, mas a indústria não parou por aí: tamanhos padrão incluem 0402 e 0201 (este último, um mero grão de poeira, 0,5 mm x 0,25 mm!).

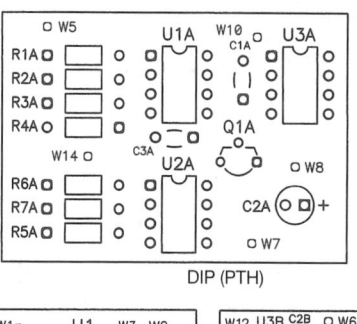

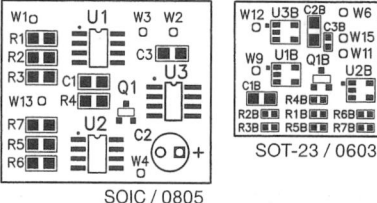

FIGURA 4.84 Leiautes de circuito impresso para o VCO da Figura 4.83. O uso de pequenos componentes de montagem em superfície reduz a área de placa para 22% da placa análoga que usa componentes PTH. Os benefícios adicionais são uma maior seleção de dispositivos disponíveis e melhor desempenho elétrico.

transistor "*pull-up*" na saída. Tratamos comparadores mais detalhadamente na Seção 12.3.

O resistor R_1, combinado com D_1 e D_2, limita a variação de entrada para $-0,6$ volt até 5,6 volts, aproximadamente; sua especificação de potência é definida pela tensão de entrada RMS máxima. O divisor resistivo R_2R_3 é necessário para limitar a variação negativa para menos de 0,3 volt, o limite para um comparador 393. R_5 e R_6 fornecem histerese para esse circuito *Schmitt trigger*, com R_4 definindo os pontos de disparo simetricamente em relação ao terra. A impedância de entrada é quase constante, devido ao grande valor de R_1 em relação aos outros resistores no atenuador de entrada. Um 393 é usado porque suas entradas podem ir até o terra, tornando simples a operação com fonte simples.

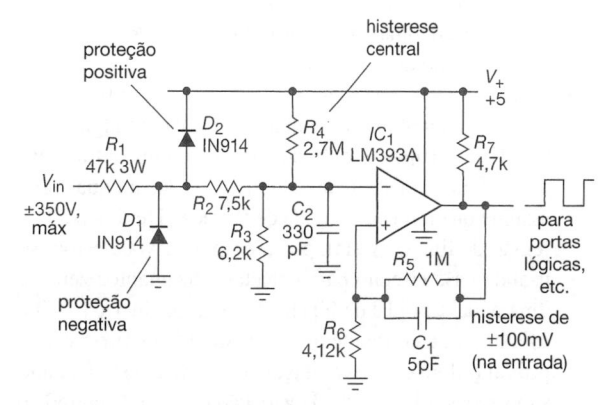

FIGURA 4.85 Detector de nível de cruzamento zero com proteção de entrada.

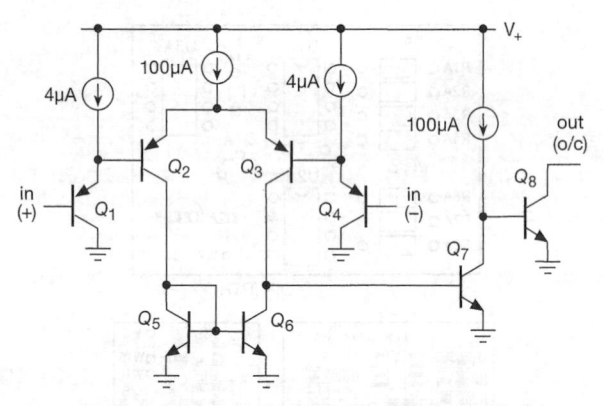

FIGURA 4.86 Esquema do comparador LM393 de fonte simples.

Exercício 4.23 Verifique se os pontos de disparo estão em ±100 mV para o sinal de entrada.

Alguns pontos adicionais.

- O clássico LM393 limita severamente a variação permitida abaixo do terra, pois a saída comutará a polaridade se a entrada for abaixo de −0,3 V, um problema diplomaticamente chamado na folha de dados de *inversão de fase*. Isso é impedido aqui pelo diodo D_1 e pelo divisor R_2R_3; alternativamente, o lado inferior de D_1 poderia ser polarizado uma queda de diodo acima do terra, tal como na Figura 5.81. O resistor R_3 pode ser omitido se for utilizado um comparador moderno como o LT1671; este último também tem *pull-up* ativo interno para +5 V, então você iria omitir também o resistor *pull-up* R_7.
- Estabelecemos intencionalmente os limiares do *Schmitt trigger* simetricamente em torno do terra, mas isso pode não ser a melhor escolha. Por exemplo, você pode querer transições de saída precisas sincronizadas com o cruzamento zero exato da forma de onda de entrada. A omissão de R_4 definiria o limiar de entrada indo para o negativo exatamente em 0 V; como alternativa, você pode definir o limiar indo para positivo em 0 V com um valor adequadamente escolhido para R_4 (teste sua compreensão com o Exercício 4.24).
- Usando apenas realimentação capacitiva (omitindo R_5), você pode ter ambos os limiares em 0 V com alguns dos benefícios da histerese. Neste caso, a histerese é transiente, com uma constante de tempo $\tau = C_1R_6$, no qual você assume que a forma de onda de entrada já terá deixado a região de limiar. Assim, por exemplo, se você estivesse usando esse circuito para detectar cruzamentos zero de uma onda senoidal de 60 Hz, poderia escolher $C_1 = 0,1$ μF para uma constante de tempo de 0,5 ms (mas veja o próximo item). A desvantagem é que você está fazendo suposições sobre a taxa de variação mínima da entrada e a frequência máxima de cruzamento zero. Você poderia imaginar um esquema mais elaborado, com comparadores adicionais, de modo que o limiar de entrada fosse restaurado para 0 V após a forma de onda de entrada passar pelo segundo limiar mais elevado. Esse desafio de projeto renderia um circuito de passagem por zero preciso (para ambas as inclinações da forma de onda) sem restrições de velocidade de entrada, etc.
- Tenha cuidado se você decidir aumentar o valor do capacitor *speed-up* (que eleva a velocidade) C_1 – esse capacitor provoca um transiente indo para negativo na entrada inversora do comparador, e, se o capacitor for muito maior do que alguns picofarads, poderá provocar a inversão de fase na saída do comparador (um problema de muitos comparadores, incluindo o LM393). Nesse caso, o melhor é usar um comparador moderno, cuja folha de dados especificamente se gaba da ausência da inversão de fase; um exemplo é o MAX989.

Exercício 4.24 Qual valor de $R4$ na Figura 4.85 coloca o limiar de entrada indo para positivo em 0 V?

Exercício 4.25 Tente desenhar um circuito com histerese, com alguns comparadores, de tal forma que *ambos* os limiares estejam precisamente em 0 V, supondo que a onda de entrada se desloca sempre um mínimo de 50 mV além do terra antes de voltar.

4.6.7 Uma Tabela de AOP

Reunimos na Tabela 4.2a uma seleção representativa de AOPs úteis, incluindo muitos dos nossos favoritos. Você pode ter uma ideia do preço e do desempenho de dispositivos bastante usados. Melhor ainda, use essa tabela como um ponto de partida em seu próximo projeto! Tabelas mais abrangentes de AOPs estão localizadas no capítulo sobre projeto de precisão (Tabela 5.4, AOPs de alta velocidade; Tabela 5.5, AOPs de precisão; Tabela 5.6, AOPs de autozero) e no capítulo sobre ruído (Tabela 8.3, AOPs de baixo ruído).

4.7 OUTROS AMPLIFICADORES E TIPOS DE AOPS

Neste primeiro capítulo sobre AOPs, conhecemos o AOP de fonte simétrica "padrão", implementado diversas vezes com transistores bipolares, JFETs e MOSFETs. Também vimos exemplos de AOPs de fontes simples, alguns com saídas de trilho a trilho (e até mesmo entradas de trilho a trilho).

Há outras opções, algumas das quais veremos no Capítulo 5. Vale a pena enumerá-las aqui, porque uma ou mais delas pode ser a melhor solução para um problema de projeto que inicialmente parece necessitar de um AOP.

AOPs com realimentação de corrente

Estes se parecem muito com AOPs comuns ("realimentação de tensão"), mas diferem por ter uma entrada inversora de baixa impedância que é um ponto de soma de corrente. Eles se destacam em circuitos de banda larga com ganho de tensão de moderado a alto.

TABELA 4.2A Amplificadores operacionais representativos (ver também as Tabelas de 5.2 a 5.6 e 8.3)

Nº identificação	Nº/encap.	Encapsulamento DIP	Encapsulamento SOIC-8	Encapsulamento SOT-23	custo quant. 25 ($US)	Alim. min (V)	Alim. máx (V)	I_Q típico[b] (mA)	f_T típico (MHz)	SR típico (V/μs)	V_{os} típico (μV)	$V_{pol.}$ típico (nA)	e_n típico (nV/√Hz)	IN +	IN −	OUT +	OUT −	Observações
LM358, 324	2,4	•	•	−	0,16	3	32	1	1	0,5	7000	45	40	−	•	−	•	fonte simples comum
LT1013, 1014	2,4	•	•	−	1,30	4	44	0,7	0,8	0,4	40	12	22	−	•	−	•	fonte simples de precisão
LT1077A	1	•	•	−	4,11	2,2	44	0,05	0,23	0,08	40	7	27	−	•	−	•	bipolar de baixa potência, também o OP193
LMC6482A, 84A	2,4	•	•	•	1,73	3	16	1,3	1,5	1,3	750	20fA	37	•	•	•	•	CMOS comum, LMC7101 SOT-23
TLC2272A, 74	2,4	•	•	−	1,57	4	16	2,2	2,2	3,6	950	0,001	9	•	•	•	•	
LMC6442A	2	•	•	−	2,00	2,2	16	0,002	0,01	0,004	3000	5fA	170	•	•	•	•	micropotência!
LMC6041, 42, 44	1,2,4	•	•	−	1,48	4,5	16	0,02	0,08	0,015	3000	2fA	83	•	•	•	•	para baixa potência, LMC6061 tem I_Q = 20 μA
LMC6081A, 82, 84	1,2,4	•	•	−	2,72	4	16	0,45	1,3	1,5	350	10fA	22	•	•	•	•	picopotência, opera até VCC + 5 V
TLV2401, 02	1,2	−	•	•	1,42	2,5	16	0,0009	0,005	0,002	1200	0,1	500	•	•	•	•	similar ao LMC6482
LMC7101A	1	−	−	•	0,93	2,7	16	0,5	1	1	3000	0,001	37	•	•	•	•	
LF411, 412C	1,2	•	•	−	0,72	7	36	4,5	3	13	2000	0,05	18	−	−	−	−	JFET, TI, duplo mais barato que o simples
LF347B	4	•	−	−	0,58	7	36	8	3	13	5000	0,05	18	−	−	−	−	JFET de baixo custo, 15 centavos por AOP
LT1057A, 1058	2,4	•	•	−	6,30	7	40	3,4	5	24	450	0,05	13	−	−	−	−	LF412 melhorado, ver também AD712
OPA727, 2727	1,2	•	•	−	2,58	4	13	4,3	20	30	150	0,085	6	−	•	−	•	CMOS com tecnologia
OPA376, 2376	1,2	•	•	•	2,03	2,2	7	0,76	5,5	2	25	0,2pA	7,5	•	•	•	•	"e-trim"
TLC272C, 274C	2,4	•	•	−	0,69	3	16	1,4	2,2	5,3	10mV	0,1pA	27	•	•	•	•	considere a família TLV27x
OPA129B	1	•	•	−	10,15	10	36	1,2	1	2,5	2000	30fA	17	−	−	−	−	eletrômetro, espectro de massa, sonda PH
LT1012A	1	•	•	−	5,11	2,4	40	0,37	0,4	0,2	25	0,025	14	−	−	−	−	bipolar de baixa IB
LTC1050C	1	•	•	−	4,30	6	18	1,1	2,5	4	5	0,01	1,6μV[c]	−	•	−	•	chopper
LT1637	1	•	•	•	2,32	2,7	44	0,19	1	0,35	350	20	27	+	•	−	•	"destaque": V_{in} para V_{EE} + 44V
LT1097	1	•	•	−	2,33	2,6	40	0,35	0,7	0,2	50	0,04	14	−	−	−	−	estável CLOAD, pino de comp.
OPA177	1	•	•	−	2,30	6	44	1,5	0,6	0,3	60	0,5	7	−	−	−	−	OP-07 melhorado
OPA277, 2277	1,2	•	•	−	3,60	4	36	0,8	1	0,8	20	0,5	3	−	−	−	−	OP-07 melhorado, baixo ruído
LM6132A, 34	2,4	•	•	−	2,92	2,7	35	0,8	11	14	2000	110	27	•	•	•	•	primeiro RRIO
AD797A	1	•	•	−	8,36	10	36	8,2	80	20	80	250	0,9	−	−	−	−	baixa distorção, baixo ruído
ADA4000-1, 2, 4	1,2,4	•	•	−	1,46	8	36	1,3	5	20	1700	0,005	16	•	−	−	•	JFET
LT6220, 21, 22	1,2,4	−	•	•	2,61	2,5	12,6	0,9	60	20	200	15[h]	10	•	•	•	•	
OPA627A	1	•	−	−	24,50	9	36	7	16	55	250	0,002	5,6	−	−	−	−	JFET de baixo ruído
OPA657	1	−	•	−	12,90	8	13	14	1600	700	1800	0,002	4,8	−	−	−	−	JFET rápido
OPA454	1	•	•	−	4,88	10	120	3,2	2,5	13	4000	0,002	35	−	−	−	−	alta tensão, também o mini-DIP OPA445
THS4011, 12	1,2	•	•	−	5,60	9	33	7,8	290	310	6000	2000	7,5	−	−	−	−	VFBe rápido, decomp. THS4021/22, G > 10
LM7171A	1	•	−	−	3,60	8	36	6,5	200	4100	4000	2700	14	−	−	−	−	CFB[e]
EL5165	1	−	•	•	2,32	5	12,6	5	1400	6000	5000	8500	1,7	−	−	−	−	de saída 100 mA
AD8011	1	•	•	−	3,98	3	12,6	1	570[d]	3500	5000	5000	2	−	−	−	−	CFB de dois estágios de baixa potência

Notas: (a) Números de dispositivos em *itálico* têm números correspondentes de AOP por encapsulamento, para os números de dispositivos em **negrito** (com o menor número de AOPs: por exemplo, 1 mA para o LM358). (c) Tensão de ruído de pico a pico. (d) GWB para G_V = 10. (e) VFB = realimentação de tensão, CFB = realimentação de corrente. (h) Sobe para 250 nA no trilho negativo.

TABELA 4.2B AOPs monolíticos de potência e alta tensão[a]

Tipo	Mfg	Alimentação total mín (V)	Alimentação total máx (V)	Entrada diff[b] máx (V)	FET	Comp. ext.	f_T típico (MHz)	Taxa var. típico (V/μs)	$I_{out(máx)}$ típico (A)	P_{diss} (50°C) máx (W)	Lim. térm.	Lim. cor. prog.	deslig.	Encapsul.	Custo quant. 25 ($US)	OBS.
baixa potência																
LME39726	TI	2,5	6	0,7	full	•	-	6,8	3,7	0,35	1[u]	-	-	-	MSOP	1,29	A
OPA567	TI	2,7	7,5	3,4	full	•	-	1,2	1,2	2,2	12,5[n]	•	•	•	QFN	5,53	B
OPA569	TI	2,7	7,5	3,4	full	•	-	1,2	1,2	2,2	25[n]	•	•	•	SO-20	7,41	B,C
AD8010	Analógico	10	12,6	16	1.2	-	-	230	800	0,2	1,3[u]	-	-	-	SO-16	6,69	D
LM6171	TI	5	36	2,5	10	-	-	100	3000	0,12	0,7	-	-	-	DIP, SO	4,27	E
LTC2057HV	LTC	4,8	65	0,8	full	•	-	1,5	0,45	0,02	low	-	-	-	SO-8	3,32	F
ADA4700	Analógico	10	100	1,7	full	-	-	3,5	20	0,03	2,5	-	-	-	SO-8	6,00	
OPA445	TI	20	100	4,2	80	-	-	2	10	0,015	0,6	-	-	-	DIP, SO-8	10,07	G
OPA454	TI	10	100	3,2	full[g]	•	-	2,5	13	0,12	7,5[n]	•	-	•	SO-8	6,09	
LTC6090	LTC	9,5	140	2,8	full	•	-	12	21	0,05	15[n]	•	-	•	SO,TTSOP	4,87	H
média potência																
L2720W	ST	4	28	10	full	-	-	1,2	2	1	5	•	-	-	SO-16	1,02	I
ISL1532A	Intersil	10	30	3,5[o]	full	-	-	50	400	1	1	-	-	•	SSOP-20	1,43[r]	J
THS3120	TI	9	33	7	4	-	-	130	900	0,47	15[n]	-	-	•	MSOP-8	5,57	K
LT1794	LTC	10	36	26	full	-	-	200	600	0,72	25[n]	•	-	•	SO-20	8,09	J
LT1206	LTC	10	36	12[o]	full	-	•	60	900	0,5	15[p]	-	-	•	DIP,TO-220	5,88	K,L
LT1210	LTC	8	36	35	full	-	•	35	900	2	15[p]	-	-	•	TO-220-7	8,75	K,M
L272	FSC	4	40	8	full	-	-	0,35	1	1	5	-	-	-	DIP, SO-16	2,08	N
PA75	Apex	5	40	8	full	-	-	1,4	1,4	2,5	19	-	-	-	TO-220-7	28,88	O
TDA7256	ST	10	50	80	full	-	-	9	10	3	35	•	-	•	TO-220-11	3,42	P
LM1875	TI	16	60	70	full	-	-	5,5	8	4	25	•	-	-	TO-220-5	2,75	P
OPA552	TI	8	60	7	full	•	-	12	24[d]	0,2	25[p]	-	-	-	DIP, DDPak	5,70	Q
LM675	TI	20	60	18	full	-	-	5,5	8	3	40	•	-	-	TO-220-5	4,82	R
OPA547	TI	8	60	10	full	-	-	1	6	0,5	25	•	•	•	TO-220-7	9,57	S
OPA548	TI	8	60	17	full	-	-	1	10	3	30	•	•	•	TO-220-11	13,22	S
OPA549	TI	8	60	26	full	-	-	0,9	9	8	53	•	•	•	TO-220-7	20,65	S
OPA453	TI	20	80	4,5	full	•	-	7,5	23[d]	0,05	25	-	•	-	TO-220-7	5,50	T
OPA541	TI	20	80	20	full	-	-	2	10	10	90	-	•	-	TO-3, SIP-11	19,28	
LM3886	TI	18	84[s]	50	60	-	-	8	19	11,5	75	•	-	•	TO-220-11	5,94	P
TDA7293	ST	24	120	30	30	-	-	-	15	6,5	75	•	-	•	TO-220-15	5,49	P
alta tensão																
PA340	Apex	20	350	2,2	16	•	•	10	32[k]	0,06	16	•	-	-	DDPak-7	21,45	U
PA90	Apex	30	400	10	20	•	•	100	300[e]	0,2	18	-	•	-	SIP-12 +tab	188,00[v]	U
PA15	Apex	100	450	2,0	25	•	•	5,8	20[d]	0,2	18[n]	-	•	-	SIP-10	185,00[v]	U
PA98	Apex	30	450	21	25	•	•	100	1000[e]	0,2	18	-	•	-	SIP-12 +tab	272,00[v]	U
PA97	Apex	100	900	0,6	20	•	•	1	8[e]	0,01	3[n]	-	-	-	SIP-12	176,00[v]	V

Notas: (a) Dentro das categorias, são ordenados por tensão máxima e, em seguida, pela corrente de saída; os dispositivos Apex são híbridos, e nem os tipos PCB nem *instrument-box* são listados. (b) Não exceder a tensão total de alimentação. (c) P_{diss} com carcaça em T_C = 50°C, com base em $R_{\theta JC}$. (d) Quando comp. para $G > 10$. (e) Quando comp. para $G > 100$. (g) JFETs internos limitam a corrente em 4 mA. (h) Ver as observações. (k) Para C_C = 4,7 pF, $G \geq 10$. (n) Desde que você possa drenar o calor para fora do encapsulamento! (o) Ajustável. (p) Encapsulamento de potência. (r) Quant. 1k. (s) 94 V s/ sinal. (u) À temperatura ambiente. (u) Quant. unitária; ver os preços do distribuidor para quant. maiores.
Comentários: (A) RRO dual. (B) RRIO. (C) Com monitor de corrente. (D) Vídeo. (E) VFB com CFB. (F) Autozero, 4 μV. (G) Tem ajuste de V_{OS}; também em TO-99. (H) Dual = 6091. (I) Atualização do L272. (J) Dual, acionador ADSL. (K) Realimentação de corrente, CFB. (L) Pode acionar uma carga capacitiva de 10nF. (M) 1,1 A mín. (N) Versão da Fairchild. (O) Amp + *buffer*. (P) Amplificador de áudio. (Q) Mais lento que OPA551 para $G = 1$. (R) Clássico para trabalho pesado. (S) Ajuste de limite de corrente com resistor ou corrente externa. (T) Mais lento que OPA452 para $G = 1$. (U) Saída com MOSFET. (V) "Barato".

AOPs de deriva zero

Estes AOPs incomuns, que incluem amplificadores de autozero e estabilizados por *chopper*, são adaptados para aplicações de precisão (baixo V_{OS}). Eles usam chaves MOS internas para medir e corrigir o erro de *offset* de entrada. Eles são os únicos amplificadores com valores de V_{OS} ajustados abaixo de 5 μV ou menos. Veja a Tabela 5.6.

> **"ONTEM ESTAVA AQUI, HOJE NÃO"**
>
> Em sua busca incansável por chips melhores e mais complexos, a indústria de semicondutores pode, por vezes, causar grande sofrimento. Poderia ocorrer algo assim: você projetou e prototipou um novo aparelho maravilhoso; depuração concluída e tudo pronto para entrar em produção. Ao tentar encomendar os dispositivos, você descobre que um CI fundamental foi descontinuado pelo fabricante! Você pode ter um pesadelo ainda pior: os clientes têm se queixado sobre o atraso da entrega de algum instrumento que você já fabrica há muitos anos. Quando você vai para a área de montagem para saber o que está errado, descobre que um lote inteiro de produção de placas está pronto, exceto por um CI que "não chegou ainda". Você, então, pergunta ao setor de compras por que eles não expediram a ordem de compra. Acontece que eles o fizeram, apenas não receberam o item. Então, você fica sabendo pelo distribuidor que o dispositivo foi descontinuado há seis meses e que não há nenhum disponível!
>
> Por que isso acontece, e o que você faz em relação a isso? Geralmente encontramos quatro razões pelas quais CIs são descontinuados.
>
> 1. *Obsolescência*: Dispositivos muito melhores surgem, e não faz muito sentido continuar fazendo os antigos. Isso ocorre especialmente com chips digitais de memória (por exemplo, pequenas RAMs estáticas e EPROMs, que são substituídas por versões mais densas e mais rápidas a cada ano), embora CIs lineares não tenham escapado completamente desse destino. Nestes casos, há, muitas vezes, uma versão melhorada compatível pino a pino que você pode conectar no velho soquete.
> 2. *Não está vendendo o suficiente*: CIs perfeitamente bons, às vezes, desaparecem. Se você for persistente o suficiente, pode obter uma explicação do fabricante – "não havia demanda suficiente", ou algo assim. Você pode caracterizar este como um caso de "interrompido por conveniência do fabricante". Ficamos especialmente incomodados pela descontinuação da Harris de seu esplêndido HA4925 – um excelente chip, o mais rápido comparador quádruplo, agora se foi, sem nenhum substituto à altura. Em nossa primeira edição, informamos que Harris também descontinuou o HA270S – outro grande chip, o AOP de baixa potência mais rápido do mundo, desapareceu sem deixar rastro! Desde aquela época, a Maxim tirou de linha o MAX402 – da mesma forma, um AOP de baixa potência rápido. Muitos de nós o utilizamos; então, de repente, não conseguimos mais adquiri-lo! Às vezes, um bom chip é descontinuado quando a linha de fabricação do *wafer* muda para um *wafer* de tamanho maior (por exemplo, de um *wafer* de diâmetro original de 3" para um *wafer* de 5" ou 6").
> 3. *Esquemas perdidos*: Você pode não acreditar, mas, às vezes, uma fábrica de semicondutores perde o leiaute do diagrama esquemático de algum chip e não se pode fazer mais nada! Isso, aparentemente, aconteceu com o chip divisor de 8 estágios CMOS SSS-4404 da *Solid State Systems*.
> 4. *"Atualização" da linha de produção*: Às vezes, um fabricante substituirá um equipamento de teste mais antigo (que pode estar funcionando muito bem) por um produto novo mais recente e maior. O problema é que os programas para serem executados nos novos testadores ainda não estão finalizados. Assim, a linha do wafer *poderia* estar fazendo um monte de chips... mas sem uma maneira de testá-los. Esse cenário parece ter ocorrido no caso do magnífico OPA627, um dos nossos favoritos de todos os tempos (houve uma época, por quase um ano, em que não se conseguia encontrá-los, mas, felizmente, ele está de volta em produção).
> 5. *Fabricante encerra a atividade*: Isso também aconteceu com o SSS-4404! Se você está preso com uma placa e sem CI disponível, tem algumas opções. Você pode reprojetar a placa (e talvez o circuito) para usar algo que está disponível. Isso é provavelmente o melhor a fazer se estiver colocando em produção um novo projeto ou se estiver executando uma grande produção de uma placa existente. Uma solução barata e "pouco elegante" é fazer uma pequena "placa filha" que se conecta ao soquete vazio do CI e incluir o que for preciso para emular o chip inexistente. Embora esta última solução não seja muito elegante, a tarefa é concluída.

AOPs de alta tensão e alta potência

Pode-se obter AOPs com correntes de saída máximas de 25 A ou mais, ou com tensões de alimentação de até 1 kV ou mais! Esses são dispositivos especializados (e caros), extremamente úteis para aplicações tais como acionadores piezoelétricos, servoacionadores e assim por diante. Veja a Tabela 4.2b para alguns favoritos.

AOPs de micropotência

No outro extremo do espectro, pode-se obter AOPs com correntes quiescentes tão baixas quanto 1 μA ou menos. Eles não são incrivelmente rápidos – o LMC6442, com $I_Q = 10$ μA por amplificador, tem um f_T de 10 quilohertz e uma taxa de variação[40] de 0,004 V/μs –, mas permitem que você opere um instrumento portátil quase sempre alimentado por uma única bateria.

Amplificadores de instrumentação

Estes são amplificadores diferenciais integrados com ganho ajustável de tensão. Eles contêm alguns AOPs internamente e

---
[40] O fabricante *nunca* usaria "V/μs" em uma folha de dados de um AOP tão lento – em vez disso, procure por V/ms.

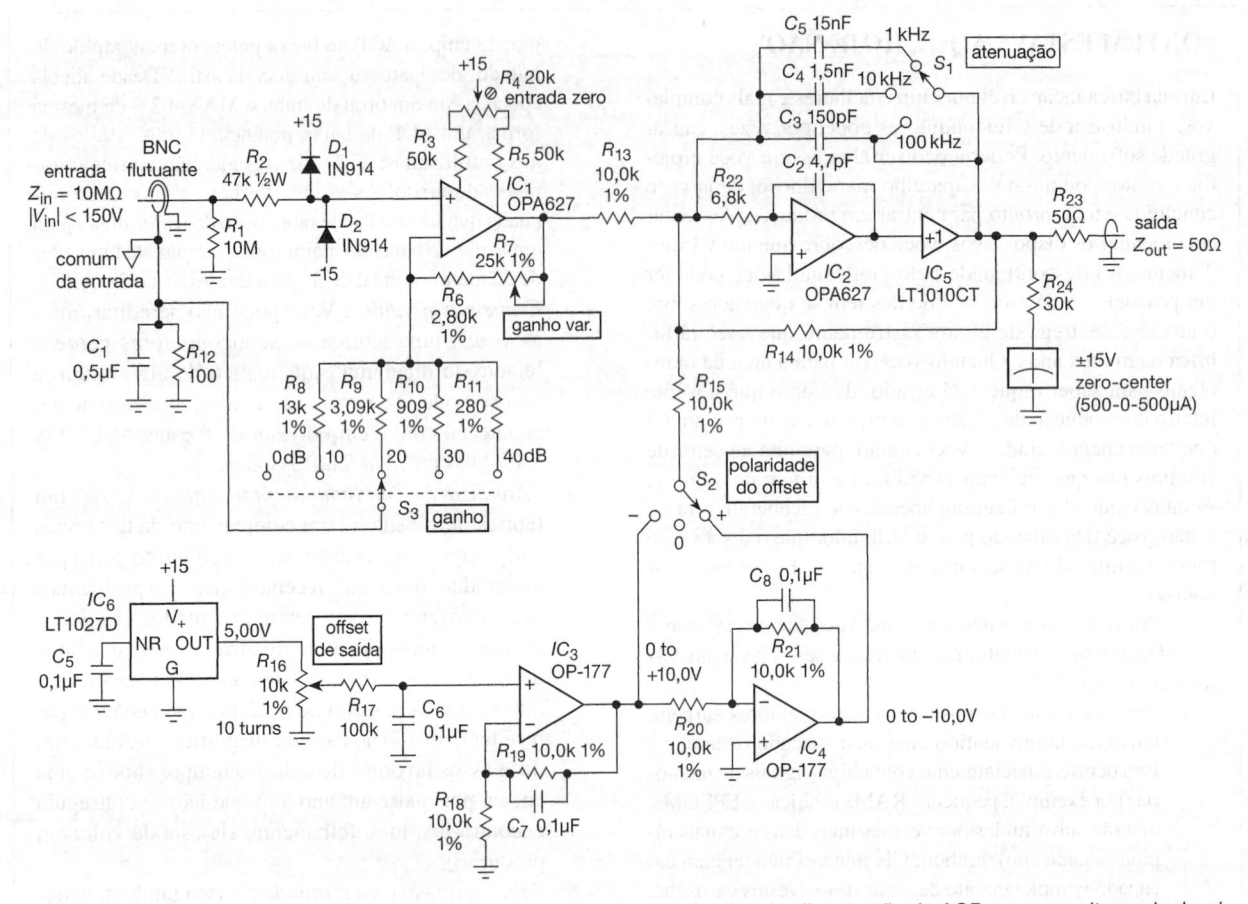

FIGURA 4.87 Amplificador CC de laboratório com *offset* de saída. As conexões de alimentação do AOP e os capacitores de desvio não são mostrados explicitamente, uma prática comum em esquemas de circuitos.

se destacam em estabilidade e rejeição de modo comum. Amplificadores de instrumentação são discutidos na Seção 5.15.

Amplificadores de vídeo e radiofrequência
Amplificadores especializados para uso com sinais de vídeo, ou com sinais de comunicação em frequências de 10 MHz a 10 GHz, estão amplamente disponíveis como módulos amplificadores de ganho fixo. Nessas frequências, você geralmente não usa AOPs.

Variantes de amplificadores dedicados
Pré-amplificadores, amplificadores de alto-falante, acionadores de motor de passo e outros similares estão disponíveis como CIs personalizados com características superiores e facilidade de uso.

4.8 ALGUNS CIRCUITOS AOPS TÍPICOS
4.8.1 Amplificador de Laboratório de Uso Geral
A Figura 4.87 mostra um "amplificador de década" acoplado em CC e com ganho, largura de banda e uma ampla faixa de *offset* de saída CC ajustável. O CI_1 é um AOP com entrada JFET de baixo ruído – com ganho não inversor a partir da unidade (0 dB) até $\times 100$ (40 dB) em degraus de 10 dB calibrados com precisão; uma escala é fornecida para ganho variável. IC_2 é um amplificador inversor; permite compensar a saída ao longo de uma faixa de ± 10 volts, precisamente calibrado pelo potenciômetro de 10 voltas R_{16}, injetando corrente no ponto de soma. C_3-C_5 definem a atenuação de alta frequência, pois, muitas vezes, é um incômodo ter largura de banda excessiva (e ruído). O CI_5 é um reforçador de potência para acionar cargas ou cabos de baixa impedância; ele pode fornecer ± 150 mA de corrente de saída.

Alguns detalhes interessantes: um resistor de entrada de 10 MΩ é suficientemente pequeno, uma vez que a corrente de polarização do OPA627 é 10 pA (no máximo, à temperatura ambiente), produzindo assim um erro de 0,1 mV com a entrada aberta. R_2, em combinação com diodos de ceifamento D_1 e D_2, limita a tensão de entrada no AOP para a faixa de $V_- - 0{,}6$ V a $V_+ + 0{,}6$ V. Com os componentes de proteção mostrados, a entrada pode ir até ± 150 volts sem danos. O OPA627 com entrada JFET foi escolhido por sua combinação de baixa corrente de entrada ($I_B = 1$ pA, típico), precisão modesta ($V_{OS} = 100$ μV, máx), baixo ruído ($e_n = 5$ nV/$\sqrt{\text{Hz}}$, típico) e grande largura de banda (f_T = 16 MHz, típico); esta última é necessária para preservar algum ganho de malha na extremidade da alta frequência do instrumento (100 kHz) quando funcionando em ganho total (40 dB).

O estágio de saída é um inversor com um *buffer* de potência de ganho unitário dentro da malha de realimentação. O clássico LT1010 tem uma grande taxa de variação, largura de banda e capacidade de acionamento, com uma impedância de saída de malha aberta de menos de 10 Ω (que, naturalmente, é reduzida pela realimentação; veja a Seção 2.5.3C). Ele e o OPA627 têm taxa de variação suficiente (75 V/μs e 55 V/μs, respectivamente) para gerar uma variação de saída de ±15 V na largura de banda total de 100 kHz do instrumento. Um *buffer* de potência como esse é bom para a isolação de cargas capacitivas do AOP (mais sobre isso nas Seções 4.6.1B e 4.6.2); além disso, esse buffer é o dispositivo que aquece quando aciona cargas de maior consumo, o que mantém o CI_2 frio, uma consideração importante com AOPs de precisão (baixo V_{OS}). Ele toma pra si muito do acionamento em comparação com um AOP – até 0,5 mA –, mas isso não é problema quando o estiver acionando com um AOP.

O circuito de *offset* consiste de um LT1027 de precisão, que é um CI de referência de tensão de 3 terminais. Vamos aprender mais sobre eles no Capítulo 9; eles geram uma tensão de saída altamente estável quando alimentado a partir de um trilho CC não crítico que é pelo menos 2 volts mais elevado do que a sua tensão de saída especificada. Esse dispositivo específico está disponível em algumas classes diferentes, a melhor das quais (LT1027A) tem um erro máximo de 1 mV e tem garantia de deriva inferior a 2 ppm/°C; para esta aplicação, teremos que poupar algum dinheiro, escolhendo a classe "D", de baixo custo (5,0 V ± 2,5 mV; 5 ppm/°C). O OP177 é um AOP de precisão altamente estável (V_{OS} < 10 μV, TCV_{OS} < 0,1 μV/°C em sua melhor classe) que fornece uma tensão de *offset* estável. O capacitor C_6 faz o desvio (*bypass*) do ruído na tensão de referência, e C_7 e C_8 reduzem o ruído do amplificador, limitando a largura de banda dos amplificadores. Para uma aplicação CC como essa, você não precisa, e não quer, muita largura de banda. Falaremos em detalhes sobre esse tipo de projeto de precisão no Capítulo 5.

Alguns pontos adicionais.

- Em um circuito como esse, a rede de proteção de entrada pode limitar a largura de banda final, pois R_2 forma um filtro passa-baixas, em combinação com a capacitância de entrada combinada do CI_1, a capacitância do díodo e a capacitância da fiação associada. Neste caso, a capacitância total é de cerca de 12 pF, o que coloca o ponto de 3 dB em 300 kHz, bem acima do limite de alta frequência de 100 kHz do instrumento. Para usar um circuito de proteção similar em um amplificador de banda larga, você pode reduzir o valor de R_2, colocar um pequeno capacitor (47 pF, por exemplo) sobre ele, ou ambos. Você também pode usar diodos ceifadores com menor capacitância – por exemplo, um IN3595 ou um PAD5.

- Um amplificador de laboratório realmente útil de uso geral deve ter entradas *diferenciais* verdadeiras. Isto é mais bem feito com um amplificador de instrumentação em vez de com um AOP; veja a Seção 5.15. Aqui temos uma configuração "pseudodiferencial", em que o terminal comum de entrada (que é o caminho de retorno para a realimentação), que flutua a partir do terra do circuito com uma resistência de 100 Ω, pode acomodar uma pequena quantidade de sinal de entrada da fonte. Um arranjo melhor, embora ainda não simetricamente diferencial, é mostrado na Figura 4.88, em que um amplificador de diferença (CI_7) utiliza a entrada flutuante comum como uma referência. Observe o uso de um conector BNC de painel isolado do chassi.

- Em muitas situações, é preferível introduzir o *offset* CC na entrada em vez de na saída. Então, pode-se alterar o ganho, sem ajustar o *offset*, para ampliar uma parte do sinal de entrada. Isso requer uma faixa muito maior de tensão de *offset* e outras alterações de circuito também. Veremos um exemplo no Capítulo 5.

- Para os AOPs que exibem inversão de fase quando suas entradas vão além de 0,3 V abaixo de V_-; em tais casos, um ceifador de entrada restritivo deve ser utilizado para evitar variações negativas abaixo desse limite. Esse é um defeito comum de muitos AOPs, que o excelente OPA627 não compartilha.

- A instrumentação atual normalmente proporciona operação remota, com controle digital a partir de um computador. Este circuito, no entanto, usa controles mecânicos para ganho, largura de banda e *offset*. Você pode substituir as chaves mecânicas por chaves analógicas e usar um DAC para gerar o *offset* para adaptar esse instrumento ao controle digital.

- Os capacitores de atenuação C_3-C_5 fecham a malha em torno do par amplificador de saída (CI_2 + CI_5) em altas frequências, o que é benéfico em termos de redução de ruído. Mas também promove a instabilidade, devido aos deslocamentos de fase combinados dos dois amplificadores. Entretanto, essa disposição ainda é correta, enquanto a largura de banda do *buffer* CI_5 for muito maior do que a do amplificador CI_2.

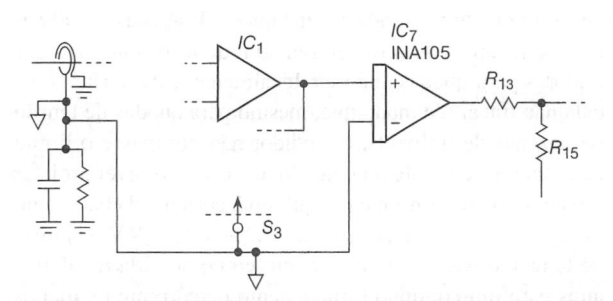

FIGURA 4.88 Um amplificador de diferença cancela o erro do sinal na entrada comum.

Mas esse não é o caso aqui: o AOP OPA627 tem uma largura de banda de ganho unitário de $f_T = 16$ MHz, na qual ele especifica uma margem de fase de 75°. Mas o *buffer* LT1010 acrescenta cerca de 50° de deslocamento de fase de atraso adicional, empurrando o amplificador próximo da instabilidade (ver Seção 4.9 para uma explicação de margem de fase e estabilidade). A solução aqui é a utilização de um pequeno capacitor de realimentação em torno do AOP (4,7 pF, C_2), que fecha diretamente o circuito de realimentação de alta frequência. Isso atenua o seu ganho para a unidade em cerca de 1 MHz, frequência na qual o *buffer* contribui com menos de 5° de deslocamento de fase de atraso adicional.

Exercício 4.26 Verifique se o ganho é como anunciado. Como funciona o circuito de *offset* variável? Em que frequência a taxa de variação limitaria a queda da variação de saída limitada abaixo ± 15 V?

4.8.2 Rastreador de Sinal

Aqui está um bom exemplo de um circuito AOP com realimentação *não linear*. Um problema de análise de defeito complicado é denominado *nó preso*, no qual há um curto em algum ponto da placa de circuito. Pode ser um curto-circuito real na própria fiação, ou pode ser que a saída de algum dispositivo (por exemplo, uma porta lógica digital; ver Capítulo 10) seja mantida em um estado fixo. É difícil descobrir, pois, em qualquer ponto que você olha para essa linha, mede zero volt para o terra.

Uma técnica que funciona, no entanto, é a utilização de um voltímetro sensível para medir a queda de tensão *ao longo* da trilha presa. Uma trilha de sinal típica em uma placa de circuito impresso pode ser de 0,010" de largura e 0,0013" de espessura (1 onça por pé quadrado), que tem uma resistência ao longo da trilha de 53 mΩ/polegada. Portanto, se houver um dispositivo que prenda a linha no terra em algum ponto e você injetar uma corrente de diagnóstico de 10 mA de algum outro ponto, haverá uma queda de tensão de 530 μV por polegada no sentido do nó preso.

Projetaremos um rastreador de sinal. Ele deve ser alimentado por bateria, de modo que possa flutuar em qualquer ponto do circuito alimentado sob teste. Ele deve ser sensível o suficiente para indicar uma queda de apenas ± 100 μV em seu medidor de zero central, com deflexões no medidor maiores para quedas maiores. Idealmente, deve ter uma escala não linear, de modo que, mesmo para quedas de tensão de dezenas de milivolts, o medidor não ultrapasse o limite da escala. E, com algum cuidado, deve ser possível projetar um circuito que consome pouquíssima corrente da bateria no qual podemos omitir a chave on/off: baterias de 9 V ou pilhas de tamanho AA duram quase seu tempo de vida de alguns anos para um contínuo fornecimento de corrente de menos de 20 μA (elas têm capacidades de cerca de 500 mAh e 2500 mAh, respectivamente).

Com uma alimentação flutuante fornecida por baterias, o circuito mais simples é um amplificador não inversor de alto ganho que aciona um medidor de zero central (Figura 4.89). Devido à entrada e à saída serem intrinsecamente de bipolaridade, provavelmente é melhor usar um par de pilhas AA, operando o AOP a partir de fontes não reguladas de $\pm 1,5$ volts. Os diodos Schottky em antiparalelo reduzem o ganho graciosamente em grandes variações de saída e evitam prender; a Figura 4.90 plota a deflexão do medidor resultante em função de V_{in}.

A maior dificuldade neste projeto é conseguir um *offset* inferior a 100 μV, mantendo em micropotência o consumo de corrente, tudo com tensões de entrada de apenas $\pm 1,5$ volt. O OP193 é especificado para operar até a tensão de alimentação total de 2 V, e seu estágio de saída varia até o trilho negativo e dentro de um volt do trilho positivo. Na sua melhor classe (sufixo "E"), a sua tensão de *offset* é de 75 μV, no máximo. Sua corrente quiescente de apenas 15 μA garante que as baterias durarão o tempo de suas vidas úteis, uma vez que essa corrente possibilitaria uma operação contínua por mais de 150.000 horas a partir de uma bateria de 2500 mAh.

Alguns pontos adicionais.

- Um problema sutil com este circuito é que uma pilha alcalina no final da sua vida útil está com uma tensão terminal abaixo a cerca de 1,0 V; assim, você teria um espaço livre insuficiente para fornecer tensão de saída positiva de fundo de escala ($\pm 0,5$ V), dado o estágio

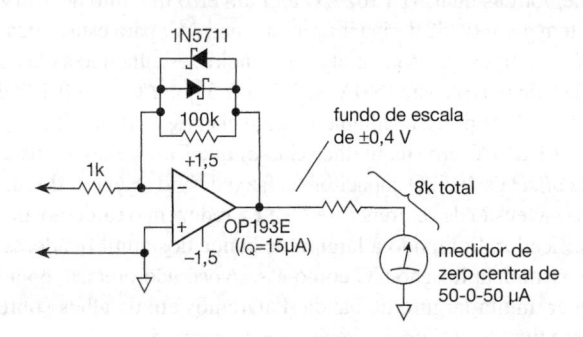

FIGURA 4.89 Rastreador de nó preso: amplificador CC flutuante de alto ganho com realimentação não linear.

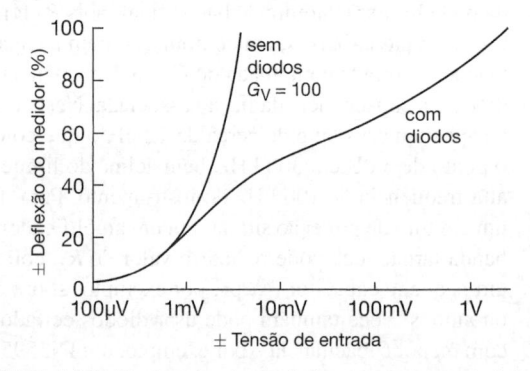

FIGURA 4.90 Rastreador de sinal alcança uma grande faixa dinâmica não linear através da realimentação não linear.

de saída todo *npn*. Uma solução é a utilização de uma bateria de tensão mais elevada (por exemplo, pilhas de lítio de 3 V, ou múltiplas pilhas alcalinas AA de 1,5 V). Mas a operação a partir de um par de pilhas AA é uma comodidade que vale a pena preservar. Neste caso, você faria melhor usando um AOP com saída trilho a trilho verdadeira, por exemplo, o CMOS OPA336. Este último tem uma corrente de repouso de 20 μA, opera até a tensão de alimentação total de 2,3 V e tem uma tensão de *offset* não ajustável de 125 μV. A sua faixa de tensão de entrada vai do trilho negativo até dentro de 1 V do trilho positivo; este último está muito bem aqui, porque escolhemos uma configuração de amplificador inversor com ambas as entradas em 0 V.

- Restringirmos um tanto artificialmente o projeto do circuito escolhendo um medidor analógico de zero central e, então, insistimos em usar apenas um par de pilhas alcalinas AA. Na vida real, você provavelmente seria mais feliz com uma saída de *áudio*, com a altura do som aumentando com a queda da tensão de entrada; então, você poderia manter seus olhos sobre o circuito à medida que percorre o circuito com a ponta de prova. Para este trabalho, você provavelmente usaria um oscilador controlado por corrente simples, construído com um oscilador de relaxação AOP ou um CI temporizador do tipo 555 (Capítulo 7); para uma aplicação não crítica, você não precisa da linearidade e da estabilidade do VCO que projetou na Figura 4.83.
- Não se esqueça das técnicas de "dividir o trilho" que discutimos na Seção 4.6.1B; você sempre pode usar esses truques para criar trilhos positivo e negativo simétricos, por exemplo, a partir de uma única bateria de 9 V. Com trilhos de ±4,5 V, você tem uma faixa muito mais ampla de AOPs para escolher. Fomos forçados a escolher entre uma seleção bastante pequena que opera com uma alimentação total de 2 V, consome apenas dezenas de microampères de corrente da fonte e tem uma tensão de *offset* de entrada de "precisão". Uma vez que você tem uma fonte total de 5 V disponível (uma bateria de 9 V cai até 6 V no final da sua vida útil), existem literalmente centenas de AOPs disponíveis, dezenas dos quais operam consumindo uma corrente de micropotência e têm baixos *offsets* de precisão. Veja, por exemplo, a Tabela 5.5.

4.8.3 Circuito de Detecção de Corrente de Carga

A Figura 4.91 mostra uma fonte de alimentação robusta (10 kW!) acionando uma carga de 100 A; o circuito ilustrado fornece uma tensão de saída proporcional à corrente da carga, para utilização com um regulador de corrente, circuito de medição ou o que quer que seja. A corrente de saída é detectada com um *shunt de corrente*, um resistor de potência, R_5, de 4 terminais de manganina calibrado, de resistência 0,0005 Ω, cuja "conexão Kelvin" de quatro terminais garante que a tensão detectada não depende de uma ligação de baixa resistência dos terminais de detecção (como seria o caso se você tentasse fazer a mesma coisa com um resistor de 2 terminais convencional). A queda de tensão vai de 0 a 50 mV, com provável *offset* de modo comum causado pelos efeitos da resistência do fio terra (note que a fonte de alimentação está conectada ao terra do chassi na saída). Por essa razão, o AOP é conectado como um amplificador diferencial, com um ganho de 200. A tensão *offset* é ajustada externamente com R_8, já que o venerável LM358A não tem circuito de ajuste interno. Uma referência zener com uma pequena estabilidade percentual é adequada para o ajuste, pois o ajuste é em si uma pequena correção (assim você espera!). A tensão de alimentação, V_+, poderia ser não regulada, já que a rejeição de fonte de alimentação do AOP é mais do que adequada, 85 dB (típico) neste caso.

Alguns pontos adicionais.

- O terra do chassi e o terra do circuito seriam conectados entre si, em algum ponto. Mas poderia facilmente haver por volta de um volt separando o terra do circuito do ponto de detecção ao longo do retorno negativo da alta corrente, por causa das grandes correntes fluindo. Por essa razão, conectamos o terminal de alimentação negativo do AOP na extremidade mais negativa da saída do *shunt* de corrente. Isso assegura que a tensão de modo comum que aparece na entrada do amplificador operacional não irá abaixo do seu trilho negativo; ele é um AOP de "fonte simples", com a faixa de modo comum de operação até o seu trilho negativo.
- Baixa tensão de *offset* é importante nesta aplicação; por exemplo, alcançar a precisão de 1% em uma medição de corrente feita em 10% da corrente de carga de fundo de escala (isto é, uma carga de 10 A, produzindo uma tensão de detecção de 5 mV) requer uma tensão de *offset* não superior a 50 μV! Escolhemos o clássico LM358A para o nosso projeto inicial, porque custa apenas 20 centavos. Mas o seu fraco *offset* sem ajuste (3 mV, máx) exige o ajuste manual externo; e sua falta de terminais externos de ajuste nos obrigou a usar muitos componentes. A necessidade de ajuste manual pode não parecer importante se você estiver apenas construindo um desses circuitos experimentais de laboratório; mas, na produção, é um passo extra, exigindo uma configuração de teste e procedimento, bem como inventário de dispositivos adicionais, etc.
- Assim, você pode escolher o LT1006, um único AOP que permite ajustar externamente com um único potenciômetro de 10k. No entanto, seu desempenho melhorado (V_{OS} = 80 μV, máx, sem ajuste) na classe menos cara – 40 vezes melhor do que o LM358A – significa que você quase não precisa ajustar. Indo além com essa ideia, você também pode escolher o LT1077 A, um AOP de fonte simples com um *offset* não ajustável máximo de 40 μV; este também pode ser ajustado externamente.
- Para obter o máximo de precisão, você deve usar um AOP *chopper* estabilizado ("deriva zero") – por exemplo, o LTC1050C. Ele tem tensão de *offset* máxima de

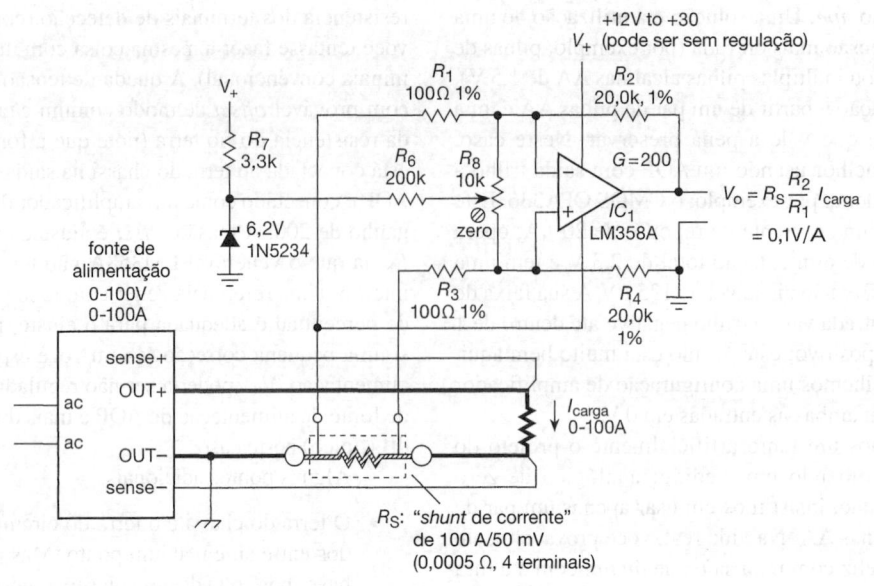

FIGURA 4.91 Amplificador de detecção de corrente de alta potência.

5 μV na classe mais barata (combinado com a corrente de polarização de entrada de subnanoampère, que não importa aqui). Esse AOP inclui capacitores no chip para o seu *chopper* e opera a partir de uma fonte simples (com faixa de modo comum de entrada para o trilho negativo), assim como o LM358. Sua tensão de *offset* de 5 μV corresponde a 1% de precisão em 1% do fundo de escala; isso é uma faixa dinâmica de 10.000:1; nada mau para um circuito simples. Consulte a Tabela 5.6 para escolhas de AOPs de autozero.

- Por fim, uma alternativa de projeto interessante é fazer um detector de corrente conectado à alimentação. Isto é, o *shunt* é conectado ao terminal de potência OUT$_+$. Isso tem a vantagem de manter todos os terras do circuito (fonte de alimentação e carga) conectados entre si.

4.8.4 Monitor do Nível de Bronzeado

Nós, nerds, normalmente não vamos à praia. No entanto, quando o fazemos, gostamos de contar com alguns eletrônicos para nos dizer quando virar. O que nós queremos acompanhar, é claro, é o *nível* de bronzeado produzido pela luz do sol (rico em UV).

Há muitas maneiras de fazer isso; na verdade, reveremos esta tarefa quando nos dedicarmos ao sinal eletrônico misto (analógico + digital) (no Capítulo 13), e novamente quando estivermos à procura de coisas interessantes para fazer com microcontroladores (no Capítulo 15). Queremos mostrar aqui como um integrador AOP pode ser usado para construir um circuito monitor de bronzeado.

A ideia é integrar (acumular) a fotocorrente de um sensor, cuja saída é proporcional à intensidade de bronzeamento sob a luz solar. Imaginemos que tenhamos um fotodiodo, opticamente filtrado para deixar passar apenas os raios UV de interesse, com uma corrente de saída de curto-circuito de $\sim$1 nA (nominal) em plena luz solar; suponhamos que a fotocorrente pode variar até um décimo desse valor, ou menos, em um dia nublado.

A. Primeira tentativa: integração direta

O circuito na Figura 4.92 é uma primeira tentativa razoável. Ele usa um AOP de micropotência CMOS (10 μA por amplificador) de fonte simples, alimentado por uma bateria de 9 V, para integrar a fotocorrente (negativa). Um nanoampère produz uma rampa positiva contínua de 0,5 mV/s na saída do AOP, que conectamos a um comparador *Schmitt trigger* com limiar positivo ajustável. O CI de micropotência LM385-2.5Z é uma referência de tensão (tipo zener) de dois terminais que nos dá uma faixa de 0 a 1,5 hora ($\sim$5.000 s) equivalente à plena luz do sol (vamos chamá-lo "FSE" –*full sunlight equivalent*), ponto no qual a saída do comparador vai para o terra, acionando o alarme piezoelétrico. Este último consome 15 mA, uma carga substancial da bateria, mas o som dele é muito *alto*, por isso, mesmo um nerd cochilando o desligará rapidamente (pelo botão de "*reset*"). Este circuito consome cerca de 50 μA quando está integrando, o que rende cerca de 8.000 horas de operação (uma bateria de 9 V tem uma capacidade de 500 mAh em baixo consumo). 8.000 horas são cerca de um ano, então isso é um monte de bronzeamento; a bateria chegará ao fim da vida útil primeiro.

Exercício 4.27 O LM385 requer um mínimo de 10 μA de corrente para uma operação adequada. O que o circuito fornece no final da vida útil da bateria (6 V)?

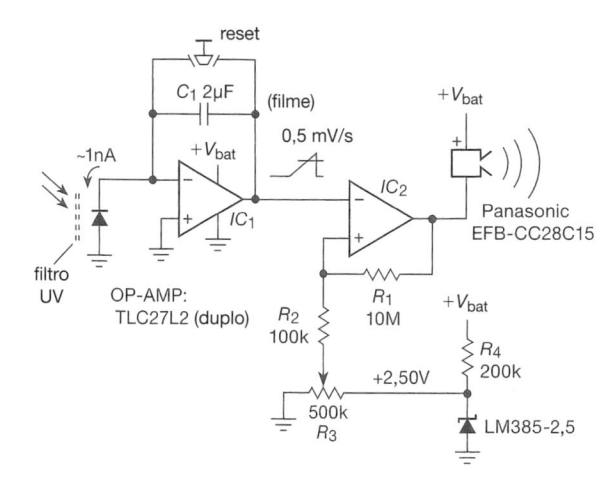

FIGURA 4.92 Monitor de bronzeado com integração, primeira tentativa.

Exercício 4.28 Quanto de histerese o *Schmitt trigger* CI_2 fornece? Como isso afetará a operação?

B. Segunda tentativa: conversão em duas etapas

Um problema com o último circuito é que a corrente do fotodiodo não filtrada é de pelo menos alguns microampères sob luz solar direta. A tentativa de cortar a luz por um fator de mil é arriscada, pois você tem vazamentos de luz, etc., que causam grandes erros.

O circuito na Figura 4.93 corrige isso, convertendo primeiro a fotocorrente (por maior que seja sua amplitude) para uma tensão e, em seguida, integrando essa tensão em um segundo estágio em que se pode escolher um resistor de entrada para gerar uma corrente na faixa de nanoampère. Agora, porém, temos de usar fonte simétrica. Isso porque qualquer que seja a polaridade que escolhermos para a saída do amplificador de transresistência (de corrente para tensão) (conectando o fotodiodo adequadamente), a saída do integrador subsequente será de polaridade oposta; os integradores invertem. No nosso circuito, usamos uma referência de 2,5 V para dividir os 9 V da bateria; a maior parte da corrente no circuito está entre os trilhos positivo e negativo, de modo que a referência necessita de menos do que 20 μA de polarização.[41] Neste circuito, mostramos uma chave de potência de dois polos, conectada de modo que o capacitor dc integração é mantido em *reset* até que a alimentação seja ligada.

A saída do integrador dispara um comparador *Schmitt*, como antes, acionando uma potente sirene piezoelétrica. Note que a sua grande corrente de acionamento é de trilho a trilho; ela não passa pela nossa referência de terra. A corrente

de operação do circuito é de cerca de 60 μA, rendendo quase um ano de operação contínua.

Uma nota final: o LMC6044 é um AOP de micropotência (10 μA/amplificador) quádruplo com saída de trilho a trilho. Então, se fosse necessária uma referência de terra estável, a seção do AOP não utilizada poderia ser configurada como na Figura 4.73, com o truque de estabilização da Figura 4.76A.

C. O integrador de bronzeado "Mark-III"

É sempre divertido ver quão elegantemente você pode reduzir a complexidade do circuito. Neste caso, existe um bom truque que você pode usar para eliminar a integração em dois estágios – a saber, um "divisor de corrente". A Figura 4.94 mostra como isso é feito: a fotocorrente aciona um par de resistores, produzindo a mesma tensão (porque a entrada inversora é um terra virtual); a corrente se divide proporcionalmente à condutância relativa – no presente caso, na proporção de 1.000:1, se o potenciômetro R_2 estiver ajustado para a resistência mínima. Isso significa que uma fotocorrente de 1 μA injetaria uma corrente de 1 nA no integrador. Se preferir, pode pensar no circuito como uma carga resistiva (R_1 em série com R_2, que facilmente domina R_3), que desenvolve uma tensão $V_{in} = I_{diodo}(R_1 + R_2)$; essa tensão é a entrada para o integrador, através de R_3. Uma vez que a tensão desenvolvida através da fotocorrente pode variar até cerca de um volt, é necessário efetuar uma polarização reversa do diodo detector, neste caso, com o diodo D_2 polarizado diretamente, o que gera um trilho de $-0,4$ V.

A rampa de saída positiva do integrador aciona o comparador *Schmitt* CI_2, com uma tensão de comparação fixa fornecida pela referência D_1. Sua saída aciona o alarme piezoelétrico usual.

Agora, para ser mais sofisticado, você pode obter, encapsulado em um único CI pequeno, uma combinação de AOP, comparador e referência de tensão. O MAX951 mostrado é apenas uma das várias opções e ele atende à exigência aqui. É por causa da conexão interna do D_1 com a entrada inversora do CI_2 que fomos obrigados a colocar o controle de bronzeado na entrada em vez de no comparador.

Alguns comentários adicionais.

- A precisão do divisor de corrente depende da precisão do terra virtual. O AOP mostrado tem uma tensão máxima de *offset* de 3 mV, então, com 10% de pleno sol e com o controle definido para resistência mínima ("ciclo de assar" máximo), o erro é de cerca de 30% (sinal de 10 mV, *offset* de 3 mV). Em outras palavras, a elegância do circuito envolve um ajuste de desempenho em relação à abordagem mais simples (alguns podem dizer desajeitado) na Figura 4.93, em que o erro é de cerca de 3% à luz solar mínima.
- O diodo D_2 será polarizado diretamente pela corrente quiescente de 7 μA do IC, enquanto a fotocorrente é

---

[41] Como alternativa, poderíamos ter usado o "divisor de trilho" TLE2425 de 3 terminais (Seção 4.6.1B), que, no entanto, consumiria 170 μA. Embora isso dominasse a estimativa de potência, o sistema ainda funcionaria durante 2.000 horas (cerca de 3 meses) de operação contínua.

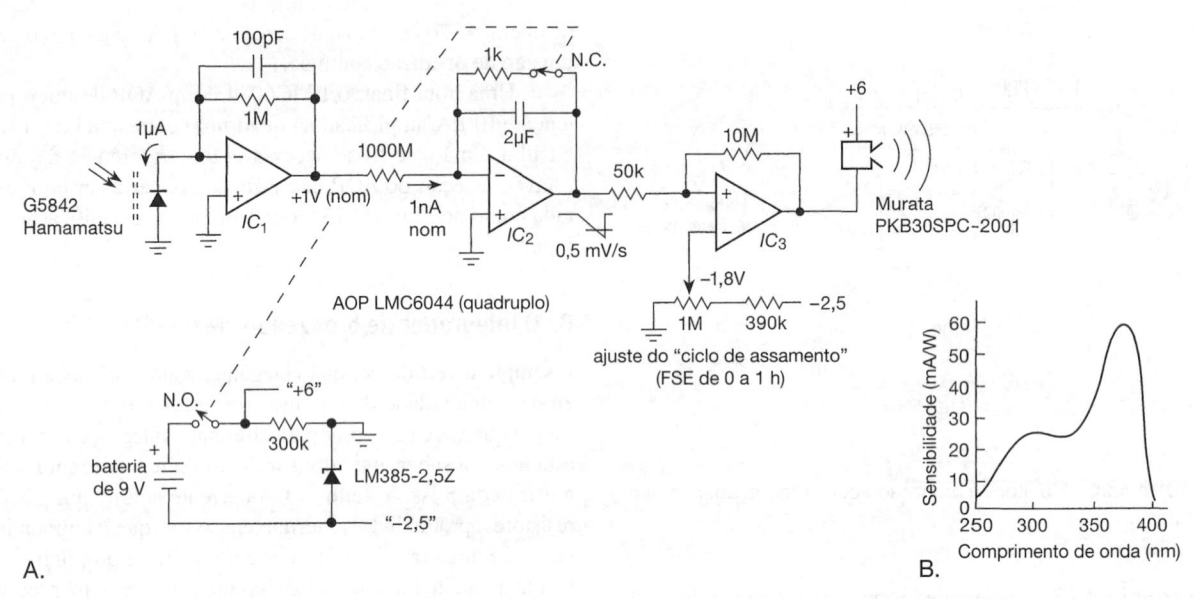

FIGURA 4.93 Monitor de bronzeado usando integração, segunda tentativa; FSE é "equivalente à plena luz do sol". A. Esquemático. B. Resposta espectral do fotodiodo Hamamatsu G5842, cuja fotocorrente de curto-circuito na luz solar é de cerca de 1 μA.

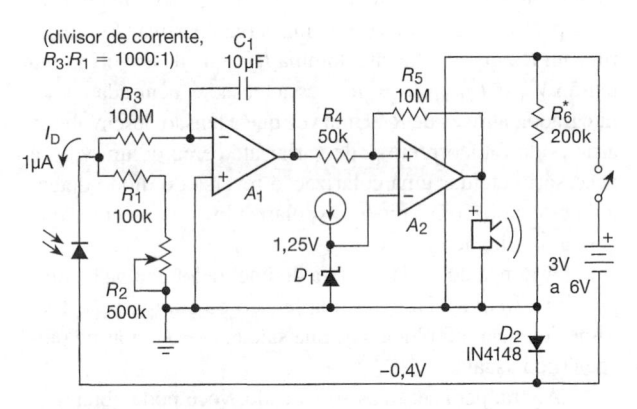

FIGURA 4.94 Monitor de bronzeado usando integração, terceira tentativa. A_1, A_2 e D_1 são todos internos ao chip multifuncional MAX951. A_2 é um comparador.

inferior a esse valor. Assim, o resistor de polarização R_6 pode ser omitido, a menos que uma fotocorrente máxima maior do que aproximadamente 5 μA seja antecipada.

- O MAX951 tem uma faixa de tensão de operação especificada de 2,7 V a 7 V. A operação de baixa tensão é um bônus agradável; mas, para este CI específico, isso também significa que não podemos operá-lo diretamente a partir de uma bateria de 9 V, a menos que se use um regulador de tensão (ver Capítulo 9) para reduzir a tensão de alimentação para 7 V ou menos. Isso ilustra uma lição importante: você tem que tomar cuidado com as baixas especificações de tensão de alimentação máxima ao usar CIs destinados à operação de baixa tensão. Isso também ilustra a tendência de fabricantes de CIs de usarem menores tensões de alimentação para os seus projetos de novos produtos.

4.9 COMPENSAÇÃO DE FREQUÊNCIA DE AMPLIFICADOR COM REALIMENTAÇÃO

Fomos apresentados à realimentação no Capítulo 2 (Seção 2.5), no qual vimos os seus efeitos benéficos sobre a estabilidade e a previsibilidade de ganho do amplificador e a redução das não linearidades inerentes de um amplificador. Vimos também como ela afeta as impedâncias de entrada e de saída dos amplificadores: por exemplo, através da detecção da tensão de saída e utilizando realimentação em série na entrada, a impedância de entrada é aumentada e a impedância de saída é reduzida, ambas pelo fator de ganho de malha. No entanto, nem tudo é cor-de-rosa: a combinação de ganho com realimentação cria a possibilidade de oscilação. Aqui, no contexto de AOPs, continuamos a tratar a realimentação negativa, abordando o importante tema da *compensação de frequência* – o negócio da prevenção de oscilação em amplificadores com realimentação negativa. O material na Seção 2.5 é uma base necessária para as seções que se seguem.

Começaremos observando um gráfico de ganho de tensão em malha aberta em função da frequência para alguns AOPs: você normalmente verá algo parecido com as curvas da Figura 4.95. A partir de uma observação superficial em tal *gráfico de Bode* (um gráfico log-log de ganho de malha aberta e fase em função da frequência), você pode concluir que o OP27 é um AOP inferior, visto que o seu ganho em malha aberta cai muito rapidamente com o aumento da frequência. Na verdade, essa atenuação é construída no AOP intencionalmente e é reconhecida como a mesma curva característi-

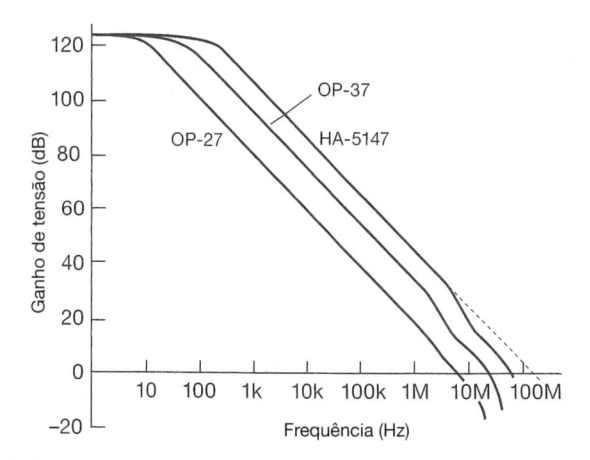

FIGURA 4.95 Ganho de malha aberta *versus* frequência para três amplificadores operacionais semelhantes.

ca de −6 dB/oitava de um filtro passa-baixas *RC*. O OP37, por comparação, é idêntico ao OP27, exceto pelo fato de ser *descompensado* (o mesmo vale para o descontinuado[42] AH-5147). AOPs são mais frequentemente compensados internamente, com variedades descompensadas e não compensadas disponíveis às vezes. Daremos uma olhada neste negócio de compensação de frequência.

4.9.1 Ganho e Deslocamento de Fase em Função da Frequência

Um AOP (ou, em geral, qualquer amplificador de vários estágios) começará a atenuar em alguma frequência por causa dos filtros passa-baixas formados por sinais de impedância de fonte finita que acionam cargas capacitivas dentro dos estágios do amplificador. Por exemplo, é comum ter um estágio de entrada constituído por um amplificador diferencial, talvez com carga de espelho de corrente (ver o esquema do LF411 na Figura 4.43), acionando um segundo estágio de emissor comum. Por agora, imagine que o capacitor identificado por C_C nesse circuito seja removido. A impedância de saída elevada do estágio de entrada Q_2, em combinação com a capacitância combinada vista na sua saída, forma um filtro passa-baixas, cujo ponto de 3 dB pode cair em algum ponto na faixa de 100 Hz a 10 kHz.

A diminuição da reatância dessa capacitância com o aumento da frequência dá origem à curva característica de atenuação de 6 dB/oitava: em frequências suficientemente elevadas (que podem ser inferiores a 1 kHz), a carga capacitiva domina a impedância de carga de coletor, o que resulta em um ganho de tensão $G_V = g_m X_C$, ou seja, o ganho cai como $1/f$. Ele também produz um deslocamento de fase de 90° em atraso na saída em relação ao sinal de entrada. (Você pode pensar nisso como a cauda da curva característica de

---

[42] Veja o quadro "Ontem Estava Aqui, Hoje Não" apresentado anteriormente.

um filtro passa-baixas *RC*, em que *R* representa a impedância da fonte equivalente que aciona a carga capacitiva. No entanto, não é necessário dispor de quaisquer resistores reais no circuito).

Em um amplificador de vários estágios haverá atenuações adicionais em frequências mais altas, causadas por características do filtro passa-baixas nos outros estágios do amplificador e o ganho de malha aberta geral será parecido com o mostrado na Figura 4.96. O ganho de malha aberta começa a cair a 6 dB/oitava em alguma frequência baixa f_1, por causa da carga capacitiva da saída do primeiro estágio. Ele continua caindo com essa inclinação até que um *RC* interno de outro estágio passe a atuar na frequência f_2, para além da qual a atenuação ocorre em 12 dB/oitava, e assim por diante.

Qual é o significado de tudo isso? Lembre-se de que um filtro passa-baixas *RC* tem um deslocamento de fase que se parece com o mostrado na Figura 4.97. Cada filtro passa-baixas dentro do amplificador tem uma característica de

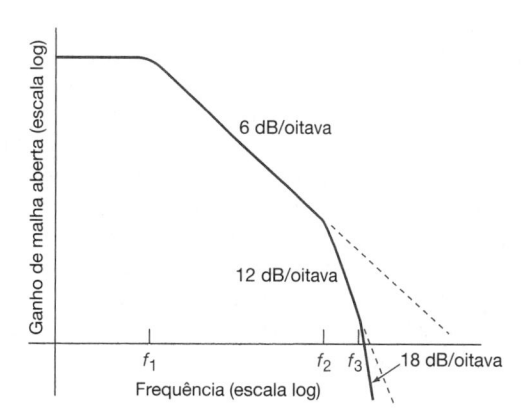

FIGURA 4.96 Amplificador de vários estágios: ganho *versus* frequência.

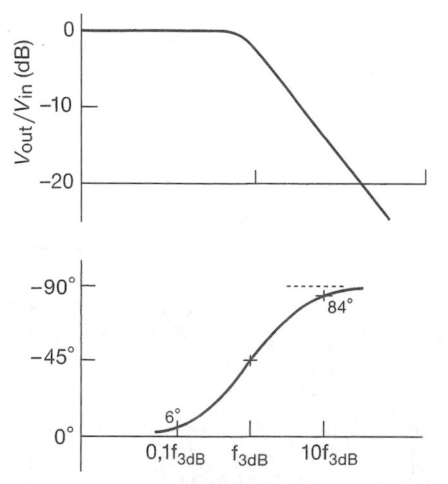

FIGURA 4.97 Gráfico de Bode: ganho e fase em função da frequência.

deslocamento de fase semelhante, de modo que o deslocamento de fase global do amplificador hipotético será como mostra a Figura 4.98.

Ora, aqui está o problema: se você fosse conectar este amplificador como um seguidor AOP, por exemplo, ele oscilaria. Isso porque o deslocamento de fase em malha aberta atinge 180° em uma frequência na qual o ganho ainda é maior do que 1 (a realimentação negativa torna-se positiva nessa frequência). Isso é tudo de que você precisa para gerar uma oscilação, já que qualquer sinal que esteja nessa frequência acumula-se com o tempo em torno da malha de realimentação, assim como um sistema de comunicação com aumento excessivo de ganho.

A. Critério de estabilidade

O critério de estabilidade em oposição à oscilação para um amplificador com realimentação é que o seu deslocamento de fase em malha aberta deve ser inferior a 180° na frequência na qual o ganho de malha é unitário. Esse critério é o mais difícil de satisfazer quando o amplificador está conectado como um seguidor, uma vez que o ganho da malha, então, é igual ao ganho de malha aberta, o mais alto que ele pode ser. AOPs compensados internamente são projetados para satisfazer o critério de estabilidade, mesmo quando conectados como seguidores; assim, eles são estáveis quando conectados para qualquer ganho de malha fechada com uma simples rede de realimentação resistiva. Como sugerido anteriormente, isso é feito deliberadamente modificando-se uma atenuação interna existente, a fim de colocar o ponto de 3 dB em alguma frequência baixa, tipicamente de 1 Hz a 20 Hz. Veremos como isso funciona.

4.9.2 Métodos de Compensação de Amplificador

A. Compensação por Polo Dominante

O objetivo é manter o deslocamento de fase de malha aberta muito menor do que 180° em todas as frequências para as quais o ganho de malha é maior do que 1. Supondo que o AOP possa ser usado como um seguidor, as palavras "ganho de malha" na última frase podem ser substituídas por "ganho de malha aberta". A maneira mais fácil de fazer isso é acrescentar uma capacitância *adicional* suficiente no ponto do circuito que produz a atenuação inicial de 6 dB/oitava, de modo que o ganho de malha aberta cai para a unidade na frequência aproximada de 3 dB do próximo filtro RC "natural". Desta forma, o deslocamento de fase de malha aberta é mantido em um valor constante de 90° ao longo da maior parte da banda de passagem, aumentando para 180° apenas quando o ganho se aproxima da unidade. A Figura 4.99 mostra a ideia. Sem compensação, o ganho de malha aberta cai em direção a 1, primeiro a 6 dB/oitava, depois a 12 dB/oitava, etc., resultando em deslocamentos de fase de 180° ou mais antes de o ganho atingir 1. Ao mover a primeira atenuação para baixo em frequência (formando um "polo dominante"), a atenuação é controlada de modo que o deslocamento de fase começa a subir acima de 90° apenas quando o ganho de malha aberta se aproxima da unidade. Assim, sacrificando o ganho de malha aberta, você compra estabilidade. Uma vez que a atenuação natural da frequência mais baixa é geralmente causada pelo efeito Miller no estágio acionado pelo amplificador diferencial de entrada, o método usual de compensação por polos dominante consiste simplesmente em acrescentar capacitância de realimentação adicional em torno do transistor do segundo estágio, de modo que o ganho de tensão combinado dos dois estágios é $g_m X_C$ ou $g_m/2\pi f C_{comp}$ ao longo da região compensada de resposta de frequência do amplificador (Figura 4.100). Na prática, transistores conectados como Darlington provavelmente seriam utilizados em ambos os estágios.

Ao colocar o cruzamento de ganho unitário de polo dominante no ponto de 3 dB da próxima atenuação, você tem uma margem de fase de cerca de 45° no pior caso (seguidor), uma vez que um único filtro RC tem um deslocamento de fase de 45° em atraso na sua frequência de 3 dB, ou seja, a

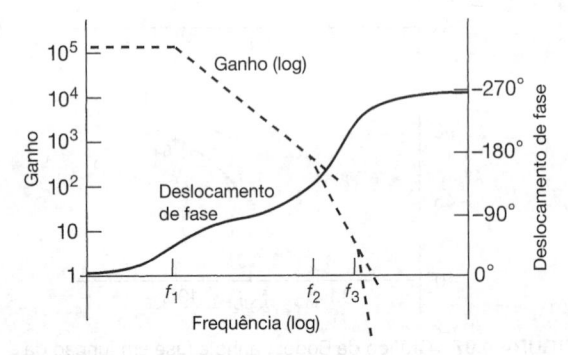

FIGURA 4.98 Ganho e fase em um amplificador de vários estágios.

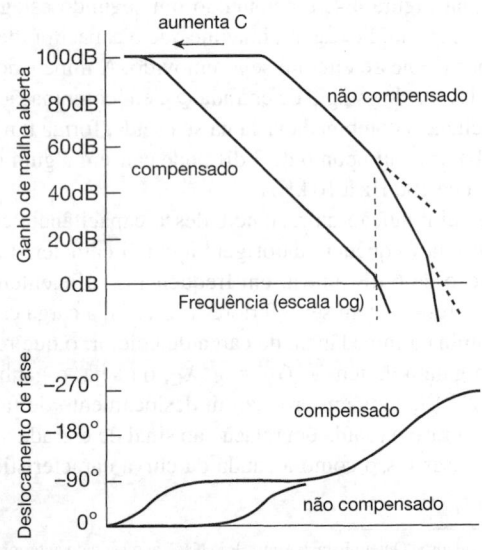

FIGURA 4.99 Compensação por "polo dominante".

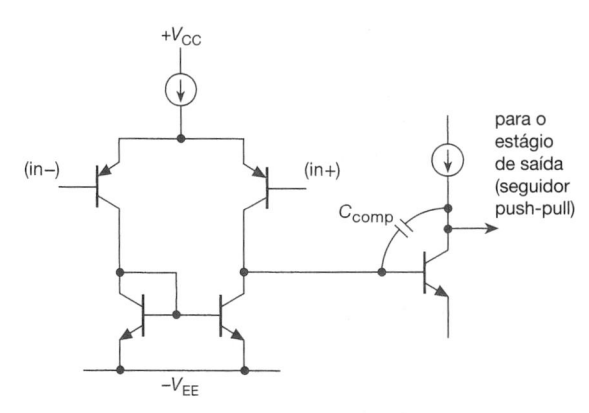

FIGURA 4.100 Estágio de entrada de um AOP clássico com compensação.

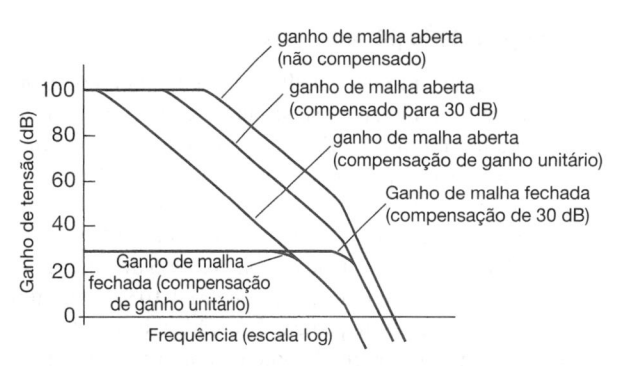

FIGURA 4.102 A estabilidade é mais fácil de conseguir com um ganho de malha fechada maior.

margem de fase é igual a $180° - (90° + 45°)$, com os $90°$ provenientes do polo dominante.

Uma vantagem adicional do uso de um polo de efeito Miller para compensação é que a compensação é intrinsecamente insensível às variações no ganho de tensão com a temperatura ou com a variação de valores de ganho: um ganho mais elevado faz a capacitância de realimentação parecer maior, movendo o polo para baixo na frequência exatamente da maneira correta para manter a frequência de cruzamento de ganho unitário inalterada. De fato, a frequência real de 3 dB do polo de compensação é irrelevante; o que importa é o ponto no qual se intercepta o eixo de ganho unitário (Figura 4.101).

B. AOPs descompensados e não compensados

Se um AOP é usado em um circuito com ganho de malha fechada maior do que a unidade (ou seja, não é um seguidor), não é necessário colocar o polo (o termo para a "frequência de canto" de um filtro passa-baixas) em uma frequência tão baixa conforme o critério de estabilidade é relaxado por causa do ganho de malha inferior. A Figura 4.102 mostra a situação graficamente.

Para um ganho de malha fechada de 30 dB, o ganho de malha (que é a relação entre o ganho de malha aberta

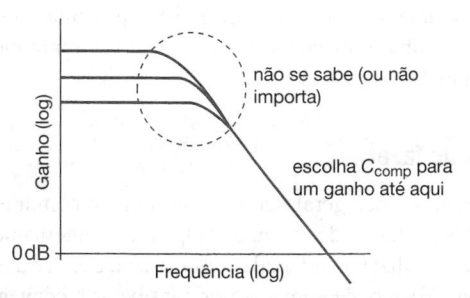

FIGURA 4.101 O capacitor de compensação é escolhido para definir a frequência de ganho unitário de malha aberta; o ganho de *baixa* frequência não é importante.

e o ganho de malha fechada) é menor do que para um seguidor, de modo que o polo dominante pode ser colocado em uma frequência maior. Ele é escolhido de modo que o ganho de malha aberta atinja 30 dB (em vez de 0 dB) na frequência do próximo polo natural do AOP. Como mostra o gráfico, isso significa que o ganho de malha aberta é maior ao longo da maior parte da faixa de frequência, e o amplificador resultante trabalhará em frequências mais altas. Alguns AOPs estão disponíveis em versões "descompensadas" (uma palavra melhor pode ser "subcompensada"), que são compensadas internamente para ganhos de malha fechada maiores do que algum mínimo ($A_V > 5$ no caso do OP37); isto especifica um ganho de malha fechada mínimo e não necessita de capacitor externo. Outro exemplo é o THS4021/2, uma versão descompensada ($G_V \geq 10$) do estável THS4011/2 de ganho unitário. Esses são AOPs realmente rápidos, com um f_T de 300 MHz (para o "lento" THS4011/2), e maior do que 1 GHz para o THS4021/2. Para as versões descompensadas, o fabricante (TI) fornece valores de capacitância externa recomendados (por vezes, em combinação com um resistor; veja a seguir) para uma seleção de ganhos de malha fechada mínimos.[43] AOPs descompensados ou não compensados valem a pena se você precisa de largura de banda adicional e o circuito opera em alto ganho.

Um pouco de reflexão: pode parecer, à primeira vista, paradoxal que um circuito AOP configurado para um circuito de *baixo* ganho seja mais propenso à oscilação do que um configurado para um circuito de *alto* ganho. No entanto, isso faz sentido: a melhor estabilidade de um AOP conectado para um ganho de malha fechada (*closed loop*) de $G_{CL} = 100$ (40 dB), por exemplo, acontece porque a rede de realimentação (divisor resistivo) atenua os sinais por um fator de 100. Portanto, é mais difícil de sustentar uma oscilação ao redor da malha em comparação com um seguidor (em que a realimentação tem ganho unitário).

---

[43] Em alguns casos, são necessários componentes de compensação externos para qualquer ganho de malha fechada plausível; esses são chamados corretamente de AOPs "descompensados".

C. Compensação por polo zero

É possível fazer um pouco melhor do que com a compensação por polo dominante usando uma rede de compensação que começa a cair (6 dB/oitava, um "polo") em alguma frequência baixa, depois se estabiliza novamente (ele tem um "zero") na frequência do segundo polo natural do AOP. Desta forma, o segundo polo do amplificador é "cancelado", resultando em uma atenuação suave de 6 dB/oitava até o terceiro polo do amplificador. A Figura 4.103 mostra um gráfico de resposta de frequência. Na prática, o zero é escolhido para cancelar o segundo polo do amplificador; então, a posição do primeiro polo é ajustada de modo que a resposta geral atinja o ganho unitário na frequência do terceiro polo do amplificador. Um bom conjunto de folhas de dados para um AOP com compensação externa, muitas vezes, sugerirá os valores dos componentes (um R e um C) para a compensação de polo zero, bem como os valores de capacitores usuais para compensação de polo dominante. Mover o polo dominante para baixo na frequência, na verdade, faz o segundo polo do amplificador mover-se ligeiramente para cima na frequência, um efeito conhecido como "divisão de polo". A frequência de cancelamento do zero é, então, escolhida em conformidade.

4.9.3 Resposta de Frequência da Rede de Realimentação

Em toda a discussão até agora, consideramos que a rede de realimentação tem uma resposta de frequência plana; esse é normalmente o caso com o divisor de tensão resistivo padrão como uma rede de realimentação. No entanto, há ocasiões em que algum tipo de amplificador de equalização é desejado (integradores e diferenciadores estão nesta categoria) ou em que a resposta de frequência da rede de realimentação é modificada para melhorar a estabilidade do amplificador. Em tais casos, é importante lembrar que o gráfico de Bode do ganho da malha em função da frequência é o que importa, mais do que a curva de ganho de mala aberta. Para encurtar a conversa, a curva ideal do ganho de malha fechada em função da frequência deverá interceptar a curva de ganho de

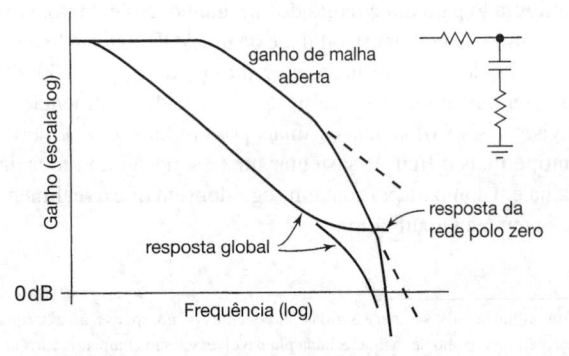

FIGURA 4.103 Cancelamento do segundo polo do amplificador em compensação de "polo zero".

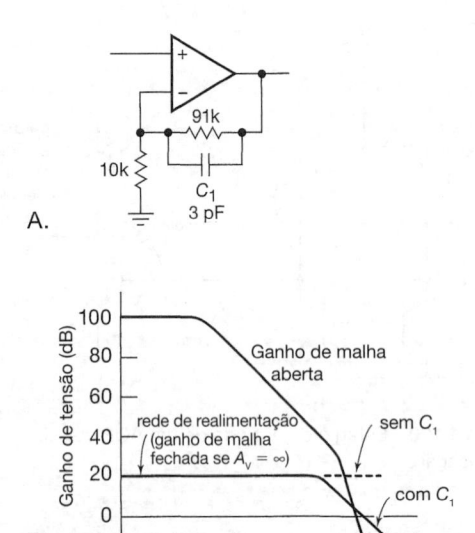

FIGURA 4.104 Um pequeno capacitor de realimentação aumenta a estabilidade.

malha aberta, com uma *diferença* nas inclinações de 6 dB/oitava. Como um exemplo, é uma prática comum colocar um pequeno capacitor (poucos picofarads) sobre o resistor de realimentação no amplificador inversor ou não inversor habitual. A Figura 4.104 mostra o circuito e o diagrama de Bode.

O amplificador estaria perto da instabilidade com uma rede de realimentação estável, visto que o ganho de malha teria caído cerca de 12 dB/oitava onde as curvas se encontram. O capacitor faz o ganho de malha cair 6 dB/oitava perto do cruzamento, garantindo estabilidade. Esse tipo de consideração é muito importante ao projetar diferenciadores, porque um diferenciador ideal tem um ganho de malha fechada que se eleva a 6 dB/oitava; é necessário atenuar a ação do diferenciador em alguma frequência moderada, de preferência 6 dB/oitava em altas frequências. Integradores, em comparação, são muito "amigáveis" a este respeito, devido à sua atenuação de malha fechada de 6 dB/oitava. É preciso verdadeiro talento para fazer um integrador de baixa frequência oscilar!

Exercício 4.29 Mostre um gráfico de Bode em que o valor do resistor de estabilização R_1 na Figura 4.69 inibe a ação do diferenciador (isto é, achata a curva de ganho de malha fechada) antes do ponto de cruzamento dos ganhos de malha aberta e malha fechada. Explique o nosso valor mínimo recomendado de resistência R_1.

A. O que fazer

Em resumo, você geralmente é confrontado com a escolha de AOPs compensados ou não compensados internamente. É mais fácil utilizar a variedade compensada, e essa é a escolha habitual. Você pode começar por considerar o convencional LF411 (JFET, alimentação de ±5 V a ±15 V) ou uma versão melhorada (o LT1057), ou o LMC6482 (CMOS, +3 V a +15 V de alimentação) de entrada e saída trilho a trilho, ou talvez

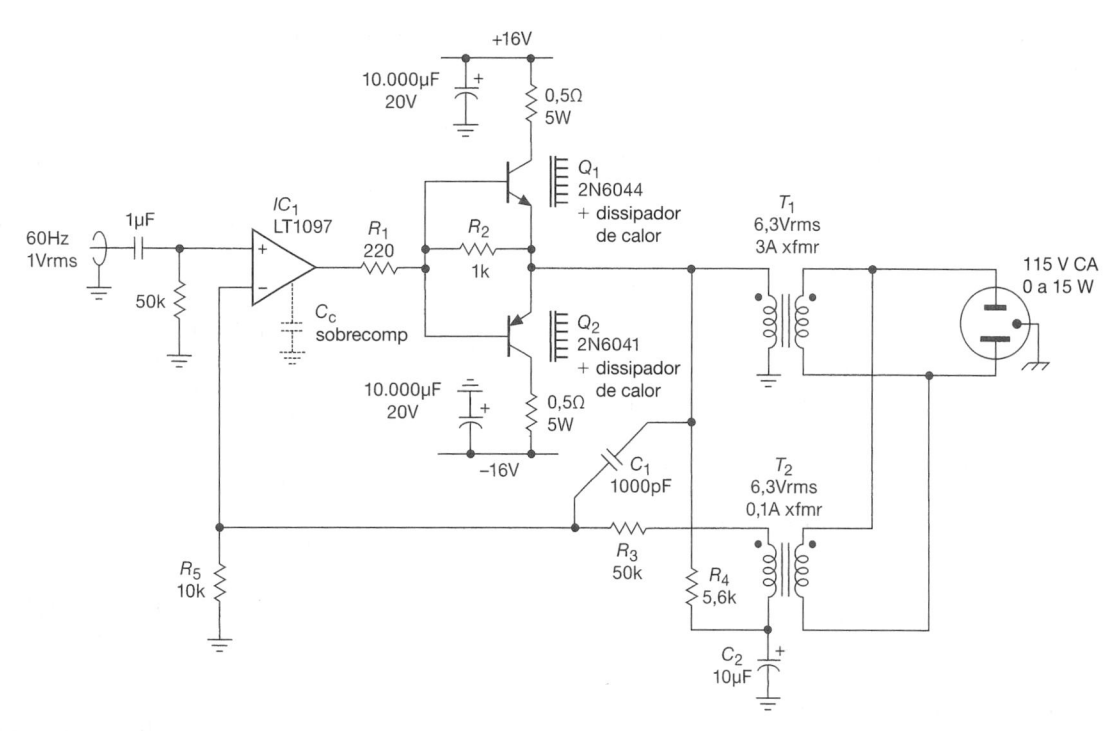

FIGURA 4.105 Amplificador de saída para fonte de alimentação de 60 Hz. Os transistores de saída *push-pull* Q_1 e Q_2 são Darlingtons em um encapsulamento plástico de potência.

o preciso e calmo LT1012, totalmente compensado internamente para o ganho unitário. Se você precisar de maior largura de banda ou taxa de variação, procure um AOP compensado mais rápido (ver Tabela 4.2a para algumas escolhas). Se se verificar que nada é adequado e o ganho de malha fechada for maior do que a unidade (como geralmente é), você pode usar um AOP descompensado (ou não compensado), talvez com um capacitor externo, conforme especificado pelo fabricante para o ganho que você estiver usando. Usando nosso exemplo anterior, o popular OP27, um AOP preciso de baixo ruído (ganho unitário compensado), tem $f_T = 8$ MHz e uma taxa de variação de 2,8 V/μs; ele está disponível como o OP37 descompensado (ganho mínimo de 5), com $f_T = 63$ MHz e uma taxa de variação de 17 V/μs.[44]

B. Exemplo: fonte de alimentação de 60 Hz de precisão

AOPs não compensados, ou AOPs com um pino de compensação, também fornecem a flexibilidade de sobrecompensação, uma solução simples para o problema dos deslocamentos de fase adicionais introduzidos por outras coisas na malha de realimentação. A Figura 4.105 mostra um exemplo. Este é um amplificador de baixa frequência projetado para gerar uma alimentação de 115 volts CA estável e precisa a partir de uma entrada senoidal de baixo nível de 60 Hz.[45] O AOP é conectado como um amplificador não inversor com acoplamento CA, com sua saída acionando um estágio de saída seguidor de emissor *push-pull* Darlington Q_1Q_2, que, por sua vez, aciona o enrolamento de baixa tensão de um pequeno transformador de potência, T_1, cujos enrolamentos estão na razão de 6,3 V:115 V. Desta forma, geramos uma saída de 115 V CA sem AOPs ou transistores de alta tensão. Claro, pagamos o preço proporcional por um acionador de maior corrente; aqui, os transistores precisam fornecer cerca de 3 A (RMS) para produzir uma saída de 15 W.

Para gerar baixa distorção e uma tensão de saída estável sob variações de carga, queremos obter a realimentação a partir da onda senoidal real de saída de 115 V. É altamente desejável, no entanto, manter a saída totalmente isolada do terra do circuito. Então, usamos um segundo transformador T_2 para produzir uma réplica de baixa tensão da onda de saída de 115 V, que é, então, realimentada via R_3 para dar o ganho de tensão necessário de 6. Por causa dos inaceitavelmente grandes deslocamentos de fase dos transformadores em altas frequências, o circuito é manipulado de modo que, em frequências mais altas – acima de $\sim$3 kHz –, a realimentação vem da entrada de baixo tensão do transformador (via C_1). Apesar de a realimentação de alta frequência ser obtida

---

[44] E, antes de ser descontinuado, o semelhante e "mais descompensado" HA-5147 (ganho mínimo de 10), com $f_T = 120$ MHz e uma taxa de variação de 35 V/μs.

[45] O projeto original foi usado para acionar um telescópio astronômico. Curiosidade interessante: ao contrário da crença popular, a Terra gira sobre seu eixo a cada 23 horas, 56 minutos e 4,1 segundos; descubra por que não são 24:00:00!

diretamente a partir da saída *push-pull*, ainda existem deslocamentos de fase associados com a carga reativa (o primário do transformador, um motor conectado à saída, etc.) vistos pelos transistores. Para garantir uma boa estabilidade, mesmo com cargas reativas na saída de 115 volts, o AOP pode ser sobrecompensado com um pequeno capacitor, conforme mostrado. (O incomum LT1097 gentilmente fornece um pino para sobrecompensação.) A perda de largura de banda que resulta não é importante em uma aplicação de baixa frequência como essa.

A função de R_4 e C_2 pode ser intrigante: esse pedaço de circuito fornece um caminho de realimentação CC para o AOP pela média (filtragem passa-baixas) do nível CC aplicado a T_1, que então alimenta de volta através do enrolamento flutuante de T_2. Escolhemos C_2 grande o suficiente para que sua impedância em 60 Hz seja pequena em comparação com o resistor de realimentação de 50k; então, escolhemos R_4 para a suavização adequada compatível com a estabilidade.

O desempenho desse amplificador é bastante satisfatório. A Figura 4.106 mostra a regulação de saída, ou seja, a variação de amplitude de saída RMS em função da carga. Para efeito de comparação, mostramos a curva comparável quando a realimentação é obtida exclusivamente do enrolamento de acionamento de T_1, a partir do qual você pode ver que o caminho de realimentação desejado melhora a regulação da amplitude de saída, sob variações de carga de zero a plena potência, a partir de um medíocre 10% para apenas 0,2%. A onda senoidal de saída é muito pura, com distorção medida bem abaixo de 1% em todas as condições de carga, incluindo o acionamento de um motor síncrono (que representa uma carga reativa).

Uma aplicação como essa representa uma concessão, pois idealmente você gostaria de ter abundância de ganho de malha para estabilizar a tensão de saída contra variações de corrente de carga. No entanto, um ganho de malha grande aumenta a tendência de o amplificador oscilar, especialmente se uma carga reativa for conectada. Isso ocorre porque a carga reativa, em combinação com a impedância de saída finita do transformador, provoca deslocamentos de fase adicionais dentro da malha de realimentação de baixa frequência. Como este circuito foi construído para alimentar motores síncronos de um telescópio (cargas altamente indutivas), o ganho de malha foi intencionalmente mantido baixo.

Alguns pontos adicionais.

- Com a eletrônica de potência, você deve projetar de forma conservadora, de modo que uma condição de falha (por exemplo, uma carga muito intensa, ou até mesmo um curto-circuito) não destrua o dispositivo. Aqui usamos o método mais simples de limitação de corrente – um par de pequenas resistências nos coletores do estágio de acionamento –, pois não queremos poluir o diagrama (e funcionou bastante bem, de qualquer maneira!). No entanto, há maneiras melhores, por exemplo, pela adição de um par de transistores para desviar corrente da base quando a corrente de saída exceder um limite pré-estabelecido (conforme detectado por uma resistência em série); tal esquema é comumente utilizado dentro do circuito integrado dos próprios AOPs – ver Figura 4.43. Como explicaremos na Seção 9.13.3, ainda existem circuitos de proteção melhores. O problema com a proteção de limitação de corrente simples é que uma carga de curto-circuito faria os transistores terem a corrente limite com a tensão de alimentação completa sobre eles; a dissipação de potência resultante é muito maior do que o máximo em operação normal, que requer uma dissipação de calor conservadora e seleção de componentes. A limitação por retrocesso de corrente (*foldback*) seria melhor, embora um pouco mais complicada.
- Um seguidor *push-pull* com as bases conectadas tem uma região de cruzamento em que a malha de realimentação é efetivamente quebrada (ver Seção 2.4.1A). Com transistores Darlington, a região de cruzamento é de quatro tensões V_{BE}, cerca de 2,5 V. O resistor R_2 na Figura 4.105 garante que haja sempre algum acoplamento linear do AOP para T_1, para evitar que a malha de realimentação produza ruído em carga leve. Melhor ainda seria a polarização de diodo, como nas Figuras 2.71 ou 2.72.
- Existe uma maneira elegante de usar um AOP normal de ±15 V para gerar variações maiores de tensão, substituindo os seguidores de emissor na Figura 4.105 por uma configuração "pseudo-Darlington" com ganho não inversor modesto (também conhecido como um "par de realimentação em série"; ver Seção 2.5.5C), por exemplo, um fator de 5. Então, você pode operar o estágio de saída de potência a partir de uma fonte de ±75 V enquanto alimenta o AOP a partir de uma fonte convencional de ±15 V.

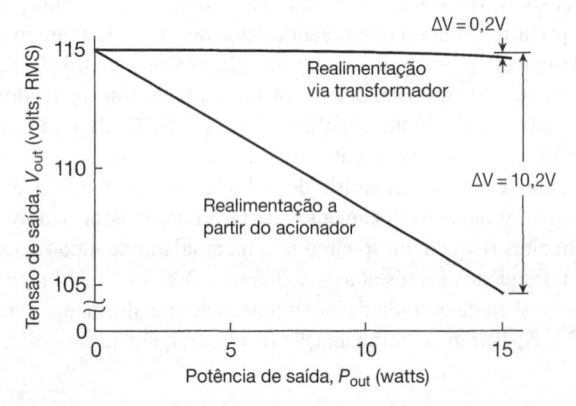

FIGURA 4.106 Tensão de saída medida *versus* carga para fonte de alimentação de 60 Hz.

C. Oscilação de baixa frequência

Em amplificadores de realimentação e acoplamento CA, problemas de estabilidade também podem surgir em frequências muito baixas, por causa dos acumulados deslocamentos de fase *adiantados* causados por alguns estágios acoplados capacitivamente. Cada capacitor de bloqueio, em combinação com a resistência de entrada (a partir de uma sequência de polarização e similar), provoca um deslocamento de fase adiantado que é igual a 45° no ponto de 3 dB de baixa frequência e se aproxima de 90° em frequências mais baixas. Se houver ganho de malha suficiente, o sistema pode entrar em uma oscilação de baixa frequência pitorescamente conhecida como "*motorboating*". Com o uso generalizado de amplificadores com acoplamento CC, a oscilação de baixa frequência está quase extinta. No entanto, os veteranos podem lhe contar algumas boas histórias sobre ela.

Exercícios adicionais para o Capítulo 4

Exercício 4.30   Projete um "voltímetro sensível" para ter $Z_{in} = 1$ MΩ e sensibilidades de fundo de escala de 10 mV a 10 V em quatro faixas. Use um galvanômetro de 1 mA e um AOP. Ajuste os *offsets* de tensão se necessário e calcule o que o medidor irá indicar com a entrada aberta, considerando (a) $I_B = 25$ pA (típico para um 411) e (b) $I_B = 80$ nA (típico para um 741). Use alguma forma de proteção do medidor (por exemplo, mantenha sua corrente inferior a 200% do fundo de escala) e proteja as entradas do amplificador contra tensões fora da faixa de alimentação. O que você conclui sobre a adequação do 741 para medições de alta impedância de baixo nível?

Exercício 4.31   Projete um amplificador de áudio usando um AOP OP27 (baixo ruído, bom para áudio) com as seguintes características: ganho = 20 dB, $Z_{in} = 10$k, ponto de -3 dB = 20 Hz. Utilize a configuração de um não inversor e atenue o ganho em baixas frequências, de modo a reduzir os efeitos de tensão de *offset* de entrada. Use um projeto adequado para minimizar os efeitos da corrente de polarização de entrada no *offset* de saída. Suponha que a fonte de sinal esteja acoplada capacitivamente.

Exercício 4.32   Projete um divisor de fase de ganho unitário (ver Seção 2.2.8 no Capítulo 2) usando CIs 411. Esforce-se para obter alta impedância de entrada e baixa impedância de saída. O circuito deve ser acoplado em CC. Qual é a frequência máxima aproximada que você pode obter com variação total na saída (27 V_{PP}, com ± 15 V de alimentação), considerando as limitações da taxa de variação?

Exercício 4.33   Alto-falantes da marca El Cheapo são usados para reforçar os agudos, começando em 2 kHz (3 dB) e subindo 6 dB/oitava. Projete um filtro *RC* simples usando o AOP AD611 como *buffer* (outro bom chip de áudio), conforme necessário, para ser colocado entre o pré-amplificador e o amplificador para compensar esse aumento. Suponha que o pré-amplificador tenha $Z_{out} = 50$k e que o amplificador tenha $Z_{in} = 10$k, aproximadamente.

Exercício 4.34   Um 741 é utilizado como um comparador simples, com uma entrada conectado ao terra; ou seja, é um detector de passagem por zero. Uma onda senoidal de amplitude 1 V é inserida na outra entrada (frequência = 1 kHz). Em qual(is) tensão(ões) a entrada estará quando a saída passar por zero volt? Suponha que a taxa de variação seja de 0,5 V/µs e que a saída saturada do AOP seja ± 13 V.

Exercício 4.35   O circuito na Figura 4.107 é um exemplo de um "conversor de impedância negativa (CIN)". (a) Qual é a sua impedância de entrada? (b) Se a faixa de saída do AOP vai de V_+ a V_-, qual faixa de tensões de entrada este circuito acomodará sem saturação?

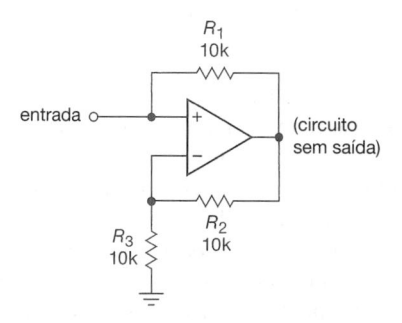

FIGURA 4.107   Conversor de impedância negativa.

Exercício 4.36   Considere o circuito no problema anterior como uma caixa preta de 2 terminais (Figura 4.108). Mostre como fazer um amplificador CC com um ganho de -10. Por que você não pode fazer um amplificador CC com um ganho de $+10$? (*Dica*: o circuito é suscetível a uma condição de trava (*latchup*) para uma determinada faixa de resistências de fonte. Qual é essa faixa? Você consegue pensar em uma solução?)

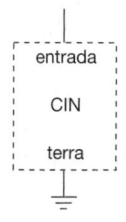

FIGURA 4.108   Conversor de impedância negativa como um dispositivo de 2 terminais.

REVISÃO DO CAPÍTULO 4

Um resumo de A a O do que aprendemos no Capítulo 4. Revisaremos os princípios básicos e fatos do Capítulo 3, mas não abordaremos diagramas de circuitos de aplicação e conselhos práticos de engenharia apresentados neste capítulo.

¶ A. O AOP Ideal

No Capítulo 4, exploramos o mundo dos Amplificadores Operacionais ("AOPs"), blocos construtivos universais de circuitos analógicos. Um bom AOP se aproxima do ideal de um amplificador de diferença com acoplamento CC, grande largura de banda sem ruído, ganho infinito, corrente de entrada zero e tensão de *offset* zero. AOPs são destinados ao uso em circuitos com realimentação negativa, em que a rede de realimentação determina o comportamento do circuito. AOPs se destacam nos tópicos do Capítulo 5 (Circuitos de Precisão), Capítulo 6 (Filtros), Capítulo 7 (Osciladores e Temporizadores), Capítulo 8 (Técnicas de Baixo Ruído), Capítulo 9 (Regulação de Tensão e Conversão de Potência) e Capítulo 13 (Integração entre Digital e Analógico).

¶ B. As "Regras Práticas"

Em um nível básico (e ignorando imperfeições, consulte de ¶K a ¶M a seguir), um circuito AOP com realimentação pode ser entendido simplesmente pelo reconhecimento de que a realimentação a partir da saída opera para (I) tornar a diferença de tensão entre as entradas zero; e, igualmente, (II) as entradas não consumirem nenhuma corrente. Essas regras são bastante úteis e, para CC (ou circuitos de baixa frequência), apresentam erro apenas pelas tensões de *offset* típicas de um milivolt ou menos (regra I) e pelas correntes de entrada típicas da ordem de um picoampère para os tipo FET ou dezenas de nanoampères para os tipos BJT (regra II).

¶ C. Configurações Básicas de AOP

Na Seções 4.2 e 4.3, conhecemos os circuitos lineares básicos (detalhados de ¶D a ¶F a seguir): amplificador inversor, amplificador não inversor (e seguidor), amplificador de diferença, fonte de corrente (transcondutância, ou seja, tensão-corrente), amplificador de transresistência (isto é, corrente-tensão) e integrador. Vimos também dois importantes circuitos *não* lineares: o *Schmitt trigger* e o retificador ativo. E, na Seção 4.5, vimos blocos construtivos de circuito adicionais: detector de pico, amostragem e retenção, ceifador ativo, retificador de onda completa ativo (circuito de valor absoluto) e diferenciador.

¶ D. Amplificadores de Tensão

O *amplificador inversor* (Figura 4.5) combina a corrente de entrada V_{in}/R_1 e a corrente de realimentação V_{out}/R_2 em um ponto de soma; ele tem um ganho de tensão $G_V = -R_2/R_1$ e impedância de entrada R_1. No *amplificador não inversor* (Figura 4.6), uma fração da saída é realimentada para a entrada inversora; ele tem ganho de tensão $G_V = 1 + R_2/R_1$ e impedância de entrada quase infinita. Para o *seguidor* (Figura 4.8), o ganho de realimentação é a unidade, ou seja, o divisor resistivo é substituído por uma conexão da saída à entrada inversora. O *amplificador de diferença* (Figura 4.9) utiliza um par de divisores resistivos casados para gerar uma saída $V_{out} = (R_2/R_1)\Delta V_{in}$; sua impedância de entrada é $R_1 + R_2$, e sua rejeição de modo comum depende diretamente da precisão do casamento de resistores (por exemplo, $\sim$60 dB com tolerância de resistor de $\pm 0,1\%$). Amplificadores de diferença são tratados mais detalhadamente na Seção 5.14. Um par de seguidores de entrada pode ser usado para atingir uma alta impedância de entrada, mas uma melhor configuração com 3 AOPs é o *amplificador de instrumentação*; ver Seção 5.15.

¶ E. Integrator e Diferenciador

O *integrador* (Figura 4.16) se parece com um amplificador inversor em que o resistor de realimentação é substituído por um capacitor; assim, a corrente de entrada V_{in}/R_1 e a corrente de realimentação CdV_{out}/dt são combinadas no ponto de soma. Ignorando as imperfeições em ¶K, a seguir, o integrador é "perfeito"; assim, qualquer tensão de entrada CC média diferente de zero fará a saída crescer e eventualmente saturar. O integrador pode ser *resetado* com uma chave de transistor sobre o capacitor de realimentação (Figura 4.18); Alternativamente, você pode usar um grande resistor *shunt* para limitar o ganho CC, mas isso destrói a operação do integrador em baixas frequências ($f \lesssim 1/R_fC$). A impedância de entrada do integrador é R_1.

O *diferenciador* AOP (Figura 4.68) é uma configuração semelhante, mas com R e C intercambiados. Sem componentes adicionais (Figura 4.69), essa configuração é instável (veja ¶O, a seguir).

¶ F. Amplificadores de Transresistência e Transcondutância

Omitindo a resistência de entrada, um amplificador inversor de tensão torna-se um *amplificador de transresistência*[46], ou seja, um conversor de corrente-tensão (Figura 4.22). O seu ganho é $V_{out}/I_{in} = -R_f$, e (ignorando imperfeições) a impedância na sua entrada (que aciona o ponto de soma) é zero. A capacitância na entrada cria problemas de estabilidade, largura de banda e ruído; ver Seção 8.11. Amplificadores de transresistência são amplamente utilizados em aplicações de fotodiodo.

Um *amplificador de transcondutância* (Figuras 4.10 a 4.15) converte uma entrada de tensão em uma saída de corrente; é uma fonte de corrente controlada por tensão. A forma mais simples usa um AOP e um resistor (Figura 4.10), mas funciona apenas com uma carga flutuante. O circuito Howland e suas variações (Figuras 4.14 e 4.15) acionam uma carga que retorna para o terra, mas sua precisão depende do casamento de resistores. Circuitos com transistor externo (Figuras 4.12 e 4.13) acionam cargas com retorno para o terra, não necessitam de casamento de resistores e, em contraste com os outros circuitos, beneficiam-se da impedância de saída intrinsecamente alta do transistor.

¶ G. Circuitos Não Lineares: Detector de Pico, S/H, Ceifador e Retificador

Devido ao seu alto ganho, AOPs fornecem precisão para funções não lineares que podem ser realizadas com componentes passivos sozinhos; nesses circuitos, um ou mais diodos selecionam as regiões em que a realimentação atua. O *detector de pico* (Figura 4.58) capta e detém a tensão maior (ou menor) desde o último *reset*; o circuito de *amostragem e retenção* (S/H) (Figura 4.60) responde a um pulso de entrada capturando e retendo o valor de um sinal de tensão de entrada; o *ceifador ativo* (Figura 4.61) delimita um sinal para uma tensão máxima (ou mínima); o *retificador ativo* gera saídas precisas de meia onda (Figuras 4.36 e 4.38) ou de onda completa (Figuras 4.63 e 4.64). Na prática, o desempenho desses circuitos é limitado pela taxa de variação finita e pela corrente de saída dos AOPs reais (ver ¶M a seguir).

¶ H. Realimentação Positiva: Comparador, *Schmitt Trigger* e Oscilador

Se o percurso da realimentação for removido, um AOP funcionará como um *comparador*, com uma saída que responde (saturando perto do trilho de alimentação correspondente) com o inverso da tensão de entrada diferencial de um milivolt ou menos (Figura 4.32A). Adicionar alguma realimentação positiva (Figura 4.32B) cria um *Schmitt trigger*, que tanto acelera a resposta quanto suprime transições múltiplas de ruído induzido. AOPs são otimizados para uso com a realimentação negativa em aplicações lineares (especialmente por uma "compensação" de atenuação de −6 dB/oitava interna intencional; ver ¶O, a seguir), de modo que CIs comparadores especiais (sem compensação) são preferidos; ver Seção 12.3 e as Tabelas 12.1 e 12.6. Uma combinação de realimentação positiva (*Schmitt trigger*) e realimentação negativa (com um integrador) cria um *oscilador* (Figura 4.39), um assunto tratado detalhadamente no Capítulo 7.

¶ I. AOPs de Fontes Simples e de Trilho a Trilho

Para algumas AOPs, tanto a faixa de modo comum de entrada quanto a variação de saída se estendem até o trilho negativo, tornando-os especialmente adequados para operação com uma fonte positiva simples. AOPs trilho a trilho permitem variações de entrada, ou varrições de saída, para ambos os trilhos de alimentação, ou ambos simultaneamente; ver Tabela 4.2a. Estes últimos são especialmente úteis em circuitos com baixas tensões de alimentação.

¶ J. Algumas Precauções

Em circuitos AOP lineares, as Regras Práticas (ver ¶B acima) serão obedecidas somente se (a) a realimentação for negativa e (b) o AOP permanecer na região ativa (ou seja, não saturado). Deve haver realimentação em CC, ou o AOP saturará. As fontes de alimentação devem ser desviadas (*bypass*). A estabilidade é degradada com cargas capacitivas e por deslocamentos de fase de atraso no percurso da realimentação (por exemplo, por capacitância no terminal inversor). E, mais importante, AOPs reais têm uma série de limitações (de ¶K a ¶N, a seguir) que limitam o desempenho atingível do circuito.

¶ K. Desvios do Comportamento Ideal

No mundo real, os AOPs não são perfeitos. Não existe o "melhor" AOP, assim deve-se negociar uma série de parâmetros: imperfeições de entrada (tensão de *offset*, deriva e ruído; corrente de entrada e ruído; faixa diferencial e de modo comum), limitações de saída (taxa de variação, corrente, impedância e variação de saída), características do amplificador (ganho, deslocamento de fase, largura de banda, CMRR e PSRR), características de operação (tensão e corrente de alimentação) e outras considerações (encapsulamento, custo, disponibilidade). Veja a Seção 4.4, Tabelas 4.1, 4.2a e 4.2b, as tabelas mais extensas nos Capítulos 5 e 8 e de ¶L a ¶N a seguir.

¶ L. Limitações de Entrada

A *tensão de offset de entrada* (V_{OS}), que varia de cerca de 25 μV (AOP de "precisão") a 5 mV, é a tensão desbalanceada nos terminais de entrada. É um parâmetro importante para os circuitos de precisão e circuitos com alto ganho CC de malha fechada; o erro observado na saída é $G_{CL}V_{OS}$. Alguns AOPs fornecem pinos para ajuste externo da tensão de *offset* (por exemplo, veja a Figura 4.43).

A *deriva da tensão de offset*, ou *coeficiente de temperatura* (TCV_{OS}, ou $\Delta V_{OS}/\Delta T$), é o coeficiente de temperatura da tensão de *offset*, que varia de cerca de 0,1 μV/°C (AOP de "precisão") a 10 μV/°C. Mesmo se você tiver sorte e tiver um AOP com baixo V_{OS} (ou que você o tenha ajustado em zero), TCV_{OS} representa o crescimento do *offset* com a variação da temperatura.

A *densidade da tensão de ruído de entrada* (e_n) representa uma fonte de tensão de ruído em série com os terminais de entrada. Ela varia de cerca de 1 nV/$\sqrt{Hz}$ (AOP bipolar de baixo ruído) a 100 nV/$\sqrt{Hz}$ ou mais (AOPs de micropotência). A tensão de ruído é importante em aplicações de áudio e de precisão.

A *corrente de polarização de entrada* (I_B) é a corrente CC (não nula) nos terminais de entrada. Ela varia de um mínimo de cerca de 5 fA (AOPs CMOS de polarização baixa e AOPs de "eletrômetros") a 50 nA (AOPs BJT típicos[46]) até

---

[46] A corrente de entrada de AOPs BJT de "polarização compensada" é tipicamente cerca de 50 pA.

um valor alto de 10 μA (AOPs de entrada BJT e banda larga). A corrente de polarização que flui através da resistência da fonte CC do circuito provoca um *offset* de tensão CC; ela também cria um erro de corrente em integradores e amplificadores transresistência.

A *corrente de ruído de entrada* (i_n) é a corrente de ruído equivalente adicionada na entrada. Para a maioria dos AOPs,[47] ela é simplesmente o ruído *shot* da corrente de polarização ($i_n = \sqrt{2qI_B}$); que varia de cerca de 0,1 fA/$\sqrt{Hz}$ (AOPs de baixa polarização CMOS, AOPs de "eletrômetros") a 1 pA/$\sqrt{Hz}$ (AOPs BJT de banda larga). A corrente de ruído de entrada que flui através da impedância da fonte CA do circuito cria uma tensão de ruído, que pode dominar sobre e_n. A relação $r_n = e_n/i_n$ é a *resistência de ruído* do AOP; para uma impedância de fonte de sinal maior do que r_n, a corrente de ruído é dominante.

AOPs funcionam corretamente quando as duas entradas estão dentro da *faixa de tensão de entrada de modo comum* (V_{CM}), que pode se estender até o trilho negativo (AOPs de "fonte simples") ou a ambos os trilhos (AOPs de "trilho a trilho"). Cuidado: muitos AOPs têm uma *faixa de tensão diferencial de entrada* mais restrita, às vezes tão pequena quanto alguns volts.

¶ M. Limitações de Saída

A *taxa de variação* (SR – *slew rate*) é o dV_{out}/dt do AOP com uma tensão diferencial aplicada na entrada. Ela é definida por correntes de acionamento internas que carregam o capacitor de compensação e varia de cerca de 0,1 V/μs (AOPs de micropotência) a 10 V/μs (AOPs de propósito geral) a 5.000 V/μs (AOPs de alta velocidade). A taxa de variação é importante em aplicações de alta velocidade em geral e em aplicações de grande variação, como em conversores A/D e D/A, S/H e detectores de pico e retificadores ativos. Ela limita a frequência de saída dos grandes sinais: uma onda senoidal de amplitude A e frequência f requer uma taxa de variação de SR = $2\pi Af$; ver Figura 4.54.

AOPs são pequenos dispositivos, com *corrente de saída* deliberadamente limitada para evitar o superaquecimento; ver, por exemplo, a Figura 4.43, em que R_5Q_9 e R_6Q_{10} limitam as correntes fornecidas e absorvidas para $I_{lim} = V_{BE}/R \approx 25$ mA, ilustrado na Figura 4.45. Se precisar de mais corrente de saída, há alguns AOPs de alta corrente disponíveis; você também pode adicionar um *buffer* de potência de ganho unitário externo, como o LT1010 (I_{out} até ± 150 mA), ou um discreto seguidor *push-pull*.

A *impedância de saída* de malha aberta de um AOP é geralmente próxima de 100 Ω, que é reduzida pelo ganho de malha para frações de um ohm em baixas frequências. Como o ganho de malha aberta, G_{OL}, do AOP cai como 1/f ao longo da maior parte da sua largura de banda (ver ¶O, a seguir), contudo, a impedância de saída de *malha fechada* aumenta aproximadamente de forma proporcional à frequência; ela parece indutiva (Figura 4.53).

Em geral, a *variação de saída* para um AOP como na Figura 4.43 estende-se apenas dentro de um volt ou, então, a partir de qualquer trilho. Muitos AOPs CMOS e outros de baixa tensão, no entanto, especificam variações de saída de trilho a trilho sem carga; consulte a Figura 4.46.

AOPs podem ser agrupados em várias faixas de *tensão de alimentação*: AOPs de "baixa tensão" têm uma tensão de alimentação máxima total (ou seja, $V_+ - V_-$) em torno de 6 V e geralmente operam até 2 V; AOPs de "alta tensão" permitem tensões de alimentação total de até 36 V e geralmente operam até 5 V a 10 V. No meio, há uma classe escassa que poderia ser chamada de AOPs de "média tensão", com tensões de alimentação total próximas de 10 a 15 V. Veja a Tabela 5.5. Há também AOPs que são verdadeiramente de alta tensão (de centenas de volts); consulte a Tabela 4.2b.

¶ N. Ganho, Deslocamento de Fase e Largura de Banda

AOPs têm *ganhos em malha aberta* CC, $G_{OL(CC)}$, grandes, tipicamente na faixa de 10^5 a 10^7 (sendo este último típico de AOPs de "precisão"; consulte o Capítulo 5). Para garantir a estabilidade (ver ¶O, a seguir), o ganho de malha aberta do AOP cai como 1/f, atingindo a unidade com uma frequência f_T (ver Figura 4.47). Isso limita a *largura de banda* de malha fechada para $BW_{CL} \approx f_T/G_{CL}$. Ao longo da maior parte da faixa de frequência de operação, o *deslocamento de fase* em malha aberta do AOP é $-90°$, eliminado na resposta de malha fechada pela realimentação.

¶ O. Estabilidade da Realimentação, "Compensação de Frequência" e Gráficos de Bode

Por fim, a realimentação negativa pode se tornar uma realimentação *positiva*, promovendo instabilidade e oscilações, se o deslocamento de fase acumulado atinge 180° com uma frequência na qual o ganho da malha é unitário. Este tópico é prenunciado na Seção 4.6.2 junto com cargas capacitivas e é discutido detalhadamente na Seção 4.9. A técnica básica é a *compensação por polo dominante*, em que uma atenuação deliberada de -6 dB/oitava (ou seja, $\propto 1/f$) é introduzida dentro do AOP a fim de diminuir o ganho até a unidade em uma frequência menor do que aquela na qual deslocamentos de fase adicionais não intencionais erguem a banda de atenuação (Figura 4.99). A maioria dos AOPs inclui essa compensação internamente, de modo que eles são estáveis em todos os ganhos de malha fechada (a configuração seguidor de ganho unitário é mais propensa à instabilidade, pois não há atenuação no caminho de realimentação). AOPs "descompensados" são compensados de forma menos agressiva e são estáveis para ganhos de malha fechada maiores do que um mínimo (muitas vezes, especificado como $G > 2$, 5 ou 10;

---

[47] Mas não AOPs BJT de "polarização compensada"; ver Seção 8.9.

Figura 4.95). AOPs compensados exibem um deslocamento de fase de atraso de malha aberta de 90° ao longo da maior parte de sua faixa de frequência (começando tão baixo quanto 10 Hz ou menos) e, portanto, uma rede de realimentação externa que acrescenta mais 90° de deslocamento de fase de atraso em uma frequência em que o ganho de malha unitário causará oscilação.

A ferramenta favorita é o *Gráfico de Bode*, um gráfico de ganho (log) e fase (linear) em função da frequência (log); veja a Figura 4.97. O *critério de estabilidade* é aquele em que a diferença de inclinação entre a curva de ganho de malha aberta e a curva de ganho de malha fechada ideal, na sua interseção, deve ser, idealmente, 6 dB/oitava, mas em nenhum caso tanto quanto 12 dB/oitava.

5 Circuitos de precisão

Nos capítulos anteriores, lidamos com muitos aspectos de projeto de circuitos analógicos, incluindo as propriedades de circuito de dispositivos passivos, transistores, FETs e AOPs, o tópico da realimentação e diversas aplicações desses dispositivos e métodos de circuito. Nas nossas discussões, no entanto, ainda não abordamos a questão do melhor que pode ser feito, por exemplo, para minimizar erros do amplificador (não linearidades, derivas, etc.) e na amplificação de sinais fracos com degradação mínima pelo "ruído" do amplificador. Em muitas aplicações, essas são as questões mais importantes e elas formam uma parte importante da arte da eletrônica. Portanto, neste capítulo, observaremos os métodos de projeto de circuitos de precisão (adiando a questão do ruído em amplificadores para o Capítulo 8).

Visão Geral do Capítulo

Este capítulo é *grande* – e importante também. É abordada uma variedade de tópicos, que não precisam ser lidos em ordem. Como orientação, oferecemos este esboço: começamos com um exame cuidadoso de erros em circuitos feitos com amplificadores operacionais e exploramos o uso de uma estimativa de erro. Exploramos questões de parâmetros não especificados e "típicos" *versus* "pior caso" de erros de componentes e discutimos maneiras de lidar com eles. Ao longo do caminho, lidamos com alguns tópicos negligenciados, como a fuga de diodo com valores abaixo de picoampère, "efeito memória" em capacitores, distorção e não linearidade de ganho e uma maneira elegante de remediar o erro de *fase* em amplificadores. Discutimos distorção de AOPs em detalhes, com gráficos comparativos e circuitos de teste.

Em seguida, discutimos o lado complexo dos AOPs de forma bem detalhada: a sua impedância de saída de malha aberta e os erros de cruzamento de modo comum da entrada. Fornecemos tabelas detalhadas de seleção para AOPs de precisão, *choppers* de alta velocidade, gráficos comparativos que mapeiam seu ruído, corrente de polarização e distorção. Mostramos como interpretar a grande variedade de parâmetros de AOPs e discutimos as compensações que você terá que fazer.

Para aqueles que trabalham no território do microvolt e do nanovolt, mostramos os efeitos devastadores do ruído $1/f$ e como AOPs de autozero (AZ) resolvem esse problema; mas há uma compensação – a corrente de ruído desses dispositivos, que é, muitas vezes, negligenciada. Como um interlúdio, observamos em detalhe a inteligência do estágio de entrada de um multímetro digital de precisão exemplar.

Em seguida, avançamos para os amplificadores de diferença e de instrumentação – esses encabeçam a classe tanto em termos de procurar um sinal de diferença presente em uma entrada de modo comum quanto em termos de precisão de ganho e estabilidade. Mostramos seus projetos internos e como eles são usados, com tabelas e gráficos extensos que comparam os dispositivos populares. Por fim, tratamos dos amplificadores totalmente diferenciais – esses têm entradas *e* saídas diferenciais e um pino de entrada de "controle de modo comum" da saída. Mais uma vez, organizamos tabelas, diagramas de circuitos internos e orientação para a sua utilização com ADCs de alto desempenho.

Para os leitores que procuram o básico, este capítulo pode ser pulado em uma primeira leitura. Este material não é essencial para a compreensão dos capítulos posteriores.

5.1 TÉCNICAS DE PROJETO DE AOPS DE PRECISÃO

No campo da medição e controle, existe, muitas vezes, a necessidade de circuitos de alta precisão. Os circuitos de controle devem ser precisos, estáveis com o tempo e a temperatura e previsíveis. A utilidade dos instrumentos de medição depende igualmente da sua precisão e da sua estabilidade. Em quase todas as subespecialidades eletrônicas, temos sempre o desejo de fazer as coisas com mais precisão – você pode chamar isso de *o prazer da perfeição*. Mesmo que você nem sempre *necessite* realmente de uma precisão mais alta, você pode querer desfrutar de uma compreensão completa do que está acontecendo.

5.1.1 Precisão *Versus* Faixa Dinâmica

É fácil ficar confuso entre os conceitos de *precisão* e de *faixa dinâmica*, especialmente porque algumas das mesmas técnicas são usadas para alcançar ambas. Talvez a diferença possa ser mais bem esclarecida por alguns exemplos: um multímetro de 5 dígitos tem precisão elevada; medições de tensão são precisas até 0,01% ou melhor. Tal dispositivo também tem ampla faixa dinâmica; ele pode medir milivolts e volts na mesma escala. Um amplificador de década de precisão (com ganhos selecionáveis de 1, 10 e 100, por exemplo) e uma referência de tensão de precisão podem ter bastante precisão, mas não necessariamente uma grande faixa dinâmica. Um exemplo de dispositivo com ampla faixa dinâmica, mas precisão apenas moderada, pode ser um amplificador logarítmico de 6 décadas (amp-log), construído com AOPs cuidadosamente ajustados, mas com componentes de apenas 5% de precisão; mesmo com componentes precisos, um amp-log pode ter uma precisão limitada por causa de falta de conformidade logarítmica (nos extremos da corrente) da junção do transistor utilizado para a conversão ou devido a derivas induzidas por temperatura.

Outro exemplo de instrumento de grande faixa dinâmica (superior a uma faixa de 10.000:1 de correntes de entrada) com requisito de precisão apenas moderado (1%) é o medidor de Coulomb descrito na Seção 9.26 da edição anterior deste livro. Ele foi originalmente projetado para manter o controle da carga total através de uma célula eletroquímica, uma quantidade que deve ser conhecida apenas a cerca de 5%, mas que pode ser o resultado cumulativo de uma corrente que varia ao longo de uma vasta faixa. É uma característica geral de projeto de ampla faixa dinâmica de entrada que os *offsets* de entrada devam ser cuidadosamente ajustados, a fim de manter uma boa proporcionalidade para níveis de sinal próximo de zero; isso também é necessário em projetos de precisão, mas, além disso, componentes precisos, referências estáveis e cuidadosa atenção para cada fonte possível de erro devem ser usados para manter a soma total de todos os erros dentro da chamada estimativa de erro.

5.1.2 Estimativa de Erro

Algumas palavras sobre *estimativas de erro*. Há uma tendência de o iniciante cair na armadilha de pensar que alguns componentes de precisão estrategicamente colocados resultarão em um dispositivo com desempenho de precisão. Apenas em raras ocasiões isso será verdade. Mesmo um circuito recheado com resistores de 0,01% e AOPs caros não atingirá a expectativa se, em algum ponto do circuito, existir uma corrente de *offset* de entrada multiplicada por uma resistência de fonte que dê uma tensão de erro de 10 mV, por exemplo. Em quase todo circuito haverá erros surgindo em todo lugar, e é essencial enumerá-los para localizar áreas problemáticas em que possam ser necessários melhores dispositivos ou uma mudança no circuito. Tal estimativa de erro resulta em um projeto racional, em muitos casos revelando onde um componente barato será suficiente e, por fim, permitindo uma estimativa rigorosa do desempenho.

Para adicionar um pouco de tempero ao assunto, notamos que há algumas controvérsias na comunidade de engenharia em torno da estimativa de erro. Um grupo (que podemos caracterizar como construcionistas rigorosos) insiste que você aplique regras para o verdadeiro pior caso, ou você será culpado por violar a boa prática da engenharia. Por exemplo, se houver 18 resistores de ±1% de tolerância que determinam o ganho em um circuito, então o desempenho garantido deve ser especificado como ±18%. A resposta do outro grupo (que poderíamos caracterizar como pragmáticos) é "bobagem – é excessivamente restritivo permitir que uma possibilidade extremamente improvável limite o desempenho de um projeto de circuito, e pode-se lidar com essas eventualidades com procedimentos de teste de componentes, testes de desempenho de circuito acabado e assim por diante". Voltaremos a essa controvérsia (e tomaremos partido no debate) após a análise de um exemplo introdutório.

5.2 UM EXEMPLO: DE VOLTA AO MILIVOLTÍMETRO

Para motivar a discussão de circuitos de precisão, voltaremos ao circuito do capítulo anterior. Lá abordamos, brevemente, questões de precisão na Seção 4.4.3, principalmente para ilustrar os efeitos da tensão de *offset* de entrada V_{OS} e corrente de polarização de entrada I_B em uma aplicação de nível CC baixo (um milivoltímetro de 0 a 10 mV com resistência de entrada de 10 MΩ[1]). Naquele momento, com os olhos ingenuamente arregalados, ficamos surpresos ao ver que o nosso fiel AOP LF411 era totalmente inadequado para a tarefa; tinha *offset* demasiado e também muita corrente de entrada. Encontramos uma solução na forma de um AOP de precisão de polarização baixa (um OPA336) ou um amplificador *chopper* (também conhecido como "autozero") (um LTC1050).

Como veremos em breve, nossa comemoração da "solução" foi prematura: cantamos vitória com um AOP cujo I_B sozinho causou o erro máximo admissível de entrada zero de 1%. Um projeto cuidadoso deve levar em conta o efeito cumulativo de várias fontes de erro.

5.2.1 O Desafio: 10 mV, 1%, 10 MΩ, Fonte Simples de 1,8 V

Para tornar o problema mais interessante, restringiremos ainda mais as especificações. Desta vez, pediremos que o medidor de 0 a 10 mV opere a partir de uma única bateria de 3 V (ou uma pilha de lítio ou um par de pilhas alcalinas AAA); isso nos obriga a pensar na operação com "fonte simples", em que o AOP deve funcionar até zero volt na entrada e na saída. Além disso, ele deve funcionar até a tensão de fim de vida útil das pilhas alcalinas, que você encontra indicadas de formas diferentes como 1,0 V/pilha ou 0,9 V/pilha; isso significa uma operação de até +1,8 V de tensão de alimentação total. E, como antes, exigiremos uma resistência de entrada de 10 MΩ e insistiremos que ele indique 0 mV (±1% do fundo de escala) quando a entrada estiver em curto-circuito ou

---

[1] Note que ele pode ser usado como um medidor de *corrente* sensível: com a sua resistência de entrada de 10M e precisão de 1%, ele pode medir correntes de até 10 pA (1% × 10mV/10 MΩ = 10 pA).

aberta. Note que essa especificação "erro zero" é diferente da especificação de precisão de fundo de escala ("erro de escala"): podemos estar satisfeitos com ±5% de precisão em fundo de escala, mas estaríamos mais infelizes com um medidor que indica 5% do fundo de escala (aqui, 0,5 mV) quando não há nada conectado a ele.

Seguindo a sugestão de projeto do último capítulo, usaremos a realimentação da detecção de corrente, de modo que o projeto seja independente da resistência interna do medidor analógico. A Figura 5.1 mostra o circuito.

5.2.2 A Solução: Fonte de Corrente RRIO de Precisão

Usamos um resistor de detecção de corrente de precisão R_4, neste caso, um resistor de 100 Ω e 0,1%. Soa exótico, mas, na verdade, essas coisas são comuns: o sempre útil *site* da DigiKey mostra mais de 100.000 em estoque, a partir de cinco diferentes fornecedores, a preços abaixo de 20 centavos de dólar (em quantidades de 10). Observe o posicionamento do comum de entrada (terminal "–") conectado diretamente ao lado de baixo do resistor detector, uma precaução que se torna cada vez mais importante com resistores de detecção de pequeno valor, em que a resistência da fiação do retorno do terra pode acrescentar um erro significativo.[2] Devido ao medidor provavelmente apresentar uma carga indutiva (ele é uma bobina móvel em um campo magnético, que é tanto indutiva, por mérito próprio, quanto reativa através de suas propriedades eletromecânicos como um motor), tomamos a precaução de dividir o percurso de realimentação na forma habitual (através de R_5 em baixas frequências e C_1 em altas frequências; ver, por exemplo, a Figura 4.76). O resistor de saída de 10k, R_3, limita a corrente do medidor para entradas fora da escala.

As partes mais difíceis deste projeto são a rede de proteção de entrada (que alegremente ignoramos no exemplo do Capítulo 4) e, mais criticamente, a escolha do AOP. Em primeiro lugar, a rede de proteção: os requisitos parecem fáceis – ceifar uma tensão de entrada não destrutiva do AOP (durante sobretensões de entrada) e consumir menos de ~10 pA de corrente de fuga na tensão de entrada de fundo de escala (10 mV), nos sentidos direto e reverso. (Essa quantidade de corrente do diodo reduziria a resistência de entrada em 1%.) Como se vê, as folhas de dados normalmente não informam o quanto de corrente um diodo absorve em tensões muito baixas. Mas, se você medi-la, vai se surpreender com o que encontrará (Figura 5.2). O diodo de sinal comum favorito de todos (1N914, 1N4148) tem bastante fuga, parecendo mais ou menos como um resistor de 10 MΩ em baixa tensão.[3] Há alguns diodos de baixa fuga especializados, como o PAD 1 ou o PAD-5 (um pouco difíceis de obter), que fazem muito melhor; mas você pode trabalhar bem usando um JFET canal *n* de baixa fuga conectado como diodo, como o PN4117 (isto é, conectando a fonte e dreno em conjunto para formar o catodo e usando a porta como o anodo), ou você pode simplesmente usar os pares de terminais dos diodos internos de um transistor *npn* comum.[4] Nesse circuito, o resistor de 10k a montante de R_2 limita a corrente de ceifamento e não tem nenhum efeito sobre a precisão do circuito.

E agora vamos à escolha do AOP. Esse foi o obstáculo no Capítulo 4, e ficou apenas mais difícil aqui, com uma fonte simples de tensão baixa. Podemos separar os erros em um erro de "zero" e um erro global de fator de escala. Este último é a parte mais fácil: o ganho do *circuito* é determinado com precisão, de modo que requer apenas um galvanômetro de precisão (se não quisermos quaisquer ajustes; ou poderíamos reduzir o resistor de detecção e adicionar um resistor para produzir um ganho ajustável maior do que a unidade). É a exigência "zero" que é a parte mais difícil, por causa da alta sensibilidade, mais a elevada resistência de entrada obrigatória. Exigimos um efeito combinado de pior caso do *offset* de entrada e da corrente de polarização de 100 μV e 10 pA *individualmente*. Isto é, cada um por si só causaria um erro zero de 0,1 mV ($V_{\text{erro}} = V_{\text{OS}} + I_B R_1$), de modo que cada um deles deve ser menor para que a combinação de pior caso preencha as especificações.

Observamos algumas ofertas promissoras de AOPs contemporâneos, que listamos na Tabela 5.1 (juntamente com os suspeitos de costume). Os dispositivos comuns baratos nas três primeiras linhas não se aplicam a este trabalho, tanto pela tensão de *offset* quanto pela corrente de polariza-

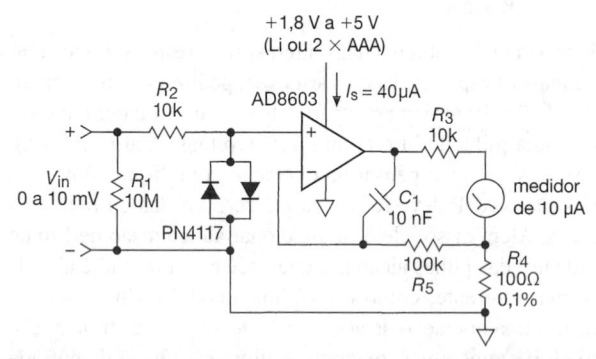

FIGURA 5.1 Milivoltímetro de precisão alimentado com uma única célula de lítio. O ceifador de proteção de entrada usa JFETs PN4117 de baixa fuga conectados como diodo.

---

[2] Resistores de detecção de pequeno valor usados para a medição precisa de altas correntes estão disponíveis como resistores de 4 fios. Esse arranjo é conhecido como *conexão de Kelvin*. E o resistor de detecção é, às vezes, chamado de um *shunt*.

[3] Para todos esses diodos, a porção linear em baixas tensões representa uma resistência em paralelo com um díodo em corte; assim, o 1N3595 de baixa fuga se parece com 10.000 MΩ para $V \lesssim 10$ mV. Essas correntes podem ser estimadas a partir de outros parâmetros do diodo, ou seja, corrente de fuga na polarização reversa em tensão reversa baixa ou corrente direta em uma tensão direta especificada.

[4] Ou o favorito do nosso amigo John Larkin, a junção coletor-base do BFT25, um transistor *npn* de 5 V para micro-ondas de baixo custo. Sua fuga é menor que 10 fA quando polarizado reversamente e <40 fA quando polarizado diretamente até 50 mV.

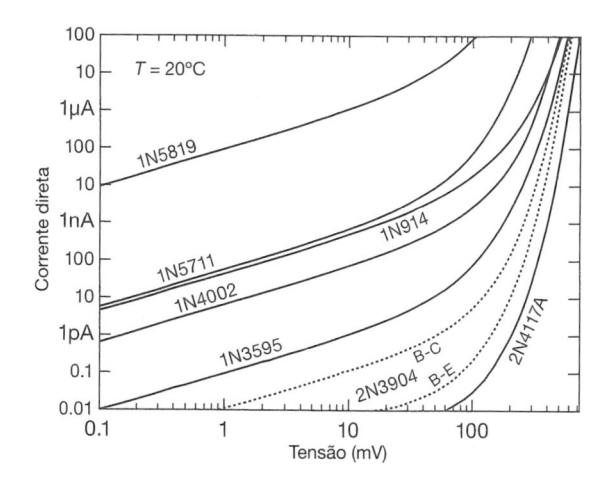

FIGURA 5.2 As folhas de dados de diodo são, muitas vezes, reduzidas com dados como este, que mostram a extremidade inferior da curva da corrente em função da tensão direta aplicada.

ção muito pior do que a necessária (listadas na linha inferior). Nenhum deles consegue operar em +1,8 V, e os dois primeiros falham na exigência "de fonte simples". Exigências demais para AOPs baratos.

O LPV521 é característico da nova geração de AOPs de "baixa tensão, baixa polarização, baixa potência". Ele faz essas coisas muito bem, mas, como muitos AOPs CMOS, suas especificações de V_{OS} são apenas regulares. É possível fazer consideravelmente melhor que isso. Por exemplo, o OPA336 CMOS de precisão era o nosso herói antes; mas observe – seu I_B de pior caso consome toda a nossa estimativa de erro, e isso exigiria ajuste de V_{OS} de qualquer maneira, o que não é tão facilmente feito em uma configuração de fonte simples (ao contrário de nosso amigo LF411, este AOP tem pinos para ajuste). Desconsideramos tais detalhes mais cedo; mas, desta vez, aceitaremos a responsabilidade total para a produção de produtos que atendam às especificações. Isso significa a adoção de algumas consequências sérias de pior caso.

Que escolhas são deixadas? A maioria dos projetistas chegaria a um amplificador de auto-zero (*chopper*) para uma aplicação de precisão que não requer largura de banda e que é tolerante ao ruído. O melhor candidato que encontramos é o ADA4051, com excelente especificação de V_{OS}, mas I_B cinco vezes grande demais, se você acreditar nas especificações "máximas". (Amplificadores de autozero concorrentes têm maior corrente de polarização, maior tensão de alimentação mínima, ou ambos.) Os últimos dois amplificadores operacionais são AOPs CMOS atuais que se qualificam como de "precisão", devido ao projeto cuidadoso e ao ajuste de *offset* de linha de produção. Ambos atendem aos objetivos de estimativa de erro (mas veja a seguir). Escolhemos o AD8603 porque ele atende à especificação de alimentação de 1,8 V e, como um bônus, opera com 35% da corrente de alimentação do LTC6078 (um AOP duplo sem nenhuma versão simples

que poderíamos encontrar).[5] Como listado na Tabela 5.5, o AD8603 opera com corrente quiescente de 40 μA e tem 1 pA (máx) de corrente de entrada e 50 μV (máx) de tensão de *offset* a 25°C.

Já terminamos? Ainda não. As especificações na tabela são para operação a 25°C. Pode ficar muito mais quente, com aumentos impressionantes na corrente de polarização para dispositivos CMOS (para os quais a corrente de "polarização" é a corrente de fuga). Os fabricantes deverão fornecer normalmente os valores de pior caso (e, às vezes, típicos) na extremidade superior da faixa de temperatura de operação (por exemplo, 85°C para dispositivos na faixa de temperatura "industrial"). Para o nosso AD8603 escolhido, eles especificam I_B (máx) = 50 pA a 85°C. Não há dados de pior caso para temperaturas intermediárias; mas esse valor é consistente, dobrando a cada 10°C, e, assim, podemos ter certeza de que o circuito atenderá às especificações[6] até 50°C. É importante notar que os fabricantes são, por vezes, um pouco preguiçosos na definição de especificações de fuga de pior caso, como, por exemplo, com o LPV521 na tabela, cuja relação de I_B "máximo" para "típico" é 100:1. Um guru da indústria atribui isso a uma falta de vontade de testar dispositivos de produção para uma especificação mais estreita.

Exercício 5.1 Projetamos um medidor de ±10 mV no Capítulo 4 (Figura 4.56), mas o nosso projeto na Figura 5.1 é unipolar (ou seja, de 0 a +10 mV). Seu chefe lhe pediu para alterar o projeto para a capacidade de ±10 mV, usando um medidor de zero central de ±100 μA e mantendo a característica de operação com uma única bateria de lítio (ou um par de pilhas alcalinas AAA). *Dica*: convém considerar o membro dual AD8607 da família de AOP AD8603. *Ponto extra*: depois de terminar, você decide impressionar seu chefe, melhorando o projeto de modo que ele funcione com um medidor de 0 a 100 μA.

5.3 AS LIÇÕES: ESTIMATIVA DE ERRO, PARÂMETROS NÃO ESPECIFICADOS

A partir deste primeiro exemplo bastante simples, aprendemos alguns princípios básicos importantes: (a) em primeiro lugar, você tem que identificar e quantificar as fontes de erro dentro de um circuito a fim de criar uma estimativa de erro; e (b) requisitos de projeto de pior caso rigorosos requerem que todos os componentes (passivos e ativos) operem dentro

---

[5] Consideramos outros cinco dispositivos (ver Tabelas 5.5, e 5.6): o bipolar LT1077A, I_S e V_{OS} menor, mas V_S (mín) muito maior; o bipolar LT6003, com I_s somente 1 μA, mas tensão de *offset* muito alta (um erro de 5%); o CMOS LMP2232A, tensão de *offset* ruim de 1,5%; o AOP de autozero MAX9617, com tensão de *offset* de 0,1% (*versus* o 0,5% do AD8603), mas sua *corrente* de entrada em 10 MΩ equivale a um *offset* de 1,4%; e o AOP de autozero ISL28133, mas o seu *offset* de 3% (a partir da corrente de entrada) revela novamente a fraqueza da corrente de entrada dos amplificadores de autozero.

[6] A folha de dados fornece um gráfico de I_B "típico" em função da temperatura, confirmando o seu comportamento exponencial que dobra a cada 10°C.

TABELA 5.1 AOPs candidatos a milivoltímetro

Nº identif.	Entrada	V_{os} típico (μV)	V_{os} máx (μV)	I_{bias} típico (pA)	I_{bias} máx (pA)	V_{cm} neg lim (V)	V_{out}	V_s (total) típico (V)	V_s (total) máx (V)	I_s típico (μA)	Preço 100 pc ($)	Observações
uA741	BJT	2000	6000	80k	500k	2	1,5 V a partir dos trilhos	10	40	1500	0,27	antigo BJT de alta tensão
LF411	JFET	800	2000	50	200	3	1,5 V a partir dos trilhos	10	40	1800	0,88	HV JET
LM358A	BJT	2000	3000	45k	100k	0	0 a $V_+ - 1,2$ V	3	32	500	0,21	antiga fonte simples de alta tensão
LPV521	CMOS	100	1000	0,01	1	−0,1	R-R	1,8	5,5	0,5	1,05	RRIO de baixa tensão e baixa polarização
OPA336	CMOS	60	125	1	10	−0,2	R-R	2,3	5,5	20	1,70	"solução" do cap. 4
ADA4051	CMOS	2	17	5	50	0	R-R	1,8	5	15	2,20	RRIO de autozero e baixa tensão
LTC6078	CMOS	7	25	0,2	1	0	R-R	2,7	5,5	110	1,75	RRIO duplo de baixa tensão, I_B baixo e V_{OS} baixo
AD8603	CMOS	12	50	0,2	1	−0,3	R-R	1,8	5	40	1,40	RRIO de baixa tensão, I_B baixo e V_{OS} baixo
Ckt Limit		-	100	-	10	0	0 a qualquer valor	1,8	>3,6			*contribuições de estimativas obrigatórias*

das suas especificações de folha de dados e que os efeitos de seus erros de pior caso garantidos sejam acrescentados (como magnitudes sem sinal) para determinar o desempenho do circuito global.

Por enquanto, tudo bem; e, neste exemplo, a escolha do AOP nos permitiu atender (e superar) às nossas especificações de alvo de erro zero (1% do fundo de escala, com a entrada aberta ou em curto), mesmo sob valores garantidos de pior caso de I_B e V_{OS}.

A. Parâmetros não Especificados: uma Abordagem Pragmática

Mas, olhando um pouco mais de perto, vimos também neste exemplo de projeto que um parâmetro não especificado (corrente direta do diodo para baixas tensões, 0 a 10 mV) figurou no erro global.[7] O que se deve fazer sob tais circunstâncias?

Os autores pertencem ao campo dos "pragmáticos" sobre essa questão: em primeiro lugar, você pode ter que ser criativo ao ler a folha de dados (como fizemos no caso da corrente de entrada do AOP), especialmente quando números de pior caso do fabricante representam uma declaração do tipo "Eu não quero testar este parâmetro, então vou colocar uma suposição conservadora na folha de dados"; isso é especialmente relevante com parâmetros como a corrente de fuga, em que os limites de equipamentos de teste automatizado (*automated test equipment*, ATE) e limitações de tempo de teste incentivam especificações de pior caso conservadoras na folha de dados. Em segundo lugar, você pode ter que fazer alguns testes[8] de parâmetros mal especificados (ou não especificado) (como fizemos com a corrente direta do diodo). Pode ser suficiente demonstrar que os efeitos de circuito do parâmetro não especificado são completamente insignificantes (como aqui, quando a corrente através dos diodos de ceifamento era inferior a 0,01 pA, ou três ordens de grandeza abaixo da estimativa); ou, se for uma especificação mais estreita, você poderá ter de criar um regime de controle dos componentes de entrada para assegurar que você atenda às especificações. E em terceiro lugar, você pode ter que lidar com uma situação em que existem muitos componentes que contribuem para a estimativa global de erro, bastando validar o desempenho do circuito global, subconjuntos ou instrumento completo no teste final.

Essa abordagem pode parecer arrogante. Mas o fato é que existem muitas situações em que você simplesmente não pode atender às especificações exigentes e ao mesmo tempo permanecer dentro das especificações de pior caso publicadas (ou a falta de especificações). Dois exemplos ajudam a esclarecer este ponto: um dos autores projetou e fabricou uma linha de instrumentos oceanográficos alimentados por bateria, destinados a ter uma longa duração (de semanas a tão longo quanto um ano) em observações submersas e registro de dados. Um instrumento típico pode ter 200 ou mais CIs CMOS da série 4000B. A folha de dados lista a corrente quiescente[9] em 25°C como "0,04 μA (típico), 10 μA (máx)". Ótimo. Assim, 200 desses dispositivos provavelmente consomem um total de 8 μA, mas eles *poderiam* consumir (em um cenário completamente improvável) até 2 mA. O valor de um ano de operação exigiria 70 mAh (usando os valores típicos), mas, sob rigorosas regras de pior caso, teríamos que permitir 17,5 Ah (ampère-hora). Eis o obstáculo: um encapsulamento de bateria substancial para essas restrições de espaço em câmaras de pressão submergíveis

---

[7] Como fez a corrente de entrada do AOP em temperaturas elevadas modestamente.

[8] Se você comprar em grandes quantidades, o fabricante pode estar disposto a fazer esses testes.

[9] Surpreendentemente, as especificações são as mesmas para dispositivos simples, como portas, ou dispositivos complexos, como contadores ou unidades lógicas aritméticas.

em profundidade fornece apenas 5 Ah de capacidade (com alguma margem de segurança de redução de capacidade). E 80% da capacidade da bateria foi estimada para os sensores e gravadores. Para tão rigoroso projeto de pior caso, seria necessário quadruplicar a bateria (e expandir a pressão do compartimento) ou, alternativamente, remover um volume substancial da carga útil da instrumentação. A solução era (e ainda é) óbvia: construir os subcircuitos e testá-los para a corrente quiescente em conformidade. Eles invariavelmente funcionaram muito bem, e os testes serviram principalmente para identificar os módulos em que houve um componente defeituoso, geralmente causado por manuseio inadequado dos componentes sensíveis CMOS.

Um segundo exemplo é um instrumento comercial, a saber, um eletrômetro sensível de Keithley. Essas coisas vão medir correntes de até *femto*ampères (10^{-15} A), o que exige um estágio de entrada de corrente de polarização extraordinariamente baixa. Eles fazem isso com um par casado de seguidores JFET como estágio de entrada para um AOP de precisão convencional, em uma configuração de conversor corrente-tensão (a entrada é um ponto de soma em zero volt). E, para manter a corrente de porta baixa, eles operam os JFETs a uma tensão de dreno muito baixa, de apenas 0,55 V, com o terminal de fonte estando a apenas uma fração de um volt abaixo do dreno. Agora, em nenhum lugar na folha de dados do JFET você vai encontrar algo dizendo o que acontece em tão baixas tensões; e ela não vai te dizer qual provavelmente será a fuga de porta. Você pode jogar para cima as suas mãos e dizer que tal instrumento não pode ser feito. Ou você pode fazer o que fez Keithley, que é encontrar uma boa fonte de JFETs e qualificá-los com testes internos, para que possa continuar com o trabalho.

Ambos os exemplos mostram que há situações em que você simplesmente não pode atender aos requisitos de projeto permanecendo dentro das especificações de pior caso publicadas pelo fabricante. Dito isso, notamos que existem alguns engenheiros que não se desviam dos rigorosos parâmetros de pior caso especificados para componentes em seus projetos de circuitos. Eles não querem usar dispositivos especiais e não pretendem abrir mão das especificações de pior caso. Convidamos você a escolher o que faria.

5.4 OUTRO EXEMPLO: AMPLIFICADOR DE PRECISÃO COM CANCELAMENTO DE *OFFSET*

Após o aquecimento com o milivoltímetro, enfrentaremos um projeto mais complexo, em que há múltiplos desafios de erro. Descrevemos as escolhas de projeto e erros desse circuito específico dentro da estrutura do projeto de precisão em geral, tornando assim indolor o que de outra forma poderia se tornar um exercício tedioso.

Projetamos um amplificador de precisão (Figura 5.3) que permite "congelar" o valor do sinal de entrada, amplificando quaisquer variações posteriores a partir daquele nível por ganhos de exatamente 1, 10 ou 100. Isso pode vir a calhar especialmente em um experimento no qual se deseje medir uma pequena alteração em alguma grandeza (por exemplo, transmissão de luz ou absorção de RF) conforme alguma condição da experiência é variada. É normalmente difícil obter medições precisas de pequenas alterações em um grande sinal CC, devido a derivas e instabilidades no amplificador. Em tal situação, é necessário um circuito de extremas precisão e estabilidade.

Aqui mostramos o exemplo de um sensor *strain gauge* (extensômetro), que é constituído por uma ponte de resistência sensível à deformação, cujos elementos variam a resistência (ligeiramente!) em resposta a um esforço mecânico. Um valor de resistência comum é de 350 Ω, e a sensibilidade é tal que, quando polarizada com +5 V, a tensão de saída diferencial sobre a ponte varia ±10 mV em resposta ao esforço mecânico de fundo de escala especificado.[10] Esta pequena tensão diferencial situa-se em um nível CC de 2,5 V, de modo que você tem que começar com um amplificador diferencial bom.

Uma nota importante a título preliminar: técnicas digitais oferecem uma alternativa atraente para o circuito puramente analógico usado aqui. Um projetista qualificado provavelmente faria uso de técnicas de conversão analógico-digital de precisão, talvez em uma implementação híbrida (no qual um DAC estável é utilizado para criar o sinal de cancelamento dentro de um circuito analógico como o nosso), ou talvez em um esquema totalmente digital que se baseie na precisão intrínseca de um único ADC de alta resolução.[11] Independentemente disso, nosso exemplo totalmente analógico oferece uma miscelânea de lições importantes no projeto de precisão. Mas o leitor pode aguardar com confiança revelações emocionantes nos capítulos a seguir.

5.4.1 Descrição do Circuito

O estágio de entrada começa com um *amplificador de instrumentação* U_1, uma configuração de três AOPs de que vamos falar mais tarde (Seção 5.15); esses são amplificadores de entrada diferencial que se destacam em atingir alta rejeição de modo comum e permitem seleção de ganho com um único resistor (um ou mais são, muitas vezes, fornecidos internamente). Aqui selecionamos um com uma boa combinação de corrente de entrada, deriva de *offset* e ruído baixos por razões que explicaremos mais tarde. Seu ganho de ×100 é seguido de um estágio não inversor de ganho ×10 (U_2), para um ganho global de ×1000; isso produz uma saída de fundo de escala de ±10 V quando entra no circuito de cancelamento (U_3–U_5). Se o sinal de entrada fosse de terminação simples (por exemplo, a partir de um termopar, fotossensor, detector de absorção de micro-ondas ou qualquer outro), você omitiria U_1, trazendo o sinal para o ponto "X" e ajustando o ganho de U_2 em conformidade.

---

[10] A sensibilidade do sensor *strain gauge* é "2 mV por volt"; isso é muito baixo. Existem sensores de deformação feitos a partir de semicondutores com maior sensibilidade, mas eles não podem ser tão estáveis.

[11] Há um exemplo deste último no Seção 13.9.11C.

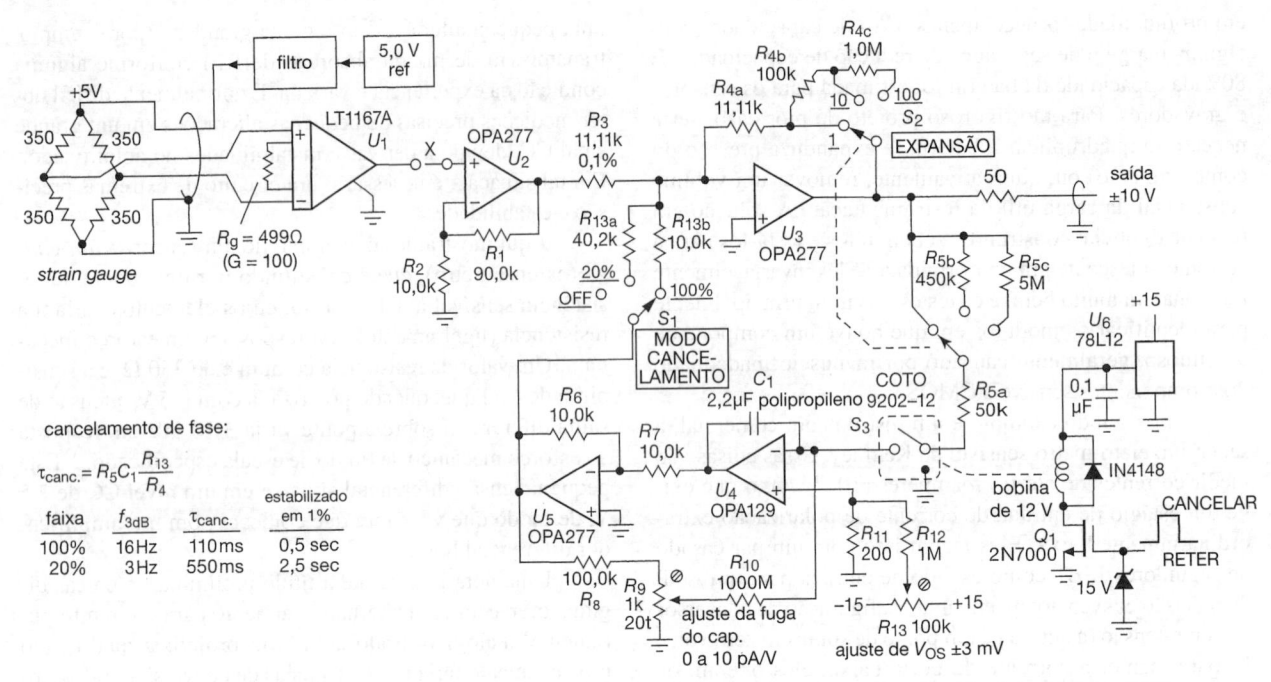

FIGURA 5.3 Amplificador CC de laboratório com autocancelamento. Resistores de ajuste de ganho têm tolerância de 0,1%.

O circuito de cancelamento funciona da seguinte maneira: o estágio amplificador U_3 está configurado como inversor, permitindo um *offset* CC de acordo com uma corrente adicionada ao ponto de soma. O cancelamento ocorre quando o relé (chave) S_3 é ativado por um nível lógico ALTO na porta de Q_1 que aciona a bobina. Então, U_4 carrega o capacitor de "memória" analógica (C_1) conforme necessário para manter a saída zero. Não é feita qualquer tentativa de seguir os sinais que mudam rapidamente, porque, para o tipo de aplicação para a qual este foi projetado, os sinais são, essencialmente, CC, e algum cálculo de média é uma característica desejável. Quando a chave é aberta, a tensão no capacitor permanece estável, resultando em um sinal de saída de U_3 proporcional às excursões de entrada subsequentes. O ganho sobre o nível nulo de entrada pode ser aumentado em degraus de década (chave S_2) para expandir as variações; o ganho do integrador de cancelamento é comutado em conformidade para manter constante a largura de banda da realimentação. A chave S_1 seleciona a faixa de cancelamento de fundo de escala (100%, 20%, ou nenhum).

Existem algumas características adicionais que devemos descrever antes de explicar em detalhe os princípios de projeto de precisão, tal como aplicado aqui: (a) U_5, além de proporcionar a inversão necessária do nível de cancelamento, participa de um esquema de compensação de corrente de fuga de primeira ordem: a tendência de C_1 de descarregar lentamente através de sua própria fuga (≥ 100.000 MΩ, o que corresponde a uma constante de tempo ≥ 3 dias) é compensada por uma pequena corrente de carga através de R_{10} proporcional à tensão em C_1; e (b) o integrador U_4 foi selecionado para uma corrente de entrada I_B muito baixa (para minimizar a inclinação durante a "retenção"), para a qual a compensação é a relativamente baixa tensão de *offset* V_{OS}; desse modo, adicionamos um ajuste de *offset* externo (R_{11} a R_{13}). Isso não é muito problemático, em qualquer caso, pois um *offset* aqui simplesmente produz um nulo diferente de zero de mesma magnitude.

5.5 UMA ESTIMATIVA DE ERRO DE PROJETO DE PRECISÃO

Para cada categoria de erro de circuito e estratégia de projeto, dedicaremos alguns parágrafos a uma discussão geral, seguidos de ilustrações a partir do circuito anterior. Erros de circuito podem ser divididos nas categorias de (a) erros nos componentes da rede externa, (b) erros de AOP (ou amplificador) associados com o circuito de entrada e (c) erros de AOP associados com o circuito de saída. Exemplos desses três são tolerâncias de resistores, tensão de *offset* de entrada e erros devidos à taxa de variação finita, respectivamente.

Começaremos estabelecendo a nossa estimativa de erro. Ela se baseia em um desejo de manter a deriva de entrada (a partir de variações de temperatura e de tensão de alimentação) até o nível de 10 μV, e deriva anulada (principalmente a partir da "inclinação" do capacitor, juntamente com as variações de temperatura e de alimentação) abaixo de 1 μV/min (referenciado à entrada). Tal como acontece com qualquer estimativa, chega-se aos itens individuais por um processo de compensações, com base no que pode ser feito com a tecnologia disponível. Em um sentido, a estimativa representa o resultado final do projeto em vez do ponto de partida. No entanto, tê-la agora vai ajudar a nossa discussão.

É importante compreender que os itens em uma estimativa provêm de várias fontes: (a) os parâmetros que são especificados na folha de dados; (b) estimativas de parâmetros mal especificados (ou não especificados) e (c) os parâmetros que você nem sequer percebe que são importantes.[12] Poderíamos dizer de outra forma que existem, respectivamente, os parâmetros que conhecemos, os que sabemos que não são conhecidos e os que nem sequer sabemos que existem.

5.5.1 Estimativa do Erro

Estes estão todos na forma de erros de tensão de pior caso (a 25°C) e se *referem à entrada do instrumento*.

1. Amplificador de diferença $\times 100$ (U_1: LT1167A)

Tensão de *offset*	40 μV
Tensão de ruído (0,1 a 10Hz)	0,28 μV$_{PP}$ (típico – sem especificação "máx")
Temperatura	0,3 μV/°C
Fonte de alimentação	variação de 28 nV/100 mV
Corrente de *offset* de entrada $\times R_S$	0,11 μV/350 Ω de R_S

2. Amplificador de ganho $\times 10$ (U_2: OPA277)

Tensão *offset*	0,5 μV
Temperatura	10 nV/°C
Tempo	2 nV/mês (típico – sem especificação "máx")
Fonte de alimentação	variação de 1 nV/100 mV
Corrente de polarização	0,3 μV
Aquecimento pela corrente de carga	5 nV no fundo de escala (5 mW, 0,1°C/mW)

3. Amplificador de saída (U_3: OPA277)

Tensão de *offset*	50 nV
Temperatura	1 nV/°C
Tempo	0,2 nV/mês (típico – sem especificação "máx")
Fonte de alimentação	variação de 0,1 nV/100 mV
Corrente de polarização	0,3 μV
Aquecimento pela corrente de carga	5 nV no fundo de escala (carga 1 kΩ)

4. Amplificador de retenção (U_4: OPA129)

Coeficiente de temperatura de *offset* de U_4	10 nV/°C
Fonte de alimentação	variação de 10 nV/100 mV
Inclinação do capacitor (ver estimativa de erro de corrente)	0,4 μV/min
Transferência de carga	1,1 nV

Os erros de corrente em C_1 (necessário para a estimativa de erro de tensão anterior) são os seguintes:

Fuga do capacitor	
Máxima (descompensada)	(100 pA)
Típica (compensada)	10 pA
Corrente de entrada de U_4	0,25 pA
V_{OS}/R_{10} anulado de U_4	0,1 pA
Fuga do relé S_3 OFF	10 pA (1 pA típico)
Fuga na placa de circuito impresso	5,0 pA

Nada mau, embora você *pudesse* reclamar sobre o *offset* de entrada de 40 μV – mas responderíamos que algumas dezenas de microvolts de *offset estático* não é de nenhum interesse em um instrumento de cancelamento, apenas a *deriva* (com tempo e temperatura) é o que importa. Os vários itens na estimativa farão sentido ao passo que discutimos as opções enfrentadas neste projeto específico. Organizamos esses pelas categorias de erros de circuito listados anteriormente: componentes da rede e erros de entrada e de saída do amplificador.

Resolveremos esses erros quantitativamente, no contexto da Figura 5.3, começando na Seção 5.7.6, depois de olhar para fontes de erro de forma um pouco mais geral na próxima seção.

5.6 ERROS DE COMPONENTES

Os graus de precisão de tensões de referência, fontes de corrente, ganhos de amplificação, etc., tudo isso depende da precisão e da estabilidade das resistências utilizadas nas redes externas. Mesmo quando a precisão não está envolvida diretamente, a precisão de componente pode ter efeitos significativos; por exemplo, na rejeição de modo comum de um amplificador diferencial feito a partir de um AOP (ver Seções 4.2.4 e 5.14), em que a relação entre os dois pares de resistências deve ser casada com precisão. A precisão e a linearidade de integradores e geradores de rampa dependem das propriedades dos capacitores utilizados, assim como do desempenho de filtros, circuitos sintonizados, etc. Como veremos em breve, há lugares em que a precisão do componente é crucial, e há outros lugares em que o valor de determinado componente pouco importa.

---

[12] Descobrimos um exemplo deste último ao medirmos correntes de fuga de femtoampère em um bom recinto de teste blindado: depois que a caixa tinha sido aberta para mudar qualquer coisa dentro, demorou um bom tempo para as medições sossegarem. Acontece que o processo de mover as coisas causou algum rearranjo de carga de superfície nos fios isolados com teflon, com um tempo de relaxamento longo. Pease fala sobre isso em seu artigo em inglês "*What's All This Teflon Stuff, Anyhow?*" – veja as notas de rodapé na Seção 5.10.7. Experimentamos uma manifestação bizarra semelhante com medidores de painel analógicos, em que um golpe com a mão no revestimento frontal de vidro pode fazer o ponteiro se mover mais para cima na escala... e permaneça lá!

Os componentes são, geralmente, especificados com uma precisão inicial, bem como as alterações de valor com o tempo (estabilidade) e a temperatura. Além disso, existem especificações do coeficiente de tensão (não linearidade) e os efeitos bizarros como "memória" e absorção dielétrica (para capacitores). Especificações completas também incluem os efeitos dos ciclos de temperatura e de soldagem, choque e vibração, sobrecargas momentâneas e humidade, com condições bem definidas de medição. Em geral, os componentes de maior precisão inicial terão as suas outras especificações correspondentemente melhores, a fim de proporcionar uma estabilidade global comparável com a precisão inicial. No entanto, o erro global devido a todos os outros efeitos combinados pode exceder a especificação de precisão inicial. Cuidado!

Como um exemplo, os resistores de filme metálico RN55C de 1% de tolerância têm as seguintes especificações: coeficiente de temperatura de 50 ppm/°C ao longo da faixa de −55°C a +175°C; ciclos de soldagem, temperatura e carga, 0,25%; choque e vibração, 0,1%; de humidade, 0,5%. A título de comparação, os resistores de composição de carbono de 5% (Allen-Bradley tipo CB) têm as seguintes especificações: coeficiente de temperatura, 3,3% no intervalo de 25 a 85°C; ciclos de soldagem e carga, +4%, −6%; choque e vibração, ±2%; humidade, +6%. A partir dessas características, deveria ser óbvio por que você não pode simplesmente selecionar (usando um ohmímetro digital de precisão) resistores de carbono que estejam dentro de 1% do seu valor nominal para uso em um circuito de precisão, mas é obrigado a utilizar resistores de 1% (ou menos) projetado para a estabilidade a longo prazo, bem como a precisão inicial. Para o máximo de precisão, é necessário usar resistores ultraprecisos ou matrizes de resistores, como a série de resistores RG de SMT (*surface-mount technology*, tecnologia de montagem em superfície) da Susumu (tolerância de 0,02%, coeficiente de temperatura de 5 ppm/°C), os resistores de filme metálico da série MPM da Vishay (tolerância absoluta de 0,05%, com casamento de 0,01%; coeficiente de temperatura absoluto de 25°C, com casamento de 2 ppm/°C) ou, ainda melhor, os tipos "*Bulk Metal Foil*" (tolerância absoluta de 0,005 %, com casamento de 0,001%; coeficiente de temperatura absoluto de 0,2 ppm/°C, com casamento de 0,1 ppm/°C).

5.6.1 Resistores de Definição de Ganho

No circuito anterior (Figura 5.3), resistores de 0,1% foram usados na malha de definição de ganho, R_1 a R_4, para obter ganhos com precisão previsível. Como veremos em breve, o valor de R_3 é uma negociação, com valores pequenos reduzindo o erro de *offset* de corrente em U_3, mas aumentando o aquecimento e os deslocamentos térmicos em U_2. Note que resistores de 1% são utilizados na malha de atenuação de *offset*, R_5 a R_{13}; aqui a precisão absoluta é irrelevante, e a estabilidade de 1% de resistores de metal filme é totalmente adequada.

5.6.2 O Capacitor de Retenção

A. Fuga

O maior termo de erro neste circuito, como a estimativa de erro mostra, é a fuga no capacitor de retenção, C_1. Capacitores destinados a aplicações de baixa fuga têm uma especificação de fuga, algumas vezes como uma resistência de fuga, outras vezes como uma constante de tempo (megohm-microfarads). Neste circuito, C_1 deve ter um valor de pelo menos alguns microfarads, a fim de manter pequena a taxa de carga de outros termos de erro de corrente (ver estimativa). Nessa faixa de capacitância, capacitores de filme (poliestireno, polipropileno e poliéster) têm a menor fuga. Capacitores de polipropileno (de fabricantes como a Epcos, Kemet, Panasonic, Vishay e Wima, geralmente com especificações de tensão de 200 a 600 V) têm, muitas vezes, a fuga CC especificada em unidades de megohm-microfarads, com valores na faixa de 10.000 a 100.000 MΩ μF; assim, para uma capacitância de 2,2 μF, isso equivale a uma resistência de fuga equivalente em paralelo de pelo menos 4,5 a 45 GΩ.

Mesmo assim, e adotando um valor plausível de, digamos, 100 GΩ, isso equivale a uma corrente de fuga de 100 pA para uma saída total (10 V), o que corresponde a taxas de inclinação de cerca de 3 mV/min na saída, de longe o maior termo de erro. Por essa razão, adicionamos o esquema de cancelamento de fuga descrito anteriormente. É justo supor que a fuga efetiva pode ser reduzida para 10% da especificação de fuga de pior caso do capacitor (na prática, provavelmente podemos fazer muito melhor). Nenhuma grande estabilidade é necessária no circuito de cancelamento, dadas as modestas exigências feitas. Como veremos mais tarde, quando discutirmos *offsets* de tensão, R_{10} é mantida intencionalmente grande para que *offsets* de tensão de entrada em U_4 não sejam convertidos em um erro de corrente significativo.

B. Absorção dielétrica

Não somos feitos com o capacitor, ainda. Um dos efeitos importantes, para além da fuga resistiva, é a "memória" do capacitor, oficialmente conhecida como *absorção dielétrica*.[13] Essa é a tendência dos capacitores de retornar, em certa medida, a um estado anterior de carga, como mostrado nos dados medidos da Figura 5.4 (cada capacitor foi mantido em +10 V por um dia ou mais e, então, descarregado para 0 V por 10 s; em seguida, o circuito é aberto e observa-se o que acontece); veja também a discussão nas Seções 1x.3, 4.5.1, 4.5.6 e 13.8.4.

5.6.3 Chave de Cancelamento

Na edição anterior deste livro, o circuito análogo (Figura 7.1) usou MOSFETs (em vez do relé S_3) para ativar o circuito de cancelamento. Essa escolha proporcionou um aprendizado, pois tivemos que nos preocupar (a) com a fuga de canal do

---

[13] Não está inteiramente claro que o que é chamado de "fuga" em capacitores de alta qualidade é, de fato, distinto da absorção dielétrica: ver a nota de rodapé na Seção 4.5.5.

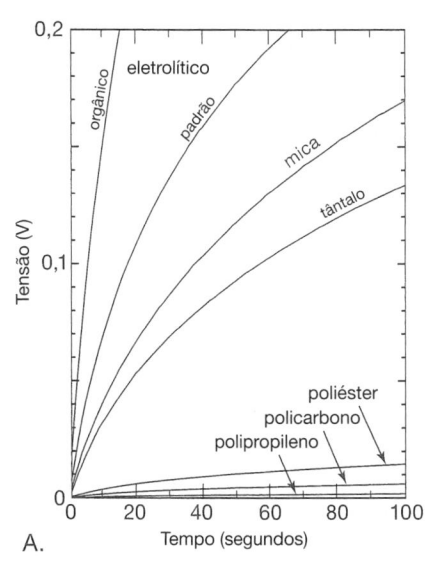

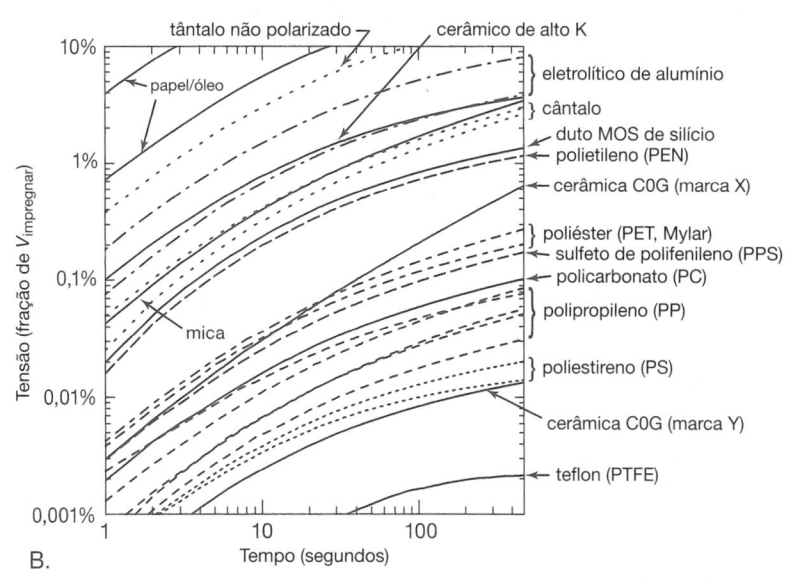

FIGURA 5.4 Capacitores exibem *efeito memória* (absorção dielétrica), uma tendência a retornar a um estado anterior de carga. Isso é altamente inútil em aplicações (como amostragem e retenção analógica) em que um capacitor é utilizado para manter uma tensão analógica. A. Gráfico linear que mostra o efeito básico; B. Gráfico log-log que revela quatro décadas de comportamentos ruins. Teflon é o vencedor incontestável; mas é difícil de encontrar, de modo que os tipos de plástico (PS e PP) são geralmente a melhor escolha. Os de cerâmica C0G podem ser excelentes, mas cuidado com as variações da marca.

MOSFET, devastadoramente grande, cerca de ~1 nA, e (b) com a injeção de carga de porta, da ordem de 100 pC naquele circuito. As soluções foram (a) a utilização de um par de MOSFETs conectados em série, de tal forma que o MOSFET a jusante teve todos os quatro terminais (fonte, dreno, porta e substrato) habitualmente em zero volt, e (b) um capacitor de retenção suficientemente grande, tal que o erro fosse insignificante, juntamente com a observação da transferência de carga que não era de grande preocupação, pois resultou em um pequeno *offset* do autozero.

Desta vez, tivemos uma abordagem mais pragmática (mas menos educacional), usando um pequeno *relé* de sinal. O Coto 9202-12 é um pequeno relé blindado (4mm x 6mm x 18 milímetros), energizado por 12 V CC a 18 mA, com uma resistência OFF especificada de 10^{12} Ω mínimo (10^{13} Ω típico). O pior caso para o valor de R_{off} corresponde a uma taxa de declínio de 0,3 mV/min, mas dez vezes menos para a R_{off} "típica". Relés isolam melhor do que chaves com transistor (R_{off} superior e C_{off} inferior, aqui < 1 pF) e têm melhor desempenho quando ligados (ON) (R_{on} inferior a uma chave analógica de baixa capacitância, aqui < 0,15 Ω).

Claro, *há* capacitância entre a bobina e os contatos e, portanto, uma oportunidade para o mesmo tipo de transferência de carga que em uma chave MOSFET (onde as transições de variação máxima na porta acoplam capacitivamente a dreno e fonte). Como observamos no Capítulo 3 (Seção 3.4.2E), a carga total transferida é independente do tempo de transição e depende apenas da variação da tensão de controle total e da capacitância de acoplamento: $\Delta Q = C_{acop}\Delta V_{controle}$. Neste circuito, a transferência de carga resulta em um simples erro de tensão de autozero, porque a carga é convertida em uma tensão no capacitor de retenção C_1. É fácil estimar o erro: o relé Coto especifica uma capacitância bobina-contato de 0,2 pF (para a nossa configuração de blindagem aterrada) e, portanto, uma transferência de carga correspondente de $\Delta Q = 2,4$ pC quando a bobina de 12 V é energizada.[14] Isso produz um degrau de tensão de $\Delta V_C = \Delta Q/C_1 = 1,1$ μV sobre o capacitor C_1 de 2,2 μF. Isso está completamente dentro da nossa estimativa de erro: na verdade, provavelmente superestimamos o efeito, porque o nosso cálculo considerava que a bobina inteira se encarregou de um degrau de 12 V, ao passo que o degrau médio é metade desse valor.

Para os leitores que guardam uma antipatia profunda por relés mecânicos, mostramos, na Figura 5.5, a implementação da chave com JFETs conectados em série. Durante o estado de retenção, as portas dos JFETs são polarizadas reversamente com −5 V, pelo circuito de mudança de nível de Q_1 a Q_4 pouco acionado. O leitor é convidado a estimar o módulo da inclinação (use a folha de dados, $I_{D\,(off)} = 0,1$ pA) e da injeção de carga (use a folha de dados, $C_{rss} = 0,3$ pF) para este circuito.

5.7 ERROS DE ENTRADA DO AMPLIFICADOR

Os desvios de características de entrada do AOP a partir do ideal que discutimos no Capítulo 4 (valores finitos de impedância de entrada e corrente de entrada, tensão de *offset*, razão de rejeição de modo comum, razão de rejeição de fonte de alimentação e suas derivas com o tempo e a temperatura) geralmente constituem sérios obstáculos ao projeto de circuito de precisão

---

[14] Considerando o cuidado que é tomado no leiaute da fiação para manter a baixa de 0,2 pF de capacitância do sinal RETER.

TABELA 5.2 AOPs de precisão representativos

Nº identif.	nº por encap.[a]	Alimentação[p] Faixa (V)	I_Q (mA)	Corrente de entrada @25°C típico (pA)	Corrente de entrada @25°C máx (pA)	Tensão de Offset V_{OS} típico (µV)	Tensão de Offset V_{OS} máx (µV)	Tensão de Offset ΔV_{OS} típico (µV/°C)	CMRR mín dB	e_n @1kHz típico (nV/√Hz)	GBW típico (MHz)	Variação típico (V/µs)	Variação da alimentação IN +	Variação da alimentação IN −	Variação da alimentação OUT +	Variação da alimentação OUT −	pinos de cancel.	disponível em DIP	Custo quant. 25 ($US)	Observações
bipolar																				
LT1077A	1	2,2–44	0,05	7nA	9nA	9	40	0,4	97	27	0,23	0,08	−	●	−	●	●	●	3,84	fonte simples
LT1013	2,4	3,4–44	0,35	12nA	20nA	40	150	0,4	100	22	0,7	0,4	−	●	−	●	−	●	3,13	fonte simples
OPA277P	1,2,4	4–36	0,79	0,5nA	1nA	10	20	0,1	130	8	1	0,8	−	−	−	−	−	●	3,17	OP27 melhorado
LT1012AC	1	8–40	0,37	25pA	0,1nA	8	25	0,2	114	14	0,5	0,2	−	−	−	−	●	●	5,11	comp. de super beta
LT1677	1	3–44	2,8	2nA	20nA	20	60	0,4	109	3,2	7,2	2,5	●	●	●	●	●	●	3,07	ou AD8675, 0,5 nA
LT1468	1	7–36	3,9	3nA	10nA	30	75	0,7	96	5	90	23	−	−	−	−	−	●	4,26	distorção de 0,7 ppm
JFET																				
LF412A[b]	1,2	12–44	1,8	50	200	500	1000	−	80	25	4	15	−	−	−	−	−	●	4,47	'411A V_{OS} <0.5mV
OPA827	1	8–40	4,8	15	50	75	150	1,5	104	3,8	22	28	−	−	−	−	−	−	9,00	0,1–10Hz: 0,25µVpp
CMOS																				
LMC6482A[b]	2,4	3–16	0,5	0,02	4	110	750	1	70	37	1,5	1,3	●	●	●	●	−	●	1,88	LMC7101 = SOT23
MAX4236A	1	2,4–6	0,35	1	500	5	20	0,6	84	14	1,7	0,3	−	●	●	●	−	−	1,78	shdn, '37 decomp
OPA376	1,2,4	2,2–7	0,76	0,2	10	5	25	0,26	76	7,5	5,5	2	●	●	●	●	−	−	1,32	etrim
autozero																				
AD8628	1,2,4	2,7–6	0,85	30	100	1	5	0,002	120	22	2,5	1	●	●	●	●	−	−	1,92	SOIC-8, SOT23-5

Notas: (a) Número indicado em **negrito** em um encapsulamento para um nº de identificação listado. (b) Sem precisão, listado para comparação. (p) I_Q, típico, por amplificador.

e forçam a busca pelo melhor compromisso entre características desejáveis, porém incompatíveis, na configuração do circuito e na seleção de componentes, bem como na escolha de um determinado AOP. Isso é mais bem tratado com exemplos, como faremos em breve. Note que esses erros, ou seus análogos, existem para os amplificadores de projeto discreto também.

Durante a leitura da discussão seguinte, pode ser útil consultar as Tabelas 5.2 e 5.3, nas quais listamos dez AOPs de precisão favoritos (mais dois de baixo custo sem precisão para comparação). Essas listagens agregam algo mais a um conjunto um tanto abstrato de ensinamentos.

5.7.1 Impedância de Entrada

Discutamos brevemente os termos dos erros há pouco listados. O efeito da impedância de entrada finita é formar divisores de tensão em combinação com a impedância da fonte que aciona o amplificador, reduzindo o ganho em relação ao valor calculado. Na maioria das vezes, isso não é um problema, pois a impedância de entrada tem *bootstrap* pela realimentação, aumentando enormemente o seu valor. Como exemplo, o AOP de precisão OPA277P (com entrada BJT, não um estágio de entrada FET) tem uma "impedância de entrada do modo diferencial" típica de 100 MΩ. Em um circuito com uma abundância de ganho de malha, a realimentação aumenta a impedância de entrada para a "impedância de entrada de modo comum" da folha de dados de 250.000 MΩ. Se isso não for bom o suficiente, AOPs com entrada FET têm valores astronômicos de R_{in} – por exemplo, 10^{13} Ω (diferencial) e 10^{15} Ω (de modo comum) para o OPA129 que é usado neste circuito.

5.7.2 Corrente de Polarização de Entrada

Mais grave é a corrente de polarização de entrada. Aqui estamos falando de correntes medidas em nanoampères, e isso já produz erros de tensão de microvolts para impedâncias de fonte tão pequenas quanto 1 kΩ. Mais uma vez, os AOPs FET vêm ao resgate, mas geralmente com aumento de tensões de *offset* como parte do negócio. AOPs bipolares de superbeta, como o LT1012, também podem ter correntes de entrada surpreendentemente baixas. Como exemplo, compare o AOP bipolar de precisão OPA277 com o LT1012 (bipolar, otimizado para baixa corrente de polarização), com o OPA124 (JFET de precisão e baixa polarização), com o OPA129 (JFET de polarização ultra baixa) e com o LMC6001 (AOP CMOS de mais baixa polarização); esses são alguns dos melhores que você pode obter neste momento, e escolhemos a melhor nota de cada uma (Tabela 5.3; e veja também a Tabela 5.5, nas para mais detalhes, jun-

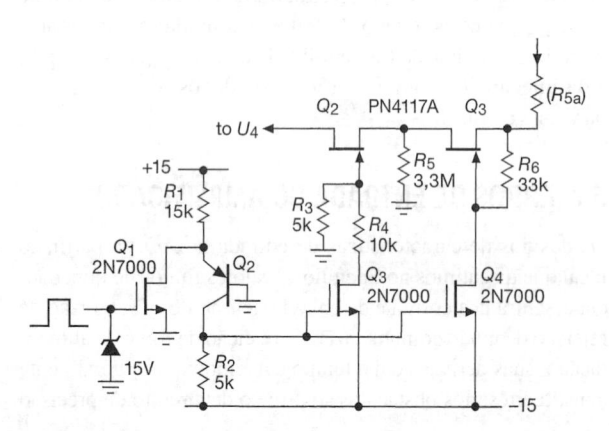

FIGURA 5.5 Chave eletrônica em substituição ao relé mecânico S_3 na Figura 5.3. Muito trabalho e nenhuma melhoria no desempenho.

TABELA 5.3 Oito AOPs de baixa corrente de entrada

Nº identif.	Alimentação		Corrente de entrada @25°C		V_{OS}	TCV_{OS}	
	V_{total} (V)	I_Q (μA)	típico (pA)	máx (pA)	máx (μV)	típico (μV/°C)	máx (μV/°C)
bipolar							
OPA277P	10–36	790	500	1000	20	0,1	0,15
superbeta							
LT1012AC	8–40	370	25	100	25	0,2	0,6
AD706	4–36	750	50	200	100	0,2	1,5
JFET							
OPA124PB	10–36	2500	0,35	1	250	1	2
OPA129B	10–36	1200	0,03	0,1	2000	3	10
MOSFET							
MAX9945	4,8–40	400	0,05	–	5000	2	–
CMOS de baixa tensão							
LMP7721	1,8–6	1300	0,003	0,02	150	1,5	4
LMC6001A	5–16	450	0,01	0,025	350	2,5	10

tamente com uma vasta seleção de AOPs de precisão com tensões de *offset* baixas.)

Amplificadores FET bem projetados têm correntes de polarização extremamente baixas, mas com tensões de *offset* muito maiores, em comparação com o OPA277 de precisão. Como a tensão de *offset* pode ser sempre ajustada, o que importa mais é a deriva com a temperatura. Neste caso, os amplificadores FET são de 4 a 20 vezes piores. O AOP com corrente de entrada mais baixa usa MOSFETs no estágio de entrada. AOPs MOSFET são populares por causa da proliferação de unidades de baixo custo, como a série TLC270 da Texas Instruments, bem como de dispositivos de corrente de polarização ultrabaixa, como os dispositivos da série LMC6000 da National. No entanto, em contraste com os JFETs ou transistores bipolares, MOSFETs podem ter derivas muito grandes de tensão de *offset* com o tempo, um efeito que é discutido a seguir. Assim, a melhoria nos erros de corrente que você compra com um AOP FET pode ser eliminada pelos termos de erro de tensão maiores. Com qualquer circuito no qual a corrente de polarização possa contribuir com um erro significativo, é aconselhável, muitas vezes, garantir que ambos os terminais de entrada do AOP "vejam" a mesma resistência CC de fonte (ver, por exemplo, a Figura 4.55); então, a *corrente de offset* do AOP se torna a especificação relevante. Mas esteja ciente de que uma série de AOPs de precisão usa um esquema de "compensação de polarização" para cancelar (aproximadamente) a corrente de entrada, a fim de diminuir esse termo de erro (volte ao Exercício 2.24 para ver como isso é feito). Com AOPs desse tipo, você geralmente não ganha nada casando as resistências CC vistas pelas duas entradas, visto que a corrente de polarização residual e a corrente de *offset* são comparáveis, em um AOP com compensação de polarização.

A. Variação com a Temperatura

Um ponto adicional a ter em mente quando se utilizam AOPs com entrada FET é que a corrente de "polarização" de entrada é, na verdade, corrente de fuga da porta e que aumenta drasticamente com o aumento da temperatura: ela praticamente dobra para cada aumento de 10°C na temperatura do chip, como pode ser visto na Figura 5.6. Devido aos AOPs FET, muitas vezes, trabalharem quentes (nosso LF412 comum, por exemplo, dissipa 100 mW quando opera a partir de uma alimentação de ±15 V), a corrente de entrada real pode ser consideravelmente maior do que os valores a 25°C que você vê na folha de dados.[15] Em contraste, a corrente de entrada de um AOP com entrada BJT é efetivamente a corrente de base, relativamente constante com a temperatura. Assim, um AOP com entrada FET com características de entrada impressionantes no papel não pode apresentar valores melhores que uma boa unidade bipolar de superbeta. Tal como o gráfico mostra, por exemplo, o AOP de entrada JFET LT1057 com sua corrente de entrada de ∼3 pA (a 25°C) terá uma corrente de entrada de cerca de 100 pA a 75°C de temperatura do chip, que é maior do que a corrente de entrada do LT1012 de superbeta à mesma temperatura. E nosso AOP JFET LF412 comum tem uma corrente de entrada que é comparável à

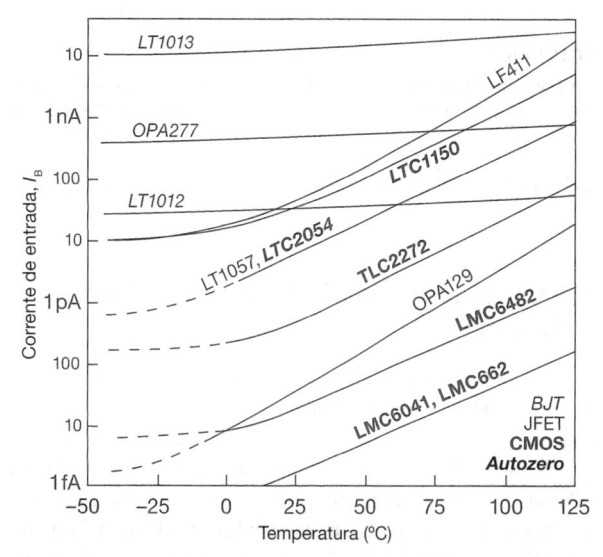

FIGURA 5.6 Corrente de entrada do AOP em função da temperatura, traçada a partir de valores de folha de dados. Veja também as Figuras 5.38 e 3.48. AOPs com entrada JFET são indicados em letras simples ("romanas"), AOPs BJT estão em *itálico*, AOPs CMOS estão em **negrito** e AOPs de autozero estão em ***negrito itálico***.

---

[15] Fazendo quantitativamente, a corrente quiescente máxima do LF412 é 6,5 mA, por conseguinte, uma dissipação de 195 mW quando operado a partir de fontes de ±15 V. Em um encapsulamento DIP-8 que produz um aumento de 22°C de temperatura (a resistência térmica $R_{\Theta JA} = 115$°C/W), com uma consequente quadruplicação da corrente especificada $I_B = 200$ pA (máx). Se o AOP estivesse acionando uma carga, você teria ainda mais dissipação. Para colocar isso em perspectiva, porém, observe que a impedância de acionamento vista na entrada do AOP teria que ser maior do que 1 MΩ para que esse erro de tensão induzida exceda o erro de tensão de *offset* de entrada de 1 mV (típico).

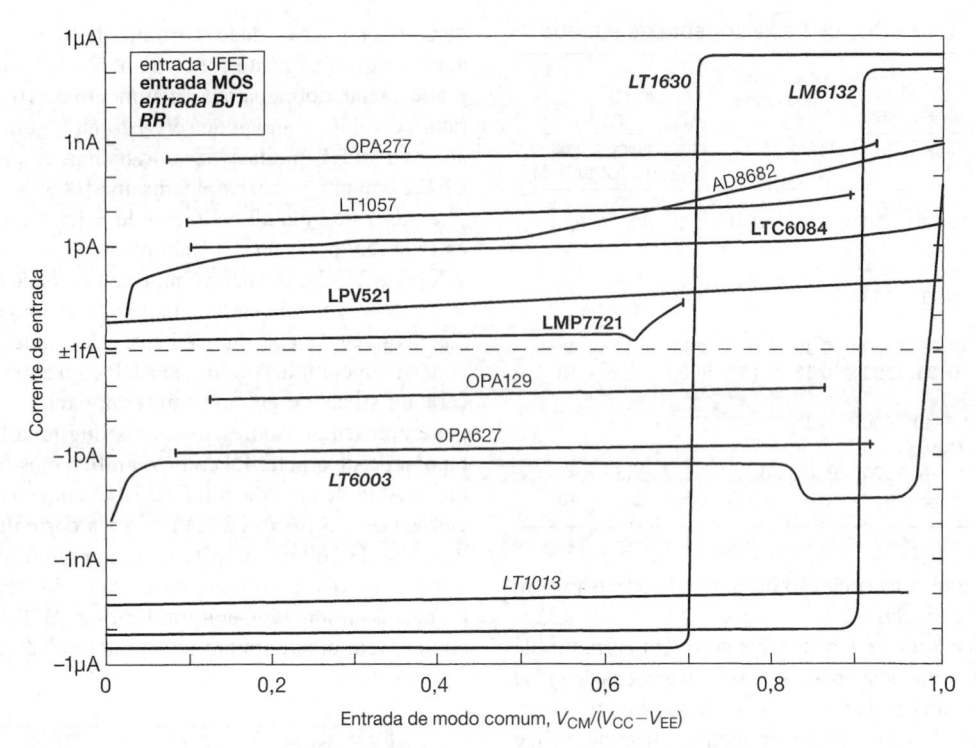

FIGURA 5.7 Corrente de entrada do AOP (a 25°C) em função da tensão de entrada de modo comum, traçados ao longo de sua faixa de operação a partir de valores de folha de dados; AOPs BJT com estágios de entrada trilho a trilho ("entrada BJT RR") submetidos a uma reversão abrupta da polaridade da corrente de entrada.

do LT1012 a 25°C e, muitas vezes, maior em temperaturas elevadas.

B. Variação com a Tensão de Entrada de Modo Comum

Por fim, um cuidado muito importante: ao comparar correntes de entrada de AOPs, atente para algum projeto de AOP cujo I_B dependa da tensão de entrada. Esse comportamento é comum em AOPs que são projetados para operar em uma faixa de entrada trilho a trilho (RRI – *rail-to-rail input*), nos dois tipos de entrada, FET e (especialmente) BJT. A folha de especificações geralmente lista I_B apenas para zero volt (ou metade da alimentação), mas uma boa folha de dados mostrará curvas também. Veja a Figura 5.7 para um comportamento de I_B *versus* V_{in}. O bom desempenho do OPA129 e do OPA627 a esse respeito é devido, em parte, à sua utilização em estágios de entrada cascode. O LMP7721 se destaca não só pela sua corrente de entrada máxima de 20 fA, mas pelo seu comportamento de destaque neste gráfico.

5.7.3 Tensão de *Offset*

Tensões de *offset* na entrada do amplificador são fontes óbvias de erro. AOPs diferem muito nesse parâmetro, variando de AOPs de "precisão", que oferecem valores de V_{OS} de pior caso geralmente em dezenas de microvolts, até AOPs comuns, como o LF412, com valores de V_{OS} de 2 a 5 mV.

No momento em que redigimos este texto,[16] o campeão (por uma pequena margem) no mundo dos *offsets* baixos (sem *chopper*, veja a seguir) é o bipolar OPA277P (± 20 μV, máx), que, surpreendentemente, é igualado pelo CMOS MAX4236A (embora a deriva deste último seja 12 vezes pior, como se poderia esperar).

Embora muitos AOPs simples e bons (mas não duais ou quádruplos) tenham terminais de ajuste de *offset*, ainda é sábio escolher um amplificador com *offset* inicial inerentemente baixo, V_{OS} máx, por várias razões. Primeiro, AOPs projetados para *offset* inicial baixo tendem a ter deriva de *offset* correspondentemente baixa com a temperatura e com o tempo. Em segundo lugar, um AOP suficientemente preciso elimina a necessidade de componentes externos de ajuste (um circuito de ajuste ocupa espaço, necessita ser ajustado inicialmente e pode mudar ao longo do tempo). Em terceiro lugar, a deriva da tensão de *offset* e de rejeição de modo comum são degradadas pelo desequilíbrio causado por um circuito de ajuste de *offset*.

---

[16] Na edição anterior deste livro, conferimos essa honra ao MAX400M, com sua V_{OS} de pior caso especificada de 10 μV. Com confiança, acrescentamos que "esperamos ver mais melhorias incrementais nesta área". Essa confiança foi, evidentemente, perdida: o *site* da Maxim diz agora do MAX400: "Este produto foi fabricado para a Maxim por um fornecedor externo que produzia o *wafer* usando um processo que não está mais disponível. Este CI não é mais recomendado para novos projetos. A folha de dados permanece disponível para os usuários existentes". Assim diz o ditado: "as coisas mundanas são passageiras".

A Figura 5.8 ilustra como um circuito de ajuste de *offset* tem desvios maiores com temperatura. Ela também mostra como o ajuste de *offset* se espalha ao longo da rotação do potenciômetro de ajuste, com uma resolução melhor próxima do centro, especialmente para grandes valores de resistência do potenciômetro de ajuste. Por fim, você identificará geralmente que a malha externa de ajuste recomendada fornece uma faixa muito grande, tornando quase impossível ajustar V_{OS} até alguns poucos microvolts; mesmo se você tiver sucesso, o ajuste é tão crítico, que ele não se manterá ajustado por muito tempo. Outra maneira de pensar sobre isso é perceber que o fabricante de um AOP de precisão *já* ajustou a tensão de *offset* em uma giga de teste personalizada usando técnicas "*laser-zapping*"; pode ser que você não consiga obter um resultado melhor fazendo por conta própria. Nosso conselho é (a) usar AOPs de precisão em circuitos de precisão e, (b) se for necessário ajustá-los ainda mais, providenciar um circuito de ajuste de faixa estreita semelhante ao mostrado na Figura 5.3, com valores ajustados para produzir uma faixa linear de fundo de escala de ± 50 μV em um potenciômetro rotativo (por exemplo, $R_{11} = 33$ Ω e $R_{12} = 10$M). A Figura 5.9 mostra como configurar um circuito externo de ajuste de *offset* de faixa estreita para as configurações de amplificador inversor e não inversor.

Devido aos *offsets* de tensão poderem ser ajustados em zero, o que importa, em última análise, é a deriva da tensão de *offset* com o tempo, a temperatura e a tensão da fonte de alimentação. Projetistas de AOPs de precisão trabalham duro para minimizar esses erros. A esse respeito, você obtém o melhor desempenho a partir de AOPs de entrada bipolar (em oposição a FET), mas os efeitos de corrente de entrada podem, então, dominar a estimativa de erros. Como mostrado na Tabela 5.2, os melhores AOPs mantêm derivas inferiores a 1 μV/°C; o OPA277P representa a melhor especificação de deriva (para um AOP não *chopper*): $\Delta V_{OS} = 0{,}2$ μV/°C, máx.

Outro fator a ter em mente é a deriva causada por autoaquecimento do AOP quando ele aciona uma carga de baixa impedância. Muitas vezes, é necessário manter a impedância

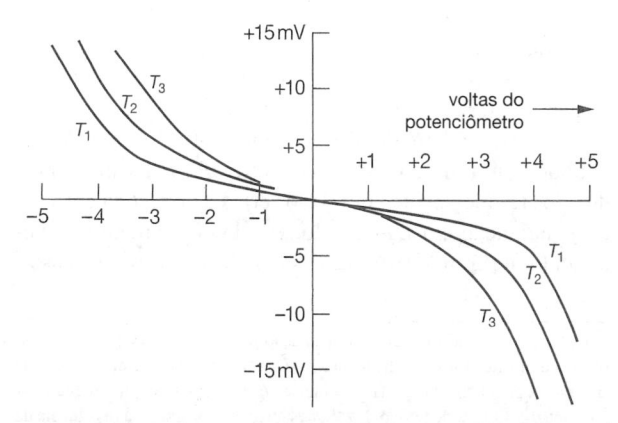

FIGURA 5.8 *Offset* de AOP típico em função da rotação do potenciômetro de ajuste de *offset* para algumas temperaturas.

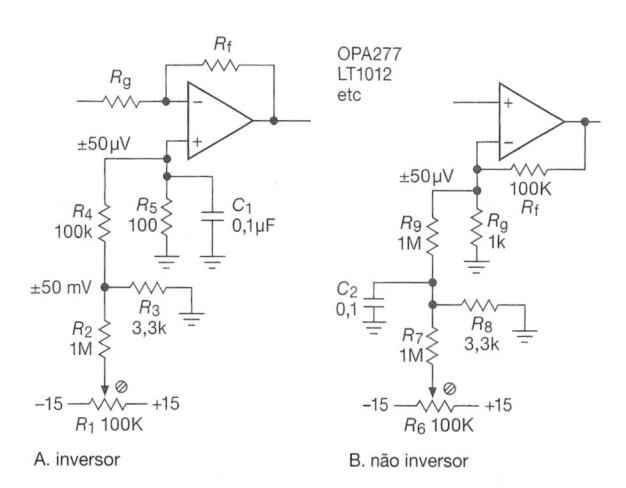

FIGURA 5.9 Circuito externo de ajuste de faixa estreita para AOPs de precisão.

de carga acima de 10k para evitar grandes erros a partir desse efeito. Como de costume, isso pode comprometer a estimativa de erro do próximo estágio a partir dos efeitos da corrente de polarização! Veremos isso apenas como um problema neste exemplo de projeto. Para aplicações em que a deriva de alguns microvolts é importante, os efeitos relacionados de gradientes térmicos (a partir de componentes que produzem calor nas proximidades) e FEM térmica (das tensões sobre junções de metais diferentes) se tornam importantes. Isso surgirá de novo quando discutirmos o amplificador *chopper estabilizado* ultrapreciso na Seção 5.11.

Um cuidado importante: quando folhas de dados especificam as condições particulares de medição para um parâmetro como V_{OS}, elas estão falando sério! Um exemplo preocupante é mostrado na Figura 5.10, um gráfico de V_{OS} *versus* V_{CM} para o AOP AD8615, cuja folha de dados declara (na primeira página) "Baixa tensão de *offset*: 65 μV máx", mas cujos dados de tabela revelam que as condições de medição são "$V_{CM} = 0{,}5$ V e 3,0 V".

5.7.4 Rejeição de Modo Comum

A razão de rejeição de modo comum (*common-mode rejection ratio*, CMRR) insuficiente degrada a precisão do circuito através da eficaz introdução de um *offset* de tensão como uma função do nível CC de tensão na entrada. Esse efeito é habitualmente insignificante, porque é equivalente a uma pequena mudança de ganho e, de qualquer forma, pode ser superado pela escolha da configuração: um amplificador inversor é insensível à CMRR do AOP, em contraste com um amplificador não inversor. No entanto, em aplicações de "amplificador de instrumentação" em que você lida com um pequeno sinal diferencial sobreposto a um grande *offset* CC, uma CMRR alta é essencial. Nesses casos, você tem que ter cuidado em relação às configurações de circuito e, além disso, deve escolher um AOP com uma especificação de CMRR alta. Mais uma vez, um AOP superior, como o OPA277, pode

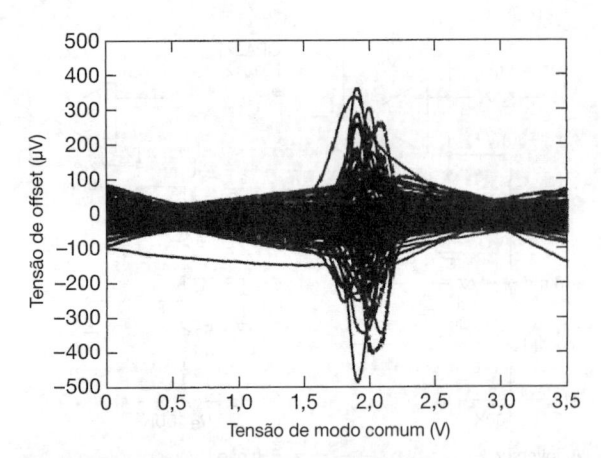

FIGURA 5.10 Este AOP especifica uma tensão de *offset* máxima de ±60 µV. Mas também especifica as seguintes condições: $V_S = 3,5$ V e $V_{CM} = 0,5$ V ou 3,0 V. Moral da história: não ignore as notas de rodapé!

resolver os seus problemas, com uma CMRR (min) em CC de 130 dB, em comparação com a especificação modesta do nosso AOP comum LF411 de 70 dB. Discutiremos amplificadores diferenciais e de instrumentação de alto ganho mais adiante neste capítulo, começando na Seção 5.13.

5.7.5 Rejeição da Fonte de Alimentação

Variações na tensão da fonte de alimentação causam pequenos erros de AOP. Como a maioria das especificações, a razão de rejeição da fonte de alimentação (*power-supply rejection ratio*, PSRR) refere-se a um sinal na *entrada*. Por exemplo, o OPA277 tem uma PSRR especificado de 126 dB em CC, o que significa que uma variação de 1 volt em uma das tensões de alimentação provoca uma variação na saída equivalente a uma mudança no sinal de entrada diferencial de 0,5 µV.

A PSRR cai com o aumento da frequência, aproximadamente seguindo o comportamento do ganho em malha aberta, e um gráfico que documenta esse comportamento vergonhoso é, muitas vezes, dado na folha de dados. Por exemplo, a PSRR (em relação ao trilho negativo) do nosso favorito OPA277 começa a cair em 1 Hz e é reduzida para 95 dB (típico) em 60 Hz e 50 dB em 10 KHz. Isso raramente apresenta um problema, pois o ruído da fonte de alimentação também diminui em frequências maiores caso tenha usado um bom desvio. No entanto, uma ondulação de 120 Hz poderia apresentar um problema se uma alimentação sem regulação fosse usada.

Vale a pena notar que a PSRR não será, em geral, a mesmo para a alimentação positiva e negativa. Assim, o uso de reguladores de rastreamento duplo não necessariamente traze quaisquer benefícios. Note também que a PSRR é, muitas vezes, especificada para $G = 1$ e pode ser consideravelmente pior em ganhos mais elevados; na verdade, foram identificados AOPs que exibem *ganho* (!) de um trilho para a saída em ajustes de ganho moderados.

5.7.6 Amplificador de Cancelamento: Erros de Entrada

Agora estamos prontos para embarcar em uma discussão detalhada das questões de erro mais graves no amplificador da Figura 5.3. O circuito começa com um amplificador de instrumentação de precisão opcional na entrada U_1 (mais na Seção 5.15), aqui escolhido pelo seu ganho diferencial preciso e estável de 100×, baixa corrente de entrada e nível de ruído adequadamente baixo (9 nV/$\sqrt{\text{Hz}}$ típico em 10 Hz). Suas especificações de tensão de *offset* e coeficiente de temperatura (±40 µV, 0,3 µV/°C) de pior caso são duas vezes piores do que um AOP de precisão como o OPA277 (na melhor nota), mas sua CMRR de 120 dB (mín) como um amplificador de diferença, combinado com precisão de ganho de pior caso de 0,08%, coeficiente de temperatura de ganho de 50 ppm/°C (máx) e o ruído de baixa tensão, faz dele uma boa interface para uma aplicação de baixo nível como esta. Apesar de não ser importante com a fonte de baixa impedância, neste exemplo, a sua corrente de entrada é satisfatoriamente baixa para um amplificador de entrada BJT, de apenas 0,35 nA máx.[17]

Para entradas de terminação simples, U_1 é omitido e o sinal é trazido ao ponto "×" (adicionar um resistor em série de 470 Ω com um par de diodos de ceifamento de baixa fuga – veja a Figura 5.2 – para os trilhos de alimentação, para proteção contra sobreacionamento). A precisão e a estabilidade do OPA277 exercem domínio aqui, embora seja tentador considerar a substituição por um dispositivo com entrada FET; mas a especificação do coeficiente de temperatura de V_{OS} mais pobre $\gtrsim 10×$ mais do que compensa a vantagem da baixa corrente de entrada, exceto com fontes de impedância muito alta. A corrente de polarização de 1 nA (máx) do OPA277 apresenta um erro de impedância da fonte de 1 µV/1 kΩ, ao passo que o melhor da classe AOP FET, OPA627B (de 35 dólares cada um!), embora forneça erro de corrente desprezível com sua corrente de entrada de 5 pA (máx), exibiria derivas de *offset* de tensão tão grandes quanto 3 µV/4°C (4°C é considerada uma faixa de variação de temperatura ambiente de laboratório típica). Neste circuito pode-se, felizmente, adicionar um circuito de ajuste de *offset* para U_2, de preferência sob a forma da Figura 5.9. Como mencionado anteriormente, a realimentação faz o *bootstrap* da impedância de entrada para 250 GΩ e elimina quaisquer erros de ganho a partir da impedância de fonte finita, até 25 MΩ (para um erro de ganho inferior a 0,01%).

U_2 aciona um amplificador inversor (U_3), com R_3 escolhido como um compromisso entre *offsets* térmicos produzidos termicamente em U_2 e os erros de *offset* da corrente de polarização em U_3. O valor escolhido mantém o aquecimento até 5 mW (para uma saída de 7,5 V, o pior caso),

---

[17] De fato, se o ruído for uma preocupação primordial, você poderia substituir o amplificador de instrumentação INA103 na entrada, que é 4x mais silencioso, pagando o preço da corrente de *offset* de entrada: um gritante 1 µA (portanto, ±350 µV de tensão de *offset* estática criada aqui pela resistência de fonte diferencial de 350 Ω).

que funciona para um aumento de temperatura de 0,8°C (o AOP tem uma resistência térmica $R_{\Theta JA}$ de cerca de 0,15°C/mW, consulte a Seção 9.4), com um *offset* de tensão máximo consequente de $\Delta V_{OS} = TCV_{OS}\Delta T = 0,12\mu V$. 11 kΩ A impedância da fonte vista por U_3 resulta em um erro devido ao *offset* da corrente de polarização, mas, com U_3 dentro de uma malha de realimentação com U_4 e U_5 ajustando o *offset* geral em zero, tudo o que importa é a deriva no termo de erro de corrente. O OPA277 fornece um gráfico da variação da corrente de polarização típica com a temperatura (frequentemente não especificado por fabricantes), a partir do qual o resultado de erro de 0,2 μV/4°C na estimativa de erro é calculado. Reduzir o valor de R_3 melhoraria esse termo, à custa do termo de aquecimento em U_2.

A impedância de entrada CC de U_3 chega mais perto de apresentar um problema. Para estimar o erro, comparamos a impedância de entrada diferencial de U_3 de 100 MΩ com a impedância de pior caso (isto é, com o ganho definido para ×100) vista acionando sua entrada. Esta última é apenas a resistência de realimentação (1 M) dividida pelo ganho da malha G_{OL}/G_{CL}, portanto 10 Ω. Assim, o pior caso de efeito de carga é uma parte em 10^5, uma ordem de grandeza menor do que 0,01% de erro. Esse é um dos exemplos mais difíceis em que poderíamos pensar, e mesmo assim a impedância de entrada do AOP não apresenta nenhum problema, demonstrando assim que, em geral, podemos ignorar os efeitos das impedâncias de entrada do AOP.

As derivas na tensão de *offset* em U_2 e U_3 ao longo do tempo, da temperatura e das variações da fonte de alimentação afetam o erro final de forma igual e são tabulados na estimativa. É importante ressaltar que todos eles são automaticamente cancelados em cada ciclo de "redução a zero", e apenas derivas de curta duração importa de qualquer maneira. Estes erros estão todos na faixa de microvolt, graças a uma boa escolha de AOP. U_4 tem derivas maiores, mas deve ser um tipo FET para manter pequena a corrente do capacitor, como já foi explicado. Note que erros na saída de U_4 são amplificados pelo ganho definido de U_3; assim, eles são especificados como erros de *entrada* na estimativa.

Note a filosofia geral de projeto que surge deste exemplo: você trabalha em áreas problemáticas, escolhendo configurações e componentes conforme necessário para reduzir os erros para valores aceitáveis. Trocas e compromissos estão envolvidos, com algumas opções, dependendo de fatores externos (por exemplo, o uso de um AOP com entrada FET em U_2 seria preferível para impedâncias fonte maiores do que aproximadamente 10 kΩ).

5.8 ERROS DE SAÍDA DO AMPLIFICADOR

Conforme discutimos no Capítulo 4, os AOPs têm algumas limitações graves associadas ao estágio de saída. Taxa de variação limitada, distorção de cruzamento de saída (Seção 2.4.1A) e impedância de saída de malha aberta finita podem causar problemas, e eles podem fazer os circuitos de precisão exibirem erros espantosamente grandes se não levados em conta.

5.8.1 Taxa de Variação: Considerações Gerais

Como mencionamos na Seção 4.4.1K, um AOP pode variar sua tensão de saída apenas em uma taxa máxima. Esse efeito se origina no circuito de compensação de frequência do AOP, como explicaremos em breve com um pouco mais de detalhes. Uma das consequências de uma taxa de variação finita é limitar a variação de saída em altas frequências para um máximo de $V_{pp} = S/\pi f$, como mostrado na Seção 4.4.2 e plotado aqui na Figura 5.11.

Uma segunda consequência é mais bem explicada com a ajuda de um gráfico da taxa de variação em relação ao sinal de entrada diferencial (Figura 5.12). A questão fundamental aqui é que um circuito que exige uma taxa de variação substancial deve operar com um erro de tensão substancial entre os terminais de entrada do AOP. Isso pode ser desastroso para um circuito que finge ser altamente preciso: a malha de realimentação é um erro, mais que as variações de saída mais rápidas, produzindo, assim, uma forma de onda de saída distorcida. (Olhe mais à frente nos gráficos de distorção medidos na Figura 5.19 para ver esse efeito, por exemplo, no LT1013, para o qual $S = 0,8$ V/μs.)

Observemos a parte interna de um AOP, a fim de obter alguma compreensão da origem da taxa de variação. A grande maioria dos amplificadores operacionais pode ser resumida com o nocional "circuito de Widlar" mostrado na Figura 5.13. O estágio de entrada diferencial,[18] que tem como carga um espelho de corrente, aciona um estágio de grande ganho de tensão, com um capacitor de compensação da saída para a entrada. O estágio de saída é um seguidor *push-pull* de ga-

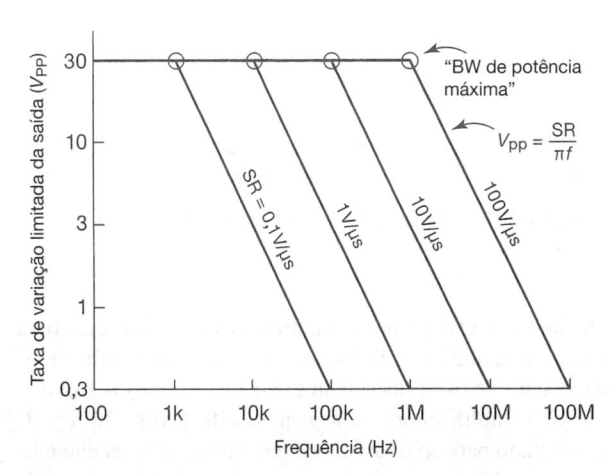

FIGURA 5.11 Variação de saída máxima em função da frequência.

---

[18] Simplificando: o estágio de entrada de Widlar do LM101 original usava um par diferencial *pnp*, mas foi configurado como um amplificador de base comum acionado por um par de seguidores *npn*.

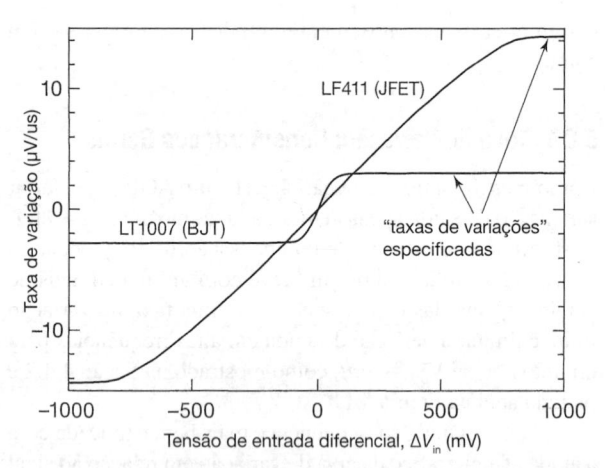

FIGURA 5.12 Uma tensão de entrada diferencial-substancial é necessária para produzir a taxa de variação total do AOP, como mostrado nestes dados medidos. Para AOPs com entrada BJT, é preciso ~60 mV para alcançar a taxa de variação total; para JFETs e MOSFETs, é preciso mais, cerca de um volt.

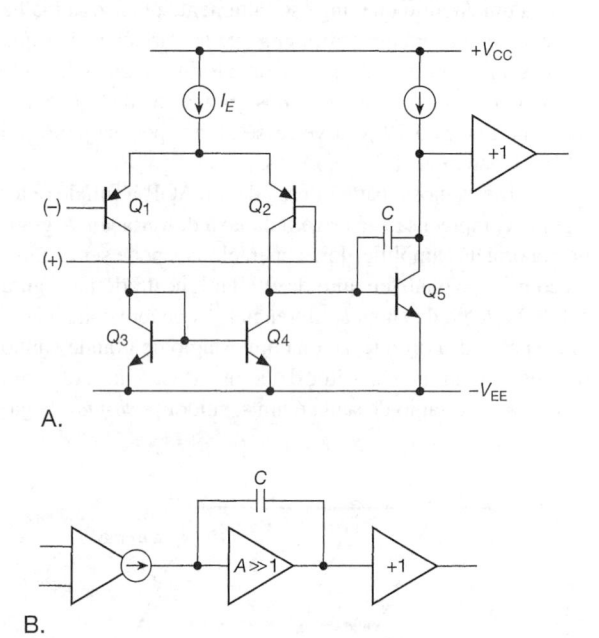

FIGURA 5.13 Esquema de compensação interno de um AOP típico.

nho unitário. O capacitor de compensação C é escolhido para reduzir o ganho de malha aberta do amplificador para a unidade antes de os deslocamentos de fase causados por outros estágios amplificadores se tornem significativos. Ou seja, C é escolhido para colocar f_T, a largura de banda de ganho unitário, perto da frequência do próximo polo de decaimento do amplificador, como descrito na Seção 4.9. O estágio de entrada tem uma impedância de saída muito alta e se parece com uma fonte de corrente para o próximo estágio.

O AOP é limitado pela taxa de variação quando o sinal de entrada aciona um dos transistores do estágio diferencial quase no ponto de corte, acionando o segundo estágio com a corrente total de emissor I_E do par diferencial. Para um estágio de entrada BJT, isso ocorre com uma tensão de entrada diferencial de cerca de 60 mV, ponto no qual a relação de corrente no estágio diferencial é de 10:1. Neste ponto, o coletor de Q_5 varia tão rapidamente quanto possível, com toda a corrente I_E carregando C. O transistor Q_5 e C formam, assim, um integrador, com uma rampa limitada pela taxa de variação como saída. Não é difícil deduzir uma expressão para a taxa de variação sabendo como transistores bipolares funcionam. A questão de fundo é que o circuito do AOP com entrada BJT clássico da Figura 5.13 tem uma taxa de variação S dada por $S \approx 0{,}3f_T$.

Para obter uma taxa de variação mais elevada, então, você pode escolher um AOP com maior largura de banda f_T; se você estiver operando em ganhos de malha fechada maiores que a unidade, pode usar um AOP descompensado (com o seu maior valor f_T). Mas há maneiras para superar o limite de $S \approx 0{,}3f_T$ (que é considerado um AOP descompensado de ganho unitário com uma entrada diferencial BJT configurada para ganho máximo, ou seja, com $R_E = 0$). A saber: (a) usar um AOP com transcondutância do estágio de entrada reduzida (um AOP de entrada FET ou entrada BJT com realimentação do emissor); (b) usar um AOP com um circuito de entrada de estágio diferente, projetado especificamente para uma maior taxa de variação – exemplos são a técnica de "redução de transcondutância por acoplamento cruzado" (usada na família TLE2142) e o "estágio de transcondutância de faixa dinâmica ampla" de Butler (usado, por exemplo, no OP275 e OP285); (c) usar um AOP com realimentação de corrente (*current-feedback*, CFB), ou uma variante CFB (com um *buffer* na entrada inversora) que simule um simples AOP com realimentação de tensão (*voltage-feedback*, VFB).

Esses truques funcionam. Se definirmos um fator de intensificação m (isto é, $S = 0{,}3mf_T$), o LF411 (com entrada JFET) representado na Figura 5.12 tem $m = 12$, em comparação com o bipolar LT1007 ($m = 1{,}0$); o TLE2141 (com estágio de entrada com BJT de acoplamento cruzado) tem $m = 25$, e o OP275/285 (com estágio de entrada Butler) tem $m = 8$; o LT1210 (um AOP CFB) tem $m = 55$ com o resistor de realimentação recomendado; e o LT1315 (um CFB na pele de um VFB) tem $m = 220$.

5.8.2 Largura de Banda e Tempo de Estabilização

A taxa de variação (*slew rate*) mede a rapidez com que a tensão de saída pode variar. A especificação da taxa de variação do AOP geralmente considera uma tensão de entrada diferencial grande (60 mV ou mais), o que (apesar de seu potencial para produzir distorção de saída) não é irracional, dado que um AOP cuja saída não está onde supõe-se que ela estaria terá a sua entrada acionada seriamente pela realimentação, considerando um valor razoável de ganho de malha. Talvez de igual importância em aplicações de precisão de alta velocidade seja o tempo necessário para a saída chegar no ponto correspondente a uma variação de entrada. Essa especificação de *tempo de estabilização* (*settling-time*) (o tempo

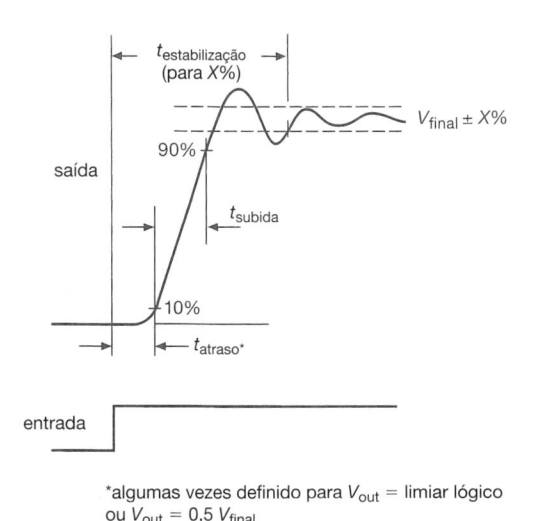

FIGURA 5.14 Definição de tempo de estabilização.

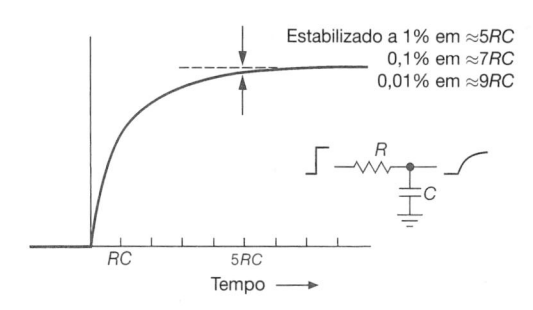

*algumas vezes definido para V_{out} = limiar lógico ou $V_{out} = 0{,}5\, V_{final}$

FIGURA 5.15 Tempo de estabilização de um filtro passa-baixas RC.

necessário para chegar dentro da precisão especificada do valor final e ficar lá; veja a Figura 5.14) é sempre dada para dispositivos como conversores digital-analógico, em que a precisão é o objetivo primordial, mas não é normalmente especificada para AOPs.

Podemos estimar o tempo de estabilização do AOP considerando primeiro um problema diferente, ou seja, o que aconteceria a um degrau de tensão perfeito em algum ponto do circuito se fosse seguido por um filtro passa-baixas RC simples (Figura 5.15). É um exercício simples para mostrar que a forma de onda filtrada tem os tempos de estabilização mostrados. Esse é um resultado útil, porque você, muitas vezes, limita a largura de banda com um filtro para reduzir o ruído (mais sobre isso no final do capítulo). Para estender esse resultado simples de um AOP, basta lembrar que um AOP compensado tem uma atenuação de 6 dB/oitava sobre a maior parte da sua faixa de frequências, assim como um filtro passa-baixas. Quando conectado para ganho de malha fechada, G_{CL}, a sua "largura de banda" (*bandwidth*, BW) (a frequência na qual o ganho da malha cai para a unidade) é dada aproximadamente por

$$f_{3dB} = f_T/G_{CL}.$$

Como resultado geral, um sistema de largura de banda B tem tempo de resposta $\tau \approx 1/(2\pi B)$; assim, a "constante de tempo" equivalente do AOP é

$$\tau \approx G_{CL}/2\pi f_T$$

O tempo de estabilização é, então, aproximadamente 5 a 10τ.

Testemos a nossa previsão em um caso real. O TLE2414 da Texas Instruments é um AOP de estabilização rápida de precisão, com um f_T de 5,9 MHz. Nossa fórmula simples, portanto, estima o tempo de resposta da configuração do inversor (isto é, $G = 2$) como sendo de 54 ns, portanto um tempo de estabilização de 378 ns (7τ) para 0,1%. Isso está bem próximo do valor da folha de dados de 340 ns.

Há vários pontos importantes a esclarecer: (a) nosso modelo simples nos dá apenas um limite inferior para o tempo de estabilização real em um circuito real; você deve sempre verificar o tempo de subida limitado pela taxa de variação, que pode dominar. (b) Mesmo que a taxa de variação não seja um problema, o tempo de estabilização pode ser muito maior do que o nosso modelo "de polo único" idealizado, dependendo da compensação e da margem de fase do AOP. (c) O AOP estabilizará mais rapidamente se o esquema de compensação de frequência usado fornecer um gráfico do deslocamento de fase em malha aberta em função da frequência que seja uma bela linha reta em um gráfico log-log (como na Figura 5.17); AOPs com ondulações no gráfico de deslocamento de fase são mais propensos a exibir *overshoot* (sobressinal) e oscilação amortecida, como na forma de onda mostrada na Figura 5.14. (d) Um tempo de estabilização rápida de 1%, por exemplo, não garante necessariamente um tempo de estabilização rápida de 0,01%, uma vez que pode haver uma longa cauda (Figura 5.16). (e) Não há nenhum substituto para uma especificação de tempo de estabilização real a partir do fabricante.

A Tabela 5.4 lista uma seleção de AOPs de alta velocidade adequados para aplicações que exigem f_T alto, taxa de variação alta, tempo de estabilização rápido e tensão de *offset* razoavelmente baixa.

5.8.3 Distorção de Cruzamento e Impedância de Saída

Alguns AOPs (por exemplo, o clássico LM324/358 de fonte simples) usam um estágio de saída seguidor *push-pull* simples, sem a polarização das bases com duas quedas de diodo à parte, como discutimos na Seção 2.4.1. Isso leva a uma distorção "classe B" com saída próxima da passagem por zero, porque o estágio acionador tem que variar as bases ao longo de $2V_{BE}$ enquanto a corrente de saída passa por zero (Figura 5.18). Essa distorção de cruzamento pode ser substancial, especialmente em frequências mais altas, em que o ganho da malha é reduzido; veja os dados medidos na Figura 5.19. Ela é muito reduzida em projetos de AOPs em que a polarização do par *push-pull* de saída os coloca ligeiramente em condução ("classe AB"), por exemplo, o LT1013, que é uma versão melhorada do LM324. A escolha

TABELA 5.4 AOPs de alta velocidade representativos

Nº identif.	Nº por encap.[a]	Fonte[p] faixa (V)	I_Q (mA)	I_{in} @25°C típico (pA)	Tensão de Offset V_{OS} típico (mV)	V_{OS} máx (mV)	ΔV_{OS} típico (µV/°C)	e_n típico[r] ($\frac{nV}{\sqrt{Hz}}$)	GBW típico (MHz)	Variação típico (V/µs)	I_{out} típico (mA)	C_{in} (pF)	Gráfico de distorção	Variação da fonte IN +	OUT −	+	−	Pinos de canc.	Disponível em DIP	Custo quant. 25 ($US)	Observações
bipolar																					
LT1468	1	7–36	3,9	3nA	0,03	0,08	0,7	5	90	23	22	4	-	-	-	-	-	•	•	4,26	0,7 ppm de distorção
LT1360	1,2,4	5–36	4	0,3µA	0,3	1	9	9	50	800	34	3	-	-	-	-	-	•	•	2,75	C-Load™
LM6171	1,2	5–36	2,5	1µA	1,5	3	6	12	100	3600	90	-	-	•	-	-	-	-	•	2,57	VFB+CFB
AD844	1	9–36	6,5	0,2µA	0,05	0,3	1	9	330[g]	2000	60	2	-	-	-	-	-	•	•	5,23	CFB, pino de compensação
AD8021[b]	1	4,5–26	7	7,5µA	0,4	1	0,5	2,1	925	420	60	1	•	-	-	-	-	-	-	2,42	pino de compensação, 16 bits
JFET																					
OPA604A	1,2	9–50	5,3	50	1	5	8	10	20	25	36	10	-	-	-	-	-	•	•	2,93	3 ppm, 2604 duplo
OPA827A	1	8–40	4,8	15	0,08	0,15	1,5	3,8	22	28	30	9	-	-	-	-	-	-	-	9,00	baixo ruído, preciso
ADA4637	1	9–36	7,0	1	0,12	0,3	1	6,1	80	170	45	8	-	-	-	-	-	-	d	10,12	descomp., G > 7
bipolar de baixa tensão																					
LT6220	1,2,4	2.2–13	0,9	15nA	0,07	0,35	1,5	10	60	20	35	2	-	•	•	•	•	-	-	1,75	SOT-23
LMH6723	1,2,4	4.5–13	1	2µA	1	3	-	4,3	370	600	110	1,5	-	-	-	-	-	-	-	2,03	CFB, SOT23-5
ADA4851	1,2,4	3–12,6	2,5	2,2µA	0,6	3,4	4	10	125	200	85	1,2	-	•	•	•	-	-	-	1,40	SOT23-5, pino deslig.
LT1818	1,2	4–12,6	9	2µA	0,2	1,5	10	6	400	2500	70	2	-	-	-	-	-	-	-	1,35	VFB + CFB, rápido
LT6200	1,2	3–12,6	16,5	10µA	0,2	1,2	8	0,95	165	50	70	4	-	•	•	•	•	-	-	2,99	1% de distorção em 50 MHz
LT6200-10	1	3–12,6	16,5	10µA	0,2	1,2	8	0,95	1600	450	70	4	-	•	•	•	•	-	-	2,99	RRIO mais rápido
OPA698[e]	1	5–13	16	3µA	2	5	15[m]	5,6	450	1100	55	1	n	-	-	•	•	-	-	4,14	grampeamento
JFET de baixa tensão																					
OPA656	1	9–13	14	2	0,25	1,8	2	7	230	290	50	2,8	•	-	-	-	-	-	-	5,59	baixo ruído $e_n \cdot C_{in}$
OPA657	1	9–13	14	2	0,25	1,8	2	7	1600	700	50	4,5	-	-	-	-	-	-	-	10,01	descomp., G > 7
ADA4817	1,2	5–10,6	19	2	0,4	2	7	4	1050	870	70	1,5	-	•	-	-	-	-	-	4,93	lowest $e_n \cdot C_{in}$
CMOS																					
AD8616	2	2,7–6	1,7	0,2	0,02	0,06	1,5	7	24	12	150	7	-	•	•	•	-	-	-	1,52	'8615 SOT23-5
LMP7717	1,2	1,8–6	1,15	0,05	0,01	0,15	1	6,2	88	28	15	15[c]	-	-	•	•	-	-	-	2,18	descomp., G > 10
OPA350	1,2,4	2,5–7	5,2	0,5	0,15	0,5	4	7	38	22	40	6,5	-	•	•	•	•	-	•	1,67	6ppm

Notas: (a) **Negrito** indica o número em um encapsulamento para o número de identificação listado. (b) Para $G < 20$, use C_C externo escolhido para definir $f_{3dB} = 200$ MHz. (c) Absorção de 15 mA, fornecimento de 47 mA. (d) Para o DIP 8, ver OPA637. (e) Descompensado OPA699. (g) Para $G = 10$. (m) máx. (n) Gráfico de distorção para OPA699. (p) I_Q, típico, por amplificador. (r) Para 1 kHz.

certa de AOP pode ter enorme impacto sobre o desempenho de amplificadores de áudio de baixa distorção. Talvez esse problema tenha contribuído para o que os audiófilos chamam de "som de transistor". Alguns AOPs modernos, especialmente os destinados a aplicações de áudio, são projetados para produzir distorção de cruzamento extremamente baixa. Exemplos são o LT1028, o AD797 e a excelente série "LME49000" da NSC – como o LME49710. Este último, por exemplo, tem distorção menor do que 0,0001% ao longo da banda de áudio completa de 20 Hz a 20 kHz. (Ou essa é a afirmação; podemos estar sendo muito ingênuos!) Todos esses amplificadores também têm tensão de ruído muito baixa; o LT1028, por exemplo, compete pelo título de campeão mundial de baixa tensão de ruído, com $e_n = 1,7\,\mathrm{nV}/\sqrt{\mathrm{Hz}}$ (máx) em 10 Hz. Veja os gráficos expandidos da distorção do AOP nas Figuras 5.43 e 5.44, em que vários amplificadores operacionais competem para o título de rei de baixa distorção. AOPs de alta tensão têm uma vantagem abaixo dos 10 kHz, enquanto os tipos de baixa tensão têm uma vantagem acima de 200 kHz.

A impedância de saída de circuito aberto de um AOP de alimentação simétrica típica é maior quando a saída está próxima do terra, porque os transistores de saída estão operando em sua corrente de carga (com retorno para o terra) mais baixa. A impedância de saída também aumenta em alta frequência conforme o ganho do transistor cai, e ela pode aumentar ligeiramente em frequências muito baixas, por causa da realimentação térmica no chip.

É fácil negligenciar os efeitos da impedância de saída de malha aberta finita pensando que a realimentação vai consertar tudo. Mas, quando você considera que alguns AOPs têm impedâncias de saída de circuito aberto de algumas centenas de ohms, torna-se claro que os efeitos podem não ser negligenciáveis, especialmente para ganhos de malha de baixo para moderado. As Figuras 5.20 e 5.21 mostram alguns gráficos típicos da impedância de saída de AOPs, com e sem realimentação.

A impedância de saída finita também contribui para a instabilidade ao acionar cargas capacitivas, como discutimos na Seção 4.6.2, devido ao deslocamento de fase de atraso adi-

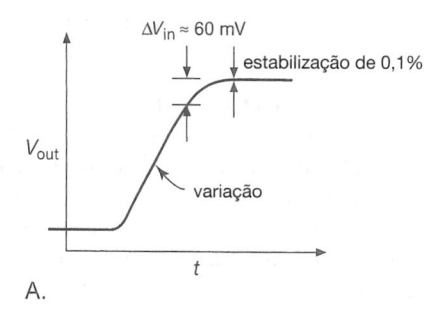

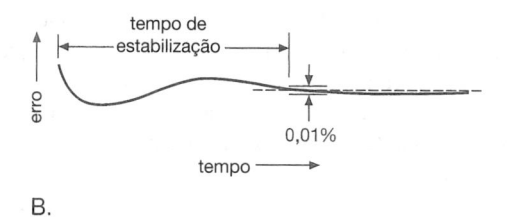

FIGURA 5.16 A. A variação diminui quando o erro de entrada se aproxima de 60 mV. B. A estabilização de alta precisão pode ser surpreendentemente longa.

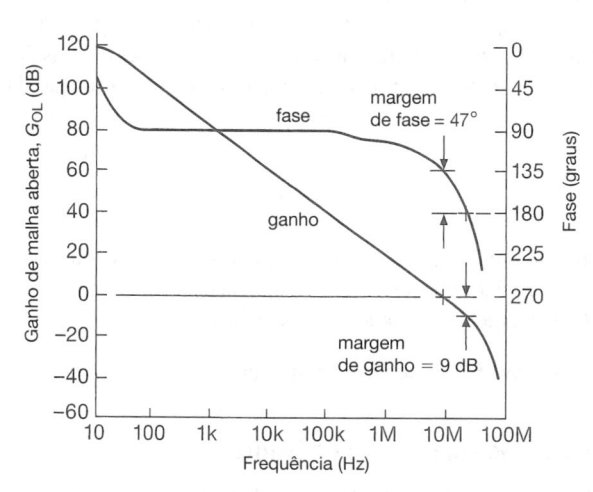

FIGURA 5.17 Ganho e fase em função da frequência para o OP-42.

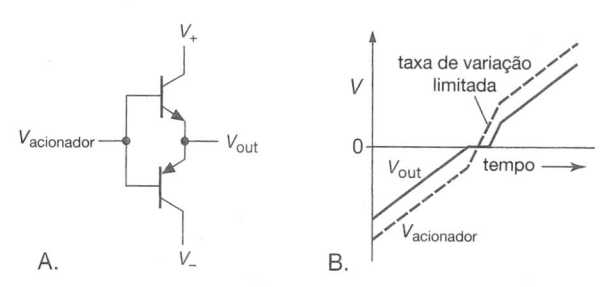

FIGURA 5.18 Distorção de cruzamento no estágio de saída *push-pull* classe B.

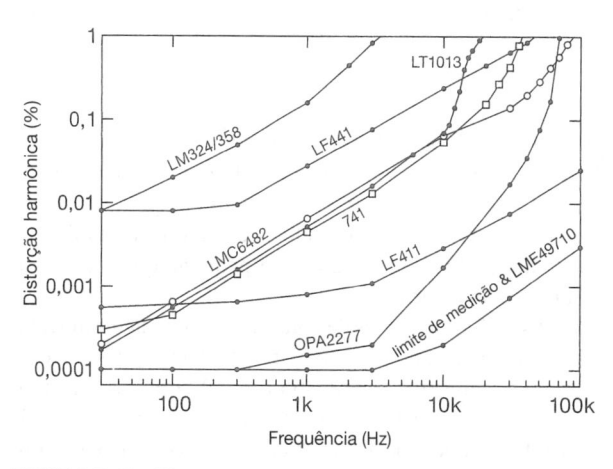

FIGURA 5.19 Distorção harmônica medida em função da frequência por vários amplificadores operacionais populares (saída de 1 V_{RMS}, sem carga). Veja também as Figuras 5.43 e 5.44.

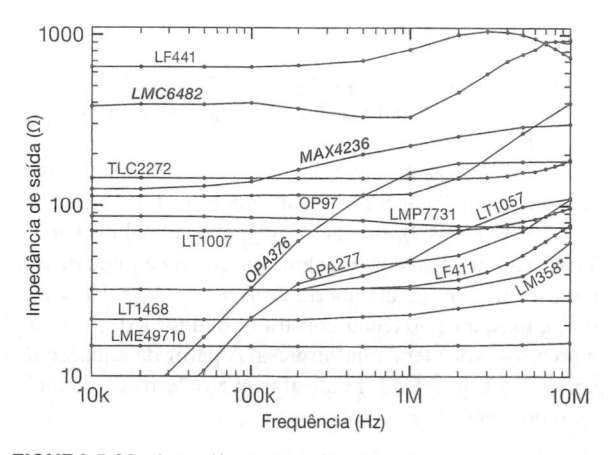

FIGURA 5.20 Impedância de saída de malha aberta medida em função da frequência para uma seleção de AOPs. Dispositivos mostrados em **negrito** têm circuitos de saída CMOS. * Com resistor de saída *pull-down*.

cional dentro da malha de realimentação criada por R_{out} em combinação com C_{carga}. Várias soluções comuns foram mostradas na Figura 4.78, incluindo um circuito de realimentação dividido ou a inclusão de um *buffer* de ganho unitário dentro da malha. Este último vale a pena mencionar aqui.

5.8.4 *Buffers* de Potência de Ganho Unitário

Se a técnica dos caminhos de realimentação divididos for inaceitável, uma solução é adicionar um *buffer* de alta corrente de ganho unitário dentro da malha, como, por exem-

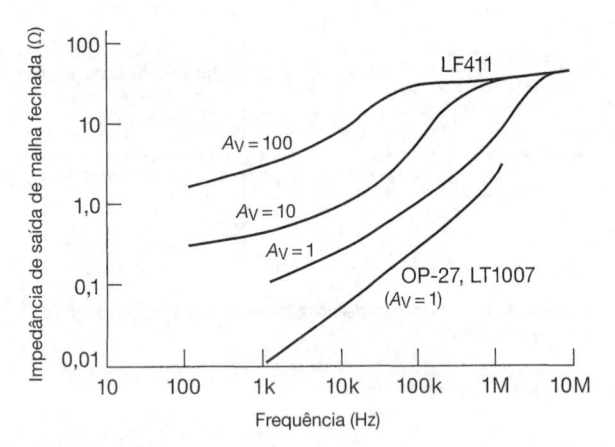

FIGURA 5.21 Impedância de saída de malha fechada em função da frequência para os AOPs LF411 e LT1007 a partir das folhas de dados dos fabricantes.

plo, no amplificador de laboratório de uso geral da Figura 4.87. O LT1010 neste circuito tem largura de banda suficiente (> 10 MHz), o que acrescenta um pequeno deslocamento de fase; assim, ele pode estar dentro da malha fechada de realimentação com uma pequena quantidade de compensação externa.

Esses "reforçadores de potência" podem, naturalmente, ser usados para cargas que exigem alta corrente (por exemplo, o acionamento de um cabo coaxial com terminação), independentemente de haver ou não problemas com a capacitância. E os *buffers* de ganho unitário são úteis, mesmo com cargas de corrente moderada apenas, no contexto do projeto de circuito de precisão, porque eles impedem derivas térmicas, mantendo o calor fora do amplificador de baixo *offset*. Você pode ver alguns exemplos de reforçadores de potência nas Figuras 5.47 e 13.119.

5.8.5 Erro de Ganho

Há mais um erro que surge a partir do ganho de malha aberta finito, isto é, um erro de ganho de malha fechada devido ao ganho de malha finito.

Calculamos, no Capítulo 2 (Seção 2.5.2), a expressão de ganho de malha fechada em um amplificador realimentado, $G = A/(1 + AB)$, em que A é o ganho de malha aberta e B é o "ganho" da rede de realimentação. Você pode pensar que o ganho em malha aberta do AOP de $A \geq 100$ dB é muito, mas, quando tentar construir circuitos extremamente precisos, você terá uma surpresa. A partir da equação de ganho anterior, é fácil de mostrar que o "erro de ganho", definido como

$$\delta_G = \text{erro de ganho} \equiv \frac{G_{ideal} - G_{real}}{G_{ideal}},$$

é exatamente igual a $1/(1 + AB)$ e varia de 0 para $A = \infty$ até 1 (100%) para $A = 0$.

Exercício 5.2 Deduza a expressão anterior para o erro de ganho.

O erro de ganho dependente da frequência resultante está longe de ser desprezível. Por exemplo, um LF411 com o seu ganho de malha de malha aberta de baixa frequência de 106 dB terá um erro de ganho de 0,5% em baixas frequências quando configurado para um ganho de malha fechada de 1000. Pior ainda, o ganho de malha aberta cai 6 dB/oitava acima de 20 Hz, então o nosso amplificador teria um erro de ganho de gritantes 10% em 500 Hz! A Figura 5.22 traça o erro de ganho calculado em função da frequência para o OPA277, com os seus extraordinários 140 dB de ganho de malha aberta de baixa frequência, quando configurado para ganhos de malha fechada de 100 e 1000. Deveria ser óbvio que você precisa de muito ganho e de um f_T alto para manter a precisão em frequências até mesmo moderadas.

Traçamos essas curvas a partir do gráfico de ganho de malha aberta *versus* frequência dado na folha de dados. Mesmo que a folha de dados do seu AOP forneça uma curva, é melhor trabalhar para trás a partir do f_T especificado (ou seja, GBW da folha de dados; veja a Figura 5.42 e a discussão associada) e do ganho CC em malha aberta, imaginando o ganho de malha aberta na frequência de interesse, e assim o erro de ganho (como anteriormente) como uma função da frequência. Esse procedimento produz

$$\delta_G = \frac{1}{1 + Bf_T/f},$$

em que B é, como de costume, o ganho da rede de realimentação. É claro que, em algumas aplicações, tais como filtros, B pode também depender da frequência.

Exercício 5.3 Deduza o resultado anterior para $\delta_G(f)$.

5.8.6 Não Linearidade do Ganho

AOPs têm bastante ganho de malha aberta (G_{OL}) em baixas frequências, e o excesso (G_{OL}/G_{CL}) é o mecanismo

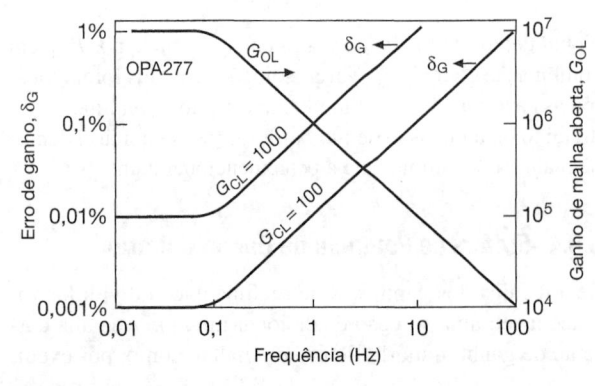

FIGURA 5.22 Erro de ganho do OPA277.

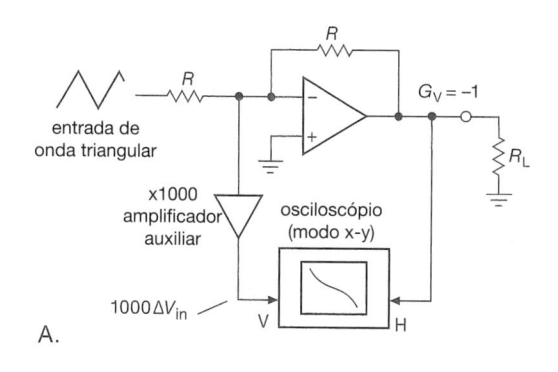

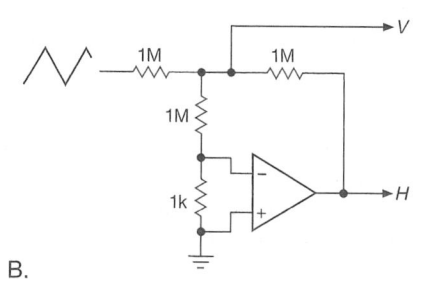

FIGURA 5.23 Circuito de teste de não linearidade do ganho em baixa frequência. A. Ideal: um amplificador auxiliar torna visível a tensão de entrada diferencial na escala de μV versus a variação de saída. B. Circuito usado por Pease para medições apresentado na nota de aplicação AN-1485 (ver nota de rodapé 19).

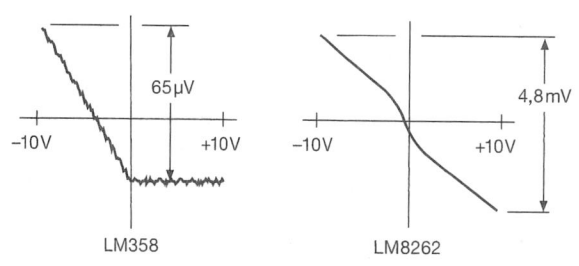

FIGURA 5.24 Gráficos de não linearidade de ganho para dois AOPs com deficiências no estágio de saída. Nestas telas *x-y*, o eixo vertical mostra o sinal de entrada diferencial (pequeno) necessário para produzir o sinal de saída (variação total) indicado no eixo horizontal. Para estimar o erro de ganho, divida o desvio vertical (projetado no eixo vertical) pela variação total da saída.

de realimentação do ganho de malha que contribui para a precisão e a redução das não linearidades intrínsecas do AOP, como discutido antes, na Seção 2.5.3. Então, idealmente queremos bastante ganho de malha aberta em um circuito de precisão. E é por isso que amplificadores de autozero (Seção 5.11) e AOPs de precisão são construídos com ganhos de malha aberta altos, por exemplo, ~160 dB para o GMP2021 de autozero e ~150 dB para o LT1007 de precisão.

Então, para *precisão*, queremos bastante ganho de malha. Para fins de *linearidade*, no entanto, não há problema em ter menos ganho de malha – o que importa mais é a linearidade intrínseca do AOP, combinada com uma característica de ganho de malha aberta que varia de forma linear (quando muito) com a variação da saída. A linearidade intrínseca é fortemente influenciada pelo projeto do estágio de saída, especialmente quando o amplificador está acionando uma carga: a distorção de cruzamento é sempre ruim, assim como um estágio de saída que é assimétrico em suas capacidades de fornecer/absorver corrente (como o LM358, com um Darlington *npn pull-up* e um único transistor *pnp pull-down*). E um leiaute deficiente dentro do chip pode criar não linearidades a partir dos *offsets* térmicos produzidos pelo aquecimento local durante o acionamento de uma carga.

Em um bom conjunto de medidas, Bob Pease[19] explorou a não linearidade do ganho em baixa frequência de uma seleção de tipos de AOPs (infelizmente, nenhum de outros fabricantes), funcionando como inversores de ganho unitário com uma variação total na saída; ele fez medições com os AOPs sem carga e acionando uma carga de 1 kΩ. O esquema básico está ilustrado na Figura 5.23A, em que um osciloscópio mostra o erro de entrada do amplificador em função de sua variação de saída. Para as medições reais de Pease, ele usou a variante sutil na Figura 5.23B, na qual o AOP amplifica seu erro por ×1000, entregando a má notícia diretamente.

Os tipos de coisas que você vê (com carga na saída de um AOP) são mostrados na Figura 5.24, em que temos traços de Pease esboçados para o LM358 mencionado antes (afetado com o fornecimento/absorção assimétrico) e o LM8262 (rápido, mas afetado com alguma distorção de cruzamento). Um AOP exemplar como o LM4562 de distorção muito baixa apresenta uma linha reta quase-horizontal ideal. O LF411 (simples) e o LF412 (duplo), os nossos AOPs JFET comuns, mostram um contraste interessante: de acordo com Pease, o leiaute do chip do LF411 é insuficiente (em termos de ganho e efeitos térmicos), com grande esforço recompensado com melhores resultados no LF412, duplo.

Aqui estão alguns de seus resultados resumidos para AOPs acionando uma carga um pouco mais leve (4 kΩ). Em geral, a não linearidade do ganho medido, quando *sem carga*, foi muito menor do que estes valores listados. Tenha em mente que essas medidas foram feitas em frequências muito baixas (geralmente apenas alguns hertz), em que o ganho de malha é máximo.

---

[19] Nota de aplicação NA-1485 da National Semicondutor: *O Efeito de Cargas Pesadas na Precisão e Linearidade de Circuitos Amplificadores Operacionais* (ou "*Que história é essa de impedância de saída, afinal?*"). Dados de não linearidade de ganho podem ser encontrados em algumas folhas de dados, por exemplo, as do amplificador de instrumentação AD620.

HV BJT ($V_{sinal} = \pm 10$V)

LM8262	12 ppm	distorção de cruzamento
LM358	1 ppm	estágio de saída assimétrico
LF411	1,4 ppm	leiaute deficiente – térmico
LF412	0,3 ppm	leiaute melhor
LM4562	0,025 ppm	áudio profissional, $G_{OL} = 10^7$

CMOS RRO ($V_{sinal} = \pm 14$ V)

LMC6482	1,1 ppm	comum
LMC6062	0,2 ppm	de precisão

CMOS auto-zero ($V_{sinal} = \pm 2$ V)

LMP2012	0,2 ppm	de precisão

5.8.7 Erro de Fase e "Compensação Ativa"

Conversamos principalmente sobre o erro de *ganho* causado pela largura de banda limitada do AOP (e, portanto, o ganho de malha que cai com o aumento da frequência). Mas o ganho de malha limitado também produz erro de *fase*, o que pode ser importante em aplicações tais como vídeo, interferometria e assim por diante. E o efeito não é nada desprezível – lembre-se (Seção 1.7.9) de que um decaimento como o de um circuito RC produz um deslocamento de fase de 6° a uma frequência de $f_C/10$, e 0,6° para $f_C/100$; este último está duas décadas completas abaixo do ponto de interrupção em -3 dB. Se modelamos o decaimento de um AOP de ganho de malha aberta semelhante (um decaimento de "polo simples"), podemos esperar deslocamentos de fase comparáveis.

Nesta aproximação, o deslocamento de fase resultante de um amplificador de tensão AOP é dada por

$$\phi = \text{tg}^{-1}\left(\frac{f}{f_C}\right) \approx \frac{f}{f_C} \text{ (radianos)},$$

em que o ponto de interrupção em -3 dB, f_C, é a frequência com que o ganho de malha cai para a unidade: $f_C = f_T/G_{CL}$. Aqui, G_{CL} é o ganho de malha fechada (como definido pela rede de realimentação), e f_T é o produto ganho-largura de banda (GBW – *gain-bandwidth*) do AOP (para um decaimento de polo simples que é o mesmo que a frequência na qual o ganho de malha aberta é unitário; mas, para AOPs típicos, com decaimentos mais complicados, você pretende utilizar o parâmetro GBW). Multiplique por 57,3 (180/π) para obter a resposta em graus. O resultado aproximado (a última expressão) é razoavelmente preciso para pequenos a moderados deslocamentos de fase, até 0,5 radiano, por exemplo.

Existem várias formas para resolver esse problema. A mais simples é a utilização de um amplificador de largura de banda maior. Se você não quer (ou não pode) fazer isso, outra possibilidade é a introdução de uma rede RC no caminho de realimentação para cancelar o erro de fase (na linguagem do plano *s*, você está introduzindo um zero para cancelar um polo). Isso pode ser eficaz, mas requer "sintonia" da rede de compensação para coincidir com a resposta de frequência do próprio AOP específico; e, devido às características do AOP variarem com a temperatura, a rede deve fazer o mesmo. Uma terceira possibilidade é a conexão em cascata de dois estágios, cada um configurado para um ganho menor (e, por conseguinte, erro de fase menor).

Mas uma solução elegante é uma *compensação ativa*, uma técnica inteligente que utiliza um segundo AOP correspondente para criar uma réplica do erro, que pode, então, ser subtraída a partir do amplificador principal. A Figura 5.25 mostra como isso pode ser feito.[20] A largura de banda do amplificador principal mantém-se inalterada, mas o seu erro de fase é reduzido drasticamente, como mostrado na simulação do SPICE e nos dados medidos da Figura 5.26. Há algum pico na amplitude de resposta – cerca de $+3$ dB na frequência a que o erro de fase é de 45° –, mas geralmente insignificante dentro da faixa de frequência sobre a qual o erro de fase é pequeno (por exemplo, $+0,1$ dB para $f = 0,1 f_T/G_{CL}$). Um circuito configurado para um baixo ganho de malha fechada geralmente apresenta maior pico.[21] Sob a hipótese de que os amplificadores são casados, pode ser mostrado que

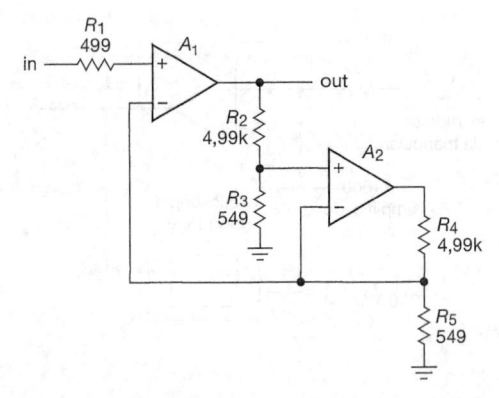

FIGURA 5.25 Redução de erro de fase por meio de "compensação ativa", que explora as respostas de frequência estreitamente alinhadas da dupla de AOPs A_1 e A_2.

---

[20] Veja "*Active Feedback Improves Amplifier Phase Accuracy*" (A Realimentação Ativa Melhora a Precisão de Fase do Amplificador), de J. Wong, EDN Magazine, 17 de setembro de 1987; reeditada a nota de aplicação NA-107 da Analog Devices. Wong credita a ideia a Soliman em um artigo de 1979, e Soliman credita a ideia a Brackett e Sedra em um artigo de 1976. Mas o artigo de Wong é a referência mais útil para entender a configuração da Figura 5.25.

[21] Nas simulações do SPICE, descobrimos que o pico aumentou para ~7 dB para o modelo LF412 configurado para $G = 2$; ele pode ser domado pela adição de um capacitor de compensação C_C sobre resistor de realimentação R_2. Escolher C_C para casar o f_T do AOP (ou seja, $C_C = 1/2\pi f_T R_2$) reduziu o pico para 4 dB, à custa da triplicação do erro de fase (muito pequeno). No seu artigo, James Wong adverte que a técnica pode resultar em um amplificador instável para ganhos baixos, por exemplo, abaixo de $G = 5$. Ele mostra também como a técnica pode ser melhorada se A_2 for construído a partir de dois amplificadores.

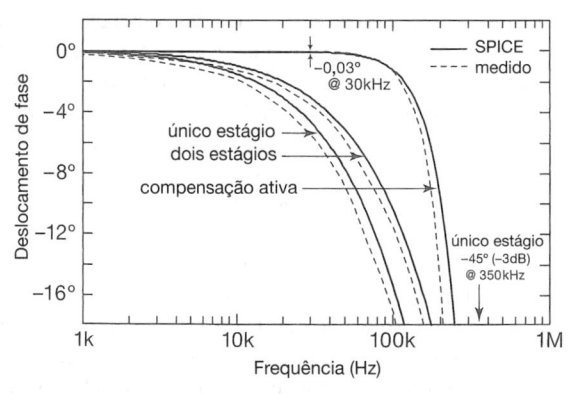

FIGURA 5.26 Simulação SPICE e os dados medidos do deslocamento de fase em função da frequência para o circuito da Figura 5.25, implementado com um AOP JFET duplo LF412. Para comparação, os dados análogos são traçados tanto para um único estágio de $G = 10$ quanto para dois estágios conectados em cascata, cada uma com $G=\sqrt{10}$. O f_C do dispositivo medido foi 295 kHz, um pouco menor do que 350 kHz do modelo SPICE.

esta técnica produz um deslocamento de fase dado aproximadamente por

$$\phi \approx \left(\frac{f}{f_C}\right)^3 \text{ (radianos)},$$

Novamente, preciso para deslocamentos de fase de pequeno a moderado (por exemplo, ≲30°, ou seja, a aproximação de pequeno ângulo).

AOPs reais não são perfeitamente casados. Para ver como um descasamento em f_T afeta a compensação de fase, executamos uma simulação SPICE com um desfasamento f_T de ±10% (Figura 5.27). Evidentemente, nosso dispositivo de ensaio de bancada, escolhido bastante aleatoriamente (colocar a mão dentro da caixa de componentes, pegar o primeiro que alcançar, retirá-lo e medi-lo), tem um casamento de f_T consideravelmente melhor, como sugerido por Wong: "AOPs duplos ou quádruplos monoliticamente casados podem fornecer as características de casamento de frequência (dentro de 1% a 2%) necessárias para o sucesso da abordagem de uma realimentação ativa."[22]

É interessante comparar deslocamentos de fase previstos para vários cenários mencionados no início: (a) um único amplificador de determinada largura de banda (vamos chamá-la de f_{T0}, 3 MHz para o LF412), configurado para um ganho de malha fechada $G = 10$; (b) dois estágios em cascata, cada um com $G = \sqrt{10}$; (c) o método de compensação ativa da Figura 5.25; e (d) um único amplificador de maior

---

[22] Voltamos para a bancada e medimos um punhado de AOPs duplos LF412. Entre os diferentes espécimes, os valores de f_T variaram ao longo de ±20%, mas dentro de qualquer dispositivo simples o f_T dos seus dois AOPs casados normalmente a 0,1%, com um valor discrepante que mostra um descasamento de 1,5%.

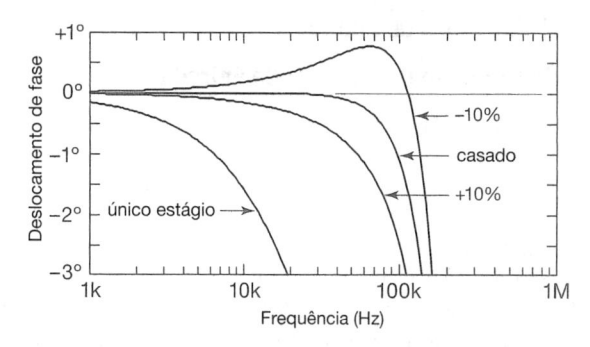

FIGURA 5.27 A compensação ativa de erro de fase requer larguras de banda de AOPs casados, como visto nesta simulação do SPICE para o qual o f_T do AOP de compensação A_2 foi variado ±10% em relação ao do caminho do sinal pelo AOP A_1.

largura de banda ($10f_{T0}$, por exemplo). Aqui estão os resultados calculados:

	Único, $G = 10$	2 estágios, em cada um $G=\sqrt{10}$	Compensação ativa	Único, $f_T = 10\,f_{T0}$
$0,001f_{T0}$	−0,57°	−0,36°	−0,00006°	−0,006°
$0,003f_{T0}$	−1,7°	−1,1°	−0,0015°	−0,17°
$0,01f_{T0}$	−5,7°	−3,6°	−0,06°	−0,57°
$0,03f_{T0}$	−17,2°	−10,9°	−1,5°	−1,7°
$0,1f_{T0}$	−45°	−36°	−45°	−5,7°

Está claro que a notável (e subutilizada) técnica de compensação ativa representa uma utilização eficiente dos recursos. O caso do não inversor de $G = 2$ parece especialmente útil, por exemplo, para acionar cabos de vídeo com extremidades terminadas em 75 Ω.[23]

5.9 AOPS RRIO: O BOM, O MAU E O FEIO

No Capítulo 4 (Seções 4.4.1, 4.4.2 e 4.6.3), introduzimos os AOPs trilho a trilho (*rail-to-rail*, RR), incluindo (a) AOPs que operam corretamente com entradas em modo comum sobre a faixa de tensão de alimentação completa (RRI), (b) AOPs que podem variar suas saídas ao longo da faixa de alimentação completa (RRO) e (c) AOPs que pode fazer as duas coisas (RRIO). Com tensões de alimentação cada vez mais baixas em voga, você vê muitos AOPs novos com esses recursos desejáveis.

Desejáveis, mas que devem ser usados com cautela. Esses benefícios têm um custo, que discutiremos aqui no contexto de projeto de precisão. Em circuitos que se esforçam em busca de precisão, há alguns compromissos ocultos nos projetos desses AOPs sobre os quais a folha de dados pode apresentar dados reduzidos (ou nenhum dado). Aqui estão os mais importantes.

---

[23] Ou, às vezes chamado de "dupla terminação", como na Figura 12.110. Sugerimos tentar o seu amplificador de escolha, tendo o cuidado de terminar o segundo AOP com 150 Ω.

5.9.1 Questões de Entrada

A. Cruzamento de Corrente de Entrada

A maioria dos AOPs RRI usa um par complementar nos estágios de entrada diferenciais, com suas entradas acionadas em paralelo, para lidar com a faixa de tensão de alimentação completa (Figura 5.28). Isso provoca uma mudança na corrente de entrada, porque o percurso do sinal muda de um par para o outro, como se vê claramente na Figura 5.7 (especialmente os AOPs RRI de entrada BJT: LT1630, LM6132). Uma mudança brusca na corrente de entrada provoca erros de entrada a partir da impedância de acionamento finita. Alguns AOPs RRI evitam esse problema usando uma bomba de carga no chip para gerar uma tensão de alimentação além do trilho, portanto, um amplificador de entrada simples permite entradas trilho a trilho. Exemplos disso são a série OPA360,[24] a AD8505 e ADA4505, a série MAX4162 e a série MAX4126. Exceto pelo MAX4126 com entrada BJT, todos eles utilizam entradas MOS.

Em situações em que você precisa de um RRO, mas não precisa de *entrada* trilho a trilho completa (um amplificador de tensão com $G > 2$, por exemplo), certifique-se de considerar um AOP RRO com entrada que se estende até o trilho negativo apenas (às vezes, chamado de "detector de terra"). Note também que, usando um AOP em uma configuração de circuito inversor, evita-se esse problema completamente (mas você provavelmente não iria escolher um AOP RRI para tal configuração, de qualquer maneira).

B. Cruzamento da Tensão de *Offset* de Entrada

Os estágios de entrada duais de AOPs RRI provocam dano semelhante em termos de sua tensão de *offset* de entrada V_{OS}, como visto na Figura 5.29. A variação brusca pode ocorrer próxima de qualquer extremidade da faixa de alimentação, como pode ser visto nos AOPs LMP7701 e LMP7731 do mesmo fabricante. Essas curvas foram adaptadas de suas respectivas folhas de dados, que normalmente exibem uma figura que mostra um emaranhado de curvas medidas sobrepostas em várias amostras de AOPs (se é que eles estão dispostos a mostrar algum dado sobre esse tópico obscuro). Aqui você pode ver por comparação o comportamento não complicado (e certamente *chato*) de um AOP RRI com uma bomba de carga no chip alimentando um amplificador de entrada simples. Essa variação de V_{OS} com V_{CM} não é apenas indesejável, como também imprevisível, conforme você pode ver na Figura 5.30.

Esse problema é bem contornado pela utilização de uma configuração inversora, o que mantém constante a tensão de entrada de modo comum. De modo mais geral, sempre considere o uso de uma configuração inversora para evitar *qualquer* mau comportamento do circuito provocado pela dependência do AOP em V_{CM}.[25]

A folha de dados OPA350 mostra um bom exemplo (Figura 5.31) de efeitos de cruzamento de entrada em AOPs RRI, ou seja, um aumento de 17 dB na distorção de áudio em um seguidor com $G = 1$ quando a entrada de onda senoidal de 3 V_{PP} é deslocada para cima para entrar na região de cruzamento.[26] O mesmo gráfico ilustra bem como o aumento do ganho de malha fechada provoca aumento de distorção devido à diminuição do ganho de malha.

5.9.2 Questões Sobre a Saída

A. Impedância de Saída

O estágio de saída de um AOP convencional (sem RRO) é normalmente um seguidor *push-pull* complementar (ou

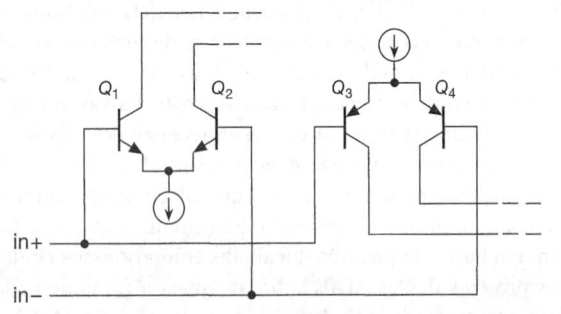

FIGURA 5.28 Um circuito de entrada trilho a trilho típico consiste em um par de amplificadores diferenciais complementares, com circuito a jusante para selecionar a saída do par ativo.

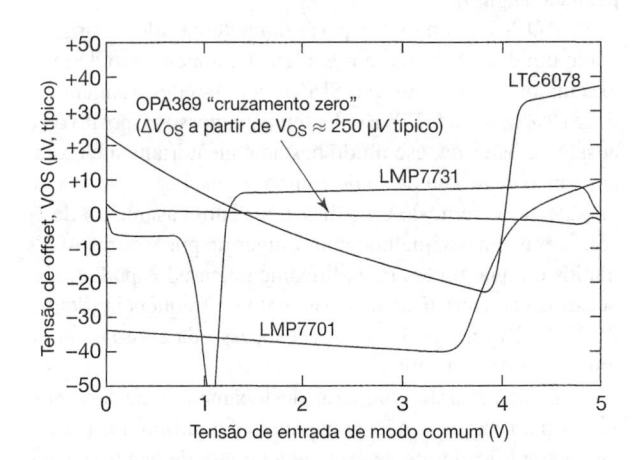

FIGURA 5.29 AOPs com entradas trilho a trilho (RR) geralmente exibem um deslocamento de V_{OS} conforme o controle da tensão de entrada passa de um par de entrada para o outro. O OPA369 contorna isso usando um único par de entrada alimentado além do trilho por uma bomba de carga no chip.

---

[24] Jocosamente chamados de amplificadores de "Cruzamento ZerØ" (ZerØ-Crossover), ou ZCOs (em inglês).

[25] Como Jim Williams gostava de dizer, "Use uma configuração inversora, a menos você não possa".

[26] Ver também o artigo de Bonnie Baker (da série *Baker's Best*) "Where did all that racket come from? ("De onde é que veio toda essa confusão?") na EDN Magazine, 23 de abril de 2009, disponível em edn.com.

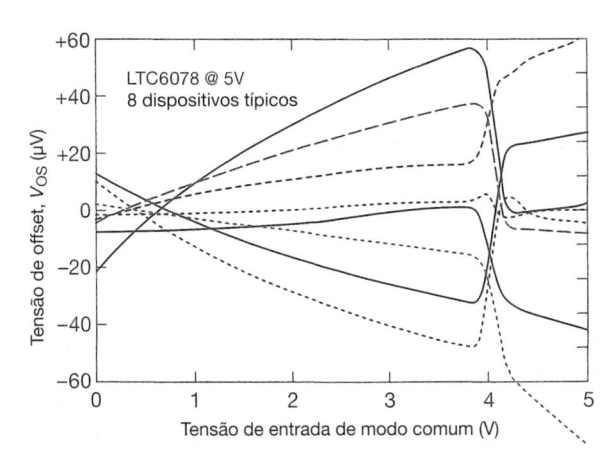

FIGURA 5.30 O deslocamento da tensão de *offset* em um AOP RRI pode ser imprevisível (mesmo quanto ao *sinal* do efeito!), como pode ser visto nestes dados, adaptados a partir da folha de dados do fabricante prestes a ser publicada.

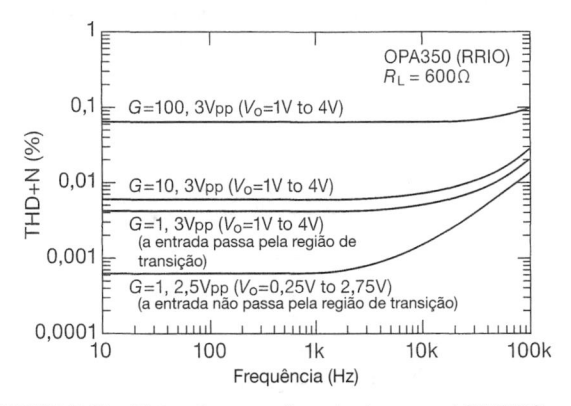

FIGURA 5.31 Distorção *versus* frequência para o AOP RRIO OPA350. As duas curvas mais baixas mostram o aumento drástico da distorção quando o sinal de entrada entra na região de cruzamento de entrada. O aumento do ganho de malha fechada provoca novas distorções por causa do ganho de malha reduzido.

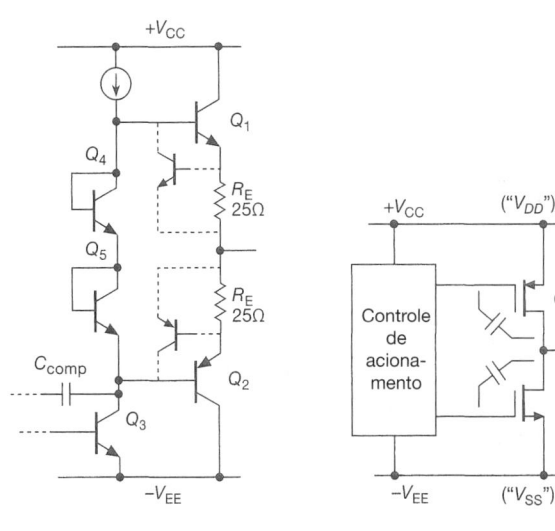

A. Seguidor (sem RRO)   B. Amplificador (RRO)

FIGURA 5.32 O estágio de saída de um AOP clássico (sem trilho a trilho) é um seguidor de ganho unitário *push-pull* com inerentemente baixa impedância de saída, polarizado para suprimir a distorção de cruzamento (via Q_4Q_5); ele tem polarização direta e limitação de corrente. Em contraste, um estágio de saída trilho a trilho (geralmente implementado em CMOS) é um amplificador de fonte comum *push-pull* ($G > 1$) com impedância de saída inerentemente alta; isso requer artifícios consideráveis na sua polarização e limitação de corrente.

alguma variação correspondente), polarizado com sobreposição de acionamento para evitar a distorção de cruzamento na metade da alimentação (ver Seção 5.8.3). Por outro lado, o par complementar de saída em um AOP RRO é configurado como um *amplificador* de fonte comum *push-pull*; veja a Figura 5.32. Isso é necessário para a saída alcançar os trilhos (na ausência de um segundo conjunto de tensões de alimentação além dos trilhos). No entanto, ele cria problemas devido à sua inerente impedância de saída elevada.

O Z_{out} alto significa que o ganho do estágio de saída (e, portanto, o ganho de malha) depende do valor da resistência de carga; e uma carga capacitiva cria grandes deslocamentos de fase, comprometendo a estabilidade da malha (ver, por exemplo, a Figura 4.79). Esses problemas são abordados, em parte, pelo uso de realimentação interna em torno do estágio de saída (os capacitores na Figura 5.32B), de modo que o

ganho e as impedâncias de saída são razoavelmente bem controlados, exceto em baixas frequências – ver, por exemplo, as Figuras 5.33 e 5.34.[27]

B. Saturação nos Trilhos

Alguns AOPs de "saída trilho a trilho" (em especial, aqueles com um estágio de saída BJT) não alcançam os milivolts finais; isso ocorre porque a tensão de saturação do transistor de saída não é zero. (Isso geralmente não é um problema com saídas MOSFET, que se parecem com uma R_{on} a um trilho ou ao outro quando acionado na faixa completa.) Normalmente, isso não importa, porque o que você mais deseja é ter o uso pleno de uma tensão de alimentação limitada (quando se opera com fontes de baixa tensão). Mas não importa, por exemplo, se você tiver uma configuração de fonte simples em que o AOP está acionando um ADC cuja faixa de conversão desce livremente até o terra.

Em tal caso, não se esqueça de verificar as especificações. Para alguns AOPs RRO, elas o informarão que a saída

---

[27] É incomum ver gráficos (ou até mesmo valores tabelados) de impedância de saída de malha aberta em folhas de dados; e, nos casos em que um gráfico é mostrado, raramente se estende a frequencias muito baixas. É provável que outros amplificadores operacionais, incluindo alguns com estágios de saída convencional (seguidor), também apresentem um aumento na impedância de saída em malha aberta em frequências muito baixas. Isso, porém, raramente importa, devido ao ganho de malha muito alto cair nestas frequências.

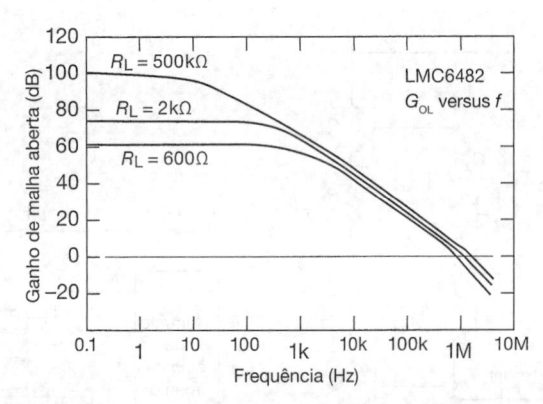

FIGURA 5.33 O ganho de baixa frequência dos AOPs de saída trilho a trilho pode depender fortemente da resistência de carga, como visto aqui para o LMC6482.

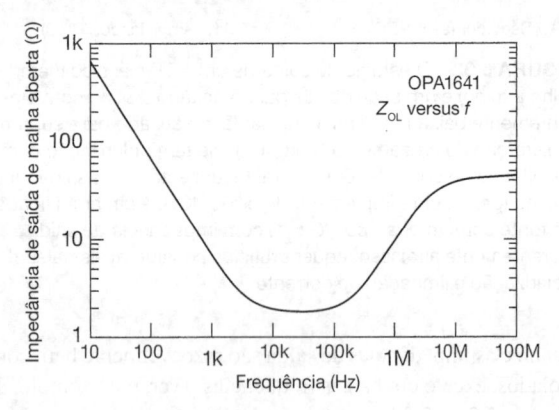

FIGURA 5.34 Para alguns AOPs RRO, a impedância de saída de circuito aberto sobe acentuadamente em baixas frequências, devido à realimentação negativa capacitiva interna em torno do estágio de saída que se torna ineficaz em baixas frequências. Contudo, não se preocupe, há um ganho de malha grande em baixas frequências em aplicações de AOPs típicas.

não chegará ao trilho negativo (por exemplo, 10 mV para o bipolar LT6003); outros o instruirão a adicionar um resistor *pull-down* externo ou coletor de corrente (por exemplo, o bipolar LT1077, que satura a 3 mV sem *pull-down* e a 0,1 mV com um *pull-down* de 5 kΩ). AOPs com saturação MOSFET plena lhe dirão para não se preocupar – a saída sem carga irá até o terra (por exemplo; ≲ 0,1 mV para o CMOS AD8616 ou AD8691).

C. Distorção

O estágio de saída trilho a trilho (Figura 5.32B) apresenta desafios reais para o projetista de chip quando se trata de polarização quiescente e redução de distorção de cruzamento. Apesar dos esforços heroicos, esses amplificadores geralmente têm um desempenho de 20 a 40 dB pior do que as suas contrapartes convencionais (sem RRO) em termos de distorção,

como visto no par de gráficos nas Figuras 5.43 (sem RRO) e 5.44 (principalmente RRO).[28]

D. Circuito de Saída de Monticelli

Uma solução de circuito RRO elegante foi concebida por Monticelli[29] e é mostrada aqui de forma simplificada na Figura 5.35. Ele tem o efeito de polarização do par *push-pull* Q_1Q_2 de tal maneira que há uma sobreposição de corrente no cruzamento e, melhor ainda, não há corrente contínua através dos dois transistores *ao longo da variação de saída*. Podemos chamar isso de modo "classe A *push-pull*" (embora ele pareça já ter sido nomeado: "classe AA"). Ele é utilizado, por exemplo, no CMOS OPA365 e no BJT OPA1641. E funciona – esses dispositivos têm distorção harmônica de −114 dB e −126 dB, respectivamente.

Aqui está uma descrição do funcionamento das partes do circuito de Monticelli: em primeiro lugar, pense em Q_3 e Q_4 cada um como amplificadores de corrente de ganho unitário cujo terminal da fonte é o "ponto de soma" (porque a porta é mantida sob tensão fixa). Agora imagine um aumento da corrente do sinal de entrada, o que reduz a corrente líquida absorvida na fonte de Q_4. Isso reduz seu V_{GS} com o aumento do

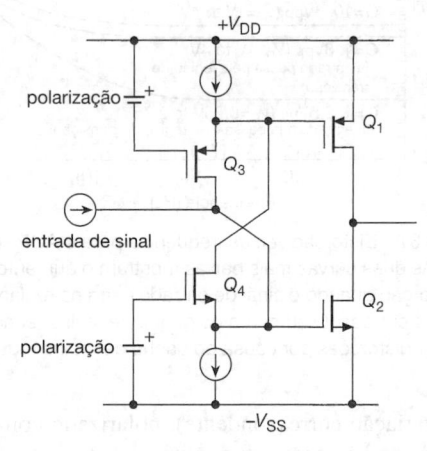

FIGURA 5.35 O circuito de saída trilho a trilho de Monticelli.

---

[28] Com toda a franqueza, notamos que alguns dos resultados de "distorção" mais fracos (que são, na verdade, THD+N – distorção mais ruído) podem ser devidos às tensões de alimentação menores dos AOPs RRO, necessitando de níveis de sinal baixos, fazendo os ruídos se tornarem maiores.

[29] Veja sua patente US4570128 e seu artigo IEEE *JSSC* (SC-21, nº 6, 1986), em que ele diz: "O estágio de saída (Figura 8) deve resolver um problema de deslocamento de nível que tem atormentado projetos trilho a trilho por algum tempo. Soluções elaboradas foram propostas para combinar várias malhas de realimentação embutidas que são, de fato, AOPs dentro de AOPs. Para ter sucesso como um quádruplo de uso geral, uma solução mais simples tinha que ser encontrada". Embora originalmente desenvolvido na National Semiconductor (NSC), esse circuito (ou variações próximas) é popular entre os projetistas de AOP na Analog Devices e na Texas Instruments (mesmo antes de a NSC ser adquirida por ela).

V_{GS} de Q_2, aumentando, assim, a corrente *pull-down* de saída. Enquanto isso, a redução da corrente de dreno de Q_4 faz menos corrente de fonte de Q_3 ser desviada, aumentando assim o V_{GS} de Q_3; isso faz reduzir o V_{GS} de Q_1 e, por conseguinte, gera uma corrente de saída *pull-up* menor. A corrente quiescente global é definida pela polarização CC aplicada a Q_3 e Q_4. Portanto, é um circuito bem equilibrado, com uma corrente de entrada de terminação simples e uma corrente de saída *push-pull*.

Este é um circuito legal! Este circuito intrinsecamente simétrico também funciona bem com acionadores de corrente diferenciais para os drenos de Q_3 e Q_4, uma configuração que você verá muitas vezes.

5.10 ESCOLHA DE AOP DE PRECISÃO

Se não há algo como um amplificador operacional perfeito, então isso é especialmente verdadeiro para AOPs de precisão. Embora a perfeição suficiente possa ser alcançada em poucos parâmetros, as compensações de projeto necessárias para atingir um parâmetro invariavelmente degradam outros. Por exemplo, se precisamos de um AOP de média frequência bem silencioso, um CI silencioso de classe mundial, não seremos capazes de desfrutar de correntes de polarização baixas de classe mundial.[30] Isso porque o amplificador usará transistores bipolares na entrada, que terão de ser operados em correntes de coletor bastante elevadas, e você sabe o que isso significa para as correntes de base (por exemplo, veja o LT1028). Outro exemplo: se quisermos corrente de operação de micropotência, não seremos capazes de desfrutar de um tempo de estabilização rápido de classe mundial, pois não seremos capazes de ter um f_T alto e taxas de variação rápidas; isso consome potência, e muita.

Nesta seção, daremos uma olhada em profundidade no processo de escolha de um AOP de precisão que seja adequado para o trabalho em questão, ligado intimamente a uma ampla seleção de dispositivos exemplares nas Tabelas 5.5 e 5.6. Se você tem um projeto de circuito com o qual está lutando, esta seção deve ajudá-lo. O nível fundamental de detalhe que se segue é essencial para o projeto cuidadoso que distingue um excelente circuito de outro que é apenas uma aposta incerta. Para o leitor casual, por outro lado, o nível de detalhe na abordagem a seguir pode ser, dessa forma, "não suficientemente superficial".[31]

Começando a nossa jornada sobre os parâmetros de um AOP de precisão e seus significados, convidamos você a mergulhar nos dados. Com seus objetivos de projeto de circuitos em mente, comece com um importante parâmetro de AOP e procure as melhores opções. Depois de se concentrar em um valor muito bom de um parâmetro, você pode examinar outros para esse AOP: alguns dos outros parâmetros para o nosso AOP vencedor agora parecem más escolhas? Talvez o seu AOP não seja um vencedor, no fim das contas. Ou talvez você tenha que voltar para suas metas de projeto, ajustá-las de acordo com a realidade e repetir o processo. Lembre-se sempre de que "a engenharia é a arte da transigência".

5.10.1 "Sete AOPs de Precisão"

Sete é um número bom, e, como preparação para a longa discussão sobre a questão muito prática de escolher um AOP de precisão, fornecemos, na Tabela 5.5, uma comparação das especificações importantes para uma lista atualizada dos sete dos nossos AOPs de precisão favoritos. O problema é que simplesmente não podíamos nos limitar a apenas sete – está mais perto de sete *dúzias*! Passe algum tempo com essa tabela (e marque seus próprios sete favoritos!) – ela vai te dar uma boa ideia sobre os dilemas que você enfrenta em projetos de alto desempenho com AOPs. Observe particularmente os compromissos de tensão de *offset* (e deriva) em função da corrente de entrada para os melhores AOPs bipolar e JFET. Você também terá a menor tensão de ruído de AOPs bipolares, que tende a cair com o aumento da corrente de polarização; veremos por que isso acontece mais tarde, no Capítulo 8, quando discutirmos ruído. Os prêmios por *corrente* de entrada baixa, no entanto, sempre vão para os AOPs FET, novamente por razões que se tornarão claras mais adiante. Em geral, escolha AOPs FET para corrente de entrada e ruído de entrada baixos; escolha AOPs bipolares para um *offset* de tensão de entrada, deriva e ruído de tensão baixos.

Entre AOPs de entrada FET, os que utilizam JFETs dominam a cena, em especial quando é necessária precisão combinada com baixo nível de ruído (mas nem *todos* são AOPs JFET: note que os nossos dispositivos comuns favoritos, LF411/412, não são precisos o suficiente para se qualificarem a aparecerem na tabela). Entretanto, esse domínio está sendo contestado por alguns dispositivos CMOS de baixa tensão, como o MAX4236A e o OPA376, e por dispositivos como o TLC4501A, que usam truques tais como autozero na energização.[32]

---

[30] Na Seção 8.6.3, mostraremos um circuito de AOP discreto, em que ambos os objetivos são alcançados.

[31] Uma frase escrita por um estudante em um questionário de fim de curso: "Este curso não foi suficientemente superficial para mim".

[32] Havia tradicionalmente um problema peculiar para MOSFETs, que foi amplamente resolvido através de melhorias de processo. Transistores MOS são sensíveis a um único efeito debilitante que nem FETs nem transistores bipolares têm. Acontece que a migração de impurezas de íons de sódio e/ou efeitos de polarização de fósforo na camada isolante da porta pode causar derivas da tensão de *offset* em condições de malha fechada, em casos extremos, de até 0,5 mV ao longo de um período de anos. O efeito é aumentado em condições de temperaturas elevadas e de sinal diferencial de entrada aplicado grande, com algumas folhas de dados mostrando uma variação típica de V_{OS} de 5 mV ao longo de 3000 horas de funcionamento a 125°C com 2 V na entrada. Esse problema de íons de sódio pode ser atenuado pela introdução de fósforo na região da porta. A Texas Instruments, por exemplo, usa uma porta de polissilício dopado com fósforo em sua série "LinCMOS" de AOPs (série TLC270) e comparadores (série TLC339 e TLC370). Esses dispositivos baratos e populares estão disponíveis em uma variedade de encapsulamentos e seleções de velocidade/potência e mantêm tensões de *offset* respeitáveis com o tempo (deriva de *offset* eventual de 50 μV por volt de entrada diferencial).

TABELA 5.5 "Sete" AOPs de precisão (página 1: alta tensão)

Nº identif.	Quant. por encap.[a]	Fonte[p] Faixa (V)	I_Q[t] (mA)	Corrente de entrada @25°C típico (pA)	Corrente de entrada @25°C máx (pA)	V_{OS} típico (µV)	V_{OS} máx (µV)	ΔV_{OS} típico (µV/°C)	ΔV_{OS} máx (µV/°C)	CMRR min (dB)	$V_n$pp CC[b] (µV)	e_n 1kHz (nV/√Hz)	i_n[k,o] 1kHz (fA/√Hz)	GBW típico (MHz)	Variação típico (V/µs)	Estabilização (µs)	gráfico de distorção	C_{in} pF	Variação para a fonte IN	Variação para a fonte OUT	pinos de cancelamento	pino de comp.	pino de desligamento	disponível em DIP	Custo quant. 25 ($US)	Observações
Bipolar de alta tensão																										
LT1077A	1	2,2–44	0,05	7 nA	9 nA	9	40	0,4	1,6	97	0,5	27	65	0,23	0,08	–	–	low	–	–	•	–	–	•	3,84	fonte simples
LT1490A	2,4	2,5–44	0,04	1 nA	8 nA	110	500	2	4	84	1	50	15	0,2	0,07	–	–	4,6	–	–	–	–	–	•	3,25	destaque
AD8622A	2	4–36	0,22	45 nA	200 nA	10	125	0,5	1,2	125	0,2	11	150	0,56	0,48	–	•	5,5	–	–	–	–	–	•	5,33	
LT1013[f]	2,4	3,4–44	0,35	12 nA	20 nA	40	150	0,4	2,0	100	0,55	22	70	0,7	0,4	–	–	low	–	–	–	–	–	•	3,13	fonte simples
OPA277	1,2,4	4–36	0,79	0,5 nA	1 nA	10	20	0,1	0,15	130	0,22	8	200	1	0,8	16	•	low	–	–	–	–	–	•	3,17	OP-27 melhorado
TLE2141A	1,2,4	4–44	3,5	0,7 nA	1,5 µA	175	500	1,7	–	85	0,5	10,5	1900	5,9	45	0,4	•	low	–	+	–	–	–	•	1,15	variação de acoplamento cruzado
LT1677	1	3–44	2,8	2 nA[e]	20 nA[e]	20	60	0,4	2	109	0,09	3,2	1200	7,2	2,5	5	•	low	–	–	–	–	–	•	3,07	um "LT1007 RRIO"
AD8675	1,2	9–36	2,5	0,5 nA	2 nA	10	75	0,2	0,6	114	0,1	2,8	300	10	2,5	2,1	•	4,2	–	–	–	–	–	•	2,22	distorção de 0,6 ppm, dual = '76
OPA2209	1,2,4	4,5–40	2,2	1 nA	4,5 nA	35	150	1	3	120	0,13	2,2	500	18	6,4	–	•	4	–	–	–	–	–	•	4,04	distorção de 0,25 ppm, SOT23
LT10079	1	4–44	2,7	10 nA	35 nA	40	125	0,2	0,6	117	0,06	2,5	400	8	2,5	–	–	4	–	–	–	–	–	•	2,48	'37 descomp. 60 MHz
ADA4004	1,2,4	9–36	2,2	40 nA	90 nA	40	125	0,7	1	110	0,15	1,8	3500	12	2,7	0,8	•	4	–	–	–	–	–	•	4,20	família, SOT23
LT1468	1	7–36	3,9	3 nA	10 nA	30	75	0,7	2	96	0,3	5	600	90	23	0,8	•	4	–	–	–	–	–	•	4,26	distorção de 0,7 ppm
AD8597	1,2	9–36	4,8	40 nA	210 nA	10	120	0,8	2,2	120	0,08	1,1	4300	10	16	2,0	•	12	–	–	–	–	–	•	3,71	distorção de 1 ppm
LT1028A[h]	1	8–44	7,4	25 nA	90 nA	10	40	0,2	0,8	108	0,04	0,85	4700	75	15	–	•	5	–	–	–	–	–	•	6,48	I_B menor do que AD697
superbeta de alta tensão																										
LT6010A[n]	1,2,4	2,7–40	0,14	20	110	10	35	0,2	0,8	107	0,4	14	100	0,35	0,11	45	•	4	–	–	–	–	–	•	2,22	substituiu o LT1012, s/ RRO
LT1012AC[m]	1	2,4–40	0,37	25	100	8	25	0,2	0,6	114	0,5	14	(20)	0,5	0,2	–	–	low	–	–	–	–	–	•	5,11	tem pino de sobrecompensação
OP97E	1,2,4	4,5–40	0,40	30	100	10	25	0,2	0,6	114	0,5	14	(20)	0,9	0,2	–	–	low	–	–	–	–	–	•	5,52	duplo = '297, quádruplo = '479
AD706	2,4	4–36	0,8	50	200	30	100	0,2	1,5	106	0,5	15	50	0,8	1,5	–	–	2	–	–	–	–	–	•	4,05	AD704 quádruplo
LT1884A	2,4	3,5–40	0,85	150	400	25	50	0,3	0,8	114	0,4	9,5	50	2	0,9	10	•	low	–	–	–	–	–	•	5,23	mais lento que LT1882, I_B baixo
JFET de alta tensão																										
AD795	1	8–36	1,3	1	2	100	500	3	10	90	1	9	0,6	1,6	1	11	•	2,2	–	–	–	–	–	•	7,97	substitui o OPA111
OPA124PB	1	10–36	2,5	0,35	1	100	250	1	2	100	1,6	8	0,5	1,5	1,6	10	–	3	–	–	–	–	–	•	6,40	pino de substrato
OPA140	1,2,4	4,5–40	1,8	0,5	10	30	120	1	5	126	0,25	5,1	0,8	11	20	0,9	•	10	–	–	–	–	–	•	3,75	distorção de 0,5 ppm
AD711C	1,2	9–36	2,5	15	25	100	250	2	5	86	2	16	10	4	20	1,0	•	5,5	–	–	–	–	–	•	2,19	AD712 duplo de baixo custo
LT1055C[x]	1,2	20–40	2,8	10	50	100	250	3	12	85	1,8	15	1,8	4,5	12	1,8	•	4	–	–	–	–	–	•	2,52	1057 (dual), 1058 (quádruplo)
ADA4000	1,2,4	5–36	2	5	40	200	1700	2	–	80	1	16	10	12	2,7	–	–	5,5	–	–	–	–	–	•	1,46	comum, substituto do AD711
OPA192	1,2,4	4,5–40	1	5	20	5	25	0,2	0,5	120	1,3	5,5	1,5	10	20	0,9	•	0,6	–	–	–	–	–	•	3,87	CMOS, e-Trim™
OPA134	1,2,4	5–36	4	5	100	500	2000	2	–	86	–	8	3	8	20	1	•	8	–	–	–	–	–	•	1,60	distorção de 0,8 ppm, comum
OPA1641	1,2,4	4,5–40	1,8	2	20	1000	3500	3	–	120	–	5,1	0,8	20	11	–	•	15	–	–	–	–	–	•	2,76	distorção de 0,5 ppm, família
AD8620A	1,2	10–27	2,5	2	10	85	250	0,5	1	90	1,8	6	5	25	60	0,6	•	9	–	–	–	–	–	•	11,86	cuidado, ±12V máx
OPA827	1	8–40	4,8	15	50	75	150	1,5	–	104	0,25	3,8	2,2	22	28	0,55	•	7	–	–	–	–	–	•	9,00	mais barato que o 627
OPA627B	1	10–36	7	1	5	40	100	0,4	0,8	106	0,6	4,5	1,6	16	55	0,55	•	7	–	–	–	–	–	•	30,00	ADA4627B - fabricante licenciado
OPA637B	1	10–36	7	1	5	40	100	0,4	0,8	106	0,6	4,5	1,6	80	135	0,45	•	7	–	–	–	–	–	•	30,00	ADA4637B - fabricante licenciado
AD549KH	1	10–36	0,6	75 fA	0,1	150	250	2	5	90	4	35	0,5	1	3	5	–	1	–	–	–	–	–	–	28,00	–L=60 fA, encapsulamento TO-99
OPA129B	1	10–36	1,2	30 fA[z]	0,1	500	2000	3	10	80	4	17	0,1	1	2,5	–	–	2	–	–	–	–	–	•	12,00	menor I_B para dispositivo de alta tensão
chopper de alta tensão																										
LTC1150	1	4,8–32	0,8[s]	10	100	0,5	10	0,01	0,05	110	1,8	high	(1,8)	2,5	3	–	–	n	–	–	–	–	–	•	6,00	apenas alta tensão, AZ sem caps int.
ADA4638	1	4,5–33	0,85	45	90	0,5	4,5	–	0,08	130	1,2	66	100	1,5	1,5	4	–	9	–	–	–	–	–	•	–	picos de ruído de 5 kHz
OPA2188	1,2,4	4–40	0,42	160	850	6	25	0,03	0,09	120	0,25	8,8	750	2	0,8	27	–	9,5	–	–	–	–	–	•	new	

TABELA 5.5 "Sete" AOPs de precisão (página 2: baixa tensão)

Nº identif.	Quant. por encap.[a]	Fonte[p] Faixa (V)	Fonte[p] I_Q[t] (mA)	Corrente de entrada @25°C típico (pA)	Corrente de entrada @25°C máx (pA)	V_{OS} típico (μV)	V_{OS} máx (μV)	ΔV_{OS} típico (μV/°C)	ΔV_{OS} máx (μV/°C)	CMRR min dB	V_{npp} CC[b] (μV)	Ruído[t] e_n 1kHz (nV/√Hz)	Ruído[t] i_n[k] 1kHz (fA/√Hz)	GBW típico (MHz)	Variação típico (V/μs)	Estabilização[d] típico (μs)	gráfico de distorção	C_{in} pF	Variação para a fonte IN +	Variação para a fonte IN −	Variação para a fonte OUT +	Variação para a fonte OUT −	pinos de cancelamento	pino de ajuste de comp.	pino de desligamento	disponível em DIP	Custo quant. 25 ($US)	Observações
Bipolar de baixa tensão																												
LT6003	1,2,4	1,5-18	0,001	40	140	175	500	2	5	73	3	325	12	0,003	0,001	lento	-	6	●	●	●	●	-	-	-	-	1,60	SOT23, '6004 (dual)
EL8176	1	2,4-6	0,055	0,5 nA	2 nA	25	100	0,7	-	90	1,5	28	160	0,4	0,13	-	-	-	●	●	●	●	-	-	-	-	2,30	SOT23, bomba de carga
LMP7731	1,2	1,8-6	2,2	1,5 nA	30 nA	6	500	0,5	5,5	101	0,08	2,9	1100	22	2,4	-	-	-	●	●	●	●	-	-	-	-	1,98	SOT-23, 3nV/√Hz
LT6220	1,2,4	2,2-13	0,9	15 nA	150 nA	70	350	1,5	5	85	0,5	10	800	60	20	0,3	-	2	●	●	●	●	-	-	-	-	1,75	SOT-23
LT6230	1,2,4	3-12,6	3,3	5 μA	10 μA	100	500	0,5	3	96	0,18	1,1	2400	215	70	0,05	-	7	●	●	●	●	-	-	-	-	2,72	-10 = descomp., 1,3 GHz
JFET de baixa tensão																												
OPA656	1	9-13	14	2	20	250	1800	2	12	80	-	7	1,3	230	290	0,02	●	2,8	●	●	●	●	-	-	-	-	5,59	'657 para 1,6 GHz, G > 5
CMOS de baixa tensão																												
LMP2232A	1,2	1,8-6	0,01	0,02	1	10	150	0,3	0,75	81	2,3	60	0,1[c]	0,13	0,06	lento	●	-	●	●	●	●	-	-	-	-	3,29	'31 (único), '34 (quádruplo)
TSV611A	1,2	1,8-6	0,01	1	10	-	800	2	-	61	-	105	-	0,12	0,04	-	-	-	●	●	●	●	-	-	-	-	0,82	'612 (duplo)
AD8603	1,2,4	1,8-6	0,04	0,2	1	12	50	1	4,5	85	2,3	25	50	0,4	0,1	23	-	23	●	●	●	●	-	-	-	-	1,36	SOT-23, 1pA
LTC6078	2,4	2,7-6	0,055	0,2	1	7	25	0,2	0,7	95	1	18	0,25[c]	0,75	0,05	24	-	18	●	●	●	●	-	-	-	-	3,54	V_{OS} degrada próximo de V_+
LTC6081	2,4	2,7-6	0,33	0,2	1	-	70	0,2	0,8	93	1,3	13	0,5	3,6	1	6	-	7	●	●	●	●	-	-	-	-	4,75	degrada para $V_{cm} > V_{CC} -1,5$ V
MAX4236A	1	2,4-6	0,35	1	500	5	20	0,6	2	84	0,2	14	0,6	1,7	0,3	1	-	7,5	●	●	●	●	-	-	-	-	1,78	sem AZ, '4237 descomp.
LMC6482A	2,4	3-16	0,5	0,02	4	110[v]	750	1	-	70	-	37	30	1,5	1,3	2	-	3	●	●	●	●	-	-	-	-	1,88	'7101=SOT-23
OPA376	1,2,4	2,2-7	0,76	0,2	10	5	25	0,26	1	76	0,8	7,5	0,25[c]	5,5	2	2	-	13	●	●	●	●	-	-	-	-	1,32	CMOS etrim™
OPA364	1,2	1,8-5,5	0,85	0,2	10	-	500	3	-	74	10	17	0,6	7	5	1,5	-	3	●	●	●	●	-	-	-	-	2,18	bomba de carga, distorção de 20 ppm
TLC4501A	1,2	4-7	1	1	60	10	40	1	-	90	1,5	12	0,6	4,7	2,5	2,2	-	8	●	●	●	●	-	-	-	-	3,06	autocalibração em 0,3 s ao energizar
OPA743	1,2,4	3,5-13	1,1	1	10	1500	7000	8	-	66	11	30	2,5	7	10	15	-	4	●	●	●	●	-	-	-	-	1,58	comum
LMP7715	1,2	1,8-6	1,15	0,05	1	10	150	1	4	85	-	5,8	10	17	9,5	-	-	15	●	●	●	●	-	-	-	-	2,05	
LMP7717	1,2	1,8-6	1,15	0,05	1	10	150	1	4	85	-	6,2	10	88	28	1	-	15	●	●	●	●	-	-	-	-	2,18	descomp., G > 10
AD8692	1,2,4	2,7-6	0,85	0,2	1	400	2000	0,3	6	68	1,6	8	50	10	5	1	-	5	●	●	●	●	-	-	-	-	1,36	distorção de 0,6 ppm
AD8616	1,2,4	2,7-6	1,7	0,2	1	23	60[f]	1,5	7	80	2,4	7	50	24	12	0,5	-	7	●	●	●	●	-	-	-	-	1,52	comum, 15 (SOT-23)
OPA350	1,2,4	2,5-7	5,2	0,5	10	150	500	4	-	74	-	7	4	38	22	0,5	-	6,5	●	●	●	●	-	-	-	-	1,67	
OPA380	1,2	2,7-7	7,5	3	50	4	25	0,03	0,1	100	3	5,8	10	90	80	2	-	3	●	●	●	●	-	-	-	-	5,39	transimp., sem autozero
LMC6001A	1	5-16	0,45	10fA	25fA	-	350	2,5	10	83	-	22	0,13	1,3	1,5	-	-	-	●	●	●	●	-	-	-	-	12,19	
LMP7721	1	1,8-6	1,3	3fA[y]	20fA	26	150	1,5	4	83	-	7	10	17	10	-	-	-	●	●	●	●	-	-	-	-	11,89	e_n muito baixo para 20 fA!
chopper de baixa tensão																												
MAX9617	1	1,6-6	0,06	10	140	0,8	10	0,01	0,12	116	0,42	42	100	1,5	0,7	-	-	-	●	●	●	●	-	-	-	-	1,60	bomba de carga
AD8638	1,2	5-16	1	1,5	40	3	9	0,01	0,06	118	1,2	60	ruidoso	1,35	2,5	3	-	4	●	●	●	●	-	-	-	-	3,31	auto-zero; SOT23
LTC2050H	1	2,7-11	0,8	7	50	0,5	3	-	0,03	120	1,5	3	-	3	2	-	-	1,7	●	●	●	●	-	-	-	-	2,19	substitui o LTC1050
AD8551	1,2,4	2,7-6	0,7	10	50	1	5	0,01	0,04	120	1	42	(2)	1,5	0,4	50	-	-	●	●	●	●	-	-	-	-	2,34	
OPA735	1,2	2,7-13	0,6	100	200	1	5	0,01	0,05	115	2,5	135	40	1,8	1,5	-	-	10	●	●	●	●	-	-	-	-	3,38	autozero; "chopper"

Notas: (a) **Negrito** indica o número em um encapsulamento para o número do dispositivo listado. (b) 0,01Hz – 10 Hz ou 0,1 Hz – 10 Hz. (c) Calculado. (d) Normalmente a 0,01%. (e) Para $V_{EE}+1,4V < V_{CM} < V_{CC}-0,7V$. (f) LTC sugere LT1490/1. (g) LTC sugere LT1677. (h) LTC sugere LT6200/30. (k) A 1 kHz ou 10kHz (ou seja, acima do canto 1/*f*), exceto 10Hz para AOPs *chopper*. (m) LT1097 mais barato. (n) Duplo e quádruplo têm I_B e V_{OS} degradados; '6013 = descomp. (o) valores entre parênteses (*itálico fino*) não devem ser considerados; os valores medidos são, muitas vezes, até 5× a 100× maiores; ver discussão no Capítulo 8. (p) Por amplificador. (s) Pode ser reduzido para 200 μA. (t) Típico. (v) V_{OS} é insensível a V_{CM}. (x) A versão –A (de difícil obtenção) tem V_{OS} = 50 μV típico, 150 μV máx. (y) Pinagem especial para proteção. (z) Pinagem especial para proteção + pino de substrato.

Por fim, os assim chamados amplificadores *shopper estabilizados* (aqui e na Tabela 5.6) formam a exceção mais importante para a generalização de que AOPs FET, em especial os tipos MOSFET, sofrem de *offsets* iniciais maiores e derivas muito maiores de V_{OS} com a temperatura e o tempo do que AOPs com transistor bipolar. Na verdade, esses dispositivos (conhecidos também como amplificadores *autozero* ou *deriva zero*) são os amplificadores com a menor tensão de *offset* e deriva, tipicamente na faixa de ± 1 μV e $\pm 0,05$ μV/°C. Eles usam chaves analógicas MOSFET e amplificadores que detectam, e corrigem, o erro de *offset* residual de um AOP comum (que é, muitas vezes, construído com MOSFETs, no mesmo chip). Por outro lado, amplificadores *chopper* estabilizados têm algumas características desagradáveis que os tornam inadequados para muitas aplicações, como veremos na Seção 5.11.

5.10.2 Quantidade por Encapsulamento

A primeira coluna da Tabela 5.5 dá as opções disponíveis para a quantidade de dispositivos por encapsulamento (o número em **negrito** mostra que escolha coincide com o número de identificação). Geralmente listamos dispositivos AOP únicos, embora, na prática, AOPs duplos sejam mais úteis e populares (em alguns casos, os distribuidores nem sequer estocam os tipos únicos). As características especiais, tais como pinos para cancelamento de *offset* externo, compensação e desligamento, estão disponíveis apenas para os tipos de encapsulamento de AOPs individuais e são indicados nas colunas à direita. Geralmente as especificações são idênticas para as diferentes matrizes e aparecem na mesma folha de dados, mas nem sempre.

5.10.3 Tensão de Alimentação, Faixa de Sinal

É provável que sua primeira preocupação seja com a faixa de tensão de alimentação e com os níveis de sinal. Dispositivos de alta tensão (capazes de operar a partir de ± 15 V, ou seja, 30 V total) estão listados primeiro na tabela, com dispositivos ordenados mais ou menos por I_Q, a corrente de alimentação quiescente, em cada categoria. As aplicações alimentadas por bateria se beneficiam de correntes de alimentação baixas, mas algumas aplicações de baixa deriva também, porque os efeitos da temperatura de autoaquecimento do AOP serão menores. Alguns dispositivos oferecem uma versão com um pino de desligamento da alimentação (SHDN – *shutdown*). Por exemplo, a corrente do LT6010 cai de 135 μA para 12 μA no desligamento (mas uma *pegadinha*: o pino de desligamento em si leva outros 15 μA) e leva 25 μs para ligar (ON) ou desligar (OFF). Outros dispositivos fazem melhor – por exemplo, o OPA364 consome 0,9 μA quando OFF.

Circuitos que operam com fontes de alta tensão se beneficiam do uso de níveis de sinal elevados, tais como ± 10 V de fundo de escala. Uma tensão de *offset*, digamos $V_{OS} = 40$ μV, é uma fração menor em relação a 20 V_{PP} do que em relação a 0 a 4 V. Com exceção dos AOPs *shopper*, você não obtém qualquer melhoria na tensão de *offset* para dispositivos de baixa tensão.

Dispositivos de baixa tensão terminam a tabela (a maioria é de fonte total máxima de 5,5 V, mas alguns permitem 11 V ou mais, adequados para operação em ± 5 V), mas é importante perceber que muitos dispositivos "de alta tensão" são projetados e especificados para funcionar bem com baixas tensões, mesmo abaixo de 3 V. Alguns funcionam bem com fontes de ± 3 V a ± 5 V e não devem ser rejeitados simplesmente porque também podem trabalhar em tensões mais altas. No entanto, esteja avisado: você precisa examinar a faixa de entrada de modo comum e a faixa de variação da saída. Por exemplo, embora um AOP de 44 V como o LT1490 funcione com alimentação de 3 V e permita entradas e saídas trilho a trilho, outro bom exemplo de um AOP LTC de 44 V, o LT1007 de baixo ruído (que funciona a até 4 V), é limitado a entradas e saídas não mais próximas do que 2 V dos trilhos – quase inútil quando operado a partir de ± 2 V. É evidente que não é para ser um dispositivo de baixa tensão. O seu guia rápido para estes problemas está nas colunas "variação para a fonte"; o LT1490 tem todas as quatro possibilidades, ao passo que o LT1007 não tem nenhuma.

5.10.4 Operação com Fonte Simples

Se você estiver operando com baixas tensões de alimentação, é melhor usar um arranjo de fonte de alimentação simples. AOPs com capacidade de uso de fonte simples têm, no mínimo, a capacidade de operar suas entradas e saídas para o trilho negativo (ou seja, terra). Muitos permitem a operação com saídas também para o trilho positivo, e informam que as saídas são trilho a trilho na primeira página da folha de dados. Mas esteja avisado: normalmente há uma degradação do desempenho quando as saídas estão perto dos trilhos de alimentação. Alguns AOPs oferecem zero volt ou operação abaixo do trilho se você adicionar um resistor *pull-down*.[33]

Sete AOPs de alta tensão na nossa lista única oferecem a operação com fonte simples, como o LT1013, que é um destaque. Dois oferecem operação para entrada e saída de trilho a trilho completas, ou RRIO. O TLE2141 de variação rápida é especialmente interessante (estabilização rápida, mas alta corrente de polarização), como é o LT1677 de baixo ruído (corrente de polarização mais baixa, mas variação e estabilização lentas). Todos, com exceção de dois dos dispositi-

---

[33] Muitos AOPs podem fazer isso, mas sem dizê-lo. Isso porque seu transistor *pull-up* e acionadores funcionam de qualquer forma até o trilho negativo sem fornecimento de corrente para a saída. Alguns necessitam de uma corrente *pull-down* mínima, por exemplo, 0,5 mA para o OPA364.

vos de baixa tensão, oferecem uma operação de alimentação simples.

Há alguns AOPs de precisão com baixas correntes de alimentação, até 10 a 60 µA, embora isso limite severamente suas escolhas para outros parâmetros. Há até mesmo um respeitável AOP de 0,85 µA (e 1,8 V), o LT6003. Alguns tipos de AOPs, tais como os JFETs, não oferecem quaisquer dispositivos de baixa potência. No entanto, você pode escolher um de baixo ruído e baixa corrente de polarização.

5.10.5 Tensão de *Offset*

Talvez o único parâmetro mais frequentemente associado com amplificadores de precisão seja o erro de tensão de entrada. Para medir tensões de *offset* pequenas, utilize o ganho do AOP para ampliar o efeito, como mostrado na Figura 5.36. A tensão de *offset* foi o nosso parâmetro necessário para poder ser admitido na tabela; alguns AOPs com tensões de *offset* máximas acima de 250 µV chegaram a triunfar. Há uma abundância de dispositivos com tensão de *offset* típica <10 µV, mas "típico" não é uma especificação confiável quando você está no negócio de fabricação de instrumentos de precisão. Estágios de entrada bipolar têm uma vantagem sobre JFET e CMOS na tabela, mas eles sofrem de correntes de polarização de entrada mais elevadas. Os dispositivos de "superbeta" são uma agradável exceção, especialmente em altas temperaturas (veja a Figura 5.38), mas nenhum desses dispositivos tem entradas que operam em qualquer trilho de alimentação.

Muitos dispositivos de baixo *offset* desapareceram desde a segunda edição do nosso livro, especialmente na categoria JFET. Eles se tornaram muito caros para o mercado e perderam a competição com AOPs *chopper* de baixa tensão e autozero. Estes últimos têm alguns representantes simbólicos nesta tabela, mas eles têm sua própria tabela de seleção (Tabela 5.6), na qual você deve examinar se eles são adequados para o seu projeto. Eles têm seus próprios problemas, tais como a corrente de ruído, que discutiremos na Seção 5.11.

Variação de tensão de *offset* com tensão de entrada de modo comum é um problema sério para alguns dispositivos, especialmente para AOPs RRIO (veja a Figura 5.29), e não são abordados nesta tabela. É sempre importante dar seguimento a uma escolha inicial a partir da tabela com um exame cuidadoso da folha de dados. Por exemplo, o OPA364 e o MAX9617 usam bombas de carga internas para alimentar seus estágios de entrada, eliminando esse problema completamente.

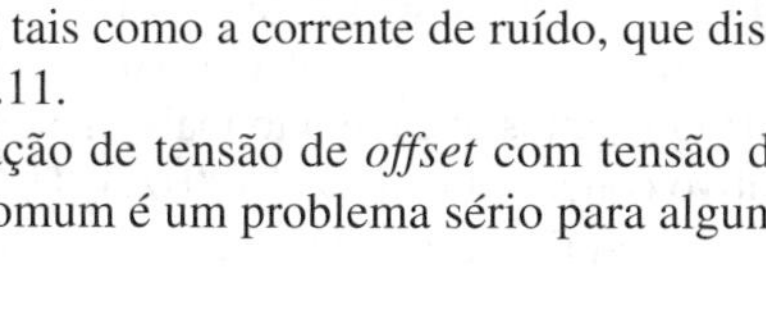

A deriva da tensão de *offset* com a temperatura é um parâmetro importante quando a estabilidade das medições importa. Esse parâmetro não é testado na produção. A especificação de deriva máxima pode não ser muito confiável, e alguns fabricantes pararam de fornecer tal especificação.

A deriva da tensão de *offset* com o tempo é um parâmetro que costumava aparecer em folhas de dados de AOPs de precisão, com valores da ordem de 300 a 400 nV/mês; alguns dispositivos de alto desempenho, como o LT1007, informam 200 nV/mês, e AOPs *chopper* estabilizados geralmente informam derivas de 50 nV/mês.[34] Este é um território um pouco desconhecido, e algumas pessoas afirmam que a deriva diminui com o tempo, ou talvez ela seja mais parecida com um passeio aleatório, em ambos os casos, sugerindo que uma especificação de deriva talvez devesse ter unidades de nV/$\sqrt{\text{mês}}$.

5.10.6 Tensão de Ruído

Tensão de ruído é a variação dentro da banda de tensão de *offset* de entrada do AOP que é indistinguível do sinal. É útil visualizá-la como uma função de "densidade espectral do ruído" $e_n(f)$, que lhe diz a tensão de ruído RMS em uma largura de banda de 1 Hz (ver Seção 8.2.1) centrada na frequência f. A Figura 5.37 mostra um gráfico idealizado de entrada densidade da tensão de ruído em função da frequência para alguns dos amplificadores operacionais na tabela. Para a maioria dos AOPs, $e_n(f)$ é essencialmente plana para frequências acima de sua "frequência de canto $1/f$", com e_n aumentando abaixo da frequência de canto, aproximadamente conforme $1/\sqrt{f}$. (AOPs de autozero ou "*chopper* estabilizado", AOPs não são mostrados. Eles se comportam de maneira diferente, porque o "ruído" de baixa frequência é removido pelo processo de autozero, de modo que seu e_n é plano em baixas frequências. Discutiremos eles em breve; ver Seção 5.11).

A coluna de tensão de ruído na Tabela 5.5 mostra e_n em sua frequência normalmente especificada de 1 kHz, confortavelmente na região plana acima do canto $1/f$ da maioria dos AOPs; e_n varia de 0,85 nV/$\sqrt{\text{Hz}}$ para o LT1028 de alta corrente a 325 nV/$\sqrt{\text{Hz}}$ para o LT6003 de corrente bem maior.

FIGURA 5.36 Circuito de teste de tensão de *offset*. O ganho de tensão ×1.000 torna *offsets* abaixo de milivolts no dispositivo sob teste (*device under test*, DUT) de fácil medição. Os efeitos da *corrente* de entrada são insignificantes, devido às pequenas resistências (10 Ω) vistas nas entradas do AOP. Adicione um resistor de 200 Ω na saída se você quiser acionar um cabo.

$$V_{OS} = \frac{V_o}{1000}$$

---

[34] Embora seja possível fazer consideravelmente melhor, por exemplo, a medida 6 nV/mês relatada por Bob Pease para o LMP2011. Veja a Tabela 8.3 e as Figuras 8.60, 8.61 e 8.110. O IF3602 é um duplo JFET de geometria larga disponível a partir da INTERFET, mostrado para comparação.

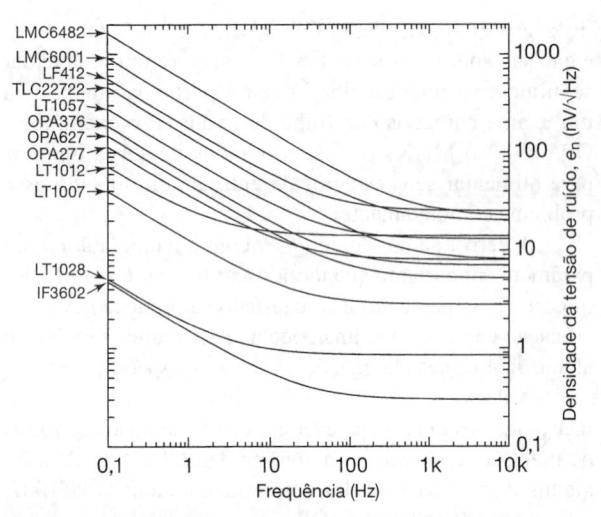

FIGURA 5.37 Densidade da tensão de ruído e_n para uma seleção de AOPs representativos, mostrando o aumento de potência do ruído abaixo da frequência de canto $1/f$. Alguns AOPs que têm boas características a 1 kHz não parecem tão bons em 0,1 Hz. A Figura 5.54 mostra a tensão de ruído resultante v_n quando tal densidade de ruído é integrada ao longo da frequência.

Discutimos ruído em mais detalhes a seguir e no Capítulo 8, mas começaremos com a simples relação entre a densidade da tensão de ruído e_n (dada em unidades de $nV/\sqrt{Hz}$) e o valor da tensão de ruído total *integrado* V_n (em unidades de nV ou μV; e RMS ou pico a pico) em alguma frequência da banda passante. Na região plana (ou seja, a de ruído branco) de e_n em frequências superiores à de canto $1/f$, a tensão de ruído integrada é simplesmente $V_n = e_n\sqrt{BW}$.

Como veremos, para circuitos com larguras de banda de 1 a 10 kHz ou mais, a tensão de ruído V_n é dominada pela densidade de ruído em altas frequências. As folhas de dados para a maioria dos AOPs fornecem um valor de e_n em 1 kHz, mas algumas também o especificam em 10 kHz, 100 kHz ou mesmo 1 MHz; e elas geralmente fornecem gráficos de e_n *versus* frequência. Devido à tensão de ruído integrada ser dominada por e_n no final de alta frequência da faixa de operação, certifique-se de usar esse valor (ou uma média ponderada de frequência) na fórmula simples apresentada. Usando uma alta frequência, o valor e_n é especialmente importante para amplificadores de transimpedância, que sofrem a partir da corrente de ruído "$e_n \omega C$" ($i_n = e_n 2\pi f C_{in}$) em altas frequências.

A. Ruído "$1/f$"

Discutimos o ruído $1/f$ em detalhes no Capítulo 8 (onde mostramos como determinar a frequência de canto do ruído $1/f$, etc., na Seção 8.13.4, mas aqui abordaremos a questão prática "Qual é o efeito que a aparência assustadora do aumento nas curvas de densidade de ruído na Figura 5.37 tem no ruído do meu circuito?" A densidade de ruído e_n é, de fato, maior em baixas frequências, mas essa densidade fica multiplicada por um alcance de frequência menor. Dito de outra forma, a *tensão* total de ruído (em contraste com a *densidade* de ruído e_n) aportada por um AOP depende de seu e_n e da largura de banda do circuito. Mais precisamente, a tensão de ruído quadrática média é a integral de e_n^2 ao longo da banda de passagem.

$$v_n^2 = \int_{f_a}^{f_b} e_n^2(f) df,$$

em que $e_n(f)$ é a densidade espectral do ruído (muitas vezes, representada em folhas de dados) e a banda de passagem (ou banda de observação) se estende desde f_a até f_b. Então, obtemos a tensão de ruído RMS tomando a raiz quadrada de v_n^2.

Realizamos as integrações e mostramos os efeitos devastadores do ruído $1/f$ em gráficos de ruído integrado mais adiante, na Figura 5.54 (no contexto de AOPs de autozero). Mais largura de banda significa mais ruído, e todas as curvas sobem conforme $\sqrt{f}$ na parte alta. Os AOPs são classificados em ordem pelos seus valores e_n de alta frequência; é interessante comparar as suas posições na Figura 5.37 com as classificações na Figura 5.54. Na extremidade da baixa frequência, a tensão de ruído de AOPs convencionais é nivelada, porque sua ascensão da densidade do ruído $1/f$ compensa a largura de banda reduzida,[35] considerando que a tensão de ruído dos amplificadores de autozero continua a sua tendência descendente.

Usaremos a Figura 5.54 para explorar um exemplo revelador. O LT1012 tem um e_n (em 1 kHz) de $14 nV/\sqrt{Hz}$, e uma frequência de canto de 2,5 Hz.[36] Se fosse usado em um amplificador de precisão com um corte de alta frequência além de 1 Hz, por exemplo, seria menos ruidoso do que um OPA277, embora este último tenha uma densidade de ruído menor em 1 kHz, de $8 nV/\sqrt{Hz}$, porque tem uma frequência de canto de ruído de 20 Hz (indicada por pontos pretos). Mas o OPA277 ganha de volta um pouco de respeito quando vemos que é muito mais silencioso do que um dispositivo concorrente de $9 nV/\sqrt{Hz}$, o TLC2272, que sofre de uma frequência de canto de ruído muito maior, 330 Hz.[37]

Os gráficos de ruído integrado são reveladores, mas é útil ter um único número na tabela para avaliar nossos AOPs.

---

[35] Bem, não exatamente: se a densidade de potência do ruído continuasse verdadeiramente crescendo conforme $1/f$, a integral divergiria na frequência zero (CC). Para a Figura 5.54, definimos o limite de baixa frequência como 0,01 Hz.

[36] Como determinar a frequência de canto? Veja a discussão na Seção 8.13.4.

[37] O LT1012 e o OPA277 são dispositivos BJT, e o TLC2272 é um AOP CMOS. O '2272 goza de uma corrente de polarização máxima minúscula, de 60 pA, muito melhor do que a do '277, que é de 1 nA, mas não muito melhor do que a do '1012, de surpreendentes 100 pA.

O parâmetro "V$_n$pp" na tabela é a tensão de ruído de pico a pico ao longo da banda de 0,1 a 10 Hz. Isto mostra um "ruído CC" de AOP como visto na parte plana das curvas na Figura 5.54. Os valores vão até 11 μVpp (mas dispositivos como o LMC6482 evitam a concorrência ao não listar qualquer especificação). O LT1028 é o vencedor, com 35 nVpp, mas o LMP7731 é um dispositivo notável a 80 nVpp, com as suas capacidades RRIO e seu encapsulamento SOT-23. O ADA4075, com seu *offset* de 1 mV, não entrou na tabela de precisão, mas o seu nível de ruído de 60 nVpp é atraente.

AOPs de precisão que sofrem de ruído $1/f$ (ou seja, todos os tipos, exceto os de autozero) têm uma especificação $V_n$pp cujo limite de frequência inferior é geralmente 0,1 Hz. Se você precisar de uma frequência inicial inferior (tal como 0,01 Hz, utilizado nos gráficos), multiplique o valor da tensão de ruído de baixa frequência listado pela raiz quadrada do número de décadas da extremidade inferior adicionais que você deseja (que é um interessante factoide de ruído $1/f$). Contanto que a frequência de canto de $1/f$ é várias décadas mais alta, você pode ignorar a contribuição de ruído branco do espectro.

O parâmetro $V_n$pp é a sua pista principal sobre o desempenho da deriva de longa duração de um AOP.

5.10.7 Corrente de Polarização

As correntes de polarização da entrada disponíveis variam de femtoampères a microampères (nove ordens de grandeza!). Em algumas aplicações, esse é o parâmetro que exclui classes inteiras na escolha de AOPs. Dispositivos que caracterizam correntes de entrada típicas muito baixas têm, muitas vezes, especificações *máximas* inexpressivas; isso se deve à dificuldade e ao custo de testes automatizados em correntes abaixo de cerca de 10 pA. Por exemplo, o AOP CMOS LM-C6482A de baixo custo (1,88 dólar) tem uma especificação "típica" de 20 fA, mas a folha de dados mostra um valor máximo de 4 pA – que é 200× pior.[38] No entanto, se você estiver disposto a pagar mais de 10 dólares, pode obter um LMP7721 com uma especificação máxima 20 fA.

Como já dissemos anteriormente (e diremos novamente), a corrente de "polarização" de AOPs JFET e CMOS é uma corrente de *fuga*, e ela aumenta exponencialmente com a temperatura; veja a Figura 5.38. Essa é a má notícia. A *boa* notícia (como também já dissemos antes) é que existem alguns AOPs (como o LT1012 e o AD706), que têm baixas correntes de entrada como JFET, mas que têm entradas BJT e, portanto, desfrutam de um melhor desempenho de alta temperatura e de tensões de *offset* e deriva melhoradas – veja a Figura 5.6.

---
[38] A nota 13 na folha de dados do LMC6482 diz "Limites garantidos são ditados pelas limitações do testador, e não pelo desempenho do dispositivo. O desempenho real é refletido no valor típico". Isso é esclarecedor, mas não inteiramente útil para o projetista de um instrumento de produção em massa.

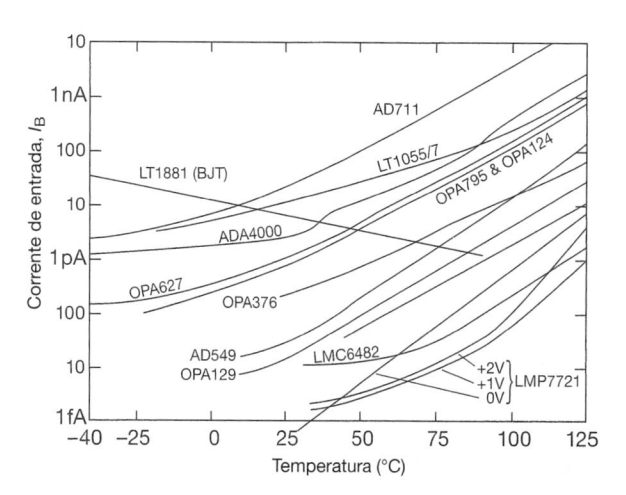

FIGURA 5.38 Corrente de entrada em função da temperatura para um conjunto representativo de AOPs da Tabela 5.5, tomadas a partir de folhas de dados dos fabricantes. Veja também as Figuras 5.6 e 3.48.

AOPs de baixa corrente de entrada têm geralmente tensão de *offset* e deriva de tensão de *offset* superiores, e eles são geralmente mais ruidosos. Os AOPs JFET OPA627 e ADA4627 são exceções, e eles nos serviram bem, mas são caros. Felizmente, o novo OPA827 de entrada JFET tem menor ruído e oferece algum alívio no preço. O AD743, que não está na tabela por causa de sua tensão de *offset* de 1 mV, ostenta uma especificação de $2,9\,\mathrm{nV}/\sqrt{\mathrm{Hz}}$. Olhando para dispositivos CMOS (que são de baixa tensão), descobrimos que o LMP7715 é o melhor candidato de baixo ruído, pelos $5,8\,\mathrm{nV}/\sqrt{\mathrm{Hz}}$, mas um dispositivo de baixo custo como o AD8616, com polarização de 1 pA e ruído de $7\,\mathrm{nV}/\sqrt{\mathrm{Hz}}$, pode oferecer um bom equilíbrio.

AOPs de alta velocidade têm, muitas vezes, altas correntes de polarização de entrada, tipicamente de 200 nA a até 20 μA. Eles também tendem a ter altas tensões de *offset*, acima de 0,5 mV, de modo que a maioria dos dispositivos nessa categoria nem sequer entrou na tabela de precisão, mas aparece na categoria de AOPs de alta velocidade na Tabela 5.4. Os AOPs JFET rápidos de baixa tensão OPA656 e '657 da Texas Instruments, com corrente de polarização típica de 2 pA, taxa de variação de 290 V/μs e tempo de estabilização de 20 ns, exigiram e obtiveram condições de estar nas duas tabelas. O OPA380 é um AOP de 90 MHz destinado a aplicações de transimpedância rápidas, apresentado 50 pA e *offset* máximo de 25 μV. Esse dispositivo usa um circuito de autozero para atingir *offset* de 25 μV, mas evita o excesso de corrente de ruído com um filtro de isolamento (Figura 5.41).

A. Medição de Corrente de Polarização

Para medir correntes de entrada (ou correntes de *offset*) até o nível próximo de nanoampère, você pode usar o circuito simples na Figura 5.39. No entanto, para correntes *realmente* pe-

FIGURA 5.39 Corrente de entrada (define um dos R_S em zero) e circuito de teste de corrente de *offset* de entrada ($R_{s1} = R_{s2}$). Use valores de R_S suficientemente grandes de modo que a tensão desenvolvida sobre eles seja, pelo menos, de dezenas de milivolts, de modo que os erros devidos à tensão de *offset* possam ser ignorados. Adicione um resistor de 200 Ω na saída se você quiser acionar um cabo.

$$I = \frac{1}{101} \frac{V_o}{R_S}$$

quenas, você tem que usar alguns truques inteligentes: uma corrente de femtoampères (10^{-15} A) desenvolve apenas *micro*volts em um gigaohm! (E você nunca vai ver isso, porque tensões de *offset* são muito maiores.) Por sua vez, acumulam a pequena corrente de entrada em um integrador (ele próprio construído com um AOP de corrente de entrada ultrabaixa), como mostrado na Figura 5.40A.[39] Aqui, o comprimento curto de cabo blindado (com dielétrico Teflon) serve como uma capacitância de realimentação C_1 do integrador (coaxial de 50 Ω padrão tem uma capacidade de quase exatamente 1 pF/cm, ver Anexo H). Você pode ver a rampa diretamente, ou, se quiser ser caprichoso, adicione um diferenciador, como mostrado.

Um método um pouco mais simples, que funcionou bem para nós, é conectar o AOP como um seguidor, com um pequeno capacitor da entrada (+) para o terra (Figura 5.40B); a corrente de entrada do AOP gera, então, uma rampa de entrada, fielmente reproduzida na saída. Primeiro, lutamos com os efeitos de memória em capacitores de mica e filme, mas, por fim, resolvemos isso com um capacitor de ar (variável), do tipo que era usado para sintonizar rádios AM nos bons tempos. Com o capacitor definido em 365 pF, temos uma rampa de saída de 0,20 mV/s a partir de um LMC6482, e, portanto, uma corrente de entrada de 73 fA. Você pode "resetar" este circuito pelo colapso dos trilhos de alimentação. Certifique-se de colocar todo o sistema em uma caixa de metal: essas entradas abertas são muito sensíveis!

5.10.8 Corrente de Ruído

A densidade da corrente de ruído de entrada do AOP i_n flui através da impedância da fonte vista nos terminais de entrada do amplificador, contribuindo com uma densidade de tensão de ruído equivalente $i_n Z_s$; esta é, muitas vezes, insignificante

---

[39] Com base em técnicas interessantes elaboradas por Paul Grohe e Bob Pease na National Semiconductor. Veja o artigo de Paul Rako "Measuring Nanoamperes" (EDN, 26 de abril de 2007).

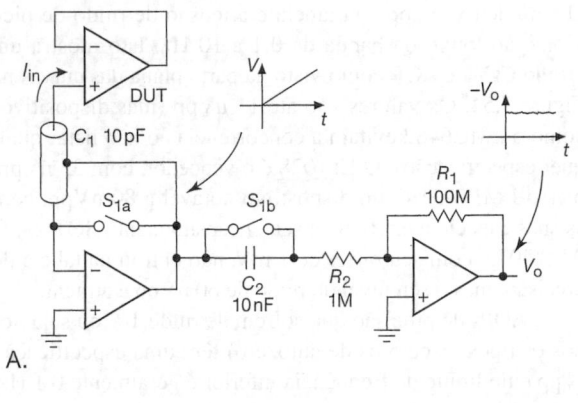

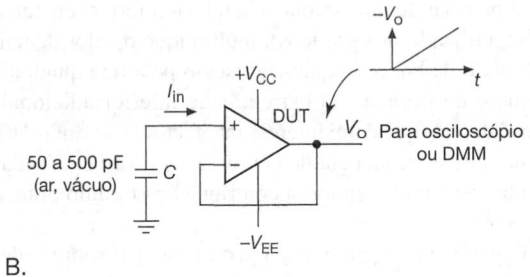

FIGURA 5.40 Integre a corrente de entrada para medir na faixa de picoampère (e abaixo). A. Com um AOP de entrada MOS integrador separado cuja corrente de entrada está em femtoampères (por exemplo, um LMP7721, I_B = 3 fA típico, 20 fA máx). Use relés eletromecânicos (não chaves MOS) para S_1, por exemplo, a série COTO 9202 mostrada na Figura 5.3. B. De forma mais simples, deixe a corrente de entrada do dispositivo carregar um pequeno capacitor e observe a rampa na saída G = 1.

em comparação com o e_n do amplificador. Podemos definir uma "impedância de ruído" para o AOP, $Z_n \equiv e_n/i_n$, de modo que possamos ignorar com segurança a corrente de ruído quando a impedância da fonte de $Z_s \ll Z_n$.

Os valores de i_n típicos variam de 0,1 fA/$\sqrt{\text{Hz}}$ a 50 fA/$\sqrt{\text{Hz}}$ para AOPs CMOS e JFET, e até 5 pA/$\sqrt{\text{Hz}}$ para AOPs de entrada BJT que operam em correntes de entrada relativamente altas. O BJT LT1012 de superbeta (com a sua baixa corrente de entrada) funciona consideravelmente melhor, a 20 fA/$\sqrt{\text{Hz}}$. Mas note que o LT1028 é o vencedor para a *tensão* de ruído, para a qual pagamos a penalidade de uma elevada corrente de ruído. Sua impedância de ruído Z_n = 850 Ω, o que significa que devem ser usadas resistências anormalmente baixas no circuito, digamos 300 Ω ou menos, para obter o benefício integral a partir de sua tensão de ruído baixa. Em contrapartida, o AOP BJT LT1013 de alimentação simples tem Z_n = 315 kΩ, um valor confortavelmente alto.

As especificações do fabricante fornecem a densidade da corrente de ruído em alta frequência como 1 kHz ou 10 kHz, escolhido para estar bem acima da frequência de canto $1/f$. A corrente de ruído para a frequência de canto $1/f$ vem normalmente em frequências muito mais elevadas do que a

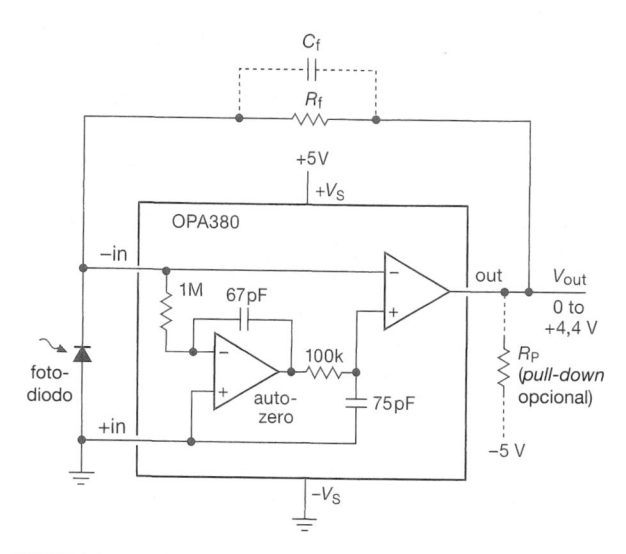

FIGURA 5.41 O OPA380 alcança tensões de *offset* típicas de 4 μV usando um recurso de autozero, mas tem uma corrente de ruído de apenas 10 fA/$\sqrt{Hz}$ em 10 kHz. É ideal para aplicações de transimpedância, como o pré-amplificador fotodiodo mostrado aqui.

tensão de ruído para a frequência de canto 1/*f*. Por exemplo, o OPA277 tem uma tensão de ruído para a frequência de canto de 20 Hz, porém tem uma corrente de ruído para a frequência de canto de 200 Hz; para uma LT1007, é 2 Hz e 120 Hz. As diferentes frequências de canto 1/*f* significam que vamos obter diferentes valores de Z_n em baixas frequências. Voltando ao LT1028, por exemplo, sua corrente de ruído relativamente maior em baixas frequências diminui Z_n para 212 Ω em 10 Hz. Isso exige que empurremos ainda mais para baixo nossas resistências de circuito, para 100 Ω ou menos, para otimizar o desempenho.

Em altas frequências, a corrente de ruído pode consistir, em grande parte, do fundamental (e inevitável) *ruído shot*, as flutuações estatísticas de fluxo de elétrons (Equação 8.6). Para uma corrente de polarização de entrada (ou de fuga) I_B, esse limite inferior é $i_n = \sqrt{2qI_B}$; para uma corrente de polarização de 10 pA, esse cálculo é $i_n = 1,8$ fA/$\sqrt{Hz}$ (a partir do qual você pode facilmente ampliar ou reduzir pela raiz quadrada de I_B). As especificações de corrente de polarização típica e máxima variam muito, como vimos; evidentemente, muitos fabricantes simplesmente listam o valor do ruído *shot* calculado que corresponde à especificação de corrente de polarização típica. Por exemplo, o LT1013 tem $I_B = 12$ nA típico, a partir do qual podemos calcular a densidade da corrente de ruído de 62 fA/$\sqrt{Hz}$; a especificação do fabricante é 70 fA/$\sqrt{Hz}$.

Uma exceção importante vem no caso do AOP com entrada BJT com circuitos de cancelamento de polarização de corrente: isso reduz muito a corrente CC de entrada, mas não a corrente de ruído. Por exemplo, o LT1007, com seu baixo ruído $e_n = 2,5$ nV/$\sqrt{Hz}$, tem uma especificação de corrente de polarização de 10 nA, a partir da qual calculamos uma corrente de ruído *shot* de 56 fA/$\sqrt{Hz}$, mas a especificação do fabricante é $i_n = 400$ fA/$\sqrt{Hz}$. Isso é sete vezes alto demais! O que está acontecendo? Para alcançar a tensão de ruído baixo, eles operam os transistores de entrada em altas correntes de coletor. Isso cria uma corrente de base elevada, que seria a corrente de entrada do AOP se eles não tivessem usado o velho truque do cancelamento da corrente de base. Assim, a corrente de polarização CC é pequena, mas a corrente de ruído é grande. O LT1028 de e_n ultrabaixo também utiliza o cancelamento da corrente de polarização, mantendo sua corrente de polarização abaixo de 25 nA, mas com uma corrente de ruído 10 vezes maior do que o valor do ruído *shot* calculado. E, para o LT6010, cuja corrente de entrada é reduzida para apenas 20 *pico*ampères (o tipo de correntes baixas que você vê em AOPs de entrada FET), a corrente de ruído é 40 vezes maior do que o ruído *shot* calculado.

Em outras palavras, é importante perceber que a corrente de *ruído* de entrada de um AOP de polarização cancelada será consideravelmente maior do que seria de se esperar se você fosse calcular o ruído *shot* decorrente da corrente de polarização de entrada da rede (ou seja, a cancelada). Em vez disso, você precisa calcular o ruído *shot* a partir das correntes de base não canceladas (e, em seguida, aplicar um fator de $\sqrt{2}$ para levar em conta o ruído adicional na corrente de cancelamento). Por exemplo, usando o valor de $I_B = \pm 20$ pA (típico) do LT6010, você estimaria incorretamente uma corrente de ruído *shot* de $i_n \approx 2,5$ fA/$\sqrt{Hz}$, ao passo que a folha de dados enumera um valor típico (em 1 kHz, bem acima da frequência de canto de 1/*f*) de 100 fA/$\sqrt{Hz}$; e da mesma forma para o LT1028 (que especifica 1000 fA/$\sqrt{Hz}$, contra os 90 fA/$\sqrt{Hz}$ que você estimaria incorretamente a partir do I_B da rede). A Tabela 5.5 não lhe diz se um amplificador BJT emprega cancelamento de corrente de polarização, mas há uma coluna de cancelamento de polarização conveniente nos AOPs BJT de baixo ruído na Tabela 8.3a. AOPs com cancelamento de corrente de polarização geralmente não têm estágios de entrada trilho a trilho.[40]

Um *cuidado*: algumas folhas de dados listam valores muito otimistas para i_n, evidentemente cometendo exatamente esse erro. Por exemplo, o cancelamento de polarização na folha de dados do LT1012 mostra um i_n típico estabilizando em 6 fA/$\sqrt{Hz}$ (além da frequência de canto 1/*f*), que é o que você calcularia a partir da corrente de entrada da rede especificada (isto é, cancelada) de ±100 pA máx, enquanto você poderia esperar um valor cerca de 10 vezes maior (considerando que a corrente de base não cancelada seja cerca de 100 vezes maior). Fomos céticos quanto ao valor de i_n alegado

---

[40] O LT 1677 listado na Tabela 8.3a é uma exceção. Sua folha de dados tem um gráfico com o rótulo "Corrente de polarização de entrada ao longo da faixa de modo comum", mostrando que a parte inferior de 1,4 V e superior de 0,7 V da faixa de modo comum sofre de altas correntes de polarização. A tensão de *offset* do AOP também é degradada nestas regiões. Mas, nós alertamos sobre isso na Seção 5.9.1!

na folha de dados, por isso o medimos (juntamente com outros que pareciam ser similares neste erro) e encontramos[41] $i_n \approx 55\,\text{fA}/\sqrt{\text{Hz}}$. Esse erro compartilha algumas das características de uma *epidemia*, depois de ter infectado também as folhas de dados dos AOPs de auto-zero. Por exemplo, o exemplar AD8628A (listado na Tabela 5.6) especifica uma densidade de corrente de ruído de entrada de $5\,\text{fA}/\sqrt{\text{Hz}}$; imagine nossa surpresa quando medimos um valor 30 vezes maior. Em situação idêntica, a especificação do AOP de autozero MCP6V06 de $0,6\,\text{fA}/\sqrt{\text{Hz}}$ está bastante em desacordo com a sua medida de $170\,\text{fA}/\sqrt{\text{Hz}}$. Veja a discussão nas Seções 5.11.

É importante notar que, no caso de AOPs *chopper* e de autozero, a especificação da corrente de ruído de entrada é geralmente dada em uma frequência baixa de 10 Hz, porque é abaixo da região de corrente de ruído de injeção de carga de comutação muito alta (ver Seção 3.4.2E). Se você se der ao trabalho de medir o ruído de entrada de um autozero, verá algo parecido com os gráficos mostrados na Figura 5.52. Essa é uma situação lamentável, com orientação insuficiente (e ofuscação talvez deliberada) dos fabricantes. Discutiremos mais sobre isso na Seção 5.11.

5.10.9 CMRR e PSRR

A razão de rejeição de modo comum, CMRR, diz o quanto a tensão de *offset* de entrada V_{OS} varia com a tensão de entrada de modo comum. O problema, é claro, é que tal variação em V_{OS} fica disfarçada como variação na tensão do sinal de entrada.

Os valores de CMRR variam de 70 dB (mín) para o nosso favorito LMC6482 (um AOP duplo CMOS de baixo custo), até 130 dB para o OPA277 de precisão. A degradação de CMRR em altas frequências muitas vezes importa, e normalmente há um gráfico na folha de dados do AOP (confira alguns para si mesmo, por exemplo, estes dois; mostramos gráficos de CMRR para outros tipos de AOP nas Figuras 5.73 e 5.82). Por exemplo, a CMRR típico do LMC6482 começa a cair acima de 1 kHz, e cai para 80 dB em 10 kHz. É interessante que tanto o OPA277 quanto o AD8622 (outro grande intérprete caro a CC) degradam para cerca de 80 dB em 10 kHz, juntando-se ao nosso amigo CMOS comum. Outros dispositivos funcionam melhor, como o LTL1007 (114 dB típico em 10kHz). E para repetir uma advertência que fizemos em outra parte: a especificação CMRR aplica-se, muitas vezes, apenas a uma faixa de modo comum limitada; leia atentamente a folha de dados.

Observe esta solução universal: uma maneira honrada de evitar problemas de CMRR é usar uma configuração inversora.

A razão de rejeição de fonte de alimentação, PSRR (*power-supply rejection ratio*, não mostrada na Tabela 5.5), diz quanto V_{OS} varia com a tensão da fonte de alimentação. Valores CC típicos são de 60 a 80 dB para o LMC6482 até 130 dB para o OPA277 (mas apenas 100 dB para o AD8622). Estude suas folhas de dados!

Frequentemente, um trilho de alimentação é muito pior do que o outro, especialmente para PSRR CA, por causa do capacitor de compensação do AOP (veja a Figura 4.43, na qual Q_5 e Q_6 são referenciados ao trilho negativo). Por exemplo, o OPA277 sofre um adicional de 25 dB no seu trilho negativo. A PSRR CA é significativo em duas regiões, de 100 a 120 Hz (e harmônicos) para ondulação da fonte de alimentação e em altas frequências para interferência de outros circuitos.

Uma defesa comum contra problemas de PSRR, em aplicações sensíveis, tais como estágios de entrada de baixo nível, é adicionar um filtro *RC* nos trilhos de alimentação.

5.10.10 GBW, f_T, Taxa de Variação e "*m*" e Tempo de Estabilização

É tentador pensar que GBW (*gain-bandwidth*, produto ganho-largura de banda, ou f_T, seu nome original, o qual preferimos – veja a Figura 5.42) nunca é demais. Afinal, um GBW maior significa maior ganho de malha, e um ganho em malha maior significa erro inferior (ganho, fase, distorção). Além do mais, com maior f_T, estamos bem em nossa busca por uma taxa de variação mais rápida, por meio da fórmula $S = 0,32 m f_T$.

Além disso, uma taxa de variação mais rápida significa uma largura de banda de potência total (*full-power bandwidth*, FPBW) maior: uma onda senoidal $V(t) = A\mathrm{sen}\omega t$

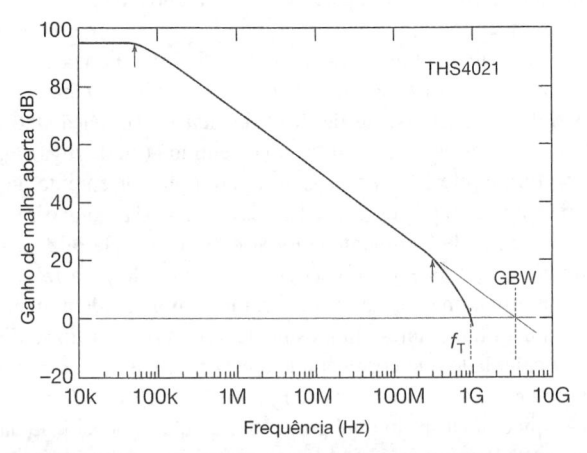

FIGURA 5.42 O produto ganho-largura de banda (GBW) de um AOP é a "frequência" em que a extrapolação da curva de ganho de malha aberta cruza o eixo de ganho unitário. É, muitas vezes, imprecisamente chamado de "f_T", embora este último seja corretamente a frequência em que o ganho de malha aberta é unitário. As setas indicam os polos dominante e secundário. Os dados aqui são retirados da folha de dados do THS4021, que também mostra o deslocamento de fase alcançado de 180^0 em 400 MHz.

---
[41] As folhas de dados para os AOPs muito similares OP-97 e LT1097 cometem o mesmo erro, evidentemente corrigido mais tarde no LT6010 (o sucessor recomendado do LT1012).

tem uma taxa de variação de pico $S = \omega A$, assim FPBW = $S/\pi V\text{pp}$. Por fim, como o primeiro passo no caminho para a estabilização da forma de onda é o atraso de variação $t = \Delta V/S$, um f_T superior é um passo importante (e, muitas vezes, o principal determinante) para uma especificação de tempo de estabilização mais rápido. Os dados nas Tabelas 5.4 e 5.5 permitem-lhe explorar a questão essencial "qual é o preço de uma largura de banda maior?".

A. Um Aparte: GBW e f_T

Em primeiro lugar, vejamos uma abordagem rápida sobre "GBW" e "f_T". A Figura 5.42 mostra um gráfico de ganho de malha aberta em função da frequência para o AOP de banda larga THS4021. Esse é um AOP "descompensado", estável para ganhos de malha fechada ≥ 10, com um gráfico de Bode de livro-texto. O termo GBW descreve adequadamente o produto do ganho de malha aberta pela frequência na região em que o ganho cai a 6 dB/oitava (ou seja, $G_{OL} \propto 1/f$). Sua extrapolação cruza o eixo $G_{OL} = 0$ dB a uma frequência igual a GBW. No entanto, nessa frequência, o ganho é menor que a unidade, devido ao efeito dos polos de frequência maiores adicionais no amplificador. Estritamente falando, o símbolo f_T é utilizado para a frequência (inferior) na qual $G_{OL} = 1$.

Mas nós *gostamos* da variável mais simples, f_T, assim como muitas outras pessoas; por isso, ela é usada livremente no lugar de GBW. Talvez isso seja desculpável, uma vez que f_T é bastante próximo do valor GBW para AOPs que são compensados para a estabilidade no ganho unitário (isso descreve a maioria dos AOPs). Em qualquer caso, a menos que indicado de outra forma, usaremos f_T para indicar GBW.

B. Avaliação das Características de um AOP

Ao utilizarmos um AOP, é muito importante avaliar a sua tensão de *offset*, como também a largura de banda e a velocidade de resposta.[42] Muitos dos AOPs rápidos que gostaríamos de incluir na Tabela 5.5 ficaram de fora devido à tensão de *offset* deles ser muito alta – assim, alguns deles foram classificados em uma tabela própria (Tabela 5.4). Por exemplo, nesta tabela temos o LT6200, com GBW de 165 MHz, 0,95 nV/$\sqrt{\text{Hz}}$ e 1,0 mV de *offset*. É um AOP de realimentação de tensão (VFB, *voltage-feedback*) convencional que oferece uma taxa de variação de 50 V/μs e um tempo de estabilização de 140 ns, então o que há de errado com ele? Apenas 50 V/μs, com $m = 1$? Uma tensão de alimentação limitada a 10 V ($\pm$5 V) com uma corrente de alimentação alta de 16,5 mA? E uma corrente de polarização *muito* elevada de 40 μA máximo? A questão aqui é que há um preço a pagar para se ter um f_T alto, e talvez essa parte não seja tão atraente no fim das contas. Mas, pelo menos, o LT6200 tem

menos de 1 nV/$\sqrt{\text{Hz}}$ de ruído, 1% de distorção a 50 MHz e ainda tem entrada/saída trilho a trilho (RRIO) para inicialização (*boot*).[43] E há a variante LT6200-10, com 1,6 GHz de GBW. Boa!

Incluímos alguns AOPs admiráveis de alta velocidade na Tabela 5.5, ignorando o valor um pouco maior de V_{OS}, mas *nada extraordinário*. Um desses nossos favoritos é o OPA656, um membro de uma família pequena de AOPs de grande utilidade oferecidos pela divisão de Burr-Brown na Texas Instruments: ele combina GBW de 230 MHz, taxa de variação de 290 V/μs e tempo de estabilização de 20 ns. Com as suas duas entradas JFET de 2 pA tendo menos de 3 pF de capacitância de entrada, prontamente perdoamos a sua tensão de *offset* de 1,8 mV e estamos felizes o suficiente com a sua tensão de ruído de entrada de 7 nV/$\sqrt{\text{Hz}}$. É excelente para um amplificador de transimpedância do tipo usado com fotodiodos. O OPA656 tem ainda um gráfico de distorção na Figura 5.44 (ver próxima seção), na qual vemos que tem menos do que 0,1% de distorção a partir de 10 MHz. E ele tem um primo de 1,6 GHz, o OPA657. Quando precisamos de maior tensão de operação e almejamos e_n inferior, voltamo-nos para o OPA637 de 4,5 nV/$\sqrt{\text{Hz}}$; ele tem capacitância um pouco maior (7 pF) e menos largura de banda (80 MHz). E há também o OPA380 de 90 MHz mostrado antes. Produtos de qualidade da BB/TI.

Sobre a questão da baixa distorção, a Linear Technology oferece o LT1468 (90 MHz, 75 μV, alimentação de $\pm$15 V), que declara uma distorção de 0,7 ppm com um sinal de 10 V; e, com o seu tempo de estabilização de 0,8 μs, é um bom candidato para acionar ADCs exigentes. Para não ficar para trás, a National Semiconductor oferece o LMP7717, um AOP CMOS com f_T de 88 MHz, consumindo apenas 1 mA, que opera com uma tensão total de até 1,8 V (!) e oferece especificações de entrada de I_B de 1 pA, e_n de 6 nV/$\sqrt{\text{Hz}}$ e V_{OS} de 150 μV, juntamente com saídas trilho a trilho. Dispositivos como esses sugerem que talvez possamos encontrar em um deles a velocidade e a precisão que desejamos.

5.10.11 Distorção

Embora grande parte dos projetos analógicos de precisão sejam de circuitos CC e de baixa frequência, existem aplicações que exigem precisão em velocidades mais altas: áudio e vídeo, comunicação, medição científica e assim por diante. Com a queda do ganho da malha de AOPs, aumentam os erros de entrada e a impedância de saída aumenta, e as limitações da taxa de variação podem entrar em cena. Precisamos de uma forma de avaliar o desempenho de um AOP entre frequências médias e altas. Alguns fabricantes ajudam fornecendo curvas de distorção harmônica em suas folhas de dados. Se for te-

---

[42] O leitor pode sempre recorrer ao *site* do fabricante para verificar as folhas de dados completas dos dispositivos que deseja utilizar.

[43] Sim, mas leia com atenção: na página 10 da folha de dados, você verá que há deslocamentos de ~1 mV na tensão de *offset* quando a entrada está dentro da faixa de 1,5 V do trilho! Um poderoso incentivo para usar a configuração inversora!

dioso passar por centenas de folhas de dados à procura de características tabuladas para comparar, é duplamente tedioso folhear suas páginas em busca de curvas de distorção.

Aqui fornecemos algum "valor agregado" por meio da compilação de gráficos de distorção das folhas de dados de cinquenta amplificadores operacionais selecionados de alto desempenho: a Figura 5.43 (AOPs para alta tensão) e a Figura 5.44 para AOPs de baixa tensão e saída trilho a trilho (RR) (incluindo alguns tipos de alta tensão). Os AOPs que figuram nas Tabelas 5.4 e 5.5 têm um registro na coluna "gráfico de distorção" caso apareçam em um desses gráficos. Também medimos a distorção e fizemos gráficos para alguns AOPs populares mais antigos que não têm gráficos na folha de dados; veja a Figura 5.19.

O OPA 134 e o OPA627 da BB/TI, juntamente com o LME49990 da National Semiconductor e outros AOPs da série LME49700, são os vencedores na categoria de alta tensão. O LT1468, da LTC, destaca-se também. O AD8021, da Analog Devices, destaca-se em altas frequências e, muitas vezes, é recomendado para acionar ADCs. O THS3061, da Texas Instruments, que tem uma impressionante taxa de variação de 7000 V/μs, parece muito bom acima de 100 kHz e, como um bônus, pode fornecer 145 mA em 50 Ω. O OPA1632 e o LME49724 são totalmente amplificadores diferenciais – ver Seção 5.17.

A tabela de AOPs trilho a trilho de baixa tensão compreende principalmente dispositivos que funcionam a partir de fontes de ± 5 V, ou inferior. A maioria desses tem saída trilho a trilho (*rail-to-rail outputs*, RRO), demonstrando que AOPs RRO podem competir no quesito precisão. Alguns AOPs de baixa tensão estão em desvantagem em relação aos seus similares de alta tensão, porque eles têm que usar níveis anormalmente baixos de sinal. Considere o vencedor OPA1641 de entrada JFET do gráfico, em 0,5 ppm. É um dispositivo de alta tensão com saídas RR e é testado com sinais de 8,5 Vpp, um luxo não disponível para dispositivos RRO de baixa tensão. O OPA376 é, nesta categoria, o vencedor de baixa tensão, em 3 ppm, quando testado com 2,8 Vpp. É interessante que os dois AOPs utilizam o estágio de saída Monticelli (veja a Figura 5.35).

A. Distorção: Algumas Ressalvas

Alguns recomendam cautela aqui: é tentador olhar para os gráficos de distorção e pensar que você sabe até que ponto os AOPs são diferentes. Mas algumas das medidas de distorção precisam ser tomadas com mais cautela, e algumas ressalvas cairiam bem. Em primeiro lugar, não existem normas de fato para a distorção do AOP, e os fabricantes optaram por condições de operação diferentes.[44] Alguns usam THD, outros THD + N (distorção harmônica total mais ruído), e outros ainda podem se concentrar em produtos de distorção específicos, por exemplo, o 2º ou 3º harmônico. Essas escolhas escondidas afetam a posição de um AOP na sua classificação.

Em segundo lugar, os gráficos de distorção, por vezes, revelam artefatos do processo de medição – por exemplo, as curvas das Figuras 5.43 e 5.44 começam com um perfil de distorção plana a partir de CC que, no entanto, muitas vezes, continua bem depois da frequência na qual sabemos que o ganho de malha aberta do AOP cai (ou seja, após o polo primário). Isto é contrário às expectativas e, provavelmente, revela uma limitação instrumental de ruído de fundo em vez da realidade; ou seja, o AOP é melhor do que o anunciado.

Em terceiro lugar, as curvas, em última análise, mostram a distorção crescente esperada em frequências mais altas; isso se deve a não linearidades internas dos AOPs e à perda de ganho de malha, tanto dentro como fora do AOP. Mas essa região é fortemente dependente do tamanho do sinal e da carga, com diferentes opções de diferentes fabricantes. Em alguma frequência maior, a curva ascendente pode se tornar acentuadamente íngreme. Isso geralmente se deve a uma distorção do terceiro harmônico. Não podemos generalizar sobre onde a distorção de segundo ou terceiro harmônico dominará para qualquer AOP, mas parece que a distorção de segunda ordem é a responsável mais comum. Isso é surpreendente, dado um esforço em muitos AOPs para equilibrar completamente o projeto.

Em quarto lugar, quando você está no território menor que <10 ppm, todos os tipos de coisas estranhas podem acontecer. Como o sábio guru Jim Williams comentou certa vez: "Se você acha que já mediu algo com 1 ppm, você provavelmente está errado". A Figura 5.45 ilustra um problema muitas vezes ignorado. Aqui temos o AOP de precisão OPA1641, que é capaz de um desempenho de distorção abaixo de 1 ppm a 1 kHz e, no modo não inversor, tem pouco mais de 20 ppm de distorção em 100 kHz. É um AOP JFET com 8 pF de capacitância de entrada (razoavelmente baixa, especialmente considerando a especificação de baixo ruído do AOP, 5 nV/$\sqrt{\text{Hz}}$). De forma bem simples, a folha de dados nos adverte que "Os JFETs canal *n* no estágio de entrada do FET apresentam uma capacitância de entrada que varia com tensão de entrada de modo comum aplicada" e fornece gráficos de distorção crescente decorrentes de uma resistência de fonte de entrada que aciona a capacitância dinamicamente variável do AOP. Por exemplo, com $R_S = 600$ Ω, a distorção em 100 kHz aumenta drasticamente para 100 ppm. Eles sugerem que impedâncias de entrada sejam cuidadosamente casadas para reduzir este tipo de distorção (um efeito que não se limita a esse AOP em especial: considere-se avisado!). Melhor ainda, use a configuração inversora.

Por fim, considere o circuito de teste usado por muitos fabricantes para tornar as medidas de distorção inferiores a 100 ppm (Figura 5.46). O truque é reduzir o ganho de malha do AOP por um fator de 100, aumentando, assim, a distorção pelo mesmo fator; a distorção apresentada é, então, obtida pela divisão da medida da distorção por 100. Mas uma

---
[44] Os fabricantes usam diferentes níveis de tensão (2 Vpp, 3 V RMS, 10 V de pico e 20 Vpp), diferentes cargas (100 Ω, 600 Ω, 2k, 10k e circuito aberto), diferentes tensões de modo comum, filtros analisadores diferentes e mesmo ganhos diferentes para suas medidas.

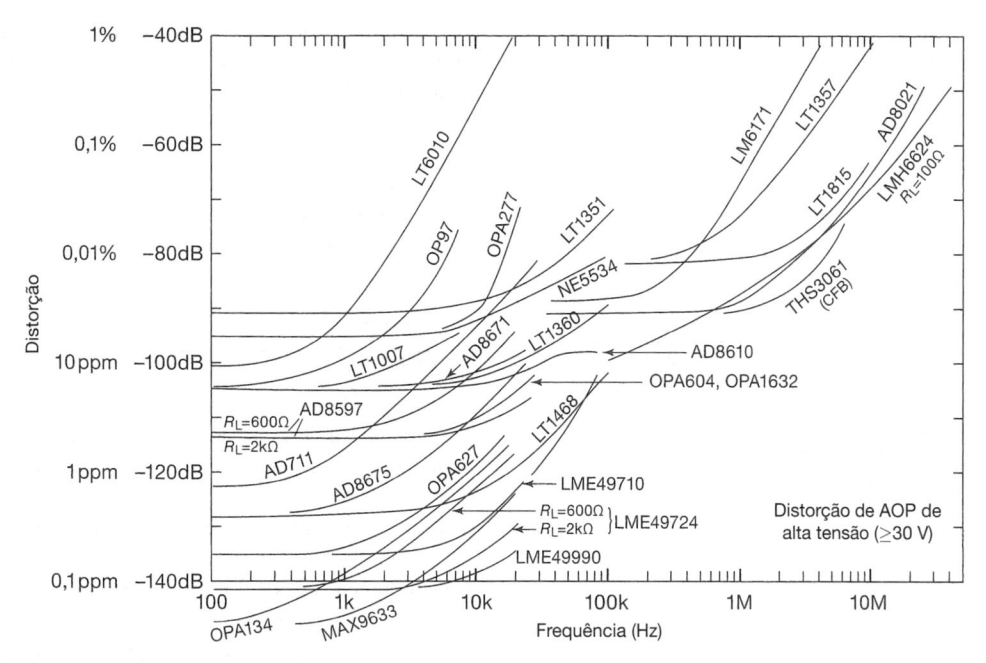

FIGURA 5.43 Distorção harmônica em função da frequência para uma seleção de AOPs de "alta tensão" (alimentação total ≥30 V), a partir de folhas de dados dos fabricantes.

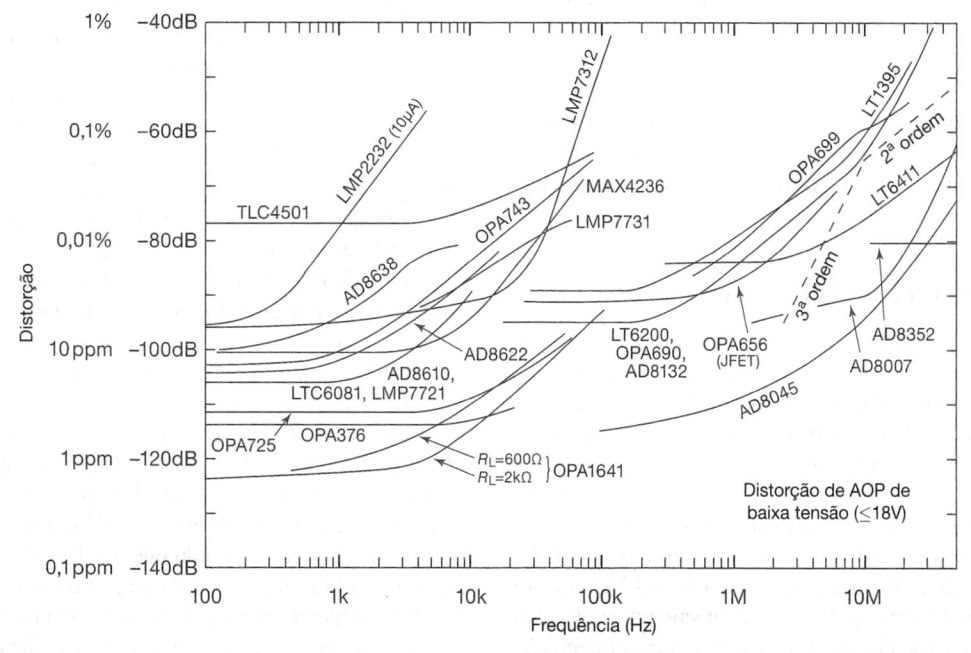

FIGURA 5.44 Distorção harmônica em função da frequência para uma seleção de AOPs de "baixa tensão" (alimentação total ≤18 V), a partir de folhas de dados dos fabricantes. A maioria destes tem estágios de saída trilho a trilho. Veja também a Figura 5.19.

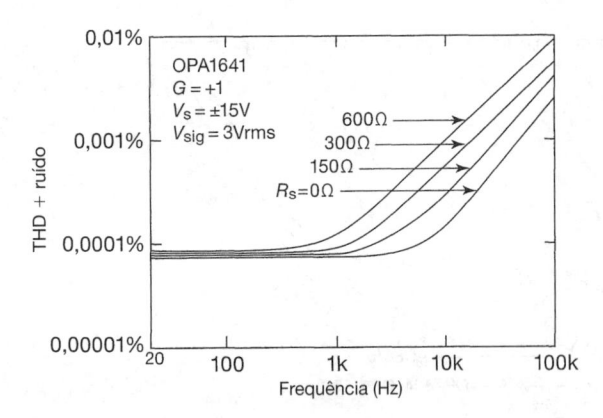

FIGURA 5.45 A variação da capacitância de entrada com a tensão do sinal provoca distorção adicional em frequências mais altas, dependentes da resistência de fonte.

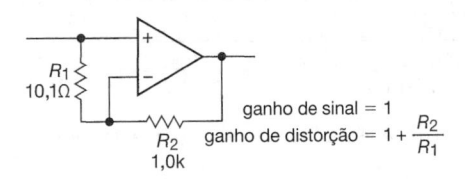

FIGURA 5.46 Circuito de teste de distorção. Com os valores mostrados, o ganho de malha efetivo do AOP é reduzido por ×100. Acrescente um resistor em série com a saída se tiver que acionar um cabo.

preocupação imediata é a natureza artificial do teste, com o AOP vendo uma impedância de fonte artificialmente baixa. É seguro concluir que todos nós provavelmente podemos nos beneficiar de mais trabalhos neste area.[45]

5.10.12 Criação de um AOP Perfeito

Reconhecemos desde o início que não há algo como um amplificador operacional perfeito – mas não se preocupe, geralmente há uma solução alternativa. Se você encontrar as especificações de desempenho de entrada de que você precisa em um AOP e as especificações de saída em outro, pode ser possível combiná-los em um circuito de "amplificador composto", que atua como um único AOP (que combina as melhores características de cada um) em sua malha de realimentação. Ou você pode criar um AOP composto acrescentando um estágio de entrada ou saída discreto para o CI AOP de sua escolha. Se o seu circuito de realimentação global tem um ganho muito alto, como um amplificador de $G = 10.000$, você pode não precisar se preocupar com a compensação (por exemplo, veja a Figura 5.61). No entanto, não é muito difícil lidar com o elevado ganho de malha de um circuito de $G = 1$.

Amplificadores compostos, nos quais o ganho do segundo AOP é reduzido à unidade em uma frequência bem acima de f_T do primeiro AOP, permite flexibilidade de ganho de malha. Além disso, não existem restrições sobre tensões em modo comum ou conexões de entrada nessa abordagem. É uma boa configuração a considerar, embora, na maioria das vezes, você não encontre muitas variações de implementações de amplificadores compostos reais.

A. Exemplo de Projeto: Posicionador Piezoelétrico de Alta Corrente de Precisão

Uma boa aplicação para um amplificador composto é um posicionador do estágio de um microscópio de precisão, implementado com um par de elementos piezoelétrico de multicamada. Esses dispositivos são rápidos e resistentes – nosso dispositivo escolhido, por exemplo, é adequado para dezenas de quilohertz e dezenas de quilogramas – e eles fornecem posicionamento estável e preciso (em escala nanométrica) ao longo de seu movimento limitado (aqui, 6 μm). Em contrapartida, eles apresentam um tipo de carga mais difícil de trabalhar, sendo altamente capacitiva (aqui, 0,75 μF) e exigindo relativamente alta tensão de acionamento (aqui, 100 V de fundo de escala).

Um circuito adequado é apresentado na Figura 5.47. Gostaríamos de uma resposta moderadamente rápida, digamos uma velocidade de variação de 1 V/μs, o que exige $I = CdV/dt = 1{,}5$ A de capacidade de acionamento de um par piezoelétrico de 1,5 μF de capacitância. Nossa fonte de sinal é um DAC8831 de 16 bits, com uma saída de fundo de escala de +5 V (escada R-2R, $R_{out} = 6{,}25$ kΩ) com uma interface SPI rápida. Operar o DAC com uma referência de 5 V produz um bit menos significativo (LSB) com amplitude de degrau de 76 μV. Seu R_{out} de 6,25 k requer um AOP cuja corrente de entrada seja inferior a 12 nA, a fim de não adicionar erro maior do que um bit menos significativo. E o AOP tem que variar até +100 V enquanto aciona 1,5 μF.

Então, estamos evidentemente em busca de um incrível AOP de 150 V e 1,5 A com um *offset* de entrada inferior a 75 μV e corrente de polarização inferior a 10 nA. Podemos procurar, procurar... e concluir que nenhum dispositivo como esse está disponível, de modo que resolveremos o problema construindo um amplificador composto com um ganho de 20. Vamos especificar uma resposta de frequência de 25 kHz (que é cerca de 20% da frequência de ressonância mecânica própria do piezoelétrico).

Para o AOP de entrada, escolhemos o AD8675 da Tabela 5.5. Ele tem erros de entrada baixos (75, μV e 2 nA no máximo) e variação de saída suficiente para acionar um estágio de alta tensão de $G = 20$. Para o nosso amplificador de saída, escolhemos o Apex PB51, um acionador de potência com capacidade de 300 V e 1,5 A (mas sujeito a uma restrição de área de operação segura, por exemplo, limitado a uma queda de 130 V quando estiver acionando 2 A por 100 ms).

---
[45] Consideramos que os acadêmicos desta área devem produzir trabalhos sobre o assunto.

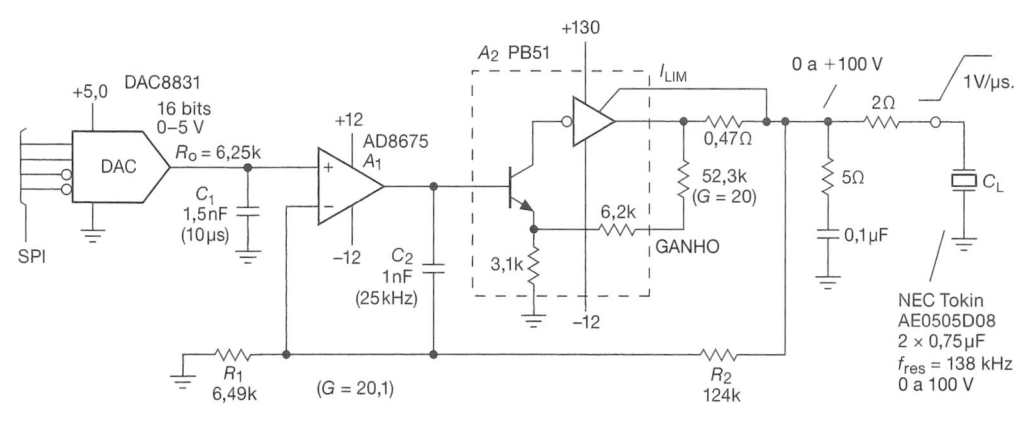

FIGURA 5.47 Amplificador composto de precisão para o acionamento de um posicionador piezoelétrico de 1,5 μF: saída para 100 V e 1,5 A, com *offset* máximo de 75 μV, corrente de entrada máxima de 2 nA e resposta a 25 kHz. O atuador piezoelétrico especificado move 6 μm por 100 V.

Seus erros máximos de entrada são de 1,75 V(!) e 70 μA (!) – por isso é que eles são chamados de acionadores (*drivers*) em vez de AOP! O seu ganho é ajustado com um resistor externo, aqui 52,3 kΩ (para $G = 20$), para casar com o ganho global desejado.

O único caminho de realimentação R_1R_2 define $G = 20$ para o amplificador composto. Aqui usamos um esquema diferente, com C_2 isolando a entrada do AOP A_1 a partir do amplificador de saída A_2 em frequências acima de 25 kHz. Dessa forma, não temos que nos preocupar com a resposta da A_2 em altas frequências, em que ele tem dificuldades no acionamento de sua carga capacitiva. Essa é realmente uma configuração "personalizada", que nos foi imposta pelo *desafio* do tipo de carga; o que tem em comum com outras configurações de amplificador composto é o circuito de realimentação global único, que determina o seu ganho ao longo da maior parte do seu regime de operação.

Para compreender o funcionamento do circuito, imagine um degrau de entrada de 2 V a partir do DAC. Isso provoca um degrau de 2 V na saída do A_1 (que atua como um seguidor em altas velocidades, devido a C_2), que é aproximadamente o sinal correto para que A_2 carregue C_L e desloque sua saída em 40 volts (é por isso que escolhemos $G = 20$ para o estágio de saída). Enquanto o amplificador A_2 se aproxima desse objetivo, o AOP A_1 assume o comando e apresenta sinais de correção para fazer a saída focalizar no valor preciso.

Alguns detalhes adicionais do circuito: a resposta do DAC é retardada por C_1 para uma constante de tempo de 10 μs – nenhum motivo para vibração do amplificador, dada a sua largura de banda limitada. O *RC* em série na saída promove a estabilidade, reduzindo o ganho de malha aberta de A_2 em altas frequências e fornecendo amortecimento com perdas; é amplamente utilizado em amplificadores de potência de áudio. Note que os capacitores de desvio substanciais (até 100 μF, não mostrado) são necessários com essas correntes de sinal de grande porte.

Outros exemplos da técnica de amplificador composto podem ser encontrados nas Figuras 5.58, 5.59, 5.61, 8.49, 8.50, 8.78, 8.80 e 13.48.

E outros exemplos de técnicas que exploram o conceito de acrescentar blocos amplificadores externos são (a) JFET discreto na entrada de um AOP BJT (por exemplo, a Figura 5.58), (b) *buffer* de ganho unitário na saída (Seção 5.8.4) e (c) fontes de alimentação com *bootstrap* para aumentar o alcance de tensão ou para melhorar o CMRR (por exemplo, a Figura 5.79).[46]

5.11 AMPLIFICADORES DE AUTOZERO (CHOPPER ESTABILIZADO)

Mesmo o melhor dos AOPs de precisão de baixo *offset* não pode igualar-se ao impressionante desempenho de V_{OS} dos chamados AOPs "*chopper* estabilizado" ou de "autozero" (também chamado de "deriva zero"). Ironicamente, esses amplificadores interessantes são construídos com CMOS, famoso por sua mediocridade quando se trata de *offset* de tensão ou deriva. O truque aqui é colocar um segundo AOP de *cancelamento* no chip, juntamente com algumas chaves analógicas MOS e capacitores de armazenamento de erros de *offset*. Uma das várias configurações possíveis é apresentada na Figura 5.48. O AOP principal funciona como um amplificador convencional (imperfeito). O trabalho do AOP de cancelamento é monitorar o *offset* de entrada do amplificador principal, ajustando um sinal de correção lento, conforme necessário, em uma tentativa de trazer o *offset* de entrada exatamente para zero. Uma vez que o amplificador de cancelamento tem um erro de *offset* próprio, há um ciclo alternado

---

[46] Se você está pensando em posicionadores piezoelétricos para uma aplicação de precisão, esteja ciente de que eles exibem alguma não linearidade e histerese quando acionados a partir de uma fonte de tensão. Esses problemas são amenizados quando o sinal de acionamento é quantificado pela *carga* em vez de pela tensão.

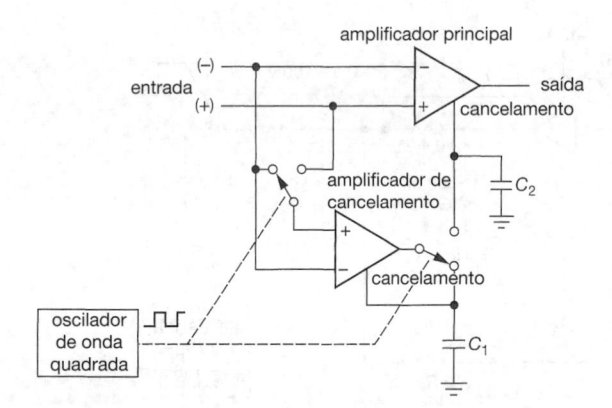

FIGURA 5.48 Os AOPs originais ICL7650 e ICL7652 de autozero ("*shopper* estabilizado"). Os capacitores C_1 e C_2 são externos.

de operação em que o amplificador de cancelamento corrige a sua própria tensão de *offset*. Ambos os amplificadores têm um terceiro terminal de entrada de "cancelamento", de forma análoga ao ajuste de *offset* visto em alguns AOPs.

O ciclo de autozero funciona assim: (a) Desligue o amplificador de cancelamento a partir da entrada, coloque suas entradas em curto entre si e conecte sua saída a C_1, o capacitor de retenção para o seu sinal de correção; o amplificador de cancelamento agora tem *offset* zero. (b) Agora ligue o amplificador de cancelamento na entrada e conecte sua saída em C_2, o capacitor de retenção para o sinal de correção do amplificador principal; este tem agora *offset* zero (considerando que o amplificador de cancelamento não apresente deriva). As chaves analógicas MOS são controladas por um oscilador embutido, normalmente operando em uma faixa de 1 a 50 kHz.

5.11.1 Propriedades do AOP de Autozero

AOPs de autozero fazem melhor aquilo para o qual são otimizados, ou seja, entregam valores de V_{OS} (e coeficientes de temperatura) de 5 a 50 vezes melhor do que o melhor AOP bipolar de precisão (ver Tabela 5.6). Além do mais, eles fazem isso ao entregar plena velocidade e largura de banda do AOP.[47] Eles também têm ganho de malha aberta em baixas frequências extraordinariamente alto (tipicamente de 130 a 150 dB, em consequência da sua "arquitetura de amplificador composto"); e, felizmente, eles são baratos, especialmente quando comparado com AOPs convencionais de precisão.

Essa é a boa notícia. A má notícia é que amplificadores de autozero têm uma série de limitações com que você deve ter cuidado. Por serem dispositivos CMOS, a maioria deles tem uma tensão de alimentação severamente limitada – geralmente, a alimentação total é 6 V, com um grupo menor que pode operar até 15 V, e apenas um dispositivo[48] de uma geração mais antiga (o LTC1150), que pode operar em ±15 V.

De maior importância é o problema do ruído induzidos pelo *clock*. Ele é causado pelo acoplamento de carga das chaves MOS (veja a Seção 3.4.2E) e pode causar picos danosos na saída. As especificações são, muitas vezes, enganosas aqui, porque é comum citar o ruído referente à entrada com $R_S = 100\,\Omega$ e também fornecer a especificação apenas para frequências muito baixas. Por exemplo, uma tensão de ruído referenciada à entrada típica pode ser de 0,3 μVpp (CC a 1 Hz, com $R_S = 100\,\Omega$). No entanto, com sinal de entrada zero, a forma de onda de saída pode consistir de um trem de picos de polaridade alternada de 5 μs de largura e 10 mV!

O chaveamento interno também provoca picos de *corrente* de entrada, o que significa que os sinais de entrada de alta impedância de fonte R_S apresentarão picos maiores referenciados à entrada. As Figuras 5.49 e 5.50 mostram esse comportamento, medido com R_S de 100 Ω e 1 MΩ em vários

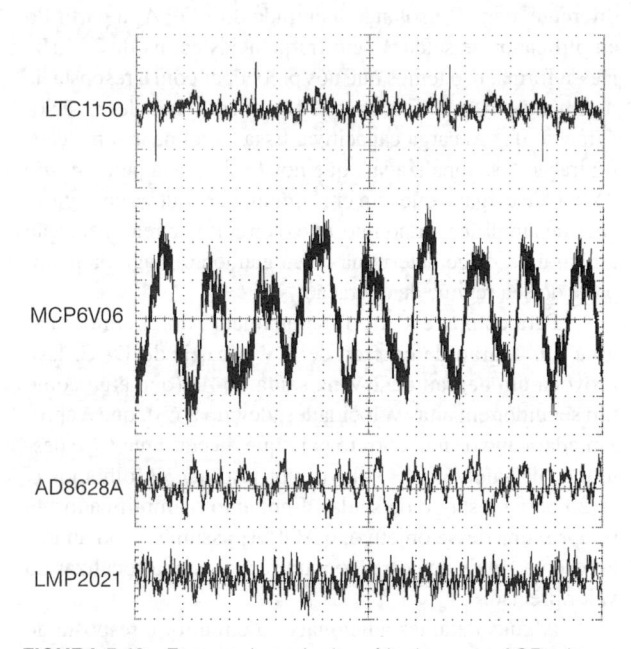

FIGURA 5.49 Formas de onda de saída de quatro AOPs de autozero, configurados para $G = 100$, com a entrada conectada ao terra através de um resistor de 100 Ω. Vertical: 2 mV/div; horizontal: 100 μs/div.

---

[47] Ao contrário de uma geração anterior de amplificadores síncronos que também foram chamados de "amplificadores *chopper*", mas que tinha largura de banda limitada a uma fração da frequência de *clock* do *chopper*.

[48] Alguns tipos antigos de alta tensão que necessitam de capacitores externos (correção de sinal) ainda podem estar disponíveis.

TABELA 5.6 AOPs *chopper* e autozero

Nº identif.	Quant. por encap.	Fonte (V)	I_Q típico (μA)	I_{pol}[a] @25°C típico (pA)	I_{pol}[a] @25°C máx (pA)	Tensão de offset @25°C típico (μV)	Tensão de offset @25°C máx (μV)	Coef. Temp. típico (nV/°C)	Coef. Temp. máx (nV/°C)	CMRR min (dB)	V_{npp} dc[d] (μV)	Ruído[u] e_n 1kHz (nV/√Hz)	Ruído[u] i_n 10Hz (fA/√Hz)	Ruído HF (>kHz)	GBW típico (MHz)	Variação (V/μs)	t estab. típico (μs)	t recuperação típico (μs)	Variação para a fonte IN +	IN −	OUT +	OUT −	Custo quant. 25 ($US)	Observações
ADA4051-1	1,2	1,8–6	15	20	70	2	15	20	100	110	2	95	100	40	0,13	0,04	110	120	●	●	●	●	1,86	autozero, –25duplo
OPA333	1,2	1,8–7	17	70	200	2	10	20	50	106	1,1	55	100	>20	0,35	0,16	45	80	●	●	●	●	2,57	autocal, duplo=2333
ISL28133	1,2	1,65–6,5	18	30	300	2	8	20	75	118	1,1	65	79	8	0,4	0,1	35	?	●	●	●	●	1,69	duplo=28233
OPA330	1,2	1,8–7	21	200	500	8	50	20	250	100	1,1	55	100	>20	0,35	0,16	45	80	●	●	●	●	2,56	auto-al, duplo=2330
MAX9617	1,2	1,6–6	59	10	140	0,8	10	5	120	122	0,42	42	100	50	1,5	0,7	–	?	●	●	●	●	1,60	RRIO, bomba de carga
OPA378	1,2	2,2–6	125	150	550	20	50	100	250	100	0,4	20	200	15	0,9	0,4	9	?	●	●	●	●	2,16	autocal, '2378=duplo
LTC2054	1,2	2,7–6	140	1	150	0,5	3	20	30	120	1,6	85	–	–	0,5	0,5	–	4000	c	●	●	●	2,25	duplo=2055
AD8538	1,2	2,7–6	150	15	25	5	13	30	100	115	1,2	52[h]	–	–	0,5	0,4	5	50	●	●	●	●	1,80	autocalibração, duplos
MCP6V06	1,2	1,8–6,5	200	1	–	–	3	–	50	140	1,7	82	(0,6)	1,15	0,43	0,4	300	100	●	●	●	●	1,42	baixo custo, duplo = 6V07
LTC1049	1	5–16	200	15	50	2	10	20	–	110	3	100	(2)	1	1,3	0,5	–	6000	●	●	●	●	2,85	encap. disponível miniDIP
OPA335	1,2	1,8–7	285	70	200	1	5	20	50	110	1,4	55	20	10	0,8	0,8	6	50	●	●	●	●	2,56	autocal, duplo52335
MAX4238	1	2,7–6	600	1	–	0,1	2	10	–	120	1,2	30	–	?	2	1,6	1000	3300	–	–	–	–	1,62	'42395descomp, G=5
OPA734	1,2	2,7–13	600	100	200	1	5	10	50	115	2,5	135	40	17	1	0,35	–	8	–	●	●	●	2,56	autocal, duplo=2734
AD8551	1,2,4	2,7–6	700	10	50	1	5	5	40	120	1	42	(2)	3,5	2	0,4	50	50	●	●	●	●	2,34	autozero
AD8572	1,2,4	2,7–6	700	10	50	1	5	5	40	120	1,3	51	(2)	2,3	1,5	0,4	–	50	●	●	●	●	3,34	autozero
LTC2050HV	1	2,7–11	750	25	75	0,5	3	–	30	115	1,5	–	–	?	1,5	2	–	2000	●	●	●	●	3,20	OK para alimentações de ±5 V
AD8628	1,2,4	2,7–6	850	30	100	1	5	2	20	120	0,5	22	(5)	15	3	1	2	50	●	●	●	●	1,92	autocal, duplo, quádruplo
LMP2011	1,2,4	2,5–5,8	930	3	–	0,12	25	15	–	95	0,85	35[h]	–	25	2,5	4	–	50	●	●	●	●	2,55	estrutura elétrica de cobre
TLC4501A	1,2	4–6	1000	1	60	10	40	1000	–	90	1,5	12	0,6	none	3	2,5	2	0	●	●	●	●	2,88	autozero na energização
AD8638	1,2	5–16	1000	1,5	40	3	9	10,40	60	118	1,2	60	–	8	4,7	2,5	3	50	●	●	●	●	2,29	autocal, duplo
LTC1050	1	4,75–16	1000	10	30	0,5	5	10	50	114	1,6	–	(1,8)	2,5	1,35	4	–	3000	●	●	●	●	2,85	favorito
LMP2021	1,2	2,5–5,8	1100	25	100	0,4	5	4[g]	20	105	0,2	11	350	30	5	2,5	–	50	●	●	●	●	3,38	rejeição a EMI, '20225duplo
MAX4236A[b]	1	2,4–6	350	1	500	5	20	600	2000	84	0,2	14	0,6	none	1,7	0,3	1	0	●	●	●	●	1,78	CMOS comp de baixo VOS
AD8616[b]	1,2,4	2,7–6	1700	0,2	1	23	60[f]	1500	4000	80	2,4	7	2	none	24	12	–	0	●	●	●	●	1,52	CMOS comp
LT1028[b]	1	8–44	7400	25nA	95nA	10	40	200	800	108	0,04	0,9	4700	none	75	15	0,5	0	–	–	–	–	6,31	BJT comp de baixo ruído
alta tensão																								
LTC1150	1	4,8–32	800	10	60	0,5	10	10	50	110	1,8	–	–	0,5	1,8	1,5	–	20ms	–	●	n	n	5,84	OK para alimentação de ±15 V
LT1012A[b]	1	2,4–40	380	25	100	8	25	200	600	114	0,5	14	20	none	0,8	0,2	–	0	–	–	–	–	5,11	bipolar comp de baixo I_B
LT1007A[b]	1	7–44	3000	10nA	35nA	10	25	200	1000	117	0,06	2,5	1500	none	8	1,7	–	0	–	–	–	–	5,83	bipolar comp de baixo e_n

Notas: (a) Verifique as folhas de dados para os gráficos de I_{pol} *versus* tensão de entrada de modo comum. (b) AOPs de precisão convencionais (sem autozero), para comparação. (c) Região de cruzamento. (d) 0,01 Hz em 10 Hz. (f) Para $V_{CM} = 0.5$ V e 3,0 V (com $V_S = 5,5$ V), mas até 400 μV próximo de $V_{CM} = 2$ V. (g) 1 nV/°C para $V_S = 2,5$ V. (h) 150 nV/√Hz acima de 2 kHz. (n) Perto dos trilhos sem carga. (t) Típico. (u) Valores de corrente de ruído indicadas em *itálico claro* não são confiáveis; valores medidos parecem ser maiores por fatores de 100 ou mais — veja a discussão no Capítulo 8.

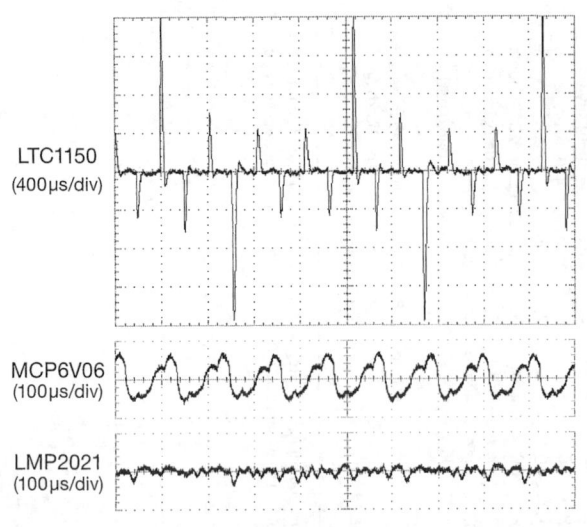

FIGURA 5.50 Formas de onda de saída de três AOPs de autozero, configurados para $G = 100$, com a entrada conectada ao terra através de uma resistência de 1 MΩ. Vertical: 100 mV/div.

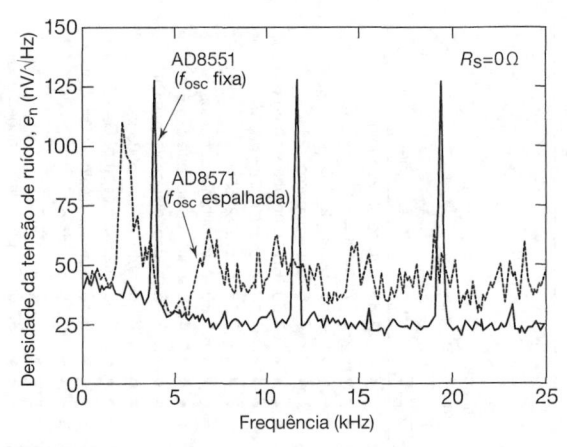

FIGURA 5.51 Os espectros de tensão de ruído, adaptados a partir de suas folhas de dados, para um par de AOPs de autozero. O AD8571 varia sua frequência do oscilador, a fim de suprimir características espectrais pronunciadas.

AOPs de autozero configurados para um ganho de tensão de 100.[49] Existe uma considerável variação entre esses dispositivos, com a configuração de autozero convencional (Figura 5.48, utilizada no LTC1150 e no MCP6V06) exibindo um maior acoplamento de clock em comparação com o de modelos alternativos (como no AD8628A e LMP2021) que se destinam a reduzir esses efeitos indesejáveis.[50]

As folhas de dados *revelam* esse comportamento impróprio, indiretamente, em gráficos de tensão de ruído *versus* frequência.[51] A Figura 5.51 apresenta um par de tais gráficos de dois produtos de autozero da Analog Devices: o AD8551 tem um oscilador de frequência fixa de ~4 kHz, ao passo que o AD8571 tem um oscilador deliberadamente variável (espalhamento espectral) para eliminar linhas espectrais nítidas (o que pode criar intermodulação indesejável com frequências de sinal nas proximidades). Note, a propó-

---

[49] As formas de onda na última figura mostram picos de corrente de 8 nApp para o LTC1150, ruído de 1 nApp para o MCP6V06 (apesar de sua especificação impressionante: 0,6 fA/√Hz em 10 Hz) e 0,2 nApp para o LMP2021 (que ostenta um 0,35 pA/√Hz de especificação de corrente de ruído).

[50] A partir da folha de dados do AD8628A: "A família AD8628/AD8629/AD8630 usa um arranjo de autozero e *chopper* para obter um ruído de frequência baixa mais baixo em conjunto com uma energia mais baixa nas frequências do autozero e *chopper*, maximizando a relação sinal-ruído para a maioria das aplicações sem a necessidade de filtragem adicional. A frequência de *clock* relativamente elevada de 15 kHz simplifica requisitos do filtro para uma largura de banda útil livre de ruído".

[51] Cuidado, porém, com os valores alegados de *corrente* de ruído – os baixos valores listados em muitas folhas de dados são completamente incorretos, por vezes, em fatores de ×10 a ×100, evidentemente calculados *a priori* como o ruído *shot* que corresponde à corrente de entrada CC; veja a discussão na Seção 5.10.8 e na Seção 8.9.1F.

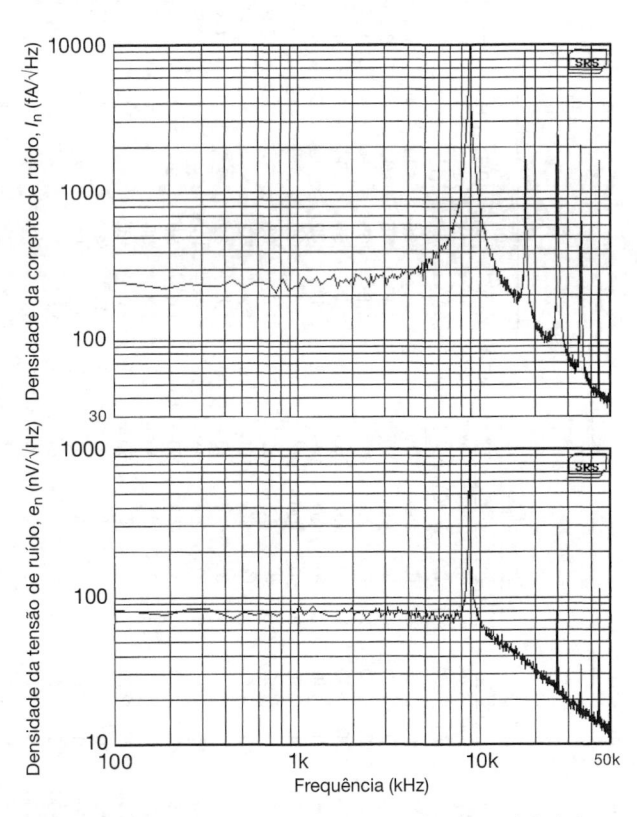

FIGURA 5.52 Densidade da tensão de ruído (parte inferior) e densidade da corrente de ruído (parte superior) medidas para um amplificador de autozero MCP6V06. O ruído do *clock* induzido pelo chaveamento em 9 kHz (e harmônicos) é proeminente.

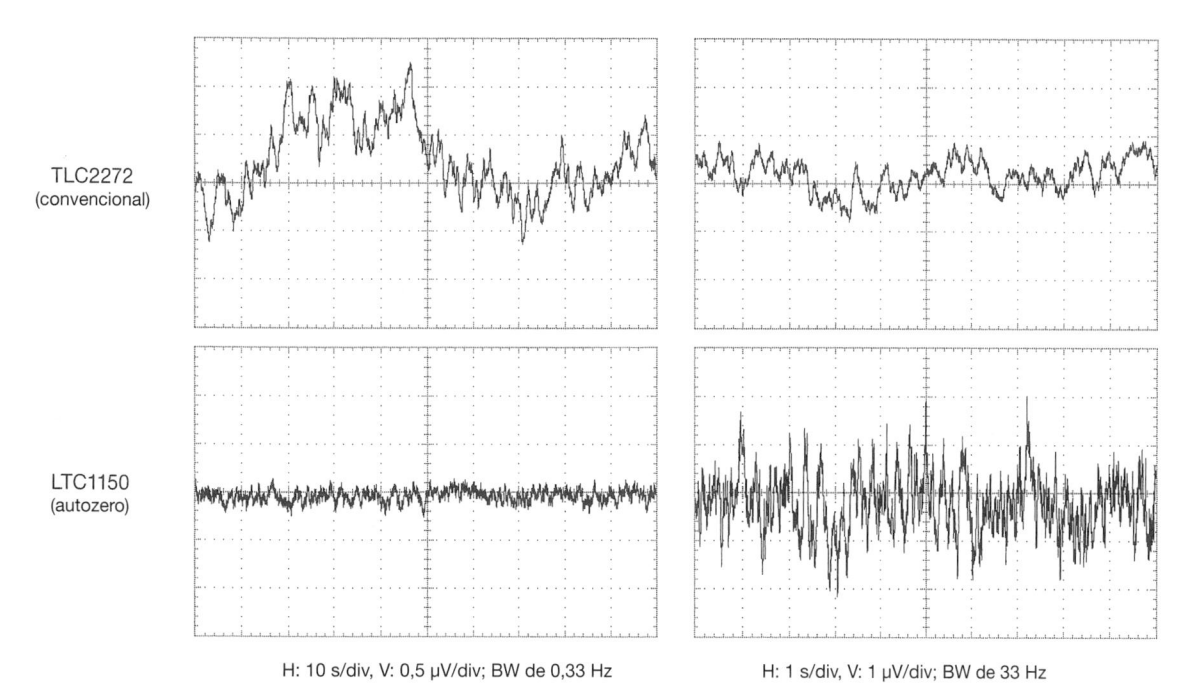

FIGURA 5.53 Em frequências muito baixas, um AOP *chopper* estabilizado tem ruído mais baixo do que um AOP convencional, mas com largura de banda (BW) 100 vezes maior, ele tem mais ruído, como visto nestes gráficos medidos. Veja também a Figura 5.54.

sito, que esses gráficos especificam um sinal de entrada de impedância de fonte zero.

É sempre instrutivo você mesmo fazer alguma medição real, mesmo que apenas para "verificação de fato" do informado pelo fabricante. Verificamos alguns gráficos de ruído espectral para uma meia dúzia de amplificadores de autozero, com um interesse particular em ruído de banda estreita induzido pelo *chopper* na frequência do *clock* e seus harmônicos. Para essas medições, coletamos dados com $R_S = 0$ (para revelar a tensão de ruído de entrada e_n) e, em seguida, com $R_S = 1 M\Omega$ (para revelar a corrente de ruído de entrada i_n). A Figura 5.52 mostra os resultados para uma amostra da coleção de amplificadores de autozero. O e_n medido em baixa frequência concorda bem com o valor da folha de dados de $82\,nV/\sqrt{Hz}$, mas, como observado antes, a densidade da corrente de ruído i_n medida é muito maior do que o valor especificado de $0,6\,fA/\sqrt{Hz}$ – um fator de $\times 400$, neste caso.

Para aplicações de baixa frequência, você pode (e deve) filtrar (RC) a saída para uma largura de banda de algumas centenas de hertz, o que suprimirá picos de saída. Esses picos na corrente de ruído de entrada também não têm qualquer importância em aplicações com impedâncias de entrada baixas, em aplicações de integração (por exemplo, os ADCs de integração; ver Seção 13.8.3) ou em aplicações em que a saída é intrinsecamente lenta (por exemplo, um circuito de termopar com um medidor na saída). Na verdade, se você quiser apenas resposta de saída muito lenta e, portanto, passando a saída por um filtro passa-baixas para frequências extremamente baixas (abaixo de 1 Hz), um amplificador *chopper* realmente terá *menos* ruído do que um AOP de baixo ruído convencional; veja as Figuras 5.53 e 5.54.

Outra maneira de dizer isso é que os amplificadores de autozero têm muita tensão de ruído de *banda larga* ($\sim 50\,nV/\sqrt{Hz}$ em 1 kHz, em comparação com apenas alguns $nV/\sqrt{Hz}$ para um bom AOP de baixo ruído), mas a sua densidade de ruído se mantém constante em frequências muito baixas, em contraste com o $\sim 1/f$ ("ruído *flicker*") divergente de AOPs convencionais (e tudo o mais; ver Capítulo 8). Por exemplo, um AOP BJT de baixo ruído convencional como o LT1007 tem $e_n = 2,5\,nV/\sqrt{Hz}$ (típico) em 1 kHz, mas sua densidade de potência de ruído aumenta conforme $1/f$ abaixo de sua "frequência de canto" de 2 Hz, assim $e_n \sim 100\,nV/\sqrt{Hz}$ em 0,001 Hz. Compare isso com um AOP de autozero como o AD8551, com um $e_n = 42\,nV/\sqrt{Hz}$ aproximadamente plano: este último terá flutuações muito menores em escalas de tempo de minutos. Na verdade, a folha de dados do AD8551 ainda especifica uma tensão de ruído de pico a pico de "0 Hz a 1 Hz" de $0,32\,\mu V$ (típico); nenhum AOP convencional ousaria projetar a sua deriva para um tempo infinito!

Um último problema com amplificadores de auto-zero é a sua infeliz recuperação de sobrecarga. O que acontece é o seguinte: o circuito de autozero, na tentativa de trazer a diferença de tensão de entrada para zero, implicitamente assume que existe um realimentação global atuando. Se a saída do amplificador satura (ou se não houver um circuito externo para fornecer realimentação), haverá uma grande tensão

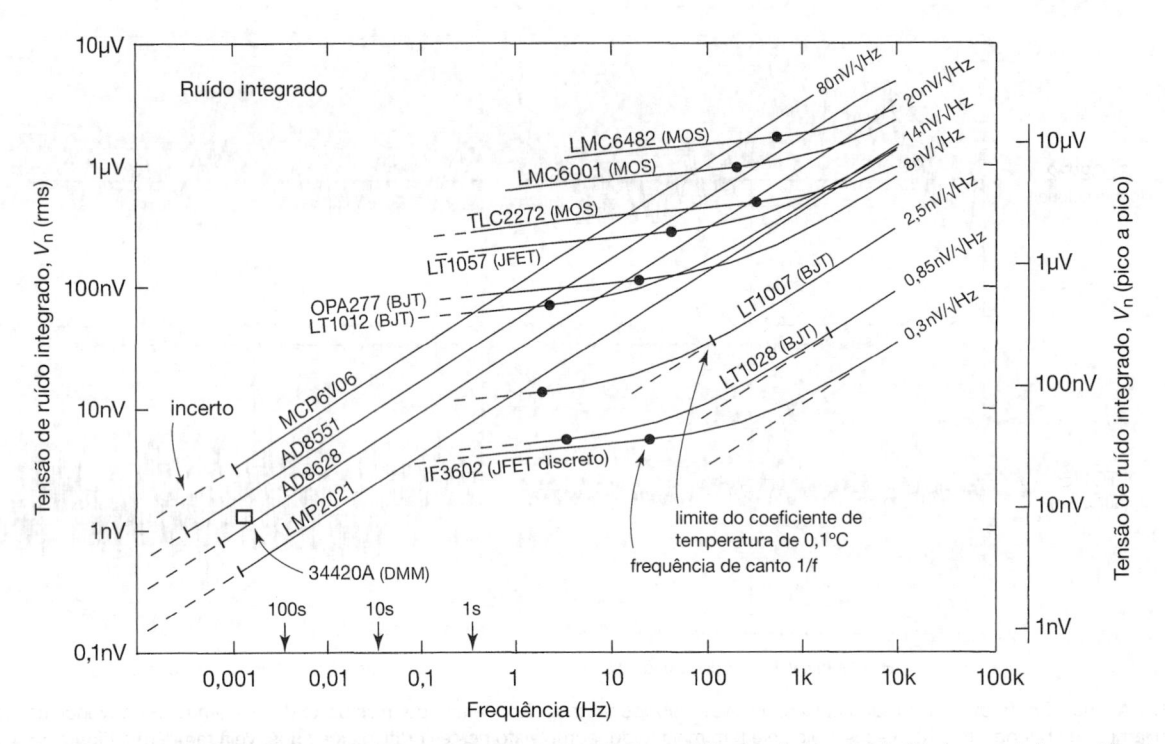

FIGURA 5.54 Tensão de ruído integrado RMS *versus* largura de banda do amplificador. O aspecto de "deriva zero" de amplificadores de autozero faz a sua tensão de ruído integrado de baixa frequência v_n cair em baixas frequências, proporcional à raiz quadrada da largura de banda do passa-baixas. Em contrapartida, o aumento da densidade de ruído $e_n \propto 1/\sqrt{f}$ de AOPs convencionais provoca um platô na tensão de ruído integrada v_n abaixo da frequência de canto $1/f$, como se vê nessas curvas calculadas. (Escolhemos um limite inferior de 0,01 Hz ao integrar o último, porque a integral ilimitada é divergente. Este gráfico permite a você ver a região em que o AOP de autozero ganha ou perde em comparação com o AOP de sua escolha. Você pode desenhar em gráficos estimados para outros dispositivos se você conhecer e_n e a frequência de canto $1/f$. Veja a Seção 8.13.4.) Consulte a Figura 5.37 para os gráficos de densidade de ruído espectral por trás dessas curvas e veja a Figura 8.63 para gráficos de mais de três dúzias de tipos de AOPs.

de entrada diferencial, que o amplificador de cancelamento vê como um erro de *offset* de entrada; por conseguinte, ele gera às cegas uma grande tensão de correção que carrega os capacitores de correção para uma grande tensão antes de o próprio amplificador de cancelamento finalmente saturar. A recuperação é lenta – t_r pode se estender até vários milissegundos. Uma solução é detectar quando a saída está se aproximando da saturação e ceifar a entrada para impedi-lo. Você pode evitar a saturação em amplificadores *chopper* (e em AOPs comuns também) remediando a rede de realimentação com um zener bidirecional (dois zeners em série), que ceifa a saída na tensão zener em vez de deixá-la limitada ao trilho de alimentação; isso funciona melhor na configuração inversora.

Alternativamente, você pode dar um fim a esse problema escolhendo um dispositivo com tempo de recuperação rápido – por exemplo, o OPA378 ou o OPA734 (com t_r = 4 μs e 8 μs, respectivamente).

5.11.2 Quando Usar AOPs de Autozero

- Medições lentas, porém precisas, de transdutores: balanças, termopares, *shunts* de corrente.
- Condicionamento CC de precisão no circuito, criando, por exemplo, conjuntos precisos de tensões a partir de uma referência de tensão
- Aplicações de "largura de banda normal" que querem CMOS de baixa tensão e baixo I_B podem tolerar ruído de banda larga, exigem tensões de *offset* baixas (<< 1 mV) e não querem pagar o custo diferenciado de AOPs CMOS de precisão.

5.11.3 Seleção de um AOP de Autozero

A Tabela 5.6 enumera uma boa seleção de AOPs de auto-zero atualmente disponíveis, além de alguns AOPs convencionais para comparação. Esse é um bom material para consultar inicialmente quando você precisa de um amplificador de auto-zero. É também um bom material para aprender sobre algumas das propriedades comuns e algumas das peculiaridades desses amplificadores. Aqui estão alguns comentários para você começar.

Tensão de alimentação Todos os dispositivos, exceto um, são de baixa tensão, 5,5 a 6 V máx, e muitos operarão até 2 V ou menos. Cinco podem operar a partir de fontes de ±5 V. As correntes de alimentação variam de

15 μA a 1,1 mA. Os dispositivos são listados aproximadamente pela corrente de alimentação.

Corrente de entrada Amplificadores de autozero são construídos com CMOS, por isso as correntes de entrada estão tipicamente em picoampères. Poderíamos esperar que as correntes de entrada fossem cerca de um picoampère como em outros AOPs CMOS. Embora existam alguns dispositivos para os quais isso é verdade (por exemplo, MAX4238, MCP6V06 e LTC2054), a maioria tem correntes consideravelmente maiores, até 0,5 nA máx, sem dúvida por causa do acoplamento de carga da comutação de entrada. Até mesmo a maioria dos AOPs JFET convencionais funcionam melhor, exceto em altas temperaturas, quando os AOPs de autozeros são geralmente muito melhores. Por exemplo, a I_B do LMP2021 de autozero permanece tipicamente inferior a 75 pA a 125°C (para qualquer tensão de modo comum), em comparação com o AOP JFET OPA124 (convencional) (0,5 nA) e o LF412 (10 nA). As correntes de entrada de um AOP de autozero não são tão baixas como os melhores dispositivos CMOS convencionais (com suas correntes de femtoampères), mas consideravelmente melhores do que dispositivos de entrada BJT de precisão convencionais, como o LT1028 ou o LT1007 na tabela.[52]

Tensão de *offset* Aqui é onde os amplificadores de autozero realmente brilham, com tensões de *offset* máximas que variam de 0,1 a 5 μV típico (e 2 μV a 25 μV máximo – no negócio de projeto de precisão, você sempre tem que prestar muita atenção às especificações "máximas"). Alguns dispositivos convencionais (sem autozero) podem se aproximar desse valor (20 μV para o CMOS MAX4236A, 25 μV para o BJT LT1012A e LT1007), mas eles não podem se igualar aos excelentes coeficientes de temperatura dos dispositivos de autozero (geralmente na faixa de 5 a 20 nV/°C), adquiridos, é claro, pela contínua correção de *offset*. AOPs convencionais também sofrem com os efeitos devastadores do ruído $1/f$, que define pisos de desempenho na região de 10 a 100 nV; veja a Figura 5.54 e a discussão relacionada.

Os amplificadores de autozero têm derivas de coeficiente de temperatura de tensão de *offset* típico de 4 a 100 nV/°C. As especificações máximas variam até 250 nV/°C (e além? muitos dispositivos não listam uma especificação máxima). O AD8628 e o LMP2021 são os vencedores nessa categoria. Mas esses dispositivos consomem cerca de 1 mA e, portanto, pode-se esperar ter mais autoaquecimento do dispositivo do que o consumo de 60 μA do MAX9617 com sua especificação de 5 nV/°C. Nenhum fabricante pode se dar ao luxo de realizar testes de temperatura em dispositivos de produção, de modo que essas especificações devem ser aceitas com cautela.

Este desempenho é possível? Ao nível de nV/°C, você tem que se preocupar seriamente quanto aos efeitos de termopares em conexões externas, e até mesmo dentro da própria estrutura eléctrica do chip: FEMs térmicas típicas são da ordem de 5 a 40 μV/°C – que é 1000 vezes (ou mais) o coeficiente de temperatura especificado desses AOPs de autozero!

Tensão de ruído Amplificadores de autozero apresentam maior ruído de banda larga do que AOPs convencionais, devido às suas entradas CMOS e aos elementos de comutação associados. A densidade da tensão de ruído e_n em 1 kHz (a referência habitual) é da ordem de 50 a 100 nV/$\sqrt{Hz}$, superado por muitos dispositivos CMOS convencionais e por todos os dispositivos BJT. Mas, ao contrário de AOPs convencionais, a densidade de ruído não aumenta em baixas frequências, de modo que a tensão de ruído integrada de baixa frequência (que você pode pensar como sendo flutuações, ou deriva) é melhor do que até mesmo os melhores AOPs de baixo ruído (como visto nas Figuras 5.53 e 5.54). Falando aproximadamente, a tensão de ruído integrada cai como $1/\sqrt{t}$ (ou proporcionalmente à raiz quadrada da frequência do passa-baixas).

Além de e_n, um parâmetro útil na tabela é a especificação da tensão de ruído de pico a pico (v_n) de 0,1 a 10 Hz. O AD8628, MAX9617 e OPA378[53] funcionam muito bem com especificações de ruído de 0,5 μV a 0,4 μVpp, mas o LMP2021 é claramente o vencedor com um e_n de 11 nV/$\sqrt{Hz}$ e v_n de 0,26 μVpp. Esse dispositivo está disponível em um encapsulamento SOT23 conveniente.

Uma advertência: a extrapolação de frequência muito baixa (isto é, deriva de longo período) deve, por fim, tornar-se dominada por outras fontes de deriva (por exemplo, difusão de impurezas); veja a coluna de Bob Pease, "What's All This Long-Term Stability Stuff, Anyhow?" (publicada na Electronic Design, 20 de julho de 2010).

Corrente de ruído A densidade de corrente de ruído i_n deve ser, pelo menos, o valor do ruído *shot* (dado por $i_n = \sqrt{2qI_B}$, com $q = 1,6 \times 10^{-19}$ C; assim, 1,8 fA/$\sqrt{Hz}$ para uma corrente de polarização de $I_B = 10$ pA) que corresponde à corrente de entrada I_B, geralmente na faixa de uns poucos fA/$\sqrt{Hz}$. Na verdade, para a maioria desses dispositivos, ela é muito maior – em fatores de até 10 a 100.

---

[52] Alguns dispositivos alertam que, para impedâncias de fonte altas, a corrente de polarização pode mudar drasticamente em função da *capacitância* de entrada! Por exemplo, a corrente de entrada de um LMP2021 com $R_S = 1$ GΩ varia de -25 a $+25$ pA para uma capacitância *shunt* de entrada C_s variando de 2 a 500 pF. Note que essas correntes de entrada criam grandes *offsets* com tais resistências altas de fonte: 25 pA em 1 GΩ é 25 mV. Um gráfico na folha de dados mostra que a corrente de entrada I_B passa por zero para $C_s = 22$ pF. Outros dispositivos do fabricante mostram efeitos semelhantes. Em um amplificador de transimpedância com R_F alto, usar um grande capacitor de realimentação C_F pode reduzir bastante o erro de polarização de corrente.

[53] AOP *chopper* de baixa tensão de alimentação e baixo custo. O dispositivo dual é o OPA2378.

A corrente de ruído é 125 vezes superior ao ruído *shot* para o LMP2021, que foi o vencedor da competição de tensão de ruído. Dispositivos que dizem funcionar bem nesse quesito (ou seja, com a entrada de corrente de ruído aproximadamente igual ao ruído *shot* calculado[54]) incluem o AD8572, o AD8551 e o LTC1050. O MCP6V06 é o vencedor do concurso de corrente de ruído, com $0,6\,fA/\sqrt{Hz}$. Essa especificação prevê 2 μV a partir da corrente de ruído através de um resistor de 1 GΩ em uma largura de banda de 10 Hz, aproximadamente igual a 1,7 μV de tensão de ruído v_n. O TLC4501A funciona igualmente bem, porque ele faz o seu autozero apenas uma vez, na energização. Mas sabemos que o TLC4501A, ao contrário do MCP6V06, funcionará bem em frequências mais altas e com larguras de banda maiores, porque não se ocupa com oscilador de autozero e chaves. Mas ele não funcionará bem em tempos longos, por causa do ruído 1/f e das múltiplas fontes de deriva.

Cuidado, caro leitor, como você faz suas escolhas – sete dispositivos atraentes na tabela, como o AD8538 e o LMP2011, não têm características de corrente de ruído ou gráficos. Você pode precisar ir à bancada para obter a sua resposta.

Taxa de variação e tempo de estabilização Para os dispositivos listados, as taxas de variação vão desde 0,04 a 2,5 V/μs, e o ganho-largura de banda varia de 0,13 a 4,7 MHz. Os dispositivos mais rápidos são destinados a competir para o uso em soquetes de AOPs comuns. Para esses dispositivos, o tempo de estabilização t_s é dominado pela taxa de variação. Mas existem anomalias, como o MCP6V06[55] e o MAX4238, cujos tempos de estabilização são uma ou duas ordens de magnitude maiores do que a concorrência. Isso pode estar relacionado ao tempo de recuperação – os dispositivos com tempos de recuperação em milissegundos têm tempos de estabilização muito longos (o MAX4238) ou não estão dispostos a mencioná-lo (outros cinco dispositivos).

Faixa de tensão de entrada A maioria dos AOPs de autozero não suporta tensões de entrada que vão ao trilho positivo (embora todos eles tenham *saída* trilho a trilho). O MCP6V06, o OPA333, o ISL28133, o MAX9617 e a maioria dos dispositivos da Analog Devices são notáveis pela operação de entrada trilho a trilho total, sem degradação de V_{OS} ou CMRR. O MAX9617 consegue isso usando uma fonte de alimentação interna com bomba de carga acima do trilho. Note também que as especificações de V_{OS} podem ser condicionadas em uma faixa restrita de tensão de entrada – a maior parte do caminho para V_+ para alguns, outros apenas parcialmente. *Certifique-se de ler as letras miúdas na especificação*! Por exemplo, a folha de dados do OPA335 diz "$(V_-) - 0,1\,V < V_{cm} < (V_+) - 1,5\,V$" ao lado de sua especificação de CMRR de 130 dB e "$V_{cm} = V_s/2$" próxima da sua especificação de tensão de *offset* de 1 μV.

Encapsulamento Alguns dos tipos (mais antigos) da Linear Technology estão disponíveis em encapsulamentos DIP-8 para facilitar a construção de protótipos. Caso contrário, você pode usar um adaptador de SOIC para DIP ou um de SOT23 para DIP (confira as ofertas da Aries ou da Bellin Dynamic Systems).

5.11.4 Miscelânea de Autozero

A. "Amplificador *chopper*" acoplado em CA

Ao considerar amplificadores *chopper* de autozero, certifique-se de não confundir essa técnica com uma outra técnica de "*chopper*", ou seja, com o amplificador *chopper* de baixa largura de banda tradicional, em que um pequeno sinal CC é convertido para CA ("fatiado – *chopped*") em uma frequência conhecida, amplificado em amplificadores de acoplamento CA e, então, finalmente demodulado pela multiplicação com a mesma forma de onda usada para "fatiar" o sinal inicialmente (Figura 5.55). Estes esquema é bastante diferente da técnica de autozero de banda larga total que estamos considerando, na medida em que decai nas frequências de sinal que se aproximam da frequência de *clock*, normalmente apenas algumas centenas de hertz. Você o verá, às vezes, em registradores gráficos e outros instrumentos de baixa frequência.

B. *Offsets* Térmicos

Quando você construir amplificadores CC com tensões de *offset* abaixo de microvolts, deve estar ciente dos *offsets térmicos*, que são pequenas baterias acionadas termicamente produzidas pela junção de metais diferentes. Você obtém um efeito Seebeck "FEM térmica" quando tem um par de tais

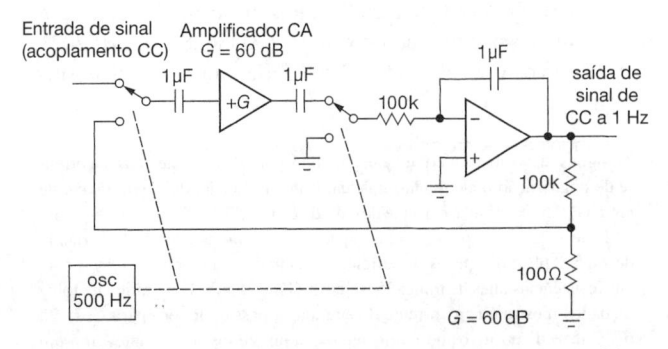

FIGURA 5.55 Um amplificador *chopper* com acoplamento CA.

---

[54] Em 10 Hz, quem sabe sobre frequências mais altas?!

[55] Os curiosos números de identificação fazem com que nós, veteranos, nos lembremos de um famoso tubo de vácuo muito usado no passado.

junções em diferentes temperaturas. Na prática, você geralmente tem juntas entre fios com diferentes galvanizações; um gradiente térmico, ou mesmo uma pequena deriva, pode facilmente produzir tensões térmicas de alguns microvolts. Mesmo os fios semelhantes de diferentes fabricantes podem produzir FEMs térmicas de 0,2 μV/°C, 10 a 100 vezes a especificação de deriva típica dos amplificadores de autozero na Tabela 5.6! A melhor abordagem é esforçar-se para ter a fiação e o leiaute de componentes simétricos e, em seguida, evitar derivas e gradientes.

Aqui, como um guia aproximado para lidar com com termopares parasitários, deslocamentos de Peltier e semelhantes, estão algumas tensões de pares termelétricos (do AN1389-1, da Agilent):

Cobre-	μV/°C (aprox.)
Cobre	<0,3
solda Cd-Sn	0,2
solda Sn-Pb	5
Ouro	0,5
Prata	0,5
Bronze	3
Be-Cu	5
Alumínio	5
Kovar	42
Silício	500
óxido de cobre	1000

C. AOPs de Autocalibração ao Energizar

A Texas Instruments tem uma abordagem interessante para contornar o ruído de *clock* em amplificadores de autozero: fazê-lo apenas uma vez! Sua família CMOS TLC4501 de "autocalibração (Self-Call^{TM}) de amplificadores operacionais de precisão de saída trilho a trilho" entra em operação ao energizar, realizando um autozero e mantendo a correção do *offset* em um DAC no chip. A boa notícia é que você fica sem o ruído do *chopper* e com boas especificações de *offset* muito boas (10 μV típico, 40 μV máximo), pelo menos em comparação com as dos típicos AOPs CMOS. A notícia menos boa, como você poderia esperar, é que a deriva do *offset* com a temperatura não é espetacular (poderíamos dizer que é o "pior da classe"), em ±1.000 nV/°C típico, em comparação com ~20 nV/°C para AOPs de autozero verdadeiros (ver Tabela 5.6).

D. A Competição sem *Chopper*

Você não consegue superar a especificação de *offset* de ~1 μV (típico) desses amplificadores de auto-zero e *chopper*, mas você pode trabalhar muito bem com os melhores AOPs de precisão ajustados de fábrica. AOPs bipolares, como o LT1007 ou o LT1012, funcionam muito bem, em 10 μV (típico), e o notável CMOS MAX4236A tem uma especificação

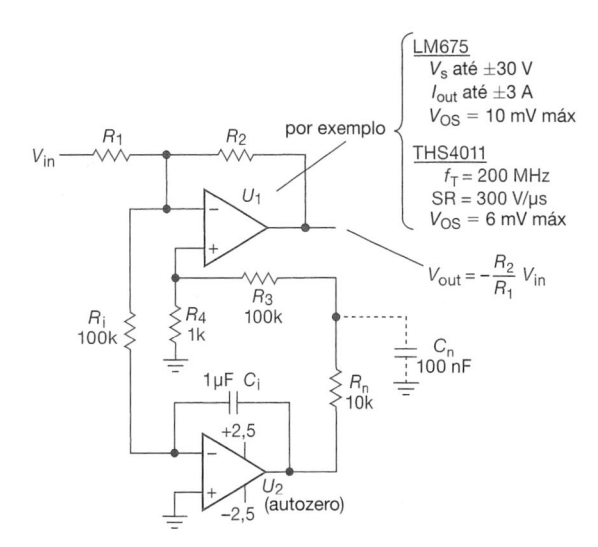

FIGURA 5.56 Autozero externo. Mas atente para a alta corrente de polarização de U_1.

de *offset* de 5 μV típico (e 20 μV máximo). Note, contudo, que esses AOPs ajustados de fábrica não chegam perto das especificações de deriva de um verdadeiro autozero: ±200 nV/°C (típico) para os tipos bipolares e ±600 nV/°C para o CMOS, em comparação com ~20 nV/°C para um verdadeiro autozero.

E. Autozero Externo

Você pode usar um AOP de autozero como um ajuste de *offset* externo para um AOP convencional. Isso pode ser útil quando você precisa de um AOP de alta tensão, alta potência ou alta velocidade cujo *offset* de entrada é muito grande. A Figura 5.56 mostra o esquema que funciona mais naturalmente com a configuração inversora, como mostrado.

O AOP de autozero (baixa tensão) U_2 está configurado como um integrador, olhando para a tensão de erro na entrada inversora do AOP convencional (U_1). A saída do integrador é atenuada por ×100 para ajustar a tensão no não inversor em conformidade. Com os valores apresentados, a saída do integrador responde de acordo com $dV/dt = -\Delta V/R_i C_i$; assim, um erro de 10 μV produz uma saída do integrador de -100 μV/s é uma correção de -1 μV/s no terminal não inversor de U_1. Uma constante de tempo longa é desejável (*offsets* do AOP deriva muito lentamente) e necessária (para evitar oscilação de malha). Aqui, o intervalo de correção é definido pela divisor $R_3 R_4$, de modo que uma saída do integrador de ±1 V produz uma correção de ±10 mV. O LM675 é um bom AOP de alta potência (corrente de saída de 3 A, tensão de alimentação de ±30 V, com uma sofisticada área de operação segura e proteção térmica), mas com uma tensão de *offset* máxima de ±10 mV. O autozero a reduz por um fator de 1.000. Do mesmo modo, o THS4011 é um AOP rápido ($f_T = 200$ MHz, SR = 300 V/μs), com uma tensão de *offset* máxima de ±6 mV. Um filtro de ruído adicional R_nC_n na saída do autozero, como mostrado, pode ser necessário para suprimir o ruído de comutação na malha de correção (lenta) quando essa técnica é usada com dispositivos de pequenos sinais e baixo ruído, como o THS4011 (7,5 nV/$\sqrt{Hz}$). Você pode pensar nessa técnica como uma implementação discreta do sistema integrado da Figura 5.41.

F. Amplificadores de Instrumentação de Autozero

Na Seção 5.13, discutimos *amplificadores de instrumentação*, que são amplificadores de entradas diferenciais com impedância de entrada muito alta (10 MΩ a 10 GΩ), ampla faixa de ganho (G_V = 1 a 1.000, ajustado pelos resistores de definição de ganho internos ou externos) e CMRR muito alta em ganhos mais altos (110 a 140 dB em G_V = 100). Esses são, em grande parte, construídos com circuitos convencionais (sem autozero); mas alguns têm a essência do CMOS de autozero, com tensão de *offset* e deriva muito baixas (até 10 μV e 20 nV/°C máx). A Tabela 5.8 lista uma boa seleção de amplificadores de instrumentação, que incluem tipos de autozero, como o AD8553, o AD8230, o AD8293, o INA333, o LTC2053 e o MAX4209. Alguns amplificadores de instrumentação *convencionais* que competem nessa arena de baixa deriva são o LTC1167/8 (40 μV, 50 nV/°C máx) e o AD8221 (25 μV, 300 nV/°C máx).

G. Faça Você Mesmo

Se você gosta de observar os detalhes dos circuitos, dê uma olhada no "Dual Precision Instrumentation Switched-Capacitor Building Block" (Bloco Construtivo de Capacitor Chaveado para Instrumentação de Precisão) do LTC1043. Ele lhe permite fazer o seu próprio amplificador diferencial de alto CMRR. Esse é apenas um dos seus muitos truques, que incluem filtros de capacitores chaveados, osciladores, moduladores, amplificadores sintonizados, amostragem e retenção, conversão frequência-tensão, inversão de tensão com "capacitor flutuante", multiplicação e divisão. A folha de dados é um ótimo livro de cabeceira.

5.12 PROJETADOS POR MESTRES: DMMS PRECISOS DA AGILENT

Este é mais um na série de destaque "Projetados por Mestres", em que observamos com um olhar mais atento alguns projetos de circuitos exemplares. Pense nisso como uma *classe mestre* em projeto de circuito. Você pode aprender muito abrindo e observando um instrumento bem projetado. Um bom exemplo é fornecido pelos excelentes multímetros digitais (DMMs) de Agilent, especificamente seus medidores de bancada 34401A (6,5 dígitos) e 34420A (7,5 dígitos). No Capítulo 13 (Seção 13.8.6), discutimos a técnica "*multislope* ADC" de precisão que eles usam. Aqui, no contexto do projeto *analógico* de precisão, observamos em detalhes a inteligente parte frontal que eles projetaram, a partir de esquemas prestativamente fornecidos em seus manuais de serviço.[56] Vejamos como os verdadeiros profissionais fazem!

5.12.1 É Impossível!

À primeira vista, a tarefa é impossível. Eis o porquê.

Precisão Necessitamos de precisão e linearidade no nível de partes por milhão, em um medidor cujos alcances de fundo de escala vão até uma fração de um volt (100 mV para o 34401A, 1 mV para o 34420A). Isso é muito baixo na faixa de nanovolt.

Baixo nível de ruído A precisão é inútil se o ruído instrumental faz medições sucessivas variando entre muitos LSBs. Então, precisamos de níveis de tensão de ruído de entrada baixos na faixa de nanovolts para as faixas mais sensíveis.

Alta impedância de entrada Um voltímetro deve ter alta impedância de entrada para minimizar a carga exercida no circuito. Então, para medições no nível de ppm, você gostaria que R_{in} fosse algo como um milhão de vezes maior que impedâncias típicas do circuito. Isso o coloca na faixa de gigaohm, com correntes de entrada baixas de até picoampères.

Daí o dilema: gigaohms e picoamps significa FETs. No entanto, AOPs FET convencionais não oferecem o mesmo desempenho, devido à tensão de *offset*, à deriva e ao ruído de tensão relativamente grandes. AOPs AZ (ver Tabela 5.6) são consideravelmente mais precisos, mas eles sofrem de corrente de ruído significativa. E JFETs discretos (aqueles com grande área podem ter tensão de ruído muito baixa, menos de 1 nV/$\sqrt{Hz}$) com a sua característica I_D contra V_{GS} incerta (Seção 3.1.5) parecem ser impossíveis no nível de fração de microvolt. Fim da discussão.

5.12.2 Errado – É Possível!

Mas isso *pode* ser feito. O truque é perceber que um instrumento digital (com o seu cérebro microprocessado na própria placa) pode calibrar *offsets* (com uma medição "zero") e erros de escala (com uma medição "de fundo de escala") relativamente grandes, de modo que o que importa não é a presença do *offset*, *por si só*, mas a sua estabilidade (deriva)

---

[56] Nos bons e velhos tempos, os fabricantes orgulhosamente publicavam seus circuitos. Atualmente isso é bem menos comum – por exemplo, os diagramas de circuito não constam no manual de serviço do Agilent 34410A (sucessor do 34401A). Felizmente, alguns fabricantes (por exemplo, Stanford Research Systems) continuam a exibir seus engenhosos circuitos, com esquemas completos e listas de dispositivos.

durante o tempo de medição.[57] Isso permite a utilização de JFETs duplos discretos, com sua combinação imbatível de baixo e_n e de baixo I_B, em uma configuração de AOP melhorado com JFET. Dessa forma, você pode obter o ganho de malha alto de que você precisa para conseguir linearidade, especialmente nas faixas sensíveis, em que o ganho da seção de entrada é 1.000 ou 10.000.

Esse não é o fim da história. Você precisa de redes de resistores precisos, com coeficiente de baixa tensão, uma configuração de circuito que mantenha a sua precisão sobre uma grande faixa de entrada de modo comum (para ± 10 V) e, claro, uma referência de tensão cuja estabilidade determine a precisão geral do instrumento.

5.12.3 Diagrama em Bloco: Um Plano Simples

Esses instrumentos alavancam o poder do "controle incorporado" (um microcontrolador embutido) para entregar grande desempenho a partir de uma arquitetura de grande simplicidade. O esquema básico (Figura 5.57) é o retrato da simplicidade: consiste de um único amplificador, configurado na conexão familiar de um AOP não inversor, com terra flutuante referenciado à tomada de entrada ($-$). O microcontrolador é o chefe aqui: seu código configura o ADC de alta precisão (Seção 13.8.6) e cuida das múltiplas calibrações que são necessárias para obter um bom desempenho de parte por milhão (ou melhor) de uma coleção de dispositivos de baixo custo. Mergulhemos no interior desses dois DMMs para ver como tudo funciona.

5.12.4 Seção de Entrada de 6,5 Dígitos do 34401A

O 34401A fez sua estreia em 1991, surpreendendo o mundo do T&M (teste e medição) com um desempenho espantosamente bom (resolução de 6,5 dígitos, medições a 1.000/s, precisão até 20 ppm) a um preço acessível (~1k dólares). O amplificador de entrada (precedido por circuitos de proteção e atenuadores para as faixas de 100 V e 1000 V[58]) proporciona ganhos de $\times 100$ (faixa de 100 mV), $\times 10$ (faixa de 1 V) e $\times 1$ (faixa de 10 V) com $R_{in} > 10$ GΩ; o atenuador de entrada entra em ação para as faixas de 100 V e 1.000 V, para as quais $R_{in} = 10$ MΩ.

A estrutura básica é de um AOP de precisão de baixo ruído (OP-27), acionado por um par seguidor de fonte JFET, como mostrado na Figura 5.58A. (A configuração na Figura 5.58B, em que um amplificador diferencial JFET de fonte comum substitui o seguidor, é usada no 34420A para proporcionar o ganho de malha adicional e a tensão de ruído mais baixa necessários para as suas faixas mais sensíveis com fundo de escala de 1 mV e 10 mV). O AOP com entrada BJT fornece bastante ganho (120 dB) de baixo ruído (3 nV/$\sqrt{Hz}$) estável (0,2 μV/°C), mas a um preço: uma corrente de entrada inaceitável de ± 15 nA, com uma correspondente corrente de ruído de entrada (1.7 pA/$\sqrt{Hz}$). O seguidor JFET resolve os problemas de corrente de entrada e ruído em detrimento da estabilidade do *offset* (40 μV/°C!) e de uma significativa tensão de ruído adicionada (10 nV/$\sqrt{Hz}$). A troca parece ruim – mas é boa o suficiente para este instrumento. (*Não* é boa o suficiente para o 34420A, mais preciso e sensível, como veremos logo.)

O circuito completo é mostrado na Figura 5.59. Observe primeiro a fonte de dreno com *bootstrap* para o par de JFET: Q_2 mantém uma tensão dreno-fonte constante em Q_1 (igual a V_{GS} de Q_2 na corrente de operação, a última constante mantida pelo circuito de absorção de corrente, aparentemente complicado, nos terminais de fonte de Q_1). Isso é essencial, pois o par JFET Q_1 é tudo, menos preciso (você acreditaria, V_{OS} (máx) = 40 mV?!), e, assim, a variação dessa tensão de *offset* medíocre com um sinal de entrada que varia (variando, dessa forma, a V_{DA}) certamente frustra qualquer expectativa de precisão. Porém, ao fazer o *bootstrap* dos drenos para seguir as fontes, os transistores nem sequer sabem que não há qualquer variação do sinal de entrada; eles

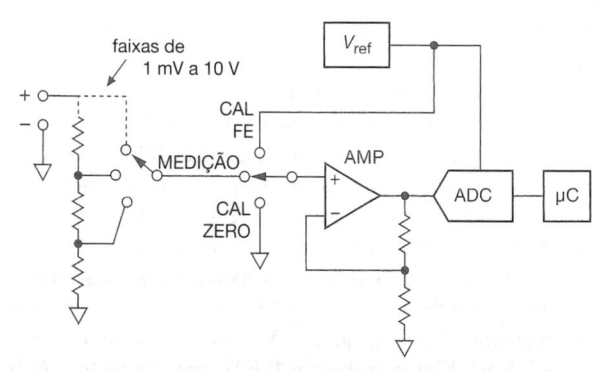

FIGURA 5.57 DMMs DA Agilent: extrema simplicidade... ao nível do diagrama em blocos.

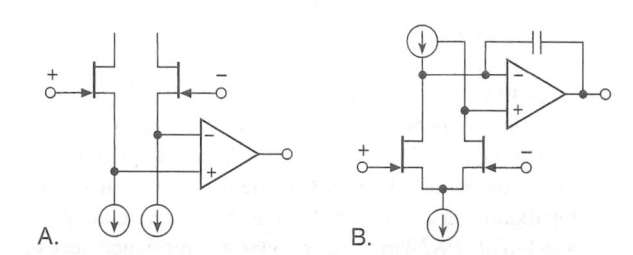

FIGURA 5.58 Configurações básicas de AOP melhorado com JFET para os DMMs da Agilent: A. Seguidor de fonte utilizado no 34401A. B. Amplificador diferencial de fonte comum utilizado no 34420A.

---

[57] Um truque a mais é realizar a média de vários desses ciclos de calibração--medição (até 2 minutos, no 34420A) para derrubar a dispersão.

[58] Todos têm "sobrefaixa" de 20%; por exemplo, ± 12 V na faixa de "10 V".

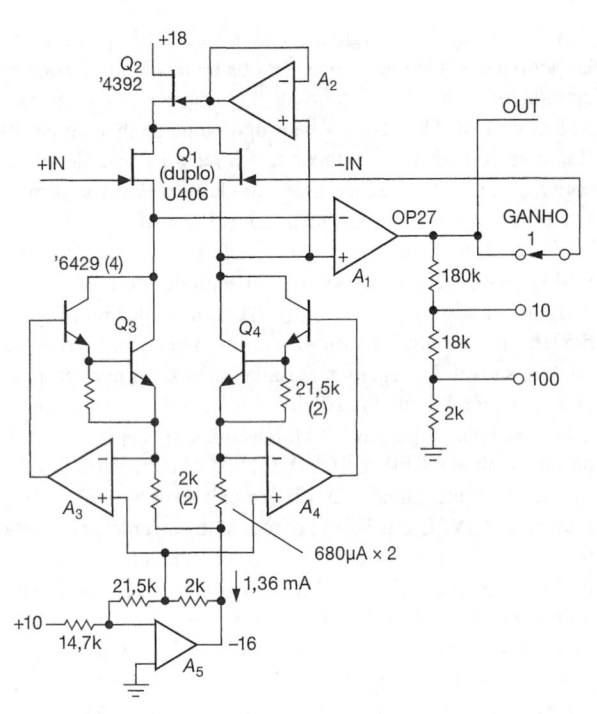

FIGURA 5.59 Amplificador de vanguarda 34401A da Agilent, capaz de medições com resolução de 0,1 μV. A entrada é de terminação simples, amplificada e medida em relação ao terminal comum de entrada do instrumento.

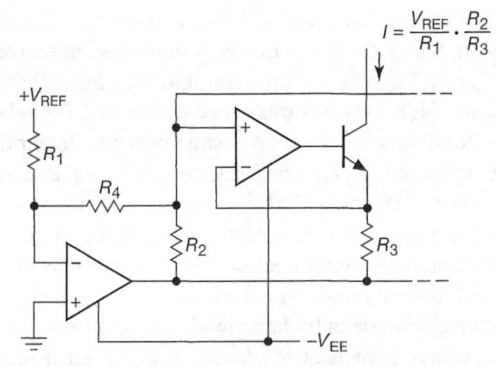

FIGURA 5.60 Um dos coletores de corrente do 34401 da Agilent.

(faixa operacional de ±12 V, mais um adicional de 3 V para acomodar ondulação e ruído). Se você ligar os valores de resistência a partir da Figura 5.59, descobrirá que a compliance se estende até −14 V (o emissor está em −14,6 V) e que as correntes *pull-down* de fonte individuais são 680 μA. Os projetistas utilizarão transistores Darlington para manter pequeno o erro de corrente de base (aproximadamente $I_C/4500$, considerando um beta de transistor de 200).

5.12.5 Seção de Entrada de 7,5 Dígitos do 34420A

Com o 34401A de 6,5 dígitos abrindo o caminho, observemos o seu irmão mais sábio, o 34420A, um DMM de 7,5 dígitos. Ele se orgulha da melhor resolução e da maior sensibilidade (1 mV de fundo de escala), que coloca exigências reais de precisão, estabilidade e ruído na seção de entrada. Na faixa mais sensível, o amplificador da seção de entrada tem um ganho de 10.000 (para trazer a entrada de ±1 mV para o alcance do ADC de ±10 V), exigindo muito ganho em malha aberta para manter a precisão e a linearidade. Com sensibilidade e resolução, vem a exigência de um baixo ruído; por exemplo, as especificações listam uma "tensão de ruído CC" (com cálculo de média de 2 minutos) de 1,5 nV(RMS) na faixa de 10 mV – que é 0,15 ppm.

Para atender a essas exigências, os projetistas usaram a configuração da Figura 5.58B, na qual o par JFET é configurado como um amplificador diferencial de fonte comum para um maior ganho de malha e ruído reduzido. O circuito do amplificador completo é mostrado na Figura 5.61.

Mais uma vez, os JFETs são operados em uma corrente constante (cada um com 2 mA), com *bootstrap* nos drenos (mantendo $V_Z - 2V_{BE} - 1V$ acima da fonte, ou seja, $V_{DS} \approx 2,5$ V). Eles escolheram JFETs com geometria muito maior para obter uma tensão de ruído bastante reduzida (um e_n=0,4 nV/$\sqrt{Hz}$ impressionante baixo em 10 Hz). Estes JFETs são *enormes*: I_{DSS} = 50 mA mín, 1.000 mA máx (que tal isso como amplitude de valores de parâmetro?!), com uma capacitância de entrada da ordem de 500 pF e uma especifi-

não sabem, portanto não podem atrapalhar em nada. Além disso, a baixa tensão de operação (1 a 2 V) mantém a fuga de porta pequena e imutável, com variações de tensão de entrada ao longo da faixa de sinal de entrada completa de ±15 V. Inteligente![59]

O ganho de tensão do circuito é definido com precisão pela chave analógica e pela rede de resistores casados, implementada em um CI de comutação de ganho personalizado.

O circuito *pull-down* da fonte é um par de absorção de corrente, baseado na estabilidade da referência de +10 V que é usada também para o ADC a jusante (ver Seção 13.8.6). É mais fácil de entender na forma redesenhada da Figura 5.60, em que apenas um dos pares de coletor de corrente é mostrado e o Darlington é substituído por um único transistor *npn*. O AOP da esquerda gera uma tensão sobre R_2 de $V_{REF}R_2/R_1$; por isso a corrente de absorção mostrada na figura. No seu DMM, a Agilent utiliza uma rede casada para R_2 e o par de R_3 (um para cada *pull-down* de fonte). O resistor R_4 adicional compensa a tensão do emissor descendente, para $V_E = -V_{REF}R_4/R_1$, para proporcionar a compliance necessária para sinais de entrada que variam ao longo de ±15 V

---

[59] É necessário que o V_{GS} de Q_1 em 0,7 mA seja inferior ao V_{GS} de Q_2 em 1,4 mA, porque a diferença é a tensão de operação V_{DS} de Q_1. É provável que a Agilent tenha uma inspeção de lote de entrada para garantir que essa condição seja satisfeita.

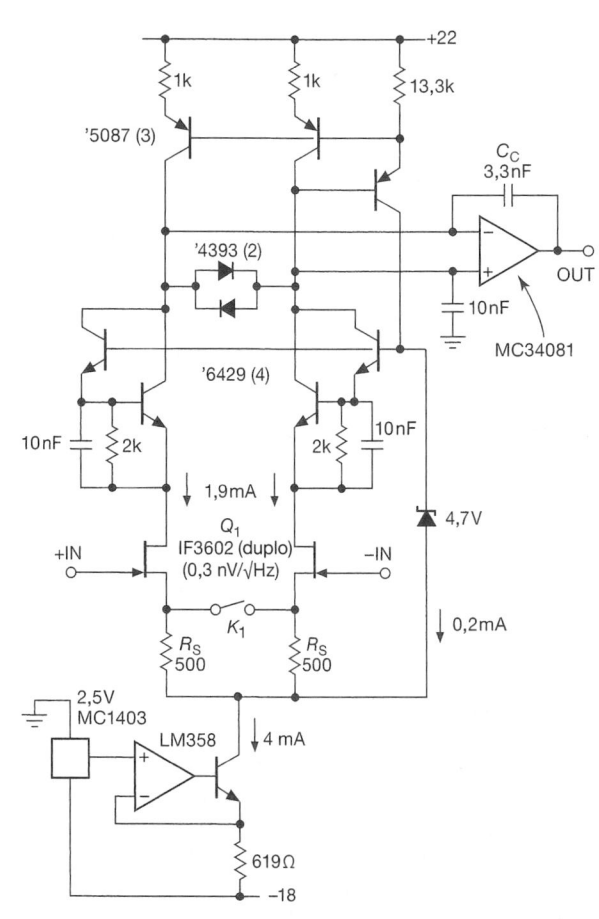

FIGURA 5.61 Bloco de ganho da seção de entrada do 34420A da Agilent, usado para medições de 0,1 nV de resolução com $G = 10.000$ (realimentação de comutação de ganho mostrada na Figura 5.62).

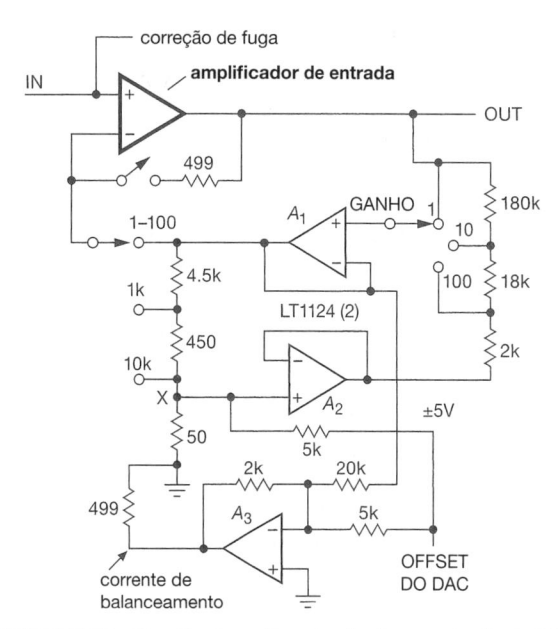

FIGURA 5.62 Circuito de realimentação de comutação de faixa do 34420A da Agilent, montado em torno do "amplificador" da Figura 5.61. Veja a Seção 13.3.3 e a Figura 13.15 para o circuito de correção de fuga.

cação de tensão de *offset* pouco invejável de ±100 mV (sem coeficiente de temperatura especificado). Este último parâmetro não parece um bom presságio para medições de nanovolts! (Como veremos em breve, existe a possibilidade de ajustar continuamente o *offset* medido.) Esses circuitos são grosseiros, mas com certeza são tranquilos. Retornaremos a esse circuito em breve, para lidar com questões de ganho, largura de banda e ruído. Primeiro, porém, observemos a malha de definição de ganho global.

A. Malha de Definição de Ganho de Dois Estágios

O que é mostrado na Figura 5.61 é o amplificador básico, que fica no circuito de realimentação e ajuste da Figura 5.62. A seleção de ganho é feita com dois estágios de atenuadores de precisão de elevada estabilidade (esses são módulos personalizados), isolados pelo AOP de precisão A_1 cujo *offset* pode ser lido e cancelado como parte do ciclo de medição (comparando a saída do amplificador com as duas possíveis configurações de $G = 1$). O *offset* de A_2 também pode ser medido, a partir da saída do amplificador quando o *offset* do DAC for ajustado em zero e o ganho em ×100.

O "*offset* do DAC" é usado para despachar o grande "elefante" da sala (o *offset* do par JFET, que pode variar até ~50 mV). Ele faz isso por meio da geração de uma saída de tensão (na faixa de ±5 V), que compensa o nó marcado com "X" ao longo de uma faixa de ±50 mV. O seguidor A_2 replica esse *offset* na parte inferior do divisor de ajuste de ganho no lado direito, estabelecendo um ponto de referência de terra efetivo para o divisor do primeiro estágio. Aqui está um ponto sutil: com um circuito dessa precisão (na faixa de 1 mV, o LSB é apenas 1 nV), você tem que se preocupar com coisas que você normalmente ignora – por exemplo, o efeito da queda de tensão na resistência do caminho do terra. Aqui, o *offset* do DAC pode absorver ou fornecer até 1 mA (5 V através de 5 kΩ), o que forçaria o "terra" em um valor inaceitável de 100 nV se seu caminho tivesse, digamos, 0,1 mΩ de resistência. É por isso que os projetistas acrescentam A_3, cuja saída força uma corrente de equilíbrio de sinal oposto para o mesmo nó de terra; se a diferença entre as correntes opostas for de até 1%, o erro é reduzido para 1 nV.

Isso levanta um ponto relacionado: quando se fala em estabilidade de nanovolts, não temos que nos preocupar com a deriva de A_1? Também – mas o efeito de dividir o atenuador de ajuste de ganho em duas seções é reduzir essa deriva pela atenuação do divisor da esquerda, isto é, ×100 na faixa mais sensível.

B. Cuidados e Alimentação dos JFETs

Uma regra importante a seguir ao desenvolver projetos de precisão de baixa distorção usando transistores discretos: use uma configuração de circuito que mantenha as condições de operação do transistor (V_{ds} e I_d) inalteradas conforme o sinal de entrada varia. Projete esses amplificadores seguindo atentamente essa regra, mas de maneiras diferentes, para alcançar seus melhores desempenhos. Os dois modelos também operam os JFETs em tensões dreno-fonte baixas para reduzir a fuga da porta e para minimizar o autoaquecimento (veja a Seção 3.2.8).

Esta mesma regra é seguida (no segundo projeto) com relação a tensões de entrada do AOP JFET MC34081, que são ambas fixadas em $2V_{BE} + 1,9$ V abaixo do trilho de $+22$ V. Da mesma forma, os transistores do espelho não veem nenhuma variação na tensão para uma variação na entrada de sinal de -15 V a $+15$ V. Somente o capacitor de realimentação C_c vê uma variação na tensão.

Por fim, apesar da baixa tensão de operação V_{DG} para os JFETs Q_1, ainda há um problema de pequenas correntes de fuga de porta para se preocupar. A Agilent adicionou um circuito de correção de corrente de polarização de entrada, com um DAC de 8 bits, para resolver esse problema. Discutimos o funcionamentodesse interessante circuito na Seção 13.3.3.

C. Amplificador de Ganho: x1 a x10.000, Estável a 0,1 ppm

Voltando ao amplificador (Figura 5.61), podemos entender algumas sutilezas interessantes. Um ganho de malha fechada de ×10.000 é necessário na faixa de 1 mV, para a qual é necessária grande quantidade de ganho de malha aberta. O amplificador diferencial JFET fornece ganho à frente do AOP; embora o ganho em CC não seja facilmente calculado (ele depende da impedância da carga de dreno do espelho de corrente), podemos estimar seu produto ganho-largura de banda f_T observando que o capacitor de compensação C_c faz o ganho diferencial decair de acordo com $G = g_m X_C/2$ onde g_m é a transcondutância de cada JFET na corrente de operação (o relé K_1 é fechado para as faixas de 1 mV e 10 mV, removendo os resistores de realimentação de fonte de 500 Ω). f_T é a frequência na qual o ganho do amplificador composto cai para a unidade, ou seja, $f_T = g_m/4\pi C_c$. Para estimar g_m, notamos que esses JFETs estão operando bem abaixo na região sublimiar (seu I_{DSS} é tipicamente 300 mA), em que FETs se comportam mais como BJTs (I_D em função de V_{GS} é exponencial; veja a Figura 3.15), com sua transcondutância proporcional à corrente de dreno e com g_m apenas um pouco menor do que em um BJT operando com a mesma corrente. Para o JFET IF3602 operando com $I_D = 2$ mA, então, pode-se estimar $g_m \approx 60$ mS (um BJT teria $g_m = 40I_c$ ms), assim $f_T = 1,5$ MHz.

Voltado no sentido contrário, vemos que o ganho de malha aberta é de cerca de 10^6 a 1 Hz, como visto na Figura

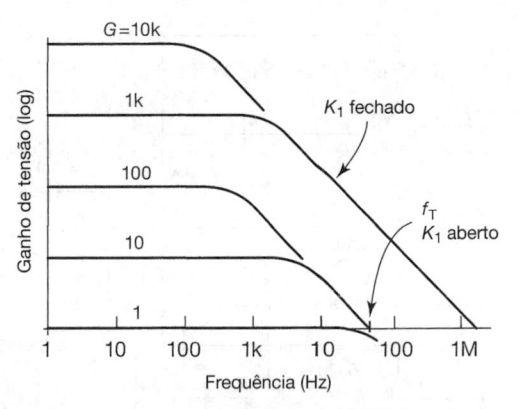

FIGURA 5.63 Ganho diferencial para o amplificador da Figura 5.61.

5.63. A realimentação de fonte está habilitada para as faixas de baixo ganho, para manter a estabilidade. O decaimento é fácil de calcular, pois a transcondutância diferencial é reduzida para $1/2R_s$ (1mS), portanto $f_T = 50$kHz.

D. Ruído de amplificador abaixo de nanovolt

Finalmente, a questão mais relevante do ruído. Isso é muito importante quando você se fala de nanovolts; é a razão pela qual os projetistas optaram por JFETs de geometria grande, apesar de suas características abaixo das ideais (*offset* de tensão, capacitância de entrada). O ruído é mais importante na faixa mais sensível, onde o fundo de escala é 1 mV (1,2 mV, para ser mais preciso, devido à sobrefaixa de 20%), e o LSB de 6,5 dígitos é 1 nV.

Existem várias fontes de ruído aqui. Os JFETs contribuem cerca de 1 nV RMS em uma banda de 3 Hz em torno de 1 Hz (e_n=0,4 nV/$\sqrt{Hz}$ cada, multiplicado por 1,4 para o ruído não correlacionado). Para explorar ainda mais as flutuações de medição, observe a Figura 5.54, na qual mostramos a tensão de ruído de vários AOPs, das variedades convencional e de *chopper* estabilizado. Os gráficos mostram a tensão de ruído RMS integrada até uma frequência de corte (eixo *x*), incluindo o efeito do ruído $1/f$ do componente. O IF3602 é o dispositivo de menor ruído no gráfico. Se considerarmos um tempo de integração de 100 PLC (*powerline cycles* – ciclos da rede elétrica) ou 1,67 s, para obter um desempenho de 7,5 dígitos, esse intervalo corresponde a uma frequência de corte de 0,6 Hz e cerca de 3 nV RMS de ruído. Se obtivermos a média de 64 medições assim ao longo de um período de dois minutos, poderíamos esperar que as flutuações RMS fossem reduzidas em 8×, para cerca de 0,4 nV. A Agilent declara 1,3 nV em sua folha de dados, evidentemente permitindo algumas variações não aleatórias e outros erros.

O ruído no coletor de corrente é de menor importância, porque o estágio diferencial cancela-o em alto grau; isso é uma coisa boa, porque esse projeto utiliza uma referência de tensão ruidosa! (O MC1403 é um projeto inicial que usa a técnica de *bandgap* (menor variação da referência com a temperatura), com tensão de ruído não especificada).[60] A capacidade de digitalização do 34420A cai de 7,5 para 6,5 dígitos ao operar mais rápido do que 20 PLC, ou 1,5 leituras/s, caindo ainda mais para 5,5 dígitos acima de 25 leituras/s e 4,5 dígitos acima de 250 leituras/s, de modo que o aumento do ruído do amplificador de alta frequência não seria notado.

E. Indo Além das Especificações

Ao ultrapassar os limites do possível, muitas vezes você acha que o trabalho não pode ser feito respeitando especificações do componente de pior caso. Aqui, por exemplo, o par de transistores JFET crítico tem uma corrente de fuga de porta especificada de pior caso de 500 pA (a 25°C), ao passo que o instrumento especifica a uma corrente de entrada máxima de 50 pA. O que fazer?

Se você é um dos principais fabricantes, pode, muitas vezes, convencer o fornecedor a rastrear peças para uma especificação mais estreita. Em qualquer caso, você pode fazer o trabalho sozinho. Esteja ciente, porém, de que geralmente não há qualquer garantia de continuidade do processo, bem como da disponibilidade de dispositivos melhores do que o especificado; pior ainda, os dispositivos especiais de que você precisa podem ser descontinuados por completo! Uma possibilidade, se você está disposto a arriscar um palpite quanto ao tempo de fabricação de um instrumento, é comprar um suprimento vitalício de uma parte fundamental.

5.13 AMPLIFICADORES DE DIFERENÇA, DIFERENCIAL E DE INSTRUMENTAÇÃO: INTRODUÇÃO

Esses termos descrevem uma classe de amplificadores com acoplamento CC que aceitam um par diferencial de sinal de entrada (chamados V_{in+} e V_{in-}) e saída de terminação simples ou um par diferencial que é exatamente proporcional à diferença: $V_{out} = G_V \Delta V_{in} = G_V(V_{in+} - V_{in-})$ Sua fama compartilhada se deve à alta rejeição de modo comum, combinada com excelente precisão e estabilidade do ganho de tensão. Aqui estão as suas características distintivas, como normalmente são entendidas entre os projetistas de circuito.

Amplificador de diferença Entrada diferencial e saída de terminação simples; AOP mais dois pares de resistores casados (Figura 4.9, Seção 4.2.4 e Figura 5.65); CMRR de 90 a 100 dB; ganho preciso, porém baixo ($G_V = 0{,}1$ a 10); impedância de entrada de 25 a 100k, destinada a ser acionada por uma impedância baixa; as entradas normalmente podem ir além trilhos de alimentação.

Amplificador de instrumentação Entrada diferencial, saída de terminação simples; impedância de entrada muito alta (de 10 MΩ a 10 GΩ), ampla faixa de ganho ($G_V = 1$ a 1.000) e CMRR muito alta em ganhos maiores (de 110 a 140 dB em $G_V = 100$); Seção 5.15, por exemplo, Figura 5.77.

Amplificador diferencial Entrada diferencial ou de terminação simples, saída diferencial; a maioria é de baixa tensão, estabilização rápida e banda larga; ideal para acionar cabo de par trançado e ADCs rápidos de entrada diferencial; Seção 5.17, por exemplo, Figura 5.95.

Uma aplicação óbvia é a recuperação de um sinal que é inerentemente diferencial, mas que se sobrepõe a algum nível de modo comum ou que é afligido por interferência de modo comum. A Figura 5.64 apresenta um exemplo de cada.

O primeiro exemplo é o *strain gauge* (extensômetro) que vimos anteriormente (Seção 5.4), uma disposição de resistores em ponte que converte a tensão mecânica (alongamento) do material ao qual está ligado em variações de resistência; o resultado líquido é uma pequena variação na tensão de saída diferencial quando alimentado por uma tensão de polarização CC fixa. Todos os resistores apresentam aproximadamente a mesma resistência, tipicamente de 350 Ω, mas estão sujeitos a diferentes deformações. A sensibilidade de fundo de escala é tipicamente ±2 mV por volt, de modo que a saída de fundo de escala é ±10 mV para 5 V CC de excitação. Essa pequena tensão de saída diferencial (proporcional à deformação) se sobrepõe ao nível CC de 2,5 V. O amplificador de entrada diferencial deve ter uma CMRR extremamente boa, a fim de amplificar os sinais diferenciais de milivolts enquanto rejeita o sinal de modo comum de ~2,5 V e suas variações. Por exemplo, suponha que você queira um erro máximo de 0,1% do fundo de escala. Isso é ±0,01 mV, sobreposto em 2.500 mV, o que equivale a uma CMRR de 250.000:1, ou 108 dB. Isso superestima a CMRR necessária: na prática, você faria uma "calibração zero", de modo que a necessidade de CMRR seja adequada apenas para rejeitar *variações* na polarização da ponte de +5 V; algo como 60 dB seria suficiente aqui.[61]

O segundo exemplo (Figura 5.64B) vem do mundo do áudio profissional, onde você encontra alguns desafios bastante impressionantes. Em uma situação de gravação de um concerto, por exemplo, você pode ter microfones pendurados em um teto alto, com cabos de ligação de 100 m ou mais de

---

[60] Para amplificadores de terminação simples, gostaríamos que o ruído da fonte de corrente i_n fosse menor do que $e_n(amp)g_m$. Podemos usar a expressão $e_n(ref)/e_n(amp) = g_m R_S$ para determinar a tensão de ruído permissível na referência da fonte de corrente. Para este circuito, essa razão é 37, portanto apenas $11\,nV/\sqrt{Hz}$ para uma contribuição de ruído comparável à do JFET de $0{,}3\,nV/\sqrt{Hz}$. O CI de referência MC1403 é cerca de 20 vezes pior do que isso. Evidentemente, os engenheiros da Agilent estão contando com as correntes de ruído compensadas nos dois JFETs para se cancelarem gerando um resultado melhor do que 5%, imposto pelos resistores do espelho de corrente de 1%. Em frequências acima de aproximadamente 10 Hz, no entanto, o capacitor de 10 nF anula esse cancelamento.

[61] Veremos o *strain gauge* novamente, em conexão com conversores analógico-digitais, na Seção 13.9.11C (Figura 13.67). Um arranjo semelhante de uma ponte polarizada é utilizado no detector de temperatura de resistência (DTR) de platina, que é o sensor usado em controladores térmicos com base em microcontroladores na Seção 15.6.

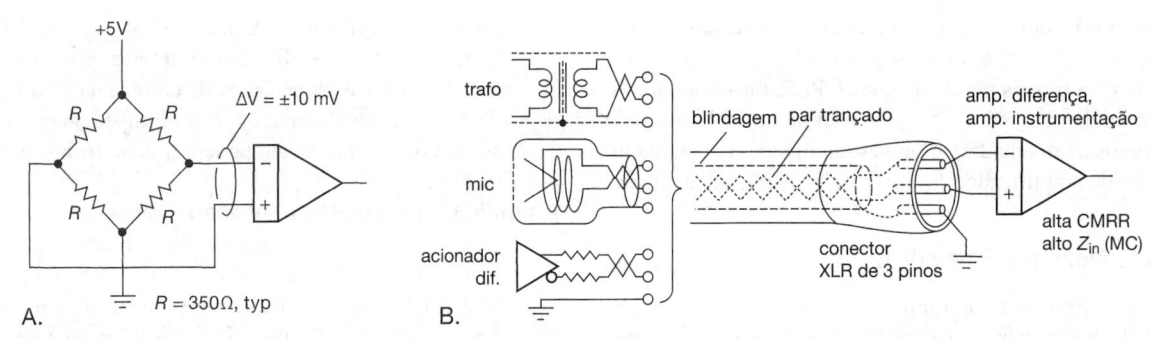

FIGURA 5.64 Sinais inerentemente diferenciais, para os quais é necessária boa rejeição de modo comum. (a) *Strain gauge*. (b) Par de linhas balanceadas de áudio.

comprimento. Os níveis de sinal de pico podem ser em torno de um volt, caindo para um milivolt durante trechos calmos da música. Mas você tem que continuar com a interferência da rede elétrica e outros aborrecimentos (por exemplo, o ruído de comutação proveniente dos *dimmers* da iluminação) mais 40 dB abaixo disso – o ouvido humano é terrivelmente sensível a sons estranhos. Somando os dBs, precisamos de uma supressão de 100.000:1 da interferência captada (< 10 μV)! Parece impossível; mas engenheiros de gravação têm feito isso com sucesso durante décadas pela simples conveniência de transportar sinais de áudio em um par diferencial balanceado (com uma impedância de sinal padrão de 150 Ω ou 600 Ω). Para isso, eles usam um cabo de par trançado bem blindado, terminado no lendário conector XLR de 3 pinos com trava (o que pode levar a diversos usos incorretos – ele adquiriu um invólucro resistente de metal, bom alívio de esforços e assim por diante). E, para manter o sinal totalmente balanceado, eles utilizam um transformador de áudio de alta qualidade ou um acionador de saída diferencial bem projetado (no lado do transmissor) e outro transformador ou amplificador de entrada diferencial bem projetado (no lado do receptor).

Para não deixar uma impressão enganosa, temos que dizer que os amplificadores de entrada diferencial são úteis também em situações em que os próprios sinais não são inerentemente diferenciais. Dois exemplos comuns são detecção precisa de corrente no lado inferior (entre a carga e o terra) (Figura 5.68a) e o uso de amplificadores de entrada diferencial ao enviar sinais entre instrumentos (Figura 5.67). Neste último, a flexibilidade oferecida pelo pino REF da saída do amplificador de diferença nos permite evitar malhas de terra (*loops* de terra) enquanto se transporta um sinal entre um par de instrumentos cujos terras locais não são idênticos.

Os truques envolvidos na implementação de bons amplificadores de instrumentação e, de forma mais geral, dos amplificadores diferenciais de alto ganho são semelhantes às técnicas de precisão discutidas anteriormente. Corrente de polarização, *offsets* e erros de CMRR são todos importantes. Começaremos discutindo o projeto de amplificadores de diferença para aplicações menos importantes, aumentando depois para requisitos mais exigentes de instrumentação e suas soluções de circuito.

5.14 AMPLIFICADOR DE DIFERENÇA

Observemos primeiro o amplificador de diferença: seu funcionamento básico, algumas aplicações, uma olhada mais de perto em seus parâmetros de desempenho e, por fim, algumas variações de circuito inteligente.

5.14.1 Operação do Circuito Básico

O amplificador de diferença clássico (Figura 5.65) é constituído por um AOP com pares de resistores casados R_f e R_i, para os quais o ganho diferencial é

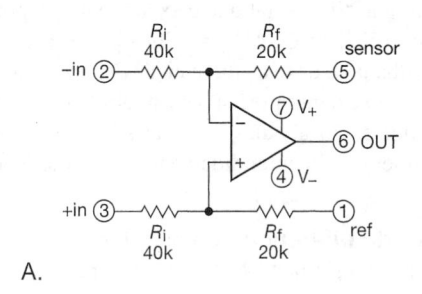

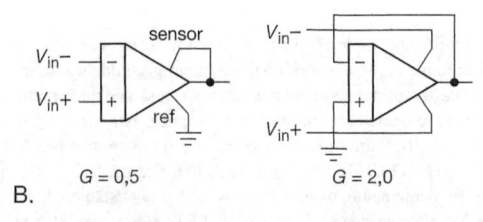

$$G_{dif} \equiv \frac{V_{out}}{V_{in+} - V_{in-}} = R_f/R_i.$$

FIGURA 5.65 Amplificador diferencial clássico, com os valores de resistência utilizados no AD8278/9 ($G = 0{,}5$ ou 2).

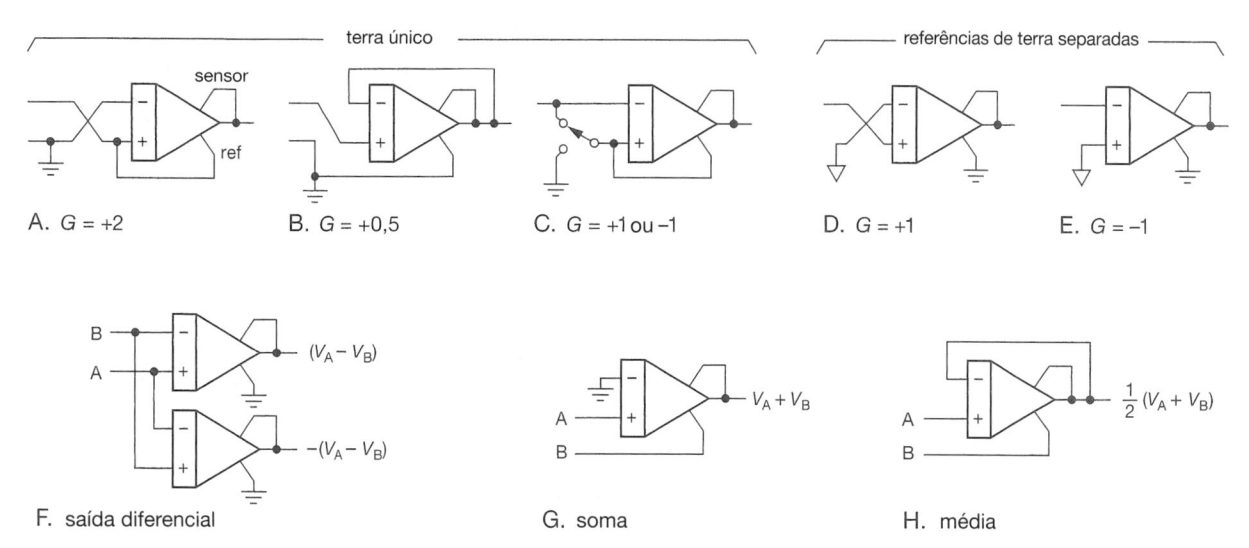

FIGURA 5.66 Os truques que um amplificador de diferença de ganho unitário pode usar. Observe os símbolos de terra separados para (D) e (E).

Supondo um AOP ideal, a rejeição de modo comum é limitada pelo casamento da relação R_f/R_i em dois caminhos; com resistores discretos de tolerância 1%, por exemplo, você poderia esperar uma CMRR de ~40 dB em baixas frequências (em que o AOP em si tem uma CMRR superior e os efeitos do desequilíbrio capacitivo são desprezíveis). Isso é adequado para situações em que apenas uma CMRR modesta é necessária, por exemplo, na detecção de corrente no lado inferior. Para um melhor desempenho, você poderia ajustar uma das resistências ou usar resistores de tolerância mais estreita (por exemplo, os tipos comumente disponíveis de 0,1%, normalmente de 10 a 20 centavos de dólar em quantidade de 100 peças, ou a série barata RG da Susumu, com tolerância de 0,05% e coeficiente de temperatura de 10 ppm/°C, cerca de 1 dólar), ou, melhor, usar pares de resistores casados (por exemplo, a não tão barata série Vishay MPM, com tolerâncias de razão até 0,01% e coeficientes de temperatura de até 2 ppm/°C ou o CI quádruplo casado LT5400, com tolerância de relação semelhante e com coeficiente de temperatura da relação de 1 ppm/°C máx).

Mas não se empolgue demais ainda... existe uma oferta abundante de amplificadores de diferença integrados completos de excelente desempenho, custando muito menos do que você gastaria com o seu próprio circuito. Listamos muitos deles na Tabela 5.7. Na configuração "normal", a linha SENSOR é conectada à saída, e a linha REF é conectada ao terra do circuito. Mas você pode operá-lo em sentido inverso, como mostrado na Figura 5.65B. Para dar uma noção do desempenho que você obtém com esses amplificadores de diferença integrados, as especificações de pior caso para o AD8278B na figura são a precisão do ganho de ±0,02% (para $G = 0,5$ ou $G = 2$); coeficiente de temperatura do ganho de 1 ppm/°C; tensão de *offset* e coeficiente de temperatura de 100 μV e 1 μV/°C; e uma CMRR de 80 dB. Ele custa cerca de 3 dólares.

5.14.2 Algumas Aplicações

A. Entrada de Terminação Simples

É perfeitamente correto usar um amplificador de diferença com uma entrada de terminação simples, por exemplo, para obter um ganho preciso e estável. A Figura 5.66 apresenta algumas configurações simples. Note que a natureza diferencial das suas entradas não é "desperdiçada" quando um amplificador de diferença é usado como em (D) e (E), porque do seu pino REF independente acomoda pequenas diferenças de potencial de terra na entrada e na saída. Dito de outra forma, a tensão de saída, em relação ao seu terra, é precisamente ±1,0 (neste caso) vez a tensão de entrada, em relação ao *seu* terra.

B. Isolação da Malha de Terra

Esta propriedade é justamente do que você precisa para a aplicação da isolação da malha de terra da Figura 5.67. No primeiro circuito, o lado do acionador permite à sua referência de saída flutuar para o potencial do lado do receptor (não flutuante). O resistor e o capacitor de desvio de pequenos valores permitem uma pequena diferença de tensão quando forçados pelo receptor. Ambos os lados estão bem. No segundo circuito, permitimos que o comum de entrada do lado do receptor flutue quando forçado pelo acionador (não flutuante). Esses circuitos resolvem problemas de malha de terra menores em conexões de cabo de terminação simples; mas eles não são substitutos para a abordagem totalmente isolada e/ou balanceada que é necessária em aplicações exigentes como áudio ou vídeo profissional.

C. Detecção de Corrente

A Figura 5.68 apresenta amplificadores de diferença usados para a detecção de corrente nos lados inferior (entre a carga

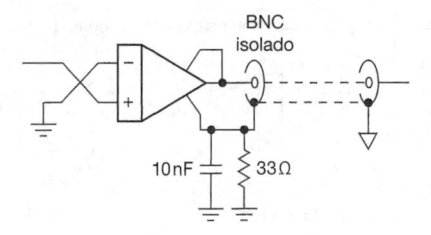

A. acionador flutuante

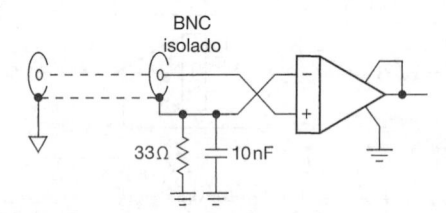

B. receptor flutuante

FIGURA 5.67 Explorando o pino REF para evitar malhas de terra na frequência da rede elétrica em instrumentos conectados.

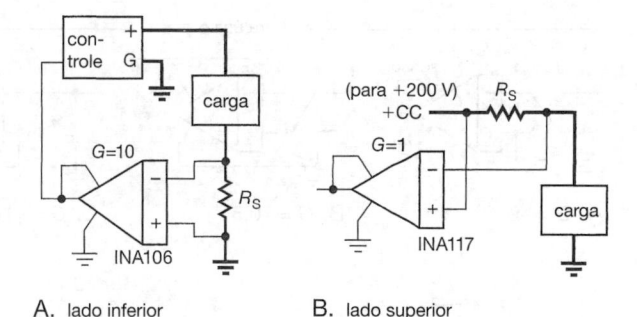

A. lado inferior

B. lado superior

FIGURA 5.68 Detecção de corrente para medição ou controle. Detecção no lado inferior (A) é complacente com CMRR, ao contrário da detecção do lado superior (B), para o qual o amplificador de diferença representado introduziria um erro significativo em uma fonte de alta tensão e alta corrente (em que apenas uma pequena queda em R_S pode ser tolerada).

e o terra) e superior (entre a carga e a alimentação), talvez como parte de um controle de corrente constante, ou simplesmente para monitoramento de uma corrente de carga de precisão. À primeira vista, pode parecer desnecessário usar um amplificador de diferença para a configuração de detecção no lado inferior, pois o resistor sensor retorna ao terra do circuito. Mas imagine que estamos lidando com muita potência, mais de 10 A de corrente de carga. Usaríamos um resistor sensor de precisão de baixo valor, talvez 0,01 Ω, para manter a sua dissipação de potência inferior a 1 W. Mesmo que um dos lados esteja conectado ao terra, não seria prudente usar um amplificador de terminação simples, porque uma resistência de conexão de apenas um miliohm contribuiria com 10% de erro! Um amplificador de entrada diferencial é a solução, conectado como mostrado para um resistor detector em "conexão Kelvin" de 4 fios. Note que o amplificador de diferença não precisa ter CMRR particularmente boa, porque o lado inferior não se move para longe do terra.

O mesmo não se passa com a configuração do lado superior (Figura 5.68B), onde a tensão de modo comum é muito maior do que a tensão diferencial. Aqui especificamos um amplificador de diferença de ganho unitário destinado a aplicações de alta tensão, que permite tensões de entrada de modo comum de até ±200 V (seu circuito interno usa um divisor resistivo de 20:1 na seção de entrada; consulte a Seção 5.14.3). Vejamos os números: a tensão CC pode variar de 0 a 200 V; de modo que a CMRR mínima especificada de 86 dB (1:20.000) interpretaria isso como equivalente a uma variação de entrada diferencial de 10 mV. Isso é ruim? Pode apostar! Para manter a precisão de 1% da corrente detectada, temos que dimensionar R_S para uma queda de 1 V na corrente de carga total. Isso é uma grande "carga de tensão", e seria um enorme valor de potência dissipada, 10 W, se fosse uma poderosa fonte CC de 10 A como no outro exemplo. Assim, esse esquema é adequado para uma fonte de 200 V de baixa corrente; mas existem maneiras melhores para fazer detecção no lado superior, por exemplo, usando um amplificador flutuante e colocando um relé na saída para o terra como uma corrente ou (através de um optoisolador) como uma quantidade digitalizada.

D. Fontes de Corrente

A Figura 5.69 mostra como criar um amplificador de diferença (diferencial) para que o sinal de entrada controle a queda de tensão em um resistor detector em série R_S; em outras palavras, é uma fonte de corrente. Você está convidado a usar uma entrada de controle de terminação simples, se quiser. A corrente de saída pode ser de qualquer polaridade, e estes circuitos não sabem, ou não se preocupam, se a carga retorna para o terra ou para algum outro potencial.

O AOP seguidor U_2 deve ser escolhido para uma corrente de polarização de entrada que seja pequena em comparação com a corrente de carga mínima e uma tensão de *offset* que seja pequena em comparação com a queda em R_S na corrente de carga mínima. Você pode começar escolhendo R_S para uma queda de ~1 V para I_L (máx), ou menor para I_L(máx) elevado ou para uma tensão de alimentação baixa, e, depois, vendo se $R_S I_L$(mín) é pelo menos 100 μV ou mais. Para uma faixa dinâmica larga, digamos I_L(máx)/I_L(mín) ≥ 10^4, você precisará de amplificadores de *offset* baixo tanto para U_1 quanto para U_2; os candidatos são listados nas Tabelas 5.2, 5.3, 5.5 e 5.6.

O circuito na Figura 5.69A é bom para baixas correntes. Para correntes de carga maiores do que ~5 mA, use um *buffer* de potência (Figura 5.69B); pode ser um CI *buffer* de ganho unitário (para estabilidade) e banda larga, como o LT1010, ou (se você só precisa de uma polaridade da corrente de saída) um seguidor MOSFET ou BJT. Um ótimo truque é a utilização de um regulador ajustável de 3 terminais (como um LM317) como um "*buffer* de potência", aproveitando, assim, sua proteção térmica e de sobrecorrente interna. Para usá-lo dessa maneira, você aciona o pino ADJ, e o pino OUT "segue" 1,25 V maior. Como sempre, a realimentação cuida do *offset*.

Gostamos de usar amplificadores de diferença de $G = 10$, como o INA106 ou o INA143, conectados "para trás" para $G = 0,1$, porque a tensão sentida é, então, um décimo da tensão de programação e, portanto, não consome muito da faixa de compliance de saída. Em comum com outras fontes de corrente cuja saída vem de um AOP, essas configurações se tornam mais parecidas com fontes de *tensão* em altas frequências, em que os efeitos de compensação e taxa de variação do AOP dominam (veja as Seções 4.2.5 e 4.4.4).[62] Um melhor desempenho em altas frequências pode ser obtido com uma fonte de corrente ativa baseada em um amplificador de instrumentação, configurado com um terminal de saída com impedância inerentemente alta, tal como mostrado na Figura 5.87 na Seção 5.16.9.

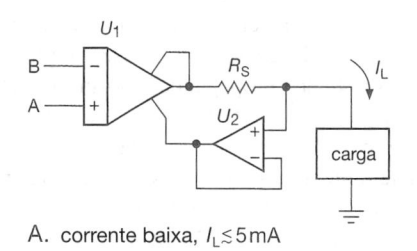

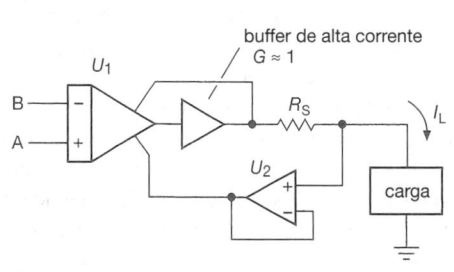

FIGURA 5.69 Fontes de corrente de precisão: $I_L = G_{dif}(V_A - V_B)/R_S$. A corrente de saída (de bipolaridade) em (A) é limitada a I_{out} (máx) de U_1. A adição de um *buffer* de potência de ganho unitário (um CI *buffer* de banda larga, ou um seguidor a transistor) em (B) permite grandes correntes de saída (seguidor U_2 pode ser omitido se R_s for menor do que por volta de 0,2 Ω). Esses circuitos não sabem, ou não se importam, onde a carga retorna.

---

[62] Você pode definir uma *capacitância* de saída efetiva da fonte de corrente, $C_{ef} = I_{out}/S$ (onde S é a taxa de variação de saída) como uma maneira de caracterizar essa deficiência.

E. Acionador de linha de nível alto

Os profissionais de áudio vivem e respiram sinalização analógica *diferencial*, sob a forma de linhas balanceadas terminadas (geralmente) em uma resistência nominal de 600 Ω. E os níveis são substanciais: equipamentos de áudio profissional adotam um padrão de "0 dB" de 1,23 V RMS,[63] e, geralmente, você verá um espaço livre especificado adicional de 16 dB a 20 dB sem ceifamento. Assim, um nível de 20 dB é de 12,3 V RMS, ou uma amplitude diferencial de 17,4 V (34,8 Vpp). Isso requer muita atenção para os acionadores de linha, que não devem comprometer a baixa qualidade de ruído e distorção do material do programa.

A Figura 5.70 mostra um bom circuito de $G = 2$ para o trabalho, baseado em torno de um par de amplificadores de diferença de ganho unitário. Estes são implementados aqui com AOPs de banda larga de capacidade de corrente de saída substancial, permitindo um ganho global (tensão de saída diferencial dividida pela tensão de entrada de terminação simples) diferente de ×2. Todos os AOPs específicos listados operam com tensões de alimentação até ±18 V, produzindo variações de saída (em cada linha do par) até aproximadamente ±15 V (significativamente maior do que os ±9 V que correspondem a uma margem de 20 dB de áudio profissional). Três opções de AOP são mostradas, todas de largura de banda comparável (~100 MHz), mas destinados a diferentes aplicações. O LM7372 é bem especificado para 10 MHz e destina-se a aplicações de vídeo e transmissão, ao passo que os dispositivos LME49xxx são otimizados para larguras de banda de áudio, com especificações bastante impressionantes até 20 kHz. Não é sempre que você vê amplificadores com

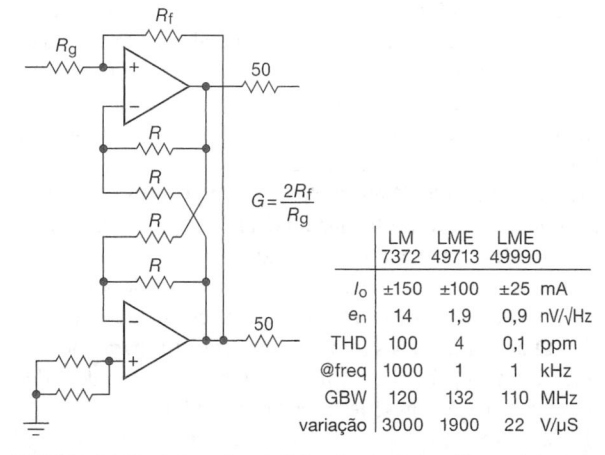

	LM 7372	LME 49713	LME 49990	
I_o	±150	±100	±25	mA
e_n	14	1,9	0,9	nV/√Hz
THD	100	4	0,1	ppm
@freq	1000	1	1	kHz
GBW	120	132	110	MHz
variação	3000	1900	22	V/μS

FIGURA 5.70 Acionador de linha de nível alto diferencial para áudio profissional.

---

[63] A unidade base para o nível de áudio é "0 dBu", uma tensão RMS correspondente a 1 mW para uma carga de 600 Ω; isso resulta em 0,775 V RMS. O nível de 0 dB de áudio profissional é +4 dBu, por isso 1,23 V RMS; os equipamentos de áudio domésticos são consideravelmente menos potentes, a −10 dBu, ou 0,25 V RMS.

especificações de distorção harmônica total (THD) de 0,1 ppm (-140 dB), combinadas aqui com uma tensão de ruído muito baixa (1,4 nV/$\sqrt{Hz}$ a 10 Hz).[64]

Algumas alternativas interessantes são o DRV134 e o LME49724, que integram um circuito de saída totalmente diferencial, capaz de um desempenho comparável, em um CI. Eles são exemplos de *amplificadores totalmente diferenciais*, com entradas diferenciais também; uma entrada pode ser aterrada para funcionar com fontes de sinal de terminação simples. Veremos isso mais tarde, na Seção 5.17.

F. Largura de Banda Analógica sobre Par Trançado

Um cabo de rede de par trançado ("Cat-5e", etc.) normalmente é usado para a transmissão digital de dados em redes locais (LANs), mas pode ser utilizado com sucesso para sinais analógicos também. Os cabos Cat-5e e Cat-6, muito utilizados, contêm quatro pares sem blindagem (daí o "UTP" – *unshielded twisted pair* [par trançado sem blindagem]), que curiosamente são torcidos com passos diferentes (desiguais) para minimizar o acoplamento de modo normal.

No entanto, há uma abundância de acoplamento de modo comum, tanto entre os pares quanto com o mundo exterior. Então, você precisa usar um acionador diferencial (Seção 5.17) combinado com um amplificador de diferença na extremidade. E, para a transmissão de banda larga ao longo de mais do que alguns decímetros, é necessário fazer uma terminação do par em sua impedância característica de 100 Ω (ver Apêndice H).

A Figura 5.71 mostra como usar um amplificador de diferença como um "receptor de linha" analógico para tais sinais (mostraremos o acionador na extremidade do cabo mais tarde, na Seção 5.17.2). Esse circuito vem da folha de dados do AD8130, que ilustra a utilização de alguns "picos" para compensar a atenuação de sinal em frequências altas em um cabo relativamente longo (300 m!). O amplificador possui ganho $G = 3$ em baixas frequências, com R_4C_1 em torno de 1,6 MHz (onde a reatância de C_1 é igual a R_3) para levantar a resposta decaída. O resultado desse "equalizador" simples é produzir uma resposta plana global de até $\pm$ 1 dB a partir de 9 de MHz. O ganho $\times 3$ em baixa frequência é necessário (a) para compensar o sinal que é perdido devido ao divisor resistivo que consiste de R_1 e da resistência de ida e volta de 50,5 Ω do par de cabos (um fator de 1,5) e (b) para dobrar o sinal de saída para que ele possa acionar um cabo de vídeo com "terminação em série" (ver Apêndice H).

5.14.3 Parâmetros de Desempenho

Nas seções anteriores, fechamos os olhos para algumas questões importantes: impedância de entrada (diferencial e modo comum) e seu efeito sobre o ganho quando acionada com impedância de fonte finita ou seu efeito sobre a CMRR quando acionado a partir de uma impedância de fonte desbalanceada; faixa de entrada de modo comum; e a largura de banda do amplificador e seu efeito sobre CMRR. É hora de tratar essas questões mais detalhadamente.

A. Impedância de Entrada

A partir da Figura 5.65, pode parecer que a impedância de entrada de um amplificador de diferença é R_i (ou talvez algum múltiplo disso) e que tudo está bem se o sinal de acionamento tiver uma fonte de impedância (Thevenin) R_S muito menor, talvez dentro do nosso critério habitual de $R_S \lesssim 10R_i$.

Não é bem assim! Estes amplificadores comemoram os seus ganhos precisos (as seleções na Tabela 5.7 na próxima página têm erros de ganho de pior caso de 0,1% ou melhor), e essa precisão de ganho é comprometida, a menos que R_S seja menor do que R_1 do amplificador por, pelo menos, esse fator. Isso porque a impedância da fonte do sinal está efetivamente em série com R_1, reduzindo o ganho pelo fator $R_1/(R_1 + R_S)$.

Essa redução de ganho é, na verdade, o menor dos problemas. Se você ler as letras miúdas na folha de dados, descobrirá que as excelentes CMRRs desses amplificadores (certamente a sua maior propaganda) são invariavelmente especificados para $R_S = 0$ Ω! Você poderia esperar que a CMRR se mantivesse se acionasse ambas as entradas com impedâncias de fonte iguais, porque isso deve manter a correspondência da relação de resistor. Você poderia esperar isso, mas ficaria desapontado: a CMRR degrada rapidamente com o aumento das impedâncias da fonte, mesmo se elas forem precisamente casadas.

Qual é o motivo disso? Durante a fabricação, os resistores internos são ajustados a laser, de modo que a proporção R_F/R_1 do par de resistências superior casa precisamente com a razão correspondente do par inferior. As *razões* é que são casadas, em detrimento dos valores absolutos; os dois resistores de entrada R_1 podem ser um pouco diferentes.[65] Então, se você acioná-los com um par de sinal de impedâncias de fonte casadas R_S, terá um descasamento nas razões da realimentação e, portanto, uma CMRR degradada. E o ponto mais importante: acione esses resistores a partir de uma saída AOP ou a partir de uma fonte de sinal de R_S muito baixo (por exemplo, um resistor sensor de corrente de valor baixo).

Isso nem sempre é possível, é claro. O que pode ser feito para aumentar a impedância de entrada? O primeiro pensamento pode ser simplesmente elevar todos os valores de resistores por um fator grande. Isso tem várias desvantagens, sendo que as mais graves são: (a) a contribuição de

---

[64] Você tem que manter as impedâncias da fonte bastante baixas para não degradar um e_n tão baixo; até mesmo um resistor de 100 Ω tem uma tensão de ruído de circuito aberto de 1,3 nV/$\sqrt{Hz}$. Consulte o Capítulo 8.

[65] E o dimensionamento global dos resistores é tipicamente bom para apenas $\pm 20\%$ do valor nominal na folha de dados: o valor absoluto de resistência é sacrificado no casamento da relação de resistores.

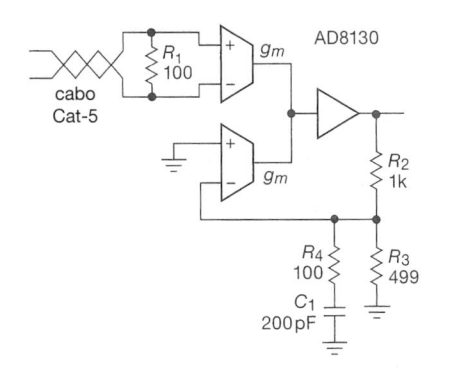

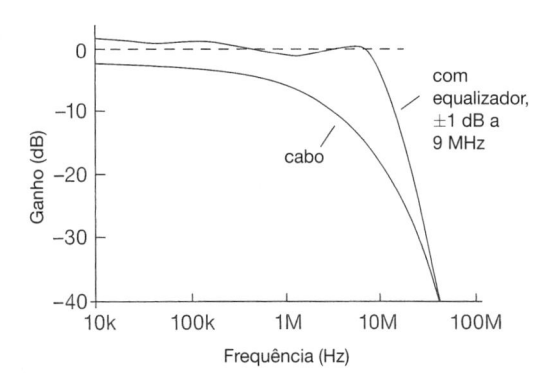

FIGURA 5.71 Receptor de linha diferencial analógico para banda larga sobre par trançado. O "reforçador de agudos" fornecido por C_1R_4 compensa a atenuação de alta frequência de um cabo Cat-5 de 300 m de comprimento, como mostrado. Veja também a Figura 5.101.

TABELA 5.7 Amplificadores de diferença selecionados

Nº identif.	Config.	Ganho	ΔG máx (%)	V_{CM}[a] ±máx (V_{pp})	Tensão de offset típico (μV)	Tensão de offset máx (μV)	CMRR típico (dB)	CMRR mín (dB)	Curva	Z_{in} dif. (kΩ)	Ruído[k,t] $V_{n(pp)}$ dc[b] (μV)	Ruído[k,t] e_n[r] ($nV/\sqrt{Hz}$)	BW −3dB (MHz)	Estab. 0.01% (μs)		Fonte Faixa (V)	Fonte I_s (mA)	Custo (\$US)	DIP?	Observações
INA105K	A	1,0	0,025	20	50	500	100	72	1	50	2,4	60	1	5	-	10–36	1,5	8,88	●	ampla utilização
AMP03G	A	1,0	0,008	20	25	750	95	75	1	50	2	20[c]	3	1	-	10–36	2,5	5,86	●	
INA134	A	1,0	0,075	26	75	250	90	74	4	50	7[d]	52	3,1	3	-	8–36	2,4	2,36	●	áudio, dist. < 5 ppm
INA154	A	1,0	0,1	25	75	1500	90	74	4	50	2,6	52	3,1	3	-	8–36	2,4	2,36	-	baixo custo
INA132P	A	1,0	0,075	28	75	250	90	76	5	80	1,6	65[c]	0,3	88	-	2,7–36	0,16	4.62	●	
AD8271B	A[m]	0.5.2	0,02	>18	300	600	92	80	10	20	1,5	38	15	0,55	-	5–36	2,6	3,50	-	G_{dif} = 0,5, 1, 2
AD8273	A	0,5.2	0,05	>18	200	1400	86	77	7	24	7[d]	52	20	0,75	-	5–36	2,5	3,13	-	áudio duplo, dist. 6 ppm
THAT1206	F	0,50	0,5	26	-	10mV	90	70	-	48	-	28[n]	34	-	-	24–40	4,7	4,75	-	Z_{CM} = 10 M, dist. < 6 ppm
AD8278B	A	0,5.2	0,02	>18	50	100	100	80	1	80	1,4	47	1	9	-	2–36	0,2	2,72	-	G_{dif} = 0,5, 2; duplo '79
INA106	A	10	0.025	11	50	200	100	86	1	20	1	30	5	10	-	10–36	1,5	11,00	●	0,10, ampla utilização
INA143U	A	10	0,1	15	100	500	96	86	4[h]	20	1	30	0,15	9	-	4,5–36	1,0	3.36	-	0,10, duplo = INA2143
LT1991A	A[m]	1.4.10	0,06	27	15	50	100	77	8[h]	90	0,25	46	0,11[f]	48	f	2,7–40	0,10	2,50	-	inclui filtro, 3, 9, 12
LT1996A	A[m]	9–117	0,07	27[q]	15	50	100	80	-	33[q]	0,25	18	0,04	85	f	2,7–40	0,10	5,72	-	inclui filtro, 9, 27, 81
LT1995	A[m]	1–7	0,2	31[q]	600	4000	87	75	-	4[q]	-	14	32	0,1	-	2,7–40	7	3,78	-	1,2,4,6
INA146	B	0,1[o]	0,1	100	1000	5000	80	70	11	200	10	550	0,55	80	●	4,5–36	0,57	4,25	●	entradas de alta tensão
INA117P	C	1.0	0,02	200	120	1000	94	86	8	800	25	550	0,2	10	-	10–36	1,5	5,54	●	entradas de alta tensão
AD629B	C	1,0	0,03	270	100	500	96	86	6	800	15	550	0,5	15	-	5–36	1,2	7,21	●	entradas de alta tensão
INA149	C	1,0	0,02	275	350	1100	100	90	1	800	20	550	0,5	7	-	4–40	0,8	6,00	-	entradas de alta tensão
AD8479	C	1,0	0,01	600	500	1000	96	90	u	2000	30	1600	0,13	11	-	5–36	0,55	9,66	●	highest CM voltage
AD628A	C	ext	0,1	120	-	1500	-	75	-	220	15	300	0,6	40	●	4,5–36	1,2	3,36	-	entradas de alta tensão, filtro+ganho
Baixa tensão																				
AD8275B	D	0,2	0,024	27	150	500	96	80	2	108	1[c,e]	40[e]	15	0,45	-	3,3–15	1,9	4,23	-	5, com offset V_{ref}/2
AD830	E[g]	1–10	0,6	24	1500	3000	100	90	12	370	-	27	85	0,025	p	8–36	14	4,86	-	$G = 1 + R_2/R_1$, V_{in} < 2V
AD8129	E[g]	10–100	0,6	20	200	800	105	92	12	1000	-	4,6	200	0.02	p	4,5–25	10	2,90	-	$G = 1 + R_2/R_1$, V_{in} < 2V
AD8130	E[g]	1–20	0,6	20	400	1800	105	90	12	6000	-	12,3	250	0.02	p	4,5–25	11	2,90	-	$G = 1 + R_2/R_1$, V_{in} < 2V
EL5172	E[g]	1–20	1,5	20	7mV	25mV	95	75	-	300	-	26	250	0,01	p	4,7–12	5,6	1,27	-	$G = 1 + R_2/R_1$, V_{in} < 4V
INA152EA	A	1,0	0,1	18	250	1500	94	80	3	40	2,4	87	0,8	25	-	2,7–20	0,5	3,60	-	0,5,1,2, RRIO
MAX4198	A	1,0	0,1	0.5	30	500	90	74	9[h]	50	7,8	58	0,175	34	-	2,7–7	0,05	2,38	-	

Notas: (a) Tensão máxima de modo comum. (b) 0,01 a 10 Hz ou 0,1 a 10 Hz. (c) A 100Hz. (d) De 20 a 20 kHz. (e) RTO (referenciada à saída). (f) Inclui capacitores de filtro de 4 pF. (g) Circuito E a partir da Tabela 5.6. (h) Curva CMRR achata na frequência da BW. (k) RTI (referenciada à entrada), a menos que indicado. (m) Múltiplos resistores. (n) Ruído = −107 dBu, BW de 20kHz. (o) Inclui estágio extra de filtro AOP. (p) Para $G > 1$. (q) Depende do ganho. (r) A 1 kHz. (t) Típico. (u) Entre 5 e 6.

ruído Johnson ($e_n = 0{,}13 R^{\frac{1}{2}}$ nV/$\sqrt{Hz}$, portanto, um devastador 130 nV/$\sqrt{Hz}$ para os valores de resistores de $\sim$1 MΩ; veja o Capítulo 8) e (b) a sanção da largura de banda causada por capacitâncias parasitas distribuídas. O segundo pensamento seria colocar um par de seguidores AOP de precisão nas entradas. Isso pode ser feito, mas há uma maneira melhor ainda, em configurações de circuitos como o "amplificador de instrumentação de três AOPs", na qual um estágio diferencial de entrada de alta CMRR e alta impedância aciona um estágio de saída de amplificador de diferença. Veremos esses amplificadores maravilhosamente úteis mais adiante.

FIGURA 5.72 As várias impedâncias de entrada do amplificador de diferença.

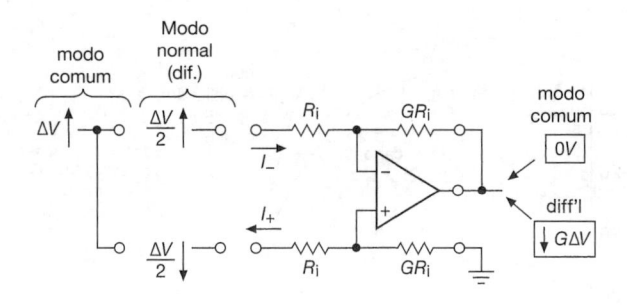

Modo comum: $Z_{in}(\text{cada}) = (G+1)R_i$

$Z_{in}(\text{combinado}) = \frac{1}{2}(G+1)R_i$

Modo diferencial: $Z_{in}(-) \equiv \frac{\Delta V}{\Delta I_-} = 2\frac{G+1}{2G+1}R_i$

$Z_{in}(+) \equiv \frac{\Delta V}{\Delta I_+} = \frac{G+1}{2}R_i$

"Z_{in}" $\equiv \frac{\Delta V}{\Delta(I_- - I_+)} = \frac{G+1}{G}R_i$

Voltando à questão inicial, o que é exatamente a "impedância de entrada"? Há várias respostas – observe a Figura 5.72. Por impedância de entrada de *modo comum*, queremos dizer a impedância incremental vista em qualquer entrada[66] quando ambas são acionadas juntas. No acionamento de modo comum, as duas impedâncias são iguais (exceto por um pequeno descasamento, como descrito antes), porque a saída é fixa.

A impedância *diferencial* de entrada é uma história mais longa. Tomadas individualmente (aterrando a outra entrada), as duas entradas exibem diferentes R_{in}: a entrada inversora se conecta a um terra virtual por meio de R_i, portanto, o seu $R_{in} = R_i$, enquanto a entrada não inversora vê $R_{in} = R_i + R_f$. Para um amplificador de diferença com $G = 10$, por exemplo, eles diferem por um fator de onze. Esse é um resultado útil, especialmente se você planeja usar um amplificador de diferença em uma configuração de terminação simples, como nas Figuras 5.66D e E. Um purista poderia argumentar, porém, que cometemos um erro: uma variação da entrada de terminação simples é realmente uma combinação de uma entrada puramente diferencial com um *offset* de modo comum de metade desse valor. Para satisfazer essa pessoa, calculamos as expressões na Figura 5.72, com base em uma entrada diferencial "pura" (simétrica). Mesmo quando definidas dessa forma, as impedâncias de entrada vistas nas duas entradas são diferentes. Isso nos leva a uma definição final de impedância de entrada diferencial com base na variação líquida da corrente de entrada, como mostrado. Folhas de dados, na maioria das vezes, listam esse valor, sem explicação: você foi avisado!

Uma observação final: você geralmente não verá amplificadores de diferença com ganhos maiores do que 10, porque R_i e, portanto, a impedância de entrada diferencial tornam-se incontrolavelmente pequenas. Por exemplo, para obter $G = 1.000$, você pode escolher $R_i = 100\,\Omega$ e $R_f = 100\text{k}\,\Omega$. OK, talvez você possa tolerar uma impedância de entrada de $\sim 100\,\Omega$; mas você teria que casar as impedâncias da fonte de sinal em $0,001\,\Omega$ de forma a não degradar a CMRR. O que aprendemos: use um *amplificador de instrumentação* (Seção 5.15), e não um amplificador de diferença, para aplicações de entrada diferencial de alto ganho.

B. Faixa de Entrada de Modo Comum

O divisor de tensão formado por R_i e R_f permite ao amplificador de diferença padrão aceitar sinais de entrada *além* dos trilhos de alimentação: diodos de proteção estão internamente nas entradas do AOP, de modo que os sinais de entrada poderiam, em princípio, variar até $\pm V_S(G+1)/G$ com tensões de alimentação de $\pm V_S$ (descubra o porquê). Por exemplo, o AD8278 tem $R_i = 40\text{k}$ e $R_f = 20\text{k}$, de modo que pode ser conectado para $G = 0,5$ ("normal") ou $G = 2$ (invertido). Ele especifica o intervalo de entrada de modo comum para ambos os ganhos: de $-3(V_S + 0,1)$ a $+3(V_S - 1,5)$ para $G = 0,5$ (ou seja, cerca de ± 40 V com alimentação de ± 15 V, o que pode ser muito útil, sem dúvidas!) e de $-1,5(V_S + 0,1)$ a $+1,5(V_S - 1,5)$ para $G = 2$ (ou seja, ± 20 V com alimentação de ± 15 V). Mas verifique as especificações – nem todos os amplificadores de diferença vão deixá-lo ir tão longe.

Alguns dos amplificadores de diferença na Tabela 5.7 funcionam melhor ainda; por exemplo, o INA117 tem uma faixa de modo comum de ± 200 V, mantendo um ganho diferencial unitário. Isso é feito por meio de um par de divisores de tensão de 20:1 na entrada para colocar o sinal de ± 200 V dentro da faixa de modo comum do AOP de ± 10 V (o circuito é mostrado na Figura 5.75C). O preço que se paga é *offset* e ruído degradados: valores típicos de $120\,\mu$V e $550\,\text{nV}/\sqrt{\text{Hz}}$, em comparação com $25\,\mu$V e $20\,\text{nV}/\sqrt{\text{Hz}}$ para o convencional AMP03.[67]

Um ponto importante: ao usar amplificadores de diferença com grandes faixas de tensão de entrada, cuidado com os grandes erros de entrada equivalentes criados pela rejeição de modo comum imperfeita. Por exemplo, o AD629B especifica uma típica CMRR CC de 96 dB, mas você tem que considerar o valor de pior caso (mínimo) de 86 dB. Com essa CMRR, uma entrada de modo comum de 200 V tem um erro diferencial referenciado à entrada de 10 mV, submergindo

---

[66] Alguns fabricantes especificam metade desse valor, ou seja, a impedância com ambos os terminais conectados juntos; a folha de dados geralmente nos diz o que eles significam.

[67] Há outra maneira de aumentar V_{CM} sem essa troca, usando um segundo AOP para cancelar o sinal de modo comum: veja a Figura 7.27 na edição anterior deste livro. Não temos conhecimento de quaisquer amplificadores de diferença comerciais que usem esse truque.

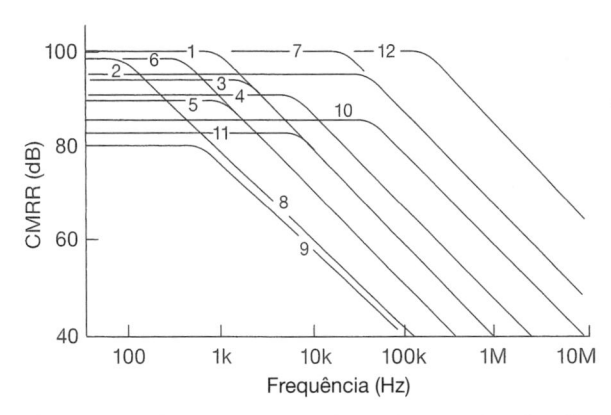

FIGURA 5.73 Razão de rejeição de modo comum em função da frequência para os amplificadores de diferença na Tabela 5.7 (identificados na coluna "Curva").

completamente a tensão de *offset* máxima especificada de 0,5 mV. Dito de outra forma, o erro devido à CMRR finita é maior do que a V_{OS} especificada para entrada $|V_{CM}| > 10$ V. E a situação é ainda pior nas frequências do sinal: você pode imaginar como seria usar tal amplificador de diferença para o monitoramento da corrente da rede elétrica. Em 60 Hz, a CMRR do INA117 (semelhante ao do AD629B em CC) degrada para 66 dB (mín), de modo que o sinal de pico de 160 V da rede elétrica produz um enorme erro de entrada de 80 mV. E, idealmente, você quer monitorar correntes na rede elétrica em tensões ainda maiores, talvez até 400 V. Há maneiras melhores de fazer isso; dê uma olhada na Seção 13.11.1 se você estiver curioso.

C. Largura de Banda

Amplificadores de diferença são construídos com AOPs, compensados em frequência para estabilidade com o agora familiar decaimento de ganho de malha aberta $1/f$. Como acontece com qualquer circuito de AOP, o ganho de malha é responsável pelo bom comportamento, e a perda de ganho da malha em frequências mais altas não só limita a largura de banda de um amplificador de diferença (e sua linearidade, constância de ganho, baixa impedância de saída, etc.), como também degrada a toda importante CMRR. A Figura 5.73 mostra esse comportamento para os amplificadores de diferença listados na Tabela 5.7. Não surpreendentemente, amplificadores com maior largura de banda de malha fechada (portanto, com AOPs de maior f_T) mantêm uma alta CMRR para frequências mais altas.

Note que alguns amplificadores têm um bom desempenho bem próximo de CC, mas ruim em altas frequências, por exemplo, dispositivos clássicos como o INA105, o AD829 e o LT1991, enquanto outros não tão bem especificados em CC podem parecer melhores em altas frequências, como o AD8271 e o MAX4198. Alguns têm desempenho excelente desde CC até altas frequências, de acordo com os gráficos,

como o AD8273[68] e o nosso favorito, AD8275. O AD8129 de balanceamento de transcondutância funciona muito bem, mas é limitado a pequenas entradas e ganhos elevados. Essa informação não é mostrada nas especificações de folha de dados; é necessário observar os gráficos de desempenho para fazer as comparações.

A rejeição de modo comum em frequências mais altas é degradada também pelos efeitos da indutância parasita e pela carga capacitiva assimétrica. É necessário equilibrar a capacitância do circuito para alcançar uma boa CMRR em altas frequências. Isso pode exigir a colocação de imagem espelhada cuidadosa de componentes. Mesmo quando assim simetrizada, a diminuição da reatância *shunt* capacitiva de entrada em frequências mais altas cria uma sensibilidade crescente para qualquer desequilíbrio na impedância da fonte de sinal.[69]

5.14.4 Variações de Circuito

A. Filtro de Ruído

Os amplificadores de diferença na Tabela 5.7 incluem um (o INA146) com um nó colocado para filtragem (passa-baixas) do ruído do estágio de diferença ($G = 0,1$) por um capacitor aterrado (Figura 5.75B). Ele inclui um segundo estágio de terminação simples, com ganho ajustado por um par de resistores externos; assim, você pode ter ganhos globais de 0,1 a 100. O baixo ganho do primeiro estágio nos dá uma grande faixa de modo comum de ± 100 V, embora à custa de ruído e *offset*.

B. Ajuste de *Offset*

Amplificadores de diferença integrados são ajustados na fábrica para terem uma precisão muito boa, com valores típicos na faixa de 25 a 100 μV (mas com *offsets* de pior caso uma ordem de magnitude maior). Como acontece com qualquer circuito de AOP, você pode conectar um ajuste externo, como na Figura 5.74A. Aqui R_2R_3 divide a faixa de ± 15 V de ajuste para ± 1 mV no pino REF; R_1 equilibra a resistência de 10 Ω aterrada para preservar a CMRR. O ganho do amplificador é ligeiramente reduzido pela relação $R_f/(R_f + R_2)$; para um R_f típico de 25k, ele é de 0,04%, na mesma faixa da precisão de ganho especificada do amplificador. Se isso o incomoda, use um R_2 menor.

---

[68] Embora os gráficos de folha de dados para o AD8273 mostrem uma melhor CMRR de 100 dB abaixo de 40 kHz, a CMRR típica *tabulada* é mostrada apenas como 86 dB. Gostamos do melhor gráfico, mas o projetista pode ficar preso com a especificação de pior caso de 77 dB. Alguns usuários podem querer realizar inspeções de entrada para resolver a questão.

[69] Os que trabalham com áudio profissional estão cientes desses efeitos, e eles não medem palavras. Como afirmado energicamente por Whitlock e Floru em um artigo da *Audio Engineering Society*, "**A rejeição de ruído em um sistema equilibrado não tem absolutamente nada a ver com a simetria do sinal** (variações de tensão de sinal iguais e opostas). É o equilíbrio de **impedâncias** de modo comum que define um sistema balanceado!" [ênfase do original].

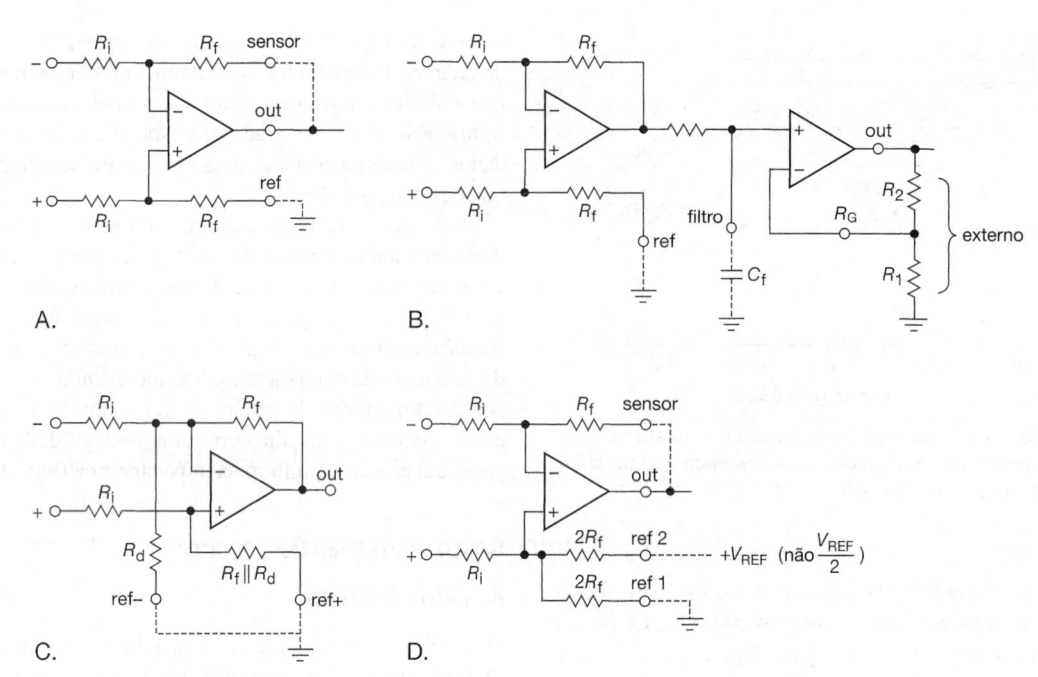

FIGURA 5.75 Configurações de circuito para os amplificadores de diferença na Tabela 5.7 (identificadas na coluna "Config"). A forma "E" é mostrada na Figura 5.89. A forma "C" é usada para tensões elevadas (por exemplo, ±270 V para o AD629B).

C. Ajuste da CMRR

Da mesma forma, você pode ajustar CMRR residual (causado pelo ligeiro descasamento da relação de resistor R_f/R_i nos dois caminhos) com o circuito da Figura 5.74B. É importante limitar a faixa de ajuste para permitir um ajuste preciso e estável para algo consideravelmente melhor do que uma especificação de CMRR comum de 80 dB (pior caso). Você não pode fazer uso de qualquer valor anterior do resistor de ajuste, e é melhor não usar valores menores que 100 Ω (mesmo que você possa encontrá-los) se você se preocupa com a estabilidade. Aqui escolhemos valores de resistor padrão e um resistor de ajuste de 100 Ω para produzir uma faixa de resistência de 20 a 30 Ω a partir do terminal REF até o terra, proporcionando uma variação simétrica de ±5 Ω em torno de R_1. Para os valores de resistor de 25k desse amplificador de diferença de ganho unitário (em vez de típicos; ver Tabela 5.7), isso corresponde a uma faixa de ajuste adequado para cancelar uma CMRR inicial de 75 dB. É possível, é claro, adicionar um cancelamento de *offset* a esse circuito, como indicado.

D. *Offset* de Fonte Simples

Um dos amplificadores de diferença na Tabela 5.7 prestativamente divide o resistor de realimentação de referência em um par paralelo (Figura 5.75D), por isso é fácil compensar a faixa de tensão de saída. Por exemplo, você poderia operar o amplificador com uma fonte simples de +5 V, com REF2 acionando a partir de uma referência estável dessa mesma tensão. Sem um sinal de diferença, a saída será +2,5 V. O amplificador pode acomodar sinais de entrada ao longo de uma faixa de ±10 V, e seu ganho de 0,2 converte uma entrada diferencial de ±10 V em uma saída de 0 a 4 V. É possível, é claro, usar uma tensão de referência inferior. Muitas vezes, é conveniente usar $V_{ref} = 4,096$ V ao acionar um AOC; isso faz o tamanho do degrau ficar em números redondos, por exemplo, 1 mV/degrau para uma conversão de 12 bits.

5.15 AMPLIFICADOR DE INSTRUMENTAÇÃO

Os amplificadores de diferença da seção anterior são baratos e bons para muitas aplicações; e eles têm a boa característica de aceitar entradas para além dos trilhos de alimentação. Mas eles têm ganho (≤ 10) e CMRR ($\lesssim 85$ dB mín) limitados, os seus resistores os tornam um pouco ruidosos (de $20\,\text{nV}/\sqrt{\text{Hz}}$ a $50\,\text{nV}/\sqrt{\text{Hz}}$) e sua resistência de entrada relativamente baixa (~10k a ~~100k) limita a sua utilidade para situações em que os sinais de acionamento são de baixa impedância (saídas de AOP, linhas balanceadas de Z baixo, resistores sensores de R baixo).

Se você precisa de muito ganho, ou de uma alta impedância de entrada, ou de CMRR superior, você precisa de algo diferente: um *amplificador de instrumentação*. Esse dispositivo impressionante tem impedância de entrada acima de 10^9 Ω, ganhos a partir da unidade até 1.000 ou mais, baixa tensão de ruído (abaixo de $\sim 1\,\text{nV}/\sqrt{\text{Hz}}$) e CMRRs de pior caso de 100 a 120 dB (observe a Tabela 5.8).

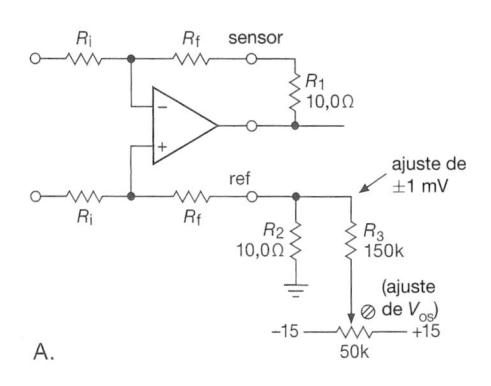

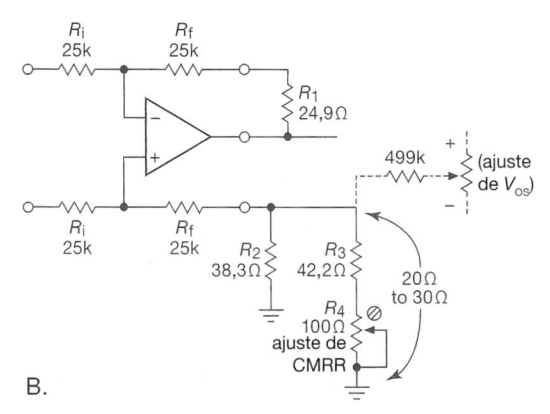

FIGURA 5.74 Ajuste de *offset* e CMRR de um amplificador de diferença.

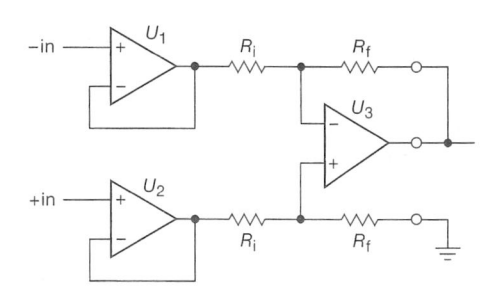

FIGURA 5.76 Uma primeira tentativa de melhorar o amplificador de diferença.

5.15.1 Um Primeiro (Porém Ingênuo) Palpite

Alta impedância de entrada: isso é fácil, basta adicionar seguidores AOP ao amplificador de diferença (Figura 5.76); e, então, as resistências R_i e R_f podem ser menores, reduzindo a sua contribuição de ruído Johnson.

Sem dúvida, esse circuito tem a enorme impedância de entrada que esperamos de um seguidor AOP, então não existem mais um problema a partir de qualquer impedância de fonte razoável.[70] Mas ele não melhora o CMRR, que ainda é limitado pelo casamento da relação de resistor de R_f/R_i: é realmente difícil fazer melhor do que 100.000:1 com um corte laser no chip (tanto ajuste inicial como estabilidade com o tempo e a temperatura). Na verdade, esse circuito degrada a CMRR um pouco, com mais dois amplificadores no caminho do sinal.

5.15.2 Amplificador de Instrumentação Clássico de Três AOPs

O circuito na Figura 5.77 é muito melhor. Ele é o "amplificador de instrumentação de três AOPs" padrão, uma das várias configurações que fornecem a combinação desejável de alta CMRR, alto R_{in}, baixo e_n e abundância de ganho quando precisar dele. O estágio de entrada é uma configuração inteligente de dois amplificadores operacionais que fornece alto ganho diferencial e ganho de modo comum unitário sem a necessidade de um estreito casamento de resistor. A sua saída diferencial representa um sinal com redução substancial no sinal em modo comum comparativo (quando configurado para $G_{dif} \gg 1$), que é utilizado para acionar um circuito amplificador diferencial convencional. Este último é, geralmente, configurado para ganho unitário e é usado para gerar uma saída de terminação simples, removendo o sinal de modo comum.

Vale a pena observar mais de perto esse circuito. Já demos a entender que ele pode entregar uma CMRR muito alta e um e_n muito baixo. Mas isso só é verdade *quando configurado para um ganho diferencial grande*. Para ver o porquê, imagine que o configuramos para $G_{dif} = 1$, omitindo o resis-

---

[70] Pelo menos em CC. Em frequências mais altas, ele se torna novamente importante ao ter as impedâncias de fonte casadas em relação ao sinal de modo comum, porque a capacitância de entrada do circuito constitui um divisor de tensão em combinação com a resistência da fonte. "As altas frequências" podem significar até mesmo 60 Hz e seus harmônicos, porque a captação da rede elétrica CA em modo comum é um incômodo comum.

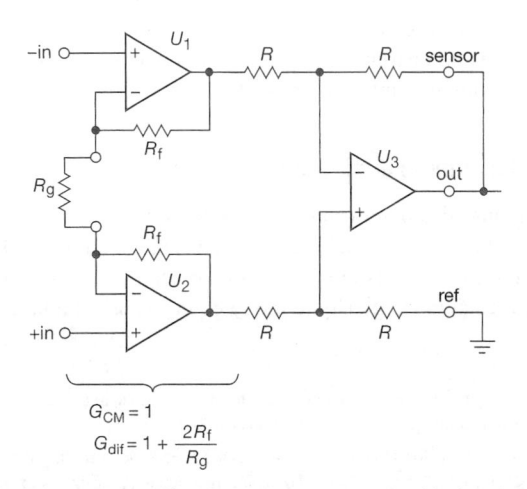

$$G_{CM} = 1$$
$$G_{dif} = 1 + \frac{2R_f}{R_g}$$

FIGURA 5.77 Amplificador de instrumentação clássico de três AOPs.

tor de definição de ganho R_g. Assim, temos apenas o circuito anterior (Figura 5.76), ou seja, um amplificador de diferença de ganho unitário com *buffer*. Ele tem as mesmas limitações de CMRR (estabelecidas pelo casamento de resistor) e ruído (a partir dos resistores de U_3).

Agora, imagine que estabelecemos $G_{dif} = 100$. Gostaríamos de fazer isso escolhendo R_g para que $1 + 2R_f/R_g = 100$, ou seja, $R_g = 2R_f/(G - 1)$. Para o INA103, por exemplo, $R_f = 3$ kΩ, por isso, usaríamos $R_g = 60,6$ Ω. O INA103 inclui convenientemente um resistor desse valor,[71] de modo que, para $G_{dif} = 100$, você só precisa conectar um par de pinos. Observemos novamente a cena de CMRR e ruído.

Em primeiro lugar, a CMRR: a seção de entrada tem um ganho diferencial de 100 e um ganho de modo comum unitário. Em outras palavras, ele passa para o estágio amplificador de diferença um sinal que recebeu 40 dB como favor da CMRR. Outros 80 dB da CMRR no estágio de saída, e temos a CMRR prometida de 120 dB. Esses números são típicos de amplificadores de instrumentação disponíveis, como os listados na Tabela 5.8 e representados graficamente na Figura 5.82. Para o INA103, por exemplo, a folha de dados lista CMRR = 86 dB/72 dB (típico/mín) para $G = 1$ e 125 dB/100 dB (típico/mín) para $G = 100$.

Em segundo lugar, a tensão de ruído: o estágio de saída ainda contribui com ruído Johnson a partir de seu arranjo de resistores, juntamente com o ruído inerente ao seu amplificador. Isso não pode ser evitado. Mas esse ruído é combinado com o sinal de entrada *já amplificado*, de modo que o efeito, *em relação ao sinal de entrada* (RTI), é 100 vezes menor. Para o INA103, por exemplo, a folha de dados relaciona a densidade de ruído (típica, a 1 kHz) como $e_n = 65$ nV/$\sqrt{Hz}$ para $G = 1$ e 1,6 nV/$\sqrt{Hz}$ para $G = 100$.[72]

5.15.3 Considerações do Estágio de Entrada

Veremos vários comentários preliminares aqui sobre o importante estágio de entrada (sobre o qual um especialista de circuitos bem conhecido observou que "tudo sobre amplificadores de instrumentação está relacionado às suas entradas"), com mais informações na Seção 5.16.

A. Casamento de Resistores

O circuito fica bonito com seus R_fs casados simetricamente, mas essa exigência não interfere na discussão anterior. Qual é o efeito dos resistores de realimentação casados no primeiro estágio? O ganho de modo comum continua unitário (se você conectar as duas entradas em conjunto, ambas as saídas seguem a entrada); e a expressão diferencial de ganho é a mesma que antes, mas com $2R_f$ não surpreendentemente substituído pela soma $R_{f1} + R_{f2}$. O que muda, porém, é que uma entrada puramente diferencial produz uma saída diferencial (amplificada por G_{dif}, como antes), combinada com uma saída de modo comum.

Você pode ver como isso acontece imaginando que o resistor de realimentação de U_2 é substituído por um curto e o resistor de U_1 por $2R_f$, e um sinal de entrada CC simétrico $\pm \Delta V$ é aplicado às entradas: a saída de U_2 desloca ΔV para baixo, enquanto a saída de U_1 sobe $(1 + 4R_f/R_g)\Delta V$. Essa é a saída diferencial correta, mas com um *offset* de modo comum de $(2R_f/R_g)\Delta V$. Isso não é motivo de grande preocupação, desde que os R_fs sejam razoavelmente casados; eles não requerem o casamento preciso necessário para o estágio de saída.

B. Os Amplificadores de Entrada

É essencial que U_1 e U_2 tenham excelentes CMRRs a fim de que um sinal de entrada de modo comum puro não seja convertido para um sinal diferencial (que seria, então, passado para a saída). Dito mais precisamente, eles devem ter CMRRs *casadas*, de modo que a tensão em R_g monitore com precisão a tensão de entrada diferencial. Visualizando o funcionamento do circuito de modo mais geral nessa perspectiva, os amplificadores de entrada não precisam ter tensões de *offset* individuais extremamente baixas – o que importa é que suas tensões de *offset* sejam precisamente casadas e permaneçam assim com as variações de tensão de modo comum. Isto dá origem a diversas variantes de circuito em que os "AOPs" U_1 e U_2 são configurações com quedas base-emissor bem casadas entre cada entrada e o pino R_g correspondente; ver, por exemplo a Figura 5.88C a seguir.

C. Sobrecarga do Estágio de Entrada

Os amplificadores do estágio de entrada, U_1 e U_2, ceifarão se as suas saídas forem forçadas próximas aos seus trilhos de alimentação, mesmo que seja esperado que a saída do circuito completo (saída de U_3) fique dentro de limites seguros. Dito de outra forma, $V_{CM} \pm 0,5V_{dif}(1 + 2R_f/R_g)$ não deve alcançar qualquer linha de alimentação.

D. Proteções de Sinal

Amplificadores de instrumentação são usados com sinais de baixo nível, muitas vezes transmitidos por cabos blindados para minimizar o ruído. Isso adiciona capacitância de entrada, limitando, assim, a largura de banda (especialmente com sinais de moderada a alta impedância de fonte). Talvez seja de maior importância a degradação da CMRR nas frequências do sinal: a capacitância *shunt* do cabo forma um divisor

---

[71] Mais precisamente, ele inclui um resistor no chip, relação casada com R_f, para produzir um ganho global garantido de $100,0 \pm 0;25\%$.

[72] A folha de dados separa as contribuições da seção de entrada do segundo estágio, 1 nV/$\sqrt{Hz}$ e 65 nV/$\sqrt{Hz}$, respectivamente. A partir desses valores, você pode calcular o ruído referente à entrada, $\{e_n \text{(in)}^2 + [e_n \text{(out)}/G]^2 + 4kTR_g\}^{1/2}$. O último termo é o quadrado da tensão do ruído Johnson $e_n = 0,13\sqrt{R_g}$ nV/$\sqrt{Hz}$.

de tensão com a impedância da fonte do sinal separadamente para cada entrada; por isso, se você tem um par de sinais com impedâncias de fonte desbalanceadas (uma situação comum), as variações de sinal de modo comum criarão alguma entrada de sinal diferencial.[73] Por fim, correntes de fuga se tornam significativas com sinais de impedância de fonte muito alta (MΩ a GΩ). Uma boa técnica para reduzir em muito a capacitância efetiva do cabo e qualquer corrente de fuga é acionar a blindagem ativamente com uma tensão de "proteção" (Figura 5.78).

Se há uma blindagem comum em torno do par de sinais, a ideia consiste em acioná-la com uma réplica buferizada do sinal de modo comum, como no circuito (A); um pequeno resistor em série é geralmente uma boa ideia para a estabilidade. Uma blindagem exterior aterrada pode ser utilizada para eliminar qualquer ruído de acoplamento para a proteção se isso se tornar necessário. Esse circuito exige acesso às saídas do primeiro estágio, o que raramente você consegue em um amplificador de instrumentação integrado. Alguns amplificadores possuem esse acesso ao incluir o circuito internamente e proporcionando um pino de saída de "proteção de dados", como em (B). Senão, você pode derivar seu próprio sinal de modo comum, como em (C).

A proteção de modo comum reduz consideravelmente a carga capacitiva do par de sinais e, portanto, melhora a CMRR (minimizando a conversão de modo comum para sinais de modo normal), mas não reduz os efeitos da capacitância (e fuga) do cabo nos próprios sinais de *modo normal* (diferencial). Para conseguir isso, você precisa blindar os sinais individualmente, acionando cada blindagem com uma réplica do sinal que ele blinda, como no circuito (D). Esse é o familiar "*bootstrap*" agindo aqui para reduzir tanto a capacitância quanto a corrente de fuga vistas por cada sinal. Isso, portanto, minimiza o decaimento de alta frequência e o erro CC em sinais de impedância de fonte alta.[74] E, assim como com a proteção de modo comum, ele também minimiza a degradação do CMRR, eliminando efetivamente as capacitâncias dos cabos.

Alguns amplificadores de instrumentação fornecem essas saídas de proteção individuais, por exemplo, o INA116 mostrado, o qual é, evidentemente, destinado a medições de correntes muito baixas (ele possui uma corrente de entrada típica de 3 *femto*ampères). Caso não use CIs como esse, você pode implementar seu próprio circuito, como em (E), explorando o fato de que os nós R_g seguem as entradas. Porém, um aviso: não há garantia de que os sinais nos pinos R_g não

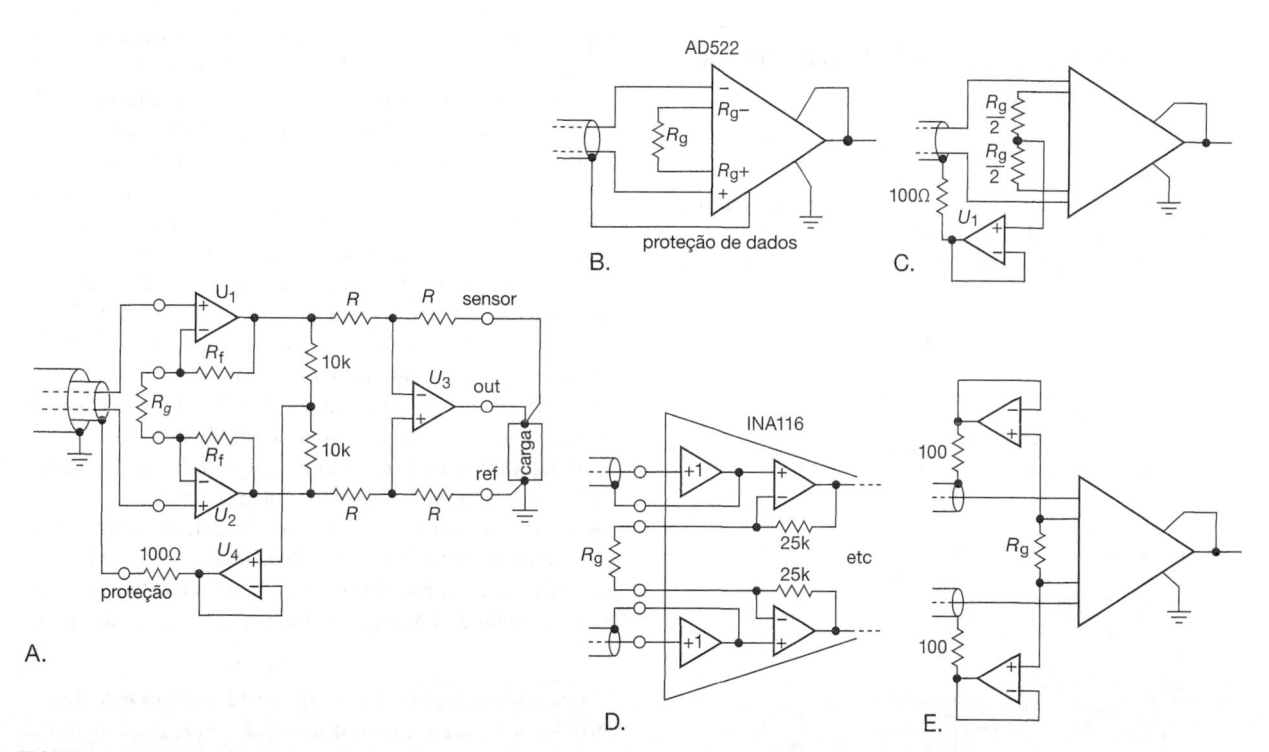

FIGURA 5.78 Proteção do sinal para uma capacitância de cabo muito reduzida. (A) até (C) são proteções de modo comum; (D) e (E) são proteções de sinais individuais.

---

[73] Dito de outra forma, a capacitância do cabo degrada a CMRR, criando deslocamentos de fase diferenciais entre os dois sinais, devido às suas impedâncias de fonte desbalanceadas.

[74] Aparelhos para medição de correntes muito baixas – "eletrômetros" e "unidades de medida de fonte" – incluem saídas de proteção e conectores "triax" tipo BNC especial (normalmente) para uso com cabos triaxiais blindados.

são compensados a partir dos sinais de entrada, como, por exemplo, nas configurações que veremos mais adiante, nas Figuras 5.88C e 5.89F. Com tal *offset*, o *bootstrap* seria eficaz na minimização de capacitância, porém bem menos para correntes de fuga.

E. Fonte de Alimentação com *Bootstrap*

A Figura 5.79 mostra um truque análogo à proteção do sinal (você poderia chamá-lo de "proteção de fonte de alimentação"), ocasionalmente útil se você precisar melhorar ainda mais a CMRR de um amplificador de instrumentação. U_3 é um *buffer* do nível de sinal de modo comum, que aciona o terminal comum de uma pequena fonte simétrica flutuante para U_1 e U_2. Esse esquema de *bootstrap* elimina efetivamente o sinal de modo comum de entrada de U_1 e U_2, porque eles não "enxergam" variações nas suas entradas (devido aos sinais de modo comum) em relação às suas fontes de alimentação. U_3 e U_4 não necessitam de *bootstrap* se essa for uma implementação discreta. Esse esquema pode fazer maravilhas para a CMRR, pelo menos em CC. Com o aumento da frequência, você tem os problemas usuais de apresentar impedâncias casadas para as capacitâncias de entrada.

5.15.4 Construindo o seu Próprio Amplificador de Instrumentação

Amplificadores de instrumentação integrados são excelentes e, normalmente, economizam muito trabalho (além de custos e espaço na PCB), aproveitando a ampla seleção de peças disponíveis, para as quais a Tabela 5.8 é um bom ponto de partida. Mas, às vezes, você precisa de capacidade adicional, por exemplo, uma faixa mais ampla de ganhos, ou ajustes precisos de *offset* e CMRR, ou proteção contra um abuso exorbitante que infringe os terminais de entrada.

A Figura 5.80 é um exemplo baseado no projeto comercializado[75] do talentoso John Larkin, no qual acrescentamos algumas funcionalidades. Ele precisava de uma seção de entrada flexível combinada com (a) proteção de sobretensão de ±250 V, (b) ganhos de lógica comutável de 1/16 a 256 por fatores de quatro, (c) *offsets* de baixa precisão, (d) faixa de entrada de modo comum de ±10 V para $G \geq 1$ e ±140 V para $G < 1$ e (e) rejeição de modo comum de 120 dB em alto ganho.

A estrutura geral é a configuração familiar de três AOPs, com U_1 e seu gêmeo simétrico (não mostrado) como a seção de entrada diferencial, que aciona o amplificador de diferença de ganho unitário do estágio de saída U_3. O ganho é definido pelas chaves analógicas U_2 e seu gêmeo, que selecionam uma derivação na cadeia de resistores de R_6 a R_{10}. Por exemplo, quando a posição "×64" é selecionada, $R_g = 201,1$ Ω e $R_f = 6,411$ kΩ, portanto um ganho $G_{\text{dif}} = 1 + 2R_f/R_g = 64,8$.[76]

Há muito mais acontecendo aqui. Percorreremos o circuito da esquerda para a direita. O indutor SMD com perdas L_1 (estes são frequentemente especificados por sua impedância, principalmente resistiva, a 100 MHz), combinado com o capacitor C_1, suprime a interferência de alta frequência que está fora da largura de banda do amplificador, mas capaz de causar um dano não linear nos estágios de entrada dos AOPs. O valor de C_1 não é extremamente importante, mas a sua tolerância estreita mantém a impedância de entrada balanceada a fim de não comprometer a CMRR em alta frequência. Os relés K_1 e K_2 são usados para calibrações frequentes de *offset* e ganho no sistema, essenciais para estabelecer e manter precisões de ganho melhores do que 0,1% (com um circuito utilizando valores de resistor de 1%) e *offset* zero de 10 μV ou melhor.[77] O relé K_3 comuta para uma atenuação de ganho ×16 para sinais de entrada além de ±10 V. A impedância de entrada é, então, estabelecida por R_1+R_2, com um ajuste de balanceamento de R_3 para uma boa CMRR. O valor de R_1 é um equilíbrio entre R_{in} alto e a largura de banda: aqui, o 33,2k, com a carga de uma capacitância a jusante de ~10 pF, insere um decaimento de 3 dB em 500 kHz, à direita da largura de banda especificada de 200 kHz do produto. Mas uma impedância de entrada maior seria bom, talvez um bom número redondo de 1 MΩ (de preferência com R_1 como um par

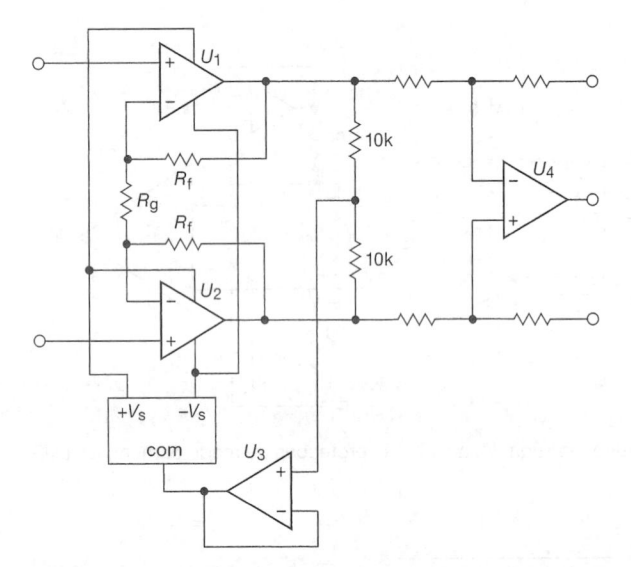

FIGURA 5.79 Amplificador de instrumentação com fonte de alimentação com *boostrap* para CMRR alta.

---

[75] Digitalizador de Múltiplas Faixas VME V490 da Highland Technology.

[76] Os resistores de ajuste de ganho são escolhidos a partir do padrão "E96" de valores de resistores de 1%, de modo que os ganhos reais diferem dos valores arredondados (com uma tolerância de ±1% que nunca seria perfeito, de qualquer maneira). Essa seção de entrada faria parte de um sistema de aquisição de dados, com ganho global e dados de *offset* mantidos em software, a partir de um procedimento de calibração realizado pelos relés K_1 e K_2.

[77] Larkin enaltece os relés Fujitsu FTR-B3GA4.5Z DPDT, com suas capacitâncias abaixo de picofarad.

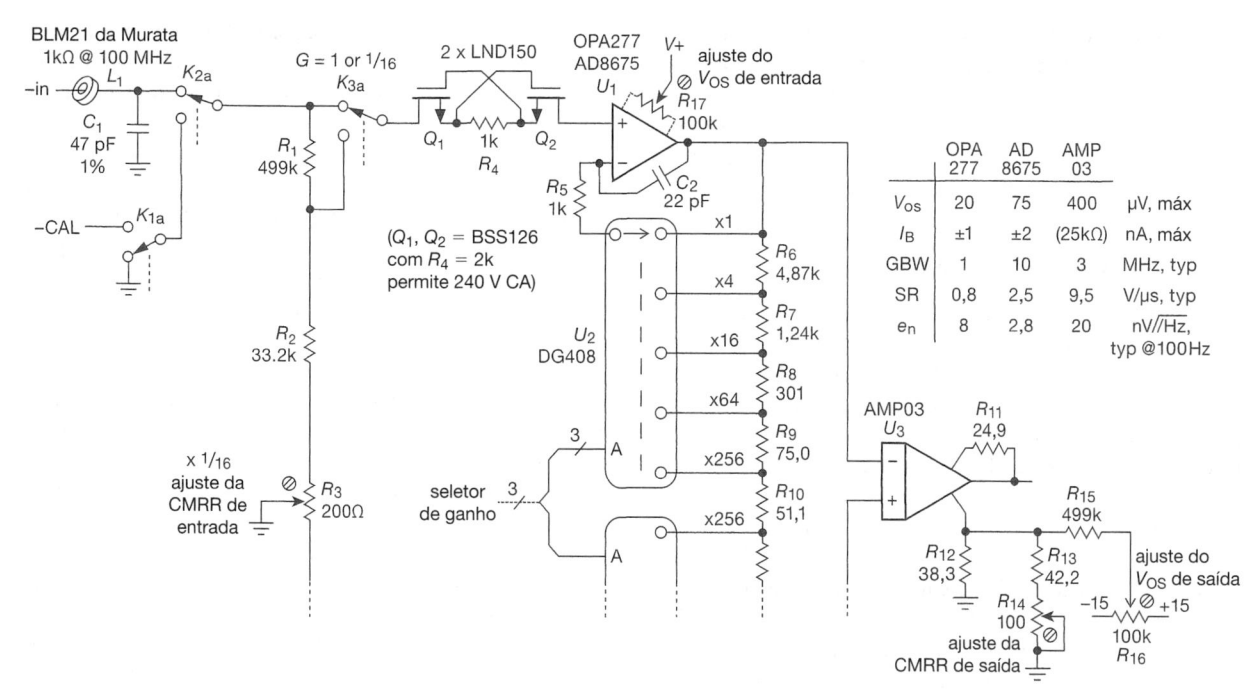

FIGURA 5.80 Um projeto de amplificador de instrumentação "discreto" que combina precisão, alta CMRR, grande faixa de tensão de modo comum, seleção de ganho digital e proteção contra entradas de ±250 V. O caminho simétrico para a entrada não inversora de U_2 é omitido para economizar papel.

em série de 464k, para acomodar as sobretensões de entrada sem danos).

O curioso par idêntico Q_1Q_2 é uma boa escolha: esses são MOSFETs de modo depleção de alta tensão (veja a Tabela 3.6) da Supertex ou Infineon,[78] usados aqui como um limitador de corrente bidirecional de ~0,5 mA para proteger os AOPs (cujos diodos de ceifamento internos são inabaláveis para alguns miliampères de corrente de entrada; o AD8675, por exemplo, especifica um I_{in} máximo de ±5 mA).[79] Aqui, R_4 serve para reduzir a corrente de saturação a partir do seu I_{DSS} máximo de 3 mA (portanto, 750 mW de dissipação para uma entrada de 250 V, demais para um pequeno transistor SOT23), a troca sendo o acréscimo de 1 kΩ de resistência de entrada de adição de ruído em série com a inevitável resistência ON de 1,7k do par em série de MOSFETs de polarização zero. Esse circuito fornece um nível razoável de proteção contra sobreacionamento; mas um degrau abrupto de entrada de +500 V, digamos, poderia muito bem acoplar uma grande corrente transitória suficiente (através das capacitâncias de Q_1 e Q_2) para danificar o amplificador ou produzir ruptura de porta nos próprios MOSFETs.

Os AOPs são do tipo bipolar de precisão com cancelamento de corrente de entrada; observe a compensação, para as duas escolhas, da precisão em função da velocidade e da corrente de polarização. Eles são cortados a laser para uma tensão de *offset* baixa e provavelmente são bons o suficiente sem intervenção humana; mas eles incluem terminais de ajuste de *offset* aos quais você pode anexar um *trimpot*, como mostrado. Isso parece uma boa ideia – mas seja cauteloso, pois a faixa de ajuste externo que você obtém quando faz isso é geralmente grande! Para o AD8675, por exemplo, o ajuste é de ±3500 μV (cerca de 50 vezes o *offset* máximo sem ajuste). Assim, pode ser um ajuste delicado (e instável) melhorar o V_{OS} já ajustado.

O multiplexador analógico seleciona uma derivação na malha de ajuste de ganho, o que torna o ganho insensível à resistência ON das chaves (aqui, ~100 Ω). Esse é o caminho certo a seguir; o caminho *errado* seria a utilização de um resistor de realimentação separado para cada posição da chave, com R_{10} conectado entre os terminais comuns dos multiplexadores. O pequeno capacitor de realimentação C_2 garante estabilidade, dado o deslocamento de fase em atraso dentro da malha que recebe a contribuição de 40 pF de capacitância da chave para o terra.

Por fim, chegamos ao nosso destino via amplificador de diferença U_3, escolhido por sua combinação de estabi-

---

[78] Eles são especificados para 500 V e estão disponíveis em três estilos de encapsulamentos pequenos (TO-92, SOT23 e SOT89 com aba). A alternativa BSS126 da Infineon é especificada para 600 V e custa menos (15 centavos de dólar em pequenas quantidades). Ela só está disponível no encapsulamento SOT23, ao passo que o LND150 está disponível em três estilos de encapsulamentos, incluindo um encapsulamento de potência pequeno de 1,5 W, TO-243.

[79] Certifique-se de verificar se o AOP não sofre de inversão de fase (veja, por exemplo, a Seção 4.6.6) se você se preocupa com a saída durante um sobreacionamento de entrada. Uma solução consistente é utilizar um par de diodos de fixação de entrada, como na Figura 5.81.

lidade de ganho (um impressionante ±0,0008% típico ao longo da temperatura), tempo de estabilização rápido (1 μs a 0,01%, típico) e baixo nível de ruído (20 nV/$\sqrt{Hz}$, típico). É fácil adicionar ajustes de CMRR e *offset*, como mostrado (veja a discussão no início da Seção 5.14.4), que é o que mais importa em configurações de baixo ganho.

5.15.5 Proteção de Entrada Robusta

Como observamos há pouco, um transitório realmente desagradável pode estragar o seu dia inteiro. Considere, por exemplo, um degrau de tensão de entrada de tempo de subida de 1 ns e amplitude de 350 V (a entrada toca acidentalmente a rede elétrica de 240 V CA): a taxa de variação de 350 GV/s forçaria 350 mA através de 1 pF! Isso é uma má notícia para o AOP U_1, bem como para o isolamento de porta de Q_1 e Q_2. Como a proteção de entrada na Figura 5.80 pode ser melhorada para garantir uma proteção robusta contra tais ataques flagrantes? Um choque L_1 de entrada ajuda, proporcionando uma impedância em série que aumenta em altas frequências. Mas podemos fazer melhor – veja a Figura 5.81.

O primeiro passo é limitar a taxa de variação de entrada, com R_1C_1: um degrau de 500 V provoca uma taxa de variação máxima de $dV/dt = 5$ V/ns em C_1,[80] sem degradação significativa da largura de banda ou ruído. Olhando para ele de um modo mais simples, essa taxa máxima de deslocamento pode produzir uma corrente transitória através da capacitância dreno-fonte (C_{OSS}) de, no máximo, $I = C_{OSS}dV/dt = $ 10 mA, assim, uma queda em R_2 de no máximo 10 V. Isso está muito abaixo da especificação porta-fonte de ±20 V; e é uma estimativa conservadora, porque a tensão porta-fonte real é reduzida ainda mais pela capacitância porta-fonte relativamente maior (C_{ISS}).

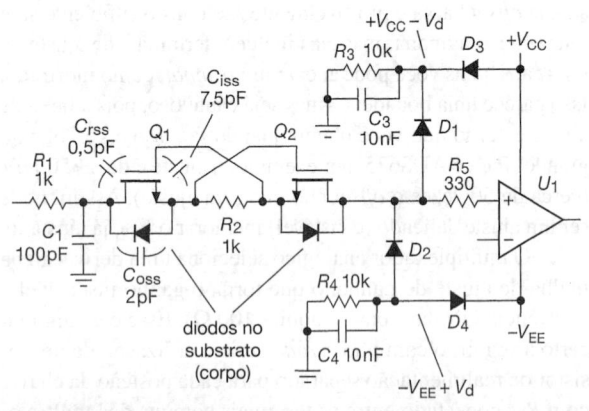

FIGURA 5.81 Blindagem da seção de entrada do amplificador com controle de taxa de variação, diodo de ceifamento e limitação de corrente de entrada.

Então, Q_1 e Q_2 estão seguros. Bem como o amplificador, pois a corrente de transiente de 10 mA de pior caso é ceifada pelos diodos D_1 e D_2 para ficar estritamente dentro dos trilhos de alimentação do amplificador: esses diodos ceifam as tensões desviadas que estão a uma queda de diodo dos trilhos de alimentação, definidas pelos diodos D_3 e D_4. Note a corrente de 1,5 mA de polarização direta CC do último (estamos considerando trilhos de ±15 V), mantendo sua queda de diodo mesmo com um sobreacionamento de entrada CC contínua (com a correspondente corrente limitada a menos de 1 mA, devido a Q_1Q_2).

Por fim, o pequeno resistor de entrada R_5 é adicionado para uma segurança extra, para limitar qualquer corrente de entrada para o AOP se a tensão ceifada exceder os trilhos. Isso é mais importante com a disposição usual de diodos de ceifamento externos (isto é, para os próprios trilhos), o que permite que as entradas do AOP atinjam uma queda de diodo *para além* dos trilhos. Sem o resistor em série adicionado, há, então, uma disputa de divisores de corrente entre os diodos externos e internos.

Esse circuito parece muito bom para nós. Antes de entregá-lo para o cliente, porém, seria bom levá-lo à bancada para um teste rigoroso. Os circuitos podem surpreendê-lo.

5.16 VARIEDADES DE AMPLIFICADORES DE INSTRUMENTAÇÃO

Há muitas coisas boas nesses amplificadores, cuja boa variedade é evidente na coleção da Tabela 5.8 (com os tipos adicionais de "ganho programável" na Tabela 5.9). Quando você precisar de um desempenho real, essas tabelas são dignas de estudo sério! Aqui coletamos alguns conselhos importantes sobre seus cuidados e alimentação; consulte frequentemente a Tabela 5.8 para ampliar seus conhecimentos à medida que estuda as seções a seguir.[81]

5.16.1 Corrente de Entrada e Ruído

Amplificadores de instrumentação (AIs) devem condicionar o sinal de entrada sem produzir um distúrbio; portanto, alta impedância de entrada Z_{in}, baixa corrente de entrada I_{in} e um baixo nível de corrente de ruído i_n. Há a compensação de costume – o *offset* de tensão e a tensão de ruído mais baixos dos BJTs *versus* a corrente de entrada e a corrente de ruído inferiores dos FETs. Alguns AIs com entrada bipolar (por exemplo, o LT1167/8) usam o truque de cancelamento de corrente de polarização para atingir correntes de entrada abaixo de nanoampère. Por outro lado, os AIs de autozero funcionam melhor em termos de tensão de *offset*, mas pagam um preço em corrente de ruído e componentes de frequência no caso de *chopper*.

---

[80] E um surto momentâneo de 500 V e 250 W em R_1, que deve ser um tipo de composição de material resistivo sobre um corpo, ou vários resistores SMD em série, para lidar tanto com a tensão quanto com a potência transitória.

[81] Veja também o material relacionado na segunda edição, páginas 422 a 428 da edição original.

Capítulo 5   Circuitos de precisão   **363**

TABELA 5.8 Amplificadores de instrumentação selecionados

Nº identif.	Circuito	Faixa de aliment. (V)	I_S típico (mA)	I_B máxa (nA)	I_{OS} máxa (nA)	V_{OS} máx (μV)	ΔV_{OS} típico (μV/°C)	ΔG máx (%)[g]	Z_{in} (Ω)	CMRR G=100 típico min (dB)	CMRR G=100 min (dB)	CMRR Não balanc.?	CMRR G=1 min (dB)	Curva de CMRR	$V_{n(pp)}$[c] (μV)	Ruído e_n[x] (nV/√Hz)	Ruído i_n[x] (fA/√Hz)	R_n[x] (kΩ)	BW[d] -3dB (kHz)	Estabiliz.[d] 0,01% (μs)	Variação (V/μs)	Filtro?	Disp. em DIP?	Necessita de R_g?	Variação até as fontes? IN +	IN −	OUT +	OUT −	Ganho, observações
BJT de alta tensão																													
INA103	A	18–50	9	12μA	1000	250	1,0	0,07	60M	125	100	0	72	2	–	1,0	2000	0,5	800	3,5	15	–	–	int	–	–	–	–	1, 100, ajustável
INA163	A	9–36	10	12μA	1000	250	1,0	0,1	60M	116	100	0	80	3	–	1,0	800	1,3	800	3,5	15	–	–	•	–	–	–	–	$G=1+6k/R_g$
INA217	A	9–36	10	12μA	1000	250	1,0	0,2	60M	116	100	0	80	3	–	1,3	800	1,6	800	3,5	15	–	–	•	–	–	–	–	$G=1+5k/R_g$
THAT1510	C	10–40	6	14μA	1400	250	–	6	30M	120	105	0	45	3	–	1,0	2300	0,43	7000	–	28	–	–	•	–	–	–	–	$G=1+10k/R_g$
INA166	A2	9–36	10	12μA	1000	250	2,5	1	60M	120	100	0	–	4	–	1,3	800	1,6	450	3,5	15	p	–	•	–	–	–	–	$G=2000+60k/R_g$
AD627B	C2	2,2–36	0,06	10	1	150	0,1	0,25	20G	96	83	1k	–	16	0,56	38	50	760	3	290	0,05	p	–	•	–	–	–	–	$G=5+200k/R_g$
INA128	A	4,7–36	0,70	5	5	50	0,2	0,5	10G	125	120	1k	80	1	0,2	8	300	27	200	9	4	–	–	•	–	–	–	–	$G=1+50k/R_g$
INA126	B	2,7–36	0,18	25	2	250	0,5	0,1	1G	94	83	0	–	15	0,7	35	60	590	9	160	0,4	–	–	•	–	–	–	–	$G=5+80k/R_g$
LT1789-10	C	2,2–36	0,12	40	0,2	750	0,2	0,27	1,6G	113	98	1k	–	14	1,1	48	62	775	12	190	0,06	p	–	•	–	–	n	–	$G=1+200k/R_g$
AD8221B	C	4,6–36	0,90	0,4	0,4	25	0,3[d]	0,15	100G	–	110	1k	80	17	0,25	8	40	200	100	10	2	–	–	•	–	–	–	–	$G=1+49,4k/R_g$
LT1167A	C	4,6–40	0,9	0,35[e]	0,35[e]	40	0,05	0,08	1T	125	120	1k	90	5	0,28	8	60	130	120	14	1,2	–	–	•	–	–	–	–	$G=1+49,4k/R_g$
LT1168A	C	4,6–40	0,42	0,25[e]	0,3[e]	40	0,05	0,5	1T	135	120	1k	90	8	0,28	10	30	330	13	30	0,5	–	–	•	–	–	–	–	$G=1+49,4k/R_g$
AD620B	C	4,6–36	0,9	1	0,5	50	0,3	0,15	10G	130	120	1k	80	5	0,28	9	100	90	120	15	1,2	–	–	•	–	–	–	–	barato
AD8227	C	2,2–36	0,35	27	1,5	200	0,2	0,3	0,8G	–	105	1k	–	6	0,5	24	100	240	50	35	0,8	–	–	•	–	–	–	–	$G=5+80k/R_g$
JFET																													
INA110B	A	12–36	3	0,1	0,05	250	2	0,1	5T	116	106	1k	80	7	1	15	1,8	8,3M	470	5	17	–	–	int	–	–	–	–	1, 10, 100, 200, 500
AD8220B	C	4,5–36	0,75	0,01	6pA	125	5[d]	0,2	10T	90	84	1k	80	8	0,8	14	1	14M	120	8	2	–	–	•	–	–	–	–	$G=1+50k/R_g$
MOSFET																													
INA116	A	9–36	1	25fA[v]	25fA[v]	2000	20	0,5	10T[i]	94	86	1k	80	5a	2	28	0,1	300M	70	400	0,8	–	–	•	–	–	–	–	proteção, $G=1+50k/R_g$
BJT de baixa tensão																													
AD8129A	E	4,5–25	10	2000	400	800	2	0,6	6M	110	90	0	–	18	–	4,5	1000	4,5	270M[s]	0,02[o]	930	p	–	•	–	–	–	–	250MHz, $G≥10$
AD8223B	C	3–24	0,65	25	2	100	1	0,3	2G	110	90	1k	–	20	0,6	30	70	430	50	18	0,2	–	–	•	–	–	–	–	baixo custo, $G=5(1+R2/R1)$
MAX4194-7	A2	2,7–7,5	0,09	20	3	225	0,5	0,5	1G	115	95	1k	78	10a	0,6	8,7	–	–	1,5	40	–	–	–	•	–	,–	n	–	$G=1, 10, 100$, var
AD623B	A	5–12	0,38	25	2	100	0,1	0,35	2G	110	105	1k	77	13	1,5	35	1500	23	10	20	0,3	–	–	•	–	–	–	–	$G=1+100k/R_g$
ISL28270	E[k]	2,4–5,5	0,12	2	1	150	0,7	0,5[t]	3M	110	90	1k	–	12	3,5	60	370	160	240	–	0,5	–	–	•	–	–	–	–	$G≥100$, duplo
INA337	F2[k]	2,7–5,5	2,4	2	2	100	0,1	0,2	10G	120	106	0	106	10	0,8	33	150	220	10	160	filter	–	–	•	–	–	n	–	$G=2R2/R1$
CMOS																													
AD8236	B	1,8–5,5	0,04	10pA	5pA	3500	2,5	0,2	440G	110	100	0	–	25	4	76	15	5M	0,8	1000	0,01	–	–	•	–	–	–	–	$G=5+420k/R_g$
INA321[y]	B2	2,7–5,5	0,04	10pA	10pA	500	7	0,1	10T	94	90	0	–	9	20	100	3	33M	20	12	0,4	–	–	•	–	–	–	–	$G=5(1+R2/R1)$
ISL28272	E[k]	2,4–5,5	0,12	30pA	30pA	500	0,7	0,2[t]	1G	100	80	0	80	13	6	78	0,2	390M	100	–	0,5	–	–	•	–	–	–	–	duplo, $G≥100$[u]
autozero																													
AD8230	D	8–16	2,7	1	0,3	10	0,05	0,04	cap[w]	120	110	1k	110	19	3	240	–	–	2,5	slow	2	p	–	•	–	–	–	–	ruído shopper de 2 kHz
LTC2053	D	2,5–5,5	0,95	10	3	10	0,05	ext	cap[w]	120	105	1k	100	20	2,5[c]	170[b]	70	–	5	4000	0,2	p	–	•	–	–	–	–	ruído shopper de 3 kHz
MAX4209	E	2,9–5,5	1,4	0,001[t]	0,001[t]	20	0,05	0,25	2G	135	106	0	106	21	2,5	170	–	–	10	120	0,08	p	–	•	–	–	–	–	$G=100$, AZ, '08 var G
INA333	C	1,8–7	0,05	0,2	0,2	25	0,1	0,25	100G	115	100	0	80	22	1,0	50	100	500	3,5	400	0,2	–	–	•	–	–	–	–	$G=1+100k/R_g$
AD8553	F	1,8–6	1,1	1	2	20	0,02	0,3	50M	140	100	0	–	23	0,7	30[h]	–	–	1	2400	slow	–	–	r	–	–	–	–	use filtro de 1 kHz
AD8293	F	1,8–6	1	2	4	50	0,02	1	50M	140	110	0	na	24	0,7[c]	35	–	–	0,5	2400	filter	–	–	int	–	–	–	–	$G=80, 160$ AZ-amp

Notas: (a) A 25°C. (b) Em 100 Hz. (c) 0,01 a 10Hz ou 0,1 a 10Hz; para $G=100$ máx, não 1.000. (e) Superbeta + corrente de entrada cancelada. (f) Máx. (g) Erro de ganho, para $G=100$. (h) Mais ruído AZ de alta freq. (j) Tem pinos de entrada de proteção. (k) Tem bomba de carga para melhorar o desempenho CM. (m) Mais estágio de filtro e ceifamento de saída. (n) Para dentro de 50 mV a 200 mV do trilho. (o) Até 0,1%. (p) Pode filtrar se o ganho for maior que o mínimo. (r) V_{out} até V_{EE}; mas $V_{ref}=0,8$ V mín. (s) $G=10$. (t) Típico. (u) SL28271 para $G≥10$; ambos são descomp. (v) Polarização típica, *offset* = 1 fA, 3 fA. (w) Aviso: corrente alta de polarização. (x) a 1 kHz. (y) Duplo = INA2321.

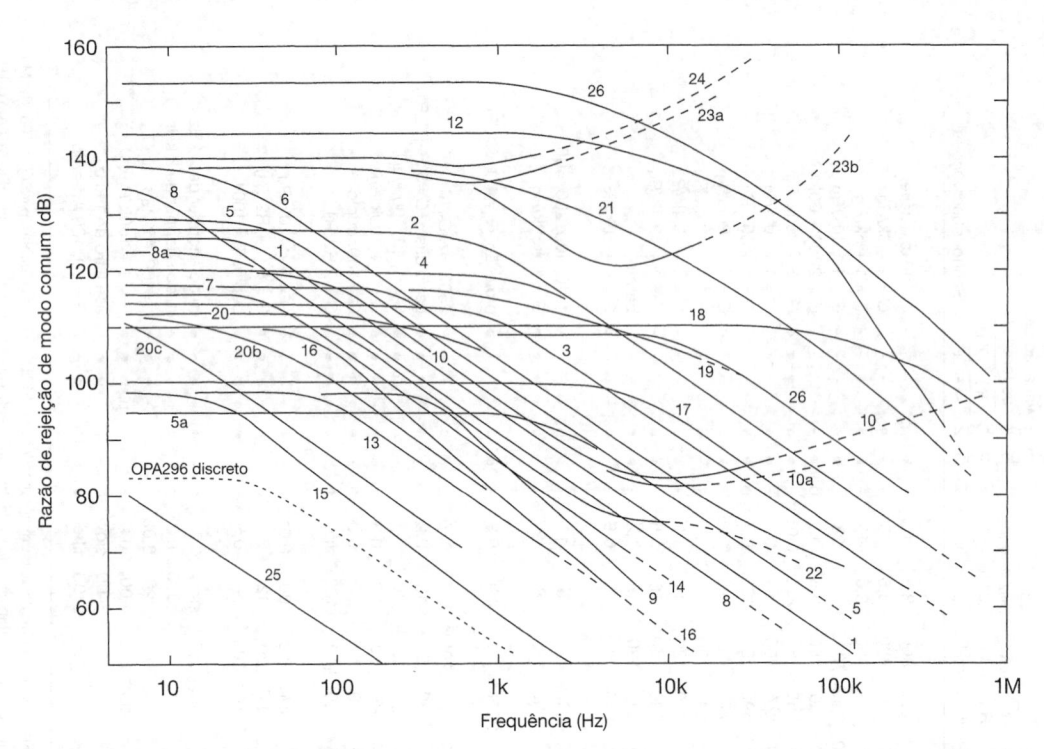

FIGURA 5.82 Razão de rejeição de modo comum em relação à frequência, para os amplificadores de instrumentação listados na Tabela 5.8. A curva do "OP296 discreto" é composta de dados medidos de uma implementação discreta de dois AOPs (Figura 5.88, o circuito B) mostrada na folha de dados do amplificador de instrumentação AD627 (curva 16) como prova da superioridade de amplificadores integrados. As curvas 23a e 23b mostram o efeito de escolhas de filtro (1 kHz e 10 kHz, respectivamente) para o mesmo amplificador (o AD8553). As extensões em linha tracejadas indicam uma região bem além da frequência de corte do amplificador.

Para alguns amplificadores, a corrente de ruído de entrada está perto do limite do ruído *shot* (como na Seção 5.10.8), mas isso é muito excedido para amplificadores de auto-zero, e amplificadores com entrada BJT que usam o cancelamento de corrente de polarização.

5.16.2 Rejeição de Modo Comum

Amplificadores de instrumentação, muitas vezes, lidam com pequenos sinais de diferença sobrepostos em tensões de modo comum muito maiores, exigindo uma CMRR elevada.

Para ter uma noção do problema, considere um AI usado com uma ponte de *strain gauge* alimentada a partir de 5 V: a entrada de sinal de modo comum dos AIs é de 2,5 V, com uma saída de fundo de escala típica de 10 mV (ou seja, 2 mV/V). Então, um sinal que é 0,1% do fundo de escala é apenas 10 μV. Isso é −108 dB em relação ao sinal de modo comum de 2,5 V! Apenas sete dos AIs na Tabela 5.8 atendem a esta especificação para suas CMRRs mínimas (embora apenas cinco atendam para suas CMRRs típicas). Um amplificador que não atende às especificações de CMRR simplesmente exibirá um erro de saída maior do que 0,1% do fundo de escala, com a CMRR totalmente insuficiente. Contudo, tenha isto em perspectiva: a maioria dos AIs na tabela tem mais de 10 μV de entrada de tensão de *offset*, de qualquer maneira. Assim, podemos dizer que, para muitas aplicações, os AIs listados funcionam razoavelmente bem (e alguns excepcionalmente bem), pelo menos em CC.

A. CMRR *versus* Frequência

Um teste muito mais severo da CMRR de um AI é o da sua capacidade de rejeitar os sinais de modo comum em altas frequências. Os gráficos da Figura 5.82 mostram essa degradação, começando em algum ponto no intervalo de 100 Hz a 5 kHz. Em contraste com a aplicação de *strain gauge* (CC), imagine a medição de tensão sobre os resistores sensores de corrente de baixo valor que monitora os enrolamentos de um motor trifásico. Se a frequência de acionamento CA for baixa o suficiente (digamos, 50 a 60 Hz), o AI pode estar à altura da tarefa. Porém, se os enrolamentos do motor forem acionados a partir de um controlador com modulação por largura de pulso (PWM – *pulse-width-modulated*), com, por exemplo, pulsos de 40 kHz, a degradação da CMRR em alta frequência pode resultar em um AI inútil para a tarefa. Assim, as curvas da Figura 5.82 podem ser úteis não só para a escolha do melhor AI para o trabalho, mas, na verdade, para determinar se um AI pode realmente ser usado.

Algumas das curvas de CMRR em função da frequência estabilizam depois de cair no habitual 6 dB/oitava. Isso acontece porque o AI inclui provisão para filtragem de largura de banda em um nó interno (com um capacitor externo) que atenua a conexão de modo comum pelo mesmo 6 dB/oitava, anulando a degradação da CMRR do estágio de entrada. Por exemplo, podemos ver isso para o AD8293 e o AD8553 (as curvas 24 e 23a) com filtragem de 1 kHz, e, para este último e o INA337 (curvas 23b e 10), com filtragem de 10 kHz. Isso é visto também para alguns dispositivos de micropotência, com sua largura de banda muito limitada, por exemplo, o MAX4194 (curva 10a), que opera a 90 μA e tem uma largura de banda de 1,5 kHz. É aí que sua resposta cai com $G = 100$. Você pode usar esse princípio com um bom efeito pela adição de um pós-filtro em aplicações nas quais a resposta rápida não é necessária – por exemplo, o monitor de corrente de um motor trifásico.

B. Estudo de Caso: o Aumento da CMRR com Ganho a Montante

Aqui está um bom exemplo do nosso laboratório de pesquisa, onde necessitamos controlar a corrente através de uma bobina magnética com um elevado grau de estabilidade para conseguir um "condensado de Bose-Einstein" de átomos frios e (em um primeiro experimento do gênero) diminuir a velocidade da luz a de um bicicleta.[82] As correntes atingiram até 875 A (!), e queríamos algo próximo a uma estabilidade de 10 ppm na corrente controlada, que foi detectada com um *shunt* de corrente de 4 fios no lado inferior (*low-side*) de 100 $\mu\Omega$ de resistência (portanto, um sinal de fundo de escala de 87,5 mV[83]). Com essas altas correntes fluindo, tivemos que lidar com até um volt ou mais de sinal de modo comum, sobre o qual o sinal de diferença (87,5 mV máximo, mas, muitas vezes, muito menos que isso) estava sobreposto. Para controlar essa corrente a 10 ppm, foi necessário, portanto, cerca de 140 dB de CMRR e, claro, uma deriva de *offset* de entrada muito baixa. Também foi necessária uma tensão de ruído de entrada baixa, de preferência inferior ao ruído de baixa frequência integrado de 0,1 μVpp a fim de atingir 10 ppm.

A combinação de uma CMRR muito alta e ruído e *offset* muito baixos é uma tarefa difícil para qualquer amplificador de instrumentação. A solução aqui é colocar um pouco de baixo ruído e ganho de deriva baixo a montante do amplificador de instrumentação, como mostrado na Figura 5.83. Um AOP de precisão de baixo ruído como o LT1028A (valores típicos de deriva de 0,1 μV/°C e ruído de baixa frequência de 35 nVpp) é conectado como um amplificador composto de $G = -50$, dentro do qual o AOP convencional A_2 é configurado com $G = 5$. O capacitor de compensação C_C limita a largura de banda (e, portanto, o ruído) a cerca de 10 kHz. O AOP de precisão opera uma tensão mais baixa para reduzir os efeitos térmicos (deriva da tensão de *offset*,

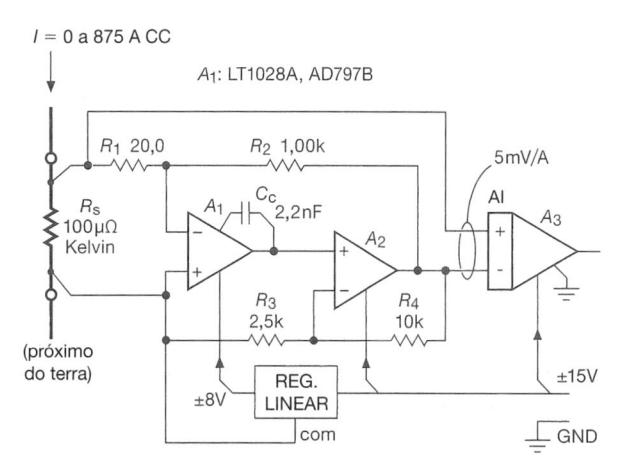

FIGURA 5.83 Detecção de corrente com deriva e ruído baixos. Os AOPs A_1 e A_2 formam um amplificador composto, com um primeiro estágio de precisão e baixo ruído e um segundo estágio que não é essencial. O sinal de saída fornece realimentação para a fonte de alimentação de alta corrente.

erros de gradiente térmico), com seus trilhos de alimentação de ± 8 V regulados para baixo (com regulador linear de 3 terminais flutuante) a partir de ± 15 V referenciado ao terra que alimenta A_2 e A_3.

5.16.3 Impedância de Fonte e CMRR

Amplificadores de instrumentação se destacam pela impedância de entrada alta, mas que não confere imunidade automática a partir dos efeitos de falta de casamento da impedância da fonte de sinal (que degradam tão severamente a CMRR em amplificadores de *diferença*, com sua impedância de entrada relativamente baixa; veja a Seção 5.14.3A). A maioria das folhas de dados é tímida quanto à apresentação das limitações de seus dispositivos, por isso devemos aplaudir a franqueza da Analog Devices, como mostrado na Figura 5.84. Observe o maior efeito em configurações de ganho superior (onde há mais a perder, porque a CMRR é tão boa) e

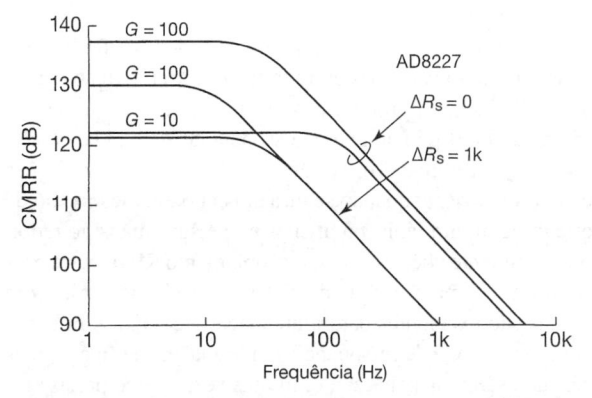

FIGURA 5.84 CMRR do amplificador de instrumentação, o melhor em ajustes de alto ganho, é degradado pelo descasamento com a impedância da fonte.

---

[82] L. Vestergaard Hau, S. E. Harris, Z. Dutton e C.H. Behroozi, "*Light speed reduction to 17 metres per second in an ultracold atomic gas*" (Redução da velocidade da luz a 17 metros por segundo em um gás atômico ultrafrio), *Nature* **397** 594-598 (1999).

[83] Uma tensão bastante pequena, mas com uma dissipação de potência desconfortavelmente grande (~75 W), exigindo um banho de óleo de temperatura estabilizada.

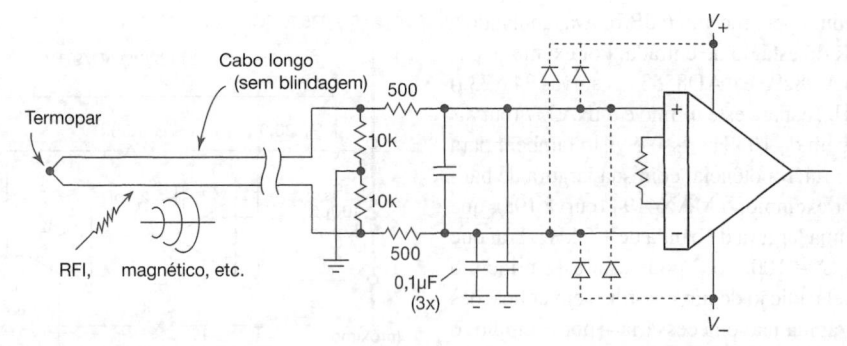

FIGURA 5.85 A interferência eletromagnética se acopla muito bem em cabos longos não blindados, nas quais você pode pensar como antenas. Use filtro passa-baixas em entradas de alto ganho, com diodo opcional de ceifamento para os trilhos de alimentação. Note o par de resistores de 10 kΩ que definem o nível CC da entrada diferencial flutuante.

em frequências mais altas (em que a impedância de entrada do amplificador cai, devido à capacitância).

5.16.4 EMI e Proteção de Entrada

Se você desenvolver o seu próprio amplificador de instrumentação ou usar um integrado, tem que pensar sobre a proteção tanto contra sobrecargas quanto contra interferência eletromagnética (EMI – *electromagnetic interference*). Um exemplo da vida real: um colega usa termopares de monitoramento de temperatura em seu laboratório, conectados com o habitual par de fios sem blindagem para a seção de entrada de um AI operando com alto ganho. Tudo corria muito bem, até que uma fonte de alimentação chaveada específica foi energizada, altura em que a coisa ficou confusa.

O problema, é claro, foi a EMI de modo comum, acoplada ao cabo longo sem blindagem. E a solução em uma situação como essa, em que você não precisa de largura de banda, é filtrar a entrada de forma agressiva, como na Figura 5.85. Os diodos de ceifamento são opcionais, mas, provavelmente, uma boa ideia se você quiser que o amplificador sobreviva a um evento de entrada incomum. Em situações em que você precisa de larguras de banda que incluam sinais de interferência, é improvável que você resolva com o cabo sem blindagem; utilize cabo blindado e preste atenção aos percursos do terra.

É difícil exagerar sobre a gravidade de EMI/RFI: sinais de RF vazando para suas entradas causam retificação dentro de AOPs BJT e, portanto, produzem *offsets* CC. Cabos ou trilhas de PCB podem exibir ressonâncias de banda estreita (de alto Q), reforçando esses efeitos. Se você notar variações de tensão de *offset* quando segura um cabo, ou toca um nó de circuito com um lápis, ou apenas move suas mãos ao redor, provavelmente você está vendo acoplamento RF (a outra possibilidade é uma oscilação do circuito). Anéis de ferrite com perdas são excelentes para a atenuação de RF, assim como para reduzir o Q de ressonâncias indesejáveis de fiação; mas eles não são uma panaceia, e, muitas vezes, você precisa recorrer à filtragem adicional.

5.16.5 Ajustes de *Offset* e CMRR

Amplificadores de instrumentação que fornecem os pinos SENSOR e REF (por exemplo, o INA103) podem ser ajustados externamente, se for necessário, tanto para tensão de *offset* quanto para CMRR, como mostrado anteriormente para o amplificador diferencial (Figura 5.74). No entanto, o pino REF é mais frequentemente usado. Isso é o suficiente para ajustar a tensão de *offset*, mas note que qualquer compensação aplicada ao pino REF deve ter uma impedância de fonte não superior a $\sim 10^{-6} R_f$ (isto é, algumas *mili*ohms), a fim de não comprometer os 100 dB + CMRR do amplificador. Isto é o melhor que se consegue com um AOP de precisão, como na Figura 5.86.

Alguns amplificadores de instrumentação incluem terminais de ajuste de *offset* no estágio de saída, para serem usados com um *trimpot* externo. Alguns deles (por exemplo, o INA110 e outros) ainda fornecem ajustes separados para a seção de entrada e estágios de saída.

5.16.6 Detecção de Corrente de Carga

Tal como acontece com o amplificador de diferença, os pinos REF e SENSOR podem ser conectados diretamente na carga,

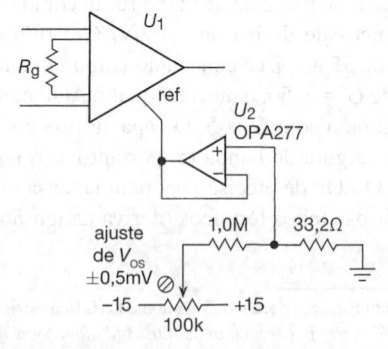

FIGURA 5.86 Ajuste de *offset* de um amplificador de instrumentação que não fornece um pino SENSOR, pinos de *offset* ou um pino REF com *buffer*.

como na Figura 5.78(a), para eliminar erros de resistência da fiação e correntes do terra não relacionadas.

5.16.7 Caminho de Polarização de Entrada

Amplificadores de instrumentação têm o justo direito de se gabar de sua impedância de entrada muito alta, mas, assim como com AOPs, você tem que fornecer um caminho CC de retorno. Se não o fizer, o amplificador saturará. Isso ocorre naturalmente em circuitos como o *strain gauge* da Figura 5.64A, mas não em algo como um termopar (Figura 5.85). Para este último, você pode usar um resistor de uma das entradas para o terra (ou para o ponto de metade da fonte, no caso de um amplificador de fonte de alimentação simples), ou pode usar um resistor de polarização a partir de cada entrada para o terra para preservar a simetria.

5.16.8 Faixa de Tensão de Saída

Se um AI é operado com baixo ganho e com a sua entrada de modo comum próximo dos trilhos (mas legalmente dentro da faixa de operação especificada), o amplificador interno pode saturar, fazendo a saída do AI fornecer uma tensão incorreta. Por exemplo, observe o gráfico "Tensão máxima de saída *versus* entrada de modo comum" na folha de dados para o AD623 (esse amplificador é como o tipo A na Figura 5.88, exceto por ter seguidores de emissor com entrada *pnp*). Se a entrada de modo comum estiver em 0 V com $G = 10$ (o que é legítimo), a capacidade máxima de saída é de apenas 1,0 V! *Você foi avisado*!

5.16.9 Exemplo de Aplicação: Fonte de Corrente

A excelente CMRR de amplificadores de instrumentação, combinada com uma capacitância de entrada muito baixa (normalmente ~2 pF), permite projetar uma fonte de corrente ativa em que o resistor sensor de corrente está posicionado no lado superior (*high side*) da saída, com um AI "flutuante" que converte sua queda de tensão para uma saída referenciada ao terra. Esse circuito é mostrado na Figura 5.87A, explorando a CMRR maior que 80 dB do AD8221B para 50 kHz, ponto no qual a rede de compensação de estabilização $R_1 C_C$ decai. O MOSFET, configurado como um estágio de transcondutância de fonte comum, tem impedância de saída inerentemente elevada, o que torna possível manter o bom comportamento da fonte de corrente em frequências mais altas. Isso melhora o circuito da fonte de corrente, como o da Figura 5.69 (Seção 5.14.2D), no qual o desempenho degrada com a frequência devido à compensação do AOP e à taxa de variação limitada. Nesse circuito, o resistor de realimentação da fonte R_3 age para reduzir a transcondutância do MOSFET, para aumentar a estabilidade (alguns testes em *protoboard*, com impedâncias de carga previstas, não seriam desaconselháveis). Consulte a Tabela 3.4 para os MOSFETs de canal *p* selecionados.

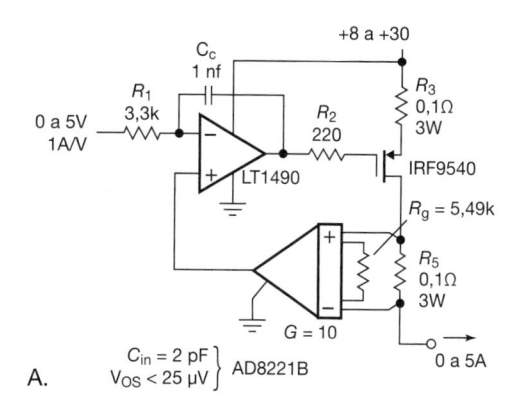

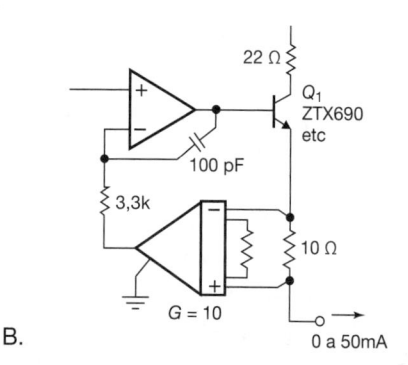

FIGURA 5.87 Fonte de corrente de precisão com amplificador de instrumentação flutuante. A. MOSFET de potência para corrente de fundo de escala de 5 A. B. Um pequeno BJT de alto ganho ($\beta \sim 500$ ao longo de 0,1 a 50 mA) proporciona maior largura de banda.

Para esse circuito, a saída do AOP deve ser capaz de variar até o trilho positivo (o LT1490 é RRIO), e o AD8221B precisa de alguns volts de tensão de alimentação negativa (-3 V é adequado), porque a sua tensão de entrada de modo comum não se estende ao trilho negativo.[84]

A tensão de *offset* baixa do AD8221B (25 μV máx) fornece uma grande faixa dinâmica, o que corresponde a um erro de apenas 0,25 mA de saída fora da faixa de fundo de escala de 5 A (20.000:1).

Para correntes de saída mais baixas, você pode substituir por um transistor bipolar menor, como na Figura 5.87B; sua capacitância menor permite uma maior largura de banda de malha. A corrente de entrada de baixa do AD8221B (0,4 nA máx) significa que você pode dimensionar para baixo a faixa de corrente de saída de fundo de escala, digamos uma escala completa de 100 μA.

---

[84] A variante AD8227 permite um V_{CM} para o trilho negativo, para que você possa operá-lo com fonte de alimentação simples; mas você paga um preço maior com V_{OS} e I_B maiores, e sua CMRR degrada-se em uma frequência menor.

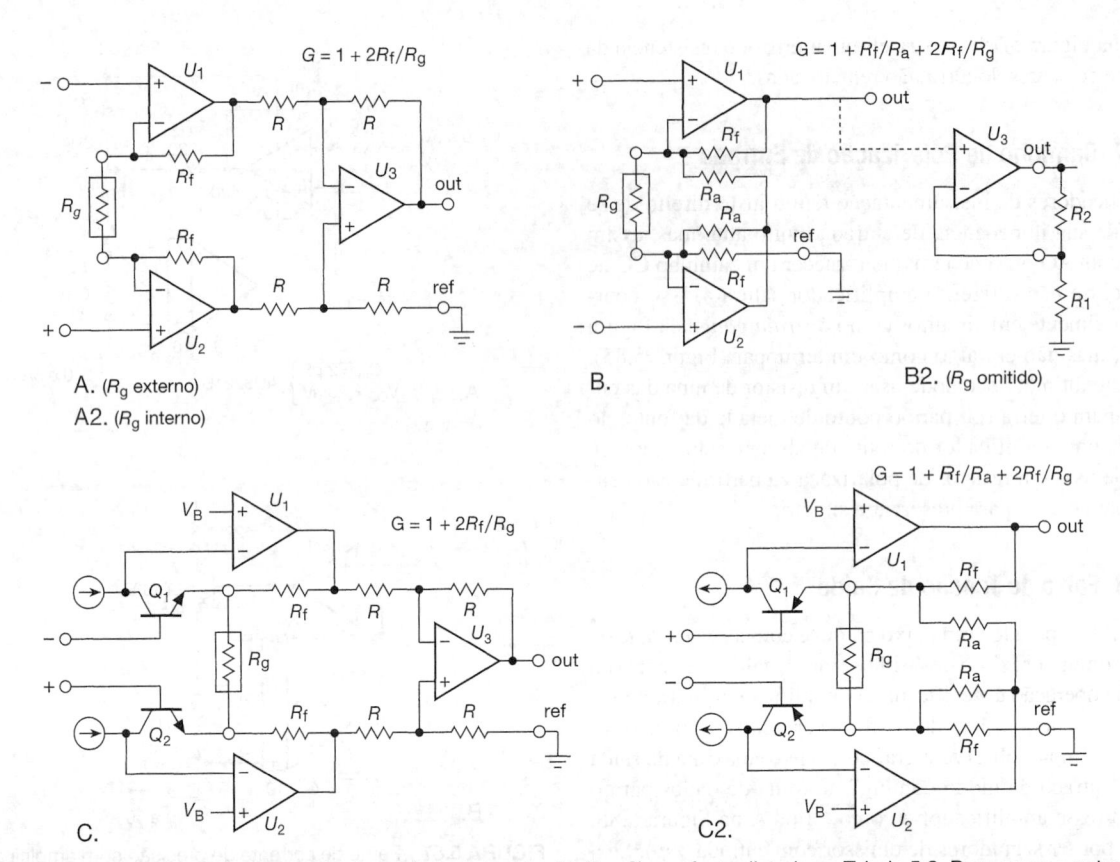

FIGURA 5.88 Configurações de amplificadores de instrumentação (A a C), conforme listado na Tabela 5.8. Para esses e outros circuitos diferenciais, o pino "ref" não precisa ser aterrado.

5.16.10 Outras Configurações

O circuito clássico de 3 AOPs da Figura 5.77 é amplamente utilizado, especialmente nos AIs oferecidos pela Burr-Brown/TI (reconhecíveis pela sua identificação "INA*nnn*"); mas você verá outras configurações de circuito (se avançar o suficiente nas folhas de dados) representando diferentes compensações entre os vários parâmetros de desempenho e custo. Embora você possa ter uma boa compreensão sem conhecer os detalhes (a maioria do que você precisa saber vem dos dados tabulados), algumas dessas configurações têm peculiaridades incomuns que podem pegar você desprevenido. Por exemplo, amplificadores com a configuração E (Tabela 5.8 e Figuras 5.88 e 5.89) podem ser danificados por tensões de entrada diferenciais superiores a ±0,5 V (!),[85] e os amplificadores com a configuração F não operam com o pino REF conectado ao terra (embora previsto para a operação com fonte de alimentação simples de baixa tensão). Para além desses tipos de preocupações, a curiosidade nos impulsiona a dar uma breve olhada nesses circuitos.

Existe um princípio geral em quase todos estes circuitos (exceto D e E): (a) a tensão através de uma resistência de ajuste de ganho R_g é precisamente a mesma que a diferença de tensão de entrada, criando uma corrente $I_g = \Delta V_{in}/R_g$; e (b) essa corrente é usada para gerar uma tensão de saída proporcional com precisão, $V_{out} \propto I_g$. A configuração clássica A coloca isso claramente: os AOPs de entrada (ou equivalentes – eles não precisam ser AOPs inteiramente caracterizados) impõem um ΔV_{in} casado em R_g, com a corrente resultante fluindo através dos dois R_fs; portanto, uma saída diferencial $\Delta V_{out} = (\Delta V_{in}/R_g)(R_g + 2R_f)$. O amplificador de diferença de ganho unitário converte esta para uma saída de terminação simples, com ganho $G = 1 + 2R_f/R_f$.

A configuração C funciona de forma semelhante, mas aqui os seguidores de emissor casados Q_1Q_2 criam uma réplica de ΔV_{in} sobre R_g, com os AOPs servindo para assegurar a igualdade das correntes de emissor (e, portan-

---

[85] Alguns destes têm diodos de ceifamento em antissérie nas entradas (presentes também em alguns amplificadores operacionais e comparadores), para os quais o dano é causado por excesso de corrente de entrada; outros toleram entradas diferenciais maiores (até alguns volts), embora a maioria dos dispositivos da configuração E seja consideravelmente mais restritiva do que aqueles com as outras topologias de circuito. O que é mais importante, do ponto de vista do usuário, é a entrada diferencial máxima, sem degradação do desempenho.

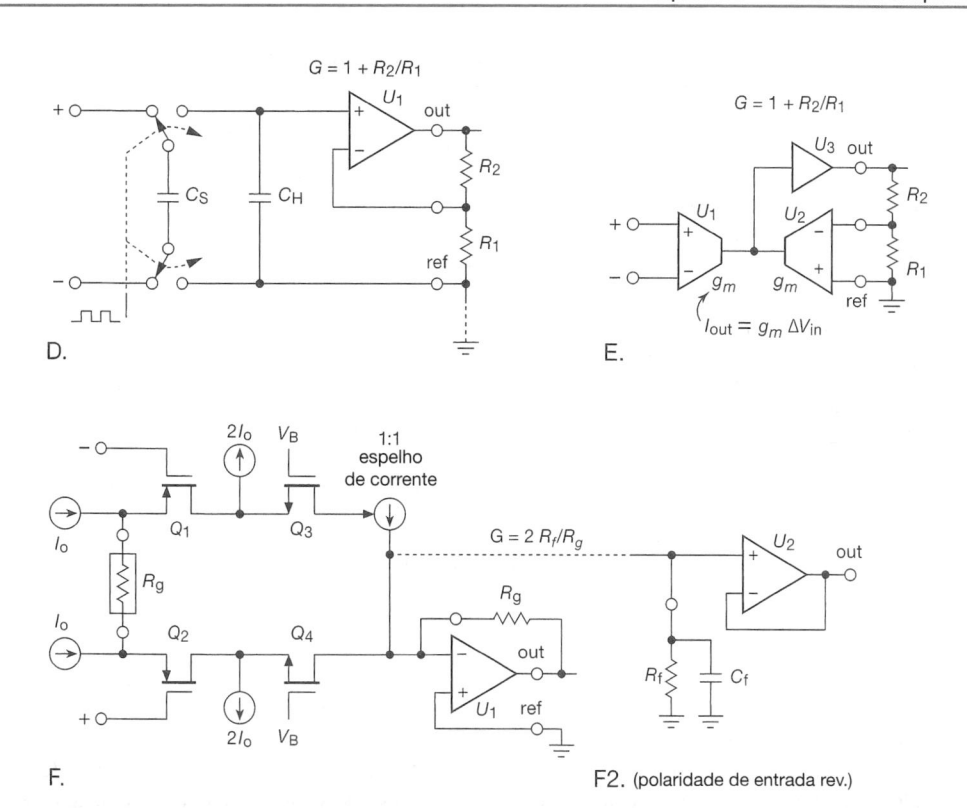

FIGURA 5.89 Configurações de amplificadores de instrumentação (D e F), conforme listado na Tabela 5.8.

to, não contribuem para a saída diferencial).[86] Nesse circuito e na sequência, V_B é uma tensão de "polarização" de referência.

Uma coisa boa sobre as configurações C e C2 é que um pequeno capacitor que cancela o RFI pode ser colocado entre base e emissor dos transistores de entrada, porque esses pinos são acessíveis. Mantenha esses capacitores pequenos – 100 pF ou menos – de modo que a largura de banda e a estabilidade do amplificador não sejam degradadas.[87]

A configuração inteligente B é diferente: é mais econômica, exigindo apenas dois amplificadores operacionais e menos resistores, mas o seu desempenho sofre, com uma CMRR menor (especialmente em frequências mais altas). (O leitor também sofre, tentando descobrir como esse circuito emaranhado funciona.) A configuração C_2 é análoga a B com um par diferencial discreto (tal como C é análogo a A), com as especificações semelhantes pouco estimulantes.

A configuração F continua o tema de replicar ΔV_{in} em R_g, com a corrente desbalanceada resultante na junção de soma de U_1 sendo convertida para uma saída de terminação simples. Nesse circuito, Q_3 e Q_4 formam um "cascode dobrado", enfraquecendo os drenos de Q_1 e Q_2 durante a passagem de suas correntes (compensados por duas vezes a corrente quiescente, portanto uma absorção de corrente). Este circuito exige um casamento preciso das fontes de corrente e do espelho de corrente (falando mais precisamente, ele exige constância das fontes de corrente e espelho de corrente ao longo das variações de modo comum). Evidentemente, isso pode ser realizado com um bom projeto (e com a ajuda de truques de circuito como o cascode), dada a impressionante especificação de 140 dB (típico) para a CMRR.[88]

Os dispositivos que usam as configurações D e E são diferentes dos outros. Em D, um capacitor flutuante C_S amostra

---

[86] Para atingir correntes de entrada baixas com a configuração C, a LTC usa BJTs de superbeta com cancelamento de corrente de base em alguns dispositivos listados ($I_B \approx 50$ pA); a Analog Devices funciona ainda melhor usando JFETs, mas com *offset* e ruído maiores. Alguns dos AIs da TI/Burr-Brown listados como do tipo A podem, de fato, usar a configuração C; as suas folhas de dados não mencionam detalhes do circuito.

[87] Amplificadores com entrada BJT são propensos a RFI (interferência de radiofrequência), porque as suas entradas são junções base-emissor (diodo) polarizadas diretamente. E a RFI é um problema real nesses circuitos de baixo nível com entradas a partir de sensores remotos. É melhor usar um amplificador com entrada JFET se o circuito estiver sujeito a RFI.

[88] Como eles contêm apenas alguns MOSFETs, fontes de corrente e espelhos de corrente, os dispositivos de configuração F podem ser muito baratos. Por exemplo, o AD8293 (um autozero com um $G = 80$ ou 160 fixo) é vendido por apenas 97 centavos de dólar (em quantidade de 100).

TABELA 5.9 Seleção de amplificadores de instrumentação de ganho programável

Nº identif.	Disposit. de ent.	circuito	Tensão de aliment. mín (V)	Tensão de aliment. máx[e] (V)	I_s típico (mA)	desligamento	Corrente de ent.[a] típico (nA)	Tensão de offset típico[g] (µV)	Tensão de offset máx (µV)	ΔV_{os} típico (µV/C)	Erro de ganho[d] máx (%)[w]	Z_{in} (Ω)	CMRR[x] G=100[d] típico (dB)	CMRR[x] G=100[d] mín (dB)	curva	Ruído[t] V_{npp}[t] <10Hz[c] (µV)	Ruído[t] e_n[t] 1kHz (nV/√Hz)
AD8250	BJT	A2	10	34	4,1	-	5	90	260	1,7	0,04	5G	110	98	4	1	18
AD8251	BJT	A2	10	34	4,1	-	5	95	275	1,8	0,04	5G	110	98	4	1,2	18
AD8253	BJT	A2	10	34	4,6	-	5	-	160	1,2	0,04	4G	120	100	26	0,5	10
PGA204B	BJT	A2	9	36	5,2	-	0,5	10	50	0,1	0,024	10G	123	110	8a	0,4	13
PGA202B	JFET	C	12	36	6,5	-	0,01	500	1000	12	0,15	10G	120	92	3	1,7	12
PGA207	JFET	C	9	36	12	-	0,002	500	1500	2	0,05	10T	100	95	3	1	18
PGA280	BJT	A2	10	40[f]	0,75	-	0,3	50[q]	250	0,2	0,15	1G	140	120	5	0,42	22
baixa tensão																	
LTC6915	chave	D	2,7	11	0,9	x	5	3	10	0,05	0,5	cap[k]	125	105	1	2,5	225
AD8231	BJT	A2	3	6	4	x	0,25	4	15	0,01	0,8	alta	-	110	3	0,7	39[h]
LMP8358	CMOS	E	2,7	6	1,9	x	0,006	1	10	0,05	0,1	50M	139	110	2	0,6	27[h]
PGA309	CMOS	A2	2,7	7	1,2	x	0,1	3	50	0,2	1	30G	105	-	-	4	210

Notas: (a) Em 25°C. (b) Em 100 Hz. (c) 0,01 a 10 Hz ou 0,1 a 10 Hz, para $G = 100$ se disponível. (d) Para $G = 100$ ou máx, não 1.000; nenhuma fonte desbalanceada. (e) Abs máx. (f) Trilhos de saída de baixa tensão separados. (g) Para $G =$ máx. (h) Mais ruído de autozero de alta freq. (k) Cuidado: correntes de polarização altas. (m) Mais estágio de filtro e ceifamento de saída. (n) Dentro de 50 mV a 200 mV do trilho. (p) Entrada trilho a trilho, desde que AGND (GND analógico) esteja longe de trilhos. (q) *Chopper* de 250 kHz. (r) V_{out} até V_{EE}, mas $V_{ref} = 0,8$ V mín. (s) 2 V/µs para $G = 1.000$.

periodicamente e transmite para o capacitor de "retenção" C_H a tensão de entrada diferencial, criando, assim, uma réplica de terminação simples (referenciada ao terra). Isso soa bem, em princípio; mas o ruído resultante é elevado, e a taxa de comutação lenta (3 a 6 kHz, para os dois exemplos da Tabela 5.8) limita a largura de banda e prolonga o tempo de estabilização. Essa técnica também é vulnerável a *aliasing* na metade da frequência de comutação. No entanto, esses dispositivos são de baixo custo e podem ser bem adequados para algumas aplicações CC.

Por fim, em E, as correntes de saída de um par de amplificadores de transcondutância de entrada diferencial são combinadas e forçadas a serem iguais: um amplificador vê o par de sinais de entrada, e o outro vê uma fração da saída a partir de um divisor, produzindo uma tensão de saída de terminação simples, como mostrado. Essa configuração de baixo custo (sem pares de resistores ajustados a laser, etc.) se limita a pequenos sinais de entrada diferencial (portanto, de alto ganho) e, geralmente, exibe uma precisão de ganho relativamente fraca.[89] Curiosamente, o amplificador de longe mais rápido na Tabela 5.8 utiliza essa configuração.

5.16.11 Amplificadores de Instrumentação de Autozero e *Chopper*

As mesmas técnicas de autozero que são utilizadas em AOPs CMOS de "*offset* zero" (Seção 5.11) são utilizadas em alguns amplificadores de instrumentação CMOS de baixa tensão. Esses são reconhecidos por suas especificações de tensão de *offset* muito baixas, na cassa de dezenas de microvolts, onde os dispositivos CMOS que não são de autozero não se aventuram (ver Tabela 5.8). Esses amplificadores atingem excelente CMRR também, mas eles pagam o preço em ruído de banda larga, ruído da frequência de comutação[90] e (às vezes) correntes de polarização de entrada e de ruído. Os amplificadores são úteis especialmente em aplicações de baixa frequência, como, por exemplo, estágios de entrada para ADCs tipo integração (ver Figuras 13.67), ou combinado com filtragem passa-baixas.

5.16.12 Amplificadores de Instrumentação de Ganho Programável

Você define o ganho de tensão de um circuito de AOP simples com resistores externos. Em contraste, os amplificadores de *diferença* (Tabela 5.7) normalmente são configurados com ganho fixo, definido por uma rede de resistores de precisão internos casados. E o ganho de amplificadores de *instrumentação* (Tabela 5.8) é normalmente definido por um único resistor de definição de ganho R_g. Observe, porém, que alguns dos amplificadores da Tabela 5.8 incluem vários resistores de definição de ganho R_g internos, permitindo a seleção de ganho de forma precisa com apenas um *jumper* (fio de conexão) externo.

Dando um passo adiante, você pode obter *amplificadores* de *ganho programável* (PGAs, *programable-gain amplifiers*) em que essa seleção é feita por um código de entrada

---

[89] Alguns tipos usados na configuração E (por exemplo, o AD8130, uma variante do AD8129 na Tabela 5.8) são especificados e caracterizados apenas para $G = 1$. Eles são especialmente úteis como receptores de linha diferencial, etc., mas são geralmente de variação limitada, tipicamente na faixa de 3 a 4 Vpp (o AD8237, com os seus capacitores chaveados flutuantes, é uma exceção). Veja também a Seção 12.10 para uma discussão de sinal diferencial no contexto *digital*.

[90] Que pode não ser evidente a partir das folhas de dados, as quais, por vezes, omitem gráficos de ruído espectrais.

Capítulo 5 Circuitos de precisão 371

TABELA 5.9 Seleção de amplificadores de instrumentação de ganho programável (continuação)

Nº identif.	Escolhas de ganho	BW^d −3dB (MHz)	Taxa de Rate (V/μs)	Var.^{d} 0,01% (μs)	Variação para as fontes? IN + −	OUT^v + −	mux?	filtro?	sensor ext.	Interface	Observações	Custo ($ US)
AD8250	1,2,5,10	3	25	0,65	− −	− −	−	−	−	pinos	estabilização rápida até 10 ppm	7,78
AD8251	1,2,4,8	2,5	25	0,68	− −	− −	−	−	−	pinos	estabilização rápida até 10 ppm	7,78
AD8253	1,10,100,1000	0,55	20 s	1,5	− −	− −	−	−	−	pinos	estabilização rápida até 10 ppm	7,68
PGA204B	1,10,100,1000	0,01	0,7	100	− −	− −	−	−	●	pinos	PGA205 PARA 1,2,4,8	17,09
PGA202B	1,10,100,1000	1	20	2	− −	− −	−	●	●	pinos	PGA205 PARA 1,2,4,8	14,34
PGA207	1,2,5,10	0,6	25	3,5	− −	− −	−	−	●	pinos	PGA205 PARA 1,2,4,8	18,36
PGA280	1/8−128, by x2	0,05	2	40	− −	f f	2	−	−	SPI	saída de aliment. 2,7 a 5 V	6,46
baixa tensão												
LTC6915	1,2,4...4096	lento	0,2	5ms	x x	x x	−	●	●	SPI, pinos	chopper, alto ganho	4,58
AD8231	1,2,4...128	0,07	1,1	lento	n n	x x	−	−	−	pinos	autozero	3,08
LMP8358	10−1k, by 1-2-5	0,68	6,5	4	− x	x x	−	●	−	SPI, pinos	autozero, filtro prog.	5,27
PGA309	4−128, 2,7−1152	0,4	0,02	lento	− n	n x	●	−	−	pinos	interface de sensor^u	7,05

(t) Típico. (u) Página 148 do manual do usuário; inclui ADC para amplitude do sensor, calibração do coeficiente de temperatura de *offset*, etc.; parâmetros armazenados em EEPROM SOT23 externa. (v) Cuidado: os dispositivos com saída trilho a trilho (RR), muitas vezes, não permitem que o pino REF fique próximo de V_{EE}; não se esqueça de verificar a folha de dados! (w) Para dispositivo com grande erro de ganho, supõe-se que você executará a calibração do ganho. (x) A especificação de CMRR é tipicamente a 60 Hz; verifique os gráficos se for importante o desempenho em frequências mais altas.

digital (seja aplicado como um código de nível lógico em paralelo a um conjunto de pinos, seja como um código em série multibit através de uma porta serial como SPI ou I^{2}C, ver capítulos 14 e 15). Eles são, na sua essência, versões integradas do amplificador de instrumentação discreto programável digitalmente da Figura 5.80.

Alguns exemplos de PGAs de instrumentação autônomos são o PGA204/5, o LMP8358 e o PGA280; outros são listados na Tabela 5.9. O PGA202/3 (JFET) e o PGA204/5 (BJT) são dispositivos tradicionais de "alta tensão" (até ±18 V) que aceitam um código de 2 bits em paralelo (em dois pinos) para selecionar os ganhos de 1, 10, 100 ou 1.000 (PGA202/4) ou 1, 2, 4 ou 8 (PGA203/5). O LMP8358 mais recente é um dispositivo de fonte simples de baixa tensão (2,7 a 5,5 V) com autozero e ganhos de 10 a 1.000 em uma sequência 1-2-5 (ou seja, 10, 20, 50, 100, 200, 500, 1.000) e com dois tipos de programação – os três pinos podem ser utilizados como uma porta paralela de definição de ganho de 3 bits ou como uma porta serial SPI 3 fios que programa tanto o ganho quanto alguns parâmetros adicionais, tais como inversão de polaridade de entrada, detecção de falhas e largura de banda. Ele é rápido (8 MHz) e preciso (V_{OS} = 10 μV, máx).

Por fim, o PGA280, um dispositivo muito bom, atende à necessidade de um PGA cujos sinais de entrada podem variar ao longo de ±10 V ou mais, mas com um estágio de saída alimentado separadamente casado com ADCs de fonte simples de baixa tensão contemporâneos e microcontroladores (μC). As entradas podem variar ao longo de ±15,5 V (com fontes de ±18 V), com a saída alimentada a partir da mesma fonte de +2,7 V a +5 V que alimenta o ADC ou μC.[91] Isso resolve o problema de proteção das entradas de um dispositivo de baixa tensão quando ele é acionado a partir de um CI que opera a partir de tensões mais elevadas. Há um pino semelhante ao REF que define a tensão de saída na metade da sua extensão; a saída é realmente *diferencial*, com um par de saídas complementares, mas você pode ignorar uma e tratá-lo como de terminação simples (com uma ligeira perda de precisão).

Esse amplificador tem excelente desempenho: ele é programado através de uma porta serial digital com ganhos selecionáveis de 1/8 a 128 por fatores de dois. Ele combina baixa tensão de *offset* (autozero: ± 15 μV máx, para G = 128), alta impedância de entrada (> 1 GΩ típico), baixa deriva de ganho (±3 ppm/°C máx) e excelente CMRR (dependente do ganho: de 130 a 140 dB típico). Entre seus outros truques, estão um multiplexador interno ao chip de 2 entradas (dois pares de entrada diferencial), uma porta digital bidirecional independente de um byte de extensão e várias opções de condicionamento de sinal e detecção de falhas.

A Figura 5.90 mostra o tipo de aplicação para a qual esse dispositivo seria ideal: nossos colegas desenvolveram uma mão robótica[92] experimental que é acionada por um motor de torque simples por meio de um conjunto de cone-

---

[91] Ou você pode alimentar a saída a partir de uma fonte simétrica, mantendo-se dentro da faixa de alimentação total.

[92] Veja, por exemplo, Dollar e Howe, "*The Highly Adaptive SDM Hand: Design and Performance Evaluation*" (Uma Garra SDM Altamente Adaptável: Avaliação do Projeto e do Desempenho), *International Journal of Robotics Research* **29**, (5), 585-597 (2010), disponível na página web do The Harvard Biorobotics Laboratory: Biorobotics.harvard.edu.

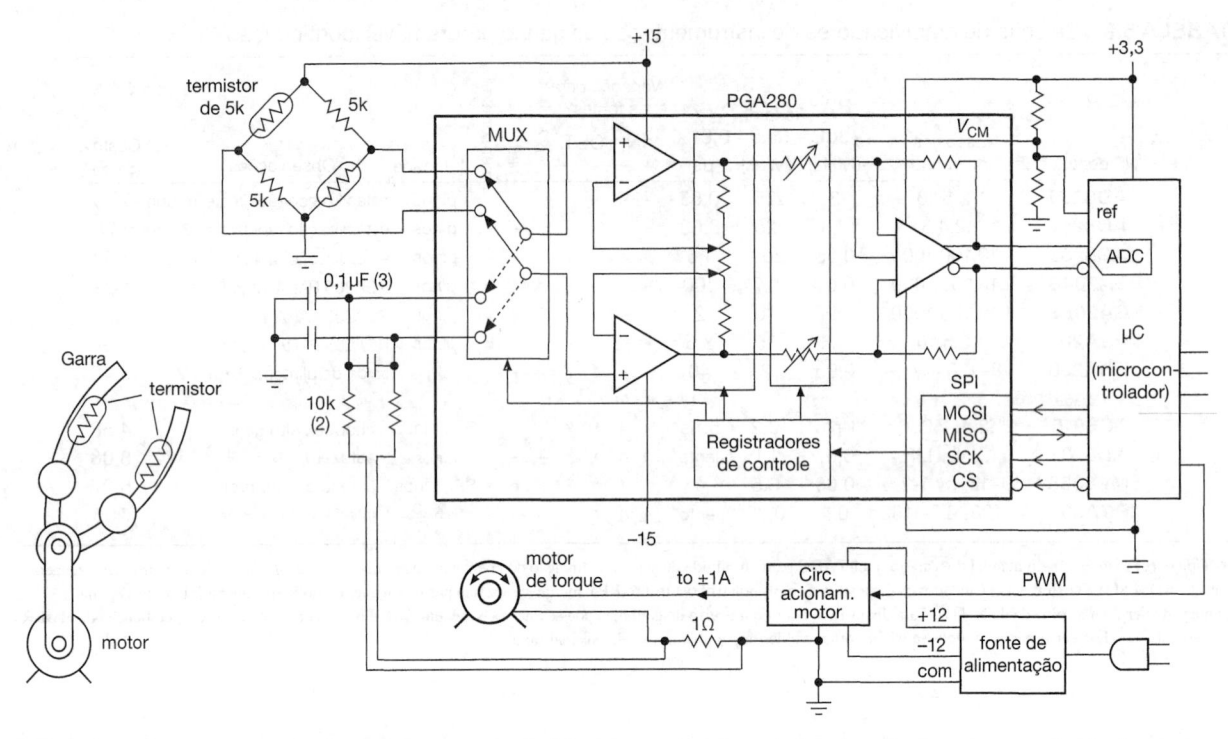

FIGURA 5.90 Aplicação de PGA de deslocamento de nível de dois canais: leitura do torque aplicado e da resposta térmica de uma garra robótica. Este PGA de instrumentação *chopper* estabilizado (250 kHz) opera a partir de ±15 V, mas entrega a sua saída para um ADC de 3,3 V – *isso* é ser útil! Recomendado.

xões e acoplamentos passivos. Para controle, você gostaria de saber o torque aplicado (da corrente do motor) e algo sobre a pressão de contato (se houver) com o objeto a ser agarrado. A ampla compliance de entrada do PGA280 e a faixa de ganho, combinadas com entradas diferenciais de 2 canais, fazem disso uma tarefa fácil: imaginemos um par de termistores, autoaquecidos a alguns graus acima da temperatura ambiente, que detectam a temperatura nos pontos de contato da garra, e um resistor sensor no lado inferior na linha de retorno do motor. O estágio de saída de baixa tensão se conecta ao ADC interno de um microcontrolador, que controla a comutação de canal e o ganho do PGA. Manipulamos os termistores de modo que o primeiro contato faz a tensão diferencial passar para um degrau superior, seguido por um segundo degrau no mesmo sentido quando o outro "dedo" faz contato. (O tamanho do degrau fornece mais informações sobre o material do objeto.) Observe a conexão de "4 fios" diferencial no resistor sensor de corrente do motor, para eliminar erros a partir de resistência de conexão ao terra; fizemos a filtragem desse sinal, pois a utilização de modulação por largura de pulso tende a criar ruído de alta frequência.

Ao procurar um bom amplificador de instrumentação, certifique-se de considerar as variantes PGA especializadas que se destinam a servir como seção de entrada para sensores de nível baixo e similares, por exemplo, o PGA309[93] ou o PGA2310.[94]

PGAs são bastante populares como partes de CIs mais complexos, por exemplo, dentro de ADCs (Figura 13.67 novamente e Figuras 13.70 e 13.71) e microcontroladores (Figura 15.10).

5.16.13 Gerando uma Saída Diferencial

Tanto amplificadores de instrumentação como amplificadores de diferença são usados para converter um sinal de entrada diferencial para uma saída de terminação simples. Isso é bom, se é isso que você quer (e geralmente é). Existem

---

[93] Cujo Guia do Usuário, página 148, descreve assim: "O PGA309 é um condicionador de sinal analógico programável inteligente projetado para aplicações de sensores em ponte resistiva. É um condicionador de sinal completo com excitação em ponte, ajuste de amplitude (*span*) e *offset* inicial, ajuste de temperatura de amplitude e *offset*, capacidade de medição de temperatura interna/externa, limitação de sobrescala e subescala de saída, detecção de falhas e calibração digital".

[94] "O PGA2310 é um controle de volume de áudio estéreo de alto desempenho, projetado para sistemas de áudio de consumo de alta qualidade e profissionais."

algumas situações, porém, em que você precisa de um sinal de saída diferencial, por exemplo, quando aciona algumas variedades de conversores analógico-digitais (ADCs, um assunto principal do Capítulo 13). De uma maneira mais simples, isto pode ser feito por meio da adição de um inversor de ganho unitário na saída de terminação simples, como na Figura 5.91A.[95] Isto funciona, com certeza, mas a precisão do ganho será degradada a menos que o par de resistores seja casado com, pelo menos, a precisão e estabilidade do amplificador de acionamento. Esse perigo imprevisto é contornado no circuito B, em que o inversor de ganho unitário força o pino de saída SENSOR para uma tensão simétrica em relação ao terra (ou alguma outra tensão de referência). Com esse circuito, a precisão do ganho é mantida; o efeito de qualquer descasamento entre os resistores é simplesmente para compensar a simetria das saídas em relação ao terra (ou tensão de referência), o qual é geralmente de menor importância devido à natureza da entrada diferencial do dispositivo a ser acionado.

Ambos os circuitos, no entanto, partilham da desvantagem da introdução de um atraso de tempo (ou desvio de fase), devido à largura de banda finita do estágio inversor. Uma solução é a utilização de um par de amplificadores casados, tal como na Figura 5.66F. Mas uma maneira melhor, especialmente quando é necessária muita largura de banda e estabilização rápida (como com ADCs rápidos), é usar um *amplificador diferencial* (ou *amplificador totalmente diferencial*, para enfatizar a distinção), um termo que passou a significar um amplificador com entradas *e* saídas diferenciais; veja a Seção 5.17. O PGA280 da seção anterior é um amplificador desse tipo (embora seus criadores oficialmente o chamem de amplificador de instrumentação).

5.17 AMPLIFICADORES TOTALMENTE DIFERENCIAIS

O termo "amplificador totalmente diferencial" (ou, por vezes, "amplificador de entrada/saída diferenciais", ou simplesmente "amplificador diferencial") é usado para descrever um amplificador diferencial com entrada e saída diferenciais, juntamente com um pino de entrada adicional ("V_{OCM}") que define a tensão de modo comum do par de saídas. Somos a favor do termo "totalmente", para distinguir claramente de amplificadores de diferença e amplificadores de instrumentação, sendo que ambos têm saídas com terminação simples.

Para algumas aplicações importantes, você precisa criar uma *saída* diferencial balanceada, a partir de qualquer sinal de entrada diferencial ou de terminação simples. Esse é, frequentemente, o caso com ADCs que têm entradas complementares; veja a Figura 13.65 (um ADC de "redistribuição de carga"), a Figura 5.102 (*pipeline flash*), a Figura 13.28 (*flash*), a Figura 13.37 (SAR) e a Figura 13.68 (delta-sigma). Para essa aplicação, os parâmetros de desempenho importantes tendem a ser tempo de estabilização, precisão e estabilidade do ganho, a capacidade de definir a tensão de saída de modo comum e a capacidade de acionar uma variação trilho a trilho em um ADC de baixa tensão.

Outras aplicações em que os sinais diferenciais são amplamente utilizados incluem sinalização analógica ao longo de pares trançados (por exemplo, cabo de rede CAT-5); aplicações de telecomunicações, tais como enlaces ADSL e HDSL; estágios de entrada de osciloscópio e subcircuitos de comunicações de RF, tais como blocos de FI e de banda base.

Você pode, é claro, criar um par de sinais de saída diferencial usando amplificadores de terminação simples (AOPs, amplificadores de diferença e amplificadores de instrumentação), como ilustrado nas Figuras 5.66F, 5.70, 5.91 e 13.37. Mas você trabalha melhor, especialmente em termos de velocidade e ruído, com um amplificador diferencial integrado, que também lhe permite definir a tensão de saída de modo comum (ou seja, o ponto médio da variação de saída); esse recurso é especialmente útil quando se acionam ADCs de entrada diferencial alimentados a partir de uma fonte simples, por causa de sua insistência exagerada em tensões de entrada de modo comum.

A Tabela 5.10 inclui uma boa seleção de amplificadores diferenciais atualmente disponíveis, ajustados de acordo com os diagramas de circuitos das Figuras 5.94 a 5.98. Elas ilustram a criatividade incansável da espécie humana, bem como alguns bons truques de circuito.

O circuito A, destinado a entradas de terminação simples, é simplesmente um "kit" amplificador diferencial, com um AOP de entrada cujo ganho você define com resistores externos. Você pode conectá-lo como um amplificador não inversor (portanto, alta impedância de entrada) ou pode

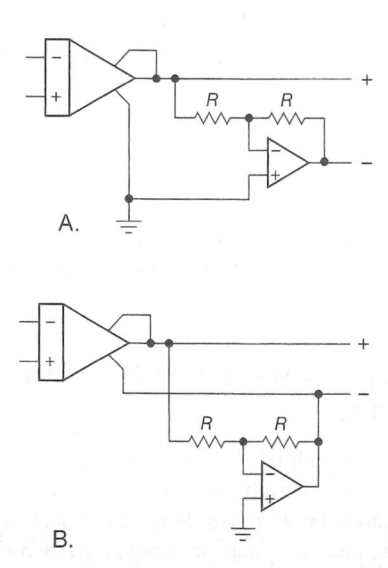

FIGURA 5.91 Geração de uma saída diferencial a partir de um amplificador de instrumentação ou amplificador de diferença. O método B mantém a precisão do ganho.

---

[95] Veja também os dispositivos listados sob "terminação simples para diferencial" na Tabela 5.10.

configurá-lo como um amplificador inversor (por exemplo, para lidar com uma grande variação de entrada ajustando o ganho para menos do que a unidade). A entrada não inversora de A_2, convenientemente de alta impedância, permite definir a tensão de saída de modo comum. O LT6350 é um amplificador de baixo nível de ruído, de baixa distorção nessa configuração, com o recurso adicional de saídas trilho a trilho.[96] A Figura 5.92 mostra como você poderia usá-lo para acionar um ADC, neste caso, o LTC2393, que coopera fornecendo uma saída de referência CC na metade da escala (V_{CM}).[97] O amplificador opera a partir da mesma tensão de alimentação de +5 V e terra, o que elimina a preocupação frequente sobre a condução dos diodos de ceifamento de entrada do ADC. O filtro passa-baixas de entrada para o ADC ($R_1R_2C_1$) serve para duas funções: (a) é um filtro *anti-aliasing*, que limita a largura de banda a 150 kHz; e (b) fornece a capacitância de entrada *shunt* recomendada para suprimir os efeitos dos transientes de comutação internos do ADC (que afligem muitos ADCs, incluindo conversores "SAR de redistribuição de carga" e conversores delta-sigma – veja o Capítulo 13).

O circuito B é uma configuração balanceada simétrica otimizada para áudio profissional: acionador de alto nível bem balanceado (> 15 V RMS) com baixa distorção em pares balanceados e estabilidade nas capacitâncias de carga que se obtém com cabos longos (para 10.000 pF ou mais). A Figura 5.93 mostra uma aplicação típica, gerando, neste caso, uma saída balanceada de baixa distorção e alto nível necessária para o acionamento de cabos de áudio profissional, inicialmente discutido na Seção 5.14.2E. Algo importante aqui é a impedância de saída de *modo comum* muito elevada, que preserva o balanceamento do sinal, permitindo ao receptor ultrapassar o padrão do acionador (simétrico em relação ao terra na extremidade do acionador, definido fragilmente pelos resistores de 10k). Na verdade, não há problema em aterrar um lado no receptor a fim de gerar um sinal de terminação simples lá. Teremos mais a dizer sobre isso na Seção 5.17.1.

O circuito C é a configuração da Figura 5.66F, com entradas de alta impedância (com *buffer*) de definição da tensão de modo comum (V_{OCM}). As entradas da tabela com essa configuração são amplificadores de baixo ruído e banda larga, bons para aplicações de vídeo e comunicações.

O circuito D é uma configuração popular, com resistores internos ou externos de ajuste de ganhos. O amplificador diferencial dentro da malha de realimentação é constituído por um par simétrico de amplificadores de transcondutância (tensão-corrente) que gera uma tensão sobre uma carga resistiva, com seguidores de tensão para gerar o par de saídas de baixa impedância. A entrada V_{OCM} permite que você defina a tensão de saída de modo comum, a qual, se não for estabelecida, toma como padrão a metade da alimentação (caso em que é bom conectar um capacitor de desvio). A largura de banda de entrada V_{OCM} tipicamente é comparável à do amplificador.

O circuito E continua o tema de amplificadores de transcondutância diferenciais, mas aqui eles são configurados em um arranjo de realimentação, a versão de saída diferencial do circuito análogo E na Figura 5.89. O circuito F, utilizado nos amplificadores mais rápidos da tabela, mistura a configuração de saída de D com uma configuração de entrada como a do amplificador de instrumentação clássico (Figura 5.65), de novo com os amplificadores de transcondutância diferenciais como os elementos de ganho.

Por fim, o circuito G é uma versão completamente diferente, um par de seguidores de compensação de cancelamento de *offset* polarizado a partir do pino de entrada V_{OCM}. Essa configuração, utilizada na entrada de 2 GHz da tabela, destina-se a entradas acopladas em CA (ou acopladas por transformador).

5.17.1 Amplificadores Diferenciais: Conceitos Básicos

A. Ganho O ganho de tensão diferencial é unitário para a maioria das configurações em que o ganho é definido por pares de resistores de realimentação $R_f = R_g$. A coluna faixa de ganho na Tabela 5.10 identifica dispositivos com ganhos fixos, ganhos mínimos ou um conjunto de seleções de ganho. Em alguns casos, o ganho exato é afetado pela impedância da fonte e questões de casamento de terminação; veja a Seção 5.17.4 e as fórmulas na Figura 5.104.

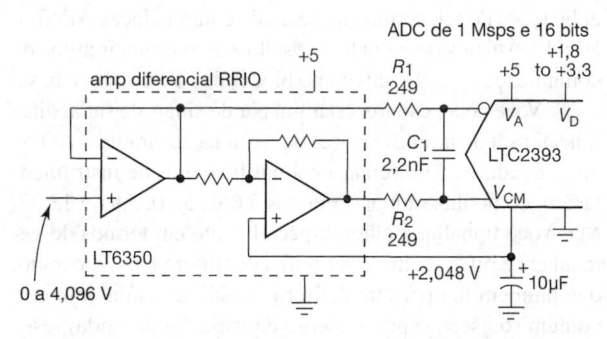

FIGURA 5.92 Circuito acionador de ADC usando uma configuração de um amplificador diferencial. O ADC fornece uma referência de saída V_{CM} de amplitude média, aqui usada para definir o nível de modo comum do amplificador. Veja também o AD4922, de melhor desempenho.

---

[96] O ADA4922-1 é uma versão mais rápida de 0,05%, com um estágio de entrada de ganho unitário fixo.

[97] O ADC tem uma referência interna de precisão razoável (0,5%), mas ele permite que você conecte uma referência externa de melhor desempenho (por exemplo, o LT1790-4.096, com precisão e deriva de ±0,05% e 10 ppm/°C, máx). Parece bom – mas não se consegue muito aqui, porque a precisão do ganho do sistema é limitada pelo amplificador LT6350 (± 0,6%, no máximo). Em vez disso, você poderia usar o ADA4922-1.

TABELA 5.10 Amplificadores diferenciais selecionados

Nº identif.	Circuito	Ganho[a] Faixa definida por	ΔG (%)	Largura de banda -3dB (MHz)	Largura de banda 0,1dB (MHz)	Velocidade Variação Rate (V/μs)	Velocidade Esbabi- lização 0,05% (ns)	V_{out} diferencial máx (Vpp[b])	Tensão de offset típico (mV)	Tensão de offset máx (mV)	Pol. de entrada (μA)	Z_{in}[h] dif (Ω)	Ruído e_n, típico @1MHz (nV/√Hz)	Faixa de aliment. (V)	I_s típico (mA)	RRO	Custo quant. 25 ($US)	Observações
alta tensão																		
PGA280	q	$^1/_8$–128	PGA	0,15	1,5	-	1	40μs	10	0,05	0,25	0,3nA	1G	22	10-40	0,8	●	6,46	INA, SPI, V_{out} baixo
THAT1606	D3	2,0	fixed	2	10	-	15	-	67	4	15	-	5k	25	8-40	4,9	-	3,91	áudio[t], dist de 7 ppm
AD8270	C	0,5,1,2	fixed	0,08	15	-	30	700	55	0,2	0,75	0,5	20k	26[d]	5-36	2,3	-	3,56	resistores de precisão
LME49724	D	1,0 up	R_f/R_g	-	50	-	18	200	52	0,2	1	0,06	R_g[h]	2,1	5-36	10	-	3,53	áudio, dist de 0,3 ppm
OPA1632	D	1–10	R_f/R_g	-	180	40	50	200	52	0,5	3	2	R_g[h]	1,3	5-33	14	-	4,39	áudio profissional
baixa tensão																			
LMP7312	D3	0,1-2	PGA	0,04	0,53	-	1,4	-	RR	-	0,1	c	160k	7,5	±5	2	y	6,43	SPI, 2 canais de entrada
LTC1992	D	1–10	R_f/R_g	-	3,2	-	1,5	-	RR	0,25	2,5	2pA	30k	45[d]	2,7-12	0,7	w	2,80	R_f = 30k a 50k
LTC1992-x	D3	1–10	p/n	0,3	3,2	-	1,5	-	RR	0,25	2,5	2pA	30k	45[d]	2,7-12	0,7	w	5,23	-x para G =1, 2, 5, 10
AD8137	D	1,0 up	R_f/R_g	-	76	10	450	100	RR	0,7	2,6	0,5	R_g[h]	8[d]	2,7-12	2,6	●	1,98	R_f = 1k a 10k, barato
THS4521	D	1–10	R_f/R_g	-	145	20	490	13[k]	RR	0,2	2	0,65	R_g[h]	4,6[d]	2,5-5,5	1,1	w	2,81	R_f = 1k; duplo '4522
EL5170	E3	2,0	2,0	1	100	12	1100	20	6,0	6	25	6	300k	28[d]	5-12	7,4	-	1,44	barato, triplo '5370
LTC6605-14	D3	1, 4, 5	1,4,5	0,3	14[e]	f	f	f	RR	0,25	1	12	400/G	2,6	2,7-5,5	16	w	9,81	duplo, pronto para 16 bits
LT6600-x	D2	1–8	402/R_g	7	10[g]	f	f	f	4,8	5	25	30	R_g[h]	10[d]	2,7-11	36	-	3,90	filtro de 4ª ordem
LTC6601	D3	1–7	1 to 7	3	6-27[i]	f	f	f	RR	0,25	1,5	12	400/G	2,2	2,7-5,5	16	w	5,58	filtro com pinos de seleção
AD8138	D	1,0 up	R_f/R_g	-	320	30	1150	16	15,6	1	2,5	3,5	R_g[h]	5	3-10	20	-	4,12	R_f=500Ω
LMH6551	D	1,0 up	R_f/R_g	-	370	50	2400	18	15,6	0,5	4	4	R_g[h]	6[d]	3,3-10	13	-	3,50	R_f=500Ω
EL5173	E3	2,0	2,0	0,5	450	60	900	10	6,0	3	30	11	150k	25[d]	4,8-12	12	-	2,80	EL5373 triplo
EL5177	E	1,0 up	R_f/R_g	1,5	550	120	1100	10	6,0	1,4	25	14	150k	21	4,8-12	12	-	1,85	G=1+R_f/R_g, barato
AD8139	D	1,0 up	R_f/R_g	-	410	45	800	45	RR	0,15	0,5	2,3	R_g[h]	2,2	4,5-12	25	-	6,00	R_f=200Ω
AD8132	D	1,0 up	R_f/R_g	-	350	90	1200	15	14,4	1	3,5	3	R_g[h]	8[d]	2,7-11	12	-	3,07	R_f=348Ω
LT6402-20	C	10	fixed	10	300	30	400	8[k]	7,0	1	6,5	c	100	1,9	4,0-5,5	30	-	3,90	filtro de 75 MHz opcional
LTC6404-4	D	4 up	R_f/R_g	-	600	450	1200	13	RR	0,5	2	23	R_g[h]	1,5	2,7-5,5	30	w	4,91	R_f=402; ver -1,-2[j]
THS4520	D	1–10	R_f/R_g	-	620	30	570	7	RR	0,25	2,5	6,5	R_g[h]	2	3-6	14	●	4,07	R_f=499Ω
PGA870	s	0,3-10	PGA	4	650	100	2900	5	4,8	5[z]	30[z]	c	150	6	4,8-6	143	-	9,70	atenuação de 0,5 dB, pinos
ADA4932-1	D	1,0 up	R_f/R_g	-	560	300	2800	9	15,0	0,5	2,2	2,5	R_g[h]	3,6[d]	3-10	10	-	4,72	Rf = 499Ω; -25duplo
LT1993-10	C	10	fixed	12	700	50	1100	4	7	1	6,5	c	100	1,7	5	100	-	4,20	-2, -4 para G = 2, 4
ADA4950-1	D	1, 2, 3	pins	1,7	750	210	2900	9	15	0,2	2,5	c	500/G	5,5[d]	3-11	9,5	-	4,78	-2 5 duplo
LMH6553	D	1,0 up	R_f/R_g	-	900	50	2300	10	15,4	-	-	50	R_g[h]	1,2	5-12	29	-	6,43	CFB, 274 Ω; ceifam.
ADA4938-1	D	1–10	R_f/R_g	-	1000	150	4700	6,5	15,2	1	4	13	R_g[h]	2,6	4,5-11	37	-	6,06	R_f=200Ω
LMH6552	D	1,0 up	R_f/R_g	-	1500	650	3800	10	15,4	-	-	80	R_g[h]	1,1	5-12	23	-	8,14	CFB, 357Ω
THS4513	D	1,0 up	R_f/R_g	-	1600	700	5100	16	5,6	1	4	8	R_g[h]	2,2	3-6	35	-	10,34	R_f=348Ω
LMH6555	D3	4,84	4,84	3	1200	180	1300	2.2[k]	1,0	15	50	c	78	4[d]	3,3	120	-	10,55	considera R_s = 50 Ω
THS4511	D	1–10	R_f/R_g	-	1600	620[r]	4900	3.3[k]	5,2	1	4	8	R_g[h]	2	3,5-5,5	39	v	9,13	R_f=349Ω
ADA4937-1	D	1–5	R_f/R_g	-	1900	200	6000	7	6	0,5	2,5	21	R_g[h]	2,2[d]	3-10	40	-	6,06	R_f = 200 Ω; -2 = duplo
THS4508	D	2–10	R_f/R_g	-	2000	400	6600	2[k]	5,2	1	4	8	R_g[h]	2,3	3,8-5,5	39	v	9,13	R_f=349Ω
THS4509	D	2–10	R_f/R_g	-	2000	300	6600	10	5,6	1	4	8	R_g[h]	1,9	3-6	38	-	9,13	R_f=349Ω
LTC6416	G	0,98	1,0	2	2000	300	3400	1.8[k]	4,2	0,5	5	5	12k	1,8	2,7-3,9	42	-	8,27	seguidor de emissor
THS770006	D	2	fixed	3	2400	350	3100	2,2	4,9	0,5	5	c	100	1,7	5	100	-	10,45	Z_{out}=27 Ω em 1 GHz
AD8352	F	1–8	R_g	12	2500	190	8000	2[k]	6	-	6	5	3k	2,7	3,5-5	37	-	5,65	especif. p/ G = 10 dB
ADL5561	D3	2,4,6	pins	0,5	2900	600	9800	2[k]	4,3	0,25	-	c	800/G	1,7	3-3,6	40	-	5,89	bom para FI-strip
ADL5562	D3	2,4,6	pins	0,7	3300	270	9800	2[k]	4,3	0,25	-	c	800/G	1,6	3-3,6	80	-	5,88	bom para FI-strip
ADA4960-1	F	1–10	R_f/R_g	6	5000	300	8700	1,4	3,5	-	36	20	10k	5,4	5	60	-	11,47	especif. p/ G = 6 dB
terminação simples para diferencial[m]																			
DRV134	B	2,0	fixed	2	1,5	-	15	2500	60	1	10	-	10k	35	9-40	5,2	-	4,21	áudio[t], dist de 7 ppm
ADA4922-1	A2	2,0	fixed	0,05	38	-	260	580	43	0,18	0,55	3,5	11M	6	9-26	5,4	n	5,81	Acionador ADC de 18 bits
LT6350	A	2,0 up	opamp	0,6	33	-	48	240	RRIO	0,1	0,7	1,2	4M	4,1[d]	2,7-12	4,8	●	3,42	precisão
ADA4941-1	A	2,0 up	opamp	1	30	-	22	300	RR	0,2	0,8	3	24M	5,1[d]	2,7-12	2,5	w	4,45	especif. de f_{3dB} ímpares

Notas: (a) Ganho fixo, ganho programável (PGA) ou ganho definido pelo resistor de entrada R_g. (b) Saída RR significa V_{out} diff = 2 x $V_{aliment.}$ máx. (c) Incluídas na especificação de V_{OS}. (d) Inclui ruído do resistor de realimentação. (e) Filtros *anti-aliasing* de 2ª ordem casados; disponível em 7 e 10 MHz. (f) Definido pelo filtro. (g) 6600-x especifica filtros de 4ª ordem de 2,5 a 20MHz. (h) Nominalmente; $Z_{in} = R_g$, em que $G = R_f/R_g$; mas, para circuitos do tipo "D", Z_{in} é maior do que R_g – consulte mais adiante a seção sobre Impedância de Entrada do Amplificador Diferencial. (i) Filtro, 6 a 27 MHz ajustado por *straps* (*jumps*). (j) -4 versão compensada para G < 4. (k) Estabilizado em 1%. (m) A maioria dos amplificadores diferencial para diferencial pode converter uma entrada de terminação simples em uma saída diferencial. (n) Próximo. (o) Números do amplificador de instrumentação. (q) Entrada do amp. instrumentação, saída do amp. diferencial. (r) G = 2. Entrada de escada. (s) R-$2R$, saída de amp. diferencial. (t) Z_{out} de modo comum alta, como um transformador de isolamento. (v) Entradas para $-V_{EE}$. (w) RRO e entradas para $-V_{EE}$ ou dentro de 0,2 V de $-V_{EE}$. (y) RRO e entrada além dos trilhos, para ±15 V. (Z) RTO.

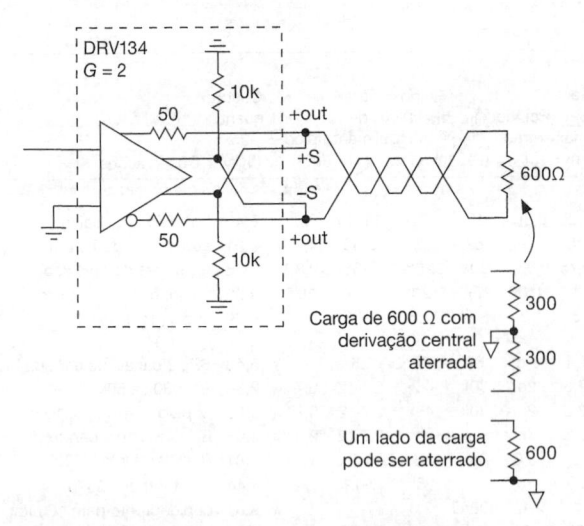

FIGURA 5.93 Controlador de áudio balanceado com uma impedância de saída de modo comum elevada, de modo que o receptor (extremidade da carga) define a tensão de modo comum. $V_{CM(out)}$ padrão para 0 V se a carga for deixada flutuante.

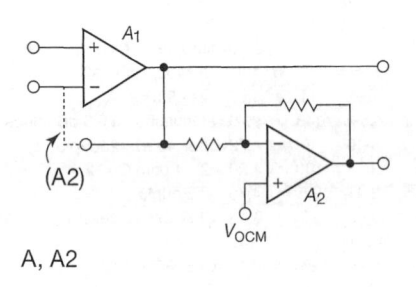

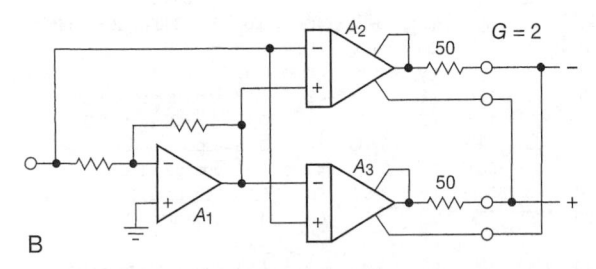

FIGURA 5.94 Configurações A e B de amplificador diferencial, conforme listado na Tabela 5.10. O AOP de entrada pode ser configurado como um amplificador não inversor (ou seguidor) ou um amplificador inversor.

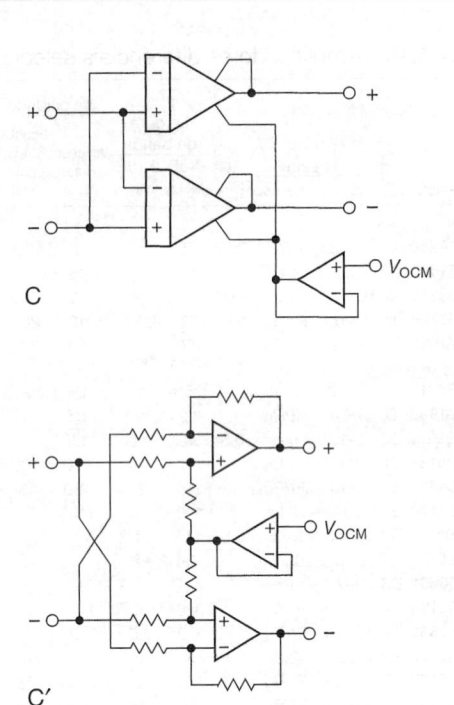

FIGURA 5.95 Configuração C de amplificador totalmente diferencial, conforme listado na Tabela 5.10. A simetria é evidente na versão redesenhada, C', na qual o ganho é $G = 2R_f/R_g$.

degradada pela impedância de fonte desbalanceada. O valor exato de R_g (e, portanto, a impedância de entrada) será afetado pela terminação da fonte e por considerações de carga; veja a Seção 5.17.4 e as fórmulas na Figura 5.104.

C. Entrada de terminação simples A maioria dos amplificadores totalmente diferenciais funciona bem com entradas de terminação simples, ou seja, com a entrada "−" aterrada. Seria conveniente usar $G = 2$ ou superior para alcançar o acionamento completo de pico a pico em um ADC diferencial.[98]

D. Rejeição de modo comum Com pares diferenciais, tanto de entrada quanto de saída, existem *duas* medidas de rejeição de modo comum: V_{out} *diferencial versus* V_{in} de modo comum, que normalmente é muito boa (por exemplo, 80 dB até 1 MHz); e V_{out} *de modo comum versus* V_{in} de modo comum, que pode ser significativamente menor (por exemplo, 50 dB até 1 MHz, degradando acima disso). Mas isso não é extremamente preocupante se o dispositivo receptor (por exemplo, um ADC) tiver boa rejeição de modo comum própria.

B. Impedância de entrada A impedância de entrada de amplificadores com a configuração D é igual a R_g, tornando-os impróprios para ganhos elevados, porque a impedância de entrada torna-se incontrolavelmente baixa: a fonte de sinal é muito carregada, o R_g efetivo é aumentado pela impedância de fonte R_S e a CMRR é

---

[98] Esta configuração está também disponível com um ganho de tensão menor que a unidade. Com o AD8475 (com ganhos de 0,4 e 0,8) da Analog Devices, você pode reduzir um sinal 20 Vpp a um par de sinais diferenciais de 4 Vpp para a entrada de um ADC de baixa tensão.

Capítulo 5 Circuitos de precisão **377**

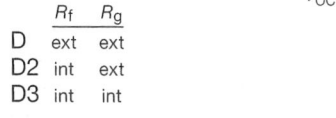

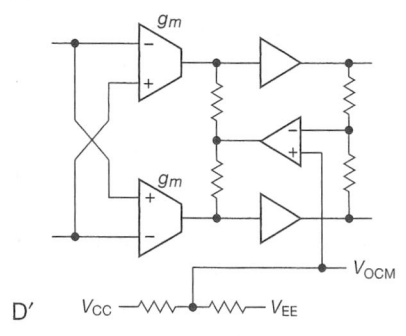

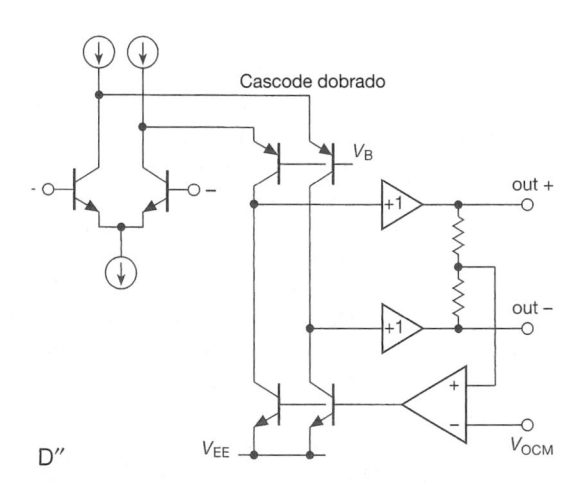

	R_f	R_g
D	ext	ext
D2	int	ext
D3	int	int

	R_f	R_g
E	ext	ext
E2	int	ext
E3	int	int

$G = 1 + 2R_f/R_g$

$G = 1 + 2R_f/R_g$

FIGURA 5.96 Configuração D do amplificador totalmente diferencial, conforme listado na Tabela 5.10; o ganho é $G = R_f/R_g$. Uma configuração típica para o amplificador de saída A_1 é mostrada em D', e a versão da Texas Instruments para a sua série THS45xx é D"; o THS4508/11/21, por exemplo, usa complementos de polaridade (par de entrada *pnp*, etc.), o que permite operar até $V_{in} = V_{EE} - 0{,}2$ V.

Casamento de resistores é importante para configurações com resistores de ajuste de ganho R_f e R_g externos (configuração D); veja a Seção 5.17.5 para mais detalhes.

E. Saída de Terminação Simples As folhas de dados de alguns amplificadores diferenciais descrevem a ope-

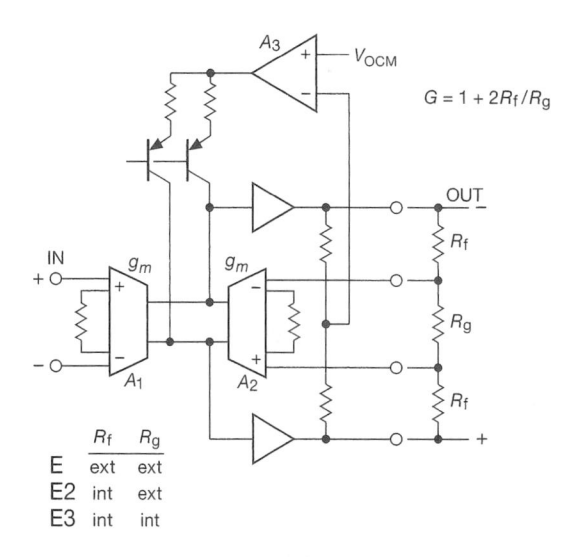

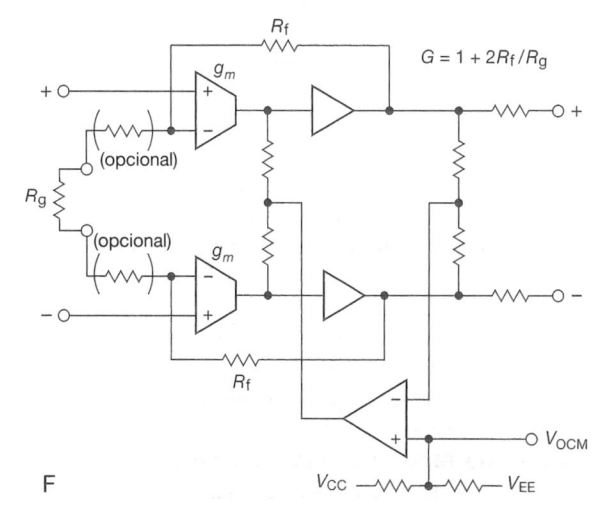

FIGURA 5.97 Configurações E e F do amplificador totalmente diferencial, conforme listado na Tabela 5.10.

ração com uma saída de terminação simples.[99] Quando é operado no modo de saída de terminação simples, no entanto, você se preocupa com a tensão de *offset* de *saída* ΔV_{OCM} (ou seja, o erro de saída no que diz respeito à referência V_{OCM}), o que resulta em um erro referenciado à entrada de $\Delta V_{OCM}/G$. Para o LMP7312, o *offset* de saída é ± 20 mV, muito maior do que o *offset* de entrada máximo de ± 01 mV. Esse é um amplificador de baixo ganho ($G = 0{,}1$ a 2), de modo que esse

---

[99] Por exemplo, a folha de dados para o LMP7312, "AFE de interface SPI programável de precisão com entrada/saída diferencial/terminação simples", diz que "a saída pode ser configurada tanto no modo de terminação simples quanto no diferencial com a tensão de modo comum de saída definida pelo usuário".

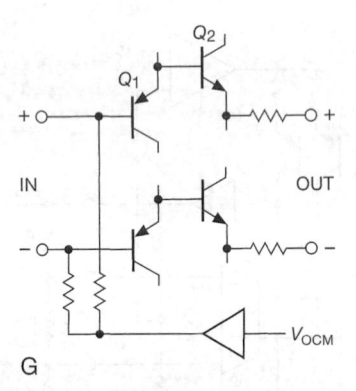

FIGURA 5.98 Configuração G do amplificador totalmente diferencial, conforme listado na Tabela 5.10. Este tipo é destinado a CA ou entradas acopladas por transformador.

offset de saída parece um erro de entrada de pior caso de ±200 mV a ±10 mV! Isto dificilmente é o que se poderia chamar de "precisão".

F. Pino de Polarização V_{OCM} Você define a tensão de modo comum de saída ao estipular uma polarização CC nesse pino. Alguns dispositivos têm *buffer* nessa entrada para obter alto R_{in}, mas muitos dispositivos fornecem uma impedância de entrada de dezenas de quilohms. Geralmente, a faixa V_{OCM} de operação não se estende para o trilho negativo. Se esse pino for deixado desconectado, a maioria dos dispositivos terá metade da tensão de alimentação. É sempre uma boa ideia fazer o desvio desse pino, porque os sinais rápidos associados a esses amplificadores de grande largura de banda se acoplam ao nó V_{OCM}.

G. Faixa de Modo Comum de Entrada A faixa de tensão de modo comum de entrada da maioria dos amplificadores totalmente diferenciais não se estende para o trilho negativo, o que pode restringir seriamente um circuito que opera a partir de uma fonte simples positiva. No entanto, isso não é tão ruim quanto parece: as saídas, definidas em torno de uma tensão de saída de modo comum positiva (definida pela tensão CC aplicada no pino de entrada V_{OCM}), levam os terminais de entrada à tensão estabelecida pelos divisores de tensão formados por R_f e R_g. Esse efeito é maior quando se opera em ganhos baixos; quando se opera em ganhos maiores, é melhor garantir que a faixa de modo comum de entrada não seja violada. Considerando que há uma abundância de ganho de malha (ou seja, que $G_{OL} \gg G$) a tensão (igual) nos pinos inversor e não inversor do amplificador é

$$V_{(+,-)} = \frac{V_{OCM} + GV_{in(CM)}}{G+1},$$

em que o ganho diferencial $G = R_f/R_g$, e $V_{in(CM)}$ é a tensão de modo comum da fonte de sinal de entrada (diferencial). Se a entrada for de terminação simples (com a outra entrada diferencial aterrada), então (substituindo $V_{in}/2$ por $V_{in(CM)}$) obtemos

$$V_{(+,-)} = \frac{V_{OCM} + GV_{in}/2}{G+1}.$$

Note que, com uma fonte de sinal de entrada balanceado (isto é, $V_{in(CM)}$ fixo), as tensões nos pinos (+) e (−) do amplificador não variam conforme o sinal de entrada diferencial. Isso contrasta com o arranjo de terminação simples, em que a amplitude do sinal de entrada provoca uma variação na tensão de entrada de modo comum. Para este último, não se esqueça de verificar se há violações de modo comum de entrada nos extremos do sinal de entrada.

Claro, você pode acabar com o problema escolhendo um amplificador cuja faixa de modo comum de entrada inclui o trilho negativo, por exemplo, o THS4521 ilustrado na Seção 5.17.3.

H. Realimentação de Tensão *Versus* Realimentação de Corrente Todos os amplificadores com "R_f/R_g" da Tabela 5.10 utilizam amplificadores de realimentação de tensão (*voltage-feedback amplifiers*, VFB) convencionais, com exceção do LMH6552/3, que utiliza a realimentação de corrente (*current feedback*, CFB). Por serem amplificadores VFB, trabalham bem com capacitores de limitação de largura de banda nos resistores de realimentação quando operados em ganhos maiores (útil para dominar a tensão de ruído integrado $v_n = e_n\sqrt{GBW}$, que pode ser excessiva devido à grande largura de banda de muitos desses amplificadores). Para uma aproximação decente, amplificadores de realimentação de corrente têm uma largura de banda de f_{3dB} independente do ganho, ao passo que amplificadores de realimentação de tensão têm uma largura de banda inversamente proporcional ao ganho de malha fechada ($f_{3dB} = GBW/G_{CL}$).

I. Resistores de Definição de Ganho Grandes valores de R_f e R_g podem causar problemas devidos às capacitâncias parasitas na placa de circuito. Por exemplo, R_f acima de 1k para a capacidade modesta de 145 MHz do THS4521 cria um pico (Figura 5.99). Opções de encapsulamento duplo e quádruplo também podem sofrer de problemas de picos inevitáveis causados por questões na estrutura de conexões, por isso geralmente é melhor escolher tipos de ganho fixo em encapsulamentos de múltiplos amplificadores. Grandes valores de R_f e R_g também criam (a) perda de velocidade, (b) aumento do erro de *offset* de entrada a partir da característica de correntes de polarização relativamente grandes de amplificadores bipolares rápidos e (c) um aumento da tensão de ruído que se refere à entrada, tanto a partir de ruído Johnson de resistor quanto da tensão de ruído desenvolvida em R_f pela corrente de ruído de entrada do amplificador.

Como exemplo mais concreto, considere novamente o THS4521, com o nosso $R_f = R_g = 100k$.

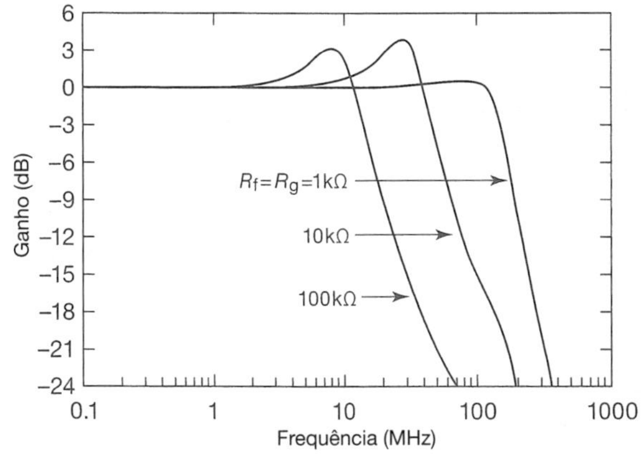

FIGURA 5.99 Grandes valores de resistência de ajuste de ganho criam um pico na resposta de frequência, como mostrado neste gráfico da folha de dados do THS4521 configurado para ganho unitário ($R_f = R_g$).

Na Figura 5.99, você pode ver a largura de banda reduzida em 10 vezes e o pico. Esse pico (que ocorre com amplificadores VFB, mas não com tipos CFB) pode ser domado colocando um pequeno capacitor em cada resistor de realimentação, mas você perderá um pouco mais de largura de banda no processo.[100] Transformando ests problema em algo bom, seria conveniente adicionar capacitores de realimentação, de qualquer maneira, para reduzir a largura de banda intencionalmente.

Quanto à tensão de *offset*, esse dispositivo tem uma corrente de polarização de entrada de 650 nA (típico), o que criaria uma queda de 65 mV em 100k. No entanto, as correntes de polarização são razoavelmente bem casadas, com uma especificação de corrente de *offset* $\Delta I_B = \pm50$ nA (típico), criando assim um *offset* de entrada de 5 mV. Isso é muito melhor, mas degrada seriamente a $V_{OS} = \pm0,2$ mV(±2 mV máx) típica do amplificador. Você precisa manter R_f e R_g menores do que 10k para preservar a precisão do amplificador.

Por fim, o ruído. Há duas contribuições, ruído Johnson dos resistores ($e_n = \sqrt{4kTR} = 0,13\sqrt{R}$ nV/$\sqrt{Hz}$), e a tensão de ruído desenvolvida pela corrente de ruído do amplificador ($e_n = i_n R_f$). Para R_f = 100k, a tensão de ruído Johnson é 40 nV/$\sqrt{Hz}$, e o ruído produzido pelo $i_n = 0,6$ pA/$\sqrt{Hz}$ do amplificador é 65 nV/$\sqrt{Hz}$. Isso degrada desastrosamente o 4,6 nV/$\sqrt{Hz}$ típico do amplificador (obtendo a habitual raiz da soma dos quadrados, o total de tensão de ruído adicionado é 76 nV/$\sqrt{Hz}$). A tabela a seguir resume esses valores e também aqueles que correspondem a $R_f R_g = 10$k e $R_f = R_g = 1$k.[101]

Resumindo: em comparação com o valor nominal de 1k, o uso de resistores de definição de ganho de 100k reduz a largura de banda 10 vezes, aumenta a tensão de *offset* típica em 25 vezes e aumenta a tensão de ruído típica referenciada à entrada em 16 vezes. Você não quer fazer isso. Mas poderia usar algo como 2,49k, 4,99k, ou talvez 10k, aumentando a impedância de entrada à custa da degradação modesta de largura de banda, ruído e precisão.

R_f, R_g	Largura de banda de 3 dB (MHz)	Tensão de *offset** (mV, típico)	Ruído referenciado à entrada		
			$\sqrt{4kTR}$ (nV/$\sqrt{Hz}$)	$i_n R_f$ (nV/$\sqrt{Hz}$)	Total* (nV/$\sqrt{Hz}$)
1k	150	±0,2	4	0,7	4,6
10k	45	±0,5	13	6,5	15
100k	15	±5	40	65	76

*Inclui V_{OS} e e_n do amplificador

J. Impedância de saída de modo comum A tensão declarada no pino V_{OCM} define a tensão de saída de modo comum. Dito de outra forma, amplificadores diferenciais têm uma saída de baixa impedância de modo comum. Isso geralmente é o que você quer; afinal, essa é a razão de *existir* o pino V_{OCM}. Mas isso pode criar dificuldades se a saída for enviada para uma carga remota que tem de estabelecer o seu nível de modo comum preferido. Esse é o caso em áudio (ou vídeo) balanceado, que envia sinais a distâncias consideráveis em cabo de par trançado balanceado.

Dê uma olhada na Figura 5.100B. Ao acionar o pino V_{OCM} com a tensão de saída média, você cria um amplificador que coopera deixando a carga conduzir a situação. De fato, a carga pode ainda desbalancear o sinal intencionalmente (aterrando um lado), caso no qual a outra saída varia simetricamente em relação ao terra com a tensão de saída diferencial total.[102] Há alguns amplificadores diferenciais que são projetados especificamente para esse tipo de aplicação, com uma configuração interna que cria uma saída de impedância de modo comum elevada. Vimos um exemplo (o DRV134, semelhante ao SSM2142) na Figura 5.93. Outro excelente é o THAT1606.

A solução tradicional era a utilização de um transformador de isolação, que também pode fazer o trabalho de conversão entre sinais de terminação sim-

---

[100] Você pode olhar para isso de outra forma: os valores de resistor de definição de ganho recomendados pelo fabricante são escolhidos de tal modo que uma pequena quantidade de pico é usada para estender a largura de banda natural do amplificador.

[101] Muitos dispositivos (as configurações D e E) permitem adicionar capacitores de realimentação para reduzir a largura de banda. Com alguns dispositivos, isso pode introduzir instabilidade em ganhos baixos, mas, com outros, pode melhorar a estabilidade, especialmente quando são utilizados valores maiores de resistores.

[102] Omita o pequeno capacitor de derivação mostrado, se este modo de operação for antecipado.

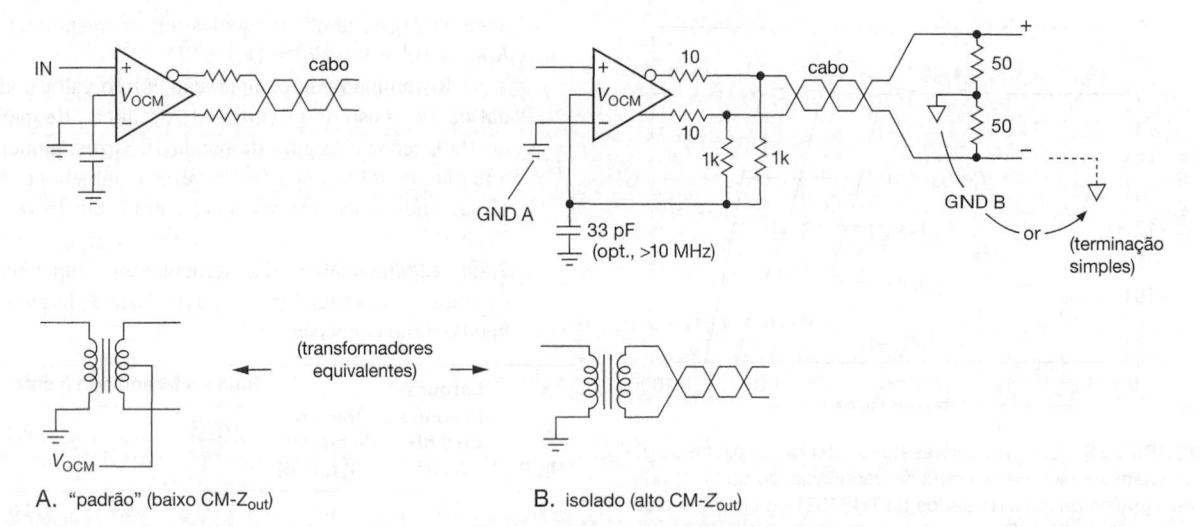

FIGURA 5.100 A tensão de saída de modo comum de um amplificador diferencial é definida pelo pino V_{OCM} (geralmente, ele assume o valor de metade da alimentação quando não é acionado), que produz uma baixa impedância de saída de modo comum, como em A. Porém, para aplicações de áudio ou de vídeo balanceadas, você quer que a *carga* (distante) dite as regras. Você pode enganar um amplificador diferencial, como em B, simulando um Z_{out} de modo comum alto com um transformador de isolação ou *balun*.

ples e balanceados (isso é conhecido como "*balun*", nome que provém de "*bal*anced-*un*balanced"), como mostrado. No entanto, transformadores são volumosos, limitados em largura de banda e linearidade e caros. Amplificadores diferenciais de alto CM-Z_{OUT} podem ser uma alternativa atraente.

5.17.2 Exemplo de Aplicação de Amplificador Diferencial: Enlace Analógico de Banda Larga

Concluímos a discussão de amplificadores diferenciais com vários exemplos de aplicação: um enlace analógico de banda larga via cabo de par trançado e uma sequência de acionamentos de ADCs de entradas diferenciais.

Na Seção 5.14.2F, ilustramos o uso de um amplificador de diferença como a extremidade receptora de um enlace analógico ao longo de um cabo de par trançado diferencial. Nesse circuito, $R_4 C_1$ cria uma resposta crescente em altas frequências ("equalização") para compensar o aumento da atenuação do cabo. Para concluir o enlace, é claro, precisamos de um acionador diferencial.

A Figura 5.101 mostra todo o circuito, aqui implementado com o par acionador/receptor de linha diferencial EL5170/72, da Intersil. Eles também fazem unidades triplas (EL5370/72), com a aplicação de vídeo a cores. Larguras de banda para dezenas de megahertz são facilmente realizáveis ao longo de dezenas de metros de cabo Cat-5, com equalização modesta na extremidade receptora. O cabo coaxial é consideravelmente melhor, e duas linhas coaxiais de 50 Ω podem substituir o par diferencial de 100 Ω. Como sempre, o sinal balanceado combina com a excelente CMRR do receptor (aqui 95 dB típico) para fornecer alta rejeição de interferências.

5.17.3 ADCs de Entrada Diferencial

Muitos conversores analógico-digitais exigem entradas de sinal diferencial. Isso é quase uma verdade universal de conversores de alta velocidade (por exemplo, conversores *flash pipeline*), bem como das variedades conhecidas como "SAR de redistribuição de carga" e "delta-sigma" (os ADCs, em toda a sua glória, são o assunto principal do Capítulo 13). E, em muitos casos, a entrada dificilmente é favorável – os capacitores de chaveamento internos introduzem transientes de carga nos terminais de entrada, exigindo alguma capacitância *shunt* externa. Um aborrecimento adicional é a exigência de que o acionador seja capaz de variar as entradas ao longo da faixa de conversão completa (que podem incluir o terra), mas sem acioná-las além trilhos de alimentação do ADC (com o risco de danos causados pela condução dos ceifadores de entrada e possível ocorrência de SCR *latchup*).

A. Primeira Iteração: Acionador ADC de Fonte Simples com *Offset* de V_{OCM}

A Figura 5.102 mostra duas iterações de um estágio de entrada para ADCs rápidos de fonte simples com entradas diferenciais. Nosso primeiro projeto era baseado em torno do conversor *flash pipeline* AD9225 de 12 bits e 25 Msps, que opera de uma fonte analógica simples de +5 V e tem um pino separado de fonte digital para interface com microcontroladores que operam de +3 V a +5 V. A sua amplitude (*span*) de entrada é programável, ou de 0 a 2 V ou de 0 a 4 V, e fornece uma saída CC de amplitude média (+1 V ou +2 V) que pode ser usada para definir a saída de modo comum do amplificador diferencial (através do pino V_{OCM}).

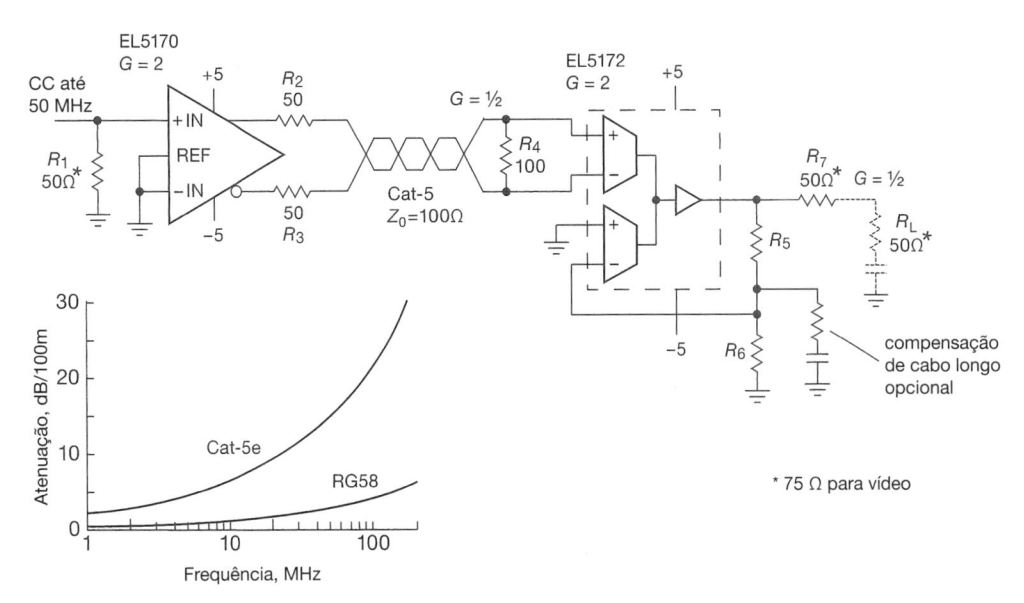

FIGURA 5.101 Enlace analógico de banda larga ao longo de um cabo de rede Cat-5. O EL5370/72 encapsula três acionadores-receptores de desempenhos semelhantes em um único CI, conveniente para o envio de vídeo analógico (RGB, S-Vídeo ou vídeo componente YPbPr) ao longo de um único cabo (que tem quatro pares trançados). Veja também a Figura 5.71.

Ao operar o amplificador diferencial a partir do mesmo +5 V e terra, estamos certos de que as entradas do ADC não podem ser acionadas para além dos trilhos. Escolhemos o amplificador diferencial AD8139 pelo seu baixo nível de ruído (2,2 nV/$\sqrt{Hz}$), ampla largura de banda (~15 MHz para $G = 20$) e capacidade de variar sua saída trilho a trilho (para acionar o ADC ao longo de sua amplitude total de entrada). Utilizamos o par recomendado de resistores em série para suprimir a oscilação do amplificador a partir de transientes de carga na entrada do ADC; e adicionamos um capacitor *shunt* para reduzir esses transientes e também para fornecer um segundo estágio de filtragem *anti-aliasing*.[103]

Isso é uma boa notícia. A má notícia é que esse amplificador, em comum com a maioria dos amplificadores diferenciais, não inclui o terra em sua faixa de operação de modo comum de entrada: você tem que ficar um volt distante dos seus trilhos. Assim, você não pode simplesmente conectar uma entrada ao terra e acionar a outra com um pequeno sinal em torno do terra.[104] O amplificador permite a operação a partir de fontes simétricas (por exemplo, ±5 V), o que resolve o problema do nível de sinal de entrada; mas, então, você tem que se preocupar com o sequenciamento de fonte de alimentação e o risco de acionamento com corrente negativa nos diodos de ceifamento do ADC.

B. Segunda Iteração: ADC de Fonte Simples Aciona com $V_{in\,(CM)}$ Aterrado

O que fazer? Encontre um amplificador de fonte simples que opere com entradas no trilho negativo! Isso é o que fizemos no segundo circuito, cuja faixa de entrada de modo comum do THS4521 inclui o terra ("NRI" – *negative rail input*, entrada de trilho negativo) e, de fato, garante o funcionamento adequado com entradas até −0,1 V.[105] Ele também tem a saída trilho a trilho necessária, mas é um pouco mais ruidoso e mais lento do que o AD8139 (4,6 nV/$\sqrt{Hz}$, e um ganho de apenas ×5, para manter a largura de banda de 18 MHz).

Nós o juntamos ao ADC14L040, um ADC mais preciso e rápido (14 bit, 40 Msps) que opera com uma fonte simples de +3,3 V e consome menos potência (235 mW contra 335 mW). A amplitude do ADC é ±0,5 V, centrada em uma tensão de amplitude média permitida de 0,5 V a +2,0 V. Poderíamos ter utilizado saída de +1,5 V derivada de referência do ADC para acionar o pino V_{OCM} do amplificador, como antes; mas, quando esse pino não é acionado, o amplificador assume o valor de metade da alimentação (+1,65 V), o que

---

[103] Repetindo alguns conselhos importantes: ao projetar com CIs de alta velocidade, é especialmente importante que se preste atenção às instruções especiais na folha de dados; o AD9255, por exemplo, dedica quase uma página inteira para uma discussão sobre resistores e capacitores de entrada.

[104] Exceto quando opera com ganho baixo: nesse caso, exigiria $G \leq 1$, de modo que os terminais de entrada do AD8139 sejam levados até 1 V ou mais pelo divisor $R_f R_g$. Veja a discussão na Seção 5.17.1.

[105] Outros amplificadores diferenciais cujas entradas de realimentação podem operar no terra ou próximo são indicadas com **w** ou **v** na Tabela 5.10 e incluem o LTC1992, o LTC6605, o LTC6601, o LTC6404, o THS4508 e o THS4511. Esses dispositivos ampliam a faixa da largura de banda de 3 MHz a 2.000 MHz.

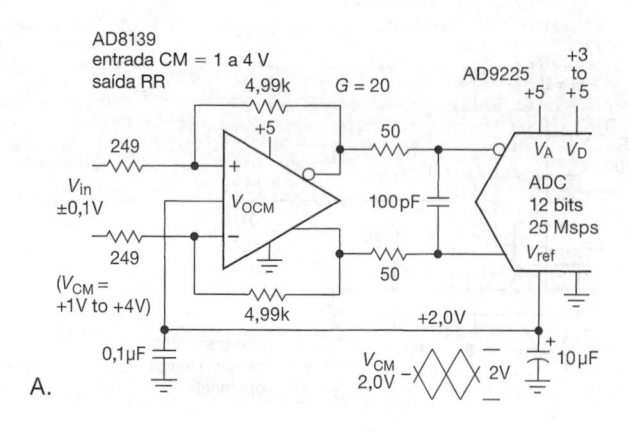

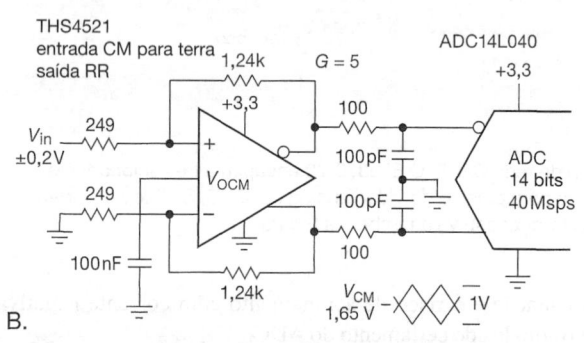

FIGURA 5.102 O cuidado e a alimentação de ADCs de entrada diferencial de alimentação simples. A. O AD9225 fornece uma saída V_{ref} de média escala para definir a saída de modo comum do amplificador; no entanto, as entradas do AD8139 não podem se aproximar mais do que 1 V de cada trilho. B. Não é comum o THS4521 permitir tensões de entrada para o trilho negativo (aqui aterrado).

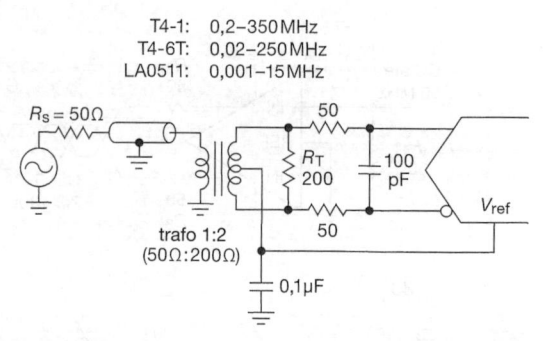

FIGURA 5.103 Transformadores de banda larga podem acionar ADCs de entrada diferencial. Eles têm excelente CMRR e estão disponíveis com amplitudes de frequência de 10.000:1.

é bom. Como antes, adicionamos o filtro de desacoplamento recomendado.

Dada uma resolução maior do ADC, vale a pena verificar para saber como a tensão de ruído de contribuição do amplificador e de resistores se comparam com o tamanho do degrau do conversor. Tendo em conta o ganho de entrada, o tamanho do degrau é de 400 mV/2^{14}, ou 25 μV. A densidade de ruído do amplificador (4,6 nV/$\sqrt{Hz}$) combinada com o ruído (não correlacionado) do resistor (2,7 nV/$\sqrt{Hz}$) é de cerca de 5,3 nV/$\sqrt{Hz}$, ou cerca de 18 μV RMS na largura de banda efetiva de 12 MHz do amplificador e filtro RC. Em outras palavras, a tensão de ruído é comparável ao tamanho do degrau LSB do conversor. Assim está bem, mas seria bom que fosse um pouco menor.[106] Talvez uma maneira de pensar sobre isso seja que as vantagens de velocidade e resolução do circuito tenham feito a contribuição relativamente pequena de ruído parecer ruim. Você sempre pode descartar largura de banda (se você não precisa dela), ou apenas olhar para os 12 bits do topo, se isso fizer você se sentir melhor.

C. Terceira Iteração: Acoplamento por Transformador

Se você não precisa de acoplamento CC, uma maneira fácil de acionar conversores de entrada diferencial é com um transformador de banda larga. Eles são amplamente utilizados em aplicações de radiofrequência, e você pode obtê-los em encapsulamentos pequenos de montagem em superfície. A Figura 5.103 mostra como fazê-lo. Use a saída de referência de amplitude média do ADC (devidamente desviada) para definir a tensão de modo comum e use uma terminação resistiva que case com a impedância transformada da fonte de acionamento. Aqui, usamos um transformador de relação de espiras de 1:2, que transforma impedâncias pelo quadrado dessa razão, portanto 50 Ω:200 Ω. Isso mascara bem os problemas de entrada do amplificador e faixas de tensão de saída, ruído e assim por diante. No entanto, note que não há qualquer proteção intrínseca contra sobreacionamento do ADC.

5.17.4 Casamento de Impedância

Amplificadores diferenciais são comumente usados para aplicações de banda larga, em que a entrada (terminação simples) deve ser devidamente terminada para casar com impedância da fonte do sinal (geralmente 50 Ω). Isso é especialmente importante quando o sinal chega através de um comprimento de linha de transmissão, a fim de impedir as reflexões (ver Apêndice H). Isso não é difícil, desde que você mantenha um raciocínio lógico coerente.[107]

A Figura 5.104 mostra a situação quando os amplificadores diferenciais do tipo D (Figura 5.96) são utilizados. O resistor adicional R_T é escolhido de modo que a fonte de sinal "vê" uma impedância de entrada igual a R_S (isto é, $R_T \parallel R_{in} = R_S$).

---

[106] Mas, às vezes, um pouco de ruído pode ser uma coisa *boa*, podendo melhorar a linearidade e a faixa dinâmica do ADC por meio de *dithering*. Veja, por exemplo, *The Art of Digital Audio*, de John Watkinson (3ª edição, 2001), ou "*Dither in digital audio*", de Vanderkooy e Lipshitz, na *J. Audio Eng. Soc.*, **35**, (12), 966-975, (1987).

[107] E, talvez, leia o útil tutorial MT-076 da Analog Devices "*Differential Driver Analysis*".

FIGURA 5.104 Terminação simples para o amplificador diferencial: equações de projeto.

(geralmente 50 Ω) — R_S, V_{in}, R_T, R_{G1}, R_{G2}, R_F, $V_o(-)$, $V_o(+)$

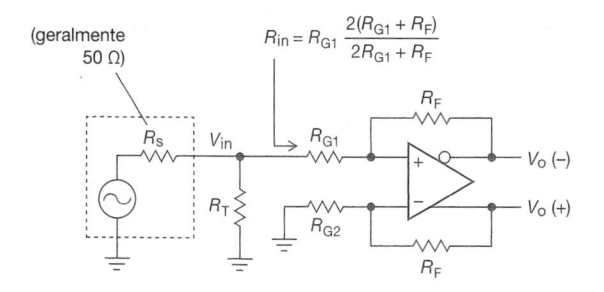

$$R_{in} = R_{G1} \frac{2(R_{G1} + R_F)}{2R_{G1} + R_F}$$

Para R_S, G e R_{G1} dados,

$R_T \parallel R_{in} = R_S$ (terminação)

$R_{G2} = R_{G1} + R_S \parallel R_T$ (balanceado)

$R_F = G \dfrac{R_{G2}(R_S + R_T)}{2R_T}$ (ganho)

$$\left(G \equiv \frac{V_o(+) - V_o(-)}{V_{in}} = \frac{2R_T}{R_T + R_S} \frac{R_F}{R_{G2}} \right)$$

Note especialmente que a entrada não inversora do amplificador não é um terra virtual, de modo que R_{in} é um pouco maior do que R_{G1} sozinho, de acordo com a equação na figura. O amplificador diferencial tem os usuais resistores de realimentação de valores iguais R_F, mas os resistores de definição de ganho R_G não são iguais, para ter em conta a impedância finita no ponto de acionamento (identificado por V_{in}). Isto é, R_{G2} deve ser maior do que a resistência em paralelo $R_S \parallel R_T$. Por fim, os resistores de realimentação R_F devem ser ajustados para cima para trazer de volta o ganho para o valor desejado.

Note-se que o ganho é definido em termos de V_{in}, ou seja, no que diz respeito à amplitude do sinal de entrada *com carga* (*não* à amplitude da fonte em circuito aberto). Isso faz sentido, porque as amplitudes de sinal (a partir dos geradores de sinais, etc.) são normalmente especificadas como suas amplitudes devidamente terminadas.

Como exemplo, para uma fonte de 50 Ω, $G = 2$, e $R_{G1} = 200$ Ω, você teria que encontrar (a escolha mais próxima se encontra em valores padrão de resistor de 1%) $R_T = 60,4$ Ω, $R_{G2} = 226$ Ω e $R_F = 412$ Ω.

Ao contrário da situação em altas frequências, não é necessário fazer a terminação de uma fonte de sinal quando estiver operando em baixas frequências (por exemplo, áudio). Nesse caso, R_T é omitido e R_{G2} é simplesmente $R_{G1} + R_S$. O ganho, agora definido em termos da amplitude do sinal da fonte em *circuito aberto*, é apenas $G = R_F/(R_{G2})$.

5.17.5 Critérios de Seleção de Amplificador Diferencial

Os amplificadores diferenciais não são todos projetados da mesma forma. Há uma abundância de sutilezas à espreita, associadas ao equilíbrio entre largura de banda, precisão, capacidade de acionamento de saída, tensão de alimentação e similares.

Aqui está um resumo de tais considerações, estreitamente ligadas aos amplificadores diferenciais listados na Tabela 5.10.

A. Tensão de Alimentação, Capacidade de Saída RR

O primeiro grupo na Tabela 5.10 lista os amplificadores diferenciais de alta tensão, com alimentação de ± 12 V a ± 15 V (embora alguns possam trabalhar até ± 5 V). Eles normalmente são usados com fontes bipolares (simétricas), mas a maioria tem capacidade de saída de modo comum V_{OCM} para acionar ADCs de fonte simples. Essa capacidade de modo comum distingue os dispositivos nessa tabela de outros tipos. A maioria dos dispositivos tem resistores divisores internos simétricos aos trilhos (que requerem um capacitor de desvio) para estabelecer a tensão de saída de modo comum, mas esses podem ser substituídos por uma saída CC de amplitude média fornecida pelo ADC (veja a Figura 13.28, na Seção 13.6.2). Certifique-se de verificar as duas folhas de dados – às vezes, um AOP será necessário (como na Figura 5.86).

Tenha em mente que "V_{out} diferencial máx (Vpp)" significa $(V_{a+} - V_{b-}) + (V_{b+} - V_{a-})$; isto é, duas vezes a variação de saída pico a pico de qualquer saída.

Esses dispositivos têm capacidades de saídas diferenciais altas, > 50 Vpp (cada saída vai a $\pm 12,5$ V), e maior ainda para fontes de ± 18 V, sendo, portanto, adequados para aplicações de acionamento de linha. Os acionadores diferenciais THAT1606, OP1632 e LME49724 e o DRV134 de entrada de terminação simples são todos destinados a áudio profissional (ver Seção 13.9.11D). Conforme descrito antes, os tipos diferenciais podem também ser usados com entradas de terminação simples. Para menor distorção, todos esses quatro dispositivos devem ser acionados com uma fonte de baixa impedância, tal como uma saída de AOP.

Em seguida, na Tabela 5.10, estão os amplificadores de baixa tensão de alimentação. Esses amplificadores diferenciais de baixa tensão de alimentação, a maioria de alta frequência, estão limitados a uma alimentação máxima de ± 5 V, ou até menos. Muitos não podem ser utilizados com tensões de alimentação totais maiores do que 5 V, ou mesmo 3,3 V em alguns casos. Alguns podem operar a partir de uma fonte simples baixa de até +2,7 V ou +3,3 V, outros precisam de pelo menos +5 V.

Muitos dos dispositivos de baixa tensão e de baixa a média frequências têm saídas trilho a trilho (RRO), o que é conveniente para ADCs de fontes simples, que não permitem sinais para além dos seus trilhos de alimentação: basta ligar o amplificador no mesmo trilho de alimentação do ADC. No entanto, note especialmente que os tipos RRO de alta frequência podem sofrer degradação na capacidade de alta frequência quando usados próximo de seus trilhos de alimentação. Por exemplo, o LTC6404, com uma largura de banda de 600 MHz destacada, revela mesmo a 10 MHz uma distorção que sobe drasticamente quando a saída se aproxima dentro de 400 mV dos trilhos.

Uma alternativa para a utilização de saídas RR de baixa tensão para proteger as entradas do ADC é a utilização de um amplificador com ceifamento da tensão de saída. Isso é um bom recurso do LMH6553.

Esse dispositivo também é um amplificador CFB, bom para grande largura de banda em ganhos elevados, mas ruim para o ruído (veja a próxima subseção).

B. Faixa de Entrada de Modo Comum e o Trilho Negativo

A maioria dos dispositivos tem pontos de soma que devem ser operados pelo menos um volt ou mais acima do trilho de alimentação negativa (o THS4521 de baixa potência é uma exceção). No entanto, tal como explicado nas Seções 17.1G e 5.17.3, isso não necessariamente impede que os *sinais* de entrada desçam ao terra, mais especificamente quando o amplificador é operado em uma configuração totalmente diferencial em ganhos baixos ($G = 1$ ou $G = 2$, por exemplo).

Nove dos dispositivos (marcado com **w** ou **v** na coluna "RRO" da Tabela 5.10) permitem o uso de seus pontos de soma até $-V_{EE}$. As folhas de dados declaram algo como "A Faixa de Entrada de Modo Comum Inclui o Trilho Negativo" ou "NRI" na primeira página. Na maioria dos casos, o desempenho não é degradado sob essa condição, em contraste com a perda de desempenho quando amplificadores de capacidade RRO operam nos extremos da variação de saída.[108] Isso é especialmente útil quando amplificadores totalmente diferenciais são utilizados como terminação simples para conversores diferenciais, com a entrada (−) aterrada, tal como na Figura 5.102B. Mas tenha cuidado: se qualquer ponto de soma de uma entrada for levado a um valor além do especificado de $-0,2$ V abaixo $-V_{EE}$, pode ocorrer inversão de polaridade na saída, semelhante à situação do antigo (mas ainda muito popular) AOP LM324/358 de fonte simples.[109]

C. Z_{in} baixo

A maioria desses amplificadores apresenta impedâncias de entrada bastante baixas às suas fontes de sinal, especialmente quando configurados para ganhos elevados, porque os valores de resistor de definição de ganho (R_f) especificados são baixos e Z_{in} é aproximadamente R_f/G (exceções: LTC6416, e a família EL5170) A maioria dos dispositivos com impedâncias de entrada mais altas são mais ruidosos, principalmente por causa do ruído Johnson de resistor (exceção: o AD8352, que usa a configuração F em vez da D).

O casamento da impedância do signal é, muitas vezes, uma preocupação, especialmente em altas frequências, por exemplo, 30 a 100 MHz e acima, até mesmo com trilhas curtas na PCB. Um Z_{in} baixo de um amplificador complica o problema de casamento da impedância da fonte de sinal e também afeta o ganho do amplificador. Veja a Seção 5.17.4 para fórmulas úteis.

D. Tensão de *Offset*, CMRR

Muitos dos amplificadores na Tabela 5.10 têm tensão de *offset* baixa e outras especificações CC. A maioria desses dispositivos é de ganho fixo com resistores internos (por exemplo, com a configuração D3). Eles parecem estar sofrendo de *offsets* que aumentam a partir da tensão de saída de modo comum V_{OCM} alta, que é natural com amplificadores diferenciais, combinados com casamentos modestos de resistores internos; por exemplo, um descasamento de resistor de 1%, que opera em um V_{OCM} de 1,5 V, produziria um *offset* de entrada efetivo de 15 mV. Em contrapartida, a maioria dos dispositivos "externos" (por exemplo, a configuração D) na tabela têm atraentes especificações de tensão de *offset* baixa. No entanto, eles certamente desenvolveriam *offsets* altos se você usasse resistores de definição de ganho de 1% para completar o amplificador. Note também que a precisão CC é degradada pela resistência externa descasada durante o acionamento de amplificadores diferenciais na configuração D.

Se tivéssemos espaço para uma coluna CMRR na tabela, veríamos uma dicotomia similar à configuração com dispositivos externos *versus* internos (ganho fixo), e pela mesma razão. Tomando dois exemplos de suas respectivas folhas de dados, o ADA4932, que faz uso de resistores externos, tem uma CMRR de 100 dB típico, em comparação com 64 dB para o ADA4950 de ganho fixo (resistores internos) semelhante. O mesmo vale para o LTC1992, de resistores externos (90 dB), e o LTC1992-10, de ganho fixo (60 dB).

Em muitas aplicações totalmente diferenciais, a CMRR não é importante. Mas, se for importante em seu projeto, use resistores de 0,1% ou arranjos de resistores casados. E não se esqueça de tomar um cuidado especial com a capacitância das trilhas da placa de circuito, que realmente importam em altas frequências: por exemplo, para atingir um casamento de -80 dB a 1 MHz com resistores de definição de ganho de 500 Ω, você tem que casar capacitâncias de 0,03 pF (difícil!). E nenhuma boa ação fica impune – a CMRR irá degradar em 20 dB para cada década de aumento de frequência.

Uma solução melhor seria usar um dispositivo em uma configuração E ou F. Dispositivos da série EL5170, da Intersil, têm boa CMRR, por exemplo, 80 dB a 1 MHz (mas um *offset* baixo de 25 mV), e o AD8352, da Analog Device, possui 60 dB a 100 MHz e *offset* de 6 mV. Ambos são muito menos afetados por resistências de entrada desbalanceadas do que os tipos que usam configuração D.

E. Ganho Fixo, Ganho Ajustável por Resistor Externo

Uma boa razão para selecionar um amplificador de ganho fixo é que alguns deles têm uma precisão de ganho melhor do que se pode conseguir de forma fácil e barata com resistores discretos externos – por exemplo, erros de ganho atraente de pior caso de ±0,04% para o NSC LMP3712, ±0,15% para o PGA280, da TI (Burr-Brown) (ambos dispositivos de ganho

---

[108] Alguns dispositivos (por exemplo, o THS4008 e o THS4511) até mesmo especificam "$V_S = 0$" e "entrada referenciada ao terra" como a condição de operação para suas especificações.

[109] Para este último, você pode substituir o melhorado LT1013/1014, que evita esse hábito desagradável e proporcionar um melhor desempenho global; contudo, tal solução não está disponível para amplificadores diferenciais.

programável), e ±0,08% para o AD8270 programado por pino, da Analog Devices.

A simplicidade de tipos de ganho fixo pode parecer atraente, mas alguns tipos que usam resistores externos também têm seus aspectos atraentes, por exemplo, o THS4520, da TI, e o ADA4932, da Analog Devices, proporcionam correntes de alimentação muito mais baixas do que os seus concorrentes. O THS4520 pode ser usado para fazer amplificadores de $G = 10$ com largura de banda de 120 MHz.

Tipos de ganho fixo são mais fáceis de usar em altas frequências, porque evitam problemas complicados de capacitância de trilhas e pinos. Mas a maioria tem uma precisão de ganho absoluto baixo, ΔG na Tabela 5.10 (exceção: o ADL5561). A maioria não permite acrescentar capacitores de filtro de limitação de largura de banda, e a maioria restringe você a baixos valores de ganho (exceções: o PGA870 e o LT1993-10, mas observe o consumo elevado de potência deles).

F. VFB, CFB, f_{3dB}, GBW e Filtros

Poucos amplificadores de ganho fixo oferecem capacidade de filtragem especial. Três dispositivos oferecidos pela LTC são uma exceção, especialmente o LT6600-x, com cinco frequências de filtro fixas de quarta ordem disponíveis de 2,5 MHz a 20 MHz.

Todos os tipos de ganho ajustável empregam AOPs de modo realimentação de tensão, com duas exceções (o LMH6552 e o LMH6553). Para ganhos $G \geq 4$, eles seguem a regra GBW, ou seja, $f_{-3dB} = GBW/G$. Contudo, esteja ciente de que o valor da "largura de banda" na tabela é geralmente consideravelmente mais elevado (1,5× ou mais) do que o GBW do dispositivo, porque ele é determinado no ganho unitário, em que os benefícios do amplificador, a partir do pico de resposta, estende a sua frequência de decaimento em $-3dB$. (O fabricante pode querer mostrar seus valores mais "bonitos", mas o pico para $G = 1$ pode ser tão severo com alguns dispositivos, que você pode não querer usá-lo dessa forma.) Você pode ter que estudar gráficos de resposta de folha de dados, etc., para determinar o valor real (e muito útil) de GBW. Como esses são AOPs tipo VFB, eles são estáveis com capacitores de filtro de limitação de largura de banda adicionados nos resistores de realimentação. É possível aumentar o valor de R_f (o que aumenta a impedância de entrada) e adicionar um pequeno capacitor C_f em paralelo para ter um pico sob controle ou adicionar um maior para proporcionar um filtro de largura de banda para o seu sinal.[110]

---

[110] Tomemos o exemplo dos amplificadores CFB LMH6553 e LMH6552: eles são especificados com $R_f = 274\ \Omega$ e 357 Ω, em que as respectivas larguras de banda são de 900 e 1500 MHz e as taxas de variação são 2300 e 3800 V/µs. Essas especificações são para $G = 1$, mas com AOPs CFB que você pode aumentar drasticamente o seu ganho com bastante perda de largura de banda. Por exemplo, o LMH6552 de 1500 MHz afirma ter 800 MHz de largura de banda ainda para $G = 4$. Para um ganho mais elevado, pode ser melhor não reduzir R_i muito, mas, em vez disso, aumentar R_f. Com amplificadores CFB, um efeito primário de aumentar R_f é reduzir a taxa de variação proporcionalmente. O aumento de R_f com CFB causa um aumento do ruído.

G. Pico de resposta, GBW e largura de banda de 0,1 dB

Pico de ganho é a característica principal que aniquila com boas especificações de "largura de banda até 0,1 dB". Os números de largura de banda de 0,1 dB podem ser muito melhorados para ganhos mais elevados, em que o pico em baixo ganho é eliminado. Tomemos, por exemplo, o ALD5561, que possui uma largura de banda de -3 dB de 2900 MHz em seu ganho mínimo ($G = 2$), mas a sua largura de banda de $-0,1$ dB é de decepcionantes 200 MHz (ou seja, apenas 7% de sua largura de banda de -3 dB). No entanto, no seu ganho máximo ($G = 6$), em que o -3 dB é reduzido um pouco (para 1800 MHz), a largura de banda de $-0,1$ dB melhora para 600 MHz (ou seja, 33% da sua largura de banda de -3 dB). Esse comportamento é exibido muito bem em gráficos da folha de dados (veja a Figura 5.105). É possível que o tempo de estabilização também seja melhorado (a partir de uma falta de oscilação), embora isso não seja especificado.

Note-se que algumas das partes da tabela estão disponíveis em configurações duplas (observado na coluna Observações na Tabela 5.10), que podem ser úteis para fornecer respostas de atraso de tempo casadas, importantes para muitas aplicações.

H. Taxa de variação, tempo de estabilização, largura de banda de grandes sinais

Tal como ocorre com alguns AOPs de alta velocidade, as folhas de dados indicam uma largura de banda muito maior para pequenos sinais (~100 mV) do que para grandes sinais (~2 V). Essa é uma questão de taxa de variação: as capacidades de variação da saída do amplificador são reduzidas conforme a taxa de variação se aproxima dos seus limites. Por exemplo, o ADA4932 de baixa potência, da Analog Devices, tem uma taxa de variação especificada de 2.800 V/µs, o que implica que saídas senoidais de amplitude 1 V são possíveis para $f = S/2\pi A = 445$ MHz. Na verdade, a folha de dados do dispositivo mostra uma resposta de -3 dB para 560 MHz (ou mesmo 1 GHz com R_f menor) para uma saída de 100 mV,

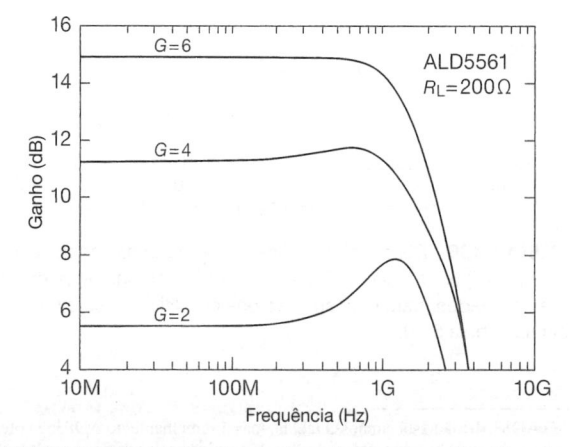

FIGURA 5.105 O pico do amplificador em especificações de baixo ganho produz uma "largura de banda de -3 dB" estendida à custa do achatamento da curva de resposta.

mas apenas 360 MHz para uma saída de 2 Vpp. Dispositivos de taxa de variação maiores estão disponíveis, mesmo a 10 kV/μs (o ALD5561), o que implica uma capacidade de 2 Vpp a 1,5 GHz.[111]

I. Distorção

Dois dos dispositivos de alta tensão (o OP1632 e o LME49724), muitas vezes usado para aplicações de música profissionais, têm seus desempenhos de distorção plotados na Figura 5.43. Esperamos que um circuito totalmente diferencial, com sinais de entrada diferenciais, possa ter distorção menor do que circuitos de terminação simples, pelo menos para o 2º harmônico simétrico. E, de fato, o amplificador diferencial LME49724 funciona muito bem no território de −140 dB. No entanto, os AOPs LME49990 e OPA134 de terminação simples funcionam melhor no gráfico.

A Figura 5.106 mostra os gráficos de distorção (a partir de folhas de dados dos fabricantes) para alguns dos amplificadores diferenciais na Tabela 5.10 para frequências até 100 MHz. Conforme advertimos anteriormente, as condições de dados de distorção não são padronizadas, o que complica as comparações diretas. Consequentemente, muitos desses dispositivos fornecem vários gráficos, obtidos com diferentes combinações de ganho, resistência de carga, amplitude de sinal e tensão de alimentação, e nos quais as curvas de distorção dos harmônicos de 2ª e 3ª ordens são apresentados separadamente.

Tenha cuidado ao avaliar a distorção (um parâmetro que não temos listado na tabela). Por exemplo, o ADA4932 tem larguras de banda de 560 MHz (ou 360 MHz), como discutido anteriormente, mas o orgulho com que afirma ser um amplificador de baixa distorção (−90 dB a 20 MHz) fica um pouco manchado quando você descobre que ele se deteriora por um fator de 10× em 50 MHz, bem abaixo de sua largura de banda de 360 MHz.

Como vimos com os gráficos de distorção de AOPs nas Figuras 5.43 e 5.44, há uma forte correlação entre velocidade e baixa distorção (GBW alta, taxa de variação rápida) em altas frequências. Isso é especialmente evidente na Figura 5.106 acima de 1 MHz. Por exemplo, o THS4521 de 145 MHz, cujo baixo desempenho mesmo na região abaixo de 5 MHz mencionamos muitas vezes, em comparação com seu similar da TI, o THS4511 de 1,6 GHz (note que ambos têm seções de entrada NRI [entrada de trilho negativo], ou seja, que operam na faixa de entrada de modo comum para o trilho negativo).[112] Quatro dos melhores dispositivos dessa classe mantêm distorção melhor do que −100 dB para 20 MHz, em comparação com apenas 7 MHz para o melhor AOP da classe, o AD8045, na Figura 5.44. Em outras palavras, em altas frequências (digamos, acima de 10 MHz) amplificadores totalmente diferenciais se destacam em baixa distorção em comparação com AOPs de terminação simples.

Como veremos no Capítulo 13, ADCs de 16 bits estão disponíveis com taxas de amostragem para 250 Msps (por exemplo, o AD9467, consulte a Tabela 13.4), justificando a necessidade de uma linearidade melhor do que 0,01% (distorção de −80 dB) em frequências que se aproximam de 100 MHz. Felizmente, os fabricantes de amplificadores diferenciais estão aceitando esse desafio.[113]

J. Ruído, Ruído 1/f (no corte)

Concluímos com alguns comentários sobre o ruído. Tabulado a *tensão* de ruído do amplificador, mas não a *corrente* de ruído. Contudo, listamos a corrente de polarização de entrada I_B, que é aproximadamente preditiva da corrente de ruído, que deve ser igual ou exceder à contribuição do ruído *shot* de $i_n = \sqrt{2qI_B}$. Note que amplificadores CFB, com suas correntes de entrada excepcionalmente elevadas, têm uma corrente de ruído de entrada muito maior, geralmente até 10× maior do que amplificadores VFB.

Observando a Tabela 5.10, vemos muitos amplificadores com densidades de ruído na faixa de 25 a 45 nV/$\sqrt{Hz}$. Supondo que não haja aumento acima de, por exemplo, 10 MHz (verifique os gráficos da folha de dados), o que corresponde a uma tensão de ruído de entrada de banda larga de $V_n = e_n\sqrt{BW}$, que é calculado em 175 a 700 μV RMS para larguras de banda de 50 a 250 MHz. É um pouco maior do

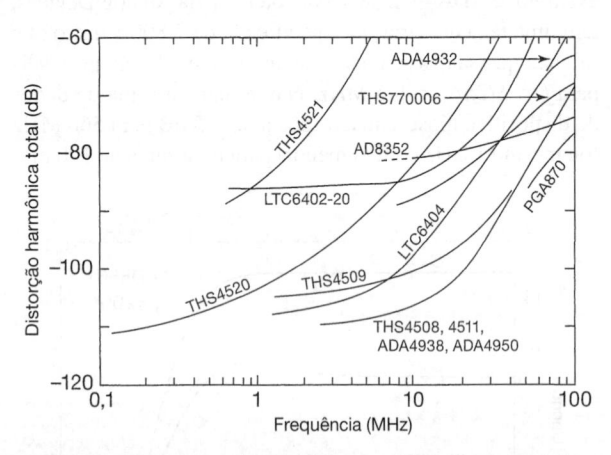

FIGURA 5.106 Distorção harmônica total (*total harmonic distortion*, THD) em função da frequência, retiradas das respectivas folhas de dados, para uma seleção dos amplificadores diferenciais na Tabela 5.10.

---

[111] O AD8351 (não está em nossa tabela, mas é semelhante ao AD8352) oferece largura de banda de 3 GHz com taxa de variação de 13 V/ns e capacidade de 2 Vpp para cerca de 2 GHz.

[112] Para ser justo, o THS4521 consome um pequeno valor de 1,1 mA de corrente de alimentação e tem saídas RR, enquanto o THS4511 consome 39 mA e carece de RROs.

[113] Mas eles estão aceitando o desafio colocado pelo ADC12D1800 (um conversor de 12 bits e 3.600 Msps), da NSC? Ou o desafio ainda maior colocado pelos ADCs ainda mais rápidos que certamente estarão disponíveis no momento em que este livro for publicado? Tais ADCs provavelmente terão que ser acionados com transformadores.

que o tamanho do degrau LSB de 30 μV de um ADC de 16 bits com entrada diferencial de fundo de escala de 2 Vpp. Embora um pouco de *dither* seja uma coisa boa, é claro que, mesmo par $G = 1$, esses amplificadores são demasiadamente ruidosos para algumas aplicações.

Há muitos outros amplificadores na tabela com especificações de e_n de até 1,1 a 5 nV/$\sqrt{Hz}$. No entanto, essas são especificações de ruído no ponto de soma de amplificador que faz uso dos resistores internos, sem levar em conta os resistores de realimentação necessários. Ganhos de 5 ou 10 geralmente são considerados para o amplificador, não menos importantes para superar o ruído do estágio de saída do próprio amplificador. Muitos dos amplificadores especificam valores de R_f de 350 a 500 Ω. Para $G = 1$, o resistor de entrada R_g teria o mesmo valor, e seu ruído Johnson de 2,4 a 2,8 nV/$\sqrt{Hz}$ dominaria o ruído intrínseco dos amplificadores mais silenciosos. No entanto, para $G = 10$, o ruído do resistor de 35 a 50 Ω está abaixo de 1 nV/$\sqrt{Hz}$, o que não degradaria muito o ruído do amplificador concluído.

Por fim, muitos amplificadores parecem ter boas especificações de ruído, mas acoselhamos examinar as curvas de ruído em função da frequência em suas folhas de dados; muitos têm ruído 1/*f* (no corte) muito elevados. Isso é especialmente verdadeiro para a corrente de ruído, com alguns cantos 1/*f* até 1 MHz ou mais. Um exemplo de uma especificação problemática pode ser o THS4508, com seus transistores de entrada *pnp* (para a operação até o terra) e 4,7 pA/$\sqrt{Hz}$ da corrente de ruído em 1 MHz. Isso cria 1,6 nV/$\sqrt{Hz}$ em um resistor de 349 Ω, o que está bem em comparação com o $e_n = 2,3$ nV/$\sqrt{Hz}$ do dispositivo. No entanto, se você fosse usar resistores de 1k, a tensão de ruído induzido por corrente correspondente seria de $e_n = 2,3$ nV/$\sqrt{Hz}$ dominando o e_n do amplificador. Dependendo da aplicação, isso pode ser motivo de preocupação. Ou talvez não.

REVISÃO DO CAPÍTULO 5

Um resumo de A a M do que aprendemos no Capítulo 5. Revisaremos os princípios básicos e fatos do Capítulo 5, mas não abordaremos diagramas de circuitos de aplicação e conselhos práticos de engenharia apresentados neste capítulo.

¶ A. Precisão e Faixa Dinâmica

Um circuito de precisão é aquele que exibe (por meio de um projeto cuidadoso e da escolha de componentes) tanto *precisão* inicial como *estabilidade* (isto é, a manutenção da precisão ao longo do tempo e da temperatura). Um circuito de precisão pode (mas não necessariamente) exibir ampla *faixa dinâmica* (a razão de amplitudes de sinal sobre as quais opera); veja a Seção 5.1.

¶ B. Estimativa de Erro

Ao projetar um circuito de precisão, você precisa manter o controle de diversas contribuições de erro (de *offsets* de tensão, *offsets* de corrente induzida, tolerâncias de componentes e afins); isso é mais bem mensurado em uma *estimativa de erro*, que promove a disciplina de projeto e que lhe auxilia a identificar as fontes de erro dominantes; veja o exemplo na Seção 5.5.

¶ C. Rigoroso *Versus* Prático

Projetos rigorosos que contemplam situações de pior caso põem como condição que todos os componentes sejam operados dentro de suas especificações de folha de dados e que os efeitos de todos os seus erros de pior caso sejam adicionados (como magnitudes sem sinal) para determinar o desempenho do circuito. O benefício de tal conservadorismo é um circuito que opera de forma garantida dentro das especificações (considerando o projeto adequado); a desvantagem é que pode ser impossível atingir as metas do projeto com os componentes disponíveis e/ou preços acessíveis, considerando as suas especificações de pior caso em uma combinação aritmética de pior caso (e notando que alguns parâmetros cruciais de desempenho podem ser indeterminados, ou ter mostrados apenas "valores típicos"). Somos a favor de uma abordagem prática (Seção 5.3), sendo cautelosos com alguns dos parâmetros de pior caso publicados (por exemplo, a corrente de fuga de entrada, em que os limites de teste incentivam especificações de pior caso altamente conservadoras) ou a adoção de estimativas razoáveis de parâmetros não especificados. Pode ser suficiente estabelecer que os efeitos de circuito do parâmetro não especificado são completamente insignificantes; ou, se for difícil definir, você pode ter de configurar um regime de testes de componentes adquiridos para assegurar que as especificações sejam atendidas. Se tiver uma situação em que existem muitos componentes que contribuem para uma estimativa de erro global, você pode ter que validar o desempenho global do circuito, subconjunto ou instrumento completo no teste final.

¶ D. Erros de Componentes – Resistores

Tomando um exemplo simples, a precisão do resistor (incluindo os efeitos de coeficiente de temperatura) define um limite para a precisão do ganho de um amplificador. Mas não é assim tão simples, porque o ganho do amplificador geralmente depende de uma *relação* de resistência; assim, a situação melhora bastante se você usar um par resistor com relação precisa e coeficientes de temperatura casados, e são o descasamento da *relação* e o coeficiente de temperatura da *relação* que são limitantes. Do mesmo modo, o limite da CMRR de um amplificador de diferença depende do casamento do par de resistores, CMRR(dB) $\approx 20\log(100/p)$, em que p é o descasamento da relação em percentagem. Para dar dimensão a essas declarações, resistores de filme metálico típicos estão disponíveis em faixas de precisão de 0,05% a 1%, com uma especificação de coeficiente de temperatura típico de 25 a 100 ppm/°C; arranjos de resistores destinados à alta precisão têm precisão na faixa de 0,01% a 0,05%, coeficientes de temperatura até 1 ppm/°C ou melhor e precisões e coeficientes de temperatura de casamento de até 0,01% a 0,001% e 1 a 0,1 ppm/°C, respectivamente. Resistores reais se afastam do ideal também em *linearidade*, ou seja, eles exibem alguma variação de resistência com a tensão aplicada. Veja a Seção 5.6.1.

¶ E. Erros de Componentes – Capacitores e Chaves

Capacitores têm várias características interessantes que afetam a precisão de circuitos integradores e de amostragem e retenção, incluindo fuga resistiva (portanto, decaimento exponencial) e, mais seriamente, *absorção dielétrica* (efeito de memória, ver a Seção 5.6.2 e os gráficos de absorção dielétrica nessa seção.) Esses circuitos de aplicação incluem chaves analógicas (para resete de integrador e chaveamento na amostragem e retenção), que introduzem erros através de fugas e de injeção de carga (Seções 3.4.2E e 5.6.3).

¶ F. Erros de Entrada de Amplificador

Este é o lugar onde a maioria de seus problemas está localizada. A principal qualificação para ser membro na categoria de *AOPs de precisão* é uma tensão de *offset* pequena V_{OS} e um correspondentemente coeficiente de temperatura baixo TCV_{OS} (às vezes, chamado ΔV_{OS}). A tensão de *offset* opera na entrada, de modo que o erro RTI (*referred to the input*, referido à entrada) é simplesmente V_{OS}; na saída de um amplificador de ganho de tensão G_V, o erro induzido por V_{OS} é $\Delta V_{out} = G_V V_{OS}$. Em um circuito integrador com resistor de entrada R_{in}, a tensão de *offset* de entrada é equivalente a um erro de corrente de entrada de $\Delta I_{in} = V_{OS}/R_{in}$. Para dar uma ideia da dimensão, um AOP de precisão típico tem uma tensão de *offset* de 10 a 50 μV e um coeficiente de temperatura de 0,1 a 0,5 μV/°C. AOPs de *auto-zero* (veja ¶I) melhoram esses números por um fator de aproximadamente dez; consulte a Tabela 5.5 e a Tabela 5.6. Veja também a Seção 5.10.5.

Mas ainda há mais. A corrente de polarização de entrada I_B fluindo através da resistência de fonte R_S vista na entrada do amplificador produz um erro de tensão RTI de $\Delta V_{in} = I_B R_S$. Para AOPs de precisão *bipolares*, cujas correntes de polarização são da ordem de 10 nA, isso se torna grave para resistências de fonte maiores do que alguns quilo-ohms (em que $I_B R_S$ equivale a algumas dezenas de microvolts, no mesmo patamar de V_{OS} de um AOP de precisão). Situações de R_S alto, portanto, impõem AOPs de baixa polarização, geralmente aqueles com entradas JFET ou MOSFET, ou (para fonte de resistência moderada) um AOP de precisão bipolar com cancelamento de polarização (em que I_B é da ordem de 1 nA). *Um aviso*: a corrente de polarização muito baixa de AOPs de entrada FET aumenta drasticamente em temperaturas mais elevadas (ver Figura 5.6), em que a sua corrente de entrada pode até mesmo ultrapassar a de um AOP bipolar com cancelamento de polarização. Veja também a Seção 5.10.7.

Olhando mais profundamente, as fontes de erro adicionais nas entradas do AOP incluem variação de I_B com tensão de entrada de modo comum V_{CM} (Seção 5.7.2, Figura 5.7), variação V_{OS} com V_{CM} (ou seja, CMRR, Seção 5.7.3, Seção 5.10.9 e Figuras 5.10, 5.29 e 5.30), PSRR e ruído de entrada (e_n, i_n, Seções 5.10.6 e 5.10.8).

¶ G. Erros de Saída de Amplificador

Embora grande parte das preocupações de projeto de precisão analógicos sejam em CC e baixas frequências, algumas aplicações requerem precisão em velocidades mais altas: áudio e vídeo, comunicação, medição científica e assim por diante. Com a queda do ganho de malha do AOP, os erros de entrada aumentam, a impedância de saída aumenta e as limitações de taxa de variação podem entrar em jogo, juntamente com supressão reduzida da distorção de cruzamento do estágio de saída, não linearidade do ganho e erro de fase. E *overshoot* (sobressinal), oscilação e tempo de estabilização são cruciais em aplicações dinâmicas.

Esses podem ser tornados quantitativos. O erro de ganho $\delta_G \equiv (G_{ideal} - G_{real})/G_{ideal} = 1/(1+AB)$, onde B é a fração de realimentação em torno do ganho de malha aberta A; veja a Seção 5.8.5. A largura de banda de malha fechada é $f_{3dB} = f_T/G_{CL}$, que corresponde a uma constante de tempo de aproximadamente $\tau \approx G_{CL}/2\pi f_T$, que produz (se bem compensado, com boa margem de fase) um tempo de estabilização da ordem $5-10\tau$; veja as Seções 5.8.2 e 5.10.10. Um tempo de estabilização real de um AOP pode ser consideravelmente mais longo, e não há substituto para dados reais; consulte a Tabela 5.5. Um AOP bem compensado exibe um erro de fase de malha fechada de $\phi \approx f/f_C$, onde $f_C = f_T/G_{CL}$ é a frequência com que o ganho de malha fechada cai para a unidade.[114] A distorção do AOP depende muito do circuito do estágio de saída; veja os gráficos extensos nas Figuras 5.43 e 5.44.

¶ H. AOPs de Trilho a Trilho

É tentador escolher AOPs com faixa de entrada de modo comum de trilho a trilho (RRI – *rail-to-rail input*), saída de trilho a trilho (RRO – *rail-to-rail output*) ou ambos (RRIO), especialmente para funcionamento em baixas tensões de alimentação.

AOPs RRI Contudo, existem desvantagens associadas com os estágios de entrada complementares duplicados que podem comprometer seriamente a precisão, como uma mudança abrupta de I_B e V_{OS} na tensão de cruzamento de entrada (Seção 5.9.1). Alguns AOPs RRIO (por exemplo, a série OPA360) contornam esse problema usando uma bomba de carga interna ao chip. Se você não precisa de entrada totalmente trilho a trilho, escolha um AOP cuja faixa de modo comum de entrada se estenda apenas para um trilho (normalmente, o trilho negativo).

AOPs RRO AOPs que apresentam saídas trilho a trilho têm seus próprios problemas, decorrentes da utilização de uma topologia do estágio de saída de fonte-comum (ou emissor-comum) em vez do seguidor de fonte convencional (ou seguidor de emissor). Esses incluem aumento da deformação e impedância de saída mais elevada (assim, o ganho e o deslocamento de fase são mais suscetíveis à impedância de carga). No entanto, muitos AOPs RRO mitigam este último problema usando a realimentação capacitiva interna para reduzir a impedância de saída de malha aberta em altas frequências, como se vê, por exemplo, na Figura 5.34.

¶ I. AOPs de Autozero

Esta subclasse de AOPs inclui circuito interno de cancelamento de *offset* que opera de forma cíclica (com um oscilador interno) para ajustar a tensão de *offset* de entrada (Seção 5.11). Conforme os dados na Tabela 5.6 demonstram, isso produz valores típicos de V_{OS} em torno de um microvolt, com coeficientes de temperatura ao redor de 10 nV/°C, aproximadamente uma ordem de magnitude melhor do que os melhores AOPs de precisão convencional. Notável também é a ausência de uma tensão de ruído crescente de baixa frequência 1/f (veja, por exemplo, as Figuras 5.53 e 5.54).

Essa é a boa notícia. A má notícia é que a ação de comutação produz picos espectrais de ruído nas frequências de comutação e seus harmônicos (Figura 5.51), sobrepostos na tensão de ruído de fundo de baixa frequência que já é consideravelmente maior do que os AOPs convencionais de baixo ruído (compare a Tabela 5.6 com a Tabela 5.5). O circuito de comutação de entrada também resulta em *corrente* de ruído de entrada relativamente alta, em comparação com AOPs de entrada JFET de precisão e baixo ruído.

AOPs de autozero são construídos com CMOS e (com exceção de alguns dispositivos de ampla utilização) são geralmente limitados a tensões de alimentação baixas (ali-

---

[114] Ao longo do livro, utilizamos f_T como uma abreviação para o termo apropriado *produto ganho-largura de banda* (GBP, GBW ou GBWP), que é a frequência de cruzamento de ganho unitário extrapolada.

mentação total ≤7 V). Uma exceção importante é o recente LTC2057HV (fonte total de 4,75 V a 60 V!). Outro cuidado: por causa de seus capacitores de correção de armazenamento de tensão internos, os AOPs de autozero podem exibir lenta recuperação da saturação, com um tempo longo de até vários milissegundos.

¶ J. Amplificadores de Diferença, Diferencial e de Instrumentação: Classificação.

Estes partilham a propriedade de ganho diferencial preciso e estável, com alta rejeição de modo comum: $V_{out} = G_V \Delta V_{in} = G_V(V_{in+} - V_{in-})$. Em uso comum, os termos são distinguidos como segue.

Amplificador de diferença Entrada diferencial, saída de terminação simples; AOP mais dois pares de resistores casados (Figura 5.65, Seção 5.14); CMRR de 90 a 100 dB; ganho preciso, porém baixo ($G_V = 0,1$ a 10); impedância de entrada de 25 a 100k, destinado a ser acionado por uma impedância baixa; as entradas normalmente podem ir além dos trilhos.

Amplificador de instrumentação Entrada diferencial, saída de terminação simples; impedância de entrada muito alta (10 MΩ a 10 GΩ), ampla faixa de ganho ($G_V = 1$ a 1.000) e CMRR muito alta em ganhos mais elevados (110 a 140 dB em $G_V = 100$); veja a Seção 5.15 e a Figura 5.77.

Amplificador totalmente diferencial Entrada diferencial ou de terminação simples, saída diferencial; a maioria são de baixa tensão, estabilização rápida e de banda larga; ideal para acionadores de cabo de par trançado e ADCs rápidos de entrada diferencial; veja a Seção 5.17.

¶ K. Amplificadores de Diferença.

O *amplificador de diferença* clássico, tipificado pelo INA105 inicial (veja a Tabela 5.7 e a Seção 5.14), consiste em um AOP mais um par de divisores de resistores casados, com entradas SENSE e REF (na parte inferior da cadeia de divisores), em adição às entradas de sinal V_{in+} e V_{in-}. Com REF aterrado e SENSE conectado à saída, o ganho é $G_{dif} \equiv V_{out}/\Delta V_{in} = R_f/R_i$, onde R_f e R_i são os resistores de realimentação e entrada, respectivamente. A Figura 5.66 apresenta variações de circuito que exploram conexões alternativas dos pinos SENSE e REF.

Amplificadores de diferença são simples e bons o suficiente para muitas aplicações. Alguns permitem entradas de modo comum muito além dos trilhos (por exemplo, ±200 V para o INA117). Contudo, amplificadores de diferença sofrem de impedância de entrada relativamente baixa (dezenas de kΩ), ganho limitado (normalmente na faixa de $G = 1$ a 10), tensão de ruído relativamente alta, CMRR inexpressiva (normalmente ≲90 dB) e degradação de ganho e CMRR quando acionados com sinais de fonte com impedância diferente de zero.

¶ L. Amplificadores de Instrumentação.

Estas desvantagens são bem corrigidas na configuração do *amplificador de instrumentação* de três AOPs (Figura 5.77, Seção 5.15). A impedância de entrada é alta (10 M a 1 TΩ), e o ganho (que pode ser de até ×1.000) é configurado com um único resistor externo (ou pela seleção por meio de pino que escolhe resistores internos). Quando configurado para alto ganho, a maioria dos amplificadores de instrumentação entrega uma CMRR típica em torno de 120 dB e uma tensão de ruído de entrada e_n menor do que $10\,nV/\sqrt{Hz}$; eles não permitem saídas de modo comum para além dos trilhos. Amplificadores de instrumentação estão disponíveis nos tipos BJT, JFET, MOSFET, de autozero e de ganho programável; veja as Tabelas 5.8 e 5.9.

¶ N. Amplificadores Totalmente Diferenciais.

Ao contrário de amplificadores de diferença e de instrumentação, amplificadores totalmente diferenciais (Seção 5.17) geram uma *saída diferencial* balanceada centrada em uma tensão de modo comum ajustável. Isso é útil para o acionamento de ADCs rápidos com entradas complementares, linhas de transmissão balanceadas e circuitos de comunicação de RF. Sendo condizentes com essas aplicações, eles tendem a ser de banda larga (até 1 GHz ou mais), ter alta taxa de variação (1.000 V/μs ou mais) e estabilização rápida (alguns nanossegundos) e ser silenciosos ($5\,nV/\sqrt{Hz}$ ou menos). Há muitas topologias de circuito interno (nomeadas de **A** a **G** na Seção 5.17); consulte a Tabela 5.10 para uma seleção representativa.

Filtros

6.1 INTRODUÇÃO

Apenas com as técnicas de transistores e AOPs, já é possível mergulhar em diversas áreas interessantes dos circuitos lineares (em contraste com os digitais). Acreditamos que é importante investir algum tempo fazendo isso agora, a fim de reforçar a compreensão de alguns desses conceitos difíceis (comportamento do transistor, realimentação, limitações do AOP, etc.) antes de introduzir mais dispositivos novos e técnicas e, então, entrar na grande área da eletrônica digital. Portanto, neste capítulo, trataremos o tema filtros, especialmente *filtros ativos*. O uso de resistores e capacitores em combinação com amplificadores (normalmente AOPs) produzem filtros com resposta de frequência bem definida. Como veremos, esses filtros (juntamente com os filtros passivos *LC* clássicos que podem emular) podem ter respostas mais acentuadas do que os filtros *RC* simples que vimos no Capítulo 1.

Os três capítulos seguintes continuarão com tópicos adicionais em eletrônica analógica: Capítulo 7 (Osciladores e Temporizadores), Capítulo 8 (Técnicas de Baixo Ruído) e Capítulo 9 (Regulação de Tensão e Conversão de Potência). Em seguida, temos dois capítulos sobre lógica digital e, depois, retornamos à eletrônica analógica, harmonizada com as técnicas digitais: Capítulo 12 (Interfaceamento Lógico), Capítulo 13 (Integração Entre Analógico e Digital) e Capítulo 15 (Microcontroladores).

6.2 FILTROS PASSIVOS

No Capítulo 1, começamos uma discussão sobre filtros construídos com resistores e capacitores. Esses filtros *RC* simples produzem características de ganho passa-altas ou passa-baixas de transições suaves, com um decaimento de 6 dB/oitava bem além do ponto de -3 dB. Por meio da conexão em cascata de filtros passa-altas e passa-baixas, mostramos como obter filtros passa-faixa, novamente com "saias" (forma da curva de resposta) suaves de 6 dB/oitava. Tais filtros são suficientes para muitos fins, especialmente se o sinal a ser rejeitado pelo filtro está muito distante, em termos de frequência, da faixa de passagem do sinal desejado. Alguns exemplos mostram desvio dos sinais de radiofrequência em circuitos de áudio, "bloqueio" de níveis CC por meio de capacitores e extração de um sinal a partir de uma "portadora" modulada em um sistema de comunicação.

6.2.1 Resposta de Frequência com Filtros *RC*

Muitas vezes, são necessários filtros com bandas de passagem mais planas e saias mais íngremes. Isso acontece sempre que os sinais devem ser filtrados a partir de outros sinais de interferência cujas frequências são próximas dos sinais desejados. A próxima pergunta óbvia é se podemos ou não gerar (pela conexão em cascata de uma série de filtros passa-baixas idênticos, por exemplo) uma aproximação à resposta de um filtro passa-baixas ideal, também denominada resposta do tipo "parede de tijolos", como na Figura 6.1.

Já sabemos que a conexão em cascata simples não funcionará, porque a impedância de entrada de cada seção exercerá uma carga significativa séria na seção anterior, degradando a resposta. Mas, com buffers entre cada seção (ou providenciando que cada seção tenha uma impedância muito maior do que aquela que a precede), ela parece possível. No entanto, a resposta é não. Filtros *RC* em cascata produzem uma queda *final* íngreme, mas o "joelho" da curva de resposta em função da frequência não é acentuado. Podemos reformular isso dizendo que "muitos joelhos suaves da curva de resposta não resultam em um joelho acentuado". Para enfatizar graficamente, traçamos alguns gráficos de resposta de ganho (ou seja, V_{out}/V_{in}) em função da frequência para filtros passa-baixas construídos a partir de 1, 2, 4, 8, 16 e 32 seções *RC* idênticas, com buffer entre elas (Figura 6.2).

O primeiro gráfico mostra o efeito da conexão em cascata de várias seções *RC*, cada uma com seu ponto de 3 dB na frequência unitária. À medida que mais seções são acrescentadas, o ponto de 3 dB global é empurrado para baixo em termos de frequência, como você poderia facilmente ter previsto.[1] Para comparar as características do filtro de forma

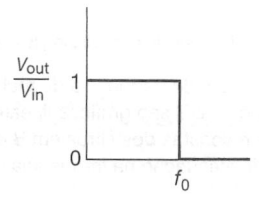

FIGURA 6.1 Filtro passa-baixas ideal do tipo "parede de tijolos".

---

[1] Este deslocamento para baixo na frequência de decaimento é chamado, às vezes, de "fator de contração"; para uma conexão em cascata de n seções *RC* passa-baixas idênticas intercaladas por buffers, a frequência de 3 dB é dada por $f_{3dB}(n)/f_{3dB}(1) = \sqrt{2^{1/n}-1}$.

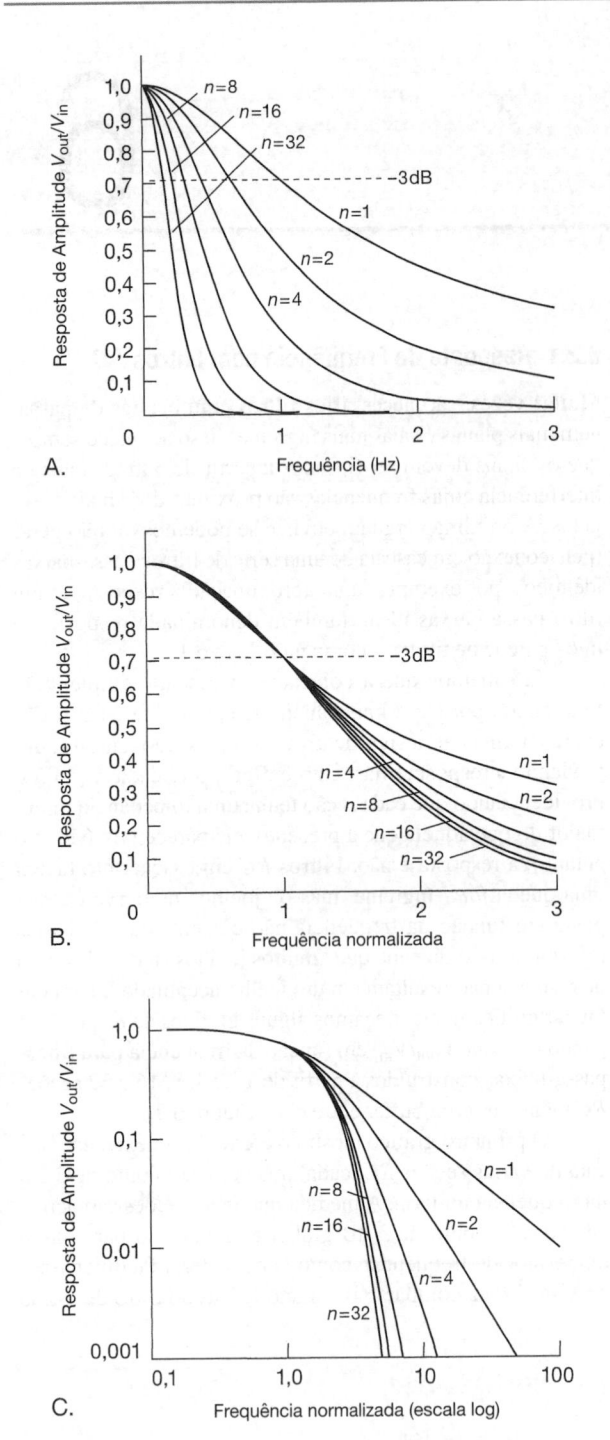

FIGURA 6.2 Respostas de frequência de multisseções de filtros *RC*. Os gráficos A e B são gráficos lineares, ao passo que C é logarítmico. As respostas dos filtros em B e C foram normalizadas para 3 dB de atenuação na frequência unitária.

justa, as frequências de decaimento das seções individuais devem ser ajustadas de modo que o ponto de 3 dB global esteja sempre na mesma frequência. Por essa razão, os outros gráficos na Figura 6.2 são todos "normalizados" na frequência, o que significa que o ponto de -3 dB (ou ponto de corte, no entanto definido) é a uma frequência de 1 radiano por segundo (ou 1 Hz). Para determinar a resposta de um filtro cujo ponto de corte está definido em qualquer outra frequência, simplesmente multiplique os valores no eixo da frequência pela frequência de corte real f_c. Em geral, aderimos ao gráfico log-log de resposta de frequência quando se fala de filtros, pois ele diz mais sobre a resposta de frequência. Ele permite que você veja a aproximação da inclinação do decaimento final e permite ler valores precisos de atenuação. Neste caso (seções *RC* em cascata), os gráficos normalizados nas Figuras 6.2B e 6.2C demonstram a característica de joelho suave das curvas de filtros *RC* passivos.

É interessante observar também o *deslocamento de fase* de uma conexão em cascata *RC* passa-baixas, novamente ajustado para colocar os pontos de 3 dB globais na frequência unitária; estes são representados graficamente na Figura 6.3. O deslocamento de fase em atraso atinge assintoticamente $90° \times n$, para n seções em cascata, como você poderia esperar (lembre-se da transição suave no deslocamento de fase de $0°$ a $90°$ em atraso de uma única seção *RC*, Figura 1.104). Talvez não intuitivamente, no entanto, o deslocamento de fase no ponto de 3 dB cresce progressivamente com conexões em cascata maiores. As curvas características de deslocamento de fase são importantes, como veremos em breve, pois elas determinam a distorção de forma de onda dentro da banda do filtro.

A. Degradação da Atenuação Final: Capacitores Não Ideais

Ao contrário de capacitores ideais, capacitores *reais* exibem alguns elementos "parasitas" extras – mais proeminentemente, uma resistência em série efetiva (ESR) e uma indutância em série efetiva (ESL). Assim, em frequências muito altas (em que o ESR do capacitor se torna comparável à reatância capacitiva $1/\omega C$), um filtro *RC* real para o decaimento. Modelamos isso usando o SPICE (ver Apêndice J) para multisseções em cascata de filtros *RC*; veja a Figura 6.4. Para essa comparação, consideramos que você deseja fazer alguma filtragem *RC* de uma tensão de fonte CC que alimenta um estágio de baixo nível, para suprimir ruídos de comutação de frequência superior, sinais acoplados e similares. Assim, adotamos um "orçamento" de resistência em série total de 100 Ω (consistente com uma corrente de carga de alguns miliampères); e nos limitamos a uma capacitância total de 20 μF (para manter o tamanho físico razoável). Em seguida, simulamos os três filtros: um único estágio *RC* de 100 Ω e 20 μF; um filtro de 2 seções com 50 Ω e 10 μF; e um filtro de 4 seções com 25 Ω e 5 μF em cada seção. Gera-

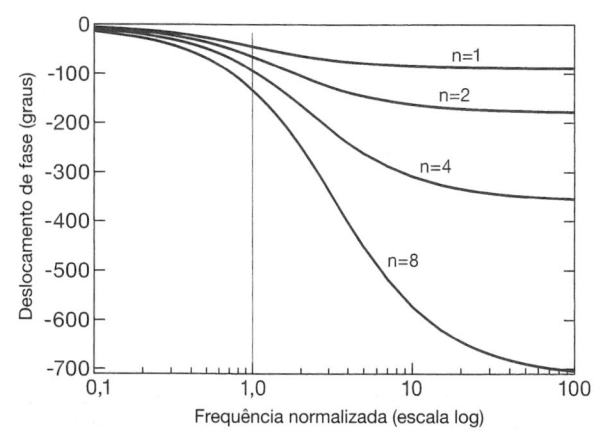

FIGURA 6.3 Deslocamento de fase em função da frequência para as multisseções de filtros RC passa-baixas da Figura 6.2C.

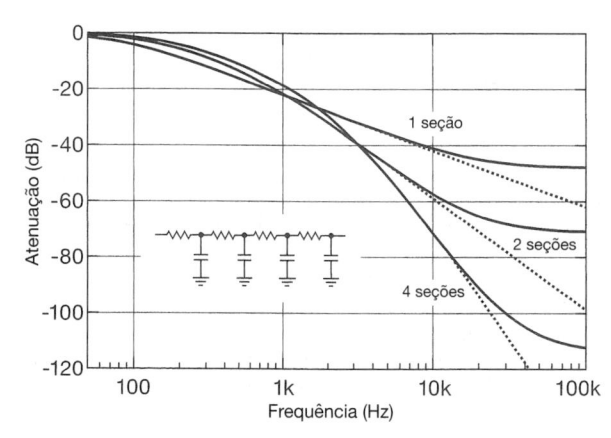

FIGURA 6.4 Capacitores reais incluem alguma resistência em série irredutível, o que limita a atenuação final de filtros RC. Esta simulação do SPICE compara os filtros RC passa-baixas em cascata ideais (curvas pontilhadas) e reais (curvas de linha contínua).

mos os gráficos de resposta desses três filtros, primeiro com capacitores ideais (sem ESR) e, em seguida, com valores de ESR realistas, extraídos de folhas de dados de capacitores (por exemplo, 1 Ω para um capacitor eletrolítico de 5 μF especificado para 100 V).

Você pode ver o efeito da resistência em série, a saber, uma perda de atenuação final em altas frequências, onde a impedância dos capacitores se aproxima assintoticamente do valor ESR em vez de continuar a cair conforme $1/f$. No entanto, é claro que espalhar a capacitância total em várias seções de filtro faz sentido.

6.2.2 Desempenho Ideal com Filtros *LC*

Como dissemos no Capítulo 1, filtros feitos com indutores e capacitores podem ter respostas muito exatas (Seção 1.7.14).

Discutimos o circuito ressonante *LC* em paralelo como um exemplo, bem como o filtro *notch LC* em série. Também mostramos uma comparação importante de filtros passa-baixas *RC* e *LC*, cada um com a mesma frequência de corte de 1 MHz (Figura 1.112). Ao incluir indutores no projeto, é possível criar filtros com qualquer planicidade desejada de banda de passagem combinada com nitidez de transição e de inclinação do decaimento fora da banda. A Figura 6.5 mostra um exemplo de filtro de telefone e sua impressionante curva característica da banda de passagem.[2]

Obviamente, a inclusão de indutores no projeto provoca alguma "magia" que não pode ser realizada sem eles. Na terminologia de análise de rede, essa "magia" consiste no uso de "polos fora do eixo". Mesmo assim, a complexidade do filtro aumenta de acordo com a planicidade da banda passante requerida e a inclinação do decaimento fora da banda, que corresponde ao grande número de componentes utilizados no filtro anterior. As curvas características de resposta transiente e de deslocamento de fase também são geralmente degradadas conforme a resposta de amplitude é melhorada para se aproximar da resposta ideal.

6.2.3 Alguns Exemplos Simples

O impressionante filtro Orchard e Sheahan da Figura 6.5 é um projeto incrivelmente complexo, mostrando o que pode ser feito com uma combinação sofisticada de filtros *LC* clássicos.[3] Mas você não tem que ser um mago dos filtros para fazer filtros "suficientemente bons"[4] que resolvam a maioria dos problemas suscetíveis de serem encontrados. Aqui mostramos três filtros simples que usamos em projetos recentes do nosso radiotelescópio do observatório.

---

[2] Não são mostradas as suas não tão impressionantes curvas características de fase na banda de passagem: atraso de fase de 495° em 16,5 kHz, aumentando de forma não linear para 1270° em 19,5 kHz. Felizmente, a fase tem pouco efeito sobre a inteligibilidade do áudio.

[3] Com base nas Figuras 11 e 12 de Orchard, H.J. e Sheahan, D.F., "*Inductorless Bandpass Filters*" ("Filtros Passa-Faixa sem Indutores"), *IEEE Journal of Solid-State Circuits*, Vol. SC-5, No. 3 (1970), onde os projetistas ilustram uma aplicação de filtro ativo deste projeto de elemento passivo. A essência do seu artigo era que você poderia implementar tal filtro *LC*, com melhor desempenho e menor tamanho, substituindo os indutores reais por *gyrators* (Seção 6.2.4C). Em sua implementação, os indutores foram implementados com "gyrators de Riordan", com cada indutor ϖ (conjunto de três indutores, incluindo o indutor flutuante) necessitando de um AOP quádruplo, nove resistores e dois capacitores. Os autores afirmam que indutores de fator de qualidade (Q) maior que 1000 são práticos, com o produto ganho-largura de banda do AOP disponível sendo a principal limitação. A implementação destes autores de um *gyrator* com a tecnologia de 1970 (ocupando uma polegada cúbica, cerca de 16,4 cm³) foi muito superior ao que era possível com indutores convencionais. Os leitores interessados podem querer ler R. H. S. Riordan, "*Simulated inductors using differential amplifiers*" (Indutores simulados usando amplificadores diferenciais), *Electronic. Letters* 3, pp. 50-51 (fevereiro 1967).

[4] *O ótimo é o inimigo do bom.* (Provérbio atribuído, variavelmente, ao almirante soviético Sergei Gorshkov, a Carl von Clausewitz e a Voltaire.)

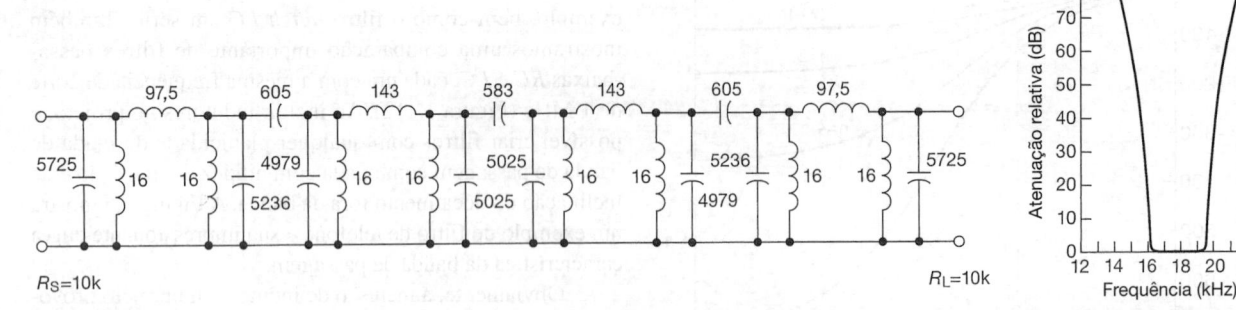

FIGURA 6.5 Esquerda: Um filtro *LC* passa-faixa excepcionalmente bom (indutâncias em mH, capacitâncias em pF). Direita: resposta medida do circuito do filtro. A resposta de frequência admiravelmente acentuada vem em detrimento da resposta de fase degradada; veja a discussão na Seção 6.2.5. O valor 0 dB na curva de resposta corresponde a ~9 dB de perda, considerando as impedâncias de fonte e carga de 10k.

A. Onda Senoidal a Partir de uma Onda Quadrada Digital

Com eletrônica digital, é muito fácil produzir e manipular pulsos ou ondas quadradas de frequência precisa. Mas, no nosso observatório, queríamos ondas senoidais, não ondas quadradas. A Figura 6.6 mostra uma forma simples para produzir uma saída de onda senoidal a partir de uma onda quadrada de frequência fixa, isto é, utilizando um circuito *LC* em série sintonizado. Ele se comporta como uma impedância muito baixa na ressonância[5] ($f_0 = 1/2\pi\sqrt{LC}$), elevando-se em ambos os lados (assintoticamente de acordo com $1/f$ em baixas frequências, e de acordo com f em altas frequências).

Aqui escolhemos o produto *LC* para ter ressonância em 1,0 MHz e o valor de *L* de modo que a sua impedância em 3 MHz (o próximo componente de frequência de uma onda quadrada de 1 MHz, a qual tem apenas harmônicos ímpares) seja grande em comparação com a impedância de carga de 50 Ω. Para $L_1 = 100$ μH, a reatância em 3 MHz é $X_L = 2\pi f L = 2$ kΩ.

A Figura 6.7 mostra o desempenho medido. A ligeira curvatura da onda quadrada é devida ao efeito de carga do filtro e à carga de 50 Ω. Incluímos um pré-filtro *RC* simples

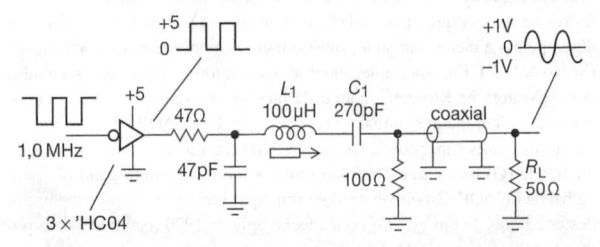

FIGURA 6.6 Um filtro passa-faixa *LC* em série converte uma onda quadrada em uma onda senoidal adequada para acionar uma carga de 50 Ω.

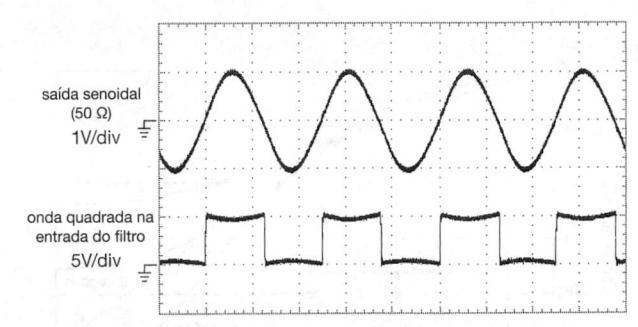

FIGURA 6.7 Forma de onda de entrada (inferior) e de saída (superior) do filtro passa-faixa *LC* em série (onda senoidal) da Figura 6.6, com carga de 50 Ω. Vertical: 1 V/div (*forma de onda superior*), 5 V/div (*forma de onda inferior*). Horizontal: 400 ns/div.

para retardar o tempo de subida, porque as bordas muito rápidas da onda quadrada acopladas através da capacitância *shunt* parasita do indutor produzem pequenos entalhes na onda senoidal de saída. A designação "3×'HC04" refere-se ao tipo de componente de lógica digital utilizado; consulte o Capítulo 10.

B. Remoção de Sinal "Espúrio"

Uma técnica interessante conhecida como *síntese de frequência* que usa uma *malha de fase sincronizada* (*PLL – phase-locked loop*) discutida mais adiante, no Capítulo 13 (Seções 13.13.6A e 13.13.6B), permite gerar uma frequência precisa desejada de sua escolha, começando com uma frequência "de referência" padrão – por exemplo, 10,0 MHz. A Figura 6.8 mostra uma parte de um sintetizador PLL de 78,0 MHz que construímos na forma de diagrama de blocos. A ideia básica é usar um oscilador de tensão sintonizável (VCO) e comparar uma subdivisão inteira de sua frequência de saída desejada com uma subdivisão diferente da frequência de referência de modo que essas frequências sejam iguais quando a frequência de saída estiver correta. Um erro de frequência produz um sinal de correção para

---
[5] Onde ele teria impedância zero se não fosse pelas perdas no indutor e no capacitor.

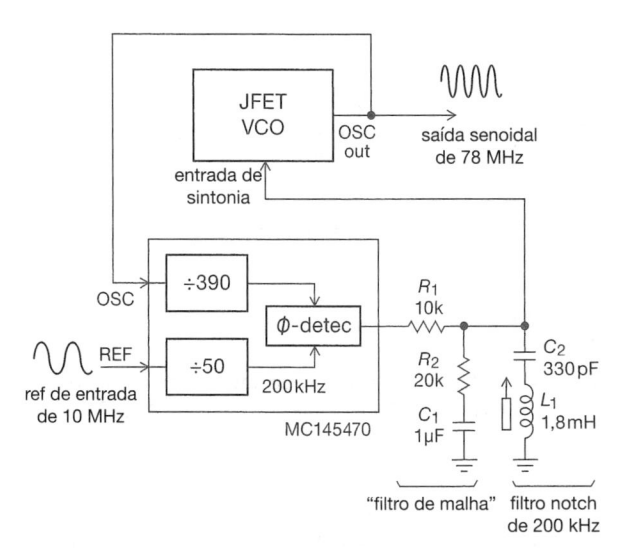

FIGURA 6.8 Um filtro *notch* ("armadilha") *LC* em série suprime sinal espúrio na frequência de referência de 200 kHz neste oscilador de malha de fase sincronizada (PLL).

direcionar o VCO para a frequência de oscilação correta. Aqui, dividimos a referência 10 MHz por 50 (produzindo 200 kHz), a ser comparada com a saída do VCO após a divisão por 390; essas frequências divididas são iguais quando o VCO está oscilando em 78,0 MHz.

Projetamos um oscilador JFET simples, mas muito bom (mostrado mais adiante, na Figura 7.29), com a sua energia de saída quase inteiramente em sua frequência central. Ele foi tão "impecável", que o componente indesejado dominante de sua saída tinha um pouco de energia residual em 78,0 MHz ± 0,2 MHz, causada pela frequência de comparação interna de 200 kHz. A solução simples aqui foi colocar um filtro *notch LC* em série, ajustado para 200 kHz, na tensão de sintonia analógica, como mostrado. Os outros três componentes ($R_1 R_2 C_1$) formam o *filtro de malha* do PLL clássico, como veremos na Seção 13.13.

C. Filtro Passa-Baixas *Anti-Aliasing*

Uma forma de onda análoga pode ser *digitalizada* amostrando-se a sua amplitude periodicamente e convertendo-se cada amostra em uma quantidade numérica. Veremos mais adiante (Capítulo 13, por exemplo, Figura 13.60) que o processo pode introduzir erro e outros componentes de frequência, tanto a partir da precisão finita com que as amplitudes são quantizadas quanto a partir da taxa finita em que as amostras são tomadas. Esses problemas podem ser suprimidos, com qualquer grau necessário, pela escolha adequada dos níveis de quantização (precisão de amplitude) e da taxa (frequência de amostragem).

Um fato importante, para este exemplo de filtro, é que o sinal que está sendo digitalizado não deve conter sinais cuja frequência ultrapasse metade da taxa de amostragem f_S; isto

é conhecido como *critério de Nyquist*.[6] A maneira usual de fazer isso é passando os sinais a serem digitalizados através de um filtro passa-baixas "*anti-aliasing*", cujo corte garante atenuação completa de sinais acima da frequência de Nyquist $f_S/2$. Isso geralmente requer um filtro de corte mais preciso, pois, caso contrário, teríamos que elevar a taxa de amostragem para escapar dos sinais que passariam por um filtro de corte mais suave; além disso, queremos um filtro que seja plano em toda a faixa de passagem do sinal pretendido.

Neste exemplo de receptor do radiotelescópio (Figura 6.9), usamos um *misturador* (um dispositivo que multiplica dois sinais em conjunto para produzir sua saída) para converter uma banda de 2 MHz de frequências de sinal centrada em 78 MHz (a banda de "FI") para uma banda centrada em CC (conhecida como "banda base"). Um misturador pode fazer esse tipo de deslocamento de frequência, pois o produto de duas senoides é um par de ondas nas frequências soma e diferença: $\cos(\omega_1 t)\cos(\omega_2 t) = \frac{1}{2}\{\cos(\omega_1 - \omega_2)t + \cos(\omega_1 + \omega_2)t\}$. Aqui, o sinal, uma banda de frequências, aciona uma entrada do misturador, e um oscilador fixado em 78 MHz (o "oscilador local", ou OL) aciona a outra entrada. A diferença de frequência na saída do misturador representa a banda base,[7] na qual a banda de CC até 1 MHz contém os sinais que queremos digitalizar neste exemplo.[8]

Aqui, amplificamos a banda base e a passamos, em seguida, por um filtro *anti-aliasing*, especificamente um "filtro passa-baixas Chebyshev *LC* de 7 seções com frequência de corte de 1,0 MHz e ondulação (*ripple*) de 0,1 dB pico a pico".[9] Projetamos o filtro com uma entrada estranha e impedância de saída (378 Ω) para tirar proveito dos indutores ajustáveis de valor padrão. O filtro remove componentes do sinal acima de 1 MHz, e essa banda base filtrada é, então, amplificada (novamente) e digitalizada (pelo dispositivo denominado ADC – conversor analógico-digital) a uma taxa de amostragem de 2,5 Msps (megasamples/s). A frequência de Nyquist correspondente de 1,25 MHz está bem na faixa de rejeição do filtro passa-baixas muito acentuado; de fato, os desempenhos calculado e medido estão em estreita concordância, demonstrando que os sinais de entrada são reduzidos em 20 dB naquela frequência e que os sinais "falseados" de

---

[6] Violar essa regra produz *aliasing* (falseamento), que é geração de componentes de frequência que, na realidade, não existem, na saída do sinal digitalizado; ver Seção 13.5.1B.

[7] A frequência soma, centrada em 156 MHz, é descartada na filtragem subsequente.

[8] Assim, podemos usar a transformada de Fourier para obter um espectro de radiofrequências. Mais precisamente, a banda base contém frequências de "−1 MHz" a +1 MHz, que um único misturador dobra em uma única banda, de CC a 1 MHz; mas recuperamos a banda base desdobrada usando um par de misturadores, acionado com sinais seno e cosseno do OL. O par de sinais de banda base filtrado, geralmente chamado de *I* e *Q* (para *em fase* e *em quadratura*), é individualmente digitalizado para criar a série temporal de entrada complexa para a Transformada Discreta de Fourier (complexa).

[9] Este é o filtro que foi utilizado para a varredura da resposta linear da Figura 1.112.

FIGURA 6.9 Um filtro passa-baixas *LC* acentuado de 7 seções impede o *aliasing* (falseamento) neste receptor de radioastronomia eliminando quaisquer frequências de sinal acima da frequência de Nyquist (1,25 MHz, ou metade da taxa de amostragem). Construímos 126 destes circuitos; ver a fotografia na Figura 1.111.

pior caso (em 1,5 MHz) são reduzidos em 16 dB adicionais. Esse desempenho é surpreendente para um filtro que pode ser facilmente projetado e construído, em especial quando em comparação com um filtro *RC* de quantidade de componentes semelhantes, em que a atenuação em $1,25 f_c$ é apenas 1,6 dB em relação à que está em f_c; as Figuras 6.10 e 6.11 fazem a comparação graficamente.

D. Filtro Diferencial Passivo

A maioria dos ADCs de alta frequência tem entradas diferenciais (consulte a Seção 13.6.2), e muitos requerem uma baixa impedância de fonte de sinal de entrada, fazendo a terminação, em muitos casos, por meio de um capacitor diferencial. Discutimos amplificadores de saída diferencial de alta frequência e baixa impedância na Seção 5.17, na qual, por exemplo, a Figura 5.102 mostra um filtro passa-baixas diferencial constituído por duas resistências de 50 Ω e um capacitor de 100 pF, conforme especificado para o ADC AD9225 de 25 MSps (ver também a Figura 13.28). Frequentemente você desejará um filtro *anti-aliasing* entre o amplificador e a entrada do ADC. Por exemplo, se a frequência de amostragem for de 25 MHz, você pode querer um filtro de entrada de decaimento íngreme a partir de 10 MHz. A Texas Instruments tem uma nota de aplicação interessante que descreve como converter um filtro de terminação simples para a forma diferencial (SLWA053B: *Projeto de filtros diferenciais para redes de sinais de alta velocidade*, disponível em www.ti.com).

6.2.4 Introdução aos Filtros Ativos: uma Visão Geral

A síntese de filtros a partir de componentes passivos (*R*, *L* e *C*) é um assunto altamente desenvolvido, com uma rica literatura de manuais tradicionais (por exemplo, o trabalho magistral de Zverev, ver Apêndice P, agora completado por ferramentas de software interessantes que tornam tais projetos uma tarefa de rotina.) No entanto, indutores como elementos de circuito frequentemente deixam muito a desejar. Eles são, muitas vezes, volumosos e caros e se afastam das características ideais por apresentarem perdas", ou seja, por terem

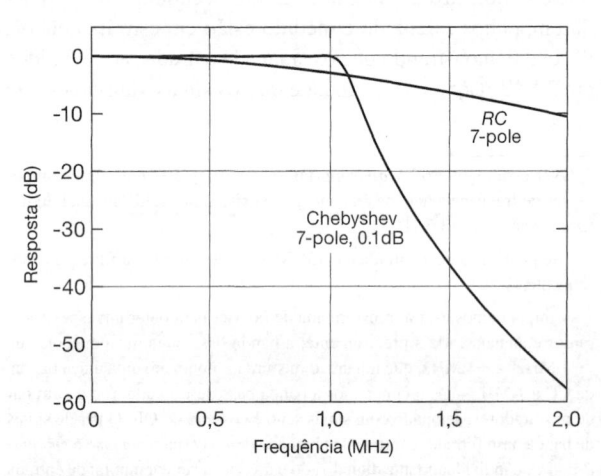

FIGURA 6.10 O corte abrupto do filtro LC de 7 seções da Figura 6.9 comparado com a atenuação suave de um filtro RC de 7 seções com o mesmo corte de 1 MHz.

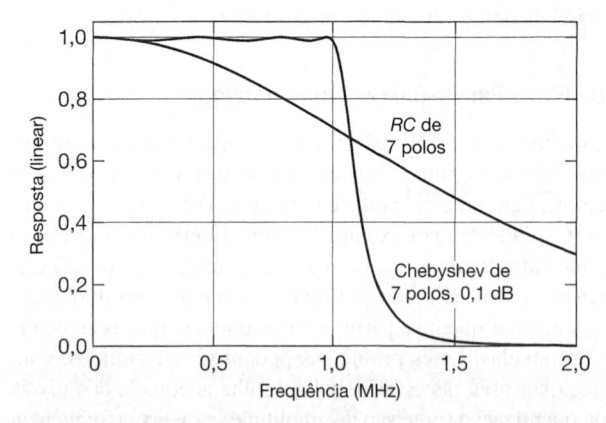

FIGURA 6.11 O mesmo par de filtros da Figura 6.10, aqui representados graficamente em uma escala linear. A "ondulação" na banda passante do Chebyshev (de +0 dB/−0,1 dB ou ±0,6% em amplitude) é vista mais facilmente, mas os detalhes de atenuação da banda de rejeição são perdidos.

resistência em série significativa, bem como outras limitações, tais como não linearidade, capacitância do enrolamento distribuída e susceptibilidade para captação de interferência magnética. Além disso, as indutâncias necessárias para filtros de baixa frequência podem levar a componentes incontrolavelmente grandes. Por fim, os filtros clássicos feitos com indutores e capacitores não são eletricamente ajustáveis.

O que é necessário é uma maneira de fazer filtros sem indutores com as características dos filtros RLC ideais. Idealmente, poderíamos esperar pela ajustabilidade, quer por uma tensão de sintonia analógica ou uma frequência de pulso variável.

Usando AOPs como parte do projeto do filtro, podemos sintetizar qualquer característica de filtro RLC sem usar indutores. Tais filtros sem indutores são conhecidos como *filtros ativos*, devido à inclusão de um elemento ativo (o amplificador). Veremos outra classe de filtro ativo – o filtro a *capacitor chaveado* – que adiciona chaves MOSFET para produzir, de fato, um resistor de frequência sintonizável. Estes proporcionam um desempenho semelhante ao do filtro ativo padrão (por vezes, chamado de filtro "de tempo contínuo"), mas com a característica adicional de ajuste preciso de suas características de frequência de corte (com uma frequência de clock aplicada externamente) ao longo de uma ampla faixa. (Porém, essa capacidade de sintonia tem um preço, ou seja, algum ruído de comutação e uma faixa dinâmica reduzida; veja a Seção 6.3.6).

Filtros ativos podem ser usados para fazer filtros passa-baixas, passa-altas, passa-faixa e rejeita-faixa, com a escolha dos tipos de filtro de acordo com as características importantes da resposta, por exemplo, planicidade máxima na banda passante, inclinação das "saias" ou uniformidade do tempo de atraso em função da frequência (mais sobre isso em breve). Além disso, podem ser feitos "filtros passa-todas", com resposta de amplitude plana, mas fases adaptadas em função da frequência (eles também são conhecidos como "equalizadores de atraso"), assim como o oposto – um filtro com deslocamento de fase constante, mas de resposta de amplitude adaptada.

A. Conversor de Impedância Negativa, *Gyrator* e Conversor de Impedância Generalizada

Três elementos de circuito interessantes que devem ser mencionados são, em qualquer visão geral, o conversor de impedância negativa (NIC), o *gyrator* e o conversor de impedância generalizada (GIC).[10] Esses dispositivos podem imitar as propriedades de indutores enquanto usam apenas resistores e capacitores, além de AOPs.

Uma vez que podemos fazer isso, podemos criar filtros sem indutores com as propriedades ideais de qualquer filtro RLC, proporcionando, assim, pelo menos, uma forma de fazer filtros ativos.

---
[10] Também conhecido como conversor de imitância generalizada.

B. Conversor de Impedância Negativa

O NIC converte uma impedância para sua forma *negativa*, enquanto que o *gyrator* converte uma impedância para o seu *inverso*. Os exercícios a seguir o ajudarão a descobrir por si mesmo como isso funciona.

Exercício 6.1 Mostre que o circuito na Figura 6.12 é um conversor de impedância negativa; em especial, que $Z_{in} = Z$. *Sugestão*: aplique alguma tensão de entrada V e calcule a corrente de entrada I. Em seguida, determine $Z_{in} = V/I$.

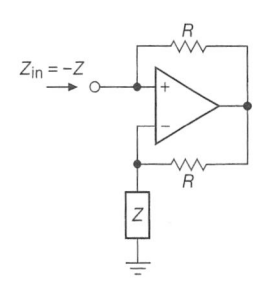

FIGURA 6.12 Conversor de impedância negativa.

Por conseguinte, o NIC converte um capacitor no seu "oposto", um indutor:

$$Z_C = 1/j\omega C \rightarrow Z_{in} = j/\omega C, \qquad (6.1)$$

ou seja, ele é indutivo no sentido de gerar uma corrente que está atrasada da tensão aplicada, mas a sua impedância tem uma dependência "errada" da frequência (ela diminui, em vez de aumentar, com o aumento da frequência).

C. Gyrator

O *gyrator*, por outro lado, converte um capacitor para um verdadeiro indutor:

$$Z_C = 1/j\omega C \rightarrow Z_{in} = j\omega CR^2, \qquad (6.2)$$

ou seja, um indutor com indutância $L = CR^2$.

A existência do *gyrator* torna intuitivamente razoável que os filtros sem indutores possam ser construídos para imitar qualquer filtro utilizando indutores simplesmente substituindo cada indutor pelo seu oposto, um capacitor.[11] O uso de *gyrators* apenas dessa forma é perfeitamente correto; e, de fato, o filtro de telefone ilustrado anteriormente, embora projetado como um filtro LC clássico, foi implementado com *gyrators* (em uma configuração conhecida como um *gyrator de Riordan*, que parece diferente da Figura 6.13). Além da simples substituição por *gyrator* em modelos RLC pré-existentes, é possível sintetizar muitas outras configurações de filtro.

---
[11] A maioria das implementações de *gyrator* são referenciadas ao terra; elas podem substituir um indutor que está conectado ao terra, mas não um indutor flutuante.

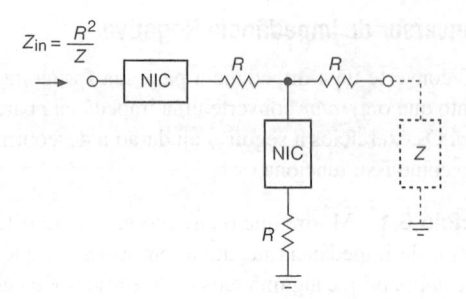

FIGURA 6.13 *Gyrator* implementado com NICs.

Exercício 6.2 Mostre que o circuito na Figura 6.13 é um *gyrator*; em especial, que $Z_{in} = R^2/Z$. *Sugestão*: você pode analisá-lo como um conjunto de divisores de tensão, começando à direita.

D. Conversor de Impedância Generalizada

A configuração da Figura 6.14 é conhecida como conversor de impedância generalizada[12] (GIC); ele multiplica a impedância conectada a Z_5 pelo fator Z_1Z_3/Z_2Z_4. Assim, por exemplo, se você colocar um capacitor em Z_4 e resistores em qualquer outro lugar, você tem um indutor cujo valor é $L = (R_1R_3R_5/R_2)C$; ou seja, torna-se um *gyrator*. Mas você pode tornar as coisas mais divertidas com um GIC: por exemplo, se você colocar capacitores em Z_3 e Z_5, isso resultará em um resistor negativo dependente da frequência (FDNR). Implementações de filtros com FDNRs implementados por GICs têm sido muito populares em projetos de áudio, em que se alega que eles têm características de ruído e distorção de qualidade superiores em comparação com filtros Sallen-Key (próxima seção). A área de projeto de filtros sem indutores é, ao mesmo tempo, ativa e rica em detalhes, com novos projetos aparecendo nas revistas a cada mês.

Os limites de desempenho

Como acontece com qualquer circuito de AOP, o desempenho de *gyrators* e GICs em altas frequências depende da largura de banda do AOP (e outras características). Assim, um GIC configurado como um indutor (capacitor em Z_4, resistências em outros lugares) deixará de parecer um indutor em frequências maiores do que alguns poucos por cento da largura de banda f_T do AOP. Os resultados da simulação na Figura 6.15 mostram o tipo de comportamento que você verá. Grosso modo, o indutor quase perfeito (em baixas frequências) torna-se algo próximo de um capacitor em altas frequências, com uma ressonância no meio.[13] Ele pode parecer feio neste gráfico estendido; mas observe que o "indutor" parece ter um fator de qualidade Q surpreendentemente alto, de cerca de 2×10^5 em 1 kHz se você considerar que a impedância míni-

---

[12] Ou, equivalentemente, um conversor de imitância generalizada.

[13] O pico pode ser eliminado por meio da adição de um resistor em série com o capacitor do *gyrator*, aproximadamente igual à sua reatância na frequência de pico.

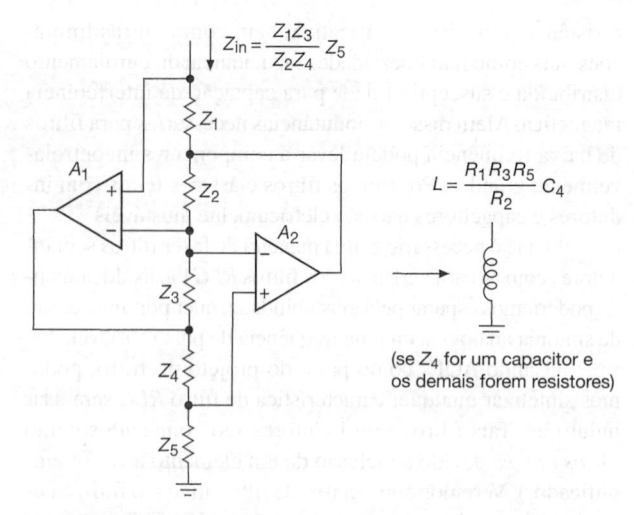

FIGURA 6.14 Conversor de impedância generalizada. Se Z_4 for um capacitor, o circuito se comporta como um indutor, com valor conforme o mostrado. De A. Antoniou, *IEEE Proc.*, 116, 1838-1850 (1969).

ma de 4,6 mΩ no gráfico representa adequadamente a perda do indutor (resistência em série equivalente, ou seja, o ESR). (Na realidade, existem outras perdas, de modo que os valores realizáveis de Q estão na faixa de 1000... o que ainda é muito bom para um indutor que é uma fração de henry!). E, para o AOP de maior largura de banda ($f_T = 50$ MHz), a capacitância é apenas 2,3 pF; você nunca conseguiria fazer um indutor de 160 mH com uma "capacitância de enrolamento" tão pequena, nem com uma frequência autorressonante tão elevada.

Gyrators são usados em filtros reais: em uma nota de aplicação, a Texas Instruments sugere o uso de múltiplos estágios GIC para fazer filtros *anti-aliasing*.[14] E a Stanford Research Systems usa quatro estágios GIC atuando como uma escada $R + LC$ para fazer um filtro passa-baixas elíptico de 8 zeros e 9 polos para o seu amplificador baseado no DSP SR830, "para que todos os componentes de frequência maiores do que a metade da frequência de amostragem sejam atenuados pelo menos 96 dB". O A/D amostra em 256 kHz, e o filtro passa sinais de CC a 102 kHz; eles se permitiram ter uma margem de frequência de 25% para obter a atenuação de até 96 dB.[15] O esquema completo do filtro está incluído no

---

[14] Nota da aplicação AB-026A, por Rick Downs (documento da TI sbaa001, 1991).

[15] De acordo com a SRS, "A arquitetura do filtro é baseada em um filtro escada *LC* passivo de terminação simples. Os *L*s são simulados com *gyrators* ativos formados por pares de AOP. Filtros de escada *LC* passivos têm a característica especial de serem muito tolerantes a variações nos valores dos componentes. Devido a nenhuma seção da escada estar completamente isolada da outra, uma alteração no valor de qualquer componente individual afeta toda a escada. No entanto, o projeto da escada *LC* é tal que as características do restante da escada mudam levando em conta a alteração, de tal forma a minimizar o seu efeito sobre a escada. Isso não só flexibiliza a exigência de precisão extremamente alta de resistores e capacitores, mas também torna o filtro extremamente estável, apesar de grandes variações de temperatura. Como tal, o filtro *anti-aliasing* utilizado no SR830 nunca necessita de calibração para satisfazer as suas especificações."

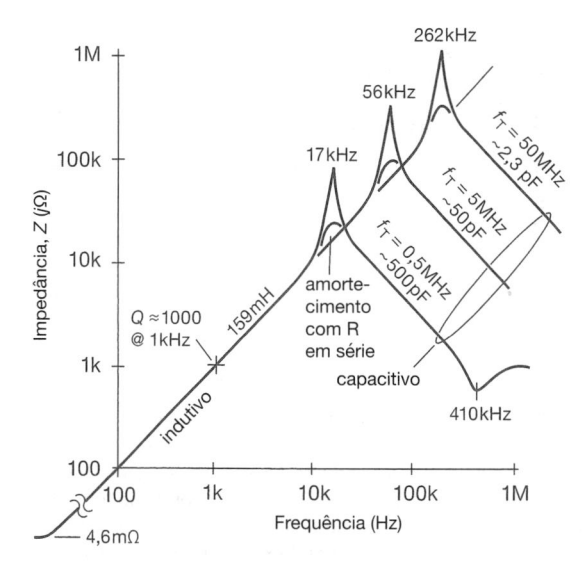

FIGURA 6.15 A largura de banda do AOP finita degrada o indutor GIC ideal, que se torna capacitivo em frequências que começam em uma pequena fração de f_T, como pode ser visto nestes gráficos obtidos a partir de simulações do SPICE. Quando comparado com um indutor *físico*, com a sua capacitância de enrolamento e frequência autorressonante, a capacitância análoga do indutor GIC e a frequência autorressonante (que dependem da largura de banda do AOP) podem ser significativamente melhores, como sugerido nestes gráficos (que, no entanto, baseiam-se na utilização de um capacitor ideal).

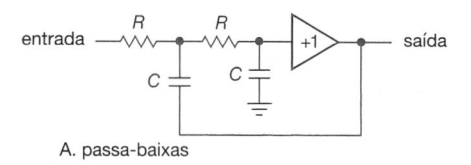

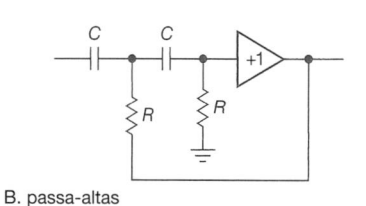

FIGURA 6.16 Filtros ativos passa-baixas e passa-altas Sallen-Key. O desempenho final destes filtros de aparência simples é afetado pela impedância de saída diferente de zero do seguidor; veja a Figura 6.36.

excelente manual informativo do instrumento – uma característica de todos os produtos SRS.

E. Filtro Sallen-Key

A Figura 6.16 mostra um exemplo de topologia de filtro simples e intuitiva, ainda que parcialmente; um exemplo do que vimos anteriormente, na Seção 4.3.6. Eles são conhecidos como filtros Sallen-Key, em homenagem aos inventores.[16] O amplificador de ganho unitário pode ser um AOP conectado como um seguidor, ou apenas um seguidor de emissor ou seguidor de fonte. Os filtros específicos são passa-baixas e passa-altas de 2 polos. Tomando o exemplo do filtro passa-baixas (Figura 6.16A), note que seriam simplesmente duas seções em cascata de filtros passa-baixas *RC*, exceto pelo fato de que a parte inferior do primeiro capacitor tem ação *bootstrap* pela saída. É fácil verificar que, em frequências muito altas, ele cai como um *RC* em cascata, pois a saída é, essencialmente, zero. À medida que a saída sobe para frequências decrescentes, no entanto, a ação de *bootstrap* tende a reduzir a atenuação, produzindo um joelho mais nítido. Claro, tal recurso, que impressiona inicialmente, não pode substituir a análise realista, que fe-

lizmente já foi feita para uma variedade prodigiosa de bons filtros. Voltaremos aos circuitos de filtro ativos na Seção 6.3, após uma breve introdução aos parâmetros de desempenho do filtro e aos tipos de filtro.

6.2.5 Os Principais Critérios de Desempenho do Filtro

Há alguns termos padrão que aparecem constantemente quando falamos de filtros e tentamos especificar o seu desempenho. Vale a pena conhecê-los desde o princípio.

A. Domínio da Frequência

A característica mais evidente de um filtro é o seu ganho em função da frequência, exemplificado pelo tipo de curva característica passa-baixas mostrado na Figura 6.17.

A *banda de passagem* é a região de frequências que, em termos práticos, não é atenuada pelo filtro. Na maioria das vezes, considera-se que a banda passante se estende até o ponto de -3 dB, mas, com certas filtros (principalmente os tipos de ondulação constante, "*equiripple*"), o fim da banda passante pode ser definido de forma um pouco diferente. Dentro da banda de passagem, a resposta pode mostrar variações ou ondulações, definindo uma *banda de ondulação*, como mostrado. A *frequência de corte*, f_c, é o fim da banda passante. A resposta do filtro, então, cai através de uma *região de transição* (também conhecida como *saia* da resposta do filtro, por causa do seu formato) para uma *banda de rejeição*, a região de atenuação significativa. A banda de rejeição pode ser definida por uma atenuação mínima, por exemplo, 40 dB.

Juntamente com a resposta de ganho, o outro parâmetro de importância no domínio da frequência é o *deslocamento de fase* do sinal de saída em relação ao sinal de entrada. Em outras palavras, estamos interessados na resposta *com-*

---

[16] R.P. Sallen e E.L. Key, "*A practical method of designing RC active filters*" (Um método prático de projetar filtros *RC* ativos), *IRE Trans. Circuit Theory*, **2** (1), 74-85 (1955).

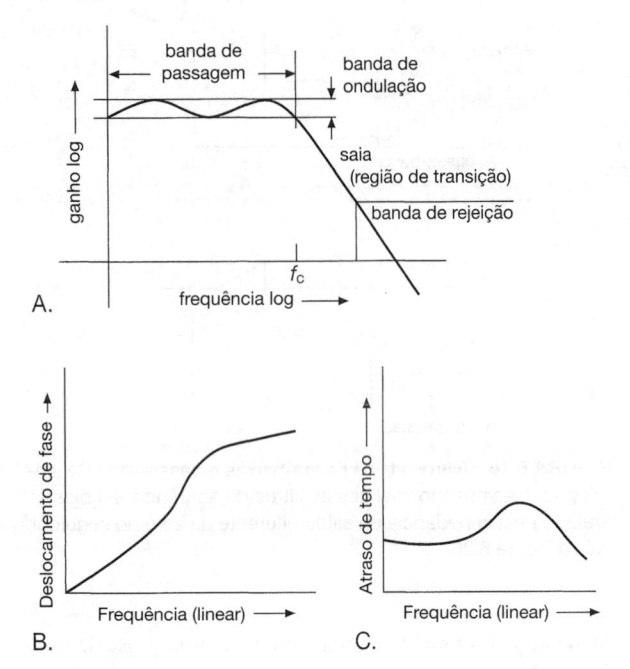

FIGURA 6.17 Curvas características de um filtro passa-baixas em função da frequência.

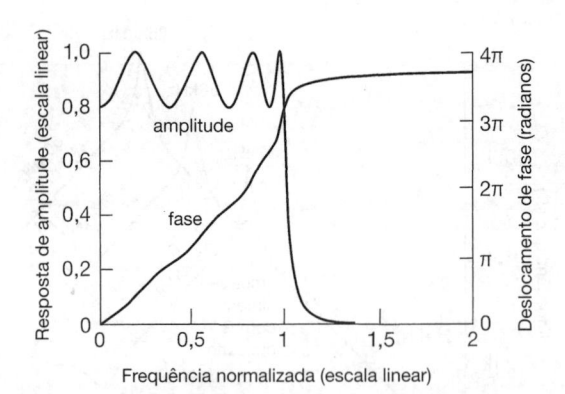

FIGURA 6.18 Deslocamento de fase (atraso) e resposta de amplitude para um filtro passa-baixas Chebyshev de 8 polos (ondulação de 2 dB na banda de passagem). A normalização mostrada é convencional: 0 dB corresponde ao topo da banda de ondulação, e a frequência de corte (ou "crítica") é a frequência com que a resposta deixa a banda de ondulação. O ganho CC real do filtro é unitário (0 dB); para filtros de ordem par (como este), a ondulação aumenta a partir de CC, ao passo que, para filtros de ordem ímpar, a ondulação cai a partir de CC.

plexa do filtro, que normalmente atende pelo nome de **H**(**s**), onde **s** = $j\omega$, e **H**, **s** e ω são todos complexos. A fase é importante, pois um sinal inteiramente dentro da banda passante do filtro emergirá com a sua forma de onda distorcida se o tempo de atraso de diferentes frequências não for constante ao atravessar o filtro. O atraso de tempo constante corresponde a um deslocamento de fase de forma linear com o aumento da frequência ($\Delta t = -d\phi/d\omega = -\frac{1}{2\pi}d\phi/df$); por conseguinte, o termo *filtro de fase linear* é aplicado a um filtro que é ideal nesse aspecto. A Figura 6.18 mostra um gráfico típico de resposta de amplitude e de deslocamento de fase para um filtro passa-baixas, que não é, definitivamente, um filtro de fase linear. Gráficos de deslocamento de fase em função da frequência são mais bem representados em um eixo de frequência linear.

B. Domínio do Tempo

Como acontece com qualquer circuito CA, os filtros podem ser descritos em termos de suas propriedades no *domínio do tempo*: tempo de subida, *overshoot* (sobresinal), oscilação e tempo de estabilização. Isso é de especial importância quando degraus ou pulsos podem estar presentes. A Figura 6.19 apresenta a resposta ao degrau de um filtro passa-baixas típico. Aqui, o tempo de subida é, como de costume, o tempo necessário para passar de 10 a 90% do valor final. De maior interesse é o *tempo de estabilização*, que é o tempo necessário para atingir um nível especificado do valor final *e permanecer lá*. O *tempo de atraso* é o tempo de duração a partir do degrau de entrada até a saída atingir 50% do seu valor final.[17] *Overshoot* (sobresinal) e *oscilação* são termos intuitivos para algumas propriedades indesejáveis dos filtros. As características de deslocamento de fase de filtros implicam um atraso de tempo correspondente, o que, às vezes, você vê plotado (ou tabulado) como *atraso de grupo* em função da frequência.[18]

6.2.6 Tipos de Filtro

Suponha que você queira um filtro passa-baixas com banda de passagem plana e transição brusca para a banda de rejeição. A taxa final de queda, bem dentro da banda de rejeição, sempre será $6n$ dB/oitava, onde n é o número de "polos". Necessitamos de um capacitor (ou indutor) para cada polo, de modo que a taxa final necessária de queda da resposta do filtro determine, aproximadamente, a complexidade do filtro.

Agora, suponha que você tenha decidido usar um filtro passa-baixas de 6 polos. Tem-se garantido um decaimento final de 36 dB/oitava em altas frequências. Verifica-se que o projeto do filtro pode agora ser otimizado para planicidade máxima de resposta na banda passante, à custa de uma transição lenta da banda de passagem para a banda de rejeição. Como alternativa, ao permitir alguma ondulação na característica da banda passante, a transição da banda de passagem para a banda de rejeição pode ser consideravelmente

---

[17] Por vezes, t_d é definido a 10% (em vez de 50%) da saída.

[18] Esse termo vem da análise de ondas em materiais dispersivos, em que se distingue *velocidade de fase* e *velocidade de grupo*. Esta última se refere à velocidade com que um grupo de frequências (que, em conjunto, torna-se uma forma de onda característica) se move através do meio. O atraso de grupo é uma quantidade análoga, expressa como um intervalo de tempo T_g, para um sinal que passa através de um filtro. A conexão entre o deslocamento de fase e o atraso de grupo é $T_g = -d\phi/d\omega = -\frac{1}{2\pi}d\phi/df$.

FIGURA 6.19 Curva característica de um filtro no domínio do tempo. Um filtro passa-baixas RC simples, por exemplo, não teria *overshot* ou oscilação e seria caracterizado por um tempo de subida de $t_r = 2{,}2RC$ ($\approx 0{,}35/f_{3dB}$), um tempo de atraso de $t_d = 0{,}69RC$ e um tempo de estabilização (até 1%) de $t_s = 4{,}6RC$.

acentuada. Um terceiro critério que pode ser importante é a capacidade de o filtro passar sinais dentro da banda passante, sem distorção das suas formas de onda causadas por deslocamentos de fase. Também pode ser que você se preocupe com o tempo de subida, *overshoot* e tempo de estabilização. De modo geral, você tem de estabelecer compromissos entre essas características – um filtro com um corte acentuado exibirá propriedades de domínio de tempo pobres, como oscilação e deslocamentos de fase.

Existem modelos de filtro disponíveis para otimizar cada uma dessas características ou combinações delas. De fato, uma seleção racional de filtro não será levada a cabo da forma que acabamos de descrever; em vez disso, normalmente começa com um conjunto de requisitos de planicidade na banda de passagem, atenuação em alguma frequência fora da banda de passagem e qualquer característica a mais que for importante. Você, então, escolhe o melhor projeto para o trabalho, usando o número de polos necessários para cumprir os requisitos.[19] Nas próximas seções, apresentaremos os três projetos clássicos populares – o filtro Butterworth (banda de passagem maximamente plana), o filtro de Chebyshev (transição mais íngreme da banda de passagem para a banda de rejeição) e o filtro de Bessel (tempo de atraso maximamente plano). Cada uma dessas respostas de filtro pode ser produzida com uma variedade de diferentes circuitos de filtros, alguns dos quais serão discutidos posteriormente. Todos

eles estão disponíveis nas versões passa-baixas, passa-altas e rejeita-faixa (*notch*).[20]

A. Filtros Butterworth e Chebyshev

O filtro Butterworth produz a resposta mais plana da banda de passagem, à custa do declive na região de transição entre a banda de passagem e a banda de rejeição. Como você verá mais adiante, ele tem apenas características de fase e transitórias medíocres. A amplitude da resposta é dada por

$$\frac{V_{\text{out}}}{V_{\text{in}}} = \frac{1}{[1 + (f/f_c)^{2n}]^{\frac{1}{2}}},$$

em que n é a ordem do filtro (número de polos). O aumento do número de polos torna mais plana a resposta na banda de passagem e mais íngreme o decaimento para a banda de rejeição, conforme mostrado na Figura 6.20.

O filtro Butterworth negocia qualquer coisa para tornar maximamente plana a resposta. Ela começa extremamente plana na frequência zero e se inclina próximo da frequência de corte f_c (que é geralmente o ponto de -3 dB).

Na maioria das aplicações, tudo o que realmente importa é que as oscilações na resposta da banda passante sejam mantidos menores do que uma certa quantidade, digamos 1 dB. O filtro de Chebyshev responde a essa realidade permitindo algumas ondulações em toda a banda de passagem, com uma melhoria considerável na acentuação do joelho (em comparação com o "maximamente plano" Butterworth, por

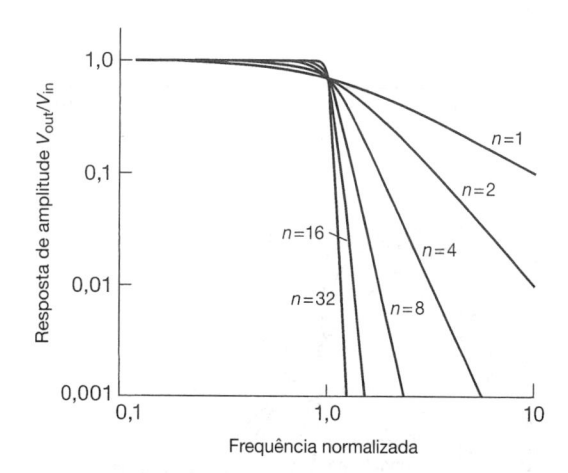

FIGURA 6.20 Curvas normalizadas de resposta do filtro passa-baixas Butterworth. Observe as características de atenuação melhoradas para os filtros de ordem superior.

---

[19] Tradicionalmente, usa-se um bom manual de projeto de filtro, com suas tabelas e gráficos. Agora o trabalho é muito mais fácil, graças aos *software* de projeto de filtro que nos orientam na escolha do filtro e, em seguida, terminam o trabalho com uma implementação do circuito completo. Tais programas são geralmente denominados CAD, que se refere a projeto auxiliado por computador (*computer-aided design*). Tanto a Linear Technology quanto a Texas Instruments oferecem programas gratuitos em seus sites; eles são denominados FilterCAD™ e FilterPro™, respectivamente; veja também os úteis documentos da LTC, AN38 e DN245.

[20] Os filtros podem ser feitos, também, para realizar *equalização* (um perfil de amplitude e/ou fase especificada em função da frequência que não é nenhum desses tipos de filtro simples). Entre esses, o *equalizador de fase* (ou *equalizador de atraso*) é notável por ter uma resposta de fase especificada combinada com uma resposta de frequência plana: é também chamado de filtro *passa-todas*.

exemplo). Um filtro de Chebyshev é especificado em termos do seu número de polos e da ondulação na banda de passagem. Ao permitir uma maior ondulação na banda de passagem, temos um joelho mais pronunciado. A amplitude é determinada por

$$]\frac{V_{\text{out}}}{V_{\text{in}}} = \frac{1}{[1+\varepsilon^2 C_n^2(f/f_c)]^{\frac{1}{2}}}, \quad (6.4)$$

em que C_n é o polinômio de Chebyshev do primeiro tipo de grau n, e ε é uma constante que define a ondulação na banda de passagem. Como o Butterworth (mas ainda em maior grau), o Chebyshev tem características de fase e transitórias que estão longe de ser ideais.

A Figura 6.21 apresenta gráficos que comparam as respostas de filtros passa-baixas de 6 polos de Chebyshev e Butterworth. Como você pode ver, ambos são enormes melhorias em relação a um filtro RC de 6 polo.

Na prática, o Butterworth, com a sua banda de passagem "maximamente plana", pode não ser tão atraente como poderia parecer, já que você sempre aceita alguma variação na resposta na banda passante de qualquer modo (com o Butterworth, há uma atenuação gradual próxima de f_c, ao passo que, com o Chebyshev, há um conjunto de ondulações de mesma amplitude espalhadas por toda a faixa de passagem). Além disso, os filtros ativos construídos com componentes de tolerância finita se desviarão da resposta prevista, o que significa que um filtro Butterworth verdadeiro exibirá alguma ondulação na banda de passagem de qualquer modo. O gráfico da Figura 6.22 ilustra os efeitos das variações de pior caso nos valores de resistor e capacitor na resposta do filtro.

Visto sob essa luz, o Chebyshev é um projeto de filtro muito racional. Ele consegue melhorar a situação na região de transição, espalhando ondulações de mesmo tamanho[21] em toda a banda de passagem, com o número de ondulações aumentando com a ordem do filtro. Mesmo com ondulações bastante pequenas (tão pequenas quanto 0,1 dB), o filtro Chebyshev oferece uma nitidez do joelho consideravelmente melhor em comparação com o Butterworth. Para ter uma noção quantitativa da melhoria, suponha que você precise de um filtro com planicidade de 0,1 dB dentro da banda de passagem e 20 dB de atenuação em uma frequência de 25% além do topo da banda passante. Pelo cálculo real, isso exigirá um Butterworth de 19 polos, mas um Chebyshev de apenas 8 polos.

A ideia de aceitar alguma ondulação na banda de passagem em troca de uma melhor declividade na região de transição, como no filtro Chebyshev de ondulação igualitária, é levada a seu limite lógico no chamado filtro elíptico (ou de Cauer) pela negociação da ondulação tanto na banda de passagem quanto na *banda de rejeição* para uma região de transição ainda mais acentuada do que a do filtro Chebyshev.[22] Esse filtro dá conta do trabalho, se você estiver satisfeito com uma curva característica de amplitude que alcança e mantém

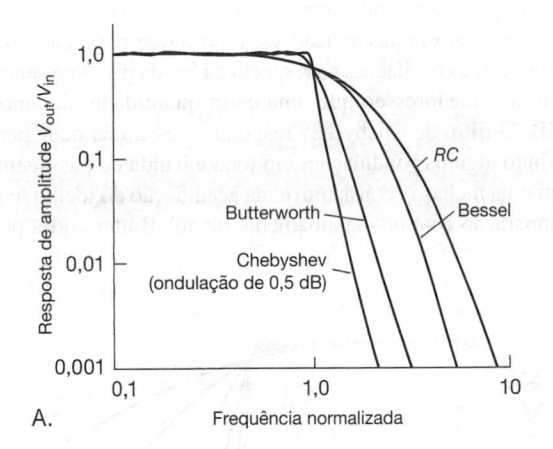

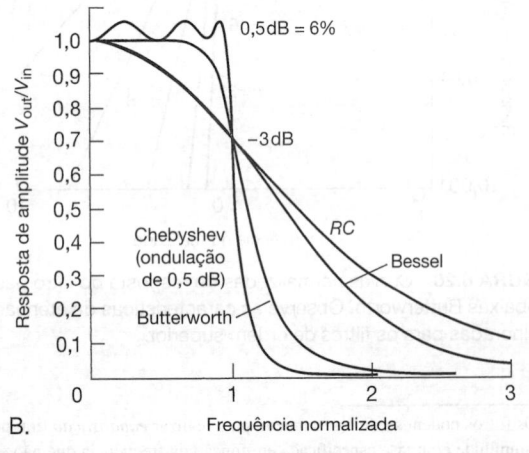

FIGURA 6.21 Comparação de alguns filtros passa-baixas de 6 polos comuns. Os mesmos filtros são plotados em ambas as escalas, linear e logarítmica. São mostrados os ganhos reais dos filtros em vez da convenção de 0 dB "ajustada no topo".

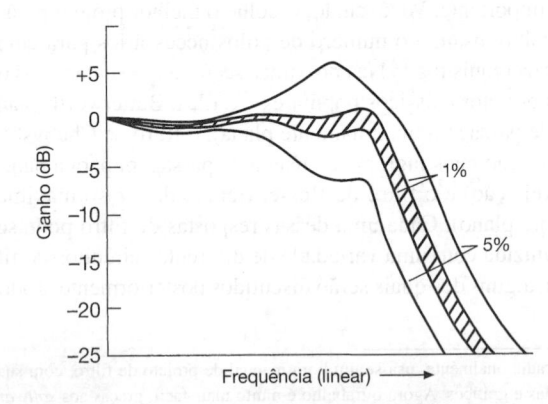

FIGURA 6.22 O efeito da tolerância do componente no desempenho do filtro ativo.

---

[21] Ele é, às vezes, chamado de filtro de ondulação constante.

[22] Ou menos seções de filtro para atingir uma determinada inclinação.

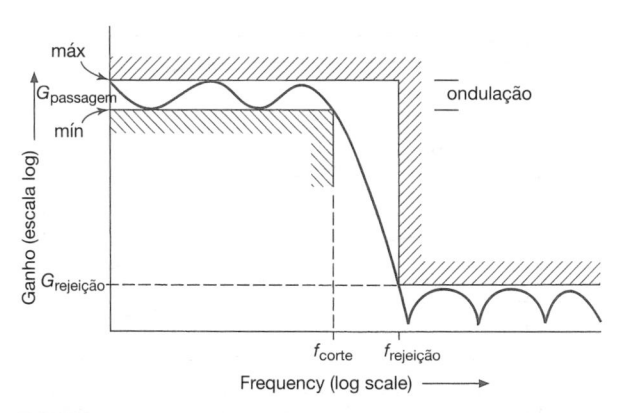

FIGURA 6.23 Especificação dos parâmetros de resposta de frequência do filtro.

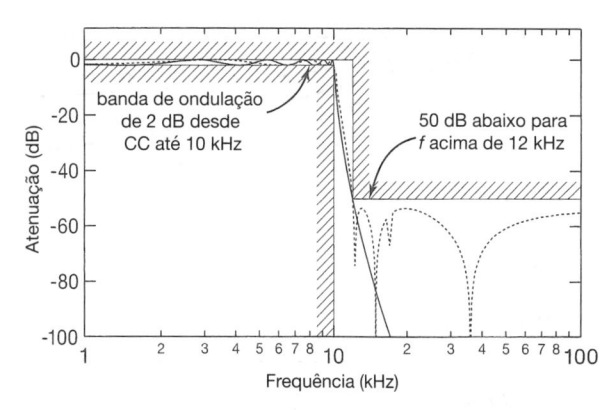

FIGURA 6.24 Exemplo de filtro passa-baixas: um filtro elíptico de 6 polos com ondulação tanto na banda de passagem quanto na de rejeição (curva pontilhada) atende às especificações de desempenho mostradas aqui, ao passo você precisaria de um Chebyshev de 11 polos (que tem ondulação apenas na sua banda de passagem) ou de um Butterworth de 32 polo ("maximamente plano" – nenhuma ondulação nas bandas de passagem ou de rejeição) para fazer o mesmo.

alguma atenuação mínima em toda a banda de rejeição (em vez de continuar a cair com uma inclinação final de $6n$ dB/oitava). O retorno é um filtro simples, com melhores características de amplitude e de fase (veja a seguir). Com técnicas de projeto auxiliado por computador (CAD), o projeto de filtros elípticos é tão simples quanto para os filtros Butterworth e Chebyshev clássicos.

A Figura 6.23 mostra como especificar a resposta de frequência do filtro graficamente. Neste caso (um filtro passa-baixas), indica-se o intervalo permitido de ganho do filtro (ou seja, a ondulação) na banda passante, a frequência mínima na qual a resposta deixa a banda passante, a frequência máxima em que a resposta entra na banda de rejeição e a atenuação mínima nesta última. Como exemplo, a Figura 6.24 compara as respostas para implementações de filtros passa-baixas Chebyshev e elíptico para atender a um desempenho especificado, necessitando aqui de um Chebyshev de 11 polos ou um elíptico de 6 polos (para satisfazer às mesmas especificações com um Butterworth, seria necessário uma implementação de 32 polos!). O filtro elíptico mais simples tem características de fase melhor, mas sua resposta não continua a cair monotonicamente com a frequência uma vez alcançada a atenuação especificada para a banda de rejeição.

B. Filtro de Bessel

Como já sugerido, a amplitude em função da resposta de frequência de um filtro não é tudo. Um filtro caracterizado por uma resposta de amplitude plana pode apresentar deslocamentos de fase que variam rapidamente e que produzem atrasos de tempo desiguais para os sinais dentro de sua banda de passagem. O resultado é que um sinal na banda de passagem sofrerá distorção na sua forma de onda. Em situações em que o formato da forma de onda é primordial, um filtro de fase linear (ou filtro de atraso de tempo constante) é desejável. Um filtro cujo deslocamento de fase varia linearmente com a frequência é equivalente a um atraso de tempo constante para os sinais dentro da banda passante;

isto é, a forma de onda não é distorcida. O Filtro de Bessel (também chamado filtro de Thomson)[23] tem atraso de tempo maximamente plano dentro da sua banda de passagem em analogia com o Butterworth, que tem a amplitude de resposta maximamente plana.

Para ver o tipo de melhoria no desempenho no domínio do tempo, você começa com o filtro de Bessel; veja a Figura 6.25 para uma comparação de deslocamento de fase e atraso de tempo em função da frequência para o filtro de Bessel em comparação com dois filtros clássicos que exibem curva característica de frequência mais abrupta (Butterworth e Chebyshev). O fraco desempenho de atraso de tempo do Butterworth (e, em maior medida, do Chebyshev) dá origem a efeitos como distorção de forma de onda e *overshoot* quando acionado com sinais de pulso – veja a Figura 6.26. Por outro lado, o preço que você paga pela constância do atraso de tempo do filtro de Bessel é uma resposta de amplitude com inclinação ainda menor do que a do Butterworth ou a do Chebyshev na região de transição entre a banda passante e a banda de rejeição. Um ponto importante: a adição de seções para um filtro de Bessel (ou seja, tornando-o de ordem superior) não aumenta significativamente a inclinação da transição para a banda de rejeição; no entanto, melhora a linearidade de fase (constância no atraso de tempo), além de aumentar a taxa final de decaimento, atingindo o limite assintótico de $6n$ dB/oitava usual (observe mais à frente a Figura 6.30).

---

[23] Esse é o lendário matemático alemão Friedrich Bessel (1784-1846), que, embora não seja um projetista de circuito prático, desenvolveu a matemática. A denominação Bessel-Thomson reconhece a aplicação de Thomson a filtros: Thomson, W.E., "*Delay Networks having Maximally Flat Frequency Characteristics*" (Redes de Atraso com Característica de Frequência Maximamente Plana), *Procedimento do IEEE*, Parte III, **96** 44, pp. 487-490 (1949).

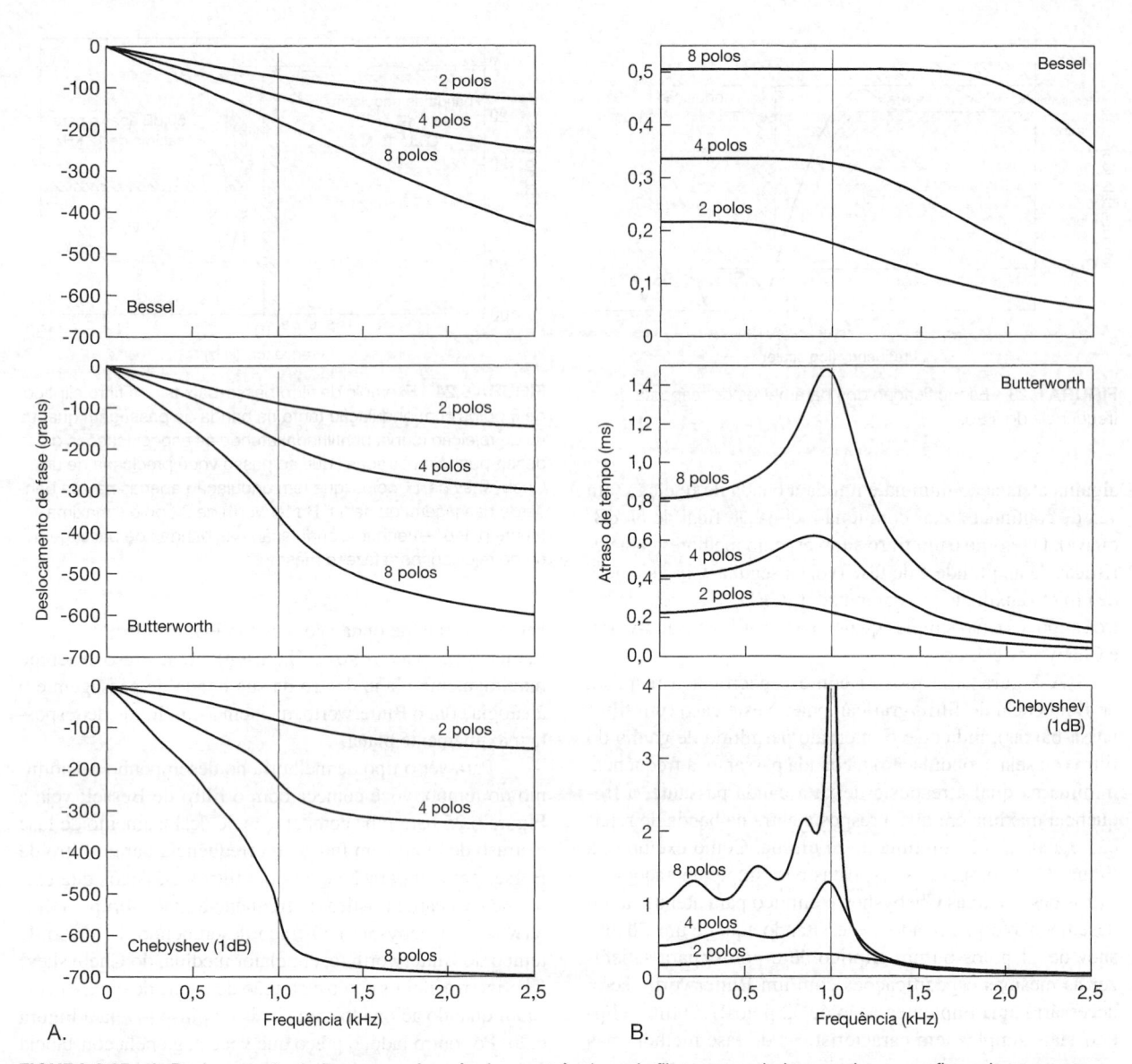

FIGURA 6.25 A. Deslocamento de fase *versus* frequência para três tipos de filtros passa-baixas, cada um configurado com uma frequência de corte de 1 kHz (linha vertical). B. Atraso de tempo *versus* frequência para os filtros adjacentes; observe a mudança de unidades no eixo vertical e o eixo de frequência linear. Se você gosta de unidades normalizadas, use f/f_c para o eixo horizontal e t_d/T para o atraso de tempo.

Existem diversos projetos de filtro que tentam melhorar o bom desempenho no domínio do tempo do filtro de Bessel comprometendo um pouco da constância do atraso de tempo para melhores tempo de subida e características de amplitude em função da frequência. O filtro Gaussiano tem características de fase quase tão boas quanto as de Bessel, com melhor resposta ao degrau. Em outra classe, existem filtros interessantes que permitem ondulações uniformes no atraso de tempo na banda de passagem (em analogia com as ondulações do Chebyshev na sua resposta de amplitude) e produzem atrasos aproximadamente constantes, mesmo para sinais bem na banda de rejeição; eles são, por vezes, denominados simplesmente filtros de "fase linear", caracterizados por um parâmetro que define a ondulação de fase (por exemplo, 0,5°) dentro da banda de passagem. Outra abordagem para o problema de fazer os filtros terem atrasos de tempo uniformes é a utilização de filtros passa-todas (também conhecidos como equalizadores de atraso). Eles têm resposta de amplitude constante com a frequência, com um deslocamento de fase que pode ser adaptado aos requisitos individuais. Assim, eles podem ser utilizados para melhorar a constância de atraso

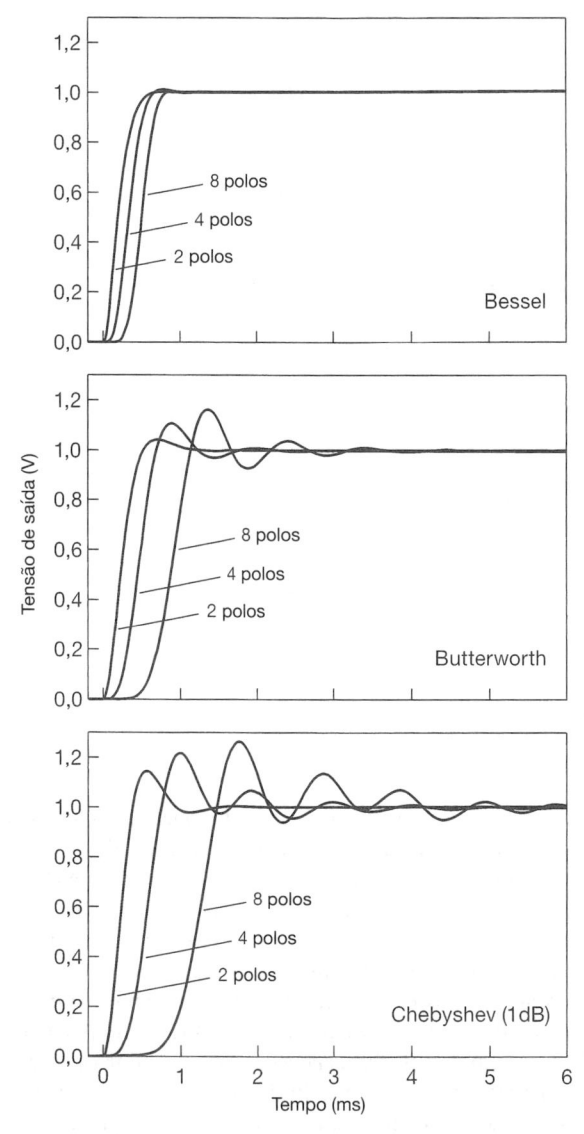

FIGURA 6.26 Resposta a uma entrada em degrau de 1 V em $t = 0$ para os três filtros passa-baixas em 1 kHz das figuras anteriores.

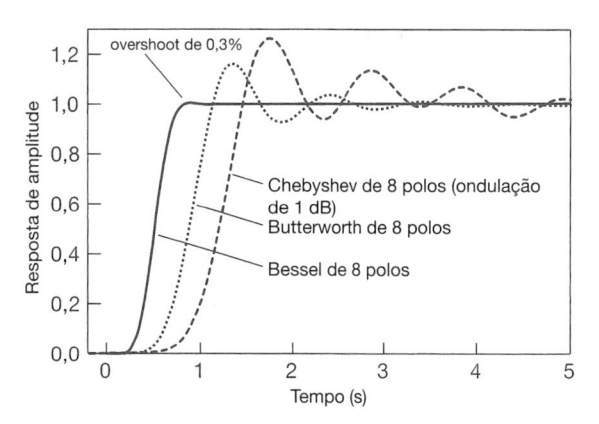

FIGURA 6.27 Comparação da resposta ao degrau para filtros passa-baixas de 8 polos normalizados para uma frequência de corte de 1 Hz.

de tempo de qualquer filtro, incluindo os tipos Butterworth e Chebyshev.

C. Comparação de Filtros

Apesar das observações anteriores sobre a resposta de frequência do filtro de Bessel, ele ainda tem propriedades muito superiores no domínio do tempo em comparação com o Butterworth e o Chebyshev. O Chebyshev, com suas características de amplitude *versus* frequência altamente desejáveis, na verdade, tem o pior desempenho no domínio do tempo dentre os três. O Butterworth está em segundo lugar em relação às propriedades nos domínios da frequência e do tempo. A Tabela 6.1 e as Figuras 6.26 e 6.27 mostram mais informações sobre o desempenho no domínio do tempo para esses três tipos de filtros para complementar os gráficos no domínio da frequência apresentados anteriormente. Eles deixam claro que o filtro de Bessel é desejável quando o desempenho no domínio do tempo é importante.

6.2.7 Implementação de Filtros

Veremos na próxima seção como implementar esses filtros clássicos com resistores (R), capacitores (C) e AOPs. Eles são chamados de filtros ativos e têm a vantagem de não necessitarem de indutores. Isso é bom, pois indutores tendem a ser volumosos, imperfeitos e caros.

No entanto, para uso em frequências superiores a cerca de 100 kHz, muitas vezes, é preferível construir filtros passivos como o exemplo do filtro passa-baixas *anti-aliasing* que mostramos na Figura 6.9. Você tem duas opções: pode construir o seu próprio filtro ou pode comprar o que você precisa. Para fazer o seu próprio filtro, você pode usar qualquer uma das numerosas tabelas de projeto (fornecemos um conjunto no Apêndice E) ou software de projeto de filtros (ver Seção 6.3.8) para calcular os valores de L e C para o filtro específico que deseja. Se estiver fazendo apenas alguns filtros, pode ser que você queira usar indutores ajustáveis (ajustados com um medidor de indutância ou ponte) e capacitores de 1% ou pares de capacitores escolhidos conectados em paralelo para se obter o valor preciso necessário.

Uma alternativa é simplesmente jogar dinheiro no problema: existem dezenas de fabricantes de filtros padrão e personalizados, e eles ficam felizes em construir o que você quiser. Na extremidade baixa do espectro de frequências (digamos abaixo de 100 MHz), eles utilizam elementos concentrados (L e C); acima dessa frequência, você encontrará filtros coaxiais ou de cavidade. Se o filtro que você deseja é uma unidade padrão (por exemplo, do catálogo da Mini--Circuits Labs), ele será barato e geralmente encontrado em

TABELA 6.1 Desempenho no domínio do tempo na comparação de filtros passa-baixas[a]

Tipo	f_{3dB} (Hz)	Poles	Tempo de subida do degrau (0 – 90%) (s)	Overshoot (%)	Tempo de estabilização		Atenuação na banda de rejeição	
					to 1% (s)	to 0,1% (s)	$f=2f_C$ (dB)	$f=10f_C$ (dB)
Bessel	1,0	2	0,4	0,4	0,6	1,1	10	36
(–3 dB em	1,0	4	0,5	0,8	0,7	1,2	13	66
$f_C = 1$ Hz)	1,0	6	0,6	0,6	0,7	1,2	14	92
	1,0	8	0,7	0,3	0,8	1,2	14	114
Butterworth	1,0	2	0,4	4	0,8	1,7	12	40
(–3 dB em	1,0	4	0,6	11	1,0	2,8	24	80
$f_C = 1$ Hz)	1,0	6	0,9	14	1,3	3,9	36	120
	1,0	8	1,1	16	1,6	5,1	48	160
Chebyshev	1,39	2	0,4	11	1,1	1,6	8	37
ondulação de 0,5 dB	1,09	4	0,7	18	3,0	5,4	31	89
(0,5 dB em	1,04	6	1,1	21	5,9	10,4	54	141
$f_C = 1$ Hz)	1,02	8	1,4	23	8,4	16,4	76	193
Chebyshev	1,07	2	0,4	21	1,6	2,7	15	44
ondulação de 2 dB	1,02	4	0,7	28	4,8	8,4	37	96
(–2 dB em	1,01	6	1,1	32	8,2	16,3	60	148
$f_C = 1$ Hz)	1,01	8	1,4	34	11,6	24,8	83	200

Notas: (a) um procedimento de projeto para esses filtros é apresentado na seção "Circuitos VCVS."

estoque. Caso contrário, você pagará um bom dinheiro e esperará, pelo menos, algumas semanas. Alguns fabricantes que usamos são a Lark Engineering, Mini-Circuits Laboratories, Trilithic (Cir-Q-Tel) e TTE.

6.3 CIRCUITOS DE FILTRO ATIVO

Muita engenhosidade foi usada na invenção de circuitos ativos inteligentes, cada um dos quais pode ser usado para gerar funções de resposta, como o Butterworth, o Chebyshev, etc. Pode ser que você se pergunte por que o mundo precisa de mais do que um circuito de filtro ativo. A razão é que várias implementações de circuitos se distinguem em uma ou outra propriedade desejável, por isso não existe *o melhor circuito*.

Filtros ativos pode ser construído usando AOPs discretos como dispositivo ativo.[24] Nesse caso, você deve fornecer os resistores e capacitores que definem as características dos filtros. Esses componentes passivos geralmente devem ser precisos e estáveis, especialmente em filtros com curvas características de frequência acentuadas. Uma alternativa atraente é aproveitar a rica variedade de filtros ativos na forma de CIs, em que a maior parte do circuito complexo já está construída, incluindo a integração interna ao chip de componentes passivos casados.

Filtros ativos estão disponíveis em duas variedades básicas: filtros "contínuos no tempo" e a capacitor chaveado.

Filtros contínuos no tempo são circuitos analógicos feitos de AOPs, resistores e capacitores; as características do filtro são definidas pelos valores dos componentes e, é claro, pela configuração do circuito. O circuito apenas age como um filtro. *Filtros a capacitor chaveado* usam um capacitor combinado com uma chave MOSFET, ligada e desligada por um sinal de clock aplicado externamente, para substituir o resistor de entrada no integrador clássico com AOP. O valor efetivo do resistor é definido pela frequência de clock. Um filtro a capacitor chaveado típico utiliza vários integradores em combinação com um AOP adicional para implementar a função do filtro desejado.[25] Filtros a capacitor chaveado têm as vantagens de serem simplesmente sintonizados em uma ampla faixa (pela frequência de clock aplicada), de manterem as características estáveis e de serem especialmente fáceis fabricar como CIs. No entanto, eles geralmente produzem mais ruído (isto é, têm uma faixa dinâmica menor), têm maior distorção e podem introduzir componentes de frequência de comutação, tais como *aliasing* (falseamento de frequências) e *clock feedthrough* (conexão do sinal de clock que interfere em outro sinal).

Algumas das características desejáveis em filtros ativos são: (a) um pequeno número de dispositivos, tanto ativos como passivos, (b) facilidade de ajuste, (c) pequena amplitude de valores dos dispositivos, especialmente os

---

[24] Ou até mesmo seguidores com transistores discretos, como no filtro Sallen-Key simples.

[25] A configuração do circuito resultante é, muitas vezes, idêntica à de algum filtro ativo contínuo no tempo, como o tipo conhecido como "variáveis de estado" ou "biquadrático".

valores de capacitores, (d) uso pouco exigente do AOP, especialmente exigências sobre taxa de variação, largura de banda e impedância de saída, (e) capacidade de fazer filtros de alto Q, (f) sintonia elétrica e (g) sensibilidade das características de filtro aos valores dos componentes e ao ganho do AOP (em especial, o produto ganho-largura de banda, f_T). Em muitos aspectos, a última característica é uma das mais importantes. Um filtro que requer dispositivos de alta precisão é difícil de ajustar e apresenta deriva nos componentes com o passar do tempo; além disso, há o incômodo de requerer componentes de boa precisão inicial. O circuito VCVS provavelmente deve a maioria da sua popularidade à sua simplicidade e à sua baixa quantidade de dispositivos, mas sofre de alta sensibilidade às variações dos componentes. Em comparação, o recente interesse em implementações de filtros mais complicados é motivado pelos benefícios da insensibilidade das propriedades do filtro à pequena variabilidade de componente.

Nesta seção, apresentaremos alguns circuitos para filtros ativos passa-baixas, passa-altas e passa-faixa. Começaremos com o popular VCVS, ou o tipo de fonte controlada, e, em seguida, mostraremos os projetos de variáveis de estado disponíveis como CIs a partir de vários fabricantes. Por fim, falaremos do filtro de rejeição acentuada duplo T.

A maioria dos novos CIs de filtro ativo a ser introduzida é do tipo a capacitor chaveado, devido à sua facilidade de utilização, tamanho pequeno, baixo custo, estabilidade excelente e (em alguns casos) completa ausência de componentes externos exigidos. Concluímos o capítulo com uma discussão sobre eles.

6.3.1 Circuitos VCVS

O filtro de fonte de tensão controlada por tensão (VCVS – *voltage-controlled voltage-source*), também conhecido simplesmente como filtro de fonte controlada, foi concebido por Sallen e Key (e introduzido de forma simplificada na Seção 6.2.4E). É uma variante do circuito de ganho unitário simples mostrado anteriormente (Figura 6.16), na qual o seguidor de ganho unitário é substituído por um amplificador não inversor de ganho maior do que a unidade. A Figura 6.28 apresenta os circuitos para as implementações do passa-baixas, passa-altas e passa-faixa. Os resistores nas saídas dos AOPs criam um amplificador de tensão não inversor de ganho de tensão K, com os resistores e capacitores restantes contribuindo para as propriedades da resposta de frequência do filtro. Eles são filtros de 2 polos e podem ser Butterworth, Bessel, etc., pela escolha apropriada dos valores dos componentes, como mostraremos mais adiante. Qualquer quantidade de seções VCVS de 2 polos pode ser conectada em cascata para gerar filtros de ordem superior. Quando isso é feito, as seções individuais do filtro não são, em geral, idênticas. Na verdade, cada seção representa um fator polinomial quadrático do polinômio de ordem n que descreve o filtro global.

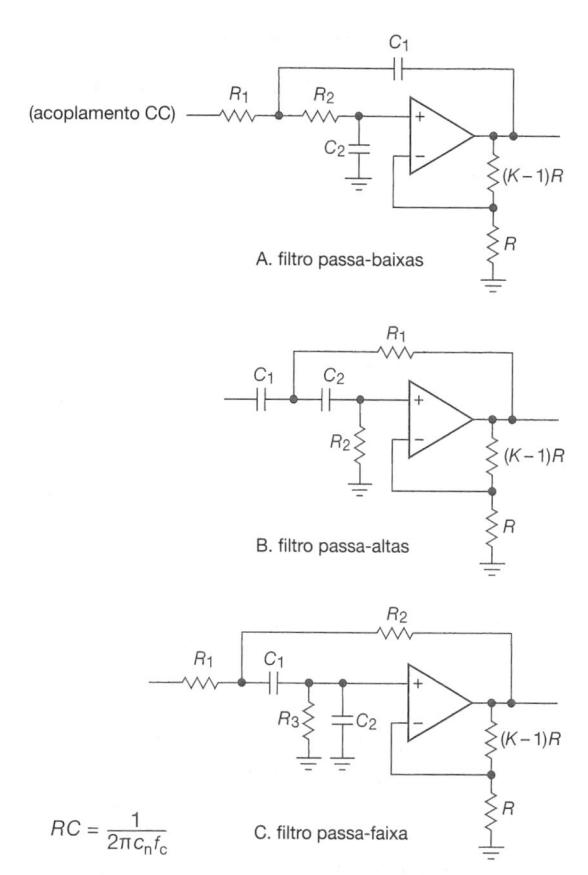

$$RC = \frac{1}{2\pi c_n f_c}$$

FIGURA 6.28 Circuitos de filtros ativos VCVS.

A. filtro passa-baixas

B. filtro passa-altas

C. filtro passa-faixa

Existem equações e tabelas de projeto na maior parte dos manuais de filtros padrão para todas as respostas de filtro convencionais, normalmente incluindo tabelas separadas para cada um dos diversos valores de amplitude de oscilação para filtros Chebyshev. Na próxima seção, apresentaremos uma tabela de projeto fácil de usar para filtros VCVS de respostas Butterworth, Bessel e Chebyshev (ondulação na banda de passagem de 0,5 dB e 2 dB para filtros Chebyshev) para uso como filtros passa-baixas ou passa-altas. Os filtros passa-faixa e rejeita-faixa podem ser feitos a partir das combinações deles.

6.3.2 Projeto de Filtro VCVS Usando a Nossa Tabela Simplificada

Para usar a Tabela 6.2 para fazer um filtro passa-baixas ou passa-altas, comece decidindo qual resposta de filtro você precisa. Como mencionamos anteriormente, o Butterworth pode ser atraente se for desejada uma planicidade máxima na banda de passagem, o Chebyshev proporciona um decaimento mais rápido da banda de passagem para a banda de rejeição (à custa de alguma ondulação na banda de passagem), e o Bessel oferece as melhores características de fase, ou seja,

TABELA 6.2 Filtros passa-baixas VCVS

Polos	Butterworth K	Bessel c_n	Bessel K	Chebyshev (0,5dB) c_n	Chebyshev (0,5dB) K	Chebyshev (2dB) c_n	Chebyshev (2dB) K
2	1,586	1,272	1,268	1,231	1,842	0,907	2,114
4	1,152	1,432	1,084	0,597	1,582	0,471	1,924
	2,235	1,606	1,759	1,031	2,660	0,964	2,782
6	1,068	1,607	1,040	0,396	1,537	0,316	1,891
	1,586	1,692	1,364	0,768	2,448	0,730	2,648
	2,483	1,908	2,023	1,011	2,846	0,983	2,904
8	1,038	1,781	1,024	0,297	1,522	0,238	1,879
	1,337	1,835	1,213	0,599	2,379	0,572	2,605
	1,889	1,956	1,593	0,861	2,711	0,842	2,821
	2,610	2,192	2,184	1,006	2,913	0,990	2,946

passa-baixas de 4 polos
$f_C = 100$ Hz

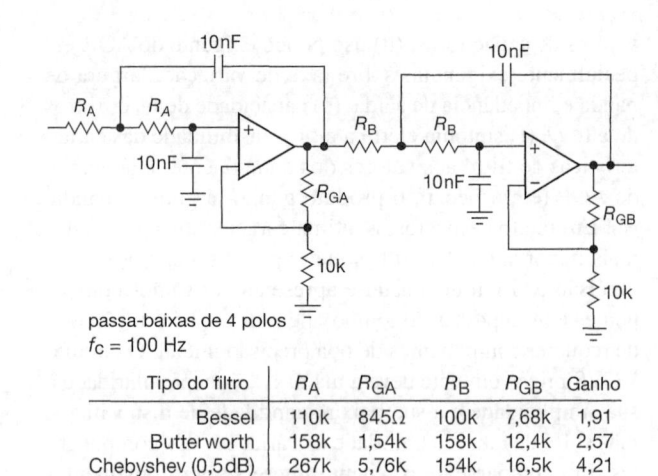

Tipo do filtro	R_A	R_{GA}	R_B	R_{GB}	Ganho
Bessel	110k	845Ω	100k	7,68k	1,91
Butterworth	158k	1,54k	158k	12,4k	2,57
Chebyshev (0,5dB)	267k	5,76k	154k	16,5k	4,21

FIGURA 6.29 Exemplo de filtro passa-baixas VCVS. Os valores dos resistores mostrados são os valores padrão de 1% mais próximos (conhecidos como "E96").

atraso de sinal constante na banda de passagem, com uma resposta ao degrau correspondentemente boa. As respostas de frequência para todos os tipos são mostradas nos gráficos correspondentes (Figura 6.30).

Para construir um filtro de n polos (para n um inteiro par), você precisará conectar em cascata $n/2$ seções VCVS. Dentro de cada seção, $R_1 = R_2 = R$ e $C_1 = C_2 = C$. Como é habitual em circuitos AOP, R normalmente é escolhido na faixa de 10k a 100k. (É melhor evitar valores de resistores pequenos, por causa da elevação da impedância de saída de circuito aberto do AOP em altas frequências que se soma aos valores dos resistores e torna os cálculos chatos.) Então, tudo que você precisa fazer é definir o ganho, K, de cada fase de acordo com as entradas da tabela. Para um filtro de n polos, existem $n/2$ entradas, uma para cada seção.

A. Filtros Passa-Baixas Butterworth

Se o filtro é um Butterworth, todas as seções têm os mesmos valores de R e C, dado simplesmente por $RC = 1/2\varpi f_c$, onde f_c é a frequência de -3 dB desejada de filtro inteiro. Para fazer um filtro Butterworth passa-baixas de 6 polos, por exemplo, conecte em cascata três das seções passa-baixas mostradas anteriormente, com ganhos de 1,07, 1,59 e 2,48 (de preferência, nessa ordem, para evitar problemas de faixa dinâmica), e com resistores e capacitores idênticos para definir o ponto de 3 dB.

B. Filtros Passa-Baixas de Bessel e Chebyshev

Para fazer um filtro de Bessel ou Chebyshev com o VCVS, a situação é apenas um pouco mais complicada. Novamente conectamos em cascata vários filtros VCVS de 2 polos, com ganhos prescritos para cada seção. Dentro de cada seção, voltamos a usar $R_1 = R_2 = R$ e $C_1 = C_2 = C$. No entanto, ao contrário da situação com o Butterworth, os produtos RC para as diferentes seções são diferentes e devem ser gradua-

dos pelo fator de normalização c_n (determinado para cada seção na Tabela 6.2) segundo a $RC = 1/2\varpi c_n f_c$. Aqui f_c é novamente o ponto de 3 dB para o filtro de Bessel, ao passo que, para o filtro de Chebyshev, ele define o fim da banda passante, ou seja, é a frequência na qual a resposta de amplitude passa da banda de ondulação para a banda de rejeição. Por exemplo, a resposta de um filtro passa-baixas Chebyshev com 0,5 dB de ondulação e $f_c = 100$ Hz será plana dentro de $+0$ dB a $-0,5$ dB desde CC até 100 Hz, com 0,5 dB de atenuação em 100 Hz e uma queda rápida para as frequências superiores a 100 Hz. Os valores são dados para filtros Chebyshev com ondulação na banda de passagem de 0,5 dB e 2,0 dB; esta última tem uma transição um pouco mais acentuada para a banda de rejeição (Figura 6.30).

Um exemplo

A título de ilustração, a Figura 6.29 mostra uma implementação VCVS de um filtro passa-baixas de 4 polos com $f_c = 100$ Hz; são listados valores de resistores para três características de filtro, que foram calculados como acabamos de descrever. Utilizamos um filtro semelhante (Butterworth de 6 polos, $f_c = 90$ Hz) para criar uma onda senoidal de precisão de 50 a 70 Hz partir de uma onda quadrada digital de um oscilador a cristal; a saída foi amplificada e usada para acionar um telescópio astronômico.[26]

C. Filtros Passa-Altas

Para fazer filtro passa-altas, use a configuração passa-altas mostrada anteriormente, ou seja, com os resistores e capacitores em posições trocadas. Para filtros Butterworth, todo o resto permanece inalterado (utilize os mesmos valo-

---

[26] Este é um sistema desenvolvido pelos autores e ilustra a aplicação de filtros.

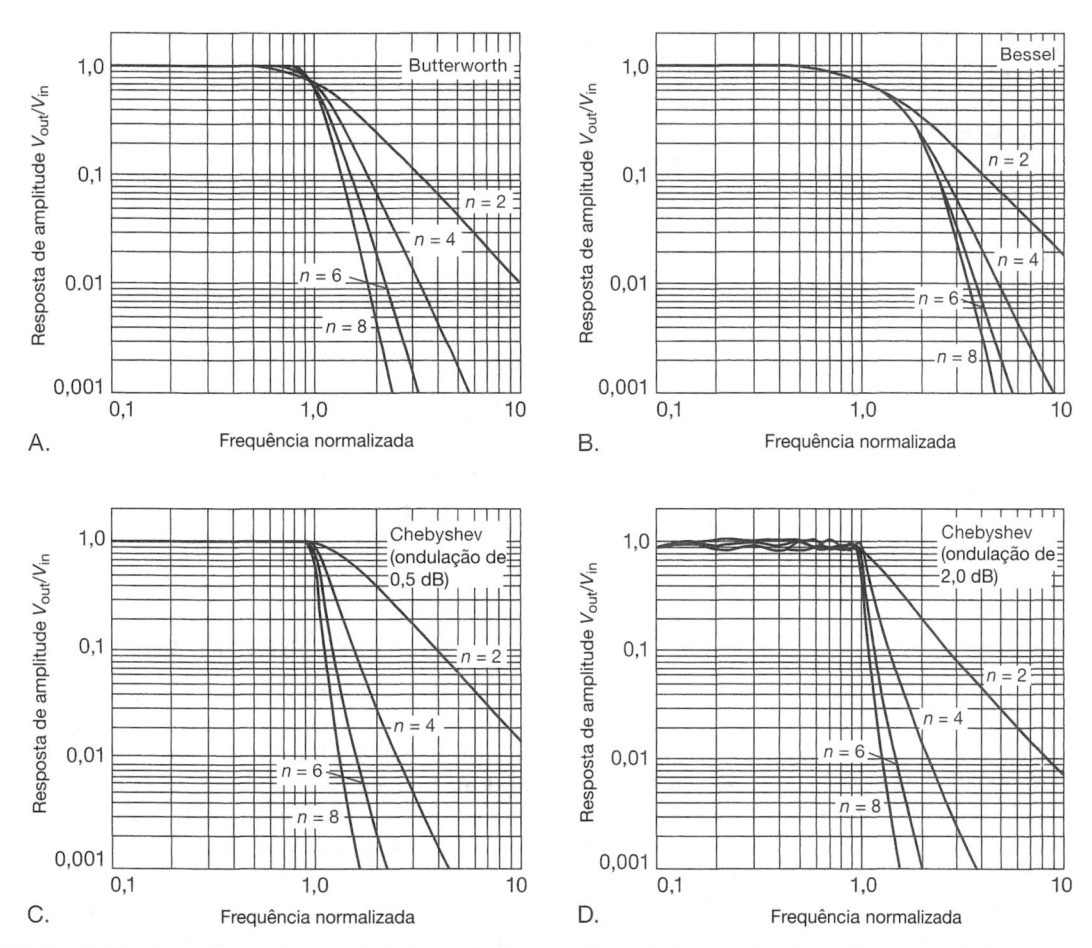

FIGURA 6.30 Gráficos de resposta de frequência normalizados para filtros de 2, 4, 6 e 8 polos na Tabela 6.2. Os filtros de Butterworth e Bessel e são normalizados para 3 dB de atenuação na frequência unitária, ao passo que os filtros de Chebyshev são normalizados para atenuações de 0,5 dB e 2,0 dB. Como explicado anteriormente, a parte superior da banda de ondulação nos gráficos de Chebyshev foi definida para a unidade.

res para R, C e K). Para os filtros de Bessel e Chebyshev, os valores de K são os mesmos, mas os fatores de normalização c_n devem ser invertidos, ou seja, para cada seção o novo c_n é igual a $1/c_n$ (listado na Tabela 6.2).

Um filtro passa-faixa pode ser feito conectando em cascata filtros passa-baixas e passa-altas sobrepostos. Um filtro rejeita-faixa pode ser feito pela soma das saídas dos filtros passa-baixas e passa-altas que não se sobrepõem. No entanto, esses filtros em cascata não funcionarão bem para filtros de alto Q (filtros passa-faixa extremamente pronunciados), pois existe uma grande sensibilidade para os valores dos componentes nas seções de filtro individuais (desacoplados). Em tais casos, um circuito passa-faixa de único estágio de alto Q (por exemplo, o circuito passa-faixa VCVS ilustrado anteriormente, ou os filtros de variáveis de estado ou biquadrático na próxima seção) deve ser usado. Mesmo um filtro de 2 polos de estágio único pode produzir uma resposta com um pico extremamente pronunciado. Informações sobre tais projetos de filtro estão disponíveis nas referências padrão.

D. Generalização do Filtro Sallen-Key

Uma simplificação de projeto nestes circuitos de filtro Sallen-Key (ou VCVS) foi a utilização de valores de resistores e de capacitores idênticos dentro de cada estágio do filtro de 2 polos; mas, com essa simplificação, vem um conjunto de ganhos estranhos do amplificador, como visto na coluna "Ganho" na Figura 6.29.

Muitas vezes, você deseja definir o ganho do filtro – por exemplo, para evitar a saturação, ou para que possa mudar as características do filtro (por meio de uma mudança de valor componente) sem alterar o ganho. Quando você restringe o ganho, no entanto, tem que relaxar a restrição de razão de componente. Você pode aprender tudo sobre isso em duas interessantes Notas de Aplicação de James Karki, da Texas Instruments.[27] O ponto principal é que você pode criar qual-

---

[27] *"Analysis of the Sallen-Key Architecture"* (Análise da Arquitetura Sallen-Key), SLOA024B (2002) e *"Active Low-Pass Filter Design"* (Projeto de Filtro Passa-Baixas Ativo), SLOA049B (2002).

quer característica de filtro (tal como acontece com os circuitos VCVS anteriores) usando estágios de amplificadores com o ganho da sua escolha, desde que você esteja disposto a ajustar as razões de resistores e capacitores.

Segundo a análise de Karki, podemos escrever uma síntese das fórmulas para frequência de transição f_c e para o Q de uma seção Sallen-Key de 2 polos em que as razões de componentes podem assumir valores arbitrários. Seguindo a convenção de nomenclatura[28] da Figura 6.28A, definimos os parâmetros m, n e τ (o que tornará os resultados finais mais bonitos):

$$m = R_1/R_2, \quad n = C_1/C_2 \quad \text{e} \quad \tau = R_2 C_2$$

Com essas definições, uma seção de filtro de 2 polos tem uma frequência de transição

$$f_c = \frac{1}{2\pi\tau\sqrt{mn}} \quad (6.5)$$

e um Q (nitidez da transição, ou ausência de picos) de

$$Q = \frac{\sqrt{mn}}{1 + m + mn(1-K)}. \quad (6.6)$$

Esses resultados sozinhos não são suficientes para você projetar filtro de ordem superior em cascata com formas canônicas de filtro (Chebyshev, etc.); para isso, você pode consultar as tabelas na Nota de Aplicação SLOA049B de Karki ou (para mais diversão) usar um programa de projeto de filtro. Mas essas expressões demonstram o ponto em que você pode trocar um conjunto de restrições por outro. Observe especialmente o atraente caso do ganho unitário ($K = 1$), para o qual os elementos de ganho podem ser CIs buffers de ganho unitário de banda larga, ou simples seguidores com transistores discretos.[29]

Voltando à restrição anterior que usamos com a tabela VCVS (ou seja, $R_1 = R_2 = R$, $C_1 = C_2 = C$), essas fórmulas se reduzem às formas simples

$$f_c = \frac{1}{2\pi RC}, \quad Q = \frac{1}{3-K}, \quad (6.7)$$

para as quais o circuito se torna instável (Q→∞) quando $K = 3$. Note que tal circuito, com o ganho K ainda mais restrito à unidade (ou seja, um seguidor, como ilustrado na figura 6.16 para introduzir a ideia de um filtro ativo), produz um filtro bastante fraco, com um Q de apenas metade.

---

[28] Uma advertência: usamos as tabelas ("referências de projeto") para os resistores e capacitores, tal como definido no artigo original de Sallen Key, mas, em muitas referências (incluindo a de Karki), os rótulos para C_1 e C_2 são trocados.

[29] Você pode transformar essas equações para determinar m em função de n, dado um valor-alvo para Q: defina uma quantidade $\alpha = (n/2Q^2) - 1$ em seguida, use $m = \alpha + \sqrt{\alpha^2 - 1}$.

E. Resumo

Filtros VCVS minimizam o número de componentes necessários (dois polos por AOP) e oferecem as vantagens adicionais de ganho não inversor, baixa impedância de saída, pequena amplitude de valores de componentes, fácil ajuste de ganho e uma capacidade de operar em alto ganho ou alto Q. Eles sofrem de sensibilidade para valores de componentes e de ganho do amplificador e não são muito bons para aplicações em que é necessário um filtro sintonizável de características estáveis. Eles também exigem AOPs cuja largura de banda (f_T, ou GBW) é muito maior do que o f_c do filtro.[30] Algumas dessas desvantagens são bem corrigidas nos filtros de variáveis de estado e biquadráticos.

Exercício 6.3 Projete um filtro VCVS passa-baixas Chebyshev de 6 polos com uma ondulação na banda de passagem de 0,5 dB e frequência de corte f_c de 100 Hz. Qual é a atenuação em $1,5 f_c$?

6.3.3 Filtros de Variáveis de Estado

O filtro de 2 polos mostrado na Figura 6.31 é muito mais complexo do que os circuitos VCVS, mas é popular devido à sua maior estabilidade e à sua facilidade de ajuste. Ele é chamado de filtro de variáveis de estado e estava originalmente disponível como um CI da National (o AF100 e AF150, agora descontinuados): você pode obtê-lo a partir da Burr-Brown/TI (o UAF42), e um dispositivo bastante semelhante é feito pela Maxim (MAX274-5). Devido a ele ser um módulo fabricado, todos os componentes, exceto R_G, R_Q e os dois R_Fs, são internos. Entre suas propriedades interessantes, está a disponibilidade de saídas passa-altas, passa-baixas e passa-faixa a partir do mesmo circuito; além disso, a sua frequência pode ser sintonizada, mantendo Q constante (ou, alternativamente, a largura de banda constante) na característica de passa-faixa. Tal como acontece com as implementações VCVS, múltiplos estágios podem ser conectados em cascata para gerar filtros de ordem superior. Pode-se tornar a frequência ajustável com um potenciômetro duplo para o par R_F. Mas, dada a frequência de sintonia inversa ($1/R$), você pode preferir um esquema linear, como o mostrado na Figura 6.34, em que você poderia usar um potenciômetro duplo ou um duplo DAC de multiplicação (veja a Seção 6.3.3C).

Fórmulas de projeto extensas e tabelas são fornecidas pelos fabricantes para a utilização desses CIs convenientemente. Elas mostram como escolher os valores dos resistores externos para fazer filtros Butterworth, Bessel e Chebyshev para uma ampla faixa de ordens de filtro, com respostas passa-baixas, passa-altas, passa-faixa ou rejeita-faixa. Entre as características interessantes desses CIs híbridos, está a inte-

---

[30] Segundo diversas autoridades, requer-se algo como $f_T \geq 50\, Q^2 f_c$, em que o Q de uma seção de AOP é dado em termos do ganho K (conforme listado na tabela) por $Q = 1/(3 - K)$. Você pode ver o critério de largura de banda (que é aproximado, em qualquer caso) expresso, alternativamente, como $f_T \geq 50 f_c$ ou $f_T \geq 50\, K f_c$; eles estão todos no mesmo patamar.

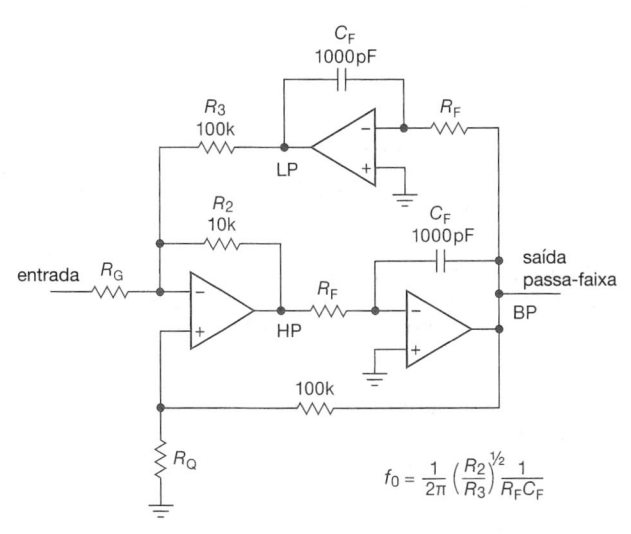

FIGURA 6.31 Filtro ativo de variáveis de estado.

gração dos capacitores ao módulo,[31] de modo que precisam ser acrescentados apenas resistores externos.

A. Filtros Passa-Faixa

O circuito de variáveis de estado, apesar de seu grande número de componentes, é uma boa escolha para filtros passa-faixa pronunciados (de alto Q). Ele tem baixa sensibilidade aos componentes, não faz grandes exigências de largura de banda do AOP e é fácil de ajustar. Por exemplo, no circuito da Figura 6.31, usado como um filtro passa-faixa, os dois resistores R_F definem a frequência central, e R_Q e R_G, em conjunto, determinam o Q e o ganho no centro da faixa:

$$R_F = 5{,}03 \times 10^7/f_0 \quad \text{ohms} \tag{6.8}$$

$$R_Q = 10^5/(3{,}48Q + G - 1) \quad \text{ohms,} \tag{6.9}$$

$$R_G = 3{,}16 \times 10^4 Q/G \quad \text{ohms.} \tag{6.10}$$

Então, você poderia fazer um filtro de Q constante com frequência sintonizável usando um resistor variável de 2 seções (potenciômetro) para R_F. Como alternativa, você poderia fazer R_Q ajustável produzindo um filtro de Q variável com frequência fixa (e, infelizmente, um ganho variável).

Exercício 6.4 Calcule os valores dos resistores na Figura 6.32 para fazer um filtro passa-faixa com $f_0 = 1$ kHz, $Q = 50$ e $G = 10$.

A Figura 6.32 apresenta uma variante útil do filtro passa-fixa de variáveis de estado. A má notícia é que ele usa quatro AOPs; a boa notícia é que você pode ajustar a largura de banda (isto é, o Q) sem afetar o ganho na banda média. Na verdade, tanto o Q quanto o ganho são definidos com um único resistor cada. O Q, o ganho e a frequência central são

---
[31] E, claro, nenhum indutor é necessário nesta (ou qualquer outra) implementação de filtro ativo.

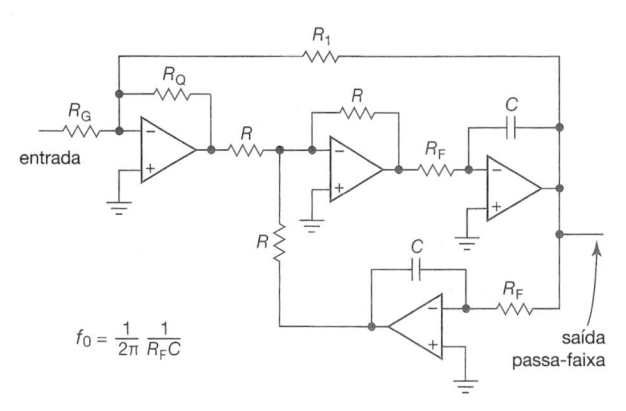

FIGURA 6.32 Um filtro com ganho e Q configuráveis independentemente.

completamente independentes e são dados por estas equações simples:

$$f_0 = 1/2\pi R_F C, \tag{6.11}$$

$$Q = R_1/R_Q, \tag{6.12}$$

$$G = R_1/R_G, \tag{6.13}$$

$$R \approx 10\text{k} \quad \text{(não crítico, casado)}. \tag{6.14}$$

Filtro Biquadrático

Um tipo próximo do filtro de variáveis de estado é o chamado filtro biquadrático, mostrado na Figura 6.33. Esse circuito também utiliza três amplificadores operacionais e pode ser construído a partir de CIs de variáveis de estado mencionados anteriormente. Ele tem a propriedade interessante de podermos sintonizar a sua frequência (via R_F) mantendo constante a *largura de banda* (em vez de Q constante). Aqui estão as equações de projeto:

$$f_0 = 1/2\pi R_F C, \tag{6.15}$$

$$\text{BW} = 1/2\pi R_B C, \tag{6.16}$$

$$G = R_B/R_G. \tag{6.17}$$

O Q é dado por f_0/BW e é igual a R_B/R_F. Como a frequência central é variada (via R_F), o Q varia proporcionalmente, mantendo a largura de banda f_0/Q constante.

Quando você cria um filtro biquadrático a partir do zero (em vez de fazê-lo com um CI de filtro ativo que já contenha a maioria dos dispositivos), o procedimento geral é como descrito a seguir.

(1) Escolha um AOP cuja largura de banda é, pelo menos, 10 a 20 vezes Gf_0.
(2) Escolha um valor de capacitor próximo de $C = 10/f_0\ \mu\text{F}$.
(3) Use a frequência central desejada para calcular o R_F correspondente a partir da equação 6.15.
(4) Use a largura de banda desejada para calcular R_B a partir da equação 6.16.

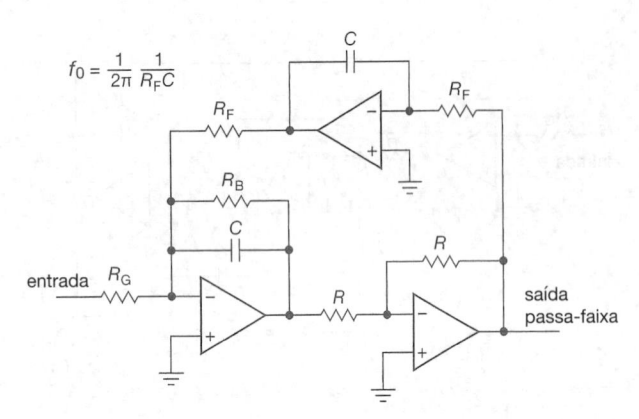

FIGURA 6.33 Filtro ativo biquadrático.

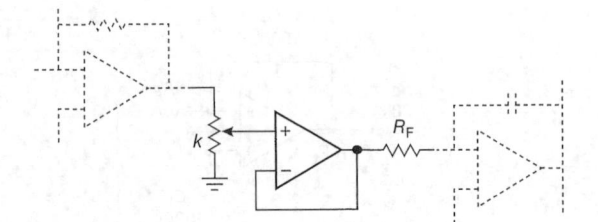

FIGURA 6.34 Sintonia de frequência do filtro ativo de variáveis de estado. O *buffer* do AOP pode ser omitido se não for necessária uma linearidade rigorosa com a rotação do potenciômetro.

$$f_0 = \frac{1}{2\pi} \frac{1}{R_F C}$$

(5) Use o ganho do centro da banda desejado para calcular R_G a partir da equação 6.17.

Você pode ter que ajustar o valor do capacitor se os valores dos resistores se tornarem muito grandes ou pequenos. Por exemplo, em um filtro de alto Q, você pode precisar aumentar um pouco C para evitar que R_B se torne muito grande (ou você pode usar o truque da rede T, descrito na Seção 4.5.5). Note que R_F, R_B e R_G atuam como cargas do AOP e, assim, não devem se tornar menores do que, digamos, 5k. Quando manipulamos os valores do componente, podemos achar mais fácil satisfazer a exigência (1), diminuindo o ganho do integrador (aumentando R_F) e, simultaneamente, aumentando o ganho do estágio inversor (aumentando o resistor de realimentação de 10k).

Como exemplo, suponha que queiramos fazer um filtro com as mesmas características que no Exercício 6.4. Gostaríamos de começar escolhendo provisoriamente $C = 0{,}01$ μF. Então, determinamos $R_F = 15{,}9$k ($f_0 = 1$ kHz) e $R_B = 796$k ($Q = 50$; BW $= 20$ Hz). Por fim, $R_G = 79{,}6$k ($G = 10$).

Exercício 6.5 Projete um filtro passa-faixa biquadrático com $f_0 = 60$ Hz, BW $= 1$ Hz e $G = 100$.

B. Filtros Passa-Faixa de Ordem Superior

Tal como acontece com os nossos filtros passa-baixas e passa-altas anteriores, é possível construir filtros passa-faixa de ordem superior com uma banda de passagem aproximadamente plana e transição acentuada para a banda de rejeição.

Você pode fazer isso conectando em cascata vários filtros passa-faixa de ordem inferior, com a combinação feita sob medida para implementar o tipo de filtro desejado (Butterworth, Chebyshev ou qualquer outro). Como antes, o Butterworth é "maximamente plano", enquanto o Chebyshev sacrifica a planicidade na banda de passagem em favor da inclinação das saias. Os filtros passa-faixa VCVS e de variáveis de estado/biquadrático aqui considerados são de segunda ordem (dois polos). À medida que se aumenta a nitidez do filtro pela adição de seções, geralmente degradamos a resposta a transientes e as características de fase. A "largura de banda" de um filtro passa-faixa é definida como a largura entre os pontos de -3 dB, exceto para filtros de ondulação igualitária, para os quais é a largura entre as frequências na qual a resposta cai fora do canal de ondulação da banda de passagem.

Você pode encontrar tabelas e procedimentos de projeto para a construção de filtros complexos em livros sobre filtros ativos ou nas folhas de dados de CIs de filtro ativo. Existem também alguns programas de projeto de filtro muito bons, incluindo versões *shareware* e *freeware* que rodam em PCs padrão e estações de trabalho.

C. Sintonia Eletrônica

Às vezes, você quer uma sintonia (ou chaveamento) elétrica para poder alterar as características do filtro sob o controle de um sinal (em vez de ter que girar o eixo em um resistor variável). Um exemplo pode ser um filtro passa-baixas *anti-aliasing* que precede um digitalizador, em que a taxa de digitalização f_s pode ser variada sobre algum intervalo. Nesse caso, o f_c do filtro deve ser definido para seguir a frequência de Nyquist, $f_c \approx f_s/2$ (veja as Seções 6.2.3C, 6.3.7 A e 13.5.1B). Em circuitos de filtro ativo, como o VCVS, você pode fazer isso, de forma limitada, usando chaves analógicas para selecionar entre um pequeno conjunto de resistores fixos, cada um dos quais substitui um dos resistores no filtro. Mas os filtros de variáveis de estado fornecem uma maneira especialmente conveniente de realizar tanto o chaveamento quanto a sintonia contínua, em uma dentre várias maneiras.

Potenciômetro digital Como discutimos na Seção 3.4.3E, você pode conseguir CIs convenientes que contenham uma longa sequência de resistores casados, com chaves MOSFET para selecionar a derivação do divisor de tensão (por meio de controle digital[32]). Assim, você pode efetivamente alterar o valor de um resistor de programação (por exemplo, R_F na Figura 6.31) precedendo-o com tal divisor de tensão digital (com um seguidor de ganho unitário, se necessário para acionar um R_F de baixo valor); veja a Figura 6.34. Usando um potenciômetro digital duplo[33], você pode

---

[32] Veremos como controlar esses circuitos com sinais digitais a partir do Capítulo 10.

[33] Eles estão disponíveis em unidades com vários circuitos simples, duplos, quádruplos e em "sextetos".

ajustar o par de resistores R_F simultaneamente, como seria necessário para sintonizar f_0 neste circuito passa-faixa. Potenciômetros digitais apresentam até 1.024 derivações, e elas podem se espaçadas de forma linear ou logarítmica, para que você possa conseguir um controle eletrônico bastante preciso. Potenciômetros digitais não fornecem valores de resistência globais especialmente precisos (tipicamente, ±20%), mas eles podemos garantir controle preciso e estável da relação do divisor (1% ou melhor); ou seja, os resistores que compõem a sequência estão bem casados. É por isso que eles funcionam bem nesta aplicação, em que apenas a proporção é importante.

DAC multiplicador Outra maneira de variar de forma eficaz o R_F no filtro de variáveis de estado é a utilização de um DAC (conversor digital-analógico) multiplicador, em vez de um divisor programável, para dimensionar a tensão de saída do amplificador operacional. O MDAC produz uma tensão (ou uma corrente, em alguns modelos) proporcional ao produto de uma tensão de entrada analógica e um valor de entrada digital. Comparado com o potenciômetro digital, o método MDAC fornece resolução maior (tamanho de degrau menor), resposta mais rápida e (muitas vezes) faixa de tensão mais ampla.

Chave analógica Se desejar apenas um conjunto discreto de parâmetros de filtro, você pode simplesmente usar um conjunto de multiplexadores analógicos MOSFET para selecionar entre um grupo pré-selecionado de resistores de programação. Não se esqueça de considerar os efeitos de R_{ON} finito.

Chaveamento em CI Existem alguns CIs de filtro ativo que proporcionam uma frequência de corte programável, por meio de um código digital que você aplica a um conjunto de pinos de programação. Você não tem controle contínuo, mas com certeza economiza muito trabalho (e muitos dispositivos). Nesta classe, estão o LTC1564 (passa-baixas elíptico de 8 polos), que permite selecionar a frequência de corte entre 10 kHz e 150 kHz em passos de 10 kHz, e o MAX270 (duplo passa-baixas de 2 polos), que permite selecionar a frequência de corte entre 128 passos que vão de 1 kHz a 25 kHz.

Alternativas de sintonia eletrônica: filtros a capacitor chaveado e DSP

As técnicas apresentadas nos possibilitam a sintonia eletrônica, apresentando o filtro contínuo no tempo com um conjunto variável efetivo de resistores de programação. Ao pensar sobre a sintonia eletrônica, é prudente considerar filtros a capacitor chaveado e processamento digital de sinal (DSP), nos quais a sintonia eletrônica é inerente. Eles são discutidos mais adiante neste capítulo (Seções 6.3.6 e 6.3.7).

D. Filtro Ativo de Múltiplas Realimentações

Além das configurações de circuito de filtro ativo VCVS (Sallen-Key) e variáveis de estado (ou biquadrático), há outro circuito de filtro ativo que é comumente usado. É o chamado filtro ativo de "realimentação múltipla" (MFB – *multiple-feedback*) (também conhecido como "realimentação múltipla de ganho infinito"), mostrado na Figura 6.35. Aqui, o AOP está configurado como um integrador em vez de como um amplificador de tensão (ou seguidor). O projeto de um filtro MFB não é mais difícil do que o de um VCVS, e você pode encontrar bons software de filtro que suportam ambas as configurações, por exemplo, no excelente site da Uwe Beis (veja a Seção 6.3.8). Você pode obter bons CIs de filtro MFB, por exemplo, o LTC1563, um CI de filtro linear barato (2,30 dólares) usando a configuração MFB, conveniente para fazer filtros *anti-aliasing*, etc. A versão '1563-2 possibilita implementar filtros Butterworth de 4 e 5 polos, de 256 Hz a 360 kHz, e a versão 3 possibilita implementar filtros de Bessel. Os CIs usam capacitores internos ajustados de 27 pF a 54 pF com tolerância de 3%, combinado com seus resistores externos de 7k a 10M e tolerância de 1%. A folha de dados é especialmente instrutiva.

Essa configuração tem uma vantagem interessante em comparação com o VCVS: conforme a frequência aumenta, aproximando-se da largura de banda f_T do AOP, os efeitos degradantes do aumento da impedância de saída do AOP são menos graves. Fizemos simulações no SPICE dos filtros passa-baixas Butterworth de 2 polos VCVS e MFB (Figuras 6.36 e 6.37), que mostram bem esse efeito. Definimos a frequência de corte em 4 kHz, bem abaixo da frequência de ganho unitário (f_T) de 4 MHz do LF411. Na configuração VCVS, a elevação de Z_{out} do AOP permite que o sinal de entrada se acople à saída através do primeiro capacitor, um caminho que não existe na configuração MFB.[34] No entanto,

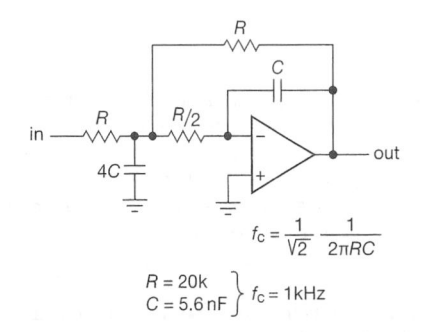

$$f_C = \frac{1}{\sqrt{2}} \frac{1}{2\pi RC}$$

$R = 20k$
$C = 5,6\,nF$ } $f_C = 1\,kHz$

FIGURA 6.35 Filtro ativo de realimentação múltipla (MFB), mostrado aqui em uma configuração passa-baixas de 2 polos.

---

[34] Este efeito é ilustrado nos documentos da Texas Instruments *"Analysis of the Sallen-Key Architecture"* (Análise da Arquitetura Sallen-Key) (SLOA024B) e *"Active Low-Pass Filter Design"* (Projeto de Filtro Passa-Baixas Ativo) (SLOA049A), ambos de James Karki, e no artigo de Dave Van Ess na EM-Genius analogZONE *"What Sallen-Key Filter Articles Don't Tell You"* (O Que os Artigos de Filtro Sallen-Key não Dizem para Você).

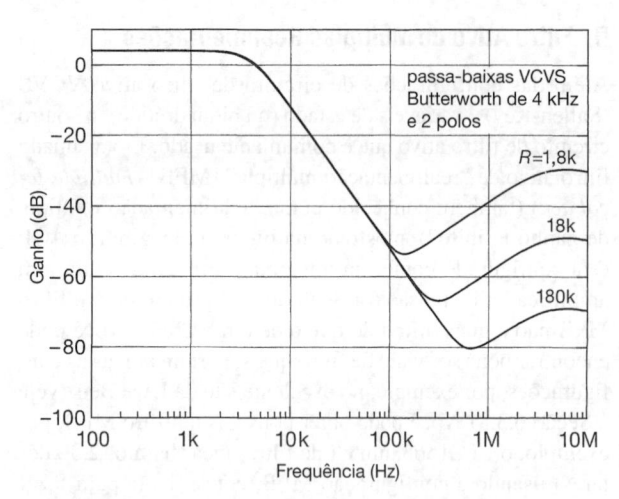

FIGURA 6.36 A impedância de saída de malha fechada crescente do AOP degrada a atenuação de alta frequência na configuração VCVS (Sallen-Key), permitindo que algum sinal de entrada seja acoplado à saída através do resistor de entrada e do capacitor de realimentação (R_1 e C_1 na Figura 6.28). Valores maiores de resistores reduzem o efeito. Veja também a Figura 6.37.

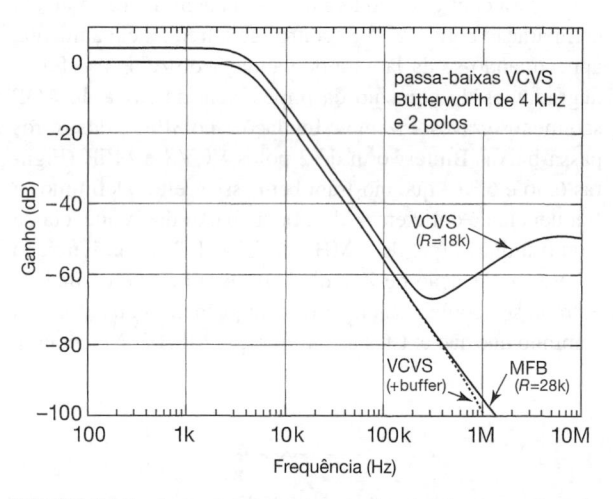

FIGURA 6.37 A atenuação da banda de rejeição da configuração MFB não é muito afetada pelo aumento da impedância de saída do AOP (por exemplo, como pode ser visto na figura 4.53) em comparação com a do VCVS. No entanto, você pode atenuar o efeito no VCVS usando um segundo AOP para acrescentar um *buffer* na saída do sinal na entrada não inversora do AOP.

em muitas aplicações, isso não é uma preocupação séria. E o efeito é reduzido conforme os valores dos resistores do filtro são aumentados, como se mostra na Figura 6.36. A configuração VCVS permanece popular.[35]

6.3.4 Filtros Notch Duplo T

A rede *RC* passiva mostrada na Figura 6.38 tem atenuação infinita com uma frequência $f_c = 1/2\pi RC$. A atenuação infinita não é característica de filtros *RC* em geral; este funciona adicionando-se efetivamente dois sinais que foram deslocados 180° fora de fase na frequência de corte. Isso requer um bom casamento dos componentes para obter um bom cancelamento em f_c. Ele é denominado duplo T, e pode ser utilizado para remover um sinal de interferência, tal como os que são captados da rede elétrica de 60 Hz. O problema é que ele tem as mesmas características de corte "suave" como todas as redes passivas *RC*, exceto, é claro, próximo de f_c, onde sua resposta cai como uma rocha. Por exemplo, um duplo T acionado por uma fonte de tensão ideal diminui 10 dB em duas vezes (ou metade) a frequência *notch* e diminui 3 dB em quatro vezes (ou um quarto) a frequência notch. Um truque para melhorar a sua característica notch é "ativá-lo" à maneira de um filtro Sallen-Key (Figura 6.39). Esta técnica parece boa em princípio, mas é geralmente decepcionante na prática, devido à impossibilidade de manter um bom filtro de cancelamento. À medida que o filtro *notch* se torna mais acentuado (mais ganho no *bootstrap*), o seu cancelamento se torna menos profundo.

Filtros duplo T estão disponíveis como módulos pré-fabricados, de 1 Hz a 50 kHz, com entalhe (*notch*) profundo de cerca de 60 dB (com alguma deterioração em altas e baixas temperaturas). Eles são fáceis de fazer a partir de componentes, mas resistores e capacitores de boa estabilidade e baixo coeficiente de temperatura devem ser utilizados para obter um entalhe profundo e estável. Um dos componentes deve ser ajustável.

O filtro duplo T funciona bem como um *notch* de frequência fixa, mas é um horror torná-lo sintonizável, pois três

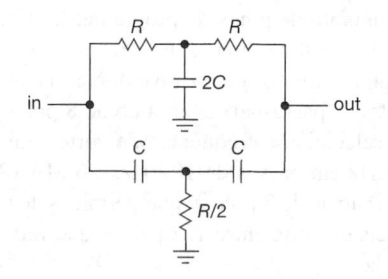

FIGURA 6.38 Filtro *notch* duplo T passivo.

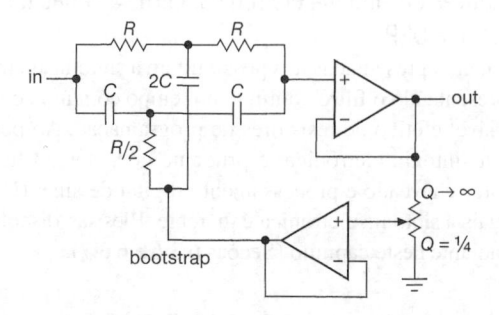

FIGURA 6.39 *Duplo T* com *bootstrap*.

---

[35] Uma maneira simples de atenuar as características ruins de corte em altas frequências é adicionar uma seção passiva *RC* na saída do filtro ativo; por exemplo, 200 Ω e 7,5 nF em um estágio de corte de 100 kHz adicional.

resistores devem ser ajustados simultaneamente, mantendo relação constante. No entanto, o circuito RC notavelmente simples da Figura 6.40A, que se comporta exatamente como o duplo T, pode ser ajustado ao longo de um intervalo de frequência significativo (pelo menos duas oitavas) com um único potenciômetro. Assim como o duplo T (e filtros mais ativos), ele requer algum casamento de componentes; neste caso, os três capacitores devem ser idênticos, e o resistor fixo deve ser exatamente seis vezes o resistor inferior (ajustável). A frequência *notch* é, então, dada por

$$f_{notch} = 1/2\pi C\sqrt{3R_1R_2}.$$

A Figura 6.40B mostra uma implementação sintonizável de 25 Hz a 100 Hz. O trimpot de 50k é ajustado (uma vez) para a profundidade máxima de *notch*.

Tal como acontece com o duplo T passivo, este filtro (conhecido como *diferenciador em ponte*) tem uma atenuação ligeiramente inclinada para fora do entalhe e atenuação infinita (considerando casamento perfeito dos valores dos componentes) na frequência *notch*. Ele também pode ser "ativado" pelo *bootstrap* do cursor do potenciômetro com um ganho de tensão um pouco menor do que a unidade (como na Figura 6.39). O aumento do ganho de *bootstrap* em direção à unidade estreita o entalhe, mas também leva a um pico de resposta indesejável sobre o lado de alta frequência do entalhe, juntamente com uma redução da atenuação final.

6.3.5 Filtros Passa-Todas

Passa-*todas*? O que quer dizer isso? E por que você iria querer uma coisa dessas, quando um pedaço de fio o faz tão bem quanto (e provavelmente melhor)?

Filtros passa-todas, também conhecidos como *equalizadores de atraso* ou *equalizadores de fase*, são filtros com resposta de *amplitude* plana, mas com um deslocamento de fase que varia com a frequência. Eles são usados para compensar os deslocamentos de fase (ou atrasos) em algum percurso do sinal.

A Figura 6.41 apresenta a configuração do circuito básico. Intuitivamente, é fácil verificar que o circuito se comporta como um inversor em baixas frequências (em que nenhum sinal é acoplado à entrada não inversora) e um seguidor em altas frequências (lembre-se do inversor opcional da Seção 4.3.1A). Ao escrever algumas equações, você pode se convencer de que o circuito se comporta como descrito na figura. Trocar entre si R e C produz uma característica semelhante, mas com deslocamentos de fase em atraso (em vez de avanço) entre os extremos do comportamento inversor e seguidor. O deslocamento de fase pode ser ajustado tornando R variável; mas note que um pequeno valor de R torna a impedância de entrada do circuito pequena em altas frequências (em que a reatância de C vai para zero).

A Figura 6.42 mostra uma variante que amplia a faixa de deslocamento de fase para um total de 360°. A desvantagem é que você tem que ajustar dois componentes simultaneamente (por exemplo, o par de resistores de valores iguais) para mudar sua sintonia. Isso, no entanto, pode ser feito muito bem por meio de um potenciômetro digital duplo (um "EEpot") do tipo descrito na Seção 3.4.3E.

6.3.6 Filtros a Capacitor Chaveado

Um inconveniente desses filtros de variáveis de estado ou biquadráticos é a necessidade de capacitores rigorosamente casados. Se você construir o circuito a partir de AOPs, tem de obter pares de capacitores estáveis (que não sejam eletrolítico, tântalo ou cerâmico de alto κ), talvez com casamento

FIGURA 6.40 Filtro *notch* sintonizável com diferenciador em ponte. A implementação em (B) sintoniza de 25 Hz a 100 Hz.

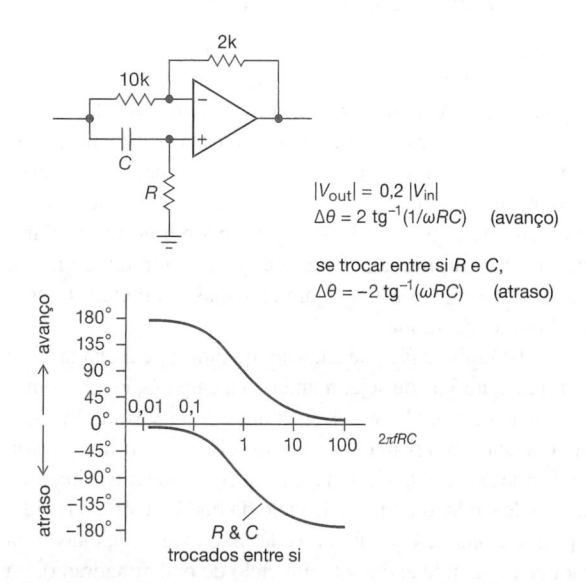

FIGURA 6.41 Filtro passa-todas, também conhecido como *equalizador de atraso*, ou *equalizador de fase*.

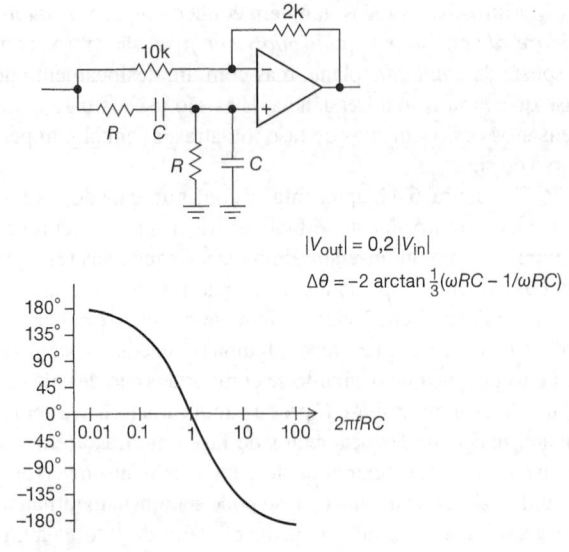

FIGURA 6.42 Filtro passa-todas com uma faixa de deslocamento de fase completa de 360°.

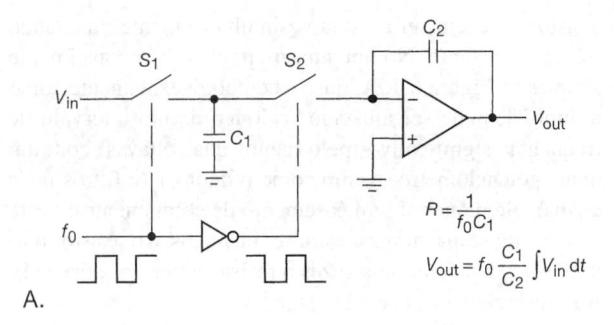

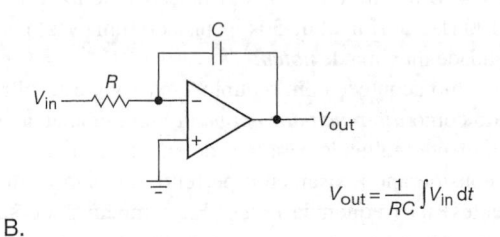

$|V_{out}| = 0.2 |V_{in}|$

$\Delta\theta = -2 \arctan \frac{1}{3}(\omega RC - 1/\omega RC)$

FIGURA 6.43 A. Integrador a capacitor chaveado. B. Integrador convencional.

melhor do que 1% para um melhor desempenho. Você também tem que fazer várias conexões, uma vez que os circuitos utilizam pelo menos três AOPs e seis resistores para cada seção de 2 polos. Como alternativa, você pode comprar um CI filtro, deixando para o fabricante a tarefa de calcular como integrar capacitores de 1000 pF (±0,5%) casados em um CI. Fabricantes de semicondutores resolveram esses problemas, mas a um preço: os CIs de "Filtro Ativo Universal" UAF42 e MAX274 (mencionados anteriormente), implementados com tecnologia híbrida ou de corte a laser, custam cerca de 8 a 16 dólares cada. Esses filtros "contínuos no tempo" também não são adequados para sintonia fácil.

A. Integrador a Capacitor Chaveado

Há outra maneira de implementar os integradores necessários nas configurações de filtro de variáveis de estado ou biquadrático. A ideia básica é usar chaves MOSFET analógicas, com clock de uma onda quadrada aplicado externamente em alguma alta frequência (tipicamente 100 vezes mais rápida que os sinais analógicos de interesse), como mostrado na Figura 6.43. Na figura, o símbolo triangular é um *inversor* digital, que inverte a onda quadrada, de modo que as duas chaves MOS sejam fechadas em metades opostas da onda quadrada.

O circuito é fácil de analisar: quando S_1 é fechada, C_1 é carregado até V_{in}, ou seja, mantendo a carga $C_1 V_{in}$. Na outra metade do ciclo, C_1 descarrega para o terra virtual, transferindo a sua carga para C_2. A tensão sobre C_2, portanto, varia conforme $\Delta V = \Delta Q/C_2 = V_{in} C_1/C_2$. Note que a *variação* de tensão de saída, durante cada ciclo da onda quadrada rápida, é proporcional à V_{in} (que consideramos variar apenas uma pequena quantidade durante um ciclo de onda quadrada), ou seja, o circuito é um integrador! É fácil mostrar que os integradores obedecem às equações na figura.

Exercício 6.6 Derive as equações na Figura 6.43.

Exercício 6.7 Aqui está outra maneira de entender o integrador a capacitor chaveado: calcule a corrente média que flui através de S_2 para o terra virtual. Você deve identificar que ela é proporcional à V_{in}. Portanto, a combinação de S_1, C_1 e S_2 se comporta como um resistor, formando um integrador clássico. Qual é o valor dessa resistência equivalente, em termos de f_0 e C_1? Use isso para chegar à equação na figura, $V_{out} = f_0 \, (C_1/C_2) \int V_{in} dt$.

B. Vantagens dos Filtros a Capacitor Chaveado

Há duas vantagens importantes ao utilizar capacitores chaveados em vez de integradores convencionais. Em primeiro lugar, como sugerido anteriormente, eles podem ser menos caros de implementar em silício: o ganho do integrador depende apenas da *relação* entre dois capacitores, e não dos seus valores individuais. Em geral, é fácil fazer um par casado de qualquer coisa em silício, mas muito difícil fazer um componente semelhante (resistor ou capacitor) de valor preciso e alta estabilidade. Como resultado, CIs de filtro a capacitor chaveado monolíticos são baratos – o filtro a capacitor chaveado universal da Texas Instruments (o MF10) custa 3,50 dólares (e 16 dólares para o convencional UAF42), e, além disso, temos *dois* filtros em um encapsulamento.

A segunda vantagem dos filtros a capacitor chaveado é a capacidade de sintonizar a frequência característica do filtro (por exemplo, a frequência central de um filtro passa--faixa, ou o ponto de −3 dB de um filtro passa-baixas) alterando meramente a frequência da onda quadrada de entrada (clock).[36] Isso ocorre porque a frequência característica de um filtro de variáveis de estado ou biquadrático é proporcional ao ganho do integrador (e depende apenas disso).

C. Configurações do Filtro a Capacitor Chaveado

Filtros a capacitor chaveado estão disponíveis em configurações dedicadas e "universais". As primeiras são construídas com componentes dentro do chip para formar filtros passa--baixas do tipo desejado (Butterworth, Bessel, Elíptico), enquanto as outras trazem para fora várias entradas e saídas intermediárias para que você possa conectar componentes externos para fazer o que quiser. O preço que você paga pela universalidade é um CI de encapsulamento maior e a necessidade de resistores externos. Por exemplo, o filtro passa-baixas elíptico de 8 polos no CI autônomo LTC1069-6 da LTC vem em um encapsulamento de 8 pinos (cerca de 9 dólares), em comparação com o seu filtro universal quádruplo de 2 polos LTC1164, que exige 12 resistores externos para implementar um filtro comparável e vem em um encapsulamento de 24 pinos (cerca de 15 dólares). A Figura 6.44 mostra quão fácil é usar o tipo dedicado. Consulte mais à frente a Seção 7.1.5A e veja um interessante e simples gerador de onda senoidal que usa um filtro a capacitor chaveado de monitoramento atuando em uma onda quadrada em uma fração da frequência de clock (Figuras 7.18 e 7.19).

Tanto o filtro a capacitor chaveado dedicado quanto o universal usam como bloco construtivo básico a configuração de variáveis de estado de 2 polos, com integradores a capacitor chaveado substituindo os integradores AOP alimentados com resistor do filtro ativo de variáveis de estado contínuo no tempo clássico; veja a Figura 6.45. Os CIs de filtros universais vêm com uma a quatro dessas seções, as quais podem ser conectadas em cascata para formar um filtro de ordem maior (com cada seção implementando um termo quadrático na equação de filtro fatorada), ou podem ser usadas independentemente para vários canais simultâneos (que devem, no entanto, compartilhar a entrada comum de clock). Folhas de dados do fabricante (ou software, ou ambos) tornam o projeto do filtro fácil com esses CIs de filtro universal.[37] E nenhum projeto é necessário para o filtro dedicado – apenas o encaixe, e pronto.

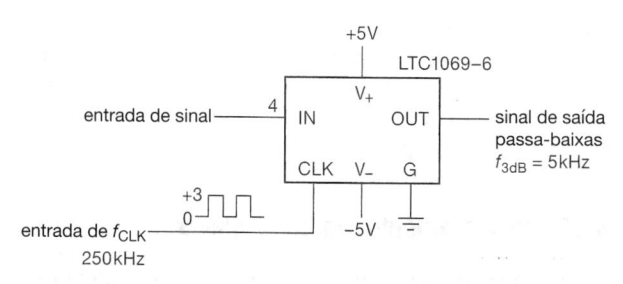

FIGURA 6.44 Filtro a capacitor chaveado dedicado passa--baixas, sem necessidade de componentes externos. A resposta elíptica de ordem 8 tem ±0,1 dB de ondulação na banda de passagem e atenua mais do que 40 dB em 1,3f_{3dB}.

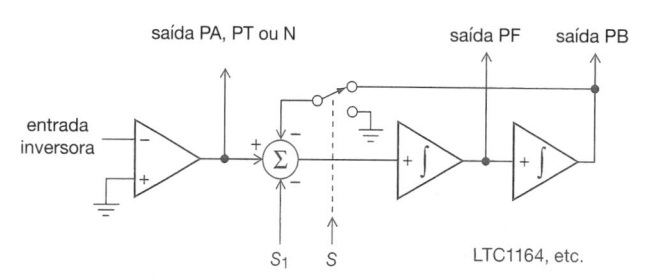

FIGURA 6.45 Bloco construtivo básico a capacitor chaveado de segunda ordem "universal". Pode fornecer saídas passa--baixas (PB), passa-altas (PA), passa-faixa (PF), passa-todas (PT) e *notch* (N) tal como determinado pelas conexões externas. Com seus capacitores internos ao chip, os únicos componentes externos necessários são alguns resistores.

D. Desvantagens dos Filtros a Capacitor Chaveado

Agora, a má notícia: filtros a capacitor chaveado têm três características irritantes, todas relacionadas e causadas pela presença do sinal de clock periódico. Em primeiro lugar, existe *clock feedthrough* (conexão do sinal de clock que interfere em outro sinal), presente no sinal de saída (tipicamente cerca de 10 a 25 mV) na frequência de clock, independente do sinal de entrada. Normalmente, isso não importa, pois está muito distante da banda do sinal de interesse. Se o *clock feedthrough* for um problema, um filtro *RC* simples na saída geralmente se livra dele.

O segundo problema é mais sutil: se o sinal de entrada tem quaisquer componentes de frequência próximos da frequência de clock, elas aparecerão na banda de passagem como componentes "falsas". Para afirmar com precisão, toda a energia do sinal de entrada em uma frequência diferente da frequência de clock em uma quantidade que corresponde a uma frequência na faixa de passagem aparece na banda de passagem (sem atenuação!). Por exemplo, se você usar um MAX7400 (passa-baixas elíptico de 8 polos dedicado) como

---

[36] A maioria dos filtros a capacitor chaveado é configurada em sua frequência característica igual a 1/50 ou 1/100 da frequência do clock.

[37] Você simplesmente especifica as frequências características, a atenuação da banda de rejeição, a ondulação na banda de passagem e o ganho: ele lhe diz quantos polos e dá os valores dos resistores. Os pacotes de software nos dão os gráficos de atenuação, fase e atraso em função da frequência (nos eixos que escolhemos), e tabelas numéricas também.

um filtro passa-baixas de 1 kHz (ou seja, definir $f_{clock} = 100$ kHz), toda a energia do sinal de entrada no intervalo de 99 a 101 kHz aparecerá na banda de saída no intervalo de CC a 1 kHz. Nenhum filtro na saída pode removê-lo! Você deve se certificar de que sinal de entrada não tenha energia perto da frequência de clock. Se esse não for o caso, geralmente você pode usar um filtro *RC* simples, pois a frequência de clock está normalmente muito longe da banda de passagem. O uso de CIs de filtro com uma alta relação entre a frequência de corte e o clock (por exemplo, 100:1 em vez de 25:1 ou 50:1) simplifica o projeto do filtro *anti-aliasing* de entrada. Você pode obter alguns bons CIs de filtro com relação de clock de 1000:1 da Mixed Signal Integration – por exemplo, a sua série NHMS.[38] A alta taxa de clock também reduz a forma de onda de saída do tipo "escada" a partir desses filtros.

O terceiro efeito indesejável em filtros a capacitor chaveado é uma redução geral na faixa dinâmica do sinal (um aumento do "ruído de fundo") devido ao cancelamento incompleto da injeção de carga da chave MOSFET (veja a Seção 3.4.2E). Isto se manifesta como um ruído de fundo aumentado dentro da banda de passagem. CIs de filtro típicos compreendem faixas dinâmicas de 80 a 90 dB. Além da faixa dinâmica reduzida (em comparação com filtros contínuos no tempo), os filtros a capacitor chaveado tendem a ter mais distorções do que seria de se esperar, especialmente para sinais de saída próximos dos trilhos de alimentação.

Como qualquer circuito linear, filtros a capacitor chaveado (e seus análogos com AOP) sofrem de erros de amplificação tais como tensão de *offset* de entrada e ruído de baixa frequência 1/*f*. Eles podem ser um problema se, por exemplo, você deseja passar por um filtro passa-baixas algum sinal de baixo nível sem introduzir erros ou flutuações no seu valor CC médio. Uma boa solução é fornecida pelos companheiros da Linear Technology, que inventaram o "filtro passa-baixas CC de precisão" LTC1062 (ou o MAX280, com tensão de offset melhorada). A Figura 6.46 mostra como usá-lo. A ideia básica é colocar o filtro fora do percurso CC, deixando o par de componentes do sinal de baixa frequência chegar passivamente à saída; o filtro retira da linha de sinal apenas as frequências mais elevadas, onde a resposta decai ao desviar o sinal para a terra. O resultado é erro CC zero e o ruído do tipo capacitor chaveado apenas na vizinhança do decaimento[39] (Figura 6.47). Você pode conectar em cascata um par desses filtros para fazer filtros de ordem superior ou um filtro passa-faixa sintonizável pronunciado. A folha de dados também mostra como fazer um filtro *notch* sintonizável.

CIs de filtro a capacitor chaveado são amplamente disponibilizados por fabricantes como a Linear Technology, a Texas Instruments e a Maxim. Normalmente, você pode colocar

---

[38] Veja o MSHN5 em ação em "*Notch filter autotunes for audio applications*" (Filtros notch autossintonizados para aplicações de áudio), de John Ambrose, *EDN Design Ideas*, 24 de junho de 2010.

[39] O mesmo truque é usado em filtros de múltiplos estágios FDNR (resistência negativa dependente da frequência) implementados com GIC (conversor generalizado de impedância).

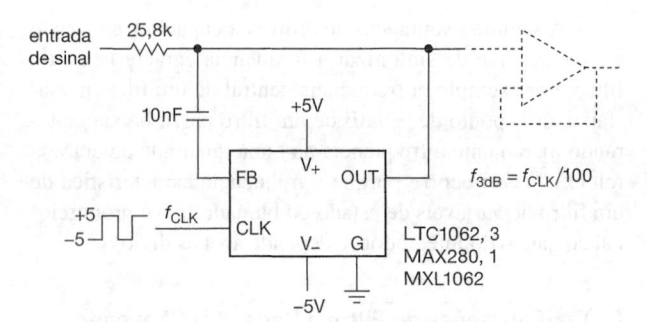

FIGURA 6.46 Filtro passa-baixas "CC de precisão" LTC1062. A entrada de clock externo deve variar de trilho a trilho (acrescente um pequeno resistor em série para proteger a entrada); como alternativa, você pode ativar o oscilador interno conectando um capacitor de CLK ao terra.

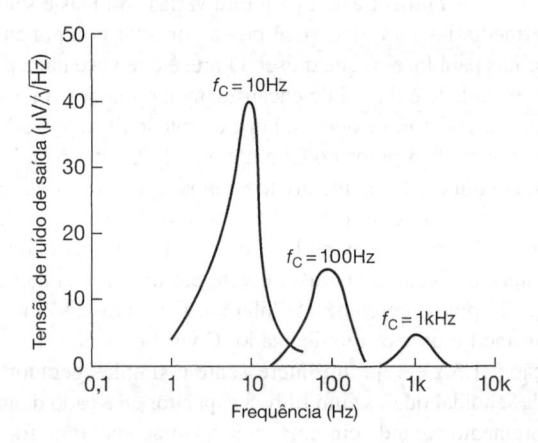

FIGURA 6.47 Espectros do ruído de saída do LTC1062 (veja a folha de dados).

o corte (ou centro da banda) em qualquer ponto da faixa desde CC até algumas dezenas de quilohertz, conforme definido pela frequência de clock. A frequência característica é um múltiplo fixo do clock, geralmente $50f_{clk}$ ou $100f_{clk}$. A maioria dos CIs de filtro a capacitor chaveado é destinada ao uso em passa-baixas, passa-faixa ou *notch* (rejeita-faixa), embora você possa configurar o tipo universal como filtro passa-altas. Observe que o clock *feedthrough* e os efeitos da forma de onda de saída discreta (clock-frequência) são especialmente chatos neste último caso, uma vez que ambos estão dentro da banda.

6.3.7 Processamento Digital de Sinais

Nossa discussão sobre filtros eletrônicos neste capítulo estaria irremediavelmente incompleta sem uma introdução à técnica difundida de processamento digital de sinais (DSP – *digital signal processing*), também conhecido como *processamento de sinais discretos no tempo*. Sistemas atuais que incluem microprocessadores favorecem métodos de filtragem digital para sua flexibilidade e seu desempenho. Processamento digital de sinais é a manipulação de sinais no domínio digital, em que um sinal (por exemplo, uma forma de onda de voz) é convertida a uma sequência de números que representam os valores de amplitude da amostra em intervalos de tempo igualmente espaçados. As "manipulações" podem ser qualquer coisa que vimos no domínio puramente analógico – filtragem, combinação, atenuação ou amplificação, compressão não linear, ceifamento, e assim por diante; mas podem incluir também operações sofisticadas adicionais que são possíveis graças ao poder da computação, tais como codificação, correção de erros, criptografia, análise espectral, síntese e análise de voz, processamento de imagem, filtragem adaptativa e compressão e armazenamento sem perda.

Teremos muito a dizer sobre digitalização e processamento nos Capítulos 13 ("Integração entre Analógico e Digital") e 15 ("Microcontroladores"), quando teremos, respectivamente, as ferramentas eletrônicas para a conversão entre as tensões analógicas e sua representação digital; e os meios para processar essas quantidades digitais. Aqui, gostaríamos de introduzir simplesmente a aplicação de DSP para filtragem e dar uma visão rápida das suas capacidades, sobretudo quando comparado com os filtros analógicos que já vimos. Ficaremos com os filtros unidimensionais; isto é, a filtragem dos sinais "unidimensionais", como a voz (em contraste com as imagens bidimensionais), que são caracterizados por uma forma de onda de tensão $V(t)$ que evolui no tempo.

A. Amostragem

Mencionamos anteriormente que uma representação digitalizada de uma forma de onda contínua envolve a amostragem de um conjunto discreto de tempos (quase sempre) uniformemente espaçados, com um conjunto discreto de amplitudes quantizadas (geralmente) uniformemente espaçadas. Eles determinam a fidelidade da quantização – em frequência (a partir da taxa de amostragem, obedecendo ao critério de amostragem de Nyquist; veja a Figura 13.60) e na faixa dinâmica e ruído (a partir da precisão da quantização); veja a Seção 13.5.1. Há muito a dizer sobre eles, mas, no nível mais básico, você tem que amostrar, pelo menos, em uma taxa que seja o dobro da componente de mais alta frequência que está na entrada e ter precisão suficiente na quantização de amplitude de n bits para preservar a faixa dinâmica desejada. Expressando de forma compacta, temos

$$f_s \geq 2f_{\text{sinal}} (\max),$$
$$\text{faixa dinâmica} = 6n \text{ dB}.$$

Partindo do princípio de que iniciamos com uma forma de onda analógica, a amostragem é efetuada com um conversor analógico-digital (ADC), precedido por um filtro passa-baixas (FPB) *anti-aliasing*, se necessário, para garantir que a forma de onda a ser digitalizada não contenha qualquer sinal significativo acima da frequência de Nyquist $f_s/2$.

B. Filtragem

A sequência de amplitudes amostradas adequadamente (denominada x_n, para n amostras) representa o sinal de entrada.

Queremos fazer uma operação de filtragem na sequência, por exemplo, um filtro passa-baixas. Existem duas grandes classes de filtros DSP: resposta finita ao impulso (FIR – *finite-impulse response*) e resposta infinita ao impulso (IIR – *infinite-impulse response*). Um FIR é mais fácil de entender – cada amostra de saída é simplesmente uma soma ponderada de um número de amostras de entrada (veja a Figura 6.48):

$$y_i = \sum_{k=-\infty}^{\infty} a_k x_{i-k},$$

em que x_i são as amplitudes do sinal de entrada, a_k são os pesos e y_i são as saídas do filtro. Em situações reais, haverá apenas um número finito de pesos, e, assim, a soma será executada apenas ao longo de um conjunto finito de valores de entrada, como na figura. De modo geral, o conjunto de coeficientes é uma aproximação para a transformação inversa de Fourier da função de filtro desejada.

Note uma característica interessante – e importante – de tal filtro: a sua saída é formada de amostras do passado e do *futuro*. Ou seja, ele pode gerar uma saída que parece violar a causalidade (o efeito deve seguir-se à causa), mas que é permitida, pois aqui o sinal de saída tem um atraso global em relação à entrada. Essa capacidade de ver o futuro (algo de que nenhum filtro analógico pode gabar-se) permite aos filtros digitais implementar características de resposta de frequência e fase que não podem ser alcançadas com os filtros analógicos (causais) que vimos até este ponto.

O filtro IIR difere ao permitir que a saída seja incluída, com algum fator de ponderação, juntamente com as entradas na soma ponderada; ele é, às vezes, chamado de filtro *recursivo*. O exemplo mais simples pode ser

$$y_i = by_{i-1} + (1 - b)x_i,$$

que é a aproximação discreta com um filtro de tempo contínuo RC passa-baixas, em que o fator de ponderação b é dado por $b = e^{-t_s/RC}$, onde t_s é o intervalo de amostragem. Naturalmente, a situação não é *idêntica* para um filtro passa-baixas analógico que opera em uma forma de onda analógica, devido à natureza discreta da forma de onda amostrada.

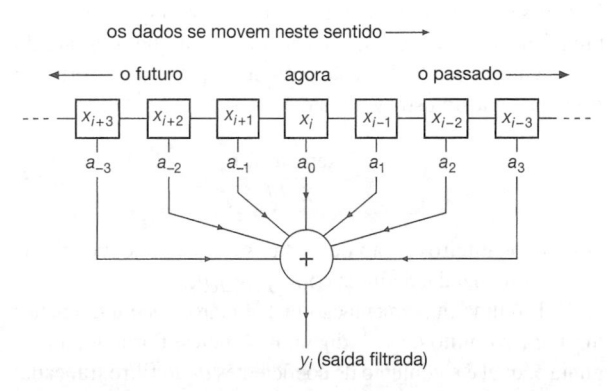

FIGURA 6.48 Filtro digital de resposta finita ao impulso (não recursivo).

Tanto a implementação FIR quanto a IIR têm os seus prós e contras. Filtros FIR são geralmente preferidos por serem fáceis de entender, fáceis de implementar, incondicionalmente estáveis (sem realimentação) e poderem ser (e geralmente são) projetados como filtros de fase linear (isto é, o tempo de atraso é constante, independentemente da frequência). Filtros IIR, porém, são mais econômicos, exigindo menos coeficientes e, portanto, menos memória e cálculo. Eles são também facilmente deduzidos a partir do filtro analógico clássico correspondente; e são especialmente adequados a aplicações que requerem elevada seletividade, como filtros *notch*. No entanto, eles exigem mais bits de precisão aritmética para evitar instabilidades e "tons ociosos" e são mais difíceis de codificar.

C. Um Exemplo: Passa-Baixas IIR

Como um exemplo numérico simples, suponha que você deseje filtrar um conjunto de números que representam um sinal, com um passa-baixas em que o ponto de 3 dB está em $f_{3dB} = 1/20t_s$, o equivalente a um filtro passa-baixas RC de única seção no mesmo ponto de corte. Aqui, a constante de tempo é igual ao tempo para 20 amostras sucessivas. Então, A = 0,95123, e, portanto, a saída é dada por

$$y_i = 0{,}95123 y_{i-1} + 0{,}04877 x_i.$$

A aproximação de um filtro passa-baixas real se torna melhor conforme a constante de tempo se torna longa em comparação com o tempo entre amostras, t_s.

Provavelmente, você usaria um filtro como este para processar dados que já se encontram sob a forma de amostras discretas, como uma matriz de dados em um computador. Nesse caso, o filtro recursivo tem uma função aritmética trivial que passa uma vez através dos dados.

D. Um Exemplo: Passa-Baixas FIR

Um filtro passa-baixas ideal tem resposta unitária até a sua frequência de corte f_c e resposta zero para frequências mais altas. Isto é, a curva de resposta é retangular, um filtro do tipo "parede de tijolos". Para primeira ordem, os coeficientes FIR a_k são a transformada de Fourier do retângulo, ou seja, uma função (sen x)/x (ou função *sinc*), em que a escala do argumento depende da razão entre a frequência de corte e a frequência de amostragem, isto é,

$$a_k \propto \frac{\operatorname{sen}(2\pi k f_n)}{2\pi k f_n} \qquad (6.18)$$

em que os inteiros k vão de $-\infty$ a ∞, e f_n é a frequência de corte normalizada, definida como $f_n = f_c/f_s$.

Em uma implementação real, é claro, você tem apenas um número finito de ks – digamos, N deles. Portanto, a pergunta é: qual é o conjunto de coeficientes a_k do filtro truncado, onde k varia apenas entre $-N/2$ e $N/2$, que melhor se aproxima do filtro passa-baixas ideal? Isso se revela mais complicado do que você pode imaginar a princípio. Entre outras coisas, isso depende do que você quer dizer com o termo "melhor".

Se você simplesmente truncar a série a_k, descartando coeficientes além do comprimento da sequência de amostra FIR, a resposta de frequência do filtro resultante apresentará grandes variações na atenuação da banda de rejeição; ou seja, rejeição degradada em torno dessas frequências. Isto é exatamente análogo ao problema de "vazamento espectral" na análise de espectro digital, ou de lóbulos laterais de difração em óptica, e a correção é a mesma: aqui, você reduz os coeficientes a_k multiplicando-os por uma "função janela" que varia suavemente em direção a zero nas extremidades (em análise de espectro, você multiplica as amplitudes do sinal digitalizado de entrada por uma função janela análoga e, em óptica, você "apodiza" a abertura com uma máscara cuja opacidade aumenta em direção às bordas). O efeito disso é reduzir muito a ondulação na faixa de rejeição, à custa de uma transição mais gradual da banda de passagem para a banda de rejeição (em análise espectral, o efeito é um vazamento espectral bastante reduzido em "caixas" de frequências adjacentes, à custa de uma largura de "caixa" mais ampla; em óptica, os lóbulos laterais são atenuados, à custa da diminuição da resolução na forma de uma "função de espalhamento pontual" mais ampla). Funções de janela típicas têm nomes como Hamming, Hanning e Blackman-Harris. Não existe a "melhor" janela – sempre ocorre uma troca entre a inclinação da transição para a faixa de rejeição *versus* a atenuação de pior caso na banda de rejeição. Mas, na maioria das vezes, não importa muito qual das janelas padrão você usa.[40]

Um segundo aspecto em relação ao termo "melhor" é escolher uma frequência de corte f_n para a qual, pelo menos, alguns dos coeficientes são exatamente zero; dessa forma, você pode omitir as operações de multiplicação e soma que correspondem a esses coeficientes. Isso ocorre, por exemplo, com a escolha $f_n = 0{,}25$ (uma taxa de amostragem de quatro vezes a frequência de corte), para a qual os coeficientes da Equação 6.18 se tornam

$$a_k \propto \frac{\operatorname{sen}(\pi k/2)}{\pi k/2}, \qquad (6.19)$$

e, portanto, todos os coeficientes com até k (exceto a_0) são zero. Você ganha um bônus pequeno também usando um filtro de comprimento N que seja um múltiplo de 4, o que faz os coeficientes finais (em $k = \pm N/2$) desaparecerem, pois seu índice k é, então, par.

Devido à frequência de corte de metade da frequência de amostragem (isto é, $f_n = 0{,}5$) ser o valor máximo permitido pelo teorema de amostragem de Nyquist, um filtro cujo

---

[40] Para saber mais sobre as funções de janela, veja F.J. Harris. *Procedimento IEEE*, **66**. 51-83 (1978).

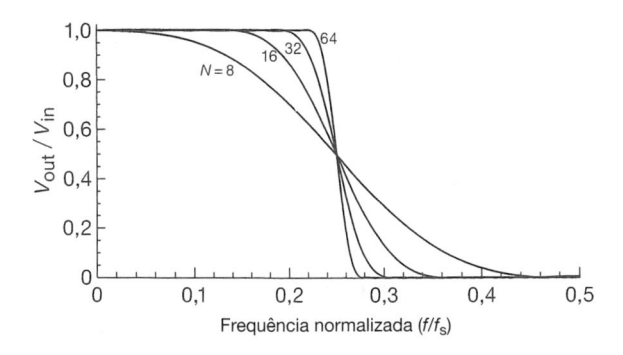

FIGURA 6.49 Resposta de um filtro digital FIR de meia-banda, plotado em uma escala linear. Um filtro de ordem N requer $N/2 + 1$ coeficientes.

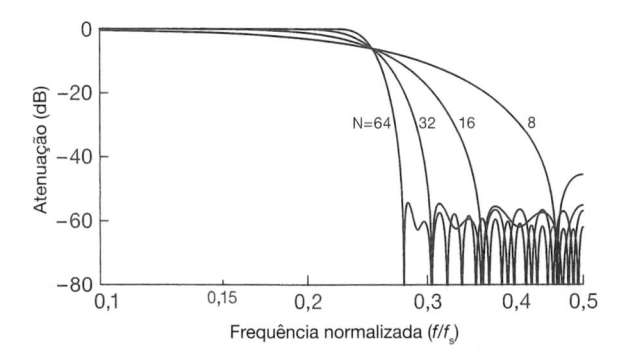

FIGURA 6.50 Os filtros de meia-banda da Figura 6.49, plotados em uma escala log-log para revelar a resposta na banda de rejeição.

corte está em $f_n = 0{,}25$ é conhecido como filtro de "meia-banda". As Figuras 6.49 e 6.50 mostram a resposta de filtros de meia-banda com $N = 8$, 16, 32 e 64, onde os coeficientes foram calculados de acordo com a equação 6.19, ponderados por uma janela Hamming. O último é um cosseno elevado, dado aproximadamente por

$$w(k) = 0{,}54 + 0{,}46\cos(2\pi k/N). \quad (6.20)$$

Um passo final é normalizar os coeficientes (multiplicando cada um pelo mesmo fator), de modo que a sua soma seja 1, resultando no ganho unitário do filtro em CC. A receita é, então, escolher um N (de preferência, um múltiplo de 4); então, para cada k ímpar positivo até $N/2$, calcular a função seno da equação (6.19) e multiplicá-la pelo coeficiente de Hamming da equação 6.20 para obter o a_k (ainda não normalizado). Note que os coeficientes são simétricos ($a_{-k} = a_k$) e que o termo a_0 será 1,0 (porque sinc(0) e $w(0)$ têm valor unitário). O passo final é normalizar esses coeficientes dividindo cada um por sua soma.

Uma vez que os coeficientes pares são zero, os filtros resultantes, embora exigindo N estágios de memória, precisam de cerca de metade do número de coeficientes (aqueles com índices ímpares, além de a_0), ou seja, 5, 9, 17 e 33, respectivamente. Você pode verificar a nossa fórmula por meio do cálculo dos coeficientes para o filtro de menor ordem nas figuras ($N = 8$); você deve obter

$$\begin{aligned} a_0 &= +0{,}497374 \\ a_1 = a_{-1} &= +0{,}273977 \\ a_2 = a_{-2} &= 0 \\ a_3 = a_{-3} &= -0{,}022664 \\ a_4 = a_{-4} &= 0 \end{aligned}$$

Uma discussão paralela: compensações com janelas

Usamos uma janela de Hamming como coeficiente multiplicador para os filtros das Figuras 6.49 e 6.50 – em parte por preguiça (é fácil de calcular), em parte porque é uma janela razoavelmente boa em termos de atenuação na banda de rejeição (~60 dB). Mas, como observamos há pouco, você pode produzir uma melhor atenuação na banda de rejeição à custa da declividade na região de transição. Isso é bem ilustrado na Figura 6.51, em que refizemos o filtro FIR passa-baixas de meia-banda e $N = 32$ usando três funções de janela diferentes. As janelas de Blackman-Harris são uma soma de dois ou três termos senoidais, ponderados para produzir o nível mínimo do lóbulo lateral. A forma exata é

$$w(k) = a_0 + a_1\cos(2\pi k/N) + a_2\cos(4\pi k/N) + a_3\cos(6\pi k/N),$$

em que os as são dados por $[a_0, a_1, a_2, a_3] = [0{,}42323, 0{,}49755, 0{,}07922, 0]$ (3 termos) e $[0{,}35875, 0{,}48829, 0{,}14128, 0{,}01168]$ (4 termos). Essas janelas produzem uma atenuação impressionante na banda de rejeição (~85 dB e ~105 dB), em comparação com os ~55 dB de Hamming, mas com as regiões de transição correspondentemente mais suaves. É importante notar que essas são respostas *calculadas* e serão obtidas na prática apenas se as operações FIR de multiplicação e soma forem feitas com precisão aritmética adequada e se o ADC a montante tiver linearidade correspondentemente precisa.

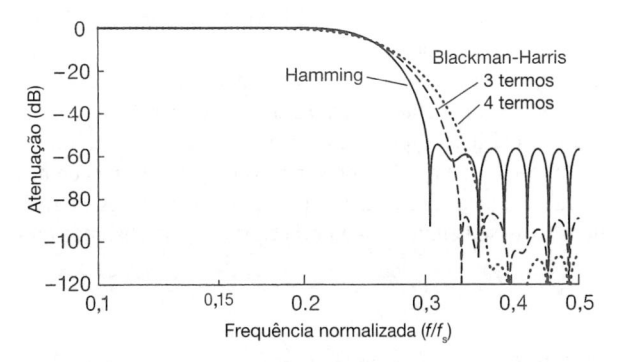

FIGURA 6.51 Filtros passa-baixas FIR de meia-banda de ordem $N = 32$, com três opções de função de janela de coeficiente. Note a mudança de escala vertical quando comparada com aquelas das Figuras 6.49 e 6.50.

E. Implementação

Você *poderia* configurar um filtro DSP com hardware discreto – registradores de deslocamento, multiplicadores, acumuladores e outros similares –, o assunto dos Capítulos 10 e 11. Mas qualquer tentativa nesse sentido pareceria estranha para os padrões atuais, em que processadores de uso geral (microprocessadores e microcontroladores) permitem fazer as mesmas tarefas, e com maior flexibilidade. Ainda melhor do que isso, há um grupo de chips de processador digital de sinais, otimizado para os tipos de operações de multiplicação-acumulação que você precisa fazer e geralmente organizado para um fluxo eficiente de grandes quantidades de dados de entrada e saída. Um exemplo é a série TMS320, da Texas Instruments, que inclui (até o momento da elaboração deste livro) chips como o TMS320C64xx, que pode fazer a transformada rápida de Fourier (FFT) de 1k ponto em cerca de 1 μs (!), ou um FIR de 32 coeficientes a partir de um conjunto de dados de 10.000 pontos em 108 μs. No outro extremo da escala de desempenho, o pequeno QF1D512 da Quickfilter Technology é um chip autônomo barato que implementa um filtro FIR de 512 derivações a partir de dados seriais de 12 a 24 bits (em taxas de áudio), com coeficientes programáveis de 32 bits. Custa menos de 2 dólares em pequenas quantidades e vem com software de projeto livre; você também pode obter uma variedade de kits de avaliação.

6.3.8 Miscelânea de Filtros

A. Linearidade

Em algumas aplicações de filtragem, é essencial manter um elevado grau de linearidade de amplitude, mesmo quando o filtro atenua algumas frequências mais do que outras. Isso é necessário, por exemplo, na reprodução de áudio de alta qualidade. Para essas aplicações, você deve usar AOPs projetados para baixa distorção (que será uma característica de destaque especial na folha de dados), com largura de banda, taxa de variação e ganho de malha adequados; alguns exemplos são o LT1115, o OPA627 e o AD8599; consulte a Tabela 5.4 e a discussão de AOPs de alta velocidade e questões de projeto na Seção 5.8. Talvez menos óbvio: é importante escolher componentes *passivos* de boa linearidade. Os perigos primários à espreita aqui são os capacitores cerâmicos de "alto-κ" (que podem apresentar variações surpreendentes de capacitância com a tensão aplicada) e capacitores eletrolíticos (com seu efeito de memória causado pela absorção dielétrica). Use capacitores de filme (idealmente, polipropileno) ou cerâmicos NPO/C0G.

E, para filtros *LC* (passivos), é essencial escolher indutores enrolados em material magnético de boa linearidade (um problema que não existe em indutores de núcleo de ar; estes estão disponível em tamanhos razoáveis para indutâncias de até, aproximadamente, 1 mH).

B. Software de Projetos de Filtros

Costumava ser difícil projetar filtros mas não é mais! Há uma abundância de software, e eles são fáceis de usar. Você pode configurar suas necessidades da banda de passagem e banda de rejeição para um filtro contínuo no tempo (frequência de corte, frequência da banda de rejeição, ondulação e atenuação, etc.), e o software prevê o número de seções que serão necessárias, de acordo com a configuração do circuito (Sallen-Key, variáveis de estado, biquadrático ou MFB) e com a função do filtro (Bessel, Butterworth, Chebyshev, elíptico). Em seguida, ele desenha o circuito e fornece gráficos de amplitude, fase e atraso de tempo como funções da frequência. E o faz da mesma forma para filtros a capacitor chaveado ou digitais.

Aqui estão alguns recursos de projeto de filtro que achamos úteis. A maioria é gratuita (mas você tem que pagar pelos *software* da MMICAD e os da Filter Solutions e da Filter Light).

- Filtros *LC*:
  - Http://www-users.cs.york.ac.uk/fisher/lcfilter/
  - MMICAD (Optotek)
- Filtros ativos analógicos
  - FilterPro (TI)
  - FilterCAD (LTC)
  - ADI Analog Filter Wizard
  - http://www.beis.de/ElektroniklFilter/Filter.html
- Filtros digitais:
  - http://www-users.cs.york.ac.uk/fisher/mkfilter/
- Todos os tipos
  - Filter Solutions, Filter Light e Filter Free (http://www.nuhertz.com/filter/)

Exercícios Adicionais para o Capítulo 6

Exercício 6.8 Projete um filtro de Bessel passa-altas de 6 polos VCVS com frequência de corte de 1 kHz.

Exercício 6.9 Projete um filtro *notch* de duplo T de 60 Hz com AOPs *buffers* de entrada e saída.

REVISÃO DO CAPÍTULO 6

Um resumo de A a J do que aprendemos no Capítulo 6. Revisaremos os princípios básicos e fatos do Capítulo 6, mas não abordaremos diagramas de circuitos de aplicação e conselhos práticos de engenharia apresentados neste capítulo.

¶ A. Visão Geral de Filtros

Este capítulo trata de sinais no domínio da frequência: por *filtro*, queremos dizer um circuito com alguma banda de passagem deliberada e características de atenuação (de amplitude e fase) em função da frequência. Para algumas aplicações, o comportamento no domínio do tempo do filtro também é importante, isto é, a resposta transiente do filtro (*overshoot* e o tempo de estabilização) para uma entrada do tipo degrau de tensão, e sua fidelidade dentro da banda para uma forma de onda de entrada.

¶ B. Características do Filtro

Existem as formas básicas – *passa-baixas*, *passa-altas*, *passa-faixa* e *rejeita-faixa* (*notch*). Há também o passa-todas (ou *equalizador de atraso*), que tem uma amplitude de resposta plana, mas uma fase que varia; e há filtros *combinados* que passam (ou bloqueiam) um conjunto de frequências igualmente espaçadas. Os parâmetros importantes no domínio da frequência incluem planicidade de resposta na banda de passagem, profundidade de atenuação na banda de rejeição e grau de inclinação da queda de resposta na região de transição entre as duas bandas citadas. No domínio do tempo, você se preocupa com *overshoot*, tempo de estabilização e linearidade de fase em toda a faixa de passagem (ou seja, a constância do tempo de atraso).

¶ C. Implementações de Filtros

Os filtros podem ser construídos (a) inteiramente com componentes passivos (R, L e C); (b) com Rs e Cs assistidos por AOPs; (c) com Cs sozinhos, combinados com chaves analógicas periodicamente sincronizadas pelo clock; ou (d) com o processamento digital da forma de onda de entrada amostrada por ADC. Eles são chamados filtros *passivos*, filtros *ativos*, filtros a *capacitor chaveado* e filtros *digitais*, respectivamente. O termo *filtro contínuo no tempo* é, por vezes, aplicado a filtros dos tipos (a) e (b); e *filtro discreto no tempo*, a (c) e (d). A *ordem* do filtro é igual ao número de Cs mais o número de Ls (ou equivalente, se for implementado digitalmente). Um filtro passa-baixas de ordem n tem um decaimento final de $6n$ dB/oitava ($20n$ dB/década).

¶ D. Filtros RC Passivos

Filtros passivos *RC* (Seção 6.2.1) são os mais simples e são bons o suficiente para aplicações como bloqueio CC, supressão de alta frequência de ruído da fonte de alimentação ou remoção de sinais muito distante da banda de interesse. Mas os filtros *RC*, independentemente da ordem, têm uma região de transição suave (Figura 6.2) e são inadequados para separar sinais próximos em termos de frequência. Sua função de transferência está longe do filtro ideal (resposta do tipo "parede de tijolos") (veja, por exemplo, a Figura 6.11).

¶ E. Filtros LC Passivos

Talvez surpreendentemente, a combinação de indutores com capacitores permite fazer todos os tipos de filtros com transições muito pronunciadas (Seção 6.2.2; veja, por exemplo, a Figura 6.5). As formas clássicas de filtro, todos implementáveis com filtros *LC*, são Butterworth (banda de passagem maximamente plana), Chebyshev (região de transição mais acentuada, à custa de ondulação de amplitude na banda de passagem) e Bessel (tempo de atraso maximamente plano na banda de passagem). As características desses tipos de filtro de desempenho são comparadas na Tabela 6.1 e nas Figuras 6.20, 6.21, 6.25-6.27 e 6.30.

¶ F. Filtros Ativos

Indutores não são ideais em vários aspectos (tamanho, linearidade, perdas elétricas), mas a combinação de um capacitor e um AOP (além de diversos resistores) em uma configuração denominada *gyrator* (Seção 6.2.4C) cria um equivalente eléctrico de um indutor. Assim, você pode fazer um filtro sem indutores que imita qualquer filtro *LC* simplesmente substituindo indutores por *gyrators*. De forma geral, você pode fazer tais *filtros ativos* (Seção 6.3) com várias configurações de AOPs, capacitores e resistores que não precisam incorporar *gyrators* explícitos.

¶ G. Circuitos de Filtros Ativos

Na Seção 6.3.1, mostramos como projetar um filtro ativo VCVS simples e popular, com dados tabulados (Tabela 6.2) para filtros passa-baixas ou passa-altas de segunda e oitava ordens, com resposta Butterworth, Chebyshev ou Bessel. Melhores desempenho e capacidade de sintonia são obtidos com os filtros ativos de variáveis de estado e biquadrático (Seção 6.3.3), que requerem três AOPs para cada seção de segunda ordem. Estas últimas topologias de filtro são bem adequadas para filtros passa-faixa; veja a Seção 6.3.3A, em que equações de projeto explícitas são dadas. Você pode obter bons CIs de variáveis de estado que incluem AOPs e capacitores e podem ser configurados como passa-baixas, passa-altas, passa-faixa ou rejeita-faixa, exigindo apenas alguns resistores externos para definir as frequências de corte características; exemplos são o UAF42 e o MAX274. O mundo está repleto de implementações de filtros ativos; algumas outras vistas no Capítulo 6 incluem o filtro Sallen-Key (Figura 6.16), uma variante do filtro de variáveis de estado, com ganho e fator Q independentemente configuráveis (Figura 6.32), e o filtro de múltiplas realimentações (Figura 6.35).

¶ H. Filtros Notch

Em contraste com as suas características de frequência geral "suaves", o filtro *RC* conhecido como *duplo T* (Seção 6.3.4) produz um profundo entalhe (limitado apenas pela imperfeição e pelo descasamento de componentes). O duplo T é difícil de sintonizar (ele exige o monitoramento de três resistores ajustáveis). Mas um filtro *notch RC* semelhante (o *diferenciador em ponte*, Figura 6.40) permite uma faixa modesta de capacidade de sintonia (5:1 ou mais) com um único potenciômetro.

¶ I. Filtros a Capacitor Chaveado

Um AOP combinado com um par de capacitores e um par de chaves analógicas formam uma aproximação discreta para um integrador contínuo no tempo (Figura 6.43). Este é o bloco construtivo do filtro a capacitor chaveado (Seção 6.3.6), facilmente incorporado em um CI e convenientemente sintonizado pela variação de uma frequência de chaveamento aplicada externamente. A desvantagem é a produção de componentes de frequência relacionados com a operação de chaveamento: *clock feedthrough* (conexão do sinal de clock que interfere em outro sinal), *aliasing* (falseamento de frequências) e faixa dinâmica limitada.

¶ J. Filtros Digitais e DSP

Com microcontroladores embutidos (atualmente, estão em toda parte) e ADCs de acompanhamento, é natural implementar operações de filtragem com os recursos de processamento digital de sinais (DSP, Seção 6.3.7). Se os sinais a serem filtrados estão na forma de tensões analógicas, eles devem ser primeiro *digitalizados* (amostrados em intervalos regulares e convertidos para uma sequência de números), tendo o cuidado de amostrá-los a uma taxa suficientemente elevada (pelo menos duas vezes a frequência mais alta presente no sinal, $f_s \geq 2f_{sinal(máx)}$) e com suficiente precisão de amplitude (a quantização de *n* bits resulta em uma faixa dinâmica de $6n$ dB) para manter a fidelidade adequada. (Se o sinal de entrada já está digitalizado, não é necessária a amostragem, e a filtragem digital é especialmente conveniente.)

A sequência de números que representa as sucessivas tensões de sinal amostrado e digitalizado (denominemo-los x_i) é, então, submetida a uma operação de filtragem digital. Mais fácil de compreender é o filtro de *resposta finita ao impulso* (FIR), em que cada amplitude do sinal de saída y_i é formada a partir de uma soma ponderada de um número finito de N amostras de entrada; ou seja, $y_i = \sum a_k x_{i-k}$, com k variando de $-N/2$ a $N/2$. Se for permitido incluir na soma as amostras de saída, temos um filtro *recursivo*, também conhecido como filtro *de resposta infinita ao impulso*. Veja a Figura 6.49 para um exemplo de filtro passa-baixas FIR. Há muita complexidade e abundância de matemática na operação da filtragem digital; isso atrai sobretudo engenheiros eletricistas que são, na verdade, matemáticos aplicados disfarçados (isso, estou falando de vocês mesmos!).

Osciladores e temporizadores 7

Neste capítulo, estudaremos osciladores e temporizadores, os circuitos que fornecem as "pulsações" e temporizações essenciais da eletrônica. Como veremos, muitos dos dispositivos e das técnicas importantes envolvem uma mistura de eletrônicas analógica e digital. Apresentaremos alguns conhecimentos de eletrônica digital de que você precisa para um primeiro contato e indicaremos as seções posteriores do livro nas quais você pode obter um conhecimento mais profundo de técnicas digitais.

7.1 OSCILADORES

7.1.1 Introdução aos Osciladores

Dentro de quase todos os instrumentos eletrônicos, é essencial ter um oscilador ou um gerador de forma de onda de algum tipo. Além do caso óbvio de geradores de sinais, geradores de funções e os próprios geradores de pulso, uma fonte de oscilações regulares é necessária em qualquer instrumento de medição cíclico, em qualquer instrumento que inicie medições ou processos e em qualquer instrumento cuja função envolve estados ou formas de onda periódicas. Isso inclui quase tudo. Por exemplo, osciladores ou geradores de forma de onda são usados em multímetros digitais, osciloscópios, receptores de radiofrequência, todos os periféricos de computadores (unidades de fita e disco, impressora, terminal), quase todos os instrumentos digitais (contadores, temporizadores, calculadoras e qualquer coisa com um "display multiplexado"), todos os dispositivos eletrônicos de consumo (telefone celular, câmera fotográfica digital, aparelho de música, vídeo ou gravador) e uma série de outros dispositivos numerosos demais para mencionar. Um dispositivo sem um oscilador ou não faz nada, ou espera ser acionado por outro (que provavelmente contém um oscilador). Não é um exagero dizer que um oscilador de algum tipo é um ingrediente tão essencial em eletrônica quanto uma alimentação regulada de uma fonte CC.

Dependendo da aplicação, um oscilador pode ser usado simplesmente como uma fonte de pulsos espaçados regularmente (por exemplo, um "clock" para um sistema digital), ou podem ser feitas exigências sobre a sua estabilidade e a sua precisão (por exemplo, a base de tempo para um frequencímetro), o seu ajuste (por exemplo, o oscilador local em um transmissor ou receptor) ou a sua capacidade de produzir formas de onda precisas (por exemplo, o gerador de rampa de um conversor analógico-digital de inclinação dupla).

Nas seções seguintes, tratamos brevemente os osciladores mais populares, dos simples osciladores de relaxação RC até os osciladores a cristal de quartzo estáveis. Nosso objetivo não é fazer um levantamento exaustivo de tudo em detalhes, mas simplesmente fazer você se familiarizar com o que está disponível e identificar quais tipos de osciladores são adequados em diversas situações.

7.1.2 Osciladores de Relaxação

Um tipo muito simples de oscilador pode ser feito ao carregar um capacitor usando um resistor (ou uma fonte de corrente) e descarregando-o rapidamente, quando a tensão atinge um limiar, e, começando, assim, um novo ciclo. Como alternativa, o circuito externo pode ser disposto de modo a inverter a polaridade da corrente de carga quando o limiar for atingido, gerando, assim, uma onda triangular em vez de uma dente de serra. Osciladores baseadas nesse princípio são conhecidos como *osciladores de relaxação*. Eles são baratos e simples e, com um projeto cuidadoso, podem ser razoavelmente estáveis (melhor do que 1%) na frequência.

A. AOP Básico – Oscilador de Relaxação com Comparador

No passado, dispositivos de resistência negativa, como transistores de unijunção e lâmpadas de néon, foram usados para fazer osciladores de relaxação, mas a prática atual favorece AOPs, comparadores ou CIs temporizadores especiais. A Figura 7.1A mostra um oscilador de relaxação RC clássico. A operação é simples: suponha que, quando a alimentação é aplicada pela primeira vez, a saída do comparador vá para saturação positiva (na verdade, é incerto para qual lado ela vai, mas isso não importa). O capacitor começa a carregar em direção a +5 V, com a constante de tempo RC. Quando se atinge metade da tensão de alimentação, o AOP comuta para saturação negativa (ele é um *Schmitt trigger*), e o capacitor começa a descarregar em direção a −5 V com a mesma constante de tempo. O ciclo se repete indefinidamente, com um período de $2,2RC$, independentemente da tensão de alimentação.

Exercício 7.1 Mostre que o período da oscilação é como indicado.

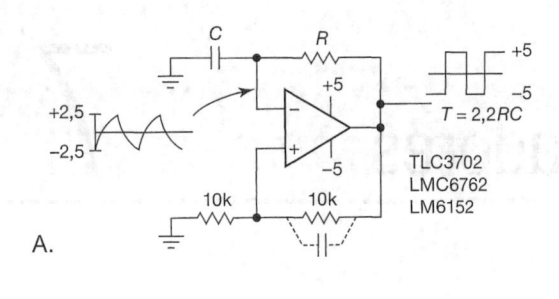

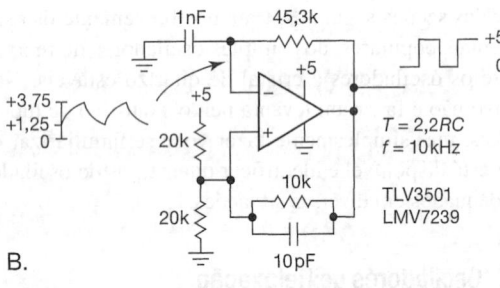

FIGURA 7.1 Oscilador AOP (ou comparador) clássico de relaxação, utilizando comparadores com estágios de saída trilho a trilho. A. Saída de onda quadrada de bipolaridade simétrica com alimentação dupla. B. Variante de fonte simples, com valores de dispositivos (para 10 kHz), incluindo capacitor *speed-up* (elevação de velocidade). Veja também a Figura 4.39, na Seção 4.3.3.

Comparadores[1] de estágio de saída CMOS trilho a trilho (veja as Seções 4.3.2ª e 12.1.7 e a Tabela 12.2) foram escolhidos porque suas saídas saturam nitidamente nas tensões de alimentação. Comparadores como o TLC3702 são muito mais rápidos (seu tempo de propagação é ~5 ns) do que AOPs de tecnologia semelhante, porque eles não precisam de compensação para um funcionamento estável com uma realimentação negativa (veja a Seção 4.9), então eles são uma boa escolha se você quiser subir alguns quilohertz. A série bipolar LM6132-54 de AOPs também varia de trilho a trilho e, ao contrário de seus primos CMOS, permite a operação em uma tensão plena de ±15 V. No entanto, se forem usados AOPs (em vez de comparadores), esse circuito faz exigências consideráveis sobre a velocidade do AOP, porque a onda quadrada de saída vai de trilho a trilho; mesmo algo como o LM6152, com seu f_T de 75 MHz e taxa de variação de grandes sinais de 45 V/μs, tem velocidade suficiente para a operação apenas até aproximadamente 100 kHz. Note que esse circuito não opera o AOP na região linear, com a realimentação negativa habitual;[2] assim, você poderia usar um AOP descompensado (veja a Seção 4.9) para obter uma velocidade melhor.

Você pode operar esse tipo de circuito a partir de uma tensão de alimentação simples, como mostrado na Figura 7.1B, se você adicionar um resistor. Aqui, tiramos proveito dos comparadores mais rápidos que estão disponíveis apenas para tensões de alimentação mais baixas. O TLV3501 (faixa de tensão de alimentação apenas de 2,7 V a 5,5 V) tem um tempo de propagação de apenas 3 ns neste circuito, permitindo a operação a dezenas de megahertz; aqui ele está operando em meros 10 kHz.[3]

Ao usar fontes de corrente (em vez de resistores) para carregar o capacitor, uma boa onda triangular pode ser gerada. Um circuito inteligente usando esse princípio foi demonstrado na Seção 4.3.3.

B. Osciladores de Relaxação de Lógica CMOS

Você pode construir osciladores de relaxação *RC* mais simples usando inversores de lógica digital CMOS (Capítulos 10 a 12) em vez de um AOP ou comparador. A Figura 7.2A mostra um circuito visto frequentemente na literatura.[4] A boa notícia é que ele é simples; a má notícia é que ele não funciona! Para sermos específicos, sua forma de onda de saída tem bordas irregulares, afetadas por oscilações parasitas rápidas (~100 MHz) em cada transição, devido ao tempo de subida relativamente lento na entrada do primeiro inversor (devido à carga capacitiva). A notícia final (boa) é que há uma solução simples: a inclusão de um pequeno capacitor *speed-up* (C_2 na Figura 7.2B). A Figura 7.3 mostra as formas de onda medidas tanto para o circuito convencional (Figura 7.2A) quanto para o circuito melhorado.

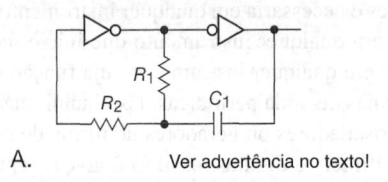

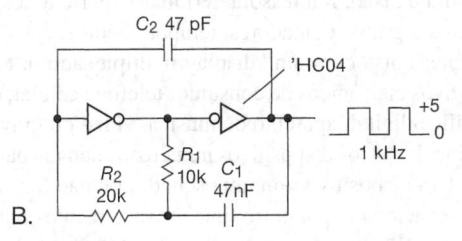

FIGURA 7.2 Oscilador de relaxação com inversores de lógica digital CMOS. A. Cuidado com o senso comum! B. Controle de instabilidades parasitárias com um pequeno capacitor *speed-up* C_2.

---

[1] Neste caso, o TLC3702 ou LMC6762.

[2] A realimentação rápida é positiva, e as variações de saída alternam entre a saturação positiva e a negativa.

[3] Se, em vez disso, você está interessado em uma operação em corrente muito baixa, poderia usar o impressionante comparador LPV7215: ele opera em uma corrente de alimentação menor que 1 μA, com um tempo de propagação de ~10 μs. Para explorar a sua potência muito baixa, é claro, você deve usar valores altos de resistores, digamos ~10 MΩ, dada a corrente muito baixa do comparador (<1 pA).

[4] Por exemplo, na folha de dados para o 74HC4060 e na edição anterior deste livro.

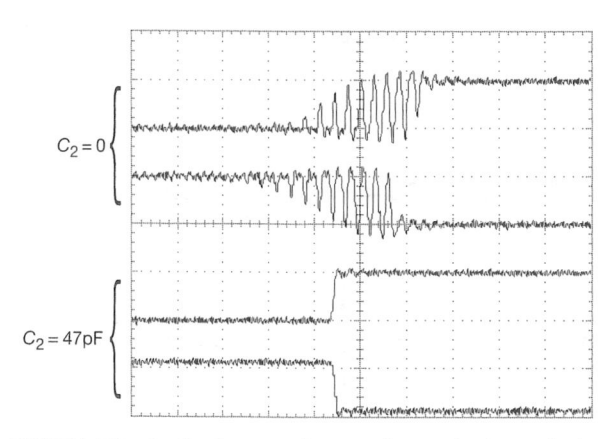

FIGURA 7.3 Oscilações parasitas assolam o circuito oscilador simples da Figura 7.2A. O par superior de formas de onda mostram uma instabilidade de ~90 MHz na subida e na descida de um oscilador de 1 kHz (feito com o dispositivo lógico comum 74HC04 operando a 5V). Adicionar um capacitor *speed-up* de 47 pF (Figura 7.2B) torna a forma de onda mais nítida. Horizontal: 40 ns/div; vertical: 5 V/div.

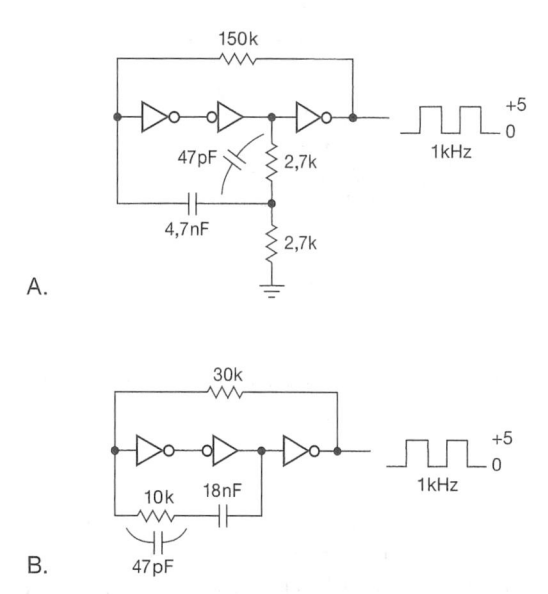

FIGURA 7.4 Variações do oscilador de relaxação CMOS. A. Variação de metade da escala evita o ceifamento do diodo de entrada (projeto de J. Thompson). B. Melhoria da estabilidade com um inversor e um *buffer* (projeto de E. Wielandt). Em nossa configuração de teste, foi necessário o capacitor 47 pF para evitar oscilações parasitas.

Um aspecto ligeiramente preocupante desse circuito é o fato de que os diodos de proteção de entrada são forçados à condução em cada ciclo pelo capacitor carregado C_1; isso, no entanto, não é realmente um problema, porque a corrente é limitada de forma segura por R_2. Mas, se isso o incomoda, você gostará do circuito da Figura 7.4A, em que um divisor de tensão 2:1 reduz a variação aplicada ao capacitor, evitando o ceifamento da entrada. A Figura 7.4B é outra variação sobre o tema oscilador lógico, tendo como objetivo o problema da oscilação parasita. Porém, quando montamos em *protoboard* esses dois osciladores na bancada de testes, identificamos ainda a necessidade de incluir os capacitores *speed-up* de 47 pF para eliminar oscilações parasitas.

Você pode fazer um oscilador CMOS ainda mais simples apenas conectando uma realimentação *RC* em torno de um inversor lógico CMOS com a entrada *Schmitt trigger* (Figura 7.5). A oscilação é garantida, com transições de saída limpas e uma variação lógica total. No entanto, a sua frequência não é particularmente bem determinada, porque a histerese não é um parâmetro bem controlado em CIs de lógica – ela se destina a "limpar" entradas lentas, e não a fazer algo preciso (você estará com sorte se obtiver as duas coisas!). O 74HC14, por exemplo, especifica apenas que a amplitude da histerese (ou seja, a diferença entre os limiares de subida e descida) está em algum ponto entre 0,5 V e 1,5 V![5] Isso significa que você pode esperar uma amplitude de valores de frequência de 50% ou mais entre osciladores com os mesmos valores de R e C. A frequência também variará de acordo com a tensão de alimentação; encontramos frequência aproximadamente proporcional à tensão de alimentação para

o oscilador da Figura 7.5. Por fim, esse oscilador gera uma saída um pouco instável, com uma pequena percentagem de "*jitter*" no momento de bordas sucessivas (suficiente para ver em um osciloscópio), com sensibilidade ao ruído digital na fonte de alimentação.

C. Oscilador de Relaxação com Transistor de Unijunção

Existem várias maneiras de fazer um oscilador de relaxação que explore a característica de "resistência negativa" de dispositivos como diodos túnel, tubos de descarga cheios de gás, diacs e transistores de unijunção. No circuito da Figura 7.6, por exemplo, o transistor de unijunção programável (*programmable unijunction transistor*, PUJT) é um dispositivo de 3 terminais e 4 camadas (*pnpn*); ele se parece com um circuito aberto durante a carga *RC*, até que a tensão do capacitor atinge uma queda de diodo acima da tensão da porta (G) (definida pelo divisor R_2R_3), no momento em que o PUJT conduz fortemente do anodo (A) para o catodo (K), descarregando o capacitor e começando um novo ciclo. A corrente de descarga

FIGURA 7.5 Oscilador CMOS mais simples.

---
[5] Eles também especificam os limites individuais com imprecisão comparável: o limiar de subida é algo entre 1,8 V e 3,5 V, e o limiar de descida é algo entre 1,0 V e 2,5 V.

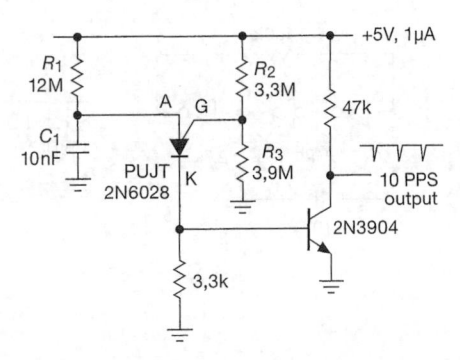

FIGURA 7.6 Oscilador de relaxação com transistor de unijunção programável (PUJT).

liga a chave do transistor de saída, gerando um pulso de saída saturada para o terra. Com os valores mostrados, o oscilador gera um pulso negativo de saída saturada de 10 μs em 10 Hz, com uma corrente total de alimentação de apenas 1 μA.

Dando continuidade a esse tema, a Figura 7.7 mostra um par de osciladores estranhos que não poderíamos resistir montar, apenas para nos lembrar dos velhos tempos da eletrônica. Eles também exploram a resistência negativa "*snapback*" (recuperação rápida), em tensões um pouco mais elevadas do que o PUJT, neste caso, uma lâmpada de néon e um diac de 4 camadas; este último é amplamente utilizado como um disparo de triac no controle de fase de *dimmers* conectados à rede elétrica CA (do tipo que é comum em interruptores de parede residenciais).

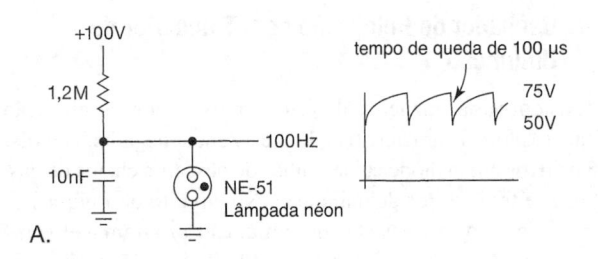

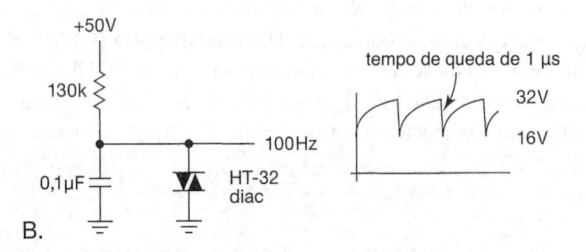

FIGURA 7.7 Dois osciladores de relaxação incomuns que exploram dispositivos com uma característica *VI* "*snapback*" de resistência negativa. Os diacs HT32 e ST32, da Littelfuse, foram descontinuados em 2009, mas você pode obter o DB3, que é semelhante, de pelo menos três fabricantes.

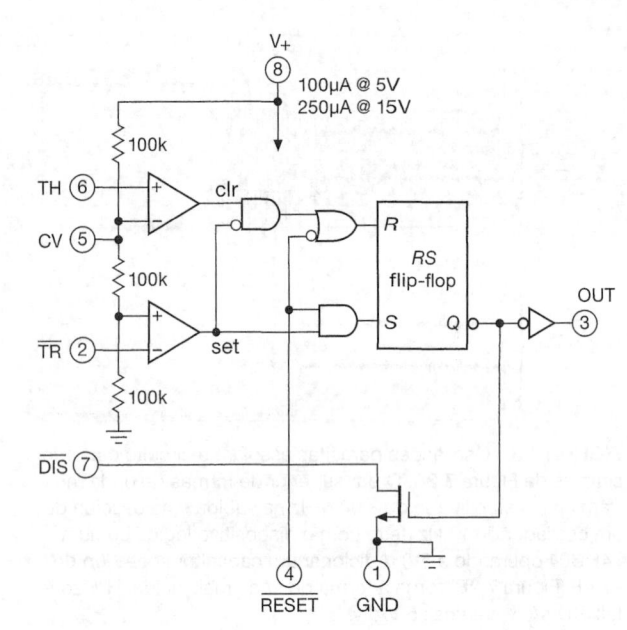

FIGURA 7.8 Diagrama de blocos do lendário 555 na sua implementação CMOS atual.

7.1.3 555: o Chip Oscilador-Temporizador Clássico

O próximo nível de sofisticação envolve o uso de temporizadores ou CIs geradores de forma de onda como osciladores de relaxação. O chip mais popular é o lendário 555 (e seus muitos sucessores), originalmente projetado em 1970 por Hans Camenzind, na Signetics. Ele é também um chip incompreendido, e temos a intenção de esclarecer as coisas com o circuito equivalente mostrado na Figura 7.8. Alguns dos símbolos pertencem ao mundo digital (Capítulo 10 e seguintes), de modo que você não se tornará um especialista em 555 por enquanto. Contudo, o funcionamento dele é bastante simples: a saída vai para nível ALTO (próximo de V_{CC}) quando o 555 recebe uma entrada de $\overline{DISPARO}$ (*trigger*) e permanece nesse estado até que a entrada de LIMIAR (*threshold*) seja acionada, momento em que a saída vai para nível BAIXO (próximo ao terra) e o transistor de DESCARGA (*discharge*) é ligado. A entrada $\overline{DISPARO}$ é ativada por um nível de entrada abaixo de $1/3V_{CC}$, e o LIMIAR é ativado por um nível de entrada acima de $2/3V_{CC}$.

A maneira mais fácil de entender o funcionamento do 555 é observar um exemplo (Figura 7.9). Antes de ser energizado, o capacitor está descarregado; por isso, quando o circuito é energizado, o 555 é disparado, fazendo a saída ir para o nível ALTO, o transistor de descarga Q_1 desligar e o capacitor começar a carregar em direção a 15 V através de $R_A + R_B$. Quando ele chega em $2/3V_{CC}$ (+10 V), a entrada LIMIAR é acionada, fazendo a saída ir para nível BAIXO e Q_1 ligar, descarregando C em direção ao terra através de R_B. A operação agora é cíclica, com tensão de C variando entre

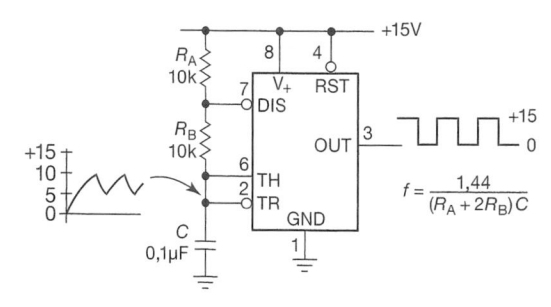

FIGURA 7.9 O 555 conectado como um oscilador.

$1/3V_{CC}$ e $2/3V_{CC}$, com período $T = 0{,}693(R_A + 2R_B)C$. A saída que você usa geralmente é a onda quadrada[6] na saída.

Exercício 7.2 Mostre que o período é dado pela equação apresentada, independentemente da tensão de alimentação.

O 555 original (versão com transistor bipolar) é um oscilador respeitável, com estabilidade que se aproxima de 1%. Ele pode operar a partir de uma fonte positiva simples de 4,5 a 16 V,[7] mantendo uma boa estabilidade de frequência com variações de tensão de alimentação, porque os limiares acompanham as flutuações da fonte. O 555 também pode ser utilizado como um temporizador para gerar pulsos individuais de largura arbitrária (veja a Seção 7.2.1E), bem como para outras funções. Ele é, na verdade, um pequeno kit contendo comparadores, portas e *flip-flops*. Tornou-se uma diversão na indústria eletrônica estimular os usuários a pensar em novas aplicações para o 555 – você também pode se tornar um nerd alfa!

Uma advertência sobre os 555 bipolares: muitas versões deste CI (junto com alguns outros chips temporizadores) geram um grande surto de corrente de alimentação (até 150 mA) durante cada transição[8] da saída. Certifique-se de usar um capacitor de desvio robusto próximo ao chip. Mesmo assim, o 555 pode ter uma tendência de gerar transições de saída duplas; as versões CMOS (discutidas a seguir) são melhores nesse aspecto, mas alguns problemas ainda não foram solucionados.

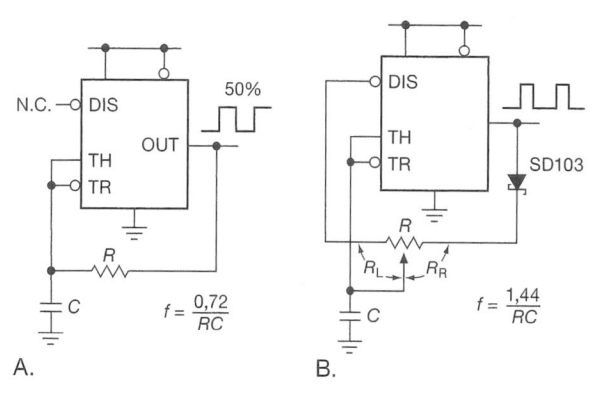

FIGURA 7.10 Mais circuitos osciladores CMOS 555. A. Ciclo de trabalho de 50% (onda quadrada). B. Frequência constante, com ciclo de trabalho totalmente variável.

A. Versões CMOS do 555

Algumas das propriedades menos desejáveis do 555 bipolar (corrente de alimentação elevada, corrente de disparo elevada, duplas transições de saída e incapacidade de operar com tensão de alimentação muito baixa) foram corrigidas em uma série de CMOS sucessores. Você pode reconhecê-los pelo indicador "555" em algum lugar do número do dispositivo. A Tabela 7.1 lista a maioria desses que poderíamos encontrar, juntamente com as suas especificações importantes. Note, em especial, a capacidade de operar em tensões de alimentação muito baixas (até 1 V) e, geralmente, com uma corrente de alimentação baixa. Esses chips também podem operar em frequências maiores do que o 555 original. Os estágios de saída CMOS têm variações trilho a trilho, pelo menos em correntes de carga baixa (mas note que esses chips não têm a capacidade de corrente de saída do 555 padrão). Todos os chips listados são CMOS, exceto pelo 555 original e o ZSCT1555.

B. Ciclo de Trabalho de 50%

O oscilador 555 da Figura 7.9 gera uma saída de onda retangular cujo ciclo de trabalho (fração de tempo em que a saída é nível ALTO) é sempre superior a 50%. Isso ocorre porque o capacitor de temporização é carregado através do par em série $R_A + R_B$, mas descarregado através de R_B sozinho (mais rapidamente). Contudo, você pode fazer um 555 CMOS (com a sua variação de saída de trilho a trilho) lhe dar exatamente um ciclo de trabalho de 50% (uma onda quadrada verdadeira) com o circuito da Figura 7.10A. O truque é usar um único resistor de carga-descarga, conectado à saída; então, o capacitor é carregado em direção a $+V_{CC}$ (com limiar de $2/3V_{CC}$) ou descarregado em direção ao terra (com limiar de $1/3V_{CC}$). É como duas pessoas jogando uma bola para trás e para frente, com um cão incansavelmente em zigue-zague para trás e para frente, tentando pegar a bola. Você deve ser capaz de mostrar que $f_{osc} = 0{,}72/RC$.

---

[6] Uma *onda retangular*, para ser mais preciso, porque passa 2/3 do tempo em nível ALTO e 1/3 do tempo em nível BAIXO. Mas é convencional usar o termo "onda quadrada", como fazemos aqui, para distinguir uma forma de onda de nível 2 (qualquer que seja a sua simetria) de uma forma de onda contínua, como as exponenciais no capacitor.

[7] Variantes como o ZSCT1555 bipolar, bem como as versões CMOS, podem operar em tensões mais baixas, abaixo de 0,9 V para alguns tipos; consulte a Tabela 7.1.

[8] Versões de melhor desempenho normalmente se vangloriarão na folha de dados, por exemplo, "Nenhum pico de corrente na comutação da saída" (Micrel MC1555 IttyBitty™ RC Timer/Oscillator).

TABELA 7.1 Osciladores do tipo 555[a]

Nº identif.	Mfg	Quant. por encapsulam. 1	2	4	Tensão de aliment. mín (V)	máx (V)	Corrente de aliment./osc typ @ 5V (μA)	Corrente de disp/limiar máx (nA)	Freq máx typ @ 5V (MHz)	R_{out} typ @ 5V sink (Ω)	source (Ω)
555		•	•	–	4,5	18	3000	2000	0,5	12[b]	100[c]
ZSCT1555	ZT	•	–	–	0,9	6	150	100	0,3[d]	35[e]	0,15[e]
ICM7555	IL	•	•	–	2	18	60	10	1	50	400
TLC551	TI	•	•	–	1	18	15[f]	0,01[t]	1,8	25	200
TLC555	TI	•	–	–	2	18	170	0,01[t]	2,1	25	200
LMC555	NS	•	•	–	1,5	15	100	0,01[t]	3	40	150
ALD555	AL	•	–	–	2	12	100	0,2	2	20	250
ALD1502	AL	•	•	•	2	12	50	0,4	2,5	20	200
MIC1555	MI	•	–	–	2,7	18	240	50	5[g]	25	100

Notas: (a) Todos são CMOS, exceto os dois primeiros (bipolares). (b) I_O (mA) para V_O = 0,3 V. (c) I_O (mA) para V_{sat} = 1,7 V. (d) Mín, @ V_S = 1,5 V. (e) I_O (mA) para V_{sat} = ±0,35 V e V_S = 1,5 V. (f) Para V_S = 1 V. (g) Para V_S = 8 V. (t) Típico.

Exercício 7.3 Mostre que este resultado está correto.

C. Controle Total do Ciclo de Trabalho

A Figura 7.10B mostra como fazer uma saída de frequência fixa, cujo ciclo de trabalho pode ser variado desde próximo de 0% até próximo de 100%. A frequência seria completamente constante e independente do ajuste de ciclo de trabalho, a não ser pelo efeito da queda do diodo durante a carga; é por isso que usamos um diodo Schottky SD103C de baixa queda (V_F = 0,3 V para 10 mA).

Exercício 7.4 Mostre que f_{osc} = 1,44/RC.

D. Oscilador Dente de Serra

Ao usar uma fonte de corrente para carregar o capacitor de temporização, você pode fazer um gerador de rampa (ou "onda dente de serra"). A Figura 7.11A mostra como fazer isso utilizando uma fonte de corrente *pnp* simples. A carga em forma de rampa vai até 2/3V_{CC} e, em seguida, descarrega rapidamente (através do transistor de descarga *npn* do 555, pino 7) até 1/3V_{CC}, começando o ciclo de rampa de novo. Note que a forma de onda de rampa aparece no terminal do capacitor e deve passar por um *buffer* AOP, uma vez que esse tem alta impedância de entrada. Na prática, esse circuito apresenta uma falha sutil: quando um pequeno valor de capacitor é usado, a descarga é tão rápida que a parte inferior da dente de serra cai abaixo de 1/3V_{CC} antes do transistor de descarga ser desligado. Isso é resolvido, como mostrado, por meio da inclusão de um pequeno resistor em série com o pino $\overline{DIS}$, escolhido para uma constante de tempo de descarga de ~5 μs.[9]

---

[9] Encontramos, por medição, que os tempos mínimos de descarga necessários para evitar *undershoot* (subsinal) são de, aproximadamente, 1 μs, 5 s e 10 μs, para amostras do LMC555, do ICL7555 e do 555 bipolar, respectivamente.

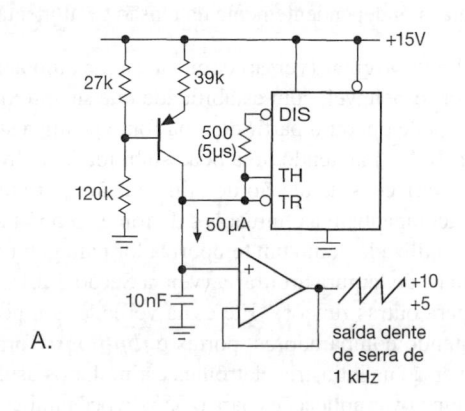

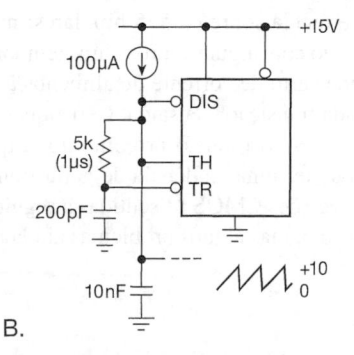

FIGURA 7.11 Osciladores dente de serra com o 555 CMOS. A. Fonte de corrente *pnp* discreta carrega C, cuja descarga é retardada para evitar *undershoot* de V_+/3. B. Atraso em TR na borda de descida provoca uma descarga completa até 0 V.

A Figura 7.11B mostra uma alternativa: atrasar o sinal da borda de descida em TR de modo que o intervalo de descarga seja prorrogado por tempo suficiente para garantir a descarga completa; 1 μs foi adequado para os valores do circuito mostrado.

Na Figura 7.11B, desenhamos um símbolo de fonte de corrente, porque existem várias alternativas para a fonte de

FIGURA 7.12 Opções de fonte de corrente para o oscilador de dente de serra.

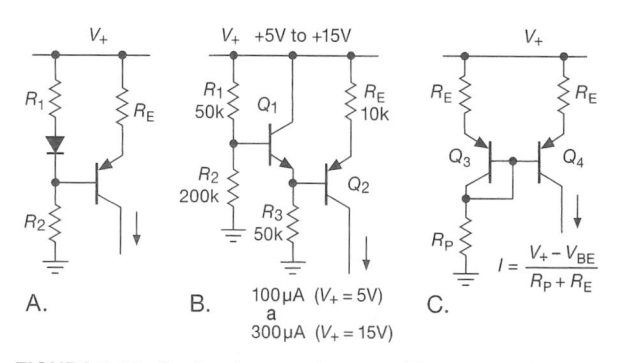

A. pnp discreto ($I = \frac{V_+ - V_E}{R_E}$)
B. J505–511, CR160–470, SST502–511 (JFETs) (0,43 – 4,7mA)
C. LM334 ($I = \frac{60mV}{R}$)
D. REF200 (50μA, 100μA, or 200μA)

FIGURA 7.13 Fontes de corrente com saída aproximadamente proporcional à tensão de alimentação ($I_{out} \propto V_+$), para tornar f_{out}, na Figura 7.11, independente da tensão de alimentação.

A.
B. 100μA ($V_+ = 5V$) a 300μA ($V_+ = 15V$)
C. $I = \frac{V_+ - V_{BE}}{R_P + R_E}$

corrente *pnp* discreta. A Figura 7.12 mostra alguns favoritos de 2 terminais simples, ou seja, um "diodo regulador de corrente" JFET, e dois circuitos integrados. Como discutido na Seção 3.2.2, um JFET com a porta conectada à fonte opera em uma corrente constante quando polarizado com $\gtrsim 1$ V; esses estão disponíveis como dispositivos em encapsulamentos de dois terminais, em uma faixa limitada de correntes (0,43 mA a 4,7 mA) e com operação até 100 V. O LM334 também é uma fonte de corrente de 2 terminais (flutuante), com um terceiro pino que permite programar a corrente conectando um resistor, como mostrado; a corrente é aproximadamente[10] 60 mV/R e, como o JFET, funciona até ~1 V (o seu máximo é 40 V). O REF200 é uma fonte de corrente de 100 μA (flutuante) de 2 terminais (com vários múltiplos selecionáveis) com compensação de temperatura, operável de 2 a 40 V.

Oscilador de dente de serra ratiométrico

E agora, uma variação interessante. Em muitas situações, você *quer* uma fonte de corrente estável como o REF200, concebido para proporcionar uma corrente que não depende da tensão nele (o REF200 é muito bom nesse aspecto, pois a sua corrente varia menos do que 0,1% para tensões de 2 V a 30 V; veja a Figura 9.37). E isso seria bom aqui, fornecendo uma dente de serra de frequência constante no circuito da Figura 7.11B – desde que, naturalmente, os limiares do 555 permaneçam constantes. Mas, se a tensão de alimentação (aqui $V_+ = +15$ V) se alterasse, os limiares seguiriam proporcionalmente (em $V_+/3$ e $2V_+/3$), e a frequência de oscilação mudaria. E isso aconteceria se você tivesse que usar algo como uma bateria de 9 V para a sua fonte V_+.

Há uma maneira interessante de contornar esse problema, ou seja, fazer a saída proporcional da fonte de corrente fornecer tensão, o que compensa exatamente as variações de frequência que ocorreriam. Essa é a técnica de projeto ratiométrico, inteligente e poderosa. A fonte de corrente *pnp* simples da Figura 7.12A é quase o que você deseja: seria exatamente isso, exceto pela queda base-emissor de 0,6 V. Você

pode corrigir isso tentando construir uma fonte de corrente transistorizada com cancelamento de V_{BE}.

Veja a Figura 7.13: no primeiro circuito, um diodo no divisor da base adiciona uma queda de tensão que corresponde aproximadamente à queda base-emissor do transistor. Isso é muito bom, mas não é o ideal, porque (a) o casamento de V_{BE} é imperfeito e (b) a queda do diodo significa que a queda de tensão R_1 não é exatamente proporcional a V_+ (descubra o porquê).

Isso foi corrigido no segundo circuito (Figura 7.13B), onde a tensão da base de Q_1 acompanha exatamente V_+, e sua queda para baixo de V_{BE} cancela a queda de Q_2 voltando para cima. Isso é imperfeito na medida em que os V_{BES} não são iguais, tanto por causa do descasamento do transistor quanto pelo descasamento de I_C (à moda Ebers-Moll). O terceiro circuito corrige o descasamento de V_{BE} (usando transistores casados que operam com a mesma corrente), mas tem o problema da corrente não muito proporcional da Figura 7.12A; isto é, a corrente através do "resistor de programação" R_p é proporcional a $V_+ - V_{BE}$. Note, a propósito, que esse circuito é o espelho de corrente clássico que vimos antes na Seção 2.3.7.

E. Oscilador Triangular

A Figura 7.14 mostra uma maneira simples de gerar uma onda triangular com um 555 CMOS. A onda quadrada de saída trilho a trilho é usada para gerar uma corrente bidirecional (de polaridade alternada), produzindo uma onda triangular (que vai entre o habitual $1/3V_{CC}$ e $2/3V_{CC}$) no capacitor. A configuração de diodos é o *retificador em ponte* familiar (Seção 1.6.2), aqui usado para criar dois percursos para a corrente que passa pelo dispositivo fonte de corrente de 2 terminais unipolar que conduz a corrente sempre no mesmo sentido (normal), enquanto, para o mundo exterior, é uma fonte de corrente bidirecional. (Você pode pensar na ponte retificadora como a apresentação à fonte de corrente de uma versão retificada da corrente externa de polaridade alternada.) Usamos diodos Schottky aqui para minimizar a queda direta de dois diodos da

---
[10] É, na verdade, proporcional à temperatura absoluta.

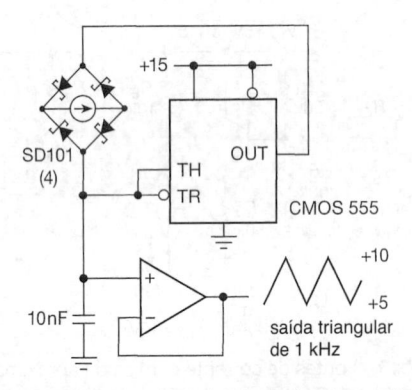

FIGURA 7.14 Oscilador de onda triangular com o 555. Este circuito requer uma fonte de corrente (2 terminais) flutuante, como na Figura 7.12B-D.

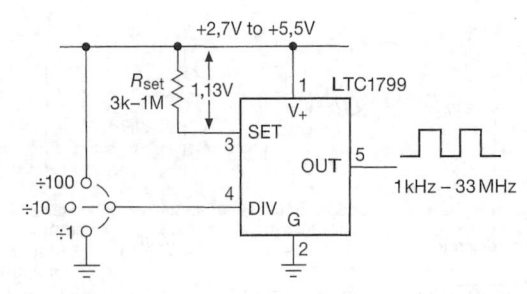

FIGURA 7.15 O LTC1799 (e seus descendentes) gera ondas quadradas estáveis de trilho a trilho com a programação de um único resistor.

ponte. Tal como acontece com o oscilador de dente de serra, você tem que usar um *buffer* (AOP) na forma de onda de alta impedância. Esse circuito é simples (aproveitando as características internas do oscilador 555), mas seu desempenho não é tão bom quanto o do circuito mais elaborado baseado em AOP da Figura 4.39 ou da Figura 4.83.

Exercício 7.5 Demonstre que você compreendeu os circuitos das Figuras 7.11 e 7.14 por meio do cálculo da frequência de oscilação em cada caso.

7.1.4 Outros CIs Osciladores de Relaxação

O clássico 555 gerou sucessores CMOS compatíveis e melhorados, como vimos; ele ainda está vivo e com saúde. E é flexível o suficiente para fazer muitas tarefas boas, incluindo temporização e geração de pulso, que iremos abordar no final do capítulo. Houve muito progresso na eletrônica de semicondutores desde a introdução do 555, em 1971, e você pode obter alguns bons chips de oscilador-temporizador contemporâneos que podem muito bem ser a sua melhor escolha.[11] Aqui estão alguns dos nossos favoritos.

A. Séries LTC1799 e LTC6900

Esses CIs inteligentes vêm dos magos da Linear Technology, que os chamam de "osciladores de silício". O LTC1799 é operado a partir de uma fonte positiva simples de 2,7 V a 5,5 V (consumindo cerca de um miliampère), gera um ciclo de trabalho de 50% de uma saída de onda quadrada de trilho a trilho e sua frequência de saída é definida por um único resistor externo (ou fonte de corrente). Ele opera a partir de 1 kHz até 33 MHz (tem um divisor de frequência interno, *N*, ÷1, ÷10 ou ÷100, selecionado pela conexão da entrada DIV

---
[11] Como são dispositivos de projetos mais recentes, eles estão invariavelmente disponíveis em pequenos encapsulamentos de montagem em superfície (SMT). Isso pode, porém, ser uma desvantagem caso você esteja procurando pelo encapsulamento PTH tradicional para montar mais facilmente um protótipo, porque novos projetos estão cada vez mais presentes apenas em SMT.

em nível BAIXO, aberta ou em nível ALTO, para produzir a sua faixa de 33.000:1). Isso mesmo – com um componente externo! Tem muito boa precisão ($\pm$ 0,5%, típico), estabilidade de temperatura ($\pm$ 0,004%/°C, típico) e coeficiente de tensão ($\pm$ 0,05%/V). A Figura 7.15 mostra como usá-lo. A série LTC6900, semelhante, inclui o LTC6900 (um consumo de potência um pouco menor), o LTC6905 (17 MHz a 170 MHz) e o LTC6903/4 (1 kHz a 68 MHz, programado através de uma conexão digital em série de 3 fios). O último dispositivo seria particularmente adequado para um sistema com um microcontrolador residente (Capítulo 15), que pode facilmente enviar e receber comandos digitais.

A Figura 7.16 mostra a dependência da frequência de saída em relação ao valor do resistor. Se você gosta de equações, deve ficar mais feliz com esta:

$$f_{osc} = \frac{1}{N} \cdot \frac{100}{R(k\Omega)} \quad \text{MHz}.$$

Devido à frequência ser definida por uma corrente de entrada no terminal de entrada SET, você pode usar uma corrente gerada externamente para ajustar a frequência (vamos chamá-lo de "oscilador controlado por corrente"), tendo em mente que a entrada SET fica aproximadamente 1,13 V abaixo do trilho positivo. Para a corrente de programação, a folha de dados sugere correntes na faixa de 5 μA a 200 μA, com faixa de comutação ×10 como antes (o que poderia ser feito eletricamente, por exemplo, com a lógica de 3 estados ou com um par de chaves transistorizadas). O nível de tensão referenciado a V_+ na entrada SET torna a *tensão* de programação um pouco estranha: a folha de dados sugere como método a aplicação de uma tensão de controle em um segundo resistor para a entrada SET, para adicionar ou subtrair uma corrente variável a partir da fornecida por R_{SET}; mas este método tem seus problemas e, provavelmente, será melhor gerar uma corrente externamente para acionar a entrada SET.

B. LTC699x "TimerBlox"

Alguns anos após lançar o LTC1799/6900, a Linear Technology introduziu a série "TimerBlox®" de funções de temporização – osciladores, moduladores de largura de pulso,

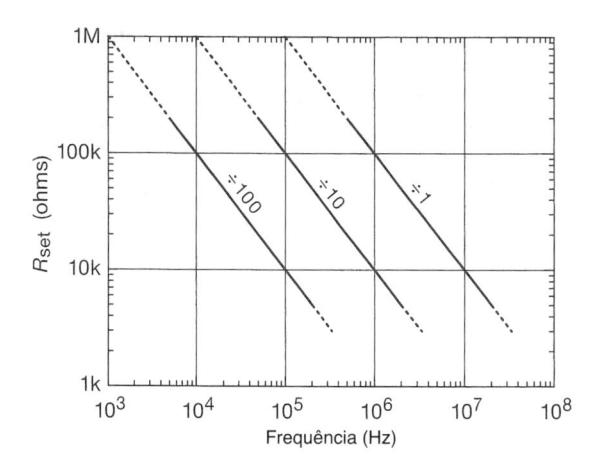

FIGURA 7.16 Programação da frequência de saída do LTC1799. O fabricante aconselha a ficar nas linhas sólidas para melhor precisão.

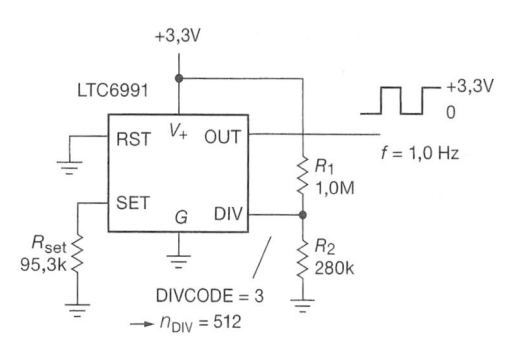

FIGURA 7.17 Oscilador de 1 Hz programado por resistor.

monoestáveis e atraso/antirrepique. Em vez de tentar fazer um chip "de modelo único" (com muitos pinos), eles fizeram chips separados sob medida, no pequeno encapsulamento de 6 pinos, SOT23-6, ou no encapsulamento DFN ainda menor, de 2 mm x 3 mm. Esses chips compartilham muitas propriedades: uma fonte simples (2,25 a 5,5 V), boa precisão inovadora (~2% no pior caso), resistor de ajuste único e um único pino analógico para a programação do usuário entre 16 opções de faixa e modo (compare com o LTC1799/6900, onde um pino define uma das três faixas). A LTC rompeu barreiras para criar um conjunto de dispositivos simples, de funções específicas e pequenos[12] para lidar com os nossos problemas de oscilação e temporização.

Aqui está uma lista dos dispositivos TimerBlox disponíveis no momento da produção deste livro:

Nº identif.	Função	Faixa Total	Observações
LTC6990	VCO	488 Hz-2MHz	faixa de sintonia de 16:1, quando varia 8 oitavas (×2)
LTC6991	osc BF; temporizador	29 μHz- 977 Hz	1 ms a 9,5 h, quando varia oito ×8
LTC6992-x	PWM	3,8 Hz-1 MHz	0% a 100%, 5% a 100%, 5% a 95% ou 0% a 95%
LTC6993-x	Monoestável	1μs-34s	normal ou redisparável; borda de subida ou descida
LTC6994-x	Atraso/ antirrepique	1μs-34s	atraso simples ou todas as bordas; rejeita pulso estreito

O LTC6991 mira no problema de osciladores de onda quadrada de frequência muito baixa, com uma faixa total de frequência de saída de aproximadamente 30 *micro*hertz a 1 kHz; pense nisso como um temporizador, que é uma faixa de períodos desde 1 ms até 9 horas. Você seleciona uma das oito faixas, cujas frequências "centrais" (correspondentes a R_{set} = 200 kΩ) estão espaçadas por fatores de oito: 0,00012 Hz, 0,001 Hz, 0,008 Hz, 0,064 Hz, 0,5 Hz, 4 Hz, 32 Hz, 250 Hz. Dentro de uma faixa escolhida, o resistor R_{set} externo (50 a 800 kΩ) sintoniza a frequência de oscilação ao longo de uma faixa de 16:1. Por exemplo, na faixa de 4 Hz, você pode ajustar continuamente a partir de 1 Hz (R_{set} = 800k) até 16 Hz (R_{set} = 50k).

Agora, o mistério: como você pode selecionar um dos 16 modos de funcionamento (oito faixas, duas polaridades), com um único pino, sem a necessidade de qualquer tipo de programação serial? Fácil: esses chips contêm um ADC interno de 16 níveis (4 bits), com a fonte de alimentação V_+ como referência de fundo de escala, para determinar o valor DIVICODE (um número inteiro de 0 a 15). Então, você simplesmente aplica uma tensão CC na faixa de 0 a V_+ no pino de programação DIV, o que é mais facilmente feito por meio de um par de resistores de V_+ para o terra.[13] Essa saída do divisor de tensão (que podemos chamar de V_k) deve apontar para o ponto médio de uma das dezesseis subdivisões de 0 V a V_+. Expressando de forma mais precisa, você usaria um par de resistores de 1% que produz uma tensão de saída $V_k = V_+(2k + 1)/32$ a fim de selecionar[14] o DIVICODE = k. Esse DIVICODE, então, determina a faixa de frequências e (neste caso) a polaridade de saída e resete.

---

[12] O SOT23 é o dispositivo de montagem em superfície ideal do experimentador, pois é grande o suficiente para uma montagem que usa um ferro de solda comum; a LTC poderia ter escolhido um dispositivo menor montado por máquina insersora em vez de um encapsulamento "maior".

[13] Você pode passar a usar a tensão de saída de um DAC se quiser controle digital.

[14] Este é um esquema *interessante*. Por que não usar mais dois pinos, para um total de oito pinos, com uma programação como no LTC1799 (cada um conectado a GND, V_+, ou aberto)? Evidentemente, em seu zelo para minimizar o número de pinos e o tamanho de encapsulamento e, ao mesmo tempo, para evitar a necessidade de qualquer tipo de programação serial, os projetistas optaram por esse esquema analógico, com ADC interno. Gostaríamos de vê-los oferecer uma opção SOIC (e DFN) de 8 pinos, com a seleção de 3 níveis em três pinos; dessa maneira, você poderia obter até 27 opções de modo, sem a necessidade de quaisquer resistores externos. E um DFN de 8 pinos ocupa menos espaço do que um DFN de 6 mais dois resistores! OK, o que os projetistas inteligentes da LTC acham disso?

Como um exemplo, a Figura 7.17 mostra como gerar uma onda quadrada de 1 Hz com uma saída de nível lógico de 3,3 V (ou seja, 0 V e +3,3 V). Selecionamos a faixa de 0,5 Hz ($k = 3$), para que a relação do divisor de tensão seja $R_2/(R_1 + R_2) = 7132$; em seguida, selecionamos $R_{set} = 95,3$ kΩ para um f_{out} de 1,0 Hz de acordo com a fórmula exata da folha de dados para o período do oscilador

$$T = \frac{1}{f_{out}} = \frac{R_{set}}{50\text{k}\Omega} \cdot n_{div} \cdot 1{,}024 \times 10^{-3} \text{ (segundos)}$$

onde a relação do divisor interno do chip, n_{div}, é determinada[15] a partir do DIVCODE de acordo com $n_{div} = 2^{3k}$, assim $n_{div} = 512$ aqui. Esses chips operam com potência razoavelmente baixa; esse circuito consome cerca de 0,1 mA quando está sem carga.

Mais tarde, no capítulo, junto com temporizadores, veremos outro exemplo em que o LTC6991 é usado para gerar uma comutação de uma tensão de alimentação durante uma hora (Figura 7.65). Veremos também como usar outros membros dessa família em aplicações de VCO e temporizador (Seção 7.2.4).

C. Oscilador + Divisor

Outra classe de osciladores-temporizadores utiliza um oscilador (relaxação ou não), seguido por um contador digital, para gerar longos tempos de atraso, sem recorrer a grandes valores de resistor e capacitor. Exemplos disso são o 74HC4060 e o ICM7240/50/60 da Maxim. Esses dispositivos CMOS geram um pulso de saída para algum número N de ciclos do oscilador[16] e operam com uma fração de miliampères. Esses temporizadores (e seus similares) são ótimos para gerar atrasos de alguns segundos a alguns minutos.

Algumas das mais recentes adições a essa classe de oscilador incluem o LTC6903/4 (descrito anteriormente) e a série DS1070/80 da Maxim. Os CIs LTC operam a partir das mesmas tensões de alimentação que o LTC1799/6900 e geram saídas de onda quadrada trilho a trilho ao longo da ampla faixa de 1 kHz a 68 MHz; mas eles não requerem *nenhum* componente externo! O truque é que a frequência é definida por meio do envio de um par de números (um fator de escala de 4 bits e um coeficiente de frequência de 10 bits) através de uma linha digital de entrada serial. Isso pode parecer complicado, mas na verdade, é extremamente fácil de fazer em qualquer sistema em que você tenha um microcontrolador integrado (um pequeno computador em um chip), que em eletrônica contemporânea inclui quase qualquer circuito eletrônico. Veremos muito mais no Capítulo 15 ("Microcontroladores").

A série DS 1070/80 de "osciladores econômicos" é semelhante, com programação serial para definir a frequência, ou seja, mantida em memória não volátil interna, de modo que você precisa programá-lo apenas uma vez, ou quando desejar alterar a programação. O DS 1085 é atualmente o melhor membro da família, com quatro configurações programáveis que permitem escolher uma frequência de saída (na faixa de 8,1 kHz a 133 MHz) em uma precisão melhor que uma parte por mil. Atente, porém, para o fato de que a precisão e a estabilidade iniciais desse "oscilador de silício" são apenas no nível de ±1%; isto é, a sua resolução (tamanho do degrau) excede em muito sua precisão e sua estabilidade. Pense nele como um "oscilador de 1%", cuja frequência você pode definir no campo.[17]

Há uma ótima generalização desses métodos de "divisão por N": a *malha de fase sincronizada* (PLL). Vamos tratar disso mais adiante neste capítulo (seção 7.1.8B) e no Capítulo 13.

D. Osciladores Controlados por Tensão

Outros CIs osciladores estão disponíveis como osciladores controlados por tensão (*voltage-controlled oscillators*, VCOs), com a taxa de saída variável ao longo de uma faixa de acordo com uma tensão de controle de entrada. Vimos a origem dessa ideia quando utilizamos uma fonte de corrente para carregar o capacitor no 555; com pouco esforço adicional, poderíamos ter feito a corrente proporcional a uma tensão de entrada de controle. Há muitos usos para um VCO, e por isso há muitas ofertas dos fabricantes de chips. Alguns deles têm faixas de frequências superiores a 1000:1. Exemplos são o NE566 original e projetos posteriores, como o ICL8038, o MAX038, o XR2206/7 e a série 74LS624-9.

A série 74LS624, por exemplo, gera saídas de níveis lógicos digitais até 20 MHz e usa RCs externos para definir a frequência nominal. VCOs mais rápidos, como o 1648, podem produzir saídas até 200 MHz, e há técnicas para VCOs de frequências muito maiores (como osciladores a diodo Gunn e osciladores YIG) que operam na faixa de muitos *giga*hertz.

Quando a linearidade é importante, um conversor tensão-frequência (V/F) preciso, como o AD537, o LM331 ou o AD650, dá conta do trabalho, com uma linearidade de pior caso de 0,15%, 0,01% ou 0,005%, respectivamente. A maioria dos VCOs usa fontes de corrente internas para carregar e descarregar um capacitor, e muitos, portanto, fornecem saídas de ondas triangular. O clássico XR2206 da Exar vai mais longe – ele inclui um conjunto de ceifadores "suaves" para converter uma onda de triangular em senoidal não muito grande; eles chamam isso de *modelador senoidal*, que

---

[15] Válido para k entre 0 e 7; veja a folha de dados para obter mais detalhes.

[16] Especificamente, 10 escolhas de $N = 2^k$ (indo de $k = 4$ a $k = 14$) para o 74HC4060; qualquer um dos $N = 1$ a 255 para o ICM7240; $N = 128$ para a ICM7242; qualquer $N = 1$ a 99 para o ICM7250; e $N = 60$ para o ICM7260.

[17] Para maior precisão, você pode usar um oscilador a cristal (Seção 7.1.6) a montante do divisor. Um bom exemplo, infelizmente descontinuado, foi a série Epson SPG de "osciladores a cristal de saída selecionável", na qual você escolhia a frequência de saída com seis pinos de programação que eram conectados ao terra ou à alimentação de +5 V.

produz uma onda senoidal com distorção <1%. Dependendo dos componentes de temporização externos, ele vai desde uma fração de hertz (na extremidade inferior) até 1 MHz (na extremidade superior),[18] com uma faixa de varredura de 1000: 1 e uma estabilidade de temperatura da frequência de 0,002%/°C. Você também pode usá-lo como um gerador de ondas triangulares, modo no qual ele permite que você ajuste o ciclo de trabalho de 1% a 99%.

No capítulo 13, veremos alguns métodos adicionais de implementação de VCOs no contexto da "conversão tensão-frequência". Esses métodos são *síncronos* e requerem uma entrada de clock de frequência fixa; esses pulsos de clock são passados, ou não, para a saída, de tal modo que a frequência média de saída seja precisamente proporcional à tensão de entrada; veja a Seções 13.8.1 e 13.9.

Os chips de VCOs, algumas vezes, têm uma referência estranha para a tensão de controle (por exemplo, a alimentação positiva) e esquemas de simetria complicados para a saída de onda sinusoidal. Nossa opinião é que o VCO ideal ainda tem de ser desenvolvido. Muitos desses chips podem ser utilizados com um cristal de quartzo externo, como discutiremos brevemente, para precisão e estabilidade muito mais elevadas; em tais casos, o cristal simplesmente substitui o capacitor.

Você pode fazer VCOs com técnicas diferentes dos osciladores de relaxação *RC* (ou acionados por corrente). Por exemplo, a frequência de um oscilador *LC* (seção 7.1.5D) pode ser sintonizada eletricamente com um capacitor de tensão variável (um *varactor*), embora a faixa de sintonização seja muito menor (tipicamente 1 a 10%) em relação a um oscilador de relaxação sintonizável. Da mesma forma, é possível "puxar" a frequência de um cristal de quartzo ao longo de uma faixa estreita de, talvez, 0,01%. Outras tecnologias de oscilador (osciladores Gunn, osciladores ressonadores dielétricos, osciladores sintonizados YIG, sequência de inversores que "consomem corrente", entre outros) permitem sintonia elétrica por vários meios, um elemento essencial do sintetizador de malha de fase sincronizada (Seção 13.13).

7.1.5 Osciladores Senoidais

Para muitas aplicações, você precisa de uma verdadeira onda senoidal em vez de uma retangular, triangular ou outras formas de onda que se obtêm de osciladores de relaxação. Alguns exemplos são teste e medição de audiofrequência, comunicações de rádio e vídeo e pesquisa e aplicações médicas e científicas. É comum nessas aplicações falar sobre *pureza espectral* ou *distorção harmônica*, que são medidas de saída de uma onda senoidal ideal.

Os osciladores de relaxação *RC* que abordamos não geram ondas senoidais – suas formas de onda nativas são rampas (linear ou exponencial *RC*) e ondas retangulares. O XR2206, na Seção 7.1.4D, ilustra um método de produzir uma onda senoidal aproximada, ou seja, ceifando uma onda triangular com uma sucessão de recortes suaves; esse método é utilizado em alguns geradores de função analógicos.[19] No entanto, existem configurações de osciladores que geram ondas senoidais diretamente, e há outros truques para fazer ondas senoidais a partir de ondas quadradas.

Exemplos de osciladores senoidais nativos são a ponte de Wien (que utiliza *R*s e *C*s simples), os *osciladores ressonadores* (que utilizam ressonadores, tal como um circuito *LC*, cristal de quartzo, ressonador coaxial ou de cavidade, ou mesmo um ressonador atômico-molecular) e o método de *síntese digital direta* (DDS).

Nesta seção, veremos as formas de produzir senoides, começando com alguns truques para obter senoides a partir de ondas quadradas (ou outras formas de onda não senoidais), e, em seguida, abordaremos técnicas que geram ondas senoidais diretamente. Em uma seção posterior (Seção 7.1.9), discutiremos *osciladores em quadratura*, que geram um par de sinais com uma relação de fase de 90°.

A. Onda Senoidal a Partir de Uma Onda Quadrada

O truque simples aqui é filtrar uma onda quadrada (ou qualquer outra) com um filtro passa-baixas, para remover todas as frequências, exceto a fundamental. Uma maneira fácil de pensar sobre isso é lembrar que toda[20] onda periódica pode ser decomposta em um conjunto de componentes senoidais ("série de Fourier" da forma de onda), cada um com alguma amplitude e fase fixas; quando você adiciona esses componentes, reconstrói a forma de onda original. O componente de frequência mais baixa (segundo a periodicidade da forma de onda original) é o *fundamental*, e todos os componentes superiores ("harmônicos") são múltiplos inteiros da frequência fundamental (isto é, em $2f_0$, $3f_0$, $4f_0$, ...). Assim, você pode criar uma onda senoidal a partir de uma onda periódica arbitrária por filtragem usando um passa-baixas para uma frequência maior do que a fundamental, mas inferior ao

---

[18] O MAX038 era semelhante, porém mais rápido – 20 MHz. Estamos tristes pelo seu falecimento. Seu obituário, publicado no site da Maxim, informa: "Este produto foi fabricado pela Maxim usando um *wafer* produzido por um fornecedor externo mediante um processo que não está mais disponível".

[19] Tais técnicas de "corromper" uma onda triangular com diodos ceifadores não produzem uma onda senoidal de alta qualidade: a distorção resultante raramente pode ser reduzida abaixo de 1%. Em comparação, a maioria dos audiófilos insiste em níveis de distorção bem abaixo de 0,1% para seus amplificadores. Para testar esses componentes de áudio de baixa distorção, são necessárias fontes de sinais senoidais puras, com distorção residual inferior a aproximadamente 0,01%.

[20] Bem, *quase* todas: os matemáticos são hábeis em encontrar funções patológicas para refutar qualquer proposição vagamente redigida. Devemos, provavelmente, dizer "toda forma de onda periódica *bem-comportada*"; mas podemos dizer, com confiança, "toda forma de onda periódica que podemos realmente criar com a eletrônica."

segundo harmônico,[21] extraindo, assim, apenas o componente senoidal fundamental.

Enquanto o filtro não permitir a passagem de um espectro harmônico significativo, você terá uma boa onda senoidal. Como discutimos no Capítulo 6, você pode fazer filtros passa-baixas de várias maneiras: como filtros analógicos "contínuos no tempo" (com uma rede de indutores e capacitores discretos; ou, em frequências mais baixas, com filtros ativos, ou filtros discretos no tempo com capacitor chaveado; ou com os métodos numéricos de processamento de sinais digitais).

Para demonstrar essa técnica, conectamos um 555 como um oscilador de 1 kHz (Figura 7.10A, com $R = 75$k e $C = 10$ nF), e passamos a onda quadrada de saída através de um filtro passa-baixas ativo (um contínuo no tempo de 8 polos Butterworth), com corte em 1,5 kHz. A saída parecia ser uma boa onda senoidal, e, na verdade, ela media apenas 0,6% de distorção.[22] Essa técnica requer um circuito analógico um pouco complexo e carece de agilidade de frequência (ou seja, uma vez que você tenha escolhido a frequência de corte do filtro, pode variar a frequência do oscilador por apenas uma pequena quantidade, por exemplo, ±25%).

Filtros a capacitores chaveados são mais simples de usar, estando disponíveis como CIs sincronizados baratos; em vez de exigir resistores e capacitores para definir a banda de passagem, a frequência do clock sintoniza o filtro – que determina a frequência de corte. A Figura 7.18 apresenta um circuito simples em que o filtro passa-baixas a capacitor chaveado MAX294 é utilizado para converter uma entrada de onda quadrada em uma saída senoidal. O ponto de corte do MAX294 é em $f_{CLK}/100$, por isso temos que acionar o clock dele 128 vezes a frequência de onda quadrada de entrada. Isso coloca o ponto de interrupção em $1{,}28 f_{IN}$ e resulta na considerável onda senoidal mostrada na Figura 7.19; ela mediu uma distorção muito pequena, de 0,03%.

Esse circuito não apenas é mais simples do que o esquema do passa-baixas analógico, como também proporciona amplitude de saída altamente previsível[23] e fornece capacidade de sintonia – porque o filtro acompanha a frequência de entrada, mantendo o corte do passa-baixas em $1{,}28 f_{IN}$ conforme a frequência de entrada é variada.[24] Nesse circuito, variamos a frequência do 555 por fatores de dez e medimos um máximo de 0,1% de distorção de frequências na saída de onda senoidal ao longo da faixa de 100 Hz a 10 kHz.

---

[21] Dependendo da simetria da forma de onda, a série de Fourier pode ser constituída apenas por harmônicos ímpares, caso em que o primeiro harmônico maior está em 310; esse é o caso de uma onda quadrada de simetria 50%.

[22] Colocar o ponto de corte em 1,2 kHz reduziu a distorção para apenas 0,1%, ou -60 dBc (dB relativo à portadora).

[23] Dada pelo primeiro termo da série de Fourier de uma onda quadrada, $A_{pp} = (4/\pi)V_{cc}$, portanto 2,25 V RMS.

[24] Uma variação inteligente é ilustrada na folha de dados do LTC1799, em que o rastreamento do filtro passa-baixas a capacitor chaveado é ainda configurado com um *notch* de faixa de rejeição em $3/f_0$ do sinal de entrada, proporcionando, assim, uma atenuação adicional no harmônico mais forte da onda quadrada.

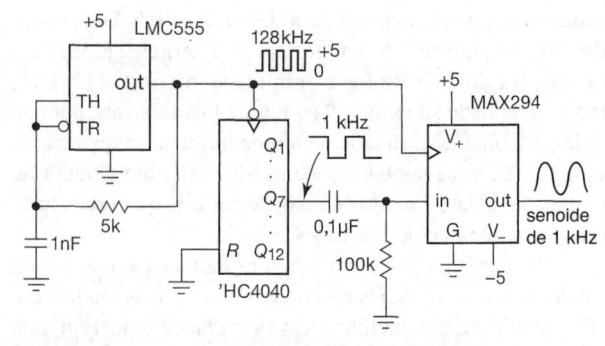

FIGURA 7.18 Geração de senoide com filtro passa-baixas de rastreamento. O MAX294 (ou MAX293 ou LTC1069-1, semelhantes) é um filtro passa-baixas elíptico a capacitor chaveado de 8 polos sem necessidade de componentes externos.

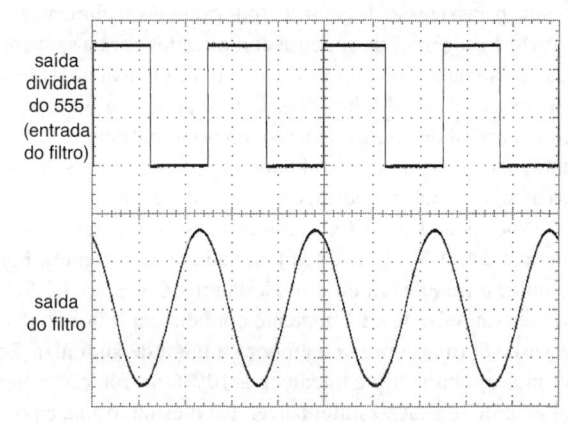

FIGURA 7.19 As formas de onda a partir do circuito da Figura 7.18: a entrada de onda quadrada de 1 kHz ($f_{OSC}/128$) e a onda senoidal resultante após a filtragem passa-baixas. A amplitude de saída é igual à do componente fundamental da entrada de onda quadrada, que é um fator de $4/\pi$ maior. Horizontal: 400 μs/div. Vertical: 2 V/div.

B. Oscilador em Ponte de Wien

Em frequências baixas a moderadas, o oscilador em ponte de Wien (Figura 7.20) é uma fonte útil de sinais senoidais de baixa distorção. A ideia é fazer um amplificador de realimentação com 0° de deslocamento de fase na frequência de saída desejada e, em seguida, ajustar o ganho de malha de modo que uma oscilação autossustentável aconteça apenas brevemente. Para os valores de R e C iguais aos mostrados, o ganho de tensão a partir da entrada não inversora para a saída do AOP deve ser exatamente $+3{,}00$. Com menos ganho, a oscilação cessará; com mais ganho, a saída saturará. A distorção será baixa se a amplitude de oscilação permanecer dentro da região linear do amplificador, isto é, não se deve permitir que ele tenha uma oscilação de variação completa. Sem nenhum truque para controlar o ganho, é exatamente isso o que irá acontecer, com a saída do amplificador aumentando até que o ganho efetivo seja reduzido para 3,0 por causa da saturação. Os truques envolvem alguns tipos de realimentação de definição de ganho de constante de tempo longa, como veremos.

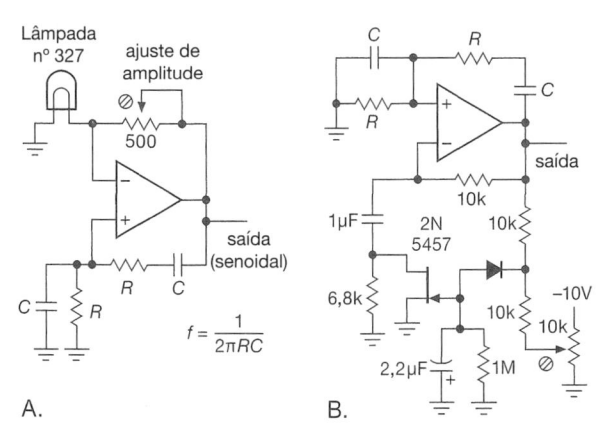

FIGURA 7.20 Osciladores em ponte de Wien de baixa distorção. A. Controle de amplitude com lâmpada incandescente. B. Controle de amplitude pela resistência variável de um JFET.

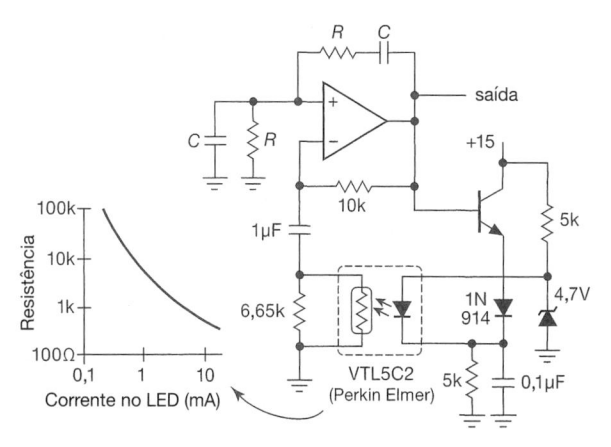

FIGURA 7.21 Um optoisolador fotocondutivo fornece outro método de controle de amplitude no oscilador em ponte de Wien. (Cortesia de Steve Cerwin).

No primeiro circuito, uma lâmpada incandescente é utilizada como um elemento de realimentação de resistência variável. À medida que o nível de saída aumenta, a lâmpada aquece ligeiramente, aumentando a sua resistência e, portanto, reduzindo o ganho não inversor. O circuito mostrado tem menos de 0,003% de distorção harmônica para frequências de áudio acima de 1 kHz; veja a Nota de Aplicação 5 (12/84) e a Nota de Aplicação 43 (6/90) da LTC para obter mais detalhes.[25]

No segundo circuito, um discriminador de amplitude, que consiste de um divisor polarizado e um diodo, carrega um RC de constante de tempo longo; essa tensão ajusta o ganho CA por meio da variação da resistência do FET, que se comporta como uma resistência variável em função da tensão para pequenas tensões aplicadas (veja a Seção 3.2.7). Observe a constante de tempo longa utilizada (2 segundos); isso é essencial para evitar a distorção, porque a realimentação rápida distorcerá a onda na tentativa de controlar a amplitude dentro do tempo de um ciclo.

Outra técnica interessante para controle de amplitude é mostrada na Figura 7.21, em que um optoacoplador fotorresistivo é usado para a realimentação de ganho. Esses dispositivos consistem de um diodo emissor de luz (LED) que ilumina um elemento resistivo, com os terminais de saída fornecendo uma resistência de boa linearidade (distorção < 0,1% para tensões aplicadas < 1 V RMS), variadas ao longo de várias décadas de resistência de acordo com a corrente do LED. Ao contrário dos dispositivos de silício, eles são intrinsecamente lentos (dezenas de milissegundos para o dispositivo mostrado), o que é útil nesta aplicação.

Foi alegado que, com um projeto cuidadoso, osciladores em ponte de Wien podem ser construídos com distorção "bem dentro da faixa de partes por bilhão (0,0001%)". Truques para fazer isso, que incluem o uso de AOPs em cascata (para malhas de alto ganho, portanto baixa distorção) e cancelamento de distorção harmônica remanescente, são descritos na *Linear Technology Magazine*, fevereiro de 1994, pp. 26-28.

Um projeto de distorção ultrabaixa

Somos céticos em relação a essa afirmação.[26] No entanto, com um pouco de atenção aos detalhes, a distorção pode ser reduzida para níveis de algumas partes por milhão (0,0001%), utilizando componentes e técnicas bastante convencionais. A Figura 7.22 mostra tal circuito, que projetamos e testamos para descobrir o quão difícil isso pode ser.

Começamos com uma variante do circuito de dois AOPs, que tem a vantagem de utilizar a configuração de inversor; isso reduz a distorção, eliminando os sinais de modo comum presentes no amplificador não inversor mais simples. O OPA627 é um AOP rápido ($f_T = 16$ MHz), de baixo ruído ($e_n = 4{,}5$ nV/$\sqrt{\text{Hz}}$), de baixa corrente de entrada ($I_B \approx 1$ pA), com as específicas vantagens aqui de distorção intrinsecamente baixa (0,00003% como um seguidor de ganho unitário com um sinal de 10 V a 1 kHz) e a capacidade de operar com ± 15 V de alimentação. (Queremos operar com uma variação de sinal grande para minimizar o efeito do ruído sobre a pureza da onda senoidal.)

Para essa configuração, a oscilação sustentada ocorre quando o ganho de tensão do CI_2 é $-2{,}00$. Definimos R_5 para ser 5% menor do que o valor crítico, com o JFET em série fornecendo a resistência adicional de 1k (nominal) ajustável. Isso coloca uma onda senoidal de 100 mV (pico a pico) no JFET, que julgamos pequena o suficiente para uma boa linearidade, especialmente com o divisor de linearização $R_3 R_4$ (veja a Seção 3.2.7A). O controle de amplitude é

---

[25] O uso de uma lâmpada para estabilizar o oscilador em ponte de Wien foi inventado e patenteado (nº 2.268.872) por William Hewlett, em 1942. O oscilador de áudio modelo 200A resultante foi o primeiro produto comercial vendido pela Hewlett, com seu parceiro David Packard; custava 54,40 dólares.

[26] Nós lhe aconselhamos um ceticismo cauteloso quando se confronta com quaisquer afirmações de linearidade de partes por bilhão em circuitos analógicos.

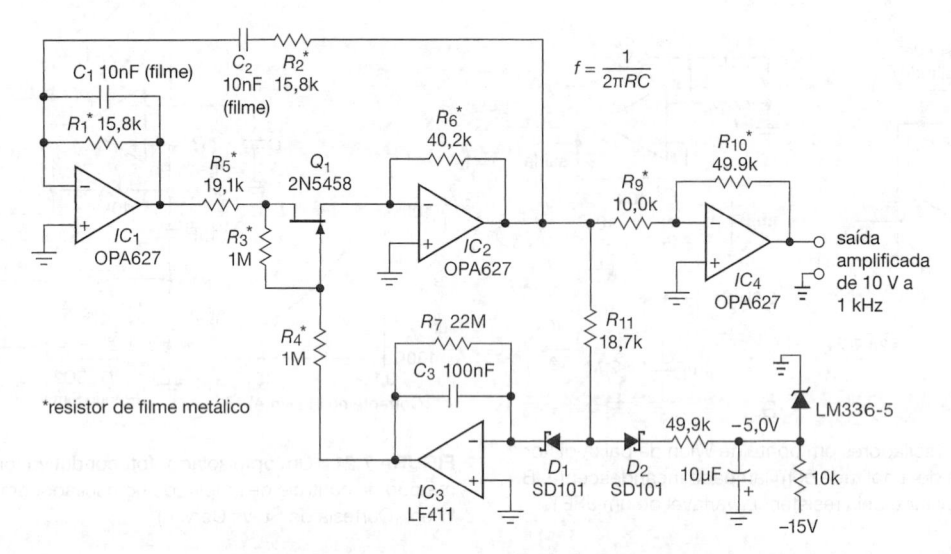

FIGURA 7.22 Oscilador em ponte de Wien (1 kHz) com distorção excepcionalmente baixa (< 0,001%). Para obter melhor desempenho, inclua um *trimmer* em R_5, ajustado para otimizar o valor controlado de resistência do JFET.

proporcionado pelo integrador CI$_3$, que recebe pulsos de corrente de entrada (via o divisor para uma referência estável de 5 V) quando a saída de onda senoidal do CI$_2$ atinge 2 V de amplitude: a sua saída vai a negativo, despolarizando a porta do JFET em relação à fonte no terra virtual, aumentando a resistência do JFET e, assim, diminuindo o ganho do CI$_2$ para manter essa amplitude de saída.[27] Para os valores mostrados, o R_{ON} mínimo do JFET (ou seja, em $V_{GS} = 0$) deve ser inferior a 1k, que requer um g_m mínimo de 1 mS (veja a Seção 3.2.7); o 2N5458 especifica um g_m mínimo de 1,5 mS para que o circuito inicie a operação de forma garantida. Acrescentamos um estágio inversor de ganho 5 para produzir uma saída de amplitude 10V.

O circuito funcionou criativamente – frequência e amplitude corretas (1 kHz, 10 V) e uma boa aparência de onda senoidal. A medida de distorção harmônica total (*total harmonic distortion*, THD) foi um admirável 0,002%.[28] Antes de comemorar, no entanto, tentamos algumas variações: (a) a substituição dos capacitores de filme por capacitores de cerâmica (tipo "X7R") elevou a distorção[29] cem vezes, para 0,22%! (b) Deixar cair a variação no JFET para 50 mVpp (elevando R_5 para 19,6k) reduziu pela metade a distorção, para 0,001%; deste ponto em diante, mantivemos essa variação do JFET menor. (c) Em seguida, ajustamos ligeiramente a proporção de R_3/R_4, para minimizar a distorção (dominantemente no segundo harmônico), atingindo um valor final de THD de 0,0002%; isso é −114 dB abaixo do sinal, apenas 2 partes por milhão! (d) Por fim, para ver o efeito do divisor de porta linearização, omitimos R_4, que elevou a distorção em 50 vezes, para 0,01%.

Algumas lições importantes desse exercício, caso você queira uma distorção menor, são (a) evitar capacitores de cerâmica de baixo custo, (b) usar o truque de linearização de porta (subtraindo $V_{DS}/2$ de V_{GS}) e (c) manter a variação pequena nos JFETs usados como resistores, de preferência menos do que 100 mV (o que, no entanto, provoca uma amplitude de tempo de estabilização bastante longa). Devido à não linearidade do JFET ter dominado a distorção, mesmo quando ajustado, poderíamos ter reduzido a distorção ainda mais operando o oscilador em menor *amplitude*, por exemplo, 0,5 V, à custa de acréscimo de ruído de banda larga produzido pela contribuição do ruído fixo dos AOPs.[30]

C. Oscilador de Deslocamento de Fase *RC*

Ao contrário do oscilador de relaxação (em que uma constante de tempo *RC* é combinada com limiares de tensão para produzir uma oscilação), o oscilador em ponte de Wien anterior explora as características de deslocamento de fase de uma rede *RC*, em um circuito com realimentação positiva, para selecionar sua frequência de operação. Essa mesma ideia é usada em osciladores de *deslocamento de fase*: ganho e realimentação são aplicados em torno de uma rede de vários resistores e capacitores, dispostos de modo que a malha resultante oscile em uma frequência definida pela rede. A Figura 7.23 mostra um exemplo clássico.

As três seções *RC* produzem um deslocamento de fase em atraso que aumenta com a frequência, atingindo 180° em aproximadamente $\omega = 2,4/RC$, em que a perda através da

---

[27] Escolhemos o ganho do integrador para colocar a frequência de ganho unitário da malha de controle aproximadamente em 50 Hz.

[28] Quase inteiramente no segundo harmônico.

[29] Agora dominada pelo terceiro harmônico.

[30] Melhor ainda, use um controle de ganho fotorresistivo, como na Figura 7.21. Jim Williams fez isso e também adicionou um filtro passa-baixas entre CI$_3$ e R_4 para atenuar a forma de onda pequena de correção de erro ciclo a ciclo do integrador, conseguindo uma distorção medida abaixo de 3 ppm; veja a nota de aplicação AN132 da LTC.

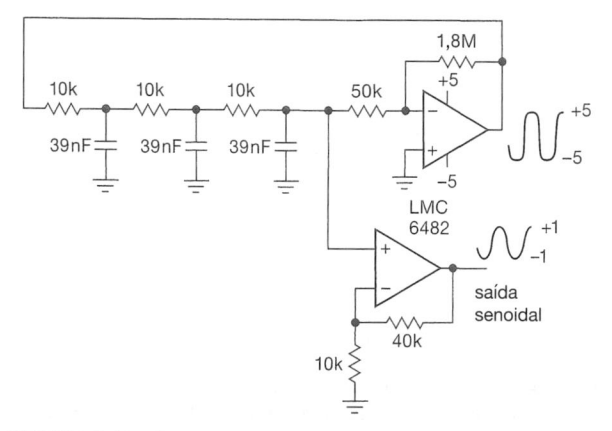

FIGURA 7.23 Oscilador de deslocamento de fase. Três seções RC produzem uma mudança de fase de 180°, convertida em uma realimentação positiva pelo amplificador inversor.

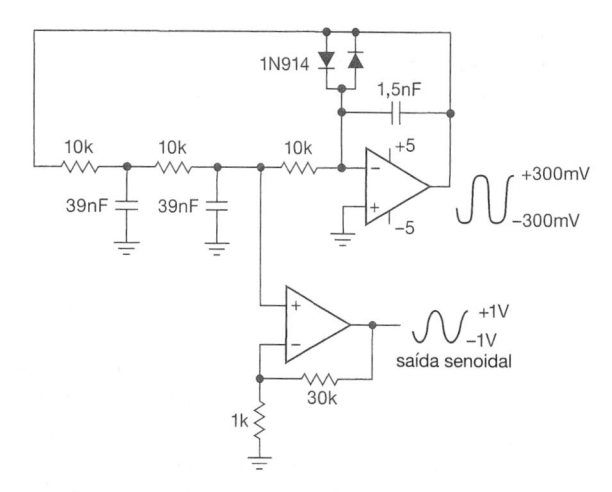

FIGURA 7.24 Uma variação do oscilador de deslocamento de fase. Um integrador adiciona 90° de deslocamento de fase em atraso (e inversão) para um RC de 2 seções. (Cortesia Tony Williams)

rede é um fator de 26.[31] O amplificador de inversão fornece o deslocamento de fase dos 180° restantes e também o ganho de tensão necessário (aqui, um conservador $G_V = -36$). O circuito oscila em 1 kHz, com uma onda senoidal ceifada (um pouco distorcida) que oscila de trilho a trilho (isto é, ±5 V). No entanto, a forma de onda na última seção RC é satisfatoriamente senoidal e, depois de um estágio de ganho ×5, surge como uma onda senoidal de amplitude 1 V com apenas 0,9% de distorção.

Para os devotos do oscilador de deslocamento de fase, há um mundo de possíveis variações: configurações de transistores discretos, esquemas de realimentação de limitação de amplitude e assim por diante. Embora tentássemos enormemente, fomos incapazes de resistir à tentação de mostrar outro oscilador de deslocamento de fase (Figura 7.24). Aqui, um integrador (inversor) oferece 270° de deslocamento de fase em atraso, de modo que apenas duas seções de RC são necessárias para fechar a malha em fase. Esse circuito ilustra também a utilização de diodos de ceifamento em antiparalelo para limitar a amplitude. Tal como na Figura 7.23, derivamos a saída a partir da última seção RC, em que a sua distorção é mínima; a saída do circuito é uma onda senoidal de 1 kHz, 1 V de amplitude e 1% de distorção. Se, em vez disso, você colocasse os diodos limitadores no primeiro capacitor de deslocamento de fase de 39 pF, a saída do integrador seria outra onda senoidal de baixa distorção – na verdade, seria uma onda em atraso de 90° (cosseno, invertido), criando, assim, um "par em quadratura" (Seção 7.1.9, embora aqui de amplitudes desiguais).

D. Osciladores LC

Em altas frequências (por exemplo, acima de um megahertz) um método favorito de geração de onda senoidal é a utilização de um *ressonador* de algum tipo para determinar a frequência de oscilação. O ressonador pode ser elétrico (por exemplo, um circuito *LC*) ou eletromecânico (por exemplo, um cristal de quartzo), ou mesmo atômico ou molecular (por exemplo, uma radiação de hidrogênio). Alguns ressonadores são facilmente sintonizados (por exemplo, *LC*), ao passo que outros são fixos e muito estáveis (por exemplo, um cristal de quartzo). Osciladores baseados em ressonador são fundamentalmente diferentes dos osciladores *RC* anteriores, porque exploram um sistema que tem uma frequência de ressonância intrínseca (como um ressonador de cristal), em comparação com a constante de tempo não ressonante de um circuito *RC* (ou deslocamento de fase). Como esses ressonadores podem ser estreitos em frequência e estáveis ao longo do tempo, eles são adequados para o nobre serviço de oscilação.

Começamos com osciladores controlados *LC*, que desempenham um papel importante nas comunicações e nos quais um circuito sintonizado *LC* está ligado a um circuito como um amplificador para fornecer ganho na sua frequência de ressonância. A realimentação positiva geral é, então, utilizada para gerar uma oscilação sustentada para construir a frequência de ressonância do *LC*; esses circuitos funcionam de forma autônoma (é só energizá-los, e eles entram em operação).

A Figura 7.25 apresenta duas configurações populares. O primeiro circuito é o fiel oscilador Colpitts,[32] um *LC* sintonizado em paralelo na entrada, com reação positiva a partir da saída (invertida em fase, porque o JFET é um inversor). Para esse circuito, que opera em 20 MHz, a distorção é tipicamente inferior a −60 dB. O segundo circuito é um oscilador Hartley, construído com um transistor *npn*; o capacitor variável é para ajuste de frequência. Devido ao amplificador

---

[31] Os efeitos de cargas fazem esses valores se desviarem dos valores ideais (estágios totalmente isolados) de $\omega = \sqrt{3}/RC$ e fator de perda de 8.

[32] Edwin H. Colpitts, patente US 1624537, apresentada em 1918, mas não concedida até 1927.

de base comum não ser inversor, o sinal de realimentação não é invertido. Ambos os circuitos usam *conexão de acoplamento* a partir da saída; apenas algumas espiras de fio atuam como um transformador abaixador.

Uma terceira configuração de oscilador – o oscilador de emissor acoplado (ou oscilador Peltz) – é mostrado na Figura 7.26, o qual é utilizado no chip 1648, "oscilador controlado por tensão", da família lógica digital ECL III.[33] Você pode pensar nele como um amplificador diferencial não inversor com realimentação, com um *LC* em paralelo para definir a frequência de oscilação. O 1648 operará a 200 MHz, com a definição da frequência de operação, como de costume, feita pela frequência de ressonância do *LC* em paralelo: $f_0 = 1/2\pi\sqrt{LC}$. Embora a folha de dados afirme "alta pureza espectral", nós o consideramos medíocre, na melhor das hipóteses, quando comparado com um oscilador Clapp usando um único JFET (veja a Figura 7.30 mais adiante nesta seção).

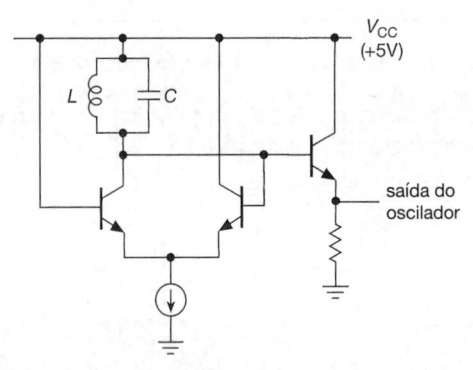

FIGURA 7.26 Oscilador de emissor acoplado, uma versão simplificada do que é utilizado no CI MC1648 da família ECL.

Capacidade de sintonia elétrica

Osciladores LC podem ser tornados eletricamente ajustáveis ao longo de uma faixa de frequência modesta. O truque é usar um capacitor variável por tensão ("varactor") no circuito LC que determina a frequência. A física das junções do diodo proporciona a solução, sob a forma de um simples diodo polarizado reversamente: a capacitância de uma junção *pn* diminui com o aumento da tensão reversa (Seção 1.9.5B). Embora qualquer diodo atue como um varactor, você pode obter diodos varactor especiais, projetados para este propósito; A Figura 7.27 apresenta as características de sintonia de alguns tipos representativos, e a Figura 7.28 mostra como usar um varactor para atingir ±1% de capacidade de sintonia elétrica, neste caso, com um simples oscilador JFET do tipo Armstrong (com realimentação acoplada por transformador a partir da fonte). Nesse circuito, a faixa de sintonia foi feita deliberadamente pequena para atingir

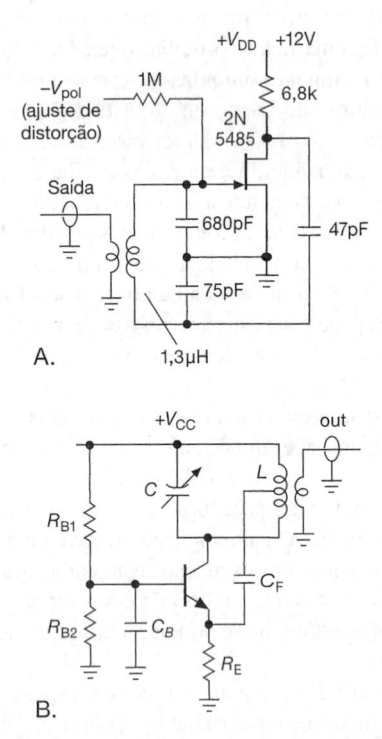

FIGURA 7.25 Configurações de osciladores *LC* populares. A. Colpitts com capacitor de ressonância de derivação central. B. Hartley com um indutor ressonante com derivação central.

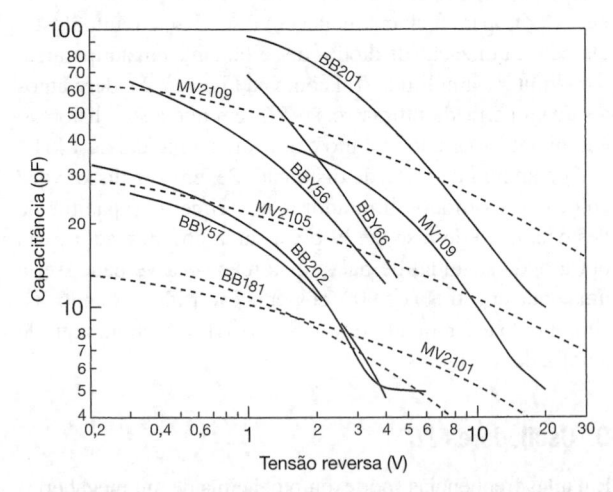

FIGURA 7.27 Um diodo polarizado reversamente apresenta capacitância que varia com a tensão aplicada, mostrada aqui para alguns diodos de sintonia "varactor" típicos. Aqueles com curvas contínuas mais íngremes têm junções de diodo "hiperabruptas".

---

[33] É um *oscilador*; mas, para obter controle de tensão, você tem que usar um varactor de sintonia, como explicado a seguir.

uma boa estabilidade, usando um capacitor fixo relativamente grande (100 pF) desviado por um pequeno capacitor sintonizável (valor máximo de 15 pF). Note o grande resistor de polarização (de modo que o circuito de polarização do diodo não representa carga para a oscilação) e o capacitor de bloqueio CC.

Varactors proporcionam tipicamente uma capacidade máxima de alguns picofarads a algumas centenas de pF, com uma faixa de sintonia de cerca de 3:1 (embora haja varactors de faixa grande com proporções elevadas, de até 15:1). Devido à frequência de ressonância de um circuito LC ser inversamente proporcional à raiz quadrada de capacitância, é possível alcançar faixas de ajuste de até 4:1 em frequência, embora mais tipicamente você esteja falando de uma faixa de sintonia de aproximadamente ±25%.

Em circuitos sintonizados por varactor, a própria oscilação (bem como o ajuste de polarização aplicada externamente) aparece no varactor, fazendo com que a sua capacitância varie com a frequência do sinal. Isso produz a distorção da forma de onda do oscilador e, mais importante, faz a frequência do oscilador depender um pouco da amplitude de oscilação. Para minimizar esses efeitos, você deve limitar a amplitude da oscilação (amplificar em etapas seguintes, se precisar de uma saída maior); além disso, é melhor manter a tensão CC de polarização do varactor acima de um volt ou mais, a fim de tornar a tensão de oscilação comparativamente pequena.

Uma técnica adicional que ajuda a minimizar esse efeito de polarização do sinal é a utilização de um par de varactors em antissérie (um de costas para o outro), de modo que a tensão oscilante vista pelos dois varactors atue para alterar as suas capacitâncias em sentidos opostos. Isso é ilustrado no oscilador de baixo ruído da Figura 7.29 (ver também a Figura 6.8), utilizado dentro de uma malha de fase sincronizada (Seção 13.13) para produzir um "oscilador local" de 60 MHz para um receptor de radioastronomia. Essa configuração específica é conhecida como oscilador Clapp, para o qual a frequência é normalmente definida pelo $L_1 C_1$ ressonante em série. Aqui adicionamos uma capacitância em paralelo a C_1, que consiste no par de varactors em série. A tensão de sintonia é aplicada em R_2, o que coloca os dois em polariza-

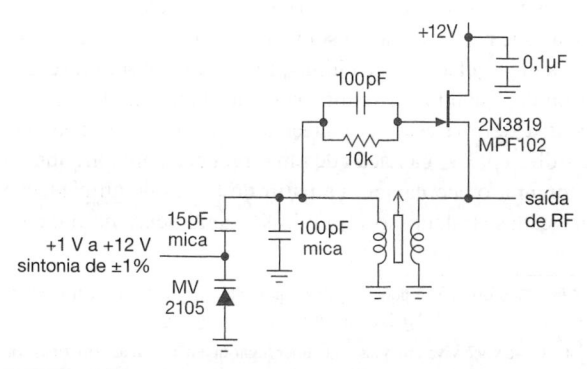

FIGURA 7.28 Oscilador *LC* sintonizado por varactor.

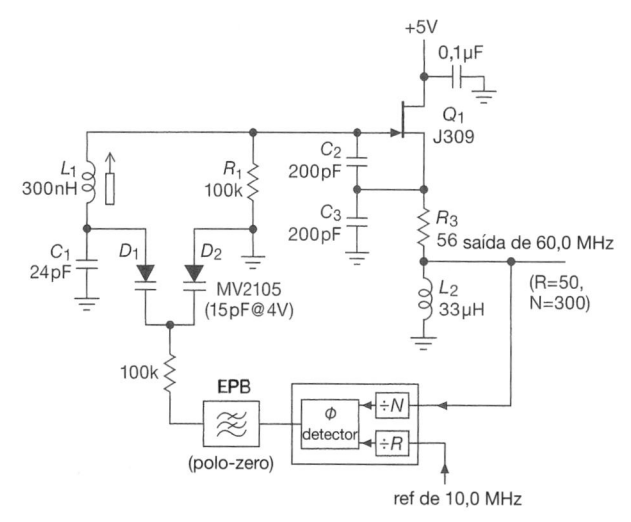

FIGURA 7.29 Oscilador *LC* JFET de baixo nível de ruído, usado dentro de uma malha de fase sincronizada (veja a Seção 13.13). Este projeto tem ruído de banda lateral excepcionalmente baixo, como mostrado nos espectros da Figura 7.30.

ção reversa igual (em relação aos seus ânodos em zero volt). Cada um dos varactors, de igual capacitância, toma metade da tensão de oscilação, produzindo variações de capacitância de sinais opostos e (se o sinal não for muito grande) de amplitudes aproximadamente iguais. O efeito resultante é uma alteração muito reduzida na capacitância do par em série e, por conseguinte, distorção e frequência de puxamento inferiores. A pureza do sinal medido foi cerca de 10 dB melhor que um bom sintetizador de frequência comercial (HP 3325A). O espectro da frequência de sua saída é mostrado na Figura 7.30, em que a pureza de seu sinal é comparada com a de um oscilador de emissor acoplado MC1648 utilizando componentes *LC* semelhantes e operando, aproximadamente, na mesma frequência.[34]

Osciladores sintonizáveis eletricamente são usados extensivamente para gerar modulação de frequência, bem como em uma malha de fase sincronizada (PLL) de RF como esta. PLLs são tratadas no Capítulo 13.

Por razões históricas, devemos mencionar um oscilador semelhante ao oscilador *LC*: o oscilador diapasão. Ele usava oscilações de alto Q de um diapasão metálico como o elemento de determinação da frequência de um oscilador, e encontrava aplicação em padrões de baixa frequência (estabilidade de algumas partes por milhão, se operado em um forno de temperatura constante), bem como em relógios de pulso. Esses objetos foram suplantados pelos osciladores de quartzo ("cristal"), que são discutidos na Seção 7.1.6. É interessante notar, no entanto, que os cristais de quartzo feitos para operação em *baixa frequência* (por exemplo, na frequência

---

[34] Para preservar a pureza espectral da operação livre do oscilador quando incorporado ao PLL, incluímos uma armadilha *LC* (*notch*) para suprimir picos na frequência de referência de 200 kHz do detector de fase; veja a Figura 6.8.

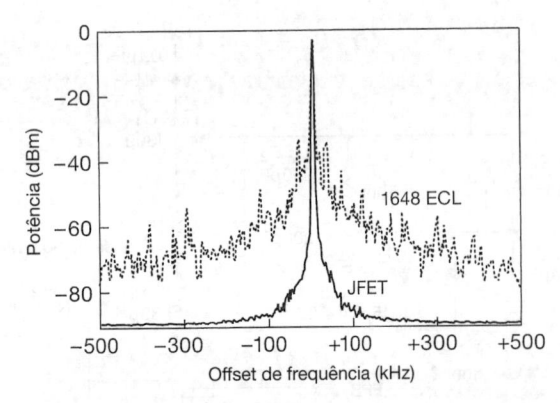

FIGURA 7.30 Espectro de frequências do oscilador *LC* JFET de 60 MHz da Figura 7.29, comparado com o de um oscilador de ECL bipolar (MC1648). Vertical: 10 dB/div. Horizontal: 200 kHz/div.

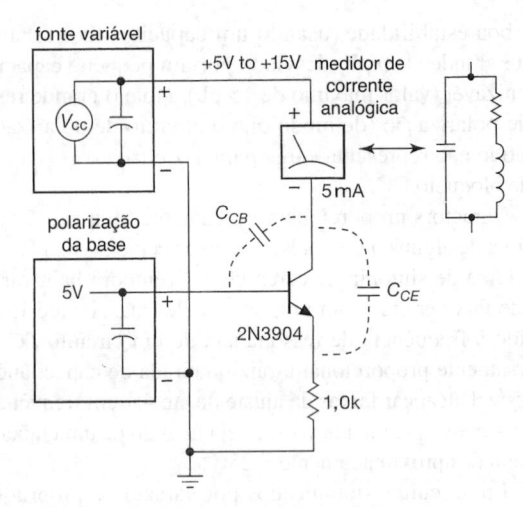

FIGURA 7.31 Oscilador Hartley não intencional faz estrago em fonte de corrente.

de 32,768 kHz usada em relógios de pulso) oscilam em um modo de diapasão mecânico.

E. Oscilações Parasitas

Suponha que você tenha acabado de fazer um bom amplificador e o esteja testando com uma entrada senoidal. Você comuta a função de entrada do gerador para uma onda quadrada, mas a saída continua a ser uma onda senoidal! Você não tem um amplificador; você tem um problema.

Oscilações parasitas geralmente não são tão óbvias como esta. Elas geralmente são observadas em imprecisões por parte de uma forma de onda, operações erradas de uma fonte de corrente, *offsets* de AOP inexplicáveis ou circuitos que se comportam normalmente com a ponta de prova do osciloscópio aplicada, mas param de funcionar quando a retiramos. Essas são manifestações bizarras de oscilações parasitas sem controle de alta frequência causadas por osciladores Hartley ou Colpitts não intencionais que exploram indutâncias de terminais e capacitâncias entre eletrodos.

O circuito na Figura 7.31 mostra uma fonte de corrente oscilante, projetada em uma disciplina de laboratório de eletrônica, na qual um volt-ohm-miliampèrímetro analógico (VOM) foi utilizado para medir a compliance de uma fonte de corrente transistorizada padrão. A corrente parecia variar excessivamente (5% a 10%) com variações de tensão de carga dentro de sua faixa de compliance esperada, um sintoma que poderia ser "curado" ao se colocar um dedo sobre o terminal do coletor! A capacitância do medidor e a capacitância coletor-base do transistor combinadas entram em ressonância com a indutância do medidor em um circuito oscilador Hartley clássico, com a realimentação fornecida pela capacitância coletor-emissor. Adicionar um pequeno resistor em série com a base suprimiu a oscilação por meio da redução do ganho em base comum de alta frequência. Esse é um truque que, muitas vezes, ajuda.

Há oportunidades para oscilações parasitas em qualquer circuito ativo que tenha ganho. Você apenas tem que estar alerta e prestar atenção a qualquer comportamento inesperado ou estranho do circuito. Às vezes, você verá os sinais indicadores de problema em apenas uma parte da forma de onda. Com experiência, você virá a reconhecer os sintomas de oscilações em AOPs (geralmente nas proximidades de f_T – digamos, 1 megahertz) ou em transistores de pequeno sinal discretos (geralmente em dezenas e centenas de megahertz).

"Captação de sinais"

É fácil[35] confundir várias formas de *captação* de sinal com uma oscilação, porque elas também podem atrapalhar no sinal exibido. Se você suspeitar de captação de sinal, verifique se está presente a frequência de 60 Hz[36] (ou talvez 120 Hz), uma indicação clara do acoplamento da rede elétrica. Ela pode surgir a partir de um acoplamento capacitivo de um ponto de alta impedância no circuito. Ou pode vir de um acoplamento indutivo para uma parte do seu circuito que tenha alguma área geométrica conectada pelo campo magnético alternado. Uma terceira possibilidade é por meio de uma *malha de terra* (partes do circuito referenciadas a terras locais que não estão no mesmo potencial). Mesmo em circuitos bem projetados, este último problema pode ser grave, por exemplo, quando o circuito está conectado a algum instrumento externo e este está conectado a uma tomada de energia CA diferente. A captação de uma frequência maior também é comum: o acoplamento a partir de fontes de alimentação chaveadas (tratado no Capítulo 9), geralmente na faixa de

---

[35] Mais fácil do que se poderia pensar, por causa da confusão (entre outras coisas) causada por "*aliasing*" em osciloscópios digitais.

[36] 50 Hz, se você vive em quase qualquer lugar que não seja as Américas (ou um dos outros enclaves de 60 Hz globalmente dispersos).

FIGURA 7.32 Encapsulamentos de cristal de quartzo. Ao longo da linha superior, são mostrados módulos completos de oscilador em encapsulamentos DIP de 8 e 14 pinos; uma alternativa muito menor é o pequeno módulo oscilador SMD de 7 mm x 5 mm no centro da linha inferior. O objeto estranho no meio é um cristal sem encapsulamento, mostrado com suas placas de eletrodos de mola. Você não vê mais desses por aí; em vez disso, os cristais vêm em encapsulamentos selados populares (da esquerda para a direita na linha inferior), conhecidos como HC49/U, HC49/US e tubular de 3 mm. Tivemos a sorte de achar o encapsulamento excêntrico de vidro à direita: lá dentro, você pode ver o disco de quartzo com seus eletrodos banhados.

20 kHz a 1 MHz; ou a captação de sinal RF modulado de estações de radiodifusão (as alocações nos EUA são de 0,5 MHz a 1,7 MHz para AM, de 88 MHz a 108 MHz para FM e em qualquer ponto a partir de 55 MHz a 700 MHz para a televisão).

7.1.6 Osciladores a Cristal de Quartzo

Osciladores de relaxação RC (ou capacitor mais fonte de corrente) podem facilmente atingir estabilidades que se aproximam de 0,1%, com previsibilidade inicial de 5% a 10%. Isso é bom o suficiente para muitas aplicações, tais como um display fluorescente de vácuo (*vaccum fluorescent display*, VFD) em que um caractere individual de um display de múltiplos caracteres é movido sequencialmente em rápida sucessão (a taxa global de 100 Hz é típica); isso é chamado de *display multiplexado* (veja o exemplo de circuito na Seção 10.6.2). Apenas um caractere está aceso a qualquer instante, mas, se todo o display é "reativado" com rapidez suficiente, nossos olhos veem a tela inteira, sem cintilação evidente. Em tal aplicação, a taxa exata é bastante irrelevante – você apenas quer ver o placar do jogo no estádio. Como fontes estáveis de frequência, osciladores LC podem funcionar um pouco melhor, com estabilidades de 0,01% ao longo de períodos de tempo razoáveis. Isso é bom o suficiente para aplicações não exigentes, como um rádio barato. Ambos os tipos de osciladores são facilmente sintonizáveis – com um R ou fonte de corrente variável (para o oscilador de relaxação) e com um capacitor sintonizável mecanicamente ou eletricamente, ou um *indutor ajustável* (para o oscilador LC).

Mas, para a verdadeira estabilidade, não há substituto para um oscilador a cristal. Ele utiliza um dispositivo de quartzo (dióxido de silício, o ingrediente primário do vidro) que é cortado e polido para vibrar mecanicamente a certa frequência. O quartzo é *piezoelétrico* (um esforço mecânico gera uma tensão, e vice-versa), de modo que ondas acústicas no cristal podem ser acionadas por um campo elétrico aplicado e, então, podem gerar uma tensão na superfície do cristal. Colocando alguns contatos na superfície, você acabará com um elemento de circuito elétrico honesto que pode ser modelado por um circuito RLC acentuadamente ressonante, pré-sintonizado para alguma frequência (que é a frequência de ressonância mecânica do pequeno pedaço de um único cristal de quartzo). Cristais de quartzo vêm encapsulados como componentes isolados ou como módulos osciladores completos; alguns exemplos são mostrados na Figura 7.32.

O cristal de quartzo de alto Q (tipicamente cerca de 10^4 a 10^5) e boa estabilidade o tornam natural para controle do oscilador, bem como para filtros de alto desempenho. Tal como acontece com osciladores LC, o circuito equivalente do cristal fornece um realimentação positiva e ganho na frequência de ressonância, levando a oscilações sustentadas.

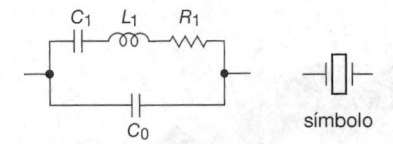

FIGURA 7.33 Circuito equivalente do cristal de quartzo. C_0 é o eletrodo real e a capacitância do terminal, ao passo que o *RLC* em série modela a ressonância mecânica acoplada eletricamente. Os valores típicos para um cristal de 1 MHz podem ser $C_0 = 4$ pF, e, para o *RLC* em série, 1 H, 0,02 pF e 75 Ω ($Q \sim 10^5$).

A. Modos em Série e em Paralelo

O comportamento ressonante do cristal, conforme modelado pelo seu circuito equivalente, merece alguma explicação adicional. O circuito equivalente contém dois capacitores, produzindo um par de frequências ressonantes, em série e em paralelo, bem próximas (dentro de 0,1%) (Figura 7.33). O efeito é produzir uma reatância que varia rapidamente com a frequência (Figura 7.34).

O rótulo de "frequência de ressonância" f_R é dado à frequência ressonante em série de L_1 e C_1 (ela também é chamada de frequência ressonante em série f_S), de modo que a reatância em série resultante vai desde capacitiva (abaixo de f_R) a indutiva (acima de f_R). Em f_R, a reatância resultante do par em série (L_1 e C_1) é zero, e a magnitude da impedância é mínima (e igual a R_1).[37] Ligeiramente acima dessa frequência (tipicamente ~0,1% mais elevada), está a frequência antirressonante f_a, em que a combinação em série de C_0 e C_1 (que é ligeiramente menor do que C_1 sozinho) ressoa com L_1. (Alternativamente, você pode pensar nisso como a ressonância em paralelo de C_0 com a reatância em série resultante de L_1 e C_1, que se torna cada vez mais indutivo acima de f_R.) Isto também é chamado de frequência de ressonância em paralelo f_p, embora esse termo deva ser devidamente reservado para a situação do circuito real em que uma capacitância de carga externa C_L é adicionada intencionalmente em paralelo (mais sobre isso em breve). Nessa frequência (f_a ou f_p), a reatância resultante novamente passa por zero, mas, desta vez, com um pico na magnitude da impedância. Quando um cristal opera na ressonância em paralelo, a capacitância em paralela adicional acrescentada pelo circuito externo se soma ao C_0 do cristal e reduz a frequência de ressonância um pouco. Cristais destinadas a operação no modo ressonante em paralelo especificarão um valor de capacitância *shunt* externa (normalmente na faixa de 10 a 35 pF) para a oscilação na frequência especificada estampada no cristal.

Esse negócio de série e paralelo é importante, e qualquer dispositivo que use um cristal externo especificará o modo que ele está usando, junto com algumas orientações sobre os parâmetros do cristal (R_S máximo permitido, valor

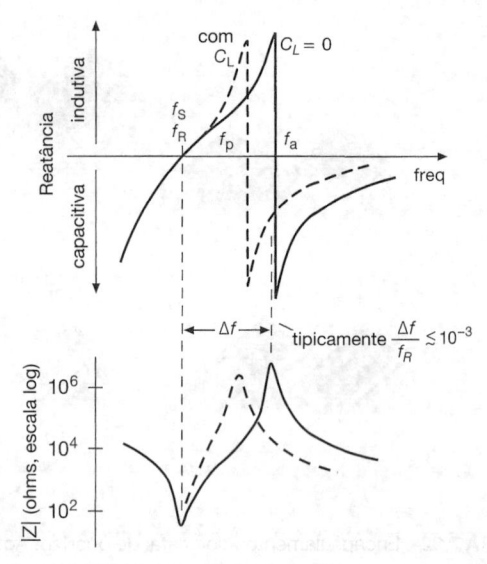

FIGURA 7.34 Reatância e magnitude da impedância de um cristal de quartzo perto das suas ressonâncias, em uma escala muito ampliada de frequência. f_S e f_a são as frequências ressonantes em séries e em paralelo [mais precisamente, as frequências de ressonância (f_R) e antirressonância (f_a), respectivamente]. Uma capacitância externa adicional C_L reduz a frequência de ressonância em paralelo para f_p quando operada nesse modo.

de capacitância em paralelo). Melhor ainda, você verá uma lista de fabricantes de cristal e números de identificação que sabemos que funcionam corretamente.

B. Explorando um Cristal de Quartzo

Você pode encontrar uma abundância de desenhos como a Figura 7.34. Mas você acredita que eles representam exatamente o que os cristais reais fazem?

Não tínhamos certeza, de modo que, para descobrir, tomamos uma amostra de cristal (um tipo CTS, MP 100, especificado como 10,0 MHz ± 45 ppm no modo ressonante em série) e medimos sua impedância com um instrumento de teste de impedância vetorial de alta resolução (um HP4192A). Este último pode medir desde 0,01 Ω a 200 kΩ, com uma resolução de 1 Hz, e em frequências até 13 MHz – perfeito para esse trabalho. Nosso cristal especial teve uma frequência ressonante em série medida de $f_S = 10,000086$ MHz (que é um erro de frequência de +8,6 ppm), uma impedância (resistiva) na ressonância de $R_1 = 4,736$ Ω e uma capacitância em paralelo de $C_0 = 5,5$ pF. Sabemos o produto L_1C_1 (a partir da frequência de ressonância), mas não seus valores individuais.[38] Contudo, podemos chegar a eles indiretamente, por meio da medição da frequência (antir)ressonante em paralelo

---

[37] Lembre-se de que a impedância de um *LC* em paralelo ideal vai para o infinito na ressonância, ao passo que a de um *LC* em série vai para zero; Seção 1.7.14.

[38] Lembre-se de que não há indutor ou capacitor real lá dentro. Esses representam o equivalente elétrico do cristal mecânico acentuadamente ressonante, conforme acoplado piezoeletricamente pelos eletrodos conectados. Eles são chamados, às vezes, de indutor e capacitor "dinâmico".

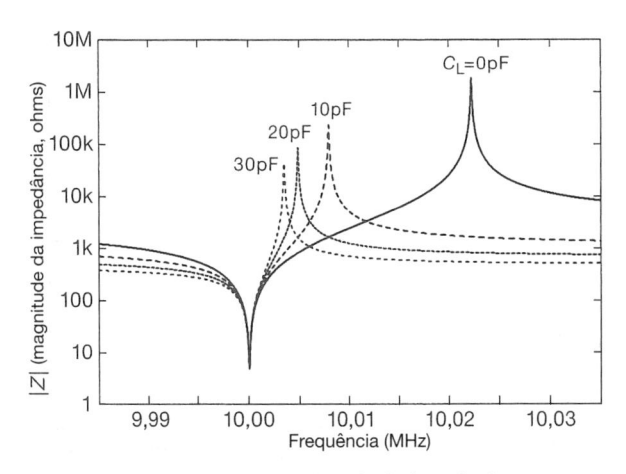

FIGURA 7.35 Impedância em função da frequência para uma amostra de cristal ressonante em série de 10,0 MHz, conforme modelado pelo SPICE a partir de valores medidos do seu modelo elétrico *RLC*. Foram traçadas curvas de quatro valores de capacitância externas em paralelas C_L.

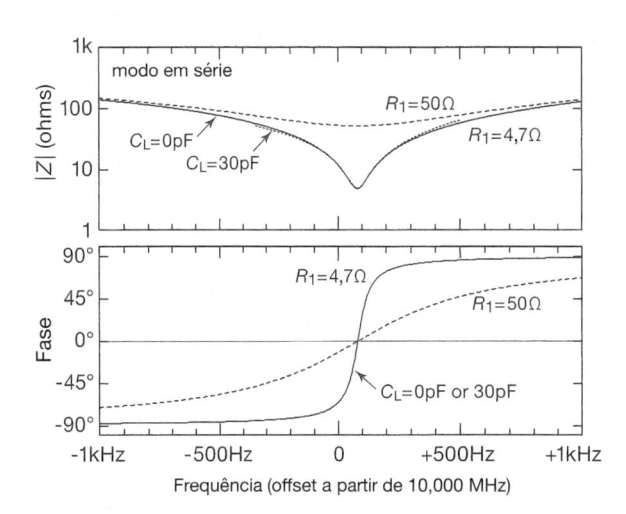

FIGURA 7.36 Impedância e fase nas proximidades da ressonância em série para o cristal de 10,0 MHz da Figura 7.35. Note que os gráficos de impedância e fase não são afetados pela capacitância externa. A ressonância de alto Q da nossa amostra, com o seu $R_1 = 4,7\ \Omega$, é consideravelmente degradada para um cristal com especificação de pior caso de $R_1 = 50\ \Omega$.

(não especificada) e sua variação com adição da capacitância em paralelo externa C_L. Medimos essas como $f_a = 10,02245$ MHz (sem C_L: somente C_0) e $f_p = 10,00355$ MHz (com $C_L = 30$ pF de capacitância em paralelo externa).

A partir desses, podemos recuar os valores de L_1 e C_1, ou seja, 10,3324 mH e 0,024515 pF.[39] E, com esses valores, podemos nos divertir usando o simulador do SPICE, para aprender como é o aspecto dos gráficos de impedância do cristal, o deslocamento de fase e o valor de Q. As Figuras 7.35, 7.36 e 7.37 mostram os resultados.

Esses mostram o mínimo esperado na frequência de ressonância em série f_R (onde $|Z| = 4,7\ \Omega$) e que varia muito pouco com a capacitância externa (não visível, na verdade, mesmo no gráfico expandido da Figura 7.36, ou seja, muito menos do que 1 ppm indo de $C_L = 0$ pF até 30 pF). Em contraste, a frequência ressonante em paralelo (impedância máxima) depende de forma relativamente forte da capacitância externa, a qual, de forma eficaz, "puxa" a sua ressonância para baixo em ~2.000 ppm quando 30 pF são adicionados.

O fato de que a ressonância em paralelo é maior do que os 10,0 MHz estampados sobre o encapsulamento não significa que haja algo "errado" com esse cristal. Sua frequência é simplesmente especificada para a operação do circuito ressonante em série. Se, em vez disso, fosse especificada para funcionamento ressonante em paralelo, esse exemplo específico seria carimbado com "10,00355 MHz" e especificaria "$C_L = 30$ pF".[40] (Claro, em vez disso, você compraria um cristal de frequência 10,0 MHz padrão especificado para o modo paralelo; para esse fabricante, ele teria o número de identificação MP101.)

A partir dos deslocamentos de frequência relativamente grandes com capacitância de carga, é claro que você tem que ter o cuidado de usar a capacitância de carga especificada (levando em conta as capacitâncias da fiação e do chip) quando operar um cristal no modo ressonante em paralelo. Olhando pelo lado positivo, isso significa que você pode usar um capacitor variável externo para ajustar a frequência de operação (ou restringi-la a uma estreita faixa, usando um capacitor varactor ajustável eletricamente). Pelo lado negativo, isso significa que mesmo pequenas derivas na capacitância do circuito externo causarão deslocamentos de frequência. Por exemplo, para atingir uma estabilidade de frequência de 0,1 ppm (considerando que o cristal seja bom ao longo da temperatura ou do tempo), a capacitância externa não deve variar mais de 0,002 pF; essa é, provavelmente, uma restrição difícil para o amplificador externo que fecha a malha de oscilação.

Nosso cristal mediu um valor impressionante de apenas $R_1 = 4,7\ \Omega$, em comparação com a medida máxima de pior caso do fabricante de 50 Ω. Para ver como isso muda as coisas, incluímos esse valor de pior caso nos gráficos expandidos das ressonâncias em série e em paralelo (Figuras 7.36 e 7.37). Para a ressonância em série, o mínimo de impedância é menor, e o deslocamento de fase em função da frequência é mais suave. O menor deslocamento de fase (~1,3°/ppm *versus* ~13°/ppm) significa que o circuito oscilador externo deve manter as alterações em seus deslocamentos de fase uma ordem de magnitude menor para manter a mesma estabilidade (aqui, 0,13° *versus* 1,3° para a estabilidade de 0,1 ppm). Em

---

[39] Fórmulas, para quem as quiser: $C_1 = 2(1 - f_B/f_A)/(1/C_A - 1/C_B)$, então $L_1 = 1/C_1(2\pi f_S)^2$.

[40] Mais fórmulas: a carga capacitiva produz uma frequência ressonante em paralelo $f_P = f_S\{1 + C_1/2(C_0 + C_L)\}$. E, conhecendo os parâmetros do cristal, a capacitância de carga necessária para obter uma frequência de ressonância em paralelo f_P é $C_L = \{f_S C_1/2(f_P - f_S)\} - C_0$.

um circuito oscilador, tal cristal também seria menos estável contra outras variações nos parâmetros do circuito (impedância de entrada do amplificador, ganho, etc.) e, na verdade, ele pode se recusar a oscilar inteiramente. Pior ainda, o circuito pode oscilar a uma frequência não relacionada, uma situação infeliz que encontramos mais de uma vez.

Por fim, o gráfico expandido em torno da ressonância em paralelo, para um único valor de capacitância de carga (C_L = 30 pF; os outros estão fora da escala), mostra o mesmo tipo de degradação de Q com máximo especificado (pior caso) de R_1. É interessante notar que a nitidez da variação de fase (e largura da impedância máxima) é semelhante à do caso de ressonância em série, contrariamente às indicações que você poderá ouvir às vezes.

Para completar o circuito oscilador, o cristal é conectado dentro de uma malha de realimentação positiva. Alguns circuitos osciladores comuns são mostrados na Seção 7.1.6D, onde você poderá encontrar capacitâncias externas de carga, um resistor de grande valor para completar o caminho de polarização e (às vezes) um resistor em série menor. Você pode simular a configuração do circuito completo, se quiser, usando o modelo de cristal apresentado.[41] Nós fizemos isso, mas seremos moderados e concluiremos esta discussão declarando vitória em revelar a natureza dessas ressonâncias de cristal frequentemente incompreendidas.

C Frequências de Cristal Padrão

Os cristais de quartzo estão disponíveis a partir de cerca de 10 kHz até cerca de 30 MHz, com cristais de modo harmônico indo até cerca de 250 MHz. Embora cristais tenham de ser encomendados para uma dada frequência, a maioria das frequências comumente usadas estão disponíveis diretamente nas lojas. Frequências como 100 kHz, 10 MHz, 2,0 MHz, 4,0 MHz, 5,0MHz e 10,0 MHz sempre são fáceis de obter. Um cristal de 3,579545 MHz foi utilizado em osciladores de explosão de cor de TV analógica. Relógios de pulso digitais usam 32,768 kHz (divididos por 2^{15} para obter um útil 1 Hz), e outras potências de 2 também são comuns. Um oscilador de cristal pode ser ajustado ligeiramente variando-se um capacitor em série ou paralelo – por exemplo, um dos capacitores de 32 pF nas Figuras 7.38D e E. Dado o baixo custo de cristais (muito menos do que um dólar), vale a pena considerar um cristal oscilador em qualquer aplicativo em que você tenha que esticar as capacidades de osciladores de relaxação RC.[42]

---

[41] Os leitores não familiarizados com SPICE podem se beneficiar do Apêndice J.

[42] Um desafiante recente na categoria de oscilador de baixo custo baseado em ressonador é MEMS (*microelectromechanical systems*, sistemas microeletromecânicos), em que o ressonador é feito como uma minúscula estrutura de silício gravada. Embora esses osciladores não sejam tão estáveis como o quartzo, eles podem ser muito pequenos (a SiTime faz uma série que mede 2 mm x 2,5 mm x 0,8 mm) e podem incorporar um circuito de compensação de temperatura e síntese de frequência naturalmente dentro da mesma tecnologia de silício.

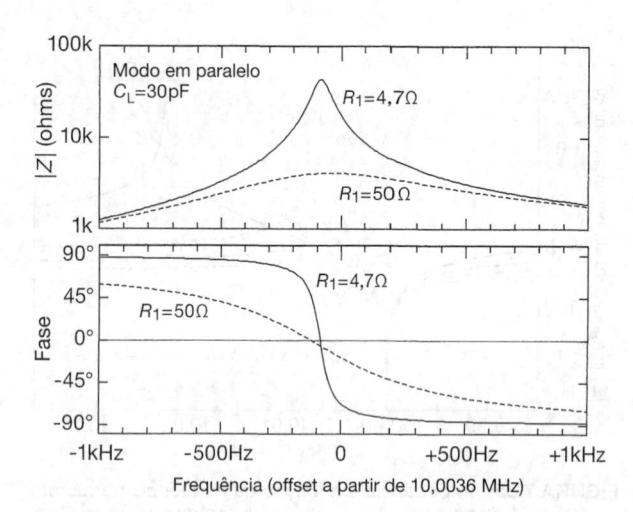

FIGURA 7.37 Impedância e fase nas proximidades da ressonância em paralelo para o cristal de 10,0 MHz da Figura 7.35. Aqui apenas um valor de capacitância de carga (C_L = 30 pF) é mostrado, porque os outros valores estão completamente fora da escala. Mais uma vez, a ressonância de alto Q da nossa amostra é degradada consideravelmente para um cristal com especificação de pior caso de R_1 = 50 Ω.

Apesar de osciladores a cristal não serem ajustáveis – como osciladores de relaxação ou osciladores baseados em LC –, você pode usar um varactor para variar alguma capacitância externa adicionada, "puxando" assim a frequência natural de um oscilador a cristal de quartzo de modo paralelo. O circuito resultante é chamado "VCXO" (*voltage-controlled crystal oscillator*, oscilador a cristal controlado por tensão) e aumenta a estabilidade de boa a excelente dos osciladores a cristal com um pequeno grau de capacidade de sintonia. A melhor abordagem é, provavelmente, comprar um VCXO comercial em vez de tentar projetar seu próprio. Tipicamente, eles produzem desvios máximos de ±10 ppm a ±100 ppm a partir da frequência central, embora as unidades de desvio amplo (até ±1.000 ppm) também estejam disponíveis.

Uma alternativa popular é sintetizar (com uma malha de fase sincronizada, Seção 13.13, ou por síntese digital direta, Seção 7.1.8) qualquer frequência de saída desejada, utilizando a saída de frequência fixa de um oscilador a cristal como uma "referência". A frequência sintetizada pode ser alterada facilmente sob controle digital e é tão estável quanto o próprio oscilador a cristal. Como consequência, a maioria dos equipamentos de comunicação contemporânea (rádios, televisões, transmissores, telefones celulares, etc.) usa síntese de DDS ou PLL para gerar as frequências internas necessárias.

D. Circuitos Osciladores a Cristal

A Figura 7.38 apresenta alguns circuitos osciladores a cristal. No Circuito A, temos o clássico oscilador Pierce imple-

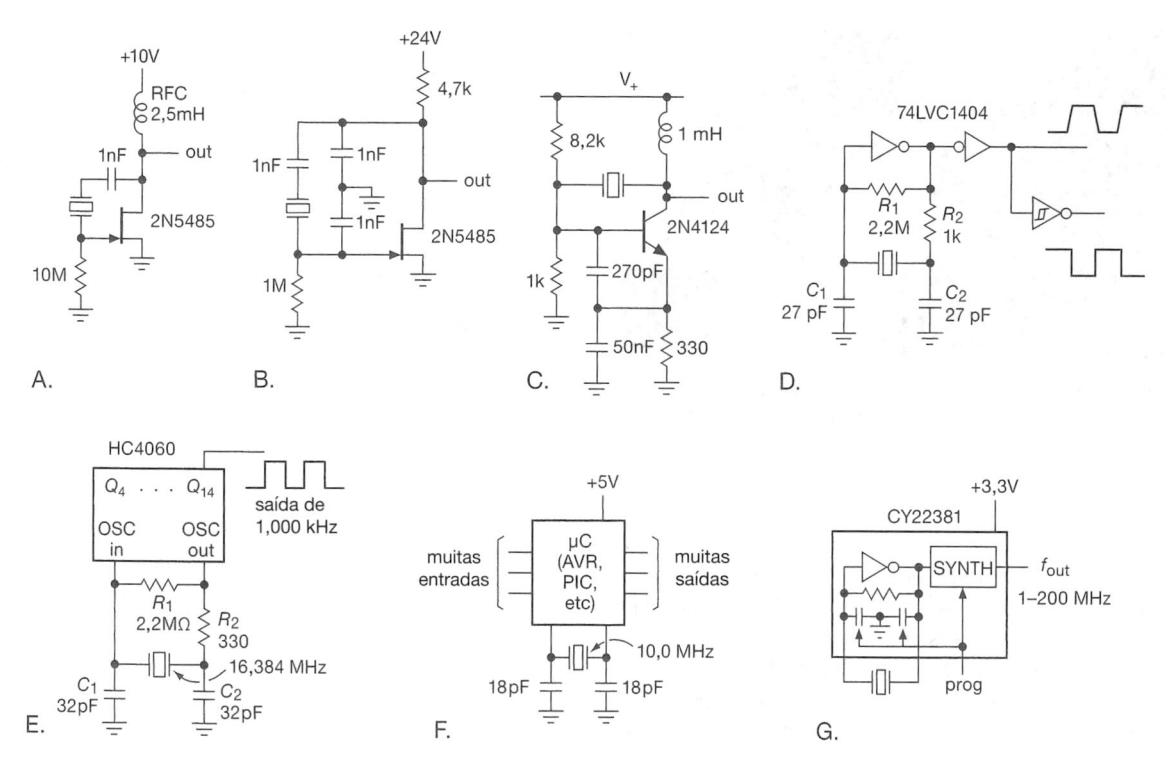

FIGURA 7.38 Vários osciladores a cristal. Circuitos D a G exploram partes de circuitos lógicos digitais: um inversor, um contador binário de 14 estágios, um microcontrolador e um sintetizador de frequência, respectivamente.

mentado com o versátil FET (ver Capítulo 3). O oscilador Colpitts, com um cristal em vez de um *LC*, é mostrado no circuito B. Um transistor *npn* bipolar com o cristal como elemento de retorno é utilizado no circuito C. Os circuitos remanescentes geram saídas de níveis lógicos usando funções lógicas digitais (circuitos de D a G). É comum ver um inversor lógico sem *buffer* (ou seja, um único par de transistores CMOS, como na Figura 3.90) usado como um oscilador a cristal (Figura 7.38D); nessa aplicação, o inversor é polarizado na região linear com um resistor de realimentação de alto valor, com o cristal fornecendo realimentação ressonante (modo paralelo). O LVC1404 é projetado especialmente para essa aplicação, com o seu par de inversores sem *buffer* mais um inversor Schmitt trigger opcional (para a geração de transições abruptas de saída); para tensões baixas (até 0,8 V), o 'AUP1GU04[43] funciona bem. Nesse circuito (e na Figura 7.38E), o resistor em série R_2 deve ser escolhido comparável à reatância de C_2 na frequência do oscilador.[44]

Faremos uma pausa por um momento para perguntar como estes últimos circuitos de modo paralelo podem oscilar, dado que o cristal tem um deslocamento de fase de 0° na sua ressonância (quer no modo paralelo ou série; veja as Figuras 7.36 e 7.37). O que acontece é que a capacitância de carga C_L é, na realidade, conectada como um par de capacitores (C_1 e C_2) em série, com o ponto médio aterrado. Assim, quando há uma tensão oscilante no cristal, as duas extremidades variam 180° fora de fase uma com a outra; é como um transformador com enrolamento de derivação central. O amplificador inversor completa o deslocamento de fase de 360° necessário para uma oscilação sustentada.

Voltando a atenção para os circuitos restantes na Figura 7.38, é bastante comum ver um par de terminais "XTAL" em CIs digitais mais complexos (microprocessadores, sintetizadores de forma de onda, chips de comunicação serial, etc.), um convite para usar o circuito oscilador interno do chip (geralmente um inversor sem *buffer* pré-polarizado). Nas Figuras 7.38, de E a G, mostramos três desses exemplos – um divisor de frequência binário de 14 estágios gerando uma saída de onda quadrada precisa de 1.000 kHz, um microcontrolador cuja temporização da porta serial é definida pelo cristal externo, de 10,0 MHz, e um chip sintetizador de frequência que gera frequências precisas, necessárias para aplicações tais como multimídia, comunicação e conversão de dados (por meio de um PLL programável com f_{out} a partir de 1 MHz a 200 MHz).

---

[43] A nossa prática é retirar prefixos sem importância (daí o apóstrofo) ao falar sobre lógica digital padrão, como explicaremos no Capítulo 10.

[44] Por exemplo, ~ 330 kΩ para um oscilador de 32 kHz e ~1 kΩ para um oscilador de 5 MHz.

FIGURA 7.39 O relógio de pulso com o cobiçado logotipo "*The Art of Electronics*" (A Arte da Eletrônica) funciona por três anos com uma bateria de 1,5 V/28 mAh – isso é apenas 1 *micro*ampère!

A Figura 7.39 mostra uma aplicação de nicho interessante para osciladores a cristal, o "relógio de pulso de quartzo". Você precisa aqui da estabilidade do quartzo (há 86.400 segundos em um dia, então a estabilidade de "apenas" uma parte em 10^4 causaria um desvio de um minuto por semana); e você precisa de uma potência realmente baixa. Esses produtos de baixo custo produzidos em massa operam seus osciladores, divisores de frequência eletrônicos e acionadores de potência para um motor de passo minúsculo com uma estimativa de potência de cerca de um microwatt.

Um projeto de micropotência

Desafiados pela potência surpreendentemente baixa dos circuitos de relógio de pulso altamente personalizados com oscilador de quartzo, observamos mais a fundo o que pode ser feito utilizando apenas componentes padrão. Escolhemos a família lógica 74AUP de baixa tensão (especificada para operação em 0,8 a 3,3 V) e testamos a configuração Pierce ressonante em paralelo padrão, utilizando um inversor sem *buffer* para o oscilador seguido por um segundo estágio inversor Schmitt para gerar uma forma de onda de comutação limpa (Figura 7.40A).

A corrente de alimentação total medida em função da tensão de alimentação é plotada na Figura 7.41 tanto para um cristal de 32,768 kHz (relógio de pulso) quanto para um de 2,5 MHz; essas curvas (assinaladas por "$R_3 = R_4 = 0$") mostram um aumento rápido da corrente de alimentação com o aumento da tensão de alimentação, provocado pela corrente do oscilador "classe A" (sobreposição da condução do par de inversor nMOS e pMOS para tensões de entrada de alimentação média; veja a Figura 10.101) durante as transições da forma de onda de entrada.

Um bom truque para reduzir significativamente esse efeito é adicionar um par de resistores nos terminais de alimentação (Figura 7.40B); isso produziu a curva de corrente de alimentação assinalada por "$R_3 = R_4 = 10k$", um fator de redução de 20 a 50 para o oscilador de 32,768 kHz. Portanto,

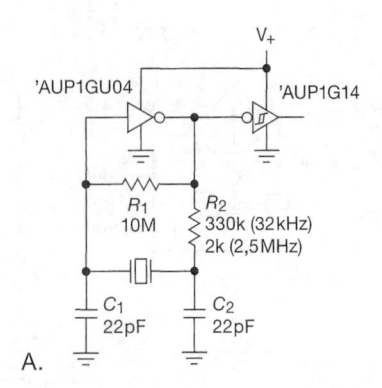

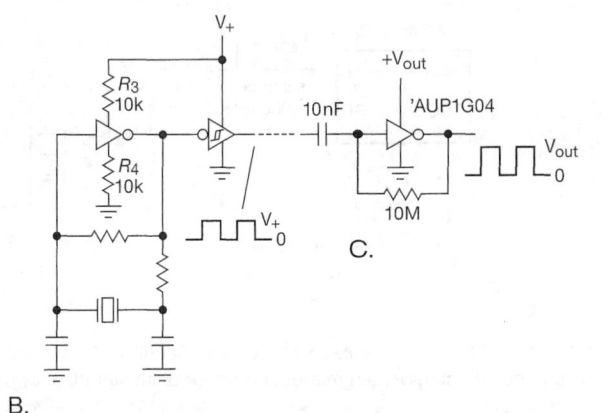

FIGURA 7.40 Oscilador a cristal de micropotência. A. Inversor oscilador sem *buffer* com um *Schmitt-trigger* no segundo estágio. B. A redução da corrente linear "de disparo". C. Oscilador de baixa tensão aciona inversor de saída de tensão plena.

temos um oscilador de 32 kHz abaixo de um microampère – mas apenas para tensões de saída de menos de um volt, o que é menor do que praticamente qualquer dispositivo lógico que você possa querer que o oscilador acione. O truque final é usar esse oscilador de baixa tensão para acionar um estágio de saída de tensão plena (Figura 7.40C), com um capacitor de bloqueio e um resistor de realimentação grande para polarização do estágio de saída em sua região linear. Com o oscilador e o segundo estágio operando em 1 V, alimentando um terceiro estágio inversor de saída polarizada que opera em 1,8 V, medimos uma corrente total de alimentação de 2,4 μA, em comparação com 12,8 μA para o oscilador de 2 estágios sozinho (Figura 7.40B) operando em 1,8 V; isso representa uma melhora de 5 vezes.[45]

Essas experiências modestas levam a uma pergunta óbvia: como é que os relojoeiros fazem isso? Se você procurar um pouco, pode encontrar algumas folhas de dados muito interessantes. Por exemplo, uma empresa chamada "EM Microelectronic" oferece um pequeno CI, o EM7604, que

---
[45] O número análogo para um estágio de 2,5 V de saída foi 13,8 μA, um fator de 2,4 melhor do que o circuito de dois estágios sozinho.

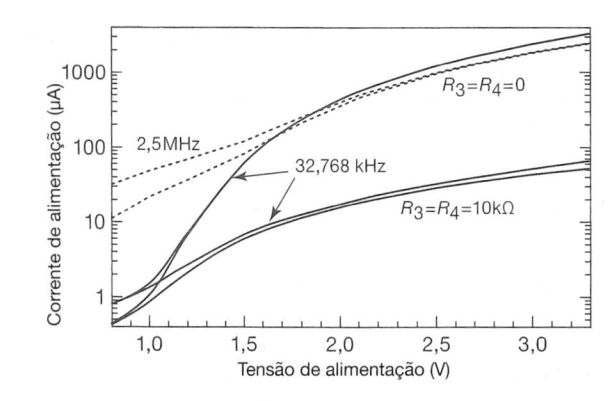

FIGURA 7.41 Corrente de alimentação medida para os osciladores da Figura 7.40. Cada par de curvas corresponde à corrente de alimentação do primeiro estágio (inferior) e dos dois estágios (superior).

descreve um "Circuito Oscilador a Cristal de Baixa Potência de 32.768 kHz". E eles querem dizer realmente *baixa*: esse dispositivo pode operar de 1,2 V a 5,5 V, com uma corrente de operação típica de 0,3 μA ou menos para tensões de alimentação entre 3 V e 5 V. Talvez uma dica reveladora quanto à sua base de clientes seja fornecida pela notação "Sistemas Eletrônicos Swatch Group".

E. Um Cuidado

O projeto apropriado de osciladores a cristal não é de modo algum trivial – é essencial para assegurar que o produto de ganho do circuito *A* pela perda do cristal *B* (ou seja, o ganho de malha *AB*) seja maior do que a unidade e que o deslocamento de fase total em torno do laço seja um múltiplo inteiro de 360°, na frequência desejada de oscilação.[46] A perda do cristal (causada por R_S no circuito equivalente) pode impedir a oscilação adequada, com a capacitância *shunt* C_P sozinha fornecendo um caminho adequado para a oscilação em uma frequência não relacionada com aquela estampada no cristal. Você deve ter cuidado também para selecionar um cristal destinado para operação em sua ressonância em série ou em paralelo, conforme exigido pelo circuito oscilador externo.[47] Chips osciladores e outros CIs que aceitam um cristal externo para o seu clock interno (como microcontroladores; ver, por exemplo, a Figura 15.4) irão indicá-lo claramente na folha de dados; aqui está um exemplo da folha de dados para o sintetizador PLL MPC9230:

> Como o oscilador é um pouco sensível à carga em suas entradas, o usuário é aconselhado a montar o cristal o mais próximo possível do MCP9230 para evitar quaisquer níveis parasitas na placa... Devido ao projeto de ressonância em série ser afetado pela carga capacitiva nos terminais do XTAL, variações de carga introduzidas por cristais de diferentes fornecedores poderiam ser um problema potencial. Para cristais com uma capacitância *shunt* mais alta, pode ser necessário colocar uma resistência entre os terminais para suprimir o terceiro harmônico... O circuito oscilador é um circuito ressonante em série e, portanto, para um desempenho ótimo, deve ser utilizado um cristal ressonante em série. Infelizmente, a maioria dos cristais é caracterizada por um modo ressonante em paralelo.

E aqui está um exemplo da folha de dados de 174 páginas (!) do microcontrolador PIC16F7x, para o qual você conecta o cristal entre dois pinos e um capacitor de cada pino ao terra:

> O projeto do oscilador do PIC16F7x requer a utilização de um cristal de corte em paralelo.
>
> ⋮
>
> **Seleção do capacitor para o oscilador a cristal (apenas para orientação de projeto):**
> Esses capacitores foram testados com os cristais listados a seguir para *start-up* básico e operação. Esses valores não foram otimizados. Diferentes valores de capacitores podem ser necessários para produzir uma operação de oscilador aceitável. O usuário deve testar o desempenho do oscilador sobre o V_{DD} esperado e a faixa de temperaturas para a aplicação. Veja as notas que seguem esta tabela para obter informações adicionais.
> *[seguem uma tabela de cristais dos fabricantes selecionados e, em seguida, mais advertências.]*

Esses não são avisos inúteis (embora a gravidade de suas declarações de exoneração de responsabilidades possam ter sido encorajadas pelo departamento jurídico da empresa). Em várias situações, descobrimos que os cristais de uma empresa funcionam bem, e os de outras, com especificações semelhantes, não. Isso provavelmente se deve às propriedades mal-especificadas, tais como a resistência efetiva em série e a capacitância de montagem. Nossa experiência com circuitos de oscilador a cristal discretos foi bastante variada.

F. Módulos de Osciladores a Cristal

Por razões como essas, somos a favor do uso de *módulos* de osciladores completos, para obter confiabilidade "à prova de balas". Eles custam mais do que os cristais sozinhos,[48] mas contêm todo o circuito oscilador que garante o funcionamento e fornecem saída de onda quadrada de nível lógico. Você

---

[46] Esses são os assim chamados *critérios Barkhausen* para oscilação.

[47] Ver, por exemplo, a Nota de Aplicação da RCA ICAN-6539.

[48] Normalmente, um dólar e meio versus 30 centavos de dólar, em quantidades de 100 peças; o dobro disso para peças individuais.

pode usá-los como oscilador para qualquer CI para o qual podemos conectar um cristal apenas, porque todos esses CIs também aceitam uma entrada de onda quadrada de *clock*.

Módulos osciladores estão disponíveis em encapsulamentos no estilo de CIs, tais como estilos DIP padrão e SMD de 4 pinos menores. Eles vêm em lotes de frequências convencionais (por exemplo, 1, 2, 4, 5, 6, 8, 10, 16 e 20 MHz, até 100 MHz ou mais), e também em algumas frequências estranhas utilizadas em sistemas de microprocessadores (por exemplo, 14,31818 MHz, utilizada para placas de vídeo, ou 22,118 MHz, um dos favoritos para microcontroladores do tipo 8051, por causa da temporização da porta serial). Esses "módulos de *clock* a cristal" normalmente fornecem precisões (em relação a temperatura, tensão da fonte de alimentação e tempo) de um modesto 0,01% (100 ppm), mas você obtém esse desempenho com baixo custo, confiabilidade e sem precisar conectar qualquer circuito.

Se você precisar de uma frequência não padrão, pode obter "módulos de osciladores programáveis" que permitem selecionar a frequência, tipicamente na faixa de 1 MHz a 125 MHz ou mais; eles custam aproximadamente o dobro dos módulos padrão (cerca de 5 dólares cada, em pequenas quantidades) e são programáveis "uma só vez" (você seleciona a frequência quando encomenda um, ou pode comprar um programador por 500 dólares e programar módulos osciladores "em branco" no campo). Eles usam técnicas de PLL para sintetizar a frequência de saída desejada a partir do oscilador interno padrão de frequência (Seção 13.13).[49]

Alguns fabricantes de módulos de oscilador a cristal (e cerâmica) são Cardinal Componentes, Citizen, Connor Winfield, Crystek, CTS, Ecliptek, ECS, Epson, Fox, Seiko e Vishay.

G. Ressonadores de Cerâmica

Antes de discutir osciladores de *maior* estabilidade (Seção 7.1.7), devemos mencionar os *ressonadores de cerâmica*. Como os cristais de quartzo, esses são ressonadores mecânicos piezoelétricos, com propriedades elétricas semelhantes às do quartzo. Eles estão disponíveis em uma seleção limitada de frequências de cerca de 200 kHz a 50 MHz. No entanto, eles são menos precisos (tipicamente, ±0,3%), com estabilidade correspondentemente mais pobre (tipicamente 0,2% a 1% ao longo da temperatura e do tempo). A boa notícia é que eles são pequenos, baratos (de 15 a 25 centavos de dólar em pequenas quantidades), disponíveis com capacitores internos (por cerca de 25 a 50 centavos de dólar), geralmente intercambiáveis em qualquer circuito oscilador a cristal de quartzo e podem ser "puxados" através de uma faixa de frequências de algumas partes por mil (devido ao seu valor de Q mais baixo). Eles ocupam um nicho útil entre ressonadores LC e cristais de quartzo. São comercializados por empresas como ABRACON, AVX, ECS, Murata, Panasonic e TDK.

H. Osciladores Baseados em SAW

Se você precisa de um oscilador estável em frequências mais altas do que as suportados por ressonadores a cristal (ou cerâmica), existe a tecnologia de ondas acústicas de superfície (SAW), usada tanto para filtros quanto para osciladores. Você pode obter módulos osciladores SAW na faixa de frequência de 100 MHz a 1 GHz. Eles são minúsculos (assim como módulos de oscilador a cristal) e têm estabilidades comparáveis (50 ppm em relação à temperatura). O lado ruim é que apenas um conjunto esparso de frequências padrão está disponível, e esses módulos tendem a ser um pouco caros (mais de 50 dólares, em pequenas quantidades).

Por outro lado, se você desejar construir o seu próprio oscilador, pode obter *ressonadores* SAW não encapsulados nas frequências que são populares para controle remoto de portão de garagem, chaves eletrônicas e similares (433 MHz é amplamente utilizado para essas aplicações) por cerca de 1 dólar; adicione um transistor bipolar barato e alguns componentes passivos, e você terá um oscilador. Conecte um pequeno pedaço de fio, e você terá um transmissor!

7.1.7 Estabilidade Superior: TCXO, OCXO e além

Mesmo sem grandes cuidados, você pode obter estabilidades de algumas partes por milhão ao longo de faixas normais de temperatura com osciladores a cristal. Ao utilizar esquemas de compensação de temperatura, você pode fazer um TCXO (oscilador a cristal com compensação de temperatura) com desempenho um pouco melhor. Tanto TCXOs como osciladores não compensados são comercializados como módulos completos por muitos fabricantes – por exemplo, Bliley, Cardinal Componentes, CTS Knights, Motorola, Reeves Hoffman, Statek e Vectron. Eles estão disponíveis em vários tamanhos, que vão desde módulos de encapsulamento SMD a DIP. TCXOs entregam estabilidades de 1 ppm ao longo da faixa de 0°C a 50°C (baratos) até 0,1 ppm ao longo da mesma faixa (caros).

A Osciladores Estabilizados pelo Controle de Temperatura

Para o máximo de estabilidade, você pode precisar de um oscilador a cristal em um forno de temperatura constante ("OCXO"). É utilizado um cristal com um coeficiente de temperatura zero a uma temperatura elevada (80°C a 90°C), com o termostato regulado para manter essa temperatura. Esses osciladores estão disponíveis como pequenos módulos para inclusão em um instrumento ou como padrões de frequência completos, prontos para montagem

---

[49] Alguns fabricantes fornecem módulos que oferecem uma escolha dentre várias frequências selecionáveis por pino. Um exemplo é a série ECS-300C, da ECS, que está disponível em encapsulamentos de 8 pinos, com 3 pinos que definem a relação de divisão binária (de 1/2 a 1/256 da frequência base).

em rack. O 1000B de Symmetricom é típico de osciladores modulares de alto desempenho, entregando 10 MHz com estabilidade de algumas partes em 10^{11} durante períodos de segundos a horas.

Quando instabilidades térmicas são reduzidas a esse nível, os efeitos dominantes passam a ser o "envelhecimento" do cristal (a frequência tende a aumentar continuamente com o tempo), variações da fonte de alimentação e influências ambientais, tais como choque e vibração (estes últimos são os problemas mais graves em projetos de relógio de pulso que usam quartzo). Para dar uma ideia do problema do envelhecimento, o oscilador 1000B tem uma taxa de envelhecimento especificada (depois de um mês de operação) de 1 parte em 10^{10}, por dia, no máximo. Os efeitos do envelhecimento são devidos, em parte, ao alívio gradual dos esforços e tendem a se estabilizar depois de alguns meses, especialmente em um cristal bem fabricado.[50]

Osciladores de cristal controlados por forno podem ser miniaturizados, se necessário, para aplicações portáteis que exigem uma excelente estabilidade do oscilador. A Valpey Fisher, por exemplo, coloca um revestimento resistivo diretamente sobre o cristal de quartzo, criando um pequeno OCXO (~1,3 cm^3) que requer apenas 0,15 W de potência do aquecedor.

B. Padrões Atômicos

Padrões atômicos de frequência são usados quando a estabilidade dos padrões de cristal colocados em fornos é insuficiente. Eles usam uma linha de absorção de micro-ondas de uma célula de gás de rubídio (Rb), ou transições atômicas em um feixe atômico de césio (Cs), como a referência na qual um cristal de quartzo é estabilizado. Os padrões de frequência de Rb e Cs disponíveis comercialmente alcançam precisão e estabilidade de algumas partes em 10^{11} e 10^{13}, respectivamente. Padrões de feixe de césio são os cronômetros oficiais nos Estados Unidos, com transmissões de temporização do Instituto Nacional de Padrões e Tecnologia (NIST) e do Observatório Naval, ambos nos Estados Unidos.

Masers de hidrogênio atômicos são ainda outro padrão altamente estável. Ao contrário dos padrões Rb e Cs, o maser de hidrogênio é um oscilador real (em vez de uma referência passiva), com estabilidades declaradas que se aproximam a algumas partes em 10^{14}. Uma pesquisa recente sobre relógios estáveis centrou-se em técnicas que utilizam íons ou átomos "resfriados" aprisionados, ou "fontes atômicas", para alcançar uma estabilidade ainda melhor. Esses esquemas estão sendo usados para criar padrões *ópticos* precisos, que são, então, ligados a uma referência de radiofrequência através de um "combinador óptico". Muitos físicos acreditam que estabilidades finais de partes em 10^{17} a 10^{18} são realizáveis.

Por fim, você não tem que gastar grandes quantidades de dinheiro para obter um padrão de frequência exato. Você pode derivar um sinal de clock 10 MHz preciso, juntamente com pulsos de 1 pps, ao receber sinais de navegação do Sistema de Posicionamento Global (GPS).[51] Essa é uma constelação de 24 satélites em órbitas de 12 horas, abrangendo tudo, menos as latitudes árticas, projetada para navegação e temporização precisas. Os satélites têm relógios atômicos estáveis e transmitem "mensagens de navegação" usando sofisticados métodos de espalhamento espectral de frequência dupla, a 1,575 GHz e 1,228 GHz. Um receptor de GPS no chão, que coleta sinais de quatro satélites, pode triangular bem a sua posição e o tempo. Os receptores de GPS portáteis de baixo custo que você pode comprar (de empresas como Garmin e Magellan, ou incluídos em telefones celulares) são destinados à navegação, e eles não recuperam ou regeneram uma frequência de referência. No entanto, você pode gastar mais e obter um padrão de laboratório cuidadosamente projetado. Um exemplo é o Symmetricom 58503B "Receptor de Referência de Frequência e Tempo GPS", que fornece uma saída de 10 MHz (estável para 1 parte em 10^{12}, em média, ao longo de um dia) e também um pulso de temporização de 1 pps (com precisão de 20 nanossegundos); ele custa 4.500 dólares. Tudo de que você precisa para obter esse tipo de precisão é um lugar para colocar a antena do tamanho de uma maçaneta de porta; seus dólares de impostos fazem o resto.

Na Tabela 7.2, reunimos várias tecnologias de oscilador e suas características. Esperamos que você goste.

7.1.8 Síntese de Frequência: DDS e PLL

Uma referência estável é *estável*, mas não sintonizável. Mas, como sugerido anteriormente, existem duas técnicas interessantes que permitem criar uma frequência de saída de sua escolha, com a estabilidade da referência: síntese digital direta (*direct digital synthesis*, DDS) e malha de fase sincronizada (*phase-locked loop*, PLL). Essas são técnicas digitais "de mistura de sinais", que tratamos em detalhe nos Capítulos 12 e 13. Mas elas estão intimamente relacionadas com osciladores e geração de frequência, e, por isso, iremos descrevê-las aqui em um nível básico.

A. Síntese Direta Digital

A ideia aqui é programar uma memória digital com os valores numéricos de seno e cosseno de um grande conjunto de argumentos de ângulo igualmente espaçados (por exemplo, para cada 1°). Então, você produz ondas senoidais rapidamente gerando os endereços sequenciais, lendo os valores da memória para cada endereço (isto é, cada ângulo sequencial) e transferindo os valores digitais para um conversor analógico-digital (DAC).

---

[50] A folha de dados do Symmetricom 1000B sugere (mas não garante) que um equipamento bem envelhecido normalmente pegue leve em "partes em 10^{11} por dia".

[51] Existem dois sistemas análogos de navegação: o GLONASS russo e o Galileo europeu. Este último está previsto para estar totalmente operacional em 2020.

TABELA 7.2 Tipos de osciladores[a]

Classe	Tipo	Estabilidade	Capacidade de sinton.	Agilidade	Faixa de freq.	Custo	Notas
Relaxação e atraso	Relaxação RC atraso	10^{-2} a 10^{-3}	amplo (>10:1)	alta	Hz a 10's MHz	baixo (<\$10)	555, 1799, etc
	Ponte de Wien	10^{-2} a 10^{-3}	modesto (~5:1)[b]	alta	10 MHz ou 100's MHz	baixo (<\$10)	dentro de um CI
		10^{-3}	modesto (<10:1)	variação lenta	Hz a MHz	baixo (<\$10)	saída senoidal
Ressonador	LC	10^{-3} a 10^{-5}	modesto	alta	kHz a 100's MHz	baixo (<\$10)	
	cerâmico	10^{-2} a 10^{-3}	pequeno ($<10^{-3}$)	alta	100's kHz a 10's MHz	baixo (<\$10)	
	Cristal ("xtal")	10^{-5}	muito peq. (10^{-4})	alta	10's kHz a 100 MHz	baixo (<\$10)	muito utilizado
	xtal- TCXO	10^{-6} a 10^{-7}	muito peq. (10^{-4})	alta	10's kHz a 100 MHz	médio (\$10-100)	
	xtal- OCXO	10^{-8} a 10^{-9}	muito peq. (10^{-4})	alta	10's kHz a 100 MHz	alto (\$100-1000)	
	SAW	10^{-4}	muito peq. (10^{-4})		100's MHz	baixo (<\$10)	pequeno, jitter baixo
	cavidade[c]	10^{-5}	modesto[d]	de baixa p/ alta[d]	10's MHz a 10's GHz	baixo para médio	
Atômico	Vapor de Rb	10^{-10}	N.A.	N.A.	10 MHz derivado de ref[e]	alto (\$1k)	
	Feixe de Cs	10^{-13f}	N.A.	N.A.	10MHz derivado de ref[g]	muito alto (\$10k)	a definição de segundo!
	Maser de H	10^{-14}	N.A.	N.A.	10MHz derivado de ref[h]	ainda mais alto (>\$100k)	
	GPS	10^{-13k}	N.A.	N.A.	10 MHz derivado de ref	alto (\$1k)	referenciado a um padrão de Cs NIST
Derivado de ref.	Sintetizador PLL	igual a ref.	amplo	t_s = 0-100 ms	Hz to GHz	baixo para médio (\$10-100)	
	Síntese direta	igual a ref.	amplo	t_s = 5-10 ms	Hz to GHz	alto (>\$1k)	
	DDS	igual a ref.	amplo	imediato	Hz to GHz	baixo para alto (\$10-1000)	

Notas: (a) Avaliações um tanto subjetivas. (b) Sintonia via corrente de operação. (c) Cavidade cilíndrica, guia de ondas ou dielétrico ressonador "pílula". (d) Sintonização através de êmbolo mecânico, varactor ou YIG. (e) A partir da ressonância em 8,634488275 GHz. (f) Longa duração. (g) A partir da ressonância em 9,192631770 GHz. (h) A partir da oscilação em 1,420405751767 GHz. (k) Longa duração.

A Figura 7.42 apresenta o esquema, tanto na sua forma mais simples (incrementos de um contador de endereços para uma tabela de senos em uma ROM) quanto o método (muito melhor) utilizado na prática. Neste último, uma ROM com um espaço de endereço de *n* bits (portanto, valores do seno em 2^n fases dentro de um único ciclo de 360°) é acionado por um registro de fase que acumula degraus de fase de acordo com o valor da "palavra de sintonização de frequência" (FTW). A cada *clock*, a fase avança em $\Delta\phi = (360°/2^n) \cdot$ FTW, gerando uma frequência de saída f_{out} = FTW $\cdot f_{clk}/2^n$, com qualquer fase extra sendo transportada diretamente de um ciclo para outro.

Esse método tem alguns inconvenientes. A saída é uma onda realmente em escada, uma vez que é construída a partir de um conjunto de tensões discretas, uma para cada entrada na tabela. É possível, é claro, usar um filtro passa-baixas para suavizar a saída; mas, tendo feito isso, você não pode abranger uma ampla gama de frequências, porque o filtro passa-baixas deve ser escolhido para passar a própria onda senoidal enquanto bloqueia a frequência do degrau do ângulo (superior) (o mesmo problema se aplica ao ressonador a capacitor chaveado; Seção 7.1.9B). A diminuição do tamanho do degrau angular ajuda, mas reduz a frequência de saída máxima.

Chips de DDS atuais incluem a tabela de pesquisa de seno, DACs e tudo mais de que você precisa, exceto a entrada de *clock* de frequência fixa estável (geralmente fornecida por um oscilador a cristal simples, Seção 7.1.6). Eles são notavelmente rápidos e baratos. Por exemplo, a série AD9850 inclui o AD9852, que vai para a frequência de saída de 150 MHz com resolução de frequência de 48 bits (isso é um *micro*hertz!); ele custa 15 dólares em quantidade. Se ele não for rápido o suficiente para você, talvez o AD9912 (37 dólares), com a sua velocidade de clock de 1 GHz ($f_{out(máx)}$ = 400 MHz), e o DAC de 14 bits deem conta do trabalho.

Chips DDS permitem programar varreduras de frequência (uma frequência de rampa em função do tempo) e também amplitude, frequência e *modulação* de fase (variação periódica ao longo do tempo). Você pode enviar comandos de frequência de mudança em taxas muito elevadas (100 milhões de novas frequências por segundo para o AD9852) para fazer um *oscilador ágil*.

Vários membros da família permitem sincronização de fase e uma precisa compensação de fase para que você possa fazer um oscilador em quadratura programável de precisão (isto é, saídas seno e cosseno simultâneas) com um desempenho impressionante com apenas alguns chips (e por alguns dólares a mais).

B. Malhas de Fase Sicronizadas

Esta técnica de mistura de sinais sintetiza uma frequência de saída f_{out} que está relacionada com a frequência do oscilador de referência f_{osc} por uma fracção racional; ou seja, $f_{out} = (n/r) \times f_{osc}$, onde *n* e *r* são inteiros. Você pode pensar nisso como uma generalização do simples divisor de frequência

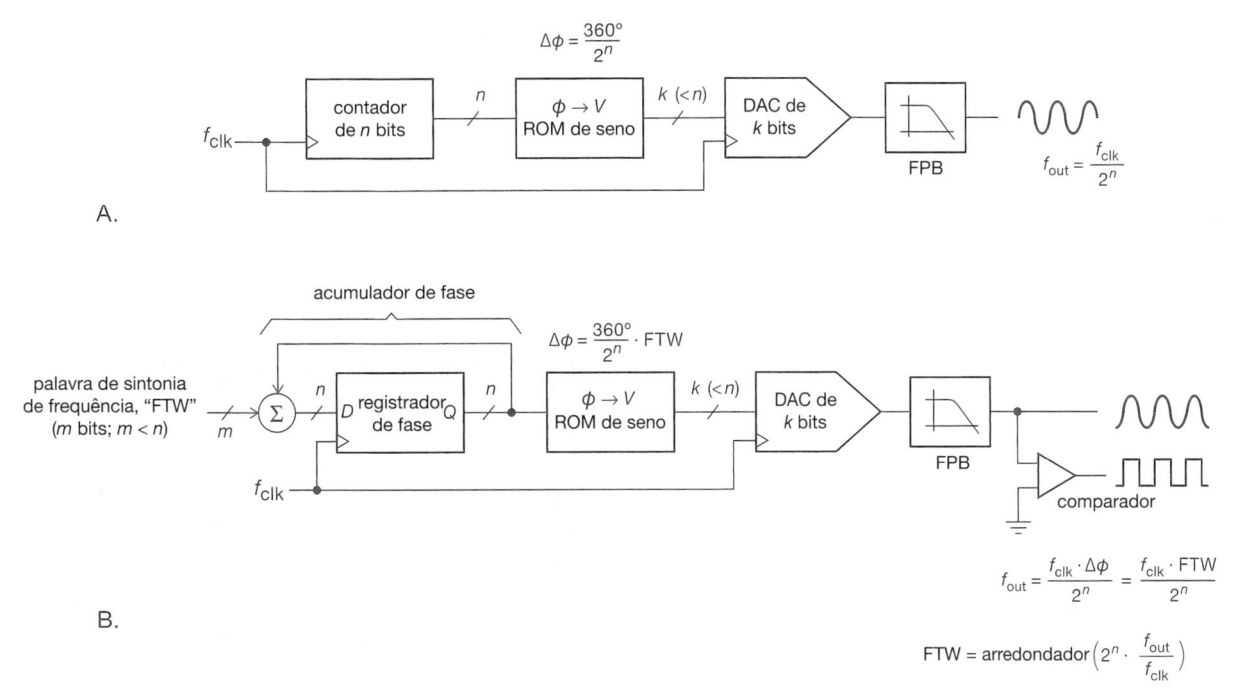

FIGURA 7.42 Síntese digital direta cria sua saída senoidal de valores pré-computados de uma senoide armazenada em ROM. A configuração mais simples (A) incrementa um contador para acessar os valores sucessivos a partir da ROM. Muito melhor é uma configuração com um acumulador de fase (B), que fornece n bits de resolução de frequência de saída.

(divisor por n) (onde $f_{out} = f_{osc}/N$). Devido aos PLLs misturarem técnicas analógicas e digitais, vamos discuti-los em detalhe somente mais adiante, na Seção 13.13.

O que é importante saber agora é que isso lhe dá uma maravilhosa flexibilidade na geração de frequência do oscilador. Por exemplo, se usarmos um cristal oscilador de 16 MHz de frequência fixa para acionar um chip PLL e definir $r = 16$, então a frequência de saída será exatamente n MHz, criando, assim, um oscilador de alta frequência de único chip com frequência de saída ajustável em degraus de 1 MHz (com uma faixa de frequência de saída típica de 25 a 500 MHz ou mais). A síntese com PLL é usada em equipamentos de telecomunicações (tais como rádios, televisões e telefones celulares) para definir a frequência de operação para cada canal.

Como esse exemplo sugere, a técnica um pouco complexa de síntese de *clock* com PLL está disponível em chips fáceis de usar, pois os circuitos complexos estão implementados internamente (especificamente, fazendo um detector de fase e um oscilador de tensão controlável, e fechando a malha de forma estável). Há, além disso, os "módulos de osciladores programáveis" baratos mencionados na Seção 7.1.6F que incorporam um oscilador a cristal e um PLL, assim você pode estocar um único tipo de módulo e programar a sua frequência quando estiver pronto para usá-lo. Você pode obtê-los das empresas que fazem módulos de frequência fixa, como Epson (série SG8002), ECS (série ECSP), Citzen (série CSX-750P), CTS (série CP7) e Cardinal (série CPP). Eles estão disponíveis nos mesmos encapsulamentos SMD e DIP que os dos osciladores convencionais definidos de fábrica, com uma ligeira diferença de preço.

7.1.9 Osciladores em Quadratura

Há momentos em que você precisa de um oscilador que gere um *par* simultâneo de ondas senoidais de igual amplitude, 90° *fora de fase*. Você pode pensar no par como seno e cosseno (ou I e Q, para em fase e em quadratura). Isso é conhecido como *par em quadratura* (os sinais estão "em quadratura"). Uma aplicação importante é em circuitos de comunicação via rádio (misturadores de quadratura, geração de banda lateral única). De grande utilidade, como explicamos a seguir, um par em quadratura é tudo de que você precisa para gerar qualquer fase arbitrária.

A primeira ideia que você pode ter é aplicar um sinal de onda senoidal a um integrador (ou diferenciador), gerando uma onda cosseno deslocada de 90°. O deslocamento de fase está certo, mas a amplitude está errada (descubra o porquê). Aqui estão alguns métodos que funcionam.

A. Integradores Emparelhados

A Figura 7.43 é uma variação de um circuito que tem nos acompanhado por várias décadas. Ele usa um par de integradores em cascata ($-90°$ de cada deslocamento de fase)

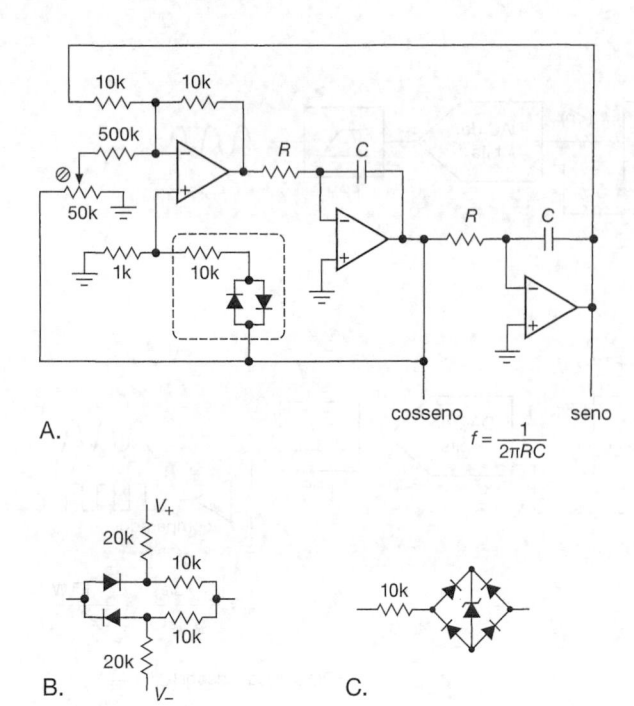

FIGURA 7.43 Oscilador em quadratura senoidal e cossenoidal (adaptado de um circuito por Tony Williams): A. Circuito básico, com limitador de diodo (caixa tracejada). B. Limitador polarizado. C. Zener limitador.

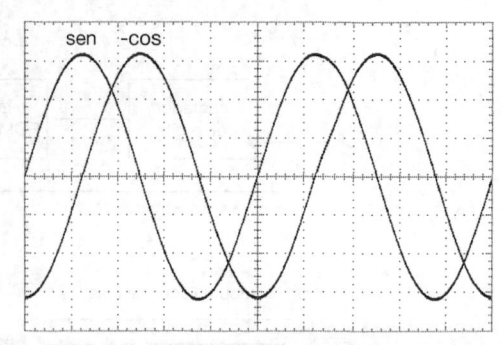

$$f = \frac{1}{2\pi RC}$$

FIGURA 7.44 Medida da saída a partir do circuito da Figura 7.43A. Horizontal: 200 μs/div. Vertical: 100 mV/div.

dentro de uma malha de realimentação, fechada por um amplificador inversor de ganho unitário (180° de deslocamento de fase). A oscilação ocorre a uma frequência na qual cada integrador tem ganho de tensão unitário; isto é, a uma frequência em que a reatância capacitiva $1/2\pi fC$ é igual a R. Os diodos limitam a amplitude de ~300 mV. Testamos esse circuito com os AOPs LMC6482 operando em ±5 V e com R = 15,8k e C = 10 nF (f_{osc} = 1 kHz), produzindo as formas de onda da Figura 7.44. A frequência medida foi de 997 Hz, com distorção de 0,006% e 0,02% para as saídas de seno e cosseno, respectivamente.

O diodo limitador simples não fornece um controle de amplitude particularmente bom, e também limita a amplitude a ~300 mV. Um limitador melhorado é mostrado na Figura 7.43B, em que a saída está polarizada em direção aos trilhos de alimentação por um par de divisores, de modo que os diodos conduzem apenas com uma amplitude maior (definida pela relação do divisor). Com os valores dos componentes mostrados, a amplitude medida foi de 3,3 V. A Figura 7.43C mostra outro limitador que alguns projetistas preferem, usando um zener envolto em uma ponte de diodos (portanto, bidirecional) para definir a amplitude. Você pode usar diodos zener regulares para amplitudes maiores (5 V e acima), mas zeners de baixa tensão têm desempenho insatisfatório, com seus "joelhos suaves" (veja a Figura 1.17). Mas você pode usar uma referência de baixa tensão de 2 terminais, que se comporta como um zener quase perfeito; alguns exemplos são o LM385-1.2 e -2,5 (1,24 V e 2,50 V), o AD1580 (1,22

V) e o ADR510 (1,0 V). Com qualquer um desses esquemas, é uma boa ideia colocar um capacitor sobre o zener (ou a referência) para manter sua tensão durante os cruzamentos de zero da forma de onda.

B. Ressonador a Capacitor Chaveado

Este é um método inteligente: a Figura 7.45 mostra como usar um filtro a capacitor chaveado em CI como um filtro passa-faixa autoexcitado para gerar um par de senoides em quadratura. A maneira mais fácil de entendê-lo é considerar que já existe uma saída de onda senoidal presente. O AOP U_{2a}, conectado como um comparador, converte-a para uma onda quadrada de ±5 V, que alimenta de volta a entrada do filtro. O filtro tem uma banda de passagem estreita ($Q = 10$), de modo que converte a onda quadrada de entrada para uma

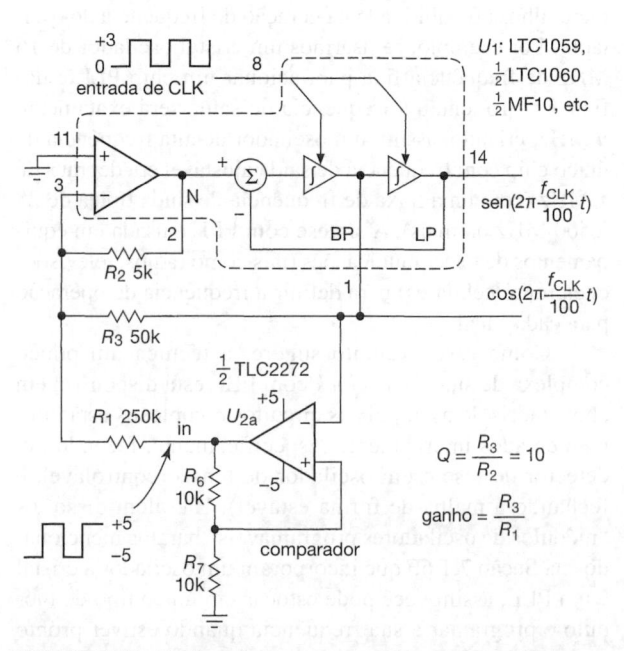

FIGURA 7.45 Você pode gerar um par de ondas senoidais em quadratura realimentando a saída quadrada de um filtro de banda estreita, implementado em um CI de filtro a capacitor chaveado.

saída de onda senoidal, que mantém a oscilação. A entrada de *clock* (CLK) de onda quadrada determina a frequência central de banda de passagem e, portanto, a frequência de oscilação – neste caso, $f_{CLK}/100$. O circuito gera um par em quadratura de ondas senoidais de igual amplitude e é utilizável por uma faixa de frequência de alguns hertz até mais do que 10 kHz. Note que a saída é, na verdade, uma aproximação em forma de "escada" da onda senoidal desejada, devido aos degraus de saída quantizados do filtro chaveado – veja a Figura 7.46.

Uma característica interessante desse circuito é a sua capacidade de "calcular pi": o filtro é configurado com um ganho preciso de $R_3/R_1 = 0{,}2$, e sua entrada é uma onda quadrada precisa de ±5 V, de modo que se poderia esperar uma amplitude de saída de ±1 V. Mas não – o filtro retém apenas o componente de frequência fundamental da onda quadrada, que tem uma amplitude igual a $4/\pi$ vezes a da onda quadrada. Então, temos uma amplitude de saída de $4/\pi$ volts (cerca de 1,27 V), como visto nas formas de onda do osciloscópio.

C. Síntese Digital Direta

Vimos este método popular anteriormente (Seção 7.1.8) como uma maneira geral de sintetizar uma onda senoidal (ou qualquer onda "arbitrária", se você quiser) de frequência precisa, em relação a uma entrada de frequência de referência precisa. Entre as suas muitas qualidades, este método se presta bem à geração de um par de sinais em quadratura (ou qualquer outra relação de fase, se você quiser). A Figura 7.47 mostra um bom chip da Analog Devices que se destina a geração senoidal em quadratura; ele permite o ajuste de frequência em degraus de um *micro*hertz, juntamente com vários truques, que incluem misturadores digitais (para modulação de amplitude em quadratura), temporizadores e acumuladores (por frequência ou modulação de fase, chilro [som

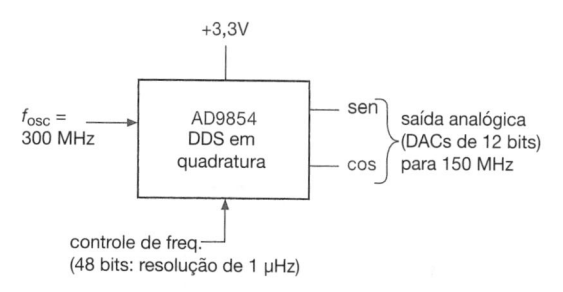

FIGURA 7.47 Geração em quadratura por DDS. O AD9854 tem muitos truques adicionais (ver texto).

curto e agudo] não linear, etc.). A folha de dados proporciona uma boa leitura!

D. Filtros de Sequência de Fase

Existem complicados circuitos de filtro *RC* que têm a propriedade de aceitar uma entrada de onda senoidal e produzir como saída um par de ondas senoidais de saída cuja *diferença* de fase é de aproximadamente 90°. Os radioamadores conhecem isso como "*phasing*", um método de geração de banda lateral única (devido a Weaver), em que o sinal de entrada é composto da forma de onda de voz que você deseja transmitir. Infelizmente, esse método funciona satisfatoriamente durante um intervalo bastante limitado de frequências e requer resistores e capacitores de precisão.

Um método melhor para geração em quadratura de banda larga usa "redes de sequência de fase", que consiste de uma estrutura cíclica repetitiva de resistores iguais e capacitores que diminuem geometricamente, como na Figura 7.48. Você aciona a rede com um sinal e seu similar deslocado 180° (o que é fácil obter, uma vez que tudo de que você precisa é um inversor de ganho unitário). A saída é um conjunto de quatro sinais em quadratura, com uma rede de 6 seções que produz um erro de ±0,7° ao longo de uma faixa de frequência de 40:1; uma rede de 8 seções estende a faixa para 150:1. Isso é demonstrado na Figura 7.49, uma simulação do SPICE de uma rede de sequência de fase de 8 seções, mostrando o comportamento de um par de saídas em quadratura com bom desempenho de 400 Hz a 50 kHz.

E. Ondas Quadradas em Quadratura

Para o caso especial de ondas quadradas, a geração de sinais em quadratura é algo bem simples. A ideia básica é a de gerar o dobro da frequência de que você precisa e, em seguida, dividir por 2 com *flip-flops* digitais. A Figura 7.50 mostra um circuito simples que faz isso usando *flip-flops* tipo D (Capítulo 10). Essa técnica é essencialmente perfeita desde CC até, pelo menos, 100 MHz.

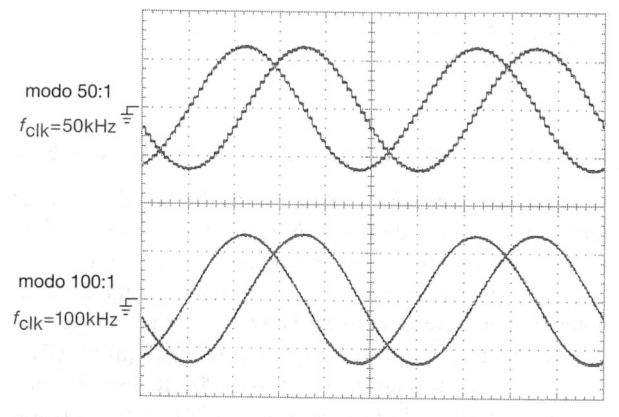

FIGURA 7.46 Formas de onda observadas a partir do circuito da Figura 7.45. O filtro a capacitor chaveado gera uma aproximação em escada para ondas senoidais em quadratura ideais, mais evidentes quando o filtro está definido para a relação mais grosseira f_{CLK}/f_{out} de 50:1. Este filtro sabe o valor de π: a amplitude de saída é de $4/\pi$ volts! Horizontal: 200 μs/div; Vertical: 1 V/div.

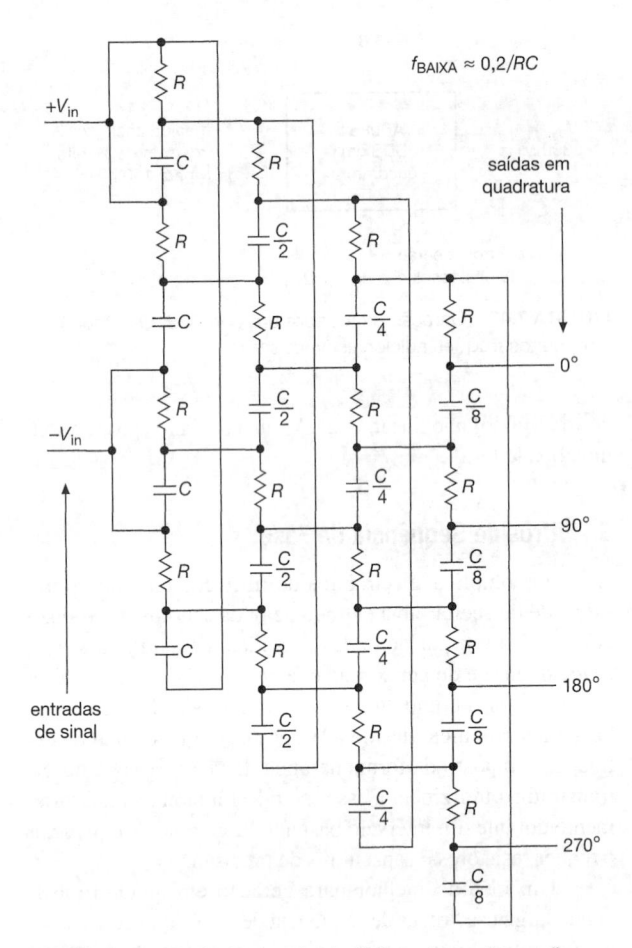

FIGURA 7.48 Rede de sequência de fase de quatro seções. A rede é efetiva para as frequências que se estendem de uma frequência baixa $f_{BAIXA} \approx 0,2/RC$ para a extremidade alta que depende da relação de capacitâncias da primeira e da última seção, como $f_{ALTA}/f_{BAIXA} \approx C_{primeira}/C_{última}$.

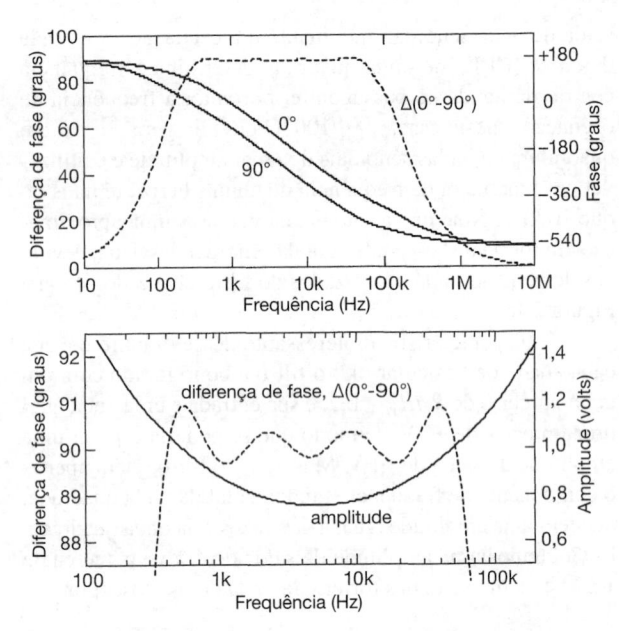

FIGURA 7.49 Comportamento de fase e amplitude de uma rede de sequência de fases de 8 seções (com $R = 10k$, $C = 40$ nF), conforme modelado no SPICE. O gráfico inferior expande a região de quadratura precisa. Note que é a *diferença* de fases (curvas tracejadas) que está em quadratura.

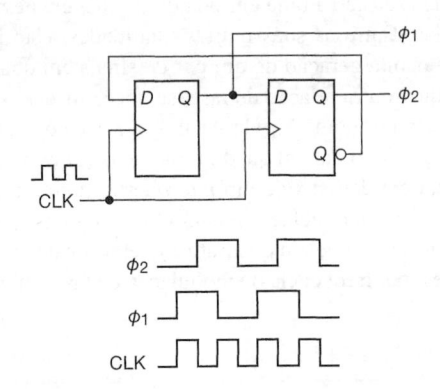

FIGURA 7.50 Ondas quadradas em quadratura, cortesia do *flip-flop* tipo D versátil.

F. Radiofrequência em Quadratura

Em frequências de rádio (acima de alguns megahertz), a geração de pares de onda senoidais em quadratura novamente se torna fácil, usando dispositivos conhecidos como *híbridos em quadratura* (ou *combinadores-divisores* em quadratura). Na extremidade da frequência baixa do espectro radioelétrico (a partir de alguns megahertz até, talvez, 1 GHz), eles assumem a forma de transformadores enrolados de pequeno núcleo, ao passo que, em frequências mais altas, você encontra versões na forma de *stripline* (tiras de papel alumínio isoladas a partir de um plano de terra subjacente) ou guia de ondas (tubo retangular oco). Essas técnicas tendem a ser de banda bastante estreita, com larguras de banda típicas de operação de uma oitava (isto é, uma relação de 2:1).

G. Gerando uma Onda Senoidal de Fase Arbitrária

Uma vez que você tenha um par em quadratura, é fácil fazer uma onda senoidal de fase *arbitrária*. Você deve simplesmente combinar os sinais em fase (I) e em quadratura (Q) em um combinador resistivo, feito mais facilmente com um potenciômetro entre os sinais I e Q. Conforme você gira o potenciômetro, combina I e Q em diferentes proporções, levando o circuito suavemente de 0° a 90° de fase. Se você pensar em termos de fasores, verá que a fase resultante é completamente independente da frequência; no entanto, a amplitude varia um pouco conforme ajusta a fase, caindo 3 dB em 45°. Você pode estender esse método simples para os 360° completos; basta gerar os sinais invertidos (deslocados 180°), I e Q, com um amplificador inversor de ganho $G_V = -1$.

A geração de rajadas senoidais de fase (e amplitude) predeterminada é de grande importância em comunicações digitais. É usada especialmente no método de *modulação de amplitude em quadratura* (QAM), em que vários bits são codificados em cada "símbolo" QAM. Por exemplo, a maioria das TVs a cabo digitais é codificada como 256-QAM, em que cada símbolo (de uma constelação de 256) transporta 8 bits de informação; você pode pensar nos símbolos individuais como pequenas rajadas de vários ciclos senoidais, com uma fase e uma amplitude específicas caracterizando cada símbolo.[52]

Com DDS, é ainda mais fácil definir a fase de saída (relativa a um pulso de sincronização, ou para um segundo sintetizador DDS sincronizado com o primeiro), porque os chips DDS permitem que você adicione um *offset* especificado pelo usuário para o acumulador de fase interno que é utilizado para gerar a onda sinusoidal. Por exemplo, o AD9951 tem uma *palavra de offset de fase* de 14 bits, fornecendo um tamanho de degrau de fase ajustável de $360°/2^{14}$, ou 0,02°. Você pode mudar a fase na hora para produzir modulação de fase.

7.1.10 *Jitter* do Oscilador

Além dos parâmetros primários de oscilador – frequência, amplitude e forma de onda – existe a *estabilidade*: se um oscilador deriva com o tempo, a temperatura ou a tensão de alimentação, falamos de estabilidade (ou da falta dela), e podemos atribuir coeficientes correspondentes. Por exemplo, um oscilador a cristal pode especificar um coeficiente de temperatura de 1 ppm/°C. Isso é importante para aplicações tais como temporização, comunicações ou espectroscopia.

Mas isso não é tudo. É possível, por exemplo, ter um oscilador que mantém uma frequência média de 10,0 MHz precisa, independentemente do tempo e da temperatura, mas que apresenta variações na temporização dos seus cruzamentos de zero de ciclo para ciclo. (Se quiser, você pode pensar nisso como uma instabilidade em uma escala de tempo curto, em comparação com as escalas de tempos longas de efeitos, como a deriva com o tempo e a temperatura.[53]) Essa propriedade indesejável tem vários nomes, dependendo do contexto: se for uma onda senoidal e você a estiver usando em um aplicativo de comunicações, você a chama de *ruído de fase*, ou *pureza espectral*; se, em vez disso, for uma onda quadrada ou trem de pulsos digitais e você a estiver usando para a amostragem da forma de onda e reconstrução, ou para *clocks* de enlaces de dados digitais rápidos, você a chama de *jitter*.

Um pouco mais sobre esse negócio de *jitter*: o *jitter* temporal surge sempre que uma transição de saída é criada por um sinal periódico que cruza um limiar de decisão, como, por exemplo, em um oscilador de relaxação *RC* ou um oscilador a cristal. A Figura 7.51 apresenta a situação. Um sinal de taxa de variação finita S (volts/segundo) cruza um limiar de tensão, e tanto o sinal quanto o limiar de tensão são imperfeitos, cada um com uma tensão de ruído v_n aditivo; vamos chamá-los de v_n(sinal) e v_n(th). Portanto, há uma incerteza de sincronismo, de tal forma que o tempo em que o sinal (ruído) cruza o limiar (ruidoso) pode (e vai) variar de acordo com

$$\Delta t = \frac{\sum v_n}{\text{taxa de variação}} = \frac{v_n(\text{sig}) + v_n(\text{th})}{S}$$

O *jitter* é maior com sinais que variam mais lentamente, para uma dada quantidade de sinal ou ruído de limiar. Uma onda senoidal de frequência f tem uma taxa de variação máxima de $S = 2\pi f V_0$, em que V_0 é a amplitude do sinal de pico (embora menos se o limiar não estiver no ponto médio da amplitude); a taxa de variação de um pulso ou degrau pode ser aproximada por $S = V_{\text{degrau}}/t_r$, onde t_r é o tempo de subida (ou, de forma mais geral, o tempo de transição).

A estabilidade do oscilador e o *jitter* são assuntos importantes, e teremos mais a dizer sobre eles no Capítulo 13, em conexão com a conversão digital-analógica, comunicação serial digital e malhas de fase sincronizadas.

7.2 TEMPORIZADORES

Osciladores geram um sinal periódico, caracterizado pela sua forma de onda (seno, quadrado, pulso), sua frequência e sua amplitude. Intimamente relacionado com os osciladores estão os *temporizadores*: circuitos que geram um pulso

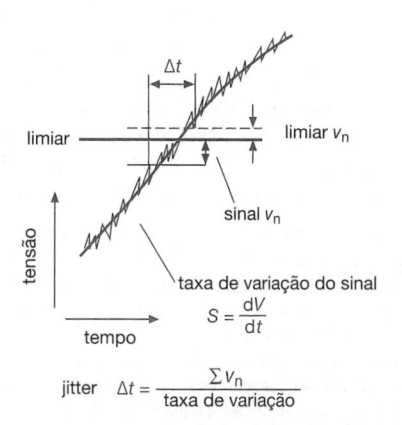

FIGURA 7.51 Temporização básica do *jitter*: um sinal de taxa de variação finita passa por um limiar de decisão.

---
[52] As constelações de fases e amplitudes são escolhidas para minimizar o erro, tendo em conta as características do cabo.

[53] Aqueles que sentem prazer com a desgraça dos outros osciladores têm medidas mais sofisticadas de estabilidade, como a *variância Allan*, que é basicamente um gráfico de estabilidade do oscilador em função do tempo médio.

atrasado, ou um pulso de uma determinada largura, após um evento desencadeante. Aqui falamos em *tempos* de atraso e *largura* de pulso em vez de *frequência*. As técnicas, no entanto, são bastante semelhantes, consistindo principalmente de formas de onda analógicas estilo *RC* (que acionam circuitos comparadores de disparo) ou contadores ou divisores digitais acionados pelo oscilador. Há uma grande variedade de técnicas, dependendo da escala de tempo envolvida e da precisão necessária. Abordamos aqui a maioria das técnicas de uso comum.

7.2.1 Pulsos Disparados por Degraus

Às vezes, você precisa gerar um pulso de saída, de alguma duração, a partir de uma entrada de disparo. A entrada pode ser um pulso curto, a partir do qual você deseja gerar um pulso de saída mais longo; alternativamente, a entrada pode ser um "degrau" (geralmente uma transição de nível lógico, mais longo do que o pulso de saída desejado), a partir do qual você deseja gerar um pulso curto.

A. Pulso Curto a partir de um Degrau: *RC* + Transistor Discreto

Um diferenciador *RC* transforma um degrau de tensão em um degrau com o decaimento posterior da constante de tempo *RC* (Figura 7.52A). Você pode usar a saída diretamente, ou pode operar o circuito por meio de uma chave transistorizada para gerar algo mais parecido com um pulso retangular. A Figura 7.52B mostra o popular 2N7000, um pequeno MOSFET usado para gerar um pulso de saída de uma ou outra polaridade (variando entre o trilho positivo e o terra); a largura de pulso é da ordem de $\tau = RC$, mas depende da relação entre a tensão de limiar da porta e o tamanho do degrau de entrada. Na Figura 7.52C, mostramos os circuitos análogos com um transistor de comutação bipolar rápido (um PN2369: ele usa dopagem com ouro para reduzir o tempo de armazenamento de carga da base para o máximo de 13 ns, em comparação com 200 ns para um antigo dispositivo comum como o 2N3904[54]). Note que um resistor em série (R_1) é necessário para limitar a corrente de base de pico. O comportamento de temporização exata com um BJT é mais complicado do que com um MOSFET, por causa do ceifamento da tensão de base direta: para o circuito com entrada de borda crescente, a largura de pulso de saída é determinada principalmente por R_1C (que define a corren-

---
[54] Para um encapsulamento de montagem em superfície SOT-23, há o MMBT2369. O 2N5771 (MMBT5771) e o PN3640 (MMBT3640) são tipos *pnp* similares com características de armazenamento de 20 ns de tempo. Esses transistores dopados com ouro são todos tipos de baixa tensão, especificados para 12 a 20 V. A dopagem com ouro leva a um beta baixo e maior fuga de corrente; esses transistores são adequados para comutação rápida, mas não muito mais do que isso.

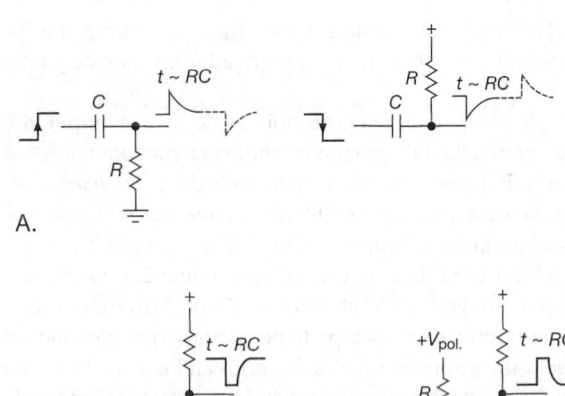

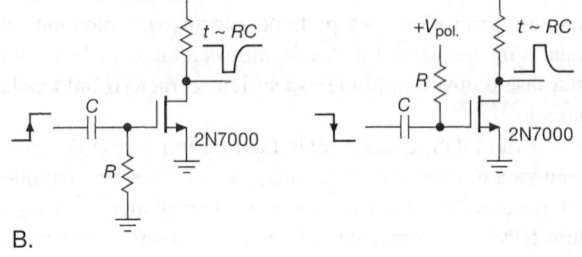

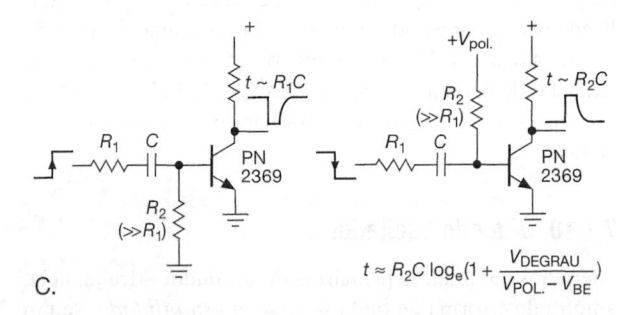

FIGURA 7.52 Gerando um pulso a partir de um degrau com malhas *RC* e transistores. A. Diferenciador *RC* discreto. B. *RC* aciona uma chave MOSFET. C. *RC* aciona uma chave BJT.

te direta de acionamento da base); para o circuito de entrada com borda decrescente, por outro lado, a largura do pulso de saída é determinada primeiramente por R_2C (que temporiza a recuperação a partir da polarização reversa para a direta da base, considerando $R_2 \gg R_1$), como determinado pela fórmula indicada. Para o último circuito, a amplitude do degrau de entrada V_{degrau} não deve ser maior do que $\sim 6V$ para evitar a ruptura reversa base-emissor.

Uma advertência: com exceção do BJT com borda de descida na Figura 7.52C, as larguras de pulso geradas por esses circuitos são um tanto imprevisíveis, e eles não devem ser utilizados quando for necessária uma temporização precisa. Veremos melhores métodos em breve.

Essa é uma situação em que a simulação do SPICE oferece uma ferramenta útil para explorar o comportamento do circuito detalhado. A Figura 7.53 apresenta uma comparação da medição feita na bancada e simulação para o circuito de borda decrescente da Figura 7.52C, operando a partir de uma alimentação de +5 V, quando acionado por um degrau decrescente de 5 V com tempo de queda de 5 ns.

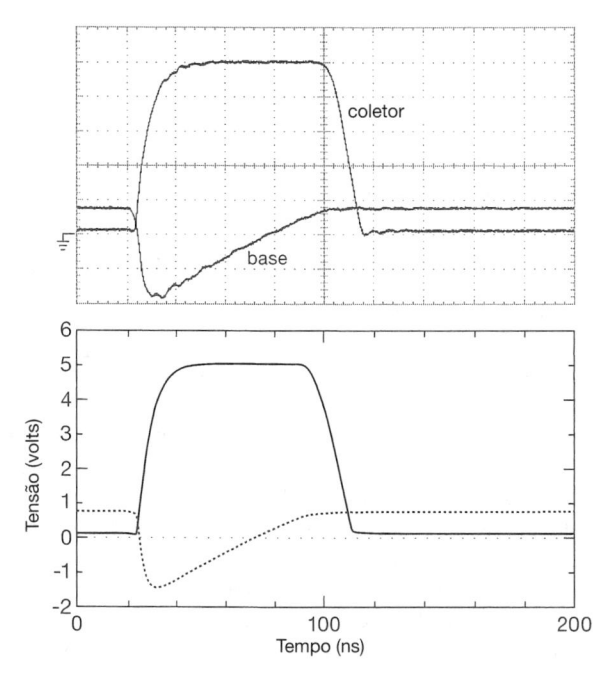

FIGURA 7.53 Formas de onda simulada (inferior) e medida (superior) do circuito do lado direito da Figura 7.52C, com R_1 = 220 Ω, C_1 = 47 pF, R_2 = 2,2k, R_C = 470 Ω, e com a capacitância da ponta de prova do osciloscópio para o terra de 8 pF para a base e o coletor. O gráfico do SPICE e a forma de onda do osciloscópio foram representados na mesma escala, 20 ns/div e 1 V/div.

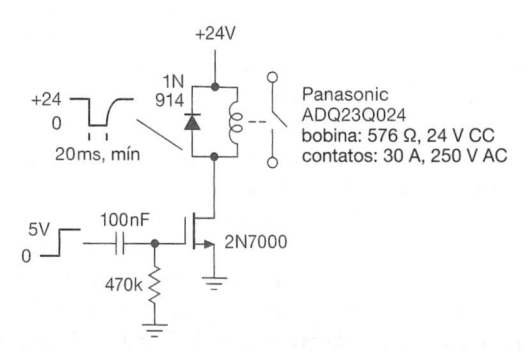

FIGURA 7.54 Um pulso de 20 ms aciona um relé de impulso de potência. Este é um relé de impulso de "2 bobinas" (para SET e RESET), das quais apenas uma é mostrada. Esse relé especial custa 23 dólares e inclui PCB de alta corrente e contatos rápidos (terminal bifurcado).

A boa concordância valida a utilização dos modelos de simulação e ferramentas. Observe especialmente a simulação precisa do tempo de atraso (o degrau de entrada começou em 20 ns), a tensão de saturação do transistor, a tensão de base e a forma de onda de saída (que, embora não visível na figura impressa, ultrapassa o trilho +5 V em cerca de 40 mV, devido ao acoplamento capacitivo da tensão de base crescente).

Veremos maneiras mais precisas e previsíveis de gerar pulsos de saída a partir de bordas de entrada. Mas esse método simples é bom para aplicações não críticas, por exemplo, o acionamento de um relé de potência de impulso robusto, como mostrado na Figura 7.54. Esses contatos especiais de relé são especificados para 30 A e 250 V CA; ele tem um par de bobinas (*set*, *reset*), que você aciona por meio da aplicação de 24 V CC em uma duração mínima de 20 ms. Testamos o circuito em nosso laboratório – ele fez um barulho impressionante que podia ser ouvido pelo corredor.

B. Pulso a Partir de Degrau ou Borda

Com a adição de mais um par de transistores, você chega, finalmente, a um circuito de saída de pulso que pode disparar um pulso em degrau ou de curta duração; ou seja, é um disparo por *borda*, independentemente de a borda de disparo pertencer a um pulso mais curto ou mais longo que o comprimento de pulso de saída desejado. Mostramos esse circuito "monoestável" BJT clássico antes, no capítulo sobre transistores – veja a Figura 2.12. Você pode montar um circuito nessa configuração, caso queira. Mas provavelmente seja melhor usar um *multivibrador monoestável* integrado: esses dispositivos cuidam dos detalhes e oferecem opções flexíveis de disparo. Vamos estudá-los em breve, depois de aprendermos a usar portas lógicas digitais para gerar pulsos curtos.

C. Pulso Curto a Partir de Degrau: Portas Lógicas

Uma técnica intimamente relacionada usa portas lógicas digitais (Capítulo 10) no lugar de transistores discretos. Isso é especialmente útil se você quiser sinais de saída para acionar uma lógica adicional, porque os sinais de saída estão nas tensões lógicas e velocidades corretas. Na Figura 7.55, um inversor lógico (Seção 10.1.4D) com um *Schmitt trigger* interno (Seção 4.3.2A) é usado para criar pulsos de saída com

FIGURA 7.55 Um inversor lógico com entrada *Schmitt trigger* cria um pulso de saída "limpo". R_1 limita a corrente de entrada da porta quando o sinal de entrada volta ao seu nível inicial, durante o qual a porta de entrada é acionada abaixo do terra ou acima de V_+, respectivamente.

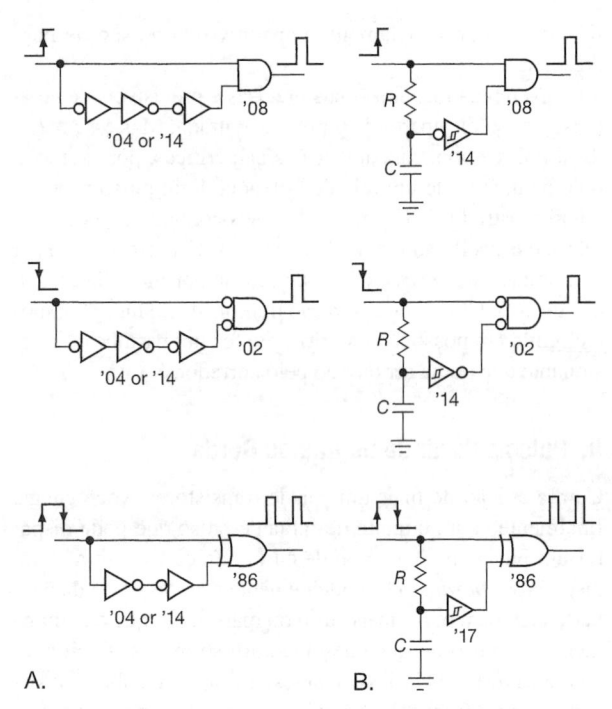

FIGURA 7.56 Gerando um pulso com portas lógicas a partir de um degrau. A. Pulsos curtos feitos com portas de 2 entradas e atrasos de inversores em cascata. B. Pulsos mais longos feito com portas de 2 entradas e atrasos de malha *RC*.

transições abruptas; embora as bordas sejam rápidas (devido ao *Schmitt trigger*), a temporização é apenas aproximada, porque os limiares de tensão do *Schmitt trigger* têm uma especificação folgada (por exemplo, a amplitude de histerese especificada abrange uma faixa de 3:1).

Na Figura 7.56A, o *atraso de propagação* curto (da ordem de vários nanossegundos) de inversores lógicos, combinado com a lógica de *portas*, substitui atrasos de malhas *RC* para criar uma largura de pulso de saída; os três circuitos mostrados respondem à borda de subida, ou descida, ou a ambas, respectivamente. Os circuitos da Figura 7.56B estendem essa ideia de porta para largura de pulsos de saída maiores, usando um atraso *RC*, acentuado por um inversor *Schmitt*, para fornecer a entrada atrasada para a porta.

D. Pulso Curto a Partir de uma Borda: Multivibradores

Monoestáveis

Se estes últimos circuitos lhe interessam, você está com sorte: a indústria de semicondutores criou uma classe de circuitos integrados que combina lógica digital com um circuito de temporização *RC*, sob a forma de um *multivibrador monoestável* (também conhecido como temporizador de "um pulso", com ênfase na palavra "um"). Eles são disparados por borda, com a temporização definida com boa precisão por uma malha *RC* externa e com saídas de nível lógico "limpas". O pulso de saída pode ser de curta duração em comparação com a entrada (como acontece com os circuitos mostrados anteriormente); ou pode ser mais longo do que a entrada (como acontece com os circuitos que discutimos em seguida). Este tópico tem muita complexidade, por isso adiamos uma discussão completa para a Seção 7.2.2.

E. Pulso Longo a Partir do Disparo: o Retorno do 555!

Os circuitos apresentados anteriormente criam um pulso de saída mais curto do que a entrada. Tudo bem, se é o que você quer. Mas o oposto pode ser mais conveniente: um breve pulso de entrada aciona uma saída por mais tempo – pense naquele botão de temporização de um minuto de um forno de micro-ondas, por exemplo. Os métodos aqui podem ser agrupados, genericamente, em duas categorias: (a) circuitos analógicos temporizados por malha *RC* e (b) osciladores seguidos quer por contadores-divisores digitais dedicados, quer pela maravilha totalmente computacional dos microprocessadores (computadores em um chip). Na primeira categoria, encontram-se dispositivos como o clássico 555 (que foi usado anteriormente para fazer um oscilador de relaxação *RC*, Seção 7.1.3) e o multivibrador monoestável (um chip de geração de pulso dedicado).

Anteriormente, neste capítulo, fizemos um oscilador com o 555 acionando as entradas TH (limiar) e TR (disparo) com a tensão no capacitor (Figuras 7.9 a 7.14); essas entradas comutam o estado da saída (e do transistor de descarga), tornando cíclica a carga e a descarga do capacitor. Em vez disso, para produzir um *único* pulso, conecte o capacitor apenas na entrada TH e utilize o terminal TR como uma entrada de disparo (Figura 7.57). Uma entrada negativa, de nível alto para baixo, inicia o ciclo, desligando o transistor DIS e fazendo com que a saída vá para nível ALTO; quando a tensão do capacitor atinge 2/3 de V+; o ciclo termina, com a saída de volta para nível BAIXO e o pino DIS descarregando o capacitor rapidamente ao terra. É fácil calcular a largura do pulso, ou seja, $t = 1,1RC$. Note que o disparo de entrada deve ser removido antes do fim do pulso, ou seja, deve ser mais curto do que o pulso de saída pretendido. Volte para a Figura 4.41 para ver como fazer um gerador de pulso monoestável pro-

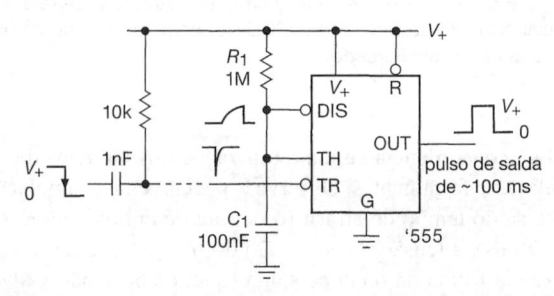

FIGURA 7.57 O venerável 555 gera um único impulso de saída positivo quando conectado no modo *monoestável*. O diferenciador *RC* de entrada converte um degrau de descida em um pulso de disparo; ele pode ser omitido se um pulso curto de disparo estiver disponível para acionar a entrada TR.

gramável [com controle de "comutação fria" (ativação sem sinal aplicado) da largura de pulso] com um 555.

Grosso modo, um 555 CMOS (ver Tabela 7.1) pode gerar larguras de pulso de cerca de 1 μs a 100 segundos. O tempo limite é estabelecido pela corrente residual da entrada TH, que é inferior a 10 nA, assim, valores de R de até 10 a 100 MΩ podem ser utilizados. Na outra extremidade, o valor de resistor mínimo é limitado pela corrente máxima em DIS (∼15 mA com uma alimentação de 5 V) e pela velocidade intrínseca do 555. Outra limitação do 555 é a condição de disparo de entrada estranho, isto é, um pulso negativo, de ALTO para BAIXO, que deve retornar à sua tensão de repouso positiva antes do fim do pulso de saída. Este último problema é abordado na classe dos chips temporizadores conhecidos como multivibradores monoestáveis.

7.2.2 Multivibradores Monoestáveis

Dentro das várias famílias de lógica digital (Seções 10.1.2B e 10.2.2), você pode obter multivibradores monoestáveis (temporizadores de um pulso), nos quais você pode pensar como versões fáceis de implementar do 555 conforme ele foi usado na Figura 7.57. Eles são disparados por borda (por níveis lógicos padrão) e geram um pulso de saída de nível lógico Q (e seu complemento Q'), cuja largura é determinada por uma malha RC externa. Monoestáveis são muito úteis (alguns diriam úteis *demais*!) para gerar pulsos de largura e polaridade selecionáveis. Fazer monoestáveis com malha RC combinada com transistores discretos ou portas (como acabamos de fazer) é complicado, e isso depende, por exemplo, dos detalhes do circuito de entrada de uma porta, uma vez que você acaba com oscilações de tensão para além das tensões de alimentação. Em vez de encorajar os maus hábitos, ilustrando mais esses circuitos, encorajamos você a adotar o monoestável como uma unidade funcional disponível. Em circuitos reais, é melhor usar um monoestável encapsulado; você construirá o seu próprio apenas se for absolutamente necessário – por exemplo, se você tiver uma porta disponível e não houver espaço para um encapsulamento de CI adicional (ainda assim, talvez você não devesse fazer isso).

A. O que Está Dentro

Embora você possa usar monoestáveis sem jamais se preocupar com o que está acontecendo no interior, é um lugar interessante para se "visitar". A Figura 7.58 mostra o esquema de circuito interno usado na maioria dos monoestáveis. Existem pinos para C e R externos; este último carrega o capacitor em direção a V_+, que pode variar de +2 V a +15 V, dependendo da família lógica[55] específica. No estado de repouso, o capacitor está totalmente descarregado, e o *flip-flop* de saída é reiniciado, ou seja, Q é BAIXO (terra) e Q' é ALTO (V_+).

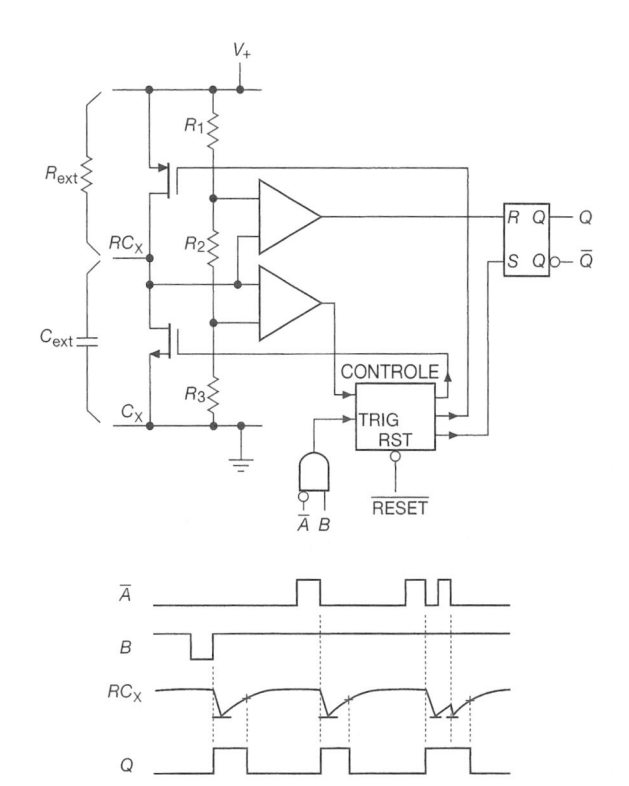

FIGURA 7.58 Circuito interno e formas de onda para uma multivibrador monoestável. As formas de onda mostram a capacidade de redisparo.

Observe as formas de onda na figura e considere por enquanto que os três resistores, R_1 a R_3, são de resistência iguais.[56] Quando a condição de disparo é satisfeita (mais sobre isso a seguir), por exemplo, trazendo entrada B ao nível ALTO enquanto a entrada A' é nível BAIXO, duas coisas acontecem: (a) a saída Q vai para nível ALTO; e (b) o capacitor é descarregado rapidamente em direção ao terra pelo MOSFET inferior[57]. Quando a tensão do capacitor cai, atinge $\frac{1}{3}V_+$, o circuito de controle remove o acionamento da porta do MOSFET inferior, permitindo que o capacitor carregue novamente através de R_{ext}; isso inicia o intervalo de temporização definido por RC, que termina quando a tensão do capacitor atinge $\frac{2}{3}V_+$, altura em que a saída do *flip-flop* é reiniciada, terminando o pulso de saída, trazendo Q novamente para nível BAIXO. É um exercício simples em constantes de tempo RC descobrir que isso leva um tempo

$$t = RC \log_e \frac{V_+ - V_L}{V_+ - V_H},$$

em que V_L e V_H são as tensões de limiar inferior e superior.

---

[55] Tensões de alimentação lógica comuns são +5 V, +3,3 V e +2,5 V.

[56] Eles geralmente não são, embora não seja importante aqui. Mais sobre isso mais adiante, na Seção 7.2.2C.

[57] Correntes de descarga típicas são de 30 a 80 mA. Assim, um capacitor de temporização de 0,01 μF pode demorar ~600 ns para descarregar a partir de 5 V até o limiar inferior a 1,6 V. Esse tempo é dobrado no "fator K" especificado pelo fabricante (ver discussão adiante).

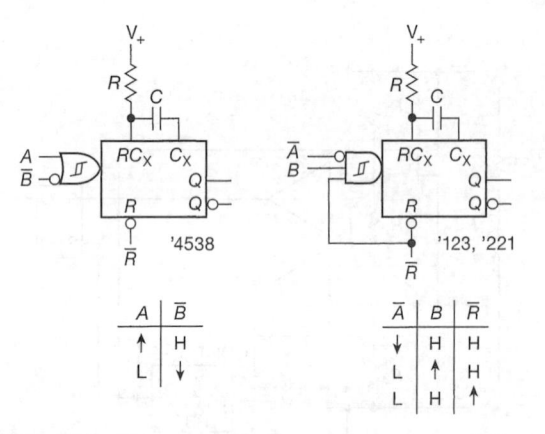

FIGURA 7.59 Dois monoestáveis populares e suas tabelas-verdade. Monoestáveis disparam nas *transições* de entrada e, geralmente, possibilitam uma ou outra polaridade, com as portas AND ou OR internas. A maioria dos monoestáveis inclui entradas *Schmitt trigger*.

Exercício 7.6 Deduza essa fórmula.

B. Características Monoestáveis

Entradas

Monoestáveis são acionados por uma borda de subida ou descida nas entradas adequadas. A única exigência no sinal de disparo é que ele tenha alguma largura mínima, tipicamente 25 ns a 100 ns; ele pode ser mais curto ou mais longo do que o pulso de saída. Geralmente, duas entradas são fornecidas, de modo que um sinal pode ser conectado em qualquer uma das duas para disparar o monoestável, seja em uma borda de subida ou de descida; alternativamente, ambas as entradas podem ser utilizadas com um par de fontes separadas de disparo. A entrada adicional também pode ser utilizada para inibir o seu acionamento. A Figura 7.59 apresenta dois exemplos.

Cada linha horizontal das tabelas-verdade representa uma entrada de disparo de transição válida. Por exemplo, o '4538 é um duplo monoestável com porta OR na entrada; se apenas uma entrada for utilizada, a outra deve ser desativada, como mostrado. O popular '123 é um duplo monoestável com porta AND na entrada; neste caso, as entradas não utilizadas devem ser habilitadas. Note especialmente que o '123 dispara quando o RESET é desativado se ambas as entradas de disparo já estão declaradas. Essa não é uma propriedade geral de monoestáveis e pode ou não ser desejável em uma determinada aplicação (normalmente não é). O '423 é o mesmo que o '123, mas sem essa "característica".

Quando monoestáveis são desenhados em um diagrama de circuito, a porta de entrada normalmente é omitida, economizando espaço e criando um pouco de confusão.

Capacidade de redisparo

A maioria dos monoestáveis (por exemplo, o 4538, o '123 e o '423 anteriormente mencionados) começará um novo ciclo de temporização se a entrada for disparada novamente durante a duração do pulso de saída (tal como na Figura 7.58). Eles são conhecidos como monoestáveis *redisparáveis*. O pulso de saída será mais longo do que o normal se eles forem redisparados durante o pulso, encerrando, por fim, uma largura de pulso após o último disparo. O '221, pelo contrário, é não redisparável: ele ignora as transições de entrada durante o tempo em que o pulso de saída ocorre.

Capacidade de resete

A maioria dos monoestáveis tem uma entrada de resete (RESET) que se sobrepõe a todas as outras funções. Uma entrada momentânea no terminal RESET termina o pulso de saída. A entrada RESET pode ser utilizada para prevenir um pulso durante a inicialização do sistema lógico; no entanto, veja o comentário anterior sobre o '123.

Largura de pulso

Larguras de pulso de 40 ns até milissegundos (ou até mesmo segundos) são atingíveis com monoestáveis padrão, definidos por uma combinação de capacitor e resistor externos. Um dispositivo como o 555 pode ser usado para gerar pulsos mais longos, mas as suas propriedades de entrada são, por vezes, inconvenientes. Atrasos muito longos são mais bem gerados digitalmente (veja a Seção 7.2.4).

A Tabela 7.3 lista os monoestáveis comumente disponíveis. Além desses monoestáveis de famílias lógicas tradicionais, certifique-se de verificar os monoestáveis LTC6993 "TimerBlox" (veja a tabela na página 433). Eles têm apenas uma entrada de disparo, mas quatro variantes permitem que você escolha o disparo pela borda de subida ou descida e o modo redisparável ou não redisparável. Você define a largura do pulso com um pino de seleção de faixa (por meio de um divisor de tensão de V_+), e outro resistor externo que permite a sintonia contínua ao longo de uma amplitude de 16:1 dentro da faixa selecionada. As oito faixas divididas digitalmente saltam por fatores sucessivos de 8, portanto, uma faixa total de 2^{21}:1. As larguras de pulso de saída variam de 1 μs a 34 segundos; no pior dos casos, com precisão de temporização de alguns por cento.

C. Notas de Advertência sobre Monoestáveis

Monoestáveis têm alguns problemas que você não vê em outros circuitos digitais. Além disso, existem alguns princípios

TABELA 7.3 Multivibradores monoestáveis

Tipo	Redisp.	Disparo	Famílias
'123[a]	•	!A & B & !R	AHC(T), HC(T), LS, LV, LVC, VHC
'221	-	!A & B	74C, HC(T), LS, LV, VHC
'423	•	!A & B	HC(T), LS
'4538	•	A or B	4000, HC(T)

Notas: (a) Veja a Tabela 7.4.

gerais envolvidos na sua utilização. Em primeiro lugar, um resumo sobre esses problemas.

Alguns problemas com os monoestáveis

Temporização. Monoestáveis envolvem uma combinação de técnicas lineares e digitais. Uma vez que os circuitos lineares têm os problemas usuais de variações de V_{GS} (ou V_{BE} e beta) com a temperatura, etc., os monoestáveis tendem a apresentar sensibilidade à temperatura e à tensão de alimentação da largura de pulso de saída. Uma unidade típica como o '4538 mostrará variações de largura de pulso de poucos pontos percentuais ao longo de um intervalo de temperatura de 0 a 50°C e ±5% ao longo de uma faixa de tensão de alimentação. Além disso, as variações de unidade para unidade dão uma precisão da previsão de ±10% para qualquer circuito. Ao observar a temperatura e a sensibilidade de tensão, é importante lembrar que o chip pode exibir efeitos de auto-aquecimento e que as variações de tensão de alimentação *durante o pulso* (por exemplo, pequenos *glitches* na linha de V_+) podem afetar seriamente a largura de pulso.

Variação de marca. Monoestáveis com o mesmo número de identificação genérico, mas feitos por fabricantes diferentes, podem ter especificações um pouco diferentes, envolvendo especialmente os componentes de temporização. A maneira usual como isso é especificado é por um "fator *K*", em que a largura de pulso de saída (para todos, exceto capacitores de pequeno valor) é dada aproximadamente por $t_w = KRC$ (se a folha de dados não menciona *K*, procure a largura de pulso com *R* = 10k e *C* = 100 nF). Eis como ocorre: quase todos os monoestáveis caem em três grupos de valores de *K*, ou *K* = 0,7 (todos os '4538 monoestáveis), ou *K* é ~ 0,45, ou ~1,0 (ou a maioria dos outros números de identificação de monoestáveis).

Os monoestáveis '4538 são entediantes! Todos eles têm *K* = 0,7 (o que não é exatamente uma má razão para escolhê-los...). Mas é mais emocionante com os outros números de identificação, porque os valores de *K* para um determinado número de identificação podem ser 1,0 ou 0,45, dependendo de quem o faz. Por exemplo, o 74HC123 está disponível em pelo menos cinco fabricantes.[58] Os dispositivos da FSC e Toshiba garantem uma largura de pulso de saída de 0,9 a 1,1 ms (com 1,0 ms típico) para 10k e 100 nF, mas o dispositivo NXP especifica 0,45 ms (típico, sem especificações mínima ou máxima). As outras duas marcas escolheram diferentes combinações de *RC*, em que especificam apenas os valores típicos: a ST utiliza 100 nF/100 kΩ (4,4 ms típico), e a TI usa 10 nF/10 kΩ (45 μs típico). Evidentemente, esses dispositivos não são totalmente intercambiáveis![59] Essa cautela

TABELA 7.4 Temporização dos monoestáveis "tipo 123"

Mfg	Nº identificação[a]	Variante T[b]	$V_{aliment.}$ mín (V)	$V_{aliment.}$ máx (V)	K^c	$t_{mín}^d$ (ns)	Gráfico K^e
múltiplo	74LS123†	●	4,5	5,5	0,37	-	-
Toshiba	TC74HC123	-	2	6	1,00	150	1
Renesas	HD74HC123†	-	2	6	1,00	390	2
Fairchild	MM74HC123	-	2	6	1,00	390	6
TI	CD74HC123	●	2	6	0,45	230	8
ST	M74HC123	-	2	6	0,44	230	9
NXP	74HC123	-	2	6	0,45	105	8
TI	SN74AHC123	●	2	5,5	1,00	110[f]	4
NXP	74AHC123	●	2	5,5	1,00	45	-
Fairchild	74VHC123	-	2	5,5	1,00	75	4
Toshiba	TC74VHC123	-	2	5,5	1,00	75	5
TI	SN74LV123	-	2	5,5	1,00	110	4
NXP	74LV123	-	1,2	5,5	0,43	70	7
TI	SN74LVC1G123[g]	-	1,65	5,5	0,95	95	3
Toshiba	TC7WH123[g]	-	2	5,5	1,00	75	-

Notas: (a) Sufixos são omitidos; todos, exceto † têm entradas *Schmitt trigger* e todo disparo em (!A)&B. (b) Limiares de TTL, por exemplo, 74HCT123. (c) Largura de pulso = $KRC + t_{mín}$, especificado em 5V para 10k e 0,1 μF. (d) Para *RC* = 0, derivado a partir dos valores 2k e 28 pF subtraindo 56 ns·*K*. (e) A partir do gráfico de *K* em função da tensão de alimentação. (f) 75 ns para 'AHCT123. (g) monoestável único em um encapsulamento de 8 pinos.

se estende geralmente para dispositivos analógicos e de sinal misto de todos os tipos (considere-se avisado).

Para ilustrar esse ponto, reunimos na Tabela 7.4 uma lista detalhada de todos os monoestáveis estilo '123 dispo-

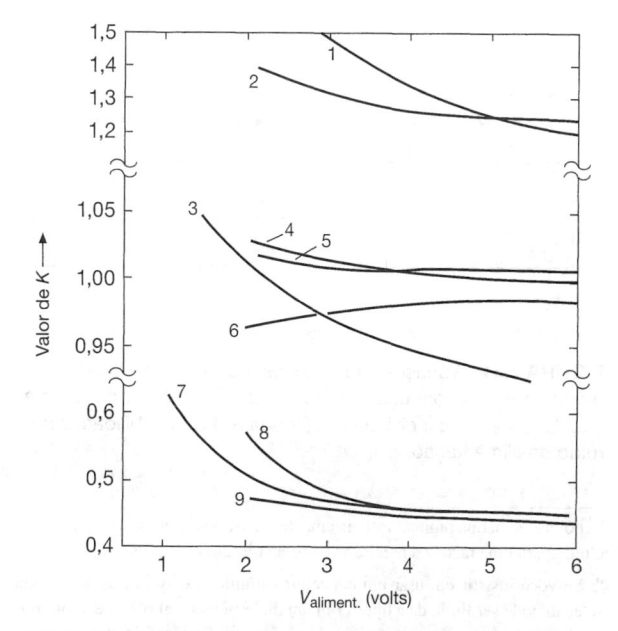

FIGURA 7.60 Gráficos de folhas de dados do efetivo coeficiente de temporização *K* em função da tensão de alimentação dos monoestáveis na Tabela 7.4. Observe as alterações de escala, especialmente a configuração expandida ao redor de *K* = 10.

---
[58] FSC, NXP, ST, TI e Toshiba.

[59] Medições feitas em amostras de dispositivos da FSC e da TI, com *R* = 10k e *C* = 100 nF, renderam larguras de pulso de 1,05 ms e 0,42 ms, respectivamente; esses valores são coerentes com suas folhas de dados individuais.

níveis. Os dados incluem a variável de temporização K, que você pode usar para prever a largura de pulso de acordo com $t_w = KRC + t_{min}$.[60] O valor efetivo de K varia com a tensão de alimentação, de modo que, na Figura 7.60, fizemos gráficos que mostram essa dependência para os monoestáveis listados na Tabela 7.4.

Outro parâmetro que varia de acordo com o fabricante, e que não é geralmente especificado em folhas de dados, é a escolha particular de tensões de limiar – isto é, as relações entre as resistências internas R_1 a R_3 na Figura 7.58. Porém, isso não importa, porque a rápida descarga de um capacitor de temporização de pequeno valor (digamos, ~1.000 pF ou menos) ultrapassa o limite mais baixo (um efeito semelhante atormenta o clássico circuito oscilador de dente de serra com 555, em que o pino DIS puxa o capacitor de temporização rapidamente em direção ao terra). O resultado é uma largura de pulso ampliada (e não muito estável). Pelo menos um fabricante (a TI, em seu SN74HC4538) abordou esse problema, colocando o limite mais baixo perto do terra (a cerca de 4,3% de V_+, ou 0,2 V quando operado a partir de uma alimentação de +5 V), de modo que o *overshoot* de descarga quase não tem efeito algum – o capacitor carrega de volta aproximadamente a partir da mesma tensão, com ou sem *overshoot*.

Pulsos longos. Para a geração de pulsos longos, você pode usar grandes valores de resistores de temporização (até 10 M deve ser seguro, mesmo se a folha de dados mostra os valores apenas para, digamos, 200k, porque esses são projetos CMOS com correntes de baixa fuga). Mesmo assim, o valor de capacitor pode ser de alguns microfarads ou mais; nesse caso, os capacitores eletrolíticos geralmente são necessários.[61] Você tem que se preocupar com a corrente de fuga (que é insignificante com os tipos de capacitores menores), e você deve incluir um diodo sobre R (Figura 7.61A); este último é necessário para impedir a condução reversa no terminal RC_X pelo capacitor de temporização carregado se V_+ for desligado abruptamente.

Ciclo de trabalho. Com alguns monoestáveis, a largura de pulso é encurtada em um ciclo de trabalho alto. Por exemplo, o 74LV123 da NXP, quando alimentado a partir de 3,3 V e utilizando $R = 10k$ e $C = 100$ nF, tem largura de pulso constante até 95% do ciclo de trabalho, diminuindo cerca de 1,5% perto de 100% do ciclo de trabalho. O monoestável '221 não redisparável é consideravelmente pior a esse respeito, com comportamento errático em ciclos de trabalho elevados. Em contrapartida, em nossos testes, o MM74HC123A da Fairchild manteve uma temporização perfeita até 99,98% do ciclo de trabalho, juntamente com um pulso de saída livre de *jitter*. (Ele utiliza, como o admirável SN74HC4538, da TI, um limiar V_L bastante baixo, cerca de 10% de V_+.)

Outra coisa a ter em conta é o efeito do tamanho do capacitor no tempo de recuperação do redisparo. Por exemplo, a folha de dados do 74LVC1G123, da TI, tem um gráfico de tempo de redisparo mínimo para várias capacitâncias; ele mostra uma espera mínima de 1 μs para um capacitor de temporização de 10 nF, que é 1% da largura de pulso de 100 μs com um resistor de 10k.

Disparo. Monoestáveis podem produzir pulsos de saída abaixo do padrão ou com *jitter* quando disparados por um pulso de entrada curto demais. Há uma largura mínima de pulso de disparo especificada, por exemplo, 140 ns para o 4538 com +5 V de alimentação, 60 ns com +15 V de alimentação (a série CMOS 4000 "de alta tensão" é mais rápida e tem maior capacidade de acionamento de saída quando operada em tensões de alimentação superiores), 25 ns para o 'HCT423 na sua alimentação especificada de +5 V e 3 ns para o rápido 'LVC123 com 3,3 V de alimentação.

Imunidade ao ruído. Devido aos circuitos lineares em um monoestável, a imunidade ao ruído é geralmente mais fraca do que nos outros circuitos digitais. Monoestáveis são particularmente suscetíveis a acoplamento capacitivo próximo da malha RC externa usada para definir a largura de pulso. Além disso, alguns monoestáveis são propensos a falsos disparos a partir de *gliches* na linha V_+ ou no terra. Uma maneira de evitar esses problemas é criar um filtro RC "privado" para a alimentação V_+, como mostrado na Figura 7.61B; alternativamente, você poderia alimentar o monoestável a partir de uma fonte V_+ regulada separadamente, por meio de um pequeno regulador de tensão linear, se você tiver disponível uma linha de alimentação de tensão alta.

Especificações convenientemente superiores. Esteja ciente de que o desempenho (previsibilidade dos coeficientes

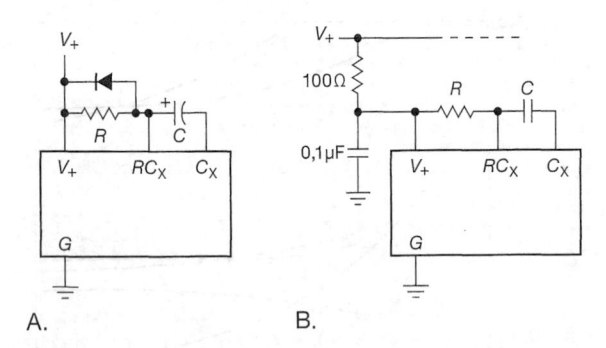

FIGURA 7.61 Variações de circuitos monoestáveis. A. Um diodo impede a condução reversa no desligamento da alimentação. B. Uma fonte individual V_+ filtrada reduz instabilidades no ruído de alimentação.

---

[60] Folhas de dados omitem rotineiramente o termo t_{min}, mas ele deve ser incluído para uma razoável precisão ao projetar larguras de pulso curtas.

[61] Se você insistir em usar um capacitor cerâmico de alta capacidade, sua seleção pode ser limitada a tipos com um dielétrico de "alto k"; se assim for, esteja ciente de suas características de grandes coeficientes de temperatura e tensão, o que pode causar variações de capacitância de 50% ou mais.

de largura de pulso, temperatura e tensão, etc.) do monoestável pode degradar consideravelmente nos extremos da sua faixa de largura de pulso. Especificações normalmente são dadas na faixa de larguras de pulso, nas quais o desempenho é bom, o que pode ser enganoso. Além disso, pode haver muita diferença de fabricante para fabricante no desempenho de monoestáveis com o mesmo número de identificação (*part number*). Leia as folhas de dados cuidadosamente!

Isolação da saída. Por fim, como com qualquer dispositivo digital contendo *flip-flops*, as saídas devem ter *buffers* (por meio de uma porta, um inversor ou talvez um componente de interface, como um acionador de linha) antes de passar os sinais através de cabos ou dispositivos externos ao instrumento. Se um dispositivo como um monoestável tenta acionar um cabo diretamente, a capacitância de carga e as reflexões no cabo podem causar operação irregular.

Considerações gerais para a utilização de monoestáveis

Tenha cuidado ao usar monoestáveis para gerar um trem de pulsos para que um pulso extra não seja gerado no "fim". Ou seja, certifique-se de que os sinais que habilitam as entradas dos monoestáveis não disparem pulsos neles mesmos. Isso pode ser facilmente feito observando-se atentamente a tabela-verdade do monoestável, se você tiver tempo.

Não abuse de monoestáveis. É tentador colocá-los em todos os lugares, com pulsos ocorrendo por toda parte. Circuitos com muitos monoestáveis são a marca do projetista iniciante. Além dos tipos de problemas que acabamos de mencionar, você tem a complicação adicional de que um circuito cheio de monoestáveis não permite muito ajuste da taxa de *clock*, uma vez que todos os atrasos são "sintonizados" para fazer as coisas acontecerem na ordem certa. Em muitos casos, existe uma maneira de fazer o mesmo trabalho sem um monoestável, opção à qual você deve dar preferência. A Figura 7.62 apresenta um exemplo.

A ideia é gerar um pulso e, em seguida, um segundo pulso retardado após a borda de subida de um sinal de entrada. Eles podem ser utilizados para configurar e iniciar operações que requerem que alguma operação anterior seja concluída, conforme assinalado pela subida do sinal de entrada. No primeiro circuito, a entrada liga o primeiro monoestável, que, em seguida, aciona o segundo no final do seu pulso.

O segundo circuito faz algo análogo com *flip-flops* tipo D, gerando pulsos de saída com largura igual a um ciclo de *clock*. Esse é um circuito de sincronismo, ao contrário do circuito assíncrono usando monoestáveis em cascata. A utilização de métodos síncronos é geralmente preferível sob vários pontos de vista, incluindo a imunidade ao ruído. Se você quisesse gerar pulsos curtos, poderia usar o mesmo tipo de circuito, com o *clock* do sistema dividido (via vários *flip-flops* alternantes) a partir de um *clock* mestre de maior frequência. O *clock* principal seria, então, usado para *clock* dos *flip-flops* D nesse circuito. A utilização de vários sistemas de *clock* subdivididos é comum em circuitos síncronos. Observe que há até um período de *clock* de *jitter* no circuito de atraso digital, ao contrário da resposta "instantânea" dos monoestáveis em cascata.

A Seção 7.2.4 explora ainda mais essa ideia de "temporizadores digitais".

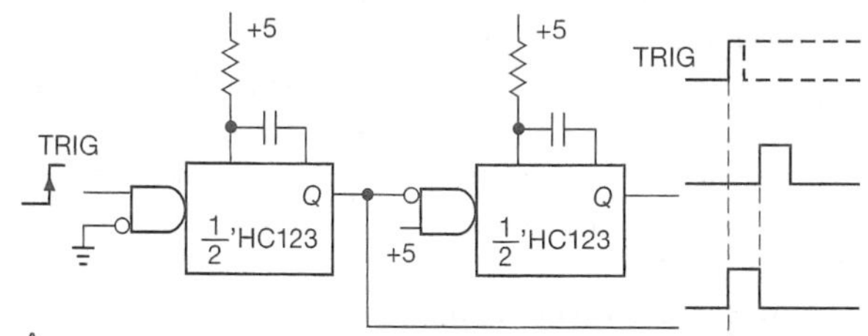

7.2.3 Uma Aplicação de Monoestável: Limitação de Largura de Pulso e Ciclo de Trabalho

Aqui está uma boa aplicação de monoestável, simples e eficaz, que economiza tempo (e muito sofrimento) em várias ocasiões. É útil quando você está acionando um dispositivo com pulsos curtos de alta corrente (por exemplo, solenoides ou LEDs) e, especialmente, em situações em que esses pulsos são gerados a partir de software (em um microcontrolador ou FPGA). O perigo, é claro, é que um *bug* (problema) de software ou falha do microcontrolador pode causar um pulso destrutivamente longo.

Para definir o cenário com um exemplo específico, os pesquisadores em um de nossos laboratórios estavam fotografando peixes-zebra com um microscópio equipado com um anel iluminador de sessenta LEDs. O obturador da câmera, operando em 120 quadros/s, gerou pulsos de 80 μs para acionamento dos LEDs a cada 8 ms. Como o ciclo de trabalho (t_{ON}/T) foi de apenas 1%, não haveria problemas em acionar os LEDs em uma corrente muito alta (1 A, ou dez vezes sua especificação de corrente contínua de 100 mA) e fazê-lo sem dissipação de calor. Tudo bem... mas um defeito

FIGURA 7.62 Um atraso digital pode substituir atrasos de monoestáveis. Note que (ao contrário do circuito A, em que o disparo inicia a saída), em B, a entrada de disparo "prepara" o circuito, cuja saída digital é sincronizada com a próxima borda de subida de CLK após o acionamento da entrada.

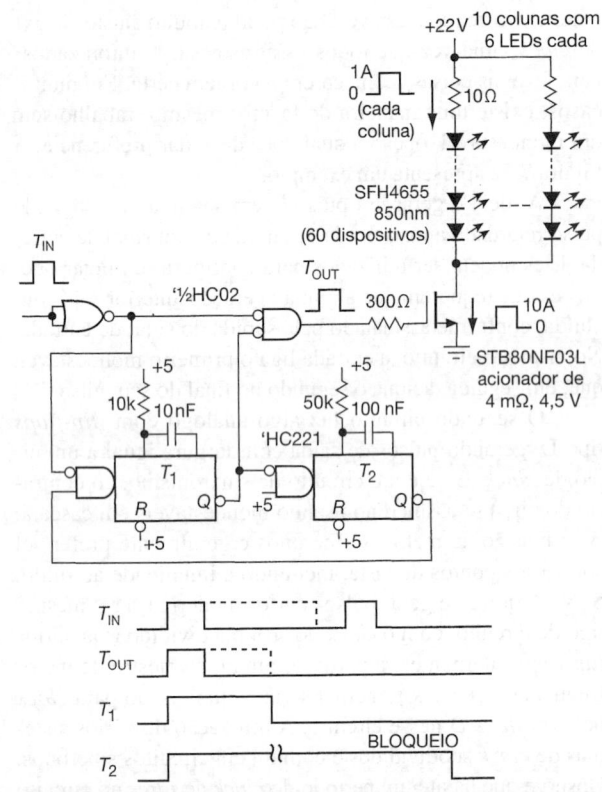

FIGURA 7.63 Um circuito de proteção simples para dispositivos pulsados de alta corrente: limitação de largura de pulso e ciclo de trabalho com um par de monoestáveis.

na programação da câmera gerou um pulso longo que destruiu a matriz de LEDs; o custo foi de 40 dólares... e um dia de trabalho.

A solução é um circuito como o da Figura 7.63. Após o disparo, o primeiro monoestável gera um pulso T_1 que limita a largura de pulso de saída máxima T_{OUT}, desativando a porta AND após o tempo T_1. O segundo monoestável inibe o redisparo até que a temporização tenha terminado, evitando novos pulsos de acionamento dos LEDs até um tempo total T_2 após o último disparo. Aqui, escolhemos componentes de temporização RC para definir $T_1 = 100\ \mu s$ e $T_2 = 5$ ms. Equipado com esse circuito de proteção, o iluminador LED já capturou muitos milhões de fotos de peixes-zebra, com ambos, peixes e LEDs, vivendo felizes.

7.2.4 Temporização com Contadores Digitais

Para temporizar trabalhos em que você quer um longo atraso (de minutos a horas, ou mesmo dias) ou em que você necessita de precisão, estabilidade ou previsibilidade realmente boas, esses métodos de tempo analógicos são inadequados. O que você faz, em vez disso, é usar os contadores digitais em combinação com um oscilador fixo (talvez de alta estabilidade). Técnicas digitais são tratadas em detalhe nos Capítulos 10 a 13; mas eles representam uma parte tão essencial do negócio de temporizadores que devemos incluí-los aqui.

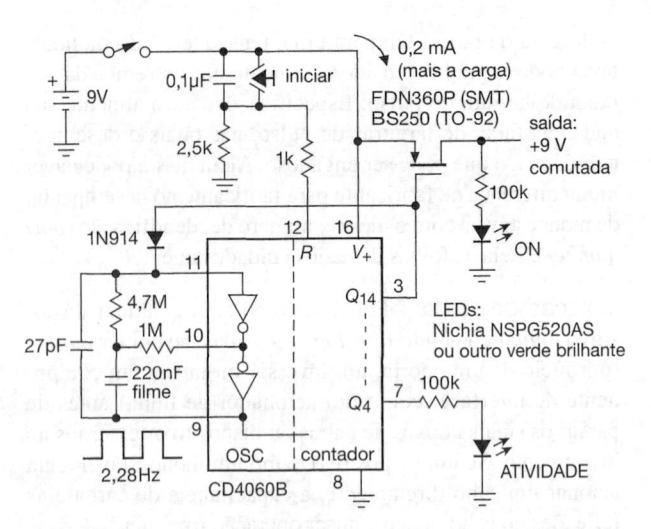

FIGURA 7.64 "Uma hora energizado". O resistor de 1 MΩ (nominal) de definição da frequência pode consistir de um resistor fixo de 750k em série com um potenciômetro de 500k.

A. Um Exemplo: "Uma Hora Energizado"

Suponha que, para economizar bateria, você queira que um circuito desligue um instrumento portátil depois de uma hora. O circuito da Figura 7.64 faz isso. Ele tira vantagem do chip contador binário CMOS 4060 (14 estágios em cascata), que inclui um par de inversores internos destinados a fazer um oscilador RC (da forma como fizemos na Seção 7.1.2B). Ele pertence à família lógica "CMOS 4000B de alta tensão", permitindo a operação a partir de tensões de 3 a 18 V. Isso é útil aqui, porque podemos operá-lo diretamente a partir de uma bateria de 9 V (cuja tensão terminal no início da vida útil é cerca de 9,4 V e, no final da vida útil, em torno de 6 V).

Ao energizar o circuito (ou quando o botão INICIAR é pressionado), o contador é resetado para a contagem zero (porque a entrada de resete "R" é colocada momentaneamente em nível ALTO), para que todos os Qs (saídas digitais do contador) sejam nível BAIXO. Isso energiza o MOSFET canal p, energizando a carga. Quando o contador atinge uma contagem de 2^{13}, o bit Q_{14} vai para nível ALTO, desenergizando a carga e também parando o oscilador. Esse momento é o término de uma hora de carga energizada. O 4060 tem uma corrente quiescente insignificante ($\ll 1\ \mu A$), assim a bateria vê somente a corrente de fuga do MOSFET, também insignificante.

Alguns comentários. (a) A paralisação do oscilador para terminar o ciclo, como fizemos aqui, é um truque; tipicamente, você usaria um *flip-flop*, cujos dois estados cor-

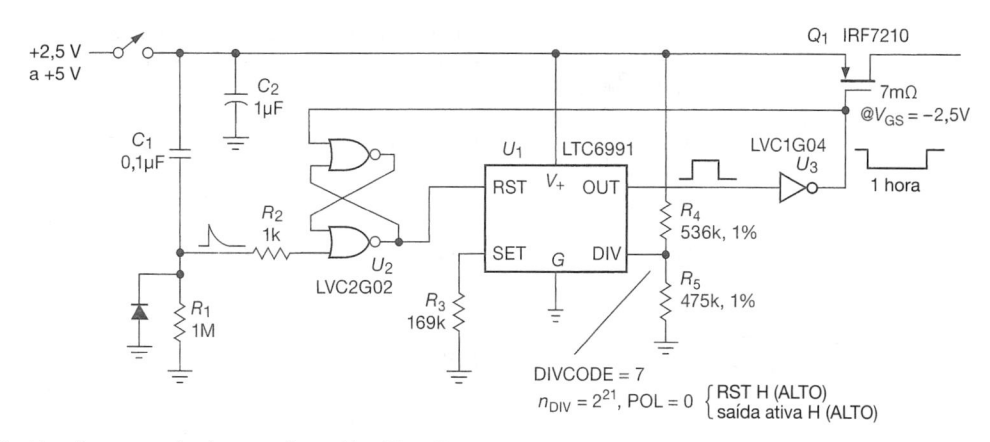

FIGURA 7.65 Uma hora energizado com dispositivo TimerBlox.

respondem a energizado e desenergizado. O popular chip "temporizador programável" 14541 oferece tais recursos internamente e é uma escolha melhor. (b) O quarto bit do contador (Q_4) é usado para sinalizar atividade, para você saber que o temporizador está em funcionamento. Usamos um LED de alta eficiência, operando em 50 μA, para minimizar o consumo de corrente. (c) Tarefas como essa são facilmente realizadas com *microcontroladores* programáveis (veja a Figura 7.69 e o Capítulo 15), que são reprogramados com flexibilidade e podem fazer outras tarefas também. Nosso gosto por circuitos como o da Figura 7.64 revela... bem, certa nostalgia.

Você pode fazer um circuito "uma hora energizado" com um dos interessantes chips "TimerBlox" da LTC (introduzidos no Seção 7.1.4B). A escolha óbvia seria o temporizador monoestável LTC6993 (veja a tabela na página 433), mas ele atinge um comprimento de pulso máximo de 34 segundos. Em vez disso, você pode colocar em operação o oscilador de baixa frequência LTC6991 (período máximo do oscilador de 9,5 horas!), montado como mostrado na Figura 7.65, de modo que ele seja mantido no estado de reset após o final de sua primeira metade de ciclo.[62] Esse circuito é operado nas baixas tensões para as quais esses chips são projetados (fonte simples de 2,5 V a 5,5 V), o que determinou o uso de uma chave pMOS de baixo limiar para Q_1. Um recurso interessante dessa série de temporizadores é a sua precisão (±1,5% para o pior caso): o seu circuito "uma hora energizado" terminará dentro de um minuto de seu tempo determinado.

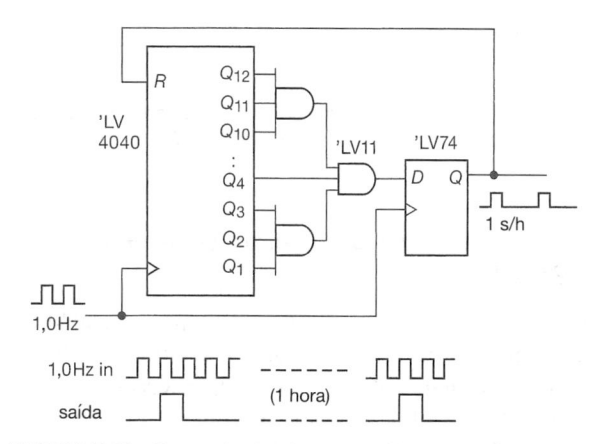

FIGURA 7.66 Temporizador de "um segundo por hora" usando lógica digital.

B. Outro Exemplo: "Um Segundo por Hora"

Este desafio de circuito apareceu no fórum do *sci.electronics.design* (*"sed"*): ele gera um pulso de 1 segundo uma vez por hora, fornecendo um *clock* de entrada de 1 Hz, e faz isso com um número mínimo de CIs. A Figura 7.66 mostra uma maneira de fazê-lo,[63] mais uma vez usando um contador binário integrado. Desta vez, usamos o contador de 12 estágios 4040, que carece de um oscilador, mas fornece saídas de todos os estágios. As portas AND (Seção 10.1.4) fornecem uma saída de nível ALTO quando todas as saídas Q forem nível ALTO, ou seja, a contagem $n = 2048 + 1024 + 512 + 8 + 4 + 2 + 1 = 3599$; isso seta (leva para nível ALTO) as saídas dos *flip-flops* (Seção 10.4.1), que tanto gera um ciclo de *clock* de saída alto como também reseta o contador. Como a contagem volta para zero, o ciclo completo é de 3600 segundos, que, por grande sorte, por acaso é o número de segundos em uma hora.

---

[62] Um detalhe, mas que pode causar incômodo: se for identificado que o pino RST está no estado afirmado quando o chip termina sua inicialização (aqui, ~1,7 ms), então (como casualmente declarado na folha de dados) "o primeiro pulso será ignorado". Parece que não é grande coisa, mas esse "primeiro pulso" equivale a um ciclo de tempo integral, ou seja, duas horas. Isso é muito tempo para ficar à espera do nosso período energizado, que é de uma hora! É por isso que definimos um tempo muito maior, ~100 ms, de reset ao energizar para o *flip-flop* SR U_2, garantindo que U_1 não "verá" seu pino RST em estado indevido até que seu pino de saída (OUT) esteja em seu estado ALTO de uma hora de duração.

[63] Como postado lá por John Fields.

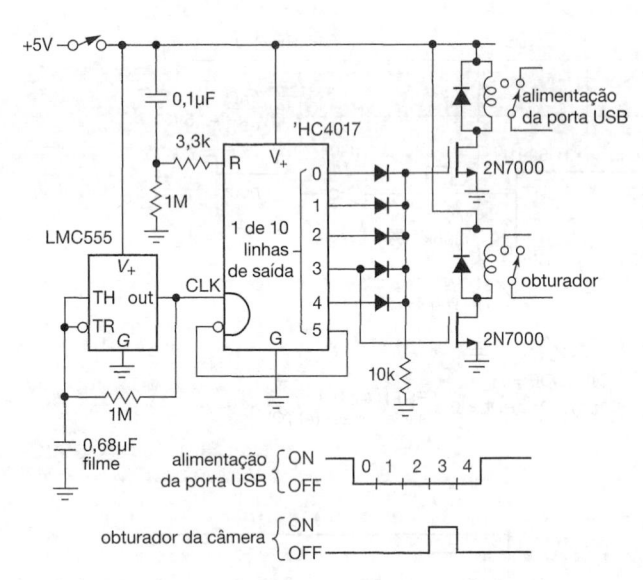

FIGURA 7.67 Temporizador de controle da câmera. Os relés operam a partir de 5 V (consomindo 40 mA) e podem comutar até 8 A; um dispositivo adequado é o Omron G5C-2114P-US-DC5.

C. Um Terceiro Exemplo: Controle de Câmera Remota

Queríamos usar uma câmera digital Panasonic DMC-LC1 para capturar a luz tênue de imagens de estrelas conforme elas transitam uma matriz de fotomultiplicadores. A câmera tem uma porta USB para ler e apagar imagens do seu cartão de memória, mas não fornece uma maneira para disparar o obturador. No entanto, ela tem um conector separado para um "disparador" elétrico, que pode ser ativado com uma chave ou relé. Assim, a ideia é usar um relé para tirar uma foto e, em seguida, obtê-la através da conexão USB.

Parece fácil, mas há um problema: você não pode tirar uma foto quando a porta USB está ativa. É preciso desativar a conexão USB durante pelo menos 3 segundos antes de tirar uma fotografia, e então esperar um ou dois segundos antes de reativar o USB para obter a imagem. A Figura 7.67 apresenta uma solução para esse problema de temporização, baseando-se novamente em métodos de contagem digitais. O circuito é temporizado por um 555 CMOS, operando em 0,6 Hz. Ele envia *clocks* a um contador decimal '4017, que tem a característica interessante de fornecer saídas individuais para cada um dos seus 10 estados (0 a 9); quando alimentado, ele começa a funcionar no estado 0 (devido ao reset *RC*) e, em seguida, avança sequencialmente de forma crescente. Os estados de 0 a 4 fazem o relé de "alimentação da porta USB" funcionar, por causa do arranjo de diodos;[64] isso remove a alimentação USB, que está conectada através dos contatos do relé "normalmente fechados". O estado 3 ocorre durante o tempo em que o USB está desativado, acionando o relé e o obturador (contatos "normalmente abertos", aqui). Em segui-

---
[64] Na linguagem da lógica digital, essa é uma porta OR de 5 entradas.

da, o obturador se desativa, e a alimentação da porta USB é restaurada depois de mais 1,5 segundo.

D. Outros Chips de Temporização Digitais

Há uma classe de chips contadores orientados para temporização que são bons para esses tipos de tarefas. Aqui estão aqueles que conhecemos e de que gostamos (veja também os CIs de contadores, na Tabela 10.5).

ICM7240/42/50/60

Estas séries de "Temporizadores/Contadores Fixos e Programáveis" da Maxim incluem um circuito oscilador interno similar ao 555, ao qual você acrescenta um R externo (para V_+) e um C (para o terra) de definição de frequência. O 7242 de 8 pinos tem um contador de módulo 256 fixo, com um par de saídas em $f_{OSC}/2$ e $f_{OSC}/256$. Os dispositivos 7240/50/60 de 16 pinos permitem que você defina o módulo do divisor via pinos de programação: binário (1 a 255), decimal (1 a 99) e "tempo real" (1 a 59), respectivamente. Esses dispositivos de baixa potência (< 1 mA) operam com fontes de alimentação de 2 V a 16 V, com frequência de oscilador máxima de 1 a 15 MHz (típico) ao longo desse intervalo.

MC14536

Este "Temporizador Programável" da ON Semiconductor (anteriormente Motorola) inclui conversores internos para fazer um oscilador RC (Seção 7.1.2B), seguido por uma cadeia de contadores binários de 24 estágios. Você pode selecionar (através de 4 pinos de entrada) qual dos últimos 16 estágios deseja como saída; um monoestável interno ao chip permite converter a saída para um pulso (na faixa de ~ 1 a 100 μs de largura). Você pode implementar um desvio nos primeiros 8 estágios para atrasos de tempo mais curtos, que podem variar de microssegundos a dias. Esse dispositivo de baixa potência ($\sim 1,5$ μA/kHz, quando acionado a partir de um oscilador externo) opera em tensões de alimentação de 3 V a 18 V, com uma frequência máxima de *clock* de 1 a 5 MHz (típico) em toda a faixa de 5 a 15 V.

MC14541

Este "Temporizador Programável" da ON Semiconductor é semelhante ao MC14536, mas inclui apenas 16 fases e limita as opções de relações de divisão (2^8, 2^{10}, 2^{13} e 2^{16}). Em troca, ele lhe dá um reset interno ao ser energizado, uma escolha da polaridade de saída, uma escolha de ciclo simples ou modos de ciclos de repetição e uma corrente de operação um pouco menor. Ele inclui uma saída do *flip-flop*, mas, infelizmente, não fornece entradas para setar ou resetar.

LTC699x "*TimerBlox*"

Esta série inclui funções de oscilador e temporizador, com a programação de frequência (ou atraso) por meio de um único resistor, e a faixa do divisor de tensão (2 resistores) e a sele-

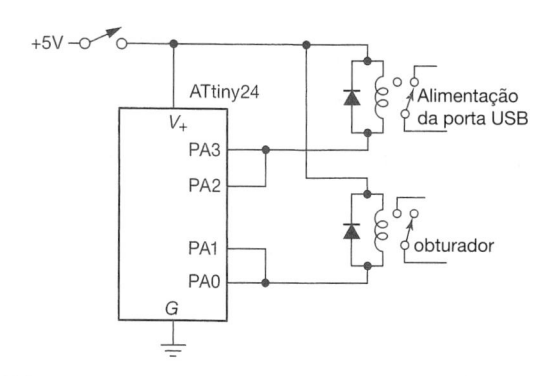

FIGURA 7.68 Implementação microcontrolada de um temporizador de controle da câmera.

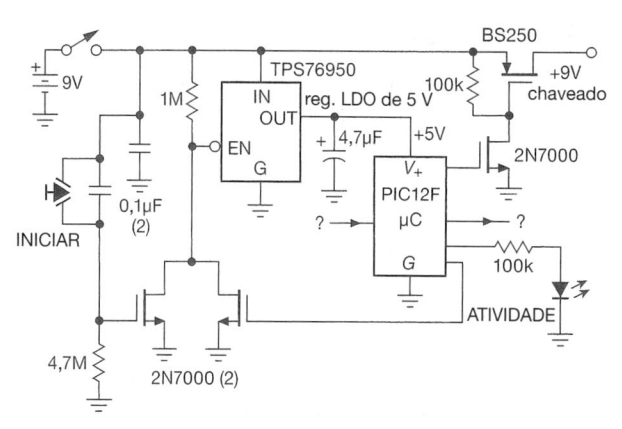

FIGURA 7.69 Implementação microcontrolada do circuito "uma hora energizado".

ção do modo; consulte a tabela na página 433. Eles operam com uma fonte simples de 2,5 V a 5,5 V, com excelente precisão de temporização (<2%, no pior caso, para os osciladores; 3,4% para os temporizadores).

Além dos osciladores e monoestáveis desta família, há o LTC6994-x "Bloco de Atraso e Antirrepique". A variante −1 atrasa apenas uma borda, enquanto a variante −2 atrasa ambas as bordas (portanto, preservando a largura de pulso). A faixa de atraso τ é de 1 μs a 34 segundos, selecionável (juntamente com o modo de polaridade) por meio de um divisor de tensão; uma segunda resistência ajusta o atraso dentro da faixa selecionada, ao longo de uma amplitude de 16:1. Pulsos de entrada mais curtos do que τ não produzem nenhuma saída, o que é útil para o antirrepique, ou para a "qualificação do pulso".

TPL5000/5100

Esses impressionantes temporizadores de nanopotência da Texas Instruments operam de 1,8 V até 5,5 V, consumindo uma pequena corrente de 40 nA (sim, *nano*ampères!), e são programáveis por meio de 3 bits (através de três pinos de entrada) de 1 a 16 segundos ou de 16 a 1024 segundos (TPL5000 e 5100, respectivamente). O TPL5100 pode acionar um MOSFET de potência de canal *p* para comutar cargas de saída.

Microcontroladores

Um microcontrolador é um computador em um chip barato e flexível, destinado a ser "embutido" em praticamente qualquer tipo de aparelho eletrônico. Teremos muito mais a dizer sobre esses dispositivos maravilhosos no Capítulo 15. Mas não podemos resistir a mostrar, nas Figuras 7.68 e 7.69, soluções baseadas em microcontroladores análogas aos exemplos do obturador de câmera e do circuito "uma hora energizado", cuja implementação em lógica discreta mostramos nas Figuras 7.67 e 7.64, respectivamente.

Na Figura 7.68, um microcontrolador "ATtiny24" da Atmel, com funções internas ao chip de oscilador e temporizador (e *muito* mais!), executa um programa (que você tem que escrever, é claro) para fazer a temporização de alimen-

tação do obturador e da porta USB; seus pinos de saída podem absorver ou fornecer 20 mA, por isso usamos pares em paralelo para lidar com a corrente de 40 mA do relé. Este CI específico custa cerca de um dólar em pequenas quantidades. Como todos os microcontroladores, ele está disponível em muitas variantes, com memória adicional, I/O, conversores A/D e assim por diante. Todos eles são extraordinariamente baratos.

A versão microcontrolada do circuito "uma hora energizado" (Figura 7.69) é um pouco mais complicada, porque microcontroladores funcionam apenas em tensões de alimentação menores do que os +9 V que escolhemos para o exemplo anterior na Figura 7.69; normalmente, eles requerem uma tensão de alimentação na faixa de +1,8 V a 5 V. A estratégia que adotamos aqui é usar um regulador linear de baixa tensão de desligamento (*low dropout* – LDO) que tem um modo de desligamento (em que a sua corrente de *standby* [repouso] $I_{OFF} \sim 1$ μA) e usa um pino de saída do microcontrolador para habilitar o regulador durante a operação. O circuito é implementado para consumo zero de bateria (além de fugas e I_{OFF}), exceto quando estiver temporizando.

A grande qualidade de microcontroladores programáveis é a sua capacidade de proporcionar um bom desempenho em qualquer uma de uma variedade de tarefas. Neste circuito, você poderia programar o controlador para aceitar outras entradas e produzir outras saídas (por exemplo, detectar a temperatura e a umidade e mostrar os valores em um display LCD) e omitir a potência de comutação de saída totalmente.[65] Ou, de forma mais simples, como uma variação na tarefa simples de energizar algo por uma hora, você pode ter várias entradas de "modo" que definiriam tempos diferentes, ou padrões de alimentação, ou seja o que for.

---
[65] Para esse tipo de aplicação, você pode preferir operar todo o circuito em +3 V, por exemplo, a partir de uma bateria de lítio, ou um par de pilhas alcalinas.

REVISÃO DO CAPÍTULO 7

Um resumo de A a H do que aprendemos no Capítulo 7. Revisaremos os princípios básicos e fatos do Capítulo 7, mas não abordaremos diagramas de circuitos de aplicação e conselhos práticos de engenharia apresentados neste capítulo.

¶ **A. Uma Visão Geral de Oscilador e Temporizador**
Os *osciladores* são circuitos que criam uma onda de saída periódica. A saída pode ser tão simples quanto uma onda quadrada de nível lógico (ou trem de pulsos) para uso como *clock* em um sistema digital. Ou pode ser uma fonte altamente precisa, estável e, talvez, programável de ondas senoidais de baixa distorção (ou de outras formas de onda – por exemplo, uma rampa periódica para uso em um ADC ou um conversor de potência chaveado PWM). O sinal de um oscilador é caracterizado globalmente por sua forma de onda, frequência, amplitude e sintonia e, em um nível mais profundo de detalhamento, pelo seu ruído de fase, *jitter*, supressão de banda lateral, distorção, coeficiente de temperatura de frequência e estabilidade de longa duração.

Os *temporizadores* são circuitos que geram um pulso retardado, ou um pulso de uma dada largura, na sequência de um evento desencadeador (que promove um disparo). Um temporizador é caracterizado globalmente pela largura de pulso de saída, tempo de atraso, redisparo e, em um nível mais profundo de análise, pela temporização do *jitter*, estabilidade de longa duração do intervalo de temporização e coeficiente de temperatura.

¶ **B. Os Osciladores de Relaxação**
Estes osciladores simples exploram um decaimento RC (ou uma corrente de carga de um capacitor) para gerar uma oscilação continuada. O RC pode ser enrolado em torno de um AOP ou comparador, formando o oscilador pedagógico clássico (Seção 7.1.2A). Mais comum é o uso de inversores lógicos (Seção 7.1.2B), ou um CI temporizador como o popular 555 (Seção 7.1.3 e Tabela 7.1) ou seus antecessores contemporâneos (por exemplo, o da série LTC6900, Seção 7.1.4). Tais CIs temporizadores ou osciladores entregam razoável precisão e previsibilidade (~1%) ao longo de frequências que variam de poucos hertz a um megahertz ou mais. Ao adicionar um contador digital, você pode prolongar o período para minutos, horas ou quase para sempre; exemplos são o 74HC4060 (oscilador RC, mais contador binário de 14 estágios; Seção 7.1.4C) e o LTC6991 (oscilador programado por resistor, com períodos de 1 ms a 9 horas; Seção 7.1.4B). Na extremidade oposta da escala de tempo, CIs lógicos estendem a faixa de frequência do oscilador RC a dezenas ou mesmo centenas de megahertz (Seção 7.1.4D).

¶ **C. Osciladores Controlados por Tensão**
Às vezes, você quer capacidade de sintonia de frequência por meio de um controle de tensão de entrada. Isso é um *VCO*. Eles podem ser altamente lineares e estáveis (por exemplo, o conversor F-V AD650, com não linearidade ~0,01%) ou apenas improvisação simples (por exemplo, a série 74LS624-629, com precisão e linearidade não especificadas, mas provavelmente boas para talvez ±20%). Osciladores construídos com ressonadores (LC, cristal, SAW, silício) em vez de RC podem ser sintonizados eletricamente também; para alguns, a faixa de sintonização é estreita (por exemplo, a faixa de sintonia de frequência de um oscilador a cristal controlado por tensão, ou VCXO, é da ordem de ±100 ppm, Seção 7.1.6C), ao passo que um oscilador LC pode ser sintonizado através de um varactor ao longo de uma faixa de frequência de 2:1. Módulos de VCO completos estão disponíveis para as faixas de frequência de banda de comunicação, por exemplo, os vários módulos de Crystek, que, em conjunto, abrangem toda a faixa de cerca de 50 MHz a 5 GHz; cada módulo individual ajusta ao longo de um intervalo modesto, a partir de ±1% até ±25%.

¶ **D. Osciladores Senoidais**
As formas de onda inerentes a osciladores de relaxação são segmentos de carga e descarga exponenciais (se construído com um RC) ou rampas lineares (se o resistor for substituído por uma fonte de corrente); em ambos os casos, essas formas de onda acionam um circuito comparador para inverter o ciclo. Ou seja, as formas de onda "naturais" são ondas quadradas, ondas triangulares ou dente de serra, ou o que poderia ser chamado de ondas "barbatana de tubarão". O que você não obtém são ondas *senoidais*.

Ondas senoidais são essenciais para muitas tarefas; você *pode* gerá-las, com alguma esperteza, com a frequência estabelecida por apenas resistores e capacitores, analogamente ao oscilador de relaxação simples. O mais famoso é o *oscilador em ponte de Wien* (Seção 7.1.5B), um arranjo de dois resistores e dois capacitores cujo deslocamento de fase se cancela na frequência $f = 1/2\pi RC$, em que a atenuação é exatamente um fator de 1/3. O circuito oscilador envolve essa rede em torno de um AOP não inversor com ganho igual a +3. O truque final é detectar a amplitude de saída e mantê-la a um nível pré-ajustado (e não saturado) controlando o ganho. Uma dupla de amigos, Hewlett e Packard, fundaram um negócio tendo esse como seu primeiro produto; o resto é história.

Você também pode obter ondas senoidais passando por um filtro passa-baixas uma forma de onda não senoidal. Essa é a base do oscilador de deslocamento de fase RC (Seção 7.1.5C) e da técnica de filtro de rastreamento digital (Seção 7.1.5A).

Um oscilador que gera um par de sinais senoidais com uma diferença de fase de 90° (isto é, do seno e cosseno) é chamado de oscilador em *quadratura* (Seção 7.1.9); os sinais são "em quadratura". Isso pode ser feito com técnicas analógicas (par de integradores, ressonador a capacitor chaveado, filtro de sequência de fase, híbrido em quadratura RF) ou com síntese digital (ver letra G a seguir).

¶ E. Osciladores Baseados em Ressonadores

Osciladores de relaxação, e osciladores baseados em RC em geral, não entregam estabilidades maiores do que aproximadamente 1%. Isso porque a sua precisão depende de um decaimento exponencial (no domínio do tempo) ou de um deslocamento de fase progressivo (no domínio da frequência). Para uma melhor estabilidade, você precisa explorar um sistema ressonante, cuja frequência física natural possa ser extremamente bem definida. Ele pode ter um "fator de qualidade" Q (que é a sua seletividade de frequência $\Delta f/f$) de um milhão ou mais.

O circuito ressonante LC simples é amplamente utilizado na faixa de frequências de quilohertz a centenas de megahertz (Seção 7.1.5D), com estabilidades de ordem de 10 a 100 ppm e com capacidade de sintonia através de um capacitor ou indutor variável mecanicamente, ou um capacitor sintonizável eletricamente (um varactor). Para frequências mais elevadas, o circuito sintonizado LC pode ser substituído por um ressonador coaxial ou de cavidade.

Uma estabilidade melhor (mas menos capacidade de sintonia) é fornecida por ressonadores *eletromecânicos*: cristal de quartzo (Seção 7.1.6), cerâmica (Seção 7.1.6G) e ondas acústicas de superfície (SAW; Seção 7.1.6H). Eles são baratos e estáveis (~10 ppm), e cristais de quartzo e módulos osciladores a cristal estão disponíveis em uma grande variedade de frequências padrão na faixa de 10 kHz a 100 MHz (os fabricantes de cristal ficam felizes em fornecer qualquer frequência que você queira como um produto de encomenda especial, a preços muito razoáveis). Osciladores a cristal podem ser "puxados" até ±100 ppm com um varactor; eles são chamados, às vezes, de VCXOs (*voltage-controlled crystal oscilators*, osciladores a cristal controlados por tensão). Osciladores de ressonadores de cerâmica podem ser puxados sobre uma faixa mais ampla (±1.000 ppm), devido ao seu menor Q; a desvantagem é a estabilidade de frequência mais baixa. Eles são muito baratos, mas estão disponíveis apenas em um conjunto limitado de frequências padrão.

¶ F. Osciladores de Alta Estabilidade

Osciladores a cristal mantidos a uma temperatura constante são notavelmente estáveis, praticamente 1 parte em 10^9 para um OCXO bem projetado (oscilador a cristal controlado por forno); a deriva residual é devida principalmente aos efeitos de "envelhecimento" mecânicos e de difusão. Para uma estabilidade ainda melhor, você precisa de um padrão *atômico* (Seção 7.1.7B), o mais acessível deles sendo um oscilador a cristal estabilizado de vapor de rubídio. Eles entregam estabilidades da ordem de 1 parte em 10^{10}, e seus preços, cerca de mil dólares, permitem a inclusão em equipamentos de teste de precisão e de comunicação. Existem padrões de frequência mais precisos (e exóticos) – feixe de césio, maser de hidrogênio, fonte atômica, íon refrigerado –, mas, como se diz, "se você tem que perguntar o preço, você não pode comprá-los".

Felizmente, você pode tirar proveito de seu dinheiro de impostos no trabalho, ou seja, a temporização precisa fornecida pela constelação de satélites GPS. Por cerca de mil dólares (e um lugar para colocar uma pequena antena do tamanho de uma maçaneta de porta), você pode ter sua própria referência de 10 MHz, com estabilidade de longa duração da ordem de 10^{-12}.

¶ G. Síntese de Frequência

VCOs são *ajustáveis*, mas não especialmente estáveis, nem capazes de abranger muitas décadas de frequência; em contraste, um oscilador a cristal é *estável*, mas ajustável, no máximo, ao longo de partes por milhão. Mas você pode ter as duas coisas: a partir de um oscilador de referência estável em alguma frequência fixa padrão (normalmente um oscilador a cristal de 10,0 MHz altamente estável), você pode gerar uma frequência de saída da sua escolha, com um dos vários métodos de *síntese de frequência* (Seção 7.1.8). Mais simples de entender é a síntese digital direta (DDS), em que amplitudes senoidais sucessivas são lidas a partir de uma tabela a uma taxa adequada e convertidas em um sinal de tensão de saída analógica. Chips DDS completos, que incluem todo o hardware (contadores, tabela de pesquisa de seno, ADC), são amplamente disponíveis e baratos. Você fornece a frequência de referência e a envia ao microcontrolador (Capítulo 15) para definir a frequência de saída, desvio de fase, e assim por diante. Chips DDS permitem sintetizar frequências de saída que variam de frações de um hertz até um gigahertz, com *agilidade* de frequência (a capacidade de mudar a frequência rápida e precisamente).

A síntese com uma malha de fase sincronizada (PLL) é outra técnica comum. Na sua forma mais simples, um VCO é controlado por um comparador de fase cujas entradas são a subdivisão de ordem r da frequência de referência e a subdivisão de ordem n da frequência de saída do VCO. Então, $f_{\text{out}} = (n/r)f_{\text{ref}}$. Há muitas sutilezas aqui, envolvendo a estabilidade da malha, bandas laterais e *jitter*, resolução, bloqueio e tempos de variação, e assim por diante. Veja a Seção 13.13 para uma ampla discussão.

¶ H. Temporizadores e Monoestáveis

Você pode fazer simples pulsadores disparados por borda com apenas uma malha RC, ou (melhor) com um RC assistido por um BJT ou MOSFET (Seção 7.2.1A). Mas você consegue pulsos limpos com tempos mais rápidos de borda se usar portas lógicas (Seção 7.2.1C). Para uma melhor previsibilidade, é melhor usar um CI projetado para uso como temporizador, seja um multivibrador monoestável (um temporizador de "um pulso"), um temporizador do tipo 555 ou um de uma classe de temporizadores especializados, como o LTC6991/3, o ICM7240/50/60 ou o MC14536/41. Monoestáveis, sendo componentes de sinal misto (dispositivos lógicos com uma função linear), têm os seus "problemas", como a sua sensibilidade para ruído no trilho de alimentação; eles também têm uma faixa de temporização um pouco limitada (tipicamente, de dezenas de nanossegundos até segundos). Eles estão disponíveis em dois tipos, não redisparáveis e redisparáveis; este último estende a duração do pulso se outro disparo chega durante o pulso. As larguras de pulso são definidas por um *RC* externo, com uma constante de multiplicação *K* de ordem unitária ($\tau = KRC + t_{min}$); veja a Tabela 7.4 e a Figura 7.60.

Você pode fazer muito mais com chips temporizadores que incorporam um contador digital (por exemplo, o LTC6991 amplia a faixa de tempo para 10 horas), ou pode configurar um contador binário externo. Quando pensar em intervalos de tempo prolongados, ou, de fato, em praticamente todas as tarefas de temporização, não se esqueça do versátil *microcontrolador* (o assunto do Capítulo 15); lá, você encontrará um exemplo de temporização, sob a forma de um "monitor de bronzeamento" (Seção 15.2).

Técnicas de baixo ruído 8

Em muitas aplicações você lida com pequenos sinais, e para isso é essencial minimizar os efeitos degradantes do "ruído" do amplificador. O projeto de baixo ruído é, portanto, uma parte importante da arte da eletrônica. Os muitos detalhes (preenchidos com mais do que a nossa quota geralmente insignificante de equações!) neste capítulo refletem a riqueza do projeto de baixo ruído. Este é o maior capítulo do livro. Reconhecendo que muitos leitores não terão grande interesse pelos vários assuntos tratados aqui, oferecemos o guia a seguir.

Um guia rápido para este capítulo. As noções básicas de ruído são explicadas na Seção 8.1 ("Ruído"), que deve ser lida primeiro. Os leitores interessados principalmente em projeto de baixo ruído com AOPs podem, então, avançar para a discussão, as tabelas e os gráficos na Seção 8.9 ("Ruído em Circuitos com Amplificadores Operacionais"). Os interessados em projeto de baixo ruído com transistores discretos (ou interessados em adquirir uma compreensão mais completa do que está acontecendo "nos bastidores" dos AOPs) devem ler a Seção 8.5 ("Projeto de Baixo Ruído com Transistores Bipolares") e a Seção 8.6 ("Projeto de Baixo Ruído com JFETs"). Os leitores que trabalham com circuitos de fotodiodos e similares devem ler a Seção 8.11 ("Ruído em Amplificadores de Transimpedância"). Para uma discussão sobre *medição* de ruído, vá para a Seção 8.12 ("Medidas de Ruído e Fontes de Ruído") e para a Seção 8.13 ("Limitação da Largura de Banda e Medição de Tensão RMS").

Um guia ainda mais rápido para ruído. Este capítulo é longo e cheio de detalhes matemáticos e informações sobre centenas de transistores e AOPs. Mas ruído não é complicado. A essência do tema ruído está resumida a seguir:

> Um ruído qualquer é caracterizado pela sua *densidade* (a amplitude RMS do ruído em uma banda de frequência de 1 Hz); a densidade da tensão de ruído é denominada e_n e tem unidades como $nV/\sqrt{Hz}$. Da mesma forma, o símbolo para a corrente de ruído é i_n; uma corrente de ruído na entrada de um amplificador flui através da resistência da fonte do sinal, criando a sua própria tensão de ruído $e_n = i_n R_S$. Se uma fonte de ruído for uniforme ao longo da frequência, esse ruído é chamado de "ruído branco", e a tensão RMS do ruído contida dentro de uma largura de banda B é apenas $v_n = e_n\sqrt{B}$. Sabendo disso, você pode ir para as Tabelas 8.3a a 8.3c, que listam e_n e i_n para uma longa seleção de amplificadores operacionais, para descobrir quanto de ruído é adicionado em um estágio amplificador. Multiplique pelo ganho do amplificador, e você terá o ruído de saída.

Amplificadores não são a única fonte de ruído. Um resistor gera "ruído Johnson", Equação 8.4, e as cargas discretas em um fluxo de corrente geram o "ruído *shot*", Equação 8.6. Ambos são ruídos brancos.[1] Por fim, para descobrir o ruído total em um circuito com várias fontes de ruído independentes, você toma a soma dos quadrados de cada densidade de ruído, multiplica pela largura de banda e, em seguida, obtém a raiz quadrada.

8.1 "RUÍDO"

Em quase todas as áreas de medição, o limite último da capacidade de detecção de sinais fracos é definido pelo ruído – sinais indesejados que mascaram o sinal desejado. Mesmo se a quantidade a ser medida não for fraca, a presença de ruído degrada a precisão da medição. Algumas formas de ruído são inevitáveis (por exemplo, as flutuações reais na grandeza a ser medida) e podem ser superadas apenas com as técnicas de *cálculo da média do sinal* e *estreitamento da largura de banda*.[2] Outras formas de ruído (por exemplo, interferências de radiofrequência e "malhas de terra") podem ser reduzidas ou eliminadas com o uso de uma variedade de truques, incluindo filtragem e atenção cuidadosa na conexão e posicionamento dos componentes no circuito. Por fim, há o ruído, que surge no processo de amplificação em si e pode ser reduzido por meio das técnicas de projeto de amplificador de baixo ruído. Embora as técnicas de cálculo da média de sinal possam, muitas vezes, ser usadas para resgatar um sinal imerso em ruído, sempre vale a pena começar com um sistema que seja

---

[1] As coisas ficam mais interessantes quando a densidade de ruído varia com a frequência – por exemplo, o notório ruído rosa, "ruído flicker", que aumenta conforme $e_n \propto 1/\sqrt{f}$ em baixas frequências. Esse fascinante (e irritante) aborrecimento não passa despercebido neste capítulo!

[2] Veja a Seção 8.14 e também o Capítulo 15 da segunda edição deste livro (1989).

livre de interferências evitáveis e que possua o amplificador de menor ruído possível.

Começamos falando sobre as origens e as características dos diferentes tipos de ruído que afligem os circuitos eletrônicos. Em seguida, lançamos uma discussão sobre o ruído do transistor bipolar (BJT) e do transistor de efeito de campo (FET), incluindo métodos de projeto de baixo ruído com uma determinada fonte de sinal, e apresentamos alguns exemplos de projeto. Depois de uma breve discussão sobre o ruído em amplificadores diferenciais e realimentados, continuamos com o projeto de baixo ruído com AOPs, incluindo amplificadores de transimpedância (corrente-tensão). Seguimos com seções sobre medições de ruído, limitação de largura de banda e detecção síncrona. Depois disso, fazemos uma breve discussão de ruído da fonte de alimentação. Concluímos com uma seção sobre o aterramento adequado, blindagem e eliminação de interferência e de captação.

Devido ao termo *ruído* poder ser aplicado a qualquer coisa que obscureça um sinal desejado,[3] o ruído pode assumir a forma de outro sinal ("interferência"); na maioria das vezes, no entanto, usamos esse termo para descrever um ruído "aleatório" de origem física (frequentemente térmico). O ruído pode ser caracterizado pelo seu espectro de frequência, pela sua distribuição de amplitude e pelo mecanismo físico responsável pela sua geração. Abordaremos a seguir os principais infratores:

Ruído Johnson: tensão de ruído aleatório criado por flutuações térmicas em um resistor.
Ruído *shot*: flutuações estatísticas aleatórias em uma corrente que flui causadas pela natureza discreta da carga elétrica.
Ruído *flicker*: ruído aleatório adicional cuja potência aumenta tipicamente conforme $1/f$ em baixas frequências, com uma multiplicidade de causas.
Ruído de rajada: ruído de baixa frequência tipicamente visto como saltos aleatórios entre um par de níveis, causado por defeitos no material do dispositivo.

8.1.1 Ruído Johnson (Nyquist)

Qualquer resistor que simplesmente esteja sobre uma mesa gera uma tensão de ruído nos seus terminais conhecido como ruído Johnson (ou ruído de Nyquist).[4] Ele tem um espectro de frequência plano, significando que existe a mesma potência de ruído em cada hertz de frequência (até certo limite, é claro). O ruído com um espectro plano também é chamado de "ruído branco". A tensão de ruído de circuito aberto real gerada por uma resistência R à temperatura T é dada por

$$v_{\text{ruído}}(\text{RMS}) = v_n = (4kTRB)^{\frac{1}{2}} \quad \text{V(RMS)}, \quad (8.1)$$

onde k é a constante de Boltzmann, T é a temperatura absoluta em graus Kelvin (°K = °C + 273,16) e B é a largura de banda em hertz. Assim, $v_{\text{noise}}(\text{RMS})$ é o que você mediria na saída se acionasse um filtro passa-faixa sem ruído perfeito (de largura de banda B) com a tensão gerada por um resistor à temperatura T. À temperatura ambiente (68°F = 20°C = 293°K),

$$\begin{aligned} 4kT &= 1{,}62 \times 10^{-20} \quad \text{V}^2/\text{Hz}-\Omega, \\ (4kTR)^{\frac{1}{2}} &= 1{,}27 \times 10^{-10} R^{\frac{1}{2}} \quad \text{V}/\text{Hz}^{\frac{1}{2}} \\ &= 1{,}27 \times 10^{-4} R^{\frac{1}{2}} \quad \mu\text{V}/\text{Hz}^{\frac{1}{2}}. \end{aligned} \quad (8.2)$$

Por exemplo, um resistor de 10k à temperatura ambiente possui uma tensão de circuito aberto RMS de 1,3 μV, medida com uma largura de banda de 10 kHz (por exemplo, colocando-o na entrada de um amplificador de áudio e medindo a saída com um voltímetro). A resistência da fonte dessa tensão de ruído é apenas R. Se você interconectar os terminais do resistor, obterá uma corrente (curto-circuito) de

$$i_{\text{ruído}}(\text{RMS}) = v_{\text{ruído}}(\text{RMS})/R = v_{nR}/R = (4kTB/R)^{\frac{1}{2}}. \quad (8.3)$$

Como veremos na Seção 8.2.1, é conveniente expressar a tensão (ou corrente) de ruído como uma *densidade* e_n (tensão RMS dividida pela raiz quadrada da largura de banda). O ruído Johnson, com o seu espectro plano (branco), tem uma densidade de tensão de ruído constante

$$e_n = \sqrt{4kTR} \quad \text{V}/\text{Hz}^{\frac{1}{2}}, \quad (8.4)$$

a partir do qual a tensão de ruído RMS de alguma largura de banda limitada B é, então, simplesmente $v_n = e_n\sqrt{B}$. Da mesma forma, a densidade da corrente de ruído de curto-circuito é

$$i_n = \sqrt{4kT/R} \quad \text{A}/\text{Hz}^{\frac{1}{2}}.$$

A Figura 8.1 apresenta o gráfico da simples relação entre a densidade de tensão de ruído Johnson e a resistência da fonte; também é mostrada a densidade da corrente de ruído de curto-circuito. Um número fácil de lembrar, ao escolher valores de resistência para projetos de amplificador de baixo ruído, é que um resistor de 1 kΩ à temperatura ambiente gera uma densidade de tensão de ruído de circuito aberto de $4\,\text{nV}/\sqrt{\text{Hz}}$; varia segundo a raiz quadrada da resistência para outros valores.[5]

---

[3] Conforme a célebre observação de Lew Branscomb, "a natureza não 'sabe' qual experimento um cientista está tentando fazer. Deus ama o ruído tanto quanto o sinal". Veja L. Branscomb, *"Integrity in Science"* (Integridade da Ciência) *Am. Sci.* **73**, 421-23 (1985).

[4] Experimentos e fórmulas por J. B. Johnson, *Letter to Nature*, **119**, 50 (1927); *Phys. Rev.* **32**. *"Thermal agitation of electricity in conductors"* (agitação térmica de eletricidade em condutores), 97-109, (1928), teoria subsequente por H. Nyquist, *Phys. Rev.*, "Thermal agitation of electric charge in conductors" (Agitação térmica de carga elétrica em condutores). **32**, 110-113. (1928).

[5] Achamos útil lembrar os valores de q e de $4kT$ (que aparecem frequentemente) juntos, porque, em unidades SI, eles são $1{,}6 \times 10^{-19}$ e $1{,}6 \times 10^{-20}$, respectivamente.

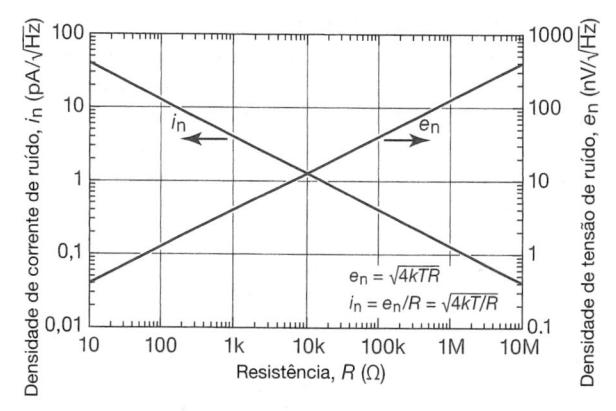

FIGURA 8.1 Densidade de tensão de ruído térmico de circuito aberto e densidade de corrente de ruído térmico de curto-circuito em função da resistência a 25°C.

Aqui temos uma pequena tabela de ruído Johnson, listando as *densidades* de tensão e de corrente de ruído (unidades de $V/\sqrt{Hz}$ e $A/\sqrt{Hz}$), e o ruído dentro de uma faixa de 10 kHz, para sete valores de resistência relacionados por décadas:

	Ruído Johnson, para T = 25°C			
	circuito aberto		curto-circuito	
R	e_n (nV/$\sqrt{Hz}$)	$e_n\sqrt{B}$ B=10 kHz (μV)	i_n (pA/$\sqrt{Hz}$)	$i_n\sqrt{B}$ B=10 kHz (pA)
100 Ω	1,28	0,128	12,8	1280
1k	4,06	0,406	4,06	406
10k	12,8	1,28	1,28	128
100k	40,6	4,06	0,406	40,6
1M	128	12,8	0,128	12,8
10M	406	40,6	0,041	4,06
100M	1280	128	0,0128	1,28

A amplitude da tensão de ruído Johnson em qualquer instante é, em geral, imprevisível, mas obedece a uma distribuição Gaussiana de amplitude (Figura 8.2), onde $p(V)dV$ é a probabilidade de que a tensão instantânea se situe entre V e $V + dV$, e v_n(RMS) é a tensão de ruído RMS, dada anteriormente.[6]

A importância do ruído Johnson é que ele coloca um limite inferior na tensão de ruído em qualquer detector, fonte de sinal ou amplificador que tenha resistência. A parte resistiva de uma impedância de fonte gera ruído Johnson, assim como os resistores de polarização e de carga de um amplificador. Você verá como tudo funciona em breve.

---

[6] Veja também a Figura 8.115, que traça as probabilidades (ao longo de 9 décadas) de que a amplitude instantânea exceda algum múltiplo da amplitude RMS.

É interessante observar que o análogo da resistência física (qualquer mecanismo de perda de energia em um sistema físico – por exemplo, o atrito viscoso agindo em pequenas partículas em um líquido) tem associado a ele flutuações na grandeza física associada (neste caso, a velocidade das partículas, que se manifesta como o movimento browniano caótico). O ruído Johnson é apenas um caso especial desse fenômeno de dissipação na flutuação.

O ruído Johnson não deve ser confundido com a tensão de ruído adicional criada pelo efeito da variação da resistência quando uma corrente aplicada externamente passa através de um resistor. Esse "ruído de excesso" tem um espectro $1/f$ (aproximadamente) e é fortemente dependente da construção real do resistor. Falaremos sobre isso mais tarde.

8.1.2 Ruído *Shot*

Uma corrente elétrica é o fluxo de cargas elétricas discretas, e não um fluxo suave semelhante ao de um fluido. A finitude da carga quântica resulta em flutuações estatísticas da corrente. Se as cargas atuam independentemente umas das outras, a densidade de ruído da corrente flutuante é dada por

$$i_n = \sqrt{2qI_{dc}} \quad A/Hz^{\frac{1}{2}}, \qquad (8.6)$$

onde q é a carga do elétron ($1{,}60 \times 10^{-19}$ coulomb). Este ruído, como o ruído Johnson do resistor, é branco e gaussiano. Portanto, a sua amplitude, tomado uma largura de banda de medição B, é apenas

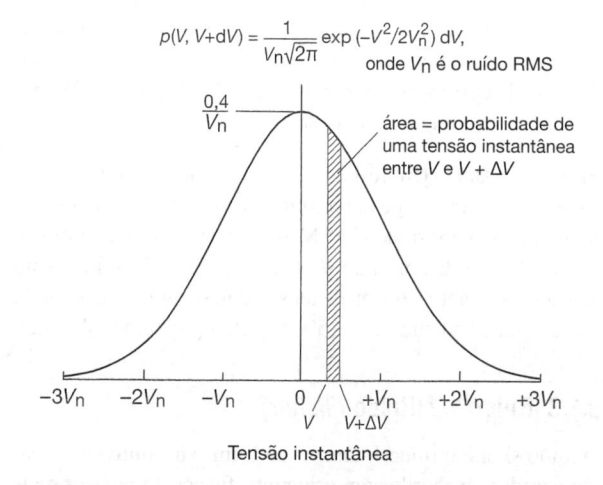

$$i_{ruído}(RMS) = i_{nR}(RMS) = i_n\sqrt{B} = (2qI_{dc}B)^{\frac{1}{2}} \quad A(RMS). \quad (8.7)$$

FIGURA 8.2 O ruído Johnson obedece a uma distribuição gaussiana de amplitudes. O fator de normalização $0{,}4/V_n$ garante uma unidade de área adimensional sob a curva em forma de sino (o "0,4" é, na verdade, $1/\sqrt{2\pi}$, cerca de 0,3989).

Por exemplo, uma corrente "estável" de 1 A, na verdade, tem uma flutuação RMS de 57 nA, medida em uma largura de banda de 10 kHz; ou seja, ela flutua em cerca de 0,000006%. As flutuações relativas são maiores para correntes menores: uma corrente "constante" de 1 μA realmente tem uma flutuação na corrente de ruído RMS, medida ao longo de uma largura de banda de 10 kHz, de 0,006%, ou seja, -85 dB. Para 1 pA CC, a flutuação da corrente RMS (mesma largura de banda) é de 57 fA, ou seja, uma variação de 5,7%! O ruído *shot* é semelhante a uma "chuva em um telhado de zinco".

Aqui está uma pequena tabela com uma lista acessível de densidade de corrente de ruído *shot* e corrente de ruído *shot* em uma faixa de 10 kHz para as correntes de décadas abrangendo 12 ordens de grandeza:

I_{dc}	i_n	$i_n\sqrt{B}$ (10 kHz)	$\frac{i_n\sqrt{B}}{I_{dc}}$
1 fA	18 aA/$\sqrt{Hz}$	1,8 fA	+5 dB
1 pA	0,57 fA/$\sqrt{Hz}$	57 fA	-25 dB
1 nA	18 fA/$\sqrt{Hz}$	1,8 pA	-55 dB
1 μA	0,57 pA/$\sqrt{Hz}$	57 pA	-85 dB
1 mA	18 pA/$\sqrt{Hz}$	1,8 nA	-115 dB

Corrente de ruído *shot*, $B = 10$ kHz

Um ponto importante: a fórmula do ruído *shot* dada anteriormente considera que os portadores de carga que constituem a corrente atuam de forma independente. Isso é realmente o caso das cargas que cruzam uma barreira, por exemplo, a corrente em um diodo de junção, em que as cargas se movimentam por difusão; mas isso não é verdade para o caso de condutores metálicos, em que existem correlações de longo alcance entre os portadores de carga. Assim, a corrente em um circuito resistivo simples tem muito menos ruído do que é previsto pela fórmula do ruído *shot*. Outra exceção importante para a fórmula do ruído *shot* é fornecida por nosso circuito de fonte de corrente com transistor padrão (Figura 2.32); discutiremos isso melhor na Seção 8.3.5.

Exercício 8.1 Um resistor é usado como carga de coletor em um amplificador de baixo ruído; a corrente de coletor I_C é acompanhada por ruído *shot*. Mostre que a tensão de ruído de saída é dominada por ruído *shot* (em vez de ruído Johnson no resistor) enquanto a queda de tensão quiescente no resistor de carga é maior do que $2kT/q$ (50 mV, à temperatura ambiente).

8.1.3 Ruído 1/f (Ruído *Flicker*)

O ruído shot e o ruído Johnson são formas irredutíveis de ruído geradas de acordo com princípios físicos. O resistor mais caro e feito com mais cuidado tem exatamente o mesmo ruído Johnson que o mais barato resistor de carbono de mesma resistência. Dispositivos reais têm, além disso, várias fontes de

"ruído de excesso". Resistores reais sofrem de flutuações na resistência, gerando uma tensão de ruído adicional (o que aumenta o sempre presente ruído Johnson) proporcional à corrente CC que flui através deles. Este ruído depende de muitos fatores que têm a ver com a construção do resistor específico, incluindo o material resistivo e, especialmente, as conexões na extremidade da cápsula. Aqui está uma lista de ruído de excesso típica para vários tipos de resistores, dado como microvolts RMS por volt aplicado através do resistor, medido ao longo de uma década de frequência: (Equação 8.13).

Composição de carbono	0,10 μV a 3,0 μV
Filme carbono	0,05 μV a 0,3 μV
Filme metálico	0,02 μV a 0,2 μV
Fio enrolado	0,01 μV a 0,2 μV

Esse ruído tem aproximadamente um espectro de potência $1/f$ (potência igual por década de frequência) e, às vezes, é chamado de "ruído rosa". Quando representado graficamente em função da tensão ou da corrente (em vez da potência), a sua *amplitude* diminui conforme $1/\sqrt{f}$, como mostrado na Figura 8.3. Na Figura 8.4 vemos como ele se parece em comparação com uma amostra de ruído branco e com o que é, às vezes, chamado de "ruído vermelho" (espectro de potência $1/f^2$); se você quiser fazer o seu próprio, olhe mais à frente a Figura 8.93 para ver como.

Muitas vezes, você vê a notação f_c para a frequência de canto na qual o ruído $1/f$ é o mesmo que um componente de ruído branco subjacente.[7] A densidade da tensão de ruído combinada é

$$e_n(f) = e_{n(branco)}\sqrt{1 + f_c/f}, \quad (8.8)$$

a partir da qual a tensão de ruído integrado RMS em uma banda que se estende a partir de f_1 até f_2 pode ser calculada; veja a Equação 8.59.

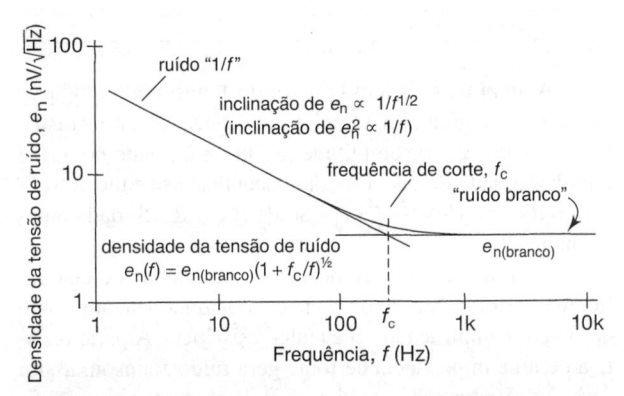

FIGURA 8.3 Quando plotado em eixos logaritmos, como tensão de ruído em função da frequência, o ruído $1/f$ inclina para baixo com uma inclinação de 1/2, ou seja, conforme $1/f^{1/2}$ (é a *potência* de ruído que varia conforme $1/f$).

---
[7] Você pode estimar f_c com a ajuda da Equação 8.27.

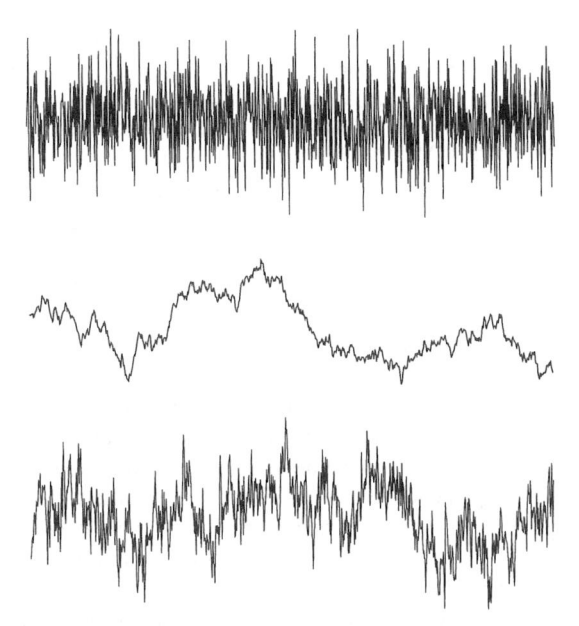

FIGURA 8.4 Três ruídos: parte superior, ruído branco "(potência uniforme por Hz); centro, ruído vermelho (energia por Hz proporcional a $1/f^2$); e, na parte inferior, "ruído rosa" (ou ruído $1/f$, potência por Hz proporcional a $1/f$).

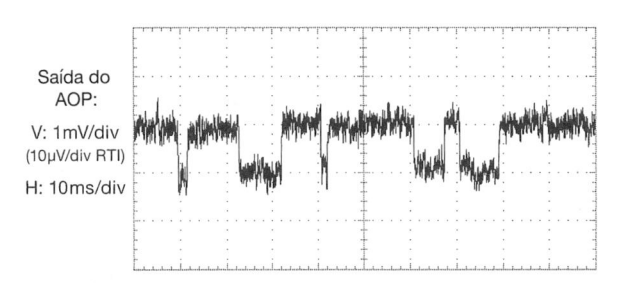

FIGURA 8.5 Ruído de rajada a partir de um antigo AOP 741 (de1973), configurado como um amplificador não inversor ×100 com a entrada aterrada. A saída foi filtrada por um passa-faixa de 0,1 Hz a 3 kHz, com decaimento de 6 dB/oitava.

Outros mecanismos de geração de ruído, muitas vezes, produzem ruído $1/f$, sendo exemplos o ruído da corrente de base em transistores e o ruído da corrente de cátodo em válvulas termoiônicas. Curiosamente, o ruído $1/f$ está presente na natureza em lugares inesperados, por exemplo, na velocidade das correntes oceânicas, no fluxo da areia em uma ampulheta, no fluxo de tráfego nas vias rápidas japonesas e no fluxo anual do Nilo medido ao longo dos últimos 2000 anos.[8] Se você traçar a sonoridade de uma peça de música clássica em função do tempo, obterá um espectro $1/f$! Nenhum princípio unificador foi encontrado para todo o ruído $1/f$ que parece estar à nossa volta, apesar de fontes específicas poderem, muitas vezes, ser identificadas em cada caso.

8.1.4 Ruído de Rajada

Nem todas as fontes de ruído são caracterizadas por uma distribuição Gaussiana (ou mesmo *suave*) de amplitudes. Mais notório entre as exceções é o *ruído de rajada* (também chamado de ruído de *pipoca*, ruído *biestável* ou ruído de *sinal telégrafo aleatório*), visto ocasionalmente em dispositivos semicondutores (especialmente em dispositivos que remontam à década de 1970 e antes). Ele consiste de saltos aleatórios entre dois (geralmente) níveis de tensão, que ocorrem em escalas de tempo de dezenas de milissegundos; quando reproduzido em um alto-falante, soa como o estouro da pipoca. A Figura 8.5 mostra uma forma de onda típica, a saída do antigo[9] AOP 741 conectado como um amplificador não inversor com $G = 100$.

Visto no domínio da frequência, o efeito do ruído de rajada é uma parte de baixa frequência elevada, sem quaisquer picos espectrais óbvios. Você pode ver isso na Figura 8.6, em que o espectro de ruído de tensão dos tipos de AOPs ruidosos e silenciosos são plotados.[10]

8.1.5 Ruído de Banda Limitada

Todos os circuitos operam dentro de uma banda de frequência limitada. Assim, embora seja bom falar sobre (e calcular) os valores de densidade de ruído, você normalmente se preocupa é com a tensão de ruído RMS contida dentro de alguma banda de sinal de interesse (denominada B na Equação 8.1). Em muitos casos, você está lidando com uma fonte de ruído branco (por exemplo, ruído Johnson ou ruído *shot*). Se essa passar por um filtro passa-faixa perfeito (um filtro do tipo "parede de tijolos"), a amplitude RMS de banda limitada é simplesmente $v_{n(RMS)} = e_n\sqrt{B}$. Mas os filtros do tipo "parede de tijolos" não são práticos – por isso, o que você quer saber é a largura de banda equivalente de um filtro real, digamos, um simples passa-baixas RC. Acontece que a largura de banda equivalente ao tipo "parede de tijolos" é dada por

$$B = \frac{\pi}{2}f_{3dB} = 1{,}57 f_{3dB} = \frac{1}{4RC} \text{ Hz,} \quad (8.9)$$

---

[8] Uma referência interessante é W. H. Press, "*Flicker noise in astronomy and elsewhere*" (Ruídos *flicker* na astronomia e outras partes), *Comm. on Astrophys.* **7**, 103-119 (1978). Disponível em http://www.nr.com/whp/Flicker_Noise_1978.pdf.

[9] Fabricantes de semicondutores trabalharam duro para diminuir esse problema (acredita-se ser causado por aprisionamento intermitente de portadores de carga em defeitos e interfaces), e o ruído de rajada é, em grande parte, uma coisa do passado. Testamos dez amostras de 741s, a partir de seis fabricantes diferentes, antes de encontrarmos um. Uma segunda amostra do mesmo fabricante e com o mesmo código de data não mostrou nenhuma evidência do ruído de rajada, como pode ser visto no par de espectros da Figura 8.6.

[10] É possível que um mecanismo relacionado seja responsável pela forma semelhante de ruído de platô vista em alguns JFETs; ver, por exemplo, o LSK389 na Figura 8.47.

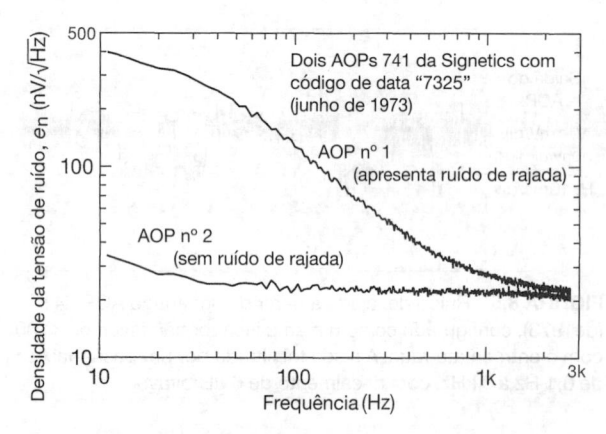

FIGURA 8.6 Espectro do ruído de rajada produzido pelo mesmo AOP utilizado para a Figura 8.5, juntamente com o de um segundo AOP a partir do mesmo lote que não exibe qualquer ruído de rajada. A escala vertical mostra densidades de ruído RMS RTI (referenciada à entrada).

em que $f_{3dB} = 1/2\pi RC$. Você pode, é claro, usar filtros de ordem superior como, por exemplo, um filtro passa-baixas de 2 polos Butterworth; sua largura de banda equivalente à do tipo "parede de tijolos" é $B = 1,11 f_{3dB}$. Para os filtros de ordem ainda maior (incluindo passa-faixa), veja as expressões na Tabela 8.4. Para sinais de variações lentas (ou CC), você pode, então, fazer uma média simples (como, por exemplo, com uma ADC de integração; consulte a Seção 13.8.3). Nesse caso, a largura de banda de ruído equivalente é $B = 1/2T$, em que T é a duração do cálculo da média (uniforme) do sinal de entrada. Teremos um pouco mais a dizer sobre isso na Seção 8.13.1.

Naturalmente, o espectro pode ser diferente daquele do ruído branco (por exemplo, pode ser o ruído $1/f$ ou uma combinação de ruído branco com uma cauda $1/f$ que se eleva em baixas frequências). Em tal caso, você não pode simplesmente multiplicar a densidade de ruído pela raiz quadrada da largura de banda. Em vez disso, você tem que integrar a densidade de ruído (que varia) através do passa-faixa. Para um passa-faixa ideal ("parede de tijolos"), essa é apenas $v_n^2 = \int e_n^2(f) df$ desde a frequência de corte inferior até a superior do filtro. Para um filtro realizável, você tem que integrar a densidade de ruído, multiplicada pela resposta espectral $H(f)$ do filtro, através do passa-faixa: $v_n^2 = \int |e_n(f)H(f)|^2 df$. Para um espectro de ruído arbitrário, isso é o que você precisaria fazer. Mas a vida é mais simples se você estiver lidando com os espectros de ruído clássicos, como o ruído *flicker* $1/f$, caso em que as integrais de ruído podem ser expressas analiticamente. Reunimos essas na Tabela 8.4, que inclui resultados para espectros de ruído branco, rosa e vermelho, quando limitados em banda por filtros passa-faixas tipo "parede de tijolos", um polo, Butterworth de 2 polos e Butterworth de m polos (resposta de f_1 a f_2). Essas fórmulas tabuladas nos permitem obter os resultados para filtros passa-baixas ($f_1 = 0$) ou passa-altas ($f_2 = \infty$), que são apenas casos especiais do filtro passa-faixa mais geral.

Discutimos isso em abundância de detalhes mais adiante neste capítulo, na Seção 8.13.

8.1.6 Interferência

Como mencionamos anteriormente, um sinal de interferência ou de captação parasita constitui uma forma de ruído. Aqui, as características de espectro e amplitude dependem do sinal de interferência. Por exemplo, a captação a partir da rede elétrica de 60 Hz tem um espectro pronunciado e amplitude relativamente constante, ao passo que o ruído de ignição do carro, raios e outras interferências impulsivas são de espectro amplo e apresentam picos na amplitude. Outras fontes de interferência são estações de rádio e televisão (um problema especialmente grave perto de grandes cidades), proximidade de equipamentos elétricos, motores, elevadores, metrôs, reguladores chaveados e televisores. Os telefones celulares, muitas vezes, tornam insignificantes todas as outras fontes de interferência RF. Mesmo quando não está em uso, o celular troca informações periodicamente com a estação rádio-base local, gerando interferências com um ritmo característico.[11] O mesmo vale para computadores móveis que utilizam a rede celular para acesso à Internet.

Em uma forma ligeiramente diferente, você tem o mesmo tipo de problema gerado por qualquer coisa que coloque um sinal junto ao parâmetro que você está medindo. Por exemplo, um interferômetro óptico é suscetível a vibrações, e uma medição sensível de RF (por exemplo, ressonância magnética nuclear, RMN ou MRI) pode ser afetada pelo RF presente no ambiente. Muitos circuitos, bem como detectores e até mesmo cabos, são sensíveis à vibração e ao som; eles são *microfônicos*, na terminologia da profissão.

Muitas dessas fontes de ruído podem ser controladas por blindagem e filtragem cuidadosas, conforme discutido mais adiante no capítulo. Em outras ocasiões, somos forçados a tomar medidas drásticas, envolvendo mesas de pedra maciças (para isolamento de vibração), ambientes de temperatura constante, câmaras anecóicas e ambientes eletricamente blindados ("gaiola de Faraday").

8.2 RELAÇÃO SINAL-RUÍDO E FIGURA DE RUÍDO

Antes de entrar nos detalhes de ruído do amplificador e do projeto de baixo ruído, precisamos definir alguns termos que são frequentemente utilizados para descrever o desempenho do amplificador. Eles envolvem relações de tensões de ruído, medido no mesmo ponto no circuito. É convencional referir-se a tensões de ruído na entrada de um amplificador (embora as medições sejam feitas geralmente na saída), por exemplo, para descrever o ruído da fonte e o ruído do amplificador em termos de microvolts *na entrada* que gerariam o ruído de saída observado. Isso faz sentido quando você quer pensar

---
[11] Que você pode ouvir em www.covingtoninnovations.com/michael/blog/0506/050622-cellnoise.mp3.

no ruído relativo adicionado pelo amplificador para um sinal dado, independente do ganho do amplificador; isso também é realístico, porque a maior parte do ruído do amplificador é geralmente uma contribuição do estágio de entrada. A menos que declarem o contrário, as tensões de ruído são referenciadas à entrada (RTI).

8.2.1 Densidade de Potência do Ruído e Largura de Banda

Nos exemplos anteriores de ruído Johnson e ruído *shot*, a tensão de ruído medida depende tanto da medida da largura de banda B (ou seja, a quantidade de ruído que você vê depende de quão rápido você olha) quanto das variáveis (R e I) da própria fonte de ruído. Portanto, é conveniente falar sobre uma "densidade" da tensão de ruído RMS e_n:

$$v_{n(RMS)} = e_n B^{\frac{1}{2}} = (4kTR)^{\frac{1}{2}} B^{\frac{1}{2}} \quad \text{VRMS}, \quad (8.10)$$

em que v_n é a tensão de ruído RMS que você mediria em uma largura de banda B. Fontes de ruído branco têm um e_n que não depende da frequência, ao passo que o ruído rosa, por exemplo, tem um e_n que cai a 3 dB/oitava. Muitas vezes, você verá e_n^2 também, o quadrado médio da densidade de ruído. Visto que e_n sempre se refere ao valor RMS e e_n^2 sempre se refere ao quadrado médio, você pode simplesmente elevar ao quadrado e_n para obter e_n^2! Parece simples (e de fato é), mas queremos garantir que você não se confunda.

Note que B e a raiz quadrada de B continuam surgindo. Assim, por exemplo, para o ruído Johnson de um resistor R,

$$\begin{aligned} e_{nR}(\text{RMS}) &= (4kTR)^{\frac{1}{2}} & \text{V}/\text{Hz}^{\frac{1}{2}}, \\ e_{nR}^2 &= 4kTR & \text{V}^2/\text{Hz}, \\ v_{n(RMS)} &= v_{nR} B^{\frac{1}{2}} = (4kTRB)^{\frac{1}{2}} & \text{V}, \\ v_n^2 &= v_{nR}^2 B = 4kTRB & \text{V}^2. \end{aligned}$$

Em folhas de dados, você pode ver gráficos de e_n ou e_n^2, com unidades como "nanovolts por raiz de Hz" ou " volts ao quadrado por Hz". As quantidades e_n e i_n que em breve aparecerão funcionam da mesma maneira.

Quando você adiciona dois sinais que não são correlacionados (dois sinais de ruído, ou ruído mais um sinal real), adiciona a *potência* de ruído deles; isto é, o *quadrado* de suas amplitudes somadas:

$$v = (v_s^2 + v_n^2)^{\frac{1}{2}},$$

em que v é o sinal RMS obtido por adição de um sinal de amplitude RMS v_s e um sinal de ruído de amplitude RMS v_n. As amplitudes RMS[12] *não* se somam.

8.2.2 Relação Sinal-Ruído

A relação sinal-ruído (SNR – *signal-to-noise ratio*) é simplesmente definida como

$$\text{SNR} = 10\log_{10}(v_s^2/v_n^2) = 20\log_{10}(v_s/v_n) \quad \text{dB} \quad (8.11)$$

em que as tensões são valores RMS, e largura de banda e frequência central são especificadas; ou seja, é a relação, em decibéis, da tensão RMS do sinal desejado e a tensão RMS do ruído que também está presente.[13] O "sinal" em si pode ser senoidal, ou uma forma de onda modulada que transporta informação, ou mesmo um sinal como ruído propriamente dito. É especialmente importante especificar a largura de banda se o sinal tiver algum tipo de espectro de banda estreita, porque o SNR diminui à medida que a largura de banda é aumentada para além do sinal: o amplificador continua a acrescentar potência de ruído, ao passo que a potência do sinal se mantém constante.

8.2.3 Figura de Ruído

Qualquer fonte de sinal real ou dispositivo de medição gera ruído por causa do ruído Johnson em sua resistência de fonte (a parte real de sua impedância de fonte complexa). Pode, é claro, haver ruído adicional proveniente de outras causas. A *figura de ruído* (*noise figure*, NF) de um amplificador é simplesmente a razão, em decibéis, entre a saída do amplificador real e a saída de um amplificador "perfeito" (sem ruído) de mesmo ganho, com um resistor de valor R_s conectado nos terminais de entrada do amplificador em cada caso. Ou seja, o ruído Johnson de R_s é o "sinal de entrada":

$$\text{NF} = 10\log_{10}\left(\frac{4kTR_s + v_n^2}{4kTR_s}\right) \quad (8.12)$$

$$= 10\log_{10}\left(1 + \frac{v_n^2}{4kTR_s}\right) \quad \text{dB}, \quad (8.13)$$

onde v_n^2 é o quadrado médio da tensão do ruído por hertz de contribuição do amplificador, com um resistor sem ruído (frio) de valor R_s conectado em sua entrada. Esta última restrição é importante, como você verá em breve, porque a tensão de ruído de contribuição de um amplificador depende muito da impedância da fonte (Figura 8.7).

A figura de ruído é útil como uma figura de mérito para um amplificador quando você tem uma fonte de sinal de uma determinada impedância de fonte e quer comparar amplificadores (ou transistores, para os quais a NF é, muitas vezes,

---

[12] As quais, enfatizamos, são os valores convenientes e familiares encontrados em folhas de dados, etc. Por exemplo, estamos acostumados a pensar em um amplificador de $3\,\text{nV}/\sqrt{\text{Hz}}$ como silencioso; é difícil reconhecer um amplificador de $0{,}9 \times 10^{-17}\,\text{V}^2/\text{Hz}$ como a mesma coisa.

[13] A expressão em termos de amplitudes quadráticas sugere uma relação em termos de *potência*, que é a origem da definição de relação de decibéis. Mas a forma "20log$_{10}$" é amplamente utilizada, mesmo quando não há nenhuma potência real, por exemplo, com uma carga de circuito aberto (ou, mais confuso ainda, quando o resultado está em desacordo com a relação de potência real, por exemplo, quando exprime a relação de amplitudes criada por um transformador de sinal).

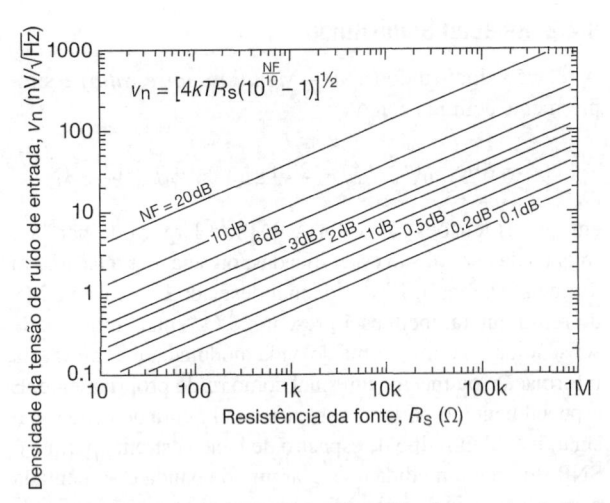

FIGURA 8.7 Densidade da tensão de ruído de entrada efetiva em função da figura de ruído e da resistência de fonte.

especificada). A NF varia com a frequência e a impedância da fonte e, muitas vezes, é dada como um conjunto de condições de contorno de NF constante em função da frequência e R_s (veremos exemplos mais adiante, nas Figuras 8.22 e 8.27). Ela também pode ser dada como um conjunto de gráficos de NF *versus* frequência, uma curva para cada corrente de coletor ou um conjunto semelhante de gráficos de NF *versus* R_s, um para cada corrente de coletor. *Nota*: as expressões anteriores para NF consideram que a impedância de entrada do amplificador é muito maior do que a impedância da fonte, isto é, $Z_{in} \gg R_s$. No entanto, no caso especial de amplificadores de RF, você geralmente tem $R_s = Z_{in} = 50\ \Omega$, com a NF definida em conformidade. Para esse caso especial de impedâncias casadas, basta remover o fator "4" das Equações 8.12 e 8.13.

Uma grande falácia: não tente melhorar as coisas adicionando um resistor em série com uma fonte de sinal para chegar a uma região de mínima NF. Tudo o que você está fazendo é tornar a fonte mais ruidosa para fazer o amplificador parecer melhor! A figura de ruído pode ser muito enganosa por esse motivo. Para aumentar a decepção, a especificação de NF (por exemplo, NF = 2 dB) para um transistor ou FET será sempre para a combinação ideal de R_s e I_C. Isso não diz muito sobre o desempenho real, exceto que o fabricante acha que vale a pena se vangloriar pela figura de ruído.

Em geral, quando se avalia o desempenho de algum amplificador, é menos provável que você fique confuso se usar um SNR calculado para essa tensão e impedância de fonte. Veja como converter de NF para SNR:

$$\text{SNR} = 10\log_{10}\left(\frac{v_s^2}{4kTR_s}\right) - \text{NF(dB)(at } R_s) \quad \text{dB,} \quad (8.14)$$

em que v_s é a amplitude do sinal RMS, R_s é a impedância da fonte e NF é a figura de ruído para o amplificador de impedância da fonte R_s. Veja as Seções 8.3.1 e 8.5.6 para alguns exemplos de cálculo de figura de ruído.

8.2.4 Temperatura de Ruído

Em vez da *figura* de ruído, às vezes, você vê a *temperatura* de ruído sendo usada para expressar o desempenho de ruído de um amplificador. Ambos os métodos produzem a mesma informação, isto é, a contribuição de ruído de excesso do amplificador quando acionado por uma fonte de sinal de impedância R_s; essas são formas equivalentes de expressar a mesma coisa.

Observe a Figura 8.8 para ver como interpretar a temperatura de ruído: primeiro imaginamos o amplificador real (com ruído) conectado a uma fonte sem ruído de impedância R_s (Figura 8.8A). Se você tem dificuldade em imaginar uma fonte sem ruído, pense em um resistor de valor R_s resfriado até o zero absoluto. Haverá algum ruído na saída, mesmo que a fonte seja sem ruído, porque o amplificador tem ruído. Agora imagine construir a Figura 8.8B, em que magicamente tornamos o amplificador sem ruído e levamos o R_s da fonte até alguma temperatura T_n, de tal modo que a *tensão de ruído de saída seja a mesma que na Figura 8.8A*. T_n é chamada de temperatura de ruído do amplificador para a impedância de fonte R_s.

Como observamos anteriormente, a figura de ruído e a temperatura de ruído são simplesmente diferentes modos de transmitir a mesma informação. Na verdade, você pode mostrar que elas estão relacionadas pelas seguintes expressões:

$$T_n = T(10^{\text{NF(dB)}/10} - 1) \quad \text{Kelvin,} \quad (8.15)$$

$$\text{NF(dB)} = 10\log_{10}\left(\frac{T_n}{T} + 1\right), \quad (8.16)$$

em que T é a temperatura ambiente, geralmente tomada como 293 K.

De um modo geral, bons amplificadores de baixo ruído têm temperaturas de ruído muito abaixo da temperatura ambiente (ou, de forma equivalente, eles têm valores de ruído muito menores do que 3 dB). Mais adiante neste capítulo, explicaremos como você medirá a figura de ruído (ou tempera-

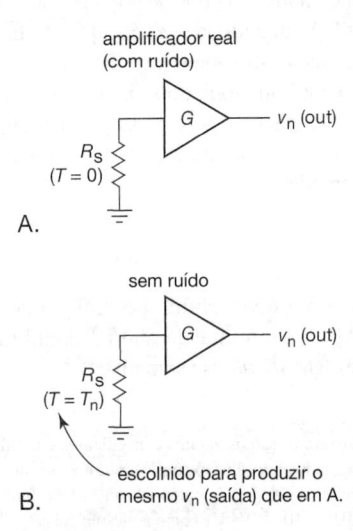

FIGURA 8.8 Temperatura de ruído.

tura de ruído) de um amplificador. Antes, porém, precisamos entender o ruído em transistores e as técnicas de projeto de baixo ruído. Esperamos que a discussão que se segue esclareça o que, muitas vezes, é um assunto obscuro.

8.3 RUÍDO DE AMPLIFICADOR COM TRANSISTOR BIPOLAR

O ruído gerado por um amplificador é facilmente descrito por um modelo de ruído simples que é preciso o suficiente para a maioria dos propósitos. Na Figura 8.9, e_n e i_n representam o ruído interno do transistor, modelado como uma tensão de ruído e_n em série com a entrada, combinada com uma corrente de ruído i_n inserida na entrada. O próprio símbolo do transistor (ou amplificador, em geral) é considerado sem ruído e ele simplesmente amplifica a tensão de ruído de entrada que vê (causada pelo seu próprio e_n, combinada com a sua i_n que flui na impedância de fonte do sinal de entrada R_s). Ou seja, o amplificador contribui com uma tensão de ruído total e_a, com referência à entrada, de

$$e_a(\text{RMS}) = [e_n^2 + (R_s i_n)^2]^{\frac{1}{2}} \qquad \text{V/Hz}^{\frac{1}{2}}. \qquad (8.17)$$

Os dois termos são simplesmente os valores ao quadrado da tensão de ruído de entrada do amplificador e a tensão de ruído gerada pela corrente de ruído de entrada do amplificador que passa através da resistência da fonte.[14] Devido aos dois termos de ruído serem geralmente não correlacionados, suas amplitudes ao quadrado se somam para produzir a tensão de ruído efetiva vista pelo amplificador. Para resistências de fonte baixas, a tensão de ruído e_n domina, ao passo que, para impedâncias de fonte altas, a corrente de ruído i_n em geral domina.

Apenas para ter uma ideia de como eles se parecem, veja a Figura 8.10, que mostra um gráfico de e_n e i_n em função de I_C e f para o excelente transistor *npn* 2SD786 de baixo ruído (mas, infelizmente, descontinuado[15]). Entraremos brevemente em detalhe agora, descrevendo-os e mostrando como projetar para obter o mínimo de ruído. Vale a pena notar que a tensão e a corrente de ruído para um transistor bipolar estão na faixa de nanovolts e picoampères por raiz de hertz (ou seja, nV/$\sqrt{\text{Hz}}$ e pA/$\sqrt{\text{Hz}}$); para FETs, a corrente de ruído é menor, na faixa de fA/$\sqrt{\text{Hz}}$.

8.3.1 Tensão de Ruído, e_n

A tensão de ruído equivalente olhando em série com a base de um transistor bipolar surge a partir do ruído *shot* da cor-

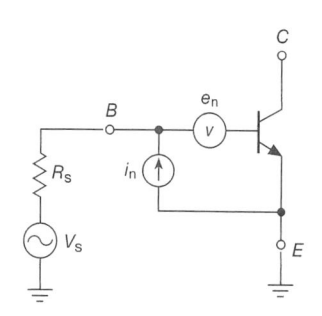

FIGURA 8.9 Modelo de ruído de um transistor.

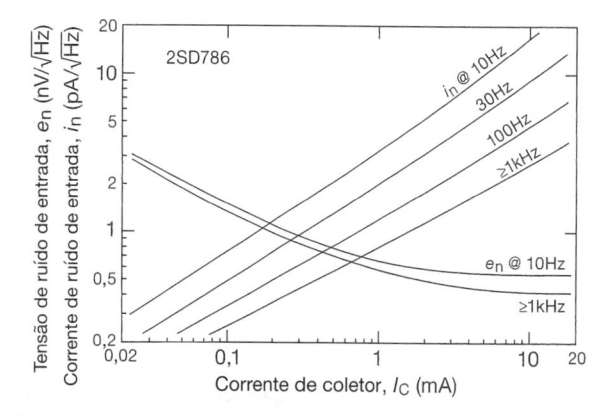

FIGURA 8.10 Tensão de ruído de entrada RMS equivalente (e_n) e corrente de ruído (i_n) em função da corrente de coletor de um transistor *npn* 2SD786 adaptado a partir da folha de dados.

rente de coletor gerando uma tensão de ruído na resistência intrínseca de emissor[16] r_e, do ruído Johnson gerado na resistência de base $r_{bb'}$ e (como veremos mais adiante) do ruído *shot* da corrente de base através dessa resistência. Desconsiderando por enquanto o termo da corrente de base (que, na maioria das vezes, não contribui de forma significativa para a tensão de ruído de um BJT), a densidade da tensão de ruído de entrada se parece com isso:

$$e_n^2 = 2qI_C r_e^2 + 4kTr_{bb'} \qquad (8.18)$$

$$= 4kT\left(\frac{V_T}{2I_C} + r_{bb'}\right) \qquad (8.19)$$

$$= 4kT\left(\frac{r_e}{2} + r_{bb'}\right) \quad \text{V}^2/\text{Hz}, \qquad (8.20)$$

onde eliminamos r_e na segunda fórmula (Equação 8.19) e I_C na terceira fórmula (Equação 8.20), lembrando que $r_e = V_T/I_C = kT/qI_C$.

---

[14] Um termo adicional, importante em frequências mais altas ou quando i_n é pequena, é a corrente de ruído i_n gerada por e_n em combinação com a capacitância de entrada: $i_n = e_n \omega C_{in}$. Veja a Seção 8.11.3.

[15] O 2SD786 foi, durante muitos anos, o padrão no qual os transistores de baixo ruído aspiravam. Destacamos esse dispositivo aqui porque ele está bem descrito, com uma riqueza de informações e excelente desempenho de ruído. A nossa escolha para sucedê-lo é o ZTX851 (com o complemento *pnp* ZTX951), descrito e utilizado em diversos exemplos mais adiante neste capítulo.

[16] Propriamente falando, não há nenhuma "resistência" r_e; em vez disso, ela representa o inverso da transcondutância do transistor: $r_e = v_b/i_c = 1/g_m$ (ou a variação de tensão na base que corresponde a variações na corrente de coletor). É realmente apenas uma maneira conveniente de falar. Tenha cuidado, porém, quando pensar nisso livremente como um resistor: é uma resistência "sem ruído"; ou seja, ela não tem ruído Johnson.

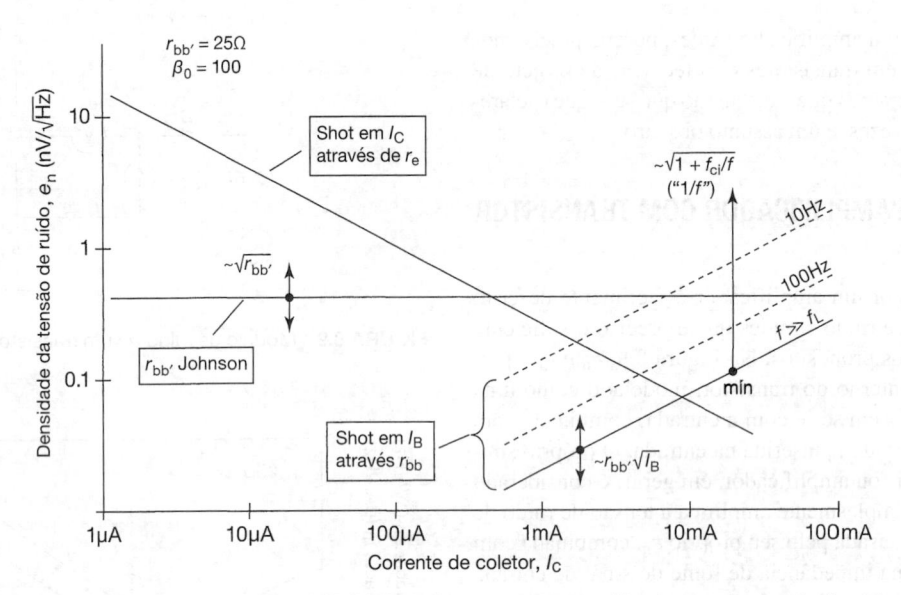

FIGURA 8.11 Entrada de tensão de ruído e_n em um BJT. Em baixas correntes, o ruído *shot* em I_C através de r_c domina; caso contrário, o ruído Johnson em $r_{bb'}$ é o termo dominante. No entanto, em baixas frequências e correntes elevadas, o ruído *shot* da corrente de base através de $r_{bb'}$ faz com que e_n aumente novamente. Essas curvas consideram valores típicos de corte de ruído flicker ($f_{ci} \sim 1$ kHz) e resistência de base ($r_{bb'} \sim 25\ \Omega$), com as setas em linha cheia indicando variação com $r_{bb'}$ e as setas tracejadas indicando aumento de $1/f$ com a diminuição da frequência.

A terceira forma é útil porque permite que você pense sobre a tensão de ruído como se fosse decorrente da combinação do ruído Johnson em separado a partir de dois resistores. Para ter uma noção da escala de tensão de ruído do BJT, é útil saber que a resistência de base $r_{bb'}$ para BJTs típicos (ver Tabela 8.1a) vai de alguns ohms a algumas centenas de ohms; assim, a contribuição da tensão de ruído do segundo termo está geralmente na faixa de $0{,}2\,\text{nV}/\sqrt{\text{Hz}}$ a $2\,\text{nV}/\sqrt{\text{Hz}}$ (gostamos de lembrar que um resistor de $100\ \Omega$ tem $e_n = 1{,}28\,\text{nV}/\sqrt{\text{Hz}}$ e que e_n varia segundo a raiz quadrada de R).

Quanto ao primeiro termo na Equação 8.20, ele está nos dizendo que *a corrente de ruído shot do coletor através de r_e produz a mesma tensão de ruído que o ruído Johnson de um resistor de valor fictício $R = r_e/2$*. Por exemplo, em um BJT operando a $100\ \mu\text{A}$ (portanto, $r_e = 250\ \Omega$), ela equivale a $e_n = \sqrt{4kT \cdot 125\,\Omega}$ ou $1{,}4\,\text{nV}/\sqrt{\text{Hz}}$. Isso é algo útil de saber, por exemplo, na escolha de valores de resistor, de modo a não comprometer o desempenho de ruído de um amplificador de baixo ruído. Para não deixar a impressão errada, temos que enfatizar mais uma vez que a resistência intrínseca de emissor r_e *não* é um resistor "real" – ela não tem ruído Johnson; o termo de tensão de ruído que estamos descrevendo surge apenas a partir da tensão de ruído gerada pela corrente de ruído *shot* de coletor – que flui através de uma r_e sem ruído.[17]

Ambos os termos de tensão de ruído nas Equações 8.18 e 8.20 têm um espectro plano (branco), com uma distribuição gaussiana de amplitude instantânea. Como a r_e

cair inversamente com a corrente de coletor, a e_n de um BJT cai conforme $1/\sqrt{I_C}$ com o aumento da corrente de coletor, em última análise atingindo um mínimo que depende de $r_{bb'}$ (Figura 8.11). Por essa razão, normalmente é melhor operar em correntes relativamente altas de coletor se o objetivo for minimizar a tensão de ruído; o preço que se paga é um aumento na corrente de base e no aquecimento. Tomando novamente o excelente 2SD786 como um exemplo, em frequências superiores a 1 kHz, ele tem uma e_n de $1{,}5\,\text{nV}/\sqrt{\text{Hz}}$ para $I_C = 100\ \mu\text{A}$ e $0{,}6\,\text{nV}/\sqrt{\text{Hz}}$ para $I_C = 1$ mA (Figura 8.10). Esse transistor usa geometria especial para alcançar uma extraordinariamente baixa $r_{bb'}$ de $4\ \Omega$, que é necessária para conseguir os menores valores de e_n.

Claro, se você precisa operar em uma corrente de coletor baixa (em que o efeito de r_e domina), não há nenhum benefício especial ter um valor baixo de $r_{bb'}$. Para visualizar graficamente bem esse aspecto, plotamos, na Figura 8.12, a e_n prevista e medida em função da corrente de coletor para seis transistores *npn* de baixo ruído, utilizando um modelo de um parâmetro simples baseado em $r_{bb'}$ apenas. No entanto, a seleção de um transistor com baixa $r_{bb'}$ realmente importa em correntes mais altas, que é onde você tem que operar se quer alcançar valores de e_n na direção de $1\,\text{nV}/\sqrt{\text{Hz}}$.[18] Ilus-

---

[17] Veja a Seção 8.3.5 para alguma discussão a mais sobre este ponto sutil.

[18] Diz-se que a $r_{bb'}$ efetiva aumenta ligeiramente em baixas correntes. Por exemplo, se o ruído de excesso do 2N5089 em $10\ \mu\text{A}$ ($5{,}9\,\text{nV}/\sqrt{\text{Hz}}$ em vez de $4{,}5\,\text{nV}/\sqrt{\text{Hz}}$) for devido à $r_{bb'}$, podemos calcular que $r_{bb'}$ aumentou de $290\ \Omega$ em 10 mA para cerca de $900\ \Omega$ em $10\ \mu\text{A}$ (triplica ao longo de 3 décadas), ou aproximadamente conforme $(I_C)^{-1/6}$ (os modelos de ruído de transistor do SPICE incluem um parâmetro para esse efeito).

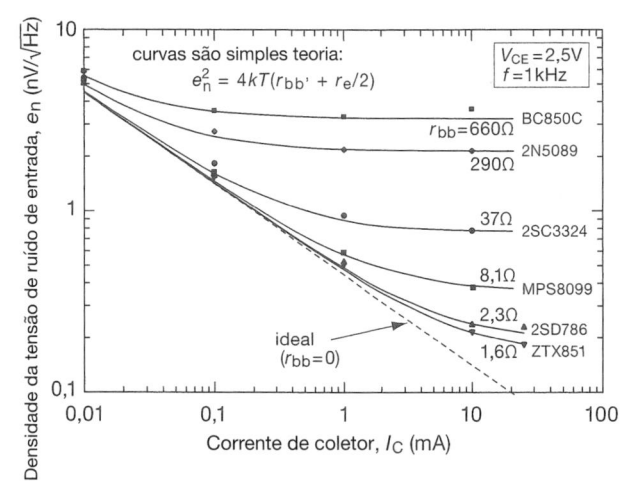

FIGURA 8.12 Um modelo simples de tensão de ruído de BJT (corrente de ruído *shot* através de r_e, combinada com o ruído Johnson da resistência de base, as curvas em linha contínua) fornece uma boa primeira aproximação para valores de ruído medidos (pontos de dados em quatro correntes), mostrados aqui para seis BJTs de baixo ruído selecionados. A linha tracejada mostra a tensão de ruído mínima teórica para a corrente I_C, tal como consta na Equação 8.18. O ruído medido é de 10% a 20% maior em correntes de coletor abaixo de 100 μA. Consulte a Figura 8.17 para ver os espectros de ruído destes seis BJTs em $I_C = 10$ mA.

traremos esse ponto de forma drástica na Seção 8.5.9, em um estágio de entrada com $e_n < 0,1$ nV/$\sqrt{\text{Hz}}$.

A densidade da tensão de ruído e_n em 1 kHz, conforme plotado na Figura 8.12, não conta toda a história, é claro. Se você se preocupa com o ruído em frequências mais baixas, tem que se preocupar com um componente de ruído do transistor que é dependente da frequência, geralmente sob a forma de uma cauda de ruído *flicker* $1/f$ crescente (caracterizada por uma frequência de corte f_C de $1/f$). Para BJTs, o ruído $1/f$ em seu e_n vem de um termo de ruído adicional que ignoramos até agora – a tensão de ruído produzida pela corrente de ruído da base i_n, que flui através da própria $r_{bb'}$ do transistor, ou seja, $e_n = i_n r_{bb'}$. Este último termo torna-se um contribuinte significativo para e_n somente em baixas frequências e em correntes de coletor relativamente altas. Mas é muito importante por outro motivo: ele flui através da resistência da fonte do sinal de entrada, gerando uma tensão de ruído adicional $v_n = i_n R_{sinal}$. Observaremos brevemente o caso da corrente de ruído de entrada e, em seguida, voltaremos à e_n do transistor com esse efeito incluído.

8.3.2 Corrente de Ruído i_n

A corrente de ruído de entrada do transistor gera uma tensão de ruído adicional na impedância da fonte do sinal. A principal fonte de ruído da corrente de base é a flutuação do ruído *shot* na corrente de base constante,

$$i_n = \sqrt{2qI_B} = \sqrt{2qI_C/\beta_0} \quad \text{A/Hz}^{\frac{1}{2}}, \quad (8.21)$$

que é um ruído gaussiano que exibe um espectro de frequência plano (ou seja, ruído branco); usamos o símbolo β_0 aqui para enfatizar que é o beta *em CC*.

Há, ainda, um componente de ruído *flicker* que se eleva em baixas frequências. Este último apresenta a dependência de frequência $1/f$ típica com uma frequência de corte que chamaremos de f_{ci}; ou seja, ele contribui no termo $2qI_B f_{ci}/f$ para o i_n^2 geral. Ele sobe um pouco mais rapidamente com I_C, devido a um aumento do corte de $1/f$, tipicamente com f_{ci} variando conforme $I_B^{1/3}$ a $I_B^{1/4}$. Veja as Figuras 8.13 e 8.14. As frequências de corte da corrente de ruído típicas são $f_{ci} \sim$ 50 a 300 Hz para 1 a 10 μA e 200 Hz a 2 kHz para 1 mA.

Note que esse ruído *shot* da corrente de base simples não é o ruído *shot* da corrente de coletor dividido por beta. Se fosse, seria $\sqrt{2qI_C}/\beta_0$ em vez do correto (e maior) $i_n = \sqrt{2qI_C}/\sqrt{\beta_0}$ (como determinado pela Equação 8.21). Na verdade, a primeira ordem do ruído *shot* da corrente de base não está correlacionada com o ruído *shot* da corrente de coletor.

No entanto, em altas frequências, isso não é mais verdade, levando a um último termo de corrente de ruído: para frequências que se aproximam de f_T do transistor (ou seja, conforme o ganho de corrente se aproxima da unidade), o beta diminuindo torna o ruído *shot* da corrente de coletor visível na base.

Colocando esses termos juntos, temos, por fim,

$$i_n^2 = 2q\frac{I_C}{\beta_0}\left(1 + \frac{f_{ci}}{f}\right) + 2qI_C\left(\frac{f}{f_T}\right) \quad \text{A}^2/\text{Hz}, \quad (8.22)$$

em que o último termo representa efetivamente um beta dependente de frequência.

Tomando o exemplo do 2SD786 novamente (Figura 8.10), acima de 1 kHz, i_n é aproximadamente 0,25 pA/$\sqrt{\text{Hz}}$ para $I_C = 100$ μA e 0,8 pA/$\sqrt{\text{Hz}}$ para $I_C = 1$ mA. A corrente de ruído aumenta, e a tensão de ruído diminui conforme I_C aumenta. Na próxima seção (Seção 8.3.3), veremos como isso dita a corrente de operação em projeto de baixo ruído. A Figura 8.15 mostra gráficos de i_n em função da frequência e da corrente para um par de transistores de baixo ruído.

Corrente de ruído vezes a impedância de entrada. A corrente de ruído que flui através da impedância de fonte do sinal de entrada gera uma densidade de tensão de ruído de magnitude $v_n = i_n Z_s$, que combina (conforme a soma dos quadrados) com a densidade da tensão de ruído do transistor.[19] Normalmente, a impedância da fonte é resistiva, caso em que você precisa adicionar seu ruído Johnson também; em outras palavras, a tensão de ruído quadrática total referenciada à entrada é

$$v_n^2 = e_n^2 + 4kTR_s + (i_n R_s)^2 \quad \text{V}^2/\text{Hz}. \quad (8.23)$$

---
[19] As questões complicantes fundamentais são os aumentos de i_n com a temperatura e com a diminuição da frequência (comportamento de $1/f$).

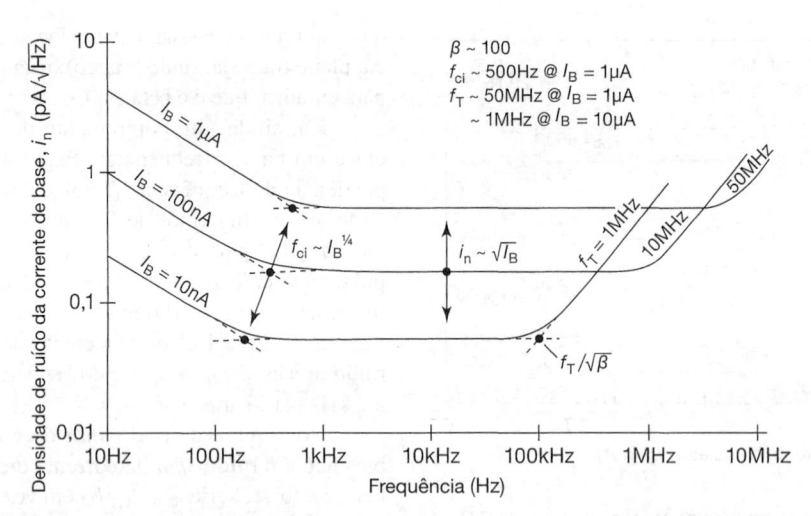

FIGURA 8.13 Densidade da corrente de ruído de entrada em função da frequência em um BJT. Em frequências médias, seu ruído *shot* da corrente de base é inteiramente proporcional a $\sqrt{I_B}$. Em baixas frequências, i_n aumenta conforme $1/\sqrt{f}$ (é a potência de ruído que varia conforme $1/f$; no entanto, o corte de $1/f$ (f_{ci}) aumenta com o aumento da corrente, de modo que, em uma dada frequência baixa abaixo de f_{ci}, a corrente de ruído aumenta mais rapidamente do que a raiz quadrada ae corrente de base, como mostrado. Em altas frequências, a queda de beta ($\beta \to 1$ em f_T) faz com que a densidade de ruído aumente $\propto f$. Essas curvas assumem um valor típico de ponto de corte do ruído *flicker* ($f_{ci} \sim 500$ kHz para $I_B = 1$ μA), com a seta na linha contínua indicando variação de i_n com corrente de base e a seta na linha tracejada indicando variação do corte de $1/f$ com a corrente de base.

No entanto, se a impedância da fonte for *reativa*, a contribuição da corrente de ruído (o último termo da equação) será dependente da frequência. Uma situação comum em que isso importa é um sinal de entrada com acoplamento CA. Se você não está pensando no ruído, normalmente escolheria o valor do capacitor de bloqueio baseado na impedância de carga a jusante (impedância de entrada do transistor e resistor de polarização), para definir o decaimento de baixa frequência um pouco abaixo da frequência de interesse. Essa poderia ser uma capacitância bastante pequena (se o amplificador tiver uma alta impedância de entrada, ou se o ponto de corte de baixa frequência não for muito baixo), através da qual a corrente de ruído geraria uma tensão de ruído substancial (e, é claro, o aumento proporcional da reatância do capacitor $X_C = 1/2\pi fC$, ou seja, proporcional a $1/f$).[20]

Então, você precisa inverter o processo: em primeiro lugar, escolha o valor do capacitor para manter sua contribuição de tensão de ruído $v_n = i_n X_C$ pequena o suficiente para a menor frequência de operação (e lembre-se de que o ruído da corrente de base, muitas vezes, exibe uma cauda $1/f$); em seguida, escolha o valor do resistor de polarização de entrada do transistor para obter o decaimento de baixa frequência desejado. Fomos surpreendidos por um problema, uma tensão de ruído $1/f$ (na *amplitude* de $1/f$, não na potência) causada pela reatância do capacitor de bloqueio em função da frequência. Para corrigir o problema, tivemos que aumentar o valor do capacitor de bloqueio por um fator de 50!

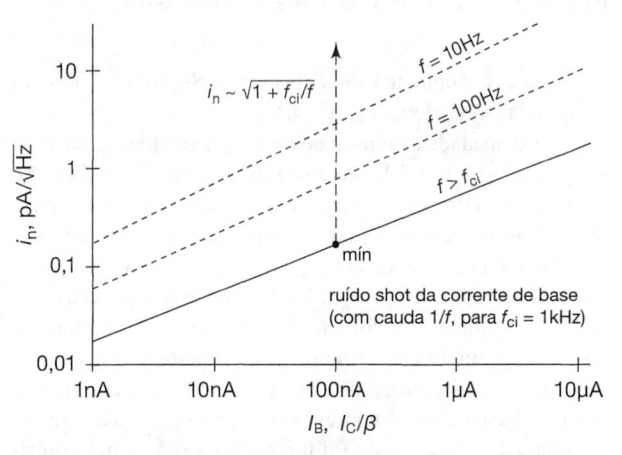

FIGURA 8.14 A corrente de ruído de entrada em um BJT é ruído shot, que aumenta conforme a raiz quadrada da corrente de base para frequências acima da frequência de corte de $1/f$, f_{ci}. Nas frequências mais baixas, a curva é mais íngreme, porque a própria f_{ci} sobe com o aumento da corrente (veja a Figura 8.15).

8.3.3 Voltando à Tensão de Ruído do BJT

Tal como sugerido na Seção 8.3.1, o *ruído da corrente de entrada* i_n do transistor pode contribuir significativamente para o ruído de tensão e_n visto nos seus terminais de entrada, devido à tensão de ruído gerada em sua $r_{bb'}$ interna por sua própria corrente de ruído de entrada i_n. Devido à i_n ser o ruído *shot* na corrente de base CC, ela aumenta conforme a raiz quadrada da corrente de coletor (para beta constante); e, devido à i_n de um BJT ser seriamente afetada por uma cauda

---
[20] Note que um capacitor ideal (ou indutor, aliás) não gera nenhum ruído Johnson.

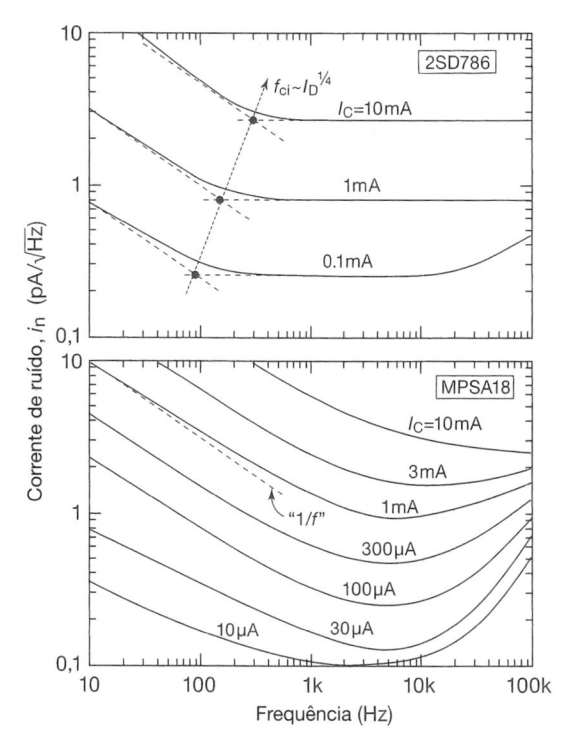

FIGURA 8.15 Corrente de ruído (i_n) em função da frequência para dois transistores *npn* de baixo ruído. A corrente de ruído de baixa frequência exibe um aumento um pouco maior da corrente de coletor, devido a um aumento da frequência de corte de 1/f.

Isso mostra como o termo da tensão de ruído $i_n r_{bb'}$ concorre com os outros dois termos de ruído e_n, que dominam para uma corrente de coletor alta e frequência baixa. Embora o corte 1/f da corrente de ruído, f_{ci}, aumente apenas ligeiramente com I_C, a sua contribuição age para criar um ponto de corte da *tensão* de ruído de rápida ascensão, f_c. Compare com a Figura 8.11, em que o mesmo efeito pode ser visto: lá, no entanto, e_n é representada graficamente em função da corrente de coletor, com uma família de várias frequências únicas.

Para manter alguma perspectiva aqui, observe que a tensão de ruído adicional é evidente apenas em frequências muito baixas (na Figura 8.16, desce até 0,01 Hz!) e em densidades de corrente relativamente altas. Não é nada que nos faça perder o sono.[21] Isso pode ser observado nas curvas de tensão de ruído medidas e traçadas na Figura 8.17, em que o efeito é grave acima de 10 Hz (para uma corrente de coletor substancial de 10 mA) apenas para o BC850, com a sua extraordinariamente alta $r_{bb'} \approx 750\,\Omega$. Na verdade, para transistores com $r_{bb'}$ atraentemente baixa, a melhoria de e_n adquirida com a operação em alta corrente de coletor mais do que compensa o aumento nas baixas frequências que vem da contribuição do ruído *shot* da corrente de base, como pode ser visto na Figura 8.18.

de baixa frequências de 1/f, sua contribuição para a e_n total é vista principalmente (e, muitas vezes, *apenas*) em baixas frequências. Um modelo de ruído mais detalhado do transistor bipolar permite incorporar este efeito.

Adicionando este termo de ruído à nossa fórmula original (incompleta) da tensão de ruído do BJT, Equação 8.18, temos

$$e_n^2 = 2qI_C r_e^2 + 4kT r_{bb'} + 2q\frac{(I_C)}{\beta_0}r_{2bb'}\left(1 + \frac{f_{ci}}{f}\right), \text{V}^2/\text{Hz}, \quad (8.24)$$

em que, como antes, o primeiro termo pode ser substituído por $2kTr_e$, e, como na Equação 8.22, a frequência de corte f_{ci} da corrente de ruído aumenta aproximadamente conforme a raiz quarta de I_C.

Para ver como isso funciona, veja a Figura 8.16, em que se traçou separadamente (para três opções de corrente de coletor) a e_n a partir dos dois primeiros termos (conforme as linhas tracejadas) e a e_n a partir do terceiro termo (conforme as linhas contínuas). As linhas contínuas grossas representam a tensão de ruído total, ou seja, incluindo todos os três termos da Equação 8.24. Para essas curvas calculadas, usamos parâmetros de ruído de BJT típicos ($\beta = 200$, $r_{bb'} = 50\,\Omega$, $f_{ci} = 1$ kHz para $I_C = 1$ mA).

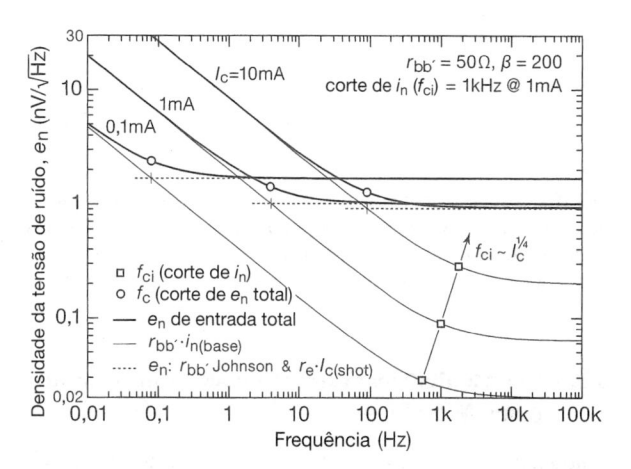

FIGURA 8.16 Densidade da tensão de ruído de um BJT em função da frequência (a partir de Equação 8.24) para um transistor hipotético com os parâmetros listados, mostrando o efeito da corrente de ruído i_n em baixas frequências e elevadas correntes de coletor.

---

[21] Mas, se você está perdendo o sono por problemas de 1/f em um amplificador de baixo ruído de I_C alto, há um truque interessante: associar um par de transistores de modo que suas flutuações de ruído 1/f se cancelem. Veja Broderson, Chenette e Jaeger, "*A superior low-noise amplifier*" (Um amplificador de baixo ruído superior), 1970 IEEE ISSCC, p. 164. A supressão de ruído de baixa frequência por um fator de cinco é possível. A penalidade para o uso desse truque com dois transistores é um aumento de 3 dB no componente de e_n de alta frequência (ruído branco).

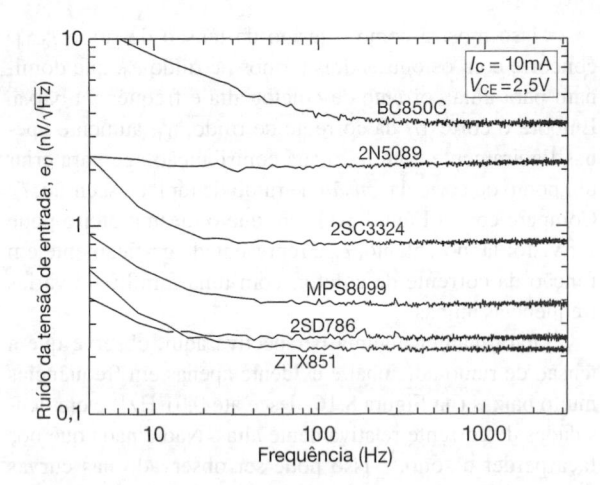

FIGURA 8.17 Espectros da tensão de ruído de entrada medidos (e_n em função da frequência para $I_C = 10$ mA) para os seis BJTs da Figura 8.12.

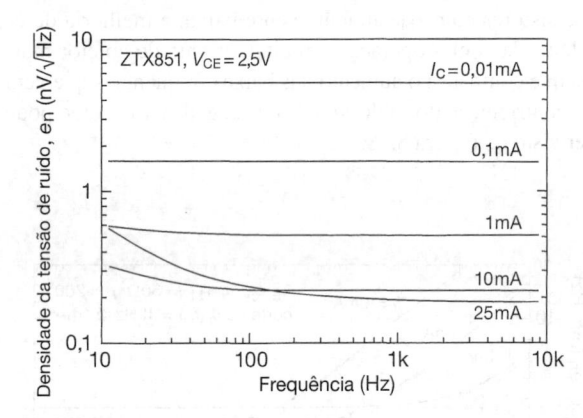

FIGURA 8.18 Espectros da tensão de ruído de entrada medidos para um ZTX851 em cinco opções de corrente de coletor. A corrente de ruído de base se soma à tensão de ruído em baixas frequências e alta corrente, mas você ainda terá correntes de coletor de até 10 mA.

8.3.4 Um Exemplo de Projeto Simples: Alto-Falante como Microfone

Coloquemos essa teoria em prática por meio do projeto de um amplificador de áudio de acoplamento CA simples e barato que opera em baixa corrente a partir de uma fonte simples de +9 V (que poderia ser uma bateria ou um adaptador CA de tomada), com ruído de entrada de apenas alguns nV/$\sqrt{\text{Hz}}$. Se você quer ter uma aplicação em mente, pense em um interfone, no qual o pequeno alto-falante também serve reciprocamente como um microfone.[22]

Para obter o controle sobre as especificações de ruído, colocamos algumas pequenas amostras de alto-falante de "8 Ω" em nossa bancada de laboratório, falamos em frente a eles com uma voz normal e medimos a tensão de áudio de saída em uma faixa de 30 a 100 μV RMS. Procuremos uma relação sinal-ruído de 40 dB ou mais; isso se traduz em uma tensão de ruído de entrada de 0,5 μV RMS ou menos. E mantenhamos o custo de componente *realmente* baixo – o nosso objetivo é 25 centavos de dólar.

O circuito básico. A Figura 8.19 mostra o circuito, um estágio emissor comum de acoplamento CA (com resistor de emissor com desvio) acionando um seguidor de emissor. Não estamos preocupados com distorção (com variações de saída de dezenas de milivolts, a partir dos níveis de entrada de ∼50 μV), mas queremos abundância de ganho de tensão, e, ao fazer o desvio do resistor de emissor, nós o eliminamos como uma fonte de ruído. Escolhemos provisoriamente correntes de operação de 100 μA, a serem reexaminadas (como acontece com qualquer projeto de circuito) após uma primeira avaliação do desempenho do circuito.

Cálculo de ruído. Escolhemos o '5089 para este exemplo devido à sua grande disponibilidade (meio milhão em estoque no Mouser e DigiKey, de quatro fabricantes diferentes), por ser barato (0,026 centavos de dólar em quantidade de 100) e por estimular aplicações de amplificador de baixo ruído.[23] Ele tem muito ganho de corrente (400, no mínimo, 600, tipicamente, para 100 μA), mas sofre de resistência de base relativamente elevada, $r_{bb'} \approx 300$ Ω.

A partir da Equação 8.24, é fácil calcular as diversas contribuições de densidade de tensão de ruído (e_n) (e o leitor é encorajado a fazê-lo), com referência à entrada (RTI):

Ruído *shot* de I_C através de r_e	$r_e\sqrt{2qI_C}$	1,4 nV/$\sqrt{\text{Hz}}$
Ruído Johnson em $r_{bb'}$	$\sqrt{4kTr_{bb'}}$	2,2 nV/$\sqrt{\text{Hz}}$
Ruído Johnson em R_C	$\sqrt{4kTR_C}/G_V$	0,17 nV/$\sqrt{\text{Hz}}$
Ruído *shot* de I_B através de $r_{bb'}$	$r_{bb'}\sqrt{2qI_B}$	0,066 nV/$\sqrt{\text{Hz}}$

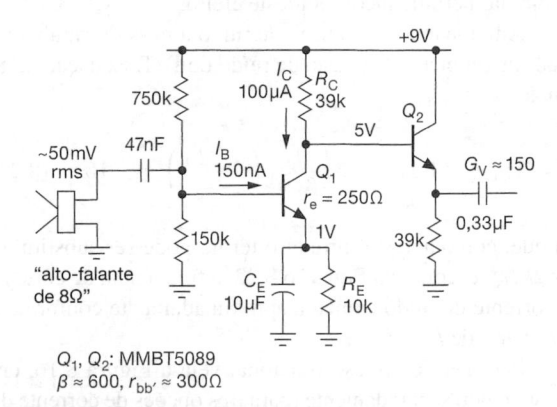

FIGURA 8.19 Baixo nível de ruído e custo ainda menor: um pré-amplificador de áudio simples que opera com um alto-falante "invertido" (como microfone).

---

[22] Para aqueles que suspeitam de que "as paredes têm ouvidos", isso pode sugerir possibilidades interessantes para a vigilância.

[23] Por exemplo, a ON Semiconductor o chama explicitamente de "Transistor de Baixo Ruído"; a Fairchild e a NXP o chamam de "Transistor de Propósito Geral", mas o apresentam ao consumidor como "baixo ruído, alto ganho, amplificador de aplicações de propósito geral" e "estágios de entrada de baixo ruído em equipamentos de áudio", respectivamente.

A fonte dominante de ruído é o ruído Johnson na resistência de base interna de Q_1, seguido pelo ruído *shot* do coletor que flui através da resistência de emissor intrínseca r_e de Q_1 de 250 Ω para sua corrente de coletor de 0,1 mA. Os dois últimos termos são insignificantes quando comparados: há uma abundância de ruído Johnson no resistor de coletor de Q_1, mas, devido ao ganho de tensão do estágio de ~150, ele é uma contribuição insignificante quando referenciado à entrada (RTI). Ainda menor é a tensão de ruído produzida pelo ruído *shot* da corrente de base que flui através de $r_{bb'}$. Existem outras possibilidades de ruído, mas que são muito pequenas quando comparadas: por exemplo, a corrente do ruído Johnson no divisor de polarização que flui através da impedância de fonte de 8 Ω do alto-falante gera uma densidade de tensão de ruído de apenas 0,003 nV/$\sqrt{\text{Hz}}$.

Desempenho. A partir dessas *densidades* de tensão de ruído, chegamos à tensão de ruído RMS total ao longo da largura de banda do sinal: $v_n = e_n\sqrt{\Delta f} = 142$ nVrms V RMS, onde e_n é a densidade de tensão de ruído combinado de 2,6 nV/$\sqrt{\text{Hz}}$ e Δf é a largura de banda de áudio (para a qual utilizamos a "largura de banda de telefone", de 3 kHz). Em comparação com a entrada de áudio nominal de 50 μV RMS, isso equivale a uma relação sinal-ruído de 51 dB – o que não é ruim para o preço!

Falando nisso, o custo dos componentes é como um parâmetro de "desempenho". Com uma busca rápida dos distribuidores habituais (Digikey, Mouser, Newark, Future), obtivemos os seguintes preços (componentes SMT – resistores e capacitores, transistores SOT-23) em dólares:

	quant. 100	quant. 1k
Q_1, Q_2	$0,026	$0,023
C_{in}	$0,032	$0,012
C_E	$0,068	$0,039
C_{out}	$0,034	$0,017
resistores	$0,012	$0,004
total	$0,246	$0,134

Variações. Superamos nossas metas de SNR e custo, de modo que poderíamos deixar por isso mesmo. Mas é sempre bom rever um projeto inicial, buscando melhorar as coisas. Aqui, a estimativa de ruído é dominada pela resistência de base relativamente alta desses transistores "de baixo ruído". Poderíamos melhorar o desempenho de ruído escolhendo um transistor de entrada de estágio com menor $r_{bb'}$ olhe mais adiante, na Tabela 8.1a e na Figura 8.12, para ver alguns candidatos. No entanto, uma vez que você tenha reduzido o ruído Johnson de $r_{bb'}$, o ruído *shot* do coletor através de r_e se torna o termo dominante, e você é forçado a aumentar a corrente de coletor para obter novas melhorias em v_n.[24]

Na verdade, como mostra a Figura 8.12, com $I_C = 100$ μA, o '5089 é apenas um pouco pior (nem mesmo um fator de 2) que os transistores com menor $r_{bb'}$.

Visto de outra forma, poderíamos, então, ficar com o MMBT5089, que é barato e amplamente disponível, e reduzir um pouco a corrente de coletor (digamos, para 50 μA), com muito pouco aumento do ruído geral: a densidade de ruído aumentaria de 2,6 nV/$\sqrt{\text{Hz}}$ para 3,0 nV/$\sqrt{\text{Hz}}$, o que reduziria o SNR da banda de áudio em apenas 1 dB (de 50,9 dB para 49,8 dB). Certamente vale a pena se você estiver operando a partir de uma bateria.

8.3.5 Ruído *Shot* em Fontes de Corrente e Seguidores de Emissor

Comentamos anteriormente (na Seção 8.1.2) que o ruído *shot* é suprimido em uma fonte de corrente BJT clássica (redesenhada na Figura 8.20A). Você pode inicialmente achar que isso é óbvio, porque a corrente de coletor é praticamente a corrente de emissor (desconsiderando a pequena contribuição da corrente de base), na qual o ruído *shot* está ausente (como sempre ocorre em condutores metálicos). Porém, no coletor, você tem exatamente o tipo de barreira em que o ruído *shot* é inevitável.

OK, você pode dizer, talvez a fonte de corrente apresente ruído *shot*, mas certamente, no terminal emissor, você tem uma corrente sem ruído (e, portanto, uma ausência de tensão de ruído), basta olhar para esse resistor!

Paradoxalmente, esse raciocínio está errado. Acontece que a fonte de corrente é "silenciosa", mas a saída do seguidor de emissor inclui realmente uma tensão de ruído igual à corrente de ruído *shot* (calculado a partir de I_C) que flui através de r_e, ou seja, apenas o $r_e\sqrt{2qI_C}$ que vimos na Equação 8.24.[25]

Na verdade, é bastante fácil testar isso. Observe a Figura 8.20C, em que uma fonte de corrente de ~10 μA tem uma carga com um resistor de coletor de 1 MΩ. Com o ruído *shot* de coletor ausente, devemos ver apenas uma densidade de tensão de ruído Johnson de 181 nV/$\sqrt{\text{Hz}}$ no coletor,[26] para ser comparada com uma tensão de ruído 10× maior se a corrente de coletor tem o ruído *shot* regulamentar $i_n = \sqrt{2qI_C}$. Enquanto isso, no emissor, essa corrente de ruído *shot*, fluindo através de r_e, produziria uma densidade de tensão de ruído de 4,8 nV/$\sqrt{\text{Hz}}$; na ausência de ruído *shot* de emissor, o seguidor seria silencioso (desconsiderando as outras fontes de ruído em BJT na Equação 8.24).

Construímos o circuito C e... (rufar de tambores)... medimos 190 nV/$\sqrt{\text{Hz}}$ no coletor (coerente com o ruído Johnson sozinho, ou seja, uma fonte de corrente silenciosa); e medimos 4,93 nV/$\sqrt{\text{Hz}}$ no emissor (coerente com o ruído

---

[24] Para ver o quão longe você pode ir com isso, visite o "desafio extremo" na Seção 8.5.9.

[25] Para o qual você deve, naturalmente, acrescentar os termos adicionais, ruído Johnson e ruído *shot* da corrente em $r_{bb'}$.

[26] Essa é $\sqrt{2}$ vezes o ruído Johnson 128 nV/$\sqrt{\text{Hz}}$ de um resistor de 1 MΩ. A $\sqrt{2}$ surge porque este é um inversor de ganho unitário, então o ruído Johnson de R_E contribui com uma tensão de ruído não correlacionado igual.

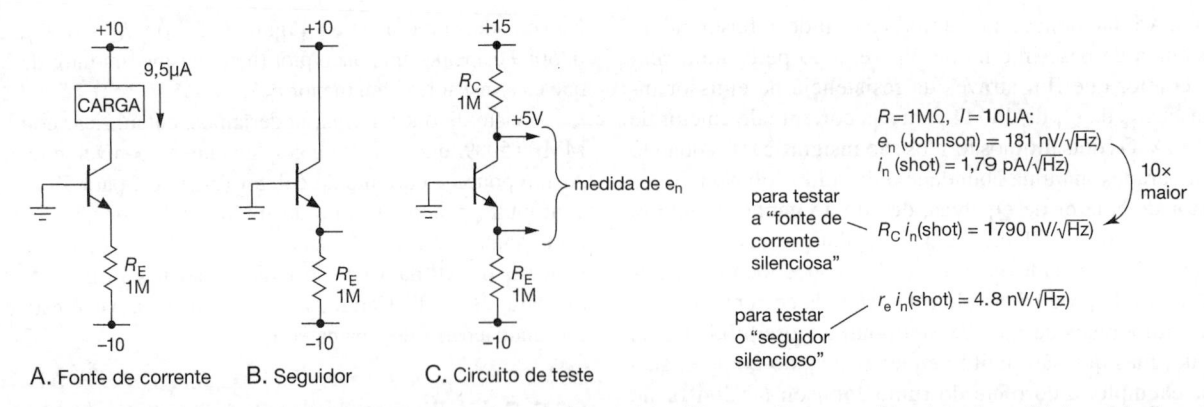

FIGURA 8.20 O ruído *shot* é suprimido na fonte de corrente de transistor (A), mas não no seguidor de emissor (B). Isso é facilmente confirmado pela medição da densidade de tensão de ruído no circuito de teste (C).

shot da corrente de coletor através de r_e). Evidentemente, o ruído *shot* é suprimido na fonte de corrente, mas não no seguidor. Interessante! E, para testar a possibilidade de que a corrente de coletor *nunca* apresente ruído *shot*, colocamos um capacitor de desvio entre os terminais de base e emissor. A tensão de ruído no coletor deu um salto, para $1679\,\text{nV}/\sqrt{\text{Hz}}$, que também está de acordo com o valor $1664\,\text{nV}/\sqrt{\text{Hz}}$ previsto pela fórmula de ruído *shot*.[27] Como podemos entender isso?

Para ter uma compreensão desse quebra-cabeça, é melhor começar com o que *deve* ser verdadeiro e ver aonde isso leva. Observe a Figura 8.21 enquanto a analisamos em passos.

1. Sabemos com certeza que a corrente de emissor é silenciosa, porque é a corrente através de um condutor metálico. E qualquer preocupação que possamos ter de que essa corrente se torne ruidosa por causa das variações de *tensão* base-emissor do transistor (ou seja, o ruído da tensão de entrada) é facilmente tratada: podemos reduzir tal efeito (já insignificante, porque as variações de ruído $v_{n(\text{BE})}$ são baixas, em microvolts) tanto quanto quisermos simplesmente aumentando tanto R_E quanto a tensão de alimentação negativa proporcionalmente.

2. Em algum lugar dentro do transistor, deve haver uma corrente de coletor difusora que está sujeita ao ruído *shot* do fluxo de carga não correlacionado clássico, $i_n = \sqrt{2qI_{C(\text{dc})}}$, e sobre a qual o transistor não tem controle.

3. Mas esse é um dispositivo de três terminais com corrente de base insignificante, por isso sabemos que a corrente que flui para o terminal coletor é igual à corrente que flui para fora do terminal emissor (no limite de um beta grande); e este último é "silencioso".

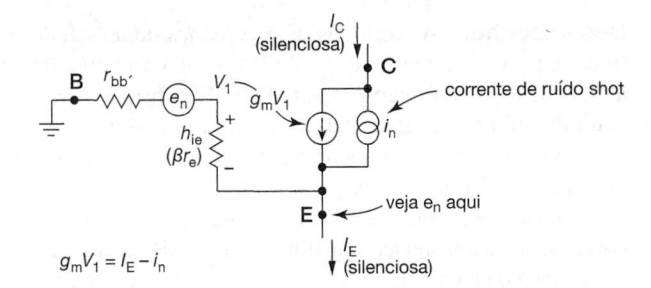

FIGURA 8.21 Modelo "híbrido π" simplificado de três terminais da fonte de corrente-seguidor da Figura 8.20C. A tensão de ruído e_n reflete a inevitável corrente de ruído *shot* interna. Se a corrente do emissor for silenciosa, assim será também a corrente de coletor resultante I_C.

4. Assim, deve ser o caso de que a porção controlável da corrente de coletor do BJT é flutuante de tal maneira que cancela as flutuações do ruído *shot*.

Para que assim seja, a tensão de entrada V_1 para o modelo de transcondutância do BJT deve ser tal que $g_m V_1 = I_E - i_n$, e assim a porção de tensão de ruído de entrada V_1 é apenas

$$e_n = -i_n/g_m \qquad (8.25)$$

que (lembre de $r_e = 1/g_m$) é a forma familiar $i_n r_e$ da Equação 8.24.

Isso pode parecer um argumento circular, mas realmente é assim que esse componente da tensão de ruído de base-emissor é (e deve ser) criado. Essa linha de raciocínio também explica muito bem a presença da tensão de ruído e_n no emissor do nosso circuito de teste (e, é claro, na saída de um seguidor de emissor, ou na entrada de um amplificador emissor comum, etc.). E isso explica também por que fazer o desvio do emissor libera o ruído *shot* completo no coletor da nossa fonte de corrente: tal conexão invalida a hipótese inicial (nº 1), porque o capacitor desvia totalmente a corrente de emissor na frequência do sinal. Na verdade, ele cria um

---

[27] Para esse teste, a corrente de coletor foi $8{,}65\ \mu\text{A}$, restringida a operar com baterias; daí a previsão de ruído *shot* um pouco menor.

amplificador de emissor aterrado (em vez de uma fonte de corrente ou seguidor), no qual a tensão de ruído de entrada total, como indicado (Equação 8.25), é amplificado pela transcondutância g_m para produzir uma corrente de ruído de saída igual a $g_m e_n$. E isso é exatamente o ruído *shot* total (não suprimido) correspondente à corrente CC de coletor I_C (retorne para o passo nº 2), que é o que medimos em nossa configuração de teste.

Uma questão final (e importante): a supressão do ruído *shot* na fonte de corrente requer uma absorção de corrente de emissor silenciosa, o que é satisfeito, neste caso, por um grande (em comparação com r_e) resistor *pull-down* R_E (aqui, 1M *versus* 2,5k). Mas isso não é o caso para, digamos, um espelho de corrente não degenerado. Isso levanta a questão quantitativa: quão grande deve ser R_E?

Isso é bastante fácil de descobrir: no emissor, temos uma tensão de ruído e_n equivalente ao ruído Johnson de um resistor de valor $r_e/2$ e com impedância de fonte igual a r_e; ou seja, uma corrente de ruído equivalente à corrente de ruído Johnson de um resistor de valor $2r_e$. Ela é diluída pelo silencioso (ou seja, sem ruído *shot*) resistor *pull-down* R_E, de modo que a redução da corrente de ruído no coletor é na proporção $\sqrt{2r_e/R_E}$. Por exemplo, para uma corrente de coletor de 1 mA, temos um impedância vista no emissor de $r_e = 25$ Ω, com uma tensão de ruído equivalente à de uma resistência de 12,5 Ω ou uma corrente de ruído equivalente à de um resistor de 50 Ω. Assim, um resistor *pull-down* de 50 Ω reduz o ruído em 3 dB, e um resistor *pull-down* de 4,95 kΩ reduz o em 20 dB, etc. Dito de uma forma mais geral, a redução da corrente de ruído no coletor i_n é na proporção $\sqrt{50\text{mV}/V_{R_E}}$, onde V_{R_E} é a tensão CC no resistor *pull-down* do emissor R_E.

8.4 DETERMINANDO e_n A PARTIR DAS ESPECIFICAÇÕES DE FIGURA DE RUÍDO

As folhas de dados de transistor tradicionalmente fornecem alguns valores tabelados para e_n e (muitas vezes) gráficos para correntes de coletor de e_n e i_n em função da frequência (ou e_n e i_n em função da corrente de coletor em frequências selecionadas), como vimos para o 2SD786 e o MPSA18.

Isso é *passado*! Agora você vê no lugar tabulações e gráficos de figura de ruído (NF) – veja, por exemplo, os contornos da constante NF plotados em função de I_C e R_s para o transistor bipolar *npn* 2SC3324 de baixo ruído[28] da Toshiba (Figura 8.22).

Há um monte de informações nesses gráficos, embora eles expressem informações apenas em duas frequências (10 Hz e 1 kHz; com certeza seria bom ver um gráfico de parâmetros de ruído em função da frequência). Veremos quanto podemos extrair desses dois gráficos.

8.4.1 Passo 1: NF *versus* I_C

Podemos fazer um gráfico de NF em função da corrente de coletor, para cada uma de um conjunto de resistências de fonte, simplesmente lendo valores ao longo de uma linha horizontal na Figura 8.22. É útil usar um programa de planilhas com capacidade de gerar gráficos, tal como o Microsoft Excel, ou (se você quiser se exibir) um pacote matemático mais sofisticado, como MATLAB® ou Mathematica®. A Figura 8.23 mostra o que se obtém com a leitura do gráfico de 1 kHz da Figura 8.22 para seis valores de resistência de fonte. Aqui nós estimamos valores de NF para meia década de degraus de I_C (portanto, 10 μA, 30 μA, 100 μA, e assim por diante), plotados em Excel e, em seguida, suavizados com curvas de Bezier no Adobe Illustrator®. Os valores de figura de ruído (NF) abaixo de 1 dB não devem ser considerados confiáveis, porque a Figura 8.22 (a partir da qual foram obtidos os dados) não mostra contornos abaixo de NF = 1 dB.[29] A linha pontilhada indica NF = 3 dB, em que o ruído de contribuição do transistor é igual ao ruído Johnson no resistor da fonte.

Antes de prosseguir, desenvolver uma lógica sobre essas curvas. Para baixos valores de R_s, a fonte tem baixa tensão de ruído Johnson (por exemplo, $R_s = 100$ Ω tem $e_n = 1,3$ nV/$\sqrt{\text{Hz}}$), um pouco menos do que o e_n de entrada do transistor em pequenas correntes de coletor.[30] É por isso que a figura de ruído melhora com o aumento da corrente de coletor. Por outro lado, para grandes valores de R_s, a tensão de ruído do transistor não é importante em comparação com o ruído Johnson muito maior do resistor. Mas agora, quando operamos em correntes de coletor grandes, a *corrente* de ruído de entrada do transistor (ruído *shot* da corrente de base: $i_n \approx \sqrt{2qI_B}$) gera uma tensão de ruído substancial através daquele R_s maior, de modo que a tensão de ruído no terminal de entrada é muito maior do que o ruído Johnson sozinho – portanto, uma figura de ruído grande (ruim).

8.4.2 Passo 2: NF *versus* R_s

A Figura 8.24 é um gráfico análogo, desta vez, no entanto, mostrando NF *versus* a *resistência da fonte* (em vez de I_C) para cada conjunto de correntes de coletor; ele é obtido das mesmas curvas de contorno de 1 kHz da Figura 8.22, desta vez obtendo os valores ao longo de linhas verticais de I_C

---

[28] O *pnp* complementar é o 2SA1312.

[29] A folha de dados enumera um valor de 0,2 dB (típico) nos dados tabulados, a 1 kHz, corrente de coletor de 100 μA e uma resistência de fonte de 10 kΩ, um conjunto de condições que o coloca bem no "olho" do gráfico de contorno. Mas a folha de dados também lista um valor de pior caso (máximo) de 3 dB! Você terá que fazer alguma seleção caso precise de NF = 0,2 dB.

[30] Lembre-se que o último é aproximadamente o ruído *shot* da corrente de coletor através de r_e: $e_n \approx \sqrt{2qI_C} \cdot (kT/qI_C)$. Isso é igual ao ruído Johnson de um resistor fictício de valor $R = r_e/2$, que é 100 Ω para $I_C = 125$ μA. Então, a e_n do transistor aumenta com a queda da corrente de coletor, conforme $e_n \propto 1/\sqrt{I_C}$.

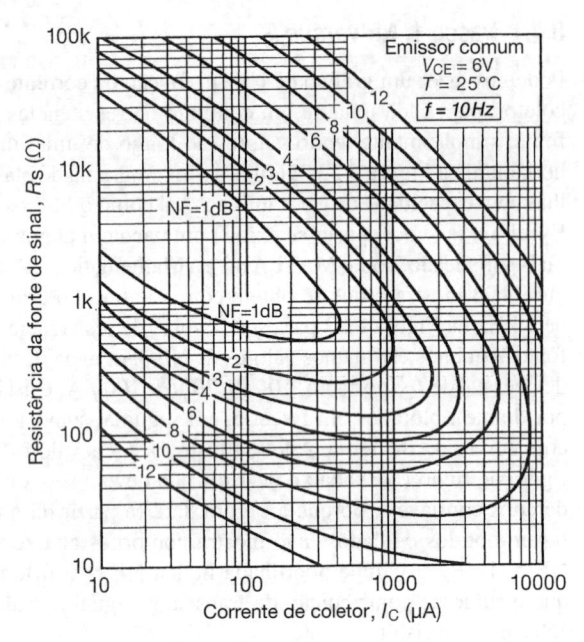

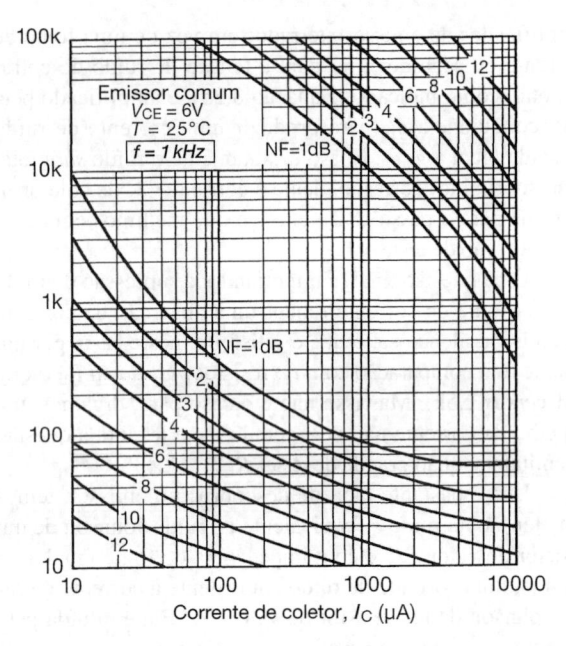

FIGURA 8.22 As folhas de dados da Toshiba para o seu transistor *npn* 2SC3324 de baixo nível de ruído não fornecem valores ou gráficos para a tensão de ruído de entrada e_n. Em vez disso, você obtém esses gráficos de figura de ruído (NF) *versus* corrente de coletor e resistência de fonte.

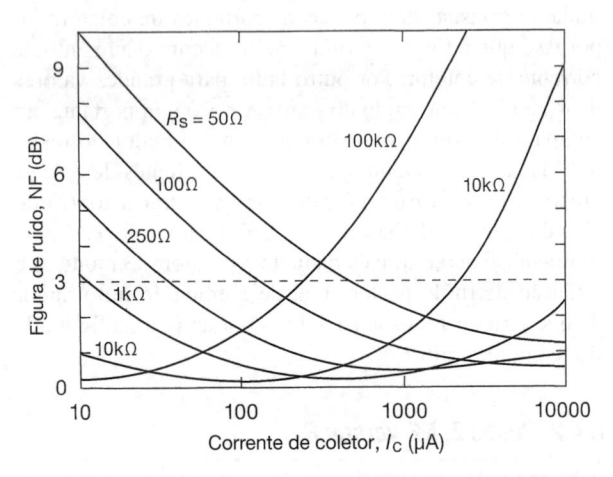

FIGURA 8.23 Figura de ruído do 2SC3324 *versus* a corrente de coletor, a partir dos gráficos de contorno da folha de dados mostrados na Figura 8.22.

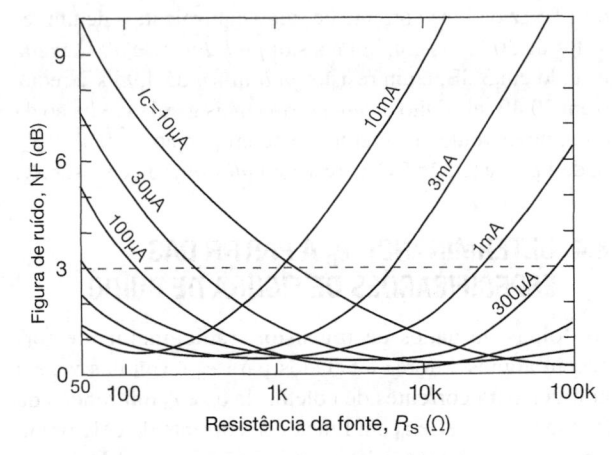

FIGURA 8.24 Figura de ruído do 2SC3324 *versus* a resistência de fonte, a partir dos dados da Figura 8.22.

constante. É um gráfico útil para determinar, aproximadamente, a corrente de operação ótima para um sinal de uma dada impedância de fonte.

8.4.3 Passo 3: Obtendo e_n

Os dois gráficos anteriores (NF *versus* I_C, NF *versus* R_s) são simplesmente reorganizações do gráfico de contorno da figura de ruído de 1 kHz do fabricante (Figura 8.22). Não precisamos calcular nada.

Essa não é a situação com a tensão de ruído, e_n. Aqui temos de inverter a equação de definição (Equação 8.13) para figura de ruído a fim de determinar e_n:

$$e_n = \sqrt{4kTR_s}\,\sqrt{10^{NF/10} - 1}. \qquad (8.26)$$

O primeiro termo é a densidade de tensão do ruído Johnson do resistor da fonte de sinal, e o segundo termo é o fator de multiplicação para a contribuição de ruído do transistor, conforme dado por sua figura de ruído. Este último inclui as contribuições de ambos, e_n e i_n; por isso, devemos usar os va-

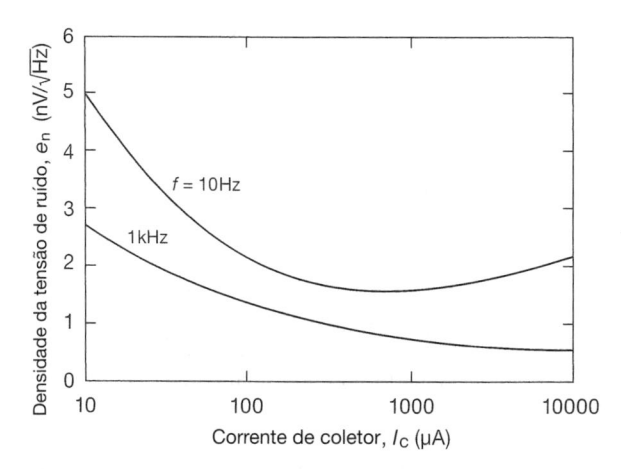

FIGURA 8.25 Tensão de ruído do 2SC3324 *versus* a corrente de coletor, obtido a partir dos dados da Figura 8.22.

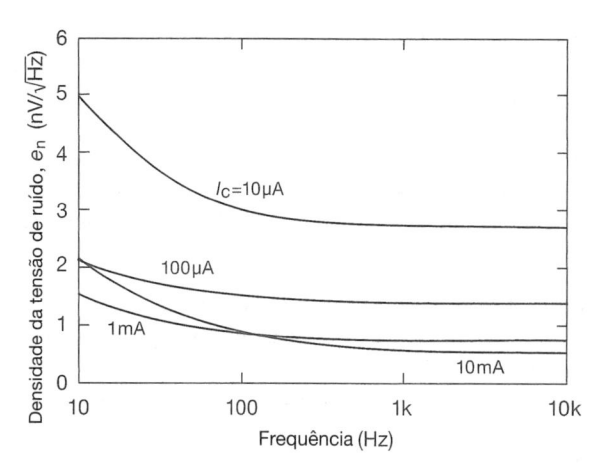

FIGURA 8.26 Tensão de ruído do 2SC3324 em função da frequência, deduzida a partir das curvas da Figura 8.25.

lores de NF para resistência de fonte pequena, de modo que a contribuição de i_n do transistor seja insignificante.[31]

A Figura 8.25 mostra o que você obtém para e_n *versus* a corrente de coletor, começando com os valores de figura de ruído correspondentes a $R_s = 50\,\Omega$ (da Figura 8.23 ou 8.22). Em comum com a maioria dos dispositivos, esse transistor apresenta o familiar excesso de "ruído *flicker*" abaixo de sua "frequência de corte do ruído $1/f$" (veja a Seção 8.1.3 e também a Seção 5.10.6).

8.4.4 Passo 4: O Espectro de e_n

Reclamamos anteriormente da falta de dados de ruído em função da frequência – dada apenas para 10 Hz e 1 kHz. Mas podemos preencher os detalhes com a suposição razoável de que a potência de ruído em baixas frequências varia aproximadamente conforme $1/f$ (ou seja, $e_n \propto 1/\sqrt{f}$) e de que os dois pontos de medição situam-se na frequência de corte do ruído $1/f$.

Para fazer isso, temos que determinar primeiro a frequência de corte $1/f$, f_c, a partir dos valores de e_n que se situam nela. Para uma boa aproximação,

$$f_c = f_L \left(\frac{e_{nL}^2}{e_{nH}^2} - 1 \right), \quad (8.27)$$

em que e_{nL} é a densidade de ruído para uma frequência f_L abaixo da frequência de corte e e_{nH} é a densidade de ruído bem acima de f_c (veja a discussão na página 566). Uma vez que temos f_c, podemos determinar e_n em função da frequência:

$$e_n(f) = e_{nH}\sqrt{1 + f_c/f}. \quad (8.28)$$

Como a frequência de corte depende da corrente do coletor, obtemos e_{nL} e e_{nH} a partir da Figura 8.25 para cada um dos quatro valores de década de I_C e, em seguida, traçamos o correspondente e_n *versus* f. A Figura 8.26 mostra os espectros da tensão de ruído-tensão resultantes.

8.4.5 O Espectro de i_n

Por um processo semelhante, poderíamos obter curvas de corrente de ruído i_n em função da frequência. Acima do corte $1/f$, veríamos o ruído *shot* da corrente de base ($i_n = \sqrt{2qI_b}$), com a característica de ascensão de $1/f$ em baixas frequências.

Uma vez que você tenha obtido gráficos de e_n e i_n em função da frequência, terá todas as informações básicas contidas dentro de um gráfico de contorno da figura de ruído. Dê uma olhada mais à frente, na Seção 8.9.1E e, especialmente, na Figura 8.58, para ver como você pode usar e_n e i_n para prever a densidade de ruído de entrada efetivo total em função da resistência da fonte. O gráfico apresentado na parte superior esquerda dessa figura mostra como encontrar os pontos de corte que separam a região dominada por e_n (R_s baixo), a região dominada pela fonte de ruído Johnson (R_s médio) e a região dominada por i_n (R_s alto). Preferimos essa abordagem mais simples e usaremos e_n e i_n amplamente no restante do capítulo.

8.4.6 Quando a Corrente de Operação Não For a Sua Escolha

Saber como e_n e i_n variam com a corrente de coletor (ou dreno) ajuda a definir o ponto de operação para um melhor desempenho de ruído, como veremos na próxima seção. Às vezes, porém, a escolha já foi feita, por uma pessoa ou pessoas desconhecidas. Nesse caso, você trabalha com o que tem. A Figura 8.27 mostra um exemplo, com contornos de figuras de

---
[31] Do mesmo modo, poderíamos extrair i_n a partir dos valores de NF para uma grande resistência da fonte, em que a contribuição de e_n do transistor é insignificante.

ruído publicados para o pré-amplificador modelo SR560 da Stanford Research Systems (SRS) (Seção 8.6.4). É evidente a partir da resistência de ruído de entrada elevada (∼200 kΩ) que esse é um amplificador de entrada JFET e que o seu desempenho de ruído está longe de ser ideal com uma fonte de baixa impedância: NF = 15 dB para R_s = 50 Ω(!); comparar isso com a figura de ruído de ∼2 dB do 2SC3324 operando em I_C = 5 mA.

O que *não* fazer. Então, você diz: vou colocar um resistor de 200k em série com o sinal de entrada e, assim, terei uma figura de ruído de 0,05 dB.

Não faça isso! O que você fez foi adicionar bastante ruído ao sinal de entrada, de modo que esse ruído domina em relação ao ruído do amplificador. Um amplificador como esse é otimizado para fontes de sinal de alta impedância e está longe de ser ideal para sistemas de 50 Ω. O que você *pode* fazer, se insistir em usá-lo com uma fonte de 50 Ω, é transformar a impedância da fonte elevando-a por um fator modesto com um transformador de sinal, por exemplo, um HB0904 da North Hills (50 Ω:1200 Ω, com uma banda de passagem de 1 kHz a 6 MHz) ou o T16-6T-X65 da Mini-Circuits. (50 Ω:800 Ω, com banda de passagem de 30 kHz a 75 MHz). Isso coloca o sistema no território de ∼3 dB de figura de ruído, melhorando bastante em relação a NF = 15 dB que conseguiria com uma fonte de quase 50 Ω. Para mais discussão sobre transformadores de sinal, consulte a Seção 8.10.

8.5 PROJETO DE BAIXO RUÍDO COM TRANSISTORES BIPOLARES

O fato de que e_n cai e i_n aumenta com o aumento l_C proporciona uma maneira simples de otimizar a corrente de opera-

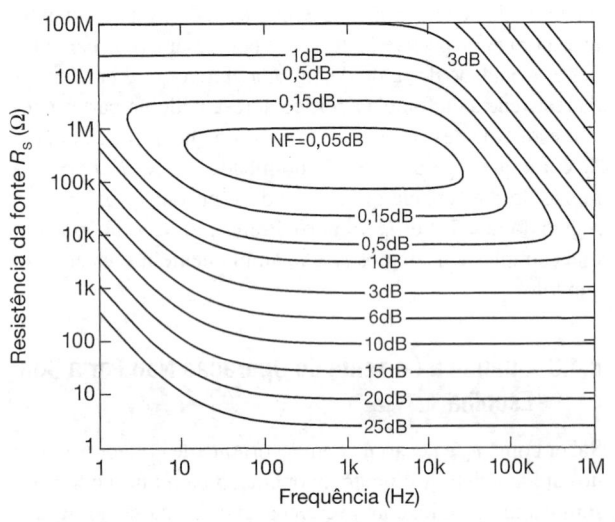

FIGURA 8.27 Figura de ruído em função da frequência e da resistência de fonte para o pré-amplificador SR560 de baixo ruído. (Cortesia da Stanford Research Systems.)

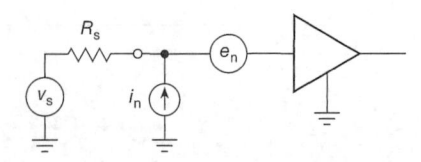

FIGURA 8.28 Modelo de ruído de amplificador.

ção do transistor para produzir o menor ruído com uma determinada fonte. Observe o modelo novamente (Figura 8.28). A fonte de sinal sem ruído v_s adiciona a ela uma tensão de ruído irredutível a partir do ruído Johnson de sua resistência de fonte:

$$e_R^2 \text{ (fonte)} = 4kTR_s \quad \text{(V}^2\text{/Hz)} \qquad (8.29)$$

O amplificador acrescenta ruído próprio, ou seja,

$$e_a^2 \text{ (amplificador)} = e_n^2 + (i_nR_s)2 \quad \text{(V}^2\text{/Hz)} \quad (8.30)$$

Assim, a tensão de ruído do amplificador é adicionada ao sinal de entrada, e, além disso, a sua corrente de ruído gera uma tensão de ruído na impedância de fonte. Essas duas não são correlacionados (exceto em frequências muito altas), então você adiciona os seus quadrados. A ideia é reduzir a contribuição total de ruído do amplificador tanto quanto for possível. Isso é fácil, uma vez que você conhece R_s, porque você só olha para um gráfico de e_n e i_n *versus* I_C na região da frequência do sinal, escolhendo I_C para minimizar $e_n^2 + (i_nR_s)^2$. Alternativamente, se você estiver com sorte e tiver um gráfico de contornos de figura de ruído em função de I_C e R_s, pode localizar rapidamente o valor ideal de I_C.

8.5.1 Exemplo de Figura de Ruído

Como exemplo, suponha que tenhamos um pequeno sinal na região de 1 kHz, com resistência de fonte de 10k, e queiramos fazer um amplificador emissor comum de baixo ruído com um 2N5087. A partir dos gráficos da folha de dados de e_n e i_n em função da corrente de coletor (Figura 8.29), vemos que a soma dos termos de tensão e corrente (com fonte de 10k) é minimizada por uma corrente de coletor de cerca de 20 a 40 μA. Devido à corrente de ruído cair mais rapidamente do que a tensão de ruído aumenta conforme I_C é reduzida, pode ser uma boa ideia usar um pouco menos de corrente de coletor, especialmente se a operação em uma frequência mais baixa for antecipada (i_n aumenta rapidamente com a diminuição da frequência). Podemos estimar a figura de ruído usando i_n e e_n a 1 kHz:

$$\text{NF} = 10\log_{10}\left(1 + \frac{e_n^2 + (i_nR_s)^2}{4kTR_s}\right) \text{ dB.} \qquad (8.31)$$

A partir da Figura 8.29, para $I_C = 20$ μA, $e_n = 3{,}7$ nV/$\sqrt{\text{Hz}}$ e $i_n = 0{,}17$ pA/$\sqrt{\text{Hz}}$; e $4kTR_s = 1{,}65 \times 10^{-16}$V^2/Hz para

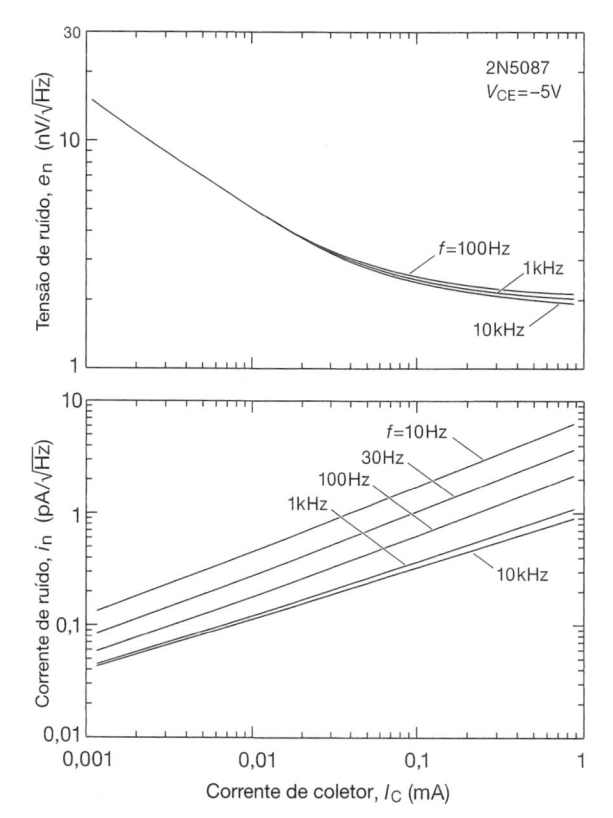

FIGURA 8.29 Tensão e ruído atual em função da frequência para o transistor *pnp* 2N5087.

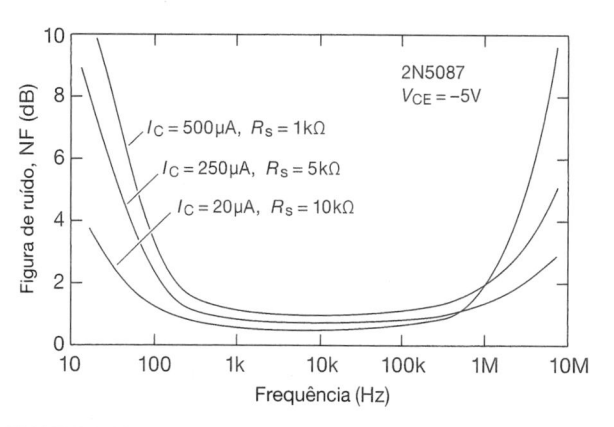

FIGURA 8.30 Figura de ruído (NF) em função da frequência, para três opções de I_C e R_s, para o 2N5087.

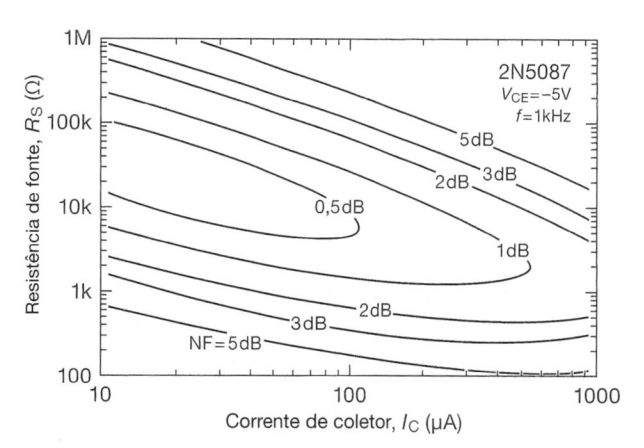

FIGURA 8.31 Contornos de figura de ruído de banda estreita constante para o transistor 2N5087. (Da folha de dados da ON Semiconductor.)

uma resistência de fonte de 10k. A figura de ruído calculada é, portanto, de 0,42 dB. Isso é coerente com o gráfico da folha de dados (Figura 8.30) mostrando NF em função da frequência, em que escolheram essa corrente de operação para $R_s = 10k$. Essa escolha de corrente de coletor também é aproximadamente o que você obteria a partir do gráfico da Figura 8.31 de contornos de figura de ruído para 1 kHz, embora a figura de ruído real possa ser estimada apenas aproximadamente a partir desse gráfico como sendo um pouco menos de 0,5 dB.

Exercício 8.2 Determine o melhor I_C e a figura de ruído correspondente para $R_s = 100k$ e $f = 1$ kHz, utilizando o gráfico da Figura 8.29 de e_n e i_n. Verifique a sua resposta a partir dos contornos de figura de ruído (Figura 8.31).

Para as outras configurações de amplificadores (seguidor, base aterrada) a figura de ruído é essencialmente a mesma, para um determinado R_s e I_C, visto que e_n e i_n se mantêm inalterados. Claro, um estágio com ganho de tensão unitário (um seguidor) pode apenas passar o problema para o próximo estágio, visto que o nível de sinal não foi aumentado a ponto de o projeto de baixo ruído poder ser ignorado em estágios subsequentes.

8.5.2 Gráficos de Ruído de Amplificador com e_n e i_n

Os cálculos de ruído que acabamos de apresentar, embora simples, fazem todo o estudo do projeto do amplificador parecer um tanto extraordinário. Se você errar um fator de constante de Boltzmann, repentinamente obtém um amplificador com uma figura de ruído de 10.000 dB! Nesta seção, apresentamos uma técnica de estimativa de ruído simplificada de grande utilidade.

O método consiste em primeiro escolher alguma frequência de interesse, a fim de obter valores para e_n e i_n em função de I_C a partir das folhas de dados de transistores. Então, para uma dada corrente de coletor, você pode traçar as contribuições de ruído totais a partir de e_n e i_n como um gráfico de e_a em função da resistência de fonte R_s. A Figura 8.32 mostra o que isso parece em 1 kHz para um estágio de entrada usando um transistor *pnp* 2N5087 operando com uma corrente de coletor de 10 μA. A tensão de ruído e_n é constante, e a tensão $i_n R_s$ aumenta proporcional à R_s,

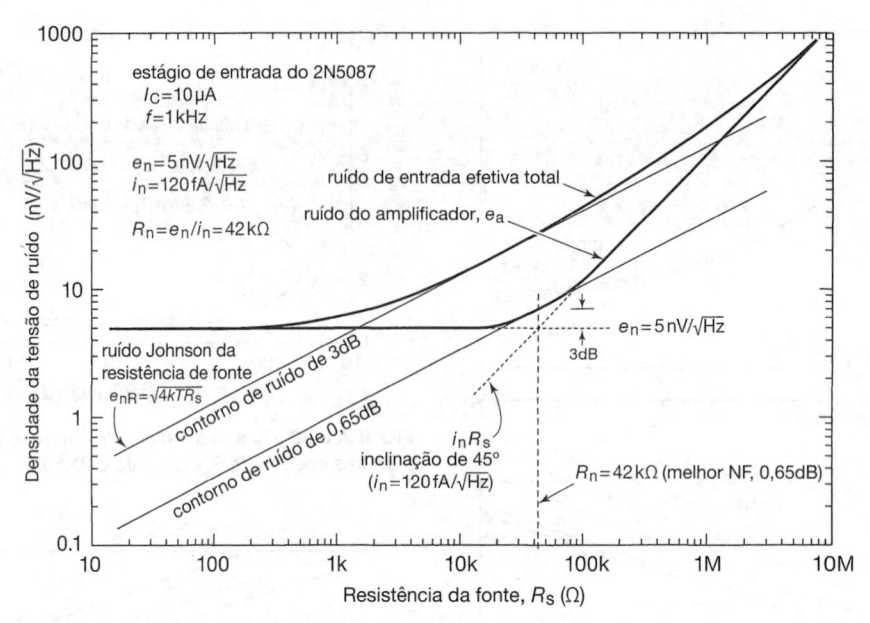

FIGURA 8.32 Tensão de ruído total de entrada do amplificador (e_a) traçada a partir dos parâmetros e_n e i_n. A curva de "ruído de entrada efetiva total" inclui o ruído Johnson a partir de uma fonte de entrada resistiva, ou seja, $Z_s = R_s$.

ou seja, com uma inclinação de 45°. A curva de ruído do amplificador é desenhada como mostrado, tendo o cuidado de assegurar que ela passa pelo ponto de 3 dB (relação de tensão de 1,4) acima do ponto de cruzamento das contribuições dos ruídos de tensão e corrente individuais. Também é representada graficamente a tensão de ruído da resistência da fonte, que é também o contorno de NF de 3 dB. As outras linhas de figura de ruído constante são simplesmente linhas retas paralelas a essa linha, como você verá nos exemplos que se seguem.

A melhor figura de ruído (0,65 dB) para essa corrente de coletor e frequência ocorre para uma resistência de fonte de 42 kΩ, e a figura de ruído é facilmente vista como menor do que 3 dB para todas as resistências de fonte entre 2 kΩ e 1 MΩ, os pontos em que o contorno de NF de 3 dB intercepta a curva de ruído do amplificador.

O próximo passo é desenhar algumas dessas curvas de ruído no mesmo gráfico, usando diferentes correntes de coletor ou frequências, ou talvez uma seleção de tipos de transistores, a fim de avaliar o desempenho do amplificador. Antes de fazer isso, mostraremos como podemos falar sobre esse mesmo amplificador utilizando um par diferente de parâmetros de ruído, a resistência de ruído R_n e a figura de ruído NF(R_n), ambos os quais abandonam logo o gráfico.

Vamos nos divertir com essa técnica depois (Seção 8.7), após aprendermos sobre o ruído em JFETs, por meio de uma competição de baixo ruído entre um dos melhores BJTs (2SD786) e um JFET comparavelmente excelente (2SK170).

8.5.3 Resistência de Ruído

A figura de ruído mais baixo, neste exemplo, ocorre para uma resistência de fonte $R_s = 42k$, o que equivale à relação de e_n por i_n. Isso define a resistência de ruído:

$$R_n = \frac{e_n}{i_n} \quad \text{ohms.} \qquad (8.32)$$

Você pode determinar a figura de ruído para uma fonte com essa resistência a partir da nossa expressão anterior, Equação 8.31, para figura de ruído:

$$\text{NF}(\text{at } R_n) = 10\log_{10}\left(1 + 1{,}23\times 10^{20}\frac{e_n^2}{R_n}\right) \text{ dB} \approx 0{,}31\,\text{dB}.$$

A resistência de ruído não é, de fato, uma resistência real no transistor ou algo do gênero. É uma ferramenta para ajudá-lo a encontrar rapidamente o valor da resistência de fonte para uma figura de ruído mínima, idealmente de modo que você possa variar a corrente de coletor para deslocar R_n para um valor próximo da resistência da fonte que você está realmente usando. R_n corresponde ao ponto em que as linhas de e_n e i_n se cruzam.

A figura de ruído para uma resistência de fonte igual a R_n segue, então, simplesmente a partir da equação anterior.

8.5.4 Criação de Gráficos Comparativos de Ruído

É fácil comparar transistores candidatos com esta técnica de criação de gráficos, plotando o ruído total do amplificador para cada uma de uma seleção de possíveis correntes de coletor. Fizemos isso na Figura 8.33, na qual comparamos o ruído total do amplificador (que inclui o ruído Johnson da resistência de fonte) em função da resistência da fonte para os transistores *npn* 2N5962 de alto beta e o ZTX851 de baixa $r_{bb'}$, utilizando valores de beta e $r_{bb'}$ medidos listados na Tabela 8.1a. Você pode ver que o dispositivo de alto beta que opera com corrente de coletor baixa é claramente o vencedor para resistências de fonte altas, em que a sua $r_{bb'}$ relativamente alta (480 Ω) é inofensiva, sendo inundada pelo ruído Johnson da fonte de sinal. Em contrapartida, para as resistências de fonte baixas (digamos 1k e abaixo), a $r_{bb'}$ admiravelmente baixa do ZTX851 (~1,7 Ω) alcança o menor ruído, especialmente quando operada a uma corrente de coletor relativamente alta para minimizar o termo de ruído de "r_e". (Lembre-se de que o ruído *shot* da corrente de coletor através de $1/g_m$ produz uma densidade de tensão de ruído e_n equivalente ao ruído Johnson de um resistor de valor $r_e/2$, Equação 8.20).

8.5.5 Projeto de Baixo Ruído com BJTs: Dois Exemplos

Vamos colocar essas ideias e equações para trabalhar, em primeiro lugar, observando um pré-amplificador de áudio de baixo ruído de terminação simples que conseguiu popularidade no início dos anos 1980 e, em seguida, por meio da comparação com um projeto diferencial clássico que aborda muitas das deficiências do circuito de terminação simples.

A. O Pré-Amplificador Naim

A Figura 8.34 mostra o estágio de entrada usado por muitos anos em pré-amplificadores de baixo nível da fabricante britânica Naim Audio. É um projeto de realimentação em série de dois estágios, terminação simples e de acoplamento CA (Figura 2.92), adaptado para baixa tensão de ruído de entrada. O ganho de tensão total é $G_V = 1 + R_f/R_E$ (30 dB aqui), com R_E escolhido bastante pequeno para manter sua contribuição de tensão de ruído Johnson abaixo de um nanovolt por raiz de hertz (15 Ω tem $e_n = 0,5$ nV/$\sqrt{Hz}$). O outro termo de ruído significativo é a contribuição do transistor a partir de $r_{bb'}$, que é diversamente especificado em folhas de dados ou como um valor e_n (em alguma corrente de coletor especificada) ou gráfico, ou como um valor de figura de ruído ou gráfico, ou (raramente) como um valor para a própria $r_{bb'}$; ou (o pior de todos) talvez nenhum desses. Para o ZTX384C de "Baixo Ruído" utilizado neste pré-amplificador, a folha de dados é um pouco reservada, revelando apenas que NF = 4 dB (máx) de 30 Hz a 15 kHz para $R_s = 2k$ e $I_C = 0,2$ mA. Isso não é muito útil, porque corresponde a uma tensão de ruído Johnson muito grande, de 6,9 nV/$\sqrt{Hz}$.

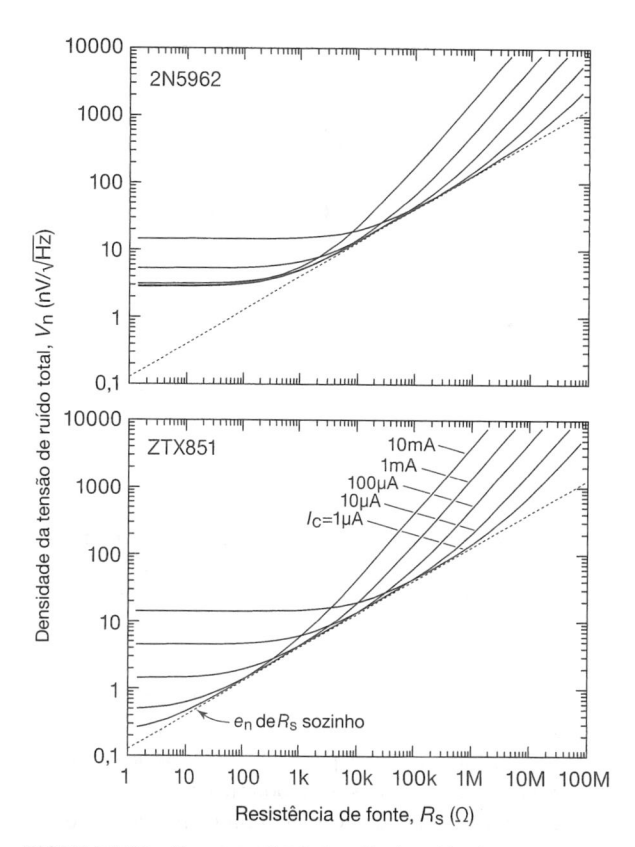

FIGURA 8.33 Comparação da tensão de ruído de entrada total do amplificador em função da resistência de fonte de dois candidatos BJTs de baixo ruído. As curvas traçam cinco valores de década de corrente de coletor. Para baixas resistências de fonte, a $r_{bb'}$ baixa do ZTX851 resulta em um ruído baixo em correntes de coletor altas; em contrapartida, a $r_{bb'}$ maior do 2N5962 limita a tensão de ruído final, mas o seu maior beta (portanto, ruído *shot* da corrente de base menor, $\sqrt{2qI_C/\beta}$) resulta em desempenho melhorado com resistências de fonte maior. Essas curvas incluem o ruído Johnson da resistência de fonte.

O fato é que todos os amplificadores foram muito silenciosos. Uma razão é que as especificações de pior caso de parâmetros difíceis de medir tendem a ser excessivamente pessimista. Por exemplo, o atual *npn* 2SC3324 de baixo ruído especifica (para uma condição de teste específica) NF = 3 dB (máx), mas 0,2 dB (típico). A empresa Naim pode ter selecionado dispositivos de baixo ruído. A outra razão é que o circuito da Naim, na verdade, usa cinco transistores em paralelo (cada um com um resistor de controle da corrente de emissor de 15 Ω) para Q_1, o que faz diminuir a sua tensão de ruído por um fator de $\sqrt{5}$. Em suma: o ruído deste pré-amplificador estava provavelmente nas proximidades de 1 nV/$\sqrt{Hz}$, como convém a um pré-amplificador projetado para os baixos níveis de sinais característicos dos cartuchos fonográficos de bobina móvel para os quais foi otimizado.

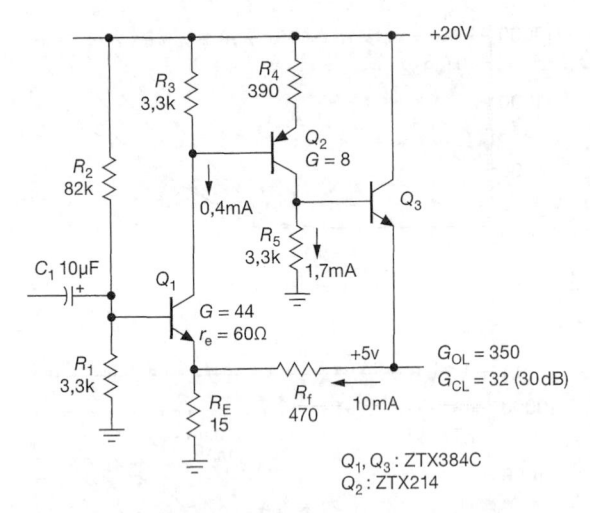

FIGURA 8.34 Pré-amplificador de áudio de baixo nível, semelhante ao utilizado no NAIM NA323. Q_1 é constituído a partir de uma conexão em paralelo de quatro ou cinco transistores selecionados.

Este circuito é simples, mas há vantagens e desvantagens causadas pelo pequeno R_E que foi escolhido para baixo ruído. Ele torna o esquema de polarização um tanto problemático, com o divisor de polarização R_1R_2 atuando mais como uma fonte de corrente (em comparação com a polarização de tensão clássica, por exemplo, como na Figura 2.35), tornando, assim, o ponto de operação quiescente bastante dependente do beta de Q_1. O baixo valor de R_E também resulta em uma baixa impedância de entrada, devido à impedância do divisor de polarização estável necessária de 3,2 kΩ.[32]

B. Um projeto melhor: pré-amplificador diferencial com acoplamento CC

Muitas das deficiências do pré-amplificador da Naim são bem tratadas no pré-amplificador diferencial com acoplamento CC mostrado na Figura 8.35, que mantém o desempenho desejável de baixo ruído do anterior. É basicamente a configuração AOP de 2 estágios clássica (por exemplo, as Figuras 4.43 ou 2.91), aqui simplificada com um estágio de saída classe A de terminação simples com uma carga ativa de absorção de corrente (com o pressuposto de que o próximo estágio não exigirá corrente de acionamento substancial).

Esse circuito elimina capacitores eletrolíticos de bloqueio, tanto na entrada quanto no divisor de realimentação de definição de ganho R_1R_2; ele minimiza a não linearidade do efeito Early no estágio de entrada; e seu uso de carga ativa (fonte de corrente) melhora a sua linearidade global (por meio da melhoria da linearidade de um único estágio, além de ganho de malha maior) e fornece polarização estável e previsível. O preço que você paga na troca é pequeno: o aumento da complexidade do circuito e o aumento de 3 dB no ruído (devido à contribuição de Q_2). Para essas correntes de coletor, o ruído é dominado pelo ruído Johnson da resistência de base $r_{bb'}$. Assim como com o amplificador da Naim, os transistores de entrada poderiam ser implementados como um arranjo em paralelo de transistores com V_{BE} casados (mesmo se são utilizados transistores simples, o par deve ser casado a ∼10 mV ou menos), ou (melhor) implementado com transistores com tamanhos de pastilhas maiores com menor $r_{bb'}$.[33]

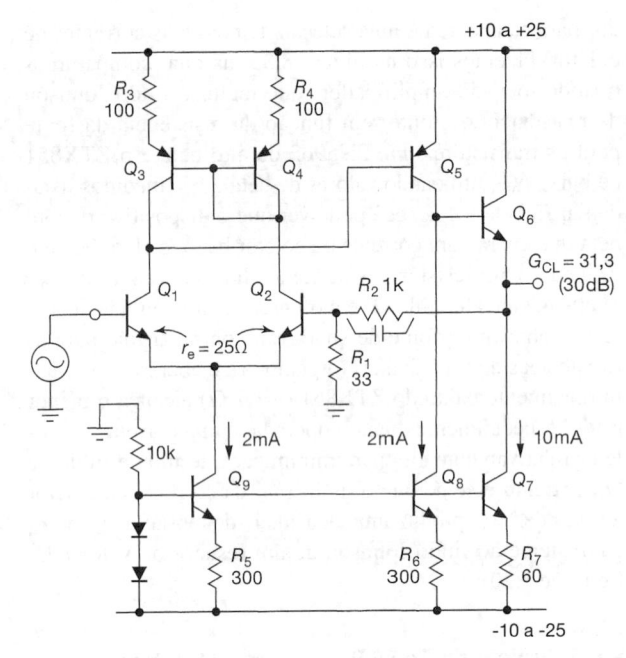

FIGURA 8.35 Um pré-amplificador de áudio de acoplamento CC de baixo nível de ruído com polarização previsível.

8.5.6 Minimizando o Ruído: BJTs, FETs e Transformadores

Amplificadores de transistor bipolar podem proporcionar um desempenho de ruído muito bom ao longo da faixa de impedâncias da fonte de cerca de 200 Ω a 1 MΩ, com as correspondentes correntes de coletor ideais geralmente na faixa de alguns miliampères até um microampère. (Com impedâncias da fonte baixas, você pretende minimizar e_n, ao passo que, com impedâncias de fonte altas, você pretende minimizar i_n; como vimos, isso dita as correntes de coletor alta e baixa, respectivamente).

---

[32] Que domina a impedância vista olhando para a base ($\beta R_E G_{malha}$) – esta última, cerca de 50 kΩ.

[33] Por exemplo, o barato 2SD2653, especificado para uma corrente de coletor contínua de 2A, mas com beta alto mesmo em baixas correntes: $\beta \approx 500$ para $I_C = 1$ mA. Veja a Seção 8.5.9B.

Se a impedância da fonte for alta – digamos, maior do que aproximadamente 100k –, a *corrente* de ruído do transistor domina, e o melhor dispositivo para a amplificação de baixo ruído é um FET. Embora o seu ruído de tensão seja geralmente maior do que o de transistores bipolares, a corrente de porta (e o seu ruído) pode ser extremamente pequena, tornando-os idealmente adequados para amplificadores de baixo ruído e alta impedância. Mergulharemos no ruído do FET em breve (Seção 8.6), após uma divertido "desafio" de projeto.

Para impedâncias de fonte muito baixas (digamos, 50 Ω), o ruído de tensão do transistor será sempre dominante e as figuras de ruído serão ruins. Uma abordagem em tais casos é a utilização de um transformador de sinal para elevar o nível de sinal (e impedância), tratando do sinal no secundário como antes. Transformadores têm suas desvantagens, é claro: eles são acoplados em CA; operam apenas ao longo de algumas décadas de largura de banda (e nunca em CC); os destinados à operação de baixa frequência são volumosos e caros e apresentam não linearidades; e eles são suscetíveis a captação magnética. No entanto, eles podem ser muito importantes quando você está lidando com um sinal de baixa impedância (digamos menos de 100 Ω); veja a Seção 8.10.

8.5.7 Um Exemplo de Projeto: Pré-Amplificador "Detector de Relâmpago" Barato

Aqui está um desafio de projeto interessante e uma chance de exercitar a nossa teoria de ruído. Imagine que queiramos fabricar um amplificador de fotodiodo barato que opere em baixa corrente a partir de uma bateria de 9 V, com ruído de entrada de apenas alguns nV/$\sqrt{Hz}$ e com tempo de resposta de alguns microssegundos. Você pode pensar nisso como um simples "detector de relâmpago", porque um relâmpago é quase único no fornecimento de pulsos de luz em escala de microssegundo no ambiente externo.[34] Em uma implementação totalmente refinada, ele poderia servir como um dispositivo de alerta útil para instalar em locais em que você quisesse estar dentro de casa quando o céu estivesse se tornando eletricamente carregado – campos de golfe, portos, campos de futebol, etc.

Aqui vamos explorar o básico, um ponto de partida para inspirar o aficionado por eletrônica. Veremos que podemos fazer o trabalho com dispositivos padrão com um custo total dos componentes (em quantidades de 1.000 peças) de apenas 40 centavos de dólar. Será um dispositivo "descartável", fabricado na casa dos milhões, com lucros proporcionais e fama (sonhe!). Vamos conhecê-lo em etapas fáceis, como mostrado nas Figuras 8.36A a E (identificadas de forma semelhante nos parágrafos seguintes).

A. Diagrama em bloco. Polarizamos reversamente o fotodiodo PIN para reduzir sua capacitância (portanto, menor ruído e uma resposta mais rápida) e usamos um capacitor de bloqueio para o ponto de soma de um estágio de transimpedância para eliminar o nível CC a partir da luz ambiente e da corrente de fuga. O resistor de realimentação R_f define o ganho ($G = R_f$ volts/amp).

B. Projeto discreto, primeira iteração. Precisamos da um inversor com realimentação, por isso começamos com um estágio de emissor aterrado (Q_1), com um seguidor de emissor (Q_3) para criar uma fonte com realimentação e saída de baixa impedância.

C. Adição de um cascode. Este circuito operará em correntes baixas (0,1 mA ou menos); desta forma, temos impedâncias relativamente altas em que o efeito Miller provoca uma redução de largura de banda significativa. Então, adicionamos um cascode (Q_2) em cima do coletor do estágio de ganho.

D. Cascode invertido. Uma bateria de 9 V cai para 6 V no fim da vida útil, de modo que agora estamos operando fora do espaço livre! Queremos manter a abundância da faixa dinâmica, então corrigimos esse problema conectando um cascode ao redor, criando uma "cascode invertido", no qual as variações da corrente de coletor em Q_1 passam através do transistor cascode *pnp* Q_2, enquanto o último continua a ceifar a tensão de coletor de Q_1. O seguidor de saída desempenha um duplo papel aqui, com seu V_{BE} definindo a corrente de coletor de Q_2: $I_{C2} = V_{BE3}/R_3$.

E. Seção de entrada do seguidor e ruído da corrente de entrada. Para uma corrente de coletor de ~50 μA em Q_1 de que precisaremos para obter largura de banda suficiente, não haveria muita corrente de ruído na entrada. (Lembre-se de que o sinal de entrada é uma *corrente*.) Então adicionamos um seguidor de alto beta (Q_4) e escolhemos uma corrente de coletor de 1 μA como um valor inicial de teste. Escolhemos também um grande resistor de realimentação R_2 para minimizar a sua corrente de ruído, como visto na entrada, com capacitância *shunt* C_C para limitar a largura de banda de 100 kHz. A ideia é calcular o ruído de entrada para ver de onde vem a contribuição dominante e, em seguida, iterar o projeto em direção a um estado ideal. Atribuímos valores aos componentes para um projeto inicial.

---

[34] Cerca de 90% da atividade de relâmpagos são de nuvem para nuvem, estendendo-se ao longo de grandes distâncias e exibindo tempos relativamente longos de subida e descida; seus sinais não parecem diferentes do ruído "cultural" de fundo típico. Os 10% restantes são raios para a terra (o que nos interessa!), com características únicas de tempo de subida curto, tipicamente inferiores a 5 μ de duração (até mesmo quando ocorrem a grandes distâncias). Isso nos permite criar filtros para distinguir relâmpagos nuvem-solo fracos distantes de uma interferência transitória vizinha de outras origens. O circuito descrito aqui é um simples pré-amplificador de baixo ruído apropriado para uso com esses filtros e discriminadores.

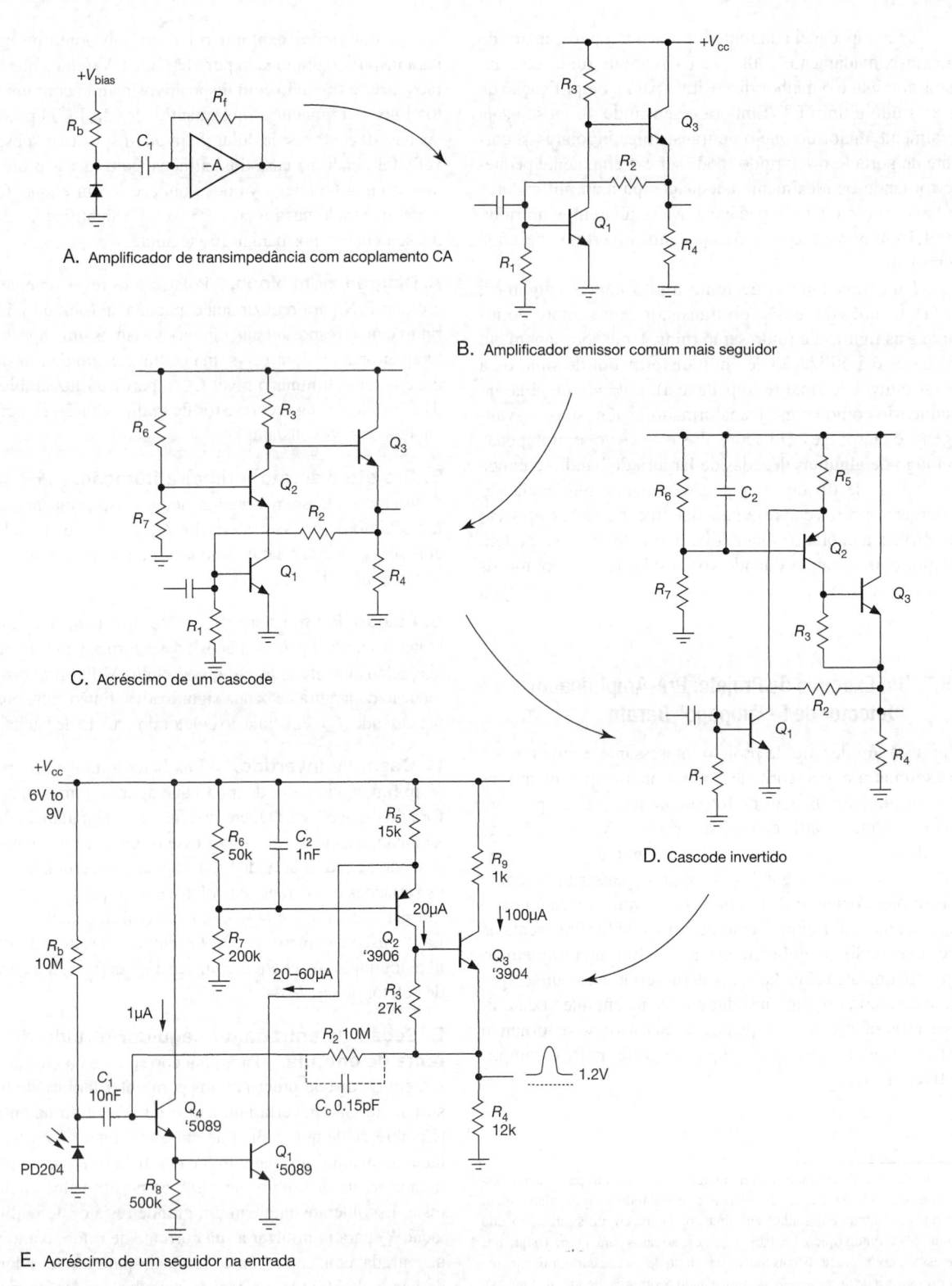

A. Amplificador de transimpedância com acoplamento CA

B. Amplificador emissor comum mais seguidor

C. Acréscimo de um cascode

D. Cascode invertido

E. Acréscimo de um seguidor na entrada

FIGURA 8.36 A evolução de um amplificador de fotodiodo de baixa potência e baixo nível de ruído construído com componentes discretos de baixo custo. Exceto por Q_1 e o fotodiodo, todas as peças estão disponíveis em encapsulamentos de montagem em superfície (precedido de "MMBT" para números de identificação de transistor, por exemplo, MMBT5089).

Cálculo do desempenho de ruído. Vamos estimar a corrente de ruído na entrada; isso é o que concorre com o sinal (corrente) do fotodiodo. Existe ruído *shot* na corrente de base de Q_4, e há corrente de ruído Johnson a partir do resistor de realimentação R_2 e do resistor de polarização do fotodiodo R_b. Além disso, temos que nos preocupar com a *tensão* de ruído na entrada: na combinação com a capacitância de entrada C_{in}, ela cria uma corrente de ruído de entrada $i_n = e_n \omega C_{in}$ (como veremos em detalhe na Seção 8.11). A tensão de ruído de entrada é o resultado das contribuições combinadas do ruído e_n de Q_1 e Q_4, tendo cada um ruído Johnson em suas $r_{bb'}$ e ruído *shot* de coletor através de suas r_e. Vejamos estes.

Corrente de ruído. Estimando um $\beta \approx 350$ de Q_4 para sua corrente de coletor de 1 μA, descobrimos que sua corrente de base de 3 nA cria uma densidade de ruído *shot* $=\sqrt{2qI_B}=30\,\text{fA}/\sqrt{\text{Hz}}$. O resistor de realimentação R_2 e o resistor de polarização R_b criam uma corrente de ruído Johnson $i_{n(R)}=\sqrt{4kT/R}=57\,\text{fA}/\sqrt{\text{Hz}}$. Elas se combinam (raiz quadrada da soma dos quadrados) para gerar $i_n(\text{total})=65\,\text{fA}/\sqrt{\text{Hz}}$.

Tensão de ruído. O seguidor de emissor Q_4, operando em 1 μA, gera uma tensão de ruído *shot* em sua r_e de $e_{n(\text{shot}4)}=r_e\sqrt{2qI_C}=14{,}3\,\text{nV}/\sqrt{\text{Hz}}$. Sua resistência de base interna de $\sim 300\,\Omega$ acrescenta uma tensão de ruído Johnson relativamente insignificante de $e_{n(J4)}=\sqrt{4kTr_{bb'}}=2{,}2\,\text{nV}/\sqrt{\text{Hz}}$, para um combinado $e_{n4}=14{,}5\,\text{nV}/\sqrt{\text{Hz}}$.

O amplificador de emissor aterrado Q_1, operando com 40 μA nominal e com uma $r_{bb'}$ de $\sim 300\,\Omega$, gera tensões de ruído correspondentes de $e_{n(\text{shot}1)}=r_e\sqrt{2qI_C}=2{,}3\,\text{nV}/\sqrt{\text{Hz}}$ e $e_{n(J1)}=\sqrt{4kTr_{bb'}}=2{,}2\,\text{nV}/\sqrt{\text{Hz}}$, para um combinado de $e_{n1}=3{,}2\,\text{nV}/\sqrt{\text{Hz}}$.

Combinando as tensões de ruído de Q_1 e Q_4, determinamos[35] $e_n(\text{total})=14{,}8\,\text{nV}/\sqrt{\text{Hz}}$. Evidentemente, Q_4 é o maior ruído aqui; mas continuemos com a análise.

Em combinação com a capacitância de entrada de ~ 10 pF (5 pF para o fotodiodo, 2,5 pF para C_{cb} de Q_4 e 2,5 pF para a capacitância da fiação) essa tensão de ruído cria um ruído de corrente de entrada efetivo (Seção 8.11.3) de $i_n = e_n \omega C_{in}=90\,\text{fA}/\sqrt{\text{Hz}}$, se considerarmos ω uma frequência característica de 100 kHz.

Verificando a estabilidade da realimentação. Este é um circuito de realimentação, com o potencial para oscilação sempre presente. E, em uma configuração de transresistência como esta, a capacitância *shunt* na entrada combina com o resistor de realimentação de grande valor para introduzir um deslocamento de fase em atraso adicional. Lidamos com isso em detalhes na Seção 8.11; o critério para estabilidade é que a largura de banda de ganho unitário do amplificador em malha aberta deve satisfazer

$$f_T(\text{malha aberta}) > f_{R_2C_c}^2/f_{R_2C_{in}}. \qquad (8.33)$$

(Em outras palavras, a frequência de atenuação de -3 dB da rede de realimentação deverá ser menor do que a média geométrica (a) da frequência de ganho unitário de malha aberta do amplificador e (b) da frequência de atenuação de $\times 3$ dB do resistor de realimentação em combinação com a capacitância de entrada.)

Assim, para o circuito da figura 8.36E, exigimos $f_T(\text{malha aberta}) > 106\text{kHz}^2/1{,}6\text{kHz}$ ou 7 MHz. Estimamos o ganho unitário em malha aberta do amplificador como segue.

(a) O ganho de tensão de baixa frequência é $G = g_{m1}R_{\text{carga}}$, onde R_{carga} é a impedância vista no coletor do transistor cascode Q_2.
(b) O último é $R_{\text{carga}} = R_4\, g_{m3}R_3 \approx 1{,}3\,\text{M}\Omega$, de modo que o ganho de malha aberta de baixa frequência G_{OL} varia de 1.000 a 3.000 para correntes de coletor de Q_1 de 20 μA a 60 μA (tensão de bateria de 6 V a 9 V), respectivamente.
(c) Esse ganho decai a 6 dB/oitava, começando com uma frequência definida por R_{carga} em combinação com a capacitância vista pelo coletor de Q_2; fazendo $C_{cb} \sim 2{,}5$ pF para cada um dos transistores Q_2 e Q_3, temos $f_{3dB} = 25$ kHz.
(d) Isso leva o ganho em malha aberta do amplificador a diminuir para a unidade em cerca de 25 MHz (para a corrente de coletor mínima de Q_1), uma boa margem de estabilidade, dada a nossa exigência de 7 MHz.

O cascode foi essencial para obter essa largura de banda para essas correntes baixas. Sem ele, o estágio de ganho (Q_1) teria sua capacitância de carga multiplicada pelo ganho de tensão de 1.000, devido ao efeito Miller.

Otimização. As contribuições das correntes de ruído do amplificador ($65\,\text{fA}/\sqrt{\text{Hz}}$) e da corrente de ruído que gera a tensão de ruído através da capacitância de entrada ($90\,\text{fA}/\sqrt{\text{Hz}}$) estão no mesmo patamar. Esta última aumenta proporcional à frequência e domina ligeiramente na extremidade da alta frequência da banda de passagem; porém, quando integrados ao longo da banda de passagem do amplificador, os dois termos de ruído contribuem ao ruído integrado comparável, totalizando, aproximadamente, $I_n = 30$ pA RMS (portanto, 0,3 mV RMS na saída do amplificador).

A maior parte da corrente de ruído, portanto, vem dos resistores de ajuste de ganho de 10M e de polarização. Eles poderiam aumentar em valor, ainda que R_b não deva ser tão grande a ponto de saturar o fotodiodo com luz ambiente no-

---

[35] Nestas baixas correntes de coletor, encontramos tensões reais de ruído com medidas aproximadamente 25% maiores do que aquelas previstas pela teoria simples.

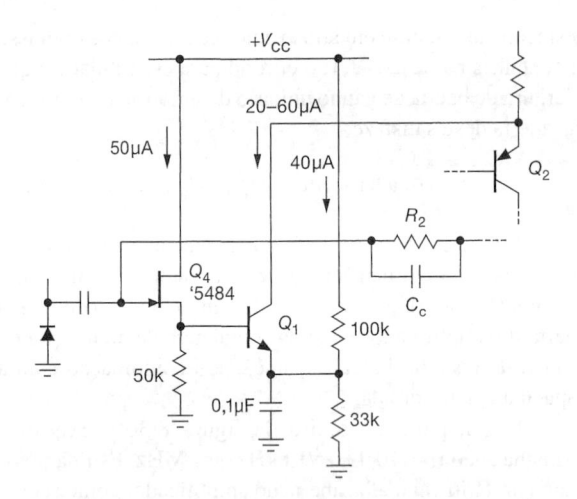

FIGURA 8.37 Substituir o transistor BJT de entrada na Figura 8.36 por um JFET de baixa capacitância reduz a tensão de ruído e a corrente de ruído de entrada por um fator de 3.

turna. Este último problema pode ser contornado pela detecção da tensão no fotodiodo e usando-a para controlar uma fonte de corrente de polarização silenciosa. Se o ruído do resistor fosse suficientemente diminuído, a fonte de ruído dominante restante seria Q_4, cuja tensão de ruído (multiplicada por ωC_{in}) e corrente de ruído são comparáveis. Aumentar sua corrente de operação reduz sua tensão de ruído, mas aumenta sua corrente de ruído. Parece que estamos presos.

Mas não, nós *não* estamos! Se substituirmos o seguidor de entrada BJT por um JFET de baixa capacitância (Figura 8.37), podemos conseguir uma melhoria significativa. A tensão de ruído de um 2N5484 ($C_{in} \approx 2,2pF$) operando em 50 μA é de cerca de $e_n = 5 \, nV/\sqrt{Hz}$ (com base em medições em 100 μA), e sua corrente de ruído é insignificante; portanto, reduzimos a contribuição do ruído do transistor por um fator de 3 (para um custo adicional de 5 a 10 centavos de dólar). Claro, isso só faz sentido se as contribuições de ruído Johnson de R_b e R_2 podem ser reduzidas pelo menos por um fator de 4. Com essas melhorias, o ruído de entrada integrado total do amplificador se torna $I_n \approx 10 \, pA \, RMS$. Isso é comparável ao ruído *shot* na corrente de fuga do fotodiodo (3 nA, típico, para $-10V$ e $25°C$) – não há motivo para preparar ainda mais o amplificador.

Dedicamos ao assunto de projeto de baixo ruído com JFETs em breve, na Seção 8.6.

8.5.8 Seleção de um Transistor Bipolar de Baixo Ruído

É importante selecionar os transistores corretos e as correntes de operação adequadas, a fim de otimizar o desempenho de baixo ruído de um circuito. Essa tarefa tornou-se mais difícil, visto que alguns dos melhores dispositivos favoritos de baixo ruído foram recentemente descontinuados pelo fabricante um após o outro (a maioria deles era de encapsulamentos PTH, que não favorecia a montagem por máquinas). Muitas vezes,

isso significa que você não pode simplesmente escolher um dispositivo usado em um bom projeto de outra pessoa. A tarefa é dificultada também pela falta de informações relevantes em folhas de dados – curvas de tensão de ruído, ou mesmo uma menção de tensão de ruído, são uma exceção na maioria das folhas de dados dos BJT contemporâneas. Viemos para lhe salvar com as Tabelas 8.1a e 8.1b, na qual listamos uma série de transistores que são bons candidatos,[36] juntamente com parâmetros de ruído medidos, como e_n, $r_{bb'}$, V_A (tensão Early) e gráficos de beta em função da corrente de coletor. Aqui está um guia para a tabela e para a tarefa de seleção e uso de um transistor de baixo ruído.[37]

A coluna de **beta** ou h_{FE} mostra os valores mínimos indicados pelo fabricante. Embora o beta *típico* seja frequentemente muito maior, você tem que aceitar a realidade de que um dispositivo de beta mínimo pode acabar em seu circuito (a menos que você esteja disposto a selecionar dispositivos). As especificações de beta do fabricante são frequentemente para correntes mais elevadas do que as que você vai usar, e o beta pode ser severamente degradado em correntes mais baixas. Para ver quais transistores são suscetíveis a isso, medimos beta em função da corrente de coletor, indo de 1 μA a 100 mA, obtendo os resultados mostrados na Figura 8.39 (com as identificações correspondentes na coluna **gráfico do Beta** das Tabelas 8.1a e 8.1b). A queda de beta para uma corrente baixa é resumida na coluna **Linearidade** na tabela, classificando os transistores em uma escala de 1 (grande queda de beta para correntes de microampères) a 5 (beta não muda com a corrente). Note como alguns dispositivos operam sem "forças" em correntes acima 1 mA; eles são dispositivos de pastilhas pequenas que operam com altas densidades de corrente. Tenha em mente que nossas medidas foram tomadas para $V_{CE} = 5$ V e que o beta de alta corrente de alguns BJTs cai rapidamente em tensões de coletor mais baixas (um efeito da saturação).[38] Nossos gráficos medidos vão até 50 mA, mas as folhas de dados de alguns dispositivos

---

[36] Em muitos casos, esses transistores não são promovidos pelo fabricante como "de baixo nível de ruído". Fizemos algumas suposições e, em seguida, encomendamos e testamos amostras de uns 100 tipos diferentes.

[37] Alguns conselhos sobre como encontrar dispositivos. É útil pesquisar usando a parte interna (numérica) do nome do dispositivo, porque pode haver versões com diferentes prefixos ou sufixos. Será mais fácil você encontrar dispositivos SMD do que PTH – veja as notas na coluna SOT-23 da Tabela 8.1a. Alguns dispositivos são armazenados apenas por fornecedores especializados, tais como B&D Enterprises, MCM, Donberg Electronics, Encompass e Littlediode. Dispositivos descontinuados também podem estar disponíveis no eBay, em pequenas quantidades adequadas para fazer instrumentos de laboratório especializados. Alguns grandes distribuidores do Círculo do Pacífico têm bom inventário de dispositivos mais antigos e vendem a partir de seus sites, através do Alibaba, ou no eBay. Os quatro dispositivos da Sanyo próximos à parte inferior da tabela foram descontinuados, mas eles disponibilizam outros dispositivos que podem oferecer desempenho semelhante.

[38] Não fornecemos medidas de beta em tensões mais baixas, mas estamos confiantes de que os dispositivos vencedores de baixo ruído (o *npn* ZTX851 e o *pnp* ZTX951) têm bom desempenho nesse quesito, tendo sido projetados como transistores de alta corrente com baixa tensão de saturação.

TABELA 8.1a BJTs de baixo ruído[a]

Nº identif.	Fabricante	npn	pnp	TO-92	SOT-23	SMT pequeno	SOT-223	TO-126	TO-220	Pinagem[u]	V_{CEO} máx (V)	f_T típico (MHz)	C_{ob} típico (pF)	beta mín	@I_C (mA)	Linearidade[e]	Gráfico de beta	Early V_A meas (V)	medido e_n @ I_C (nV/◊) (mA)		$r_{bb'}^a$ (Ω)	"ótimo"[o] I_C (mA)	e_n (nV/◊)	i_n (pA/◊)	R_n (Ω)
BCX70J	m	•	-	-	•	-	-	-	-	D	45	250	1,7	250	2	4	37	215	3,54	10	760	0,015	5,1	0,14	37k
BC850C	I	•	-	b	•	a	-	-	-	D	45	250	2,5	420	2	4	37	220	3,32	1	650[r]	0,017	4,7	0,11	41k
BC860C	I	-	•	b	•	a	-	-	-	D	45	250	2,5	420	2	3	17	30	3,09	1	590[r]	0,02	4,5	0,38	12k
MPSA18	m	•	-	•	-	-	-	-	-	A	45	160	1,7	500	0,1	4	41	-	6,5[d]	0,1	-	-	-	-	-
2SC3624A	H	•	-	-	•	-	-	-	-	D	50	250	3	1000	1	-	-	60[d]	-	-	-	-	-	-	-
2N5962	m	•	-	•	-	m	-	-	-	A,D	45	100	1,5	500	0,1	2	42	60	2,77	10	480	0,02	4,0	0,38	10k
MMBT6429	O	•	-	-	m,p	-	-	-	-	D	43	400	1,3	500	0,1	5	39	140	2,27	10	310	0,04	3,2	0,15	21k
2N5089	m	•	-	•	-	m,p,c	-	-	-	A,D	25	50	1,3	450	1	5	38	200	2,15	10	290	0,04	3,1	0,17	19k
2N5088	m	•	-	•	-	m,p	-	-	-	A	30	50	1,3	300	0,1	5	38	180	1,97	10	240	0,05	2,9	0,22	13k
MPS8098	m	•	-	•	-	-	-	-	-	A	60	150	2,6	100	1	4	27	435	1,79	10	195	0,06	2,6	0,43	6,0k
2N5087	m	-	•	•	-	m	-	-	-	A,D	50	40	2,4	250	0,1	4	15	55	0,81	10	40	0,28	1,2	0,60	2,0k
2N5210	C	•	-	•	-	m	-	-	-	A,D	50	50	1,3	250	1	5	35	270	1,92	10	230	0,05	2,8	0,25	11k
2SC2412-R	R	•	-	a	•	a	-	-	-	D	50	180	2	180	0,1	3	32	360	1,66	10	165	0,07	2,4	0,35	6,8k
2SA1037-R	R	-	•	a	•	a	-	-	-	D	50	140	4	180	0,1	-	-	60[d]	-	-	-	-	-	-	-
2SC2712-GR	T	•	-	-	•	-	-	-	-	D	50	80	2	200	2	5	32	390	1,57	10	150	0,07	2,3	0,34	6,6k
2SA1162-GR	T	-	•	-	•	-	-	-	-	D	50	80	4	200	2	4	10	50	1,40	10	120[y]	0,09	2,0	0,38	5,2k
2SC3906K	R	•	-	a	•	a	-	-	-	D	120	140	2,5	180	2	5	35	280[d]	-	-	-	-	-	-	-
2SA1514K	R	-	•	a	•	a	-	-	-	D	120	140	3,2	180	2	4	12	165	1,35	10	110	0,10	1,9	0,42	4,6k
2N5401	m	-	•	•	-	m	-	-	-	A,D	160	150	6	50	1	5	2	-	-	-	-	-	-	-	-
2N5551[s]		•	-	•	-	m	-	-	-	A,D	160	150	2,7	80	1	5	25	-	-	-	105	0,11	1,3	0,65	2,0k
2N3904	m	•	-	•	-	m	-	a	-	A,D	40	300	2,5	70	1	5	31	340	1,35	10	110	0,10	1,9	0,68	2,8k
2N3906	m	-	•	•	-	m	-	-	-	A,D	40	250	3	80	1	1	3	25	0,74	10	32	0,35	1,0	1,18	890
2SC3324[g]	T	•	-	-	•	-	-	-	-	D	120	100	3	200	2	5	35	560	0,78	10	35	0,32	1,1	0,71	1,5k
2SA1312	T	-	•	-	•	-	-	-	-	D	120	100	4	200	2	5	13	180	0,58	10	20	0,56	0,8	0,94	880
2SB1197K-Q[b]	R	-	•	-	•	-	-	-	-	D	32	200	12	120	100	5	6	110	0,60	10	20	0,56	0,8	1,22	680
2N4401	m	•	-	•	-	m	a	-	-	A,D	40	250	4	80	10	5	31	410	0,84	10	40	0,28	1,2	1,05	1,1k
2N4403	m	-	•	•	-	m	-	-	-	A,D	40	200	5,5	50	10	1	1	-	0,55	10	17	0,65	0,8	2,05	370
2SD2653	R	•	-	-	-	-	•	-	-	D	12	360	20	270	200	4	37	65	0,54	10	17	0,65	0,8	0,88	860
2SB1690K	R	-	•	-	-	-	•	-	-	D	12	360	15	270	200	5	19	10	0,52	10	15	0,74	0,7	0,94	760
2SB1424	R	-	•	a	-	•	-	-	-	F	20	240	35	120	100	4	5	30[d]	0,35	10	9,4	1,2	0,6	1,78	320
ZXTN19020D	Z	•	-	-	-	•	-	-	-	D	20	160	33	300	100	3	36	100	0,40	10	11	1,0	0,5	1,04	590
2SD1898	R	•	-	a	-	-	d	-	a	F	80	100	20	120	500	-	-	580	0,40	10	8,3	1,3	0,5	1,89	280
2SB1260	R	-	•	a	-	-	d	-	a	F	80	100	20	120	100	-	-	-	0,36	10	7	1,6	0,5	2,06	240
MPS8599	O	-	•	•	-	m	-	-	-	A,D	80	150	2,9	100	1	5	6	170	0,47	10	12	0,9	0,6	1,72	370
MPS8099	O	•	-	•	-	m	-	-	-	A,D	80	150	2,5	100	1	4	27	540	0,37	10	8	1,4	0,5	2,11	250
DSS20201L[b]	D	•	-	-	-	-	•	-	-	D	20	150	16	250	10	1	30	150	0,38	10	8,0	1,4	0,5	1,34	390
ZTX450	Z	•	-	•	-	-	-	-	-	A	45	150	15 m	100	150	3	26	730	0,39	10	8,5	1,3	0,5	2,05	260
ZTX550	Z	-	•	•	-	-	-	-	-	A	45	150	-	100	150	5	6	-	0,38	10	7,7	1,4	0,5	2,15	240
ZTX618	Z	•	-	-	f	-	-	-	-	A,D	20	140	23	200	10	3	36	90	0,41	10	9,3	1,2	0,5	1,38	410
ZTX718	Z	-	•	-	f	-	-	-	-	A,D	20	180	21	300	10	3	18	25	0,38	10	7,3	1,5	0,5	1,27	390
ZXTN19100C	Z	•	-	-	-	•	-	-	-	D	20	150	16	200	100	3	34	480	0,36	10	6,8	1,6	0,48	1,61	300
2SD1684[b,x]	S	•	-	-	-	-	-	•	-	E	100	120	11	100	10	2	30	380	0,29	10	4,0	2,8	0,37	2,98	125
2SB1243Q[b]	R	-	•	-	-	-	-	v	G2		50	70	50	120	500	3	7	180[d]	0,28	10	3,7	3,0	0,35	2,83	125
BD437	m	•	-	-	-	-	-	•	-	E	45	3	65	30	10	2	21	1100	0,27	25	3,9	2,8	0,36	5,51	65
BU406	O	•	-	-	-	-	-	-	•	G	200	10	80	45[t]	100	1	z	150[d]	0,26	10	3,1	3,5	0,33	5,02	65
2SC3955[v,x]	S	•	-	-	-	-	-	-	•	E	200	300	1,9	40	10	5	22	600[d]	0,24	10	2,3	4,8	0,28	6,20	45
2SD786-S[x]	R	•	-	-	-	-	-	-	•	B	40	100	13	270	10	4	33	320	0,24	10	2,3	4,8	0,28	2,39	120
2SB737[x]	R	-	•	-	-	-	-	-	•	B	40	100	25	270	10	4	7	140	0,21	10	1,7	6,5	0,24	2,78	85
ZXTN2018F	Z	•	-	-	•	-	-	-	-	D	60	130	28	100	10	2	28	4600	0,27	10	3,3	3,4	0,33	3,28	100
ZXTP2027F	Z	-	•	-	•	-	-	-	-	D	60	165	44	100	10	4	7	100	0,21	10	1,46	7,6	0,22	4,93	45
2SC6102[b,x]	S	•	-	-	-	-	-	-	•	E	30	290	40	200	500	5	32	280	0,23	10	2,0	5,5	0,26	2,98	88
2SC3601[v,x]	S	•	-	-	-	-	-	-	•	E	200	400	2	40	10	5	25	500[d]	0,22	10	1,61	6,9	0,23	7,43	31
ZTX851	Z	•	-	•	-	-	-	z	-	A,F	60	130	45	100	10	2	23	410	0,18	25[f]	1,67	6,7	0,24	4,61	52
ZTX951	Z	-	•	•	-	-	-	z	-	A,F	60	120	74	100	10	3	4	120	0,20	10	1,24	9,0	0,21	5,35	38

Fabricantes: **A** – Analog Devices, **C** – Central, **D** – Diodes, Inc., **H** – Renesas, **I** – Infineon, **In** – Intersil, **L** – Linear Integrated Systems, **m** – diversos, **N** – NSC, **O** – ON Semi, **R** – Rohm, **S** – Sanyo (ON Semi), **Th** – THAT, **T** – Toshiba, **Z** – Zetex (Diodes, Inc.).

Nomes & Encapsulamentos: **a** – Disponível, veja a folha de dados para números de identificação, a maioria é de pinagem B. **b** – Para TO-92, experimente BC550 e BC560, ambos com pinagem C. **c** – CMPTxxx. **d** – SOT-89. **f** – FMMTxxx. **m** – MMBTxxx. **p** – PMBTxxx ou PMSTxxx. **v** – ATV. **z** – FZTxxx.

Notas: ◊ = √Hz. (a) Listados em ordem decrescente de $r_{bb'}$. (b) Complementar disponível, veja folha de dados. (c) Complementares agrupados. (d) Da folha de dados. (e) Classificação pela constância de beta ao longo da corrente de coletor, classificados em uma escala de 1 a 5 (melhor). (f) Menor ruído 1/f e_n = 0,21nV/√Hz para I_C = 10 mA. (g) Amplamente discutido na seção "Determinando e_n a Partir das Especificações de Figura de ruído" deste capítulo. (m) Máximo. (o) Corrente de coletor i_C na qual a contribuição do ruído r_e eleva a irredutível tensão de ruído Johnson de $r_{bb'}$ em 50%; que corresponde a valores de e_n, i_n e $R_n = e_n/i_n$ listados. (r) A folha de dados do BC550C da ON Semi tem gráfico de $r_{bb'}$ = 170 Ω (cai 25% de 0,1 a 10 mA). (s) 2N5550 é versão de baixo beta. (t) Típico. (u) Ver figura. (v) Transistor de vídeo, incluído por seu baixo C_{CB}. (x) Descontinuado, incluído para comparação. (y) Medida em um 2SA1162-Y. (z) Beta medido ≈25.

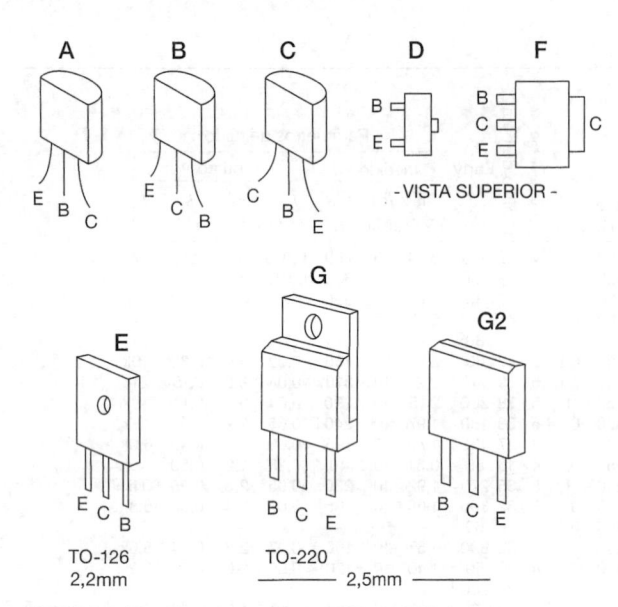

FIGURA 8.38 Pinagem para os BJTs na Tabela 8.1a.

TABELA 8.1b BJTs dual de baixo ruído[a]

Nº identif. do Dual	Fabricante[b]	Nº identif. simples, etc.	npn/pnp	V_{CEO} (V)	Gráfico de beta	Ruído[x] e_n @ I_C (nV/$\lozenge$) (mA)		$r_{bb'}$ (Ω)	Casado[m] V_{OS} (mV)	h_{FE} (%)
BCM847	I	BC850B	N	45	37	3,3	1	650	2	10
BCM857	I	BC860B	P	50	17	3,1	1	590	2	10
LS301	L	-	N	18	-	-	-	-	1	5
IT124	L	-	N	2	-	-	-	-	5	10
CMKT5089M	C	2N5089	N	25	38	2,2	10	291	5	10
DMMT3904	D	2N3904	N	40	31	-	-	-	1	2
DMMT3906	D	2N3906	P	40	3	-	-	-	1	2
DMMT5551	D	2N5551	N	160	25	-	-	-	1	2
DMMT5401	D	2N5401	P	160	2	-	-	-	1	2
LM394C	N	obsoleto	N	20	40	1,8	0,1	60	0,2	5
MAT12	A	-	N	40	-	0,85	1	28	0,2	5
HFA3134	In	f_T=8GHz	N	12	-	0,8	1	40	6	8
HFA3135	In	f_T=7GHz	P	12	-	1,3	1	105	6	8
SSM2212	A	-	N	40	-	0,85	1	28	0,2	5
SSM2220	A	-	P	36	-	0,7	1	25	0,2	6
THAT 300	Th	quatro npn	N	36	-	0,9	1	30	3	4
THAT 320	Th	quatro npn	P	36	-	0,75	1	25	3	5
HN3C51F	T	2SC3324	N	120	-	0,78	10	35	-	-
HN3A51F	T	2SA1312	P	120	-	0,28	10	20	-	-

Notas: ($\lozenge$) raiz quadrada de Hz. (a) Veja a Tabela 8.2a para BJTs individuais. (b) Ver notas de rodapé da Tabela 8.2a. (m) Máximo. (x) Medido.

de pastilha maior (como o ZTX851) fornecem curvas de beta que vão até 10 A.

Alguns tipos de BJTs são medidos pelo fabricante e classificados em categorias de beta. Por exemplo, o BC850 tem graus A, B e C, com betas típicos a 2 mA de 180, 290 e 520, respectivamente. É tentador escolher dispositivos de mais alta qualidade em seu projeto, mas, muitas vezes, você não os encontrará disponíveis nas distribuidoras. Os graus mais elevados de beta também sofrem de desempenho de ruído degradado, especificações de V_{CEO} baixas e tensões Early baixas (isto é, impedâncias de saída menores).[39]

Observando o BC850 novamente, você vê que ele é um transistor de pequena área que você provavelmente usaria em correntes muito menores do que os 2 mA em que seu beta é especificado; por isso, é bom ver na Figura 8.39 que seu beta cai até menos de 10% em 1 μA, em comparação, por exemplo, com o 2N5962, cujo beta cai em 50%. O popular *npn* 2N3904 mantém-se estável, mas o beta do seu similar *pnp* 2N3906 cai em um fator de 3 ao longo de quatro décadas de corrente, uma situação comum com dispositivos *pnp*. No entanto, há uma abundância de boas notícias: os betas dos dispositivos *pnp* BC860 e ZTX718 caem menos de 20% em 1 μA, e o beta do 2N5087 de menor ganho é claramente plano até 1 μA.

Antes de discutir as muito importantes medições de ruído, observemos a **tensão Early**, ou coluna V_A. Volte para a Seção 2.3.2 para uma discussão sobre o Efeito Early. A tensão Early V_A fornece uma estimativa da condutância de saída do BJT (e impedância de saída): $g_{oe} = 1/r_o = I_C/(V_A + V_{CE})$. Podemos também estimar um ganho de estágio único máximo possível (isto é, com $R_L = \infty$), $G_{max} = g_m/g_{oe}$. Substituindo $g_m = I_C/V_T$, obtemos $G_{max} = V_A/V_T$ (ignorando V_{CE} em comparação com a geralmente muito maior V_A).

Embora seja possível superar os inconvenientes de uma tensão Early baixa, por exemplo, adicionando um estágio cascode (veja a Seção 2.4.5B) ou adicionando realimentação do emissor, é frequentemente conveniente não ter que fazê-lo. Para essas aplicações, é melhor restringir suas escolhas para BJTs com V_A relativamente alta. Como as entradas na Tabela 8.1a demonstram, no entanto, o membro *pnp* de um par complementar *npn-pnp* (eles estão agrupados na tabela) geralmente sofre de tensões Early drasticamente menores; por exemplo, o *pnp* BC860C tem $V_A = 30$ V, quando comparado com o valor do *npn* BC850C de 220 V. Isso é lamentável, porque os transistores *pnp* são úteis em espelhos de corrente para amplificadores diferenciais *npn*, em que a sua baixa tensão Early reduz consideravelmente o ganho do estágio. O problema pode ser resolvido de várias maneiras; por exemplo, por adição de realimentação de emissor no espelho *pnp*, como na Figura 8.35, ou por meio de um espelho de Wilson.

---

[39] Por exemplo, o 2N5089 tem um beta mínimo de 450, em comparação com 300 para o '5088; a tensão máxima é reduzida de 30 V para 25 V e, mais importante, as nossas amostras mostraram o ruído e_n medido um pouco mais alto (~10%). Da mesma forma, a versão D do ZXTN19020 tem um beta de 300 (*versus* 200 para a versão C), com e_n 10% superior. Como outro exemplo, medir o grau de Q do 2SB1197K (beta mín de 120) deu uma tensão Early de $V_A = 110$ V, ao paso que, para o grau R (beta mín de 180), a tensão Early caiu para 70 V.

Observando os valores de **tensão de coletor máxima** da tabela (V_{CEO}), vemos muitos BJTs de baixo ruído com especificações de 120 V ou mais, levando-nos a nos perguntar por que eles têm essa especificação de tensão alta. Poderia ser para alcançar uma alta tensão Early? Talvez, mas foi observado que transistores de "saída de vídeo" de alta tensão apresentam frequentemente tensão de ruído admiravelmente baixa. Por exemplo, o 2SC3601 da Sanyo tem um e_n medido muito baixo de $0{,}22\,\text{nV}/\sqrt{\text{Hz}}$, com um $r_{bb'}$ de 1,7 Ω.[40]

Em geral, os transistores de alta tensão têm betas inferiores; por exemplo, o MPSA42 de 300 V (N° 20 no nosso gráfico) tem o menor ganho. Um concorrente para o dispositivo com maior beta, o IT124 da Linear Integrated Systems (com base em um dispositivo antigo da Intersil), sofre de uma especificação de V_{CEO} de apenas 2 V (!) em troca de seu ganho de superbeta. Felizmente, eles já transformaram o projeto para o seu LS301 com uma especificação de 18 V, e ele ganha o concurso de beta (curva N° 44) com um surpreendente $\beta = 3.000$ para 1 μA.[41]

Uma tarefa importante é escolher a corrente de operação do transistor. É tentador percorrer a coluna "parâmetros de ruído" da tabela e escolher um dispositivo perto da parte inferior com um e_n de menos de $0{,}5\,\text{nV}/\sqrt{\text{Hz}}$. Mas atente para a corrente de ruído de base alta que esses transistores produzem quando operam em corrente de coletor relativamente altas necessárias para esses valores de e_n baixos. Por exemplo, o vencedor ZTX851 tem uma $e_n=0{,}5\,\text{nV}/\sqrt{\text{Hz}}$ para $I_C = 10$ mA muito atraente. Mas, com seu β de 220 (veja a Figura 8.39), a sua corrente de base de 45 μA produz uma corrente de ruído de entrada i_n ($=\sqrt{2qI_C}$) de $3{,}8\,\text{pA}/\sqrt{\text{Hz}}$. Parece pouco, mas ela produz uma tensão de ruído adicional de $0{,}19\,\text{nV}/\sqrt{\text{Hz}}$ através até mesmo de uma baixa impedância da fonte de 50 Ω, acrescentando 3 dB à tensão de ruído de entrada do transistor. O problema só piora com impedâncias de fonte mais altas, porque a tensão de ruído $i_n Z_s$ adicionada cresce linearmente com impedância da fonte, em comparação com o ruído Johnson de uma fonte resistiva (que cresce conforme a raiz quadrada de R_s).[42] Por exemplo, essa corrente de ruído de base produz $2{,}3\,\text{nV}/\sqrt{\text{Hz}}$ com uma impedância de fonte de 600 Ω.

Obtivemos medições de ruído da tabela em correntes altas o suficiente para eliminar o termo I_C na equação de ruído do BJT $e_n=[4kT(r_{bb'}+0{,}5V_T/I_C)]^{\frac{1}{2}}$ (veja a Figura 8.10), porque queríamos expor seus valores de $r_{bb'}$. Contudo, normalmente você vai querer operar em correntes mais baixas. Por exemplo, reduzir a corrente do ZTX85 para 1 mA aumen-

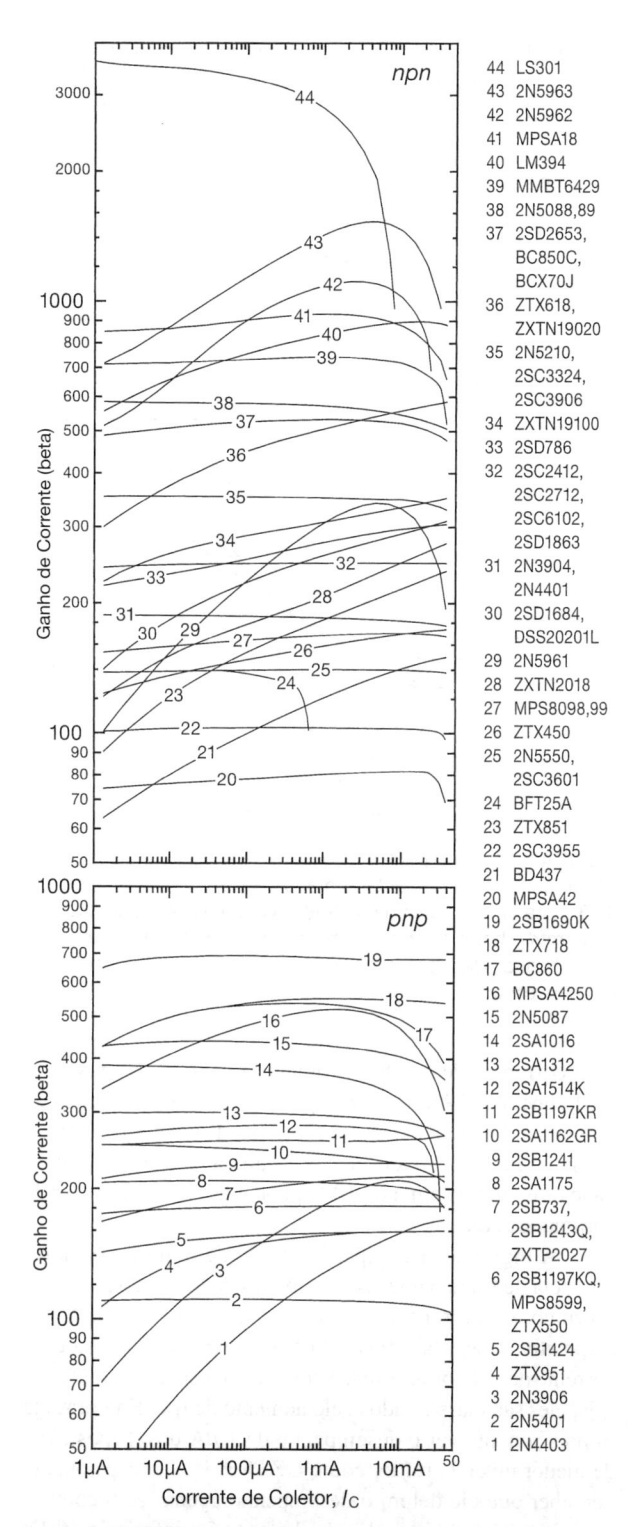

FIGURA 8.39 Beta medido em função da corrente de coletor, para $V_{CE} = 5$ V, para os transistores na Tabela 8.1a. Use esses dados com $i_n=\sqrt{2qI_C/\beta}$ para determinar o ruído da corrente de base para a corrente de coletor escolhida.

---

[40] Ele também tem um $C_{ob} = 2$ pF baixo, muito mais baixo do que os outros BJTs de e_n baixo listados na parte inferior da Tabela 8.1a, demonstrando que é possível combinar baixa capacitância com baixa $r_{bb'}$.

[41] Pedimos alguns dispositivos IT124, mas eles nos enviaram dispositivos LS301, testados para passar as especificações mais fáceis do IT124!

[42] E, claro, você pode ter uma fonte de sinal de alta impedância que não é resistiva e, portanto, tem pouco ou nenhum ruído Johnson.

ta a tensão de ruído por um fator de 2,3 (para $0{,}48\,\text{nV}/\sqrt{\text{Hz}}$), mas a redução na corrente de base (para 5 μA) reduz a corrente de ruído por um fator de 3,2, para $i_n R_s$. Nessa corrente baixa, a contribuição da tensão de ruído $0{,}72\,\text{nV}/\sqrt{\text{Hz}}$ cai para $0{,}86\,\text{nV}/\sqrt{\text{Hz}}$ para uma impedância de fonte de 600 Ω, para um ruído de amplificador total de $0{,}86\,\text{nV}/\sqrt{\text{Hz}}$, consideravelmente menor do que os $2{,}3\,\text{nV}/\sqrt{\text{Hz}}$ para 10 mA de corrente de coletor, e bem menor do que $3{,}1\,\text{nV}/\sqrt{\text{Hz}}$ de ruído Johnson resistivo de 600 Ω. Às vezes, você pode querer operar a uma corrente realmente baixa, em que o termo r_e ($=V_T/I_C$) domina e a contribuição do termo $r_{bb'}$ é insignificante.

O ruído medido apresentado na Tabela 8.1a é baseado em uma amostragem pequena de dispositivos atuais. Como alguns desses dispositivos não são especificamente destinados a aplicações de baixo ruído, o fabricante não especifica (ou controla) suas propriedades de ruído. É importante ter isso em mente, porque você pode encontrar lotes de dispositivos com ruído degradado. A Figura 8.40 mostra um exemplo: quatro dispositivos de um único lote de transistores de potência de um tipo que era escolhido por entusiastas de áudio, mas que exibia uma decepcionantemente variação grande na tensão de ruído de baixa frequência.

Essas considerações de compensações foram discutidas a fundo na Seção 8.5 e são ilustradas na Figura 8.32, em que é mostrado o conceito de resistência de ruído de um transistor, $R_n = e_n/i_n$. Olhe de volta na Figura 8.33 onde se comparou a tensão de ruído do 2N5962 de pastilha pequena e alto beta com a do ZTX851 de pastilha grande e $r_{bb'}$ baixa,

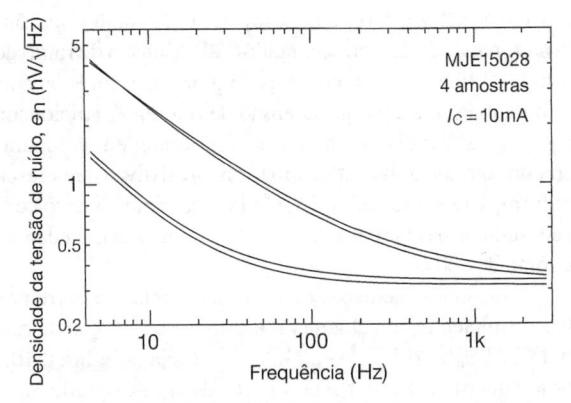

FIGURA 8.40 Devido à sua resistência de base muito baixa ($r_{bb'}$), a família de transistores de potência bipolar MJE15028-33 de 8A foi usada por pesquisadores de áudio para fazer amplificadores de áudio de baixo ruído. Isso parece bem para nós... mas descobrimos variações > 10 dB em seu ruído de baixa frequência (não especificado), mesmo dentro de um único lote de dispositivos.

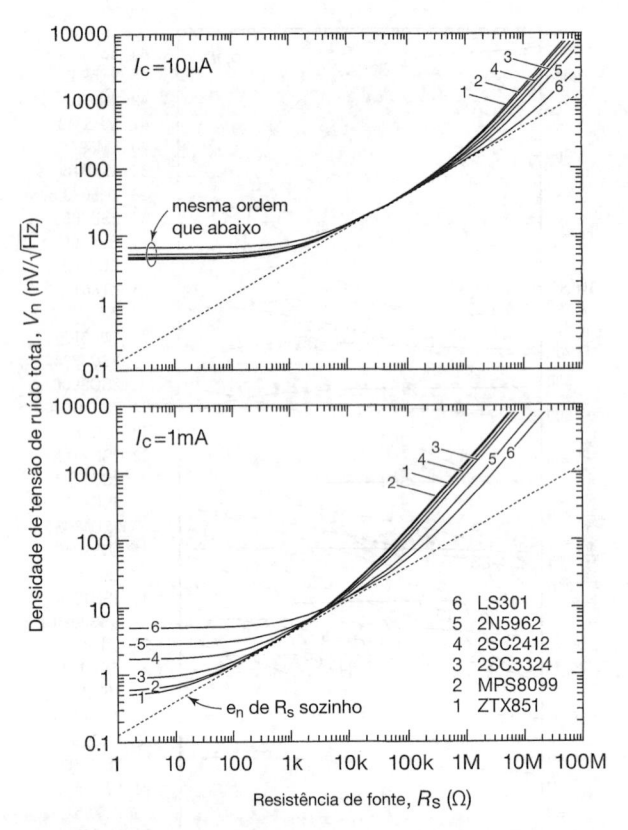

FIGURA 8.41 Comparação do ruído de entrada total de seis candidatos BJT, representada graficamente como na Figura 8.33. Para uma resistência de fonte baixa, você quer um transistor com $r_{bb'}$ baixa operando em corrente alta; para resistência de fonte alta, você quer um transistor de alto beta operando em corrente baixa.

para correntes de coletor variando de 1 μA a 10 mA.[43] O '851 supera o '5962 para impedâncias de fonte de menos de 1 kΩ quando operado em uma corrente de coletor de 100 μA ou mais. Por outro lado, o '5962 supera o '851 para impedâncias de fonte acima de 100k para quase qualquer valor de corrente de coletor.

A Figura 8.41 compara a tensão de ruído *versus* a resistência de fonte para seis exemplares de transistores de baixo ruído em correntes de operação de 10 μA e 1 mA. Os dispositivos são classificados pelo aumento de e_n para uma corrente de coletor de 1 mA e com baixa resistência fonte, ou seja, eles são classificados pelo aumento de $r_{bb'}$. Embora seja impressionante ver o desempenho de 1 μA dos dispositivos de menor nível de ruído (como o ZTX851), é decepcionante perceber que ele detém o desempenho apenas se o componente resistivo da impedância da fonte for inferior a 10 Ω. Note a relação geralmente inversa da classificação de R_s alto em relação a R_s baixo. Note também como, para uma cor-

---
[43] Estas curvas foram preparadas com uma planilha, usando como entrada os nossos dados de beta e $r_{bb'}$ medidos da Tabela 8.1a.

rente de coletor de 10 μA, todos os transistores têm tensões de ruído comparáveis para as resistências de fonte inferiores a 10k, apesar de os dispositivos de elevado beta brilharem acima de 1 MΩ.[44] Esses dados e análise ilustram como o desempenho de baixo ruído pode ser otimizado para uma determinada impedância de fonte, selecionando o transistor correto e operando o mesmo na corrente certa para o trabalho.

As curvas nas Figuras 8.33 e 8.41 incluem o ruído Johnson a partir de uma fonte resistiva, R_S, e não seriam válidas para fontes de alta impedância reativas, tais como sensores capacitivos. Nesse caso, a e_n e os vestígios de $i_n Z_S$ satisfazem, semelhante à linha de 0,65 dB na Figura 8.32, sem ser empurrado para cima por uma intervenção da região de R_S.

Os valores típicos de **capacitância** listados na Tabela 8.1a são a partir das especificações de folha de dados, ou, por vezes, a partir de gráficos e, geralmente, para $V_{CE} = 10$ V. A maioria dos valores listados é de C_{ob}, embora alguns sejam de C_{cb} Eles estão relacionados por $C_{ob} = C_{cb} + C_{ce}$, mas a contribuição de C_{ce} é geralmente pequena, muitas vezes bem abaixo dos 25%.

As quatro colunas de **parâmetros de ruído** ideais merecem alguma explicação. Elas experimentam o conceito de redução de I_C até a contribuição da tensão de ruído a partir de r_e (ou seja, ruído *shot* da corrente de coletor vezes $1/g_m$) aumentar a tensão de ruído global em 50% ao longo de seu valor de corrente alta (ou seja, apenas o ruído Johnson de $r_{bb'}$). Dito de outra forma, a ideia é acelerar a redução da corrente de coletor, a fim de reduzir a *corrente* de ruído do transistor, mas apenas na medida em que aumentar a *tensão* de ruído do transistor por uma quantidade modesta. Essa corrente de coletor está listada, juntamente com a e_n e a i_n correspondentes (conservadoramente calculados a partir do beta mínimo especificado) e a resistência de ruído do transistor $R_n = e_n/i_n$ nessa corrente. Se você comprar a ideia de não operar o BJT em uma "corrente excessiva" e estiver disposto a comprometer e_n para reduzir i_n, esses valores dão um limite superior para I_C e um limite inferior para e_n.[45]

Olhando para o quarto inferior da tabela, agora com essa perspectiva de "ótimo", é decepcionante ver os baixos valores de R_n, variando de 30 Ω a 125 Ω. E grande parte do próximo quartil tem problemas para obter uma R_n acima de 400 Ω. Isso significa que, para impedâncias de sinal comumente encontradas acima de 100 a 400 Ω, a contribuição de ruído do amplificador, quando operado em uma corrente de coletor "ótima", seria dominada pela contribuição $i_n Z_S$ (ou seja, a corrente de ruído de entrada que flui através da impedância da fonte do sinal). Seríamos fortemente motivados a reduzir i_n encontrando dispositivos com maior beta e reduzindo I_C. Nesse sentido, a corrente "ótima" é realmente uma corrente máxima prática. Desconfiando da nossa própria argumentação, parece seriamente valer a pena considerar a alternativa de um JFET silencioso (em vez de um BJT).

E esse é o nosso assunto na próxima seção principal (Seção 8.6), depois de um breve (mas desafiador) projeto de aplicação de baixo ruído.

8.5.9 Um Desafio de Projeto de Baixo Ruído Extremo: Pré-Amplificador de Microfone de Fita sem Transformador

Pesquisamos uma aplicação exigente que requer tensão de ruído de entrada anormalmente baixa. A aplicação tradicional é um cartucho de fonógrafo de "bobina móvel", com a sua tensão de sinal muito baixa (~1 mV em modulação de ranhura máxima, assim, um mero 0,1 μV para uma faixa dinâmica de 80 dB). O problema é que ele é *muito* tradicional![46]

Uma tecnologia intimamente relacionada é usada no *microfone de fita*, em que uma tira absurdamente delicada de folha de metal (normalmente 2 μm de espessura – que são meros 4 comprimentos de onda de luz!) é suspensa no entreferro de um ímã, que flutua segundo o campo de som ambiente. Você pode pensar nisso como um gerador de espira única, impulsionado por vibrações sutis do som. Os microfones de fita foram realmente os primeiros microfones de alta fidelidade: eles são os microfones de estúdio grandes e desajeitados que você vê em filmes antigos. Essas coisas remontam à década de 1930, com modelos da RCA (o clássico 44B) e da BBC-Marconi (nomeado, com eufemismo britânico, o "Tipo A"). Eles são desajeitados, porque têm um grande ímã internamente; pesam tipicamente de 2,27 a 4,54 kg. Eles continuam a ser construídos e usados hoje,[47] preferidos por alguns por seu "som suave", diversas vezes descrito (na linguagem inimitável do audiófilo) como "intimista, acolhedor e detalhado, mas nunca duro".

---

[44] Você pode se ver tentado a usar um dispositivo de alto ganho e $r_{bb'}$ baixa em 10 μA, porque a sua corrente de ruído não seria pior do que a de um dispositivo com maior $r_{bb'}$; mas observe as capacitâncias drasticamente mais altas associadas com $r_{bb'}$ baixa, que podem realmente prejudicar o desempenho com sinais de entrada de alta impedância.

[45] BJTs com beta alto em baixas correntes tendem a ter valores de $r_{bb'}$ baixos (ou seja, altos). Reconhecendo que uma R_n alta e uma $r_{bb'}$ baixa são ambas desejáveis, podemos definir uma figura de mérito (FOM) de FOM = $R_n/r_{bb'}$. Indo de cima para baixo na Tabela 8.1a, os transistores têm valores de FOM variando de 20 a 70. Os favoritos de baixo ruído descontinuados (2SD786 e 2SB737) destacam-se, com FOM = 51. Outros com FOMs superiores a 50 são o ZTX718, DSS2020, ZXTN19020, 2SB1690, 2SD2653, 2N5088 e '5089. O MMBT6429 ocupa o primeiro lugar, com FOM = 69, e o 2N5089 e o BC850C ocupam o segundo e o terceiro lugares. Isso sustenta a noção de que os dispositivos no topo da tabela são os vencedores, em vez daqueles na parte inferior. Isso reforça o conceito de que você precisa escolher o dispositivo certo para o trabalho.

[46] Mesmo assim, os discos de vinil têm uma comunidade de devotos, que preferem o som com "suavidade sedosa" e "mais cálido", que dizem ser mais bem capturado com a "clareza e transparência de tom" de um cartucho de bobina móvel.

[47] Ver, por exemplo, o site ribbonmics.com, de Wes Dooley.

O sinal de saída de um microfone de fita é pequeno mesmo em comparação com o cartucho fonográfico de bobina móvel de baixo nível: no nível de pressão sonora padrão de 1 Pa, você obtém de 50 a 100 μV diretamente da fita. Isso soa como uma abundância de sinal – até você perceber que esse nível de referência de um pascal corresponde a +94 dB SPL. Isso é alto – uma britadeira a 1,5 metro! Um microfone sensível precisa descer mais 80 dB ou mais para captar os sons mais silenciosos em um concerto.[48] A esses níveis, o sinal diretamente da fita é um mero 5 a 10 nV RMS. Para definir a escala, um AOP com a menor densidade de ruído de tensão (LT1028, e_n=0,85 nV/$\sqrt{Hz}$) tem uma tensão de entrada de ruídos de cerca de 100 nV RMS, integrada sobre a banda de áudio de 20 Hz a 20 kHz; isso é de 20 a 25 dB maior do que a saída de áudio de nível silencioso diretamente da fita.

Então, microfones de fita invariavelmente incluem um transformador elevador de áudio, com uma relação de transformação tipicamente de 1:30. Isso aumenta a amplitude do sinal na mesma proporção, de modo que um amplificador de áudio de baixo ruído bem projetado não compromete o desempenho de baixo nível. Mas transformadores podem ser problemáticos, tanto em termos de linearidade quanto na manutenção de uma resposta estável ao longo de uma faixa de frequência de 1.000:1 de áudio de alta qualidade. Poderíamos eliminar o transformador inteiramente por meio do projeto de um amplificador cuja tensão de ruído de entrada seja pelo menos 20 dB melhor do que a de um LT1028, ou seja, com $e_n \leq 0,1\,nV/\sqrt{Hz}$.

A. Um simples projeto de teste de pré-amplificador de 70 picovolts por raiz de hertz

Para chegar a esse tipo de nível de ruído, você tem que usar um BJT (ou, como veremos, um monte deles em paralelo). Você paga um preço em termos de corrente de entrada (ou seja, impedância de entrada relativamente baixa); mas estamos aqui auxiliados pela impedância de fonte muito baixa nativa da fita, que é menos de 1 Ω em toda a banda de áudio. Buscamos um transistor com baixa resistência de base ($r_{bb'}$), que operaremos em uma corrente de coletor relativamente alta, a fim de reduzir a contribuição do ruído r_e (ruído *shot* do coletor que flui através de r_e); lembre-se de que esta última é numericamente igual ao ruído Johnson criado por um resistor "real" de valor $R = r_e/2$.

Para definir a escala, note que a nossa tensão de ruído alvo de $e_n = 0,1\,nV/\sqrt{Hz}$ corresponde à tensão de ruído Johnson gerada por um resistor de 0,6 Ω! Em outras palavras, precisamos de um transistor cuja $r_{bb'}$ seja significativamente menor do que isso, e precisamos operá-la em uma corrente de coletor de pelo menos ~50 mA (onde a contribuição de ruído de "r_e" seja equivalente à de um resistor de 0,25 Ω). E

---

[48] É claro, um concerto de música *clássica*. Não há nenhum problema de níveis baixos em um show de rock.

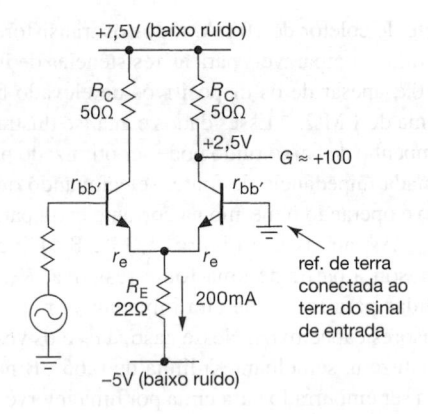

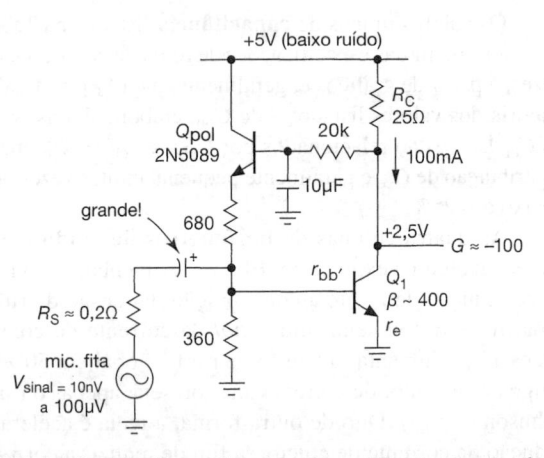

FIGURA 8.42 Configurações do pré-amplificador de microfone de fita. Em comparação com o circuito diferencial de acoplamento CC, o circuito de terminação simples é mais silencioso, mas requer um grande capacitor de bloqueio na entrada. Em qualquer caso, é necessário utilizar vários transistores em paralelo, de modo que a resistência de base efetiva, a $r_{bb'}$, esteja na faixa de 0,1 Ω ou menos. Veja a Figura 8.45.

precisamos de uma configuração de circuito que proporcione essa promessa de baixo ruído.

Existem várias opções de configuração de circuito possíveis. Poderíamos tentar algo como o circuito da Naim, na Figura 8.34, mas teríamos que reduzir R_E a uma fração de um ohm, forçando Q_3 a acionar uma carga muito estável. O mesmo problema aflige o projeto "melhor" da Figura 8.35. Eles têm em comum a necessidade de manter a impedância do sinal de realimentação muito baixo.

Duas abordagens que estabelecemos são apresentadas, de forma simplificada, na Figura 8.42. Ambos os circuitos dispensam realimentação, argumentando que um pré-amplificador classe A (de ganho moderado, digamos $G \approx 100$) para sinais de nível de microvolt é inerentemente linear. O amplificador de emissor comum de terminação simples é mais simples e tem uma vantagem de 3 dB de ruído comparado com uma configuração diferencial. Mas isso requer um *enorme* capacitor de bloqueio de entrada ($\lesssim$150.000 μF para preservar a impedância da fonte de sinal muito baixa, em um valor de poucos hertz), o que provoca um longo tempo de estabilização na inicialização; é esteticamente feio também. Usamos esse circuito para caracterizar uma série de candidatos BJTs de baixo ruído (olhe mais à frente a Figura 8.92 e a discussão associada), mas, para a nossa entrada do projeto desafio do pré-amplificador de microfone de fita, usamos o amplificador diferencial de acoplamento CC e configuração de malha aberta mostrado. Não há capacitores de entrada gigantes aqui; mas, para lidar com a potência de ruído duplicada, tivemos de reduzir $r_{bb'}$ e r_e por um fator de 2 (isto é, duplicamos o número de transistores em paralelo utilizados para cada lado do par de entradas).

B. Escolhendo um BJT de Baixo Ruído

Para um circuito como este, é essencial usar um transistor (ou vários em paralelo) que exiba uma tensão de ruído de entrada muito baixa. Isso requer uma pequena resistência de base, $r_{bb'}$, na faixa de apenas alguns ohms. Infelizmente, $r_{bb'}$ raramente é especificada; e os excelentes transistores do passado com baixa $r_{bb'}$ tiveram, em grande parte, sua produção descontinuada. Um caso em questão é o excelente 2SD786 da Toyo-Rohm, com uma $r_{bb'}$ típica especificada de 4 Ω (ele é *npn*; o 2SB737, o *pnp* complementar, é melhor ainda, com uma $r_{bb'}$ típica especificada de 2 Ω). Amostras reais de cada um se mostraram ainda melhores, com valores de $r_{bb'}$ medidos cerca de 2,3 Ω e 1,2 Ω, respectivamente.

Você não consegue mais desses (e não vamos nenhum do nosso precioso e cada vez menor estoque! Mesmo se você nos implorar). E os BJTs de baixo ruído que você *pode* obter, como o 2SC3324? A boa notícia é que eles especificam o seu desempenho de ruído, como vimos em Seção 8.4. A má notícia é que eles não prometem muito ("NF = 0,2 dB típico, 3 dB máx"); e esses transistores de geometria pequena são geralmente otimizados para operação em baixa corrente, em que a contribuição do ruído de r_e é tão grande, que não há necessidade de manter $r_{bb'}$ pequena. Por exemplo, o 2SC3324 atinge a sua figura de ruído mínima em torno de I_C = 30 µA; nessa corrente, r_e é 830 Ω, e, portanto, sua contribuição de ruído de $r_{bb'}$ é insignificante enquanto $r_{bb'}$ é mantida abaixo de, digamos, 200 Ω. Em nossas medidas de amostras, $r_{bb'} \approx$ 40 Ω – o que é bom o suficiente para transistores destinados a aplicações de baixa corrente, mas não é útil aqui.

Embarcamos em uma busca de transistores de $r_{bb'}$ baixa e constatamos que a situação não é desoladora. Ela apenas não é especificada. Na comunidade de projeto de circuitos, você encontrará menção de boas propriedades de ruído com transistores de geometria grande (ou seja, transistores de potência).[49] Medimos a tensão de ruído (detalhamos depois)

---

[49] Confira o site do notável Uwe Beis (www.beis.de), que usou o MJE 13007 (8 A/400 V); ou projetos de baixo ruído de Ovidiu em www.synaesthesia.ca com valores informados de $r_{bb'}$ abaixo de 2 Ω para o 2SC3601 e o 2SC2547.

de algumas dúzias de candidatos promissores (a maioria dos quais está listada na Tabela 8.1a) e descobrimos que, de fato, alguns dos transistores de geometria grande ("de potência") têm valores de $r_{bb'}$ abaixo de 10 Ω e entregam uma e_n referenciada à entrada bastante respeitável quando operados em correntes de 10 mA ou menos (em que a contribuição de r_e é equivalente à do ruído Johnson de um resistor de 1,25 Ω). A Figura 8.17 mostra que o ZTX851 (um transistor de 5 A/60 V, sem qualquer aval oficial de baixo ruído) faz um par com o lendário 2SD786; você pode ver também que a $r_{bb'}$ maior de dispositivos de "baixo ruído" de geometria menor, como o 2N5089 e o 2SC3324, torna-se não competitiva nessa arena de I_C alta/e_n baixa.

Como observamos anteriormente (Seção 8.3.1), onde mostramos um gráfico (Figura 8.12) de e_n em função da corrente de coletor para seis transistores candidatos de baixo ruído, não há muito benefício em ter uma baixa $r_{bb'}$ se você estiver operando em corrente baixa (em que o efeito de r_e domina); mas esse valor realmente importa em correntes mais altas, que é onde você tem que operar se quiser alcançar um valor de e_n de 1 nV/$\sqrt{Hz}$.

Para enfatizar este último ponto, mostramos na Figura 8.43 um gráfico dos espectros de tensão de ruído do ZTX851 ao longo de uma grande faixa de correntes de coletor (vista anteriormente na Figura 8.18 e aqui estendida até 4 Hz). A lição aqui é que você tem que operar com bastante corrente para obter uma e_n realmente baixa. Porém, não exagere: como visto na Figura 8.18, em correntes ainda mais elevadas, o ruído de baixa frequência sobe, devido a uma contribuição de ruído *flicker* da corrente de base que aumenta rapidamente. Para esse transistor, o "ponto ideal" é uma corrente de coletor de ~5 mA.

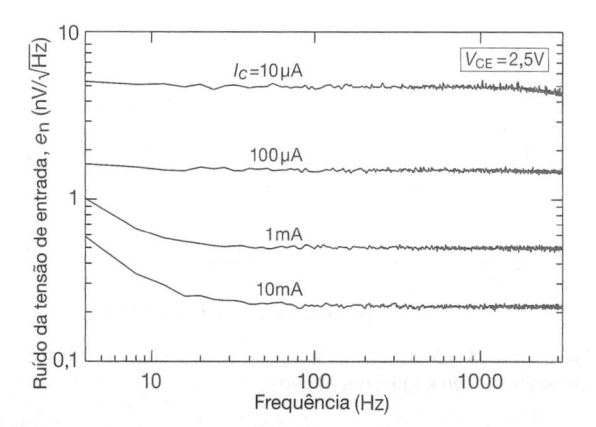

FIGURA 8.43 Para colher os benefícios de um transistor com uma desejável resistência de espalhamento da base $r_{bb'}$ baixa (portanto, baixo nível de ruído Johnson), você deve operar em uma corrente de coletor alta o suficiente para fazer a contribuição do ruído de r_e comparativamente pequena, como mostrado nestes espectros de ruído medidos de um transistor *npn* ZTX851.

C. Batendo a meta de $0,1/\sqrt{Hz}$

Entre os nossos candidatos, descobrimos que os transistores *pnp* mais silenciosos eram um pouco melhores do que os seus primos *npn*. Por exemplo, para $I_C = 10$ mA, $e_n = 0,20\,\text{nV}/\sqrt{Hz}$ medido para um típico *pnp* ZTX951 (média de seis amostras), em comparação com $0,21\,\text{nV}/\sqrt{Hz}$ para o complemento *npn* ZTX851 (que corresponde a valores de $r_{bb'}$ de 1,2 Ω e 1,5 Ω, respectivamente). Não temos certeza de por que isso é assim, embora, como observamos anteriormente, as especificações de ruído do lendário *npn* 2SD786 (com o complementar *pnp* 2SB737) indiquem a mesma tendência.[50]

Usamos a variante do circuito diferencial da Figura 8.42, com um arranjo em paralelo de transistores para cada um dos pares de entrada, seguido por um silencioso estágio AOP com um $G = 30$ (feito com o já devidamente testado LT1128, cuja tensão de ruído de entrada é $\lesssim 1\,\text{nV}/\sqrt{Hz}$ até 10 Hz). Normalmente, você incluiria um pequeno resistor de "controle de corrente de emissor" em série com cada emissor do arranjo em paralelo, escolhido para uma queda aproximada de ~ 50 mV, de forma a equalizar as correntes e evitar corrente de monopolização; para 10 mA por transistor, isso equivaleria a 5 Ω, adicionando uma quantidade inaceitável de tensão de ruído. Diz-se frequentemente que os transistores de um único lote de produção são inerentemente casados quanto às suas quedas de tensão base-emissor; por curiosidade, medimos V_{BE} para um lote de 100 de ZTX851 e de ZTX951, com os resultados mostrados no histograma da Figura 8.44. O casamento é muito bom, o suficiente para que não sejam necessários resistores de controle de corrente de emissor.[51]

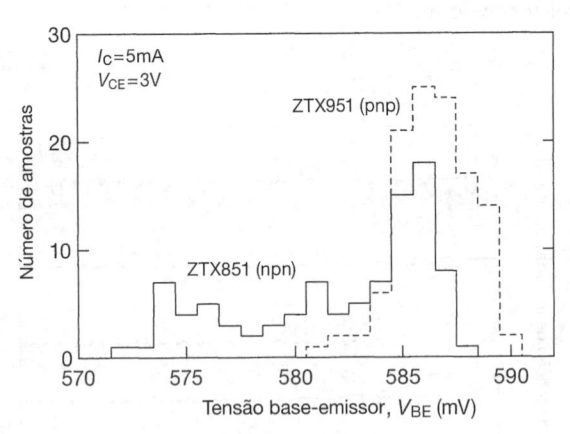

FIGURA 8.44 Distribuição de V_{BE} medida em um lote de 100 dispositivos *npn* e igual quantidade *pnp*.

---

[50] Isto pode estar relacionado com o maior tamanho de pastilha, necessário para um transistor *pnp* de desempenho similar.

[51] Encontramos igualmente boa correspondência para um lote de BD437 (um BJT barato e amplamente disponível para "aplicações linear e de chaveamento de média potência").

A propósito, o mesmo *não* é verdade para JFETs; consulte o histograma da Figura 3.17 de três centenas de dispositivos canal *n* representativos, meticulosamente feito a partir de três lotes de 100 JFETs, nas séries populares de dispositivos canal *n* 2N5457-59 (classificados em função de I_{DSS}).

Para um circuito como esse, com cargas de coletor resistivas e *pull-downs* de emissor, os trilhos de alimentação devem ser silenciosos, porque o ruído nos trilhos aparece sem atenuação na saída. Aqui foi utilizado o assim chamado *multiplicador de capacitância* para eliminar o ruído de alimentação; é um subcircuito útil – veja a descrição na Seção 8.15.

Os resultados finais? A seguir estão as medidas de tensão de ruído para várias configurações de transistores (com alguns gráficos na Figura 8.45):

transistor	quant.	I_C (mA)	e_n (nV/$\sqrt{Hz}$) @ 1 kHz	@ 100 kHz
ZTX951	2 × 16	2 × 100	0,085	0,10
	2 × 32	2 × 200	0,070	0,09
BD437	2 × 24	2 × 100	0,095	0,17
	2 × 24	2 × 200	0,080	0,13
2SC3601E	2 × 12	2 × 200	0,093	0,18

Essa é uma tensão de ruído de entrada impressionantemente baixa – raramente se veem números abaixo de $0,5\,\text{nV}/\sqrt{Hz}$ –, mas é justo salientar a natureza incomum desse desafio, com a sua impedância de fonte ultrabaixa inferior a um ohm, portanto tolerante à baixa impedância de entrada (e corrente de entrada relativamente alta) de um estágio amplificador de emissor aterrado operando em uma corrente de coletor de 100 mA. Porém, a obtenção de correntes de entrada muito mais baixas é mais bem obtida com JFETs, como veremos em breve.

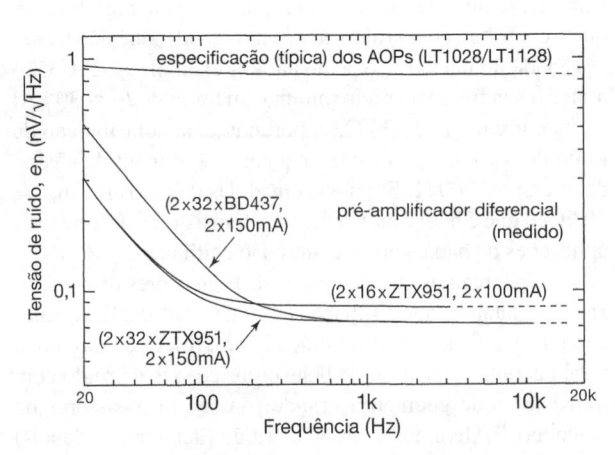

FIGURA 8.45 Espectros de tensão de ruído medidos para o amplificador da Figura 8.42, com três escolhas de transistor de entrada e corrente de operação. O pré-amplificador com 64 transistores ZTX951 é o vencedor.

D. Medição de Ruído de BJT

Como fazemos essas medições de ruído de transistor? Há instrumentos comerciais sofisticados que você pode comprar para medir parâmetros de ruído (e_n, i_n, NF) de transistores discretos (BJT ou FET); eles são, em geral, destinados à caracterização RF e de micro-ondas (embora o descontinuado HP/Agilent 4470A medisse e_n, i_n e NF em onze frequências únicas, duas por década de 10 Hz a 1 MHz). Buscamos um caminho mais modesto, a construção de nosso próprio circuito simples. É basicamente o dispositivo sob teste (*device under test*, DUT) configurado como um estágio amplificador de emissor aterrado, com corrente de coletor e tensão coletor-emissor ajustáveis e provisão para determinar o seu ganho de tensão. Sabendo este último, você mede o espectro de tensão de ruído de saída, em primeiro lugar, com um desvio (*bypass*) na entrada (para obter e_n) e, em seguida, com um resistor em série na entrada (para obter i_n). Isso é descrito em detalhe na Seção 8.12.2.

8.6 PROJETO DE BAIXO RUÍDO COM JFETS

Continuando de onde paramos (na Seção 8.5.6), para impedâncias de fonte altas, é a *corrente* de ruído do transistor que domina, favorecendo, assim, os FETs, geralmente sob a forma de um JFET. Em comparação com BJTs, JFETs geralmente têm maior tensão de ruído, mas uma corrente de porta muito menor (e corrente de ruído), e por isso eles são a escolha universal para amplificadores de alta impedância e baixo ruído. Neste contexto, às vezes, é útil pensar em tensão de ruído Johnson, em combinação com a resistência da fonte de sinal, como uma *corrente* de ruído $i_n = v_n/R_s$ (como traçado anteriormente na Figura 8.1). Isso permite comparar contribuições de ruído da fonte com a corrente de ruído do amplificador.

Podemos usar o mesmo modelo de ruído de amplificador para FET, ou seja, uma fonte de tensão de ruído em série e uma fonte de corrente de ruído em paralelo. Você pode analisar o desempenho de ruído com exatamente os mesmos métodos utilizados para transistores bipolares. Por exemplo, veja os gráficos na Figura 8.53, na Seção 8.7, em que falamos de uma "disputa bipolar/FET".

8.6.1 Tensão de Ruído de JFETs

Para JFETs, a tensão de ruído e_n é, essencialmente, o ruído Johnson da resistência do canal, dada aproximadamente por

$$e_n^2 = 4kT \left(\frac{2}{3} \frac{1}{g_m} \right) \quad \text{V}^2/\text{Hz}, \tag{8.34}$$

em que o termo de transcondutância inversa toma o lugar da resistência na fórmula do ruído Johnson; em outras palavras,

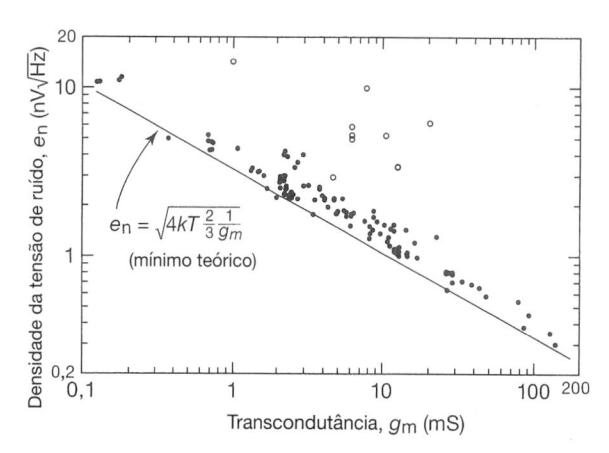

FIGURA 8.46 Testando a fórmula de ruído do JFET: gráfico de dispersão da densidade da tensão de ruído medida (bem acima da frequência de corte 1/f) em função da transcondutância medida para uma seleção de 50 tipos diferentes de JFET, operados em várias correntes de dreno. Os círculos vazados indicam JFETs cujo ruído não tinha achatado para o ruído branco de fundo em nossa frequência máxima.

a tensão de ruído é a mesma que a do ruído Johnson produzido por uma resistência de valor $R = \frac{2}{3}/g_m$ (análoga à tensão de ruído da entrada de um BJT, cuja e_n é equivalente ao ruído Johnson de um resistor de valor $R = \frac{1}{2}/g_m$). Você pode ver na Figura 8.46 (tensão de ruído medida em função da transcondutância[52]) que essa define um limite inferior de confiança para a tensão de ruído real, que pode ser um pouco maior na prática. Devido à transcondutância aumentar com o aumento da corrente de dreno (conforme $\sqrt{I_D}$, veja a Seção 3.3.3, Figura 3.54 e Tabela 3.7), geralmente é melhor operar FETs em uma corrente de dreno alta para uma tensão de ruído mais baixa. No entanto, devido o e_n ser o ruído Johnson, que varia apenas conforme $1/\sqrt{g_m}$ e que, por sua vez, varia conforme $\sqrt{I_D}$, e_n é, por fim, inversamente proporcional à raiz quarta de I_D. Com tal dependência leve de e_n sobre I_D, não vale a pena operar em uma corrente de dreno tão alta, que outras propriedades do amplificador sejam degradadas. Em parti-

---

[52] Mais de 100 medições em cerca de 65 transistores escolhidos a partir de 50 tipos diferentes, e em várias correntes que variam de 75 μA a 50 mA, criando muitos valores de teste de g_m diferentes. Seguimos a e_n que diminui com o aumento da frequência até que encontramos o piso de ruído branco de alta frequência. Isso proporcionou uma ampla faixa de condições sob as quais testar a fórmula. Nenhum dispositivo foi melhor, mas muitos foram de 10% a 30% pior. Outros foram muito piores, até ×2. Para alguns, o ruído continuou a cair com o aumento da frequência, de modo que podíamos determinar o piso de ruído; estes são indicados por círculos vazados no gráfico. A lição que se tira: obtenha a g_m mais alta possível para uma e_n baixa. Lembre-se de que conectar em paralelo ou usando JFETs de pastilhas maiores é uma boa forma de aumentar a g_m. Mas cuidado com capacitâncias altas e fugas. E tenha em mente que o ruído 1/f e os platôs de ruído de baixa frequência podem dominar o seu projeto. Examine nossos gráficos e os dados para JFETs na Tabela 8.2 na. Para projetos críticos, faça suas próprias medidas.

cular, um FET operando em corrente alta fica quente, o que (a) diminui g_m, (b) aumenta a deriva da tensão de *offset* e a CMRR e (c) aumenta a fuga de porta de forma drástica; o último efeito pode realmente *aumentar* a tensão de ruído, porque há alguma contribuição para e_n a partir do ruído *flicker* associado com a corrente de fuga da porta.

Existe outra maneira de aumentar a g_m e, portanto, diminuir a tensão de ruído do JFET: conectando em paralelo um par de JFETs, você obtém o dobro de g_m, mas é claro que isso ocorre com o dobro de I_D. Mas agora, se você operar a combinação no valor anterior de I_D, ainda melhora g_m por um fator de $\sqrt{2}$ sobre o valor de um JFET sozinho, sem aumentar a corrente de dreno total; então, você diminui e_n por um fator de raiz quarta de 2, até 84% do valor de um JFET sozinho.[53] Na prática, você pode simplesmente conectar em paralelo uma série de JFETs casados, ou procurar um JFET de geometria grande, como o IFN146 ($0{,}7\,\mathrm{nV}/\sqrt{\mathrm{Hz}}$) ou o IF3601 ($0{,}3\,\mathrm{nV}/\sqrt{\mathrm{Hz}}$), mencionados anteriormente.[54]

Há um preço a pagar, no entanto. Todas as capacitâncias aumentam com o número de JFETs conectados em paralelo. Como resultado disso, o desempenho de alta frequência (incluindo a figura de ruído) é degradado. Na prática, você deve parar a conexão de transistores adicionais em paralelo quando a capacitância de entrada do circuito casar, aproximadamente, com a capacitância da fonte. Se você se preocupa com o desempenho em altas frequências, escolha JFETs com g_m alta e C_{rss} baixa; você pode considerar as relações g_m/C_{rss} e g_m/C_{iss} como figuras de mérito de alta frequência (lembre que $f_T = g_m/2\pi C$, em que C é a capacitância de entrada ou capacitância Miller, que depende da configuração do circuito). Note que as configurações de circuito também podem desempenhar um papel importante; por exemplo, o circuito cascode pode ser usado para eliminar o efeito Miller (multiplicação de ganho) em C_{rss}.

Na Figura, 8.52 traçamos o gráfico de uma extensa coleção de tensão de ruído medida para muitos dos JFETs na Tabela 8.2. Veja também a Tabela 3.7, com características de JFET adicionais (não relacionadas com o ruído).

A. Tensão de Ruído 1/f de JFETs

Tal como os seus irmãos BJT, a maioria dos JFETs sofre também do aumento da densidade tensão de ruído em baixas frequências, como visto nos dados medidos da Figura 8.47. Em alguns casos (tal como o 2SK170B), o ruído $1/f$ é bastan-

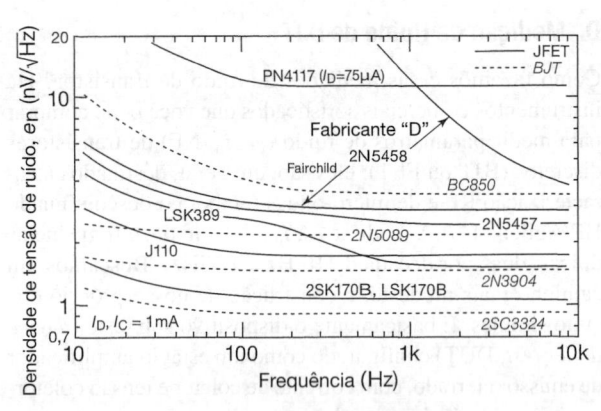

FIGURA 8.47 Densidade de tensão de ruído medida em função da frequência para vários BJTs e JFETs, ilustrando o aumento semelhante de $1/f$ em baixas frequências. Veja a Figura 8.52 para um extenso conjunto de gráficos de ruído de JFET.

te moderado e pode ser caracterizado por uma única frequência de ruído de corte f_c, semelhante ao BJT. Em tais casos, o corte do ruído pode ser estimado com a Equação 8.27, e, uma vez que f_c é conhecido, a densidade de ruído pode ser calculada com a Equação 8.28. O gráfico mostra que a densidade de tensão de ruído de 1 kHz varia de $1\,\mathrm{nV}/\sqrt{\mathrm{Hz}}$, para o 2SK170B, até $2{,}8\,\mathrm{nV}/\sqrt{\mathrm{Hz}}$, para o 2N5457 de baixa capacitância, até $11\,\mathrm{nV}/\sqrt{\mathrm{Hz}}$, para o PN4117 de pastilha pequena (para o qual a corrente de dreno é I_{DSS}, aqui 75 μA).

Mas alguns JFETs sofrem de uma região de platô de ruído de baixa frequência elevado,[55] como o LSK389. Esse dispositivo tem uma densidade de ruído atrativamente baixa de $1{,}8\,\mathrm{nV}/\sqrt{\mathrm{Hz}}$ para 1 kHz e acima, mas eleva-se, em uma curva semelhante a uma cobra, para o dobro desse valor na região de 100 Hz. Esse não é um problema terrivelmente sério para esse excelente dispositivo, que ainda dispõe de baixos níveis de ruído de banda larga de cerca de 70 nV RMS e 180 nV RMS para larguras de banda totais de 1 kHz e 10 kHz, respectivamente.

Às vezes, esse efeito pode sair do controle. Por exemplo, compare a versão silenciosa do 2N5486 da Fairchild, com $e_n = 3\,\mathrm{nV}/\sqrt{\mathrm{Hz}}$, com a amostra ruidosa que medimos a partir do "fabricante D": os $4{,}5\,\mathrm{nV}/\sqrt{\mathrm{Hz}}$ deste último a 10 kHz se sobrepõem em frequências mais baixas, ultrapassan-

---

[53] A raiz quarta da relação ruído-corrente vale para JFETs operados na sua região de alta densidade de corrente, digamos acima de $I_{DSS}/100$, mas, em baixas densidades de corrente (onde $g_m \propto I_D$), a diminuição do ruído se aproximará de uma relação de raiz quadrada, assim como com BJTs. Por exemplo, o ruído medido em um IF3601 aumentou por um fator de 2,8 (quase $\sqrt{10}$) quando a corrente de dreno foi reduzida de 1 mA para 0,1 mA.

[54] JFETs em paralelo reduzem a densidade de corrente, empurrando o gráfico de g_m *versus* I_D em direção a seu máximo, onde ele iria coincidir com o de um BJT. Alguns dispositivos (tais como o IF3601) já estão próximo a esse limite, de modo que pouca melhoria adicional pode ser esperada.

[55] Chamado de ruído de "montanha-russa" por Motchenbacher e Connelly. O mecanismo para o ruído de excesso $1/f$ foi identificado na década de 1960 como um efeito de corpo em vez de efeito de superfície, envolvendo a captura ou a emissão de elétrons presos na região de depleção. Veja, por exemplo, PO Lauritzen, "*Low-frequency generation noise in junction field effect transistors*" (Geração de ruído de baixa frequência na junção de transistores de efeito de campo), *Solid-State Electron.*, **8**, 1, 41-58 (1965), ou C. T. Sah, "*Theory of low-frequency generation noise in junction-gate field-effect transistors*" (Teoria da geração de ruído de baixa frequência na junção de porta de transistores de efeito de campo), *Proc. IEEE*, **52**, 7, 795-814 (1994). No domínio do tempo, esse ruído pode assumir a forma de degraus discretos entre dois ou mais níveis de tensão (ruído "pipoca" ou "telégrafo") ou excursões de tensão repentinas aleatórias (ruído de rajada); ver Figuras 8.5 e 8.6 para exemplos de ruído pipoca em um clássico AOP BJT 741.

do o limite da escala em 700 Hz. Ele sobe para $50\,\text{nV}/\sqrt{\text{Hz}}$ em 100 Hz, cerca de 15× esse silencioso JFET da Fairchild com o mesmo número de identificação. Como resultado, o dispositivo ruidoso tem cerca de 1 μV de ruído de banda larga (em 1 kHz). Para uma comparação impressionante de variação de ruído em dispositivos 2N5486 feita por vários fabricantes, veja os espectros medidos na Figura 8.51. O dispositivo mais ruidoso nesse grupo tem um platô de $210\,\text{nV}/\sqrt{\text{Hz}}$, resultando em um ruído de tensão integrada de baixa frequência de 2,5μV RMS. Em sua defesa, a folha de dados do "Amplificador de RF" 2N5486 lista especificações de figura de ruído apenas em 100 MHz e 400 MHz. Note também que esse ruído de excesso de baixa frequência não afeta a operação em frequências muito mais altas (em que o ruído "$e_n \cdot C_{in}$", discutido na Seção 8.11, revela-se).

Embora seja comum falar sobre ruído $1/f$ e uma frequência de corte correspondente f_c, a realidade é que muitos JFETs não estão em conformidade com um modelo tão puro. Em suas folhas de dados, os fabricantes lidam com a questão do excesso de ruído de baixa frequência de várias maneiras. Em primeiro lugar, eles podem evitar completamente uma especificação de ruído. Em segundo lugar, eles podem dar a especificação da densidade de ruído de e_n em frequências relativamente elevadas – 10 kHz, 100 kHz ou até mais. Em terceiro lugar, eles podem fornecer a especificação de tensão de ruído RMS em alguma largura de banda especificada. Em quarto lugar, podem dar uma especificação intencionalmente alta (conservadora), tal como $115\,\text{nV}/\sqrt{\text{Hz}}$ máx, ou talvez uma figura de ruído de 3 dB para R_s = 1 MΩ (cuja densidade de tensão de ruído da fonte é um alto $126\,\text{nV}/\sqrt{\text{Hz}}$). Em quinto lugar, eles podem dar uma especificação de e_n para, digamos 100 Hz (em que é útil), mas dão apenas um valor *típico*. Por fim, para dispositivos destinados a amplificação de alta frequência, eles podem dar a sua especificação de ruído em frequências de rádio – 100 MHz ou superior.

8.6.2 Corrente de Ruído de JFETs

Em baixas frequências, a corrente de ruído i_n é extremamente pequena, decorrente do ruído *shot* na corrente de fuga da porta (Figura 8.48):[56]

$$i_n = \sqrt{2qI_G} = (3{,}2 \times 10^{-19} I_G)^{\frac{1}{2}} \quad \text{A}/\text{Hz}^{\frac{1}{2}}. \quad (8.35)$$

A corrente de ruído aumenta com o aumento da temperatura, conforme aumenta a corrente de fuga da porta. Fique atento para a fuga de porta que aumenta rapidamente em JFETs canal n que ocorre para operação em V_{DG} alta e/ou I_D alta (veja a Seção 3.2.8). Uma dose de realidade: é difícil estimar com precisão o nível da corrente de ruído em JFETs, porque a fuga de porta é mal especificada. Muitas vezes, você vê irrealisticamente especificações de pior caso altas, por exemplo,

---
[56] Além disso, há um componente de corrente de ruído *flicker* ($1/f$) em alguns FETs.

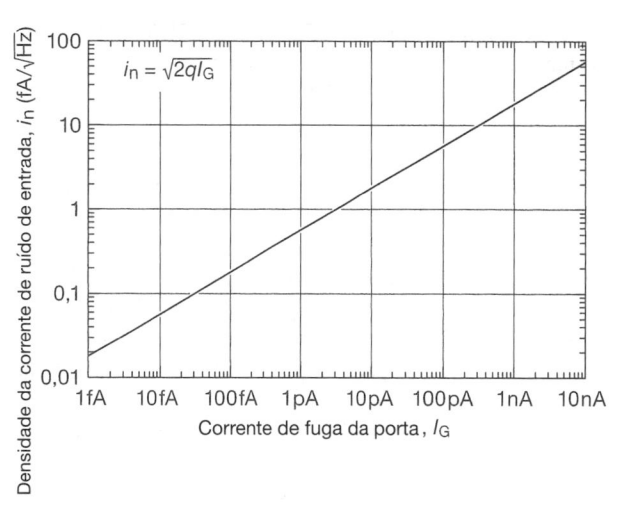

FIGURA 8.48 Densidade de corrente de ruído *shot* de entrada em função da corrente de fuga de porta do FET.

I_G = 1 nA (máx), ao passo que, em temperaturas ambientes normais, é mais tipicamente para baixo, na faixa de 1 a 10 pA. Com essas baixas correntes de polarização, a densidade da corrente de ruído de entrada é muito pequena, por exemplo, $1{,}8\,\text{fA}/\sqrt{\text{Hz}}$ para uma corrente de fuga de porta de 10 pA. Essa corrente de ruído geraria uma e_n de apenas $1{,}8\,\text{nV}/\sqrt{\text{Hz}}$ através da impedância de fonte do sinal de 1 MΩ (que, a propósito, teria ela própria uma tensão de ruído Johnson de $128\,\text{nV}/\sqrt{\text{Hz}}$; a resistência da fonte teria que chegar a 5 GΩ antes que a tensão de ruído gerada pela corrente de ruído do JFET se igualasse ao ruído Johnson da fonte).

Em frequências moderadas a altas, existem termos de ruído adicional e resistivo.

(a) Se há uma junção de soma (por exemplo, um amplificador de transimpedância), então a tensão de ruído de entrada e_n acionando a capacitância de entrada C_{in} gera uma corrente de ruído de $i_n = e_n \omega C_{in}$; veja a Seção 8.11 para mais detalhes.

(b) Em um amplificador de fonte comum, sem cascode, há uma parte resistiva efetiva (normalmente capacitiva) da impedância de entrada vista olhando para a porta. Isso provém do efeito da capacitância de realimentação (efeito Miller), quando existe um desvio de fase na saída causado pela capacitância de carga; ou seja, a parte do sinal de saída que é deslocada de 90° se acopla através de uma capacitância de realimentação C_{rss} para produzir uma resistência efetiva na entrada, dada por

$$R = \frac{1 + \omega C_L R_L}{\omega^2 g_m C_{rss} C_L R_L^2} \quad \text{ohms} \quad (8.36)$$

Ambos os efeitos aumentam linearmente com a frequência acima de um ponto de corte, e ambos têm frequências de ponto de corte semelhantes, tipicamente na faixa de 2 a 100 kHz para JFETs de baixa fuga.

Como um exemplo, o JFET canal n 2N5486 tem uma corrente de ruído de $\sim$5 fA/$\sqrt{\text{Hz}}$ e uma tensão de ruído e_n de 2,5 nV/$\sqrt{\text{Hz}}$, para I_{DSS} e 10 kHz. Esses números são aproximadamente 200 vezes melhores em i_n e duas vezes piores em e_n do que os valores correspondentes para o BJT 2N5087 usado em conexão com os gráficos de figura de ruído na Seção 8.5.1 (Figura 8.29). Se considerarmos uma carga de 470 Ω com 5 pF de capacitância *shunt* (decaimento do dreno em 68 MHz), a corrente de ruído começa a subir em cerca de 30 kHz e atinge níveis de preocupação para o projetista de RF na região de 10 a 100 MHz.[57] Não é incomum ver um transistor cascode acrescentado para suprimir o efeito e para melhorar o ganho de alta frequência.

Com FETs, você pode conseguir um bom desempenho de ruído para impedâncias de entrada na faixa de 10k a 100 M. Como vimos (Figura 8.27), e cujos segredos serão revelados em breve (Seção 8.6.4), o pré-amplificador SRS modelo SR560 tem uma figura de ruído de 1 dB ou melhor para impedâncias de fonte de 5 kΩ a 20 MΩ na faixa de frequência de 100 Hz a 10 kHz. Seu desempenho em frequências moderadas corresponde a uma tensão de ruído de 4 nV/$\sqrt{\text{Hz}}$ e a uma corrente de ruído de 0,013 pA/$\sqrt{\text{Hz}}$.

8.6.3 Projeto Exemplo: Amplificadores "Híbridos" JFET de Banda Larga e Baixo Ruído

Você pode melhorar o desempenho de ruído de pré-amplificadores comerciais JFET (e AOPs) combinando os melhores JFETs discretos com um AOP em um projeto "híbrido". Exemplos de circuito interessantes são mostrados nos exemplos progressivos em outros capítulos: (a) um amplificador de banda larga de baixo nível de ruído com acoplamento CA (até $\sim$20 MHz) com $e_n \approx 1$ nV/$\sqrt{\text{Hz}}$ na Figura 3.34; (b) um amplificador análogo com acoplamento CC com $e_n \approx 2$ nV/$\sqrt{\text{Hz}}$ na Figura 3.37.

O leitor é encorajado a passar alguns minutos (ou até mesmo uma meia hora!) revendo esses exemplos, que ilustram técnicas importantes no projeto de amplificador de baixo ruído com JFETs discretos (e também quando combinados com um segundo estágio de AOP). Aqui completamos a progressão de tais modelos híbridos com um *amplificador de instrumentação* (veja a Seção 5.15) com acoplamento CC de baixo ruído e ampla largura de banda.

O circuito na Figura 8.49 é uma evolução do amplificador híbrido com acoplamento CC e terminação simples da Figura 3.37, dois dos quais aqui formam a entrada do amplificador diferencial do clássico amplificador de instrumentação constituído de três amplificadores. O ganho de tensão (entrada diferencial para a saída de terminação simples) é $G = 100$, definido pela relação $1+2R_f/R_g$. O ajuste de $\pm 2\%$ de R_{f2} é usado para maximizar a razão de rejeição de modo comum, uma característica desejável que é responsável por grande parte da fama do amplificador de instrumentação. JFETs precisam de ajuda para conseguir uma tensão de *offset* baixa (a especificação de Q_1 é 20 mV, pior caso), então adicionamos um balanço de *offset* no dreno de $Q_{1a,b}$.

Quanto ao ruído, o LSK389B[58] especifica uma típica e_n de 0,9 nV/$\sqrt{\text{Hz}}$ em 1 kHz e $I_D = 2$ mA. Na nossa corrente de dreno de 5 mA, podemos esperar um pouco melhor; mas o ruído de cada par diferencial (por exemplo, $Q_{1a,b}$ é maior por um fator de $\sqrt{2}$, com outro fator de $\sqrt{2}$ para levar em conta o ruído combinado dos pares diferenciais superiores e inferiores. Tal como acontece com o amplificador de terminação simples da Figura 3.37, o ruído do AOP ($e_n \sim 12$ nV/$\sqrt{\text{Hz}}$) é reduzido por um fator de ganho do par de JFETs ($\sim$20) quando referenciado à entrada. A tensão de ruído geral desse amplificador de instrumentação é, portanto, $\sim$2 nV/$\sqrt{\text{Hz}}$. Combinado com sua largura de banda ($\sim$20 MHz, para a fonte do sinal de impedância $\leq$1 kΩ), esse é o melhor desempenho que se pode ter nos amplificadores de instrumentação disponíveis.

Podemos fazer melhor? A maneira mais fácil de reduzir a tensão de ruído do JFET é adicionar um segundo par de JFETs em cada entrada, em paralelo com os terminais de porta e de dreno existentes, mas com cada par com seu próprio *pull-down* de absorção de corrente de 10 mA (e agora com os resistores de dreno de 500 Ω). Isso reduz o ruído de tensão de entrada por $\sqrt{2}$, e não há necessidade de se preocupar com o casamento de V_{GS} entre os pares casados de JFETs separados (descubra por quê). Por fim, se você quiser minimizar a corrente de entrada, adicione um par de transistores cascode para manter a V_{DS} de Q_1 abaixo de 5 V; veja a Seção 3.2.8 e as Figuras 5.61 e 8.67.

8.6.4 Projetado por Mestres: Pré-Amplificador de Baixo Ruído SR560

É sempre instrutivo observar o interior de um bom produto comercial. A SRS (*Stanford Research Systems*) tem uma bela linha de instrumentos científicos, entre os quais você vai encontrar o pré-amplificador de baixo ruído SR560, em produção contínua desde 1989. Ele usa uma seção de entrada JFET diferencial para obter alta impedância de entrada (100 MΩ || 25 pF) e tem um bom conjunto de controles de painel que permitem selecionar coisas como o ganho de tensão (calibrado de $\times 1$ a $\times 50.000$, em uma sequência 1-2-5 ou sem calibração em relação ao mesmo intervalo), resposta de frequência (via seções selecionáveis de passa-baixas e passa-altas), acoplamento CA ou CC, inversão de fase e assim por diante. Tem

---

[57] Fizemos medições de laboratório que confirmaram (dentro de um fator de 2) o componente de entrada resistivo previsto pela Equação 8.36. Em um amplificador JFET de fonte comum sem cascode, esse efeito poderia reduzir consideravelmente o Q de um circuito sintonizado de RF.

[58] Um substituto disponível para o excelente, porém descontinuado, 2SK389, da Toshiba.

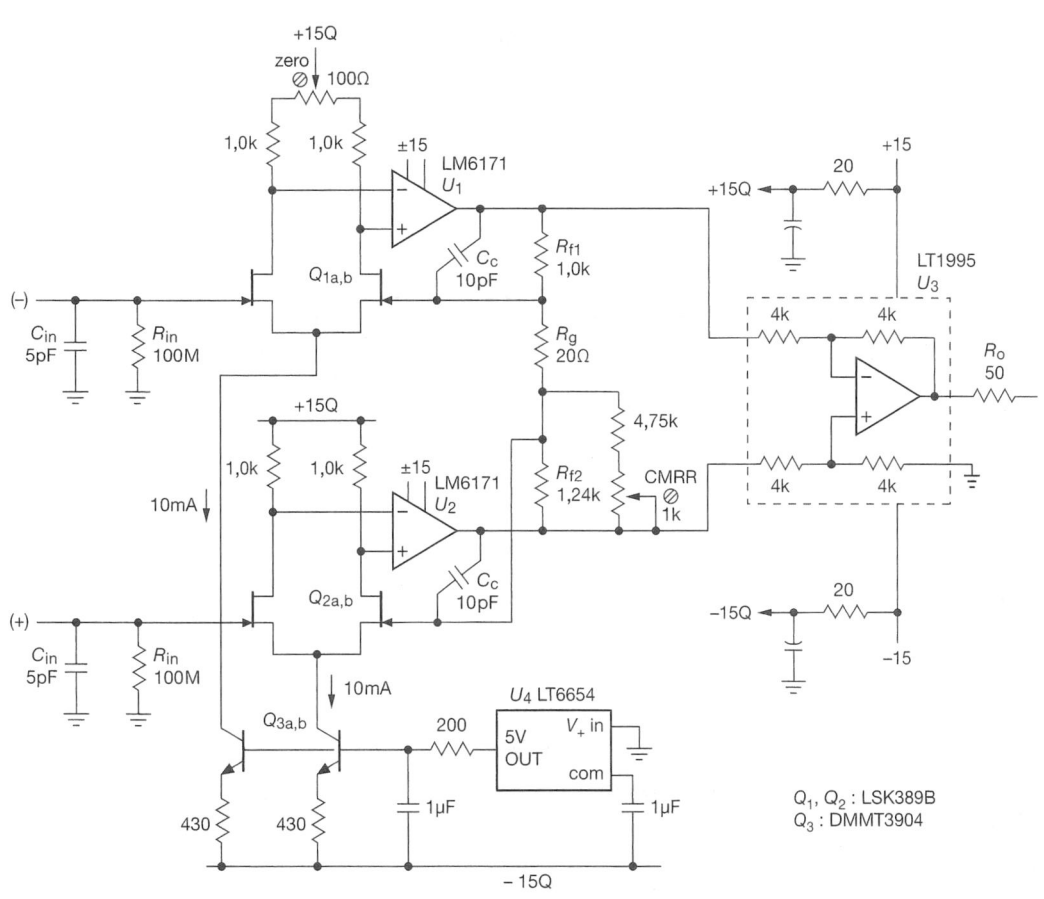

FIGURA 8.49 Amplificador de instrumentação híbrido de banda larga e baixo ruído com entrada JFET: $G=100$, $e_n \approx 2\,\mathrm{nV}/\sqrt{\mathrm{Hz}}$, $\mathrm{BW} \approx 20\,\mathrm{MHz}$.

um bom desempenho – densidade de tensão de ruído melhor que $4\,\mathrm{nV}/\sqrt{\mathrm{Hz}}$, resposta plana de ±0,5 dB para 1 MHz, distorção típica de 0,01% e variação de saída até 10 Vpp.

Mostramos contornos de figura de ruído especificados desse equipamento na Figura 8.27. Vamos dar uma olhada por dentro para ver como eles fizeram isso. A Figura 8.50 mostra o circuito amplificador da seção de entrada, em detalhes (Figura 8.50A) e nas formas simplificadas (circuito em B, diagrama em bloco em C).

Topologia geral. O par de JFETs de baixo ruído casados Q_{1ab}, operando em 4,6 mA (próximo à sua I_{DSS} mínima garantida; veja a seguir), constitui o primeiro estágio totalmente diferencial, em uma configuração híbrida em que a saída diferencial JFET aciona um AOP (análogo à Figura 3.37), mas aqui configurado com realimentação para o terminal de fonte de Q_{1a}, de modo que ambas as portas dos JFETs estão disponíveis como entradas externas. A configuração geral é, por conseguinte, um "amplificador de realimentação de corrente" (CFA), análogo ao circuito híbrido de terminação simples da Figura 3.34, e, ao amplificador de instrumenta-

ção, configuração "C", na Figura 5.88. O ganho de tensão nativo do primeiro estágio é selecionável como ×10 ou ×1; para este último, um resistor em série de 499 Ω é inserido, e, assim, o ganho líquido unitário é visto na entrada do segundo estágio. O segundo estágio é um AOP LT1028 de baixo ruído ($e_n \sim 1\,\mathrm{nV}/\sqrt{\mathrm{Hz}}$ em 10 Hz), $G=10$, com impedância de fonte $\lesssim 100\,\Omega$ em ambas as entradas para preservar a tensão de ruído baixa. Com o divisor de entrada, o ganho total do segundo estágio é ×2, ×5 ou ×10.

Polarização de JFET. O projetista resolve bem o negócio de I_{DSS} incerto ao detectar a tensão média de dreno, comparando-a com uma referência de 6,2 V, e fechando a malha via integrador U_2. Essa é uma forma fiável para lidar com as especificações amplas de I_{DSS}, por exemplo, as do JFET duplo NPD5564 original (I_{DSS} = 5 mA mín, 30 mA máx). Esse JFET não está mais disponível pelo fabricante original,[59] mas, felizmente, há uma substituição superior (LSK389B),

---

[59] Atualmente, a InterFET (apenas vendas diretas) está oferecendo seu IFN5564, de especificações semelhantes.

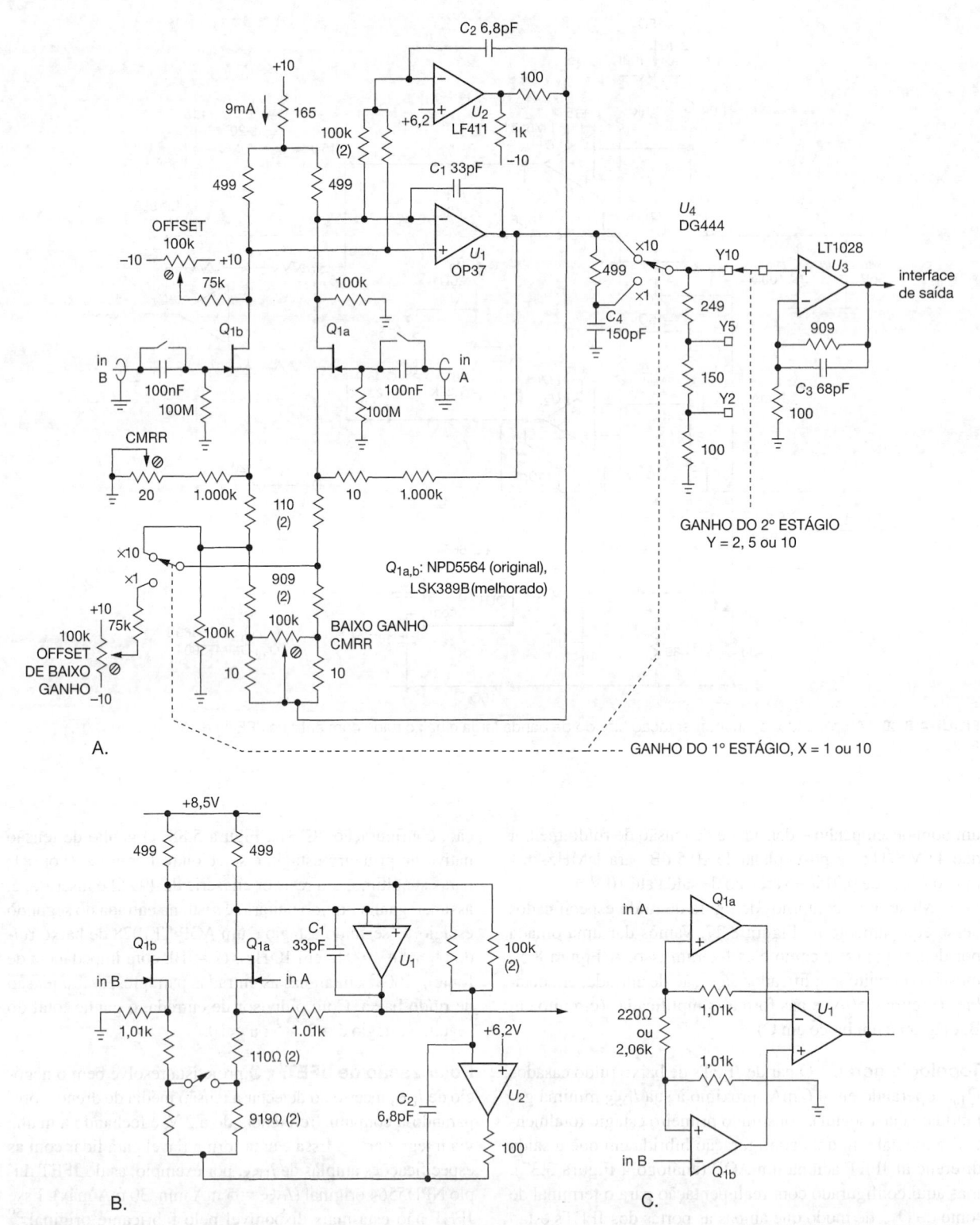

FIGURA 8.50 Estágios do amplificador da seção de entrada do Pré-Amplificador de Baixo Ruído SR560 da SRS (A: detalhado; B e C: simplificado). Alguns detalhes da comutação do sinal de entrada foram omitidos.

com especificações de I_{DSS} agradavelmente mais estreitas (6 mA mín, 12 mA máx) e como um bônus: menor tensão de ruído (para I_D = 2 mA, as densidades de tensão de ruído típicas do NPD5564 em 10 Hz e 1 kHz são 12 nV/$\sqrt{Hz}$ e 3,8 nV/$\sqrt{Hz}$, respectivamente; os valores correspondentes do LSK389B são 2,5 nV/$\sqrt{Hz}$ e 0,9 nV/$\sqrt{Hz}$).

Largura de banda. No *caminho do sinal*, o amplificador U_1 é um AOP de baixo ruído descompensado (e_n~3,5 nV/$\sqrt{Hz}$ típico em 10 Hz) de banda larga (f_T~63 MHz), aqui configurado como um integrador com f_T = 5 MHz (33 pF e 1,0 KΩ). Sua taxa de variação de 17 V/μs se traduz em uma saída do primeiro estágio de 5 Vpp em largura de banda especificada de 1 MHz do instrumento. No segundo estágio, o capacitor C_3 limita a largura de banda para ~2 MHz. No *caminho de polarização* do primeiro estágio (o que interessa para a rejeição de modo comum), o integrador U_2 tem uma taxa de variação de saída de 10 V/μs (mín), por isso pode seguir uma entrada de modo comum de 3 Vpp (especificação máxima do instrumento) na largura de banda total especificada de 1 MHz. A largura de banda de ganho unitário do integrador é de 230 kHz (6,8 pF e 50 kΩ), portanto há um ganho de malha de definição de polarização de 230 em 1 kHz. Isso coloca um peso crescente na CMRR de U_1 em frequências mais altas, evidente na especificação de CMRR do instrumento: > 90 dB em 1 kHz, uma redução de 6 dB/oitava (ou seja, conforme 1/*f*) acima de 1 kHz.[60]

Tensão de *offset*. Estes JFETs duplos não estão na mesma categoria que BJTs precisamente casados, e eles não afirmam estar. O NPD5564 (a melhor nota em sua família) tem uma tensão de *offset* máxima especificada (ou seja, descasamento porta-fonte, $|V_{GS1}-V_{GS2}|$) de 5 mV para I_D = 2 mA; o LSK389B, apesar de excelente em desempenho de ruído, é consideravelmente pior, com um descasamento máximo de 20 mV (especificado para I_D = 1 mA). O SR560 lida com esse problema fazendo uso de potenciômetros: há um potenciômetro de OFFSET de 10 voltas no dreno de Q_{1b}, com alcance suficiente (±0,13 mA) para balancear um *offset* de pior caso, e um segundo potenciômetro de 10 voltas em baixo na cadeia de resistores de fonte, para balancear de forma independente o *offset* quando comutar para o ganho baixo. Há um par de potenciômetros de CMRR análogos, cada um de 20 voltas. Fizemos a rotina de calibração (completa, com alguma repetição dos ajustes não muito ortogonais) e pudemos atestar a dificuldade em obter (e manter) *offset* profundo e CMRR nula.

Tensão de ruído. Para minimizar a tensão de ruído, os JFETs são operados em correntes relativamente altas, e os valores dos resistores (na fonte, no dreno e no caminho do sinal em geral) são intencionalmente pequenos. Com a estimativa de ruído original de ~4 nV/$\sqrt{Hz}$ era aceitável, por exemplo, usar resistores de 110 Ω nas fontes dos JFETs. Mas um par em série dessas resistências produz uma densidade de tensão de ruído Johnson de 2 nV/$\sqrt{Hz}$, um pouco mais do que gostaríamos quando emparelhamos esses JFETs mais silenciosos. Um projeto otimizado reduziria esses valores por, talvez, um fator de 2.

Miscelânea. A comutação de sinais de baixo nível (por exemplo, acoplamento de entrada AC/DC/GND, seleção de ganho ×1/×10 e intercâmbio de entradas A/B) é feita com relés eletromecânicos. Mas não qualquer relé antigo – esses caros usam relés com contatos individuais revestidos de ouro (destinados à resistência baixa estável, mesmo com sinais de baixo nível em que não há limpeza de contato). E esses relés são do tipo *biestável*, onde um pulso momentâneo muda o estado, eliminando, assim, correntes na bobina que induzem ruído no estado estacionário; isso elimina ainda mais o aquecimento local como uma fonte de deriva. Nesse instrumento, um microcontrolador opera todos os relés e luzes indicadoras, detectando um comando no painel frontal (ou no controle digital externo), e gera pulsos de forma adequada para os relés conforme necessário para mudar seus estados.

8.6.5 Seleção de JFETs de Baixo Ruído

Como mencionamos anteriormente, transistores bipolares oferecem o melhor desempenho de ruído com impedâncias de fonte baixas, devido à sua menor tensão de ruído de entrada. A tensão de ruído, e_n, é reduzida pela escolha de um transistor com baixa resistência de base, $r_{bb'}$, e pela operação em alta corrente de coletor (desde que o h_{FE} permaneça elevado). Para impedâncias de fonte maiores, a corrente de ruído pode ser minimizada operando com corrente de coletor menor.

Em altos valores de impedância da fonte, os FETs são a melhor escolha. A sua tensão de ruído pode ser reduzida ao operar em correntes de dreno mais elevadas, em que a transcondutância é mais elevada. FETs destinados a aplicações de baixo ruído têm altos valores de κ (veja a Seção 3.1.4), o que significa geralmente elevada capacitância de entrada. Por exemplo, o 2SK170 de baixo ruído tem uma C_{iss} típica de 30 pF, ao passo que a série de PN4117-9 de FETs de baixa corrente tem uma C_{iss} *máxima* de apenas 3 pF.

A Tabela 8.2 apresenta uma seleção de candidatos JFET para circuitos de baixo ruído. Ela deve ser usada em conjunto com a Tabela 3.7, que tem mais dados tabulares extensivos, incluindo medições de amostra simples. Consulte também os gráficos de ruído da Figura 8.52. As entradas na parte inferior da Tabela 8.2 são de JFETs duplos, adequados para estágios diferenciais; porém, note que suas V_{OS} não são impressionantes – geralmente muito inferiores mesmo aos piores AOPs (o interdigitado LS840, cujo leiaute é mostrado na Figura 3.18, é o melhor do lote, com tensão de *offset* típica de 2 mV e de pior caso de 5 mV).

Preferimos JFETs com altas transcondutâncias e baixas tensões de corte de porta, mas, infelizmente, muitos dos antigos favoritos com desempenho superior foram desconti-

---

[60] A CMRR de alta frequência poderia provavelmente ser melhorada por meio da configuração de saída de U_1 para controlar um par de transistores de absorção da corrente de polarização dos transistores Q_{1ab}.

TABELA 8.2 JFETs de baixo ruído[a]

Número de identificação		Polaridade	V_{GS} máx (V)	I_{DSS} mín (mA)	I_{DSS} máx (mA)	$V_{GS(off)}$ (10nA) mín (V)	$V_{GS(off)}$ (10nA) máx (V)	g_m mín (mS)	g_m máx (mS)	@ I_D (mA)	R_{on} típico (Ω)	C_{iss} típico (pF)	Curva de ruído	Tensão de ruído medida e_n (nV/√Hz)			
SOT-23	TO-92, etc													f=100Hz I_D=1mA	f=10kHz, @I_D 100μA	1mA	5,10mA
MMBF4117	PN4117	N	40	0,03	0,09	-0,6	-1,8	0,07	0,21	m	-	1,2	S	12	11nV/◊ at 0,07mA		
MMBF4118	PN4118	N	40	0,08	0,24	-1	-3	0,08	0,25	m	-	1,2	U	48	11nV/◊ at 0,2mA		
MMBF4119	PN4119	N	40	0,2	0,6	-2	-6	0,10	0,33	m	-	1,2	V	45	11,5nV/◊ at 0,3mA		
BFT46	-	N	25	0,2	1,5	-	-1,2	1	-	m	-	3,5	-	-	-	-	-
BF511	-	N	20	2,5	7	-1,5	-	4	-	m	-	5^m	-	20	-	3,8	-
MMBF5457	2N5457	N	25	1	5	-0,5	-6	1	5	m	-	4,5	P	2,8^f	-	2,4	2,2
MMBF5458	2N5458	N	25	2	9	-1	-7	1,5	5,5	m	-	4,5	-	11	-	3	-
MMBF5459	2N5459	N	25	4	16	-2	-8	2	6	m	-	4,5	-	-	-	-	-
MMBF5460	2N5460	P	40	1	5	0,75	6	1	4	m	-	5	-	-	-	-	-
MMBF5461	2N5461	P	40	2	9	1	7,5	1,5	5	m	-	5	-	-	-	-	-
MMBF4416	-	N	30	5	15	-	-6	4,5	7,5	m	-	2,2	R	3,9	4,7	2,8	2,6
MMBF5484	2N5484	N	25	1	5	-0,3	-3	3	6	m	-	2,2	-	5	4,3	2,5	2,2
MMBF5485	2N5485	N	25	4	10	-0,4	-4	3,5	7	m	-	2,2	-	2,8	4,3	2,5	2,3
MMBF5486	2N5486^n	N	25	8	20	-2	-6	4	8	m	-	2,2	Q	3n	5	3^f	2,5
MMBF4392^p	PN4392	N	40	25	75	-2	-5	16^t	-	10	60	12	-	-	-	-	-
MMBF4393^p	PN4393^o	N	40	5	30	-0,5	-3	13^t	-	10	100	12	J	1,8^f	-	1,8	1,4
PMBF4393	-	N	*	*	*	*	*	*	-	*	*	*	-	22	14	5,2	3,4
MMBF5103	PF5103	N	40	10	40	-1,2	-2,7	7.5	-	2	30	16^m	L	2	3,2	1,9	1,5
-	J107	N	25	100	-	-0,5	-4,5	75^t	-	5	8	35	F	1,4	-	1,3	0,75
PMBFJ109	J109	N	25	40	-	-2	-6	26^t	-	5	12	15	-	7,8	-	2,2	-
MMBFJ110^p	J110	N	25	10	-	-0,5	-4	20^t	-	5	18	15	-	1,6	3,2	1,5	0,9
MMBFJ112^p	J112	N	35	5	-	-1	-5	17^t	-	25	50^m	6	-	2	3,3	1,8	1,5
MMBFJ113^p	J113	N	35	2	-	-0,5	-3	12^t	-	5	100^m	6	H	1,8	3,2	1,7	1,4
MMBFJ309^p	J309	N	25	12	30	-1	-4	13	-	10	50	4	G	18	-	2,6	1,3
MMBFJ310^p	J310	N	25	24	60	-2	-6,5	13	-	10	50	4	K	2	4,8	2	1,5
BF861A	-	N	25	2	6,5	-0,2	-1	12	20	m	-	7,5	-	9	-	2,7	1,8
BF861B	-	N	25	6	15	-0,5	-1,5	16	25	m	-	7,5	-	9	-	1,5	1,2
BF862^b	-	N	20	10	25	-0,3	-1,2	35	45^t	m	-	10	E	1,3	2,2	1,1	0,8
-	2SK147B^d	N	40	8	16	-0,3	-1,2	40	-	5	-	75	-	1,9	2,5	1,3	0,85
-	IFN147	N	40	5	30	-0,3	-1,2	30	40^t	m	-	75^m	-	1,5	2,4	1,1	0,75
-	2SK170BL^c	N	40	6	12	-0,2	-1,5	10	-	1	-	30	B	1,2	2,3	1,1	0,78
-	LSK170B	N	40	6	12	-0,2	-2	10	-	1	-	20	-	1,3	2,3	1,0	0,78
-	IF3601	N	20	30	-	-0,04	-3	750	-	m	-	300	A	0,65	1,8	0,6	0,38

dual JFETs																	
duplo p/n	simples p/n	V_{os}^e															
PMBFJ620^k	J310^k	-	N	25	24	60	-2	-6,5	13	-	10	50	3	Y	33	noisy	5,2
LS840^g	-	5	N	60	0,5	5	-1	-4,5	2	-	0,2	-	4	-	3,2	-	2,7	-
LS5912	-	15	N	25	7	40	-	-	7	-	5	-	5	-	3,1	-	2,7	-
LSK389B	LSK170	20	N	40	6	12	-0,15	-2	20	-	3	-	25	M	3,2	3,2	1,7	1,3
2SK146GR^d	2SK147	20	N	40	5	10	-	-	-	-	-	-	75	-	1,3	-	1,1	0,85
IFN146	IFN147	20	N	40	-	30	-0,3	-1,2	30	40^t	m	-	75^m	C	1,3	-	1,1	0,85
IFN860	2N6550	25	N	20	10	-	-0,3	-3	25	40^t	10	-	30	D	1,3	2,6	1,1	0,83
IF3602	IF3601	100	N	20	30	-	-0,04	-3	750	-	m	-	300	-	0,65	1,8	0,63	0,38

PREFIXOS: IF = interFET, LS = Linear Integrated Systems, PMB = NXP.

NOTAS: ◊ = √Hz. * = Igual à linha de cima. (a) Classificado por um decréscimo do ruído de tensão e também pelo número de identificação dentro de uma família. (b) Dispositivo preferido. (c) 2SJ74 complementar. (d) Descontinuado, apresentado para comparação. (e) mV, máx. (f) Dispositivo Fairchild, outros são muito mais ruidosos. (g) LS840 tem uma pastilha interdigitada. (k) Dual incomparável do J310. (m) No máximo, ou g_m@I_{DSS}. (n) JFET RF, ruído 1/f alto a partir de vários fabricantes. (o) Também o MPF4393, da ON Semi. (p) Também o PMBF−, da NXP, muito ruidoso. (t) Típico.

Uma seleção de JFETs discretos de baixo nível de ruído disponíveis. Veja também a Tabela 3.7, que inclui medições de amostra simples de I_{DSS}, $V_{GS(off, gm\ e\ gos)}$. A coluna "curva de ruído" se refere a espectros de ruído medido correspondente aos gráficos na Figura 8.52. Alguns tipos de JFET (por exemplo, a série 2N5484-6) destinam-se a aplicações de RF e podem apresentar alta densidade de tensão de ruído em baixas frequências, como visto nos espectros medidos da Figura 8.51.

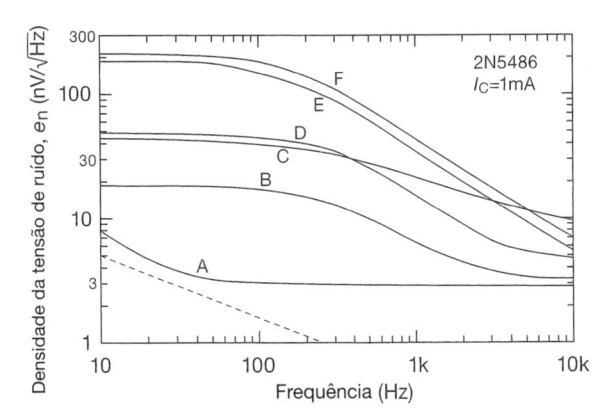

FIGURA 8.51 Cuidado com parâmetros de ruído não especificados: espectros de tensões de ruído medidas de seis amostras do JFET 2N5486 de cinco fabricantes (o da Fairchild produziu a curva vencedora "A"). Condizendo com a aplicação a que se destina como um "Amplificador de Alta Frequência", algumas folhas de dados especificam o desempenho de ruído somente em altas frequências (por exemplo, ≥100 MHz). A inclinação do ruído $1/f$ é indicada pela linha tracejada. JFETs "E" e "F" têm ruído de baixa frequência de 2,5 μV RMS (em 1 kHz).

nuados. O BF862 da NXP se tornou um dispositivo de baixo ruído "indicado", silencioso e com capacitância atrativamente baixa. O 2SK170 da Toshiba foi mantido sozinho em estoque pela Mouser, com grandes compras de fábrica, e o LSK170 foi licenciado para ser fabricado pela Linear Integrated Systems, que também oferecem uma versão dual casada do venerável '170, o LSK389. Os excelentes IFN146 e IFN147 são disponibilizados diretamente pela InterFET. Considere também o J107 da Fairchild, uma chave de baixo custo que pode ser usado como um JFET de baixo ruído; com sorte, ele permanecerá disponível.

Transistores de "baixo ruído" não especificado. *Um cuidado importante*: É arriscado confiar em parâmetros de ruído não especificados, por exemplo, a suposição (ausente a especificação de e_n de um fabricante) de que todos os transistores de um determinado número de identificação apresentarão tensão de ruído semelhante à medida em um lote de amostra. Para saber o que pode acontecer na prática, veja a Figura 8.51, em que se traçou o espectro da tensão de ruído medida de seis amostras de um JFET canal *n* 2N5486. Na verdade, mesmo que os transistores sejam do mesmo fabricante e da mesma campanha de produção, podem apresentar grandes variações, como visto nos espectros de ruído medido na Figura 8.40 de quatro transistores de potência obtidos a partir de um único lote. A Figura 8.52 apresenta comparações das características de ruído de uma série de JFETs populares e úteis.

Esteja ciente dos pontos fracos do JFET. Quando discutimos as muitas considerações na escolha de um transistor *bipolar* de baixo ruído (Seção 8.5.8), um fator importante foi a resistência de saída do transistor (ou, se preferir, a sua condutância de saída, g_{oe}). Para um BJT, essa é descrita pela sua tensão Early[61] V_A, cujos valores medidos estão listados na Tabela 8.1a. A maioria dos BJTs *npn* têm valores V_A bastante elevados, o que quer dizer que eles têm uma resistência de saída alta, portanto, normalmente, não é uma preocupação séria.

Mas esse não é o caso para JFETs. Se você tentasse medir uma "tensão Early" análoga para JFETs, ficaria decepcionado com seus valores baixos. O parâmetro normalmente utilizado para descrever a variação de corrente de dreno com tensão de dreno é a condutância de saída, g_{os}, que varia com a tensão e a corrente de dreno. Para muitos JFETs, a condutância de saída (idealmente zero) é alta o suficiente para afetar seriamente o ganho do amplificador. Devido ao valor de g_{os} de um JFET ser aproximadamente proporcional à sua transcondutância (g_m), definimos um parâmetro $G_{max} = g_m/g_{os}$, que representa o ganho de tensão máximo de um amplificador de fonte comum com alta impedância de carga do dreno.[62] Esse parâmetro não é apresentado na Tabela 8.2, mas você pode encontrá-lo na listagem de JFETs da Tabela 3.7. Você precisa levar isso em conta no projeto de um estágio amplificador JFET, talvez contornando o seu efeito de "destruir" ganho pela adição de um cascode.

Alguns JFETs sofrem também de uma severa queda na transcondutância em tensões de dreno menores que 2 V, especialmente em altas correntes de dreno. Se você estivesse pensando em fazer algo incomum em um projeto JFET de baixo ruído, seria bom estudar primeiro o material de especificação de JFET no Capítulo 3.

8.7 MAPEANDO A DISPUTA BIPOLAR-FET

Vamos nos divertir um pouco com a técnica de mapear o ruído graficamente que introduzimos na Seção 8.5.2. Um ponto permanente de discórdia entre os engenheiros é se os FETs ou os transistores bipolares são os "melhores". Resolvemos humildemente essa questão combinando dois dos melhores candidatos e deixando-os mostrar os seus melhores atributos.

No canto do bipolar, temos o magnífico 2SD786, cujas estatísticas vitais são exibidas na Figura 8.10 e listadas na Tabela 8.1a. Sua tensão de ruído é ~0,5 nV/$\sqrt{\text{Hz}}$ em 1 mA, com um corte admiravelmente baixo do ruído $1/f$ bem abaixo de 10 Hz; e sua baixa $r_{bb'}$ (medimos 2,3 Ω) nos permite chegar até o território de 0,25 nV/$\sqrt{\text{Hz}}$ em correntes de coletor mais elevadas. Ele tem também uma abundância de beta: acima de 200 em correntes baixas, até 1 μA, o que é útil para alcançar uma *corrente* de ruído baixa. Foi um grande favorito entre os entusiastas de áudio.

---

[61] Introduzida na Seção 2.3.2.

[62] Gostamos de $G_{máx}$ porque é bastante independente da corrente de dreno e varia de forma previsível (linearmente) com a tensão de dreno.

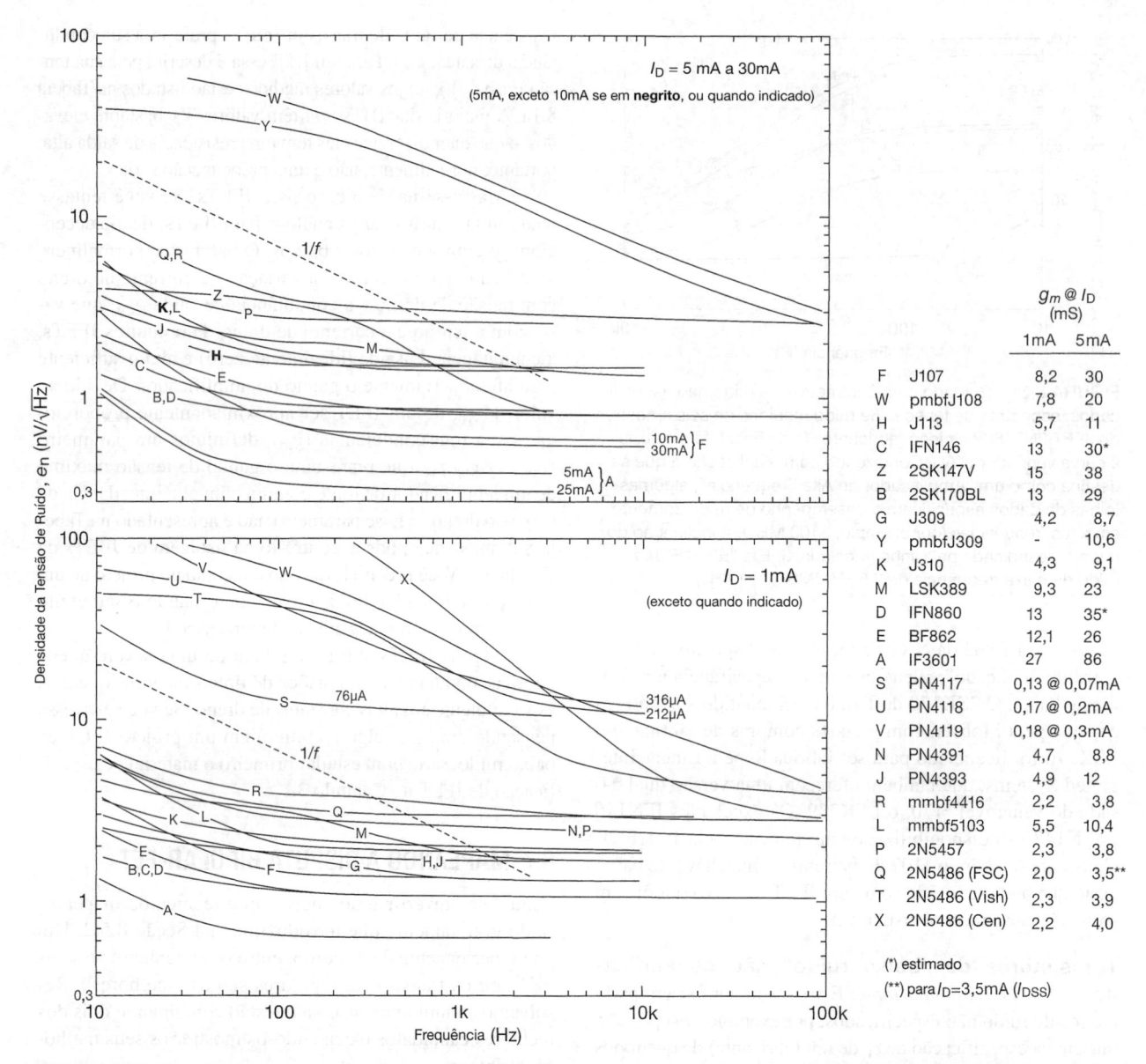

FIGURA 8.52 Densidade da tensão de ruído medida em função da frequência para uma seleção de JFETs listados na Tabela 8.2. Todos os dados foram obtidos para $V_{DS} = 5$ V.

		g_m @ I_D (mS)	
		1mA	5mA
F	J107	8,2	30
W	pmbfJ108	7,8	20
H	J113	5,7	11
C	IFN146	13	30*
Z	2SK147V	15	38
B	2SK170BL	13	29
G	J309	4,2	8,7
Y	pmbfJ309	-	10,6
K	J310	4,3	9,1
M	LSK389	9,3	23
D	IFN860	13	35*
E	BF862	12,1	26
A	IF3601	27	86
S	PN4117	0,13 @ 0,07mA	
U	PN4118	0,17 @ 0,2mA	
V	PN4119	0,18 @ 0,3mA	
N	PN4391	4,7	8,8
J	PN4393	4,9	12
R	mmbf4416	2,2	3,8
L	mmbf5103	5,5	10,4
P	2N5457	2,3	3,8
Q	2N5486 (FSC)	2,0	3,5**
T	2N5486 (Vish)	2,3	3,9
X	2N5486 (Cen)	2,2	4,0

(*) estimado
(**) para I_D=3,5mA (I_{DSS})

O FET de entrada é o JFET canal *n* 2SK170, amplamente conhecido pelo seu espantoso desempenho de baixo ruído, com a fama de superar o dos transistores bipolares. Sua tensão de ruído medida muito baixa pode ser vista na Figura 8.54, e suas estatísticas vitais são listadas na Tabela 8.2. De acordo com a sua folha de dados, ele foi "treinado" apenas para as correntes de dreno que variam de 200 μA a 10 mA; mas extrapolamos cautelosamente seus parâmetros de ruído para baixo, 100 μA, para que possamos avaliá-lo com correntes de dreno que variam de 100 μA a 10 mA. Temos grandes esperanças para esse "lutador", dada a sua corrente de ruído muito baixa de entrada ($\sim$1 fA/$\sqrt{\text{Hz}}$, o ruído *shot* que corresponde à sua corrente de fuga de porta de $\sim$3 pA). Na Figura 8.53, traçamos a sua tensão de ruído total em função da resistência de fonte em 1 kHz, assim como fizemos para o 2N5087.[63]

---

[63] Em nossa edição anterior, os candidatos foram o autodescrito "par de transistor *npn* monolítico ultrabem casado" LM394 (e_n=1 nV/$\sqrt{\text{Hz}}$ em I_C = 1 mA *versus* 0,6 nV/$\sqrt{\text{Hz}}$ para o 2SD786 da atual disputa desta edição) e o par de JFET canal *n* monolítico casado 2N6483 (e_n=4 nV/$\sqrt{\text{Hz}}$ em I_C = 1 mA *versus* 1,7 nV/$\sqrt{\text{Hz}}$ para o 2SK170 de entrada desta edição). Os "lutadores" desta edição são transistores individuais em vez de duplos monolíticos casados. Ambos os candidatos da edição anterior já foram descontinuados há muito tempo, após várias décadas de disponibilidade no mercado.

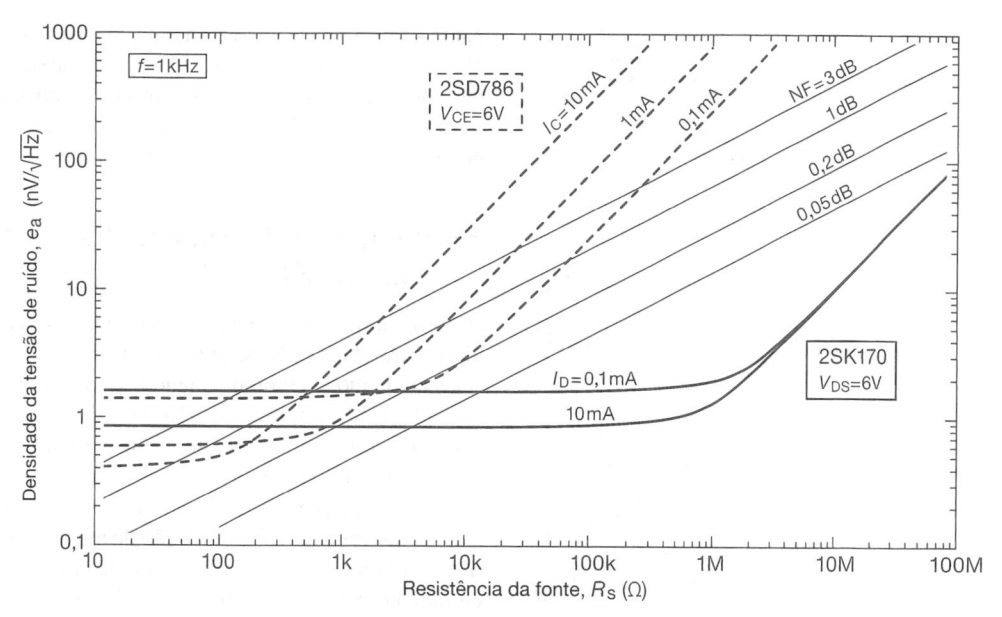

FIGURA 8.53 Comparação da densidade da tensão de ruído de entrada do amplificador (e_a) em 1 kHz entre o transistor bipolar *npn* 2SD786 (linhas tracejadas) e o JFET canal *n* 2SK170 (linhas contínuas).

E o vencedor? Bem, é uma decisão dividida. O FET ganhou pontos na figura de ruído mínima mais baixa, NF(R_n), atingindo uma fenomenal figura de ruído de 0,0005 dB (que é uma temperatura de ruído de apenas 33 *mili*kelvin!) e mergulhando abaixo de 0,2 dB de 1k a 100 M de impedância de fonte. Para impedâncias de fonte altas, os FETs permanecem invictos. O transistor bipolar é melhor em baixas impedâncias de fonte, especialmente abaixo de 5 kΩ, e pode chegar a uma figura de ruído de 0,2 dB para resistências de fonte R_s de 1 a 10 kΩ, com uma escolha adequada da corrente de coletor. Apesar de sua vitória apenas em termos de ruído ser magra, ele tem outras qualidades importantes, especialmente a sua previsibilidade superior de V_{BE} em comparação com a V_{GS} vagamente caracterizada de um JFET.

Assim como no boxe, em que os melhores lutadores do passado se afastaram dos rigores das competições, devemos lembrar aos nossos leitores, com alguma tristeza, que o 2SD786 foi descontinuado pela Toyo-Rohm, e o 2SK170 da Toshiba às vezes está disponível, e às vezes não. No entanto, também como no boxe, existem alguns candidatos mais jovens para o melhor transistor de baixo ruído que ainda não teve a chance de competir em um campeonato mundial. Em seu lugar, entra o JFET LSK170 da Linear Integrated Systems, representando quase tão bem quanto o seu tutor; e o BJT ZTX851 da Zetex, embora não especificado no desempenho de ruído, parece superar até mesmo o campeão 2SD786 (como visto no espectro de ruído medido das Figuras 8.12 e 8.17).

E, se é *realmente* a tensão de baixo ruído que você quer, considere o IF3601 da InterFET, com seu 0,35 nV/$\sqrt{Hz}$ de tensão de ruído típica *mesmo para uma frequência baixa, de até* 30 Hz! E esse é um JFET, com baixa corrente de entrada (100 pA típico, então i_n baixa, cerca de 6 fA/$\sqrt{Hz}$), e, assim, a resistência de ruído é de cerca de 60k. Quando utilizado como um amplificador com uma impedância de fonte igual à sua resistência de ruído (isto é, R_s = 60k), o seu desempenho é excelente – a figura de ruído é de 0,001 dB. Os JFETs da interFET e da Linear Integrated Systems devem ser comprados diretamente do fabricante, mas, em nossa experiência, não tivemos dificuldade em adquirir pequenas encomendas.

Antes de sair e comprar um monte desses notáveis JFETs, considere as observações dos críticos, que afirmam que eles têm altas capacitâncias de entrada e de realimentação (650 pF e 80 pF, respectivamente), o que limita sua utilidade em altas frequências. O seu similar, o IFN146, é melhor nesse critério, à custa de uma e_n maior (75 pF e 15 pF, respectivamente, com e_n=0,7 nV/$\sqrt{Hz}$). Esses mesmos críticos argumentam que um par complementar bipolar como o ZTX851 e o ZTX951, com e_n baixo, de 0,3 nV/$\sqrt{Hz}$, pode oferecer um desempenho ainda melhor em moderadas impedâncias de fonte e frequências.

8.7.1 Que Tal MOSFETs?

As espécies de FET dominantes no mundo dos circuitos, em uma proporção de, pelo menos, 10^{12}:1, é o *MOS*FET, do qual o JFET é o primo pobre (e abandonado). Contudo, nós não abandonamos os JFETs, porque eles são a melhor escolha para o projeto de baixo ruído discreto, especialmente quando

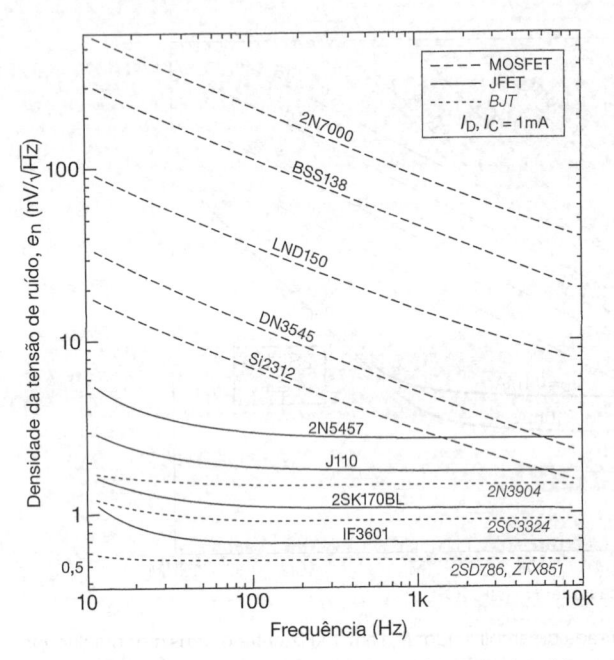

FIGURA 8.54 Comparação de espectros de tensão de ruído medida para alguns transistores populares: MOSFETs, JFETs e BJTs. Foram incluídos, dentro de cada espécie, um dispositivo "mais silencioso", um barato (0,05 centavos de dólares em quantidade) e um comum.

é importante um baixo nível de ruído em baixas frequências (por exemplo, áudio). Como ficará evidente na Seção 8.9, JFETs também dominam como estágios de entrada dentro de AOPs, onde tanto a baixa corrente de entrada quanto a baixa tensão de ruído são importantes.

Então, o que acontece com MOSFETs de projetos de baixo ruído? Um problema é que você não pode obter pequenos MOSFETs como partes distintas. E MOSFETs tendem a ter tensão de ruído muito mais elevada do que os JFETs, especialmente em baixas frequências em que o ruído $1/f$ domina – o joelho $1/f$ pode ser bastante elevado, de 10 kHz a 100 kHz. A Figura 8.54 mostra isso ao representar graficamente a densidade da tensão de ruído em função da frequência para uma seleção de MOSFETs, JFETs e BJTs representativos. Os BJTs mais silenciosos são os vencedores (com JFETs de baixo ruído não muito atrás), ao passo que, nessas frequências de áudio, os MOSFETs estão mais distantes (e talvez bem mais distantes). Por essa razão, você normalmente não escolheria um MOSFET para os melhores amplificadores de baixo ruído abaixo de 1 MHz.

No entanto, MOSFETs *são* usados como amplificadores lineares de baixo ruído sob a forma de circuitos integrados destinados a aplicações em radiofrequência. Nessas frequências, seu desempenho de ruído é bom o suficiente, e o processo CMOS permite uma integração conveniente e de baixo custo.

MOSFETs são usados também em AOPs de "deriva zero": sua densidade de tensão de ruído e_n não é impressio-

nante – tipicamente, no intervalo de 25 a 100 nV/√Hz –, mas eles não apresentam aumento de $1/f$ em baixas frequências, de modo que eles competem como os amplificadores mais silenciosos para aplicações de frequências muito baixas. Isso pode ser visto claramente na Figura 5.54.[64]

8.8 RUÍDO EM AMPLIFICADORES DIFERENCIAIS E REALIMENTADOS

Amplificadores de baixo ruído são, muitas vezes, diferenciais, para obter os benefícios usuais de baixa deriva e boa rejeição de modo comum. Quando se calcula o desempenho de ruído de um amplificador diferencial, existem três pontos a se ter em mente: (a) não se esqueça de usar as correntes de coletor próprias, não a soma, para obter e_n e i_n a partir de folhas de dados; (b) a i_n vista em cada terminal de entrada é a mesma que para uma configuração de amplificador de terminação simples; e (c) a e_n vista em uma entrada, com a outra entrada aterrada, por exemplo, é 3 dB maior que o caso de um transistor sozinho, ou seja, é multiplicado por $\sqrt{2}$.

Em amplificadores com realimentação, você quer tirar as fontes de ruído equivalentes e_n e i_n da malha de realimentação, para que você possa usá-las como descrito anteriormente para o cálculo do desempenho de ruído com uma determinada fonte de sinal. Chamemos os termos de ruído tirados da malha de realimentação de e_A e i_A, como termos de ruído do *amplificador*. Assim, a contribuição de ruído do amplificador para um sinal com resistência de fonte R_s é

$$e^2 = e_A^2 + (R_s i_A)^2 \quad V^2/Hz. \quad (8.37)$$

Consideremos as duas configurações de realimentação separadamente.

Não inversor. Para o amplificador não inversor (Figura 8.55), as fontes de ruído de entrada se tornam[65]

$$i_A^2 = i_n^2 \, A^2 \, (RMS), \quad (8.38)$$

$$e_A^2 = e_n^2 + 4kTR_\| + (i_n R_\|)^2 \, V^2 \, (RMS), \quad (8.39)$$

em que e_n é a tensão de ruído "ajustada" para a configuração diferencial, ou seja, 3 dB maior do que para o estágio de um transistor simples. Os termos de tensão de ruído adicionais surgem do ruído Johnson e da corrente de ruído do estágio de entrada nos resistores de realimentação. Note que a tensão e a corrente de ruído efetivas agora não são completamente não correlacionadas, de forma que os cálculos nos quais seus quadrados são adicionados podem ter um erro máximo de um fator de 1,4.

---

[64] Os AOPs de autozero CMOS de alta tensão OPA188 e OPA2188 estão entre os melhores que você pode encontrar, com uma e_n de 9 nV/√Hz e um corte de ruído em 0,4 Hz. Não vamos responder por suas *correntes* de ruído de entrada.

[65] Veja C. D. Motchenbacher e J. A. Connelly, *Low-noise Electronic System Design* (Projeto de Sistemas Eletrônicos de Baixo Ruído), Wiley (1993), que mostrou a expressão completa para um amplificador diferencial completo.

FIGURA 8.55 A. Modelo de ruído do AOP. B. Fontes de ruído no amplificador não inversor.

Para um seguidor, R_2 é igual a zero, e as fontes de ruído efetivas são apenas as do amplificador diferencial. Note que esses desenhos e fórmulas consideram que a resistência da fonte de sinal é zero (ou, pelo menos, pequena em comparação com $R_\parallel$, de modo a não adicionar ruído Johnson).[66]

Invertendo Para o amplificador inversor (Figura 8.56), as fontes de ruído de entrada se tornam

$$i_A^2 = i_n^2 + 4kT\frac{1}{R_1} \quad A^2 \text{ (RMS)}, \tag{8.40}$$

$$e_A^2 = e_n^2\left(1 + \frac{R_1}{R_2}\right)^2 + 4kTR_1\left(1 + \frac{R_1}{R_2}\right)$$
$$+ (i_n R_1)^2 \quad V^2 \text{ (RMS)}, \tag{8.41}$$

Para amplificadores diferenciais e AOPs simples, os dois terminais de entrada têm tensões de ruído de entrada e correntes de ruído comparáveis. Isso não é verdadeiro, no entanto, para AOPs de realimentação de corrente (CFB), em que a corrente de ruído na entrada inversora é, geralmente, muito maior do que na entrada não inversora.

Amplificadores operacionais Estes têm entradas diferenciais, de modo que seguem as mesmas regras. AOPs dominam a maioria dos projetos analógicos, e por uma boa razão: eles são altamente desenvolvidos e proporcionam um excelente desempenho. Existem milhares de opções de AOPs, otimizados para várias combinações de parâmetros que incluem precisão, velocidade, ruído, consumo de energia e tensão de alimentação. Se você pode resolver um problema de projeto com AOPs, provavelmente deveria fazê-lo.[67] Seguindo o tema deste capítulo, o projeto de baixo ruído com AOPs é o assunto da próxima seção.

8.9 RUÍDO EM CIRCUITOS DE AMPLIFICADORES OPERACIONAIS

Folhas de dados de AOPs especificam o ruído de entrada em termos de e_n e i_n, assim como com transistores e FETs. Você verá valores tabelados e, geralmente, gráficos de e_n e (às vezes) i_n em função da frequência. Ao contrário de projetos com transistores discretos, no entanto, você não consegue ajustar as correntes de operação internas nem os valores do componente – apenas use-os.

Existem milhares de AOPs disponíveis, com uma boa seleção de dispositivos destinados a aplicações de baixo ruído. Reunimos cerca de 150 favoritos nas Tabelas 8.3a a 8.3c, muitos dos quais têm a densidade da tensão e da corrente de ruído representadas graficamente nas Figuras 8.60 e 8.61. Como escolher entre eles? Há e_n e i_n, é claro (e a correspondente frequência de corte f_c de baixa frequência de $1/f$). Mas também há todas as compensações de desempenho habituais: precisão, velocidade, corrente de entrada, dissipação de energia e preço. Como um exemplo, com 0,85 nV/$\sqrt{\text{Hz}}$ (e f_c = 3,5 Hz), o LT1028 está entre os menores e_n dos AOPs disponíveis (curva A no gráfico superior da Figura 8.60). Mas ele consome 8,5 mA de corrente de alimentação, com ~1,8 mA dedicado apenas ao estágio de entrada. Por todas as razões discutidas nas Seções 8.3 a 8.6, você não pode casar esse tipo de tensão de baixo ruído em um AOP cuja corrente de alimentação total é de, digamos, 0,1 mA. E você pode não querer isso: as entradas BJT do LT1028 têm abundância de corrente de polarização, com densidade de corrente de ruído correspondentemente alta (~1 pA/$\sqrt{\text{Hz}}$ – curva A novamente, desta vez no gráfico inferior da Figura 8.60). Dito de outra forma, a *corrente* de ruído alta desse campeão de baixa e_n aniquila toda a vantagem de ruído para um sinal de entrada de impedância de fonte maior do que 1 kΩ (sua resistência de ruído, $R_n \equiv e_n/i_n$).[68]

Observemos mais de perto o projeto de baixo ruído com AOPs. Começamos com um guia para a extensa lista na Tabela 8.3.

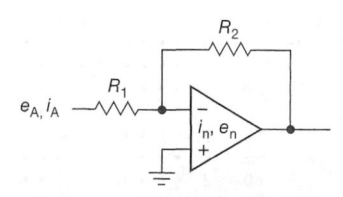

FIGURA 8.56 Fontes de ruído do amplificador inversor.

---

[66] Se um resistor em série é adicionado na entrada não inversora (para balancear as *offsets* de corrente de entrada, consulte a Figura 4.55), considere uma conexão *shunt* com um capacitor para diminuir seu ruído Johnson (por exemplo, C_1 na Figura 8.78).

[67] Olhe isso deste modo: um AOP inteiro em um encapsulamento SOT-23 é do mesmo tamanho que um único transistor em um encapsulamento SOT-23, e não deve custar muito mais. A Tabela 8.3 lista mais de 60 AOPs que estão disponíveis nos encapsulamentos SOT- 23, com preços bastante baixos, até 0,72 centavos de dólar (quantidade de 25).

[68] Já que estamos reclamando do LT1028, poderíamos acrescentar que ele é um pouco caro. Cerca de 6 dólares cada um em pequena quantidade.

TABELA 8.3A AOPs de entrada BJT de baixo ruído[a]

Tabela 5.5	Nº identif.	Nº por encap.	Fonte faixa (V)	I_Q^t (mA[p])	I_B de entrada @25°C typ (nA)	máx (nA)	Cancelamento de pol.	V_{OS} máx (mV)	CMRR mín (dB)	$V_{n(pp)}$ 10Hz[b] (μV)	e_n 1kHz (nV/√Hz)	f_c^c (Hz)	i_n^t 1kHz[j] (pA/√Hz)	Gráficos de ruído	R_n (e_n/i_n) 1kHz (kΩ)	GBW (MHz)	C_{in} (pF)	Variação para a fonte? IN	OUT	Ajuste de offset + −	Pino de sobrecomp. + −	Encap. DIP	SOIC-8	SOT-23	Custo[q] qty 25 ($US)	Observações
	BJT de alta tensão																									
	LT1495	1,2,4	2,2-36	0,001	0,3	1	-	0,38	90	4	185	10	0,01	b6	20M	0,003	-	•	•	•	•	-	-	•	•	-	4,15	A
☐	LT1490A	2,4	2,5-44	0,04	1	8	•	0,5	84	1	50	5,6	0,02	-	3,3M	0,2	4,6	•	•	•	•	-	-	-	•	•	3,25	B
☐	LT1077A	1	2,2-44	0,05	7	9	•	0,04	97	0,5	27	0,7	0,07	-	415	0,23	baixa	-	-	•	•	-	-	•	•	-	3,84	-
	ADA4096	2	3-36	0,06	10	15	•	0,3	73	0,7	27	3	0,2	-	135	0,6	7	•	•	•	•	-	-	-	•	-	3,81	C
☐	LT6010A	1,2,4	2,7-40	0,14	0	0,11	•	0,4	107	0,4	14	3,6	0,1	34	140	0,35	4	-	-	•	•	-	-	-	•	-	2,22	D
	LT6011A	2,4	2,7-40	0,14	0	0,3	•	0,06	107	0,4	14	3,6	0,1	34	140	0,33	4	-	-	-	-	-	-	-	•	-	2,36	-
	LT6013A	1,2	2,7-40	0,15	0,1	0,25	•	0,06	115	0,2	9,5	2	0,15	-	63	1,6	4	-	-	-	-	-	-	-	•	-	2,36	E
	OP07C	1	8-44	2,7	1,8	7	•	0,15	97	0,38	9,8	0,7	0,13	-	75	0,6	-	-	-	•	•	•	•	•	•	-	0,62	F
	ISL28107	1,2	4,5-42	0,21	0,02	0,3	•	0,08	115	0,34	13	2	0,05	-	245	1	-	-	-	-	-	-	-	-	•	-	2,73	-
☐	AD8622A	2,4	4-36	0,22	0,05	0,2	•	0,13	125	0,2	11	2	0,15	-	73	0,56	5,5	-	-	-	-	-	-	-	•	•	5,33	-
	LT1013A	2,4	3-44	0,35	12	20	•	0,15	100	0,55	22	1,3	0,02	19	1,5M	0,9	-	•	•	-	-	-	-	•	•	x	2,08	-
	LT1097	1	2,4-40	0,35	0	0,25	•	0,05	115	0,5	14	2,5	0,05	-	304	0,7	-	-	-	-	-	-	-	-	•	-	2,32	-
☐	LT1012AC	1	2,4-40	0,37	0,03	0,1	•	0,03	114	0,5	14	2,5	0,05	M	304	0,5	baixa	-	-	-	-	-	-	-	•	-	5,11	-
☐	OP97E	1,2,4	4,5-40	0,40	0	0,1	•	0,03	114	0,5	14	2,5	0,04	-	333	0,9	baixa	-	-	-	-	-	-	•	•	-	5,52	-
	LM741A	1,2,4	8-44	1,7	30	80	-	3	80	1,8	28	20	0,22	22	127	1,5	,-	-	-	-	-	-	-	•	•	-	0,23	G
	LM358	1,2,4	4-32	0,7	45	250	-	7	70	1,8	40	10	0,12	24	333	0,7	-	-	-	-	-	-	-	•	•	-	0,14	H
	OP2177	1,2,4	5-36	0,40	0,5	2	•	0,08	120	0,4	8	5	0,2	-	40	1,3	-	-	-	-	-	-	-	-	•	-	3,51	-
☐	OPA2188	1,2,4	4,0-40	0,42	0,2	0,85	•	0,03	120	0,25	8,8	0,4	0,75	J	12	2	9,5	-	-	•	•	-	-	-	•	-	3,43	I
☐	OPA277P	1,2,4	4-36	0,79	0,5	1	•	0,02	130	0,22	8	20	0,2	13	40	1	baixa	-	-	-	-	-	-	-	•	-	3,17	J
	ISL28218	1,2	3-44	0,85	230	600	-	0,15	102	0,3	5,6	16	0,36	-	16	4	-	-	-	-	-	-	-	-	•	-	4,25	-
	ISL28127	1,2,4	4,5-42	0,85	1	10	•	0,07	115	0,085	2,5	6	0,4	-	6,3	10	-	-	-	-	-	-	-	-	•	-	2,50	-
☐	LT1468	1	7-36	3,9	3	10	•	0,08	96	0,3	5	27	0,6	9	8,3	90	4	-	-	•	•	-	-	-	•	-	4,26	K
	NE5534	1,2	10-44	4	0,5	1,5	-	4	70	0,4	3,5	50	0,4	G	8,8	10	-	-	-	•	-	-	-	•	•	-	0,85	L
☐	LT1677	1	3-44	2,8	2e	20[e]	•	0,06	109	0,09	3,2	13	1,2	-	2,7	7,2	4,2	-	-	-	-	-	-	-	•	-	3,07	M
☐	OP-27A[d1]	1	8-44	3	10	40	•	0,03	114	0,08	3	2,7	1	8	3	8	-	-	-	•	•	-	-	•	•	-	2,10	N
☐	OPA227[d2]	1,2,4	5-36	3,7	2,5	10	•	0,08	120	0,09	3	4	0,4	F	7,5	8	12	-	-	-	-	-	-	-	•	-	1,67	-
	LME49710	1	5-36	4,8	7	72	•	0,7	110	0,35	2,5	70	1,6	-	1,6	55	-	-	-	-	-	-	-	-	•	-	1,97	O
	LM4562	2	5-36	5	10	72	•	0,7	110	0,4	2,7	75	1,6	b4	1,7	55	-	-	-	-	-	-	-	-	•	-	2,45	O
	ADA4075-2	2	9-40	1,8	30	100	•	1	110	0,06	2,8	3,6	1,2	-	2,3	6,5	2,4	-	-	-	-	-	-	-	•	-	1,80	P
☐	AD8675	1,2	9-36	2,5	0,5	2	•	0,08	114	0,1	2,8	6	0,3	-	9,3	10	-	-	-	-	-	-	-	-	•	-	2,22	Q
	AD8671	1,2	9-36	3	3	12	•	0,08	100	0,077	2,8	5	0,3	-	9,3	10	7,5	-	-	-	-	-	-	-	•	-	1,97	Q
	LT1124	2,4	8-44	2,75	8	30	•	0,07	108	0,07	2,7	2,3	0,3	-	9,0	12,5	baixa	-	-	-	-	-	-	-	•	-	4,91	R
☐	LT1007[g,d4]	1	4-44	2,7	10	35	•	0,03	117	0,06	2,5	2	-	7,D	6,3	8	-	-	-	-	-	-	-	-	•	-	2,48	-
☐	OPA209	1,2,4	4,5-40	2,2	1	4,5	•	0,15	120	0,13	2,2	16	0,2	-	4,4	18	4	-	-	-	-	-	-	-	•	-	2,27	S
☐	ADA4004	1,2,4	9-36	2,2	40	90	•	0,13	110	0,15	1,8	2,5	1,2	b1	1,5	12	-	-	-	-	-	-	-	-	•	-	4,20	-
	OPA211	1,2	4,5-36	3,6	60	175	-	0,05	114	0,08	1,1	10	1,7	b2	0,65	45	8	-	-	-	-	-	-	-	•	-	12,87	T
☐	AD8597	1,2	9-36	4,8	40	210	•	0,12	120	0,08	1,1	22	2,3	B	0,48	10	12	-	-	-	-	-	-	-	•	-	3,71	U
	MAX9632	1	4,5-40	3,9	30	180	•	0,13	120	0,065	0,94	22	3,8	-	0,25	55	-	-	-	-	-	-	-	-	•	-	5,76	V
	ADA4898-1	1,2	9-36	8,1	100	400	•	0,13	103	0,05[u]	0,9	14	2,4	4	0,38	65	3,2	-	-	-	-	-	-	-	•	-	5,37	-
	AD797	1	9-36	5,2	250	1500	•	0,08	114	0,05	0,9	30	2	-	0,45	110	-	-	-	-	-	-	-	-	•	-	8,03	-
	LT1115	1	9-44	8,5	50	380	•	0,2	104	0,04	0,9	3,5	1,2	3,A	0,75	70	5	-	-	-	-	-	-	-	•	-	3,73	W
	LME49990	1	10-38	9	30	500	•	1	118	0,03	0,88	10	2,8	-	0,31	110	-	-	-	-	-	-	-	-	•	-	3,98	X
☐	LT1028A[h]	1	8-44	7,4	25	90	•	0,04	108	0,035	0,85	3,5	1,0	3,A	0,85	75	5	-	-	-	-	-	-	-	•	-	6,48	-
	BJT de baixa tensão																									
	TLV2401	1,2,4	2,7-17	880nA	0,1	0,3	-	1,2	63	35	400	30	0,01	30	50M	0,005	3	w	•	•	•	-	-	-	•	-	2,05	-
☐	LT6003	1,2,4	1,5-18	850nA	0	0,14	•	0,5	73	3	325	-	0,01	b5	27M	0,003	6	•	•	•	•	-	-	-	•	-	1,60	-
	TLV2242	1,2,4	2,5-16	0,001	0,1	0,5	-	3	60	35	400	30	0,01	31	50M	0,005	3	-	-	-	-	-	-	-	•	-	2,42	-
	OP196	1,2,4	3-15	0,045	10	50	-	0,3	65	0,8	26	15	0,19	-	137	0,35	-	-	-	-	-	-	-	-	•	-	3,81	-
	EL8176	1	2,4-6	0,055	0,5	2	•	0,1	90	1,5	28	6	0,16	-	175	0,4	-	-	-	-	-	-	-	-	•	-	2,30	Y
	LMV358	1,2,4	2,7-6	0,11	15	250	-	7	65	-	39	8	0,21	28	186	1	-	-	-	-	-	-	-	-	•	-	0,74	Z
	LT1783	1	2,5-18	0,23	45	80	r	0,8	90	1	20	7,5	0,14	-	143	1,3	5	k	•	-	-	-	-	-	•	-	3,05	AA
	TLV2460	1,2,4	2,7-6	0,5	4,4	14	-	2	70	2,2	11	150	0,13	-	85	5,2	7	-	-	-	-	-	-	-	•	-	1,55	BB
	LT6220	1,2,4	2,2-13	0,9	15	150	•	0,35	85	0,5	10	30	0,8	-	12,5	60	7	-	-	-	-	-	-	-	•	-	1,75	-
☐	LMP7731	1,2	1,8-6	2,2	1,5	30	•	0,25	101	0,08	2,9	1,4	1,1	b3	2,64	22	-	-	-	•	•	-	-	-	•	-	1,98	-
	MAX410	1,2,4	4,8-12	2,5	80	150	•	0,25	115	0,2	1,5	90	1,2	-	1,25	28	4	-	-	-	-	-	-	-	•	-	4,06	-
	LT6230	1,2,4	3-12,6	3,3	5μA	10μA	•	0,5	96	0,18	1,1	350	2,4	-	0,46	215	6,5	-	-	•	•	-	-	-	•	-	2,72	-

Notas: (a) Veja também as tabelas de AOPs nos Capítulos 4 e 5. (b) 0,01 Hz ou 0,1 Hz a 10 Hz. (c) Calculado. (d) Os tipos JFET de menor tensão estão em *itálico*. (d1) OP-37 descomp. (d2) OP228 descomp. (d3) OPA637 descomp. (d4) LT1037 descomp. (d5) OPA657 descomp. (d6) ADA4637 descomp. (d7) MAX4237 descomp. (d8) LMP7717 descomp. (g) A LTC sugere o LT1677, RRIO. (h) A LTC sugere LT6200, 6230. (j) Para 1 kHz ou 10kHz, exceto 10Hz para os tipos *chopper*. (k) Além do trilho. (p) Por amplificador. (q) *Itálicos* são comuns. (s) SC70. (t) Típico. (u) As especificações da folha de dados são 10× superiores. (v) V_{OS} *versus* V_{CM} estável. (w) Para 5 V acima do trilho. (x) SOIC tem pinagem padrão. (y) DIP descontinuado, NRND. **A:** Especificação para 5 V. **B:** Destaque, baixa I_B para $V_{CM} < V_{CC}−0,7$. **C:** Versão original de encapsulamento para +32 V. **D:** Substituição do LT1012, com RRO. **E:** Descomp, $G > 5$. **F:** Clássico original. **G:** Clássico ruidoso. **H:** Ruidoso, barato; LM321 simples. **I:** Deriva zero, CMOS (!). **J:** OP177 melhorado. **K:** Distorção de 0,7 ppm. **L:** Áudio clássico. **M:** "LT1007 com RRIO".

TABELA 8.3B AOPs de entrada FET de baixo ruído[a]

Tabela 5.5	Nº identif.[d]	Nº por encap.	Fonte faixa[d] (V)	I_Q^t (mA[P])	I_B de entrada @25°C típico (pA)	I_B de entrada @25°C máx (pA)	V_{OS} máx (mV)	TCV_{OS} típico (µV/°C)	CMRR mín (dB)	Ruído $V_{n(pp)}$ 10Hz[b] (µV)	Ruído e_n 1kHz (nV/√Hz)	Ruído f_c^C (Hz)	$e_n \cdot C_{in}$ 1kHz[j] (nV·pF)	Gráficos de ruído	GBW (MHz)	C_{in} (pF)	Variação para a fonte? IN OUT + - + -	Ajuste de offset	Encap. DIP SOIC-8 SOT-23	Custo[q] qty 25 ($US)	Observações
	JFET																				
❏	OPA129B	1	10-36	1,2	30fA[z]	0,1	2	3	80	4	17	310	34	32,U	1	2	- - - -	• •	-	11,28	CC
❏	AD549KH	1	10-36	0,6	75fA[z]	0,1	0,25	2	90	4	35	100	35	-	1	1	- - - -	• •	- -	28,00	-
	ISL28110	1,2	9-42	2,6	0,3	2	0,3	1	88	0,6	6	45	72	-	12,5	12	- - - -	- -	- -	2,34	DD
❏	OPA124PB	1	10-36	2,5	0,35	1	0,25	1	100	1,6	8	195	24	33,P	1,5	3	- - - -	• •	• •	6,40	EE
❏	OPA140	1,2,4	4,5-40	1,8	0,5	10	0,12	0,35	126	0,25	5,1	12	51	H	11	10	- • • -	• -	• •	3,89	FF
	AD8076	1	*5-24*	6,4	0,5	5	1	1	89	6	6,6	2000	17	-	350	2,5	• • • -	• -	- -	5,32	-
❏	AD795	1	8-36	1,3	1	100	500	10	90	1	8	50	18	-	1,6	2,2	- - - -	• •	• •	7,97	GG
❏	OPA141	1,2,4	4,5-40	1,8	2	20	3,5	2	120	0,25	6,5	13	52	-	10	8	- • • -	• -	• •	2,36	FF
❏	OPA1641	1,2,4	4,5-40	1,8	2	20	3,5	-	120	0,2	5,1	7	41	f1	20	8	- • • -	• -	• •	2,76	FF
❏	*AD8620A*	1,2	*10-27*	2,5	2	10	0,25	0,5	90	1,8	6	1200	90	-	25	15	- - - -	• •	• •	11,86	-
❏	OPA656[d5]	1	*9-13*	14	2	20	1,8	2	80	4,5	7[x]	1100	20	T	230	2,8	- - - -	• •	• •	5,59	-
	LF412C	1	10-44	3,6	50	200	3	7	80	2,5	25	45	75	21	3	3	- - - -	• •	• •	1,32	HH
	OPA171	1,2,4	2,7-40	0,48	8	15	1,8	0,3	104	3	14	170	42	18	3	3	- • • -	• •	• •	0,91	ZZ
	OPA604	1,2	9-50	5,3	50	-	5	8	80	1,3	11	60	110	16	20	10	- - - -	• •	• •	2,57	JJ
❏	OPA134	1,2,4	5-36	4	5	100	2	2	86	1,1	8	80	40	f3	8	5	- - - -	• •	• •	1,60	KK
	OPA2132	1,2,4	5-36	4	5	50	0,5	2	96	1,1	8	80	48	-	8		- - - -	• •	• •	3,81	-
	LME49880	2	10-36	14	5	-	10	3	90	1,9	7	250	-	-	25		- - - -	- -	• •	2,43	O
	ADA4627B[d6]	1	9-36	7	5	20	0,2	1	106	0,7	6	60	42	-	19	7	- • • -	• •	• •	15,05	LL
	LT1793	1	9-40	4,2	4	20	0,9	8	81	0,5[u]	5,8	30	9	10	4,3	1,5	- - - -	- -	• •	3,15	-
❏	OPA627A[d3]	1	10-36	7	5	20	0,28	0,5	106	0,6	4,5	90	32	L	16	7	- - - -	• •	• •	20,82	-
	LT1792	1	9-40	4,2	300	800	0,8	7	82	0,35[u]	4,0	30	56	f2	4,3	14	- - - -	- -	• •	3,15	-
❏	OPA827	1	8-40	4,8	15	50	0,15	1,5	104	0,25	3,8	25	34	-	22	9	- - - -	• •	• •	9,22	MM
	AD743	1	9,6-36	8,1	150	250	1	2	80	0,38	2,9	35	58	-	4,5	20	- - - -	•	y y	7,83	-
	CMOS																				
	ISL28194	1	1,8-5,8	330nA	15	80	2	1,5	70	10	265	7	-	-	0,004	-	- • • •	- -	- •	1,69	NN
	LPV521	1	1,6-5,5	470nA	10fA	1	1	0,4	75	22	259	7	-	c3	0,006	-	- • • •	- -	- s	1,66	-
	LMC6442A	2	2,2-11	950nA	5fA	4	3	0,4	102	3	170	0,5	33	29	0,01	4,7	- • • •	- •	• •	2,43	-
	ISL28195	1	1,8-5,8	0,001	15	80	2	1,5	70	4	150	3	-	-	0,01	-	- • • •	- -	- -	1,57	-
	MAX9911	1,2	1,8-6	0,004	1	10	1	5	40	40	400	45	-	-	0,2	-	- - - -	- -	- •	0,72	OO
	ICL7612	1	2-16	0,006	0,5	30	5	15	70	40	100	500	-	c4	0,044	-	- - - -	• •	• •	2,87	PP
❏	LMP2232A	1,2,4	1,8-6	0,01	20fA	1	0,15	0,3	81	2,3	60	20	-	25	0,13	-	- • • •	- -	• •	3,29	-
	ISL28158	1,2	2,4-5,8	0,034	5	35	0,3	0,3	75	1,4	64	26	-	-	0,2	-	- • • •	- -	- •	1,34	QQ
❏	AD8603	1,2,4	1,8-6	0,04	0,2	1	0,05	1	85	2,3	25	50	18	20	0,4	2,5	- - - -	- -	• •	1,36	-
❏	LTC6078	2,4	2,7-6	0,055	0,2	1	0,03	0,2	95	1,0	18	25	126	-	0,75	18	• • • •	- -	- •	3,54	RR
	LMV358	1,2,4	2,7-6	0,1	<1nA	<1nA	7	6	50	55	33	7000	-	-	1,4	-	- • • -	- -	- s	0,45	Z
	TLV2221	1	2,7-12	0,11	1	150	3	1	70	3	19	100	42	-	0,51	6	- • • -	- -	- -	1,20	-
❏	MAX4236A[d7]	1	2,4-6	0,35	1	500	0,02	0,6	84	0,9	14	17	53	c2	1,7	7,5	- • • -	- -	- •	1,78	-
❏	LMC6001A	1	5-16	0,45	10fA	25fA	0,35	2,5	83	6	22	270	-	-	1,3	-	- - - -	• -	- -	12,19	-
❏	LMC6482A	2,4	3-16	0,5	20fA	4	0,75[v]	1	70	20	37	900	21	17	1,5	3	- • • -	• •	• •	1,88	SS
	LMV751	1	2,7-5,5	0,5	1,5	100	1	1	85	0,7	6,5	45	-	-	4,5	-	- - - -	- -	- •	1,82	-
❏	OPA376	1,2,4	2,2-7	0,76	0,2	10	0,03	0,26	76	0,8	7,5	50	91	c1	5,5	13	- • • •	- -	• •	1,32	TT
❏	OPA364	1,2	1,8-5,5	0,85	1	10	0,5	3	74	10	17	2200	21	-	7	3	- • • •	- -	• •	2,18	UU
❏	AD8692	1,2,4	2,7-6	0,85	0,2	1	2	0,3	68	1,6	8	215	35	-	10	3	- • • •	- -	• •	1,36	Q
	LMV791	1,2	1,8-6	0,95	0,05	1	1,35	1	80	1,3	6,2	170	105	-	14	15	- - - -	- -	- •	1,42	-
❏	TLC4501A	1,2	4-7	1	1	60	0,04	1	90	1,5	12	500	56	-	4,7	8	- • • •	- -	• •	3,06	VV
❏	OPA743	1,2,4	3,5-13	1,1	1	10	7	8	66	11	30	2400	28	26	7	4	- • • •	- -	• •	1,58	-
	LM6211	1	5-24	1,1	0,5	5	2,5	2	85	2,5	6	500	39	-	17	5,5	- • • •	- -	- •	2,52	-
❏	LMP7715[d8]	1,2	1,8-6	1,15	0,05	1	0,15	1	85	1	5,8	110	105	-	17		- - - -	- -	- •	2,05	-
	LMV710	1	2,5-5,5	1,2	4	-	3	-	50	14	20	1300	119	-	5	17	- - - -	- -	- •	1,21	WW
❏	LMP7721	1	1,8-6	1,3	3fA	20fA	0,15	1,5	83	2,3	7	360	-	-	17	-	- - - -	- -	- x	11,89	-
	OPA320	1,2	1,8-6	1,45	0,2	0,9	0,15	1,5	100	2,8	8,5	640	35	-	20	5	- • • •	- -	- •	2,16	XX
❏	AD8616	1,2,4	2,7-6	1,7	0,2	1	0,5	1,5	80	2,4	7	1300	49	11	24	7	- • • •	- -	• •	1,52	-
	TLC2272A	2,4	4,5-16	2,4	1	60	1,0	2	75	1,4	9	325	56	S	2,25	8	- • • •	- -	• •	1,57	-
	OPA365	1,2	2,2-5,5	4,6	0,2	10pA	0,2	1	100	5	4,5	5600	42	V	50	6	- • • •	- -	- •	1,75	XX
❏	OPA350	1,2,4	2,5-7	5,2	0,5	10	0,5	4	74	14	7	9000	46	12	38	6,5	- • • •	- -	- •	1,67	-
	LMP2021	1,2	2,5-5,8	1,1	25	100	0,005	0,004	105	0,26	11	flat	84	##	5	12	- • • -	- -	- •	2,92	YY

N: Clássico industrial. **O**: Distorção de 0,3 ppm. **P**: Acoplamento cruzado. **Q**: Distorção de 0,6 ppm. **R**: Substitui o OP-27, OP270. **S**: Distorção de 0,25 ppm. **T**: Precisão. **U**: Distorção de 1 ppm. **V**: Distorção de 0,4 ppm. **W**: Versão de áudio do LT1028. **X**: Distorção de 0,1 ppm. **Y**: Bomba de carga. **Z**: LMV321 simples; versões BJT & CMOS (mesma pinagem!). **AA**: Acima do trilho até +18 V. **BB**: Acionamento de saída de 80 mA. **CC**: I_B menor para um dispositivo HV. **DD**: JFETs com *bootstrap*. **EE**: Pino no substrato. **FF**: Distorção de 0,5 ppm. **GG**: Substitui o OPA111. **HH**: Área de efeito comum. **JJ**: Áudio profissional. **KK**: Distorção de 0,8 ppm. **LL**: Substitui o OPA627, 637. **MM**: Custa menos que o OPA627. **NN**: <1 µW. **OO**: 7,5 µW. **PP**: Corrente quiescente programável. **QQ**: V_{OS} baixo além dos trilhos. **RR**: V_{OS} degrada próximo de V+. **SS**: Popular; LMC7101 (simples) é semelhante. **TT**: E-trim. **UU**: Bomba de carga, distorção de 20 ppm. W: Autocal de 0,3 s ao energizar. **WW**: BiCMOS; LMV711 tem pino de desligamento. **XX**: Bomba de carga, RRI. **YY**: 2º melhor *chopper*. **ZZ**: CMOS (entre vários, confira OPA170, 172, 192; além do OPA2188).

TABELA 8.3C AOPs de baixo ruído e alta velocidade[a]

Nº identif.[d]	Nº por encap.	Fonte faixa (V)	I_Q^t (mA[p])	I_{pol} 25°C típico (µA)	CMRR mín (dB)	Ruído ("◊"=√Hz) e_n^t (nV/◊)	f_c^C (Hz)	i_n^t 1kHz[J] (pA/◊)	C_{in} (pF)	FOM e_nC_{in} ("◊"=√Hz) 0pF (pF·nV/◊)	+5pF	Ganho mín	GBW[t] (MHz)	Taxa de Variação (V/µs)	Gráfico de distorção[d]	Iout mín (mA)	Variação para a fonte? IN OUT	Ajuste de offset	Pino de sobrecomp.	Pino de deslig.	Encap. DIP SOIC-8 SOT-23	Custo[q] qty 25 ($US)	Observações
VFB com bipolar de alta tensão																							
LT1222	1	8-36	8	0,1	100	3	130	2	2	6,0	21	10	500	250	-	25	- - - -	-	•	•	• •	4,17	-
AD8021	1	4,5-26	7	7,5	86	2,1	2300	2,1	1	2,1	13	1	490	420	•	60	- - - -	-	•	•	• •	2,42	-
AD829	1	9-36	5	3,3	100	1,7	45	1,5	5	8,5	17	1	750[r]	150[g]	-	25	- - - -	-	•	•	• •	4,82	-
THS4031	1,2	9-33	8,5	3	85	1,6	390	1,2	2	3,2	11	1	200	100	-	60	- - - -	-	•	•	• •	5,60	-
THS4021	1,2	9-33	7,8	3	-	1,5	570	2	1,5	2,3	10	10	3500	470	-	80	- - - -	-	-	-	• •	8,20	-
MAX9632	1	4,6-40	3,9	0,03	120	0,94	16	3,8	-	-	-	1	55	30	-	53	- - - -	•	•	-	• •	5,76	-
AD797B	1	10-36	8,2	0,25	114	0,9	30	2	20	18	23	1	110	20	-	60	- - - -	-	•	•	• •	8,50	-
ADA4898	1,2	9-36	8,1	0,1	102	0,9	14	2,4	3,2	2,9	7,4	1	65	55	-	40	- - - -	-	•	•	• •	5,37	-
LME49990	1	10-38	9	0,03	110	0,88	10	2,8	-	-	-	1	110	22	-	50	- - - -	-	•	•	• •	4,16	A
LT1028A	1	8-44	7,4	0,03	108	0,85[v]	3,5[v]	1	5	4,3	8,5	1	75	15	-	25	- - - -	-	•	•	• •	6,48	B
CFB com bipolar de alta tensão																							
THS3120	1	9-33	7	1	60	2,5	215	1	0,4	1,0	14	1	525	1500	-	425	- - - -	-	-	•	• •	5,24	C
AD844	1	9-36	6,5	0,2	-	2,0	-	10	2	4,0	14	2	330	2000	-	60	- - - -	-	-	•	• •	5,23	-
THS3091	1	10-33	9,5	4	62	2,0	800	14	1,2	2,4	12	1	950	7300	-	175	- - - -	-	-	•	• •	5,93	D
THS3001	1	9-33	6,6	2	65	1,6	250	13	7,5	12	20	1	1750	6500	-	85	- - - -	-	-	•	• •	6,93	-
VFB com JFET de alta tensão																							
THS4631	1	10-33	11,5	50pA	95	7	340	20fA	3,9	27	62	1	210	900	-	80	- - - -	-	•	•	• •	8,81	-
AD8067	1	5-24	6,4	0,5	5	6,6	1650	0,6	2,5	17	50	8	540	640	-	25	- - - -	-	-	-	• •	4,63	-
ADA4637	1	10-36	7	1pA	100	6,1	80	1,6fA	8	49	79	5	80	170	•	45	- - - -	-	•	•	• •	10,12	E
VFB com bipolar de baixa tensão																							
AD8045	1	3-12,6	15	2	83	3	3800	3	1,3	3,9	19	1	800	1350	•	55	- - - -	-	-	-	• •	2,59	F
LT6202	1,2,4	3-12,6	3,5	1	83	2,8	940	1,1	1,8	5,0	19	1	95	22	-	30	• - • -	-	-	-	• •	1,90	-
LMH6628	2	5-13	9	0,7	57	2,0	4200	2	1,5	3,0	13	1	200	550	-	50	- - - -	-	-	-	• •	4,39	-
LMH6622	2	4-13	4,3	4,7	80	1,6	1000	1,5	1	1,6	10	1	180	85	-	100	- - - -	-	-	-	• •	3,20	-
LT6230	1,2,4	3-12,6	3,2	5	95	1,1	500	1	6,5	7,2	13	1	100	70	-	30	- - • -	-	-	-	• •	2,73	G
LT6230-10	1	3-12,6	3,2	5	95	1,1	500	1	6,5	7,2	13	10	1450	320	-	30	- - • -	-	-	-	• •	2,72	-
ISL28190	1,2	2,5-5,5	8,5	10	78	1,0	20	2,1	-	-	-	1	120	50	-	90	- - - -	-	-	-	• •	1,37	-
ADA4897	1,2	2,7-11	3	11	92	1,0	50	2,8	11	11,0	16	1	150	120	-	50	- n • •	-	-	-	• •	6,45	-
ADA4895	2	2,7-11	3	11	92	1,0	50	2,8	11	11,0	16	10	230	500	-	50	- n • -	-	-	-	• -	-	-
LT6200	1,2	3-12,6	16,5	10	75	0,95	4500	2,2	4	3,8	9	1	150	50	-	60	• • • •	-	-	-	• •	2,99	H
LT6200-10	1	3-12,6	16,5	10	75	0,95	4500	2,2	4	3,8	9	10	1600	450	-	60	• • • •	-	-	-	• •	2,99	H
AD8099	1	5-12,6	15	6	98	0,95	2200	5,2	2	1,9	6,7	2[x]	1200	1350	-	100	- - - -	-	•	•	• •	3,69	-
LMH6624	1,2	5-13	12	13	90	0,9	2200	2,3	2	1,8	6,3	10	1900	400	•	100	- - - -	-	-	-	• •	3,98	K
LMH6629	1	2,7-6	15,5	15	82	0,69	700	2,6	1,7	1,2	4,6	4	3200	530	-	200	- • - -	u	-	•	• •	4,00	-
LMH6629	1	2,7-6	15,5	15	82	0,69	700	2,6	1,7	1,2	4,6	10	9000	1600	-	200	- • - -	u	-	•	• •	4,00	-
CFB com bipolar de baixa tensão																							
AD8007	1,2	5-12	9	4	56	2,7	1300	2	1	2,7	16	1	800	1000	-	70	- - - -	-	-	-	- s	3,05	-
OPA694	1,2	7-13	5,8	5	60	2,1	600	22	1,2	2,5	13	1	2000	1700	-	80	- - - -	-	-	-	• •	3,38	-
AD8001	1,2	6-12,6	5	5	50	2,0	15	2	1,5	3,0	13	1	880	1200	-	85	- - - -	-	-	-	• •	2,72	-
MAX4224	1	6-12	6	2	55	2,0	-	3	0,8	1,6	12	2	1200	1400	-	60	- - - -	-	-	-	• •	6,34	-
AD8009	1	5-12,6	14	50	50	1,9	270	46	2,6	4,9	14	1	3500	5500	-	175	- - - -	-	-	-	• •	3,19	-
LMH6702	1	9-13,5	12,5	8	47	1,83	4600	18,5	1,6	2,9	12	1	1400	3100	-	50	- - - -	-	-	-	• •	3,11	-
OPA695	1,2,4	5-13	13	5	56	1,8	2100	18	1,2	2,2	11	1	5600	4300	-	90	- - - -	-	-	-	• •	3,42	-
OPA691	1,2,3	5-13	5,1	15	52	1,7	750	3,1	2	3,4	12	1	1050	2100	-	140	- - - -	-	-	-	• •	2,41	-
AD8000	1,3	4,5-13	13,5	5	52	1,6	3100	3,4	3,6	5,8	14	1	1300	4100	-	100	- - - -	-	-	-	• •	3,58	-
JFET de baixa tensão																							
LTC6268	1,2	3-5,5	16	3fA	63	5,5[w]	150k	5,5fA	2,8[w]	30[w]	0,5	1	500	400	-	50	- • • -	-	-	-	• •	7,50	-
OPA656	1	9-13	14	2pA	80	7	1200	1,3fA	2,8	20	55	1	230	290	•	50	- - - -	-	-	-	• •	5,59	-
OPA657	1	9-13	14	2pA	80	4,8	670	1,3fA	4,5	22	46	7	1600	700	•	50	- - - -	-	-	-	• •	10,01	-
ADA4817	1,2	5-10,6	19	2pA	77	4	7000	2,5fA	1,5	6,0	26	1	410	870	-	70	- • - -	-	-	-	• •	4,93	-
MOSFET de baixa tensão																							
LMP7717	1,2	1,8-6	1,2	50fA	85	6,2	330	10fA	15	93	124	10	88	28	-	36	- • • •	-	-	-	• •	2,18	-
OPA380	1,2	2,7-7	7,5	3pA	100	5,8	600k	10fA	3	17	46	1	90	80	-	75	- • - •	-	-	-	• •	5,39	L
OPA365	1,2	2,2-5,5	4,6	0,2pA	100	4,5	8000	4fA	6	27	50	1	35	25	-	50	• • • •	-	-	-	• •	1,75	M

Notas: (a) Listados dentro de cada categoria através de e_n decrescente. (c) Calculado. (d) Consulte os gráficos no Capítulo 5. (g) Para $G = 10$ ou $G = 20$. (j) A 1 kHz ou 10 kHz (acima do corte $1/f$), exceto 10 Hz para AOPs de autozero. (n) Dentro de 0,1 V de V_-. (p) Por amplificador. (r) Sem C_{comp}. (s) SC70 disponível. (t) Típico. (u) Um pino define $G_{mín}$. (v) O LT1028 tem um desagradável pico de ruído de $\sim$10 dB de 200 kHz a 600 kHz. (w) para 100 kHz. (x) $G = 1$ com compensação externa.
Comentários: A: Distorção de 0,1 ppm. **B:** e_n menor; a LTC sugere LT6200, LT6230. **C:** Favorito de Hill. **D:** Use encapsulamento DDA; favorito de Larkin. **E:** OPA637 para DIP. **F:** Pinagem do SOIC melhorada. **G:** LT6230-10 descomp. **H:** 1% de distorção em 50 MHz. **K:** 0,03% de distorção em 10 MHz. **L:** Autozero. **M:** Cruzamento de zero.

8.9.1 Guia para a Tabela 8.3: Escolha de AOPs de Baixo Ruído

A Tabela 8.3 lista uma rica seleção de AOPs adequados para aplicações de baixo ruído. Aqui fornecemos um guia para os itens da tabela e conselhos para a seleção de AOPs. Devido aos leitores estarem interessados principalmente em projetos de baixo ruído com AOPs (em vez de transistores discretos), podendo ter desconsiderado as discussões quantitativas anteriores do ruído em conexão com BJTs e JFETs, reafirmamos a seguir muitas das ideias básicas, com referências àaseções e figuras relevantes. Os leitores cujo percurso aqui (para o que poderia ser chamado de "a terra prometida dos AOPs") os levou pelos detalhes do projeto discreto ("o vale da complexidade") descobrirão em boa parte desta discussão uma revisão bem-vinda.

A. Tabela de classificação

Na Tabela 8.3a, listamos AOPs com entrada BJT aumentando a corrente de alimentação I_Q, que se correlaciona aproximadamente com a diminuição da tensão de ruído de entrada e_n. Uma vez que esta última cai abaixo de $5\,\text{nV}/\sqrt{\text{Hz}}$, os itens são mais ou menos ordenados pelo decréscimo de e_n. Para AOPs com entrada JFET (Tabela 8.3b), os itens são listados pelo aumento da corrente de polarização de entrada (até 1 pA) e, em seguida, pela diminuição de e_n. AOPs CMOS são classificadas pelo aumento de I_Q, que se correlaciona aproximadamente com a diminuição de e_n. A Tabela 8.3c é dedicada a AOPs de alta velocidade de todos os tipos, listados dentro de cada categoria segundo a diminuição de e_n.

B. Tensão de alimentação, alta tensão, baixa tensão

A tabela apresenta uma boa coleção de AOPs de baixo ruído, com um número de AOPs populares representativos (alguns dos quais poderiam muito bem ser chamados de "ruidosos") para comparação. Estes últimos têm outras características atraentes, como baixo custo, alta taxa de variação, baixa corrente de polarização de entrada, baixa capacitância, baixa potência, múltiplos fabricantes e assim por diante. A tabela separa AOPs "de alta tensão", capazes de operar com alimentação de ± 15 V (ou até uma tensão total de 36 a 44 V), de AOPs que estão limitados a baixas tensões, com máximo de 5 a 20 V.

Note que muitos dos AOPs de alta tensão (especialmente os tipos bipolares) podem operar também em tensões de alimentação muito baixas, de até 2,2 a 3 V total. Assim, por exemplo, um AOP "de alta tensão" de precisão como o LT1677, que funciona bem com alimentação total de 3 V e que permite entradas e saídas que variam a qualquer trilho,[69] é também claramente um excelente dispositivo de baixa tensão. AOPs cujas entradas e saídas podem variar para o trilho negativo são chamados de AOPs de "fonte simples", independentemente de você operá-los a partir de uma fonte positiva simples ou de fontes duplas.

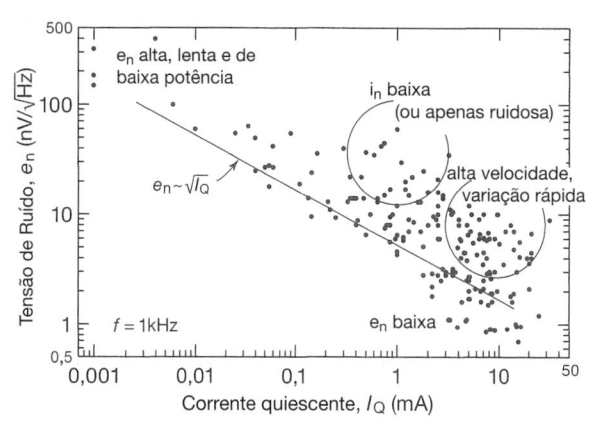

FIGURA 8.57 Para minimizar a tensão de ruído de entrada, você tem que operar os dois BJTs e JFETs em correntes quiescentes relativamente altas. Essa tendência se estende aos AOPs integrados, como visto aqui em um gráfico de dispersão de e_n em função de I_Q para a maioria dos AOPs na Tabela 8.3 e nas Figuras 8.60 e 8.61.

C. Corrente de alimentação IQ e ruído de tensão

Corrente de alimentação alta também é uma consideração importante para a baixa tensão de ruído, e_n. A Tabela 8.3 inclui AOPs com I_Q muito baixa, embora esses AOPs tenham ruído muito mais elevado. Por exemplo, o ISL28194 utiliza apenas 330 nA, mas tem uma densidade de ruído alta, $265\,\text{nV}/\sqrt{\text{Hz}}$. Em comparação, o silencioso LT1028 tem $0,85\,\text{nV}/\sqrt{\text{Hz}}$ de densidade de ruído, mas requer 7,4 mA, ou ~ 20.000 vezes mais corrente de operação.[70]

A Figura 8.57 é um gráfico de dispersão de e_n em função de I_Q para algumas centenas de AOPs, mostrando o nível de tensão de ruído e a compensação de corrente de alimentação. Você pode ver como o ruído cai em, aproximadamente, a raiz quadrada da corrente de operação. Qualquer dispositivo que esteja dentro de um fator de dois do melhor dispositivo disponível em uma determinada corrente de alimentação pode ser considerado um AOP de baixo ruído. A correlação com a corrente de alimentação está longe de ser perfeita. Isso porque os projetistas de AOP estão balanceando as compensações entre muitos parâmetros de desempenho, por exemplo, elevada taxa de variação, baixa corrente de entrada, tamanho de pastilha pequeno (para encapsulamentos pequenos e de baixo custo) e assim por diante, em detrimento da baixa tensão de ruído.

---

[69] A tabela tem colunas identificadas como "variação para fonte" para entradas e saídas de ambos os trilhos de alimentação.

[70] Lembre-se de que o ruído *shot* do coletor [ou dreno] através de r_c [ou $1/g_m$] em BJTs [ou JFETs] pode ser descrito de forma equivalente como ruído Johnson resistivo criado por um resistor de valor $\frac{1}{2}r_e$ [ou $\frac{2}{3}\frac{1}{g_m}$], de acordo com as Equações 8.20 ou 8.34. Devido a correntes de coletor [ou dreno] maiores, produz-se menor r_e [ou maior g_m]; as correntes de funcionamento elevadas são necessárias para diminuir a tensão de ruído do transistor de entrada de um AOP.

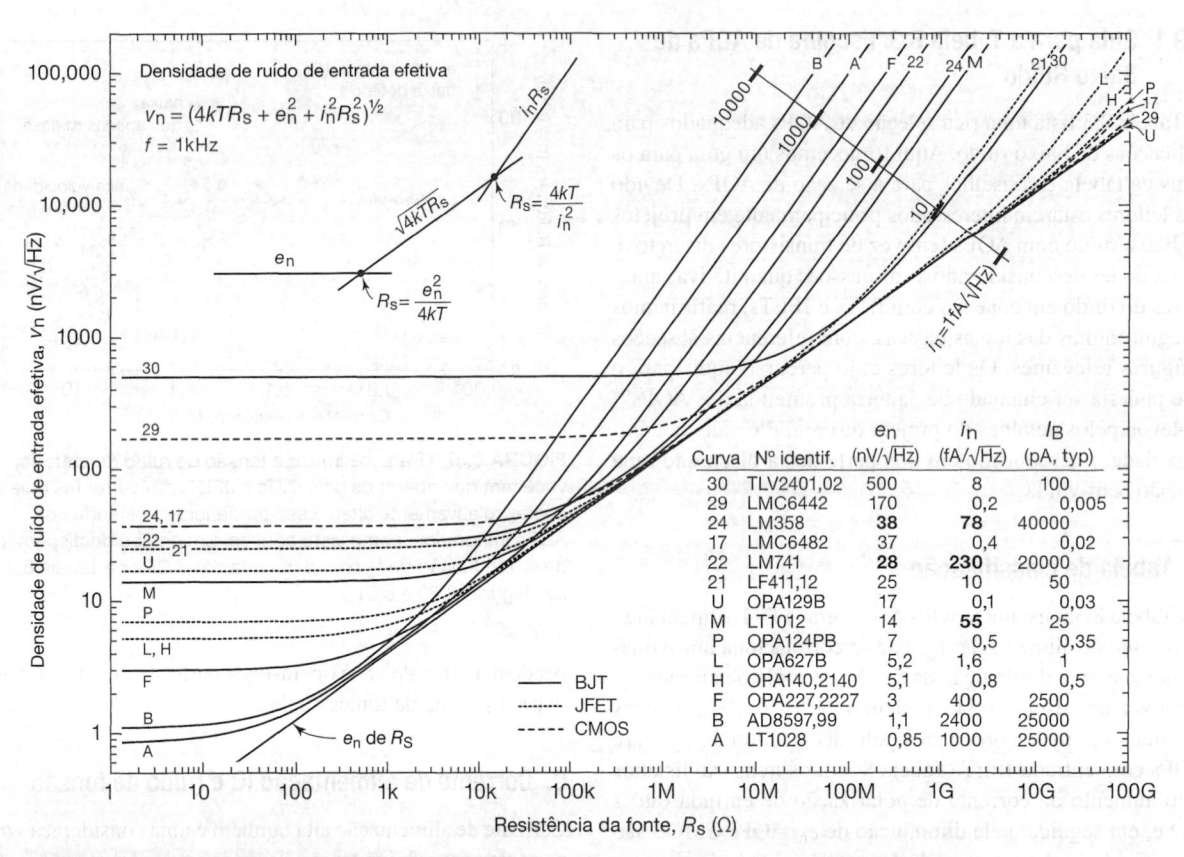

FIGURA 8.58 Ruído total (resistor de fonte mais amplificador, em 1 kHz) em função da resistência da fonte para uma seleção de AOPs de baixo ruído (identificados por letras); incluímos alguns AOPs "comuns" (identificados por números) para comparação. As curvas identificadas correspondem às da Tabela 8.3 e das Figuras 8.60 e 8.61. As curvas são geradas a partir dos valores de folha de dados de e_n e i_n, exceto para valores medidos (mostradas em fonte mais claras) para os parâmetros de ruído dos clássicos LM741 e LM358 (não especificado) e o LT1012 (erro no valor da folha de dados); a corrente de ruído do LMC6482 é uma estimativa, visto que o valor da folha de dados não pode estar correto.

D. Densidade de tensão de ruído, densidade de corrente de ruído: e_n, i_n

Assim como com transistores discretos, o desempenho de ruído do AOP é especificado pela tensão de ruído, e_n, e pela corrente de ruído, i_n, e sua variação com a frequência; veja as Seções 8.3.1 e 8.3.2. A Figura 8.58 e sua fórmula incorporada mostram como combinar e_n e i_n com o ruído Johnson da resistência da fonte efetiva do seu circuito, R_s, para determinar uma densidade de ruído de entrada efetiva total para o seu circuito. Simplificando, existem três fontes de ruído: o ruído de tensão de entrada do AOP, o ruído de corrente do AOP, que flui através da impedância de fonte do sinal, e o ruído Johnson na impedância da fonte. Eles não são correlacionados, de modo que, para determinar a densidade da tensão de ruído total, você adiciona seus quadrados (unidades de V²/Hz) e extrai a raiz quadrada. Catorze AOPs representativos são apresentados como exemplos na Figura 8.58, com os tipos BJT melhores para resistências de fonte baixas e os tipos JFET e CMOS melhores para resistências altas. A Tabela 8.3 tem especificações de folha de dados para e_n e i_n para 1 kHz, a partir do que você pode determinar que tipo de traçado um dispositivo candidato fará em tal gráfico.

E. Gráficos de ruído, e_n e i_n

Uma coisa é olhar páginas e mais páginas de valores de e_n e i_n em folhas de dados, ou digitalizar esses valores conforme organizados nas três páginas da Tabela 8.3; mas outra coisa é comparar gráficos de densidade de ruído, que incluem pontos de corte $1/f$ e outras informações exclusivas. As Figuras 8.60 e 8.61 mostram gráficos de folha de e_n e i_n em função da frequência para 60 dos amplificadores operacionais na Tabela 8.3, onde os números e letras identificam as curvas nos gráficos.[71] Note como os gráficos de tensão de ruído variam ao longo de um fator de 1000:1 (embora a maioria dos AOPs esteja na faixa de 1 a 100 nV/√Hz), ao passo que os gráficos de corrente de ruído variam ao longo de um fator de cerca

---

[71] As Figuras 8.110 e 8.111 mostram os espectros de ruído medidos para uma seleção desses AOPs.

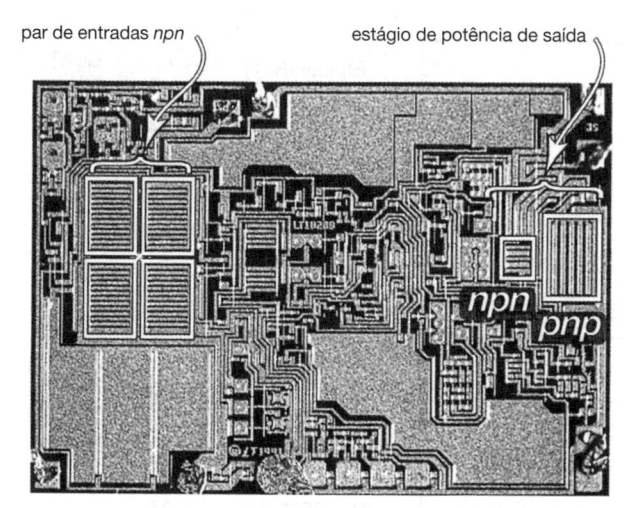

FIGURA 8.59 O AOP LT1028, introduzido em 1981, continua a ser o vencedor de baixo ruído, apesar das repetidas tentativas de tomar o seu título. O estágio de entrada opera em alta corrente (1,8 mA total) para uma e_n baixa; e os transistores de entradas maiores mantêm a densidade de corrente baixa, para conseguir uma frequência de corte $1/f$ impressionantemente baixa, de 3,5 Hz.

de 10^6:1. Este último reflete a faixa muito grande de correntes de polarização de entrada CC, a partir de femtoampères (para alguns dispositivos CMOS) até dezenas de microampères (para dispositivos BJT de alta velocidade), uma razão de 10^{10}:1. A *corrente* de ruído varia apenas como a raiz quadrada da corrente CC, mas a raiz quadrada de 10^{10} ainda é bastante grande.

Um AOP com tensão de ruído muito baixa e_n, como a curva A ou 3 para o exemplar LT1028 (cuja foto apresentamos na Figura 8.59) nos gráficos superiores, geralmente se correlaciona com uma corrente de ruído alta i_n, como pode ser visto nos gráficos inferiores. Essa é uma compensação comum de e_n *versus* i_n, que você tem que levar em conta ao selecionar os dispositivos da Tabela 8.3 e os gráficos de ruído correspondentes. Como um incentivo para aprender sobre projeto de baixo ruído com transistores discretos, observe as curvas 1 e 2 da Figura 8.61, a tensão de ruído de um BJT e um JFET de destaque. Com dispositivos como esses, pode-se conseguir tensão de ruído menor do que com qualquer AOP, criando um "AOP de baixo ruído híbrido", em que uma seção de entrada discreta (para o menor e_n) combina com um segundo estágio de AOP (para proporcionar ganho e o estágio de saída). Ilustramos isso nas Figuras 8.66 e 8.67 na Seção 8.9.5. Para uma compreensão completa de projeto de baixo ruído discreto, consulte as Seções 8.5 e 8.6.

Em geral, AOPs BJT têm frequências de corte de tensão de ruído $1/f$ baixas, tipicamente na faixa de 1 a 30 Hz; mas cuidado com as suas frequências de corte de *corrente* de ruído geralmente muito mais elevadas, de 30 Hz a 1 kHz ou mais. Isso pode afetar seriamente projetos com resistores de realimentação de valores altos ou impedâncias de fonte de sinal altas.

Se você estiver considerando apenas AOPs com a tensão de ruído mais baixa (menos do que, digamos, $1,1\,\text{nV}/\sqrt{\text{Hz}}$), nenhum outro tem um corte de ruído $1/f$ tão baixo quanto o LT1028 e o LTl128, em 3,5 Hz. Esses dispositivos impressionantes também têm uma corrente de ruído mais baixa do que os outros concorrentes. No entanto, esteja avisado de que esses AOPs têm um amplo e desagradável pico de ruído de 15 dB (mostrado com franqueza admirável na folha de dados) a partir de 150 kHz, e atingindo um máximo de 400 kHz antes de desaparecer acima de 600 kHz. Outros AOPs não têm esse problema, mas eles têm frequências de corte (f_c) muito mais elevadas, chegando até 5 kHz para alguns dos AOPs de alta velocidade.

F. I_B e i_n para AOPs BJT; cancelamento da polarização I_B

A Tabela 8.3 tem uma corrente de polarização de entrada, ou I_B, com valores típico e máximo.[72] Em geral, a corrente de ruído listada i_n vem do ruído *shot* na corrente de base de um AOP BJT ou a partir da corrente de fuga da porta em um AOP JFET ou CMOS; portanto, seria de se esperar que a especificação de ruído fosse intimamente relacionada com a corrente de polarização pela equação do ruído *shot* $i_n = \sqrt{2qI_B}$. Mas muitos AOPs BJT usam um esquema de cancelamento de polarização de entrada, para reduzir significativamente a corrente de polarização CC, I_B. No entanto, o cancelamento de corrente CC nesse esquema não reduz o ruído i_n do AOP (na verdade, ele normalmente o aumenta por um fator de $\sqrt{2}$). Esses amplificadores operacionais são identificados na coluna "cancelamento de polarização" da Tabela 8.3a, e eles normalmente têm de 10× a 40× mais ruído i_n do que você esperaria de ruído *shot* baseado na corrente de polarização especificada I_B.[73] Esse aumento no ruído i_n é refletido em um valor inferior de R_n, mas, idealmente, o ruído de corrente mais alto e os valores de resistência de realimentação reduzidos não serão um problema.

Cancelamento de polarização próximo dos trilhos. Tenha cuidado ao confiar em correntes de polarização de entrada listadas com AOPs de entrada trilho a trilho com cancelamento de polarização, porque a sua corrente de polarização de entrada aumenta drasticamente conforme as entradas se aproximam dos trilhos de alimentação (veja a Seção 5.7.2). As folhas de dados mostram isso em forma gráfica, mas elas geralmente não revelam esse comportamento indesejável nos dados de desempenho listados.

---

[72] Para AOPs BJT (Tabela 8.3a), os valores de I_B estão em nanoampères, ao passo que, para os AOPs de entrada JFET (Tabela 8.3b), as unidades estão em picoampères.

[73] Em alguns casos, os fabricantes apresentaram incorretamente o ruído i_n; para esses, a tabela fornece um valor medido, indicado em itálico.

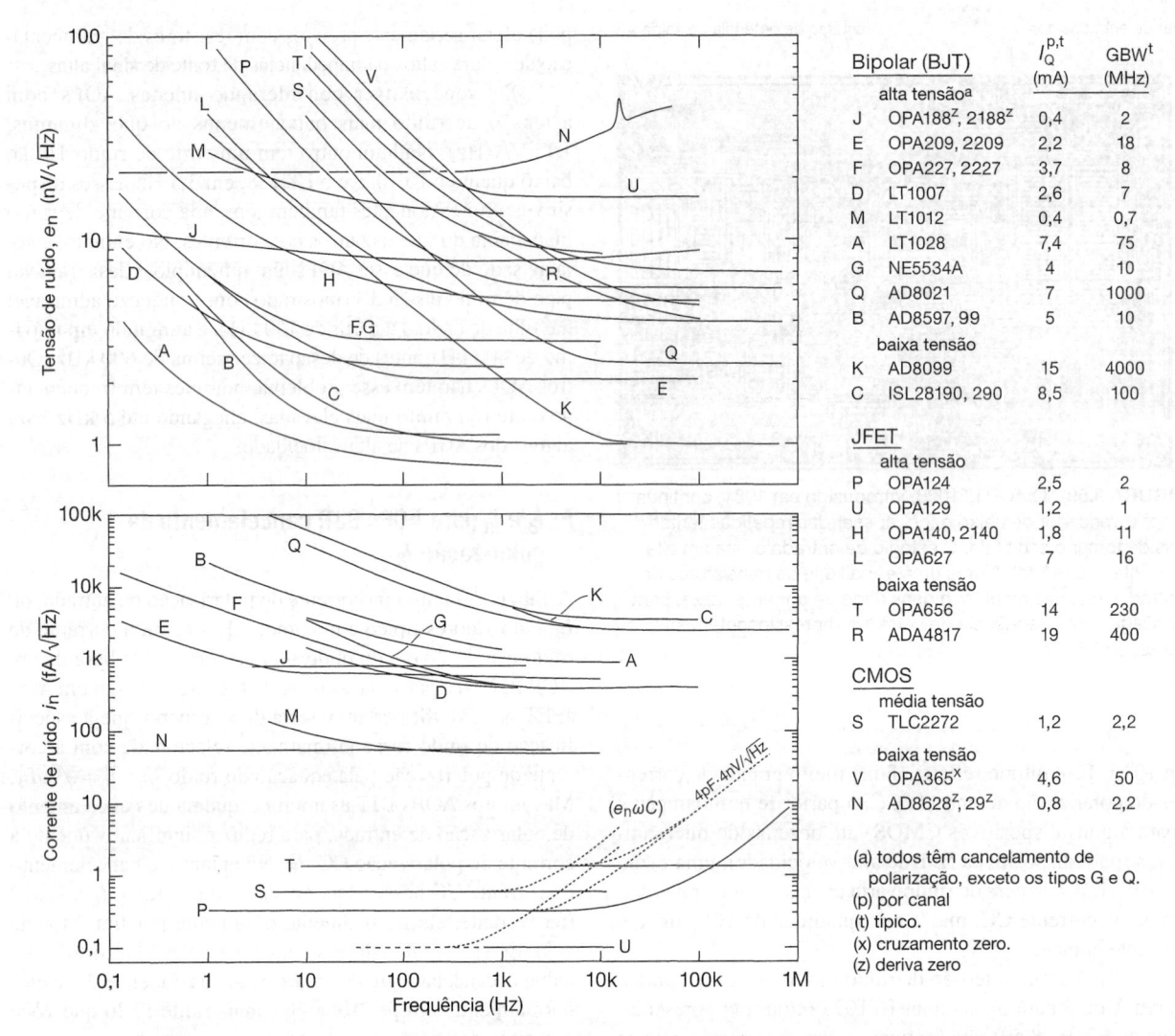

Bipolar (BJT)	$I_Q^{p,t}$ (mA)	GBW[t] (MHz)
alta tensão[a]		
J OPA188[z], 2188[z]	0,4	2
E OPA209, 2209	2,2	18
F OPA227, 2227	3,7	8
D LT1007	2,6	7
M LT1012	0,4	0,7
A LT1028	7,4	75
G NE5534A	4	10
Q AD8021	7	1000
B AD8597, 99	5	10
baixa tensão		
K AD8099	15	4000
C ISL28190, 290	8,5	100
JFET		
alta tensão		
P OPA124	2,5	2
U OPA129	1,2	1
H OPA140, 2140	1,8	11
L OPA627	7	16
baixa tensão		
T OPA656	14	230
R ADA4817	19	400
CMOS		
média tensão		
S TLC2272	1,2	2,2
baixa tensão		
V OPA365[x]	4,6	50
N AD8628[z], 29[z]	0,8	2,2

(a) todos têm cancelamento de polarização, exceto os tipos G e Q.
(p) por canal
(t) típico.
(x) cruzamento zero.
(z) deriva zero

FIGURA 8.60 Tensão e corrente de ruído em função da frequência para uma seleção de AOPs de "baixo nível de ruído" existentes nas Tabelas 8.3a-c. Todas são adaptadas a partir de gráficos de folha de dados, com exceção da i_n medida para os AOPs G e J. As identificações estão em ordem crescente e_n para 10 Hz. Veja as Figuras 8.110 e 8.111 para os espectros de ruído medidos de AOPs selecionados.

G. AOPs de realimentação de corrente

Diferente dos AOPs com realimentação de tensão (VFB), os AOPs com realimentação de corrente (CFB) (usado em aplicações de banda larga) geralmente têm correntes de polarização CC e uma corrente de ruído em sua "entrada −" muito mais elevadas do que em sua correspondente "entrada +". Para AOPs CFB, a Tabela 8.3c fornece o valor da corrente de ruído para a entrada com a menor corrente e ruído. A diferença pode ser grande, de até um fator de dez. Como sempre, estude a folha de dados *com cuidado*!

H. Resistência de ruído R_n

O parâmetro resistência de ruído $R_n \equiv e_n/i_n$ tem a sua própria coluna. Esse é o valor da resistência de fonte que corresponde à figura de ruído mínima possível do amplificador; veja, por exemplo, a Seção 8.5.1 e a Figura 8.31. Mas sua real utilidade permitir-lhe identificar rapidamente os valores máximos do resistor de realimentação que você pode usar: a impedância R_s vista pelo AOP em suas entradas deve ser de 5× a 30× menor do que o valor de R_n do AOP se você deseja garantir que e_n seja a fonte de ruído dominante em seu circuito; veja a Figura 8.58. A ideia aqui é que você não pode fazer nada sobre o valor e_n no qual você está restrito, mas pode diminuir seus valores de resistência de realimentação para reduzir o efeito de i_n do AOP. Mas não se esqueça de que você tem que manter a impedância da fonte de *sinal* pequena em comparação com R_n também. (Além disso, independentemente da corrente de *ruído*, você pode ter de se preocupar com os efeitos da corrente de polarização CC que flui através da fonte de sinal, que pode ser um sensor de resistência CC relativamente alta.) Então, no final, você pode ter que desistir

Capítulo 8 Técnicas de baixo ruído

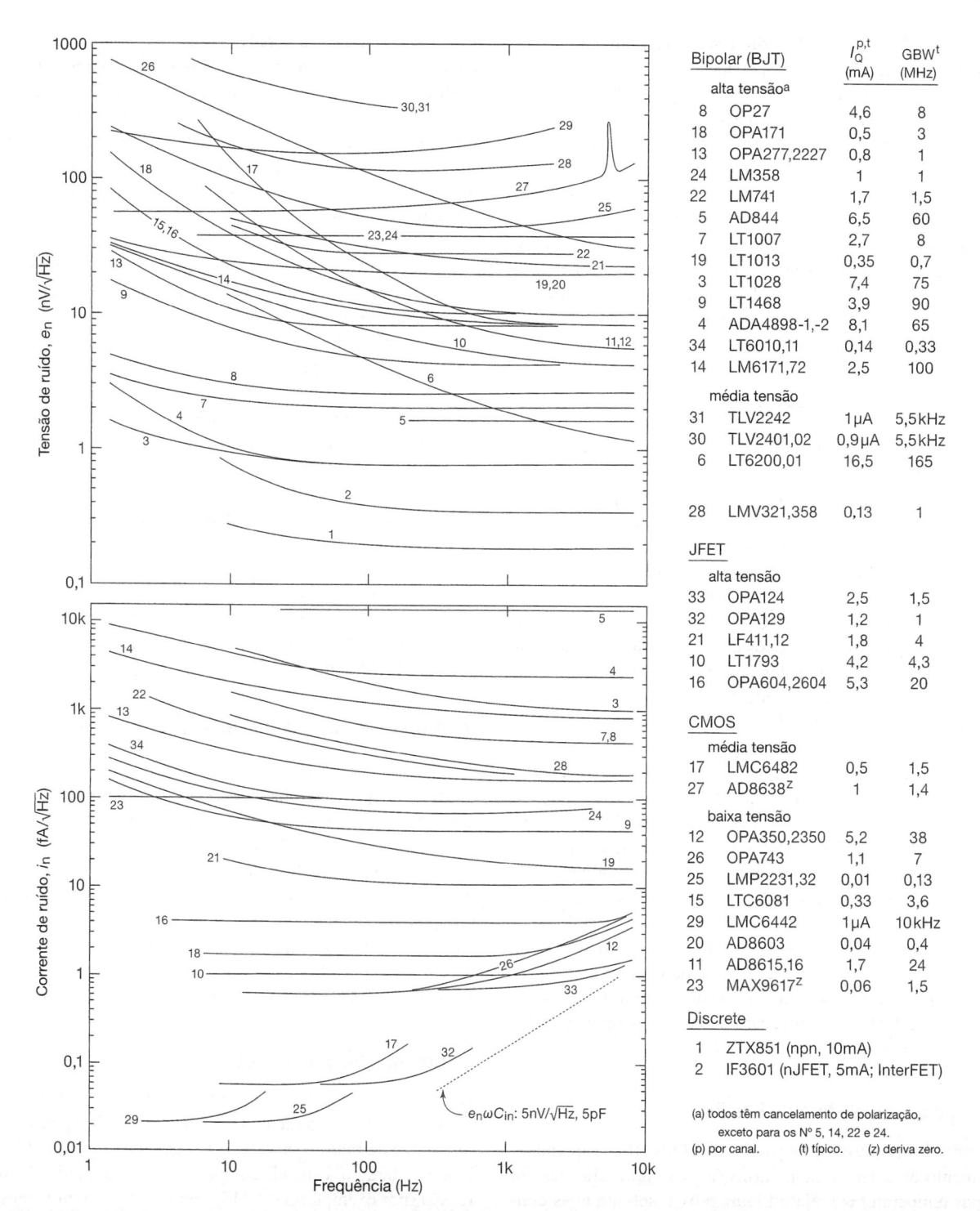

Bipolar (BJT)		$I_Q^{p,t}$ (mA)	GBW^t (MHz)
alta tensão[a]			
8	OP27	4,6	8
18	OPA171	0,5	3
13	OPA277,2227	0,8	1
24	LM358	1	1
22	LM741	1,7	1,5
5	AD844	6,5	60
7	LT1007	2,7	8
19	LT1013	0,35	0,7
3	LT1028	7,4	75
9	LT1468	3,9	90
4	ADA4898-1,-2	8,1	65
34	LT6010,11	0,14	0,33
14	LM6171,72	2,5	100
média tensão			
31	TLV2242	1µA	5,5kHz
30	TLV2401,02	0,9µA	5,5kHz
6	LT6200,01	16,5	165
28	LMV321,358	0,13	1
JFET			
alta tensão			
33	OPA124	2,5	1,5
32	OPA129	1,2	1
21	LF411,12	1,8	4
10	LT1793	4,2	4,3
16	OPA604,2604	5,3	20
CMOS			
média tensão			
17	LMC6482	0,5	1,5
27	AD8638[z]	1	1,4
baixa tensão			
12	OPA350,2350	5,2	38
26	OPA743	1,1	7
25	LMP2231,32	0,01	0,13
15	LTC6081	0,33	3,6
29	LMC6442	1µA	10kHz
20	AD8603	0,04	0,4
11	AD8615,16	1,7	24
23	MAX9617[z]	0,06	1,5
Discrete			
1	ZTX851 (npn, 10mA)		
2	IF3601 (nJFET, 5mA; InterFET)		

(a) todos têm cancelamento de polarização, exceto para os N° 5, 14, 22 e 24.
(p) por canal.   (t) típico.   (z) deriva zero.

FIGURA 8.61 Tensão e corrente de ruído em função da frequência, para uma seleção de AOPs "populares" apresentados na Tabela 8.3; um JFET e um BJT de baixo ruído são incluídos para comparação. Todos são adaptados a partir de gráficos de folha de dados, com exceção de e_n medido para os AOPs n° 22 e n° 24 e o BJT n° 1, e i_n medido em para o AOP n° 23. As identificações estão em ordem crescente de e_n para 10 Hz.

do seu AOP de e_n baixa favorito e selecionar um com i_n menor, mesmo que tenha uma e_n maior.

Não há valores de R_n listados para AOPs JFET e CMOS na Tabela 8.3. Isso porque i_n é, essencialmente, o ruído *shot* da corrente de polarização de entrada, um parâmetro que é mal especificado: você vê valores típicos de um picoampère ou menos, mas encobertos com valores máximos mil vezes maiores. E, evidentemente, são correntes de fuga, que se elevam exponencialmente com a temperatura. Mas não se preocupe, pois as correntes de entrada típicas na temperatura ambiente são suficientemente baixas para que os valores correspondentes de R_n sejam geralmente um gigaohm ou superior, como pode ser visto claramente na Figura 8.58.

I. I_B e i_n para AOPs JFET e CMOS

A corrente de polarização de entrada, I_B, tem valores típicos e máximos. Normalmente, o ruído *shot* de I_B é calculado da forma mais otimista, a partir do valor *típico* de I_B. Para AOPs BJT, o I_B máximo é geralmente não mais de 2× a 3× o seu valor típico. Mas a situação é bastante diferente para AOPs JFET e CMOS, onde as relações de valores máximo-típico para I_B são muito maiores, por exemplo, 60× para o TLC4501A ou 800× para o LMC6442A.[74] Isso é especialmente verdadeiro para os dispositivos de baixo custo com especificações de I_B impressionantemente baixas. *Uma advertência*: cuidado, a corrente de entrada pode ser fortemente afetada pela tensão de modo comum, e a especificação listada é geralmente com V_{in} para alimentação média.

Outra questão: os valores de I_B listados da Tabela 8.3 são para uma temperatura otimista de 25°C. Veja a Seção 5.10.7 e a Figura 5.38 para o efeito drástico de temperaturas elevadas em AOPs JFET e CMOS (causado tanto pelo aquecimento do ambiente e do gabinete como por autoaquecimento do AOP; ver a seguir). Devido a essas incertezas na estimativa da corrente de polarização, não se pode dizer com precisão qual será a corrente de ruído de entrada i_n para AOPs JFET ou CMOS. Pode-se dizer, porém, que (exceto em altas temperaturas) será um pouco menor do que em AOPs de entrada BJT, como revelado nos gráficos inferiores das Figuras 8.60 e 8.61.

J. I_B e a temperatura da junção

Como destacamos na Seção 5.7.2, AOPs BJT com cancelamento de corrente de polarização são muito eficazes em altas temperaturas (veja a Figura 5.6) e, sob algumas condições, podem oferecer o desempenho de i_n menor. Isso é especialmente verdadeiro para AOPs de corrente de alimentação baixa, cujas correntes de coletor do estágio de entrada

---

[74] Para AOPs de corrente de entrada muito baixas, muitas vezes, você verá uma especificação excessivamente conservadora (alta) de I_B máximo, ditada pelo desejo do fabricante por um teste automático rápido e barato. Apenas dispositivos de alto preço recebem tratamento com testes lentos e caros de corrente de entrada baixa.

são uma fração de sua já baixa I_Q. Por exemplo, o LT6010A ainda desfruta de uma corrente de polarização típica de menos de 50 pA para 100°C (veja o gráfico da folha de dados), muito menor do que os 1200 pA sofridos pelo AOP CMOS OPA134, que parecia superior para 25°C. No entanto, mesmo nesse caso, a corrente de ruído i_n do AOP JFET quente ainda ganha do AOP BJT quente por um fator de 5. Isso porque a baixa corrente de polarização do BJT é o resultado do excelente cancelamento de polarização, o que é bom quando você se preocupa com a corrente de entrada CC, mas não reduz a corrente de *ruído* da corrente de polarização não cancelada muito maior.

Quando pensar em temperaturas elevadas, tenha em mente que as temperaturas no gabinete e na placa são, muitas vezes, significativamente mais elevadas do que no ambiente externo, especialmente se os circuitos de alimentação estão envolvidos. Alguns amplificadores operacionais também experimentam um autoaquecimento adicional significativo. Por exemplo, o nosso AOP JFET favorito, o OPA627, dissipa 210 mW quando alimentado com uma fonte de ±15 V; no encapsulamento SOIC-8, isso faz com que a temperatura da junção suba 34°C acima da temperatura ambiente. Ao contrário de alguns outros dispositivos, o OPA627 e o '637 são testados de forma realista, depois de um atraso de aquecimento. Isso é, em parte, responsável pelo seu custo mais elevado.

K. Ruído $1/f$ e frequência de corte f_c de $1/f$

As Figuras 8.60 e 8.61 mostram o aumento do ruído em baixas frequências. Ele é chamado ruído $1/f$, discutido em vários contextos de circuitos, por exemplo, nas Seções 5.10.6, 8.1.3, 8.3 e 8.13. A Tabela 8.3 inclui as frequências de corte f_c da tensão de ruído $1/f$, calculadas a partir de parâmetros de ruído da folha de dados via Equação 8.60. Cuidado com os AOPs que podem ter e_n atraentemente baixos (conforme especificado para o habitual 1 kHz), mas que sofrem de frequências de corte $1/f$ altas. Se a largura de banda do seu circuito for inferior a $\sim 10 f_c$, você deve considerar seus efeitos.

L. Ruído, "ruído integrado"

A Figura 8.62 mostra o *ruído integrado* por quatro AOPs de baixo ruído, o resultado da soma (ou seja, integração) da densidade de ruído (por vezes, chamado de "ruído *spot*") ao longo da largura de banda de operação. Ele tem unidades de tensão (por exemplo, μV RMS), em contraste com a densidade de ruído, que tem unidades de tensão dividida pela raiz quadrada da largura de banda (por exemplo, $nV/\sqrt{Hz}$). Às vezes, o ruído integrado é vagamente chamado de "tensão de ruído", ou simplesmente de "ruído". O ruído integrado pode ser escrito como v_n, ou V_n, mas nunca como e_n. Na Figura 8.62, os quatro AOPs têm comparáveis e_n especificados para 1 kHz, mas frequências de corte f_c de $1/f$ variando amplamente de 2 a 400 Hz, produzindo ruído integrado drasticamente diferente quando usado inteiramente abaixo de 1 kHz.

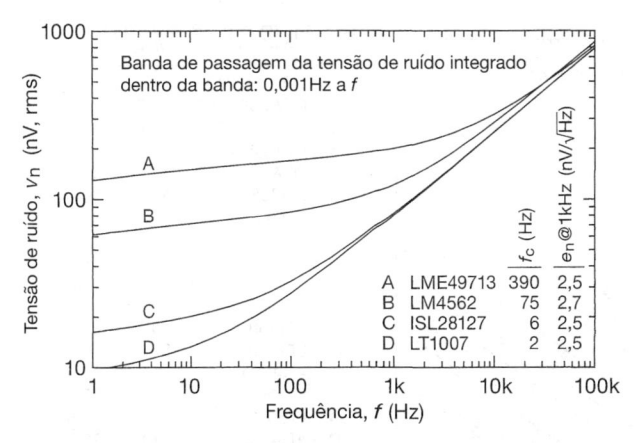

FIGURA 8.62 O valor baixo desejável de e_n para a frequência habitual de 1 kHz listado nas folhas de dados não contam toda a história. Um AOP com uma alta frequência de corte, f_c, de $1/f$ terá maior tensão de ruído integrado dentro da banda, como visto nestes quatro AOPs de valores de e_n comparáveis em 1 kHz. Note que o efeito se estende muito acima da frequência de corte de $1/f$.

Na verdade, o fantasma do ruído de baixa frequência é visto à espreita até ~ 10 kHz.

A Figura 8.63 representa graficamente o ruído integrado de três dúzias de AOPs. Em geral, AOPs JFET são piores do que AOPs BJT em baixas frequências, e os AOPs CMOS são piores ainda. Os gráficos foram calculados a partir dos valores de e_n e f_c da tabela, de acordo com a Equação 8.59. Em altas frequências, em que o ruído branco predomina, os gráficos são simplificados para $v_n = e_n\sqrt{f_2}$.

AOPs *chopper* e de autozero (não mostrados na figura) não sofrem de ruído $1/f$, mas sofrem de tensão de ruído mais elevada e corrente de ruído geralmente excessiva. Veja a Tabela 5.6 e a Figura 5.54; esta última ilustra como AOPs *chopper* são geralmente mais ruidosos do que AOPs BJT de baixo ruído acima de 1 a 10 Hz.

M. Tensão de ruído de pico a pico de 0,1 a 10 Hz

A especificação de tensão de ruído de pico a pico de 0,1 a 10Hz, $V_{n(pp)}$, na Tabela 8.3, é importante quando você está escolhendo AOPs para aplicações de baixa frequência sensíveis ao ruído $1/f$. O fabricante geralmente determina essa especificação a partir de medições do osciloscópio de 10 segundos de uma saída filtrada (veja a Seção 8.13 e a Figura 8.64), mas também pode ser estimada a partir da Equação 8.59 (que idealiza uma característica passa-faixa do tipo "parede de tijolos"). Vimos fabricantes que utilizam filtros Butterworth com malha *RC* de um, dois e três polos. A comparação dos valores da folha de dados para algumas centenas de AOPs mostra que a multiplicação por um fator de seis casa o valor V_n (RMS) da equação da "parede de tijolos" com o valor de pico a pico filtrado da folha de dados. Usamos essa abordagem para verificar os valores da folha de dados, ou para obter os valores calculados quando o fabricante não tiver nenhum.

N. Capacitância de entrada C_{in}

A capacitância de entrada do AOP é um problema sério quando você está considerando o ruído $e_n \cdot C_{in}$ em amplificadores de transimpedância (*transimpedance amplifiers*, TIAs); ver Seção 8.11. Para alguns sensores de alta impedância, a capacitância de entrada tanto atua como uma carga de alta frequência adicional como fornece uma maneira para que o ruído de alta frequência nos trilhos da fonte de alimentação seja acoplado à entrada como uma corrente de ruído. Alguns AOPs oferecem tanto valores de capacitância de modo comum quanto diferencial; para esses, tomamos o maior valor da tabela (como sempre, sugerimos um estudo cuidadoso da folha de dados antes de embarcar em um projeto).

Muitas vezes, AOPs com e_n baixa usam transistores de entrada de grande área, com correspondentemente maior capacitância, como pode ser visto no gráfico de dispersão de e_n *versus* C_{in} da Figura 8.65. Ignorando AOPs BJT e AOPs ruidosos, a tendência mostra um aumento da penalidade do ruído para baixa capacitância de entrada. Mas alguns dispositivos são exceções, e os consideramos bastante valiosos. Um excelente AOP JFET é o LT1793 com uma C_{in} especificada de 1,5 pF; mesmo com a sua e_n relativamente alta de 5,8 nV/$\sqrt{\text{Hz}}$, ele ainda desfruta da figura de mérito $e_n \cdot C_{in}$ mais baixa, FOM=9 nV-pF.[75]

Muitas vezes, temos um sensor de alta capacidade, ou algum cabo coaxial de entrada, etc., portanto, além de um FOM de AOP $e_n \cdot C_{in}$ (com $C_{ext} = 0$), criamos corrente de ruído $e_n \cdot C_{in}$ efetiva adicional a partir da capacitância *shunt* externa de, digamos, 25 pF. Agora, um valor baixo de e_n se torna mais importante, e o OPA827, o OPA627 e o LT1792 são os novos vencedores, com o LT1793 e o OPA365 permanecendo como concorrentes. O AD743, com sua e_n de 2,9 nV/$\sqrt{\text{Hz}}$, poderia ser o grande vencedor para $C_{ext} > 25$ pF, mas, infelizmente, ele entrou no domínio dos NRNPs ("Não Recomendados para Novos Projetos"). Recomendamos que você os adquira se puder encontrá-los! Por fim, para aplicações de C_{ext} alta, considere projetos discretos (veja a Seção 8.3 e a Figura 8.66) que possam superar os melhores CIs de AOP.

AOPs com transistores de entrada de baixa capacitância e pequena geometria, no entanto, sofrem com a capacitância necessária acrescentada pelos seus dispositivos de proteção de entrada. Na verdade, AOPs de baixa capacitância podem ser mais suscetíveis a danos causados por eletricidade estática durante o manuseio. Transistores bipolares são menos suscetíveis a danos causados por eletricidade estática e tendem a ter capacitância muito menor do que AOPs JFET e CMOS de baixo ruído, mas seus valores de I_B e i_n altos,

---

[75] Outros dispositivos a considerar são o OPA124, o OPA121, o AD8067 e o OPA656, este último com um f_T de 230 MHz. Para AOPs CMOS, considere o OPA365, com uma especificação de I_B (típico) de 0,2 pA.

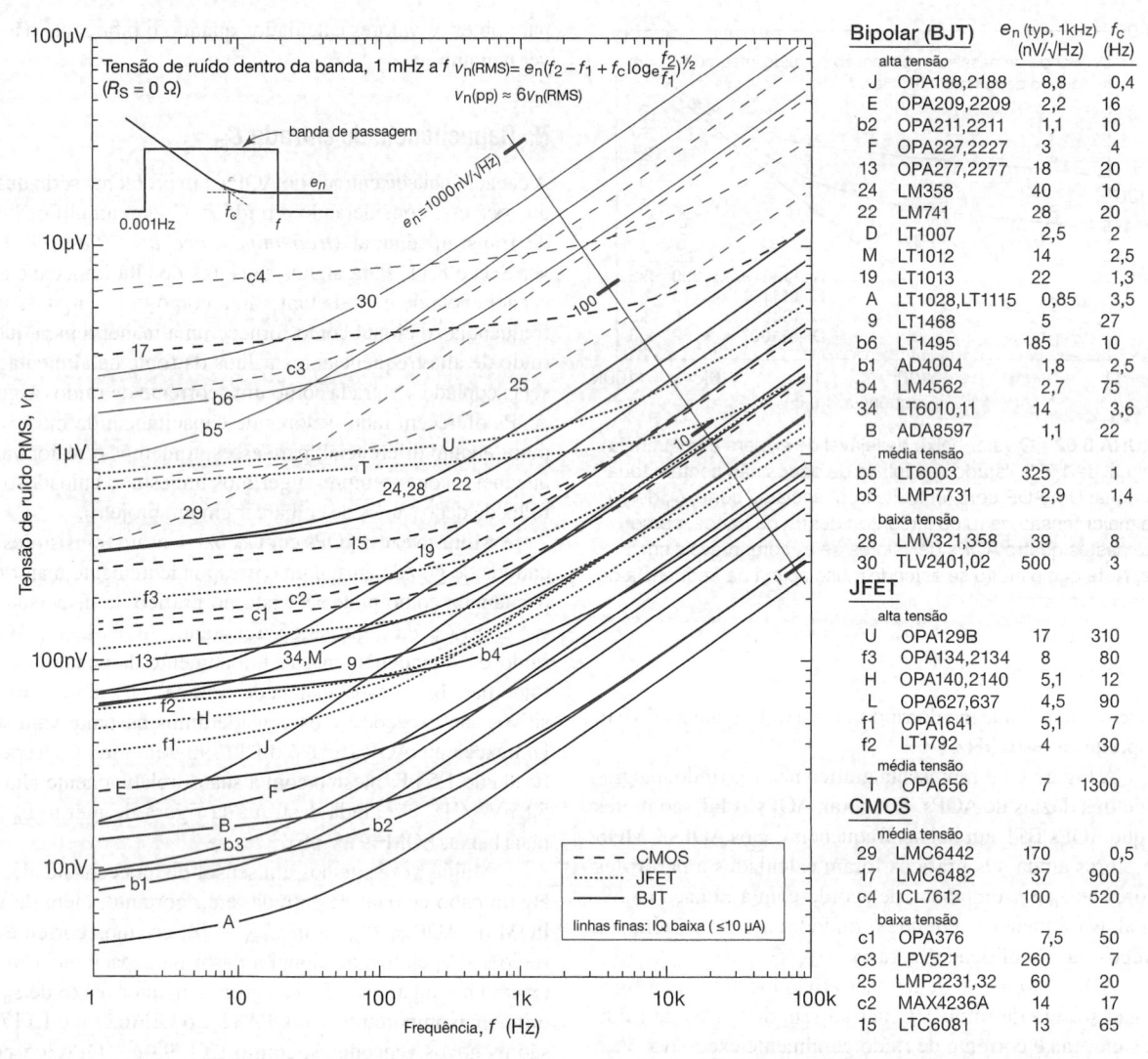

FIGURA 8.63 Tensão de ruído integrado dentro da banda para uma seleção de AOPs populares e de baixo nível de ruído, com base em gráficos da folha de dados e valores tabelados de densidade de tensão de ruído. As identificações de AOPs correspondem às das Figuras 8.60 e 8.61 e às listagens na Tabela 8.3. Veja também a Figura 5,54, que inclui AOPs de autozero e se estende até 0,001 Hz.

Tensão de ruído dentro da banda, 1 mHz a f $v_{n(RMS)} = e_n(f_2 - f_1 + f_c \log_e \frac{f_2}{f_1})^{1/2}$
($R_S = 0\ \Omega$) $v_{n(pp)} \approx 6 v_{n(RMS)}$

		e_n (typ, 1kHz) (nV/√Hz)	f_c (Hz)
Bipolar (BJT)			
alta tensão			
J	OPA188,2188	8,8	0,4
E	OPA209,2209	2,2	16
b2	OPA211,2211	1,1	10
F	OPA227,2227	3	4
13	OPA277,2277	18	20
24	LM358	40	10
22	LM741	28	20
D	LT1007	2,5	2
M	LT1012	14	2,5
19	LT1013	22	1,3
A	LT1028,LT1115	0,85	3,5
9	LT1468	5	27
b6	LT1495	185	10
b1	AD4004	1,8	2,5
b4	LM4562	2,7	75
34	LT6010,11	14	3,6
B	ADA8597	1,1	22
média tensão			
b5	LT6003	325	1
b3	LMP7731	2,9	1,4
baixa tensão			
28	LMV321,358	39	8
30	TLV2401,02	500	3
JFET			
alta tensão			
U	OPA129B	17	310
f3	OPA134,2134	8	80
H	OPA140,2140	5,1	12
L	OPA627,637	4,5	90
f1	OPA1641	5,1	7
f2	LT1792	4	30
média tensão			
T	OPA656	7	1300
CMOS			
média tensão			
29	LMC6442	170	0,5
17	LMC6482	37	900
c4	ICL7612	100	520
baixa tensão			
c1	OPA376	7,5	50
c3	LPV521	260	7
25	LMP2231,32	60	20
c2	MAX4236A	14	17
15	LTC6081	13	65

muitas vezes, impedem o seu uso em circuitos de alta impedância. Uma exceção seria para amplificadores de transimpedância (TIA) acima, digamos, de 1 a 10 MHz, mas, para essas aplicações, você precisa observar a tabela de AOPs de alta velocidade, Tabela 8.3c; esses dispositivos não são avaliados aqui.[76] Se a C_{in} de um AOP bipolar não é declarada, muitas vezes, você pode assumir que é na faixa de 2 a 5 pF.

8.9.2 Razão de Rejeição da Fonte de Alimentação

Independentemente das fontes de ruído *dentro* do AOP, qualquer ruído (ou sinais de interferência) nos trilhos da fonte de alimentação será acoplado na saída, atenuado pela razão de rejeição da fonte de alimentação (*power-supply rejection ratio*, PSRR). AOPs típicos têm uma PSRR muito boa em baixas frequências (cerca de $1/G_{OL}$, portanto de 80 a 140 dB), mas a PSRR cai conforme $1/f$ em frequências mais altas, permitindo acoplamento substancial de ruído de alimentação. Muitas vezes, a PSRR de alta frequência é particularmente fraca no que diz respeito a um ou outro trilho de alimentação por causa do acoplamento do capacitor de compensação interno. Por exemplo, em frequências superiores a 10 Hz, a PSRR do trilho positivo do LT1012 é 25 dB pior que a PSRR do trilho negativo; e a PSRR do trilho negativo do LT6003 de micropotência cai para menos de 10 dB a 1 kHz! Uma filtragem *RC* simples para os estágios sensíveis (ou um multiplicador de capacitância, consulte a Seção 8.15.1) pode, em

---
[76] A Tabela 8.3c apresenta uma nova figura de mérito $e_n C_{in}$, útil para projetos de amplificadores de transimpedância.

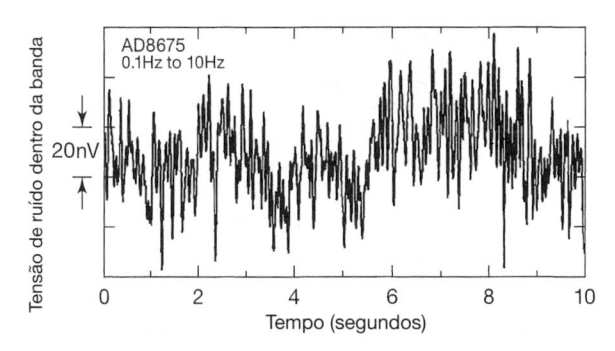

FIGURA 8.64 As folhas de dados fornecem, às vezes, fotos da tensão de ruído de baixa frequência, como esta para o AD8675. O espectro de ruído correspondente é semelhante à curva 8 da Figura 8.61. (Adaptado com permissão da Analog Devices, Inc.)

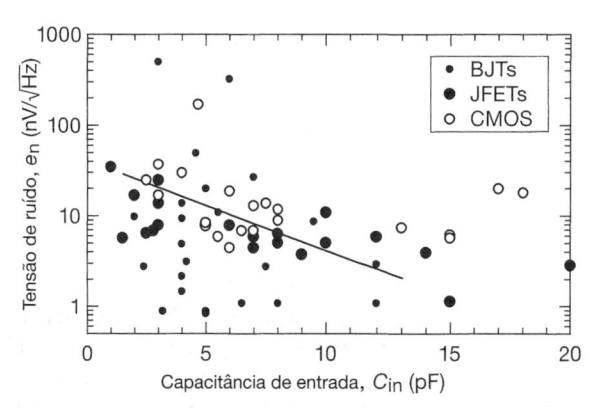

FIGURA 8.65 AOPs com ruído de baixa tensão tendem a ter maior capacitância; isso é especialmente verdadeiro para AOPs de entrada JFET de baixo ruído, com seus transistores de entrada da grande área.

grande parte, resolver esse problema. Contudo, certifique-se de ler a folha de dados, ou você pode nem mesmo saber que *tem* um problema.

8.9.3 *Wrapup*: a Escolha de um AOP de Baixo Nível de Ruído

Em resumo, ao escolher um AOP para uma aplicação de baixo ruído, comece dirigindo a sua atenção a AOPs que atendam às suas outras necessidades, tais como precisão, velocidade, dissipação de potência, tensão de alimentação, variação de entrada e saída e outras semelhantes. Então, escolha entre esse subconjunto com base em seus parâmetros de ruído. De modo geral, *você quer AOPs com i_n baixa para impedâncias de sinal altas e AOPs com e_n baixa para impedâncias de sinal baixas*. Como vimos, o quadrado da densidade da tensão de ruído referenciado à entrada é apenas

$$v_n^2 = 4kTR_{sig} + e_n^2 + (i_n R_{sinal})^2 \quad V^2/Hz, \quad (8.42)$$

em que o primeiro termo é devido ao ruído Johnson e os dois últimos são devidos à tensão e à corrente de ruído do AOP.[77] É evidente que o ruído Johnson define um limite inferior para o ruído referenciado à entrada. Consulte novamente a Figura 8.58 para uma visualização gráfica fácil de v_n (para 1 kHz) em função de R_{sinal} para uma seleção de AOPs de baixo ruído a partir da Tabela 8.3;[78] eles abrangem uma faixa representativa de e_n e i_n, a partir da qual você pode interpolar para AOPs não mostrados explicitamente.

Esse gráfico ilustra o compromisso entre baixa *tensão* de ruído (em que os dispositivos BJT – linhas contínuas – são reis) e baixa *corrente* de ruído (em que os dispositivos CMOS – linhas tracejadas – são os vencedores). Um bom AOP JFET de baixo ruído, como o OPA140, combina (quase) o melhor de ambos os mundos. Mas note que a tensão de ruído de até mesmo um dispositivo CMOS simples (e ruidoso) como o LMC6482 é irrelevante quando acionado por uma resistência de fonte em qualquer ponto entre 1 MΩ e 10 GΩ, em que a contribuição do AOP para a densidade total de ruído é insignificante.

Veja as Figuras 8.60 e 8.61 para gráficos de espectros de ruído de AOPs. Para aplicações de amplificador de baixa frequência, veja a Figura 8.63, com os seus gráficos de ruído v_n RMS (integrado) total em função da largura de banda.

Dois cuidados: (a) Os gráficos de densidade de ruído totais (v_n *versus* R_s) da Figura 8.58 caracterizam o desempenho somente em 1 kHz. Assim, um AOP com um alto ruído de corte de $1/f$ parecerá consideravelmente pior para, digamos, 10 Hz. Tomando o exemplo do LMC6482 (curva nº 17), a sua e_n em 10 Hz é $\sim 170\,nV/\sqrt{Hz}$, alinhada com a curva nº 29. (b) Da mesma forma, em *altas* frequências, você se preocupa com a capacitância de entrada (especialmente em combinação com impedâncias de entrada da ordem de GΩ) e com a corrente de ruído gerada pela tensão de ruído do AOP em combinação com a capacitância de entrada ($i_{nC} = e_n \omega C_{in}$). Um AOP JFET silencioso como o OPA627 tem quase o triplo da capacitância de entrada (por causa de seu JFET de entrada de grande área) de seu similar um pouco mais ruidoso (e menos caro) OPA656.

8.9.4 Amplificadores de Instrumentação de Baixo Ruído e Amplificadores de Vídeo

Além dos AOPs de baixo ruído, há alguns bons CIs *amplificadores de instrumentação* e pré-amplificadores de baixo ruído. Ao contrário de AOPs de propósito geral, estes geralmente têm ganho de tensão fixo, ou disposição para conectar um resistor de definição de ganho externo. Amplificadores

---

[77] Além disso, tal como descrito na Seção 8.11.3, na configuração inversora, uma *tensão* de ruído de entrada de um amplificador cria uma *corrente* de ruído através da capacitância de entrada, no valor de $i_n = e_n \omega C_{in}$.

[78] Para efeito de comparação, incluímos o nosso AOP JFET comum LF411, o legado do LM741 e do LM358, e alguns outros AOPs populares que não se qualificam como "baixo nível de ruído"; estes têm identificações numéricas.

de instrumentação, destinados a aplicações diferenciais de precisão, são amplamente discutidos no Capítulo 5 (Seção 5.13). Aqueles classificados como "amplificadores de vídeo", muitas vezes, têm larguras de banda de dezenas de mega-hertz, embora possam ser usados para aplicações de baixa frequência também. Exemplos disso são o amplificador de instrumentação INA103 da TI/Burr-Brown e o LMH6517 da TI/National ou a série LTC6400 de amplificadores de vídeo da Linear Technology. Esses amplificadores têm tipicamente e_n baixa no território de $1\,\mathrm{nV}/\sqrt{\mathrm{Hz}}$, obtida (em detrimento da *corrente* de ruído de entrada elevada, i_n) operando o transistor de entrada em uma corrente de coletor relativamente elevada.

8.9.5 AOPs Híbridos de Baixo Ruído

De volta à Seção 8.9.1E, na qual insinuamos a possibilidade de um projeto híbrido de baixo ruído, uma seção de entrada diferencial BJT ou FET de baixo ruído poderia ser combinada com um AOP convencional para proporcionar um desempenho de ruído superior. Os circuitos simplificados nas Figuras 8.66 e 8.67 mostram como isso pode ser feito com BJTs e JFETs, respectivamente. Esses amplificadores também são uma forma de amplificador composto.

A. Questões gerais de projeto

Faixa de modo comum Em ambos os casos, projetamos o circuito para fornecer uma faixa de sinal de entrada de modo comum substancial (pelo menos ± 10 V), com a intenção de que sirva como um substituto de AOP de baixo ruído de propósito geral. Por essa razão, as fontes de corrente no emissor (ou terminal de fonte) são polarizadas para uma

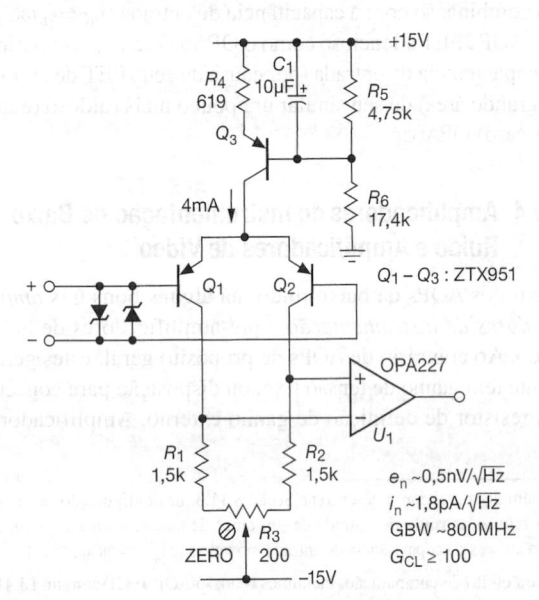

FIGURA 8.66 Combinando o melhor dos dois mundos: um AOP BJT híbrido de banda larga e baixo ruído.

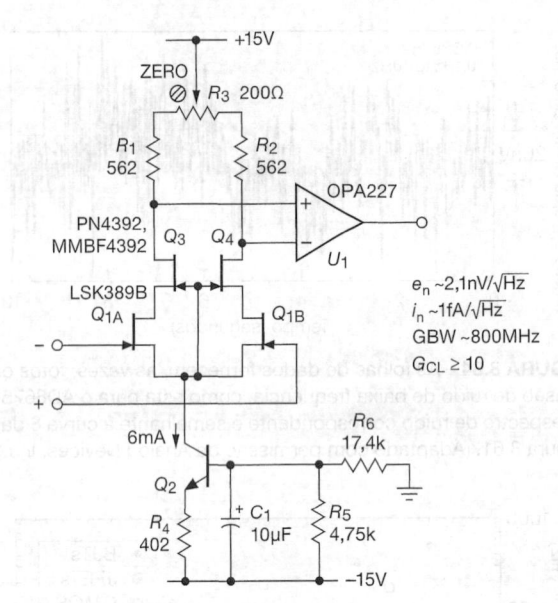

FIGURA 8.67 Outro AOP híbrido, desta vez com cascode JFET diferencial na seção de entrada.

compliance dentro de 2,5 V de seus respectivos trilhos, e os resistores de carga de coletor (R_1 e R_2) no projeto BJT são dimensionados para uma queda de apenas 3 V (acomodando, assim, variações na entrada negativa para, pelo menos, -12 V). O projeto JFET é polarizado de forma similar; no entanto, de um a dois volts são perdidos nos transistores cascode (Q_3 e Q_4) e na V_{GS} negativa do estágio de entrada, reduzindo a faixa de entrada de modo comum positiva para aproximadamente $+10$ V.[79]

Ajuste de *offset* No circuito BJT, usamos um dos transistores mais silenciosos disponíveis que encontramos em nossos testes (o Zetex ZTX951); ele não está disponível como um par casado, então providenciamos um R_3 para ajuste de *offset*, com uma faixa de ajuste relativamente grande ($\pm 6\%$). Para o circuito JFET, usamos o dual LSK389 "casado", mas o seu *offset* de pior caso de 20 mV obriga a uma faixa de ajuste ainda maior, aqui $\pm 17\%$. Ironicamente, o descasamento de V_{BE} do par BJT discreto é propenso a ser menor do que o duplo JFET casado; pelo menos é o que verificamos em nossa experiência; veja, por exemplo, o histograma de medidas de V_{BE} na Figura 8.44.

É importante perceber que um circuito de ajuste de *offset* simples que desbalanceia as resistências de carga, como mostrado aqui, compromete bastante a razão de rejeição de modo comum da entrada diferencial. Além disso, a carga desbalanceada compromete bastante a atenuação do ruído na fonte de corrente (que seria de, pelo menos, $\times 50$ com resistores de carga de 1%). Um método melhor envolve o balan-

---

[79] Se o cascode operar fora da *compliance*, ele simplesmente desaparece, tornando-se uma chave de R_{on} baixa.

ceamento das correntes observadas nos resistores de carga de coletor (ou dreno); veja, por exemplo, a Figura 8.80 mais adiante neste capítulo.

Ganho de malha fechada mínimo Devido à existência de ganho de tensão nos transistores da seção de entrada desses amplificadores híbridos (cerca de ×120 para o BJT, ×12 para o JFET), o ganho geral da malha é substancialmente maior do que o do AOP de segundo estágio sozinho (que por si só é bastante elevado, cerca de 160 dB em baixas frequências). Para garantir a estabilidade (dado que o OPA277 tem ganho unitário estável), esses amplificadores híbridos devem ser configurados com um ganho de circuito fechado de, pelo menos, ×100 e ×10, respectivamente.[80]

B. Algumas questões de projeto detalhadas

Escolha de transistores Embora a sua tensão de ruído não seja especificada, encontramos excelente desempenho de ruído (e boa consistência) com alguns transistores bipolares Zetex, especialmente seus ZTX851 (*npn*) e ZTX951 (*pnp*). Este último foi um pouco melhor, com uma tensão de ruído de entrada medida correspondente a uma resistência de base admiravelmente baixa de $r_{bb'} \sim 1,2\,\Omega$ (então, por exemplo, uma e_n de $0,17\,\text{nV}/\sqrt{\text{Hz}}$ em uma corrente de coletor de 10 mA), em comparação com $r_{bb'} \sim 1,4\,\Omega$ para o *npn* ZTX851.[81] Para o circuito JFET, escolhemos o LSK389B de baixo ruído da Linear Integrated Systems; ele especifica $e_n = 0,9\,\text{nV}/\sqrt{\text{Hz}}$ (típico) e $1,9\,\text{nV}/\sqrt{\text{Hz}}$ (máx) em uma corrente de dreno de 2 mA.[82] É um JFET de geometria grande (para baixo ruído), com uma capacitância correspondentemente grande de $C_{iss} = 25$ pF. Ele tem transcondutância agradavelmente alta, especificada como 20 mS (mín) para 3 mA de corrente de dreno.

Corrente de entrada O BJT tem, evidentemente, a esperada corrente de entrada elevada, tendo em conta a corrente de coletor relativamente elevada necessária para manter e_n baixa; com o especificado $\beta = 200$ (típico), a corrente de entrada é de 10 μA. Esse é o preço que você paga pela menor e_n. Em comparação, a corrente de entrada do circuito JFET é baixa, no território de 1 pA, a julgar pelo gráfico de "excesso de corrente de porta" mostrado para seu antecessor 2SK389

(o LSK389 não fornece gráficos análogos ou especificação), e dada a V_{DS} muito baixa imposta pelo cascode.

Tensão de ruído global Esses são estágios de entrada diferenciais, então você precisa multiplicar a e_n do único transistor por $\sqrt{2}$, o que resulta nos valores mostrados nas figuras.

Para a versão JFET, com um ganho de seção de entrada menor, há uma pequena contribuição também do ruído de entrada do AOP ($3\,\text{nV}/\sqrt{\text{Hz}}$), mas, quando referenciado à entrada, esse equivale a apenas $0,3\,\text{nV}/\sqrt{\text{Hz}}$, insignificante no total, quando combinado com o quadrado da densidade da tensão de ruído da seção de entrada maior.

Note que esses são amplificadores silenciosos, então você precisa apresentar as suas entradas com impedâncias de fonte de sinal baixas para manter a sua e_n baixa. Para a versão BJT, por exemplo, isso implica um valor de resistor baixo, em torno de 10 Ω, na parte inferior do divisor de realimentação.

Tensão de entrada diferencial Se a sua aplicação pode submeter o AOP híbrido BJT diferencial a mais do que ±5 V, adicione um par de diodos de proteção em antissérie para evitar a ruptura base-emissor e a consequente degradação do transistor. O AOP híbrido JFET diferencial pode ser submetido de forma segura à tensão diferencial de entrada total do trilho. Esses estágios de entrada AOP estão funcionando em correntes muito elevadas, de modo que a diferença de tensão de entrada substancial, mantida por mais de alguns milissegundos, causará um aquecimento desbalanceado e a consequente tensão de *offset* de entrada. É uma boa ideia acoplar termicamente o par de entrada e, talvez, isolá-los termicamente das correntes de ar também.

8.10 TRANSFORMADORES DE SINAL

Como mencionado anteriormente, na Seção 8.5.6, você está contra a parede ao tentar minimizar o ruído do amplificador com um sinal de impedância de fonte Z_s muito baixa, por exemplo, menos de 100 Ω. A tensão de ruído de um resistor de 50 Ω, por exemplo, é apenas $0,9\,\text{nV}/\sqrt{\text{Hz}}$, o que coloca você para baixo no limite das regiões dos AOPs mais silenciosos. E há transdutores de sinais com resistências consideravelmente menores, por exemplo, *pick-ups* (captadores) de bobina magnética. Se você está interessado apenas em sinais CA (como seria o caso para uma bobina magnética), pode usar um transformador para elevar o nível do sinal (pela relação de espiras, $n{:}1$), aumentando simultaneamente a impedância da fonte vista na entrada do amplificador pelo quadrado dessa relação; isto é, o amplificador de sinal vê uma impedância de fonte $n^2 Z_s$.

Transformadores de sinal de alta qualidade são disponibilizados por empresas como a Jensen Transformers e a Signal Recovery. Por exemplo, um sinal na banda de áudio (digamos, de 100 Hz a 10 kHz) com impedância de fonte de

---

[80] O OPA277 tem uma excelente margem de fase, cerca de 60°, para passar bem sua largura de banda (GBW) de 1 MHz. Se você precisa de um ganho de circuito fechado mais baixo, pode adicionar um $R + C$ em série nas entradas do AOP, reduzindo efetivamente a resistência de carga e o ganho de malha aberta em altas frequências.

[81] O *pnp* tem ruído mais baixo do que seu irmão *npn*, mas uma tensão Early muito mais fraca, conforme mostra a Tabela 8.1a: $V_A = 120$ V *versus* 410 V. Se as tensões Early (relativamente baixas) do par *pnp* não são casadas, a CMRR será degradada. Se isso for um problema, o circuito pode ser reformulado com um par *npn*, ou com um cascode acrescentado.

[82] Nossas medições caíram bem no meio, em $1,34\,\text{nV}/\sqrt{\text{Hz}}$ ($1,9\,\text{nV}/\sqrt{\text{Hz}}$ total para o par diferencial).

100 Ω seria uma disputa fraca para um amplificador como o SR560, cuja figura de ruído mais baixa ocorre para sinais de impedância de fonte em torno de 500 kΩ (veja a Figura 8.27). O problema é que o ruído de tensão do amplificador é muito maior do que o ruído Johnson da fonte de sinal; a figura de ruído resultante para esse sinal conectado diretamente ao amplificador seria de 12 dB. Ao usar um transformador elevador externo, como o Jensen JT-115K-E com a sua relação de espiras de 1:10 (impedâncias de 150 Ω:15 kΩ), o nível do sinal é gerado (juntamente com a sua impedância de fonte), dominando, assim, a tensão de ruído do amplificador. Nessa impedância de sinal, a figura de ruído do amplificador é de cerca de 0,4 dB; no entanto, a resistência dos enrolamentos do transformador[83] contribui para produzir uma figura de ruído global de cerca de 1,5 dB.

Há uma tendência de associar transformadores com desempenho medíocre; mas transformadores de sinal bem-projetados como este são muito bons: resposta de ±0,15 dB sobre a faixa de áudio (de 20 Hz a 20 kHz), uma queda de 3 dB em 2,5 Hz e 90 kHz, distorção menor do que 0,1%, mesmo em 20 Hz,[84] e, como um bônus, rejeição de modo comum de 110 dB em 60 Hz. O transformador de sinal Modelo 1900 da Signal Recovery (originalmente da Princeton Applied Research) oferece relações de espiras de 1:100 e 1:1.000. Ele tem menos largura de banda do que o JT-115K-E, mas atinge uma figura de ruído mínima de ∼0,5 dB para as resistências de fonte na faixa de 0,8 a 10 Ω devido à baixa resistência do enrolamento de 0,04 Ω. Esse é um desempenho de ruído um pouco melhor do que o do amplificador de BJTs em paralelo da Seção 8.5.9; no entanto, por causa das limitações do transformador, ele não funciona ao longo de toda a faixa de áudio.

Em frequências de *rádio* (por exemplo, começando em torno de 100 kHz), é extremamente fácil fazer bons transformadores, tanto para sintonia (banda estreita) quanto para sinais de banda larga. Nessas frequências, é possível fazer "transformadores de linha de transmissão" de banda larga de desempenho muito bom. É nas frequências muito baixas (de áudio e abaixo) que os transformadores se tornam problemáticos.

Três observações:

(a) A tensão sobe proporcionalmente à relação de espiras do transformador, ao passo que a impedância aumenta proporcionalmente ao quadrado dessa relação. Assim, um transformador elevador de tensão de 2:1 tem uma impedância de saída de quatro vezes a impedância de entrada (isso obedece à lei da conservação da energia).
(b) Transformadores não são perfeitos. Eles são suscetíveis a captação magnética e têm dificuldades em baixas frequências (saturação magnética) e em altas frequências (indutância e capacitância do enrolamento), bem como as perdas de propriedades magnéticas do núcleo e de resistência do enrolamento. Esta última é uma fonte de ruído Johnson também. No entanto, quando se trata de um sinal de impedância de fonte muito baixa, você pode não ter nenhuma escolha, e o transformador de acoplamento pode ser muito benéfico, como o exemplo anterior demonstra. Técnicas exóticas, como transformadores refrigerados, transformadores supercondutores, e SQUIDs (dispositivos supercondutores de interferência quântica) podem proporcionar um bom desempenho de ruído em níveis de impedância e tensão baixos. Com SQUIDs, você pode medir tensões de 10^{-15} V!
(c) Mais um aviso: não tente melhorar o desempenho por meio da adição de um resistor em série com uma impedância de fonte baixa. Se você fizer isso, será apenas mais uma vítima da falácia da figura de ruído.

8.10.1 Um Amplificador de Banda Larga de Baixo Nível de Ruído com Realimentação por Transformador

Para não deixar o leitor desanimado quanto aos méritos dos transformadores em aplicações de sinal, temos que salientar que alguns desempenhos muito impressionantes podem ser obtidos com uma engenharia cuidadosa. A Figura 8.68 mostra um bom exemplo: um amplificador de baixo ruído de banda larga com impedância de entrada alta,[85] com um

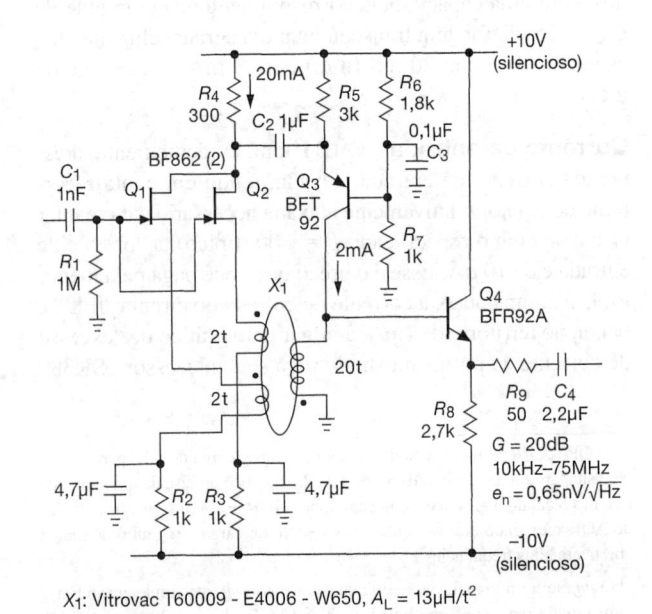

FIGURA 8.68 A realimentação por transformador para JFETs em paralelo alcança uma tensão de ruído de entrada de 650 pV/√Hz neste amplificador de banda larga.

---

[83] Em baixas frequências, essa é simplesmente a resistência CC do fio de cobre; porém, em frequências mais altas, a resistência geradora de ruído efetivo aumenta devido ao efeito pelicular; veja o apêndice H (Seção H.1.4).

[84] Frequências baixas são o calcanhar de Aquiles de um transformador; em 1 kHz, a distorção desse transformador específico é apenas 0,001%.

[85] De J. Belleman do CERN; veja http://jeroen.home.cern.ch/jeroen/tfpu.

transformador que fornece uma realimentação sem perdas (portanto, sem ruído) para definir o ganho de tensão por meio da relação de espiras (aqui ×10). O transformador resolve bem também o problema de realimentação idêntica de distribuição para múltiplos JFETs de entrada em paralelo, cada um dos quais é polarizado para a mesma corrente de dreno de 10 mA.

O transformador mostrado é um pequeno toroide (6,5 milímetros de diâmetro externo) enrolado em fita de alto fator de transformação, com apenas algumas espiras nos enrolamentos para definir o limite superior da banda de operação em 75 MHz. Essa escolha limita a frequência baixa final para frequências acima de ~10 kHz, mas a faixa de frequência de aproximadamente 10.000:1 é impressionante. Os resistores de *pull-down* da fonte, R_2 e R_3, definem a corrente de dreno dos JFETs de entrada BF862 em 10 mA (sua I_{DSS} mínima especificada), em que sua tensão de ruído é de $0,9\,nV/\sqrt{Hz}$; o par em paralelo melhora isso por um fator de $\sqrt{2}$, portanto, $0,65\,nV/\sqrt{Hz}$. O bipolar *pnp* Q_3 forma um cascode invertido, com sua r_e de 12 Ω desviando essencialmente todo o sinal de dreno dos transistores de entrada. Tanto Q_3 como Q_4, são transistores de banda larga (5 GHz); a corrente de coletor de Q_3 é escolhida para anular a magnetização CC induzida no transformador pelos transistores de entrada para evitar a saturação do núcleo. Os trilhos de alimentação precisam ser silenciosos, o que é mais bem alcançado com um multiplicador de capacitância (Seção 8.15.1). Um cuidado: esse circuito de realimentação tem dois pontos de corte de baixa frequência (a partir de C_2 e da indutância de magnetização bastante baixa do transformador), levando a instabilidade potencial e a uma oscilação de baixa frequência. Isso é evitado aqui pela grande capacitância de C_2, o que torna seu ponto de corte muito inferior ao do transformador.

8.11 RUÍDO EM AMPLIFICADORES DE TRANSIMPEDÂNCIA

Amplificadores de transresistência (ou amplificadores de *transimpedância*, "TIA", ou, às vezes, apenas "amplificadores de corrente") produzem uma tensão de saída em resposta a uma entrada de *corrente*. Seu ganho é, portanto, V_{out}/I_{in} com unidades de ohms, daí o seu nome.[86] Introduzimos os amplificadores de transresistência no Capítulo 4 (Seção 4.3.1), desenvolvemos um projeto TIA para um detector de raios barato (Seção 8.5.7, Figura 8.5.7). Como um lembrete, o circuito de base, que vimos antes, é mostrada na Figura 8.69. Considerando componentes ideais, uma corrente I_{sinal} produz uma saída $V_{out} = -I_{sig}R_f$, de modo que o ganho é simplesmente $-R_f$. Eles são usados extensivamente nos circuitos em que a entrada é uma corrente, por exemplo a partir de um fotodiodo ou fotomultiplicador, detector de partículas

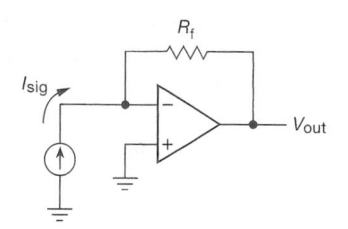

FIGURA 8.69 Amplificador de transresistência: entrada de corrente, saída de tensão.

carregadas, microscópio de tunelamento ou amplificador de *patch clamp*.

A ênfase neste capítulo é o *ruído*, que pode surgir de várias maneiras no TIA. O amplificador tem suas próprias e_n e i_n de entrada; e o resistor de realimentação cria uma tensão de ruído Johnson que equivale a uma corrente de ruído de entrada $i_{nR} = \sqrt{4kT/R_f}$ (favorecendo, portanto, valores elevados de R_f). A capacitância também desempenha um papel importante, não apenas em termos de estabilidade e de largura de banda, mas também na conversão de *tensão* de ruído do amplificador em corrente de ruído. Há também o que provavelmente poderíamos chamar de *ruído do sinal*: ruído *shot* na corrente do sinal, ruído Johnson na resistência da fonte de sinal e outras formas de flutuações de sinal.[87] Veremos como tudo isso se desenrola.

8.11.1 Resumo do Problema de Estabilidade

Como vimos na Seção 4.3.1C, a capacitância para o terra na entrada (por exemplo, a partir de um sensor de saída de corrente e seu cabo de conexão), em combinação com a resistência de realimentação (geralmente grande), produz uma mudança de fase de atraso no caminho de realimentação. Essa é instável quando combinada com 90° (ou mais) de deslocamento de fase em atraso do AOP. Você resolve isso

---
[86] Este é o inverso de um dispositivo como um JFET, em que uma *tensão* de entrada produz uma *corrente* de saída. Com isso, o ganho é I_{out}/V_{in} com unidades de Ω^{-1} (siemens, anteriormente chamada de mho), daí o nome amplificadores de trans*condutância*.

[87] O ruído na própria fonte de sinal pode, em algumas situações, sobrepujar a contribuição de ruído de um amplificador bem projetado. Os detectores ópticos, por exemplo, são caracterizados por uma "potência equivalente de ruído" (*noise-equivalent power*, NEP), que é a sua saída de ruído eletrônico expresso em termos de potência de entrada óptica (expresso como densidade de potência de ruído óptico, geralmente na faixa de fW/$\sqrt{Hz}$). A NEP resulta da corrente de escuro do detector (um detector perfeito teria NEP zero), uma "deriva de corrente" que pode ser pensada como uma forma de fuga. Você consegue tal corrente quando fotodiodos são operados com uma tensão de polarização reversa deliberada (o chamado *modo fotoconductor*), em que a capacitância é reduzida, e a velocidade, a linearidade e a eficiência de conversão de comprimento de onda longo são melhoradas. Se você deseja detectar níveis muito baixos de luz e está disposto a sacrificar a velocidade, deve operar o fotodiodo com polarização zero (o chamado *modo fotovoltaico*), em que a NEP muito reduzida surge principalmente a partir de uma "corrente de difusão" relacionada à resistência de escuro, alimentada pela tensão de *offset* do AOP. Para esse fim, a folha de dados do fotodiodo geralmente considera um *offset* de 10 mV (ou seja, a polarização do detector), mas você quase sempre pode fazer melhor do que isso. Medimos os níveis NEP adaptados à escuridão quatro ordens de magnitude melhores do que o especificado, ao acionar um AOP com *offset* de 100 μV em um ambiente de laboratório arejado. Leve em conta que o ruído do detector é uma parte essencial de qualquer projeto de sistema cujo trabalho final é "converter fótons em volts".

colocando um pequeno capacitor C_f sobre o resistor de realimentação, o que, no entanto, reduz seriamente a largura de banda utilizável. Como vimos, portanto, você precisará usar um AOP de largura de banda surpreendentemente alta, a fim de obter mesmo uma largura de banda de circuito modesta. Para expressar em números, a largura de banda utilizável do circuito f_c é mais ou menos a média geométrica de GBW (ou f_T) do AOP e a frequência de decaimento, $f_{RC} = 1/2\pi R_f C_{in}$, da capacitância de entrada; isso é

$$\text{GBW} = f_c^2 / f_{RCin} \quad \text{Hz}. \quad (8.43)$$

8.11.2 Ruído de Entrada do Amplificador

Um estágio de entrada do amplificador de transimpedância, seja discreto ou com AOP, terá alguma tensão e corrente de ruído, caracterizada pelas densidades e_n e i_n; estas apresentarão, por enquanto, o habitual aumento de $1/f$ em baixas frequências. E, além da cauda de ruído de baixa frequência, a corrente de ruído dependerá da corrente de entrada CC (corrente de polarização, para BJT; corrente de fuga para JFETs ou MOSFETs), porque, nas frequências médias, a corrente de ruído de entrada é simplesmente o ruído *shot* da corrente CC.

Como e_n e i_n afetam o ruído de entrada global do amplificador de transimpedância? Veremos em breve (Seção 8.11.3) que e_n gera uma corrente de ruído através da capacitância vista na entrada, e, na verdade, esse pode facilmente se tornar o termo de ruído dominante, principalmente nas frequências mais altas. Antes de se preocupar com o efeito, note simplesmente que a e_n de entrada flui através do resistor de realimentação, gerando uma densidade de corrente de ruído $i_n = e_n/R_f$ (e, se a fonte de sinal tem uma resistência fonte finita, substitua R_f por $R_f \| R_s$). Estes termos são geralmente pequenos em comparação com as correntes de ruído Johnson correspondentes, mas eles podem crescer a níveis significativos em baixas frequências em que o comportamento $1/f$ pode aumentar e_n por fatores de $10\times$ a $50\times$ ao longo do seu valor de frequência média ("branco").[88]

A corrente de ruído i_n do estágio de entrada não precisa de conversão – ela contribui diretamente para a corrente de ruído de entrada equivalente do amplificador de transimpedância (conforme a raiz quadrada da soma dos quadrados). AOPs de baixa polarização com entradas FET (bem como JFETs discretos) terão, geralmente, correntes de ruído de entrada muito baixas, no território de $fA/\sqrt{Hz}$. Mas cuida-

do com o ruído $1/f$ crescente: a folha de dados para o AOP JFET AD743 de baixo e_n, por exemplo, mostra i_n aumentando a partir de sua frequência média o valor de $7\,fA\sqrt{Hz}$ para $100\,fA\sqrt{Hz}$ até 1 Hz; isso corresponderia ao ruído *shot* de uma polarização CC de 30 nA! (Sua corrente de entrada de temperatura ambiente típica é especificada como 0,15 nA.) Tenha cuidado também com o aumento de i_n (a partir da elevação da corrente de fuga em FETs) em temperaturas elevadas: o AD743 especifica i_n apenas para 25°C (onde seu valor de $7\,fA\sqrt{Hz}$ é consistente com o ruído *shot* na corrente de entrada CC de 0,15 nA); mas você pode usar o seu gráfico de corrente de entrada CC em função da temperatura para determinar que $i_n = 40\,fA\sqrt{Hz}$ em 80°C (onde o gráfico mostra uma corrente de entrada CC de 5 nA) e subindo ainda mais para $400\,fA\sqrt{Hz}$ em 125°C.

A temperatura não é o único contribuinte para a corrente de entrada do JFET; há o efeito da ionização por impacto (Seção 3.2.8), o que pode causar um aumento devastador na corrente de entrada (e no ruído) quando um JFET é operado com tensões dreno-fonte superiores a alguns volts. Com um projeto discreto com JFET, você pode evitar isso, operando em uma tensão de dreno baixa (por exemplo, com um cascode); AOPs de baixo nível de ruído geralmente são projetados com esse efeito em mente, mas você verá um aumento da corrente de entrada (e corrente de ruído) conforme a tensão de entrada se aproximar de um dos trilhos (por exemplo, o trilho positivo para o LT1792 ou ADA4627; o trilho negativo para o AD8610).

8.11.3 O Problema do Ruído e_nC

Além das contribuições do estágio de entrada de i_n (diretamente) e e_n (que flui através das resistências de realimentação e entrada), a *capacitância* de entrada (já um aborrecimento em termos de estabilidade e largura de banda) cria problemas de ruído interessantes também. Por exemplo, você pode inicialmente pensar que a *tensão* de ruído do amplificador é de pouco interesse em um amplificador cuja entrada é uma corrente; devido a sua realimentação se parecer com um seguidor de tensão, pareceria que ele produz, no máximo, uma contribuição de tensão de ruído de saída aditivo apenas ao ruí-

---

[88] Por exemplo, a tensão de ruído do AD743 (AOP JFET mais silencioso, com $e_n = 2,9\,nV/\sqrt{Hz}$ em 10 kHz) cresce para $23\,nV/\sqrt{Hz}$ em 1 Hz. O LT1792 cresce par $30\,nV/\sqrt{Hz}$, ao OPA627 para $33\,nV/\sqrt{Hz}$, e o ADA4627 para $42\,nV/\sqrt{Hz}$. E a rapidez do OPA656 cresce para $75\,nV/\sqrt{Hz}$ em 10 Hz! Para não ficar atrás, os admiráveis AOPs JFET AD8610 e 8620 crescem de $6\,nV/\sqrt{Hz}$ para cerca de $200\,nV/\sqrt{Hz}$. E, quando se trata de AOPs CMOS, uau!

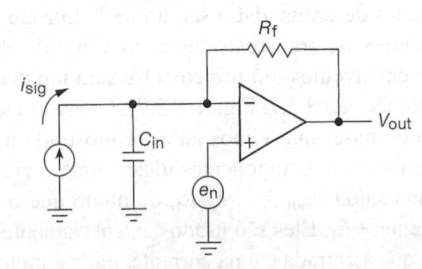

FIGURA 8.70 A capacitância na entrada faz a tensão de ruído e_n do amplificador criar uma corrente de ruído de entrada $i_n = e_n \omega C_{in}$. Nem essa corrente de ruído "e_nC", nem a corrente de ruído de entrada própria do amplificador são mostradas.

do de tensão de entrada e_n (equivalente a uma contribuição de corrente de ruído de entrada de $i_n = e_n/R_f$). Mas você estaria errado! Para ver o que acontece, veja a Figura 8.70, na qual a tensão de ruído diferencial interna do AOP e_n é modelada como uma tensão em série com o terminal não inversor. A realimentação obriga o terminal inversor (com a sua capacitância C_{in} para o terra) a seguir, criando uma corrente de entrada real $i_n(t) = C_{in}dv_n(t)/dt$ (onde $v_n(t)$ é a tensão de ruído de entrada do AOP); expressa como uma *densidade* de ruído, obtemos

$$i_n = e_n\omega C_{in} = 2\pi e_n C_{in} f. \qquad (8.44)$$

Ou seja, a tensão de ruído do amplificador cria uma corrente de ruído proporcional à capacitância na entrada, que aumenta proporcionalmente à frequência. Referimo-nos a essa corrente de ruído de entrada, produzida pela tensão de ruído interna do amplificador, como "ruído $e_n C$".[89]

8.11.4 Ruído no Amplificador de Transresistência

Aplicaremos esse tipo de pensamento para descobrir o desempenho de ruído do amplificador de transresistência. Nós o redesenhamos na Figura 8.71, com a tensão de entrada de ruído e_n, a corrente de ruído e o capacitor *shunt* de realimentação C_f do AOP mostrado explicitamente. Em uma aplicação de fotodiodo (de pequena área) de alta velocidade típica, você pode ter $C_{in} \sim$ 10 a 20 pF (porém maior caso esteja conectado através de um cabo blindado), $R_f \sim$ 1 a 10 MΩ e, para um AOP de entrada FET, $e_n \sim$ 3–10 nV/$\sqrt{Hz}$ e $i_n \sim$ 1–10 fA/$\sqrt{Hz}$.

Calcularemos as contribuições de ruído (de e_n, i_n e de ruído Johnson no resistor de realimentação) como corrente de ruído efetiva (em função da frequência) *na entrada*; afinal de contas, é nesse ponto que entra o sinal de corrente de entrada que nos interessa. Por enquanto, ignoramos o capacitor

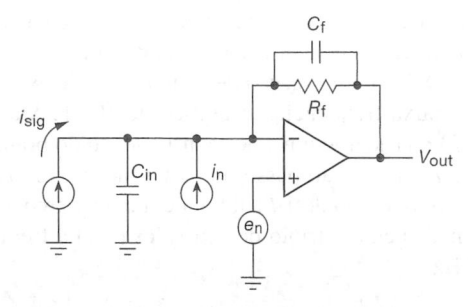

FIGURA 8.71 Ruído em um amplificador fotodiodo. Para os cálculos, usamos $R_f = $ 1 MΩ. Aqui, C_{in} é a capacitância total vista na entrada (capacitância do amplificador, fiação e dispositivo de entrada).

C_f e utilizamos os valores típicos de circuito de $R_f = $ 1M e C_{in} (circuito) = 10 pF.

Como vimos anteriormente, o ruído Johnson é plano com a frequência, com uma tensão de ruído $e_n = \sqrt{4kTR}$ volts por raiz quadrada de hertz; isso se traduz em uma corrente de ruído de curto-circuito de e_n/R; isto é, $i_n = \sqrt{4kT/R}$ ampères por raiz quadrada de hertz. Assim, para um resistor de realimentação de 1 MΩ a 25°C,

$$i_n = \left(\frac{4kT}{R_f}\right)^{\frac{1}{2}} = 1{,}28 \times 10^{-10} R_f^{-\frac{1}{2}} = 0{,}128\,\text{pA}/\sqrt{\text{Hz}}.$$

Essa é, pelo menos, uma centena de vezes maior do que a corrente de ruído de entrada do amplificador, que podemos, portanto, ignorar. A última contribuição é da e_n do amplificador, que, como se observou anteriormente, parece-se com uma corrente de ruído de entrada de $i_n = 2\pi e_n C_{in} f$. Ela aumenta proporcionalmente à frequência, tornando-se dominante sobre o ruído Johnson do resistor em alguma frequência de cruzamento que chamaremos de f_X. Ao igualar a corrente de ruído Johnson com a corrente $e_n C$, você pode determinar[90]

$$f_X = \frac{\sqrt{4kT/R_f}}{2\pi e_n C_{in}}. \qquad (8.45)$$

Ela continuaria a subir para sempre, exceto para o efeito da capacitância em paralelo C_f, o que faz a corrente de ruído se tornar plana em uma frequência $f_c = 1/2\pi R_f C_f$ (causada pelo polo $R_f C_f$ que cancela a elevação de +6 dB/oitava do ruído $e_n C$.) Se escolhermos ainda C_f para que f_c seja igual à frequência de média geométrica

$$f_{GM} = \sqrt{f_{RCin} f_T}, \qquad (8.46)$$

produzimos um ligeiro pico em f_c, com o par de polos que faz o ruído $e_n C$ cair −6 dB/oitava (ou seja, $\propto 1/f$) em frequências mais altas, como visto na Figura 8.72.

Na Figura 8.72, plotamos i_n (input) para o amplificador de transresistência da Figura 8.71, com $R_f = $ 1M, para as escolhas de AOPs e os dados correspondentes mostrados na tabela da figura. O gráfico mostra claramente a redução na corrente de ruído total referenciada à entrada que você obtém ao escolher um amplificador com baixa capacitância de entrada e baixa tensão de ruído, supondo, naturalmente, que você esteja planejando limitar a largura de banda de saída com um estágio posterior de filtragem passa-baixas.

É interessante notar que, se todas as outras coisas fossem iguais, um AOP com maior largura de banda do amplificador não reduziria a corrente de ruído referenciada à entrada; ele simplesmente estenderia a largura de banda do amplificador de transresistência. No entanto, como os AOPs mais

---

[89] Na literatura, você verá descrições como "pico de ganho de ruído na frequência maior" e "uma resposta complexa para a tensão de ruído de entrada do AOP".

[90] Para $R_f = $ 1M, isso se torna $f_X(\text{Hz}) = 2 \times 10^7/e_n C_{in}$, onde e_n e C_{in} estão em unidades de nV/$\sqrt{Hz}$ e pF, respectivamente.

A.

$$f_X = \frac{\sqrt{4kT}}{2\pi} \frac{1}{e_n C_{in} \sqrt{R_f}}$$

$R_f = 1\,M\Omega$

B.

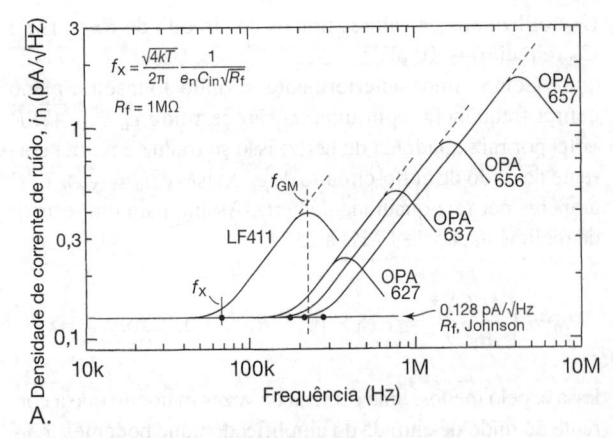

f_C e f_X calculadas com $C_{externa} = 10\,pF$ e $R_f = 1\,M$

AOP	e_n (nV/$\sqrt{Hz}$)	C_{amp} (pF)	$C_{in(total)}$ (pF)	f_T (MHz)	f_C (kHz)	f_X (kHz)
LF411	25	2	12	4	230	67
OPA627	4,5	15	25	16	320	178
OPA637	4,5	15	25	80	715	178
OPA656	7	3,5	13,5	230	1650	212
OPA657	4,8	5,2	15,2	1600	4100	274

FIGURA 8.72 A. Espectro de corrente de ruído referenciado à entrada para o amplificador fotodiodo na Figura 8.71. A frequência de cruzamento f_X em que o ruído "$e_n C$" se torna dominante está marcada com um ponto para cada configuração. Para o exemplo LF411, tanto f_X quanto a frequência de *turnover* (TOF) f_C são marcadas. Em cada caso, considera-se que o capacitor de compensação C_f é escolhido de modo que f_C seja igual a $f_{GM}=\sqrt{f_{RC_{in}}f_T}$, obtendo-se, assim, a máxima largura de banda do amplificador consistente com apenas um modesto pico (relação de amortecimento $\zeta = 0,7$); caso contrário, haverá uma região de densidade de ruído plana, como na Figura 8.73. B. Parâmetros de corrente de ruído referenciados à entrada para os amplificadores fotodiodo da Figura 8.71, considerando uma capacitância externa de entrada de 10 pF.

rápidos tendem a ter menos capacitância de entrada, há certa vantagem de ruído, especialmente quando a capacitância de entrada externa for tão baixa quanto a que consideramos aqui.

8.11.5 Um Exemplo: Amplificador Fotodiodo de Banda Larga com JFET

Continuando ao longo deste caminho, na Figura 8.73, representamos graficamente o ganho de transimpedância, o ganho de ruído e a corrente de ruído de entrada efetiva para um amplificador de transimpedância feito a partir de um OPA656 (f_T = 230 Mhz, e_n=7 nV/$\sqrt{Hz}$), com um resistor de realimentação de 1M e um valor conservador de capacitor *shunt* (2 pF: f_c = 76 kHz) para garantir a estabilidade com capacitâncias de entrada elevadas, de até 1.000 pF.

Note que existem dois "ganhos" aqui: o *ganho de transimpedância* (gráfico superior) é a razão da tensão do sinal de saída pela corrente do sinal de entrada, um gráfico que é denominado plano até o decaimento em f_c, mas com a restrição adicional imposta pelo ganho de malha aberta G_{OL} finito (e caindo) do AOP. O ganho de ruído (gráfico do meio) é a razão da tensão do sinal de saída pela tensão de ruído de entrada, com a sua característica de inclinação de "$e_n C$" crescente proporcional à frequência. Ele se torna plano em f_c, mas (para AOPs de ganho de malha aberta modesto[91]) é ainda mais limitado por G_{OL}.

---

[91] As limitações de ganho de malha aberta podem ser encontradas com AOPs de banda larga muito grande (por exemplo, dispositivos como o OPA655/6/7, com valores GBW na região de GHz), mas essas limitações são raras para AOPs de baixa frequência, como o OPA637.

Por fim, a corrente de ruído referenciada à entrada efetiva vista na saída (gráfico inferior) é a soma do ruído $e_n C$ e do ruído Johnson do resistor de realimentação, como moldado pelo decaimento do amplificador. Esses termos de corrente de ruído (como visto na entrada) são $e_{n\omega}C$ e $\sqrt{4kT/R_f}$, respectivamente. Aqui, o ruído Johnson domina em baixas frequências: um resistor de 1 MΩ gera uma corrente de ruído branco (curto-circuito) de 0,13 pA/$\sqrt{Hz}$.

Medimos o espectro de ruído de saída desse amplificador com os quatro valores de capacitância de entrada; medimos também a tensão de ruído de entrada do AOP (e_n). A Figura 8.74 é uma captura de tela (a partir de um analisador de espectro SRS785), com as correspondentes indicações das escalas de e_n e i_n referenciadas à entrada. Os dados medidos estão em concordância razoável com as previsões da Figura 8.73, com exceção de algum ruído de excesso no final da baixa frequência do gráfico de 10 nF. Mas a Figura 8.73 considerou um valor constante (ruído branco) de 6 nV/$\sqrt{Hz}$ para e_n, ao passo que a tensão de ruído medida exibe a ascensão de 1/f habitual em baixas frequências, aproximadamente o triplo do seu valor de alta frequência de 100 Hz.

8.11.6 Ruído *versus* Ganho no Amplificador de Transimpedância

Na discussão anterior, casualmente pegamos um valor arredondado de 1 MΩ para o resistor de realimentação R_f, sem muita consideração sobre as consequências para o ruído e para a largura de banda. A partir das Figuras 8.72, 8.73 e 8.74, é fácil ver que a corrente de ruído de fundo de baixa

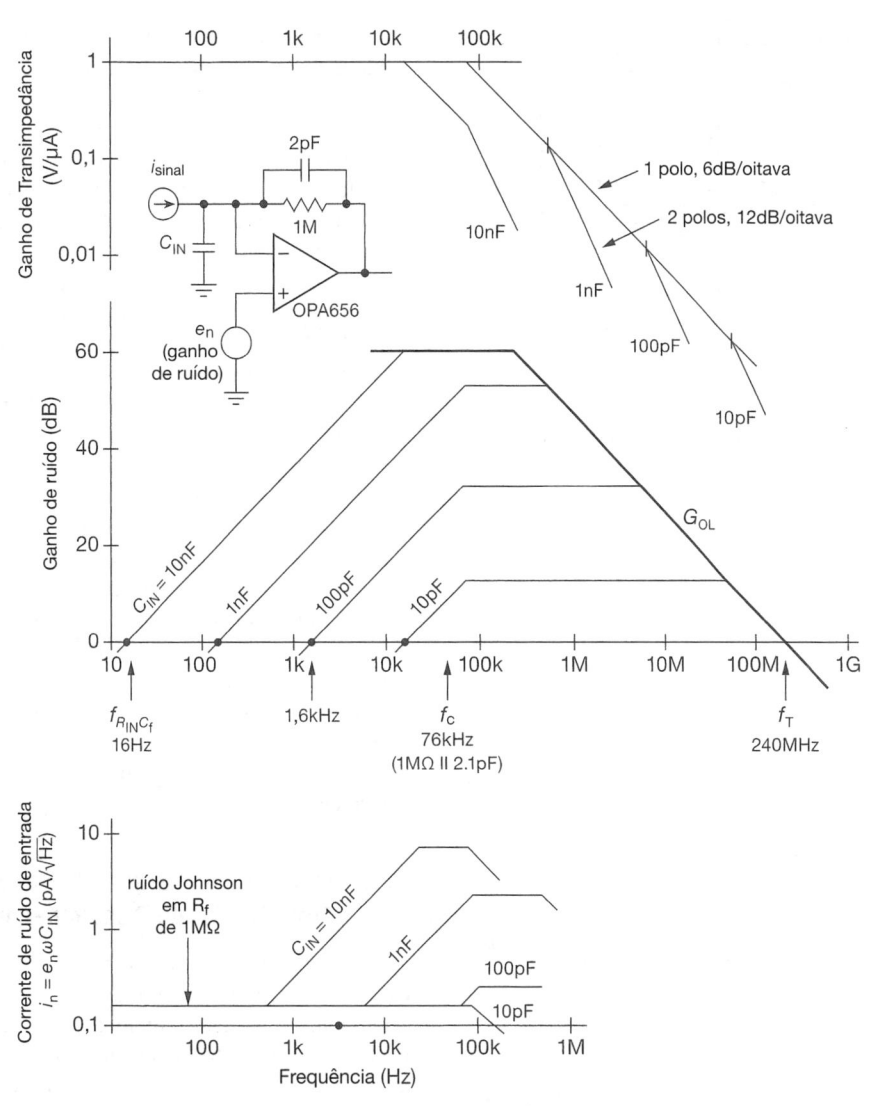

FIGURA 8.73 Representação gráfica do ruído em um amplificador de transimpedância. Um AOP de 230 MHz é usado para obter uma largura de banda de ~75 kHz para capacitâncias de entrada de 10 pF a 1 nF. A largura de banda do amplificador de transimpedância não é muito afetada pela capacitância de entrada até 1 nF, mas uma capacitância de 10 nF reduz a largura de banda substancialmente. Ela faz isso sem criar instabilidade neste caso, devido ao ganho de malha aberta limitado do OPA656 (65 dB).

frequência é definida pelo ruído Johnson de R_f; assim, valores maiores de R_f pareceriam ser "melhores".

Não tão rápido! Para uma dada capacitância de entrada, valores maiores de R_f correspondem a uma frequência de decaimento de entrada inferior ($\omega = 1/R_f C_{in}$), exigindo uma compensação mais agressiva (isto é, menor largura de banda f_c). Se o ruído é dominado por ruído Johnson em R_f e você não se preocupa com a largura de banda, mas quer minimizar o ruído de baixa frequência, então um R_f maior é bom. No entanto, em um amplificador fotodiodo de banda larga em que o ruído $e_n C$ é dominante e no qual você quer melhorar a largura de banda, é melhor reduzir R_f.

Mas *não muito*! Aqui está a razão: a meta de qualquer projeto de amplificador de transimpedância deve ser a de assegurar que o amplificador acrescente ruído insignificante ao ruído *shot* inerente do sinal de entrada. Ao passo que reduzimos R_f, no entanto, sua corrente de ruído Johnson $\sqrt{4kT/R_f}$ aumenta, em última análise, dominando sobre a corrente de ruído *shot* $\sqrt{2qI_{in}}$ do sinal de entrada. Ao equiparar essas correntes de ruído, chegamos à condição $I_{in} R_f = 2kT/q = 50$ mV. Isto é, para evitar a adição de ruído do amplificador, o resistor de realimentação não deve ser escolhido tão pequeno a ponto de a tensão produzida pela entrada (que pode ser um componente CC do sinal de entrada) ser menor do que, digamos, 100 mV.

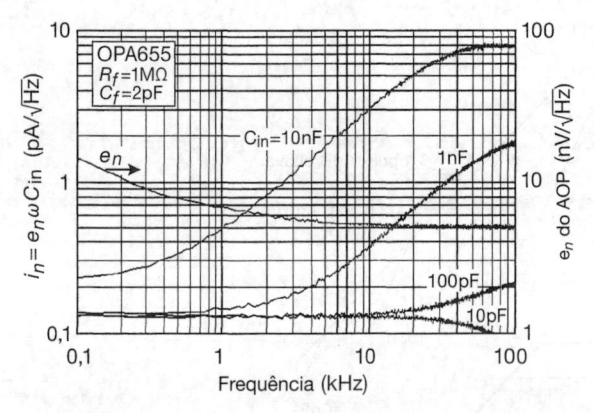

FIGURA 8.74 Medição da corrente de ruído referenciada à entrada no amplificador da figura 8.73. Os espectros distintos foram sobrepostos aqui, com algumas legendas decorativas úteis.

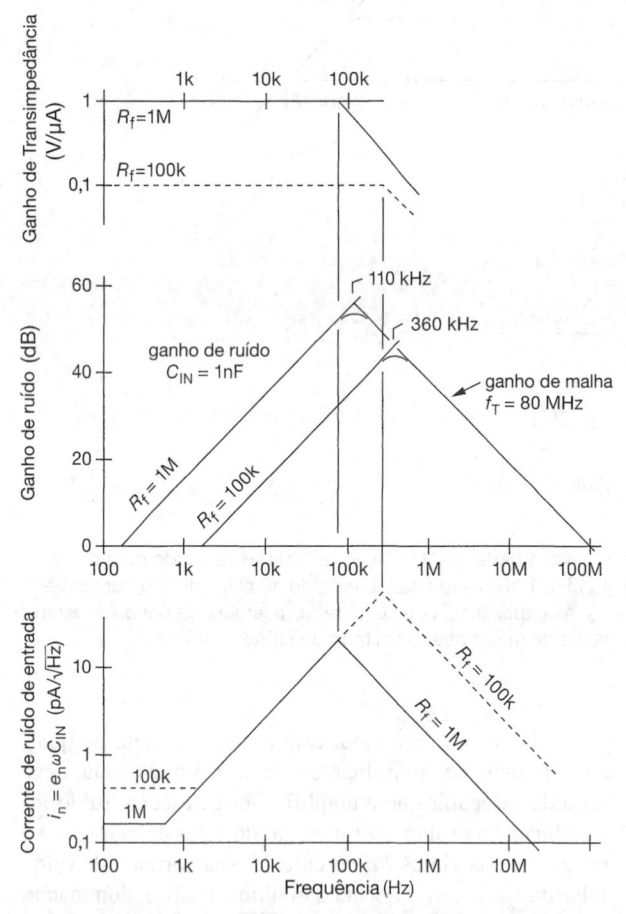

FIGURA 8.75 Em um amplificador de transimpedância rápido, em que o ruído e_nC domina sobre o ruído Johnson de R_f, você pode aumentar a largura de banda utilizável reduzindo R_f; recupere o ganho perdido em um amplificador de tensão de segundo estágio.

Essa compensação de ruído-largura de banda na escolha da resistência de realimentação é ilustrada na Figura 8.75, na qual a redução de R_f de 1M para 100k move o decaimento da entrada para cima por um fator de 10, permitindo um aumento na largura de banda do amplificador por um fator de aproximadamente 3 (mais precisamente, $\sqrt{10}$). O preço que você paga é uma redução de ganho em ×10 (facilmente recuperado com um estágio amplificador de tensão em seguida) e um aumento do ruído de baixa frequência (ainda insignificante em comparação com a contribuição de ruído de alta frequência e_nC). Claro, o aumento da largura de banda vem com um aumento contínuo no ruído e_nC, como pode ser visto acima de 100 kHz no gráfico inferior da Figura 8.75.

Felizmente, existem alguns truques interessantes que você pode usar para mitigar esses efeitos do ruído e_nC de alta frequência. Um método reduz muito a capacitância efetiva na entrada por meio de um "*bootstrap*" do lado de retorno da fonte de sinal, por exemplo, fotodiodo (e o cabo de blindagem); outros usam um estágio transistor de base comum (um cascode) para isolar a capacitância do fotodiodo do estágio de transimpedância. Nós os descreveremos em breve, depois de uma breve discussão de um tema importante (e, muitas vezes, negligenciado): a necessidade de um filtro passa-baixa para limitar a largura de banda na saída do estágio de transimpedância.

8.11.7 Limitação da Largura de Banda de Saída no Amplificador de Transimpedância

Se você está projetando um amplificador de transimpedância real com um insignificante ruído e_nC a partir de capacitância na entrada, é importante adicionar uma seção de filtro passa-baixas na saída. Olhe novamente para os gráficos de ganho de ruído na Figura 8.73. Como C_f foi escolhida para a estabilidade com a maior capacitância de entrada antecipada, há uma ampla faixa de ruído em altas frequências, em especial para os menores valores de capacitância de entrada. Esse ruído se estende além da largura de banda do amplificador e pode contribuir com a maior parte do ruído de saída total (lembre-se de que os gráficos de frequências logarítmicas tendem a esconder o fato de que a maior parte da largura de banda é na parte alta).

Para ver isso mais claramente, observe a Figura 8.76, um conjunto análogo de gráficos para o amplificador de corrente de entrada da Figura 8.77. Aqui usamos um AOP JFET de baixo ruído descompensado, com C_f escolhida de forma que o amplificador seja estável, com capacitâncias de entrada até 1.000 pF. O ganho de ruído e a corrente de ruído de entrada efetiva são traçados tanto para 1.000 pF quanto para 100 pF na entrada. As linhas contínuas mostram a saída de U_1, e as linhas tracejadas mostram o sinal depois de um

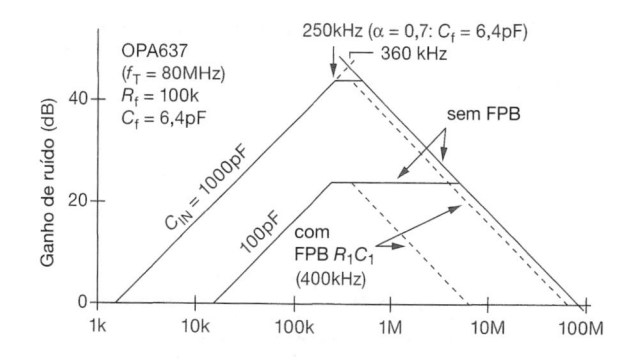

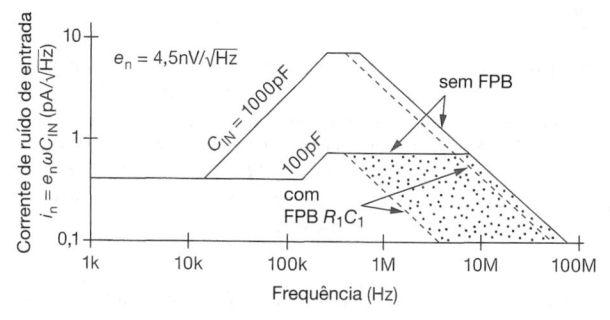

FIGURA 8.76 Gráficos de ruído para o amplificador de corrente da Figura 8.77. A adição de um filtro de saída em f_c, ou ligeiramente acima, reduz significativamente o ruído de saída.

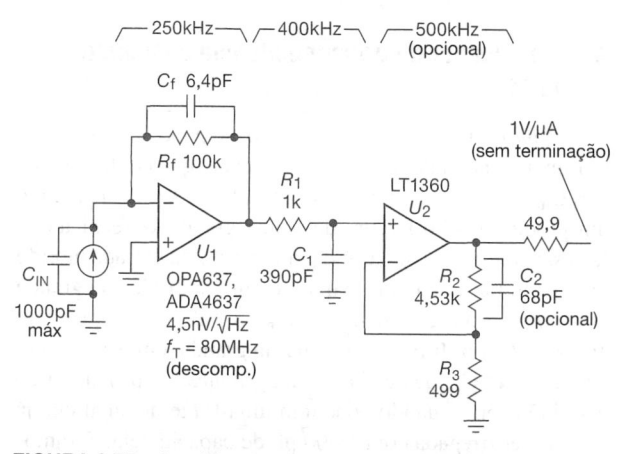

FIGURA 8.77 Amplificador de corrente de entrada, BW = 250 kHz, compensado para estabilidade com capacitâncias de entrada de até 1.000 pF. Os filtros passa-baixas (R_1C_1 e R_2C_2) minimizam o ruído fora da banda, especialmente quando C_{in} é menos do que o máximo.

simples filtro passa-baixas RC. Devido ao amplificador ser excessivamente compensado quando $C_{in} = 100$ pF, há uma região substancial (área pontilhada) de ruído fora da banda que é eliminada pelo filtro R_1C_1. (O efeito é mínimo quando o amplificador está criticamente compensado, com f_c quase igual a f_{GM}, como visto nos gráficos para 1.000 pF, porque a atenuação do ganho de malha aberta do AOP realiza a mesma coisa.)

Neste circuito, adicionamos um estágio de ganho de saída ×10, de modo que o ganho geral seja 1V/μA). Isso fornece uma oportunidade para uma seção adicional de filtragem passa-baixas, via C_2. Isso pode parecer extremo, mas lembre-se de que uma única seção RC tem um decaimento suave, de modo que a largura de banda do ruído branco equivalente se estende bem além da sua frequência característica (1,57f_{3dB}, para ser exato; veja a Seção 8.13).

8.11.8 Amplificadores de Transimpedância Compostos

Ao escolher um AOP para uso em um amplificador de transimpedância sensível, você quer uma corrente de ruído de entrada muito baixa, portanto, um tipo JFET ou CMOS. E, se você quiser muita velocidade, é importante selecionar um AOP com baixa tensão de ruído de entrada (para minimizar a alta frequência de corrente de ruído $e_n C_{in}$ que produz), especialmente se a capacitância de entrada for substancial. Finalmente, devido à corrente de ruído de entrada produzida pelo resistor de realimentação de definição de ganho R_f diminuir conforme $1/\sqrt{R_f}$, um amplificador de transimpedância de baixo nível de ruído exige um resistor de realimentação de grande valor.

Mas um grande R_f produz uma frequência de atenuação de entrada baixa ($f_{RCin}=1/2\pi R_f C_{in}$), justamente o que você *não* precisa quando você está buscando uma grande largura de banda. Veremos em breve (na Seção 8.11.9) técnicas, tais como o uso de *bootstrap* e cascode, que podem ser usadas em algumas situações para reduzir bastante a capacitância de entrada efetiva em um amplificador de transimpedância. Mas uma outra abordagem é simplesmente selecionar um AOP com largura de banda f_T alta o suficiente para produzir a largura de banda necessária do amplificador de transimpedância ($\sim \sqrt{f_{RCin}f_T}$).

Essa é uma abordagem razoável, mas o desempenho que você obtém com AOPs disponíveis, muitas vezes, fica aquém. A Tabela 8.3 mostra que a maioria dos AOPs rápidos (por exemplo, $f_T \geq 350$ MHz) têm tensão de ruído relativamente alta (e_n de 6 nV/$\sqrt{Hz}$ ou superior), e AOPs silenciosos tendem a ser lentos, como o nosso vencedor de baixo nível de ruído, o AD743 (e_n=2,9 nV/$\sqrt{Hz}$ e f_T = 4,5 MHz). A partir da tabela, você pode ver também que alguns dos mais rápidos AOPs são dispositivos de baixa tensão, por exemplo, o OPA657 com f_T = 1500 MHz, cuja faixa de tensão de alimentação total é restrita a 9 a 13 V. Isso importa, porque valores maiores de resistor de realimentação necessários para redução de ruído produzem mais ganho e, portanto, variações de saída maiores (e níveis CC estáticos, quando há um componente CC diferente de zero na corrente de entrada), favorecendo AOPs que podem operar em ±15 V.

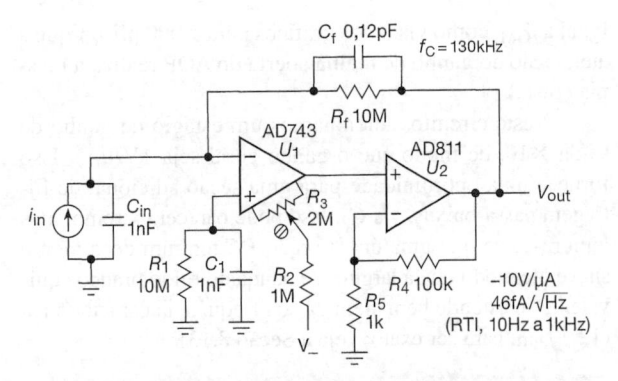

FIGURA 8.78 Amplificador de transimpedância de banda larga e baixo ruído, explorando a combinação de propriedades desejáveis de um par de AOPs configurado como um amplificador composto.

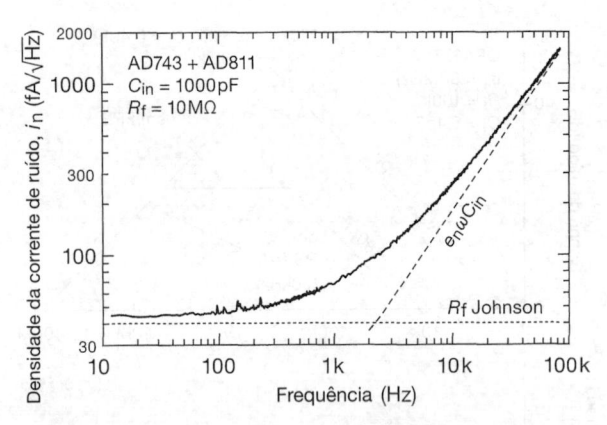

FIGURA 8.79 Corrente de ruído em função da frequência medida para o amplificador da Figura 8.78, com um capacitor de 1.000 pF na entrada. A linha tracejada mostra o valor de $e_n \omega C_{in}$ para $e_n = 2,9\,nV/\sqrt{Hz}$ (e_n típica especificada da folha de dados do AD743), e a linha pontilhada é $\sqrt{4kT/R_f}$, a corrente de ruído Johnson do resistor de realimentação de 10 M (segundo Kretinin & Chung, usado com permissão).

Então, o que pode ser feito? Uma boa abordagem é separar o desempenho do estágio de entrada do estágio de saída, para otimizar o ruído global e a capacidade de velocidade. Isso pode ser feito com um "amplificador composto", uma técnica poderosa vista, por exemplo, nas Figuras 5.47 e 13.48.

A Figura 8.78 mostra um exemplo,[92] um amplificador de transimpedância destinado a sinais de corrente de baixo nível sobrecarregado com uma capacitância relativamente alta de 1.000 pF. Aqui um estágio de entrada de baixo ruído AD743 foi acoplado com um estágio de saída AD811 de banda larga ×100, mantendo assim a e_n baixa enquanto amplia o f_T do amplificador composto por um fator de 100, para 450 MHz. Apesar do estágio de saída ter largura de banda considerável (é um amplificador de realimentação de corrente destinado a aplicações de vídeo), a largura de banda deficiente de 4,5 MHz do AD743 (com polos adicionais em torno dessa frequência e acima, como evidenciado pelo ganho de malha aberta da folha de dados e gráficos de fase) faz o amplificador composto apresentar um decaimento de -12 dB/oitava acima de 5 MHz, atingindo um deslocamento de fase de 180° em torno de 20 MHz. Isso parece perigoso, mas está bem, porque está bem acima da nossa frequência f_c e acima da interceptação do ganho de ruído achatado com o ganho de malha aberta (veja a Figura 8.73). Assim, a configuração é estável, e, na verdade, a largura de banda de segundo estágio é mais do que o necessário.

O desempenho é muito bom, com $i_n \approx 50\,fA/\sqrt{Hz}$ de 10 Hz a 2 kHz quando acionado com uma capacitância de entrada de 1.000 pF e com largura de banda para 100 kHz. Mas a tensão de ruído de entrada (2,9 nV/$\sqrt{Hz}$) em combinação com a capacitância de entrada grande provoca um rápido aumento da corrente de ruído $e_n C_{in}$, atingindo cerca de 2000 fA/$\sqrt{Hz}$ em 100 kHz (Figura 8.79). E o nível de ruído de baixa frequência é dominado pela corrente de ruído Johnson do resistor de realimentação R_f. Dado que o AD743 é o AOP JFET mais silencioso disponível, parece que atingimos o limite de desempenho de ruído em um amplificador de transimpedância acionado com uma fonte altamente capacitiva.

A. Amplificador de transimpedância composto híbrido

Poderíamos fazer melhor, no entanto, se pudéssemos encontrar uma maneira de reduzir a já baixa e_n (que contribui com o $e_n C_{in}$ crescente acima e próximo de 10 kHz), mantendo um produto ganho-largura de banda grande. A técnica que faz esse truque aqui é o uso de um estágio de entrada híbrido para explorar a e_n muito baixa de um par JFETs de grande área como IF3602 da InterFET ($e_n = 0,3\,nV/\sqrt{Hz}$, típico, em 100 Hz). Claro, JFETs de geometria grande têm bastante capacitância (a C_{iss} desse JFET é um gritante 300 pF), mas isso não é tão sério quando você tem uma fonte de sinal que já está sobrecarregada com 1.000 pF de capacitância. E vamos ficar com a topologia de amplificador composto, para obter a alta largura de banda de amplificador de malha aberta de que precisamos para atingir uma largura de banda do amplificador de transimpedância razoável com uma entrada altamente capacitiva.

A Figura 8.80 mostra tal projeto. O "AOP" é um amplificador composto de 3 estágios cujo Q_{lab} do estágio de entrada é um JFET diferencial de fonte comum com a carga de $Q_5 Q_6$ no dreno na forma de espelho de corrente, isolada com um cascode formado por $Q_3 Q_4$. O GBW global é de 10 GHz, como visto no diagrama de Bode da Figura 8.80B; esse AOP composto não é estável (!) quando usado como um amplificador de tensão (pelo menos para os ganhos de malha fechada <45 dB), mas quando configurado como um amplificador de transimpedância (Figura 8.80C)

---

[92] A. Kretinin e Y. Chung, "*Wide-band current preamplifier for conductance measurements with large input capacitance*" (Pré-amplificador de corrente de banda larga para as medições de condutância com grande capacitância de entrada," arXiv: 1204.2239v1 (2012).

Capítulo 8 Técnicas de baixo ruído **545**

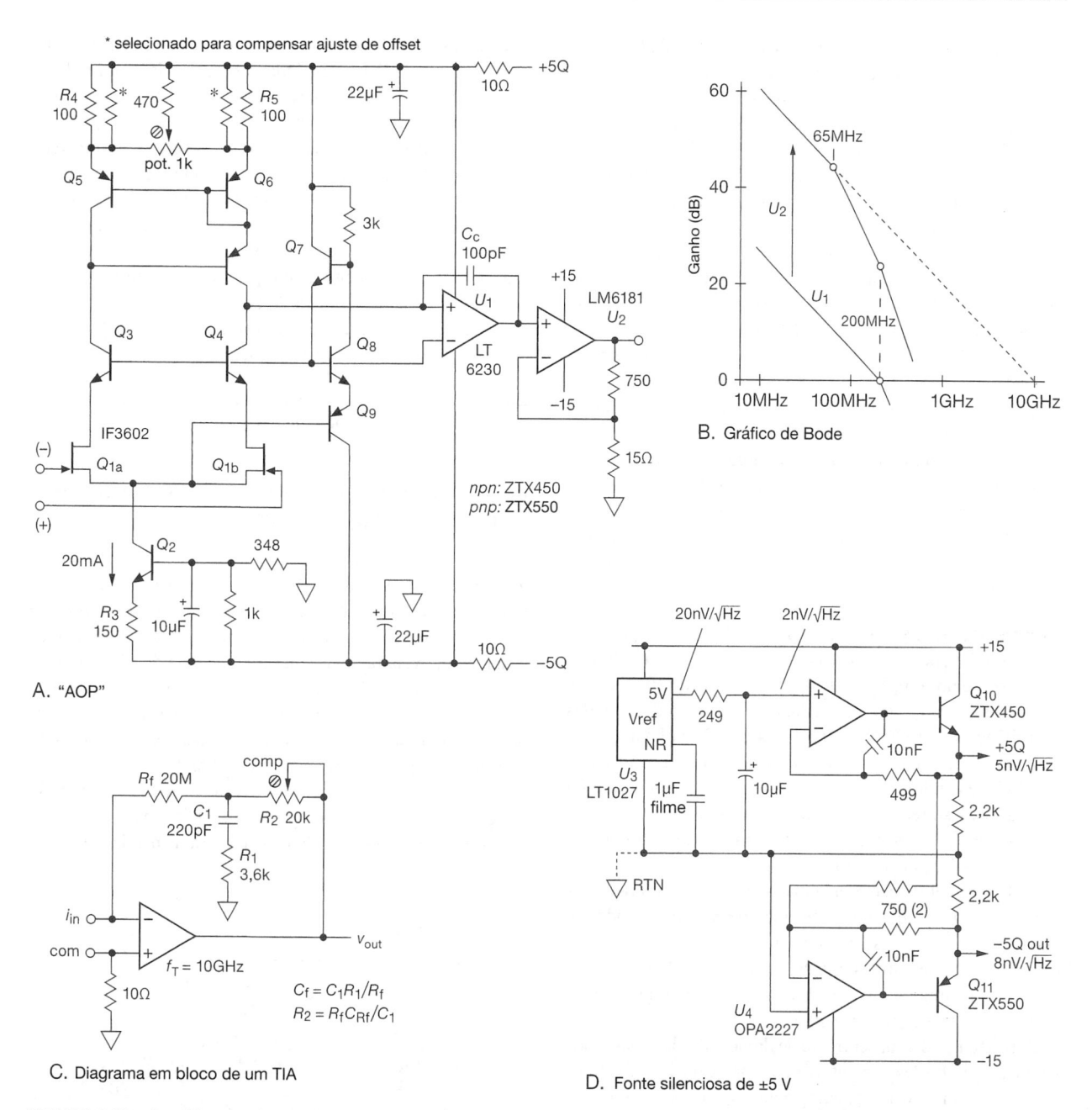

A. "AOP"

B. Gráfico de Bode

C. Diagrama em bloco de um TIA

D. Fonte silenciosa de ±5 V

FIGURA 8.80 Amplificador de transimpedância híbrido, otimizado para menor ruído com capacitâncias de entrada da ordem ~1.000 pF pelo uso de JFETs de grande área nos estágios de entrada com tensão de ruído extraordinariamente baixa ($e_n=0{,}35\,\text{nV}/\sqrt{\text{Hz}}$). O amplificador composto (A) aumenta o produto ganho-largura de banda de f_T para 10 GHz, (B), para manter uma largura de banda total do amplificador de transimpedância de ~250 kHz, apesar de R_f e C_{in} grandes (20 MΩ e 1000 pF). A configuração de transimpedância (C) define o ganho em 20V/μA, com uma C_f efetiva de 32 fF (criada pela rede de polo zero $C_1R_1R_2$, necessária para cancelar a autocapacitância excessiva de R_f (que chamaremos C_{Rf}). A referência de tensão de baixo ruído (D) é usada para criar trilhos de alimentação de ±5 V silenciosos.

com uma capacitância de compensação efetiva de 0,032 pF (definida por R_2 no circuito mostrado[93]) sobre o resistor de realimentação de definição de ganho de 20M, ele é estável.[94] O estágio de entrada tem uma densidade de tensão de ruído de $e_n \approx 0,6\,\mathrm{nV}/\sqrt{\mathrm{Hz}}$. O segundo AOP (LT6230) é um AOP de banda larga (200 MHz) e baixo ruído ($1,1\,\mathrm{nV}/\sqrt{\mathrm{Hz}}$), alimentado por uma fonte de alimentação de baixo nível de ruído de ± 5 V[95] (Figura 8.80D); com o estágio de entrada JFET, o GBW combinado desses dois estágios é $f_T = g_m/2\pi C_c$, ou cerca de 200 MHz com um C_c de 100 pF. O último estágio tem um ganho de 50 e um f_T de 65 MHz, ampliando o GBW do amplificador composto para 10 GHz.

Quando configurado como um amplificador de transimpedância (isto é, as Figuras 8.80A e C), esse circuito tem 5× menos tensão de ruído (portanto, 5× menos ruído $e_n C_{in}$) do que o amplificador de transimpedância composto da Figura 8.79. Também tem uma maior largura de banda, graças à sua f_T, ×20 maior, mesmo com o maior valor de resistor de realimentação (20 M, escolhido para reduzir a sua corrente de ruído Johnson, dada a mais silenciosa seção de entrada). Olhe mais à frente, na Figura 8.81, para ver essa comparação graficamente.

Alguns detalhes Medimos $e_n = 0,35\,\mathrm{nV}/\sqrt{\mathrm{Hz}}$ para um JFET IF3602 operando em 10 mA e $0,3\,\mathrm{nV}/\sqrt{\mathrm{Hz}}$ em 25 mA; aqui escolhemos uma corrente de dreno baixa, de 10 mA, para menor dissipação e ruído $1/f$ reduzido. Por causa das grandes capacitâncias do IF3602 (300 pF para C_{iss}, 200 pF para C_{rss}), ceifamos os drenos com um cascode, estabelecendo $V_{DS} = V_{BE}$ independentemente de V_{GS} e do nível de modo comum da entrada. Isso reduz ainda mais a dissipação de energia do JFET (a cerca de 6 mW cada) e previne excessiva corrente de porta de "ionização por impacto" (Seção 3.2.8).

O par IF3602 não está bem casado (V_{os} = 100 mV máx especificado), o que é especialmente problemático, tendo em vista sua elevada transcondutância (medimos g_m = 130 ms em 10 mA. Se tentarmos ajustar o *offset* desbalanceando os resistores de dreno (com um circuito como o da Figura 8.67), verificamos rapidamente a partir de $\Delta I_D/I_D = 0,5\,g_m V_{os}/I_D$ que precisamos de uma corrente de dreno 39% desbalanceada para cancelar o *offset* de entrada de pior caso. Então, viemos com o esquema mostrado, em que um espelho de corrente de Wilson de baixo ruído com realimentação do emissor e com resistores de ajuste fixos selecionados definem as correntes de dreno desbalanceadas necessárias. A contribuição da tensão de ruído do espelho de corrente com resistores de emissor de 100 Ω R_4 e R_5, quando referenciada aos terminais de entrada do JFET, é $e_n = \sqrt{4kT/R_4} \cdot 1/g_m$, ou $0,1\,\mathrm{nV}/\sqrt{\mathrm{Hz}}$, uma insignificante contribuição de 4% quando as amplitudes ao quadrado são combinadas. Por fim, um comentário sobre a absorção de corrente do par diferencial Q_2: normalmente, o ruído da corrente de absorção do par diferencial não é muito importante, porque um estágio diferencial razoavelmente bem balanceado cancela o ruído (por exemplo, de 30× para um balanço de 3%). Mas aqui estamos diante de um possível desequilíbrio grave de corrente para ajustar a tensão de *offset*, por isso utilizamos um regulador de tensão de baixo ruído ($<10\,\mathrm{nV}/\sqrt{\mathrm{Hz}}$), com mais um RC que silencia a absorção de corrente.

Exercício 8.3 Calcule as densidades de ruído das fontes de ± 5 V na Figura 8.80D. Qual é o seu ruído RMS?

B. Amplificadores de transimpedância compostos *versus* de estágio simples

Os gráficos de ganho de transimpedância e corrente de ruído de entrada na Figura 8.81 são uma boa maneira de ver a melhoria de desempenho que você obtém com um TIA composto na difícil situação de alta capacitância de entrada. O melhor desempenho vem da maior largura de banda do amplificador, f_T, e da capacidade de criar um estágio de entrada silencioso.

Comparando primeiro as configurações de estágio simples (ou seja, não composto) A e B, você vê a melhoria da largura de banda adquirida com o OPA637 mais rápido, com a compensação de maior ruído. Adicionando um segundo estágio (composto) à configuração mais silenciosa A, você recebe uma grande quantidade de largura de banda extra sem

---

[93] Alternativamente, você pode fazer R_f a partir de uma conexão em série de quatro ou cinco resistores (espaçados e distantes do terra) para reduzir as capacitâncias *shunt* individuais parasitas de $\sim 0,15$ pF.

[94] Com C_{in} = 1000 pF, $f_{RCin} \approx$ 8Hz e f_T = 10 GHz por isso $f_{GM} \approx$ 280 kHz; uma capacitância 0,032 pF efetiva em R_f produz f_c = 200 kHz.

[95] Onde começamos com uma referência LT1027, que usa um zener aterrado para um ruído $1/f$ baixo, silenciado ainda mais com um capacitor de desvio no pino de redução de ruído. A adição de um resistor aterrado na entrada inversora do AOP superior permite que você altere as tensões da fonte simétrica silenciosa, por exemplo, para ±6 V, ou como quiser.

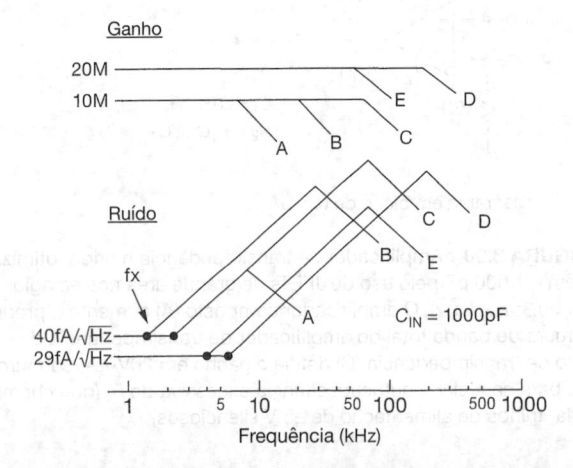

FIGURA 8.81 Comparação do desempenho de cinco amplificadores de transimpedância quando acionados com um sinal de corrente de capacitância 1.000 pF. A, AD743; B, OPA637; C, AD743 composto (Figura 8.78); D, IF3602 composto (Figura 8.80); E, OPA637 com BF862 de *bootstrap* (semelhante à Figura 8.82). O resistor de realimentação R_f é de 10 MΩ para os circuitos de A a C e de 20 MΩ para D e E.

aumento de ruído (configuração C, o circuito da Figura 8.78). O amplificador composto com um estágio de entrada discreto de ruído ainda mais baixo (configuração D, o circuito da Figura 8.80) tem ainda mais largura de banda e pode tolerar o maior R_f necessário para explorar plenamente a baixa e_n do amplificador. Por fim, se você tem o luxo de fazer *boostrap* na capacitância de entrada (ver, por exemplo, a Seção 8.11.9, Figura 8.82), o C_{in} muito reduzido permite reverter para a configuração de estágio simples do OPA637, sem um grande sacrifício no desempenho.

Esse exemplo ilustra mais uma vez uma lição que aprendemos ao longo de muitas décadas de projeto de amplificadores de baixo ruído, ou seja, que a complexidade do circuito aumenta rapidamente conforme melhorias são adicionadas para alcançar os limites de desempenho de circuito de baixo ruído.

8.11.9 Redução da Capacitância de Entrada: Amplificador de Transimpedância com *Bootstrap*

A capacitância de entrada não tem sido nossa amiga. As Figuras 8.73, 8.74 e 8.76 deixam bem claro: a capacitância de entrada é a raiz de todo o mal, tanto em termos de ruído quanto de largura de banda. Fotodiodos da grande área são atormentados com grandes capacitâncias (até 1.000 pF ou mais); e, se o detector estiver na extremidade de um de cabo blindado, você pode considerar um adicional de ∼30 pF/pé (∼1pF/cm) de cabo (esse valor não é arbitrário; veja o Anexo H).

Conforme sugerimos anteriormente, existem truques com os quais você pode reduzir consideravelmente a capacitância efetiva. A Figura 8.82 apresenta uma solução interessante[96], a saber, um acoplamento CA com *bootstrap* do retorno do dispositivo de entrada capacitivo (além de um cabo blindado, se for o caso). Nesse circuito, o seguidor JFET Q_1 aciona o lado inferior do fotodiodo com uma réplica de qualquer sinal na junção de soma; a alta transcondutância de Q_1 (∼25 mS) assegura um ganho próximo da unidade (impedância de saída ∼40 Ω), portanto uma redução da capacitância de entrada efetiva do fotodiodo (como visto na junção de soma) por pelo menos um fator de 10.

Mas agora temos que nos preocupar com o ruído introduzido por Q_1 e seus circuitos associados. Você pode pensar primeiro sobre a corrente de porta de Q_1 e também sobre a capacitância C_{iss} que ela adiciona à entrada. Para esse JFET específico, as coisas parecem muito boas: ele tem uma corrente de entrada de porta baixa (∼1 pA, desde que você mantenha V_{DS} < 5 V) e capacitância de realimentação baixa (∼2 pF). Mas o ruído do JFET é outra questão, porque a sua tensão de ruído e_n gera uma corrente de ruído e_nC em combinação com a capacitância do fotodiodo (e cabo)

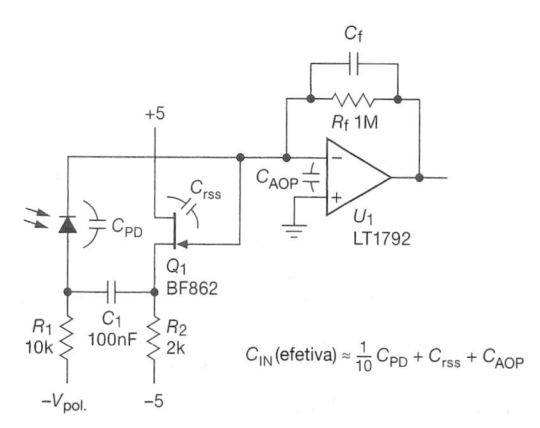

FIGURA 8.82 O seguidor Q_1 faz o *bootstrap* do fotodiodo nas frequências do sinal, reduzindo a sua capacitância efetiva por um fator de 10 ou mais. O BF862 é especialmente adequado para esta tarefa, com a sua baixa capacitância e ruído sub-nV/$\sqrt{Hz}$. Isso nos permite usar um AOP menos caro (com menos largura de banda e com e_n um pouco maior) para U_1. Muitas vezes, adicionamos um seguidor de emissor (não mostrado, para simplificar). Para encontrar a frequência de corte do ruído e_nC_{in}, use a Equação 8.45 na página 539, com o valor "reduzido" de C_{in}; veja o texto.

sem bootstrap. Isso está em contraste com a e_n do AOP, que agora vê uma capacitância muito menor, após o *bootstrap*; ambas as correntes de ruído devem passar em R_f, gerando ruído de saída.

Por essa razão, é essencial escolher um JFET com tensão de ruído muito baixa, idealmente muito menor do que o e_n do AOP. O BF862 é uma excelente escolha, com seu impressionante e_n∼0,9 nV/$\sqrt{Hz}$ baixo.[97] Mesmo assim, sua contribuição de ruído é maior do que a do AOP (este último se beneficia, naturalmente, da redução bem-sucedida do JFET da capacitância efetiva do fotodiodo), porque o LTC1792 é um AOP silencioso (4,2 nV/$\sqrt{Hz}$), para começar. Por exemplo, com um fotodiodo de 1.000 pF, o (4,2 nV/$\sqrt{Hz}$) do AOP atua sobre os ∼100 pF (reduzido), enquanto o 0,9 nV/$\sqrt{Hz}$ do JFET atua nos 1.000 pF totais do fotodiodo. Expressando isso de forma quantitativa, em 100 kHz, as contribuições da corrente de ruído são 0,26 pA/$\sqrt{Hz}$ e 0,57 pA/$\sqrt{Hz}$, respectivamente, para uma corrente de ruído combinada de 0,63 pA/$\sqrt{Hz}$. Apesar de o ruído do JFET dominar, ainda estamos fazendo um pouco melhor do que uma configuração sem *bootstrap*, com sua corrente de ruído de 2,6 pA/$\sqrt{Hz}$.

O circuito reproduzido aqui na Figura 8.83 tem um amplificador fotodiodo tolerante à capacitância de entrada que explora o *bootstrap*. Nesse projeto, usamos o excelente

---

[96] Veja a folha de dados do LTC6244 da Linear Technology e sua Nota de Projeto DN399 por Glen Brisebois.

[97] Barato também, cerca de 50 centavos de dólar em quantidade de 25. E, de acordo com Phil Hobbs, eles podem ser conectados em paralelo sem o controle de corrente de fonte (especialmente quando feito a partir do mesmo carretel), porque "eles vão do corte à I_{DSS} em cerca de 400 mV. JFETs que operam próximo de I_{DSS} têm um coeficiente de temperatura baixo também".

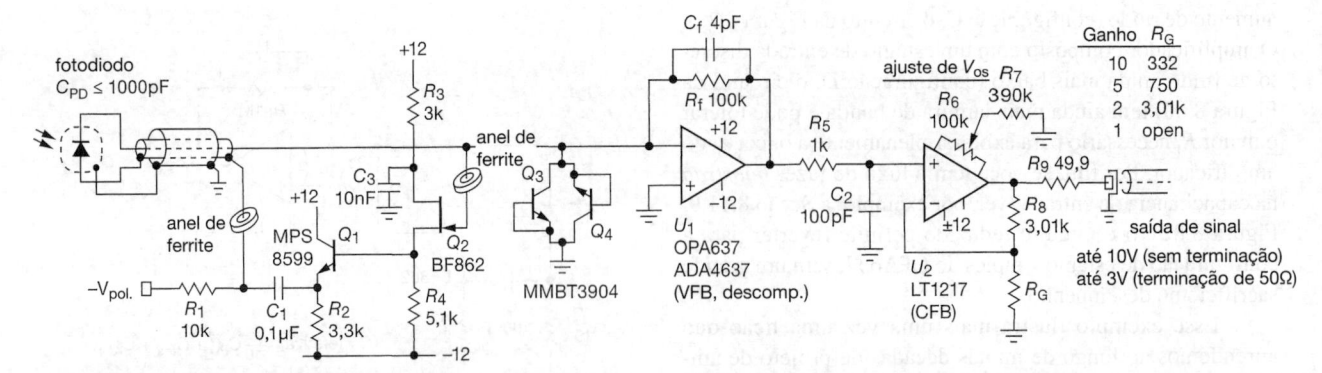

FIGURA 8.83 Um amplificador fotodiodo completo, apropriado para capacitâncias de entrada de até 1.000 pF. O *bootstrap* na entrada reduz enormemente a capacitância efetiva do fotodiodo e do cabo, para maior velocidade e ruído reduzido.

(e não barato) OPA637 (GBW = 80 MHz, e_n=4,5 nV/$\sqrt{\text{Hz}}$). Na Figura 8.84, plotamos o ruído e a largura de banda, sob a estimativa conservadora de uma redução de dez vezes sobre a capacitância de entrada. O *bootstrap* melhora a largura de banda, reduz o ruído e deixa o ganho de transimpedância inalterado.[98] Nada mau!

Exercício 8.4 Projete um TIA com um AOP OPA637 e um seguidor com *bootstrap*, JFET BF862, para sinais de entrada com C_{in} = 1 nF. Use R_f = 20 MΩ e considere que o BF862 tem uma tensão de ruído de 0,85 nV/$\sqrt{\text{Hz}}$ e um ganho de tensão (quando aciona o terminal de *bootstrap*) de G_V = 0,95. Avalie o ruído e o ganho de desempenho do seu circuito, o que não deve ser diferente da curva E na Figura 8.81.

8.11.10 Isolação da Capacitância de Entrada: Conectando um Cascode no Amplificador de Transimpedância

O *bootstrap* reduz a capacitância de entrada efetiva (tipicamente por uma ordem de magnitude), permitindo a redução de ruído e maior largura de banda a partir de um sensor de corrente de saída capacitivo, tal como um fotodiodo. Mas podemos fazer ainda melhor: é possível isolar a capacitância de entrada inteiramente, pela interposição de um estágio de base comum (cascode) entre o sinal de entrada e o amplificador de transimpedância.

Há alguns obstáculos ao longo do caminho, por isso vamos percorrê-lo em etapas. Aprendemos sobre isso de Philip Hobbs, cujos artigos[99] são uma boa leitura para aqueles interessados em seguir estas técnicas.

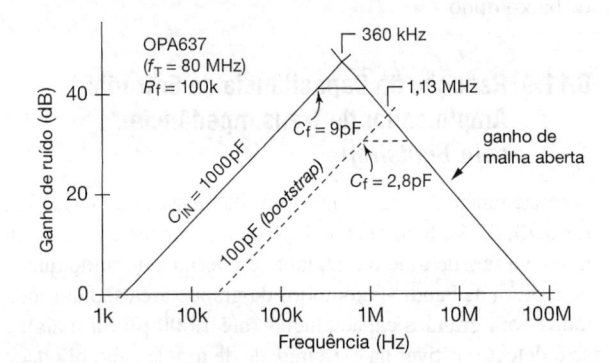

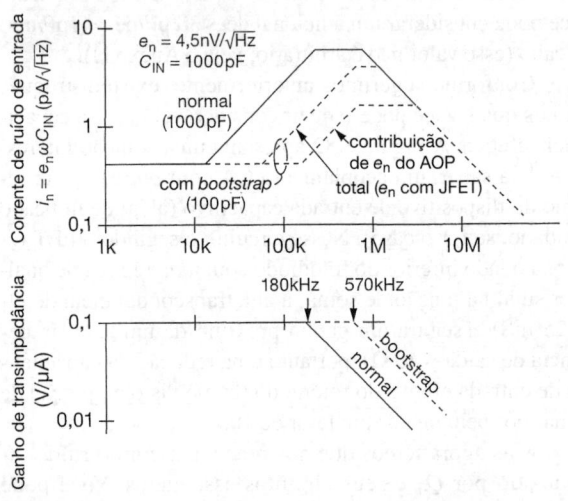

FIGURA 8.84 Ruído, largura de banda e ganho para o amplificador fotodiodo com *bootstrap*. A capacitância efetiva reduzida melhora tanto o ruído (via e_nC reduzido) como a largura de banda (via menor estabilização da capacitância de realimentação C_f).

A. Criação de um cascode para isolação de capacitância

Passo 1: cascode sem polarização

A Figura 8.86A mostra a ideia central, em que a fonte de sinal de absorção de corrente aciona o transistor *npn* Q_1 de

---

[98] Aqui, o LT1792 custa 4,85 dólares, *versus* 18 dólares para o OPA637 ou 12 dólares para o semelhante ADA4637, e o BF862 custa apenas 67 centavos de dólar. Muitas vezes, você pode fazer ainda melhor, com AOPs assistidos por *bootstrap* de desempenho adequado na casa de 2 dólares.

[99] Para um bom exercício de primeira leitura, experimente *"Photodide front ends – the REAL story"*. (Seções de entrada de fotodiodo – a história real); *Opt. Photon. News.* **12**, 42-45 (Abril 2001).

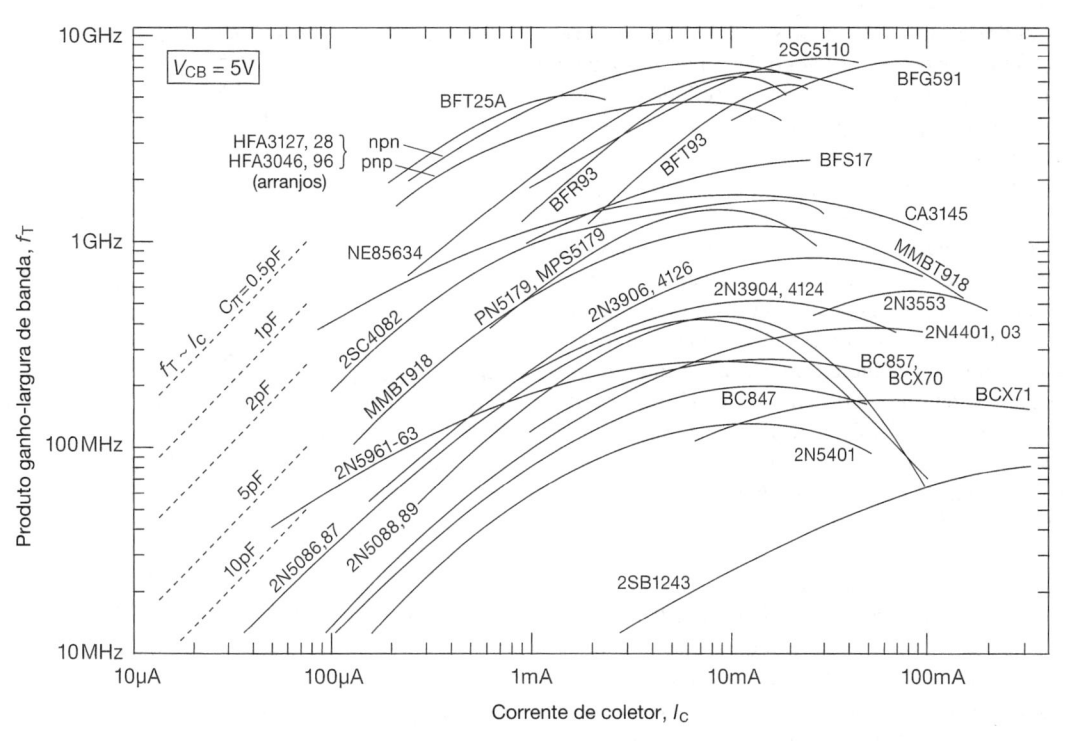

FIGURA 8.85 Produto ganho-largura de banda, f_T, em função da corrente de coletor para os transistores bipolares selecionados, como se mostra nas folhas de dados do fabricante. Alguns transistores de banda larga estão fora do topo.

base aterrada (este é, muitas vezes, chamado de "amplificador de base comum"). Considerando um beta de transistor razoável, a maior parte dessa corrente aparece no coletor – mas com apenas a pequena capacitância de saída de coletor de Q_1, tipicamente poucos picofarads.

Uma pequena falha aqui é que a entrada fica uma queda de diodo abaixo do terra. Mas há questões mais graves com que nos preocuparmos. Queremos um bom desempenho em correntes de sinal muito baixas, digamos frações de microampère. Nessas correntes, temos que nos preocupar com a queda do beta do transistor. Pior ainda, a impedância de entrada r_e vista no emissor aumenta inversamente à corrente de entrada; em 1 μA, é 25 kΩ (lembre-se de que $r_e = 25\ \Omega/I_C[\text{mA}]$). Assim, a corrente de sinal é desviada para o terra pela capacitância de entrada em uma frequência na qual a reatância de $C_{in} = 25$k ou menos, isto é, a entrada decai em $f_{3dB} = 1/2\pi r_e C_{in}$, assim, por exemplo, cerca de 6,4 kHz para um sinal de 1 μA com $C_{in} = 1000$ pF.[100]

FIGURA 8.86 Isolação da capacitância de entrada com um estágio de entrada de base comum (cascode). A. O transistor Q_1 passa a corrente do sinal para o amplificador de transimpedância, que vê apenas a pequena capacitância coletor-base, C_{cb} B. A adição de polarização CC reduz r_e, aumentando bastante a largura de banda.

Passo 2: cascode polarizado

Podemos reduzir r_e (e também preservar um beta razoável) polarizando Q_1, como mostrado na Figura 8.86B. Com fontes de ± 15 V, podemos escolher $R_C = R_E = 60$ kΩ para definir I_C na corrente quiescente de 250 μA; assim, $r_e = 100\ \Omega$. Isso aumenta o decaimento de $r_e C_{in}$ a um valor bastante respeitável de 1,6 MHz.

---

[100] Você também tem que se preocupar com a queda de f_T do transistor em baixas correntes: o beta reduzido desvia a corrente de emissor para a base em altas frequências. Na Figura 8.85, você pode ver que o 2N5089 tem uma f_T baixa (extrapolada) em torno de 2 MHz em 10 μA, a partir da qual você pode estimar que cerca de 10% da corrente de emissor é desviada em 200 kHz.

Mas agora criamos três novos problemas. Em primeiro lugar, essa corrente de coletor quiescente substancial significa que R_C tem de ser criticamente escolhido de modo que o ponto de operação de Q_1 (quando desconectado do terra virtual) seja no terra; caso contrário, o estágio de transimpedância (se configurado para alto ganho, digamos 1 V/μA, ou seja, $R_f = 1$ MΩ) terá um *offset* CC de saída grande. Em segundo lugar, nesse circuito, as correntes de ruído de R_C, R_E e R_f são todas combinadas na junção de soma; e os valores exigidos menores dos resistores R_C e R_E geram correntes de ruído Johnson correspondentemente maiores na entrada de transimpedância (lembre-se de que um resistor de valor R gera uma corrente de ruído Johnson de curto-circuito de $i_n = \sqrt{4kT/R}$). Em terceiro lugar, uma corrente de operação de Q_1 maior significa maior corrente de base e, portanto, maior ruído *shot* ($i_{n,\text{base}} = \sqrt{2qI_B}$), que é outra contribuição de corrente de ruído na entrada de transimpedância.[101]

Então, aqui está a situação até agora: com o circuito da Figura 8.86B, conseguimos melhor largura de banda com uma dada capacitância de entrada, em comparação com os modelos de transimpedância anteriores, mas à custa de (a) *offset*, (b) um nó de entrada que é uma queda de diodo abaixo do terra e (c) uma compensação de ruído-velocidade na escolha da corrente quiescente de Q_1.

Algo mais pode ser feito? Continue lendo...

Passo 3: cascode polarizado com *bootstrap*

Sim! Combine o truque de *bootstrap* de redução de capacitância com um cascode polarizado. A Figura 8.87 mostra como, desta vez como um projeto aprimorado mostrando as especificidades de valores e tipos de componentes.

Para trazer isso para o mundo real, escolhemos um fotodiodo UV de fosfeto de gálio que usamos no laboratório; sua capacitância medida a 5 V de polarização reversa é 460 pF (não é especificada na folha de dados). O terminal inferior do fotodiodo tem um *bootstrap* com o seguidor JFET Q_2 (como na Figura anterior 8.82), reduzindo a sua capacitância efetiva em dez vezes, para $\sim$50pF.

O próximo passo é escolher a corrente de operação para o transistor cascode Q_1, de tal forma que a sua r_e seja pequena o suficiente para que o decaimento de $r_e C_\text{in}$ de entrada[102] não comprometa a largura de banda f_c definida pelo estágio de transimpedância U_1. Calculamos f_GM (Equação 8.46), como de costume: a capacitância na entrada de U_1 é

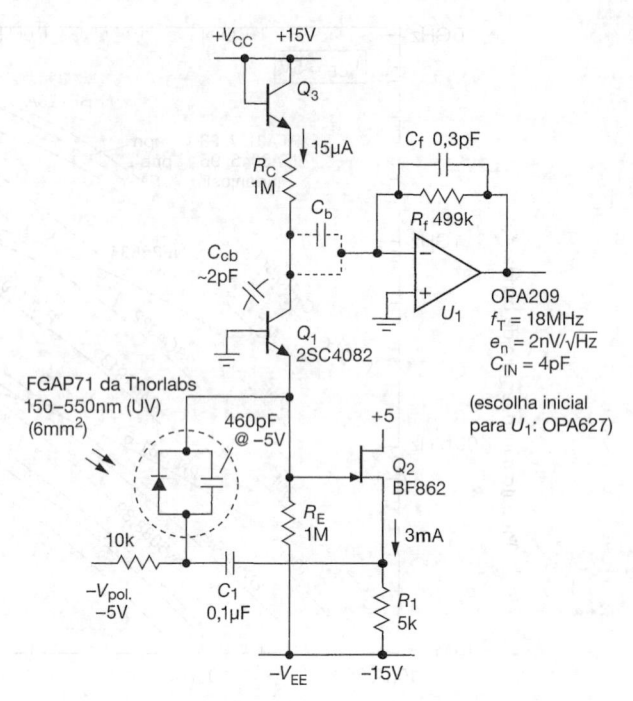

FIGURA 8.87 Amplificador de transimpedância com cascode e *bootstrap* para alcançar um desempenho de ruído baixo e banda larga (1 MHz) com um fotodiodo de capacitância bastante alta. O capacitor de bloqueio opcional C_b pode ser usado para eliminar *offset* CC em aplicações de acoplamento CA.

a soma da capacitância de coletor de Q_1 (2 pF), e a própria capacitância de entrada de U_1 (15 pF para a nossa escolha inicial de um OPA637, cujo baixo nível de ruído e a largura de banda ampla o tornam uma escolha favorita como estágio de entrada para os amplificadores fotodiodo); o total de 17 pF coloca em 18,7 kHz o f_RfCin de decaimento da entrada de U_1, dada a nossa escolha[103] de ganho de transimpedância (0,5 V/μA). O f_T de 80 MHz descompensado do OPA637 nos dá um $f_\text{GM} = \sqrt{f_\text{RfCin} f_T} = 1{,}22$ MHz; escolhemos um valor de capacitor de realimentação C_f para definir a largura de banda crítica f_c como 0,7 MHz (um $\zeta = 1{,}2$ conservador, para assegurar a estabilidade), na esperança de uma largura de banda de transimpedância f_b de 1 MHz. Isso é 0,46 pF, dos quais o resistor em si oferece $\sim$0,1 pF. Você pode usar um par de trilhas em uma PCB, um potenciômetro ajustável com $C_f = 0{,}5$ pF, ou um "truque" (algumas voltas de um par de fios isolados) para adicionar o 0,36 pF restante.

B. Iteração: escolha do melhor AOP

Algo está errado aqui: o OPA637 é um bom AOP (com um preço coerente!), mas utiliza JFETs da grande área

---

[101] Há um ponto sutil aqui: uma corrente como a I_E, que é gerada por uma queda de tensão em um condutor metálico, não exibe uma corrente de ruído *shot* (os portadores de carga não agem de forma independente; veja a Seção 8.1.2). Mas a corrente de base *tem* o ruído *shot* "total" dado pela fórmula. Essa corrente de ruído se manifesta no coletor, porque $I_C = I_E$(silenciosa) − I_B(ruidosa).

[102] Em correntes altas o suficiente, o f_T do transistor é dado por $f_T = 1/2\pi r_e C_\text{in}$.

[103] À qual chegamos por meio de um processo análogo de compensação velocidade-ruído, de cujos detalhes não pouparemos o leitor.

para atingir a sua admirável e_n baixa, resultando em uma capacitância de entrada elevada de 15 pF. Isso não é uma preocupação quando você tem, digamos, um sinal de entrada acompanhado por bastante capacitância (por exemplo, um fotodiodo e um pedaço de cabo blindado). Mas, aqui, ele se encontra em um nó de capacitância baixa (coletor de Q_1) em que domina o decaimento, forçando a exigência de uma f_T alta.

Refaçamos o cálculo, considerando que estamos usando um amplificador operacional com menor capacitância, por exemplo, $C_{in} = 4$ pF. Agora, $f_{RCin} = 53$ kHz, e, para uma f_b de 1 MHz com $\zeta = 1$ (então, $f_c = 0{,}7$ MHz), precisamos de um AOP com $f_T \geq 9$. Nosso esforço é recompensado, pois agora há muitas possibilidades. Podemos escolher o OPA209 a partir da Tabela 8.3, com sua f_T de 18 MHz e um baixo custo, 2,27 dólares.[104] Isso nos dá $f_{GM} = 0{,}98$ MHz, de modo que podemos definir $f_b = f_{GM} = 1$ MHz, e, com $\zeta = 1$ (amortecimento crítico), temos $f_c = 0{,}7$ MHz e $C_f = 3$ pF.

Sabendo que o estágio de transimpedância tem uma largura de banda utilizável de 1 MHz, definimos, então, a corrente quiescente do transistor cascode Q_1 em um valor alto o suficiente para que o decaimento de r_e, combinado com a capacitância efetiva do fotodiodo de 50 pF (com *bootstrap*), esteja em uma frequência um pouco mais elevada. Aqui, uma I_C de 15 μA nos dá r_e de 1,7 kΩ (a impedância vê o sinal no emissor) e, assim, uma frequência de decaimento de entrada de 1,9 MHz. O C_{in} reduzido produzido pelo *bootstrap* nos permite operar Q_1 nessa corrente baixa, com o benefício de que a corrente de ruído Johnson de contribuição dos resistores de emissor e coletor de 1 MΩ de Q_1 não é maior do que a de R_f. O ruído *shot* da corrente de base é igualmente reduzido; aqui, ele contribui com uma corrente de ruído referenciada à entrada de 0,1 pA/$\sqrt{\text{Hz}}$ (a ser comparada com o valor de 0,26 pA/$\sqrt{\text{Hz}}$ de contribuição combinada de R_C, R_E e R_f).

Alguns detalhes:[105]

(a) O seguidor *bootstrap* Q_2 deve acionar o terminal inferior do fotodiodo com uma impedância de saída muito mais baixa do que a impedância de entrada de Q_1 (isto é, r_e; aqui, 1,7 kΩ); isso é satisfeito aqui, com a alta transcondutância de Q_2 garantindo uma impedância de saída baixa, de $Z_o = 1/g_m \sim 40~\Omega$.[106]

(b) Escolhemos primeiro um 2N5089 para o transistor cascode Q_1, devido ao seu elevado beta em correntes baixas ($\beta = 400$ mín em $I_C = 100~\mu$A) e baixa capacitância de saída (2 pF), os quais promovem o baixo ruído. Mas, então, consultamos a Figura 8.85 e percebemos que ele tinha GBW muito pequeno: f_T é apenas 2 MHz em 15 μA. Assim, analisamos em seguida o MMBT918 (2N918), com uma saudável $f_T = 13$ MHz em 15 μA. Sua base roubaria cerca de f/f_T, cerca de 8% em f_C e, portanto, uma contribuição insignificante para o decaimento de 3 dB do circuito em 1 MHz. Mas o seu beta é pequeno, menos de 40 em 15 μA. Portanto, encontramos por fim o 2SC4082, mostrado na figura: ele tem $f_T = 20$ MHz em 10 μA, e uma curva de beta agradavelmente plana com $\beta = 90$ em 100 μA (e provavelmente não muito menor em 15 μA).

(c) Há uma contribuição de tensão de ruído adicional, sob a forma de tensão de ruído de entrada do transistor ($e_n = \sqrt{4kT[r_{bb'} + 0{,}5 r_e]}$) gerando uma corrente de ruído "$e_n C$" através da capacitância de entrada efetiva do fotodiodo. Esses parâmetros não parecem desfavoráveis para o 2SC4082.[107]

C. Um truque final: "cascode regulado" (RGC)

A Figura 8.88 mostra uma configuração de circuito que alcançou grande popularidade no mundo da fotônica, em que você lida com taxas de dados de *giga*bits por segundo. Os transistores Q_1 e Q_2 formam uma estreita malha de realimentação local, com a base do transistor cascode Q_1 "regulada" por Q_2. (Q_1 e Q_2 podem ser substituídos por transistores MOSFET, conforme indicado.) O cascode regulado apresenta melhoras sobre o cascode simples da Figura 8.86 de duas maneiras importantes. (a) A impedância de entrada do circuito (no emissor de Q_1) é reduzida pelo fator de ganho de tensão de Q_2, aumentando muito o $R_{in}C_{in}$ – largura de banda limitada; e (b) a tensão de ruído de entrada é definida por Q_2, em vez de Q_1, de modo que este último pode operar em baixas correntes desejáveis sem ser penalizado com o ruído habitual.

Para expandir isso um pouco, lembre-se de que a capacitância de entrada do amplificador de transimpedância mais simples (Figura 8.70) é tanto uma destruidora de largura de banda (via $R_f C_{in}$) quanto uma intensificadora de ruído (via $e_n C$). Nós lutamos com isso e com a questão de estabilidade

---

[104] O OPA209 pode até mesmo ser *bom demais* para o trabalho, com a sua e_n de 2,2 nV/$\sqrt{\text{Hz}}$. Exigimos apenas que a e_n do AOP seja significativamente menor do que a de Q_1 multiplicada pela relação da capacitância de entrada reduzida (*bootstrap*) pela capacitância no nó de entrada do AOP (que aqui funciona a 7,5 nV/$\sqrt{\text{Hz}}$), e também que seja significativamente menor do que a e_n de Q_2 multiplicada pela relação entre a capacitância de entrada total e a capacitância no nó de entrada do AOP (que normalmente funciona para um valor ainda maior do que a e_n máxima). Em outras palavras, poderíamos ter escolhido um AOP que não se destina a aplicações de baixo ruído.

[105] Para uma ótima leitura, veja o livro *Building Electro-Optical Systems, Making It All Work*, de Phil Hobbs, 2ª ed, Wiley (2009); uma bela coleção de truques para projetar amplificadores fotodiodo cascode, incluindo indutores de pico em série e bobinas T para estender a largura de banda, canceladores de ruído e muito mais.

[106] Costumamos adicionar um seguidor de emissor operando em alguns miliampères para estabilizar ainda mais o sinal de guarda, especialmente se ele pode estar acionando a blindagem externa de uma linha coaxial suscetível à captação de estações de rádio AM, etc.

[107] O 2SC4082 tem $r_{bb'} C_c = 6$ ps, que (com $C_{ob} = 0{,}9$ pF) implica uma $r_{bb'}$ menor que 10 Ω.

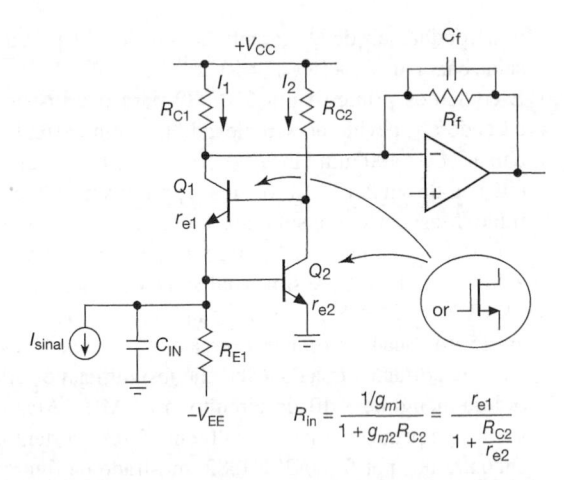

FIGURA 8.88 Um estágio de entrada "cascode regulado" para o amplificador de transimpedância U_1 permite ao cascode Q_1, que isola a capacitância, operar em baixa corrente sem a penalidade de uma e_n correspondente. Ele também reduz a impedância vista na entrada capacitiva (por um fator de G_{V2}) para uma largura de banda aumentada.

$$R_{in} = \frac{1/g_{m1}}{1 + g_{m2}R_{C2}} = \frac{r_{e1}}{1 + \frac{R_{C2}}{r_{e2}}}$$

que ela apresenta, em primeiro lugar, adicionando a compensação de realimentação suficiente para garantir a estabilidade e, em seguida, ampliando a velocidade do AOP para recuperar um pouco da largura de banda. Em seguida, manipulamos as configurações de circuito para abordar diretamente o problema da capacitância de entrada: primeiro, fizemos o *bootstrap* do terminal inferior do fotodetector para *reduzir* a capacitância de entrada efetiva; em seguida, adicionamos um estágio de entrada cascode para *isolar* a capacitância de entrada, mas que elevou a impedância de entrada do circuito (sacrificando a largura de banda); portanto, polarizamos o cascode para reduzir R_{in}; e, por fim, fizemos o *bootstrap* do cascode polarizado.

Tudo bem o suficiente. Mas o resultado foi um estágio de entrada que tinha que operar com uma corrente de coletor significativa gerando um *offset* CC difícil de domar que limita seriamente a quantidade de ganho no estágio de transimpedância. Essa não é uma situação boa, especialmente se você deseja detectar pequenas correntes de entrada.

O cascode regulado aborda distintamente esses problemas, permitindo que o estágio cascode (Q_1) opere em baixa corrente (de modo que o circuito funcione bem com correntes de pequenos sinais), enquanto se contornam as desvantagens de largura de banda e de ruído (através da redução de R_{in}, e permitindo que Q_2 substitua a tensão de ruído de Q_1). Para minimizar a *corrente* de ruído de entrada, você deve operar Q_1 em baixa corrente de coletor, mas certifique-se de não reduzir a largura de banda excessivamente.[108] A variação

---

[108] A preocupação, é claro, é que Q_1 terá uma f_T ruim em baixa corrente de coletor. Mas esses projetistas sabem como fazer transistores de micro-ondas impressionantemente bons em seus CIs.

dessa configuração, de forma integrada, é utilizada na maior parte dos receptores de fibra óptica atuais.[109]

8.11.11 Amplificadores de Transimpedância com Realimentação Capacitiva

Existe uma maneira de eliminar completamente a contribuição do ruído Johnson do resistor de realimentação de definição de ganho R_f, ou seja, eliminar a própria resistência. A realimentação é, então, fornecida pelo próprio capacitor C_f, formando um integrador. O sinal de saída deve ser diferenciado para recuperar uma saída proporcional à corrente do sinal de entrada; e, claro, tanto o integrador quanto o diferenciador devem ser resetados (interrupção de seu funcionamento) com frequência suficiente para evitar a saturação. Para preservar o baixo nível de ruído do estágio de entrada, a tensão de ruído do AOP diferenciador deve ser significativamente menor do que a do AOP de entrada (integração).

Embora a realimentação de capacitância possa parecer uma abordagem incomum, na verdade, para TIAs comuns que operam em frequências modestamente altas com altos valores de resistores de realimentação (digamos 100 MΩ e acima), a autocapacitância do resistor conceitualmente converte o amplificador em um integrador, com o resistor desempenhando algo semelhante ao papel de reset. Uma vez que se começa a pensar por essa linha, a ideia de aumentar deliberadamente a capacitância de realimentação para ~1 pF já não é tão assustadora.

Essa técnica é frequentemente usada em amplificadores de "*patch-clamp*"[110] e outros detectores de corrente de baixo nível, por exemplo, detectores de raios x de germânio ou de silício refrigerado (chamados IGX e Si(Li), respectivamente), em que o integrador é resetado por um pulso óptico de um LED (evitando, assim, os efeitos de fuga em chaves).

Uma aplicação mais comum de tal amplificador de transimpedância de integração é a leitura de um detector de imagem, em que a quantidade de interesse é a carga total entregue durante a breve leitura em vez de sua forma de onda de corrente *versus* tempo. Para essa aplicação, você precisa saber apenas a *variação* na tensão de saída do integrador causada pela entrega de carga. Essa técnica é conhecida como

---

[109] Veja, por exemplo, E. Säckinger e W. Guggenbühl. "*A high-swing, high-impedance MOS cascode circuit*" (Um circuito cascode MOS de alta amplitude de variação e alta impedância), *IEEE J. Solid-State Circuits* **25**, 1 (1990); S. M. Park, "*1.25-Gb/s regulated cascode CMOS transimpedance amplifier for gigabit ethernet application*" (Amplificador de transimpedância CMOS cascode regulado de 1,25 Gb/s para aplicações Gigabit Ethernet), *IEEE J. Solid-State Circuits* **39**,1 (2004); ou Z. Lu et al.,"Broad-band design techniques for transimpedance amplifiers" (Técnicas de projeto de banda larga para amplificadores de transimpedância), *IEEE Trans. Circuits Sys.* **54**, 3 (2007).

[110] Por exemplo, afirma-se que o amplificador de *patch-clamp* 200B da Axon alcança uma corrente de ruído de entrada aberta de apenas $0,2\,\text{fA}/\sqrt{\text{Hz}}$ em 150 Hz quando operado em modo de realimentação por capacitância e arrefecido termoeletricamente; isso é equivalente ao ruído *shot* de 0,1 pA de corrente de fuga.

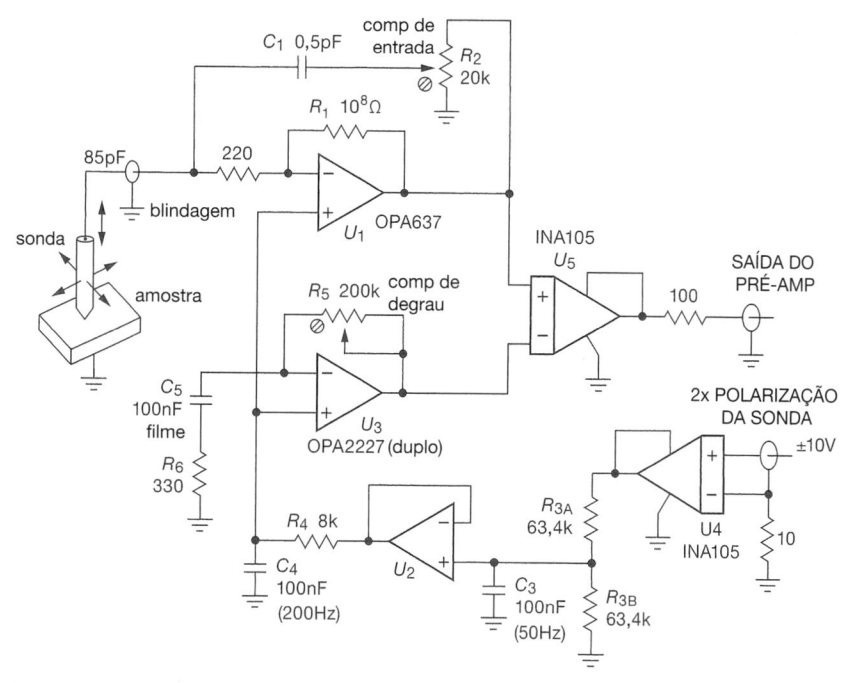

FIGURA 8.89 Um pré-amplificador de transimpedância de baixo ruído para um microscópio de tunelamento por varredura (STM), em que os sinais de corrente da sonda estão na faixa de nanoampère. A tensão sonda-amostra é definida pela entrada de "polarização da sonda"; a resposta de frequência vai até $\sim$10 kHz, e o ganho é de 0,1 V/nA. O trimpot R_2 ajusta a capacitância de realimentação efetiva para compensar os 100 pF (ou mais) de capacitância vistos na linha de entrada blindada emergente da câmara de vácuo criogênico.

"dupla amostragem correlacionada" e remonta à década de 1950; veja a nota de rodapé 128.

8.11.12 Pré-Amplificador de Microscópio de Tunelamento com Varredura

A microscopia de tunelamento com varredura (*scanning tunneling microscopy*, STM), que resulta do trabalho de Binnig e Rohrer e data do início da década de 1980,[111] permite fazer uma imagem da topografia da superfície (e outras propriedades) de uma amostra no nível atômico. A Figura 8.89 mostra uma sonda metálica afiada pairando acima de uma amostra em uma câmara de vácuo, conectada a um pré-amplificador de medição de corrente. Quando a sonda fica perto da superfície ($\sim$1 nm, cerca de dez vezes o diâmetro do átomo) e está polarizada em $\sim$1 V, uma corrente de ordem 1 nA flui por meio de um "tunelamento" quântico através de uma barreira de potencial. A corrente é muito sensível ao espaçamento sonda-amostra, variando de forma exponencial, de forma que a corrente aumenta tipicamente por uma ordem de grandeza quando o espaçamento é reduzido em 0,1 nm.[112]

Para formar uma imagem topográfica, a sonda é mantida a uma tensão fixa enquanto escaneia a amostra, com o seu espaçamento controlado por um atuador piezoeléctrico tal que a corrente da sonda medida é mantida constante. A tensão da unidade piezoeléctrica é, então, uma medida da variação da altura da superfície, com uma resolução vertical melhor do que um diâmetro atômico. Se a ponta da sonda for suficientemente pequena (não mais do que alguns átomos de largura), a resolução horizontal é de igual modo de escala atômica. A Figura 8.90 mostra um exemplo de uma imagem STM de uma superfície de silício.

O pré-amplificador do STM é um amplificador de transimpedância, geralmente montado em um flange na câmara de vácuo, em que recebe o sinal de corrente de túnel da sonda através de um comprimento de linha blindada. Isso aumenta a capacitância de entrada, tipicamente, na faixa de 50 a 200 pF. Como o pré-amplificador está dentro da malha do servo de espaçamento da sonda, ele precisa de muita largura de banda, digamos 20 kHz, para permitir a digitalização rápida, exigindo, portanto, uma cuidadosa compensação de malha. O pré-amplificador também precisa aplicar a tensão de polarização da sonda.

Na Figura 8.89, o estágio de transimpedância U_1 é um OPA637, um AOP JFET de 80 MHz (descompensado) com capacitância de entrada de 16 pF e tensão de ruído de entrada de 4,5 nV/$\sqrt{\text{Hz}}$ (consulte a Tabela 8.2). Isso é bastante capacitância de entrada, mas aqui é insignificante em comparação

---
[111] Veja, por exemplo, seu artigo "*Scanning tunneling microscopy*" (Microscópio de tunelamento com varredura), *Helvetica Physica Acta* **55**, 726-735 (1982).

[112] Veja, por exemplo, J. A. Golovchenko, "*The tunneling microscope: a new look at the atomic world*" (O microscópio de tunelamento: um novo olhar sobre o mundo atômico), *Science* **232**, 48-53 (1986).

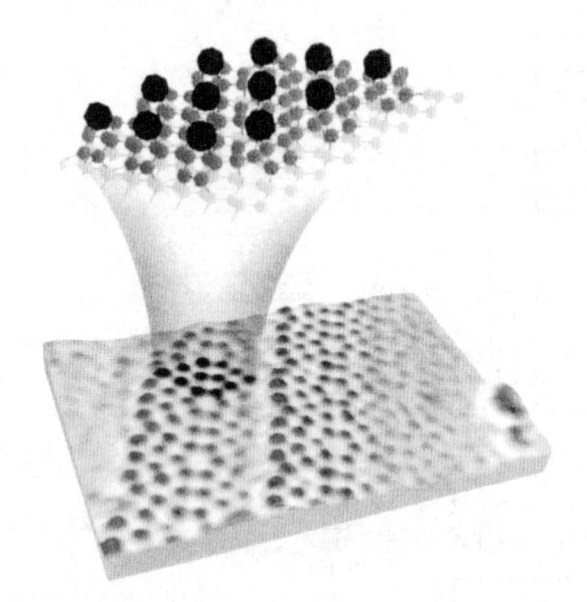

FIGURA 8.90 Estrutura de uma região quadrada de 10 × 10 nm de uma superfície de cristal de silício, fotografada em nível atômico por um STM. O modelo gráfico (expandido acima) elucida a estrutura da superfície observada (conhecida como *reconstrução*, porque os átomos da superfície adotam um arranjo diferente em comparação com o corpo do material; aqui, vários planos atômicos são vistos, em uma reconstrução característica "7×7"). Esta primeira imagem de um passo atômico é uma adaptação da ilustração da capa que acompanha o artigo referenciado na nota de rodapé 112. (Cortesia J. Golovchenko)

com a capacitância do cabo, e, em troca, temos um amplificador de banda larga silencioso, com baixa corrente de entrada. A polarização da sonda é definida pela tensão CC na entrada não inversora de U_1; a saída do AOP é compensada pela tensão de polarização, que removemos com o amplificador de diferença U_5 (ver Seção 5.14 e Tabela 5.7).[113]

Exercício 8.5 Calcule a largura de banda do pré-amplificador para $C_1 = 0,1$ pF com $C_{in} = 100$ pF e também a capacitância de entrada máxima permitida. Mostre os seus critérios de estabilidade. Faça um gráfico da densidade espectral da corrente de ruído de entrada efetiva total, com curvas para vários valores de C_{in}, incluindo o valor máximo (não se esqueça do ruído Johnson de R_1). Calcule as frequências de corte correspondentes f_X.

---

[113] Um amplificador de diferença de ganho maior pode ser utilizado para U_5 (por exemplo, um INA106 com $G = 10$), ao passo que as correntes de tunelamento não são mais do que alguns nanoampères. Pré-amplificadores de STMs são frequentemente operados em níveis de corrente muito baixos, com $R_1 = 10^9$ Ω. As conexões de nó na junção de soma (ambos os lados do resistor de 220 Ω, juntamente com entrada inversora do AOP) são, muitas vezes, colocadas em espaçadores de Teflon para evitar correntes de fuga de PCB.

Esse exercício demonstra que o ruído $E_n c_{in}$ é uma limitação séria de velocidade e desempenho geral. Note que não é apenas a e_n do AOP que importa aqui – ela é combinada com o ruído na tensão de polarização aplicada à entrada não inversora de U_1. Para manter a tensão de polarização silenciosa, usamos um amplificador de diferença U_4 para isolar o ruído do percurso do terra em seu DAC controlado por computador e adicionamos um par de filtros passa-baixas RC no percurso de polarização através de U_2; o filtro na saída de U_2 é necessário, porque, de outra forma, o ruído de tensão de U_2 faria uma contribuição significativa para o de U_1, como o próximo exercício demonstra. O AOP U_3 isola a tensão de polarização da impedância de entrada de 25k de U_5.

Exercício 8.6 Calcule e desenhe um gráfico do ruído espectral permitido para U_2 e para o sinal do DAC de tensão de polarização do computador (entrada para U_4), considerando que a tensão de ruído da polarização definitiva aplicada na entrada não inversora de U_1 não é mais do que 30% da contribuição do próprio U_1.

Se o escaneamento da sonda do STM for momentaneamente interrompido, a tensão de polarização pode ser alterada para uma rampa ou uma série de degraus, criando uma varredura I–V que pode ser usada para determinar informações adicionais sobre o átomo imediatamente sob a sonda. Uma abordagem é parar várias vezes e fazer varreduras I-V. Desta forma, o STM pode proporcionar não só um mapa de elevação da superfície, mas também um mapa da composição elementar. Mas a alteração da tensão de polarização da sonda faz um pulso de corrente $i = C_{in}\, dV/dt$ que é visto e amplificado pelo TIA AOP U_1. Uma boa maneira de lidar com esse efeito é adicionar R_5 e C_5 tal que $R_5 C_5 = R_1 C_{in}$. Isso cria um pulso de cancelamento na entrada inversora de U_5, permitindo uma corrente de tunelamento precisa a ser medida antes que a tensão seja completamente estabilizada. Isso acelera grandemente a varredura I–V completa.

Este tipo de circuito é útil em outras aplicações de entrada de corrente, como amplificadores de *patch-clamp* em neurofisiologia. É basicamente uma forma de unidade de alimentação e medição (*source-mensure unit*, SMU), um dispositivo portátil que usamos para fazer as medições de transcondutância de JFET e os gráficos de beta de BJT na Figura 8.39.

8.11.13 Dispositivo de Teste para Compensação e Calibração

Para ajustar a compensação de entrada (R_2 nas Figuras 8.80 e 8.89), você gostaria de uma fonte limpa de ondas quadradas com escala de nanoampère que forneça uma corrente calibrada no conector de entrada; com o cabo de entrada no lugar, você ajustaria, então, R_2 para uma melhor resposta ao degrau.

Você pode se imaginar construindo uma onda quadrada de 1 V em série com um resistor de 1 GΩ. O problema é que a capacitância *shunt* parasita do resistor de ~0,1 pF provoca picos de corrente de entrada em cada transição da onda quadrada; leva apenas 0,01 V/μs de variação de entrada para produzir um pulso de corrente de 1 nA.

A Figura 8.91 mostra duas soluções para esse problema. No circuito A, uma malha RC em série ajustável na entrada (passa-baixas, ou "pole") compensa a capacitância parasita, C_p, do resistor R_2 (passa-altas, ou "zero"). Para esse modelo simples de capacitância parasita, o cancelamento requer $R_1C_1 = R_2C_p$. O conector de entrada isolado opcional suprime os picos de corrente no percurso do terra entre o gerador de sinal e o pré-amplificador para o osciloscópio. O circuito B tem uma abordagem diferente, utilizando um pequeno capacitor em série (na junção de soma na saída) como um diferenciador; $i = C_2 dV_{in}/dt$ prevê uma onda quadrada de saída de ±1 nA para uma onda triangular de entrada de 0,5 Vpp em 1 kHz. Esse circuito é o mais simples, mas o seu desempenho depende sensivelmente da qualidade da onda triangular nos seus pontos de mudança; obtivemos bons resultados com os geradores de funções sintetizadas 33120A da Agilent (e modelos posteriores). Seus benefícios podem variar.

8.11.14 Uma Observação Final

Lembramos ao leitor que nos referimos livremente a amplificadores de transimpedância como "amplificadores fotodiodo"; isso é, naturalmente, apenas uma aplicação (embora uma das mais importantes) entre muitas outras.

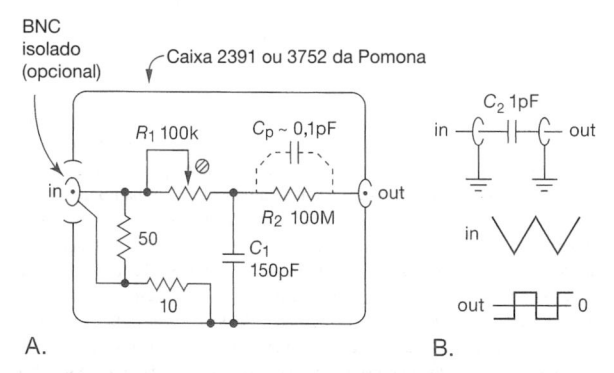

FIGURA 8.91 Dispositivo de teste para a produção de uma entrada de onda quadrada de nanoampère para compensar e calibrar um amplificador de transimpedância. A. R_1C_1 ajustável (um "pole") cancela o pico causado pela capacitância *shunt* de R_2 (um "zero"), de modo que uma onda quadrada de 0,1 V cria uma onda quadrada "limpa" de saída de 1 nA de corrente em uma junção de soma. B. Diferenciador capacitivo converte uma onda de tensão triangular de 500 mV (pico a pico) em 1 kHz em uma onda quadrada de corrente de ±1 nA na junção de soma de saída.

Nossa abordagem neste capítulo está preocupada principalmente com o ruído em amplificadores de transimpedância, considerando a familiaridade com os conceitos básicos.

8.12 MEDIÇÕES DE RUÍDO E FONTES DE RUÍDO

É um processo relativamente simples determinar a tensão e a corrente de ruído equivalentes de um amplificador e, a partir delas, a figura de ruído e a relação sinal-ruído para qualquer fonte de sinal dada. Isso é tudo que você precisa saber sobre o desempenho de ruído de um amplificador. Basicamente, o processo consiste em colocar os sinais de ruído conhecidos na entrada e, em seguida, medir as amplitudes do sinal de saída em função do ruído dentro de uma determinada largura de banda. Em alguns casos (por exemplo, um dispositivo de impedância de entrada casado, tal como um amplificador de radiofrequência), um oscilador de amplitude com precisão conhecida e controlada é substituído como fonte de sinal de entrada.

Mais tarde, discutiremos as técnicas que você precisa usar para fazer a medição da tensão de saída e largura de banda limitante. Por enquanto, vamos supor que você possa fazer medições RMS do sinal de saída com uma largura de banda de medição de sua escolha.

8.12.1 Medição Sem uma Fonte de Ruído

Para um estágio de amplificador feito a partir de um FET ou transistor e destinado a uso em frequências baixas a moderadas, é provável que a impedância de entrada seja muito elevada. Você quer saber e_n e i_n de modo que você possa prever a SNR com uma fonte de sinal ou impedância de fonte e nível de sinal arbitrários, como discutimos anteriormente. O procedimento é simples.

Em primeiro lugar, determine o ganho de tensão G_V do amplificador por medição real com um sinal na faixa de frequências de interesse. A amplitude deverá ser grande o suficiente para se sobrepor ao ruído do amplificador, mas não tão grande a ponto de causar a saturação do amplificador.

Em segundo lugar, coloque em curto a entrada e meça a tensão de ruído de saída RMS, e_s. A partir disso, você obtém a tensão de ruído de entrada por raiz de hertz de

$$e_n = \frac{e_s}{G_V B^{\frac{1}{2}}} \quad \text{V/Hz}^{\frac{1}{2}} \qquad (8.47)$$

em que B é a largura de banda de medição (veja a Seção 8.13).

Em terceiro lugar, coloque um resistor R na entrada e meça a nova tensão de ruído de saída RMS, e_r. O valor do resistor deve ser grande o suficiente para adicionar quantidades significativas de corrente de ruído, mas não tão grande a ponto de a impedância de entrada do amplificador começar a dominar. (Se não for possível, você pode deixar a entrada aberta e usar impedância de entrada do amplificador como R.) A saída medida é apenas

$$e_r^2 = [e_n^2 + 4kTR + (i_n R)^2]BG_V^2, \qquad (8.48)$$

a partir da qual você pode determinar i_n como

$$i_n = \frac{1}{R}\left[\frac{e_r^2}{BG_V^2} - (e_n^2 + 4kTR)\right]^{\frac{1}{2}}. \qquad (8.49)$$

Com alguma sorte, apenas o primeiro termo na raiz quadrada importa (ou seja, se a corrente de ruído domina tanto a tensão de ruído do amplificador quanto o ruído Johnson do resistor da fonte).

Agora você pode determinar o SNR para um sinal V_s da impedância da fonte R_s, ou seja,

$$\begin{aligned}\text{SNR(dB)} &= 10\log_{10}\left(\frac{V_s^2}{v_n^2}\right) \\ &= 10\log_{10}\left[\frac{V_s^2}{[e_n^2 + (i_n R_s)^2 + 4kTR_s]B}\right], \quad (8.50)\end{aligned}$$

em que o numerador é a tensão do sinal (presume-se que se encontra dentro da largura de banda B) e os termos no denominador são a tensão de ruído do amplificador, a corrente de ruído do amplificador aplicada em R_s e o ruído Johnson em R_s. Note que o aumento da largura de banda do amplificador além do que é necessário para passar o sinal V_S só diminui o SNR final. No entanto, se V_S for de banda larga (por exemplo, o próprio sinal de ruído), o SNR final é independente da largura de banda do amplificador. Em muitos casos, o ruído será dominado por um dos termos da equação anterior.

8.12.2 Um Exemplo: Circuito de Teste de Ruído de Transistor

Para os dados de ruído medidos na Tabela 8.1a, foi utilizado o circuito na Figura 8.92. É basicamente uma elaboração do amplificador de emissor aterrado de terminação simples da Figura 8.42, com possibilidade de calibração de ganho, soquetes e pontos de teste para a substituição do componente. A configuração de terminação simples requer um grande capacitor de bloqueio de entrada. O seguidor Q_2 polariza o dispositivo sob teste (DUT) para o ponto de tensão quiescente nominal por meio de R_8, com a escolha de R_C definindo a corrente quiescente. O resistor opcional R_B permite a medição de ambos β e i_n. As constantes de tempo RC anormalmente longas (multiplicador de capacitância, redes de bloqueio de entrada e saída) são necessárias para suprimir o excesso de ruído de baixa frequência; o circuito leva vários segundos para estabilizar.

Este circuito pode ser melhorado em várias formas (mas não foi, devido à exaustão do operador).[114]

8.12.3 Medição com uma Fonte de Ruído

A técnica anterior de medir o desempenho acústico de um amplificador tem a vantagem de que você não precisa de uma fonte de ruído precisa e ajustável, mas requer um voltímetro e filtro precisos, e considera-se que você sabe o ganho em função da frequência do amplificador, com a resistência de fonte real aplicada. Um método alternativo de medição de ruído envolve a aplicação de sinais de ruído de banda larga de amplitude conhecida à entrada do amplificador e observando o aumento relativo de tensão de ruído de saída. Embora essa técnica requeira uma fonte de ruído calibrado com precisão, ela não faz hipóteses sobre as propriedades do amplificador, uma vez que mede as propriedades de ruído bem no ponto de interesse, na entrada.

Mais uma vez, é relativamente simples fazer as medições necessárias. Você conecta o gerador de ruído à entrada do amplificador, certificando-se de que a sua impedância de fonte R_g é igual à impedância da fonte do sinal que, em última análise, você pretende usar com o amplificador. Você nota primeiro a tensão de ruído RMS de saída do amplificador, com a fonte de ruído atenuada para um sinal de saída zero. Então, você aumenta a amplitude RMS da fonte de ruído V_g até a saída do amplificador subir 3 dB (um fator de 1,414 em tensão de saída RMS). A tensão de ruído de entrada do amplificador na largura de banda de medição, para essa impedância de fonte, é igual a esse valor de sinal acrescentado. Por conseguinte, o amplificador tem uma figura de ruído de

$$\text{NF(dB)} = 10\log_{10}\left(\frac{V_g^2}{4kTR_g}\right). \qquad (8.51)$$

---

[114] Alguns detalhes, para os curiosos: o circuitos define tanto I_C quanto V_{CE} para o DUT por meio de uma malha de realimentação coletor-base. O filtro passa-baixas R_5C_3 atenua a realimentação negativa que faria o ganho de emissor comum do transistor demasiadamente menor. O trabalho do capacitor C_2 de grande valor é aterrar a base em todas as frequências do sinal (até 4 Hz para nossas medições) para que possamos medir $r_{bb'}$ (a partir do seu ruído Johnson), e também a tensão de ruído produzida em $r_{bb'}$ pela cauda de $1/f$ de baixa frequência do ruído da corrente de base. Mas o capacitor C_2, em combinação com o potenciômetro R_8 de definição de polarização, adiciona um segundo deslocamento de fase em atraso (um segundo polo) dentro da malha de realimentação, criando uma instabilidade de polarização de baixa frequência; confusamente, isso imita o ruído $1/f$ no DUT na extremidade baixa do espectro. Poderíamos resolver isso pela introdução de uma compensação zero (por exemplo, um pequeno resistor em série com C_3), mas estávamos relutantes em mexer ainda mais com o circuito. O polo dominante é R_8C_2, e, para medições mais baixas de ruído de baixa frequência no território de sub-nV/$\sqrt{\text{Hz}}$, nos encontramos aumentando C_2, para 0,15 F e até 0,35 F (!), e aguardando as instabilidades modestas estabilizarem. Isso derrotou o nosso objetivo original, que era evitar os grandes capacitores de desvio do emissor normalmente utilizados com outras configurações de polarização sem realimentação – mas, de qualquer forma, fomos capazes de obter dados confiáveis de ruído para os gráficos e as tabelas. O leitor é convidado a experimentar mais.

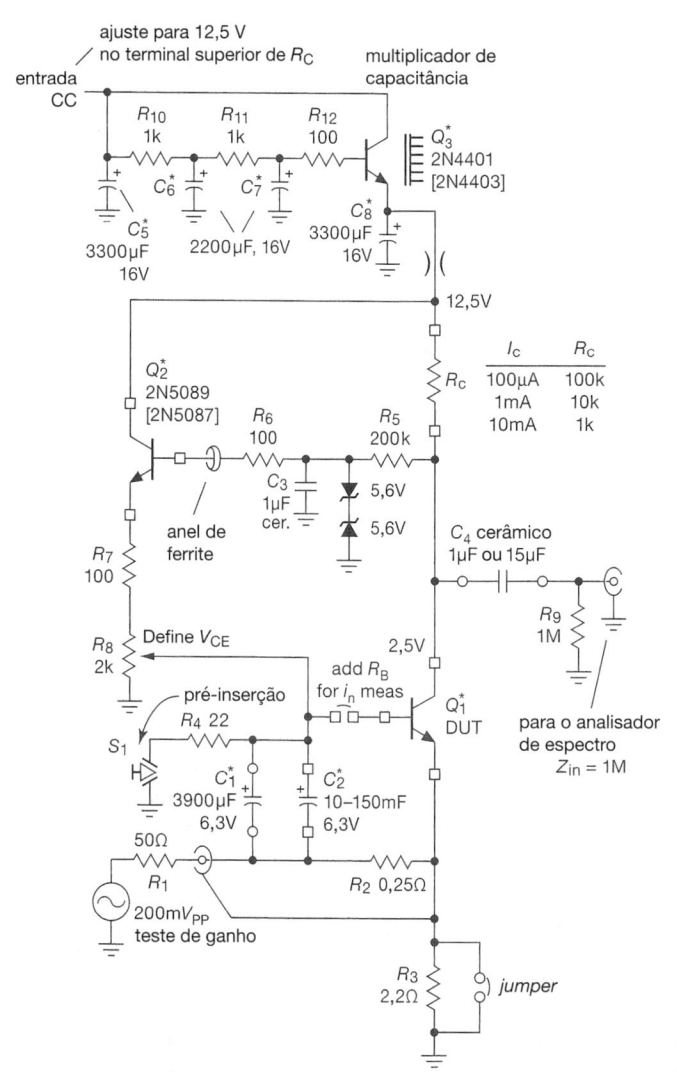

FIGURA 8.92 Circuito de teste de ruído de transistor. Q_3 e componentes associados formam um multiplicador de capacitância que elimina o ruído. As polaridades mostradas são para um dispositivo *npn* sob teste (DUT); para um dispositivo *pnp*, inverta a polaridade dos componentes marcados com asterisco. O sinal de entrada de calibração de ganho é substituído por um curto-circuito, 0 Ω, durante a medição do ruído.

A partir disso, você pode descobrir o SNR para um sinal de qualquer amplitude com essa mesma fonte de impedância, utilizando a Equação 8.14:

$$\text{SNR}(\text{dB}) = 10\log_{10}\left(\frac{V_s^2}{4kTR_s}\right) - \text{NF}(R_s). \quad (8.52)$$

Há boas fontes de ruído calibradas disponíveis, a maioria das quais fornece meios para atenuação para níveis precisos na faixa de microvolt. *Nota*: uma vez mais, as fórmulas anteriores consideram $R_{in} \gg R_s$. Se, por outro lado, a medição de figura de ruído é feita com uma fonte de sinal *casada*, ou seja, se $R_s = Z_{in}$ então omita os fatores "4" nas expressões anteriores.

Note que essa técnica não lhe informa diretamente e_n e i_n, apenas a combinação apropriada para uma fonte de impedância igual à impedância de acionamento que você usou na medição. Claro, fazendo várias dessas medições com diferentes impedâncias de fonte de ruído, você poderia inferir os valores de e_n e i_n.

Uma boa variação dessa técnica é usar o ruído Johnson do resistor como a "fonte de ruído". Esta é uma técnica preferencial usada por projetistas de amplificadores de radiofrequência de ruído muito baixo (em que, aliás, a impedância da fonte de sinal é geralmente de 50 Ω e casa com a impedância de entrada do amplificador). Geralmente, isso é feito da seguinte maneira: um frasco de dewar de nitrogênio líquido detém uma "terminação" de 50 Ω (um nome bonito para uma resistência bem projetada que tem indutância ou capacitância insignificante) na temperatura do nitrogênio em ebulição, 77K; uma segunda terminação de 50 Ω é mantida à temperatura ambiente. A entrada do amplificador é conectada alternadamente em dois resistores (geralmente com um relé coaxial de alta qualidade), e a potência do ruído de saída (em alguma frequência central, com alguma largura de banda de medição) é medida com um medidor de potência de RF. Denominamos os resultados das duas medições P_C e P_H, a potência de ruído de saída correspondente aos resistores das fontes quente (H) e fria (C), respectivamente. Assim, é fácil mostrar que a temperatura de ruído do amplificador, na frequência da medição, é apenas

$$T_n = \frac{T_H - Y T_C}{Y - 1} \quad \text{Kelvin}, \quad (8.53)$$

em que $Y = P_H/P_C$, a razão de potências de ruído. A figura de ruído é, então, dada pela Equação 8.16, ou seja,

$$\text{NF}(\text{dB}) = 10\log_{10}\left(\frac{T_n}{290} + 1\right). \quad (8.54)$$

Exercício 8.7 Deduza a expressão anterior para a temperatura de ruído. *Sugestão*: comece notando que $P_H = \alpha(T_n + T_H)$ e $P_C = \alpha(T_n + T_C)$, onde α é uma constante que em breve desaparecerá. Em seguida, observe que a contribuição do ruído do amplificador, indicada como uma temperatura de ruído, *soma-se* à temperatura de ruído do resistor de fonte. Continue a partir daí.

Exercício 8.8 A temperatura de ruído (ou figura de ruído) do amplificador depende do valor da impedância da fonte de sinal, R_s. Mostre que um amplificador caracterizado por e_n e i_n (como na Figura 8.28) tem temperatura de ruído mínima para uma impedância de fonte $R_s = e_n/i_n$. Em seguida, mostre que a temperatura de ruído, para esse valor de R_s, é dada por $T_n = e_n i_n/2k$.

Se você não quer se preocupar com nitrogênio líquido e está interessado apenas em amplificadores de frequência relativamente baixa, pode explorar o curioso fato de que a tensão de ruído de entrada de um BJT (em correntes baixas, onde os efeitos de $r_{bb'}$ são insignificantes) é igual ao ruído Johnson de um resistor real de valor $r_e/2$. Por exemplo, se você aterrar a base, conectar o coletor em +5 V e conectar um resistor de *pull-down* no emissor de 10k para −5 V, verá no emissor um sinal de ruído com impedância de fonte de 50 Ω e temperatura de ruído de 150K. Acrescente um capacitor de bloqueio e alterne essa fonte de ruído com um resistor real de 50 Ω (use um relé coaxial, não uma chave CMOS!), e você terá um simples (e bem barato!) calibrador de ruído de duas temperaturas.[115]

A. Amplificadores com impedância de entrada casada

Esta última técnica é ideal para medições de ruído de amplificadores projetados para uma impedância sinal-fonte casada. Os exemplos mais comuns são encontrados em amplificadores de radiofrequência ou receptores, geralmente destinados a ser acionados por uma fonte de sinal de impedância de 50 Ω, e que têm eles próprios uma impedância de entrada de 50 Ω. Consulte o Apêndice H para obter uma explicação desse afastamento do nosso critério habitual de que uma fonte de sinal deve ter uma pequena impedância de fonte, quando comparada com a carga que aciona. Nessa situação, e_n e i_n são irrelevantes como quantidades distintas; o que importa é a figura de ruído global (com fonte casada) ou alguma especificação de SNR com uma fonte de sinal casada de amplitude especificada.

Às vezes, o desempenho de ruído é explicitamente expresso em termos de amplitude do sinal de entrada de *banda estreita* necessário para a obtenção de um determinado SNR de saída. Um receptor de radiofrequência típico pode especificar a SNR de 10 dB com sinal de entrada de 0,25 μV RMS e largura de banda do receptor de 2 kHz. Nesse caso, o processo consiste em medir a saída RMS do receptor com a entrada acionada por uma fonte senoidal casada inicialmente atenuada para zero e, em seguida, aumentar o sinal de entrada (onda senoidal) até que a saída RMS aumente 10 dB, em ambos os casos com a largura de banda do receptor definida em 2 kHz. É importante o uso de um medidor que indique tensões RMS verdadeiras para uma medição em que o ruído e o sinal são combinados (mais sobre isso depois). Note que as medições de ruído de radiofrequência envolvem frequentemente sinais de saída que estão na faixa de frequência de áudio.

8.12.4 Fontes de Sinal e Ruído

O ruído de banda larga pode ser gerado a partir dos efeitos que discutimos anteriormente, ou seja, ruído Johnson e ruído *shot*. O ruído *shot* em um diodo a vácuo é uma fonte clássica de ruído de banda larga especialmente útil, pois a tensão de ruído pode ser prevista com exatidão; o ruído do diodo zener também é amplamente utilizado em fontes de ruído, bem como os tubos de descarga de gás. Esses vão desde CC a frequências muito elevadas, tornando-os úteis para medições de audiofrequência e radiofrequência. Veja mais à frente a Figura 13.121 para um exemplo de um gerador de ruído "aleatório verdadeiro".

Fontes de sinal versáteis estão disponíveis com amplitudes de saída precisamente controladas (para a faixa de microvolt e abaixo) para frequências de uma fração de um hertz a muitos giga-hertz, programáveis via GPIB, USB ou LAN. Um exemplo é o gerador de sinal sintetizado modelo E8257D da Agilent, com frequências de saída de 0,25 MHz a 20 GHz, amplitudes calibradas a partir de 40 nV a 1 V RMS, modulação e modos de frequência de varredura, display digital e interface de barramento e acessórios bacanas que se estendem a faixa de frequências de até 500 GHz. Isso é um pouco mais do que você normalmente precisa para fazer o trabalho. Provavelmente ele custa um pouco mais do que você está interessado em pagar. Por um décimo do preço (e um centésimo da largura de banda), você pode obter um "Gerador de Função Arbitrária" da Tektronix, por exemplo, o AFG3102C de 2 canais (cerca de 6k dólares), que fornece uma saída de ruído gaussiano, além de formas de onda padrão (seno, quadrado, pulso, triângulo, etc.) e formas de onda arbitrárias (programadas). E se for apenas uma forma de onda de *ruído* que você quer, pode obter fontes de ruído de banda larga como o Noisecom NC346 (10 MHz a 18 GHz).

Algumas fontes de ruído versáteis podem gerar ruído rosa, bem como o ruído branco. O ruído rosa tem uma potência de ruído igual por *oitava*, em vez de igual potência por hertz. Sua densidade de potência (potência por hertz) cai a 3 dB/oitava (embora para o ouvido soe mais como um ruído aleatório espectralmente mais plano do que o ruído branco). É amplamente utilizado como um sinal de fonte para os sistemas de áudio; em uma aplicação típica, você equalizaria um sistema de alto-falante, acionado com uma fonte de ruído rosa, tomando medidas com um analisador de espectro em tempo real portátil (por exemplo, ferramentas de software de acústica da Smaart®). Como a atenuação de um filtro *RC* cai a 6 dB/oitava, um filtro mais complicado é necessário para gerar um espectro rosa a partir de uma entrada de ruído branco. Leia a próxima seção para ver como isso é feito.

A. Fonte de ruído pseudoaleatório

Podemos fazer uma interessante fonte de ruído usando técnicas digitais, especialmente pela conexão de registradores de deslocamento longos com as suas entradas derivadas de um somador de módulo 2 de alguns dos últimos bits (veja as Seções 11.3.1 e 13.14). A saída resultante é uma sequência pseudoaleatória de 1 s e 0 s, que, após uma filtragem passa-baixas, gera um sinal analógico de espectro branco até o ponto de corte do filtro passa-baixas, que deve ser bem abaixo da

---

[115] Aprendemos este truque de Phil Hobbs, que sugere o uso de um diodo, como um MBD301 (que não sofre de injeção de alto nível em 500 μA), em vez de um BJT.

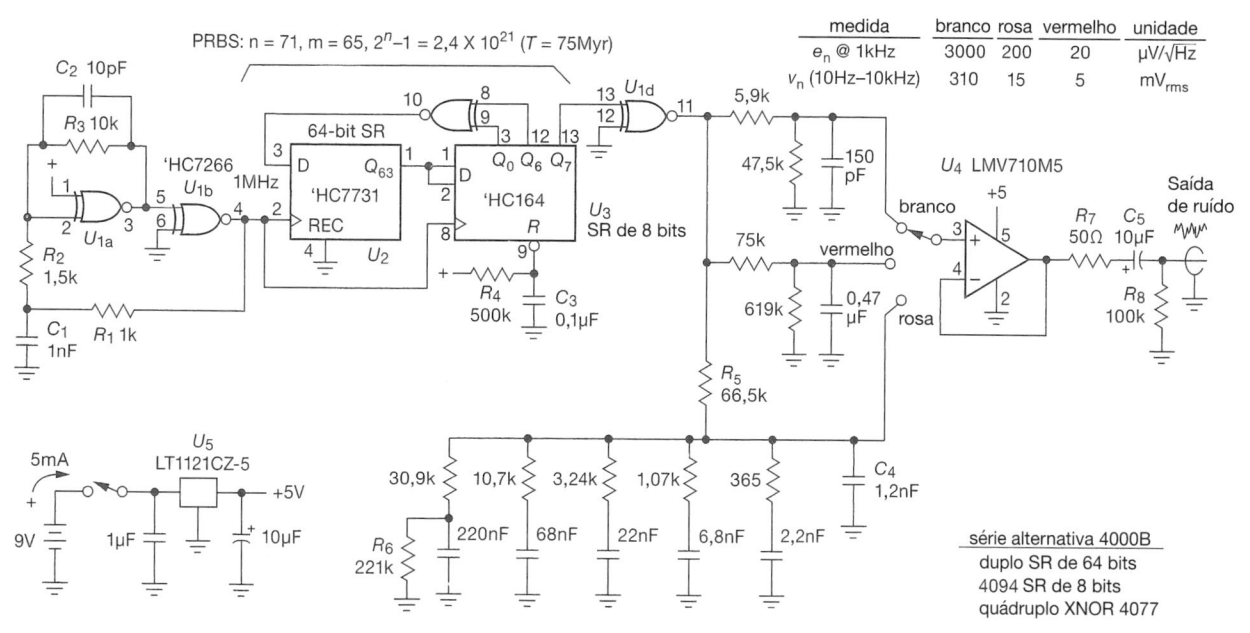

FIGURA 8.93 Fonte de ruído pseudoaleatório fornecendo três cores de ruído analógico de 10 Hz a 100 kHz, com valores medidos de densidade de ruído de saída (em 1 kHz) e tensão de ruído de banda limitada (Butterworth de 4 polos, 10 Hz a 10 kHz).

frequência com que o registo é deslocado. Essas coisas podem ser executadas em frequências muito elevadas, gerando ruído de até muitos mega-hertz ou mais. O "ruído" tem a propriedade interessante que se repete exatamente depois de um intervalo de tempo que depende do comprimento de registrador (um registo de comprimento máximo de n bits passa por $2^n - 1$ estados antes de repetir). Sem muita dificuldade, esse tempo pode ser tornado muito longo (anos, ou milênios), embora, na maioria das vezes, um período de um segundo seja um tempo suficiente. Por exemplo, um registrador de deslocamento de 50 bits em 10 MHz gerará ruído branco até 1 MHz ou mais, com um tempo de repetição de 3,6 anos.

O circuito mostrado na Figura 8.93 utiliza um registrador de deslocamento de comprimento máximo de 71 bits, *clock* de 1 MHz, para gerar uma forma de onda pseudoaleatória digital espectralmente plana (±0,07 dB) para 100 kHz. A sequência de bits pseudoaleatórios é bastante longa – com um *clock* de 1 MHz, ela se repete em cerca de 75 milhões de anos. A criação de ruído branco ou vermelho é fácil: a chave de seleção em "branco" simplesmente filtra a forma de onda de nível 2 em estado natural através de um passa-baixas *RC* em 200 kHz, acima da banda de interesse, para suprimir as bordas de *clock* (banda larga). A chave de seleção em "vermelho" insere, então, um filtro passa-baixas em 5 Hz, abaixo da banda de interesse, de modo que a saída decai no habitual 6 dB/oitava.

O ruído rosa é mais complicado; é necessário um filtro que reduza a amplitude do ruído branco por um fator de $1/\sqrt{2}$ (em vez de 1/2) para cada duplicação da frequência. O método análogo usual é utilizar um conjunto paralelo de seções *RC* em série (como na figura 8.93), com a frequência característica de cada seção sucessiva aumentando por uma razão fixa (aqui, ×10, isto é, uma década) com uma impedância que diminui pela raiz quadrada dessa mesma razão (aqui, $\sqrt{10}$). Mesmo com tão generoso espaçamento de década, funciona tudo muito bem, como pode ser visto nos resultados do SPICE da Figura 8.94, onde o desvio a partir do comportamento ideal de -3 dB/oitava é apenas ±0,25 dB ao longo de uma faixa de frequência de 5 décadas, de 10 Hz a 1 MHz.[116]

Simulações são divertidas, mas os sistemas devem funcionar quando você realmente construi-los e medir o seu desempenho. Nós fizemos isso, e a Figura 8.95 apresenta o espectro medido do circuito da Figura 8.93, o qual, dentro de uma precisão muito boa, funcionou como anunciado.

Algumas observações sobre o circuito

Não podemos resistir a alguns comentários sobre o projeto do circuito. Como sempre, existem várias opções em cada etapa: um bom projeto pondera questões de desempenho, custo, complexidade, disponibilidade de componentes, potência, confiabilidade e (ousamos dizê-lo?) *elegância*. Por exemplo, o sinal de *clock* de ~1 MHz poderá ser fornecido a partir de um módulo de oscilador a cristal de 2 dólares; mas, para esta aplicação, não é necessário ser preciso ou estável, e por isso optamos por utilizar duas partes não utilizadas do quádruplo XNOR para fazer um simples oscilador de relaxação *RC*. (Não vimos essa implementação específica usada em outros lugares, mas é extremamente simples: é a topologia da Figura 7.5, com o U_{1a} configurado como um *buffer* Schmitt trigger não inversor, seguido pelo inversor U_{1b}. A histerese é

---

[116] Um pouco de sinceridade aqui: para alcançar este desempenho, fizemos um ajuste fino para chegar à escolha do circuito de valores de resistor de 1%.

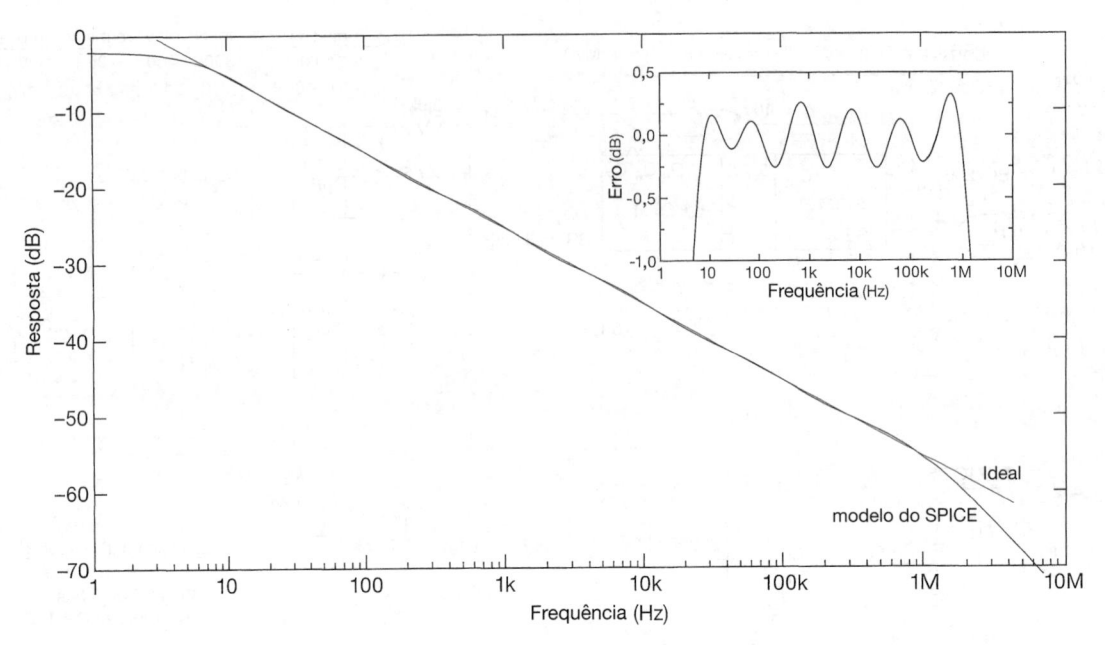

FIGURA 8.94 Simulação em SPICE do filtro de ruído rosa (R_s e componentes abaixo) na Figura 8.93.

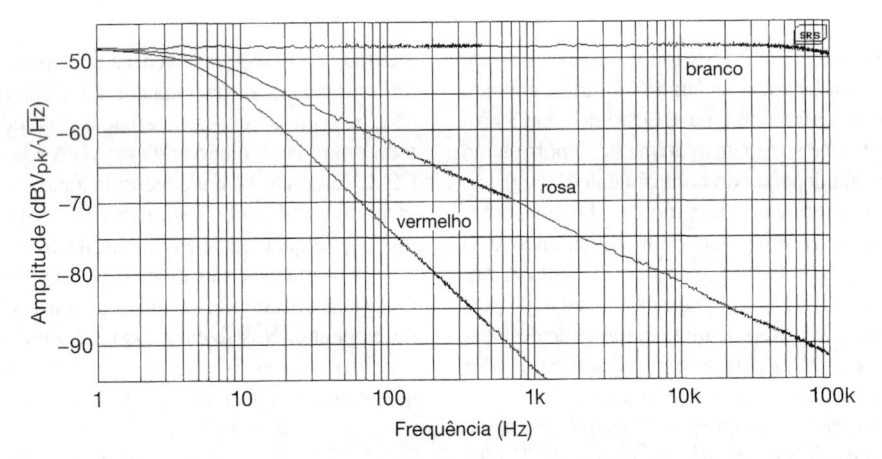

FIGURA 8.95 Espectros medidos do circuito da Figura 8.93. Cada espectro plotado é construído a partir de dois espectros FFT de 800 pontos para abranger a faixa de frequência plena de 100.000:1. A tensão de ruído total medida v_n e as densidades de ruído e_n estão listadas na Figura 8.93.

definida por R_2R_3, para 0,65 V, com um pequeno capacitor *speed-up* C_2. A frequência é definida por R_1C_1.)

Escolhemos a família lógica 74HC porque esses dispositivos estão prontamente disponíveis, o protótipo é implementado facilmente (encapsulamento DIP em vez de SMD), é muito rápido e de baixa potência.[117] Há funções lógicas padrão para o que é necessário, portanto escolhemos esse caminho (em vez de outras alternativas: cPLD, FPGA ou microcontrolador). Os registradores de deslocamento disponíveis eram muito pequenos (8 estágios) ou exageradamente grandes (o 'HC7731 que usamos é de 256 estágios, com quatro bancos de registradores de deslocamento separados de 64 estágios). Optamos por este último, usando apenas um banco e acrescentando um registrador de deslocamento de 8 estágios de saída em paralelo, 'HC164, de modo que pudéssemos chegar às derivações necessárias (aqui, $m = 65 =$ e $n = 71$; veja a Tabela 13.14). Note a utilização de EX-NOR (em vez de EX-OR), para evitar o estado preso de todos os zeros e, assim, garantir a partida.

---

[117] Poderíamos ter utilizado no lugar os dispositivos CMOS 4000B de "alta tensão" listados no diagrama, operando diretamente a partir da bateria de 9 volts. Mas haveria compensações. (a) Gostaríamos de ceifar a saída para uma amplitude estável, necessitando de alguns componentes extras; e (b) usaríamos um *clock* em uma frequência desconfortavelmente próxima do limite superior especificado para bateria fraca, excluindo qualquer flexibilidade para usar um clock mais rápido, digamos 10 MHz.

O buffer de saída é um bom AOP BiCMOS de entrada/saída trilho a trilho, com GBW de 5 MHz, baixa corrente de entrada (4 pA, típico), abundância de capacidade de acionamento de saída (±20 mA) e consumo de potência modesto (1,2 mA); é ruidoso (20 nV/$\sqrt{Hz}$, com uma frequência de corte de $1/f$ alta), mas isso pouco importa quando você está amplificando o ruído, de qualquer maneira. O resistor em série R_7 garante estabilidade para cargas capacitivas e (se você quiser) fornece terminação de fonte para cabo de 50 Ω.

Para o regulador de 5 V (U_5), inicialmente alcançamos algo a partir do legado da série LP2950 ou LM2931 de reguladores lineares de baixa queda de tensão mínima (LDOs). Mas o LP2950 é intolerante à polaridade invertida de entrada (uma proeza fácil o suficiente de cometer ao substituir a bateria de 9 V); e ambos os reguladores são um pouco exigentes quando se trata do capacitor de saída. Em particular, eles exigem uma certa quantidade mínima de resistência em série equivalente (ESR),[118] o que é preocupante – como se espera lidar com os capacitores cerâmicos de desvio de baixos ESR que desarrumam o resto do circuito? Felizmente, existem bons LDOs que não são um fardo para o projetista com tais preocupações: o LT1121-5 que escolhemos é estável com capacitores de saída de ESR zero e é tolerante a uma entrada reversa (até −30 V); ele também tem proteção contra excesso de corrente e excesso de temperatura.

Existe uma discussão mais extensa sobre ruído pseudoaleatório, juntamente com outro projeto fonte de ruído pseudoaleatório (Figura 13.119), na Seção 13.14.

8.13 LIMITAÇÃO DE LARGURA DE BANDA E MEDIÇÃO DE TENSÃO RMS

8.13.1 Limitando a Largura de Banda

Todas as medidas de que falamos consideram que você está olhando para a saída de ruído apenas em uma faixa de frequência limitada. Em alguns casos, o amplificador pode ter disposição para isso, tornando o seu trabalho mais fácil. Caso contrário, você tem que conectar algum tipo de filtro na saída do amplificador antes de medir a tensão de ruído de saída.

Filtro *RC* A coisa mais fácil de usar é um filtro passa-baixas (ou passa-faixa) *RC* simples, com pontos(s) de 3 dB definido(s) aproximadamente na largura de banda que você deseja. Para medições de ruído precisas, você precisa saber a

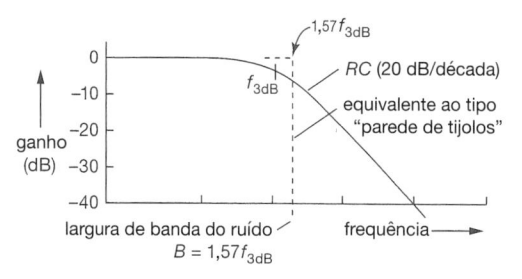

FIGURA 8.96 Largura de banda de ruído equivalente ao tipo "parede de tijolos" para um filtro passa-baixas *RC*.

"largura de banda de ruído equivalente" (ENBW), ou seja, a largura de um filtro perfeito (do tipo "parede de tijolos") que deixa passar a mesma tensão de ruído (Figura 8.96). Essa largura de banda de ruído é que deve ser usada para *B* em todas as fórmulas precedentes. Não é muito difícil desenvolver a matemática, e encontramos, para um filtro passa-baixas *RC*,

$$B = \frac{\pi}{2} f_{3dB} = 1,57 f_{3dB}. \quad (8.55)$$

Para um par de seções em cascata de passa-baixas *RC* (com *buffer* de modo que um não exerça carga para o outro), a fórmula mágica torna-se $B = 1,22 f_{3dB}$. Para os filtros passa-baixa de Butterworth discutidos nas Seções 6.2.6 e 6.3.2, a largura de banda de ruído é

$$\begin{aligned} B &= 1,57 f_{3dB} = \tfrac{1}{4RC} & (1\,\text{polo}), \\ B &= 1,11 f_{3dB} \approx \tfrac{1}{5,6RC} & (2\,\text{polos}), \\ B &= 1,05 f_{3dB} \approx \tfrac{1}{6RC} & (3\,\text{polos}), \\ B &= 1,025 f_{3dB} \approx \tfrac{1}{6,1RC} & (4\,\text{polos}). \end{aligned}$$

Se você quiser fazer medições de banda limitada em alguma frequência central, pode usar um par de filtros *RC* (Figura 8.97), caso em que a largura de banda do ruído é como indicada. Você pode querer usar filtros Butterworth de ordem superior por terem características passa-faixa mais precisas. Nesse caso, você precisará saber as correspondentes larguras de banda de ruído; não entre em pânico – elas estão relacionadas na Tabela 8.4.

Filtro *RLC* Outra maneira de fazer um filtro passa-faixa para medições de ruído é a utilização de um circuito *RLC*. Isso é melhor do que um par de filtros *RC* passa-altas e passa-

---

[118] Da folha de dados do LP2950: "Os capacitores cerâmicos cujos valores sejam superiores a 1.000 pF não devem ser conectados diretamente a partir da saída do LP2951 ao terra. Capacitores cerâmicos têm, tipicamente, valores de ESR na faixa de 5 a 10 mΩ, um valor abaixo do limite inferior para operação estável (veja a curva Faixa de ESR do Capacitor de Saída). A razão para o limite de ESR inferior é que a compensação de malha do dispositivo depende do ESR do capacitor de saída para fornecer o zero que dá mais avanço de fase. O ESR de capacitores cerâmicos é tão baixo, que esse avanço de fase não ocorre, reduzindo significativamente a margem de fase. Um capacitor de cerâmica de saída pode ser utilizado se uma resistência em série for adicionada (valor recomendado de resistência de cerca de 0,1 Ω a 2 Ω)".

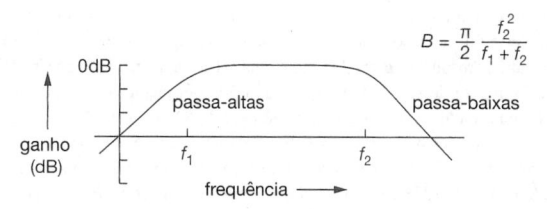

FIGURA 8.97 Largura de banda de ruído equivalente ao tipo "parede de tijolos" para um filtro passa-faixa *RC*. Para o caso $f_1 = f_2$, o ganho de banda média é −6 dB.

FIGURA 8.98 Largura de banda de ruído equivalente ao tipo "parede de tijolos" para o filtro passa-faixa *RLC*. Para o circuito em paralelo (A), o sinal da fonte é uma corrente, e a saída é a tensão nos terminais; para a configuração em série (B), a entrada é a tensão aplicada no circuito, e a saída é a corrente resultante.

A. $B = \dfrac{\pi f_0}{2Q} = \dfrac{1}{4RC}$, $Q = 2\pi f_0 RC$

B. $B = \dfrac{\pi f_0}{2Q} = \dfrac{R}{4L}$, $Q = 2\pi f_0 L/R$

-baixas em cascata se você quiser a sua medida ao longo de um passa-faixa que é estreito quando comparado com a frequência central (ou seja, alto Q). A Figura 8.98 mostra ambos os circuitos RLC em paralelo e em série e suas larguras de banda de ruído exatas. Em ambos os casos, a frequência de ressonância é determinada por $f_0 = 1/2\pi\sqrt{LC}$. Você pode organizar o circuito do filtro passa-faixa como uma carga de coletor (ou dreno) de um RLC em paralelo, caso em que você usa a expressão como dada. Como alternativa (lembre-se da Figura 1.107), você pode interpor o filtro conforme mostrado na Figura 8.99; para fins de largura de banda de ruído, o circuito é exatamente equivalente ao RLC em paralelo, com $R = R_1 \| R_2$.

Calculando a média Como mencionado na Seção 8.1.5, outra maneira de realizar a filtragem passa-baixas de um sinal lento (uma tensão CC, por exemplo, na presença de ruído branco aditivo) é simplesmente calcular a média ao longo de algum intervalo de tempo T; essa é a mesma operação de cálculo de média tal como é feita por um ADC de integração (por exemplo, em um voltímetro digital; veja a Seção 13.8.3). Nesse caso, a largura de banda de ruído equivalente[119] é $B = 1/2T$. Assim, por exemplo, uma duração média de 1 segundo admite uma largura de banda de ruído de 0,5 Hz. Esse é um "filtro" passa-baixas simples – mas um que é menos acentuada do que até mesmo uma única seção RC (este último cai a 6 dB/oitava, em comparação com 3 dB/oitava para a média de tempo).

---

[119] É importante distinguir a operação de um tempo médio T quando se mede um sinal estático, como descrito, do uso de uma "janela" de tempo (mais uma vez com uma duração T) para limitar o intervalo de medição de um sinal CA. Neste último caso, o uso de uma *janela retangular* impõe uma largura de banda de resolução $B = 1/T$ (isto é, duas vezes a da medição de CC). Em processamento de sinais digitais, a operação com janelas desempenha um papel importante; veja, por exemplo Harris, F.J, "On the use of windows for harmonic analysis with the discrete Fourier transform" (Sobre o uso de janelas para análise de harmônicos com transformada discreta de Fourier), *Proc. IEEE* **66** 51-83 (1978). Veremos esse mesmo tema em conexão com *cálculo da média de sinais síncronos* na Seção 8.14, em que a detecção síncrona (ou "*lock-in*") de sinais ao longo de algum tempo de duração T produz a mesma redução da largura de banda: $B = 1/T$.

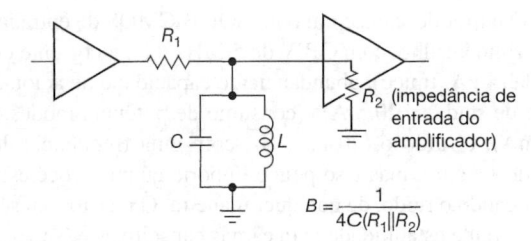

FIGURA 8.99 Filtro passa-faixa *RLC* entre estágios.

$B = \dfrac{1}{4C(R_1 \| R_2)}$

Filtro digital. O Processamento Digital de Sinais (*Digital Signal Processing*, DSP) é uma maneira eficaz para implementar funções de filtro extremamente bem definidas, com as suas características facilmente modificadas, alterando os coeficientes numéricos armazenados. Veja a Seção 6.3.7 para mais detalhes.

Deslocamento de frequência Imagine que você queira fazer medições de "tensão de ruído local" de uma largura de banda estreita (digamos 10 Hz) centrada em uma frequência relativamente alta f_in, sendo que esta poderá ser de dezenas a centenas de quilohertz, ou talvez mesmo um mega-hertz ou mais. Isto é, a razão $Q = f_\text{in}/\Delta f$ é muito grande, digamos mais de mil. Tal filtro passa-faixa de alto Q é muito difícil de implementar! Mas há uma boa maneira de fazer a medição sem grandes dificuldades.

O truque é deslocar (converter) para baixo a banda de frequência de interesse para uma frequência muito menor, onde é fácil fazer um filtro de banda estreita. A técnica é chamada de *heterodinagem* e é uma técnica básica na maioria dos sistemas de comunicação de radiofrequência. É mais fácil entender se você pensar inicialmente em uma frequência de entrada única. A Figura 8.100 mostra o esquema básico, em que uma tensão de sinal de entrada (na frequência f_in) é multiplicada por uma tensão senoidal (na frequência f_LO) a partir de um *oscilador local* ("LO"), criando um par de sinais senoidais nas frequências $f_\text{in} \pm f_\text{LO}$.[120] O multiplicador é chamado de *misturador* (*mixer*), e sua saída é filtrada para eliminar um dos produtos da mistura. Misturadores pode estar na forma de um circuito ativo (um "multiplicador de 4 quadrantes"), ou, para utilização em frequências mais altas, um arranjo de diodo acoplado por transformador passivo denominado *misturador balanceado*.

Em um aplicativo de comunicações, pode haver várias etapas de deslocamento de frequência, passando por alguns estágios de frequência intermédia ("FI") em que a amplificação e a filtragem ocorrem.[121] Para uma simples

---

[120] A partir da identidade $\cos x \cos y = \tfrac{1}{2}\cos(x+y) + \tfrac{1}{2}\cos(x-y)$, com $x = 2\pi f_\text{in}$ e $y = 2\pi f_\text{LO}$.

[121] Por exemplo, em um rádio FM, o LO é definido em 10,7 MHz abaixo da estação desejada, com o sinal FI de 10,7 MHz amplificado e demodulado. Técnicas de radiofrequência e de comunicação são discutidas em mais detalhes no Capítulo 13 da segunda edição deste livro.

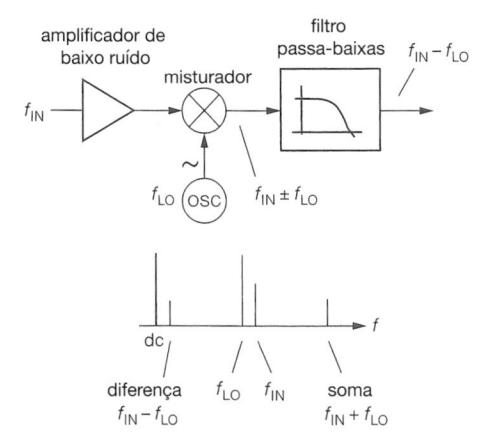

FIGURA 8.100 Deslocamento heteródino de frequência: o misturador produz frequências soma e diferença; apenas esta última é selecionada pelo filtro passa-baixas.

aplicação de medição de ruído, pode ser adequado misturar diretamente a "banda base", por meio do ajuste do LO à frequência à qual a tensão de ruído local será medida. Esse é o mesmo processo utilizado na *detecção síncrona*, descrita mais adiante nas Seções 8.14 e 13.13.6D. Amplificadores comerciais síncronos (*lock-in*) permitem que você faça medições de tensão de ruído local de banda estreita em qualquer frequência na sua faixa, que se estende a 100 kHz (para amplificadores *lock-in* típicos) até 200 MHz (por exemplo, para o SR844).

8.13.2 Cálculo do Ruído Integrado

Começaremos com o simples filtro de limitação de banda passa-baixas RC de seção única. A partir de sua largura de banda equivalente ao tipo "parede de tijolos" (Equação 8.55), a saída de *tensão* de ruído integrada a partir da filtragem de uma entrada de ruído branco de *densidade* ruído e_n é determinada tomando-se a raiz quadrada de

$$v_n^2 = e_n^2 B = e_n^2 \frac{\pi}{2} f_{3dB} \quad V^2(RMS)$$

e analogamente para a *corrente* de ruído.

As coisas ficam mais complicadas se a densidade de ruído e_n depende da frequência, como acontece, por exemplo, com o ruído $1/f$ ("rosa"). Nesse caso, você deve integrar, ao longo da frequência, a densidade de ruído ao quadrado $e_n^2(f)$ vezes as características passa-faixa da potência espectral do filtro. E é comum o uso de um filtro *passa-faixa*, com os limites inferior e superior de frequência (nós os chamamos de f_1 e f_2). Então, um filtro passa-faixa do tipo "parede de tijolos" ideal tem resposta unitária entre f_1 e f_2, e uma largura de banda de ruído $B = f_2 - f_1$.

Filtros do tipo "paredes de tijolos" são difíceis de implementar na tecnologia analógica, e um expediente simples, como sugerido anteriormente, é simplesmente a utilização de um par de RC em cascata, com frequências de 3 dB de f_1 e f_2. Com um pouco de elegância matemática, você poderia demonstrar proficiência executando as integrais adequadas, calculando, assim, a tensão de ruído de saída para os "ruídos normais" (branco, ou $1/f$, ou até mesmo $1/f^2$). Um atalho é explorar o impressionante programa *Mathematica* da Wolfram. Um colega[122] fez isso para nós, e a Tabela 8.4 resume os resultados, para essas três cores de ruído e para quatro estilos de filtros passa-faixa ("parede de tijolos", RC simples (polo simples, ou seja, um par de seções RC em cascata), Butterworth de 2 polos e Butterworth de m polos.)

As expressões listadas dão a tensão de ruído ao quadrado integrada v_n^2 para os limites inferior e superior de frequência de -3 dB f_1 e f_2 dados e a densidade de tensão de ruído e_n (Figura 8.101); a tensão de ruído RMS é, então, obtida tomando-se a raiz quadrada: $V_{n(RMS)} = \sqrt{v_n^2}$. Para o

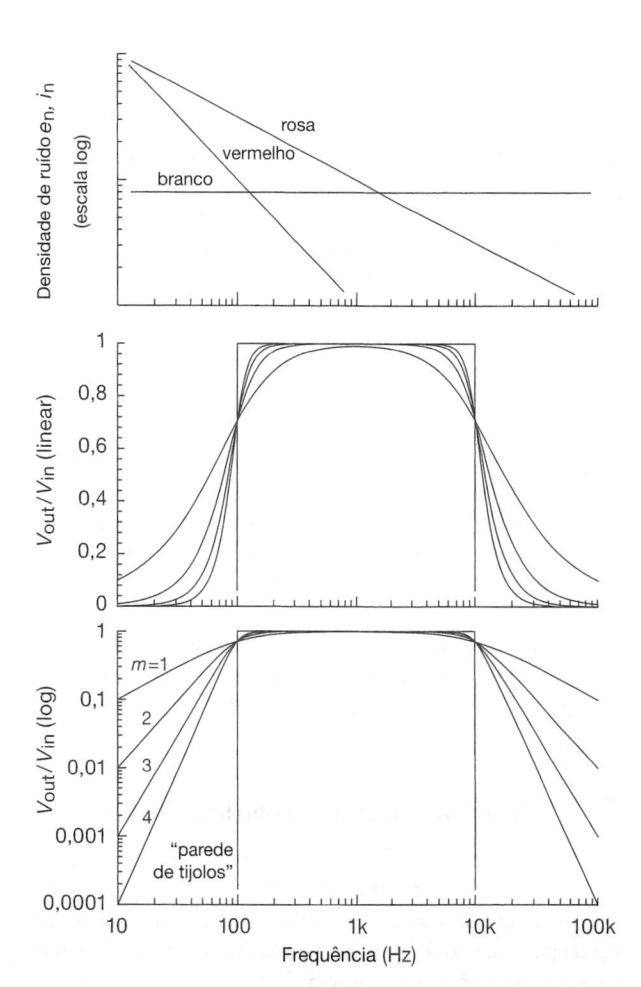

FIGURA 8.101 Formas espectrais dos três ruídos clássicos e os filtros passa-faixa utilizados para avaliar a sua tensão ou corrente de ruído integrada.

---

[122] Jason Gallicchio outra vez!

TABELA 8.4 Integrais de ruído[a]

	Forma Espectral do Ruído		
Tipo de Filtro	branco (e_n = const)	rosa ($e_n \sim 1/\sqrt{f}$)	vermelho ($e_n \sim 1/f$)
"Parede de tijolos"	$e_n^2 \, (f_2 - f_1)$	$e_{n2}^2 \, f_2 \log_e \dfrac{f_2}{f_1}$	$e_{n2}^2 \, \dfrac{f_2}{f_1}(f_2 - f_1)$
1-polo (RC)	$e_n^2 \, \dfrac{\pi}{2} \dfrac{f_2^2}{f_1 + f_2}$	$e_{n2}^2 \, \dfrac{f_2^3}{f_2^2 - f_1^2} \log_e \dfrac{f_2}{f_1}$	$e_{n2}^2 \, \dfrac{\pi}{2} \dfrac{f_2^3}{f_1(f_1 + f_2)}$
Butterworth de 2 polos	$e_n^2 \, \dfrac{\pi}{2\sqrt{2}} \dfrac{f_2^4}{(f_1 + f_2)(f_1^2 + f_2^2)}$	$e_{n2}^2 \, \dfrac{f_2^5}{f_2^4 - f_1^4} \log_e \dfrac{f_2}{f_1}$	$e_{n2}^2 \, \dfrac{\pi}{2\sqrt{2}} \dfrac{f_2^5}{f_1(f_1 + f_2)(f_1^2 + f_2^2)}$
Butterworth de m polos	$e_n^2 \, \dfrac{\pi/2m}{\operatorname{sen}(\pi/2m)} \dfrac{f_2 - f_1}{1 - (f_1/f_2)^{2m}}$	$e_{n2}^2 \, \dfrac{f_2}{1 - (f_1/f_2)^{2m}} \log_e \dfrac{f_2}{f_1}$	$e_{n2}^2 \, \dfrac{\pi/2m}{\operatorname{sen}(\pi/2m)} \dfrac{f_2 - f_1}{1 - (f_1/f_2)^{2m}}

Notas: (a) Os valores da média quadrática da tensão ruído, {inserir eq.}, em uma banda de frequências de f_1 a f_2, como passa-faixa limitado pelo tipo de filtro indicado. A densidade da tensão de ruído e_{n2} é o valor de e_n para $f = f_2$.

ruído rosa ($1/f$ em potência) e o ruído vermelho ($1/f^2$ em potência), a densidade de ruído e_n é uma função da frequência; para essas expressões, usamos para o fator multiplicador geral a densidade de ruído no final da banda alta; isto é, $e_n^2(f_2)$ (abreviado como e_{n2}^2 na tabela), que é a densidade de ruído ao quadrado para $f = f^2$ em unidades de V^2/Hz.

Note que você pode definir $f_1 = 0$, nas expressões para o ruído branco, para obter a tensão de ruído de CC a f_2 (limitada por passa-baixas). Se você fizer isso, obterá as expressões exibidas na página 561. Contudo, isso não funciona para o ruído rosa ou vermelho, porque a integral diverge na frequência zero, transportada nessas expressões pelo constrangimento de um denominador zero no argumento do logaritmo (rosa) ou, pior, no próprio resultado (vermelho). É por isso que o ruído $1/f$ é tipicamente medido com uma largura de banda limitada de 0,1 Hz a 10 Hz, etc.; veja as Figuras 8.102 e 8.103.

A *corrente* de ruído é tratada da mesma forma: coloque em todos os pontos a densidade de corrente de ruído i_n no lugar de e_n, para determinar a corrente de ruído integrada $I_{n(RMS)}$.

A. A extremidade superior é a que mais importa

Para calcular a tensão de ruído integrada sobre um passa-faixa, você precisa integrar a densidade de potência de ruído (e_n^2) ao longo da frequência, tendo em conta a resposta da banda passante do filtro (denominada $H(f) \equiv V_{out}/V_{in}$, e não se preocupe com a fase); ou seja,

$$v_n^2 = \int_{f_1}^{f_2} e_n^2 H^2(f)\, df \quad V^2 \text{(RMS)}; \qquad (8.57)$$

e, então, você obtém a raiz quadrada: $V_{n(RMS)} = \sqrt{v_n^2}$.

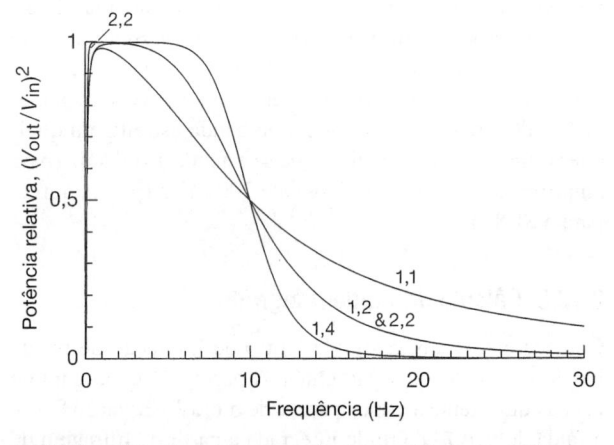

FIGURA 8.102 Espectro de potência de ruído branco filtrado para filtros passa-faixa Butterworth de 0,1 a 10 Hz das ordens indicadas (em suas extremidades "baixa, alta"; assim, um filtro passa-faixa "1,2" consiste de um RC passa-altas de primeira ordem em f_1 conectado em cascata com um passa-baixas Butterworth de segunda ordem em f_2).

Então, olhando para gráficos log-log da banda de passagem do filtro, como aqueles na Figura 8.101, você pode inicialmente pensar que um filtro passa-faixa com decaimento simétrico e acentuado tanto na extremidade baixa quanto na alta é necessário. Mas – surpresa – a integral v_n^2 influencia desproporcionalmente a extremidade superior, como você pode ver na Figura 8.102, na qual plotamos o valor $e_n^2 H^2(f)$ para o ruído branco ($e_n = 1$) ao longo de um passa-faixa de 100:1, em escalas de frequência e amplitude *lineares* (porque é isso que integrais fazem para viver). A integral é a área sob a curva, preguiçosamente acumulando grande quantidade de espectro indesejado para uma única seção RC na extremidade alta, mas adquirindo disciplina

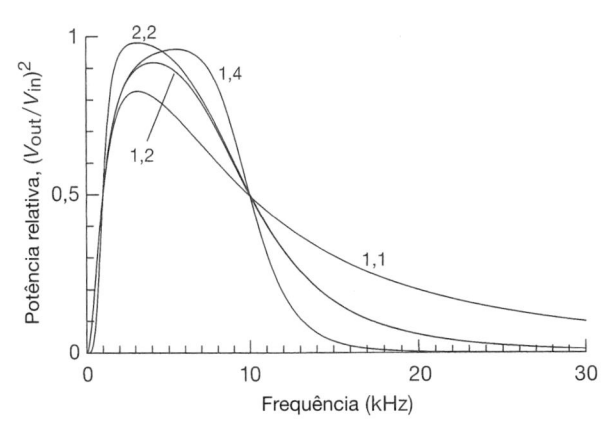

FIGURA 8.103 Espectro de potência do ruído branco filtrado para filtros passa-faixa Butterworth de 1 kHz a 10 kHz nas ordens indicados (extremidades "baixa, alta").

com ordens superiores; em contraste, a ordem do filtro na extremidade inferior não importa quase nada. E esse comportamento geral persiste, mesmo com uma banda passante mais estreita de 10:1 (Figura 8.103).

Tomamos o caso simples de ruído branco, com sua densidade espectral uniforme. Mas a situação não muda muito mesmo quando a densidade de ruído está aumentando em baixas frequências (por exemplo, ruído rosa, com $e_n^2 \propto 1/f$): a combinação de uma $H^2 \propto f^2$ integrada ao longo de uma variação pequena de frequência em baixa frequência, acaba como o aumento moderado da densidade de ruído.

8.13.3 "Ruído de Baixa Frequência" de AOP com Filtro Assimétrico

Como "a extremidade superior é a que mais importa", as especificações de *tensão de ruído de baixa frequência* (0,1 a 10 Hz) informadas em muitas folhas de dados de AOPs são medidas com um filtro assimétrico, muitas vezes uma única seção passa-altas em 0,1 Hz conectada em cascata com 2 seções passa-baixas (ou, às vezes, de ordem superior) em 10 Hz. Aqui estão as larguras de banda de ruído equivalentes para filtros passa-faixa que são passa-altas de primeira ordem (RC) em f_1 e passa-baixas Butterworth de segunda ordem em f_2; como antes, para o ruído rosa ou vermelho, o fator de multiplicação é a densidade de ruído no limite de frequência superior f_2, ou seja, "e_{n2}" $\equiv e_n(f_2)$:

$$v_n^2 = e_n^2 \frac{\pi}{4} \frac{\sqrt{2}f_1^2 f_2^3 - 2f_1 f_2^4 + \sqrt{2}f_2^5}{f_1^4 + f_2^4} \quad \text{(branco)},$$

$$v_n^2 = e_{n2}^2 \frac{\pi f_1^2 f_2^3 + 4f_2^5 \log_e(f_2/f_1)}{4(f_1^4 + f_2^4)} \quad \text{(rosa)}, \quad (8.58)$$

$$v_n^2 = e_{n2}^2 \frac{\pi}{4} \frac{\sqrt{2}f_1^3 f_2^3 - \sqrt{2}f_1 f_2^5 + 2f_2^6}{f_1^5 + f_1 f_2^4} \quad \text{(vermelho)}.$$

Folhas de dados de AOP normalmente especificam uma largura de banda de 0,1 Hz a 10 Hz para sua tensão de ruído de baixa frequência listada; na maior parte das vezes, ela é definida com um filtro assimétrico. Mas, curiosamente, elas tendem a listar um valor de pico a pico (em vez de RMS), tirado de uma captura de osciloscópio de 10 segundos (semelhante ao gráfico inferior na Figura 8.4). É comum estimar a tensão de ruído RMS com esta regra prática: $v_{n(RMS)} = v_{n(pp)}/6$.

A. Tensão de ruído de baixa frequência de AOP

Amplificadores operacionais (com exceção de AOPs de autozero) exibem, até agora, a familiar característica de densidade de ruído: plana em frequências mais altas (nós a chamamos de e_{nH}), mas que aumenta aproximadamente conforme $e_n \propto 1/\sqrt{f}$ (ruído rosa) para frequências abaixo do corte do ruído 1/f (chamamos essa frequência de f_c). Se você conhece f_c e e_{nH}, pode usar as expressões da Tabela 8.4 para estimar a tensão de ruído integrada ao longo de qualquer amplitude de um passa-faixa de f_1 a f_2.

Existem três possibilidades. (a) O passa-faixa está inteiramente na região de ruído branco, ou seja, $f_1 > f_c$; (b) o passa-faixa está inteiramente na região de ruído rosa, ou seja, $f_2 < f_c$; ou (c) o passa-faixa atravessa a frequência de corte 1/f. Para os dois primeiros casos, use a expressão correspondente a partir da Tabela 8.4 correspondendo à característica de filtro em uso. Para o caso (c), basta calcular as contribuições de v_n^2 dos ruídos branco e rosa em separado ao longo da faixa de passagem completa (f_1 a f_2) e tomar a sua soma. No caso idealizado de um filtro passa-faixa do tipo "parede de tijolos", esse processo resulta em uma tensão de ruído integrada de

$$v_n^2 = e_{nH}^2 \left(f_2 - f_1 + f_c \log_e \frac{f_2}{f_1} \right) \quad V^2(RMS). \quad (8.59)$$

Isso foi o que fizemos para criar as curvas de ruído integradas na Figura 5.54 (na Seção 5.11.1), com base nas densidades de ruído da folha de dados plotadas na Figura 5.37 (na Seção 5.10.6) e na Figura 8.63 (a partir dos dados plotados nas Figuras 8.60 e 8.61).[123] A Figura 8.104 mostra um exemplo, usando a curva e_n da folha de dados do OPA277 (corte de 1/f em 20 Hz[124]) para determinar a tensão de ruído integrada v_n como função da tensão da frequência de corte superior (é necessário escolher um limite de baixa frequência f_1 diferente de zero para evitar divergência).

---

[123] Um programa de planilha fornece uma maneira prática de fazer tais cálculos e plotar os resultados.

[124] A folha de dados é muito modesta! Consulte o espectro de ruído medido na Figura 8.109.

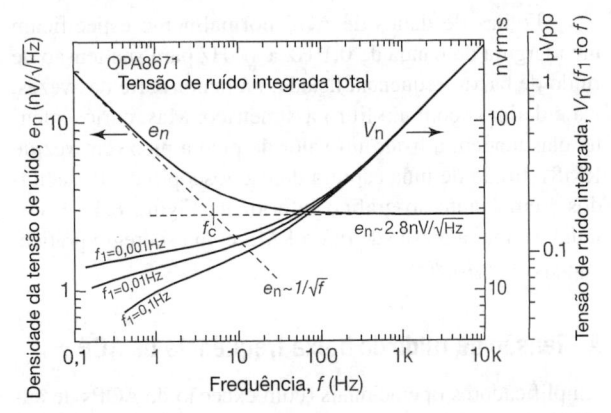

FIGURA 8.104 Esta densidade de tensão de ruído e_n de AOP tem sua frequência de corte de $1/f$ em 20 Hz. A potência de ruído integrada ($\sim e_n^2$) a partir de uma baixa frequência f_1 até a frequência de corte $f_2 = f$ resulta na tensão de ruído integrada ao quadrado v_n^2, a partir da qual resultam essas curvas de v_n. Se f_1 for definida em zero, a integral de v_n diverge.

8.13.4 Determinando a Frequência de Corte de $1/f$

Se você estiver observando um gráfico de densidade de ruído em função da frequência, pode tentar "examinar" a frequência de corte de $1/f$, f_c. Mas é bom ser capaz de determinar f_c a partir de um par de valores tabelados quando não há nenhum gráfico disponível (muitas vezes, e_n é especificada em 10 Hz e 1 kHz em dados tabulados de uma folha de dados); e, mesmo assim, algumas pessoas ficam impressionadas com uma ou duas equações em um livro que não é barato, como este. Você pode resolver isso sendo guiado pela Figura 8.105; o resultado é

$$f_c = \frac{e_{nL}^2 - e_{nH}^2}{e_{nH}^2} f_L = \left(\frac{e_{nL}^2}{e_{nH}^2} - 1\right) f_L \quad \text{Hz}, \quad (8.60)$$

em que e_{nL} é a densidade de ruído em uma frequência f_L que está abaixo da frequência de corte, e e_{nH} é a densidade de ruído bem acima de f_C.

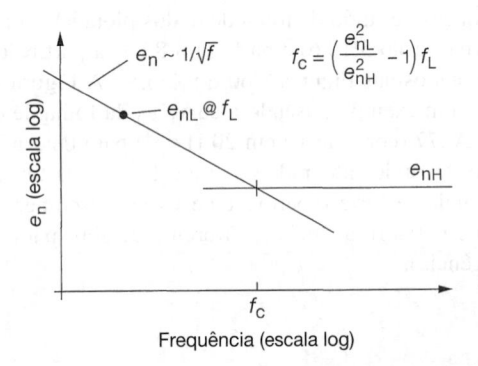

FIGURA 8.105 Para a densidade de ruído deste livro (1/f em baixas frequências, plana em altas frequências), você pode obter frequência de corte a partir dos valores de e_n em dois pontos.

A. Tensão de ruído ao longo de décadas

Uma fonte de ruído branco (isto é, e_n constante), filtrada para uma largura de banda B (por exemplo, com um passa-faixa do tipo "parede de tijolos" $f_2 - f_1 = B$), tem tensão de ruído integrada $v_n = e_n\sqrt{B}$. Então, observando em sucessivas décadas do passa-faixa (0,1 a 1 Hz, 1 a 10 Hz, 10 a 100 Hz, etc.), esperamos ver a tensão de ruído aumentando por fatores de $\sqrt{10}$; e é por isso, é claro, que "a extremidade superior é mais importante". A situação de ruído rosa é diferente: a dependência $1/f$ de e_n^2 compensa o aumento das larguras de banda, produzindo uma tensão de ruído constante, como se pode verificar olhando a expressão para o ruído rosa com filtragem ideal na página 564. Essas dependências são ilustradas bem nos gráficos de ruído integrado da Figura 5.54 e nas Figuras 8.62 e 8.63, em que a característica $1/f$ de baixa frequência de AOPs convencionais faz a sua tensão de ruído integrada se tornar plana na extremidade de baixa frequência; em contrapartida, AOPs de autozero exibem e_n constante em baixas frequências, de modo que a sua tensão de ruído integrada continua a diminuir em 10 dB/década conforme a largura de banda é reduzida.

As medições de bancada confirmam esse comportamento? Olhe para as formas de onda de osciloscópio na Figura 8.106, que são formas de onda de um único disparo de corrente de ruído de entrada de banda limitada em um AOP BJT LT1012. A amplitude da corrente de ruído diminui cerca de 10 dB a partir da década superior para a próxima década abaixo, mas parece se estabilizar e, em seguida, *aumenta* novamente na década inferior. Isso sugere uma densidade de corrente de ruído i_n que sobe mais rápido do que $1/\sqrt{f}$ do ruído rosa; e, na verdade, o espectro da corrente de ruído medida do LT1012, mostrado na Figura 8.111, é "mais íngreme do que o rosa". Em contraste, um AOP cujo ruído de baixa frequência está em conformidade com um espectro de ruído rosa ideal apresentaria amplitude de ruído aproximadamente constante por década de largura de banda, uma vez bem abaixo da frequência de corte de $1/f$.

B. Para sempre $1/f$?

É comum ouvirmos falar sobre potência de ruído de baixa frequência em conformidade com uma "lei $1/f$", como se houvesse alguma exigência legal envolvida. Você pode inicialmente pensar que isso não pode ser verdade, porque (você diz para si mesmo) um espectro de potência $1/f$ não pode continuar para sempre, uma vez que implicaria amplitude ilimitada de ruído. Se você esperou tempo suficiente, a tensão de *offset* de entrada (ou corrente de entrada, neste caso) se tornaria ilimitada. Na verdade, a mitologia popular de uma catástrofe de ruído de baixa frequência (da qual o seu pensamento teria sido vítima) é bastante sem mérito: mesmo que a *densidade* de potência de ruído continue conforme $1/f$ até a frequência zero, a sua potência de ruído (ou seja, a *integral* da densidade de potência de ruído) diverge apenas

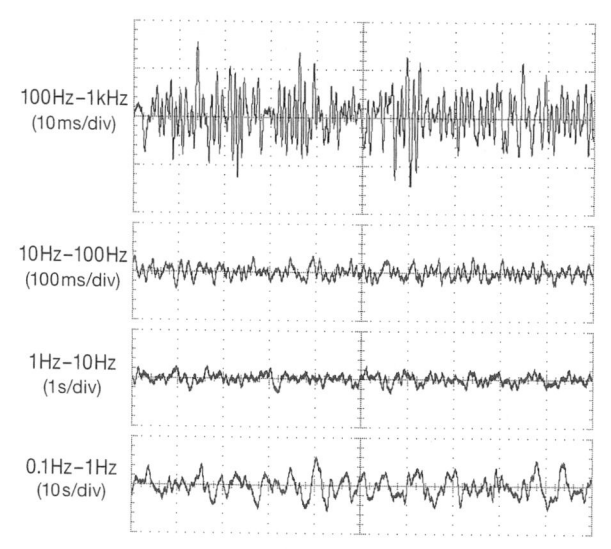

FIGURA 8.106 Corrente de ruído em função do tempo para o LT1012 para passa-bandas de décadas sucessivas. Vertical: 5 pA/div. Horizontal: dimensionado para passa-banda, tal como indicado.

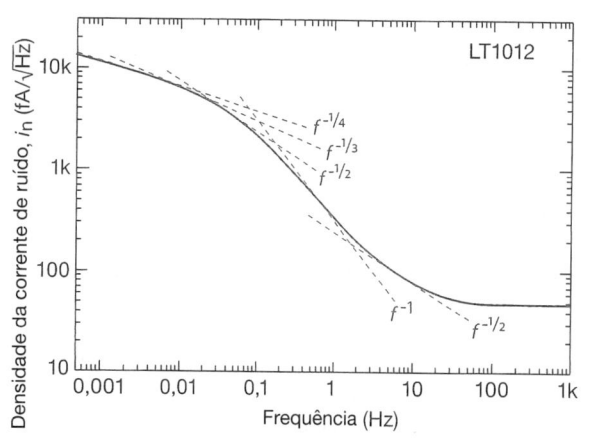

FIGURA 8.107 Espectro de corrente de ruído medido do LT1012, que se estende até 500 microhertz. Algumas inclinações são mostradas, para sua diversão.

logaritmicamente, dado que $\int f^{-1} df = \log_e f$. Para colocar alguns números, a potência de ruído total sobre o ruído em um espectro $1/f$ puro entre 1 *micro*hertz e 10 Hz é apenas 3,5 vezes maior do que entre 0,1 Hz e 10 Hz; descendo mais seis décadas (até 10^{-12} Hz), a proporção correspondente cresce apenas para 6,5. Dito de outra forma, a potência total sobre o ruído $1/f$, indo até uma frequência que é o inverso de 32.000 anos (quando os Neandertais ainda percorriam o planeta e não havia AOPs), é apenas seis vezes maior do que aquela de "ruído de baixa frequência" de 0,1 a 10 Hz das folhas de dados habituais. Muito para catástrofes.

Para determinar se o ruído de baixa frequência de AOPs reais continua em conformidade com um espectro $1/f$, medimos o espectro de corrente de ruído de um AOP LT1012 0,5 *mili*hertz,[125] com o resultado da Figura 8.107. Como observamos acima, este AOP é incomum em que a sua densidade de corrente de ruído aumenta mais rápido do que o habitual $1/\sqrt{f}$ (ruído rosa) para uma década em torno de 1 Hz; mas mesmo assim ele resolve voltar para o ruído rosa mais conhecido, e, finalmente, torna-se algo mais próximo de "branco pálido" ($f^{-1/4}$ ou mais lento).

Você poderia concluir que isso demonstra a natureza não física do comportamento de $1/f$ por todo o caminho até zero. Mas há outra explicação possível, ou seja, que esse AOP sofre com um ruído de rajada moderado. Isso seria consistente com a inclinação "mais rápido que o rosa" em torno de 1 Hz (lembre-se do espectro de ruído em rajada na Figura 8.6) e também levaria a atribuir incorretamente uma inclinação "mais lenta do que o rosa" na extremidade de baixa frequência do espectro na Figura 8.107.

Se esta última explicação está correta, as medições em frequências ainda mais baixas (digamos, até 0,00001 Hz) confirmariam uma continuação da inclinação $1/f$ (rosa). Mas é preciso um dia inteiro para chegar a 10 μHz, razão pela qual os dados de escala de tempo longo confiáveis são difíceis de determinar. Um *datapoint* (unidade de informação usada para gerar gráficos) interessante é proporcionado pela medição da Daire da "Distribuição Espectral de Ruído" de um Keithley 6430 de alta sensibilidade (resolução de 0,05 fA), um instrumento de alimentação e medição,[126] que exibe uma característica $1/f$ até um microhertz (correspondente a uma escala de tempo de algumas semanas). Com isso em mente, é bem possível que o achatamento de baixa frequência visto na Figura 8.107 seja, de fato, um artefato de um platô de ruídos em rajada. Ou talvez não – não há nenhuma exigência legal de que o ruído de frequência extremamente baixa deva obedecer a um espectro de $1/f$ (ruído rosa).

8.13.5 Medição da Tensão de Ruído

Há uma classe de instrumentos de teste, chamados *analisadores de espectro* ou *analisadores de sinais dinâmicos*, que mede e exibe o espectro de frequência de um sinal de entrada. Um estilo é otimizado para baixa frequência e uso de áudio, geralmente até $\sim$100 kHz, com cálculos espectrais feitos com uma transformada discreta de Fourier; exemplos são o SR780/5 da Stanford Systems Research e o U8903A da Agilent. Na outra extremidade, você encontra analisadores de espectro de RF e micro-ondas cuja frequência superior limite

---

[125] Fizemos uma média de 100 espectros de potência, acumulando uma segunda série temporal de 2000 para cada um: não é uma experiência rápida!

[126] Adam Daire, "*Counting electrons: how to measure currents in the attoampere range*" (Contando elétrons: como medir correntes na faixa de attoampère), Keithley Instruments, Inc., Setembro de 2005. Disponível em pdf a partir de www.keithley.com.

varia de ~3 GHz até mais de 50 GHz; estes usam um esquema de oscilador de varredura interno e misturador (muitas vezes, aumentado com o suporte da transformada de Fourier digital) para mapear o espectro sequencialmente. Uma configuração popular acomoda a faixa de frequência de 9 kHz a 3 GHz, muitas vezes com um "gerador de rastreamento" (gerador *tracking*) interno que permite que você faça uma varredura das respostas de filtros ou amplificadores; exemplos são o E4403 da Agilent e o FSL3 da Rohde & Schwarz.

Estes instrumentos são bastante flexíveis, com uma ampla faixa de configurações de ganho de entrada, alcances de frequência, escalas de visualização e assim por diante. Os instrumentos de baixa frequência têm uma impedância de entrada de 1 MΩ, conveniente para medições de circuitos (por exemplo, AOP ou espectros de ruído de tensão de referência), ao passo que os analisadores de RF apresentam o padrão de impedância de entrada de 50 Ω (ou 75 Ω, para aplicações de vídeo). Para medir um espectro de ruído de AOP, por exemplo, é só usar o circuito da Figura 8.108, com $R_s = 0$; você terá um espectro como a curva inferior na Figura 8.109. Os espectros de tensão de ruído para alguns AOPs medidos são apresentados na Figura 8.110.

A forma mais precisa de fazer medições de tensão de ruído de saída integrada é usar um voltímetro que mede RMS verdadeiro (*True RMS*). Esses operam medindo o aquecimento produzido pela forma de onda do sinal (adequadamente amplificado) ou utilizando um circuito analógico de quadratura seguido por um cálculo de média. Se você usar um medidor *True RMS*, verifique se ele tem resposta nas frequências que você está medindo; alguns deles vão até apenas alguns quilohertz. Multímetros *True RMS* também especificam um "fator de crista", a razão da tensão de pico pela RMS com que eles podem lidar sem grande perda de precisão. Para o ruído gaussiano, um fator de crista de 3 a 5 é adequado.

Você pode usar um simples voltímetro CA do tipo que calcula a média, caso não tenha disponível um medidor *True RMS*. Nesse caso, os valores lidos devem ser corrigidos.

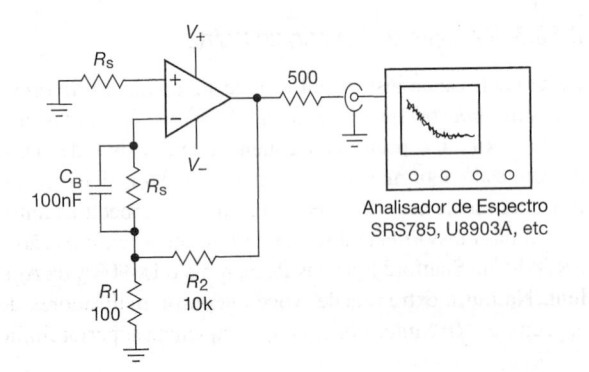

FIGURA 8.108 Medição de espectros de tensão e corrente de ruído de AOP. Para e_n, defina $R_s = 0$; para i_n, escolha R_s substancialmente maior do que a resistência de ruído do amplificador ($R_n = e_n/i_n$). Use uma caixa blindada com conexão CC filtrada.

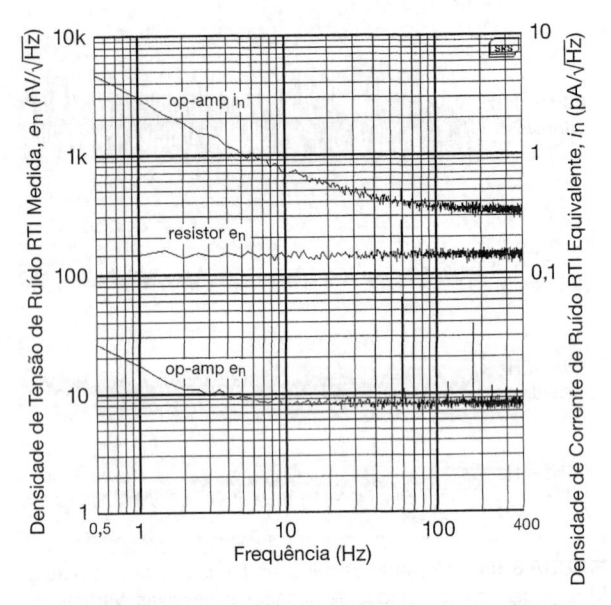

FIGURA 8.109 Espectros de tensão e corrente de ruído de um AOP OPA277, medido com o circuito da Figura 8.108. O ruído Johnson do resistor de 1 MΩ R_s, utilizado para as medições de i_n, define um "ruído de fundo", aqui visto bem abaixo da i_n medida do AOP.

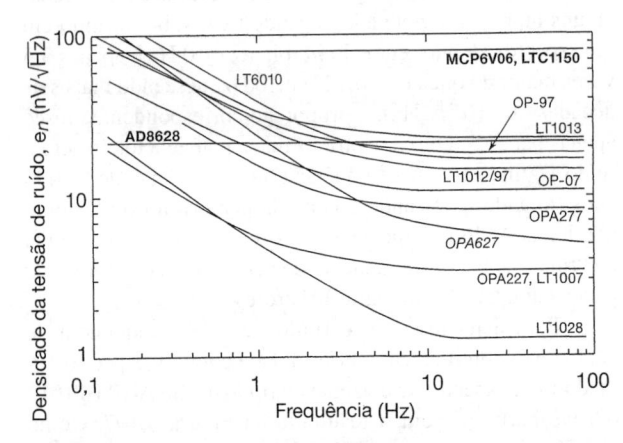

FIGURA 8.110 Espectros de densidade de tensão de ruído medidas de uma seleção de AOPs. Os dispositivos em **negrito** são amplificadores de autozero, que contornam o demônio do "ruído *flicker*" 1/*f* pela correção repetitiva de *offset*; o OPA627, em *itálico*, é um AOP de entrada JFET. Veja também as Figuras 8.60 e 8.61.

Como se constata, todos os medidores de média (VOMs, DMMs, etc.) já têm suas escalas ajustadas, de modo que o que você lê, na verdade, não é a *média*, mas a tensão RMS *considerando um sinal de onda senoidal*. Por exemplo, se você medir a tensão na rede elétrica nos Estados Unidos, o medidor indicará algo próximo a 117 V. Esse valor está correto, mas, se o sinal que você está lendo é um ruído gaussiano, tem que aplicar uma correção adicional. A regra é a seguinte: para obter a tensão eficaz do ruído gaussiano, multiplique o valor "RMS" que você leu em um voltímetro CA de média por 1,13 (ou adicione 1 dB). Aviso: isso funciona bem se o sinal que você está medindo é um ruído puro (por exemplo, a saída de um amplificador com um resistor ou fonte de ruído como entrada), mas não dará resultados precisos se o sinal for composto por uma onda senoidal adicionada ao ruído.

Um terceiro método, que não é exatamente famoso por sua precisão, consiste em observar a forma de onda de ruído em um osciloscópio: a tensão RMS é 1/6 a 1/8 do valor de pico a pico (dependendo da sua leitura subjetiva da amplitude pp). Ele não é muito preciso, mas medições de largura de banda nunca são demais.

8.13.6 Medição da Corrente de Ruído

Uma maneira fácil de medir a corrente de ruído de entrada em um AOP é usar o circuito da Figura 8.108, com uma grande resistência de entrada R_S. O seu valor tem que ser grande o suficiente para que a tensão de ruído gerado nele pela corrente de ruído de entrada do AOP seja pelo menos comparável à tensão de ruído do AOP (e, de preferência, muito maior do que ela): $i_n R_s \gtrsim e_n$. Outra maneira de colocar a questão é dizer que $R_s \gtrsim R_n$, a resistência de ruído do AOP.

Não terminamos ainda. Também é necessário que $i_n R_s$ domine sobre a densidade da tensão de ruído Johnson do resistor: $i_n R_s \gtrsim \sqrt{4kTR_s}$. Isto é, R_s se parece com uma fonte de corrente de ruído de $i_n = \sqrt{4kT/R_s}$, de modo que você tem que escolher um valor grande o suficiente para que o ruído de corrente de entrada do AOP domine. Achamos mais fácil lembrar os valores de tensão e corrente de ruído Johnson para uma resistência de valor redondo e, em seguida, dimensioná-los de acordo com a raiz quadrada de R. Portanto, tome nota: o ruído Johnson de um resistor de 1 MΩ é $e_n = 127\,\text{nV}/\sqrt{\text{Hz}}$ (em circuito aberto), dimensionando como $\sqrt{R}$; e $i_n = 127\,\text{fA}/\sqrt{\text{Hz}}$ (curto-circuito), dimensionando como $1/\sqrt{R}$.

A Figura 8.111 mostra os espectros de corrente de ruído de entrada para uma seleção de AOPs (a maioria dos quais têm entradas BJT com cancelamento de corrente de polarização), medidos com o circuito da Figura 8.108 com $R_s = 100\,\text{M}\Omega$ (para o qual a tensão de ruído Johnson do resistor é equivalente a uma densidade de corrente de ruído de 12,7 fA/$\sqrt{\text{Hz}}$), e assim, com o AOP de entrada JFET OPA627 (cujas contribuições de tensão e corrente de ruído são mínimas quando comparadas). Os dois dispositivos de autozero (estabilizado com *chopper*) exibem um espectro de ruído de baixa frequência plano, em contraste com a densidade de potência de ruído crescente 1/*f* "rosa" de AOPs convencionais. Mas autozeros geralmente têm picos espectrais desagradáveis em frequências mais altas, causados pelo *clock* de comutação na entrada (para o AD8628A, o *clock* é em torno de 15 kHz, fora da extremidade direita do gráfico, mas a Figura 5.52 os mostra generosamente para o MCP6V06).

TABELA 8.5 Medições de ruído de autozero

	Tensão de ruído			pico espectral	Corrente de ruído		
	e_n		amplitude de pico medida (µV)	(kHz)	i_n		amplitude de pico medida (pA)
	especif^t ($\frac{\text{nV}}{\sqrt{\text{Hz}}}$)	medida ($\frac{\text{nV}}{\sqrt{\text{Hz}}}$)			especif^t ($\frac{\text{fA}}{\sqrt{\text{Hz}}}$)	medida ($\frac{\text{fA}}{\sqrt{\text{Hz}}}$)	
AD8551	42	46	5	5,2	2	21	20
AD8572	51	55	a	a	2	16	a
AD8628	22	22	8	15	5	53	100
LMP2021	11	18	8	25	350	120	400
LTC1049	100	90	150	2,0	2	100	200
LTC1050	90	70	80	3,8	1,8	130	8000
LTC1150	90	92	2	0,6	1,8	70	15000^s
MAX4239	30	28	20	18	-	24	b
MAX9617	42	42	20	60	100	74	50
MCP6V06	82	80	40	8,9	0,6	38	800
OPA335	55	52	5	11	20	12	50
OPA734	135	120	5	18	40	27	8000^s
OPA2188	8,8	8,5	-	-	7	750	-
TLC4501A^c	70/12^e	60/11^e	1/2/5^f	-	0,6	0,6^g	-
MAX4236A^d	23/14^e	24/16^e	1/3/8^f	-	-	0,45^g	-

Notas: (a) Amplo espectro, ligeiro aumento em 2,2 kHz e harmônicos. (b) Ruído de saída dominado por V_n, incapaz de medir I_n separadamente. (c) Autozero ao energizar, sem correções posteriores. (d) AOP CMOS de precisão convencional, para comparação. (e) Em 10 Hz/1 kHz. (f) Não há características espectrais; amplitudes de pico para larguras de banda de até 1 kHz/10 kHz/100 kHz. (g) Em 1 Hz. (s) Forma de onda pontiaguda, valor listado é a amplitude de pico. (t) Típica.

Um cuidado: os valores de folha de dados para a corrente de ruído de entrada são, por vezes, expressos com erros sérios, evidentemente porque o fabricante não a mediu, acreditando que estava prevista com precisão por meio de um cálculo do ruído *shot* baseado na corrente de entrada. Estávamos curiosos, e medimos o ruído de entrada de uma dúzia de AOPs de autozero, com os resultados apresentados na Tabela 8.5. E como são interessantes! Os valores de folha de dados para a *tensão* de ruído estavam corretos; mas, para alguns dos dispositivos, os valores de *corrente* de ruído especificados foram demasiadamente otimistas, às vezes por até um fator de cinquenta. Curiosamente, algumas folhas de dados até admitem o que fizeram; por exemplo, a i_n que entra para cada um dos três dispositivos LTC é acompanhada por uma nota de rodapé dizendo "a corrente de ruído é calculada a partir da fórmula $i_n = \sqrt{2qI_B}$, onde $q = 1{,}6 \cdot 10^{-19}$ coulombs". Esse mesmo erro aflige alguns AOPs de entrada BJT, em especial aqueles com cancelamento de polarização de entrada, nos quais a corrente de ruído (incorreta) na folha de dados, evidentemente, foi calculada a partir do ruído *shot* correspondente à rede (ou seja, cancelado) corrente de entrada, em vez da muito maior corrente de entrada não cancelada. Veja a Seção 5.10.8 para mais detalhes.

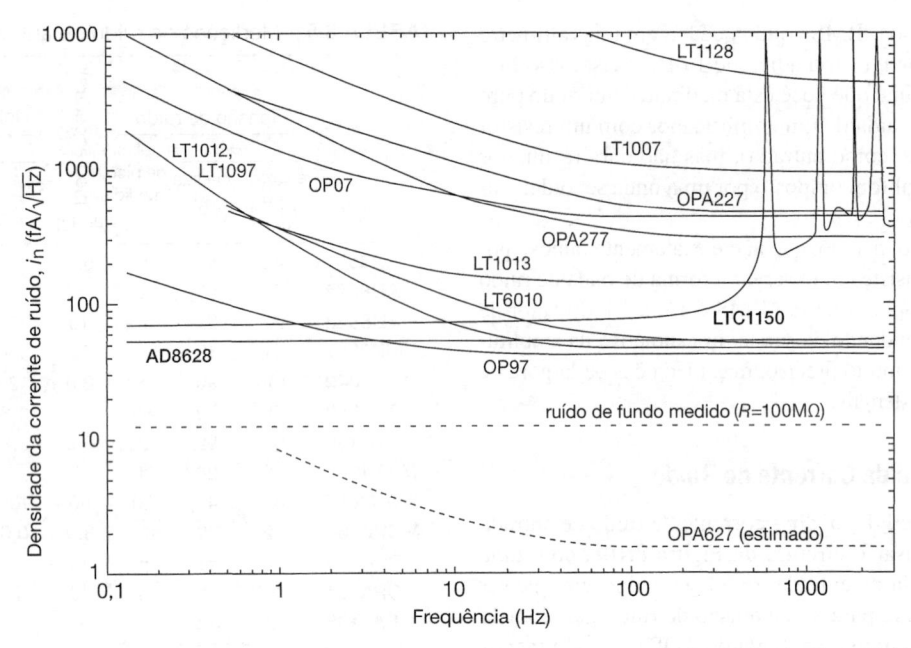

FIGURA 8.111 Espectros de densidade de corrente de ruído medidos para a maior parte dos AOPs da Figura 8.110. Os dispositivos em **negrito** são amplificadores de autozero, que contornam o inconveniente "ruído *flicker*" 1/*f* pela correção repetitiva de *offset*, mas apresentam ruído de *clock* induzido pela comutação em frequências mais altas (ver o gráfico expandido na Figura 5.52). Veja também as Figuras 8.60 e 8.61.

A. Algumas limitações: largura de banda, estabilidade, *offset* CC

Este esquema simples de medição de i_n – que permite que o dispositivo em teste amplifique a sua própria corrente de ruído de entrada, conforme a tensão desenvolvida sobre o grande resistor de entrada – tem alguns inconvenientes, que limitam seriamente a capacidade de medir correntes de ruído baixos na faixa de $fA/\sqrt{Hz}$. Como acabamos de discutir, você tem que usar valores suficientemente grandes de R_S para superar tanto a e_n do amplificador quanto o Johnson ruído do resistor. Para uma corrente de ruído de $1\,fA/\sqrt{Hz}$, por exemplo, exige-se R_S de pelo menos $10\,G\Omega$ (a contribuição de i_n equivalente é $1,3\,fA/\sqrt{Hz}$). Mas agora você tem que se preocupar com a tensão CC produzida pela corrente de polarização de entrada: uma corrente de 10 pA, por exemplo, produz 100 mV de entrada CC, saturando, assim, a saída após $G = 100$. Você também tem que se preocupar com a instabilidade, porque não é preciso muita capacitância de realimentação do pino de saída para a entrada não inversora para transformar o amplificador em um oscilador. Isso pode ser contido por um pequeno capacitor *shunt* para o terra, mas a capacitância adicionada reduz a largura de banda (já pequena): com nosso $R_S = 10\,G\Omega$, por exemplo, apenas 1 pF de capacitância de entrada limita a largura de banda de medição para 16 Hz! E, em nossas medições, precisamos de capacitância *shunt* adicional para evitar oscilação de baixa frequência em nosso modelo de teste (em soquete).

B. Largura de banda melhorada com um amplificador de corrente

A lição aqui é que não é fácil fazer medições de corrente de ruído de entrada de baixo nível em bons amplificadores. No entanto, você pode fazer melhor usando um amplificador de corrente externo cuidadosamente projetado (que apresenta uma entrada de baixa impedância, isto é, um terra virtual) conectado diretamente à entrada não inversora do dispositivo sob teste, tal como na Figura 8.112. Por exemplo, o Modelo 1211, um "pré-amplificador de corrente", da DL Instruments,[127] tem uma corrente de ruído de entrada especificada de $1,5\,fA/\sqrt{Hz}$ (que corresponde a um resistor de realimentação de $10\,G\Omega$ na sua junção de soma na entrada) e uma largura de banda de 400 Hz; é uma configuração de "eletrômetro" (realimentação negativa CC para uma junção de soma na entrada), de modo que ele mantém sua entrada dentro de 0,2 mV do terra para uma corrente de entrada de fundo de escala. Alguns outros fornecedores de amplificadores de corrente de baixo nível de ruído e instrumentos de medição de corrente são a Laser Components (por exemplo, o

---
[127] Anteriormente, a divisão de instrumentação da Ithaco, Inc.

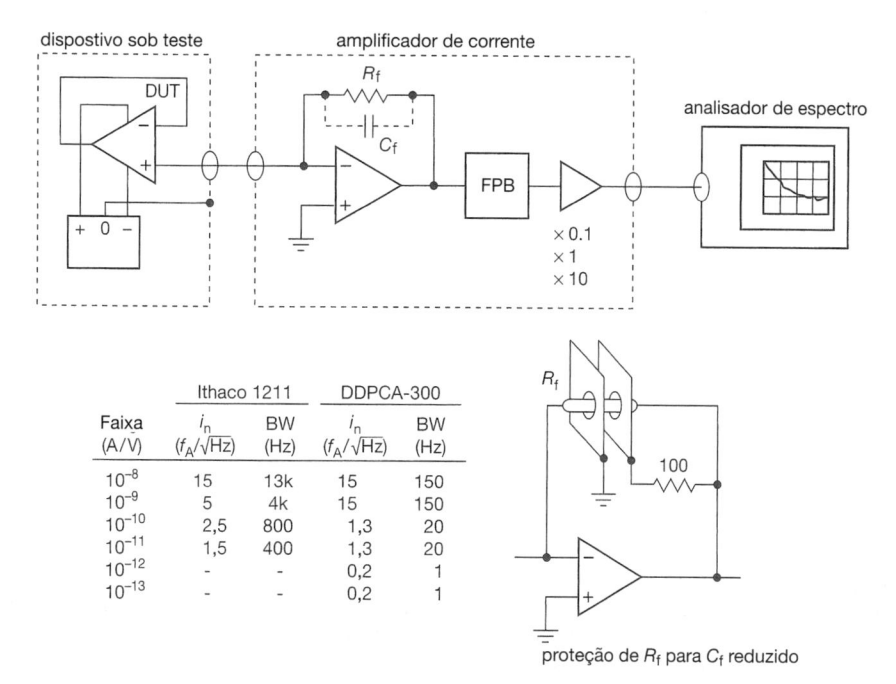

FIGURA 8.112 Medição da corrente de ruído de AOP com um amplificador de corrente externa sensível.

seu modelo de DDPCA-300, com ganhos comutáveis de 10^4 V/A até 10^{13} V/A, e com ruído baixo, de até 0,2 fA/$\sqrt{Hz}$ nas faixas mais sensíveis) e a Keithley (por exemplo, o seu modelo 428, com ganhos comutáveis de 10^3 V/A até 10^{11} V/A).

8.13.7 Outra Forma: Produzir o Seu Próprio Instrumento de fA/$\sqrt{Hz}$

Os amplificadores de corrente de alto desempenho comerciais podem custar caro – estamos falando de 1.000 a 10.000 dólares. É bom ter tal instrumento na mão, é claro. Mas, se tudo que você quer é medir o baixo nível de corrente de ruído de entrada de AOP, e você está disposto a fazer um modelo de teste para fins especiais, pode construir algo como o circuito na Figura 8.113. Com os valores mostrados, você pode medir correntes de ruído de até 0,1 fA/$\sqrt{Hz}$ (ou menos, com um R_S maior), com componente que custam apenas alguns dólares.

Esse circuito tem uma abordagem incomum, e vale a pena um pouco de discussão. Nossa primeira ideia era eliminar completamente o resistor de realimentação produtor de ruído: lembre-se de que um resistor de valor R tem uma densidade de tensão de ruído Johnson $e_n=\sqrt{4kTR}$, portanto uma densidade de corrente de ruído equivalente $i_n=\sqrt{4kT/R}$; assim, por exemplo, manter essa contribuição de i_n em menos de 1 fA/$\sqrt{Hz}$ requer um R_f maior do que 16.000 MΩ (com os consequentes problemas de largura de banda, *offset* e estabilidade). Portanto, aqui usamos no lugar um *capacitor* de realimentação![128] Isso faz um integrador, aqui implementado como um amplificador composto no qual o dispositivo sob teste (*device-under-test*, DUT) (configurado como um seguidor) aciona um estágio de AOP inversor cuja largura de banda de ganho unitário é limitada (por C_{comp}, em combinação com R_1) a ~16 kHz. Não precisamos de mais largura de banda, e esse excesso de compensação garante a estabilidade.

Ignorando por um momento a corrente de fuga de entrada do DUT, esse integrador converte ruído corrente de ruído de entrada em tensão de ruído de saída de acordo com $v_n = i_n/\omega C_f$ Assim, por exemplo, um espectro de i_n plano (branco) produz uma v_n cuja amplitude espectral cai conforme $1/f$, ou, de modo equivalente, a sua densidade de potência de ruído cai conforme $1/f^2$ (ruído vermelho). Claro, existe também a tensão de ruído e_n em ambos os amplificadores operacionais, que é adicionada à v_n (na forma usual da raiz quadrada da soma dos quadrados do ruído não correlaciona-

---
[128] Isto não é tão maluco quanto parece. Na verdade, é o método de escolha ("dupla amostragem correlacionada") utilizado em determinadas aplicações de baixo ruído, por exemplo, fotodiodo ou amplificador de leitura de sensor CCD, em que o ruído térmico produzido por uma resistência de realimentação convencional é inaceitável. (Um engenheiro diria que um capacitor não tem nenhum ruído Johnson; um físico diria que o capacitor pode ter um valor kT de energia térmica, em média, mas, estando fora do aparelho de banho térmico, essa energia não flutua.) Esta técnica pode ter sido originada por Garwin, que a usou em 1950 para instrumentação física de alta energia e, em seguida, em 1969, para leitura do detector de imagem (em que Garwin foi instruído a "ler duas vezes para cancelar kT").

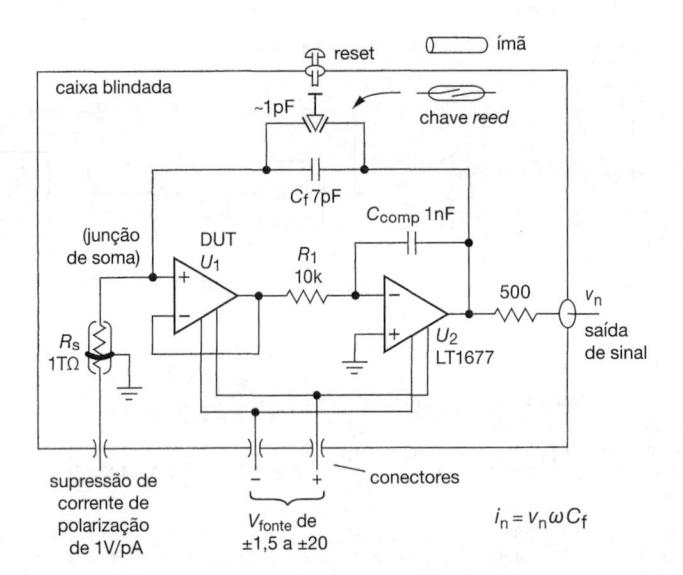

FIGURA 8.113 Medição de i_n até 0,1 fA/$\sqrt{\text{Hz}}$, com larguras de banda até ~1 kHz, utilizando um integrador composto. O resistor de supressão R_S (feito por Welwyn) tem uma proteção metálica integral, usada para interceptar correntes de fuga na parte externa de seu envoltório de vidro (este é realmente um resistor de alto valor: 1 TΩ é um milhão de megaohms!); o valor de 7 pF para C_f inclui as capacitâncias da fiação e da chave. O botão de reset apresenta desafios educacionais (veja o texto).

do); optando por um valor menor para C_f, podemos reduzir o efeito dos valores de e_n, porque valores menores de C_f produzem maior "ganho" de corrente-tensão. (Outra maneira de colocar isso é que a corrente de ruído efetiva produzida pela tensão de ruído de entrada e_n é $i_n = e_n \omega C_f$. De forma equivalente, as medições de corrente de ruído se estendem apenas até uma frequência $\omega = i_n/e_n C_f$, acima da qual a tensão de ruído do amplificador domina.) Para este circuito, escolhemos o LT1677 para U_2, porque combina tensão de ruído muito baixa (3,2 nV/$\sqrt{\text{Hz}}$) com baixa corrente de polarização, ampla faixa de tensão de operação ($\pm 1,5$ V a ± 20 V) e saída trilho a trilho.

A Figura 8.114 mostra uma captura de tela do espectro de tensão de ruído do circuito da Figura 8.113, quando um AOP LTC1049 de autozero está conectado ao soquete do DUT. Ele se harmoniza com precisão a $1/f$, calculando $i_n=100$ fA/$\sqrt{\text{Hz}}$ ao longo dessa faixa de frequência, em concordância com a medição de i_n feita usando o circuito da Figura 8.108 (e descrito na Tabela 8.5). Não há qualquer indício de estabilização na extremidade de alta frequência, consistente com uma largura de banda de medição prevista de ~10 kHz para a i_n e a e_n deste AOP.

Ajustada a técnica (e confirmada a calibração medindo também o AOP de autozero AD8628), nós a utilizamos para medir os casos difíceis – os AOPs convencionais listados na Tabela 8.5, com valores de corrente de ruído no território de ~1 fA/$\sqrt{\text{Hz}}$ – com os resultados listados. Para essas medições, a largura de banda abrange apenas ~1 kHz, acima do que a tensão de ruído e_n do AOP, em combinação com a capacitância de entrada para o terra (tanto dentro quanto

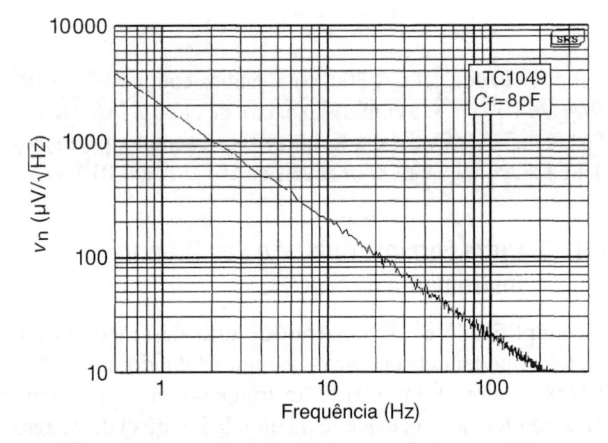

FIGURA 8.114 Densidade de tensão de ruído v_n medida a partir do circuito da Figura 8.113, para um AOP de autozero LTC1049. O espectro de amplitude $1/f$ de saída do integrador (v_n) corresponde a um espectro de corrente de ruído de entrada plano ao longo dessa faixa de frequência, com um valor de $i_n=100$ fA/$\sqrt{\text{Hz}}$.

externamente ao AOP, como fiação, etc.), cria uma corrente de ruído de entrada equivalente "$e_n C$" (mais precisamente, $e_n \omega C_{in}$) que domina a pequena corrente de ruído do próprio amplificador.

Também medimos um LMC6081, que deve ter uma corrente de ruído ainda mais baixa, dada a sua corrente de entrada típica especificada, I_b, de 10 fA; para este AOP, a v_n medida corresponde a uma i_n de 0,15 fA/$\sqrt{\text{Hz}}$. Isso parece muito bom – mas a corrente de ruído esperada, calculada como ruído *shot* I_B, deve ser um pouco menor, cerca de 0,06 fA/$\sqrt{Hz}$. Portanto, agora temos que confessar que a pureza dessa técnica de medição sem resistor foi comprometida pelo resistor de "supressão de corrente" R_S, necessário para cancelar a corrente de entrada CC. Foi utilizado um valor muito grande (1 TΩ, que é 10^6 megaohms!) para reduzir a corrente de ruído adicionado, que aqui equivale a $i_n = \sqrt{4kT/R_S} = 0,13$ fA/$\sqrt{Hz}$. Portanto, para este AOP, o que realmente medimos foi o ruído introduzido pelo resistor de supressão de polarização! Poderíamos fazer melhor, por exemplo, com um resistor de 100 TΩ (você pode obter esse dispositivo, por exemplo, da série 3810 da Welwyn), o que levaria o ruído adicionado para baixo por um fator de dez. Poderíamos fazer melhor, isto é, se você realmente acreditar que pode manter todas as outras resistências de isolamento (umidade, impressões digitais, etc.) altas o bastante; uma tarefa difícil.[129]

A. Uma complicação divertida: o botão de *reset*

Aqui está uma pequena história sobre a realidade e uma considerável confusão no caminho para um esclarecimento final. Bem fora do convencional, esse circuito funcionou quase perfeitamente. Mas houve uma complicação curiosa: quando o botão de RESET do integrador foi pressionado, a saída foi obedientemente para zero; porém, quando o botão foi liberado, a saída teve um grande salto – tipicamente para um valor na faixa de +1,5 V a 2 V. O que poderia causar isso? Muito provavelmente, algum tipo de carga eletrostática causada pelo movimento das peças de plástico, em uma série com botões da qual somos apreciadores (série Panasonic EVQ2130x--EVQ2150x, que são compactos, econômicos, agradavelmente táteis e quase livres do irritante "repique" de contato).

Ponderamos isso e decidimos substitui-lo por uma chave *reed* operada magneticamente – um pequeno envelope de vidro tubular selado contendo um par de contatos, com um fio saindo de cada extremidade, e que é acionado pela aproximação de um pequeno ímã permanente (esse dispositivo é amplamente utilizado, mais comumente com chaves de portas e janelas em sistemas de alarmes domésticos). A chave *reed* tem boas propriedades: quando OFF, sua capacitância é ~0,3 pF e sua resistência é maior do que 10^{12} Ω. E, com a chave dentro da caixa de alumínio blindada e o ímã do lado de fora, não há oportunidade para a acumulação de carga estática. Melhor ainda, sem bobina acionada em CC (como em um relé convencional, ou um relé *reed*), não haveria acoplamento magnético ou elétrico para o circuito sensível.

Isso funcionou consideravelmente melhor. Mas ainda não está como esperado: imagine nossa surpresa quando a saída deu um degrau de −50 mV quando a chave foi aberta. O que poderia estar causando *isso*? Pensamos a princípio que poderia ser devido a um rearranjo de fluxo quando os contatos (magnéticos) abriram, injetando um pulso de carga igual à variação no fluxo que foi conectada pela fiação do circuito. Fácil de verificar: basta mover a chave para bem próximo do AOP, reduzindo a área delimitada do circuito. Fizemos isso e, animadoramente, o salto da saída mudou de sinal (agora um degrau positivo, aproximadamente da mesma magnitude). OK, pensamos – é só mover a chave de volta para metade do caminho de onde estava, e o efeito deve ir a zero. Mas não funcionou: ainda +50 mV.

Isso foi muito estranho! Em um momento de inspiração, pensamos que poderíamos ter revertido as extremidades quando fizemos a primeira alteração, então invertemos a chave, e o sinal de degrau inverteu (de volta a −50 mV).

Assim, a chave *reed* parecia ter uma assimetria, e uma memória própria, de tal forma que ela injetou alguma carga (não muito: $Q = C_f \Delta V = 0,35$ pC) quando aberta. O que poderia estar causando isso? Conversamos com alguns colegas sábios, que sugeriram que pensássemos sobre a diferença do "trabalho funcional" entre os dois contatos na chave (que poderiam plausivelmente ser escolhidos de metais diferentes, para evitar aderência por solda fria), e murmuraram termos como "níveis de Fermi", "diferença de potencial de contato" e a técnica "*Kelvin probe*" para medição deste último.

OK, então tentamos uma chave *reed* de projeto diferente, e também uma de um fabricante diferente (no lugar da original MDRR-4 da Hamlin, pusemos primeiro a MDSR-10 da Hamlin e, em seguida, a RI-01BAA da Coto), sendo que ambas exibiram o mesmo efeito curioso, embora com diferentes amplitudes (15 mV e 100 mV, respectivamente).

Uma pausa para pedir ajuda! A folha de dados da Hamlin declara de forma hospitaleira "Para mais detalhes sobre especificações elétricas, entre em contato com a Hamlin". Então, fizemos isso. Descobrimos que os pares de contato são idênticos – na verdade, eles apenas fazem milhares deles, todos iguais, e tomam dois quaisquer para cada chave. Lá se vai toda a teoria de níveis de Fermi!

Por fim, entendemos o que acontecia.[130] O vidro é um excelente isolante, e é fácil depositar carga no encapsulamento de vidro da chave *reed* apenas ao manuseá-la (ao remover sua proteção plástica, etc.). Há um nome bonito para isso: *efeito triboelétrico*. Um nome mais simples é eletricidade estática. O vidro é um dos materiais clássicos, e, em disciplinas sobre eletricidade, você vê demonstrações de bastões

---

[129] Sem dúvida! Testamos essa proposição respirando profundamente dentro na caixa e, em seguida, medimos a supressão de polarização por meio de R_S: ela aumentou 20 vezes, devido ao caminho de fuga para o exterior evidentemente criado por condensação de umidade, retornando ao seu valor seco um minuto depois. É por isso que esses resistores "de vidro selado de alto valor" da Welwyn estão equipados com um anel de proteção condutor, que pode ser conectado ao terra (como mostrado) para desviar tais correntes de fuga externa: a parte do encapasulamento entre o anel de guarda e a junção de soma, então, não tem qualquer queda de tensão (mais precisamente, uma tensão igual à tensão de *offset* do AOP, um milivolt ou menos); assim, não flui corrente de fuga. Confirmamos isso com um bis do teste de respiração.

[130] Não é curioso que seja sempre a última conjectura a que se revela correta?

de vidro sendo esfregados com pelo de gato. Com uma carga presa no vidro, o campo elétrico que ela produziu fez os eletrodos da chave *reed* adquirirem uma pequena quantidade de carga oposta quando separados.

Aqui está o que fizemos para confirmar essa conjectura: pegamos um pequeno pedaço de folha de metal,[131] aterrada em uma extremidade com um clipe, então a envolvemos em torno da chave *reed* e a deslizamos ao longo do comprimento do encapsulamento de vidro várias vezes, para descarregar qualquer carga estática na superfície do vidro. E assim foi: após essa operação, o degrau de tensão de saída foi reduzido a um insignificante ~ 2 mV.

Moral da história: medições sensíveis (aqui estamos falando de femtoampères e picofarads) podem revelar efeitos tão pequenos, que você nunca pensou sobre eles. Eles podem perturbar gravemente o seu trabalho... mas é gratificante descobri-los por conta própria. E, em seguida, eliminá-los.

8.13.8 Miscelânea de Ruído

Aqui está uma coleção de fatos interessantes e, possivelmente, úteis.

1. O tempo médio necessário em um dispositivo indicador reduzir as flutuações de um sinal de ruído retificado a um nível desejado para uma dada largura de banda de ruído é

$$\tau \approx \frac{1600}{B\sigma^2} \text{ segundos,} \quad (8.61)$$

em que τ é a constante de tempo do dispositivo indicador para produzir oscilações de desvio padrão σ porcento na saída de um detector linear cuja entrada é um ruído de largura de banda B.

2. Para o ruído branco limitado em banda, o número esperado de máximos por segundo é

$$N = \sqrt{\frac{3(f_2^5 - f_1^5)}{5(f_2^3 - f_1^3)}}, \quad (8.62)$$

em que f_1 e f_2 são os limites inferior e superior da banda. Para $f_1 = 0$, $N = 0{,}77\,f_2$; para o ruído de banda estreita $(f_1 \approx f_2)$, $N \approx (f_1 + f_2)/2$.

3. A razão RMS/média (ou seja, valor médio):

ruído gaussiano: RMS/média $= \sqrt{\pi/2} = 1{,}25 = 1{,}96$ dB,
senoide: RMS/média $= \pi/2^{\frac{3}{2}} = 1{,}11 = 0{,}91$ dB,
onda quadrada: RMS/média $= 1 = 0$ dB.

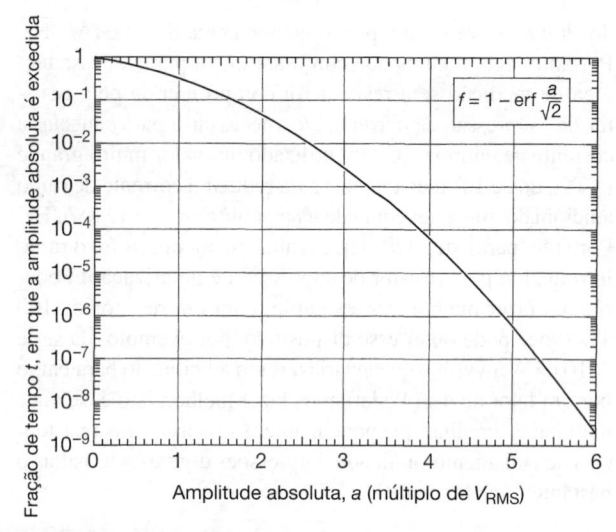

FIGURA 8.115 Ocorrência relativa de amplitudes no ruído gaussiano. Potencialmente útil para estimar as taxas de falsos disparos, "fator de crista" necessário em medições RMS e similares.

4. Ocorrência relativa de amplitudes no ruído gaussiano. A Figura 8.115 mostra o gráfico da fração de tempo que um determinado nível de amplitude é excedido por uma onda de ruído gaussiano de amplitude RMS unitária.

5. A taxa de cruzamento do limiar positivo do ruído branco gaussiano de amplitude RMS unitária filtrado por um passa-baixas é

$$\text{TCR} = \frac{\text{BW}}{\sqrt{3}} \exp\left(-V_{\text{th}}^2/2\right) \text{ cruzamentos/segundos,} \quad (8.63)$$

em que V_{th} é a tensão de limiar positiva e BW é a largura de banda do passa-baixas ideal.[132]

6. O desvio padrão do ruído resultante do erro de quantização é

$$\sigma_n = \frac{\text{LSB}}{\sqrt{12}} \approx 0{,}3\,\text{LSB}. \quad (8.64)$$

8.14 MELHORIA DA RELAÇÃO SINAL-RUÍDO PELO ESTREITAMENTO DA LARGURA DE BANDA

Quis o acaso que os sinais que normalmente você quer medir estivessem mergulhados no ruído (em que o "ruído" pode incluir outros sinais nas proximidades da frequência, ou seja, de interferência), frequentemente a ponto de você não po-

---

[131] Envolvido em torno de uma espuma, esse material útil é usado para fazer juntas de blindagem condutivas flexíveis. Confira os materiais de vedação autoadesivos "fabricado sobre espuma" da Laird Technologies, por exemplo, o 4046, em formato retangular, ou o 4283, em forma de D.

[132] A taxa de cruzamento por meio de um par de limiares simétricos (isto é, a taxa de passagem de *magnitude* maior do que V_{th}) é o dobro da obtida a partir da fórmula. Agradecemos a Phil Hobbs para esse fato, encontrado junto com muitos outros em seu belo livro indicado na nota de rodapé 105.

der nem sequer vê-los em um osciloscópio. Mesmo quando o ruído externo não é um problema, as estatísticas do próprio sinal podem se tornar de difícil detecção, tal como, por exemplo, contando desintegrações nucleares a partir de uma fonte fraca, com apenas algumas contagens detectadas por minuto. Por fim, mesmo quando o sinal é detectável, você pode desejar melhorar a intensidade do sinal detectado, a fim de efetuar uma medição mais precisa. Em todos esses casos, são necessários alguns truques para melhorar a relação sinal-ruído. Todos eles correspondem a um estreitamento da largura de banda de detecção, a fim de preservar o sinal desejado e, ao mesmo tempo, reduzir a quantidade total de ruído (de banda larga) aceito.

A primeira coisa que você pode ser tentado a experimentar quando pensar em reduzir a largura de banda de uma medição é colocar um filtro passa-baixas simples na saída, a fim de calcular a média do ruído. Há casos em que essa ação funcionará, mas, na maior parte do tempo, isso fará muito pouco do que se espera, por dois motivos. Em primeiro lugar, o próprio sinal pode conter algumas frequências altas ou pode estar centrada em alguma frequência alta. Em segundo lugar, mesmo que o sinal esteja, de fato, variando lentamente ou estático, invariavelmente você tem de lidar com a realidade de que a densidade de potência do ruído geralmente tem uma característica $1/f$, assim, conforme você estreita a largura de banda em direção a CC, ganha muito pouco. Sistemas eletrônicos e físicos são cheio de "tiques", por assim dizer.

Na prática, existem algumas técnicas básicas de estreitamento da largura de banda que estão em uso generalizado. Elas têm nomes como média do sinal, média transitória, integração *boxcar* (integração durante um tempo pré-definido), escalonamento multicanal, análise de altura de pulso, detecção síncrona (*lock-in*) e detecção sensível à fase. Todos esses métodos consideram que você tem um sinal repetitivo[133]; isso não é um problema de verdade, já que quase sempre há uma maneira de forçar o sinal a ser periódico, supondo que ele ainda não o seja. Aqui discutiremos uma dessas importantes técnicas, conhecidas como detecção "*lock-in*" ou "síncrona".

8.14.1 Detecção Síncrona

Este é um método de sutileza considerável. É constituído de duas etapas. (1) Um parâmetro do sinal da fonte é *modulado*; por exemplo, um LED pode ser acionado com uma onda quadrada em uma frequência fixa. (2) O sinal detectado (e ruidoso) é *demodulado*, por exemplo, por multiplicação por um sinal de referência fixo em amplitude na mesma frequência de modulação. A modulação move o espectro de sinal da fonte até a frequência de modulação, acima do ruído de fundo de baixa frequência $1/f$ e longe de outras fontes de ruído

(tais como flutuações de luz ambiente, no caso do exemplo do LED). A etapa de demodulação cria uma saída CC proporcional ao sinal, que pode ser filtrada por um passa-baixas (um filtro RC simples pode ser suficiente) para reduzir a largura de banda detectada.

Para entender o método, é necessário ter um pequeno desvio para o detector de fase, um assunto que abordaremos primeiro na Seção 13.13.2.

A. Detectores de fase

Na Seção 13.13.2, descrevemos detectores de fase que produzem uma tensão de saída proporcional à diferença de fase entre dois sinais digitais (de níveis lógicos). Para fins de detecção síncrona, você precisa saber sobre detectores de fase *linear*, porque está quase sempre lidando com níveis de tensão analógica.

O circuito mais simples[134] é mostrado na Figura 8.116. Um sinal analógico passa através de um amplificador linear cujo ganho é invertido por um sinal de onda quadrada de "referência" que controla uma chave FET (veja a Tabela 3.3 ou 13.7 para os candidatos). O sinal de saída passa através de um filtro passa-baixas RC. Isso é tudo que existe no circuito. Vamos ver o que você pode fazer com ele.

Saída do detector de fase

Para analisar a operação do detector de fase, suponhamos que apliquemos um sinal

$$E_s \cos(\omega t + \phi)$$

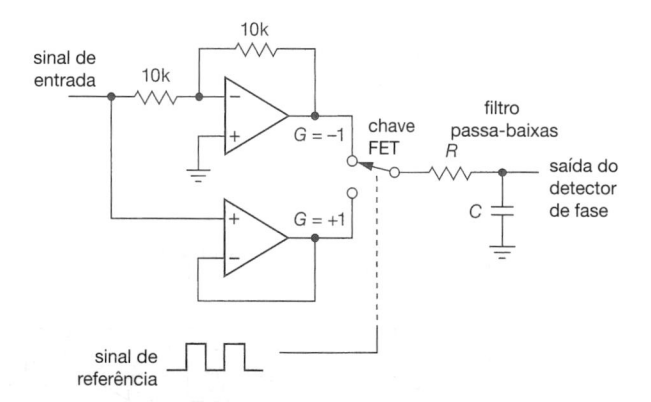

FIGURA 8.116 Detector de fase para sinais de entrada lineares. Você pode implementá-lo de forma simples com um AOP dual e um CI de chave CMOS. Este esquema é usado no AD630 monolítico.

---

[133] Ou, de modo mais geral, uma variação de sinal *conhecido* para a qual o sinal medido pode ser correlacionado.

[134] Porém, não é o ideal: a modulação de onda quadrada provoca resposta em harmônicos ímpares. O uso de um multiplicador analógico como o AD633 ou o AD734, acionados por uma onda senoidal de referência, elimina essa deficiência.

para tal detector de fase, cujo sinal de referência é uma onda quadrada com transições nos zeros de sen ωt, ou seja, em $t = 0$, π/ω, $2\pi/\omega$ etc. Suponhamos ainda que a média da saída, V_{out}, passe por um filtro passa-baixas cuja constante de tempo é muito mais longa do que um período:

$$\tau = RC \gg T = 2\pi/\omega.$$

Então, a saída do filtro passa baixas é

$$\langle E_s \cos(\omega t + \phi) \rangle \big|_0^{\pi/\omega} - \langle E_s \cos(\omega t + \phi) \rangle \big|_{\pi/\omega}^{2\pi/\omega},$$

em que os colchetes representam médias e o sinal negativo vem da reversão de ganho ao longo dos semiciclos alternados de V_{ref}. Como um exercício, você pode mostrar que

$$\langle V_{out} \rangle = -(2E_s/\pi) \operatorname{sen} \phi.$$

Exercício 8.9 Execute as médias indicadas pela integração explícita para obter o resultado anterior para o ganho unitário.

O nosso resultado mostra que a saída média, *para um sinal de entrada da mesma frequência que o sinal de referência*, é proporcional à amplitude de V_s e à senoidal em fase relativa.

Precisamos de mais um resultado antes de prosseguir: qual é a tensão de saída para um sinal de entrada cuja frequência está perto (mas não igual) do sinal de referência? Isso é fácil, porque, nas equações anteriores, a quantidade ϕ agora varia lentamente, na frequência diferença:

$$\cos(\omega + \Delta\omega)t = \cos(\omega t + \phi) \quad \text{com } \phi = t\Delta\omega,$$

dando um sinal de saída que é uma senoide lenta:

$$V_{out} = (2E_s/\pi) \operatorname{sen}(t\Delta\omega),$$

que passará através do filtro passa-baixas relativamente incólume se $\Delta\omega < 1/\tau = 1/RC$ e será fortemente atenuado se $\Delta\omega > 1/\tau$.

B. O método síncrono

Agora, o chamado amplificador síncrono (ou sensível à fase) deve fazer sentido. Primeiro, você faz um sinal fraco periódico, como já discutimos, digamos a uma frequência nas proximidades de 100 Hz. O sinal fraco, contaminado pelo ruído, é amplificado e detectado em fase em relação ao sinal de modulação. Observe a Figura 8.117. Em muitos casos, você desejará medir o sinal fraco enquanto alguma condição experimental é variada – você terá uma experiência com dois "botões" sobre ela, um para modulação rápida, para fazer detecção de fase, e outro para uma varredura lenta, por meio das interessantes características do sinal (em NMR, por exemplo, a modulação rápida poderia ser uma pequena modulação de 100 Hz do campo magnético, e a modulação lenta pode ser uma varredura de frequência de 10 minutos de duração através da ressonância). O deslocador de fase é ajustado para dar sinal de saída máxima, e o filtro passa-baixas é definido para uma constante de tempo longa o suficiente para dar uma boa relação sinal-ruído. O decaimento do filtro passa-baixas define a largura de banda, portanto um decaimento de 1 Hz, por exemplo, dá a você a sensibilidade a sinais espúrios e ruído somente dentro de 1 Hz do sinal desejado. A largura de banda também determina quão rápido você pode ajustar a "modulação lenta", porque agora você não deve passar por quaisquer características do sinal mais rápido do que o filtro pode responder; as pessoas usam constantes de tempo de frações de segundo até dezenas de segundos ou mais.[135]

Note que a detecção síncrona corresponde ao *estreitamento da largura de banda*, com esta definida pelo filtro passa-baixa pós-detecção. Outra maneira de reduzir a largura de banda de detecção é com a técnica de *média de sinal*, em que os resultados de medições repetidas (por exemplo, varreduras de frequência) são acumulados; essa é uma opção comum em instrumentos tais como analisadores de espectro. Em qualquer casos, o efeito da modulação é centrar o sinal na frequência da modulação rápida, em vez de CC, a fim de ficar longe do ruído $1/f$ (ruído *flicker*, derivas, etc.).

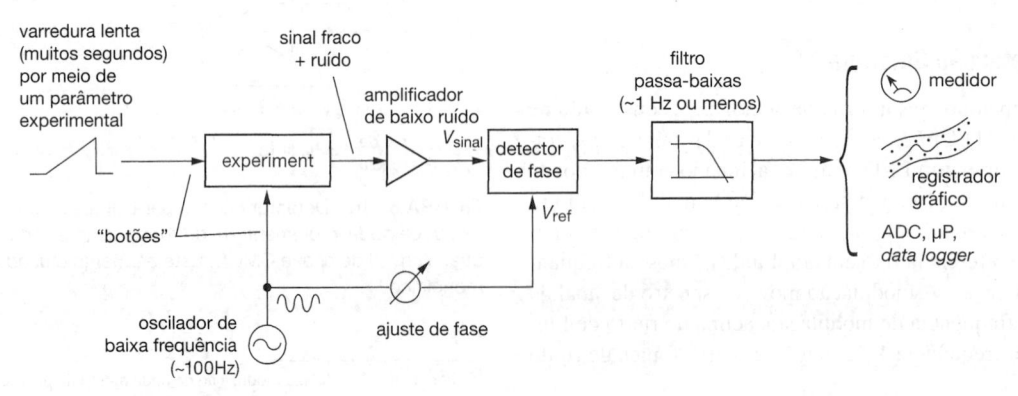

FIGURA 8.117 Amplificador de detecção síncrona.

---

[135] Nos velhos tempos, a modulação lenta era feita com um motor de relógio voltado para baixo girando um botão real com algo.

C. Dois métodos de "modulação rápida"

Existem algumas maneiras de fazer a modulação rápida: a forma de onda de modulação pode ser uma onda senoidal muito pequena ou uma onda quadrada muito grande em comparação com as características do sinal procurado (forma de linha em função do campo magnético, por exemplo, em NMR), como esboçado na Figura 8.118. No primeiro caso, o sinal de saída do detector sensível à fase é proporcional à *inclinação* da forma de linha (isto é, à sua derivada), ao passo que, no segundo caso, é proporcional à própria forma de linha (contanto que não haja quaisquer outras linhas fora da extremidade da onda de modulação). Essa é a razão de todas essas linhas de ressonância RMN simples saírem, parecendo curvas de dispersão (Figura 8.119).

Para modulação de onda quadrada de grande deslocamento, há um método inteligente para suprimir a passagem da modulação, nos casos em que isso for um problema. A Figura 8.120 mostra a forma de onda de modulação. Os *offsets* acima e abaixo do valor central destroem o sinal, causando uma modulação *on-off* do sinal em *duas vezes* a fundamental da forma de onda de modulação. Esse é um método para utilização exclusiva em casos especiais; não se deixe levar pela beleza de tudo isso!

A modulação de onda quadrada de grande amplitude é uma favorita entre aqueles que lidam com astronomia infravermelha, em que os espelhos secundários do telescópio são movidos para mudar a imagem para frente e para trás sobre uma fonte de infravermelho. Ela também é popular em radioastronomia, na qual ela é chamada de chave de Dicke.

Amplificadores síncronos comerciais têm uma fonte de modulação de frequência variável e filtro de rastreamento, um filtro de pós-detecção de constante de tempo comutável, um bom amplificador de faixa dinâmica ampla de baixo ruído (você não estaria usando detecção síncrona se não tivesse problemas de ruído) e um bom detector de fase linear. Eles também permitem usar uma fonte externa de modulação. O

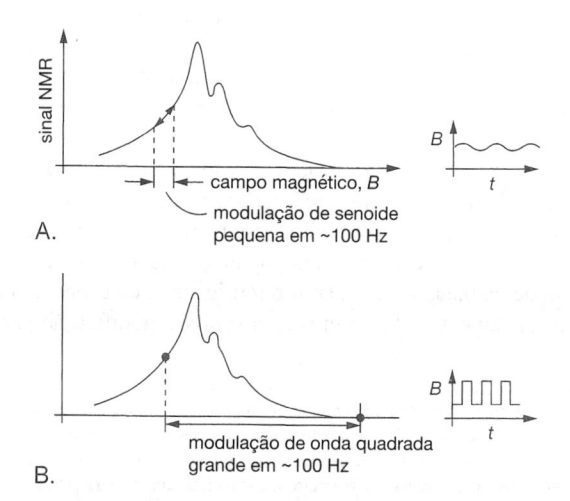

FIGURA 8.118 Métodos de modulação síncrona. A. Senoide pequena. B. Onda quadrada grande.

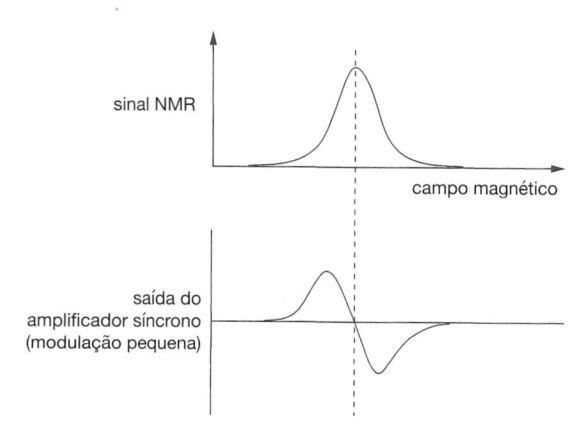

FIGURA 8.119 A diferenciação da forma da linha resulta da detecção síncrona.

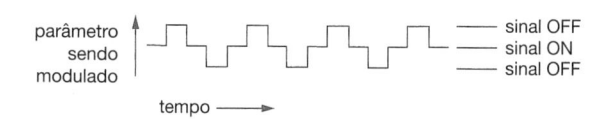

FIGURA 8.120 Esquema de modulação para suprimir a passagem de modulação.

deslocamento de fase é ajustável, para que você possa maximizar o sinal detectado. Todos os itens vêm embalados em um gabinete de visual agradável, com um medidor ou display digital que mostra o sinal de saída. Normalmente estas coisas custam alguns milhares de dólares. A Stanford Research Systems tem uma boa seleção de amplificadores síncronos, incluindo vários que usam métodos de processamento de sinais digitais para maior linearidade e faixa dinâmica. Nesses, o sinal de entrada do amplificado é digitalizado com precisão (de 20 bits), o "oscilador" é uma tabela de pesquisa computadorizada de senos e cossenos (quadratura) e o "misturador" é um multiplicador numérico. Normalmente, amplificadores síncronos são de largura de banda de sinal bastante limitada, tipicamente 100 kHz. Porém, usando a técnica "heteródina" de radiofrequência (translação da banda de frequência de entrada via misturador linear com um "oscilador local"), o método síncrono pode ser estendido a altas radiofrequências. Por exemplo, o SR844 chega a 200 MHz; ele utiliza um híbrido das técnicas analógica (filtragem de entrada e conversão descendente) e de processamento digital de sinais (digitalização de banda base e detecção síncrona).

Para ilustrar o poder da detecção síncrona, montamos uma pequena demonstração para os nossos alunos. Usamos uma modulação síncrona (*lock-in*) em um pequeno LED do tipo utilizado como indicador de painel, com uma taxa de modulação de aproximadamente um quilohertz. A corrente é muito baixa, e é difícil ver o LED brilhante em luz ambiente normal. Cerca de 1,8 metro dali, um fototransistor está alinhado na direção geral do LED, com sua saída conectada ao amplificador síncrono. Com as luzes da sala desligadas, há um minúsculo sinal a partir do fototransistor na frequência de modulação (misturado com abundância de ruído), e o amplificador síncrono o detecta facilmente, usando uma constante de tempo de alguns segundos. Em seguida, ligamos as luzes do ambiente, altura em que o sinal do fototransistor se torna apenas uma forma de onda bastante confusa, dando um salto de amplitude de 50 dB ou mais. A situação parece desesperadora no osciloscópio, mas o amplificador síncrono, de forma tranquila e calma, detecta o mesmo sinal do LED no mesmo nível. Você pode verificar que ele está realmente funcionando ao passar sua mão entre o LED e o detector. É impressionante.

Na outra extremidade do espectro de custo, a detecção síncrona é usada para realizar a mesma rejeição de luz ambiente em alguns componentes de detecção de feixe de luz de baixo custo, por exemplo, o S6809/46 e o S6986 da Hamamatsu. Esses CIs vêm em uma caixa de plástico (vários tipos de encapsulamentos disponíveis) contendo um fotodiodo, um pré-amplificador e um detector síncrono integrados com saída de nível lógico; também estão inclusos o oscilador interno e o acionador de saída para a fonte de luz LED externa. Eles custam cerca de 6 dólares em pequenas quantidades.

8.15 RUÍDO DA FONTE DE ALIMENTAÇÃO

Circuitos amplificadores que não possuem um alto grau de rejeição da fonte de alimentação são sensíveis ao ruído (e sinais) nas fontes de alimentação CC. Se os trilhos CC são ruidosos, a saída também será, então você tem que mantê-los silenciosos. Entretanto, o problema não é tão ruim quanto poderia ser, porque o ruído de alimentação não aparece amplificado na saída, com um ganho de sinal do amplificador de, digamos, ×100. Ainda assim, as fontes de alimentação CC raramente são silenciosas, mesmo ao nível de $100\,\text{nV}/\sqrt{\text{Hz}}$ (100 vezes um ruído de entrada alvo razoável de, digamos, $1\,\text{nV}/\sqrt{\text{Hz}}$). É por isso que os trilhos CC em muitos dos circuitos neste capítulo são marcados como "silenciosos".

Quão ruidosas são as fontes de alimentação típicas de bancada? Você verá especificações como "0,2 mV RMS, 2 mVpp", o que soa bastante respeitável até você perceber que os níveis de sinal em um circuito sensível podem ser muito menores. Por exemplo, o nível de ruído de saída através da banda de áudio de 20 kHz do pré-amplificador da Figura 8.42 é apenas 1 μV RMS ($v_{n(\text{out})} = G_V e_{n(\text{in})}\sqrt{\Delta f}$). Então, tal ruído especificado da fonte é 46 dB acima do ruído de fundo de saída.

As especificações são uma coisa, o desempenho real é outra. Para obter uma medida de ruído da fonte de alimentação, medimos duas dezenas de fontes CC da coleção do nosso laboratório, com o espectro resultante na Figura 8.123.[136]

---

[136] Estas fontes foram testadas "como estavam", sem qualquer esforço para confirmar o seu funcionamento dentro das especificações originais. O leitor é alertado a não contar com esses dados quando tomar decisões de compra.

O espalhamento no desempenho do ruído é impressionante – o desempenho excepcional (nº 4) acabou por ser uma "fonte de alimentação de precisão" de meio século de idade (compramos em 1967), com um compartimento para o zener de referência acondicionado em um forno e um amplificador de erro (discreto). Em comparação, uma fonte de bancada contemporânea com leitura digital, como a nº 12, é cerca de 100 vezes (40 dB) mais ruidosa. Não ficando para trás, os que produzem mais ruídos acabam sendo um simples carregador de celular chaveado (nº 22) e um eliminador de pilha não regulado (nº 23), cuja saída de monitoramento da linha domina o espectro de baixa frequência. No outro extremo, nada bate uma bateria chumbo-ácido (nº 3, bem em baixo no nosso piso de medição de ruído) quanto ao máximo em fontes CC inerentemente silenciosas.[137]

Qual é a explicação para essas grandes diferenças? Fontes chaveadas são inerentemente ruidosas, é claro. Contudo, mesmo entre as fontes lineares, há uma com extensão de 100× (40 dB) na tensão de ruído. Uma fonte regulada CC silenciosa deve ter abundância de ganho de malha, implementada com amplificadores de baixo ruído. É extremamente importante selecionar uma referência de tensão de baixo ruído (especialmente a baixas frequências, em que ela não pode ser silenciada com filtros); veja a discussão e os gráficos na Seção 9.10.

8.15.1 Multiplicador de Capacitância

Um truque bom para "limpar" uma fonte ruidosa é um circuito "multiplicador de capacitância" (Figura 8.121). Nós o introduzimos na Seção 8.5.9, na qual exploramos as propriedades de um estágio de entrada BJT com $e_n \sim 0{,}07\,\text{nV}/\sqrt{\text{Hz}}$. Aqui podemos escolher R pequeno o suficiente para que haja, no máximo, uma queda de aproximadamente um volt para a corrente de carga máxima e, em seguida, escolher C para uma constante de tempo RC longa o suficiente para atenuar de forma adequada a parte do espectro de ruído que lhe preocupa. Para o nosso amplificador de microfone de fita, trabalhamos um pouco com isso, com um filtro RC de 2 estágios com constante de tempo de $\sim$2 s; isso é mostrado na parte superior do circuito de medição de ruído de BJT da Figura 8.92. Lá, aumentamos RC até que o espectro de ruído de saída caiu para o piso de ruído do analisador.

Note que o multiplicador de capacitância compromete a saída de regulação – não há realimentação a partir do seu pino de saída. No entanto, essa técnica é especialmente eficaz quando adicionada a montante do elemento de passagem de regulação (isto é, após o retificador e do capacitor de armazenamento). Aplicamos essa simples modificação para

---

[137] A bateria estava em carga lenta na mesma corrente que a sua resistência de carga para a curva nº 3. Se a bateria estiver sendo descarregada (sem reabastecimento) pela resistência de carga, a ligeira queda (inclinação) de tensão aparece como um excesso de baixa frequência visto aqui na curva nº 2.

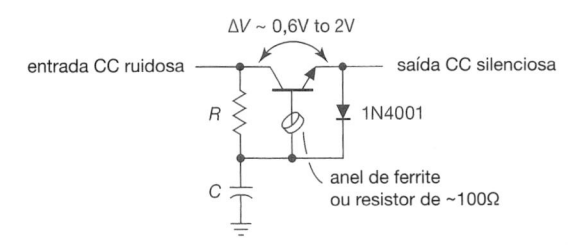

FIGURA 8.121 Um "multiplicador de capacitância" para filtrar o CC de entrada consiste de um seguidor de emissor polarizado com uma réplica suavizada (filtro passa-baixas) da entrada ruidosa. Um anel de ferrite ou pequeno resistor evita oscilação.

fontes de alimentação comerciais e instrumentos científicos com grande sucesso. É uma maneira muito mais fácil de alcançar uma ondulação de saída 100× menor do que usando a alternativa de aumentar o ganho de controle de malha e largura de banda. Se você fizer isso, certifique-se de que há uma queda suficiente sobre Q_1 para lidar com a amplitude total da ondulação – nesse local, a ondulação de 120 Hz (ou 100 Hz) para corrente de carga total pode ser de até alguns volts. Você pode adicionar um resistor da base até o terra para aumentar a queda CC sobre Q_1; ou pode usar um MOSFET, cujo maior V_{GS} de operação pode fornecer margem adequada.

A Figura 8.122 mostra o efeito do multiplicador de capacitância da Figura 8.92, medido com duas das fontes de alimentação que aparecem entre as diversas mostradas na Figura 8.123. Para cada fonte, medimos (a) o espectro diretamente a partir dos terminais de saída (curvas de linhas contínuas), (b) o espectro após o multiplicador de capacitância (curvas de linhas tracejadas), e, para comparação, (c) o espectro com 10.000 μF nos terminais da fonte de alimentação (curvas de linhas pontilhadas). Em todos os casos, a saída medida tinha uma carga de 100 Ω. O multiplicador de capacitância é surpreendentemente eficaz na eliminação de ruído da fonte de alimentação[138] e faz um uso muito melhor dos 10.000 μF do que a abordagem de "força bruta" de colocar a mesma capacitância do outro lado dos terminais CC.

8.16 INTERFERÊNCIA, BLINDAGEM E ATERRAMENTO

O "ruído" na forma de sinais de interferência, captura de 60 Hz, e o acoplamento de sinal via percursos das fontes de alimentação e do terra podem vir a ser de muito maior importância prática do que as fontes de ruído intrínsecas que acabamos de discutir. Esses sinais de interferência podem ser reduzidos a um nível insignificante (ao contrário do ruído térmico) com o projeto de circuito, leiaute e construção apropriados. Em casos mais difíceis, a solução pode envolver

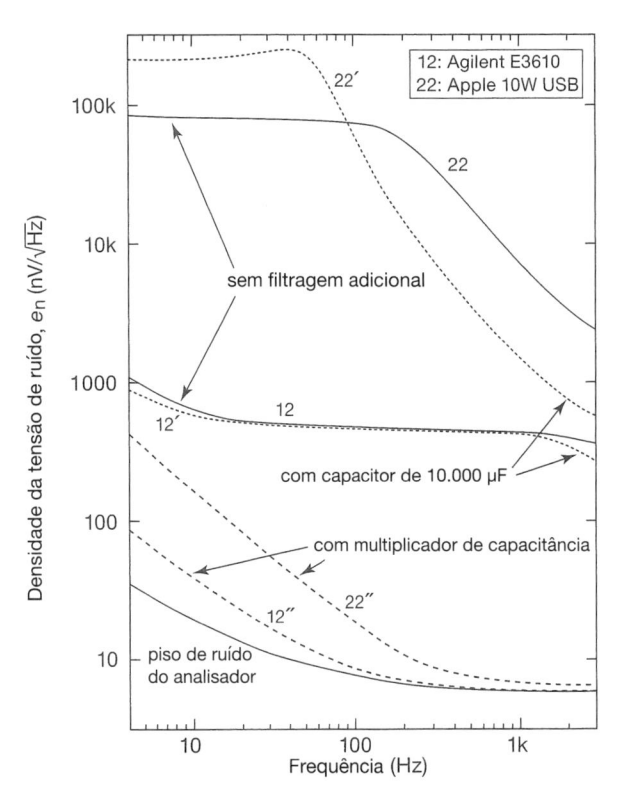

FIGURA 8.122 Um multiplicador de capacitância é altamente eficaz na eliminação de ruído da fonte de alimentação, como mostrado nestes espectros de ruído medido de duas das fontes cujos espectros estão incluídos na Figura 8.123 (com os mesmos números de identificação). Curvas em linhas contínuas, fonte de alimentação sozinha; curvas em linhas pontilhadas (identificadas com plica simples), com o acréscimo de um capacitor de 10.000 μF entre os terminais de saída CC; curvas em linhas tracejadas (identificadas com plica dupla), com o multiplicador de capacitância apresentado na Figura 8.92.

uma combinação de filtragem das linhas de entrada e saída, leiaute e aterramento cuidadosos e blindagem magnética e eletrostática extensiva. Nestas seções, oferecemos algumas sugestões que podem ajudar a iluminar esta área escura da arte da eletrônica.[139]

8.16.1 Sinais de Interferência

Sinais de interferência podem entrar em um instrumento eletrônico através das entradas ou, então, pela rede elétrica ou por meio de linhas de entrada e saída de sinal. Além disso, os sinais podem ser acoplados capacitivamente (acoplamento eletrostático) nos fios do circuito (o efeito é mais

---

[138] Exceto em frequências muito baixas, em que não há substituto para uma fonte de alimentação com uma tensão de referência estável.

[139] Para um conselho mais abrangente, veja os populares clássicos: R. Morrison, *Grounding and Shielding: Circuits and Interference* (Aterramento e Blindagem: Circuitos e Interferência), Wiley-IEEE Press (2007), e H. Ott, *Noise Reduction Techniques in Electronic Systems* (Técnicas de Redução de Ruído em Sistemas Eletrônicos), Wiley-Interscience (1988).

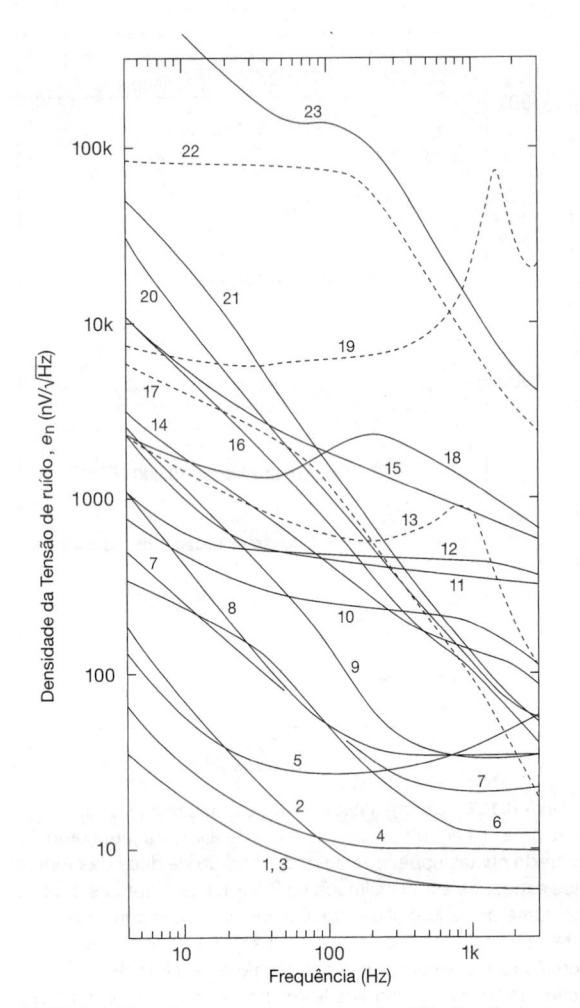

Curva	Descrição	Pico[a] dB[b]	(@ n·60Hz) µVrms[c]
1	piso de ruído do analisador de espectro SRS785	-	-
2	bateria chumbo-ácido selada de 12 V/7Ah	-	-
3	mesma, com carga lenta de 120 mA	-	-
4	fonte linear de precisão de bancada Power Designs 4010	54	1,2
5	fonte linear de precisão de bancada HP6114 de 40 W	39	2
6	calibrador de tensão CC Fluke 343	42	2
7	calibrador de tensão CC Analogic AN3100	51	14
8	fonte linear de bancada tripla Agilent E3630 35W	23	0,6
9	fonte linear de bancada HP6002 200W	50	18
10	fonte de tensão programável Keithley 230	33	11
11	fonte linear de bancada HP6612C 40W	28	10
12	fonte linear de bancada Agilent E3610 30W	12	1,8
13	adaptador chaveado de 9 V/20W	40	56
14	fonte linear de bancada tripla Tektronix PS283 75W	46	70
15	fonte linear de bancada HP66312 40W	27	10
16	a mesma, com capacitor na saída de 33.000µF	26	2,2
17	fonte chaveada de bancada HP6024A 200W	40	100
18	adaptaTdor linear triplo Jerome RYD313F-001 15W	53	640
19	fonte chaveada "ATX" de computador VX550W 550W	44	400
20	fonte linear de bancada tripla Leader PS152 70W	24	15
21	fonte linear de bancada HP6216B 8W	47	280
22	adaptador USB chaveado Apple 10W	12	400
23	adaptador não regulado de 9 V/500 mA Cui DV9500	6	-

a. Maior amplitude tonal relacionada à rede elétrica (60, 120 ou 180 Hz)
b. Em uma largura de banda de 1 Hz, relativo à linha de base suavizada em 120 Hz.
c. Absoluto, filtrado com largura de banda de 1 Hz.
d. Quando opera em um PC *desktop*.

FIGURA 8.123 As fontes de alimentação CC não são todas criadas da mesma forma! Espectros de tensão de ruído medida de muitas variedades de fontes encontradas em nosso laboratório. As linhas tracejadas são fontes chaveadas; o restante é linear. Uma carga de 100 Ω foi usada na maioria dos casos. Picos espectrais ("tonais") na frequência da rede elétrica e harmônicos foram subtraídos para maior clareza; eles variam de 5 dB a mais de 50 dB acima da linha de base amortecida, conforme listado. A tensão de deriva da saída produz uma cauda de baixa frequência crescente.

grave para os pontos de elevada impedância no circuito), acoplados magneticamente em malhas fechadas do circuito (independente do nível de impedância) ou acoplados eletromagneticamente nos fios que atuam como pequenas antenas para a radiação eletromagnética. Qualquer um desses pode se tornar um mecanismo para o acoplamento de sinais de uma parte a outra de um circuito. Por fim, correntes de sinal de uma parte do circuito podem se acoplar a outras partes por meio de quedas de tensão em linhas de terra ou de alimentação.

A. Eliminando interferência

Vários truques eficazes foram evoluindo para lidar com a maioria desses problemas de interferência que ocorrem comumente. Tenha em mente o fato de que essas técnicas são todas destinadas a reduzir o sinal ou sinais de interferência a um nível aceitável; elas raramente os eliminam completamente. Por conseguinte, muitas vezes vale a pena elevar os níveis de sinal, apenas para melhorar a relação sinal-interferência. Além disso, é importante perceber que alguns ambientes são muito piores do que outros; um instrumento que funciona perfeitamente na bancada pode ter um desempenho lastimável no local. Alguns ambientes que vale a pena evitar são aqueles (a) perto de uma estação de rádio ou televisão (interferência de RF), (b) perto de um metrô (interferência impulsiva e poluição de sinais na rede elétrica), (c) perto de linhas de alta tensão (interferência de rádio, sons de fricção), (d) perto de motores e elevadores (picos na rede elétrica), (e) em um prédio com *dimmers* de lâmpadas com triac e controladores de aquecedor (picos através da rede elétrica), (f) perto de equipamento com grandes transformadores (captação magnética) e (g) perto de soldadores de arco (inacreditável captação de todos os tipos). Aqui está uma compilação de conselho, técnicas e truques.

B. Sinais acoplados através de entradas, saídas e rede elétrica

A melhor aposta para o ruído da rede elétrica é usar uma combinação de filtros de linha de RF e supressores transitórios na rede elétrica CA. Dessa forma, você pode alcançar atenuação de interferência de 60 dB ou melhor acima de algumas centenas de quilohertz, assim como a eliminação efetiva de picos prejudiciais.

Entradas e saídas são mais difíceis, por causa dos níveis de impedância e da necessidade de acoplar sinais desejados que possam estar na faixa de interferência de frequência. Em dispositivos como amplificadores de áudio, você pode usar filtros passa-baixas sobre entradas e *saídas* (muita interferência de estações de rádio próximas entra através dos fios de alto-falante, que atuam como antenas). Em outras situações, muitas vezes, são necessárias linhas blindadas. Sinais de baixo nível, especialmente em níveis elevados de impedância, devem sempre ser blindados. Assim como o gabinete do instrumento.

C. Acoplamento capacitivo

Os sinais dentro de um instrumento podem ser desviados eficazmente via acoplamento eletrostático: algum ponto dentro do instrumento tem um sinal de 10 volts em desvio constante; uma entrada de alto Z nas proximidades também produz desvios constantes. As melhores coisas a fazer são reduzir a capacitância entre os pontos ofensivos (afaste-os), adicionar blindagem (um invólucro metálico completo, ou ainda uma tela de metal de malha muito estreita, elimina essa forma de acoplamento completamente), mover os fios para perto de um plano de terra (que "engole" os campos de franja eletrostáticos, reduzindo enormemente o acoplamento) e diminuir os níveis de impedância em pontos sensíveis, se possível. Saídas de AOP não captam interferência facilmente, ao passo que as entradas captam. Mais sobre isso mais adiante.

D. Acoplamento magnético

Infelizmente, os campos magnéticos de baixa frequência não são significativamente reduzidos por invólucros de metal. Um microfone dinâmico, gravador de áudio, amplificador de baixo nível ou outro circuito sensível colocado na proximidade de um instrumento com uma grande transformador de potência exibirá quantidades surpreendentes de sinais de 60 Hz captados. A melhor coisa a fazer é evitar grandes áreas fechadas dentro de caminhos de circuito e tentar manter o circuito fechado em torno de uma malha. Pares trançados de fios são bastante eficazes na redução de captação magnética, porque a área fechada é pequena, e os sinais induzidos em sucessivas torções se cancelam.

Ao lidar com sinais de nível muito baixos ou dispositivos particularmente suscetíveis à captação magnética (cabeçotes, indutores, resistores de fio enrolado), pode ser desejável a utilização de blindagem magnética. A "blindagem Mu-metal" está disponível em peças pré-formadas e folhas flexíveis. Se o campo magnético ambiente for grande, é melhor usar blindagem de elevada permeabilidade (alto mu) do lado de dentro, rodeada por uma blindagem exterior de permeabilidade mais baixa (a qual pode ser de ferro comum, ou material de blindagem de baixo mu), para impedir saturação magnética na blindagem interior. Claro, mover a fonte agressora do campo magnético é, muitas vezes, uma solução mais simples. Pode ser necessário para o exílio grandes transformadores de potência para o interior, por assim dizer. Indutores blindados (por exemplo, núcleos em forma de pote) são configurados de modo a que o material magnético (geralmente de ferrite) proporcione um trajeto magnético fechado. Transformadores toroidais têm campos de franja menores do que os tipos de estrutura padrão, e uma única espira inversa (ou a organização do padrão de enrolamento para voltar para onde ele começa) cancela a área efetiva de uma espira do enrolamento do toroide.

E. Placas de circuito e cabos

Dois acoplamentos, capacitivo e magnético, ocorrem também entre as trilhas em placas de circuito ou entre pares de linhas em cabos e fitas. O acoplamento magnético é, às vezes, chamado de acoplamento *indutivo*, para distingui-lo do acoplamento capacitivo. Esse negócio de "diafonia" (*crosstalk*) é um tema rico, tratado em detalhes em referências tais como o *Handbook of Black Magic* de Johnson e Graham.[140] Talvez intuitivamente, ocorre que as magnitudes da diafonia indutiva e capacitiva geralmente são comparáveis, mas elas se comportam de forma diferente, como pode ser visto nas duas extremidades de um par de linhas muito próximas: o avanço da diafonia é proporcional à taxa de variação do sinal, mas os componentes capacitivos e indutivos são de sinais opostos e tendem a se cancelar. Para a regressão da diafonia, o sinal acoplado parece com um pulso achatado no topo (de largura igual ao tempo de deslocamento de ida e da volta), com os componentes capacitivo e indutivo se reforçando. Se a impedância de acionamento não estiver casada com a impedância característica da linha (ver Apêndice H), esse sinal NEXT (*near-end crosstalk*) refletirá e avançará, contribuindo para o FEXT (*far-end crosstalk*) (e, muitas vezes, dominando).

---

[140] H. W. Johnson e M. Graham, *High-Speed Digital Design – A Hand-book of Black Magic*, Prentice-Hall (1993). Veja também *High-speed Signal Propagation – Advanced Back Magic*, Prentice-Hall (2003).

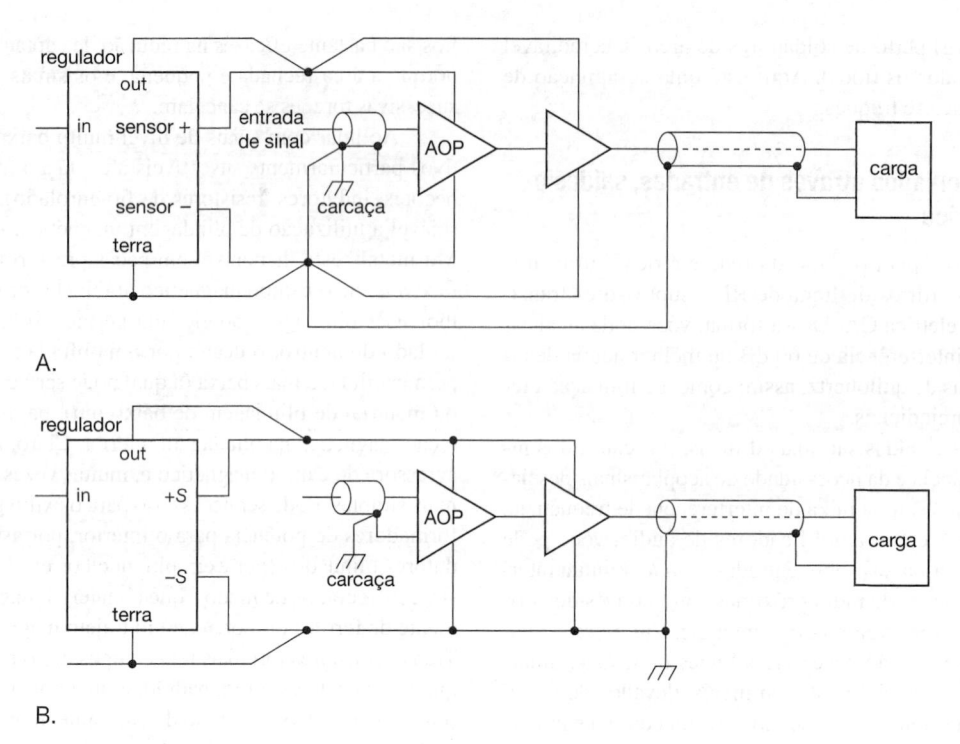

FIGURA 8.124 Percursos de terra para sinais de baixo nível. A. Correto. B. Errado.

Veja também a discussão adicional no Capítulo 12 (Seção 12.9, "Sinais Digitais e Fios Longos").

F. Acoplamento de radiofrequência

A captação de RF pode ser especialmente traiçoeira, porque dispositivos de aparência inocente do circuito podem atuar como circuitos ressonantes, exibindo enorme seção transversal efetiva para a captação. Além de blindagem geral, o melhor é manter os terminais curtos e evitar malhas que possam entrar em ressonância. Anéis de ferrite podem ajudar se o problema envolver frequências muito altas. Fazer "boas ações" pode, às vezes, criar confusão. Por exemplo, você pode querer usar vários capacitores de cerâmica para melhorar o desvio da fonte de alimentação, mas, em combinação com a indutância dos trilhos de alimentação, eles podem formar um circuito sintonizado parasita em algum ponto da região de HF a VHF (dezenas a centenas de mega-hertz), levado por circuitos ativos a variar e mesmo a entrar em oscilação.[141]

8.16.2 Terras de Sinais

Conexões de terra e blindagens podem causar muitos problemas, e há um monte de mal-entendidos sobre este assunto. O problema, em poucas palavras, é que as correntes de que você se esqueceu, que fluem através de uma linha de terra, podem gerar um sinal visto por outro dispositivo do circuito que compartilha o mesmo terra. A técnica de um terra "concentrado" (um ponto comum no circuito no qual todas as conexões de aterramento são concentradas) é, muitas vezes, visto, mas é um artifício; com um pouco de compreensão do problema, você pode lidar com a maioria das situações de forma inteligente.

A. Erros de aterramento comuns

A Figura 8.124 mostra uma situação comum. Aqui, um amplificador de baixo nível e um acionador de alta corrente estão no mesmo instrumento. O primeiro circuito é feito corretamente: ambos os amplificadores são conectados às tensões de alimentação no regulador (à direita das conexões de sensoriamento), de modo que as quedas *IR* ao longo das ligações para o estágio de potência não aparecem nas tensões de alimentação do amplificador de baixo nível. Além disso, a corrente de carga que retorna para o terra não aparece na entrada de baixo nível; nenhuma corrente flui do lado do terra da entrada do amplificador de baixo nível para o ponto de concentração das conexões de terra (que pode ser a conexão para a carcaça próxima ao conector da entrada BNC).

No segundo circuito, existem dois erros. Flutuações da tensão de alimentação causadas pelas correntes de carga no estágio de alto nível são "impressas" nas tensões de ali-

---
[141] Uma solução é incluir alguns capacitores eletrolíticos de alumínio – a sua resistência de perda em série amortece a ressonância.

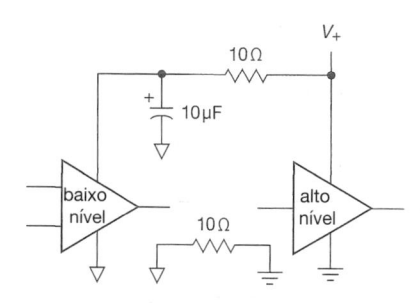

FIGURA 8.125 Desacoplamento do trilho de alimentação CC dos estágios de baixo nível.

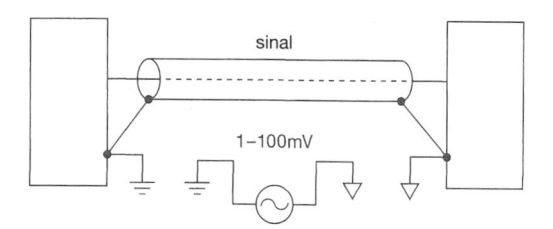

FIGURA 8.126 Ao conectar os sinais entre os instrumentos, você pode ver uma diferença de 100 mV (ou mais) (na frequência da rede elétrica) entre os seus terras locais, mesmo quando eles estão em ponte, como mostrado.

mentação de baixo nível. A menos que o estágio de entrada tenha uma rejeição de alimentação muito boa, isso pode levar a oscilações. Pior ainda, a corrente de carga que retorna para a fonte faz o "terra" da carcaça flutuar em relação ao terra da fonte de alimentação. O estágio de entrada se conecta a este terra flutuante, uma ideia muito ruim. A ideia geral é olhar para onde as grandes correntes de sinal estão fluindo e certificar-se de que suas quedas *IR* não acabem na entrada. Em alguns casos, pode ser uma boa ideia separar as tensões de alimentação dos estágios de nível baixo com uma pequena rede *RC* (Figura 8.125). Em casos mais difíceis de acoplamento da fonte, pode valer a pena colocar um zener ou regulador de 3 terminais na fonte do estágio de baixo nível para desacoplamento adicional.

8.16.3 Aterramento Entre os Instrumentos

A ideia de um ponto de terra controlado dentro de um instrumento é boa, mas o que você faz quando um sinal tem de ir de um instrumento para outro, cada um com sua própria ideia de "terra"? Seguem algumas sugestões (e veja também o amplo tratamento da transmissão de sinais *digitais* na Seção 12.9).

A. Sinais de alto nível

Se os sinais são de vários volts, ou grandes variações lógicas, basta conectar tudo e esquecer isso (Figura 8.126). A fonte de tensão mostrada entre os dois terras representa as variações nos terras locais que você encontrará em diferentes tomadas da rede elétrica na mesma sala ou (pior) em diferentes salas ou edifícios. Ela consiste de uma tensão de 60 Hz, harmônicos da frequência da linha, alguns sinais de radiofrequência (a rede elétrica se torna uma boa antena) e picos variados e outros tipos de pertubações. Se os seus sinais forem grandes o suficiente, você pode viver com isso.

B. Pequenos sinais e fios longos

Para os pequenos sinais, essa situação é intolerável, e você tem que empreender algum esforço para remediar a situação. A Figura 8.127 mostra algumas ideias. No primeiro circuito, um cabo coaxial blindado é conectado à carcaça e ao terra do circuito na extremidade de acionamento, mas é mantido isolado da carcaça na extremidade de recepção (use um conector BNC isolado Bendix 4890-1 ou Amphenol 31-010). Um amplificador diferencial é utilizado como *buffer* para o sinal de entrada, ignorando, assim, uma pequena quantidade de "sinal de terra" que aparece na blindagem. Um pequeno resistor e capacitor de desvio para o terra é uma boa ideia para limitar a variação do terra e evitar danos ao estágio de entrada. O circuito receptor alternativo na Figura 8.127A mostra a utilização de uma conexão de entrada "pseudodiferencial" para um estágio amplificador de terminação simples (que pode, por exemplo, ser uma configuração de AOP não inversor padrão, tal como indicado). O resistor de 10 Ω entre o comum do amplificador e o terra do circuito é grande o suficiente para deixar o terra de referência da fonte de sinal definir o potencial nesse ponto, porque ele é muito maior do que a impedância do terra da fonte. Qualquer ruído presente nesse nó, é claro, também aparece na saída. No entanto, isso se torna pouco importante se o estágio tiver ganho de tensão suficientemente elevado, G_V, devido à relação do ruído sinal-terra desejada ser reduzida por G_V. Assim, embora esse circuito não seja realmente diferencial (com CMRR infinita), ele funciona bem o suficiente (com CMRR efetiva = G_V). Esse truque sensorial do terra pseudo-diferencial pode ser usado também para os sinais de baixo nível *dentro* de um instrumento quando o ruído do terra for um problema.

No segundo circuito (Figura 8.127B), é usado um par trançado blindado, com a blindagem conectada à carcaça em ambas as extremidades. Uma vez que nenhum sinal percorre a blindagem, ele é inofensivo. Um amplificador diferencial é utilizado, como antes, na extremidade de recepção. Se sinais lógicos estão sendo transmitidos, é uma boa ideia enviar um sinal diferencial (o sinal e a sua forma invertida), como indicado. Amplificadores diferenciais simples podem ser usados como estágios de entrada, ou, se a interferência do terra for grave, "amplificadores isolados" especiais estão disponíveis a partir de fabricantes como Analog Devices, Inc. e TI/Burr-Brown. Este último permite quilovolts de sinais de modo comum. O mesmo acontece com módulos optoisoladores (Seção 12.7), uma solução acessível para sinais digitais em algumas situações.

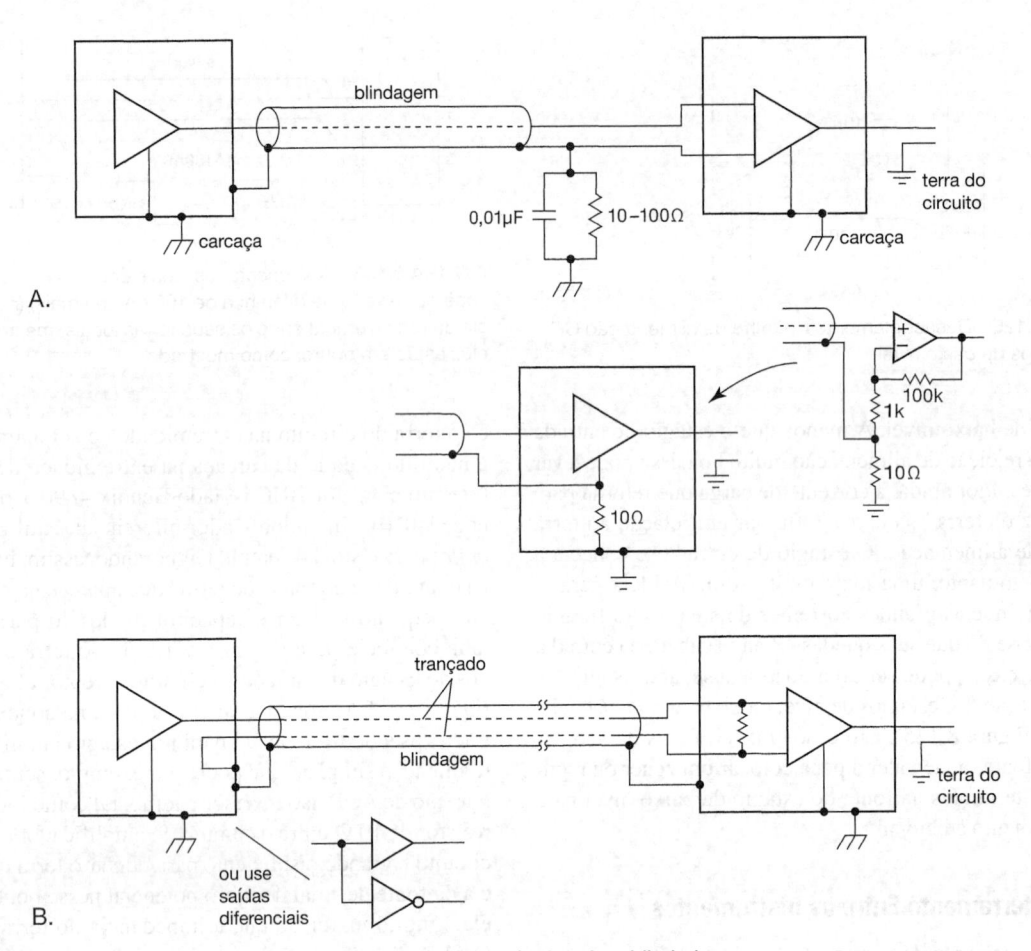

FIGURA 8.127 Conexões de terra para sinais de baixo nível através de cabos blindados.

Em frequências de rádio, o transformador de acoplamento oferece uma maneira conveniente de remover sinal de modo comum na extremidade de recepção. Isso também torna fácil gerar um sinal de bipolaridade diferencial na extremidade de acionamento. Os transformadores são populares também em aplicações de áudio, embora eles tendam a ser volumosos e a proporcionar uma degradação do sinal, tal como descrito na Seção 8.10.

Para lances de cabos muito longos (medidos em quilômetros), é útil evitar que grandes correntes de terra fluam na blindagem em frequências de rádio. A Figura 8.128 sugere um método. Como anteriormente, um amplificador diferencial olha para o par trançado, ignorando a tensão na blindagem. Conectando a blindagem à carcaça através de um pequeno indutor, a tensão CC é mantida pequena, evitando correntes de radiofrequência grandes. Esse circuito também mostra circuitos de proteção para evitar excursões de modo comum para além de ±10 V.

A Figura 8.129 mostra um esquema agradável para economizar fios em um cabo multivias em que a captação de modo comum foi eliminada. Devido a todos os sinais sofrerem a mesma captação de modo comum, um único fio conectado ao terra no transmissor serve para cancelar os sinais de modo comum em cada uma das n linhas de sinal. Apenas use um *buffer* nesse sinal (em relação ao terra na extremidade de recepção) e use-o como entrada de comparação para cada um dos n amplificadores diferenciais observando as outras linhas de sinal.

Os esquemas anteriores funcionam bem para eliminar a interferência de modo comum em baixas a moderadas frequências, mas podem ser ineficazes contra a interferência de radiofrequência, devido à fraca rejeição de modo comum no amplificador diferencial da recepção.

Uma possibilidade aqui é enrolar o cabo todo em torno de um toroide de ferrite (Figura 8.130). Isso aumenta a indutância em série de todo o cabo, aumentando a impedância para sinais de modo comum de alta frequência e tornando mais fácil desviá-los (*bypass*) na outra extremidade com um par de pequenos capacitores de desvio para o terra. O circuito equivalente mostra por que isso funciona sem atenuar o sinal diferencial: você tem uma indutância em série inserida em ambas as linhas de sinal e na blindagem, mas elas formam um transformador fortemente acoplado de relação de transformação unitária, de modo que o sinal diferencial não

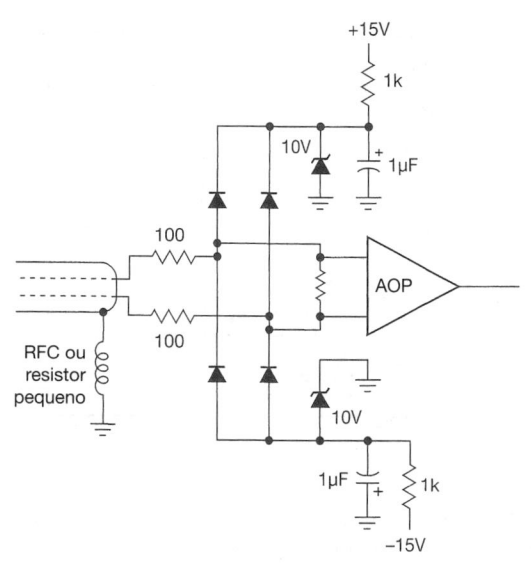

FIGURA 8.128 Circuitos de proteção de entrada para uso com linhas muito longas.

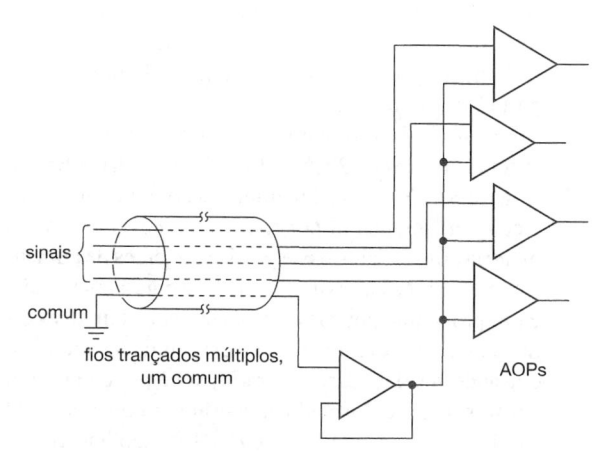

FIGURA 8.129 Rejeição de interferências de modo comum com cabos longos multivias.

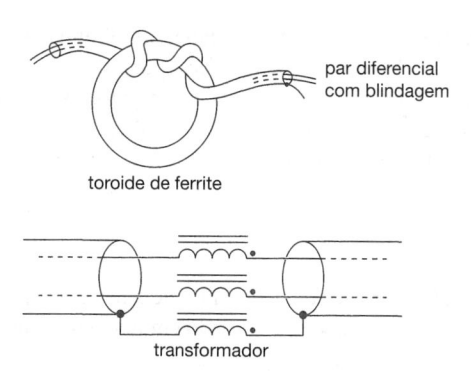

FIGURA 8.130 Envolvendo um cabo coaxial ou de multivias em torno de um núcleo de ferrite para supressão de modo comum de alta frequência.

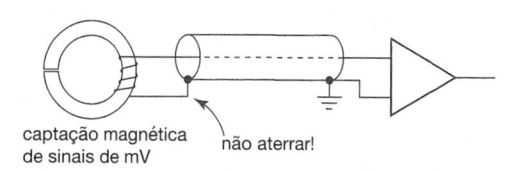

FIGURA 8.131 Prevenção de deslocamentos de correntes de terra: conecte a blindagem ao terra apenas na extremidade de recepção.

é afetado. Isso pode ser pensado como um transformador de linha de transmissão de 1:1" (veja a Seção 13.10 na segunda edição deste livro).

C. Fontes de sinais flutuantes

O mesmo tipo de divergência sobre a tensão do "terra" em pontos distintos entra de uma forma ainda mais grave nas entradas de baixo nível, simplesmente porque os sinais são muito pequenos. Um exemplo é um cabeçote de fita magnética ou outro transdutor de sinal que requeira uma linha de sinal blindada. Se você aterrar a blindagem em ambas as extremidades, as diferenças de potencial do terra aparecem como sinal na entrada do amplificador. A melhor aborda-

gem é desconectar do terra a blindagem no transdutor (Figura 8.131).

D. Amplificadores de isolação

Outra solução para os problemas graves de contenção de terra é a utilização de um "amplificador de isolamento". Amplificadores de isolamento (iso-amps) são dispositivos comerciais destinados a acoplar um sinal analógico (com largura de banda nítida até CC) de um circuito com uma referência de terra para outro circuito com um terra completamente di-

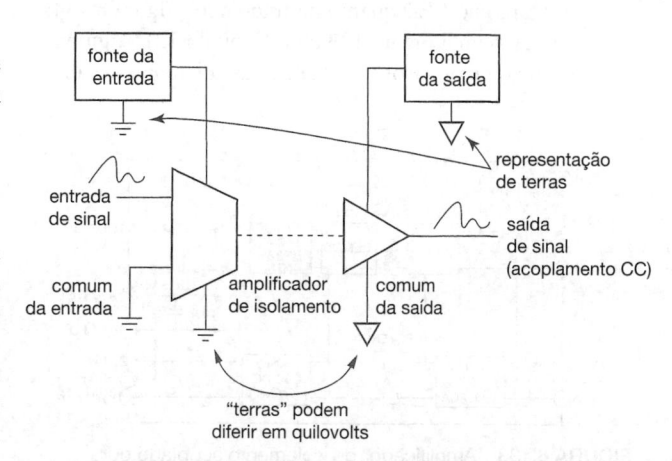

FIGURA 8.132 Conceito de amplificador de isolamento.

ferente (Figura 8.132). Na verdade, em algumas situações bizarras, os "terras" podem diferir por muitos quilovolts! Amplificadores de isolamento são obrigatórios para eletrônica médica na qual os eletrodos são aplicados aos seres humanos, a fim de isolar completamente as conexões de todos os circuitos do instrumento alimentado diretamente na rede elétrica CA. Atualmente, amplificadores de isolamento disponíveis usam um dos três métodos.

1. Isolamento por transformador de um sinal de portadora de alta frequência, modulado em frequência ou largura de pulso, com o sinal de largura de banda relativamente baixo (CC a 10 kHz ou menos) para ser isolado (Figura 8.133). Este método é usado em amplificadores de isolamento da Analog Devices, Inc. Amplificadores de isolamento que usam transformadores têm o recurso conveniente de exigir alimentação CC apenas em um lado; todos eles incluem um conversor CC-CC acoplado por transformador no encapsulamento. Amplificadores de isolamento acoplados por transformador podem isolar até 1,5 kV e têm larguras de banda típicas de 5 kHz, embora algumas unidades (por exemplo, o AD215) cheguem a 120 kHz. Este último tem 0,015% de não linearidade máxima e custa cerca de 80 dólares em compras avulsas.
2. Transmissão do sinal acoplado opticamente através de um LED no transmissor e um fotodiodo no receptor. Esta técnica é representada pela série ACPL-C79 da Avago. Estes dispositivos usam um esquema de modulação e demodulação delta-sigma e atingem uma largura de banda de CC a 200 kHz. Essa série é barata (cerca de 5 dólares em quantidade modesta), com não linearidade máxima de 0,06%. Uma alternativa interessante, que não envolve nenhum sinal de *clock* ou frequência de portadora, é acoplar um LED no transmissor e um fotodiodo no receptor. Para conseguir uma boa linearidade, você usa realimentação de um segundo fotodiodo casado no lado do transmissor que recebe luz do mesmo LED, cancelando, assim, não linearidades tanto no LED quanto no fotodiodo (Figura 8.134; ver também a Figura 12.90 no Capítulo 12). Algumas técnicas de optoisolação analógicas adicionais são dis-

cutidas na Seção 12.7.4, e acopladores isolados digitais relacionados são discutidos na Seção 12.7.2.

3. Isolamento acoplado capacitivamente de um sinal de portadora de alta frequência, que é modulada com o sinal a ser isolado (Figura 8.135). Esta técnica é representada pelo ISO122 e pelo ISO124 da TI/Burr-Brown (Figura 8.136). Não há realimentação, tal como acontece com isolamento por transformador, mas, para a maioria dos modelos, você precisa de fontes de alimentação em ambas as extremidades. Isso geralmente não é um problema, pois provavelmente você tem dispositivos eletrônicos em ambas as extremidades, gerando e usando o sinal. Caso contrário, você pode obter um conversor CC-CC isolado para usar com o iso-amp. O ISO124 isola até 1,5 kV, com 0,01% de não linearidade máxima e largura de banda de 50 kHz; custa 18 dólares

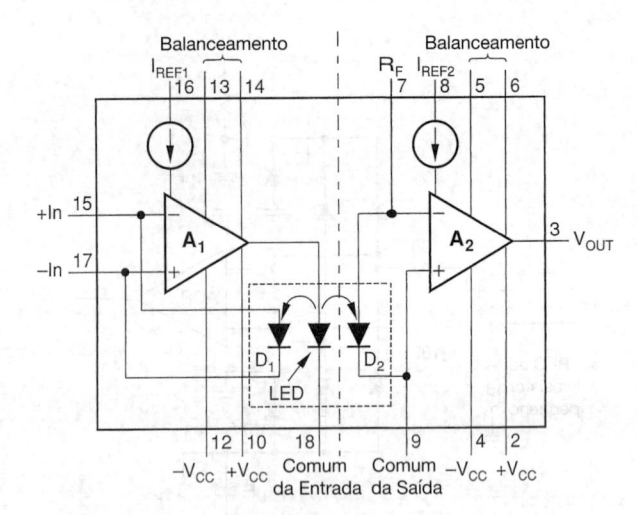

FIGURA 8.134 O acoplamento óptico não modulado elimina ruído de *clock*, com realimentação a partir de um detector casado para atingir linearidade razoável. (Adaptado da folha de dados do IS0100, cortesia da Texas Instruments.)

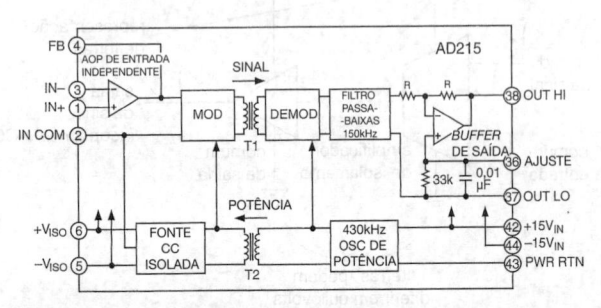

FIGURA 8.133 Amplificador de isolamento acoplado por transformador AD215. (Adaptado da folha de dados do AD215, cortesia da Analog Devices, Inc.)

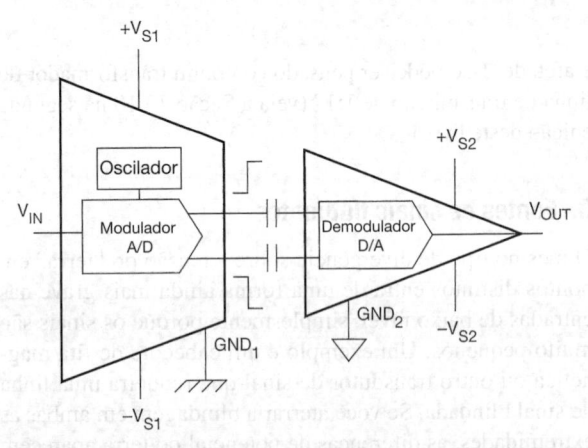

FIGURA 8.135 Amplificador de isolamento acoplado capacitivamente. (Adaptado do Boletim de Aplicação AB-047 da Burr-Brown, cortesia da Texas Instruments.)

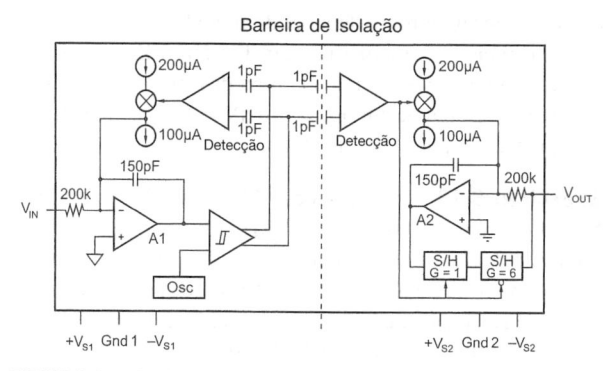

FIGURA 8.136 Amplificador de isolamento acoplado capacitivamente ISO124. (Adaptado da folha de dados do ISO124, cortesia da Texas Instruments.)

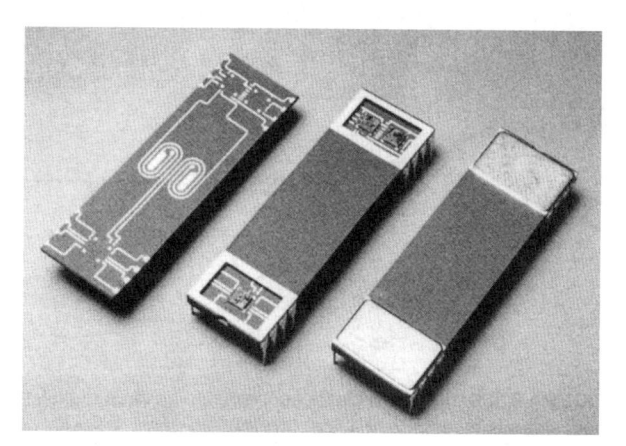

FIGURA 8.137 Amplificador de isolamento ISO106 da Burr--Brown (TI), cortesia da Texas Instruments.

vendido individualmente. A Figura 8.137 mostra bem as partes internas de um desses dispositivos acoplados capacitivamente.

Esses amplificadores de isolamento são todos destinados a sinais *analógicos*. Os mesmos tipos de problemas de terra podem surgir em eletrônica digital, na qual a solução é simples e eficaz: isoladores opticamente acoplados ("optoisoladores") estão disponíveis, com muita largura de banda (10 MHz ou mais), isolamento de alguns quilovolts e baixo custo (um ou dois dólares). Eles são amplamente discutidos no Capítulo 12.

Um cuidado: amplificadores de isolamento podem introduzir ruído próprio, especialmente aqueles que utilizam algum tipo de modulação de sinal (que é a maioria deles!). Para estes últimos, você tem um resíduo da frequência do *clock* modulante; e todos os amplificadores de isolamento (com ou sem *clock*) introduzem ruído de banda larga do tipo habitual. Uma solução para o ruído de *clock* é adicionar um filtro passa-baixas analógico na saída do lado receptor. Para mais detalhes, consulte os documentos de aplicações úteis *"Noise Sources in Applications Using Capacitive Coupled Isolated Amplifier"* (Fontes de Ruído em Aplicações Utilizando Amplificadores de Isolamento Acoplados Capacitivamente) (Boletim de Aplicação SBOA028, disponível no site da Texas Instruments, www.ti.com).

E. Proteção do sinal

Uma questão estreitamente relacionada é a *proteção* do sinal, uma técnica distinta para reduzir os efeitos da capacitância de entrada e fuga para pequenos sinais em níveis elevados de impedância. Você pode estar lidando com sinais a partir de um microeletrodo ou um transdutor capacitivo, com impedâncias de fonte de centenas de megaohms. A capacitância de entrada de apenas alguns picofarads pode formar um filtro passa-baixas, com decaimentos começando em poucos hertz! Além disso, os efeitos da resistência de isolamento nos cabos de conexão podem facilmente degradar o desempenho de um amplificador de corrente de entrada ultrabaixa (correntes de polarização menores do que um picoampère) por ordens de magnitude. A solução para esses dois problemas é um *eletrodo de proteção* (Figura 8.138)[142]

Um seguidor faz o *bootstrap* da blindagem interna, eliminando de forma eficaz a corrente de fuga e a atenuação capacitiva, mantendo diferença zero de tensão entre o sinal e seu entorno. Uma blindagem aterrada exterior é uma boa ideia para manter a interferência fora do eletrodo de guarda; o seguidor, é claro, não tem qualquer problema no acionamento dessa capacitância e da fuga, dada a sua baixa impedância de saída.

Você não deve usar esses truques mais do que você precisa; seria uma boa ideia colocar o seguidor o mais próximo possível da fonte de sinal, guardando apenas a seção curta de cabo que os conecta. Um cabo blindado comum pode, então, transportar o sinal de saída de baixa impedância para o amplificador remoto.[143]

F. Acoplamento a saídas

Normalmente, a impedância de saída de um AOP é baixa o suficiente para que você não precise se preocupar com acoplamento capacitivo do sinal. No caso de interferência de alta frequência ou de comutação rápida, no entanto, você tem

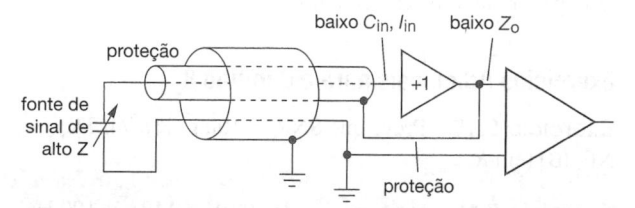

FIGURA 8.138 Usando uma proteção para aumentar a impedância de entrada.

---

[142] Vimos isso antes, na Seção 8.11.9.

[143] Discutido em mais detalhes, em conexão com microeletrodos de alta impedância, na Seção 15.08 da segunda edição deste livro.

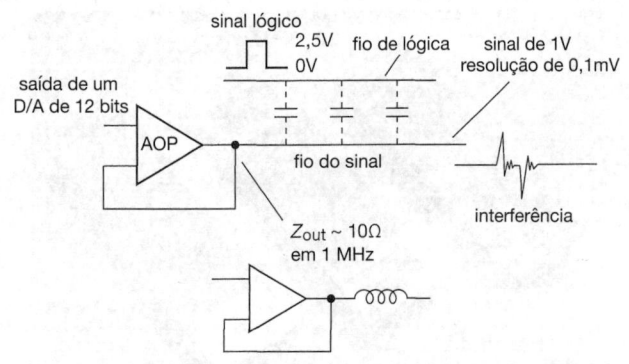

FIGURA 8.139 Interferência de acoplamento cruzado digital com sinais lineares.

apenas motivo para preocupação, especialmente se o sinal de saída desejado envolver algum grau de precisão. Considere o exemplo na Figura 8.139. Um sinal de precisão passa por um AOP *buffer* e por uma região que contém sinais de lógica digital que saltam em taxas de variação de 0,5 V/ns. A impedância de saída de malha fechada do AOP sobe com a frequência, atingindo tipicamente valores de 10 a 100 Ω ou mais em 1 MHz (veja a Seção 5.8.3). Qual o valor máximo permissível da capacitância de acoplamento para manter a interferência acoplada inferior à resolução de 0,1 mV do sinal analógico? A resposta surpreendente é um máximo de 0,02 pF.

Existem algumas soluções. A melhor coisa é manter suas pequenas formas de onda analógicas fora do alcance de sinais de comutação rápida. Um capacitor de desvio moderado na saída do AOP (talvez com uma pequena resistência em série, para manter a estabilidade do AOP) ajudará, ainda que degrade a taxa de variação. Você pode pensar na ação desse capacitor como a de reduzir a frequência dos feixes de carga acoplada até o ponto em que a realimentação do AOP pode consumi-los. Umas poucas centenas de picofarads para o terra fortalecerão adequadamente o sinal analógico em altas frequências (pense nisso como um divisor de tensão capacitivo). Outra possibilidade é a utilização de um *buffer* de baixa impedância, tal como o LT1010, ou um AOP de potência, tal como o LM675. Não desperdice a oportunidade de usar blindagem, pares trançados e proximidade de planos de terra para reduzir o acoplamento.

Exercícios Adicionais para o Capítulo 8

Exercício 8.10 Prove que SNR = $10\log_{10} (v_s^2/4kTR_s)$ − NF(dB) (em R_s).

Exercício 8.11 Uma senoide de 10 μV (RMS) de 100 Hz está em série com uma resistência de 1 M à temperatura ambiente. Qual é o SNR do sinal resultante (a) em uma banda de 10 Hz centrada em 100 Hz e (b) em uma banda de 1 MHz que compreende desde CC até 1 MHz?

Exercício 8.12 Um amplificador transistorizado usando um 2N5087 opera em uma corrente de coletor de 100 μA e é acionado por uma fonte de sinal de impedância de 2.000 Ω. (a) Determine a figura de ruído em 100 Hz, 1 kHz e 10 kHz. (b) Determine o SNR (em cada uma das frequências referidas) para um sinal de entrada de 50 nV (RMS) e uma largura de banda de amplificador de 10 Hz.

Exercício 8.13 As medições são feitas sobre um amplificador comercial (com Z_{in} = 1 M), a fim de determinar o seu ruído de entrada equivalente e_n e i_n em 1 kHz. A saída do amplificador passa através de um filtro de "saia" acentuada de largura de banda de 100 Hz: um sinal de entrada de 10 μV resulta em uma saída de 0,1 V. Nesse nível, a contribuição do ruído do amplificador é insignificante. Com a entrada em curto-circuito, a saída de ruído é de 0,4 mV RMS. Com a entrada aberta, a saída de ruído aumenta para 50 mV RMS. (a) Determine e_n e i_n para esse amplificador em 1 kHz. (b) Determine a figura de ruído desse amplificador em 1 kHz para as resistências de fonte de 100 Ω, 10k e 100k.

Exercício 8.14 Medições de ruído são feitas em um amplificador usando uma fonte de ruído calibrada cuja impedância de saída é de 50 Ω. A saída do gerador deve ser aumentada para 2 nV/$\sqrt{Hz}$ para dobrar a potência do ruído de saída do amplificador. Qual é a figura de ruído do amplificador para uma impedância de fonte de 50 Ω?

Exercício 8.15 Sua chefe lhe diz que está trabalhando em um instrumento de variação de pressão supersensível, que usa um sensor de pressão tipo diafragma com uma ponte de *strain-gauge* de 350 Ω. Ela lhe diz que há uma largura de banda de medição de 10 Hz, a partir de um filtro ou um ADC de integração, e lhe pede para selecionar um AOP para o estágio de entrada. Primeiro, considere amplificadores de autozero (veja a Tabela 5.6 na Seção 5.11 e a Figura 5.54). (a) Um AOP bipolar é melhor do que um AOP JFET? Dica, não se esqueça de i_n. (b) A ponte tem uma saída de fundo de escala de 2 mV/V padrão, e sua chefe está planejando uma tensão de excitação de 2,5 V. Qual será o ruído de fundo do seu sistema como uma fração do fundo de escala? (c) Você sugeriria à sua chefa que ela considerasse operar o ADC mais rápido e calcular a média dos resultados? (d) Um colega engenheiro sugere que um sensor de pressão *strain-gauge* de silício poderia ser melhor, porque eles têm saída maior, 2,5 mV/V. Você encontra sensores com R_s = 1,4 kΩ a 3 kΩ. Escolha um bom AOP para este caso e calcule o desempenho do sistema.

Exercício 8.16 Estágio de entrada do osciloscópio digital (*este é um problema difícil!*). Sua tarefa é projetar um estágio de entrada para um "app osciloscópio", a ser alimentado por uma fonte simples de +3,3 V a partir da bateria de íons de lítio do dispositivo móvel. A arquitetura do osciloscópio requer que sejam atenuados os seus sinais da ponta de prova para 1 mV por divisão por meio de uma chave seletora e, em seguida, que se amplifique e digitalize esse sinal, com o objetivo de limitar o ruído de pico a pico a não mais do que 5% de uma divisão. A tela mostra dez divisões verticais, e você precisa ser capaz de deslocá-lo verticalmente ±5× acima da faixa, além do que há uma estimativa de 40 mV para "*offset* de software". (a) Qual é a faixa total de entrada e a sua meta de nível de ruído de entrada RMS? (b) Se um ADC de 14 bits for utilizado, qual será a resolução do LSB?

Um ADC de 14 bits ADS7946 foi selecionado; ele consome 0,5 mA a partir de +3,3 V ao converter em 100 ksps e cumpre as metas de custo de 6 dólares em quantidade de mil unidades. (c) Qual é a faixa de tensão de entrada razoável do ADC e quanto de ganho você terá que fornecer?

O ADC é capaz de 2 Msps para uma largura de banda de 1 MHz, mas há planos de usar um ADC mais rápido em uma revisão posterior; portanto, sua largura de banda especificada do projeto é de 10 MHz. (d) Qual é a sua meta de densidade de ruído espectral?

Osciloscópios padrão são acoplados em CC, têm uma impedância de entrada 1 MΩV‖15 pF e não exibem deslocamentos CC visíveis com impedância da fonte. (e) Crie um projeto que atenda a todas as suas especificações. Um baixo consumo de energia é uma grande vantagem.

REVISÃO DO CAPÍTULO 8

Um resumo de A a Q do que aprendemos no Capítulo 8. Revisaremos os princípios básicos e fatos do Capítulo 8, mas não abordaremos diagramas de circuitos de aplicação e conselhos práticos de engenharia apresentados neste capítulo.

¶ A. Noções Básicas de Ruído

Veja a Seção 8.1. O ruído aleatório que interessa é caracterizado pela sua *densidade* (amplitude de ruído RMS em uma banda de 1 Hz de frequência), Seção 8.2.1. A densidade da *tensão* de ruído é denominada e_n e tem unidades como $nV/\sqrt{Hz}$. Da mesma forma, o símbolo para a densidade da *corrente* de ruído é i_n, com unidades como $fA/\sqrt{Hz}$. A corrente de ruído na entrada de um amplificador flui através da resistência de fonte do sinal, criando a sua própria densidade de tensão de ruído $e_n = i_n R_s$. Fontes de ruído independentes combinam conforme a raiz quadrada da soma de seus quadrados: $e_{n(total)} = \sqrt{e_{n1}^2 + e_{n2}^2 + \cdots}$. Se uma fonte de ruído é uniforme ao longo da frequência, chama-se esse ruído de "ruído branco", e a tensão de ruído RMS (em contraste com a densidade da tensão de ruído) contida dentro de uma largura de banda B é apenas $v_n = e_n \sqrt{B}$. Sabendo disso, você pode ir à Tabela 8.3a-c, que lista e_n e i_n para uma grande variedade de AOPs, para descobrir quanto de ruído é adicionado em um estágio amplificador AOP. Compare isso com o nível de ruído do sinal de entrada; ou multiplique pelo ganho de tensão do amplificador, e você terá a densidade da tensão de ruído de saída.

¶ B. Espectros de Ruído

Seja qual for a sua fonte, a densidade do ruído pode variar com a frequência – consulte a Seção 8.1. O ruído branco (e_n constante ao longo da frequência, até algum ponto de corte) é comum; por exemplo, o ruído Johnson de um resistor (¶E, a seguir) ou as flutuações de ruído *shot* de uma corrente estável (¶F, a seguir). Também é dominante o "ruído $1/f$", chamado, às vezes, de ruído *flicker*, ou ruído rosa; ele é caracterizado por um espectro de *potência* $1/f$ (potência igual por oitava, ou por década), assim, uma densidade de tensão de ruído $e_n(f)$ é proporcional a $1/\sqrt{f}$. A maior parte dos circuitos eletrônicos (e muitos outros fenômenos físicos) exibe ruído $1/f$, caracterizado, muitas vezes, pela "frequência de corte de $1/f$" na qual o componente de ruído $1/f$ é igual ao componente de ruído branco. Por fim, o termo *ruído vermelho* refere-se a uma densidade de ruído e_n proporcional a $1/f$ (portanto, um espectro de potência $1/f^2$); veja, por exemplo, a Figura 8.95. A tensão de ruído RMS v_n em uma largura de banda B (que se estende de f_1 a f_2) é obtida por meio da integração de $e_n^2(f)$ ao longo da frequência e, em seguida, extraindo a raiz quadrada: $v_n = \sqrt{v_n^2}$, em que $v_n^2 = \int_{f_1}^{f_2} e_n(f)^2 df$. Para um espectro branco, isso se reduz a um simples $v_n = e_n \sqrt{B}$.

O ruído do circuito real não precisa estar em conformidade com esses espectros idealizados, que, no entanto, são úteis para a caracterização do ruído de dispositivos reais ao longo das regiões de frequência escolhidas; veja, por exemplo, a Figura 8.107. Na vida real, os espectros podem mostrar uma "plataforma" de ruído (por exemplo, a curva Z na Figura 8.52), ou um pico de ruído (por exemplo, nas Figuras 5.52 ou 8.72).

¶ C. Distribuição da Amplitude do Ruído

Para além do seu espectro, pode-se caracterizar a distribuição de amplitude de ruído; isto é, a distribuição de amplitudes instantâneas amostradas no tempo. A maioria das fontes de ruído obedece a uma distribuição gaussiana (Figura 8.2), um fato que é de menor preocupação do que as importantes propriedades do espectro de ruído e amplitude. Uma exceção notável é o ruído de *rajada* (também chamado de ruído *pipoca*, ruído *biestável* ou ruído *telegráfico*), que salta aleatoriamente entre vários níveis de tensão (Figura 8.5). O ruído de rajada foi destaque nas primeiras décadas de tecnologia de semicondutores, mas foi amplamente banido em produtos atuais. Suspeita-se, no entanto, de que alguns restos de baixo nível permanecem, tal como evidenciado, por exemplo, em uma comparação do espectro de ruído de rajada medido da Figura 8.6 com os espectros de ruído do JFET medido da Figura 8.51.

¶ D. Fontes de Ruído

As principais fontes de ruído em circuitos eletrônicos (detalhadas nos parágrafos ¶E a ¶H a seguir) são:

Ruído Johnson. Flutuações térmicas geram uma tensão de ruído em um resistor.
Ruído *Shot*. A natureza discreta da carga elétrica cria flutuações em uma corrente "estável".
Ruído de Excesso. Vários fenômenos semicondutores contribuem com ruído adicional (muitas vezes, $\sim 1/f$ em densidade de potência) em baixas frequências.
Ruído do Amplificador. Transistores (tanto BJTs quanto FETs) acrescentam ruído, segundo as fontes apresentadas (por exemplo, os termos ruído Johnson da resistência de base $r_{bb'}$, ruído *shot* da corrente de coletor e ruído de excesso).

¶ E. Ruído Johnson

Flutuações térmicas causam um ruído de tensão autogerado entre os terminais de um resistor sem carga; esse é o *ruído Johnson*, de densidade de tensão de ruído (branco) $e_n = \sqrt{4k_B T R}$, onde k_B é a constante de Boltzmann. Não se preocupe em lembrar desta última; basta lembrar o valor de e_n para uma resistência de valor redondo (gostamos dos valores $1,28\,nV/\sqrt{Hz}$ para $R = 100\,\Omega$, ou $4\,nV/\sqrt{Hz}$ para $R = 1\,K\Omega$) e de grandeza expressa pela raiz quadrada de R. Se estiver em curto-circuito, um resistor gera uma corrente de ruído Johnson $i_n = e_n/R$; isto é, $i_n = \sqrt{4k_B T/R}$. Veja o gráfico na Figura 8.1 e a minitabela na Seção 8.1.1.

O ruído Johnson é um fenômeno físico fundamental e não depende da construção específica do resistor (ou resistência). No entanto, quando uma corrente constante flui através de uma resistência, você pode obter uma corrente de ruído adicional (em que você pode pensar como sendo devida a flutuações de resistência), geralmente com algo próximo de um espectro de potência $1/f$. Esse *ruído de excesso* varia com a construção do resistor, sendo pior em um tipo de "composição de carbono" granular, mas insignificante em um resistor de fio enrolado.

¶ F. Ruído *Shot*

A finitude do *quantum* de carga (carga do elétron) provoca flutuações estatísticas, mesmo em uma corrente constante. Se as cargas atuam de forma independente, a densidade da corrente de ruído (branco) é $i_n = \sqrt{2qI_{dc}}$, onde q é a carga do elétron ($1,6 \times 10^{-19}$ coulombs). Tal como acontece com o ruído Johnson, é útil simplesmente lembrar o valor de i_n para um número redondo da corrente CC (por exemplo, 18 pA/$\sqrt{Hz}$ para $I_{CC} = 1$ mA) e que varia com a raiz quadrada da corrente.[144] Veja a minitabela na Seção 8.1.2. *Importante*: a fórmula do ruído *shot* considera que os portadores de carga agem de forma independente; o ruído de corrente é muito reduzido se há correlações de longo alcance, como, por exemplo, em um condutor metálico.

¶ G. Ruído do BJT

Veja a Seção 8.3. Os termos de ruído de um BJT são a tensão de ruído de entrada e_n em série com a base, combinada com uma corrente de ruído de entrada injetada em série com a base (Figura 8.9). O ruído referenciado à entrada do amplificador (ou seja, ignorando o ruído Johnson de R_s da fonte de sinal) é, então, $e_{a(RMS)} = [e_n^2 + (R_s i_n)^2]^{\frac{1}{2}}$. À medida que aumenta a corrente de coletor, e_n diminui e i_n aumenta, por isso há uma troca com a corrente de operação. A relação e_n/i_n tem unidade de resistência; ela é chamada de *resistência de ruído* e é uma grandeza útil no projeto de circuitos; veja ¶I a seguir. A Tabela 8.1 lista os valores medidos de e_n para muitos BJTs candidatos de baixo ruído.

Tensão de ruído, e_n. No modelo mais simples, o termo tensão de ruído surge de duas fontes: a corrente de ruído *shot* do coletor que flui através da resistência de emissor do transistor r_e e o ruído Johnson da resistência de base interna do transistor, $r_{bb'}$. Combinando esses termos de ruído independente (Equação 8.20), obtemos a tensão total de ruído ao quadrado referenciado à entrada, $e_n^2 = 2qI_C r_e^2 + 4kTr_{bb'} = 4kT(r_e/2 + r_{bb'})$. Dito de outra forma, a tensão de ruído de entrada é igual ao ruído Johnson combinado da resistência de base do transistor ($r_{bb'}$) e uma resistência fictícia igual à metade da sua resistência intrínseca de emissor ($r_e/2$). Esta última é inversamente proporcional à corrente de coletor, de modo que uma tensão de ruído do BJT diminui com o aumento de I_C, em última análise, limitada pela sua resistência de base interna; veja, por exemplo, a Figura 8.12. Assim, para minimizar o ruído de *tensão* BJT, escolha um dispositivo com uma $r_{bb'}$ baixa e opere com uma corrente de coletor relativamente alta. Um modelo mais refinado inclui os efeitos do ruído *shot* da corrente de base, importante em baixas frequências e correntes de coletor altas; consulte a Figura 8.11 e a Equação 8.24.

Corrente de ruído, i_n. O termo de corrente de ruído primário é o ruído *shot* na corrente de base CC, $i_n = \sqrt{2qI_B}$ (Equação 8.21). Tomando somente esse termo, você minimiza a *corrente* de ruído do BJT operando em baixa corrente de coletor. Um modelo mais refinado inclui uma elevação $\propto 1/\sqrt{f}$ do termo da corrente de ruído em baixas frequências e uma elevação $\propto f$ do termo da corrente de ruído em altas frequências, causada pela queda de beta; veja a Equação 8.22 e a Figura 8.13.

¶ H. Ruído do JFET.

Veja a Seção 8.6. A escolha de baixo ruído para sinais de alta impedância de fonte são os FETs, devido à sua corrente de ruído de entrada muito baixa; JFETs são mais silenciosos do que MOSFETs e, ao contrário destes últimos, eles estão disponíveis como dispositivos de pequenos sinais discretos (veja a Tabela 8.2).

Tensão de ruído, e_n. O termo tensão de ruído dominante é o ruído Johnson na resistência do canal (Equação 8.34), $e_n^2 \approx 4kT\left(\frac{2}{3}\frac{1}{g_m}\right)$. Dito de outra forma, a tensão de ruído é equivalente ao ruído Johnson em um resistor de valor $R = \frac{2}{3}g_m$; veja a Figura 8.46. Para minimizar a tensão de ruído do JFET, escolha um JFET de alta transcondutância e coloque-o para operar com uma corrente de dreno relativamente alta (note, no entanto, que e_n cai lentamente, apenas como a raiz quarta de I_D). Tal como acontece com BJTs, JFETs exibem uma crescente cauda de ruído semelhante a $1/f$ em baixas frequências (Figura 8.52), com uma enorme variação entre os tipos e fabricantes.

Corrente de ruído, i_n. Em frequências baixas, a corrente de ruído é baixa, apenas o ruído *shot* da corrente de porta (corrente de fuga): $i_n = \sqrt{2qI_G}$, veja a Figura 8.48. Para expressar isso em números, uma corrente de fuga de porta típica de 10 pA tem uma densidade de corrente de ruído i_n de apenas 1,8 fA/$\sqrt{Hz}$, gerando apenas 1,8 nV/$\sqrt{Hz}$ de tensão de ruído em uma resistência de fonte de 1 MΩ. Isso está na extremidade inferior da tensão de ruído do transistor e está completamente ofuscado pelo ruído Johnson de 128 nV/$\sqrt{Hz}$ produzido pela própria resistência da fonte. Nas fre-

---

[144] Devido à corrente de ruído *shot* e à corrente de ruído Johnson variarem conforme $1/\sqrt{R}$, é fácil obter este factoide útil: se a queda CC no resistor for maior do que 50 mV, o ruído *shot* domina sobre o próprio ruído Johnson do resistor.

quências crescentes, existem algumas fontes adicionais de corrente de ruído de entrada. Por exemplo, em um amplificador de transimpedância, a entrada da porta é uma junção de soma, em que o ruído de *tensão* do FET gera uma corrente de ruído através da capacitância de entrada, de magnitude $i_n = e_n \omega C_{in}$, – veja ¶N (a seguir) e a Seção 8.11.

¶ I. Figura de Ruído, Temperatura de Ruído e Resistência de Ruído

Veja a Seção 8.2. A Figura de ruído (NF) é uma medida popular de ruído do amplificador acrescentado. É a relação (em dB) do ruído de saída do amplificador e a saída de um amplificador silencioso de mesmo ganho, cada um acionado por uma fonte de resistência R_S: $NF = 10\log_{10}(1 + v_n^2/4kTR_s)$, onde v_n^2 é o quadrado médio da tensão do ruído por hertz de contribuição do amplificador quando um resistor silencioso (frio) de valor R_S está conectado em sua entrada (veja a Equação 8.13 e a Figura 8.7). Outra forma (equivalente) para quantificar o excesso de ruído de contribuição de um amplificador quando acionado por uma fonte de sinal de resistência R_S é informar a sua *temperatura* de ruído (T_n, veja a Figura 8.8 e a Equação 8.16).

A figura de ruído de um amplificador (e sua temperatura de ruído) é mínima quando acionada por uma fonte de sinal de resistência igual à sua resistência de ruído, ou seja, quando $R_s = R_n = e_n/i_n$. As folhas de dados de transistores, por vezes, fornecem o perfil da NF em função da corrente de operação e da resistência da fonte em uma dada frequência (por exemplo, a Figura 8.22); para amplificadores nos quais você não tem controle sobre a corrente de operação, você encontrará o perfil do NF em função da frequência e da resistência da fonte (por exemplo, a Figura 8.27). *Atenção*: não cometa o erro de adicionar um resistor em série a uma fonte de sinal de baixa resistência para melhorar a figura de ruído (Seção 8.4.6). Em vez disso, escolha um amplificador que forneça a figura de ruído de que você precisa com essa resistência da fonte de entrada; em algumas situações (por exemplo, resistência de fonte muito baixa), você pode usar um transformador de sinal para fazer um casamento sem perdas com a resistência ótima de fonte do amplificador.

¶ J. Fontes de Ruído e Medições

Veja a Seção 8.12. Em frequências baixas a moderadas, é possível determinar as propriedades de ruído de um amplificador transistorizado de ganho de tensão conhecido fazendo duas medições com a sua tensão de ruído de saída RMS em uma largura de banda conhecida, primeiro com a entrada em curto (para obter e_n) e, em seguida, com um resistor apropriadamente escolhido em sua entrada (para obter i_n); veja a Seção 8.12.1. Como você está medindo a tensão de ruído integrado, precisa saber a largura de banda de ruído equivalente; veja a Seção 8.13. Uma técnica mais geral, aplicável a amplificadores que requeiram uma impedância de fonte casada (por exemplo, 50 Ω em amplificadores de RF) e sejam insensíveis à largura de banda de medição real, é acionar a entrada com uma fonte de ruído calibrada, enquanto se observa a saída de ruído RMS; veja a Seção 8.12.3. Para frequências até algumas dezenas de mega-hertz, você pode fazer a sua própria fonte de ruído "pseudo-aleatória" com um registrador de deslocamento de realimentação (Seção 8.12.4A), ou você pode usar uma fonte de ruído comercial (um gerador de função, ou diodo à vácuo; veja a Seção 8.12.4) para frequências bem na faixa de giga-hertz. O próprio ruído Johnson do resistor é a fonte de ruído para o método de "carga quente/carga fria", útil para amplificadores de micro-ondas de baixo ruído; veja a Equação 8.53 na Seção 8.12.3.

¶ K. Projeto de Baixo Ruído com AOPs

Veja a Seção 8.9. Assim como com BJTs e FETs, AOPs exibem tensão de ruído e_n referenciada à entrada e corrente de ruído i_n, cujas magnitudes dependem do tipo de transistor de do estágio de entrada. O que é diferente, do ponto de vista do projetista do circuito, é que você não tem controle sobre a corrente de operação do estágio. Em vez disso, você escolhe o tipo de AOP: entrada FET para uma menor i_n (para sinais de alta impedância de fonte), entrada BJT para uma menor e_n (para sinais de baixa impedância de fonte). Entre os tipos de entrada FET, os dispositivos CMOS apresentam menor i_n, mas uma e_n consideravelmente mais elevada em comparação com os tipos JFET; estes últimos, portanto, combinam o melhor (quase) de ambos os mundos – consulte a Seção 8.9 a extensa Tabela 8.3, e os gráficos de ruído nas Figuras 8.60, 8.61 e 8.63. Uma ferramenta gráfica útil é o gráfico da *densidade de ruído efetiva* (v_n) em função da resistência da fonte, em que as contribuições de ruído do AOP (e_n, $i_n R_S$) são combinadas e plotadas juntamente com o ruído Johnson da fonte, este último estabelecendo um limite de ruído inferior; ou seja, $v_n^2 = 4kTR_s + e_n^2 + (i_n R_s)^2$, veja a Figura 8.58. O ruído do AOP (com a exceção de AOPs de autozero) exibe uma elevação típica de baixa frequência $1/f$, a cauda, caracterizada por uma *frequência de corte* f_c. AOPs de autozero não têm cauda $1/f$, mas eles têm ruído de banda larga consideravelmente mais elevado (e_n e i_n), juntamente com picos de ruído espectral e sinais recortados. Certifique-se de avaliar todas as fontes de ruído em um projeto AOP: uma má escolha de valores de componentes pode comprometer o desempenho de ruído (por exemplo, ruído Johnson de resistores de alto valor).

Ao escolher um AOP para uma aplicação de baixo ruído, comece por restringir a sua atenção a AOPs que atendam às suas outras necessidades, tais como precisão, velocidade, dissipação de potência, tensão de alimentação, variação de entrada e saída e similares. Então, escolha entre esse subconjunto, com base em seus parâmetros de ruído.

¶ L. Projeto de Baixo Ruído com BJTs

Veja a Seção 8.5. Comparado com AOPs, o projeto de circuito com transistores discretos lhe dá mais controle sobre parâmetros de ruído, mas o preço que você paga é o trabalho adicional associado com detalhes de polarização e afins. Um bom negócio é uma abordagem *híbrida*, com uma seção de entrada discreta que precede um AOP – veja a Seção 8.9.5. Tal como acontece com AOPs, um gráfico de ruído de entrada total em função da resistência da fonte é uma ferramenta gráfica útil – veja a Figura 8.32 na Seção 8.5.2 e a Figura 8.41. A flexibilidade que você obtém a partir do controle da corrente de operação é ilustrada muito bem na Figura 8.33, na qual as curvas se deslocam para baixo com o aumento da corrente de coletor (e_n inferior, i_n superior). A Tabela 8.1a lista folhas de dados e parâmetros de ruído medidos para uma ampla seleção de BJTs de baixo ruído; veja também curvas medidas de ganho de corrente na Figura 8.39.

¶ M. Projeto de Baixo Ruído com FETs

Veja a Seção 8.6. Você não pode superar os FETs em termos de correntes de ruído de entrada menores, e, para circuitos amplificadores *discretos* (ou seções de entrada híbridas), você está limitado a JFETs. Em termos dos parâmetros do dispositivo, os JFETs com geometria grande têm menor e_n e maior g_m, mas a geometria grande significa maior capacitância e corrente de fuga (portanto, maior i_n) – consulte a Tabela 8.2. Se a entrada do JFET for uma junção de soma, o produto da tensão de ruído e da capacitância de entrada cria uma corrente de ruído crescente $i_n = e_n \omega C_{in}$ (¶H, ¶N). Tal como acontece com BJTs, aumentar a corrente de operação reduz a tensão de ruído de um JFET, embora não de forma drástica ($e_n \propto I_D^{-0,25}$). Atente para alguns problemas crônicos com muitos JFETs: especificações de I_{DSS} e $V_{GS(th)}$ sem precisão (uma faixa de 5:1 é típica), baixa transcondutância, baixa resistência de saída, corrente de porta que se eleva acentuadamente (portanto, i_n) em altas temperaturas e em tensões de dreno elevadas (veja a Seção 3.2.8) e mau desempenho de ruído de baixa frequência (veja a Figura 8.52).

¶ N. Ruído em Amplificadores de Transimpedância

Veja a Seção 8.11. Amplificadores de transimpedância (TIA) convertem uma corrente de entrada em uma tensão de saída, com realimentação de corrente através de um resistor R_f para a junção de soma de entrada, tal como foi introduzido na Seção 4.3.1. As fontes de ruído são e_n e i_n de entrada do amplificador e o ruído Johnson em R_f. Tomando isso em ordem inversa, o resistor de realimentação gera uma corrente de ruído Johnson de $i_n = \sqrt{4kT/R_f}$; a tensão de ruído e_n do amplificador gera, através da capacitância na entrada, uma corrente de ruído de magnitude $e_n \omega C_{in}$ e, através do resistor de realimentação, uma corrente de ruído de magnitude e_n/R_f; a esses, devem ser adicionados a corrente de ruído de entrada própria do amplificador, i_n. A escolha de R_f é transigente: os termos de ruído são minimizados, escolhendo uma alta resistência, mas, por causa das exigências de estabilidade de realimentação, a largura de banda sofre; veja as Seções 8.11.1 e 8.11.4 a 8.11.6. Essas restrições concorrentes podem ser mitigadas com configurações mais complexas, utilizadas isoladamente ou em combinação: um TIA composto (2 estágios) (Seção 8.11.8); ou o uso de um primeiro estágio discreto (isto é, um híbrido, Seção 8.11.8A); ou a capacitância reduzida pela utilização de *bootstrap* (Seção 8.11.9) ou uma conexão cascode (Seção 8.11.10). A contribuição de ruído do resistor de realimentação pode ser inteiramente eliminada substituindo-o por um *capacitor* (Seção 8.11.11), formando um integrador; diferenciar a saída, então, recupera uma saída proporcional à corrente de entrada. A realimentação de capacitor é usada em detectores de baixo nível e na técnica conhecida como *amostragem dupla correlacionada*.

¶ O. Amplificadores Sícronos.

Veja a Seção 8.14. Para a detecção de sinais que variam lentamente, é desejável minimizar o ruído adicionado ao estreitar a largura de banda de medição; e, por causa do ruído $1/f$ crescente típico em baixas frequências, a amplificação de sinais deverá ocorrer em frequências superiores à frequência de corte de $1/f$. Na técnica distinta de *detecção síncrona*, o sinal que varia lentamente é modulado (tipicamente a algumas centenas de Hertz), amplificado e, em seguida, demodulado com um detector de fase e, por fim, filtrado por um passa-baixas com uma largura de banda apropriada para o sinal original; veja a Figura 8.117.

¶ P. Ruído da Fonte de Alimentação.

Veja a Seção 8.15. As fontes de alimentação não são todas criadas da mesma forma, como incrivelmente ilustrado pelo espectro medido da Figura 8.123. Ao projetar uma fonte CC, não se esqueça de usar uma tensão de referência silenciosa e de seguir as boas práticas de projeto de baixo ruído. Fontes de alimentação chaveadas são inerentemente ruidosas, mas a atenção aos percursos da corrente e o uso de filtros podem reduzir os níveis de ruído conduzido e irradiado. Com fontes de alimentação de qualquer projeto, a adição de um *multiplicador de capacitância* externo pode reduzir o ruído em 40 dB ou mais (Figura 8.122). Veja também a ampla abordagem sobre regulação de potência CC no Capítulo 9.

¶ Q. Blindagem e Aterramento.

Veja a Seção 8.16. No mundo real, os sinais inadvertidamente acoplados podem facilmente sobrecarregar as formas sutis de ruído que dominam neste capítulo. Técnicas de mitigação incluem fiação e leiaute de trilhas (para minimizar tanto o acoplamento capacitivo quanto o indutivo), níveis de sinal aumentados, muita atenção ao aterramento (dentro e entre os instrumentos), blindagem, filtragem, linhas balanceadas, bobinas de modo comum, proteção, transformadores de sinal e amplificadores de isolamento.

9 Regulação de tensão e conversão de potência

O controle e a conversão de potência – engenharia de sistemas de potência – é um subcampo rico e interessante da engenharia elétrica e do projeto eletrônico. Ele engloba aplicações que vão desde transmissão, transporte e pulsação CC de alta tensão (quilovolts e acima) e alta corrente (quiloampères e acima) até aplicações de baixo consumo de energia fixa e portátil (que funciona com bateria) e de micropotência. Talvez de maior interesse para nós no contexto do projeto de circuito, ele inclui a produção de tensões e correntes necessárias no projeto de circuitos eletrônicos.

Quase todos os circuitos eletrônicos, desde circuitos com um simples transistor e AOP a elaborados sistemas digitais e de microprocessadores, exigem uma ou mais fontes de tensão estável. As fontes de alimentação simples não reguladas com capacitor, ponte e transformador, que discutimos no Capítulo 1, geralmente não são adequadas, porque suas tensões de saída variam com a corrente de carga e a tensão de linha e porque elas têm quantidades significativas de ondulações relativas à rede elétrica (120 Hz ou 100 Hz). Felizmente, é fácil construir fontes de alimentação altamente estáveis, usando realimentação negativa para comparar a tensão de saída CC com uma tensão de referência estável. Tais fontes reguladas são de uso universal e podem ser construídas de forma simples, com circuitos integrados reguladores de tensão, necessitando apenas de uma fonte de entrada CC não regulada (a partir de uma combinação de transformador, retificador e capacitor,[1] uma bateria ou alguma outra fonte de entrada CC) e alguns outros componentes.

Neste capítulo, veremos como construir reguladores de tensão usando circuitos integrados para fins especiais. As mesmas técnicas de circuitos podem ser usadas para fazer reguladores de componentes discretos (transistores, resistores, etc.), mas, por causa da disponibilidade de chips de baixo custo do regulador de alto desempenho, normalmente não há vantagem em utilizar os componentes discretos em novos modelos. Reguladores de tensão nos levam para o domínio da alta dissipação de potência, por isso falaremos de dissipação de calor e técnicas como "limitação por redução de corrente" para limitar a temperatura de operação do transistor e evitar danos ao circuito. Essas técnicas podem ser usadas para todos os tipos de circuitos de potência, incluindo amplificadores de potência. Com o conhecimento dos reguladores que teremos nesse ponto, seremos capazes de voltar e discutir o projeto de uma fonte não regulada em alguns detalhes. Neste capítulo, também daremos atenção às referências de tensão e aos CIs de referência de tensão, dispositivos com muitas aplicações além do projeto de fontes de alimentação (por exemplo, na conversão analógico-digital).

Começamos com o regulador *linear*, em que a realimentação controla a condução de um "transistor de passagem" em série que proporciona uma queda de tensão para manter constante a tensão de saída. Mais adiante, trataremos um tema importante, os reguladores *chaveados*, em que um ou mais transistores são ligados rapidamente para transferir a energia, por meio de um indutor (ou capacitor) para a carga, novamente com a realimentação que regula a tensão. Em poucas palavras, os reguladores lineares são mais simples e geram uma saída CC mais "limpa" (ou seja, livre de ruído); comutadores (o apelido para reguladores e conversores chaveados) são mais compactos e eficientes (Figura 9.1), mas mais ruidosos e normalmente mais complexos.

Seria errado deixar a impressão de que os reguladores de tensão são usados exclusivamente em fontes CC alimentadas pela rede CA. Além de seu uso na criação de tensões CC estáveis a partir da rede elétrica CA, reguladores de tensão são amplamente utilizados também para produzir tensões CC adicionais a partir de uma tensão *CC regulada* existente dentro de um circuito: é comum ver, por exemplo, um regulador que aceita um entrada de +5 V existente e gera uma saída de 2,5 V ou 3,3 V; isso é facilmente feito com um regulador linear, em que a realimentação controla a queda de tensão para manter constante (e reduzida) a tensão de saída. Talvez o mais surpreendente seja que você pode utilizar um regulador chaveado para converter uma entrada CC em uma tensão de saída *maior*, em uma tensão de saída de polaridade oposta ou em uma corrente constante (por exemplo, para acionar uma série de LEDs). Essas aplicações são particularmente relevantes para dispositivos alimentados por bateria. O termo geral *conversor de energia* é frequentemente usado em tais aplicações, que incluem também a criação de uma saída CA a partir de uma entrada CC.

---

[1] Às vezes, o transformador pode ser omitido; isso é mais comumente feito em fontes de alimentação chaveadas (SMPSs); veja a Seção 9.6.

Capítulo 9   Regulação de tensão e conversão de potência   **595**

Fonte linear AC/CC de 15 W

Comutador AC/CC de 15 W

Comutador (não regulado) CC/CC de 240 W

Comutador AC/CC de 3,5 W

Comutador CC/CC de 150 W

FIGURA 9.1 Fontes de alimentação chaveadas ("comutadores") são menores e mais eficientes do que as fontes tradicionais lineares reguladas, mas a operação de comutação gera um ruído elétrico inevitável.

9.1 TUTORIAL: DO ZENER AO REGULADOR LINEAR COM TRANSISTOR DE PASSAGEM EM SÉRIE

Para começar, observemos os circuitos da Figura 9.2. Lembre-se de que um diodo zener é um tipo de regulador de tensão: ele consome uma corrente insignificante até que a tensão sobre ele chegue próximo da tensão zener V_Z, altura em que a corrente sobe abruptamente (consulte a Figura 1.15 para relembrar). Assim, um zener (ou um CI de *referência* de 2 terminais semelhante a um zener, consulte a Seção 9.10.2) polarizado através de um resistor a partir de uma tensão maior do que V_Z, como na Figura 9.2A, terá cerca de V_Z sobre ele, com a corrente definida pelo resistor:[2] $I_{zener} = (V_+ - V_Z)/R$. Você pode conectar uma carga a essa tensão de saída relativamente estável; assim, enquanto a carga consumir menos do que I_{zener} (como calculado há pouco), haverá alguma corrente zener restante, e a tensão de saída variará pouco.

Uma simples combinação resistor mais zener pode, eventualmente, ser útil, mas tem vários inconvenientes: (a) você não pode alterar facilmente (ou até mesmo escolher precisamente) a tensão de saída; (b) a tensão zener (que é também a tensão de saída) varia um pouco com a corrente zener; por isso, alterará com variações em V_+ e com variações na corrente de carga;[3] (c) você tem que definir a corrente zener (pela escolha de R) grande o suficiente para que ainda haja alguma corrente zener para a carga máxima; isso significa que a fonte CC V_+ está funcionando em plena corrente o tempo todo, gerando calor conforme a carga máxima prevista; (d) para acomodar grandes correntes de carga,[4] você precisaria de um zener de alta potência, que é difícil de encontrar e raramente usado, precisamente porque há maneiras muito melhores de fazer um regulador, como veremos.

Exercício 9.1 Tente fazer isto para ter uma noção dos problemas com esse circuito regulador simples: imagine que queiramos uma saída CC estável de +5 V, para alimentar

---

[2] Com a curva exata de I em função da V do zener na mão, você pode determinar a tensão e a corrente exatas, usando o método da *reta de carga*; consulte o Apêndice F e a Seção 3.2.6B.

[3] Essas são chamadas de variações de *linha* e de *carga*, respectivamente.

[4] Ou, mais precisamente, grandes variações na corrente de carga, e/ou na tensão CC de entrada V_+.

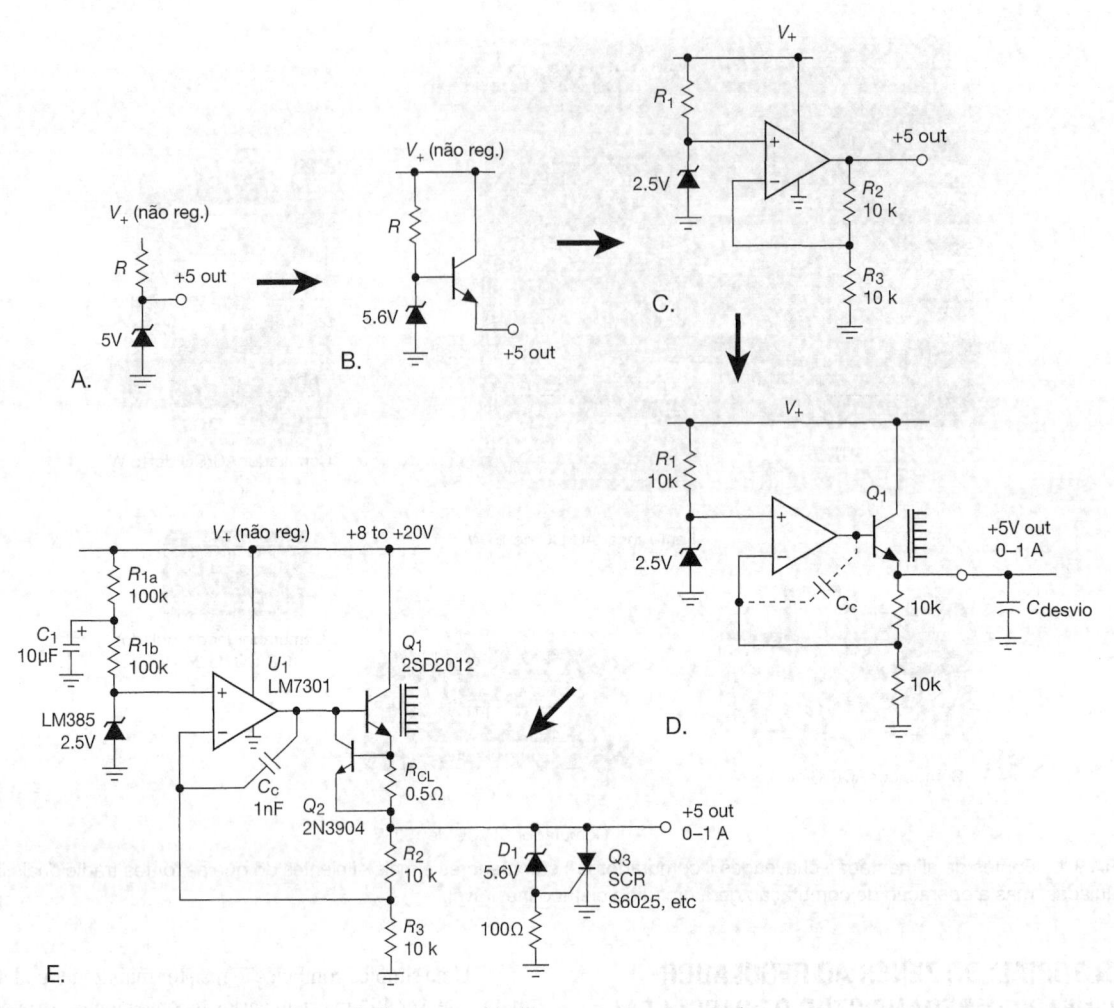

FIGURA 9.2 Evolução do regulador de tensão linear em série (componentes discretos).

uma carga que pode consumir de zero a 1 A. Construímos uma fonte CC desregulada (usando um transformador, ponte de diodo e capacitor), que gera na saída aproximadamente +12 V sem carga, caindo para 9 V com uma carga de 1 A. Essas tensões são "nominais" e podem variar ±10%.

(a) Qual é o valor da resistência correta, R, para o circuito da Figura 9.2A, de tal modo que a corrente zener mínima, sob condições de "pior caso", seja de 50 mA?
(b) Qual é a dissipação de potência de pior caso (máxima) em R e no zener?

Em contraste com essa abordagem – com a sua exigência de um zener de 10 W na tensão de saída desejada, e dissipação de potência próxima de 10 W em cada um dos componentes, mesmo com uma carga nula –, veremos que é uma tarefa de rotina fazer uma fonte de alimentação regulada, com tensão de saída ajustável, sem a necessidade de um zener de potência e com eficiência de 75% ou melhor durante a maior parte da faixa de corrente de trabalho.

9.1.1 Adicionando uma Realimentação

Poderíamos melhorar um pouco a situação acrescentando um seguidor de emissor em um zener (Figura 9.2B); isso permite executar em menor corrente zener e baixa dissipação quiescente quando estiver sem carga. Mas a regulação da saída ainda é fraca (porque V_{BE} varia com a corrente de saída), e o circuito ainda não permite o ajuste da tensão de saída.

A solução é a utilização de um zener (ou outro dispositivo de tensão de referência; veja a Seção 9.10.2) como uma referência de tensão de baixa corrente, com a qual se compara a saída. Analisemos isso em algumas etapas fáceis.

A. Zener mais "Amplificador"

Em primeiro lugar, resolvemos o problema da *ajustabilidade* seguindo a referência zener com um amplificador CC simples (Figura 9.2C). Agora, a corrente zener pode ser pequena, apenas o suficiente para garantir uma referência estável. Para zeners típicos, pode ser alguns miliampères, ao passo que, para um CI de referência de tensão, 0,1 a 1 mA será normalmente suficiente. Esse circuito permite ajustar a tensão de saída: $V_{out} = V_Z(1 + R_2/R3)$. Mas note que você está limitado a ter $V_{out} \geq V_Z$; note também que a tensão de saída vem de um AOP, de modo que pode chegar, no máximo, a V_+, com uma corrente de saída limitada pela I_{out} (máx) do AOP, normalmente 20 mA. Vamos superar esses limites.

B. Adição de um transistor de passagem externo

Mais corrente de saída é fácil – basta adicionar um seguidor *npn* para aumentar a corrente de saída por um fator de β. Você pode ser tentado a conectar apenas o seguidor na saída do AOP, mas seria um erro: a tensão de saída teria uma queda V_{BE}, cerca de 0,6 V. Você poderia, é claro, ajustar a relação de R_2/R_3 para compensar. Mas a queda V_{BE} é imprecisa, variando tanto com a temperatura quanto com a corrente de carga e, portanto, a tensão de saída varia em função disso. A melhor maneira é fechar a malha de realimentação em torno do transistor de passagem, como na Figura 9.2D; dessa forma, o amplificador de erro vê a tensão de saída real, mantendo-a estável através do ganho de malha do circuito. A inclusão do seguidor de emissor de saída aumenta a I_{out} (máx) do AOP pelo beta de Q_1, o que nos dá uma corrente de saída disponível de aproximadamente um ampère. (Poderíamos usar um Darlington, em vez disso, para obter mais corrente; outra possibilidade é um MOSFET canal *n*.) Q_1 dissipará de 5 a 10 W na corrente de saída máxima, de modo que você precisará de um dissipador de calor (mais sobre isso na Seção 9.4.1). E, como veremos em seguida, você também precisará adicionar um capacitor de compensação C_C para garantir a estabilidade.

C. Alguns Complementos Importantes

Nosso circuito regulador de tensão está quase completo, mas faltam algumas características essenciais, relacionados à estabilidade da malha e à proteção de sobrecorrente.

Estabilidade da malha de realimentação

Fontes de alimentação reguladas são usadas para alimentar circuitos eletrônicos, geralmente contendo muitos capacitores de desvio entre os trilhos CC e terra. (Esses capacitores de desvio, obviamente, são necessários para manter uma impedância agradavelmente baixa em todas as frequências do sinal). Assim, a fonte CC vê uma grande carga capacitiva, a qual, quando combinada com a resistência finita de saída do transistor de passagem (e o resistor sensor de sobrecorrente, se estiver presente), provoca um deslocamento de fase de atraso e uma possível oscilação. Mostramos a capacitância da carga na Figure 9.2D como C_{desvio}, uma porção da qual pode ser incluída explicitamente (como um capacitor real) na própria fonte de alimentação.

A solução aqui, como acontece com os circuitos AOP de que falamos antes (Seção 4.9), é incluir alguma forma de *compensação de frequência*. Isso é feito de forma mais simples (como ocorre dentro do AOP) com um capacitor de realimentação Miller C_C em torno do estágio de ganho inversor, como mostrado. Os valores típicos são de 100 a 1.000 pF, normalmente encontrados experimentalmente ("tentativa e erro"), aumentando Cc até a saída mostrar uma resposta bem amortecida para uma variação em degrau na carga (e, em seguida, dobrando esse valor, para proporcionar uma boa margem de estabilidade). Veremos posteriormente que os CIs reguladores incluem uma compensação interna, ou as folhas de dados sugerem valores para os componentes de compensação.

Proteção de sobrecorrente

O circuito desenhado na Figura 9.2D não lida bem com a condição de carga de curto-circuito.[5] Com a saída em curto para o terra, a realimentação agirá para forçar a corrente máxima de saída do AOP na base do transistor de passagem, de modo que uma I_B de 20 a 40 mA será multiplicada pelo beta de Q_1 (que pode variar de 50 a 250, por exemplo), para produzir uma corrente de saída de 1 A a 10 A. Considerando que a entrada V_+ sem regulação pode fornecê-la, tal corrente causará aquecimento excessivo do transistor de passagem, bem como as formas interessantes de danos na carga com comportamento inadequado.

A solução é incluir uma forma de proteção de sobrecorrente, geralmente o circuito limitador de corrente clássico que consiste em Q_2 e R_{CL} na Figura 9.2E. Aqui, R_{CL} é um *resistor sensor* de baixo valor de resistência, escolhido para ter uma queda de aproximadamente 0,6 V (uma queda do diodo V_{BE}) a uma corrente um pouco maior do que a corrente máxima especificada; por exemplo, podemos escolher $R_{CL} = 5$ Ω em uma fonte de 100 mA. A queda sobre R_{CL} é aplicada na base-emissor de Q_2, ligando-o na corrente de saída máxima desejada; a condução de Q_2 absorve corrente da base de Q_1, impedindo novo aumento da corrente de saída. Note que o transistor Q_2 que detecta o limite de corrente não manipula alta tensão, alta corrente ou alta potência; ele "vê", no máximo, duas quedas de diodo do coletor ao emissor, a corrente de saída máxima do AOP e o produto desses dois, respectivamente. Durante uma condição de carga de sobrecorrente, então, ele normalmente teria que lidar com $V_{CE} \leq 1,5$ V para $I_C \leq 40$ mA, ou 60 mW; isso é pouco para qualquer transistor de uso geral de pequeno sinal.

Mais adiante, veamos ver variações em torno do tema da proteção de sobrecorrente, incluindo métodos que limitam

---
[5] Engenheiros gostam de se referir a várias situações ruins como essa sob a rubrica geral de *condições de falha*.

a um limite de corrente ajustável e estável, e a técnica conhecida por *limitação por redução de corrente* (Seção 9.13.3).

Polarização do zener; *crowbar* de sobretensão

Mostramos duas funcionalidades adicionais na Figura 9.2E. Primeiro dividimos o resistor de polarização do zener, R_1, e desviamos o ponto médio, para filtrar a corrente de ondulação. Ao escolher a constante de tempo ($\tau = (R_{1a}\|R_{1b})C_1$) para ser longa em comparação com o período de ondulação de 8,3 ms, o zener "vê" uma corrente de polarização livre de ondulação. (Você não se preocuparia com isso se a fonte CC V_+ fosse livre de ondulação – por exemplo, uma fonte CC regulada de maior tensão.) Como alternativa, você pode usar uma fonte de corrente para polarizar o zener.

Em segundo lugar, mostramos um circuito de proteção "*crowbar* de sobretensão" que consiste em D_1, Q_3 e o resistor de 100 Ω. Sua função é colocar a saída em curto se alguma falha no circuito fizer a tensão de saída exceder aproximadamente 6,2 V (isso pode facilmente acontecer, por exemplo, se o transistor de passagem Q_1 falhar por ter um coletor-emissor em curto, ou se um componente simples como o resistor R_2 se tornar um circuito aberto.) Q_3 é um SCR (*silicon-controlled rectifier*, retificador controlado de silício), um dispositivo que normalmente está em corte (não conduz), mas que vai para a saturação quando a junção porta-catodo é polarizada diretamente. Uma vez ativado, ele não será desligado novamente até que a corrente de anodo seja removida externamente. Nesse caso, a corrente de porta flui quando a saída excede a tensão zener de D_1 mais uma queda de diodo. Quando isso acontece, o regulador entra em uma condição de limitação de corrente, com a saída mantida próximo do potencial do terra por meio do SCR. Se a falha que produz a saída anormalmente elevada também desativar o circuito de limitação de corrente (por exemplo, um coletor-emissor de Q_1 em curto), então o circuito *crowbar* absorverá uma corrente muito grande. Por essa razão, é uma boa ideia incluir um fusível em algum lugar da fonte de alimentação, como mostrado, por exemplo, na Figura 9.48. Trataremos de circuitos *crowbar* de sobretensão em mais detalhe na Seção 9.13.1.

Exercício 9.2 Explique como um circuito aberto em R_2 faz a saída aumentar. Aproximadamente qual tensão apareceria, então, na saída?

9.2 CIRCUITOS REGULADORES LINEARES BÁSICOS COM O CLÁSSICO 723

No tutorial anterior, evoluímos a forma básica do *regulador linear com transistor de passagem em série*: referência de tensão, transistor de passagem, amplificador de erro e provisões para a estabilidade da malha e proteção contra sobretensão e sobrecorrente. Na prática, você raramente precisa montar esses componentes a partir do zero – circuitos como esse estão disponíveis na forma de circuitos integrados completos. Uma ampla classe de CIs reguladores lineares pode ser pensada como kits flexíveis – eles contêm todos os dispositivos, mas você tem que conectar alguns componentes externos (incluindo o transistor de passagem) para fazê-los funcionar; um exemplo é o clássico regulador 723. A outra classe de CIs reguladores é completa, com transistor de passagem e proteção contra sobrecarga internos, e exigindo, no máximo, um ou dois dispositivos externos; um exemplo é o clássico regulador de "três terminais" 78L05 – seus 3 terminais são identificados como *entrada*, *saída* e *terra* (muito fácil de usar!).

9.2.1 O Regulador 723

O regulador de tensão μA723 é um clássico. Projetado por Bob Widlar e introduzido pela primeira vez em 1967, ele é um regulador flexível, fácil de usar e com excelente desempenho.[6] Ainda que você não o escolha para um novo projeto, vale a pena analisá-lo mais detalhadamente, porque os reguladores mais recentes funcionam com base nos mesmos princípios. O seu diagrama em blocos é mostrado na Figura 9.3. Como você pode ver, é realmente um *kit* de fonte de alimentação, que contém uma referência de tensão com compensação de temperatura (7,15 V ± 5%), amplificador diferencial, transistor de passagem em série e circuito de proteção de limitação de corrente. Da forma como ele está disponível, o 723 não regula nada. Você tem que conectar um circuito externo para fazer dele o que quiser.

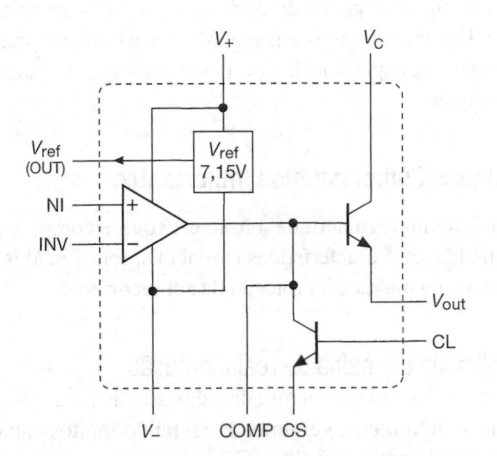

FIGURA 9.3 O regulador de tensão clássico μA723.

---

[6] Com base no sucesso do 723, outros fabricantes introduziram versões "melhoradas", como o LAS1000, o LAS1100, o SG3532 e o MC1469. No entanto, enquanto o 723 permaneceu, as versões melhoradas se foram! O 723 é "bom o suficiente", *muito* barato (cerca de 15 centavos de dólar em quantidade) e é popular em muitas fontes de alimentação linear comerciais em que o limite de corrente facilmente ajustado é especialmente útil. Ele também tem menos ruído do que a maioria das substituições modernas. E gostamos dele pelo seu valor didático.

O transistor de passagem *npn* interno do 723 é limitado a 150 mA e pode dissipar cerca de 0,5 W no máximo. Ao contrário dos reguladores mais recentes, o 723 não incorpora circuitos de desligamento interno para proteger contra uma excessiva corrente de carga ou dissipação do chip.

A. Exemplo de Regulador 723: $V_{out} > V_{ref}$

A Figura 9.4 mostra como fazer um regulador de tensão positiva com o 723 para tensões de saída maiores do que a tensão de referência; é a mesma topologia do circuito da Figura 9.2E do tutorial. Todos os componentes, exceto os três resistores e os dois capacitores, estão contidos no 723. Com esse circuito, uma fonte de tensão de saída regulada com tensão de saída variando de V_{ref} até a máxima admissível (37 V) pode ser feita. Claro, a tensão de entrada deve ficar alguns volts mais positiva do que a saída todo o tempo, incluindo os efeitos de ondulação na alimentação sem regulação. A "queda de tensão mínima" (*dropout voltage*) (o valor pelo qual a tensão de entrada deve exceder a tensão de saída regulada) é especificada como 3 volts (mínimo) para o 723. Isso é um pouco grande para os padrões atuais, em que a queda de tensão mínima é tipicamente de 2 V e muito menor para reguladores de *baixa queda de tensão* (*low dropout*, LDO), como veremos na Seção 9.3.6. Note também que a tensão de referência relativamente alta do 723 significa que você não pode usá-lo em uma fonte de alimentação CC cuja entrada sem regulação seja inferior a 9,5 V, o sua V_+ mínima especificada; essa deficiência é sanada em uma grande variedade de reguladores que utilizam uma *referência* de baixa tensão (1,25 V ou 2,5 V). E, embora reclamemos, notamos que a referência não é exatamente excelente em sua precisão inicial – a amplitude de valores de V_{ref} de produção é de 6,8 a 7,5 volts – o que significa que você deve realizar um ajuste de tensão de saída, fazendo R_1 ou R_2 ajustável; em breve, veremos reguladores com excelente precisão inicial, para os quais não é necessário ajuste.

É geralmente uma boa ideia colocar um capacitor de alguns microfarads na saída, como mostrado. Isso mantém a impedância de saída baixa, mesmo em altas frequências, quando a realimentação se torna menos eficaz. É melhor usar o valor de capacitor de saída recomendado na folha de especificações para assegurar a estabilidade contra oscilações. Em geral, é uma boa ideia fazer o desvio para o terra dos terminais da fonte de alimentação generosamente ao longo de um circuito, usando uma combinação de tipos cerâmico (0,01 a 0,1 μF) e eletrolítico ou tântalo (1 a 10 μF).[7]

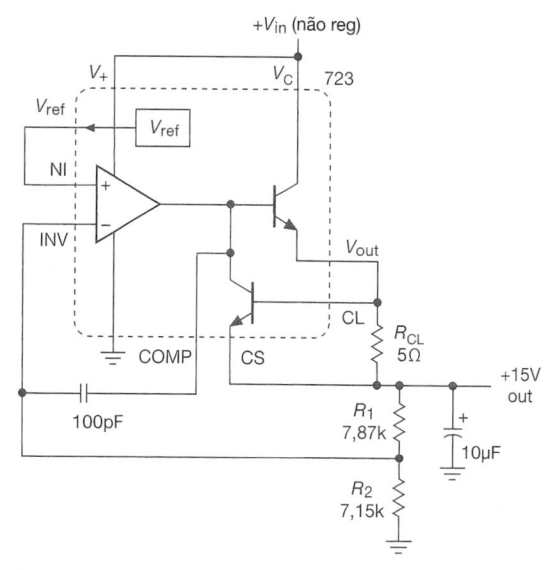

FIGURA 9.4 Regulador 723: configuração para $V_{out} > V_{ref}$, com limite de corrente de 100 mA.

B. Exemplo de Regulador 723: $V_{out} < V_{ref}$

Para tensões de saída menores do que V_{ref}, você apenas coloca um divisor de tensão na referência (Figura 9.5). Agora, a tensão de saída total é comparada com uma fração da referência. Os valores indicados são para uma saída de +5 V. Com essa configuração do circuito, tensões de saída de +2 V a V_{ref} podem ser produzidas. A saída não pode ser ajustada até zero volt, porque o amplificador diferencial não operará abaixo de 2 volts de entrada, conforme especificado na folha de dados. Note novamente que a tensão de entrada não regulada jamais deve cair abaixo de 9,5 V, a tensão necessária para alimentar a referência.

Para esse exemplo, adicionamos um transistor externo em uma configuração Darlington com o pequeno transistor de passagem interno do 723, para ir além do limite de corrente de 150 mA deste último. Um transistor externo também é necessário, por causa da dissipação de potência: o 723 é especificado para 1 watt em 25°C (menos em temperaturas ambiente mais elevadas; o 723 deve ter uma "redução" de 8,3 mW/°C acima de 25°C, a fim de manter a temperatura da junção dentro de limites seguros). Assim, por exemplo, um regulador de 5 volts com entrada de +15 V não pode fornecer mais do que cerca de 80 mA para a carga. Aqui, o transistor de potência externo Q_1 dissipará 14 W para $V_{in} = 12$ V e corrente de carga máxima (2 A); isso requer um *dissipador de calor*, na maioria das vezes uma placa de metal com aletas projetada para transportar o calor (alternativamente, o transistor pode ser montado sobre o chassi metálico do gabinete da fonte de alimentação). Vamos lidar com problemas térmicos como esses mais adiante neste capítulo.[8] Um po-

---

[7] Os capacitores de cerâmica fornecem baixa impedância em altas frequências, ao passo que os eletrolíticos maiores fornecem armazenamento de energia e também amortecimento de oscilações (via sua resistência interna equivalente em série, ou ESR).

[8] E, para uma tabela de transistores de potência bipolares, consulte a Tabela 2.2.

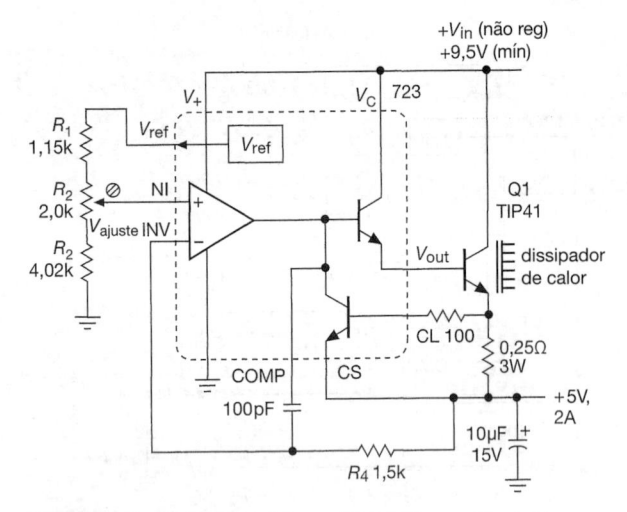

FIGURA 9.5 Regulador 723: configuração para $V_{out} < V_{ref}$, com limite de corrente de 2 A.

tenciômetro de ajuste foi utilizado de modo que a saída pode ser ajustada com precisão em +5 V; a sua faixa de ajuste deve ser suficiente para considerar as tolerâncias do resistor, bem como a amplitude de valores máxima especificada para V_{ref} (este é um exemplo de projeto de pior caso), e, neste caso, permite um ajuste de cerca de ±1 volt a partir da tensão de saída nominal. Observe o resistor de limitação de corrente de baixa resistência e alta potência necessário para uma fonte de 2 ampères.

Uma terceira variação desse circuito é necessária se você quiser um regulador que seja continuamente ajustável através de uma faixa de tensões de saída em torno de V_{ref}. Nesses casos, basta comparar uma fração da saída com uma fração de V_{ref} escolhida para ser inferior à tensão mínima de saída desejada.

Exercício 9.3 Projete um regulador para fornecer até 50 mA de corrente de carga ao longo de um intervalo de tensão de saída de +5 V a +10 V usando um 723. *Sugestão*: compare uma fração da tensão de saída com $0,5 V_{ref}$.

C. Queda de Tensão Mínima no Transisitor de Passagem

Um problema com este circuito é a dissipação de potência elevada no transistor de passagem (pelo menos 10 W em corrente de carga total). Isso é inevitável se o chip regulador for alimentado por uma entrada não regulada, uma vez que precisa de alguns volts de "diferença de entrada-saída" para funcionar (especificado pela queda de tensão mínima). Com a utilização de uma alimentação de baixa corrente separada para o 723 (por exemplo, +12 V), a entrada não regulada mínima para o transistor de passagem externo pode ser aproximadamente 1,5 V acima da tensão de saída regulada (isto é, duas tensões V_{BE}).[9]

9.2.2 Em Defesa do Ameaçado 723

Para não deixar a impressão errada, temos que observar que os rumores da morte do clássico regulador 723 são exagerados. Utilizamos dezenas de fontes de alimentação lineares reguladas fabricadas pela Power One por mais de três décadas sem uma única falha. Todos elas utilizam o humilde chip regulador 723, assim como outros OEMs (*original equipment manufacturers*, fabricantes de equipamentos originais). Aqui estão algumas razões para não negligenciar esse projeto notável do lendário Bob Widlar:

- custo muito baixo, 17 centavos de dólar (em quantidade de 1.000)
- muitos, muitos fabricantes
- limite de corrente totalmente configurável, incluindo limitação por redução de corrente (*foldback*)
- didático para o ensino de reguladores (é por isso que ele está aqui!)
- a dissipação de potência não está no CI de controle
- referência de tensão silenciosa, mais a possibilidade de adicionar filtro
- trabalha com transistores de passagem *npn* ou *pnp*
- facilmente configurado para saídas negativas

9.3 REGULADORES LINEARES TOTALMENTE INTEGRADOS

O circuito global do regulador da Figura 9.5 tem dez componentes, mas apenas 3 terminais (IN, OUT e GND), o que sugere a possibilidade de uma solução integrada, com resistores de definição de tensão internos e com componentes integrados para a limitação de corrente e malha de compensação – um regulador de 3 *terminais*. O 723 está se aproximando de meio século (embora ainda continue forte!), durante o qual a indústria de semicondutores não dormiu: CIs reguladores lineares contemporâneos geralmente integram todas as funções do regulador dentro do chip, incluindo proteção de sobrecorrente e térmica, malha de compensação, transistor de passagem de alta corrente e divisor de tensão pré-definido para tensões de saída mais usadas. A maioria desses reguladores está disponível também em versão ajustável, para que você forneça apenas o par de resistores de configuração de

---

[9] Um truque que você pode usar para reduzir a diferença mínima de entrada-saída a um único V_{BE} é substituir Q_1 por um transistor *pnp* (conecte seu emissor em V_{in} e acione sua base a partir do pino V_c do 723), formando um par Sziklai em vez de um Darlington (veja a Seção 2.4.2A e a Figura 2.77). Se a entrada vier de uma fonte CC não regulada, no entanto, você sempre tem que permitir pelo menos alguns volts de diferença entrada-saída, porque o projeto de pior caso dita uma operação adequada mesmo em 105 V CA na linha de entrada.

tensão. E, com um ou 2 terminais adicionais, você pode obter uma entrada de controle de "desligamento" (*shutdown*) e uma saída de estado de "boa potência". Por fim, uma população grande e crescente de reguladores de baixa queda de tensão abrange aplicações de baixa tensão, de importância crescente em dispositivos eletrônicos de baixo consumo de energia e portáteis. Analisemos as escolhas favoritas para os projetos atuais.

9.3.1 Classificação de CIs Reguladores Lineares

Como um guia para as seguintes seções, organizamos o universo dos reguladores de tensão integrados lineares em algumas categorias distintas, aqui simplesmente listadas em forma de esboço. Para cada categoria, listamos exemplos típicos de números de identificação de dispositivos de que gostamos e usamos com frequência. Leia a seguir para obter explicações sobre quando e como usá-los, uma descrição das suas características distintivas e alguns cuidados importantes.

Fixo de 3 terminais

positivo: 78xx
negativo: 79xx

Ajustável de 3 terminais

positivo: LM317
negativo: LM337

"Menor queda de tensão mínima" de 3 terminais (ajustável e fixo)

positivo: LM1117, LT1083-85

"LDO verdadeiro" fixo de 3 terminais e ajustável de 4 terminais

positivo: LT1764A/LT1963 (BJT); TPS744xx (CMOS)
negativo: LT1175, LM2991 (BJT); TPS7A3xxx (CMOS)

Referência de corrente de 3 terminais

positivo: LT3080

9.3.2 Reguladores Fixos de 3 terminais

O regulador original (e, muitas vezes, suficientemente bom) de 3 terminais é a série 78xx (Figura 9.6), produzida pela Fairchild no início dos anos de 1970.[10] Ele é ajustado de fábrica para proporcionar uma saída fixa, em que a tensão é especificada pelos dois últimos dígitos do número de identificação e pode ser qualquer um dos seguintes: 05, 06, 08, 09, 10, 12, 15, 18 ou 24. Esses reguladores podem fornecer até 1 A de corrente de saída e estão disponíveis em encapsulamentos de potência (TO-220, DPAK, D²PAK) que você anexa a um dissipador de calor ou a uma área de cobre da placa

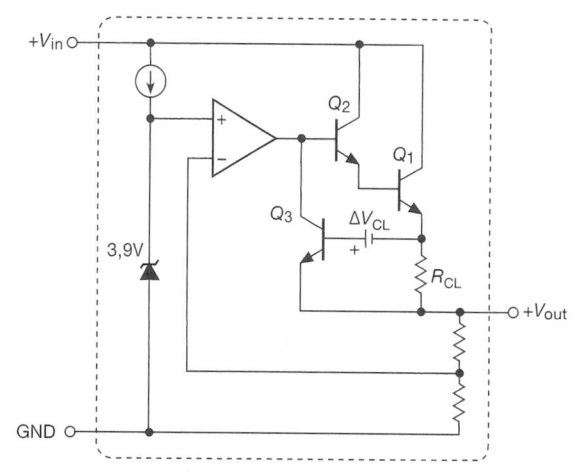

FIGURA 9.6 Diagrama simplificado do regulador de tensão positiva fixa de 3 terminais 78xx. Todos os componentes são internos, por isso é necessário apenas um par de capacitores de desvio (como na Figura 9.8). O R_{CL}, o resistor de detecção de corrente, é de 0,2 Ω e desenvolve uma tensão um pouco menor do que uma queda de diodo em plena corrente; a sua queda é complementada por uma polarização interna ΔV_{CL}, para ligar o transistor de limitação de corrente Q_3.

de circuito. Se você não precisa de muita corrente, use os 78Lxx/LM340Lxx, que vêm em pequenos encapsulamentos de transistores, de montagem em superfície ou TO-92 (PTH). Para uma tensão de saída negativa, use a série 79xx/79Lxx (ou LM320/320L). As Figuras 9.6 e 9.7 mostram, de forma simplificada, o que está dentro destes reguladores baratos (30 centavos de dólar).

A Figura 9.8 mostra quão fácil é fazer uma regulador de +5 V, por exemplo, com um desses CIs. Acrescentamos aqui também um regulador negativo 7905 para criar uma saída regulada de −5 V a partir de um de entrada CC não regulada mais negativa. Os capacitores de desvio nas saídas garantem a estabilidade; eles também melhoram a resposta transitória e

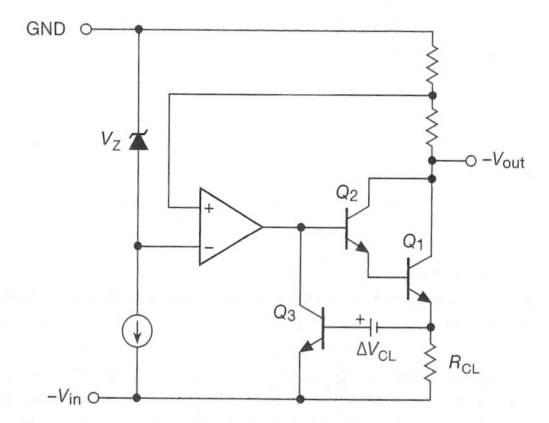

FIGURA 9.7 Regulador de tensão negativa fixa de 3 terminais 79XX.

---
[10] A série LM340 da National é, essencialmente, o mesmo.

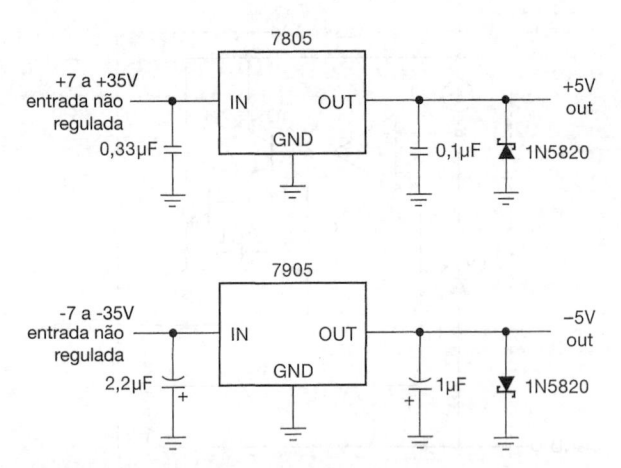

FIGURA 9.8 Fonte CC regulada de ±5 V a partir de um par de reguladores 7805/7905.

TABELA 9.1 Reguladores fixos tipo 7800[a]

n° identif	V_{in} máx (V)	V_{out}^d nom (V)	Tol (±%)	I_Q típico (mA)	I_{out} máx (A)	Custo quant 25 ($US)
78L05	35	5	5	3	0,1	0,29
78L15	35	15	4	3	0,1	0,31
7805	35	5	4[b]	5[e]	1,0	0,47
7824	40	24	4[b]	5	1,0	0,49
79L05	−35	−5	5	2	0,1	0,30
79L15	−35	−15	4	2	0,1	0,30
7905	−35	−5	4[b]	3	1,0	0,47
7924	−40	−24	4[b]	4	1,0	0,56

Notas: (a) Muitas vezes, chamado de série '7800 e '7900, por exemplo, a "série LM7800". Série L disponível em encapsulamentos TO-92, SO-8 e SOT-89; série regular disponível em encapsulamentos TO-220, DPAK, D2PAK e TO-3. Alguns usam referência zener de subsuperfície, alguns usam barreira de potencial. (b) Os tipos de sufixo A são de tolerância ±2%. (c) Prefixos: uA, LM, MC, KA, NCP, L, NJM, etc. (d) Série L: 2,6 a 24 V, normal: 5 a 24 V. (e) Alguns menores, 3,3 mA a 4 mA.

mantêm uma baixa impedância de saída em altas frequências (em que o ganho de malha do regulador é baixo).[11] Os capacitores de desvio de entrada também são necessários para a estabilidade; os valores mostrados são o mínimo sugerido nas folhas de dados. No entanto, se a alimentação de entrada ou a carga de saída for desviada próximo do regulador, os capacitores correspondentes podem ser omitidos.

Esse exemplo de regulador inclui um par de diodos Schottky de proteção (baixa queda direta), sempre uma boa ideia quando você tem fontes de ambas as polaridades alimentando um circuito. Sem os diodos, uma das fontes pode levar a outra a uma tensão de saída inversa, através da carga; essa polaridade invertida de alimentação pode causar falha na carga (transistores ou CIs que são submetidos a alimentação de tensão inversa), ou no regulador (que pode mesmo entrar em uma condição de *latchup*). Muitas vezes, os diodos são omitidos; não adquira esse hábito preguiçoso!

Estes reguladores têm circuitos internos para evitar danos em caso de sobreaquecimento ou corrente de carga excessiva; o chip simplesmente desliga em vez de tentar conduzir o calor para fora. Além disso, os circuitos internos impedem o funcionamento fora da área de operação segura do transistor (veja a Seção 9.4.2), reduzindo a corrente de saída disponível para grandes diferenças de tensão entrada-saída. Esses reguladores são baratos, fáceis de usar e tornam prático o projeto de um sistema com muitas placas de circuito impresso (PCB) em que a tensão CC não regulada é levada a cada placa e a regulação é feita localmente em cada cartão de circuito. A Tabela 9.1 lista as características de uma seleção representativa de reguladores fixos de 3 terminais.

Reguladores fixos de 3 terminais estão disponíveis em algumas variantes muito úteis. Existem versões de baixa potência e micropotência (por exemplo, o LM2936 e LM2950, com corrente de repouso na faixa de microampère), e há os reguladores LDO muito populares, que mantêm regulação com apenas alguns décimos de volt de diferença de tensão entrada-saída (por exemplo, o LT1764A, o TPS755xx e o LM2936 de micropotência, com baixa queda de tensão típica de ≈0,25 V). Discutiremos LDOs depois de analisar o útil regulador *ajustável* de 3 terminais.

9.3.3 Reguladores Ajustáveis de 3 Terminais

Às vezes, você quer uma tensão regulada fora do padrão (digamos, +9 V, para emular uma bateria) e não pode usar um regulador fixo tipo 78xx. Ou talvez você queira uma tensão padrão, mas com uma precisão maior do que os ±3% típico de reguladores fixos. Até agora, você foi seduzido pela simplicidade dos reguladores fixos de 3 terminais e, portanto, você não pode se imaginar usando um circuito regulador tipo 723, com todos os seus componentes externos exigidos. O que fazer? Obter um "regulador de 3 terminais ajustável"!

Esses CIs convenientes são representados pelo clássico LM317, originalmente da National (Figura 9.9). Esse regulador não tem terminal de terra; em vez disso, ele ajusta V_{out} para manter uma constante de 1,25 V (uma referência de barreira de potencial interna, Seção 9.10.2) do terminal de saída para o terminal de "ajuste" (ADJ). A Figura 9.10 mostra a maneira mais fácil de usá-lo. O regulador coloca 1,25 V sobre R_1, assim 10 mA fluem através dele. O terminal de ajuste consome muito pouca corrente (50 a 100 μA), então a tensão de saída é apenas

$$V_{out} = 1{,}25\,(1 + R_2/R_1)\ \text{volts}.$$

---

[11] A folha de dados do regulador especificará sempre a capacitância mínima exigida. Ela pode entrar consideravelmente em mais detalhe nos casos em que a estabilidade é uma questão importante, por exemplo, com os reguladores de baixa queda de tensão (veja a discussão adiante). Observe os valores de capacitância maiores no circuito regulador negativo: eles são necessários para garantir a estabilidade, porque a saída do regulador 7905 vem do coletor de um estágio de saída amplificador emissor comum (cujo ganho depende da impedância de carga) em vez de um estágio de saída seguidor de emissor do regulador positivo 7805 (cujo ganho é próximo da unidade); o capacitor de desvio maior suprime o ganho de malha em alta frequência, evitando a oscilação.

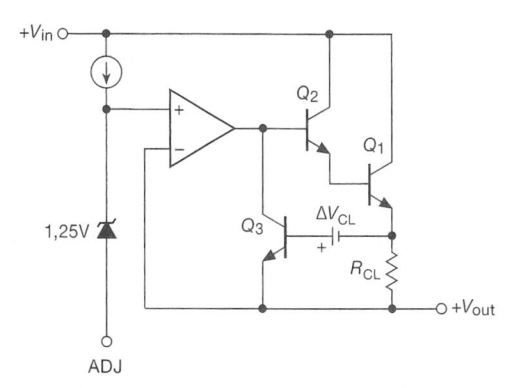

FIGURA 9.9 Regulador de tensão positiva ajustável de 3 terminais LM317.

Neste caso, a tensão de saída é 3,3 V, com uma precisão de ajuste de ≈3% (a partir da referência interna de 1,25 V de ±2% e resistores de 1%). Se você quiser capacidade de ajuste preciso, substitua o resistor inferior por um *trimpot* de 25 Ω em série com um resistor fixo de 191 Ω, para limitar a faixa de ajuste do *trimpot* em ±6%. Em vez disso, se você quisesse uma ampla faixa de ajuste, poderia substituir o resistor inferior por um *trimpot* de 2,5k, para um intervalo de saída de +1,25 V a +20 V. Qualquer que seja a tensão de saída, a entrada deve ser pelo menos 2 V maior (a queda de tensão mínima).

Ao usar este tipo de regulador, escolha os valores do divisor resistivo pequenos o suficiente para permitir uma variação de 5 μA na corrente no pino de ajuste (ADJ) com a temperatura: muitos projetistas usam 124 Ω para o resistor superior, como nós fizemos, para que o divisor sozinho absorva a corrente de carga mínima especificada para o chip de 10 mA. Note também que a corrente fornecida no pino de ajuste pode ser de até 100 μA (o pior caso). O capacitor de saída, embora não seja necessário para estabilidade, melhora muito a resposta transiente. É uma boa ideia usar pelo menos 1 μF e, idealmente, algo mais parecido com 6,8 μF.

O LM317 está disponível em muitos tipos de encapsulamentos, incluindo o encapsulamento plástico de potência (TO-220), o encapsulamento SMD (DPAK e D²PAK) e muitos encapsulamentos pequenos de transistor (tanto o PTH TO-92 quanto uma meia dúzia de SMDs minúsculos). Nos encapsulamentos de potência, ele pode fornecer até 1,5 A, com um dissipador de calor apropriada; a variante de baixa potência (317L) é especificada para 100 mA, novamente limitada pela dissipação de potência. A variante LM1117 popular, que também é disponibilizada por vários fabricantes, melhora a queda de tensão mínima do clássico 317 (1,2 V *versus* 2,5 V), mas você paga um preço (literalmente): no encapsulamento TO-220, custa cerca de 75 centavos de dólar contra 20 centavos de dólar do 317; ele também tem uma faixa de tensão mais limitada (veja a Tabela 9.2), e, em comum com muitos reguladores de baixa queda de tensão, é necessário um capacitor de saída maior (mínimo de 10 μF).

Exercício 9.4 Projete um regulador de +5V com o 317. Proporcione uma faixa de ajuste de tensão de ±20% com um *trimpot*.

Reguladores ajustáveis de 3 terminais estão disponíveis com especificações de correntes maiores, por exemplo, o LM350 (3 A), o LM338 (5 A) e o LM396 (10 A), e também com especificações de tensão mais elevadas, por exemplo, o LM317H (60 V) e o TL783 (125 V). Listamos as suas propriedades na Tabela 9.2. Leia as folhas de dados antes de utilizar esses dispositivos, observando os requisitos de capacitores de desvio e sugestões de diodo de segurança. Note também que as correntes máximas de saída nominal geralmente se aplicam a valores menores de V_{in}–V_{out}, e podem cair para até 20% dos seus valores máximos conforme V_{in}–V_{out} se aproxima de $V_{in(máx)}$; a corrente de saída máxima diminui também com o aumento da temperatura.[12]

Uma alternativa para correntes de carga elevadas é adicionar um transistor externo (Seção 9.13.4), apesar de o regulador comutar uma alta corrente (Seção 9.6), essa é, muitas vezes, uma escolha melhor. Os reguladores da família LM317 são reguladores lineares "convencionais" (em oposição aos de baixa queda de tensão); as quedas de tensão mínima típicas são ≈2 V.

Tal como acontece com os reguladores fixos de 3 terminais, você pode obter versões de queda de tensão mínima menores (por exemplo, o popular LM1117, com o valor máximo de 1,3 V de queda de tensão mínima para 0,8 A, ou as séries LT1083-85 mais robustas, com queda de tensão mínima comparável em correntes de 7,5 A), e você pode obter versões de micropotência (por exemplo, o LP2951, a variante ajustável do LP2950 fixo de 5 V; ambos têm I_Q = 75 μA); veja a Figura 9.11. Você também pode obter as versões *negativas*, embora haja menos variedade: o LM337 (Figura 9.12) é o par negativo do LM317 (1,5 A), e o LM333 é um LM350 negativo (3 A). Teremos mais discussões nas Seções 9.3.6 e 9.3.9; veja em particular a Figura 9.24.

---

[12] Conforme discutido mais tarde na Seção 9.4.1, a temperatura da junção $T_J = P_{diss}(R_{\Theta JC} + R_{\Theta CS} + R_{\Theta SA}) + T_A$, em que os R_Θ são as resistências térmicas da junção para a carcaça, da carcaça para o dissipador de calor e do dissipador de calor para o ambiente. Em situações com um bom dissipador de calor, você pode optar por utilizar um regulador de maior especificação de corrente e maior encapsulamento (por exemplo, o LM338K em seu encapsulamento de metal TO-3, a fim de tirar proveito da resistência térmica muito menor $R_{\Theta JC}$ (1°C/W *versus* 4° C/W para o LM317T em seu encapsulamento TO-220). Os dispositivos maiores também oferecem restrições mais amplas de área de operação segura (SOA), por exemplo, para V_{in}–V_{out} = 20 V do LM338 permite 3,5 A de corrente de saída, *versus* 1,4 A para o LM317.

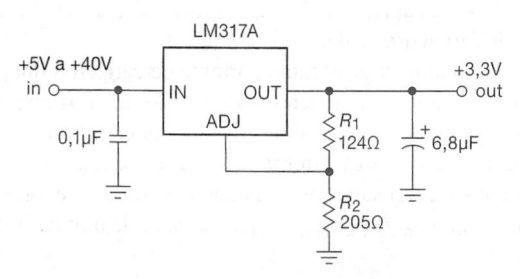

FIGURA 9.10 Circuito regulador positivo de +3,3 V.

ANATOMIA DE UM 317

O LM317 clássico, projetado nos anos de 1970 pela lendária equipe de Widlar e Dobkin,[13] perdurou por mais de quatro décadas. Na verdade, o genérico 317 (juntamente com o LM337 complementar) se tornou o dispositivo de referência dos reguladores lineares de capacidade de corrente modesta (até $\sim$1 A) em situações nas quais você tem poucos volts de diferença de tensão mínima. E isso gerou uma série de imitadores e sósias, abrangendo uma faixa de tensões, correntes e tipos de encapsulamento, com algumas variantes de menor queda de tensão mínima; consulte a Tabela 9.2.

Seu projeto apresenta um bom estilo, por exemplo, combinando as funções de amplificador de erro e referência de barreira de potencial de coeficiente de temperatura zero. Ele também foi um dos primeiros reguladores a incluir proteção de sobrecarga térmica e de área segura. A Figura 9.13 é um circuito interno simplificado, com as designações dos dispositivos seguindo o diagrama esquemático na folha de dados da National Semiconductor (TI).

O par de transistores Q_{17} e Q_{19} constitui a referência de tensão de barreira de potencial, operando com correntes iguais a partir do espelho $Q_{16}Q_{18}$. Como Q_{19} tem área de emissor 10$\times$ maior (ou 10 emissores), opera a 1/10 da densidade de corrente de Q_{17}, assim, um V_{BE} que é menor por $(kT/q)\log_e 10$, cerca de 60 mV. Isso define a respectiva corrente (via R_{15}) em $I_{Q19} = \Delta V_{BE}/R_{15} = 25$ μA e, assim, a corrente total é de 50 μA.[14] Note que a corrente tem uma dependência linear na temperatura absoluta (porque a queda em R_{15} é $\propto T_{abs}$) – ela é "PTAT"

---

[13] Veja Robert Widlar, "*New developments in voltage regulators*" (Novos desenvolvimentos em reguladores de tensão), JSSC, SC-6, pp. 2-9, 1971 e patente dos Estados Unidos 3.617,859: "*Electrical regulator apparatus including a zero temperature coefficient voltage reference circuit*" (Aparelho regulador elétrico incluindo um circuito de referência de tensão de coeficiente de temperatura zero), apresentada em 23 de março de 1970, concedida em 2 de novembro 1971.

[14] A tolerância típica em valores de resistores no processo de silício planar (o que é bom para as *relações* de resistores, mas não para valores absolutos) é de $\times 0,5$ a $\times 2$, de modo que uma corrente nominal de 50 μA que sai pelo pino ADJ pode, na verdade, variar de 25 μA a 100 μA.

(*proportional to absolute temperature*, proporcional à temperatura absoluta).

Agora, para a compensação de temperatura clássica da "referência de barreira de potencial": o coeficiente de temperatura positivo da corrente é explorado para cancelar o coeficiente de temperatura negativo de V_{BE} de Q_{17}, que é nominalmente de cerca de 600 mV, e varia conforme $1/T_{abs}$, ou $-2,1$ mV/°C (Seção 2.3.2). O cancelamento ocorre quando R_{14} é escolhido para ter uma queda comparável de 600 mV na corrente nominal de 50 μA, assim, um coeficiente de temperatura de 2,1 mV/°C – aí está: coeficiente de temperatura zero a uma tensão de referência de $\sim$1,2 V (a barreira de potencial extrapolada do silício).

A referência de barreira de potencial é também o amplificador de erro: o coletor de Q_{17} vê uma carga de alta impedância (fonte de corrente), que passa por três estágios *buffer* de seguidor de emissor (no esquemático completo existem cinco) até o pino de saída; por isso, mesmo com a sua transcondutância relativamente baixa ($g_m \sim 1/R_{14}$) há uma abundância de ganho de malha no amplificador de erro (cuja entrada é o pino ADJ, compensado por V_{ref}, em relação ao V_{out}).

O resistor R_{26} detecta a corrente de saída, para limitação de corrente via Q_{21}. Uma polarização que depende de $V_{in} - V_{out}$ é adicionada (o símbolo de bateria), para a proteção da área de operação segura. Os componentes adicionais acrescentam desligamento por temperatura excessiva com histerese (Q_{21} é associado com um *pnp* para fazer um *latch*). Uma nota final: a dupla Widlar-Dobkin também criou os CIs LM395 e LP395 protegidos por transistor; eles incluem a limitação de corrente e térmica do 317, mas sem a referência de barreira de potencial. Eles chamam isso, modestamente, de "Transistor de Potência Ultraconfiável". A base do transistor '395 é a base do transistor *pnp* Q_{15} na Figura 9.13. Isso produz uma tensão base-emissor de aproximadamente 800 mV, com uma corrente de base *pull-up* de 3 μA. É uma ótima ideia, mas um LM395T custa cerca de 2,50 dólares, ao passo que um LM317T custa cerca de 50 centavos de dólar. Então, usamos o '317 como o nosso "transistor de potência bastante confiável", com a sua tensão base-emissor de $-1,2$ V e corrente de base *pull-up* de 50 μA, como, por exemplo, nas Figuras 9.16 e 9.18.

9.3.4 Regulador Estilo 317: Sugestões de Aplicações

Os reguladores ajustáveis de 3 terminais estilo LM317 são muito fáceis de usar, e há alguns truques interessantes que você pode utilizar para torná-los algo mais do que simplesmente criar uma tensão de saída CC fixa. Há também alguns cuidados básicos a se ter em mente. Na Figura 9.14, esboçamos algumas ideias de circuitos úteis.

Eis uma apresentação rápida (com referências às figuras), de forma ordenada.

A: O regulador exige alguma corrente de carga mínima, devido à corrente de operação para os retornos dos circuitos internos através da carga. Então, se você quer que ele funcione bem até uma carga externa zero, deve escolher o resistor de realimentação superior R_1 pequeno o suficiente, ou seja, de modo que $V_{ref}/R_1 \geq I_{out(min)}$ para o valor de pior caso (má-

TABELA 9.2 Reguladores de tensão ajustáveis de 3 terminais ("estilo LM317")[a]

nº identif	Encapsulamentos[z] TO-92	SOIC	TO-220	TO-3, TO-3P	D-PAK	SOT-223	V_{in} máx (V)	I_{out}^v máx (A)	V_{DO}^h máx (V)	I_{out} mín[b] (mA)	C_{out} mín (μF)	V_{ref} (V) ± (%)	I_{adj} típico (μA)	Estabilização com a temperatura típico (%)	Rejeição à ondulação 120Hz típico (dB)	Regulação Linha típico (%)	Carga[e] típico (%)	Custo quant 25 ($US)	Observações
Positivo																			
LM317L	•	•	-	-	-	-	40	0,1	2,5[t]	5	0,1	1,25 4	50	0,5	80[g]	0,15	0,1	0,34	'317 de baixa potência TO-92
LM1117[n]	-	•	-	•	•	•	20	0,8	1,2	5	10	1,25 1	52	0,5	73	0,035	0,2	0,88	' 317 de baixa VDO, popular
NCP1117	-	-	-	-	•	•	20	1,0	1,2	5	10	1,25 1	52	0,5	73	0,04	0,2	0,40	'1117 de alta corrente
LMS8117A	-	-	-	-	d	•	20	1,0	1,2	5	10	1,25 1	60	0,5	75	0,035	0,2	0,92	'1117 de alta corrente
LM317[k]	-	-	•	•	•	•	40	1,5[p]	2,5[t]	10	0,1	1,25 4	50	0,6	80[g]	0,01	0,1	0,15	original, barato, popular
LT1086CP	-	-	•	•	-	-	30	1,5	1,5	10	22[u]	1,25 1	55	0,5	75	0,02	0,1	2,67	baixa queda de tensão
LM350T	-	-	•	•	-	-	35	3	2,5[t]	10	1	1,25 4	50	0,6	65	0,1	0,1	0,49	monolítico de 3A
LT1085CT	-	-	•	•	-	-	30	3	1,5	10	22[u]	1,25 1	55	0,5	75	0,02	0,1	4,50	baixa queda de tensão a 3A
LT1084CP	-	-	•	•	-	-	30	5	1,5	10	22[u]	1,25 1	55	0,5	75	0,02	0,1	5,34	baixa queda de tensão a 5A
LM338T	-	-	•	•	-	-	40	5	2,5[t]	5	1	1,24 4	45	0,6	80	0,1	0,1	1,62	monolítico de 5A
LT1083CP	-	-	•	•	-	-	30	7,5	1,5	10	22[u]	1,25 1	55	0,5	75	0,02	0,1	9,80	baixa queda de tensão a 7,5A
Positivo, alta tensão																			
LM317HV	-	-	•	•	-	-	60	1,5	2,0[t]	12	0,1	1,25 4	50	0,6	80[g]	0,01	0,1	2,17	'317 de alta tensão
LR12	•	•	-	-	•	-	100	0,05	12	0,5	0,1	1,20 5	10	1	60	0,003	1,4	1,39	Supertex
TL783C	-	-	•	•	-	-	125	0,7	10	15	1	1,27 5	83	0,3	76	0,02	0,15	1,62	TI, MOSFET
LR8	•	-	-	-	•	•	450	0,01	12	0,5	1	1,20 5	10	1	60	0,003	1,4	0,72	Supertex
Negativo																			
LM337L	•	•	-	-	-	-	40	0,1	-	5	1	1,25 4	50	0,65	80[g]	0,02	0,3	0,65	baixa potência (317L negativo)
LM337	-	-	•	•	•	•	40	1,5[p]	2,0[t]	10	1	1,25 3	65	0,6	77[g]	0,02	0,3	0,28	317 negativo

Notas: (a) Todos têm faixa V_{out} de V_{ref} a $V_{in(Máx)}$–V_{ref}. (b) Corrente mínima para o CI operar. (c) ΔV_{out} (%) para ΔT_J = 100°C. (d) D²PAK. (e) Para 10% a 50% $I_{máx}$. (f) Para 5 V. (g) Com capacitor de desvio em V_{adj}. (h) Máxima queda de tensão mínima em $I_{máx}$. (k) NJM317F da JRC tem aba isolada. (n) Também com prefixos como TLV, LD e REF. (p) Para encapsulamentos TO-220 e S-PAK. (u) 10 μF mín se for tântalo de ESR baixo; também requer 10 μF de desvio de entrada. (v) I_{out} máxima para V_{in}–V_{out} baixa, por exemplo, Δ_V < 10V; veja texto. (z) A carcaça metálica ou a aba (para TO-220, TO-3, D-PAK) está conectada a V_{out} para reguladores positivos e a V_{in} para reguladores negativos. **Cuidado com pinagens diferentes:** positivo *versus* negativo, e variantes como LR8 e LR12.

---

ximo) da $I_{out(mín)}$. Para V_{ref} = 1,25 V e $I_{out(mín)}$ = 10 mA do clássico LM317, R_1 não deve ser maior do que 125 Ω.[15] Claro, você poderia passar a usar um valor maior de R_1 e adicionar um resistor de carga para compensar; mas você provocaria uma incerteza adicional na tensão de saída, devido à corrente de ~50 μA no pino de ajuste (ADJ); veja **E** a seguir.

B: O circuito regulador estilo 317 padrão (como na Figura 9.10) pode ajustar apenas até V_{ref}. Mas você pode "enganar" um 317 para diminuir até zero retornando o terminal inferior do divisor de saída (R_2) para uma referência negativa. Certifique-se de absorver corrente suficiente para polarizar essa referência em condução, como mostrado.

C: Você pode usar uma chave MOSFET (ou uma chave analógica de R_{ON} baixo) para colocar em paralelo resistores fixos adicionais com o resistor inferior de definição de tensão, permitindo a seleção de tensão de saída sob um controle de nível lógico.

D: Como alternativa, você pode programar a tensão de saída por meio da aplicação de uma tensão CC no pino ADJ; a tensão de saída será maior do que V_{ref}. A tensão de programação pode ser gerada por um potenciômetro, como mostrado, ou por um DAC. Se programado como no fragmento de circuito mostrado, você precisa garantir que a carga externa satisfaça a especificação de corrente de carga mínima (5 ou 10 mA para a maioria dos dispositivos; consulte a Tabela 9.2). Você também precisa levar em consideração o efeito da corrente de polarização no pino ADJ através da impedância maior do que a habitual, neste exemplo, subindo para mais de 1 kΩ na posição média do potenciômetro; veja **E** a seguir.

E: O pino ADJ fornece ~50 μA (ver o informativo intitulado "Anatomia de um 317"), que faz a tensão de saída se tornar

$$V_{OUT} = V_{ADJ}\left(1 + \frac{R_2}{R_1}\right) + I_{ADJ}R_2, \quad (9.1)$$

em que o último termo, "erro", é produzido pela corrente no pino ADJ. Para o pior caso, I_{ADJ} = 100 μA e R_1 = 125 Ω no-

---

[15] Em contradição com muitos exemplos de circuito da folha de dados do LM117/317, em que o valor do R_1 é 240 Ω. Este erro de projeto muito provavelmente se originou com exemplos de circuitos ilustrativos para o LM117 com especificações mais estreitas na mesma folha de dados, cujo pior caso $I_{out(mín)}$ é de 5 mA (metade da do LM317). Isso tem 40 anos, e ninguém na fábrica parece ter notado!

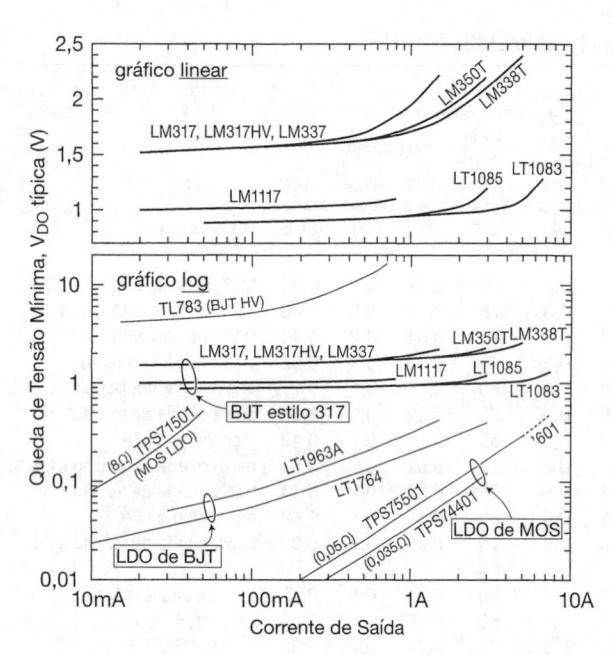

FIGURA 9.11 Queda de tensão mínima típica (V_{IN}–V_{OUT}) em função da corrente de carga para reguladores de 3 terminais estilo 317 (curvas em negrito). Reguladores de baixa queda de tensão e alta tensão representativos estão incluídos para comparação. Consulte também a Figura 9.24.

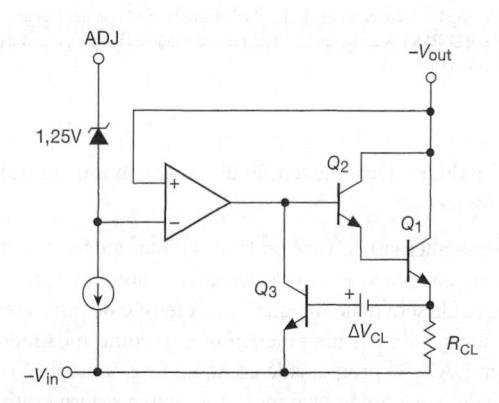

FIGURA 9.12 Regulador de tensão negativa ajustável de 3 terminais LM337. O estágio de saída emissor-comum requer pelo menos 1 μF como desvio na entrada e na saída para garantir a estabilidade.

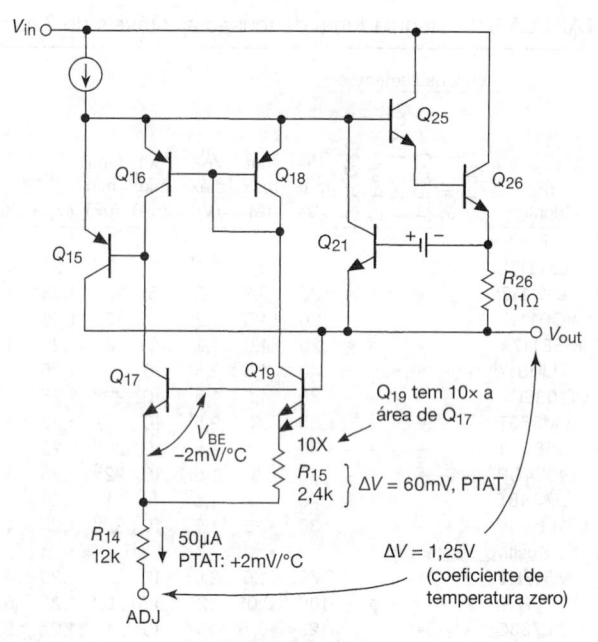

FIGURA 9.13 Circuito simplificado do regulador linear 317, ilustrando a sua referência de barreira de potencial com compensação de temperatura interna; consulte o informativo "Anatomia de um 317."

minal, que equivale a um aumento de 1% na tensão de saída, acima e além da incerteza inicial de V_{ref} (geralmente 1% ou 4%; consulte a Tabela 9.2).[16] O erro da corrente induzida aumenta linearmente com a impedância do divisor, como indicado no gráfico (que assume uma tolerância V_{ref} de 4%, o pior caso para uma corrente de 100 μA no pino ADJ e sem correção para a corrente de ajuste, ou seja, desconsiderando o último termo da Equação 9.1).

F: Um regulador linear pode ser danificado por condições de falha em que os capacitores de desvio descarregam repentinamente através do circuito regulador, provocando correntes de pico destrutivas. O diodo D_2 impede que o capacitor de desvio de saída se descarregue através do regulador se a entrada for colocada em curto; nunca é demais incluir tal diodo, e isso é definitivamente indicado para tensões de saída mais altas. Da mesma forma, adicione o díodo D_1 se for usado um capacitor de redução de ruído opcional C_1, para proteção contra curtos na entrada ou na saída.

G e **H:** Você pode estender o tempo da rampa de tensão de saída[17] colocando um capacitor de desvio de grande valor

---

[16] Se você se importa, pode calcular os seus valores de resistência a partir da Equação 9.1, utilizando o valor típico da folha de dados para I_{ADJ}; isso reduz o erro de pior caso tipicamente por um fator de dois (a razão entre I_{ADJ} máximo e típico.)

[17] Por que você faria isso? Talvez esta pequena história, de nosso laboratório de pesquisa, dê alguma motivação: construímos uma fonte de ±15 kV usando um par de conversores CC-CC de alta tensão MP15 da Spellman (entrada de +24 V e saídas máximas de +15 kV e −15 kV, 10 W), alimentados a partir de uma fonte chaveada comercial de +24 V CC (alimentação CA). Montamos os conectores de saída de alta tensão (tipo SHV; veja a Figura 1.125) separados entre si por uma distância segura de cerca de 5 cm. Imagine a nossa surpresa, então, quando a energizamos e uma enorme faísca saltou entre os conectores; deve ter sido pelo menos 50 kV! Assustador. E *preocupante* – essa fonte (e sua carga) pode sobreviver a repetidas partidas? Nossa primeira tentativa de solução era assegurar que a tensão de controle de 0 a 10 V do MP15 fosse ajustada em zero volt na partida. Não fomos felizes. Por fim, acrescentamos um regulador de 3 terminais LT1085 com rampa controlada para a entrada de +24 V e, aí sim, sem mais faíscas.

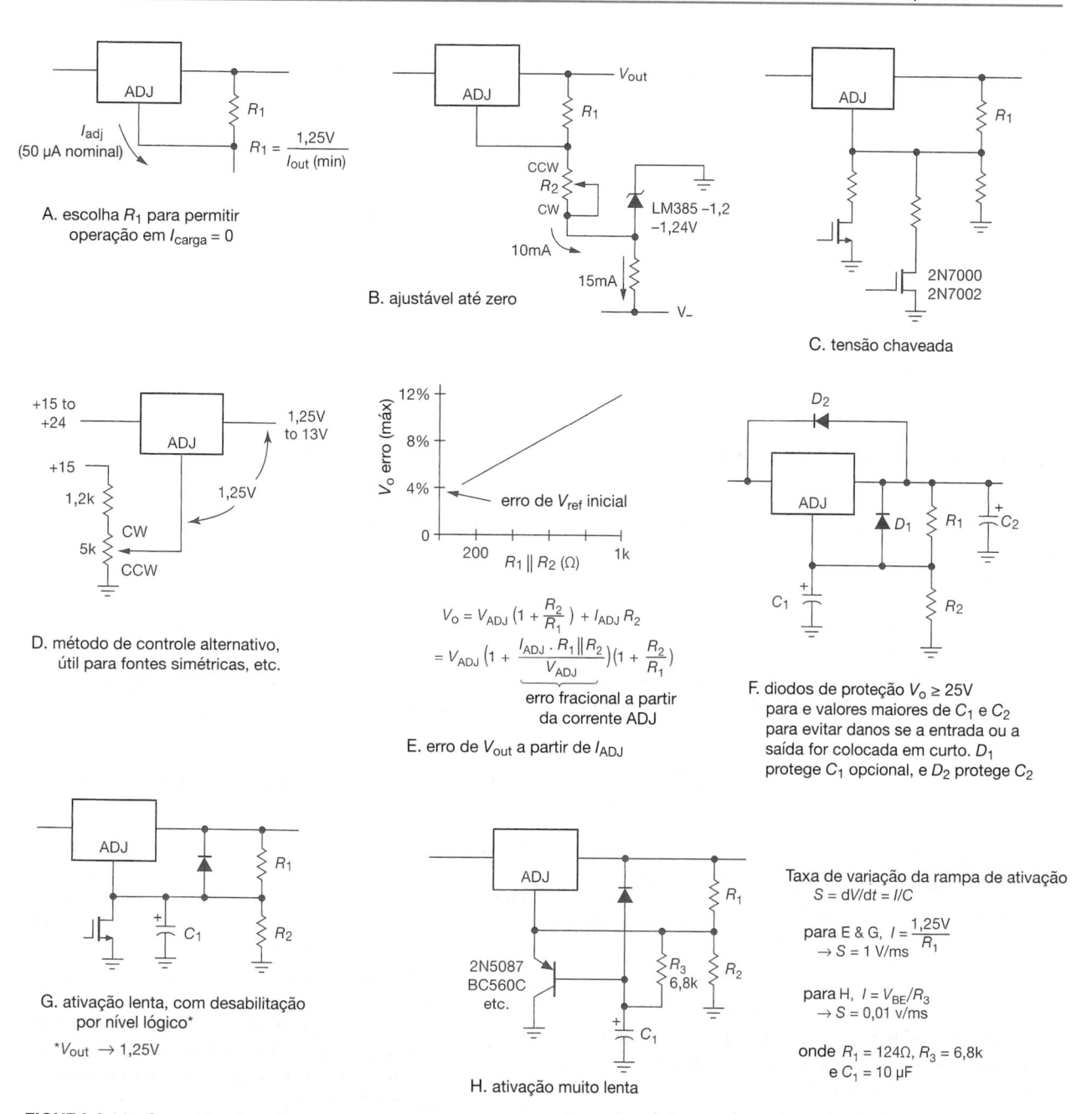

Capítulo 9   Regulação de tensão e conversão de potência   **607**

A. escolha R_1 para permitir operação em $I_{carga} = 0$
$R_1 = \dfrac{1{,}25V}{I_{out}(min)}$
I_{adj} (50 μA nominal)

B. ajustável até zero
LM385 –1,2 –1,24V

C. tensão chaveada
2N7000 2N7002

D. método de controle alternativo, útil para fontes simétricas, etc.
+15 to +24 → 1,25V to 13V

E. erro de V_{out} a partir de I_{ADJ}
$V_O = V_{ADJ}\left(1 + \dfrac{R_2}{R_1}\right) + I_{ADJ}R_2$
$= V_{ADJ}\left(1 + \dfrac{I_{ADJ}\cdot R_1\|R_2}{V_{ADJ}}\right)\left(1 + \dfrac{R_2}{R_1}\right)$
erro fracional a partir da corrente ADJ

F. diodos de proteção $V_o \geq 25V$ para e valores maiores de C_1 e C_2 para evitar danos se a entrada ou a saída for colocada em curto. D_1 protege C_1 opcional, e D_2 protege C_2

G. ativação lenta, com desabilitação por nível lógico*
*$V_{out} \to 1{,}25V$

H. ativação muito lenta
2N5087 BC560C etc.

Taxa de variação da rampa de ativação
$S = dV/dt = I/C$

para E & G, $I = \dfrac{1{,}25V}{R_1}$
→ $S = 1$ V/ms

para H, $I = V_{BE}/R_3$
→ $S = 0{,}01$ v/ms

onde $R_1 = 124\Omega$, $R_3 = 6{,}8k$ e $C_1 = 10$ μF

FIGURA 9.14 Sugestões de aplicação para o regulador ajustável LM317 de 3 terminais, descrito na Seção 9.3.4.

no terminal ADJ (não se esqueça de adicionar o diodo de proteção; veja **F** anteriormente). Em ambos os circuitos, o capacitor se carrega com uma corrente constante, como indicado. Devido a R_1 ser pequeno, o valor do capacitor pode se tornar desconfortavelmente grande (por exemplo, 100 μF para uma rampa de 10 ms/V com $R_1 = 125$ Ω), então você pode querer adicionar um seguidor, como em **H**. Note que esses circuitos não começam a rampa a partir da tensão de saída zero – em **G**, salta para V_{ref} (1,25 V) antes da rampa e, em **H**, salta inicialmente para $V_{ref} + V_{BE}$ (cerca de 1,8 V).

Pela mesma razão, a chave "desabilitada" em **G** traz a saída para baixo apenas até V_{ref}.

Exercício 9.5 Desenhe um circuito (com os valores dos componentes), seguindo o esquema da Figura 9.14C, para alimentar um ventilador de arrefecimento CC de 12 V (nominal) dentro de um instrumento: quando é necessário pouco resfriamento, o circuito deve fornecer +6 V (tensão na qual o ventilador funciona, mas em silêncio), mas, quando mais resfriamento é necessário, um sinal de nível lógico (o denominamos HOT) que é fornecido para o seu circuito será nível ALTO (ou seja, até +5 V), para ligar um MOSFET (como na figura), ponto no qual o seu circuito deve aumentar a tensão do ventilador para +12 V.

9.3.5 Regulador Estilo 317: Exemplos de Circuito

Antes de passar para o assunto dos reguladores de baixa queda de tensão, daremos uma olhada em alguns exemplos úteis do mundo real que são facilmente construídos com reguladores ajustáveis de 3 terminais estilo 317: uma fonte de bancada ajustável dupla simétrica de 0 a ± 25 V, um controle proporcional de velocidade de ventoinha e duas maneiras de criar uma fonte CC de alta tensão ajustável.

A. Fonte de alimentação de laboratório dupla simétrica

É bom ter na bancada uma fonte de alimentação dupla ajustável, por exemplo, com saída dupla simétrica que vai de 0 a ±25 V para correntes até 0,5 A. Você pode comprá-las por algumas centenas de dólares ou mais; mas também pode fazer uma muito facilmente com um par de reguladores ajustáveis de 3 terminais. A Figura 9.15 mostra como, partindo de entradas CC não reguladas. O regulador positivo é um LM317 em um encapsulamento TO-220 (sufixo T), com um dissipador de calor de tamanho adequado ($R_{\Theta JC}$ ~2°C/W; veja a Seção 9.4). Para obter ajuste até zero volt, usamos o truque da Figura 9.14B (um divisor detector de saída retorna para −1,25 V). Para a saída simétrica negativa, anulamos com precisão a tensão no pino ADJ de U_1 para programar o regulador negativo LM337.

Alguns detalhes: nós adicionamos um capacitor C_1 de supressão de ruído a U_1 (junto com um diodo de proteção) e utilizamos um AOP de baixo ruído e de precisão para gerar a tensão de controle invertida (assim, nenhum capacitor é necessário no pino ADJ de U_2). Os resistores R_1 e R_6 fornecem a corrente de carga mínima de 10 mA dos reguladores, mas note que o AOP A_2 deve ser capaz de fornecer 10 mA e, da mesma forma, R_5 deve absorver corrente suficiente para alimentar o AOP, absorver os 10 mA através R_2 e influenciar a corrente de polarização do zener Z_1. Os diodos Schottky D_1 e D_2 protegem contra inversão de polaridade, por exemplo, de uma carga conectada a ambos os trilhos de alimentação. Por fim, se houver alguma maneira na qual as entradas CC possam ser colocadas em curto de forma abrupta para o terra, os diodos devem ser conectados entre os terminais de entrada e saída de cada regulador (tal como na Figura 9.14F), para protegê-los contra a corrente de falha que flua de volta a partir dos capacitores de desvio de saída (incluindo tudo o que você tem no circuito externo alimentado); um par de retificadores 1N4004 cairia bem aqui.

Exercício 9.6 A referência zener Z_1 (na verdade, é um regulador *shunt* de baixa corrente) tem uma faixa de corrente especificada de 50 µA a 20 mA. Mostre que esse circuito

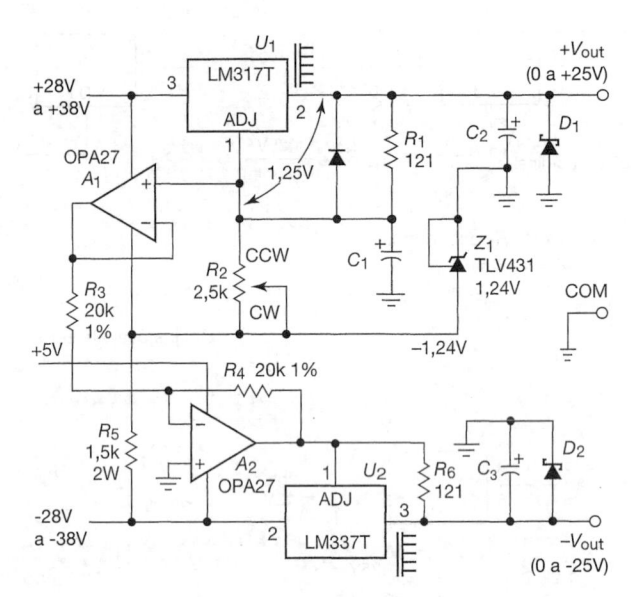

FIGURA 9.15 Fonte de alimentação de laboratório dupla simétrica, 0 a ±25 V, implementada com reguladores lineares de 3 terminais estilo 317.

respeita esses limites por meio do cálculo da corrente zener, tanto a tensão de entrada máxima quanto a mínima negativas (ou seja, em −38 V e em −28 V). Suponha que a corrente de alimentação do duplo AOP esteja na faixa de 3 mA a 5,7 mA.

B. Controle Proporcional de Ventoinha

O controle *on-off* (ou alto-baixo) de ventilador, como no Exercício 9.5, é simples; mas você pode fazer melhor do que isso, adequando a tensão de acionamento da ventoinha (portanto, a velocidade da ventoinha) para manter o dissipador de calor em uma determinada temperatura elevada. A Figura 9.16 mostra como usar um LM317T como um acionador de potência, explorando a sua proteção interna (sobretemperatura, sobrecorrente) e seu esquema de controle simples do pino de ajuste (ADJ). Aqui, usamos o sempre popular AOP LM358 como integrador do sinal de erro de uma ponte, na qual um braço tem um termistor de coeficiente de temperatura negativa (NTC). As entradas são balanceadas para um ponto de ajuste (*setpoint*) de 60°C, acima do qual a saída do integrador, e, por conseguinte, a tensão de acionamento da ventoinha, é positiva. A constante de tempo do integrador R_4C_1 deve ser escolhida um pouco maior do que a constante de tempo térmica da(s) fonte(s) de calor para o termistor, para minimizar a "oscilação" da malha de realimentação.

Escolhemos o LM358 por seu baixo custo (até 10 centavos de dólar em quantidade unitária), a operação de fonte simples (entrada e saída para o trilho negativo) e a tolerância robusta a tensões de alimentação bem além de +15 V. Mas a sua corrente de *offset* de entrada do pior caso de 50 nA nos obrigou a usar um capacitor de integração um pouco grande. Idealmente, gostaríamos de um AOP de fonte simples e barato com compensação de polarização ou entradas FET. Felizmen-

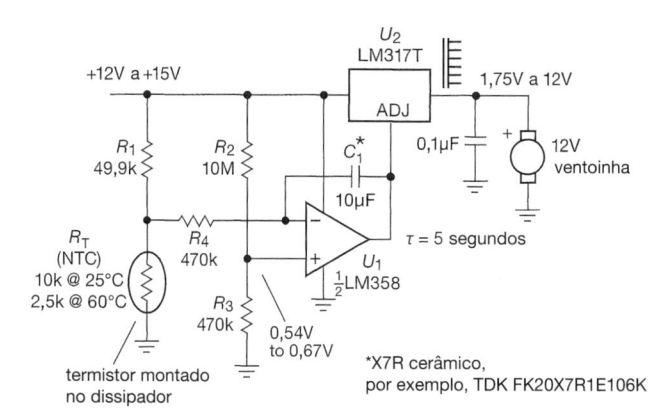

FIGURA 9.16 Controle da velocidade da ventoinha com realimentação analógica a partir de um termistor, com ponto de ajuste em 60°C. O controle totalmente analógico elimina o ruído de comutação, e a operação com velocidade variável minimiza o ruído acústico.

te, existe o incomum OPA171 de fonte simples, cuja corrente de *offset* é baixa, na faixa de dezenas de picoampères, mesmo em temperatura elevada, e que opera na faixa de tensão de alimentação completa de 3 V a 36 V; ele custa cerca de um dólar (mas você sai na frente, com um capacitor mais barato de 0,47 μF que acompanha um resistor de 10 MΩ, R_4).

C. Fonte de Alta Tensão I: Regulador Linear

A Figura 9.17 mostra um circuito simples que estende a corrente de saída do regulador de 3 terminais de alta tensão LR8 da Supertex. Esse dispositivo opera até 450 V, mas é limitado a 10 mA de corrente de saída, e ainda mais limitado pela dissipação de potência (~2 W no encapsulamento de potência D-PAK, dependendo do tipo de placa de circuito; veja a Figura 9.45) quando opera próximo de sua tensão diferencial total especificada.

A corrente de carga mínima do regulador é especificada como 0,5 mA, por isso o configuramos para operar em um valor ligeiramente inferior a 1 mA, com sua saída acionando um seguidor MOSFET de potência de alta tensão de alimentação. A realimentação é local para o LR8, desse modo o seguidor introduz um *offset* (ligeiramente dependente da carga) que pode ser aproximadamente ajustado em zero por R_{1b}. Q_2 proporciona limitação de corrente, e os díodos D_1 a D_3 protegem contra os muitos danos que são possíveis em uma fonte de alta tensão. Adicione um capacitor C_2 (juntamente com um díodo de proteção) para a redução do ruído. O *trimpot* de definição de saída R_2 dissipa 320 mW para a tensão máxima de saída, por isso é aconselhável utilizar um dispositivo especificado para 1 W ou mais. Não deixe de verificar as especificações do *trimpot* para uma tensão nominal também; para esta aplicação, você pode usar um 95C1C-D24-A23 da Bourns ou um 53C3500K da Honeywell.

D. Fonte de Alta Tensão II: Conversor CC-CC Chaveado

Outra abordagem para geração de uma alta tensão CC regulada é a utilização de um módulo conversor CC-CC chaveado. Esses estão disponíveis com uma enorme faixa de tensões de saída (até dezenas de quilovolts) e com a polaridade de saída selecionável. É possível obter uma ampla variedade desses com circuitos reguladores embutidos, destinados a ser alimentados por uma entrada CC de baixa tensão (+5 V ou +15 V, etc.) e com a tensão de saída programada através de um resistor variável ou por uma entrada CC de programação de baixa tensão. Isso é útil para gerar a polarização para um tubo fotomultiplicador, detector fotodiodo de avalanche, placa de canal multiplicadora ou outros dispositivos que necessitem de uma polarização estável de baixa corrente e alta tensão.

Uma abordagem menos dispendiosa é a utilização de um módulo conversor CC-CC reduzido que careça de regulação interna; para esses, a tensão de saída é uma proporção da tensão de entrada – eles, às vezes, são chamados de conversores CC-CC "proporcionais". Unidades típicas têm entrada de 0 a 12 V, com faixas de saída que vão de 100 V

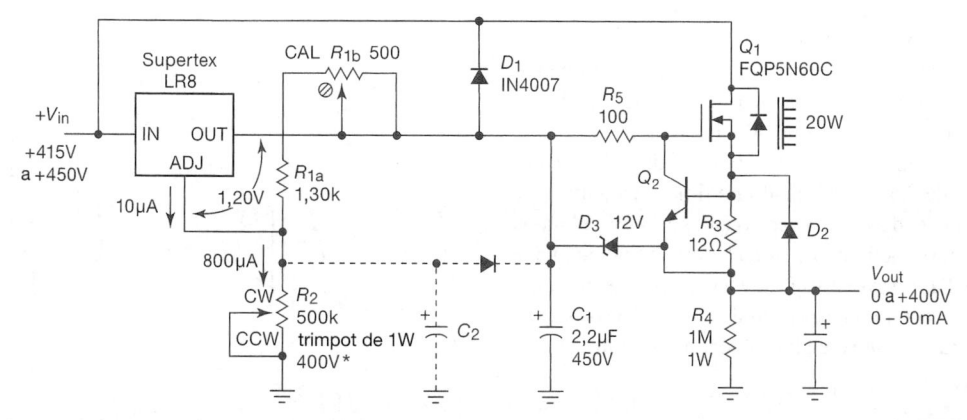

FIGURA 9.17 Fonte ajustável de alta tensão I, 0 a 400 V, implementada com um LR8 de baixa corrente e seguidor MOSFET externo. *Veja o texto para a especificação de tensão de R_2.

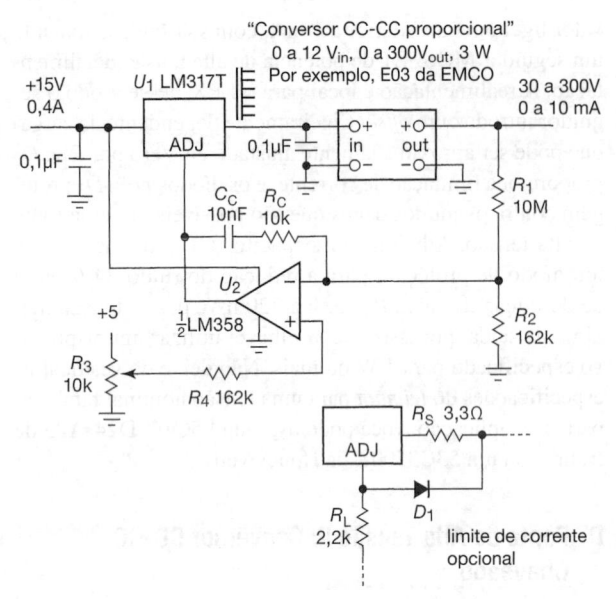

FIGURA 9.18 Fonte de alimentação ajustável de alta tensão II, implementada com um módulo conversor CC-CC proporcional alimentado por um LM317 com controle de realimentação para o pino ADJ.

até 25 kV, em potências de uma fração de um watt a cerca de 10 watts. A Figura 9.18 mostra como fazer isso, usando um dos módulos conversores proporcionais de 3 W da EMCO. A tensão de saída é controlada por R_3, com a extremidade baixa da faixa de tensão definida pela saída mínima de 1,25 V do LM317. A modificação opcional do limite da corrente protege o conversor quando a saída está sobrecarregada.[18] O custo total dos componentes do circuito externo aqui resulta em menos de 75 centavos de dólar em quantidade unitária – esse valor é imbatível!

9.3.6 Reguladores de Baixa Queda de Tensão

Existem aplicações em que a queda de tensão mínima (*dropout*) de $\sim$2 V (ou seja, a diferença de tensão entrada-saída mínima) desses reguladores é uma séria limitação. Por exemplo, em um circuito lógico digital, você pode precisar produzir uma fonte de 3,3 V a partir de uma de +5 V existente; ou (pior) uma fonte de +2,5 V a partir de um trilho de alimentação de +3,3 V existente. Outra aplicação pode ser um dispositivo portátil que necessita de +5 V e opera a partir de uma bateria de 9 V alcalina; esta última, no início da vida útil, começa em cerca de 9,4 V, declinando no fim da vida útil para 6 V ou 5,4 V (dependendo se você considera 1,0 V/célula ou 0,9 V/célula como a definição de uma bateria completamente descarregada). Para essas situações, você precisa de um regulador que possa operar com uma pequena diferença de tensão entrada-saída, idealmente até alguns décimos de um volt.

Uma solução é abandonar completamente os reguladores lineares e usar, então, um regulador chaveado (Seção 9.6), que lida de forma distinta com a tensão diferencial. Comutadores (um apelido para reguladores chaveados) são populares em tais aplicações; mas eles têm seus próprios problemas (especialmente em termos de ruído de comutação e transientes), e você pode preferir a calma plácida e a simplicidade de um regulador linear.

Olhe novamente para os reguladores lineares convencionais nas Figuras 9.6 e 9.9; a queda de tensão mínima de $\sim$2 V é causada pelas duas quedas de V_{BE} em cascata do seguidor Darlington de saída, mais uma outra V_{BE} através do resistor limitador de corrente. A solução (inspirada pela substituição de um Darlington convencional por um par complementar de Sziklai, ver Seção 2.4.2ª) é utilizar uma topologia de estágio de saída diferente, e um esquema de limitação de corrente diferente.

A Figura 9.19 apresenta uma solução parcial. Este projeto mantém um seguidor de saída *npn*, mas substitui um transistor acionador *pnp*; este último pode operar próximo da saturação, eliminando, assim, uma das quedas de V_{BE}. Além disso, o resistor limitador de corrente foi transferido para o coletor ("detecção de corrente no lado superior"), em que não contribui para a queda de tensão mínima (desde que a sua queda seja inferior a uma V_{BE} na limitação de corrente, que é fácil de gerir se um comparador for utilizado para detectar a corrente máxima, como se mostra). Com essa topologia do circuito, os reguladores LT1083-85 (especificados para 7,5 A, 5 A e 3 A, respectivamente) alcançam uma saída típica de 1 V em sua corrente máxima.

Utilizamos esses reguladores em série em muitos projetos, com um bom resultado. Eletricamente, eles imitam o regulador ajustável de 3 terminais clássicos LM317, com 1,25 V interno referenciado ao pino de saída. No entanto, como acontece com a maioria dos projetos de baixa queda de tensão, esses reguladores são exigentes quanto ao desvio: a folha de dados recomenda 10 μF na entrada e, pelo menos, 10 μF (tântalo) ou 50 μF (eletrolítico de alumínio) na saída. Se o pino ADJ for desviado para redução de ruído (ver Seção 9.3.13), a folha de dados recomenda triplicar o valor do capacitor de desvio de saída.

---

[18] Foi aplicado um teste de sobrecarga a um conversor desprotegido e medimos uma corrente de entrada de 1,2 A.

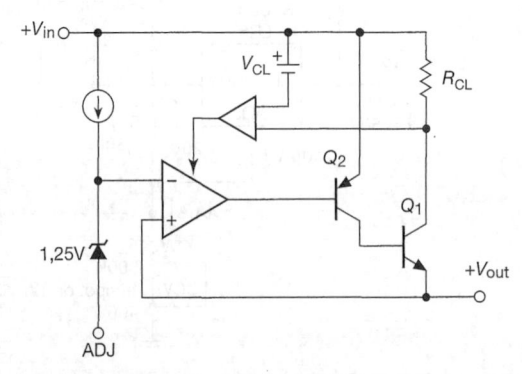

FIGURA 9.19 A série de reguladores positivos de 3 terminais LT1083-85 com reduzida queda de tensão mínima.

9.3.7 Reguladores de Baixa Queda de Tensão Verdadeiros

A queda de tensão mínima (*dropout*) pode ser reduzida ainda mais substituindo o estágio de saída *npn* (seguidor) por um estágio *pnp* (emissor comum) (Figura 9.20ª). Isso elimina a queda de V_{BE}, com a queda de tensão mínima agora definida pela saturação do transistor. Para manter a queda de tensão mínima o mais baixo possível, o circuito de limitação de corrente elimina o resistor de detecção em série, utilizando, então, uma amostra da corrente de saída fracionada, derivada de um segundo coletor em Q_1. Isso é menos preciso, mas "bom o suficiente", dado que o seu trabalho é apenas limitar as correntes destrutivas: a folha de dados para o LT1764A de 3 A, por exemplo, especifica um limite de corrente de 3,1 A (mínimo) e 4 A (típico).[19]

Muitos reguladores de baixa tensão atuais utilizam MOSFETs em vez de transistores bipolares. O circuito LDO análogo é mostrado na Figura 9.20B. Como o LDO bipolar, esses dispositivos tendem a ser bastante exigentes em relação ao desvio. Por exemplo, os reguladores TPS775xx definem requisitos para as duas capacitâncias e ESR para o desvio de saída: a capacitância deve ser pelo menos 10 μF (com um ESR não menor do que 50 mΩ e não superior a 1,5 Ω), com a folha de dados mostrando adicionalmente regiões de estabilidade e instabilidade em gráficos que plotam combinações de C_{desvio}, ESR e I_{out}.

9.3.8 Regulador de 3 terminais de Referência de Corrente

Todos os reguladores que vimos até agora utilizam uma referência interna de tensão (geralmente uma referência de "barreira de potencial" de 1,25 V), com a qual uma fração de tensão do divisor da saída é comparada. O resultado é que você não pode ter uma tensão de saída menor do que a de referência. Na maioria dos casos, isso define um limite inferior de V_{out} = 1,25 V (embora alguns possam ir até 0,8 V, ou mesmo 0,6 V; consulte a Tabela 9.3).

Às vezes, você quer uma tensão mais baixa! Ou você pode querer ter uma margem de ajuste que vai até zero volt. Isso exige tradicionalmente uma fonte auxiliar negativa, como, por exemplo, a "fonte de laboratório" da edição anterior deste livro (na Figura 6.16).

Uma boa solução é o regulador estilo LT3080, produzido pela Linear Technology (Figura 9.21). Ele é um regulador positivo ajustável de 3 terminais (com um quarto pino, em alguns estilos de encapsulamentos) em que o pino de ajuste (ADJ) (denominado SET) fornece uma corrente precisa (I_{SET} = 10 μA ± 2%); o amplificador de erro, em seguida, força a saída a seguir o pino SET. Então, se você conectar um resistor R de SET para o terra, a tensão de saída será simplesmente $V_{out} = I_{SET}R$. O intervalo de tensão de saída vai até zero: quando $R = 0$, $V_{out} = 0$.[20]

A Figura 9.22 apresenta a conexão básica, aqui utilizada para produzir uma fonte ajustável de 0 a 10 V. A arquitetura da série 3080 torna fácil adicionar um limite de corrente ajustável, ela mesma ajustável até zero, como se mostra na Figura 9.23. O regulador a montante U_1 é, por si só, uma fonte de corrente de 0 a 1 A; os reguladores em cascata em conjunto atuam como uma fonte de tensão de corrente limitada (ou uma fonte de corrente de tensão limitada, dependendo da carga).

O regulador 3080 inclui um pino de tensão de controle, V_{CTRL}, nos encapsulamentos com mais de três pinos (por exemplo, TO-220-5), que permite que você opere o circuito de controle interno a partir de uma tensão de entrada superior. Quando operado desse modo, o LT3080 é um verdadeiro regulador de baixa queda de tensão, com uma queda de tensão mínima típica de 0,1 V em 250 mA de corrente de carga. Sua saída de baixa impedância (seguidor de emissor) requer

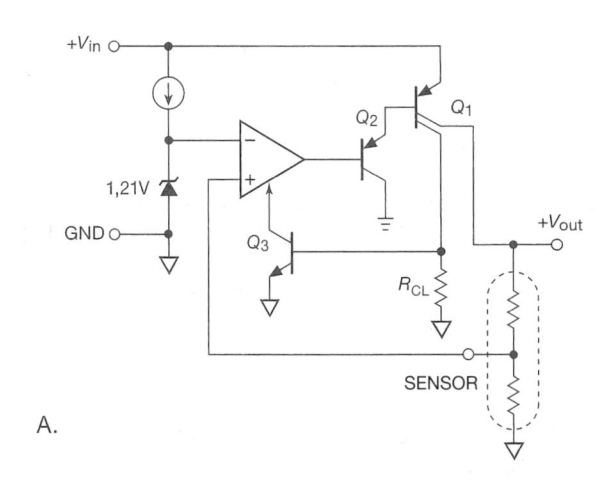

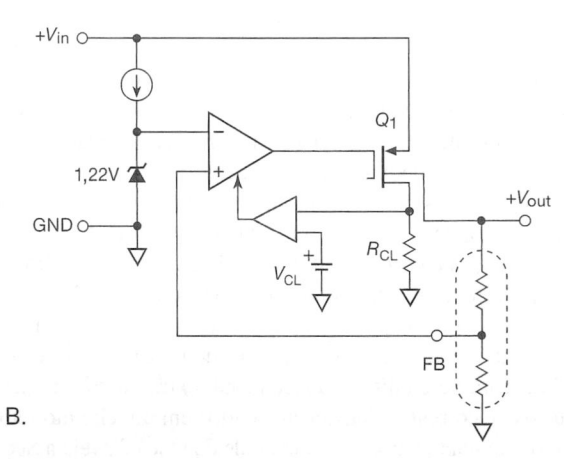

FIGURA 9.20 Reguladores positivos LDO. A. LT1764 (bipolar) e B. TPS75xxx (CMOS).

---

[19] A série CMOS de reguladores LDO de 5 A TPS755xx tem uma especificação de limite de corrente de 5,5 A (no mínimo), 10 A (típico) e 14 A (máximo).

[20] Com uma ligeira *pegadinha*: a corrente de carga mínima é de ~1 mA. Assim, por exemplo, a tensão de saída em uma carga de 100 Ω não vai abaixo de 0,1 V. Para chegar a 0 V, você precisa absorver uma pequena corrente em direção a uma fonte negativa.

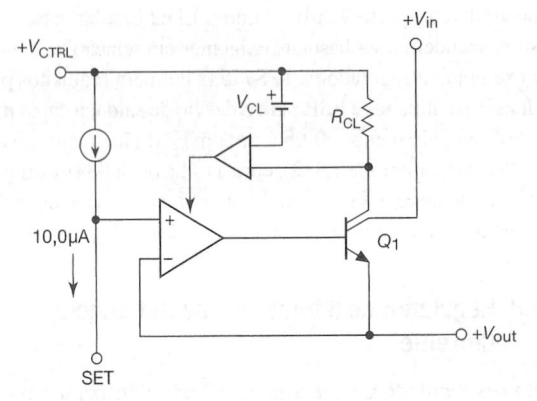

FIGURA 9.21 Regulador de tensão positiva ajustável de 3 terminais LT3080 com referência de corrente de precisão.

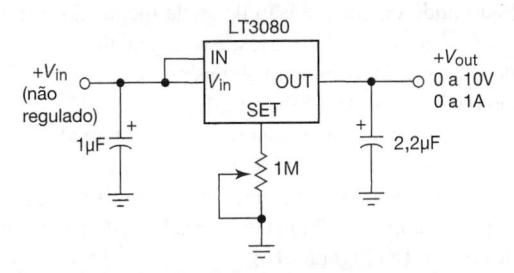

FIGURA 9.22 Regulador positivo, ajustável até 0 V.

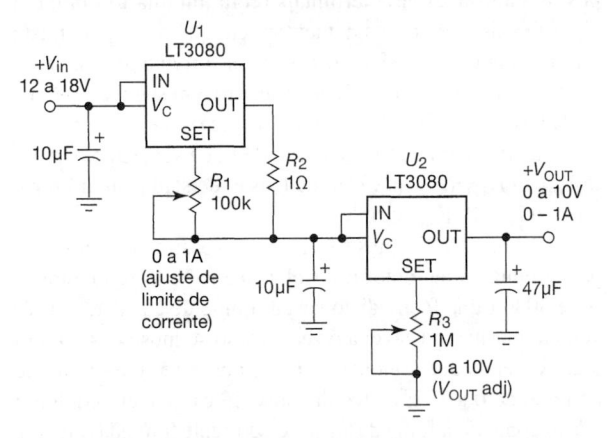

FIGURA 9.23 "Fonte de bancada" ajustável com controles de tensão e limite de corrente independentes.

apenas 2,2 μF de desvio da saída, sem qualquer exigência de ESR mínimo.

9.3.9 Comparação de Quedas de Tensões Mínimas

Para resumir o negócio da queda de tensão mínima nesses vários projetos de regulador, plotamos na Figura 9.24 as quedas de tensões mínimas de um regulador representativo de cada tipo. As curvas são tomadas a partir das especificações de queda de tensão mínima "típicas" da folha de dados, todas

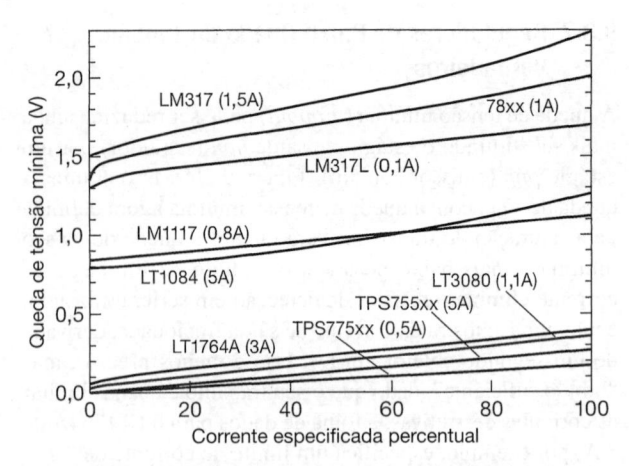

FIGURA 9.24 Queda de tensão mínima de regulador linear em função da corrente de saída. O par inferior de curvas (prefixo TPS) é de CMOS; todas as outras são bipolares. Veja também a Figura 9.11.

para 40°C, e são dimensionadas para a corrente máxima especificada de cada dispositivo. Três categorias são claramente vistas: os reguladores convencionais com Darlington *npn* no transistor de passagem (três curvas superiores); reguladores de baixa queda de tensão com acionador *pnp* e seguidor de saída *npn* (curva do meio); e reguladores verdadeiros de baixa queda de tensão com estágio de saída *pnp* ou *p*MOS (quatro curvas de fundo). Note particularmente o comportamento resistivo dos reguladores CMOS (duas curvas inferiores), em que a queda de tensão mínima é linear durante a corrente de saída, e vai a zero na corrente baixa.

9.3.10 Exemplo de Circuito de Regulador de Tensão Dupla

Como um exemplo, imagine que tenhamos um pequeno circuito digital que exige fontes reguladas de +3,3 V e +2,5 V, cada uma capaz de fornecer até 500 mA. A Figura 9.25 mostra como fazer isso com um pequeno transformador montado na PCB acionando um retificador em ponte não regulado, seguido por um par de reguladores lineares. O projeto é simples: (a) começamos pela escolha de um transformador para entregar cerca de 8 V CC (não regulado) a partir da boa seleção do Transformador de Sinal; uma unidade com 6,3 V RMS é quase perfeita (sua amplitude de pico CA de $6,3\sqrt{2} \approx 9$ V é reduzida em duas quedas de diodo); (b) escolhemos uma especificação conservadora da corrente do transformador de 4 A RMS, para possibilitar o aquecimento extra provocado pelos pulsos de corrente relativamente curtos em um circuito retificador em ponte ("pequeno ângulo de condução", veja a Seção 1.6.5); (c) o capacitor de armazenamento C_1 foi, então, escolhido (utilizando $I = C\, dV/dt$) para permitir uma ondulação de $\sim$1 Vpp na corrente de carga máxima, com uma especificação de tensão adequada para permitir a combinação de pior caso de alta tensão da rede elétrica e carga de saída zero; (d) para a saída de +3,3 V, foi utilizado um regulador ajustável de 3

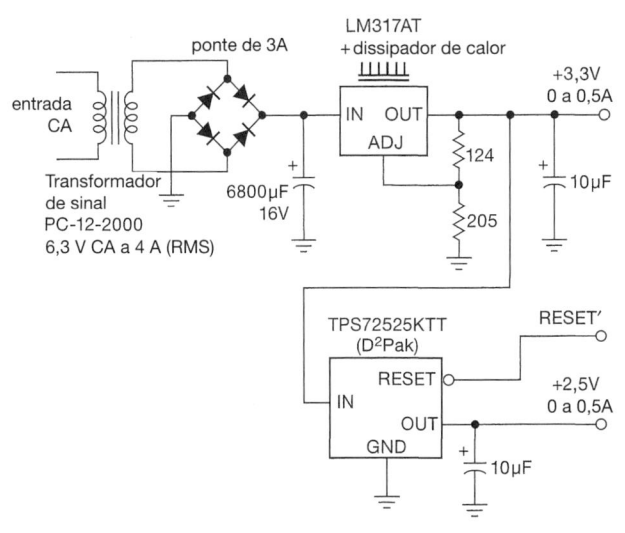

FIGURA 9.25 Fonte regulada dupla de baixa tensão.

terminais (LM317A, em um encapsulamento de potência TO-220), montado sobre um pequeno dissipador de calor (10°C/W, adequado para uma dissipação de potência máxima de $\sim$5 W; veja a Seção 9. Por fim, para a saída de +2,5 V foi utilizado um regulador de tensão fixa CMOS de baixa queda de tensão (os dois últimos dígitos do número de identificação designam 2,5 V), tendo sua entrada a partir de +3,3 V regulados.

Alguns comentários. (a) Não mostramos detalhes da entrada das redes elétricas CA, incluindo fusível, chave e filtro de ruído; (b) os valores de capacitores de desvio apresentados são conservadores (maiores do que os mínimos especificados), a fim de melhorar a resposta transiente e proporcionar uma estabilidade robusta; (c) o regulador TPS72525 inclui um circuito "supervisor" interno que proporciona uma saída RESET que vai para nível BAIXO quando o regulador sai da regulação, muitas vezes usado para alertar um microprocessador para salvar seus registros e desligar.

9.3.11 Escolhas para o Regulador Linear

Fixo ou ajustável? 3 terminais ou 4 terminais? De baixa queda de tensão ou convencional? Como você decide qual tipo de regulador linear integrado utilizar? Eis algumas diretrizes.

- Se você não precisa de baixa queda de tensão, opte por um regulador convencional, ou fixo de 3 terminais (estilo 78xx/79xx, Tabela 9.1) ou ajustável de 3 terminais (estilo 317/337, Tabela 9.2): eles são menos caros e são estáveis com capacitores de desvio de pequeno valor.
  - Fixo: não precisa de resistores externos; mas apresenta escolhas limitadas de tensão e nenhuma capacidade de ajuste.
  - Ajustável: tipos configuráveis e ajustáveis, e pode-se ter menos tipos em estoque; mas requerem um par de resistores externos.
- Se você precisa de ajuste até zero volt, use um regulador de corrente de referência (estilo LT3080).

- Se você precisa de baixa queda de tensão (LDO) ($V_{DO} \leq 1V$), há muitas opções (Tabela 9.3):
  - Para tensões de entrada $\sim$1 V, utilize tipos bipolares:
    - Estilos LT1083-85, LM1117, LM350, LM338 (fixo ou ajustável) para queda de tensão mínima de $\sim$1 V;
    - Estilo LT1764A (fixo ou ajustável) para $\sim$0,3 V (mas consulte a Seção 9.3.12);
  - Para tensões de entrada $\leq$10 V, existem muitos LDOs MOSFET (fixo ou ajustável).
- Se você precisa de alta eficiência, alta densidade de potência, elevação de tensão ou inversão de tensão, utilize um regulador/conversor chaveado (Seção 9.6).

Para aplicações de baixa tensão e alta corrente, considere a utilização de um regulador que tem o controle separado e pinos de entrada para o dispositivo de passagem, como o mostrado na Figura 9.21. Eles são indicados na coluna "Reforço, pino de polarização" da Tabela 9.3.

9.3.12 Variações dos Reguladores Lineares

Estes reguladores integrados são realmente fáceis de utilizar, e, com os circuitos embutidos de proteção de sobrecorrente e térmica, não há muito com que se preocupar. Projetistas de circuitos devem, no entanto, estar cientes das seguintes variações.

A. Variações de Pinagem

Nossos alunos desanimam com frequência angustiante com esta "pegadinha": reguladores ajustáveis de 3 terminais de polaridades complementares, tais como o nosso favorito LM317 (positivo) e o LM337 (negativo), têm, muitas vezes, *pinagens diferentes* (Figura 9.26). No caso dos reguladores fixos 78xx/79xx, por exemplo, isso cria um problema: a aba metálica é aterrada para o regulador positivo 78xx (assim, você pode aparafusá-lo ao chassi, ou soldá-lo ao plano de terra da placa de circuito), mas, para o regulador negativo 79xx, a aba metálica está conectada eletricamente à tensão de entrada – se você aterrá-la, estará em apuros![21]

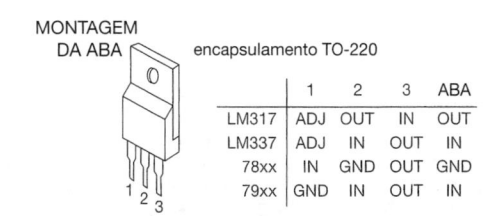

	1	2	3	ABA
LM317	ADJ	OUT	IN	OUT
LM337	ADJ	IN	OUT	IN
78xx	IN	GND	OUT	GND
79xx	GND	IN	OUT	IN

FIGURA 9.26 Nunca suponha que os reguladores negativos têm a mesma pinagem que seus pares positivos. Na verdade, não suponha nada sem consultar a folha de dados.

---
[21] Isso acontece porque o substrato do CI (normalmente na tensão mais negativa) é soldado a uma estrutura de montagem de metal, que é a melhor via para a remoção de calor.

TABELA 9.3 Reguladores lineares de baixa queda de tensão (*low dropout*, LDO)[a]

n° identif.	TO-220	DDPAK, DPAK	DIP	SOIC, MSOP, TSOP	SOT-223	SOT-23	TO-92	menor	versão ajustável disp. # n° fixo[i]	Habilitação	Pino de filtro	Soft Start	UVLO	Bloqueio reverso	pino sensor (ou função)	pino de reforço, polariz.	pino PROG ou reset	V_{in} mín-máx (V)	V_{out} (V)	I_{out} (A)	Precisão tip. 25C (%)	I_Q $I_{out}=0$ (mA)	V_n[b] (µVrms)	@V_{out} (V)	Regulação linha máx (ppm/V)	C_{out} mín (µF)	ESR mín,máx (Ω)	Preço[n] quant. 25 ($US)
Estilo LM317																												
LT3080[A]	5	5	-	8	3	-	-	8	•	-	-	-	-	•	-	x	-	•	-	1,2-36	0-35	1,1	1	1[h]	40	all	50	2,2	0,0,5	2,71
LT1086	3	3	-	-	-	-	-	-	•	5	-	-	-	•	Δ	-	-	-	3,5-25	1,25-25	1,5	1	10[h]	-	-	1000	22[f2]	?	2,67
LT3083[A]	5	5	-	16	-	-	-	12	•	-	-	-	-	•	-	x	-	•	-	1,2-23	0-22	3	1	1[h]	40	all	10	10[c]	0,0,5	5,90
LT1083,84,83	3	3	-	-	-	-	-	-	•	-	-	-	-	•	-	-	-	-	-	2,7-25[g]	1,25-25	3,5,7,5	1	10[h]	150[e2]	5	300	22[f2]	0,-	5,20
LT1580	5,7	-	-	-	-	-	-	-	•	1	-	-	-	•	•	-	-	•	-	3-5,5	1,25-6	7	0,6	6	-	-	1000	22	0,1	3,74
LT1581	7	-	-	-	-	-	-	-	•	1	-	-	-	•	•	-	-	•	-	3,3-6	1,25-5	10	0,7	10[h]	-	-	300	22	0,1	8,93
Alta Tensão (≥10V)																												
TPS709xx	-	-	-	-	-	5	-	-	11	•	-	-	-	•	-	-	-	-	-	2,5-30	1,5-6,5	0,15	2[tt]	0,001	300	1,8	650	2,2	0,-	?
LT3008	-	-	-	-	-	8	-	6	•	6	•	-	-	-	-	□	-	•	-	2-45[o]	0,6-45	0,02	1	0,003	92	0,6	250	2,2	0,3	2,66
TLV704xx	-	-	-	-	-	5	-	-	-	3	-	-	-	-	-	Δ	-	-	-	2,5-24	3-5	0,15	2	0,003	-	-	500	1	0,-	0,81
LT3014B[B]	-	-	-	-	-	5	-	8	•	-	•	-	-	-	-	□	-	•	-	3-80[o]	1,22-60	0,02	1,6	0,007	115	1,22	125	0,47	0,3	2,14
LT1521	-	-	-	8	3	-	-	-	•	3	-	-	-	•	-	□	-	-	-	3,5-20	3-20	0,3	1,5	0,012	-	-	125	1,5	0,?	2,08
LM2936	-	3	-	8	3	-	3	-	-	3	q	-	-	-	-	□	-	•	-	4-26[o]	3,0-5	0,05	2	0,015	500	all	1000	22	0,3,6	1,03
TPS769, 70xx	-	-	-	-	-	5	-	-	-	9	-	-	-	-	Δ	v	-	-	-	2,7-10	1,2-5,5	0,05, 0,1	3[tt]	0,017	190[e3]	all	400	4,7	0,2,5	0,77
TPS789, 90xx	-	-	-	-	-	5	-	-	-	5	•	-	-	-	Δ	-	-	-	-	2,7-10	1,5-3,0	0,1, 0,05	3[tt]	0,017	56[f,e3]	3	1000	4,7	0,2,5	0,56
TPS788xx	-	-	-	-	-	5	-	-	-	2	•	•	s	-	Δ	-	-	-	-	2,7-13,5	2,5,3,3	0,15	3[tt]	0,017	56[f,e1]	-	1000	4,7	0,2,5	1,09
ADP667	-	-	8	8	-	-	-	-	•	1	-	-	-	-	-	x	v	-	-	3,5-16,5	1,3-16	0,25	4[tt]	0,02	-	-	500	10	0,-	2,98
LT1761	-	-	-	-	-	5	-	-	•	9	•	v2	-	-	□	-	•	-	-	1,8-20	1,22-20	0,1	1,3	0,02	20[f]	all	600	1	0,3	2,13
LM9076	-	5	-	8	-	-	-	-	-	2	q	-	-	-	□[y]	-	-	r	-	3,5-50[o]	3,3-5	0,15	1,5	0,025	-	-	1500	22[c]	0,1,3	1,31
LT1763	-	-	-	8	-	-	-	12	•	6	•	•	-	-	□	•	-	-	-	1,8-20	1,22-20	0,5	1	0,03	20[f]	all	50	3,3	0,3	2,30
ADP3331	-	-	-	-	-	6	-	-	•	-	-	-	-	-	-	x	-	•	-	2,6-12	1,5-11,75	0,2	0,7	0,034	95	3	240	0,47	0,-	1,25
TPS765, 66xx	-	-	-	8	-	-	-	-	•	8	-	-	-	-	Δ	v	-	•	p	2,7-10	1,2-5,5	0,15, 0,25	3[tt]	0,035	200[e3]	all	100[t]	4,7	0,3,20	1,50
TPS760, 61xx	-	-	-	-	-	5	-	-	•	5	-	-	-	-	Δ	-	-	-	-	3,5-16	3-5	0,05, 0,1	1	0,09	190[e3]	all	300	2,2	0,1,20	0,90
TPS763, 64xx	-	-	-	-	-	5	-	-	z	9	-	z	-	-	Δ	z	-	-	-	3,3-10	1,5-6,5	0,15	2	0,09	140[e3]	all	700	4,7	0,3,10	0,38
LP2950A[C]	-	3	-	-	-	-	3	-	-	3	-	-	-	-	-	x	-	-	-	3,1-30	3,0-5,0	0,1	0,5	0,075	430	all	35	2,2	0,5	**0,37**
LP2951A[C]	-	-	8	8	-	-	-	8	•	2	•	v2	-	-	-	x	•	-	-	1,5-30	1,4-29	0,1	0,5	0,2 m	100[f]	-	40	2,2	0,5	**0,29**
LP2981A[C]	-	-	-	-	-	5	-	-	-	9	•	-	-	-	Δ	-	-	-	-	2,1-16	2,5-5	0,1	0,75	0,095	160[e3]	all	140	3,3[c]	0,01,8	0,84
LP2985A	-	-	-	-	-	5	-	-	-	9	•	-	-	-	Δ	-	-	-	-	2,2-16	1,8-10	0,15	1	0,065	30[f]	all	140	2,2	0,005-0,5	0,82
LM2931	3	3	-	8	-	3	3	6	•	2	-	-	-	-	□	v	-	-	-	3,3-26[o]	3,0-24	0,1	5	0,4	500	5	1500	47	0,03,0,4	**0,65**
LM2930	3	3	-	-	-	-	-	-	-	2	-	-	-	-	□[y]	-	-	-	-	5,3-26[o]	5,0-8,0	0,15	6	4	140	5	800	10	0,1	0,65
LP2986A	-	-	-	8	-	-	-	-	-	3	•	v2	-	-	Δ	-	•	-	-	2,5-16	1,23-15	0,2	0,5[d]	0,1	160[e3]	all	140	4,7[c]	0,1,10	2,32
TPS7A4901	-	-	-	8	-	-	-	-	•	-	•	-	-	•	-	x	v	-	-	3-36	1,19-33	0,15	1,5	0,061	21[f]	5	32[t]	2,2[c]	0,0,2	2,14
TL750Lxx	3	3	8[y]	8	-	-	3	-	-	4	-	-	-	-	□[y]	-	-	-	-	6-26[o]	5,8,10,12	0,15	4	1,0	700	10	300	10	0,0,4	0,62
TPS72xx	-	-	-	8	-	-	-	-	-	5	•	-	-	-	Δ	•	-	•	p	3-10	1,2-10	0,25	2[tt]	0,18	300	5	1400	10	0,1,1,3	2,00
REG101, 102	-	-	-	8	5[y]	5	-	-	•	6	•	d	-	-	-	x	-	-	-	1,8-10	2,5-5,5	0,1, 0,25	1,5	0,4	18[f]	2,5	1000	0	-	2,22
REG103, 04	-	5	-	8[y]	5	-	-	-	-	5	•	d	-	-	-	x	-	-	-	2,1-15	1,3-5	0,5, 1	2	0,5	25[f]	2,5	1000	0	-	3,78
REG113	-	-	-	8	-	5	-	-	-	3	•	-	-	-	-	-	-	-	-	1,8-10	2,5-5	0,4	1,5	0,4	18[f]	2,5	1000	0	-	1,41
ADP3303	-	-	-	8	-	-	-	-	-	5	•	-	-	-	-	x	-	-	-	3,2-12	2,7-5,0	0,2	0,8	0,25	100	5	100[t]	0,47	0,-	2,50
MIC5205, 07	-	-	-	-	-	5	-	-	-	13[y]	•	d	-	-	□	-	-	-	-	2,5-16	1,24-15	0,15	1	0,08	260[nV]	all	120	2,2	0,5	0,41
MIC5209	-	5	-	8	3	-	-	8	-	7	q	d	-	-	□	-	-	-	-	2,5-16	1,24-15	0,5	1	0,08	300[nV]	all	500	2,2	1 rec	0,70
MIC5219	-	-	-	8	5	-	5	6	-	11	•	d	-	-	□	-	-	-	-	2,5-12	1,24-12	0,5	1	0,08	300[nV]	all	500	2,2	0,1-1	1,50
LP38691, 93	-	3[y]	-	-	4[y]	-	-	6	•	4	z	-	-	-	Δ	q	-	-	-	2,7-10	1,8-5	0,5	2	0,055	70	3,3	1000	1[c]	0,100	0,90
LT3021	-	-	-	8	-	-	-	16	•	3	-	-	-	-	□	-	•	-	-	0,9-10	0,2-9,5	0,5	2	0,11	300	1,2	650	3,3[c]	0,0,2	3,13
ADP3334	-	-	-	8	-	-	-	8	•	-	•	-	-	-	-	x	-	•	-	2,6-11	1,5-10	0,5	0,9	0,09	45	all	200	1	0,-	1,34
ADP3335, 6[D]	-	-	-	8	-	-	-	8	•	5	•	v2	-	-	-	x	-	-	-	2,6-12	1,5-10	0,5	0,9	0,08	47[f]	all	400[t]	1	0,-	2,13
ADP7102, 04	-	-	-	8	-	-	-	8	•	7	-	-	-	-	-	-	•	-	-	3,3-20	1,22-20	0,3, 0,5	0,8	0,4	15	3,3	150	1	0,0,2	3,22
TPS73xx	-	-	8	8	-	-	-	-	-	5	-	-	-	-	-	x	•	-	r	2,5-10	1,2-9,8	0,5	3	0,34	89	1,2	2000	10	0,1,4	2,25
LM2937	3	3	-	-	3	-	-	-	-	5	-	-	-	-	□	-	-	-	-	7-26[o]	5-15	0,5	3	2,0	150	5	2500	10	0,3	0,76
LP3878	-	-	-	8P	-	-	-	8	•	-	•	-	-	-	Δ	-	-	•	-	2,5-16	1.0-5.5	0,8	1	0,18	18[f]	all	140	10[c]	0,0,4	1,44
TPS775xx-78xx	-	-	-	8	-	-	-	-	-	6	-	-	-	-	Δ	v	-	r,p	2,7-10	1,2-5,5	0,5, 0,75	2[tt]	0,085	53[e1]	all	100[t]	10	0,05,1,5	2,44
TPS767, 68xx	-	-	-	8	-	-	-	-	-	8	-	-	-	-	Δ	v	-	r,p	2,7-10	1,2-5,5	1,0	2[tt]	0,085	55[e1]	all	100[t]	10	0,05,1,5	2,77
LM2940	3	3	16	-	-	-	-	8	-	6	-	-	-	-	□	-	-	-	-	7-26[o]	5-15	1,0	3	10	150	5	2000	22	0,1,1	1,71
TPS73801	-	-	-	-	5	-	-	-	-	-	-	-	-	-	-	•	v	-	-	2,2-20	1,2-20	1,0	1,5	1,0	45	1,2	230	10	0,0,3	no
LT1965	5	5	-	8	-	-	-	8	•	4	-	-	-	-	□	-	•	-	-	1,8-20	1,2-19	1,1	1,5	0,5	40	-	600	10	0,3	2,77
UCC381	-	-	-	-	-	-	-	-	-	2	-	v	•	•	-	-	-	-	-	3-9	1,2-8	1,0	1,5	0,4	-	-	150	0	-	4,61
TPS7A45xx	-	5	-	5	-	-	-	-	-	4	-	-	-	-	•	-	-	-	-	2,2-20	1,2-20	1,5	1	1,0	35	-	140	10	0,3	3,12
LT1963A[E]	5	5	-	8	3	-	-	-	•	-	-	-	-	-	□	•	-	-	-	1,9-20	1,21-20	1,5	1,5	1,0	40	all	240	10	0,02,3	3,57
LT1764A	3	3	-	16P	-	-	-	-	•	4	-	-	-	-	□	•	-	-	-	2,7-20	1,2-20	3	1,5	1,0	40	all	600	10	0,005,3	4,97
UCC383	3,5	5	-	-	-	-	-	-	-	2	-	v	•	•	v	-	-	-	-	3-9	1,2-8	3	1,5	0,4	-	-	400	0	-	4,32

Capítulo 9 Regulação de tensão e conversão de potência

nº identif.	TO-220	DDPAK, DPAK	DIP	SOIC, MSOP, TSOP	SOT-223	SOT-23	TO-92	versão ajustável disp.	nº fixo[ti]	Habilitação	Pino de filtro	Soft start	UVLO	Bloqueio reverso	pino sensor (ou função)	pino de reforço, polariz.	pino PROG ou reset	V_{in} min-máx (V)	V_{out} (V)	I_{out} (A)	Precisão tip. 25C (%)	I_Q $I_{out}=0$ (mA)	V_n[b] @V_{out} typ (μVrms)	(V)	Regulação linha máx (ppm/V)	C_{out} mín (μF)	ESR mín, máx (Ω)	Preço[n] quant. 25 ($US)
				(≤8V)																								
ADP121	-	-	-	-	5	-	4	•	8	•	-	-	-	x	v	-	-	2,3-5,5	1,2-3,3	0,15	1	0,01	52	2,5	300	0,7	0,1	0,87[u]
ADP150	-	-	-	-	5	-	4	-	8	•	-	-	-	x	-	-	-	2,2-5,5	1,8-3,3	0,15	1	0,01	9	2,5	500	1	0,1	0,80
ADP130[F]	-	-	-	-	5	-	-	-	5	•	-	-	-	x	-	•	-	1,2-3,6	0,8-2,5	0,35	1	0,025	61	2,5	1000	1	0,1	0,85
LTC1844	-	-	-	-	5	-	-	•	5	-	-	•	-	-	-	-	-	1,6-6,5	1,25-6	0,15	1,5	0,035	65[f]	all	2000	1	0,03	1,45[k]
MAX8510	-	-	-	-	-	5,8	-	•	10	•	d	-	-	x	-	-	-	2-6	1,45-6	0,12	1	0,04	11[f]	all	10[t]	1[c]	0,03	0,58[k]
ADP122,23	-	-	-	-	5	-	6	•	10	-	-	-	-	x	v	-	-	2,3-5,5	0,8-5	0,3	1	0,045	45	2,5	500	0,7	0,1	0,88
ADP124,25	-	-	-	8	-	-	8	•	8	-	-	-	-	x	z	-	-	2,3-5,5	0,8-5	0,5	1	0,045	45	2,5	500	0,7	0,1	1,14
MAX8867-68	-	-	-	-	5	-	-	-	8	•	-	-	-	☐	-	-	-	2,5-6,5	2,5-5	0,15	1,4	0,085	30[f]	all	1500	1[c]	0,2	0,88[k]
MIC5255	-	-	-	-	5	-	-	-	12	•	-	•	-	△	-	-	-	2,7-6	2,5-3,5	0,15	1	0,09	30[f]	all	500	1[c]	0,03	0,39[k]
TPS731xx	-	-	-	-	5	-	-	•	9	-	d	-	-	•	v	-	-	1,7-5,5	1,2-5	0,15	0,5	0,4	21[f]	2,5	100[t]	0	-	1,08
TPS791,2,3xx	-	-	-	-	5,6	-	-	•	5[y]	•	-	•	-	△	v	-	-	2,7-5,5	1,2-5,2	0,1, 0,2	2[tt]	0,17	16[f]	all	1200	1[c]	0,01,1	1,15
NCP700B	-	-	-	-	5	-	6	-	4	•	-	-	-	x	-	-	-	2,6-5,5	1,8-3,3	0,2	2,5[tt]	0,07	10[f]	1,8	1000	1	0,1	0,33
TPS730xx	-	-	-	-	5,6	-	-	•	7	-	-	•	-	△	-	-	-	2,7-5,5	1,2-5,5	0,2	2[tt]	0,17	33[f,e1]	all	500	2,2[c]	0,01,1	0,65
MIC5249	-	-	-	8	-	-	-	-	6	•	-	-	-	x	-	-	•	2,7-6	1,8-3,3	0,3	1	0,085	-	-	3000	2,2[c]	0,03	0,98
TPS732, 36xx	-	-	-	-	5	5	8	-	8	•	d	-	-	-	v	-	-	2,2-5,5	1,2-5,5	0,25, 0,4	0,5	0,4	21[f]	2,5	100[t]	0	-	1,41
TPS794, 95xx	-	-	8	5	-	-	-	-	5	•	d,w	-	△	-	v	-	-	2,7-5,5	1,2-5,5	0,25, 0,5	3[tt]	0,17	33[f]	all	1200	1[c]	0,01,1	1,88
LP3879	-	-	-	8P	-	-	-	-	8	-	2	-	•	-	△	-	-	2,5-6	1,0-1,2	0,8	1	0,2	18[f,e1]	all	140	10[c]	0,02	1,26
LP3961, 64	5	5	-	3	-	-	-	-	4	•	-	-	-	△	z	-	z	2,5-7	1,2-5,5	0,8	1,5	3	150	all	30[t]	33[c]	0,2,5	1,83
TPS725xx	-	5	-	8	5	-	-	-	4	•	-	-	-	△	v	-	r	1,8-6	1,2-5,5	1,0	2[tt]	0,075	-	-	1500	0[c]	-	2,77
TPS726xx	-	5	-	5	-	8	-	-	5	-	-	-	-	△	-	-	p	1,8-6	1,2-2,5	1,0	2[tt]	0,075	-	-	1500	0[c]	-	3,37
TPS737xx[G]	-	5	-	5	-	8	-	-	3	•	d	-	-	-	v	-	-	2,2-5,5	1,2-5,5	1,0	1	0,4	68	2,5	100	1	0,-	1,64
TPS796xx	-	-	-	5	-	5	-	-	7	•	d	-	△	-	v	-	-	2,7-5,5	1,2-5,5	1,0	2[tt]	0,27	41[f,e1]	all	1200	1	0,01,1	2,44
LP3891, 92	5	5	-	8P	-	-	-	-	3	-	-	-	-	x	-	-	-	1,3-5,5	1,2-1,8	0,8, 1,5	1,5	4	150	1,8	100[t]	10	0,01,4	2,25
ADP3338, 39	-	-	-	3	-	-	-	-	7	-	-	-	-	-	-	-	-	2,7-8	1,5-5	1, 1,5	0,8	0,11	95	all	400[t]	1	0,-	2,30
LP3871 - 76	5	5	-	-	-	-	-	-	4	-	-	-	-	△	z	-	z	2,5-7	1,22-5,5	0,8,1,5,3	1,5	5	150	2,5	40[t]	10[c]	0,1,4	2,23
LP3881,2,3	5	5	-	8P	-	-	-	-	3	-	-	-	-	x	-	-	-	1,3-5,5	1,2-1,8	0,8,1,5,3	1,5	4	150	all	100[t]	4,7[c]	0,01,4	4,23
LP38851,2,3	7	7	-	8P	-	-	-	-	-	-	-	-	-	△	-	-	-	3,0-5,5	0,8-1,8	0,8,1,5,3	1,5	10	150	0,7	400	10	0,-	1,77
LP3855	5	5	-	-	5	-	-	-	-	-	-	-	-	△	-	-	-	2,5-7	1,22-5,5	1,5	3	150	2,5	35[t]	10[c]	0,1,5	3,86
TPS786xx	-	5	-	-	5	-	-	-	5	•	d	-	•	△	v	-	-	2,7-6	1,2-5,5	1,5	2[tt]	0,26	49[f,e1]	all	1000[t]	1[c]	0,01,0,5	4,69
XRP6272	-	5	-	8P	-	-	-	-	1	-	-	-	-	x	-	-	-	0,7-5	1,8-6	2	1	0,03	24[f]	all	3000	10[c]	0,-	1,19
LP38855 - 59	5	5	-	-	-	-	-	-	-	z	-	z	•	-	-	-	-	3,0-5,5	0,8-1,2	1,5, 3	1	10	150	all	1000[t]	10[c]	0,-	1,53
LP3853, 56	5	5	-	-	-	-	-	-	4	-	-	-	-	△	z	-	z	2,5-7	1,8-5	3	1,5	4	150	2,5	40[t]	10[c]	0,2,5	4,40
TPS744xx	-	7	-	-	-	25	-	-	-	-	-	-	-	△	v	-	-	0,9-5,5	0,8-3,6	3	1[tt]	2	40[e1]	2,5	500	0	0,5	4.58
TPS755 -59xx	5	5	-	-	-	-	-	-	4	-	-	-	-	△	v	-	d,z	2,8-6	1,2-5,5	3,5,7,5	2	0,125	35[e3]	1,5	1000	47[c]	0,2,10	6,27
TLE4275	5	5	-	14P	-	-	-	-	4	-	-	-	-	-	☐	v	-	•	6-42	1,2-5	5	2[tt]	0,275	-	-	600	22[c]	0,3,5	**1,14**
MAX664	-	-	8	8	-	-	-	-	1	•	-	-	-	-	-	x	-	2-16	1,3-16	0,05	5[tt]	0,006	-	-	3500	0	-	2,78
LT1964	-	-	-	-	5	-	8	•	1	•	q	-	-	☐	•	-	-	2,8-20	1,22-20	0,2	1,5	0,03	30[f]	all	3000	1	0,3	2,85
TPS7A3001	-	-	-	8P	-	-	-	-	-	-	-	-	-	x	-	-	-	3-35	1,18-33	0,2	1,5	0,055	18[f]	5	60	2,2[c]	0,-	3,89
MAX1735	-	-	-	-	5	-	-	-	3	-	-	-	-	x	-	-	-	2,5-6,5	1,25-5,5	0,2	1	0,085	160[e4]	all	1500	1	0,01	2,33
TPS723xx	-	-	-	-	5	-	-	•	1	•	d	-	-	x	d	-	-	2,7-10	1,2-10	0,2	1	0,13	60	all	400[t]	2,2	0,-	2,57
LT1175	5	5	8	8	3	-	-	-	-	-	-	-	-	x	-	-	-	4-20	3,8-18	0,5	1,5	0,045	-	-	150	0,1	0,10	3,78
UCC384	-	-	-	8	-	-	-	-	2	-	-	-	-	x	d	-	-	3,2-15	1,25-15	0,5	1,5	0,2	200[e2]	5	200	4,7	0,-	4,82
TPS7A3301	7	-	-	-	-	-	20	-	-	•	-	-	-	x	-	-	-	3-35	1,2-33	1	1,5	0,21	16[f]	1,2	60	10[c]	0,-	4,95
LM2991	5	5	-	-	-	-	-	-	-	-	-	-	-	•	-	-	-	3-25	3-24	1	2	0,7	200	3	400	1	0,025,10	1,88
LM2990	3	3	16	-	-	-	-	-	4	-	-	-	-	-	-	-	-	6-25	5-15	1	2	1	250	5	2000	10	0,025,10	1,88
LT3015	5	5	-	12	-	-	8	•	6	-	-	-	-	☐	-	-	-	1,8-30	1,22-29	1,5	1	1,1	60	all	800	10	0,0,5	4,81
LT1185	5	5	-	-	-	-	-	•	-	-	-	-	-	-	x	-	-	4-30	2,5-25	3	1	2,5	-	-	100	2	0,1,2	4,40

Notas: (a) Reguladores de "Baixa Queda de Tensão" (*Low Dropout*, LDO) normalmente têm quedas < 100 mV, exceto em correntes maiores; classificados, aproximadamente, pela capacidade ascendente de I_Q e I_{OUT}, com algum agrupamento familiar; as versões ADJ de alguns dispositivos têm menos precisão do que as versões fixas (que podem ser ajustadas a laser). (b) 10 Hz a 100 kHz, sem capacitor de redução de ruído, a menos que indicado o contrário. (c) Entrada e outros capacitores também necessários. (d) Apenas as versões de tensão fixa. (e1) 100 Hz a 100 kHz ou 200 Hz a 100 kHz. (e2) 10 Hz a 10 kHz. (e3) 300 Hz a 50kHz. (e4) 10 Hz a 1 MHz. (f) Com cap NR. (f2) se o pino ADJ for desviado, capacitores de saída maiores são necessários; veja a folha de dados. (g) Diferencial de saída-entrada. (h) Corrente de carga mínima. (k) Quantidade de 1k ou mais. (m) Mín ou máx. (n) **Negrito itálico** indica um dispositivo comum de baixo custo. (nV) nV/√Hz, com capacitor de filtro de 10nF. (o) Resiste a "picos" transientes de tensão de entrada (ou entradas contínuas) para 60 V (ou 40 V para alguns dispositivos), e não passa o pico para a saída; frequentemente associado a dispositivos "automotivos". (p) Boa potência. (q) Apenas alguns encapsulamentos. (r) Saída de reset atrasada para μC. (rec) recomendado. (s) Controle de variação. (t) Típico. (ti) Alguns dos dispositivos da TI têm EEPROM interna, permitindo uma programação tensão de fábrica personalizada rápida. (tt) Ao longo da faixa de temperatura de operação. (u) Quantidade unitária. (v) Apenas versão ajustável. (v2) Capacitor de filtro sobre o resistor de realimentação. (w) ADJ e filtro disponível em encapsulamento de 8 pinos. (x) Tensão de entrada reversa com excesso de fluxo de corrente pode danificar o dispositivo, um diodo Schottky é recomendado; embora não marcados com "△", esses dispositivos podem ter uma função de diodo reverso. (y) Verifique a folha de dados. (z) Escolha entre duas versões.
△ = A condução do diodo reverso entrada-saída limita a corrente; além disso, fonte reversa não é permitida, ver nota (x). ☐ = Protegido contra a entrada de polaridade reversa.
Comentários: A: Corrente programada; queda de tensão $V_{control}$ de 1,6 V máx; carga mínima de 1 mA. **B:** 100 V para a versão –HV. **C:** Sufixo –C para tolerância e coeficiente de temperatura mais solto, etc. **D.** Alternativamente sugerido o ADP7104. **E:** Veja também com TL1963A da TI, de 2,65 dólares. **F:** Controle e entrada do transistor de passagem. **G:** Bomba de carga interna.

B. Polaridade e Desvio

Como mencionamos anteriormente, as versões negativas de reguladores positivos comuns têm uma topologia de saída diferente (um estágio emissor comum *npn*) e exigem capacitores de desvio maiores para evitar oscilação. Sempre "vá pelo livro" (a folha de dados) – não pense que você sabe mais. Além disso, tenha cuidado para conectar os capacitores de desvio com a polaridade correta (e veja a seguir).

C. Proteção Contra Inversão de Polaridade

Um cuidado adicional com fontes duplas (reguladas ou não): quase todo o circuito eletrônico será danificado extensivamente se as tensões de alimentação forem invertidas. A única maneira em que isso pode acontecer com uma fonte simples é se você conectar os fios invertidos; às vezes, você vê um retificador de alta corrente conectado nos terminais de alimentação no sentido inverso para proteger o circuito contra esse erro. Com circuitos que utilizam várias tensões de alimentação (uma fonte simétrica, por exemplo), podem resultar grandes danos se houver uma falha de um componente que coloque em curto as duas fontes juntas; uma situação comum é um curto emissor-coletor em um transistor de um par *push-pull* operando entre as fontes. Nesse caso, as duas fontes são conectadas, e um dos reguladores prevalecerá. A tensão de alimentação oposta é, então, invertida em polaridade, e o circuito começa a soltar fumaça. Mesmo na ausência de uma condição de falha como essa, as cargas assimétricas podem causar uma inversão de polaridade quando a energia é desligada. Por essas razões, é aconselhável ligar um retificador de potência (de preferência Schottky) no sentido inverso de cada saída regulada para o terra, como desenhamos na Figura 9.8.

Alguns CIs reguladores são projetados para bloquear qualquer fluxo de corrente se a tensão de entrada for menor do que a de saída; esses são marcados com um símbolo de ponto (●) na coluna "Bloqueio reverso" na Tabela 9.3. Outros CIs reguladores vão mais longe e também bloqueiam o fluxo de corrente para a polaridade de entrada invertida; esses são marcados com um símbolo de quadrado (□).

D. Corrente no Pino Aterrado

A idiossincrasia própria de reguladores bipolares de baixa queda de tensão com estágios de saída *pnp* (Figura 9.19) é o aumento acentuado da corrente no pino aterrado quando o regulador está próximo do valor da queda de tensão mínima. Nesse ponto, o estágio de saída está próximo da saturação, com o beta bastante reduzido, e, portanto, requer uma absorção de corrente de base substancial. Isso é especialmente observável quando o regulador está com uma carga leve ou está sem carga. Já na situação com carga, haveria apenas uma pequena corrente quiescente no pino aterrado. Como exemplo, o bipolar LT1764A-3.3 (LDO fixo de 3,3 V), acionando uma carga de 100 mA, tem uma corrente normal no pino aterrado de cerca de 5 mA, aumentando para $\sim$50 mA no ponto de queda de tensão mínima. A corrente quiescente sem carga mostra um comportamento similar, subindo para $\sim$30 mA a partir do seu valor normal de $\sim$1 mA.[22] Os fabricantes raramente anunciam essa "característica" na primeira página de suas folhas de dados, mas você pode encontrá-la mais para dentro, se você procurar. Isso é de especial importância em dispositivos que funcionam com bateria. *Um cuidado*: as correntes quiescentes no pino aterrado listadas na coluna I_Q da Tabela 9.3 são para uma carga leve e com a tensão de entrada acima da queda de tensão mínima.

E. Tensão de Entrada Máxima

A Tabela 9.3 lista a tensão de entrada máxima especificada para mais de uma centena de reguladores LDO lineares. Reguladores CMOS são boas escolhas para projetos de baixa tensão, e eles estão disponíveis em uma variedade estonteante de tensões fixas (e, claro, as versões ajustáveis): por exemplo, a série TPS7xxxx da Texas Instruments inclui uma dúzia de tipos, cada um dos quais está disponível em uma escolha de 1,2, 1,5, 1,8, 2,5, 3,0, 3,3 ou 5,0 volts de saída. Mas cuidado, porque muitos desses reguladores CMOS têm uma tensão de entrada máxima especificada de apenas 5,5 V.[23] Alguns reguladores CMOS, no entanto, aceitam até +10

---

[22] A corrente de terra adicional induzida por carga normalmente seria I_{carga}/β acionando a base do transistor de passagem *pnp*, mas, durante a queda de tensão mínima, a malha de realimentação com excesso de zelo fornece um acionamento de base apropriado para a especificação de corrente máxima de carga do LDO. Alguns modelos cuidadosamente limitam essa corrente de acionamento, ao passo que outros detectam a condição de saturação e limitam a corrente em conformidade. Você tem que prestar muita atenção a esse comportamento de LDOs candidatos quando projetar dispositivos acionados por bateria se você quiser maximizar o tempo restante de operação após a tensão da bateria cair abaixo dos critérios de entrada dos LDOs. Como alternativa, você pode querer escolher um LDO que use um transistor de passagem MOSFET canal *p* e não apresente aumento da corrente de terra com cargas elevadas ou durante o ponto de queda de tensão mínima. Por exemplo, um regulador de 5 V, como o LT3008-5, opera em 3 μA, mas sobe para 30 μA se a bateria cai abaixo de 5 V. No entanto, um TLV70450 (com transistores de passagem *p*MOS internos) não sofre todo esse aumento, continuando a consumir 3 μA sob as mesmas condições.

[23] Os CIs reguladores atuais, com as suas características de escala nanométrica, são mais suscetíveis a transientes de sobretensão e semelhantes, em comparação com os dispositivos robustos herdados com os seus transistores bipolares relativamente grandes. Vimos experiências desastrosas, por exemplo, quando uma pequena PCB cuidadosamente projetada e testada, cheia até a borda com pequenos dispositivos, sofre falhas inexplicáveis no campo ou em locais de teste do cliente. Às vezes, isso é devido a transientes de entrada fornecidos pelo usuário (e, possivelmente, impróprios) dos quais não se tem controle. Adicionar um supressor de tensão transientes na entrada é uma precaução sensata para CIs reguladores alimentados por uma fonte externa ao módulo. CIs de baixa tensão (tais como aqueles com especificação máxima absoluta de 6 ou 7 V) são mais bem alimentados a partir de 5 V regulados no módulo, etc., em vez de a partir de outras fontes de alimentação. (Uma exceção pode ser feita para uma célula Li-ion de 3,7 V.) Tenha muito cuidado!

V de entrada; para uma tensão de entrada maior, você tem que usar reguladores bipolares, por exemplo, o LT1764A ou o LT3012, com faixas de tensão de entrada de +2,7 a 20 V e 4 a 80 V, respectivamente. Veja a Seção 9.13.2 para uma forma interessante de ampliar a faixa de tensão de entrada para até +1 kV!

F. Estabilidade do LDO

Vale a pena repetir que os reguladores de baixa queda de tensão podem ser bastante exigentes quanto ao desvio (veja os comentários na Seção 9.3.7) e que existem grandes diferenças entre os diferentes tipos. Por exemplo, o Guia de Seleção de LDO da Texas Instruments inclui uma coluna C_{out}, cujas entradas variam de "Sem Cap" a "Tântalo de 100 μF". Os sintomas de instabilidade podem se manifestar como tensões de saída incorretas, ou mesmo zero. Este último sintoma confundiu um de nossos alunos, que substituiu um LP2950 (LDO fixo de 5 V) várias vezes antes de o verdadeiro culpado ser identificado: ele usou um capacitor de desvio de 0,1 μF de cerâmica, que é menor do que o especificado de 1 μF mínimo, e também cuja resistência em série equivalente (ESR) é muito baixa, um perigo discutido na seção de Sugestões de Aplicações da folha de dados do regulador.[24] Um sintoma mais grave da oscilação é a *sobretensão de saída*: tivemos um circuito com um LDO LM2940 (+5 V, 1 A) que foi desviado erroneamente com 0,22 μF (em vez de 22 μF); sua oscilação interna causou uma medida CC de 7,5 V na saída!

A Tabela 9.3 tem duas colunas para ajudar na seleção de um dispositivo, C_{out} (mín) e ESR (mín, máx). Mas esses números devem ser considerados um guia básico, e eles não reúnem tudo o que você precisa saber para garantir o funcionamento adequado. Você encontrará mais orientação (por exemplo, contornos da operação estável *versus* capacitância, ESR e corrente de carga; ver, por exemplo, a Figura 9.27) na seção de gráficos e aplicações da folha de dados – estude-a com cuidado!

G. Resposta Transiente

Como os reguladores de tensão devem ser estáveis em qualquer carga capacitiva (a soma de toda capacitância de desvio a jusante, frequentemente muitos μF), sua largura de banda

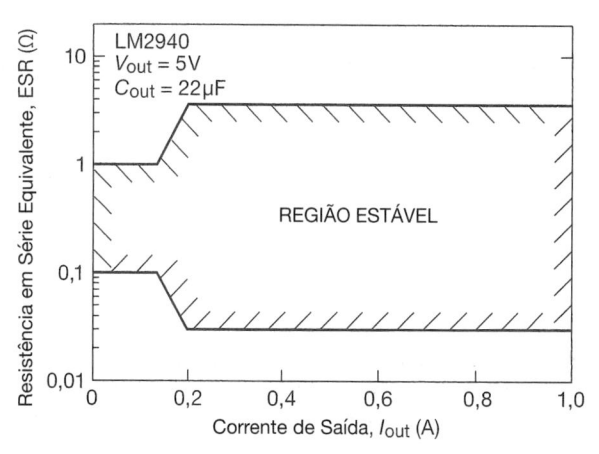

FIGURA 9.27 Reguladores lineares de baixa queda de tensão podem definir requisitos bastante exigentes para o ESR do capacitor de saída, como visto para o LM2940; muitas vezes, você tem que obedecer a limites mínimos e máximos – cuidado!

de realimentação é limitada (análogo à "compensação" do AOP), com largura de banda de malha típica na faixa de dezenas a centenas de quilohertz. Então, você conta com o(s) capacitor(es) de saída para manter baixa impedância em frequências mais altas. Ou, para dizer de outra forma, o(s) capacitor(es) de saída é/são responsável(is) por manter a tensão de saída constante a curto prazo, em resposta a uma mudança radical na corrente de carga, até que o regulador responda a longo prazo. É especialmente importante incluir capacitores de baixo ESR (e indutância em série equivalente, ESL) na mistura quando você tem cargas de baixa tensão com variações brusca de corrente, como, por exemplo, com microprocessadores (o que pode gerar degraus de muitos ampères).

Montamos um regulador LDO de 1 V/6 A, usando o chip de controle MIC5191 da Micrel, e medimos a resposta de saída quando produzimos um degrau abrupto de carga entre 2 A e 4 A e entre 1 A e 5 A. Comparamos a resposta transitória com duas configurações do protótipo: (a) em uma placa soldável, utilizando componentes principalmente PTH; e (b) componentes em uma placa de circuito impresso cuidadosamente dispostos,[25] utilizando principalmente SMD, e com muita capacitância adicional na entrada e na saída.[26] As Figuras 9.28 a 9.31 mostram as respostas ao degrau medidas. O uso abundante de capacitores de tecnologia de montagem em superfície (SMT) de baixa indutância e folhas de alimentação e terra de baixa resistência (e baixa indutância) produz

---

[24] Nestas palavras: "Capacitores de cerâmica cujo valor é superior a 1.000 pF não devem ser conectados diretamente da saída para o terra de um LP2951. Capacitores de cerâmica tipicamente têm valores de ESR no intervalo de 5 a 10 mΩ, um valor abaixo do limite inferior para uma operação estável (ver a curva Faixa de ESR do Capacitor de Saída). A razão para o limite inferior de ESR é que a malha de compensação do dispositivo depende do ESR do capacitor de saída para fornecer um zero, o que dá o avanço de fase adicional. O ESR de capacitores cerâmicos é tão baixo, que esse avanço de fase não ocorre, reduzindo significativamente a margem de fase. Um capacitor de saída de cerâmica pode ser usado se uma resistência em série for adicionada (valor recomendado de resistência de cerca de 0,1 Ω a 2 Ω)".

[25] Habilmente feito pelo nosso aluno Curtis Mead.

[26] Especificamente para a configuração PTH, usamos capacitores de 10 μF de tântalo radiais e dois cerâmicos de 0,1 μF na entrada, e um SMT cerâmico de 47 μF (X5R) além de outro de 10 μF de tântalo radial na saída. Para a configuração SMD, foi utilizado um capacitor de 560 pF radial de polímero de alumínio, um capacitor de polímero tântalo de 100 μF e dois capacitores SMD de cerâmica de 22 pF (X5R, 0805), tanto na entrada quanto na saída, além de mais dois capacitores SMD de cerâmica (X5R, 0805) na saída.

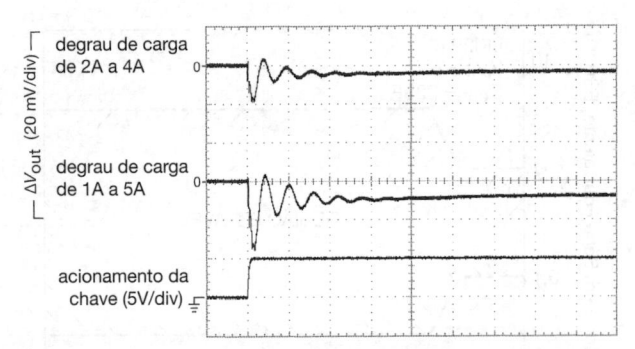

FIGURA 9.28 Resposta da tensão de saída a um aumento em degrau na corrente de carga: regulador LDO de 1 V/6 A, placa com componentes PTH principalmente. Horizontal: 4 μs/div.

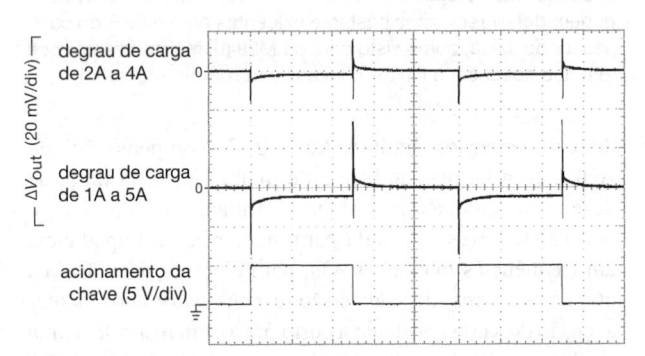

FIGURA 9.29 Mesmo que a Figura 9.28, mas com o osciloscópio ajustado para 400 μs/div para mostrar o ciclo de plena carga.

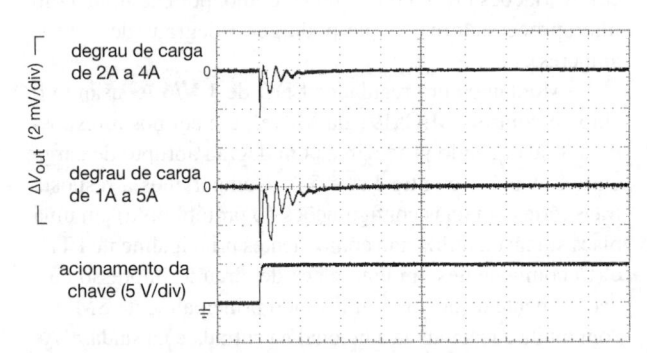

FIGURA 9.30 Mesmo que a Figura 9.28, mas construída sobre uma placa de circuito impresso usando capacitores SMD. Note a escala vertical expandida.

uma melhoria impressionante: o pico do transiente de saída se reduz por um fator de 10 (de ∼40 mV para ∼4 mV para a maior amplitude de degrau), e a saída se recupera dentro de uma fração de um milivolt (em comparação com ∼6 mV de queda para a maior amplitude de degrau).

Um tipo diferente de problema de resposta transiente diz respeito a transientes de tensão de entrada e à quantidade

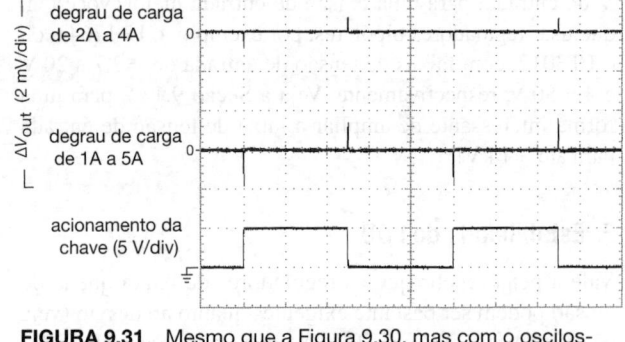

FIGURA 9.31 Mesmo que a Figura 9.30, mas com o osciloscópio ajustado para 400 μs/div para mostrar o ciclo de plena carga.

de pico que passa para a saída regulada. Isso é diferente da coluna "Regulação, linha" na Tabela 9.3, que lista a rejeição CC (ou de baixa frequência) das variações de entrada. Os capacitores de entrada são um pouco úteis para reduzir os efeitos transientes de entrada, mas capacitores de saída maiores, especialmente com baixo ESR, são uma defesa melhor. Um caso especial é o assim chamado "amortecedor de carga" automotivo, um pico de entrada rápido causado, por exemplo, pela desconexão acidental da bateria do carro (a partir de uma conexão solta, ou corrosão, ou erro humano) enquanto está sendo carregada pelo alternador. Isso pode fazer o trilho de alimentação de 13,8 V normal apresentar picos de amplitudes de 50 V ou mais, causando picos na saída de um regulador. Pior, ele pode destruir o CI ao exceder sua tensão de entrada máxima especificada (a coluna "V_{in} máx" da Tabela 9.3). Dispositivos projetados especificamente para lidar com amortecimento de carga estão marcados com um "o" na correspondente tensão de entrada V_{in}.

H. Ruído

Reguladores lineares variam consideravelmente no nível de ruído de saída (isto é, o espectro de flutuações de tensão de saída). Em muitas situações, isso pode ser importante, por exemplo, em um sistema digital, em que o próprio circuito é inerentemente ruidoso.[27] Porém, para baixo nível ou eletrônica analógica de precisão, em que o ruído é importante, existem reguladores com especificações de ruído superiores, por exemplo, o LT1764/1963 (40 μV RMS, 10 Hz a 100 kHz) ou o ADP7102/04 (15 μV RMS). Além disso, alguns reguladores fornecem acesso à referência de tensão interna, de modo que um capacitor de filtro externo pode ser acres-

---

[27] Em tais sistemas, o ruído adicional de um regulador chaveado (Seção 9.6) é geralmente irrelevante, e, por isso, conversores chaveados são quase universalmente utilizados para alimentar circuitos digitais. Eles são especialmente adequados pelo seu pequeno tamanho, à elevada eficiência e, especialmente, às baixas tensões de alimentação (∼1,0 a 3,3 V) utilizadas na lógica digital.

centado para suprimir tudo, exceto a extremidade de baixa frequência do espectro de ruído, por exemplo, o regulador negativo LT1964 (30 μV RMS com capacitor de 10 nF); veja a Seção 9.3.13.

Os fabricantes especificam características de ruído de forma diferente (largura de banda, RMS *versus* pico a pico, etc.) e isso pode dificultar a comparação entre dispositivos candidatos. Fizemos uma tentativa nas colunas V_n a V_{out} da Tabela 9.3, mas não se esqueça de consultar as notas de rodapé (e, em seguida, as folhas de dados).

I. Proteção por Desligamento

Alguns tipos de reguladores podem ser danificados se eles veem uma grande capacitância em sua saída e se a tensão de entrada for levada abruptamente a zero (por exemplo, por um *crowbar* ou um curto-circuito acidental). Nessa situação, a capacitância de saída carregada pode fornecer uma corrente destrutiva de volta para o terminal de saída do regulador. A Figura 9.32 apresenta como evitar tais danos, neste caso, com o popular LM317. Embora muitos engenheiros não se incomodem com essa minúcia, ela é a marca de um projetista de circuito cuidadoso. Um perigo semelhante existe quando capacitor de desvio externo é usado para filtrar o ruído de tensão da referência do regulador; veja a Seção 9.3.13.[28]

9.3.13 Ruído e Filtragem de Ondulação

O ruído de saída de um regulador linear é causado pelo ruído na referência, multiplicado pela relação de V_{out}/V_{ref}, combinada com o ruído no amplificador de erro, e com ruí-

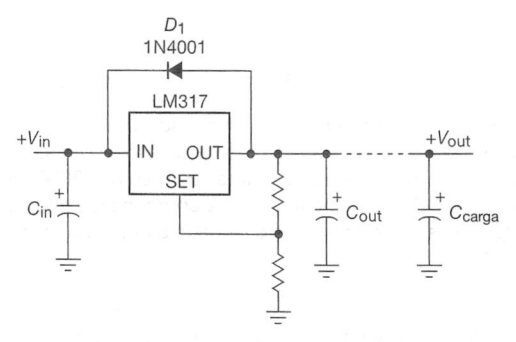

FIGURA.9.32 O diodo D_1 protege o regulador se a entrada for repentinamente aterrada.

do e a ondulação no terminal de entrada que não é completamente suprimido pela realimentação.[29] Alguns reguladores permitem que você adicione um capacitor externo para a filtragem passa-baixas da referência de tensão interna e, portanto, a saída CC. A Figura 9.33 apresenta vários exemplos. Na Figura 9.33A, o pino ADJ do regulador ajustável de 3 terminais estilo LM317 é desviado para o terra; isso proporciona melhoria de ruído significativa, impedindo a multiplicação da tensão de referência de ruído pelo fator 1 + R_2/R_1 (a razão da tensão de saída pela tensão de referência de 1,25 V). Isso também melhora o índice de rejeição de ondulação de entrada, de 65 dB a 80 dB (típico), de acordo com a folha de dados. Note a proteção adicional do diodo D_2, necessária se o capacitor C_1 de desvio do ruído for maior do que 10 μF.

Esse esquema não elimina o ruído de referência, ele apenas evita que ele (um sinal CA) seja "ampliado" pelo fator de ganho de V_{out}/V_{ref}! A filtragem do ruído nas Figuras 9.33B e C é mais eficaz, uma vez que filtra a tensão de referência diretamente. Na Figura 9.33B, o pino SET do LT3080, que fornece uma corrente estável de 10 μA, é convertido para a tensão de saída por R_1, filtrado por C_1; a saída do regulador é uma réplica de ganho unitário dessa tensão filtrada. Com $C_1 = 0,1$ μF, o ruído de referência é menor do que o do amplificador de erro, produzindo um ruído de saída de $\sim$40 μV RMS (10 Hz a 100 kHz). Note que o capacitor de filtragem de ruído diminui a partida do regulador: um capacitor de 0,1 μF em um circuito regulador de 10 V ($R_{SET} = 1$ MΩ) tem uma constante de tempo de partida $R_{SET}C_1$ de 100 ms.

Por fim, a Figura 9.33C mostra um regulador de baixa queda de tensão CMOS com um pino de redução de ruído (NR) específico, para filtrar diretamente a tensão de referência apresentada ao amplificador de erro. Com o capacitor recomendado de 0,1 μF, a tensão de ruído de saída é $\sim$40 μV RMS (100 Hz a 100 kHz). Reguladores com esse recurso são marcados na coluna "Pino de filtro" da Tabela 9.3.

Pré-filtragem. Uma forma eficaz de reduzir drasticamente a ondulação de saída na frequência da rede elétrica (e seus harmônicos) é colocar um pré-filtro de *entrada* CC para o regulador. Isto também é bastante eficaz na atenuação do ruído de banda larga que pode estar presente na entrada CC; e é mais fácil do que a alternativa de aumentar o ganho e a largura de banda do circuito regulador. Discutimos isso em detalhe na Seção 8.15.1 ("Multiplicador de capacitância"), na qual mostramos os efeitos medidos de pré-filtragem *versus* a abordagem de "força bruta" de associar bastante capacitância de saída (Figura 8.122).

Veja a discussão adicional sobre ruído na Seção 9.10, em conexão com referências de tensão.

---

[28] Muitos CIs reguladores LDO incluem um diodo interno suficientemente resistente para lidar com a energia de descarga reversa em capacitores de carga modestos (ou seja, $\leq$ 10 μF). Eles estão marcados com o símbolo do triângulo ($\triangle$) na coluna "bloqBeio reverso" na Tabela 9.3. Outros dispositivos não descarregam o capacitor de saída se a tensão de entrada for abaixo da saída; esses CIs são identificados com um ponto (•) ou um quadrado ($\square$).

[29] A Tabela 9.3 inclui uma coluna "Regulação de linha", mas note que essa é em CC e baixas frequências em que o ganho de malha é elevado; não é necessariamente indicativa de rejeição de ruído de alta frequência da alimentação.

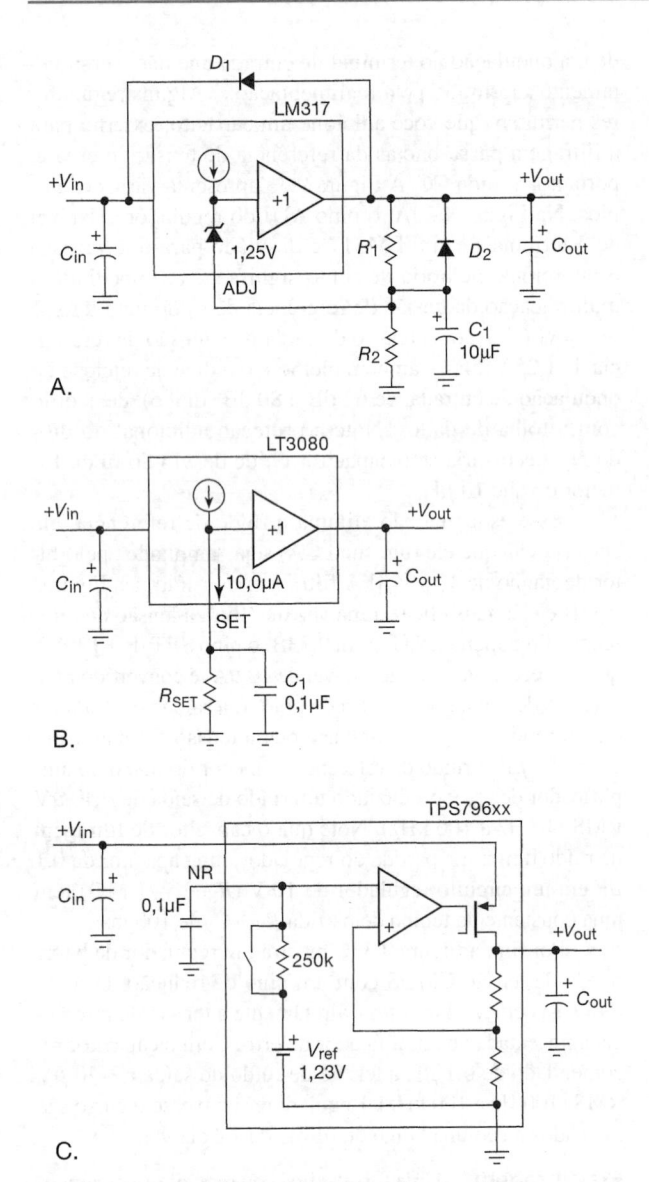

FIGURA 9.33 Redução do ruído de tensão de saída (e melhoria da regulação de linha transiente) em reguladores lineares.

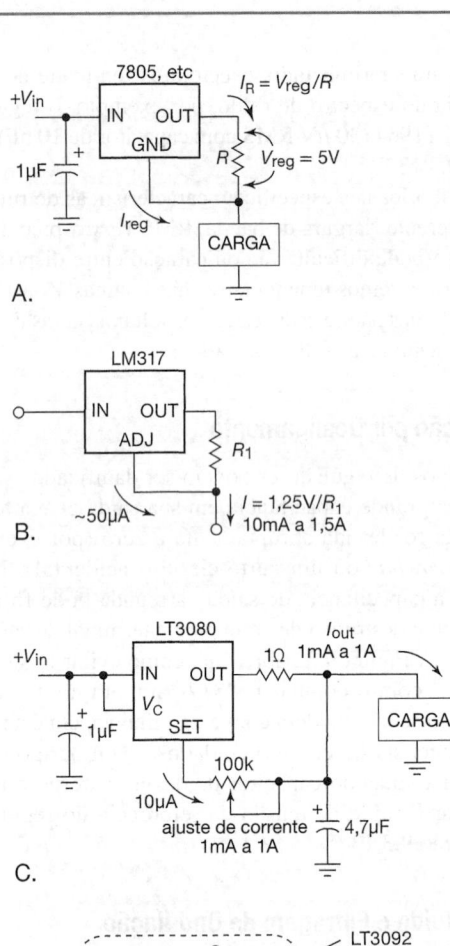

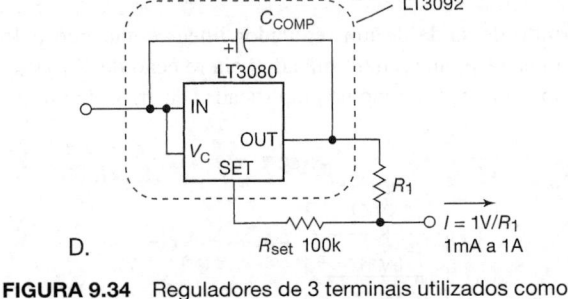

FIGURA 9.34 Reguladores de 3 terminais utilizados como fontes de corrente. Os capacitores de desvio e compensação podem ser eliminados nos circuitos C e D se o LT3080 for substituído pela sua variante LT3092 compensada internamente (cuja saída de corrente é limitada a um máximo de 200 mA).

9.3.14 Fontes de Corrente

A. Reguladores de Três Terminais como Fontes de Corrente

Um regulador linear de 3 terminais pode ser usado para fazer uma fonte de corrente simples, colocando um resistor na tensão de saída regulada (portanto, a corrente constante $I_R = V_{reg}/R$) e flutuando tudo na parte superior de uma carga conectada ao terra (Figura 9.34A). Porém, a fonte de corrente é imperfeita, devido à corrente de operação I_{reg} do regulador (que sai do pino terra) ser combinada com a corrente do resistor bem controlada para produzir uma corrente de saída total $I_{out} = V_{reg}/R + I_{reg}$. É uma fonte de corrente razoável, no entanto, para as correntes de saída muito maiores do que a corrente de operação do regulador.

Originalmente, esse circuito foi implementado com um 7805, que tem uma corrente de operação de ~3 mA e, adicionalmente, tem a desvantagem de desperdiçar uma tensão bastante grande de 5 V (a menor tensão na série 78xx) para definir a corrente de saída. Felizmente, com reguladores como o LM317, esse circuito (Figura 9.34B) se torna mais atraente: apenas 1,25 V é usado para definir a corrente; e a corrente de operação do regulador (~5 mA) emerge do pino de *saída* e, portanto, está contabilizada com exatidão na definição $I_{out} = V_{reg}/R$. O único termo de erro é a corrente no pino ADJ de ~50 μA, que é adicionada à corrente através de *R*: $I_{out} = V_{ref}/R + I_{ADJ}$. Devido à corrente de saída mínima de 5 mA ser 100 vezes maior, isso é um erro pequeno mesmo na corrente de saída mínima, e menor ainda em correntes até a máxima corrente do regulador de 1,5 A. Para este circuito, então, a faixa de corrente de saída é de 5 mA a 1,5 A. Ela exige uma mínima queda de tensão de 1,25 V, mais a queda de tensão mínima do regulador, ou cerca de 3 V; a tensão máxima *entre os 2 terminais* está limitada a 40 V ou (com correntes mais altas) à temperatura máxima da junção de 125°C (conforme determinado pela dissipação de potência e pelo dissipador de calor), o que for menor.[30]

Com o admirável regulador estilo LT3080, você pode fazer melhor ainda, porque a sua corrente de referência no pino SET de 10 μA permite definir a tensão sobre o resistor de definição da corrente para ser muito menor do que o 1,25 V da tensão de referência do regulador de tensão 317. Sua corrente de operação é menor também (< 1 mA), e a corrente no pino SET (que é adicionada à corrente de saída) é um estável e preciso 10,0 μA. A Figura 9.34C mostra como fazer uma fonte de corrente (1 terminal) para o terra com um LT3080, e a Figura 9.34D mostra como fazer uma fonte de corrente de 2 terminais "flutuante", análoga ao circuito de fonte de corrente do LM317. Tal como acontece com este último, a queda de tensão é limitada a um máximo de 40 V (menos com correntes mais altas) na extremidade alta; sua baixa queda de tensão e baixa tensão de referência derivada da tensão de referência no pino SET permitem a operação até uma queda de ~1,5 V. A série LT3092 é uma boa variante do LT3080, projetado especificamente para uso como fonte de corrente de 2 terminais. Ele usa a mesma corrente de referência de 10 μA e opera a partir de uma queda de 1,2 V a 40 V; sua compensação interna está configurada para *não* necessitar de capacitores externos de desvio ou compensação. Com base no gráfico da folha de dados da impedância de saída do LT3092, a capacitância em paralelo efetiva do dispositivo é de aproximadamente 100 pF em 1 mA, 800 pF em 10 mA e 6 nF em 100 mA.

A Figura 9.35 mostra, em uma escala muito ampliada, as correntes de saída medidas de um LT3092 e um LM317, configurados como fontes de corrente de 10 mA. Em nossas medições, este último faz um trabalho melhor de manter a

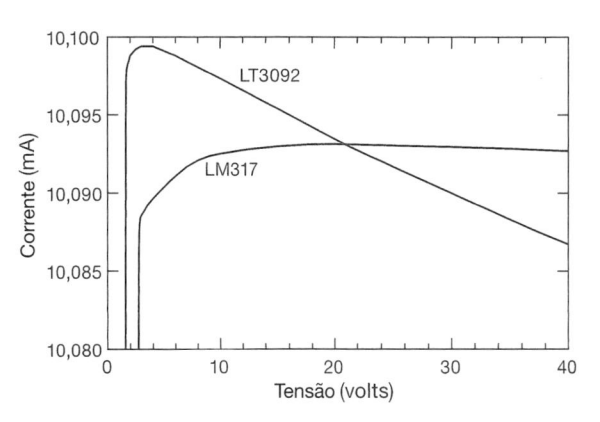

FIGURA 9.35 Corrente *versus* queda de tensão medidas para as fontes de corrente da Figuras 9.34B e D, configuradas como fontes de corrente de 2 terminais de 10 mA. Para o LM317, R_1 = 124 Ω; para o LT3092, R_1 = 20 Ω e R_{SET} = 20k.

corrente constante (*versus* a tensão sobre ele), mas o LT3092 opera em uma tensão mais baixa.

Note que as fontes de corrente nas Figuras 9.34B e D são dispositivos de 2 terminais. Assim, a carga pode ser ligada em ambos os lados. Por exemplo, você poderia usar tal circuito para absorver uma corrente de uma carga que retorna para o terra conectando a carga entre o terra e a entrada e conectando a "saída" a uma tensão negativa (claro, você pode sempre usar o 337 de polaridade negativa, com uma configuração análoga à da Figura 9.34A.).

B. Correntes Mais Baixas

As fontes de corrente derivadas dos reguladores há pouco apresentados são as mais adequadas para correntes de saída substanciais. Para correntes mais baixas, ou para tensões mais elevadas, existem algumas boas alternativas.

LM334

Vale a pena saber sobre o LM334 (produzido pela National Semiconductor), otimizado para uso como uma fonte de corrente de 2 terminais de baixo consumo (Figura 9.36A). Ele está disponível em encapsulamentos de CI (SOIC) e TO-92 (transistor) e custa cerca de 1 dólar em pequenas quantidades. Você pode usá-lo até 1 μA, porque a corrente ADJ é uma pequena fração da corrente total; e ele opera em uma faixa de tensão de 1 a 40 V. No entanto, ele tem uma peculiaridade: a corrente de saída é dependente da temperatura – de fato, precisamente proporcional à temperatura absoluta (PTAT). Assim, embora não seja a fonte de corrente mais estável do mundo, você pode usá-lo como um sensor de temperatura! À temperatura ambiente (20°C, ~293K), seu coeficiente de temperatura é cerca de +0,34%/°C.

---

[30] Embora nós mesmos não tenhamos experimentado esse circuito, fomos informados de possíveis problemas com fontes de corrente baseadas no LM317, tais como tempo para ligar longo, retenção de tensão e compliance de tensão ruim acima de alguns quilohertz. É sempre bom testar totalmente o desempenho do circuito (especialmente circuitos *criativos*).

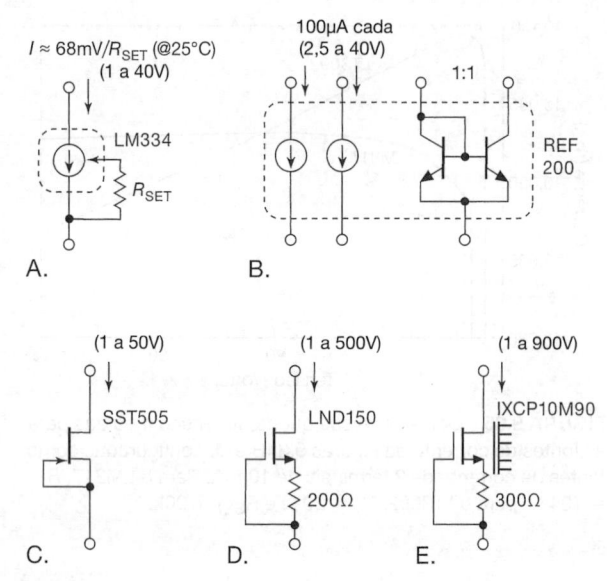

FIGURA 9.36 Fonte de corrente alternativa de 2 terminais.

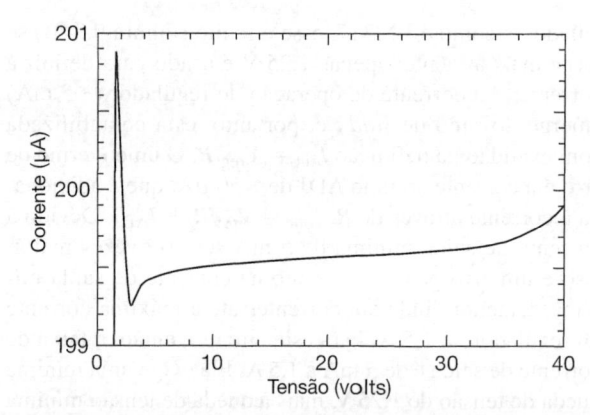

FIGURA 9.37 Medidas de corrente *versus* tensão para a fonte de corrente REF200 de 2 terminais (conexão em paralelo do par de 100 μA).

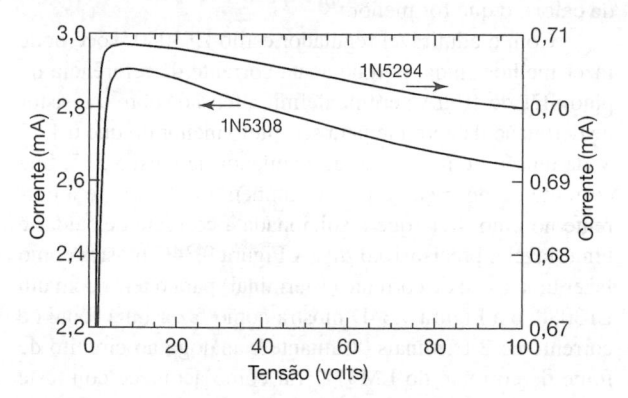

FIGURA 9.38 Medidas de corrente versus tensão para dois membros da série "diodo regulador de corrente" 1N5283 (um JFET, na verdade).

REF200

O REF200 é outro CI fonte de corrente que vale a pena conhecer (Figura 9.36B). Ele tem um par de fontes de corrente flutuantes, de 2 terminais, de alta qualidade e 100 μA ($\pm$0,5%) (impedância de saída > 200 MΩ ao longo de uma faixa de tensão de 3,5 V a 30 V). Ele está disponível em encapsulamento DIP e SOIC e custa cerca de 4 dólares em pequenas quantidades. Ao contrário do LM334, as fontes de corrente do REF200 são estáveis com a temperatura ($\pm$25ppm/°C, típico). Ele também tem internamente um espelho de corrente de relação unitária, de modo que você pode fazer uma fonte de corrente de 2 terminais com correntes fixas de 50 μA, 100 μA, 200 μA, 300 μA ou 400 μA. A folha de dados afirma que "as aplicações para o REF200 são ilimitadas", embora sejamos céticos. A Figura 9.37 mostra valores medidos de corrente *versus* tensão para a conexão em paralelo do par de 100 μA.

Fontes de corrente com componentes discretos

Quando pensar em fontes de corrente, não se esqueça dos dispositivos de 2 terminais como:

(a) o singelo JFET "diodo regulador de corrente" (Seção 3.2.2), que é uma simples fonte de corrente de 2 terminais (Figura 9.36C), que funciona muito bem até 100 V (fizemos a representação gráfica dos valores medidos de corrente *versus* tensão na Figura 9.38);

(b) um JFET discreto (ver quadros 3.1, 3.7 e 8.2), configurado de forma semelhante como uma fonte de corrente de 2 terminais;

(c) o uso de um MOSFET análogo de modo de depleção (ver Tabela 3.6) como o LND150 da Supertex (Figura 9.36D), discutido nesta página (Seção 9.3.14C);

(d) a série de dispositivos da ON Semiconductor de "Regulador de Corrente Constante e Acionador de LED" de 2 terminais. Eles são baratos (de 10 a 20 centavos de dólar em quantidade de 100 unidades) e são oferecidos com correntes selecionadas (por exemplo, NSI50010YT1G: 10 mA/50 V; NSIC2020BT3G: 20 mA/120 V) e versões ajustáveis (por exemplo, NSI-45020JZ: 20 a 40 mA/45 V). As folhas de dados não dizem muito sobre o que está dentro desses dispositivos, mas provavelmente são FETs de modo depleção.

Configurações de fonte de corrente com AOP

Se o aplicativo não requer uma fonte de corrente flutuante, então considere também:

(d) a simples fonte de corrente BJT (Seção 2.2.6), desenhada esquematicamente na Figura 9.39A;

(e) a fonte de corrente BJT assistida por um AOP (Seção 4.2.5), Figura 9.39B;

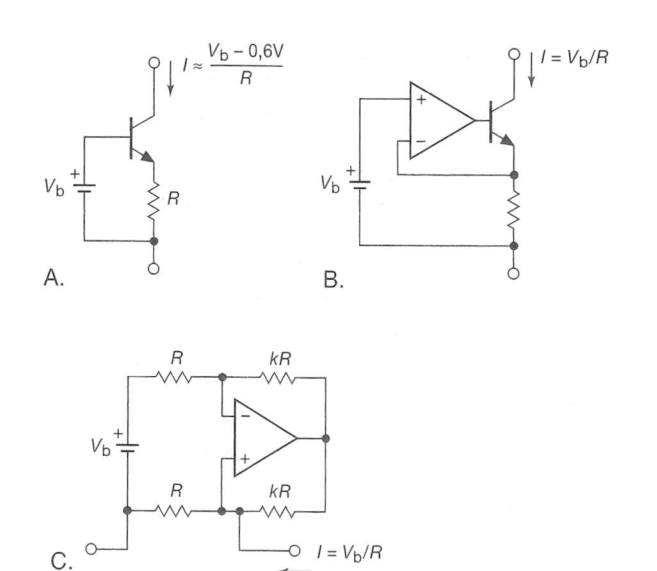

FIGURA 9.39 Fontes de corrente com BJT e AOP, desenhados de forma simplificada com uma bateria de polarização flutuante. Para mais detalhes, veja a discussão relevante nos Capítulos 2 (BJTs) e 4 (AOPs).

(f) a fonte de corrente Howland (Seção 4.2.5B), Figura 9.39C.

Nestes últimos três, a tensão de polarização que programa a corrente é desenhada como uma bateria flutuante; em uma implementação de circuito, seria uma tensão em relação ao terra ou a um trilho de alimentação, derivada de uma tensão de referência.

C. Fonte de Corrente Discreta de Alta Tensão

Tal como referido no parágrafo sobre as fontes de corrente com componentes discretos, um simples MOSFET de modo depleção de fonte polarizada (Figuras 9.36D e E) forma uma boa fonte de corrente de 2 terminais. Esses dispositivos vêm em encapsulamentos convenientes (TO-92, SMT, TO-220, D2PAK), com especificações de tensão de 1,7 kV; exemplos familiares são o LND150 e o DN3545 da Supertex e os IXCP10M45S e IXCP10M90S da IXYS – consulte a Tabela 3.6. Devido à incerteza em relação a I_D versus V_{GS}, esse tipo de fonte de corrente não é especialmente precisa ou previsível. Mas é boa para aplicações não críticas, tais como a substituição de um resistor *pull-up*, e tem a vantagem de operar em tensões bastante altas (500 V e 450 V para os dispositivos Supertex; 450 V e 900 V para os da IXYS). As folhas de dados da IXYS chamam seu produto de um "regulador de corrente comutável". As Figuras 9.40 e 9.41 mostram alguns dados medidos para esse circuito simples. A linha de MOSFET de modo de depleção da IXYS chega até 1700 V (IXTH2N170).

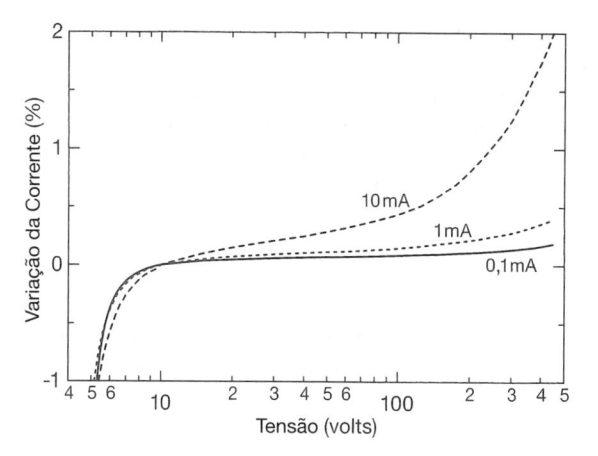

FIGURA 9.40 Medidas de corrente *versus* tensão para um MOSFET de potência de modo depleção IXCP10M45S, conectado como uma fonte de corrente autopolarizada de 2 terminais (como na Figura 9.36E).

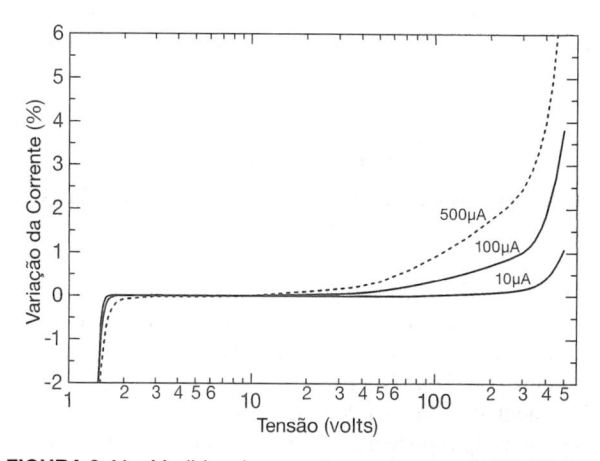

FIGURA 9.41 Medidas de corrente para o menor MOSFET de modo depleção LND150, um dispositivo útil para aplicações de baixa corrente (compare com a Figura 9.40).

9.4 PROJETO ENVOLVENDO POTÊNCIA E CALOR

Até agora, temos contornando a questão da *gestão térmica* – o negócio de lidar com o calor gerado pelos transistores (e outros semicondutores de potência) em que a dissipação de potência (a queda de tensão vezes a corrente) é maior do que alguns décimos de um watt. A solução consiste em uma combinação de refrigeração passiva (condução do calor para um dissipador de calor ou para a carcaça metálica de um instrumento) e arrefecimento ativo (ar forçado ou líquido bombeado).

Esse problema não é exclusivo dos reguladores de tensão, é claro – ele afeta amplificadores lineares de potência, circuitos de fontes chaveadas e outros componentes geradores de calor, tais como resistores de potência, retificadores e CIs digitais de alta velocidade. Processadores de computador atuais, por exemplo, dissipam muitas dezenas de watts e podem ser reconhecidos pelos seus dissipadores de calor de aletas e ventiladores posicionados sobre eles.

Reguladores de tensão lineares nos levam para o tópico "eletrônica de potência", porque são intrinsecamente ineficientes: a corrente de carga total flui através do transistor de passagem, com uma queda de tensão pelo menos adequada para evitar ficar abaixo da queda de tensão mínima. No caso de um de entrada CC não regulada, como na Figura 9.25, isso significa uma queda de pelo menos alguns volts; assim, com um amplificador de corrente de saída, você tem pelo menos alguns watts... e também tem um problema. Nas seções seguintes, veremos como resolvê-lo.

9.4.1 Transistores de Potência e Dissipadores

Todos os dispositivos de alimentação são encapsulados em invólucros que permitem o contato entre uma superfície metálica e um dissipador de calor externo. Na extremidade de baixa potência do espectro (até 1 watt), o dispositivo pode ser arrefecido por condução através dos seus terminais, soldados a uma placa de circuito; o próximo passo é os encapsulamentos de potência de dispositivos de montagem em superfície (SMDs) com uma aba maior (e com nomes como SOT-223, TO-252, TO-263, DPAK e D²PAK), ou encapsulamentos mais avançados, como o "DirectFET" (veja a Figura 9.46). Para dissipação de potência superior a cerca de 5 watts, os encapsulamentos (com nomes como TO-3, TO-220 e TO-247) terão furos de montagem para fixação de um dissipador de calor substancial; e semicondutores de potência muito elevada estão disponíveis em módulos (como o "miniBLOC" ou "Powertap" – veja a Figura 9.47) destinado a montagem fora da PCB. Com dissipadores adequados, os últimos tipos podem dissipar até 100 watts ou mais. Com exceção dos encapsulamentos de potência "isolado", a superfície metálica do dispositivo é conectada eletricamente a um terminal (por exemplo, para transistores de potência bipolares, a carcaça é conectada ao coletor e, para MOSFETs de potência, ao dreno).

O objetivo do dissipador é manter a junção do transistor (ou a junção de um outro dispositivo) um pouco abaixo da temperatura máxima de funcionamento especificada. Para os transistores de silício em encapsulamentos metálicos, a temperatura máxima da junção é geralmente de 200°C, ao passo que, para os transistores em encapsulamentos plásticos, é geralmente 150°C.[31] O projeto do dissipador de calor é simples: ao conhecer a potência máxima que o dispositivo dissipará em um determinado circuito, você calcula a temperatura da junção, considerando os efeitos da condutividade térmica no transistor, no dissipador, etc., e a temperatura ambiente máxima esperada na qual o circuito operará. Você, então, escolhe um dissipador de calor grande o suficiente para manter a temperatura da junção bem abaixo do máximo especificado pelo fabricante. É aconselhável ser conservador no projeto do dissipador, porque a vida útil do transistor diminui rapidamente em temperaturas de funcionamento próximas ou acima da máxima. A Figura 9.42 apresenta uma amostra representativa de dissipadores de calor que reunimos das gavetas do nosso laboratório.

Algumas pessoas são descuidadas quanto ao projeto térmico e começam a se preocupar apenas se o componente "chia" quando o tocam com um dedo molhado. Mas é muito melhor fazê-lo direito desde o início! Continue a leitura...

A. Resistência Térmica

Para realizar os cálculos de dissipador, você utiliza a *resistência térmica*, R_θ, definida como o aumento de calor (em °C) dividida pela potência transferida. Para uma potência transferida totalmente por condução de calor, a resistência térmica é uma constante, independente da temperatura, que depende apenas das propriedades mecânicas da junção térmica. Para uma sucessão de junções térmicas em "série", a resistência térmica total é a soma das resistências térmicas das junções individuais. Assim, para um transistor montado sobre um dissipador de calor, a resistência térmica total da junção térmica do transistor para o mundo exterior (ambiente) é a soma da resistência térmica da junção para a carcaça $R_{\theta JC}$, a resistência térmica da carcaça para o dissipador de calor $R_{\theta CS}$ e a resistência térmica do dissipador de calor para o ambiente $R_{\theta SA}$. A temperatura da junção é, por conseguinte,

$$T_J = T_A + (R_{\theta JC} + R_{\theta CS} + R_{\theta SA})P, \qquad (9.2)$$

em que P é a potência a ser dissipada.

Vejamos um exemplo. O circuito da fonte de alimentação da Figura 9.25, com entrada CC não regulada de 8 V em plena carga (1 A), tem uma dissipação máxima do regulador LM317AT de 4,7 W (queda de 4,7 V, 1 A). Suponhamos que a fonte de alimentação seja para operar em temperaturas ambientes de até 50°C, razoável para equipamentos eletrônicos em determinadas épocas do ano. E tentemos manter a temperatura da junção abaixo de 100°C, bem abaixo do seu máximo especificado de 125°C.

A diferença de temperatura permitida da junção para o ambiente é, portanto, 50°C, então a resistência térmica total da junção para o ambiente não deve ser mais do que $R_{\theta JA} = (T_J - T_A)/P = 10{,}6$°C/W. A resistência térmica especificada da junção para a carcaça, $R_{\theta JC}$, é de 4°C/W, e o encapsulamento do transistor de potência TO-220 montado com uma membrana condutora de calor tem uma resistên-

---
[31] Ver Tabelas 2.2 e 3.4 para uma seleção de transistores de potência, incluindo a sua dissipação de potência máxima considerando uma temperatura de carcaça (irrealista) de 25°C. Como veremos, isso é informação suficiente para que você possa chegar à resistência térmica $R_{\theta JC}$, a partir da qual pode descobrir valores realistas de dissipação de potência máxima, e, assim, um dissipador apropriado.

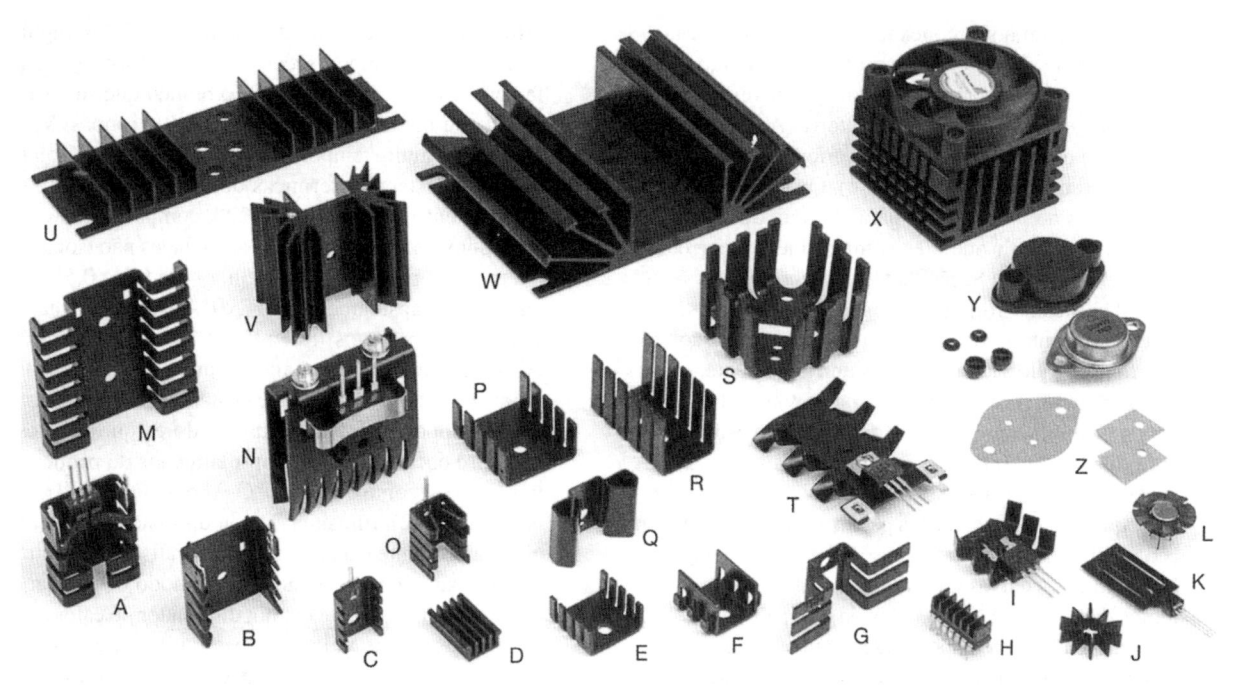

FIGURA 9.42 Dissipadores de calor estão disponíveis em uma diversidade impressionante, desde pequenas aletas de encaixe (I a L), as de médio porte de montagem em PCB tipos (A a C, N, O, T), grandes unidades de parafuso (U, W), aos tipos de ventilação forçada usados com microprocessadores (X). A resistência térmica correspondente do dissipador para o ambiente, $R_{\theta SA}$, varia de cerca de 50°C/W a cerca de 1,5°C/W. Uma cobertura isolante TO-3 é mostrada em (Y), juntamente com as arruelas de encosto e tampões de orifícios; películas isolantes sem pasta térmica são mostradas em (Z). Adicionamos rótulos alfabéticos para que os leitores possam identificar objetos de interesse ao conversarem em mídias sociais.

cia térmica da carcaça para o dissipador de calor de cerca de 0,5°C/W. Então, utilizamos até $R_{\theta JC} + R_{\theta CS} = 4,5°C/W$ de resistência térmica, deixando $R_{\theta SA} = 6,1°C/W$ para o dissipador de calor. Em uma rápida verificação do catálogo sempre útil da Digikey, encontramos muitos candidatos – por exemplo, o dissipador de calor com aletas 647-15ABP de "montagem em placa vertical" da Wakefield, com o requisito $R_{\theta SA} = 6,1°C/W$ sem ventilação ("convecção natural"). Eles custam cerca de 2 dólares, com 2.000 peças em estoque. Com uma "convecção forçada" de 122 m/min (metros lineares por minuto), poderíamos usar, então, o modelo 270-AB menor (e mais barato, por cerca de 35 centavos de dólar).

Aqui está um "teste de chiar" para a verificação de um dissipador adequado: tocar o transistor de potência com um dedo umedecido – se ele chiar, é porque está muito quente! (Tenha cuidado ao usar esse teste da "regra do dedo" para explorar tensões mais altas). Os métodos mais amplamente aprovados para a verificação da temperatura de componentes são: (a) uma ponta de prova de contato de termopar ou termistor (essas, muitas vezes, vêm como equipamento padrão com multímetros digitais portáteis ou de bancada); (b) ceras especiais calibradas que fundem a temperaturas determinadas (por exemplo, o kit de lápis térmico de cera Tempilstik® da Tempil, Inc.) e (c) uma ponta de prova de temperatura sem contato infravermelha,[32] por exemplo a Fluke 80T-IR, que gera 1mV/°C ou 1mV/°F (selecionável), opera de −18°C a +260°C, é preciso até 3% da leitura (ou ±3°C, se for maior) e se conecta a qualquer multímetro digital (DMM) portátil ou de bancada.

B. Observações sobre Dissipadores de Calor

1. Sempre que estiver envolvida uma dissipação de potência muito alta (várias centenas de watts, por exemplo), a refrigeração de ventilação forçada é normalmente necessária. Grandes dissipadores de calor projetados para ser usados com uma ventoinha estão disponíveis com resistências térmicas (do dissipador para o ambiente) de até 0,05°C a 0,2°C por watt.

2. Em caso de uma alta condutividade térmica (baixa resistência térmica, $R_{\theta SA}$) como essa, você pode achar que o limite final para a dissipação de energia é, de fato, a própria resistência térmica interna do transistor,

---

[32] Termômetros infravermelho auriculares usam esse método para medir a temperatura interna do corpo via emissão de infravermelho do tímpano, evidentemente com precisão suficiente para fins clínicos; por exemplo, a Braun ThermoScan faz uma medição em um segundo, com uma precisão declarada como significativamente melhor do que 1°C.

combinada com a sua conexão ao dissipador de calor (ou seja, $R_{\theta JC} + R_{\theta CS}$). Esse problema tem sido exacerbado nos últimos anos pela evolução da diminuição do tamanho dos chips semicondutores. A única solução aqui é espalhar o calor entre vários transistores de potência (em paralelo ou em série). Quando você usar transistores de potência em paralelo, tem que ter cuidado para garantir que eles compartilhem a corrente igualmente – veja a Seção 2.4.4 e a Figura 3.117.

Da mesma forma, ao conectar transistores em série, certifique-se de que as suas quedas de tensão no estado desligado são distribuídas uniformemente.

3. A Figura 9.43, adaptada a partir da literatura da engenharia de dissipadores da Wakefield, dá uma estimativa aproximada do volume físico do dissipador de calor necessário para alcançar uma dada resistência térmica. Note que as curvas são dadas para o ar parado (convecção natural) e para dois valores de ventilação forçada. Não siga essas curvas muito literalmente – apenas reunimos dados de uma meia dúzia de dissipadores de calor representativos e depois desenhamos linhas de tendência por meio delas; elas são, provavelmente, boas para um fator de dois, mas não confie nelas (ou, pelo menos, não se queixe mais tarde!).

4. Quando o transistor deve ser isolado a partir do dissipador de calor, como é geralmente necessário (especialmente se vários transistores estão montados sobre o mesmo dissipador), uma arruela isoladora fina é usada entre o transistor e o dissipador, e buchas de isolamento são usadas em torno dos parafusos de montagem. Arruelas estão disponíveis em recortes na forma do transistor padrão feitas a partir de mica, alumínio anodizado (isolado), óxido de berílio (BeO) ou filmes de polímeros, tais como Kapton®. Usados com pasta térmica, eles aumentam de 0,14°C/W (óxido de berílio) a cerca de 0,5°C/W.

Uma alternativa atraente para o clássico mica-arruela-pasta térmica é fornecida por isoladores de base de silicone que são carregados com uma dispersão de um composto termicamente condutor, geralmente nitreto de boro ou óxido de alumínio ("Z", na Figura 9.42). Eles são limpos, secos e fáceis de usar; você não faz uso daquele material viscoso branco que suja suas mãos, seu dispositivo eletrônico e suas roupas. Você economiza muito tempo. Os tipos eletricamente isolantes têm resistências térmicas de cerca de 1 a 4°C/W para um encapsulamento TO-220, comparável aos valores com o método "sujo"; as variedades não isolantes ("a troca de pasta") fazem melhor – de 0,1 a 0,5°C/W para um encapsulamento TO-220. A Bergquist chama sua linha de produtos "SilPad", a Chomerics chama de "Cho-Therm", e a Thermalloy chama de "Thermasil". Utilizamos esses isoladores e gostamos deles.

5. Estão disponíveis pequeno dissipadores que simplesmente se encaixam nos encapsulamentos de pequenos transistores (como o padrão TO-92 e o TO-220, "I a L" na Figura 9.42). Em situações de dissipação de potência relativamente baixa (um ou dois watts), isso, muitas vezes, é suficiente, evitando o incômodo de montar o transistor remotamente em um dissipador de calor com os seus terminais voltando ao circuito. Além disso, existem vários pequenos dissipadores de calor destinados a ser utilizados com os encapsulamentos plásticos (muitos reguladores de potência, bem como transístores de potência, estão disponíveis nesse tipo de encapsulamento) que são montados sobre a PCB por baixo do encapsulamento. Esses são muito úteis em situações de dissipação de alguns watts; uma unidade típica é ilustrada na Figura 2.3. Se você tem espaço vertical sobre a PCB, é, muitas vezes, preferível usar um dissipador de calor de montagem vertical na PCB (como de A a C, N, O ou T na Figura 9.42), porque esses tipos ocupam menos espaço na PCB.

6. Transistores de potência de montagem em superfície (como o SOT-223, o DPAK e o D2PAK) conduzem o seu calor à camada de revestimento de uma PCB através da aba soldada; estamos falando aqui de alguns watts, não uma centena. Você pode ver esses encapsulamentos nas Figuras 2.3 e 9.44. A Figura 9.45 mostra o gráfico de valores aproximados de resistência térmica em função da área de revestimento da PCB; esses devem ser considerados apenas uma aproximação, porque a eficácia real da dissipação de calor depende de outros fatores, como a proximidade de outros componentes que produzem calor, o empilhamento de placas e a orientação da placa (por convecção natural).

7. Por vezes, pode ser conveniente montar transistores de potência diretamente no chassi ou na carcaça do instrumento. Em tais casos, é aconselhável usar um projeto conservador (mantê-lo resfriado), especialmente porque uma carcaça quente submeterá os outros componentes do circuito a altas temperaturas e, assim, encurtará a vida útil deles.

8. Se um transistor for montado em um dissipador de calor sem isolante, o dissipador de calor deve ser isolado do chassi. A utilização de arruelas isoladoras (por

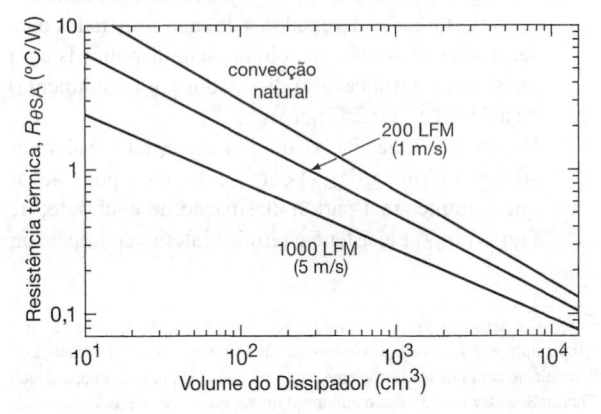

FIGURA 9.43 Guia aproximado para o tamanho do dissipador de calor necessário para uma determinada resistência térmica do dissipador para o ambiente ($R_{\theta SA}$).

FIGURA 9.44 Transistores de potência estão disponíveis em convenientes encapsulamentos de montagem em superfície soldáveis que podem dissipar até vários watts, através da sua aba de montagem e terminais, quando soldados sobre poucos centímetros quadrados de área de revestimento em uma PCB (ver Figura 9.45). As três primeiras unidades (SOT-223, DPAK, D²PAK) são boas para ~3 W quando montadas em 6 cm² de área de revestimento da PCB; os encapsulamentos menores na linha inferior podem dissipar ~0,5 W quando montados de forma semelhante. A título de comparação, os dispositivos retangulares na parte inferior direita são resistores SMD, de seção decrescente a partir do tamanho 2512 até 0201 (0603 métrico).

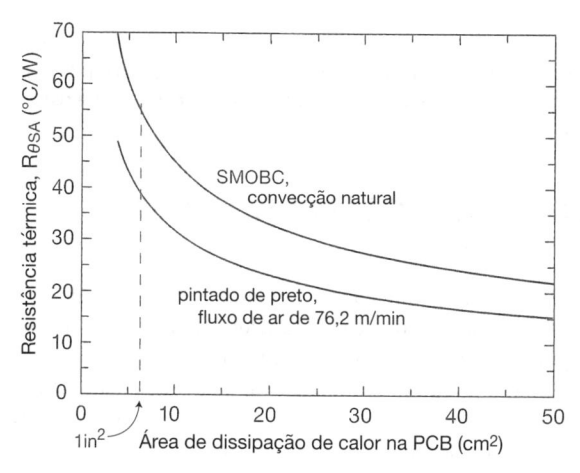

FIGURA 9.45 Resistência térmica aproximada de padrões de revestimento de PCB. Uma camada de máscara de solda (SMOBC significa máscara de solda sobre cobre exposto, *solder-mask over bare cooper*) reduz a eficácia, especialmente quando se compara com ventilação forçada sobre o cobre exposto.

exemplo, o modelo 103 da Wakefield) é recomendada (a menos que, é claro, a carcaça do transistor seja aterrada). Quando o transistor está isolado do dissipador, o dissipador de calor pode ser conectado diretamente ao chassi. Porém, se o transistor for acessível do lado de fora do instrumento (por exemplo, se o dissipador de calor for montado externamente na parte de trás do gabinete), é uma boa ideia usar um revestimento isolante sobre o transistor (por exemplo, Thermalloy 8903N, "Y" na Figura 9.42) para impedir que alguém acidentalmente entre em contato com ele ou o coloque em curto-circuito ao terra.

9. A resistência térmica do dissipador de calor para o ambiente é normalmente especificada para o dissipador montado com as aletas verticais e com fluxo de ar sem obstruções. Se o dissipador for montado de forma diferente, ou se o fluxo de ar for obstruído, a eficiência será reduzida (resistência térmica mais elevada[33]); geralmente, é melhor montá-lo na parte traseira do instrumento com aletas verticais.

10. Na segunda edição deste livro, há informações adicionais: ver Capítulo 6 (Figura 6.6) para dissipadores de calor e Capítulo 12 (Tabela 12.3 e Figura 12.17) para ventoinhas de arrefecimento.

Exercício 9.7 Um LM317T (encapsulamento TO-220), com uma resistência térmica da junção para a carcaça de $R_{\Theta JC} = 4°C/W$, está equipado com um dissipador de calor aparafusado 507222 da Aavid Thermalloy, cuja resistência térmica é especificada como $R_{\Theta SA} \approx 18°C/W$ em situação de ar parado. A película térmica (Bergquist SP400-0.007) especifica uma resistência térmica de $R_{\Theta CS} \approx 5°C/W$. A temperatura máxima admissível de junção é de 125°C. Qual potência pode ser dissipada com essa combinação, a 25°C de temperatura ambiente? Quanto a dissipação deve ser diminuída por grau de aumento na temperatura ambiente?

9.4.2 Área de Operação Segura

O objetivo do dissipador de calor é manter a temperatura da junção dentro de determinados limites, dado um valor de temperatura ambiente e a dissipação de uma potência máxima, como acabamos de descrever. Claro, você também deve permanecer dentro da tensão e da corrente especificada do transistor de potência. Isso é apresentado como um gráfico de área de operação segura (*safe-operating-area*, SOA) CC, nos eixos de tensão e de corrente do transistor, em uma temperatura de encapsulamento especificada (usualmente uma pouco realista $T_C = 25°C$). Para MOSFETs, esse gráfico (em eixos de tensão e corrente logarítmicos) é limitado apenas por linhas retas que representam tensão máxima, corrente máxima e dissipação de potência máxima (em um T_C especificado, conforme definido por $R_{\Theta JC}$ e $T_{J(máx)}$) – veja, por exemplo, a Figura 3.95.

Há duas adições a essa ilustração básica.

A. Segunda Ruptura

A má notícia: no caso de *transistores bipolares*, o SOA é igualmente limitado por um fenômeno conhecido como a segunda ruptura, um importante mecanismo de falha que você deve ter em mente no projeto de eletrônica de potência com transistores bipolares. Isso é discutido na Seção 3.6.4C, em que o efeito pode ser visto nos gráficos SOA na Figura 3.95

---

[33] Como uma regra aproximada, você pode esperar aumento de cerca de 20% em $R_{\Theta SA}$ para "aletas horizontais", 45% para "aletas para cima" e 70% para "aletas para baixo".

FIGURA 9.46 Uma ampla seleção de encapsulamentos de potência, mostrados aqui e na Figura 9.47. Os encapsulamentos sem terminais na linha inferior exigem técnicas de solda por "refusão" (tipo de solda realizada em um forno de refusão precedida de dois processos: (a) uma pasta de solda é "impressa" na placa nos locais a serem soldados e (b) os componentes são inseridos na placa por uma insersora – máquina de inserção de componentes de alta velocidade).

como uma redução adicional da corrente de coletor admissível com tensões elevadas. Devido aos transistores MOSFET não sofrerem de segunda ruptura, eles são, muitas vezes, favorecidos em detrimento de BJTs para operar como transistores de passagem em reguladores de potência.

B. Resistência Térmica Transiente

A boa notícia: para pulsos de curta duração, pode-se exceder o limite de dissipação de potência CC, às vezes, por um grande fator. Isso porque a massa do próprio semicondutor pode absorver um curto pulso de energia por aquecimento no local ("capacidade térmica" ou "calor específico"), o que limita o aumento da temperatura mesmo se a dissipação de potência instantânea for maior do que a que poderia ser mantida continuamente. Isto pode ser visto no gráfico SOA (Figura 3.95), em que a dissipação de potência admissível, para pulsos de 100 μs, é cerca de 20 vezes maior do que o valor CC: surpreendentes 3.000 W *versus* 150 W. Isso é, por vezes, caracterizado nas folhas de dados como uma *resistência térmica transiente* – um gráfico de R_θ em função da duração do pulso. A capacidade de dissipar potência de pico muito alta durante pulsos curtos se estende a outros dispositivos eletrônicos, por exemplo, diodos, SCR e supressores transitórios de tensão. Veja a Seção 3.6.4C.

9.5 DA LINHA CA PARA A FONTE SEM REGULAÇÃO

Uma fonte de alimentação regulada que opera a partir de rede elétrica CA começa[34] "gerando" uma tensão CC "sem regulação", assunto que introduzimos na Seção 1.6.2 em conexão com retificadores e cálculos de ondulação. Para os reguladores lineares de tensão que vimos até agora, a fonte CC sem regulação usa um transformador, para converter a

---

[34] Bem, isso realmente começa lá na usina de geração! No entanto, talvez valha a pena conhecer a situação na tomada da parede: nos EUA, a tomada de 3 pinos padrão entrega seus 120 V RMS CA nas conexões "linha" e "neutro" (o neutro é a abertura um pouco maior, ele está no lado superior esquerdo, se a tomada estiver orientada de forma a se assemelhar a um rosto), com o terra de segurança arredondado que retorna a uma boa conexão ao terra na entrada de alimentação. A potência vem para dentro da casa como três fios de um transformador polar de derivação central de 240 V, com a derivação central (neutro) conectada ao terra na entrada de alimentação. Qualquer tomada de 120 V fornece neutro (fio branco) e uma fase "viva" (preto); as tomadas em um determinado ambiente podem ser alimentadas por uma ou outra fase. Uma tomada para aparelho de 240 V traz ambas as fases "vivas", junto com o terra de segurança, em uma tomada de estilo diferente (isto é, em comparação com tomadas europeias de 220 ou 240 V, que fornecem linha, neutro e terra de segurança). A fiação na parede consiste em cabo "Romex" com isolamento plástico oval com condutores de cobre sólidos: AWG14 (1,5 mm^2) para um circuito residencial de 15 A e AWG12 (2,5 mm^2) para um circuito de 20A.

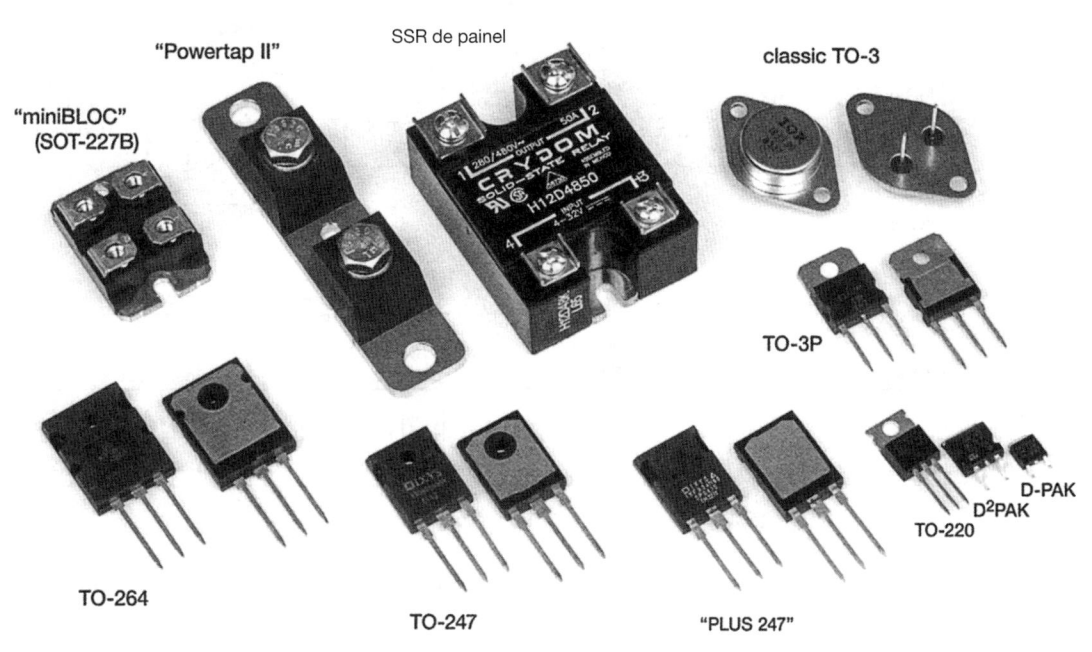

FIGURA 9.47 Os similares maiores de encapsulamentos de potência na Figura 9.46, com três tipos do último mostrados para comparação. Lidamos com dezenas a centenas de watts com estes quando eles são montados em um dissipador de calor adequado.

tensão de entrada da linha (120 V RMS nos Estados Unidos e alguns outros países; 127 ou 220 V RMS no Brasil; 220 ou 240 V RMS na maioria dos outros lugares) para uma tensão mais baixa (na maioria das vezes) próxima da saída regulada, e também para isolar a saída de qualquer conexão direta para os potenciais perigosos da rede elétrica ("isolação galvânica"); veja a Figura 9.48. Talvez surpreendentemente, as fontes de alimentação chaveadas, que veremos em breve, omitem o transformador, gerando uma tensão CC derivada da linha no potencial da linha (~160 V CC ou ~320 V CC), que alimenta o circuito de comutação diretamente. A isolação galvânica[35] essencial é obtida, então, por um transformador acionado pelo sinal de chaveamento de alta frequência.[36]

Fontes CC sem regulação isoladas por transformador são úteis também para aplicações em que a estabilidade e a pureza da tensão CC regulada são desnecessárias, por exemplo, em amplificadores áudio de alta potência. Vejamos esse assunto em mais detalhe, começando com o circuito mostrado na Figura 9.49. Essa é uma fonte simétrica não regulada de ±50 volts (nominal), capaz de uma corrente de saída de 2 A, para um amplificador de áudio linear de 100 watts. Passaremos por ele da esquerda para a direita, destacando algumas das coisas a ter em mente quando você faz esse tipo de projeto.

9.5.1 Componentes de Linha CA
A. Conexão de Três Fios

Sempre use um cabo de alimentação de 3 fios com o terra (verde ou verde/amarelo) conectado à carcaça do instrumento. Os instrumentos com carcaças sem aterramento podem se tornar dispositivos letais no caso de falha de isolamento do transformador ou conexão acidental de um dos lados da rede elétrica na carcaça. Com a carcaça aterrada, tal falha simplesmente queima o fusível. Muitas vezes, você vê instrumentos com o cabo de alimentação preso ao chassi (permanente), usando uma peça plástica de "alívio de tensão mecânica", feita pela Heyco ou pela Richco. A melhor maneira é usar um conector IEC (*International Electrotechnical Commission*) macho de três pinos montado no chassi, para encaixe em um cabo de alimentação comum que tem três pinos fêmea IEC moldados na extremidade do cabo. Dessa forma, o cabo de alimentação é convenientemente removível. Melhor ainda, você pode obter um "módulo de potência de entrada" combinado contendo conector IEC, porta-fusível, filtro de linha e chave, como nós usamos aqui. Note que a fiação CA usa uma convenção de cores que não é intuitiva: preto = "fio vivo" (ou "linha"), branco = neutro e verde = terra (ou "terra de proteção").[37]

---

[35] Há ocasiões em que o isolamento não é necessário.

[36] A vantagem dessa disposição peculiar é que o transformador, que funciona com uma frequência elevada (20 kHz a 1 MHz), é muito menor e mais leve.

[37] Os cabos de alimentação IEC usam marrom como linha, azul como neutro e verde/amarelo como terra.

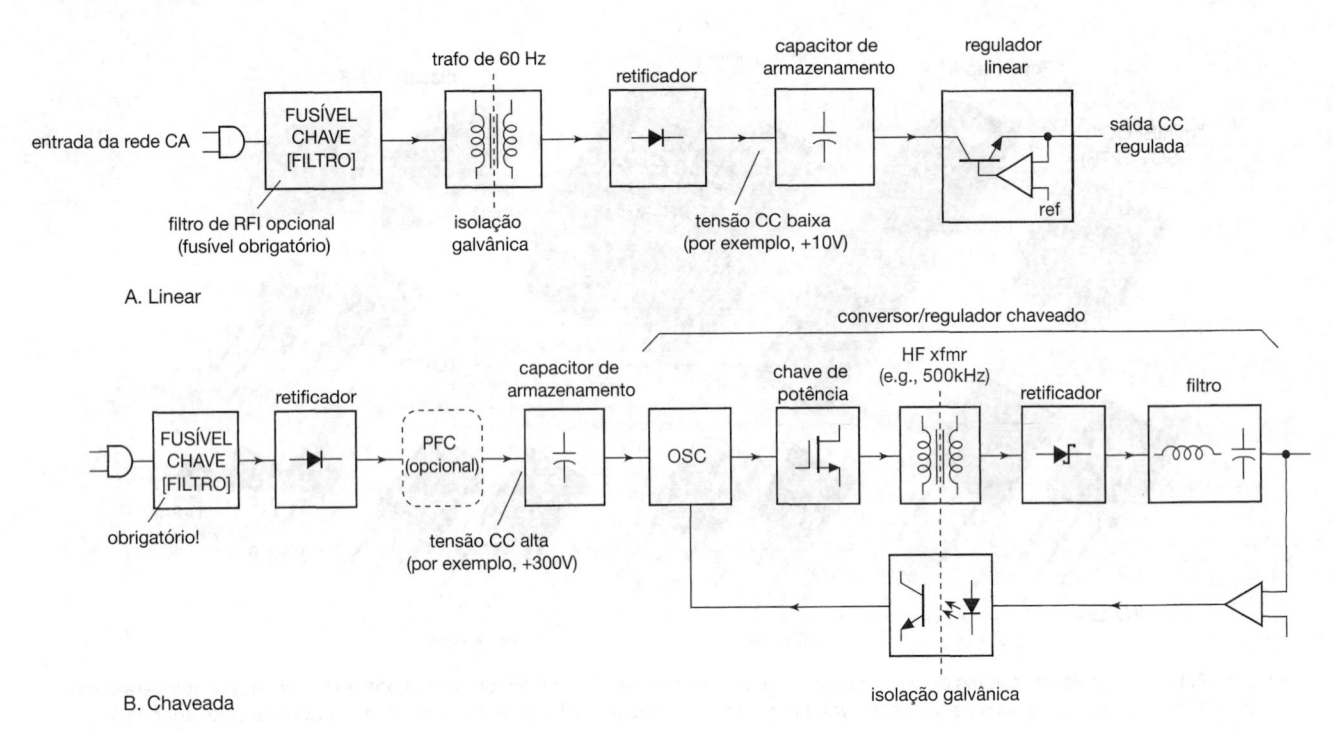

FIGURA 9.48 Fonte regulada de saída CC alimentada pela rede CA ("isoladas"). A. Na fonte linear, o transformador da rede elétrica isola e transforma a tensão de entrada. B. No conversor chaveado, a entrada CA é retificada diretamente para uma tensão CC alta, que alimenta o conversor chaveado isolado. O bloco PFC realiza a correção do fator de potência, discutido mais adiante na Seção 9.7.1C.

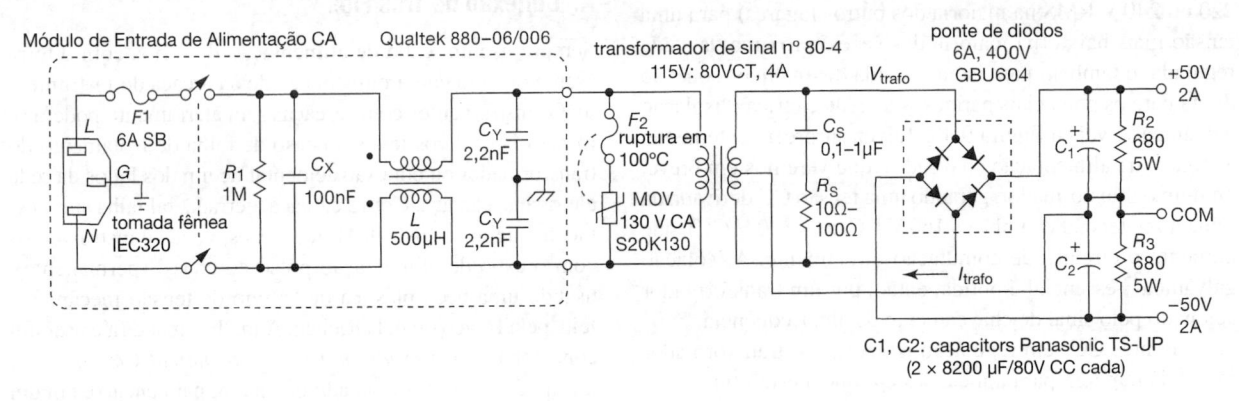

FIGURA 9.49 Fonte de alimentação não regulada de ±50 V, 2 A.

B. Fusível

Um fusível, disjuntor ou função equivalente deve ser incluído em cada peça de equipamento eletrônico. Um porta-fusível, chave e filtro passa-baixas são, muitas vezes, combinados no módulo de entrada de alimentação CA, mas você também pode interconectar essas três partes fornecidas separadamente. Os grandes fusíveis ou disjuntores de parede (tipicamente de 15 a 20 A) em casa ou no laboratório não protegerão o equipamento eletrônico, porque eles são escolhidos para abrir o circuito somente quando a especificação de corrente da fiação na parede é excedida. Por exemplo, um circuito de casa feito com fio 14 AWG (1,5 mm^2) terá um disjuntor de 15 A.

Agora, se um capacitor de armazenamento em nossa fonte sem regulação se tornar um curto um dia (um tipo de falha possível), o transformador pode, em seguida, absorver 10 A de corrente primária (em vez do seu habitual 2 a 3 A). O disjuntor da casa não abrirá, mas seu instrumento torna-se um dispositivo incendiário, com o seu transformador dissipando acima de um quilowatt.

Algumas notas sobre fusíveis. (a) É melhor usar um tipo denominado "retardado" no circuito da rede elétrica, porque há sempre uma grande corrente transitória ("corrente de partida") ao ligar, causada principalmente pelos capacitores da fonte de alimentação. (b) Você pode pensar que sabe como calcular a especificação de corrente do fusível, mas você provavelmente está errado. Uma fonte de alimentação CC desse projeto[38] tem uma elevada relação entre corrente eficaz e corrente média, por causa do ângulo de condução pequeno (fração do ciclo durante o qual os diodos estão em condução). O problema é pior se são usados capacitores de filtro excessivamente grandes. O resultado é uma corrente RMS consideravelmente mais elevada do que seria de se estimar. O melhor procedimento é usar um medidor de corrente CA "true RMS" para medir a corrente de linha RMS atual e, em seguida, escolher um fusível pelo menos 50% maior que a corrente especificada (para permitir uma tensão de linha maior, os efeitos de "fadiga" do fusível, etc.). (c) Ao fazer a conexão de um porta-fusível do tipo cartucho (usado com o fusível popular do tipo 3AG/AGC/MDL, que é quase universal em equipamentos eletrônicos), não se esqueça de conectar os terminais, de modo, quando alguém trocar o fusível, não entre em contato com a rede elétrica. Isso significa ligar o terminal "vivo" ao terminal traseiro do porta-fusível (os autores aprenderam isso da maneira mais difícil!). Os módulos de entrada de alimentação CA com porta-fusíveis integrais são habilmente dispostos de modo que o fusível não possa ser alcançado sem a remoção do cabo de alimentação.

C. Chave

Na Figura 9.49, a chave é integrada com a entrada de alimentação CA, o que é bom, mas força o usuário a alcançar a parte de trás para acioná-la. Ao usar uma chave de energização no painel frontal, é uma boa ideia colocar um capacitor especificado para a rede elétrica (denominado X1 ou X2) em seus terminais, para evitar a formação de arco. Por razões semelhantes, o primário do transformador deve ter algum capacitor nos seus terminais, que neste caso, é cuidado pelo filtro passa-baixas no módulo de entrada.

D. Filtro Passa-Baixas

Apesar de serem frequentemente omitidos, tais filtros são uma boa ideia, porque eles servem o propósito de prevenir possível radiação de interferência de radiofrequência (RFI) a partir do instrumento através da rede elétrica, bem como filtrar interferências de entrada que possam estar presentes na rede elétrica. Esses filtros normalmente usam uma "seção π LC" (como na figura), com o par de indutores acoplados atuando como uma impedância de modo comum. Filtros da rede elétrica com excelentes características de desempenho são disponibilizados por vários fabricantes, por exemplo, Corcom, Cornell-Dubilier, Curtis, Delta, Qualtek e Schurter.[39] Estudos demonstraram que picos de até 1 kV a 5 kV estão ocasionalmente presentes na rede elétrica na maioria dos locais, e picos menores ocorrem com bastante frequência. Os filtros de linha (em combinação com supressores de transientes, veja a seguir) são razoavelmente eficazes na redução de tal interferência (e estendendo, assim, a vida de uma fonte de alimentação e dos equipamentos que elas alimentam).

E. Capacitores de Tensão de Linha

Por razões de incêndio e choque elétrico, capacitores destinados à filtragem de linha e desvio são de especificações especiais. Entre outros atributos, esses capacitores são projetados para ser de "autocura", ou seja, para se recuperar da ruptura interna.[40] Há duas classes de capacitores de especificação de linha: capacitores "X" (X1, X2, X3) são especificados para uso em casos em que a falha não criaria um risco de choque. Eles são usados conectados à linha (C_X na Figura 9.49; o tipo comum X2 está classificado para 250 V CA, com tensão de pico de 1,2 kV). Capacitores "Y" (Y1, Y2, Y3, Y4) são classificados para uso em casos em que a falha apresentaria um risco de choque. Eles são usados para desvio entre as linhas CA e o terra (C_Y na Figura 9.49; o tipo Y2 comum é especificado para 250 V CA, com uma tensão de pico de 5 kV). Capacitores com especificações de linha estão disponíveis nos tipos disco de cerâmica e filme plástico; estes últimos normalmente têm uma geometria de caixa, com um material retardador de chama. É difícil não perceber esses capacitores – eles são geralmente adornados com informações sobre as diversas certificações nacionais cujas normas eles atendem[41] (Figura 9.50).

Mais informações sobre capacitores de linha de tensão: quando o instrumento é desligado, o capacitor X pode ser deixado com a tensão da rede CA de pico, até 325 V, que aparece entre os plugues de alimentação expostos! Isso pode causar choques elétricos e descargas de faíscas. É por isso que há um resistor de descarga em paralelo, dimensionado para uma constante de tempo segura de menos de um segundo.[42] Aqui, o módulo de filtro RFI da Qualtek usa 1 MΩ, e a fonte chaveada da Astrodyne (Seção 9.8) usa 540 kΩ. Esta última dissipa continuamente 100 mW quando alimentada

---

[38] Sempre que a entrada retificada carrega grandes capacitores de armazenamento em cada pico de tensão da forma de onda CA. Por outro lado, fontes chaveadas com *correção do fator de potência* (PFC) contornam bem esse problema; veja 9.7.1C.

[39] Cuidado, no entanto, com especificações de atenuação enganosas: elas são universalmente especificadas com fonte e carga de 50 Ω, porque é fácil medir com instrumentação RF padrão, e não porque ela tem qualquer semelhança com o mundo real.

[40] Por exemplo, capacitores de filme plástico especificados para linha são construídos de modo que uma ruptura perfurante faz o revestimento metálico perto do furo queimar, removendo o curto-circuito.

[41] Aqui estão alguns deles: UL, CSA, SEV, VDE, ENEC, DEMKO, FIMKO, NEMKO, SEMKO, CCEE, CB, EI e CQC.

[42] Vimos muitos projetos que omitem este resistor de descarga; isso não é bom!

FIGURA 9.50 Capacitores especificados para a rede CA extravagantemente exibem suas especificações de segurança (à direita), em comparação com o aspecto geral minimalista de um capacitor de filme antigo e simples (esquerda).

com 220 V CA da linha de entrada, o que poderia constituir uma das maiores perdas de potência no estado de repouso em um projeto "Energy Star"[*]. A Power Integrations oferece seu CI CAPZero™ para resolver esse problema. Esse dispositivo inteligente funciona por meio da busca de uma tensão de linha CA reversa a cada 20 ms ou menos e, se não conseguir encontrar uma, ele liga, conectando dois resistores de descarga em paralelo com o capacitor X.

Alguns projetos têm capacitores de armazenamento de alta tensão CC substanciais que precisam ser descarregados quando a alimentação é desligada. Devido à sua grande capacitância, o CAPZero sensor de CA não funcionaria. Aqui, você pode usar normalmente contatos de relé e energizar o relé quando a alimentação CA externa estiver presente. Ou, se você não gosta de partes móveis, um MOSFET de modo depleção de alta tensão (veja a Tabela 3.6) e uma pilha fotovoltaica (veja a Seção 12.7.5, Figura 12.91A) podem dar conta do trabalho.

F. Supressor de Transientes

Em muitas situações, é desejável a utilização de um "supressor de transientes" (ou "varistor de óxido metálico" – *metal-oxide varistor*, MOV), como mostrado na Figura 9.49. O supressor de transiente é um dispositivo que conduz quando seus terminais de tensão excedem certos limites (que é como um zener de alta potência bidirecional). Eles são baratos, pequenos e podem desviar centenas de ampères de corrente potencialmente prejudiciais sob a forma de picos. Observe o fusível térmico de ruptura: ele protege em uma situação em que o MOV começa a conduzir parcialmente (por exemplo, se a tensão de linha torna-se muito elevada, ou se um MOV antigo apresenta uma tensão de ruptura baixa por ter absorvido grandes transientes). Supressores transientes são feitos por uma série de empresas, como Epcos, Littelfuse e Panasonic.

G. Perigo de Choque

É uma boa ideia isolar todas as conexões de tensão de linha expostas dentro de qualquer instrumento, por exemplo, utilizando tubos termorretráteis de polímero (não é adequado o uso de fita isolante dentro de instrumentos eletrônicos). Como a maioria dos circuitos transistorizados opera em tensões CC relativamente baixas (± 15 V ou menos), incapazes de provocar choque, a fiação da rede elétrica é o único lugar em que qualquer risco de choque existe na maioria dos dispositivos eletrônicos (há exceções, claro). A chave ON-OFF no painel frontal é especialmente traiçoeira a esse respeito, estando próxima de outra fiação de baixa tensão. Os seus instrumentos de teste (ou, pior, seus dedos) podem facilmente entrar em contato com ela quando você pegar o instrumento enquanto o testa.

9.5.2 Transformador

Agora, abordemos o transformador. Nunca construa um instrumento para funcionar conectado à rede elétrica sem um transformador de isolamento! Fazer isso é flertar com o desastre. Fontes de alimentação sem transformador, que foram populares em alguns eletrônicos de consumo (rádios e televisões, em especial) por serem baratos, colocam o circuito em alta tensão em relação ao terra externo (tubulações de água, etc.).[43] Isso não deve ocorrer em instrumentos destinados a interligar-se com qualquer outro equipamento e sempre deve ser evitado. E tenha muito cuidado quando fizer manutenção em qualquer tipo de equipamento; apenas conectar o osciloscópio ao chassi pode ser uma experiência chocante.

A escolha do transformador é mais complexa do que você poderia esperar inicialmente. Pode ser difícil encontrar um transformador com a tensão e a corrente de que você precisa. Descobrimos a incomum *Signal Transformer Company*, com sua boa seleção de transformadores e entrega rápida. E não se esqueça da possibilidade de ter transformadores feitos sob medida se sua aplicação requerer um bom número deles.

Mesmo assumindo que você pode obter o transformador que quiser, você ainda tem que decidir sobre a especificação de tensão e de corrente. Se a fonte sem regulação estiver alimentando um regulador linear, então você quer manter baixa a tensão sem regulação, a fim de minimizar a dissipação de potência nos transistores de passagem. Mas você deve estar absolutamente certo de que a entrada para o regulador nunca cairá abaixo do mínimo necessário para a regulação (normalmente 2 V acima da tensão de saída regulada para os reguladores convencionais, como o LM317; ou 0,5 a 1 V

---

[*] N. de T. Energy Star é um padrão internacional para consumo eficiente de energia originado nos Estados Unidos. Semelhante a ele, temos no Brasil o Programa Brasileiro de Etiquetagem (PBE), criado pelo Inmetro.

[43] Fontes sem isolamento galvânico são comumente encontradas em alguns tipos de eletrônicos autônomos, como uma lâmpada LED com bulbo de rosca, um relógio de parede, um alarme de fumaça, uma câmera de vigilância Wi-Fi, uma torradeira ou cafeteira, e assim por diante.

para os tipos de baixa queda de tensão), ou você pode encontrar uma onda de 120 Hz na saída regulada; no projeto, você precisa considerar uma tensão de linha baixa (10% abaixo da nominal, por exemplo – 105 V CA, nos Estados Unidos), ou mesmo condições de blecaute parcial (20% abaixo da nominal). A quantidade de ondulação na saída não regulada está envolvida aqui, porque é a entrada *mínima* para o regulador que deve ficar acima de uma tensão crítica (veja a Figura 1.61), mas é a entrada *média* para o regulador que determina a dissipação do transistor.

Como um exemplo, para um regulador de +5 V, é possível usar uma entrada não regulada de +10 V no mínimo da ondulação, que, por sua vez, pode ser de 1 a 2 volts de pico a pico. A partir da especificação da tensão no secundário, você pode fazer uma boa suposição da saída CC a partir da ponte, porque o pico de tensão (no topo da ondulação) é aproximadamente 1,4 vez a tensão RMS no secundário, menos duas quedas de diodo. Mas é essencial fazer medições reais se você está projetando uma fonte de alimentação com uma queda sobre o regulador próximo da mínima, porque a tensão de saída real da fonte sem regulação depende de parâmetros mal especificados do transformador, tais como a resistência do enrolamento e o acoplamento magnético (indutância), ambos os quais contribuem para a queda de tensão sob carga. Certifique-se de fazer medições nas piores condições: plena carga e baixa tensão da rede elétrica (105 V). Lembre-se de que grandes capacitores de filtro normalmente têm tolerâncias folgadas: −30% a +100% sobre o valor nominal não é incomum. É uma boa ideia usar transformadores com múltiplas derivações no primário (a série Triad F-90X, por exemplo) quando disponíveis, para o ajuste final da tensão de saída.

Para o circuito mostrado na Figura 9.49, queríamos uma saída de ±50 V sob plena carga. Levando em conta duas quedas de diodo (a partir da ponte retificadora), precisamos de um transformador com ∼52 V de amplitude de pico, ou cerca de 37 V RMS. Entre as opções disponíveis de transformador, o mais próximo era a unidade de 40 V RMS mostrada, provavelmente uma boa escolha por causa dos efeitos da resistência de enrolamento e indutância de dispersão, que reduzem ligeiramente a tensão de saída CC sob carga.

Uma nota importante: as especificações da corrente do transformador são geralmente dadas como a corrente *RMS* do secundário. No entanto, devido ao circuito retificador consumir corrente apenas em uma pequena parte do ciclo (durante o tempo em que o capacitor é realmente carregado), a corrente RMS do secundário, e, portanto, o aquecimento I^2R, será significativamente maior do que a corrente CC de saída retificada média. Então, você tem que escolher um transformador cuja especificação de corrente RMS é um pouco maior (tipicamente ∼2×) do que a corrente de carga CC. Ironicamente, a situação piora à medida que o tamanho do capacitor aumenta para reduzir a tensão de ondulação de saída. A retificação de onda completa é melhor, porque uma porção maior da forma de onda do transformador é utilizada. Para a fonte CC sem regulação da Figura 9.49, medimos

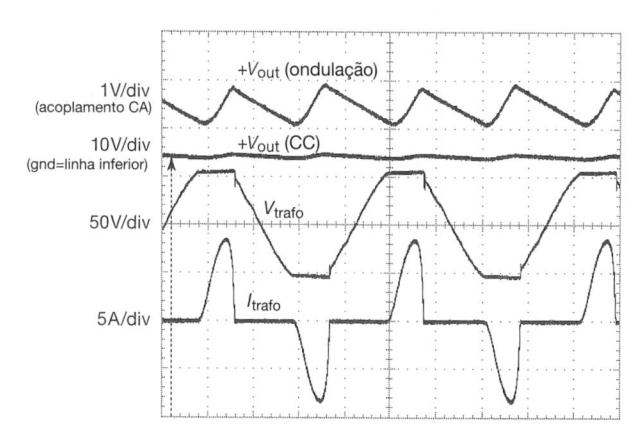

FIGURA 9.51 Formas de onda medidas para a fonte de alimentação CC sem regulação da Figura 9.49 acionando cargas de ±2 A. Escala horizontal: 4 ms/div.

uma corrente RMS de 3,95 A no secundário do transformador quando alimenta uma carga CC de 2 A. As formas de onda medidas na Figura 9.51 mostram a natureza da corrente pulsante, conforme a saída do transformador recarrega o capacitor de armazenamento a cada semiciclo.

Ingenuamente, você pode esperar que o ângulo de condução (fração do ciclo durante o qual a corrente flui) possa ser estimado simplesmente pelo (a) cálculo da descarga do capacitor entre semiciclos, de acordo com $I = C\, dV/dt$, e, em seguida, (b) pelo cálculo do tempo no próximo semiciclo em que a tensão de saída retificada excede a do capacitor. No entanto, esse esquema é complicado pelos efeitos importantes da resistência do enrolamento, da indutância de dispersão do transformador e do ESR do capacitor de armazenamento, todos os quais estendem o ângulo de condução.[44] A melhor abordagem é fazer medições na bancada, talvez informadas por meio de simulações do SPICE, usando valores conhecidos ou medidos nesses parâmetros. Na Seção 9.5.4, mostraremos os resultados dessas simulações.

9.5.3 Componentes CC

A. Capacitor de Armazenamento

Os capacitores de armazenamento (chamados, às vezes, de capacitores de *filtro*) são escolhidos grandes o suficiente para fornecer flutuações da tensão aceitavelmente baixas, com uma tensão nominal suficiente para lidar com a combinação de pior caso, ou seja, sem carga e tensão de linha alta (125 a 130V RMS).

---
[44] Apesar de um transformador com uma grande indutância de dispersão poder parecer vantajoso (porque aumenta o ângulo de condução sem perdas), ele tem o efeito indesejável de degradar a regulação de tensão sob carga e também introduz um atraso de fase na corrente de entrada em relação à tensão, reduzindo, assim, o fator de potência. Além disso, a indutância de dispersão provoca desagradáveis picos de tensão, devido ao diodo de recuperação reversa.

Neste ponto, pode ser útil olhar para trás, na Seção 1.7.16B, quando discutimos o assunto da primeira ondulação. Em geral, você pode calcular as flutuações da tensão com suficiente precisão considerando uma carga de corrente constante igual à corrente de carga média. (No caso específico em que a fonte sem regulação aciona um regulador linear, a carga, de fato, consome precisamente uma corrente constante). Isso simplifica a sua aritmética, já que o capacitor se descarrega em forma de uma rampa, e você não precisa se preocupar com constantes de tempo ou exponenciais (as formas de onda medidas na Figura 9.51, tomadas com uma carga resistiva, ilustram a validade dessa aproximação).

Para o circuito mostrado na Figura 9.49, queríamos cerca de 1 Vpp de ondulação de saída para uma carga plena de 2 A. A partir de $I = C\, dV/dt$, obtemos (com $\Delta t = 8{,}33$ ms) $C = I\Delta t/\Delta V = 16.700\ \mu F$. As especificações de tensão do capacitor mais próximas são 63 V e 80 V; escolhemos a última, com muita cautela. Os capacitores disponíveis de 16.000 μF/80 V são um pouco grandes fisicamente (40 mm de diâmetro $\times$ 80 mm de comprimento), por isso decidimos colocar um par de capacitores de 8.200 μF (35 mm $\times$ 50 mm) em paralelo (usar capacitores menores em paralelo também reduz a indutância global em série do capacitor). Boas práticas de projeto exigem o uso de capacitores de armazenamento cuja especificação de corrente de ondulação é conservadoramente maior do que o valor estimado a partir da corrente de saída CC e do ângulo de condução. No circuito apresentado, por exemplo, projetamos uma corrente de carga máxima de 2 A, a partir da qual se estimou uma corrente RMS de cerca de 4 A em ambos os secundários do transformador e no capacitor de armazenamento. Os capacitores específicos mostrados na figura têm uma especificação de corrente de ondulação de 5,8 A RMS a 85°C para cada capacitor de 8.200 μF do par em paralelo, então 11,6 A RMS quando combinados para resultar em C_1 ou C_2. Isso é definitivamente conservador! Você também pode calcular o aquecimento, a partir da especificação de ESR de 0,038 Ω (valor máximo) por capacitor: cada par em paralelo tem um ESR não superior a 19 mΩ, que produz uma potência de aquecimento de $P = I_{rms}^2 R_{ESR} \approx 0{,}15$ W em cada capacitor.

Ao escolher capacitores de filtro, não se empolgue: um capacitor sobredimensionado não apenas desperdiça espaço, mas também aumenta o aquecimento do transformador (reduzindo o ângulo de condução, aumentando, assim, a relação entre a corrente RMS e a corrente média). Ele também aumenta o estresse sobre os retificadores. Mas cuidado com tolerância folgada de capacitância: embora os capacitores que usamos aqui tenham uma tolerância nominal de $\pm 20\%$, capacitores eletrolíticos de armazenamento podem ter tolerâncias folgadas até +100%/−30%.

Os resistores R_2 e R_3 na saída na Figura 9.49 servem a dois propósitos: eles fornecem uma carga mínima (para manter a saída sem carga "crescente") e agem como "sangradores" para descarregar os capacitores quando a fonte sem carga for desligada. Essa é uma boa característica, porque as fontes de alimentação que ficam carregadas depois de serem desligadas podem facilmente levar você a danificar alguns componentes do circuito se, por engano, pensar que não há tensão presente.

B. Retificador

O primeiro ponto a ser observado é que os diodos usados em fontes de alimentação (geralmente denominados "retificadores") são bastante diferentes dos pequenos diodos de sinal 1N914 ou 1N4148 utilizados em circuitos. Diodos de sinal são geralmente projetados para alta velocidade (alguns nanossegundos), baixa fuga (alguns nanoampères) e baixa capacitância (alguns picofarads), e eles geralmente podem lidar com correntes de até cerca de 100 mA, com tensões de ruptura raramente superiores a 100 volts. Por outro lado, diodos retificadores e pontes para uso em fontes de alimentação são dispositivos robustos com especificações de corrente indo de 1 A a 25 A ou mais e especificações de tensão de ruptura que vão de 100 V a 1.000 V ou mais. Eles têm correntes de fuga relativamente altas (na faixa de microampères a miliampères) e abundância de capacitância de junção. Retificadores de uso geral, do tipo usado na Figura 9.49, não são destinados a alta velocidade, característica desnecessária para operação na frequência de 60 Hz da rede elétrica. Em contrapartida, em fontes *chaveadas*, é necessário o uso de retificadores de alta velocidade por causa das frequências de chaveamento características de 20 kHz a 1 MHz; aí, o uso de retificadores de "rápida recuperação" ou de barreira Schottky (ou MOSFETs utilizados como "retificadores síncronos"[45]) é universal.

Típicas de retificadores de uso geral são as séries populares 1N4001 a 1N4007, especificada para 1 A, e as séries 1N5400 a 1N5408, especificadas para 3 A, com especificação de tensões de ruptura reversa variando de 50 a 1.000 volts. As séries de retificadores Schottky 1N5817 a 1N5822 estão disponíveis em encapsulamentos de terminais axiais, com especificações de corrente de 1 a 3 A e especificações de tensão de 20 a 40 V. Retificadores com especificações de correntes maiores exigem dissipadores de calor e estão disponíveis em encapsulamentos semelhantes a transistores de potência (TO-220, D²PAK, montagem com parafuso prisioneiro, etc.). Exemplos são os retificadores Schottky duplos MBR1545 e 30CTQ045 (disponíveis nos encapsulamentos de potência TO-220 ou D²PAK), especificados para 15 A e 30 A, respectivamente, em 45 V, e os retificadores de 6 A MUR805 a MUR1100 (em encapsulamentos TO-220), com especificações de tensão até 1 kV. Retificadores em ponte de encapsulamento plástico são bastante populares também, com tipos de 1 A a 6 A e encapsulamentos montáveis em dissipadores com especificações até 35 A ou mais.[46]

---

[45] Às vezes, denominados retificadores ativos.

[46] Uma opção interessante para a implementação de uma ponte retificadora eficiente é o uso de quatro MOSFETs síncronos como chaves: os seus sinais de controle de porta podem ser gerados convenientemente com um dispositivo versátil como o "Controlador de Ponte Diodo Ideal" LT4320, que detecta o cruzamento zero e faz o acionamento correto dos seus pinos de saída de controle de porta. Verifique a sua folha de dados.

C. Rede de Amortecimento

O *RC* em série no secundário do transformador na Figura 9.49 é frequentemente omitido, mas não deveria ser. Essa simples fonte CC linear sem regulação tem a capacidade surpreendente de gerar picos de tensão substanciais na escala de microssegundo, que podem criar uma forte interferência de 120 Hz e outras formas de danos. Acontece que um par de características não ideais (indutância de dispersão do transformador, combinada com o tempo de recuperação reversa do retificador) trabalham juntas para criar um trem periódico de picos acentuados, cuja amplitude pode ser dezenas de volts. Esse efeito desagradável é facilmente domesticado com uma rede *RC* em série "amortecedora", como mostrado.

9.5.4 Fonte Simétrica Sem Regulação – na Bancada!

Construímos a fonte de alimentação da Figura 9.49, principalmente pela curiosidade de comparar a resposta real com as nossas previsões. A Figura 9.51 mostra a tensão e a corrente CA em uma extremidade do secundário do transformador, e a tensão de saída CC positiva, com a fonte de alimentação acionando cargas resistivas de ± 2. As formas de onda são praticamente como se esperava: (a) a tensão de ondulação é de cerca de 0,8 Vpp, um pouco menos do que a nossa estimativa de 1 Vpp; porém, nosso cálculo foi conservador, porque considerarmos que os capacitores de armazenamento tinham que fornecer corrente de saída para um semiciclo completo ($1/2f_{CA} \approx 8$ ms), ao passo que, na realidade, a recarga começa após ~ 6 ms; (b) a tensão de saída CC (54 V) é um pouco maior do que a esperada, provavelmente porque a especificação de tensão do transformador é para a corrente de carga plena especificada de 4 A e também porque a tensão da rede elétrica em nosso laboratório foi 3% acima da nominal; sem carga, a saída subiu para 60 V, típico de fontes não reguladas; (c) a corrente do transformador se limita a um ângulo de condução relativamente estreito (cerca de 60° de cada semiciclo de 180°), como esperado; durante a condução, a forma de onda CA no secundário do transformador é achatada pela corrente de carga intensa por causa dos efeitos combinados de indutância de dispersão e resistência do enrolamento.[47]

Com uma carga CC de 2 A em ambas as saídas, a corrente RMS medida do transformador foi de 3,95 A RMS. Essa duplicação é causada pelo ângulo de condução encurtado: a corrente *média* do transformador é igual à corrente de saída CC, mas a corrente RMS é maior. Isso, às vezes, é descrito como um *fator de potência* reduzido (a razão entre a potência de entrada média e a potência de entrada RMS), um efeito importante em fontes de alimentação chaveadas. Com um pouco de esperteza, é possível retificar a potência da rede CA para CC, mantendo o fator de potência quase na unidade, por meio de um circuito de entrada de "correção do fator de potência" (*power-factor correction*, PFC); exploraremos isso em breve, na Seção 9.7.1C.

E no *computador*! (SPICE)

Para explorar os efeitos das imperfeições de componentes (resistência de enrolamento e indutância de dispersão no transformador e resistência em série nos capacitores), fizemos uma simulação no SPICE (veja Anexo J) desse circuito, começando com os parâmetros onde possível (por exemplo, a resistência e a indutâncias do transformador), os valores encontrados nas bibliotecas do SPICE (por exemplo, tensão direta *versus* corrente do retificador) e suposições plausíveis para resistência em série nos capacitores de armazenamento. Com apenas um pequeno ajuste, obtivemos a simulação mostrada na Figura 9.52 (apresentada nos mesmos fatores de escala que na Figura 9.51). A concordância é impressionante (embora a simulação subestime um pouco o ângulo de condução, portanto a corrente do transformador aparece superior à medida).[48]

9.5.5 Linear *versus* Chaveada: Ondulação e Ruído

A próxima seção aborda o assunto fascinante das fontes e dos reguladores *chaveados*. Esta técnica se torna dominante devido à sua combinação de excelente eficiência, pequeno tamanho e peso e baixo custo. No entanto, nem tudo são flores: o processo de chaveamento rápido gera transientes na frequência de comutação e seus harmônicos, e esses podem

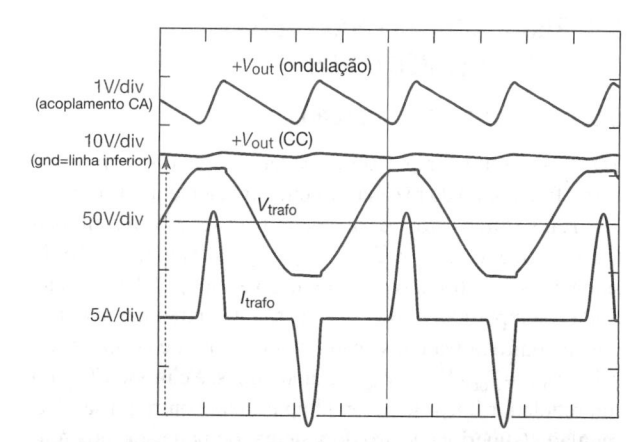

FIGURA 9.52 As formas de onda a partir de uma simulação do SPICE da fonte de alimentação CC sem regulação da Figura 9.49, desenhadas nas mesmas escalas que as da Figura 9.51.

---

[47] Para as medições de forma de onda, omitimos a rede de amortecimento $R_S C_S$ da Figura 9.49 para revelar o pico (e salto) que é visível sobre a forma de onda de tensão CA do transformador, provocada pela combinação da indutância de dispersão do transformador com o tempo de recuperação do diodo; veja a Seção 9.5.3C.

[48] Os parâmetros dominantes do circuito utilizado são: $R = 0,467$ Ω, $L_L = 1,63$ μH, $L_M = 80$ mH do primário do transformador, relação de espiras de 0,365, transformador secundário $R = 0,217$ Ω $L_{L(sec)} = 20$ μH, rede de amortecimento $C_S = 0,5$ μF, $R_S = 30$ Ω, retificador "KBPC806" (ponte de 8 A/600 V da Vishay), capacitor de armazenamento $C = 14.000$ μF, ESR = 0,01 Ω, resistor de carga 27 Ω (de cada lado).

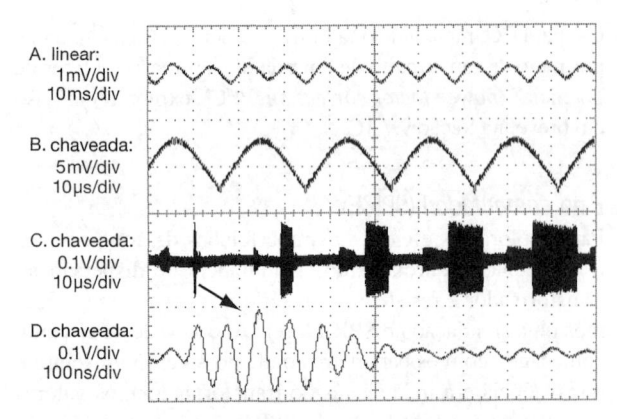

FIGURA 9.53 Comparação do ruído das fontes de alimentação linear e chaveada. Todas as medidas são para cargas resistivas com 50% da corrente nominal. A. Fonte linear de 5 V/0,3 A mostrando ondulação de ∼0,5 mVpp/120 Hz. B. Fonte chaveada de 5 V/2,5 A, medida diretamente nos pinos de saída, mostrando ondulação de ∼6 mVpp para uma frequência de chaveamento de 50 kHz (note a mudança de escala). C. Mesmo comutador, mas medido para uma carga conectada a 50 cm de distância (e com um fator de escala alterada para ×20), mostrando os grandes picos de chaveamento (∼150 mV) induzidos por correntes de terra de alta frequência; observe a hesitação da frequência vista nessa captura persistente. D. Forma de onda expandida de um único pulso induzido, mostrando oscilação em ∼15 MHz.

ser extremamente difíceis de filtrar de forma eficaz. Discutiremos isso em breve... mas vale a pena dar uma olhada agora na Figura 9.53, na qual as coisas ruins nas saídas de duas fontes de alimentação de 5 V são comparadas.

9.6 REGULADORES CHAVEADOS E CONVERSORES CC-CC

9.6.1 Linear *versus* Chaveada

Todos os circuitos reguladores de tensão que discutimos até agora funcionam da mesma maneira: um elemento de controle linear (o "transistor de passagem") em série com a entrada CC é utilizado, com realimentação, para manter tensão de saída constante (ou talvez corrente constante).[49] A tensão de saída é sempre menor do que a tensão de entrada, e uma potência significativa é dissipada no elemento de controle, ou seja, $P_{diss} = I_{out}(V_{in} - V_{out})$. Como vimos, a entrada CC para um regulador linear pode ser simplesmente outra tensão CC regulada (superior) dentro do sistema, ou pode ser uma tensão CC não regulada que é derivada a partir da rede elétrica, através do circuito transformador-retificador-capacitor que já conhecemos bem.

Vejamos um pouco mais sobre a questão da eficiência. Fontes de alimentação com reguladores *lineares* são necessariamente ineficientes, porque o transistor de passagem transporta a corrente de plena carga e deve ter queda de tensão suficiente para acomodar uma combinação de pior caso de ondulação de entrada e baixa tensão de linha. A situação é agravada para fontes de baixa tensão de saída: por exemplo, um regulador linear, para entregar +3,3 V em 10 A, usaria, talvez, uma tensão CC sem regulação de 6 V para assegurar margem adequada; então, você tem 27 W de dissipação no transistor de passagem ao entregar 33 W para a carga – isso é uma eficiência de 55%. Você pode não se importar tanto com a eficiência em si, mas a potência desperdiçada tem de ser dissipada, o que significa uma grande área do dissipador de calor, ventiladores, etc. Se você tivesse que dimensionar este exemplo para 100 A, digamos, você teria um problema sério para remover um quarto de um quilowatt (!) de calor no transistor de passagem. Você teria que utilizar vários transistores de passagem e refrigeração de ar forçado. A fonte seria pesada, barulhenta e quente.

Existe outra maneira de gerar uma tensão regulada (mostrada anteriormente na Figura 9.48B), que é fundamentalmente diferente do que vimos até agora – observe a Figura 9.55. Nesse conversor chaveado um transistor, operado como uma chave saturada, aplica-se periodicamente a tensão não regulada completa em um indutor em intervalos curtos. A corrente do indutor cresce a cada pulso, armazenando $\frac{1}{2}LI^2$ de energia no seu campo magnético. Quando a chave estiver desligada, uma parte ou toda[50] essa energia armazenada é transferida para um capacitor de filtro na saída, que também suaviza a saída (para suportar a carga entre os pulsos de saída). Tal como acontece com um regulador linear, a realimentação compara a saída com uma tensão de referência – mas um regulador chaveado controla a saída pela alteração de largura de pulso do oscilador, ou a frequência de chaveamento, em vez de controlar linearmente a base ou a porta do acionador.[51]

Vantages de conversores chaveados

Reguladores chaveados têm propriedades incomuns que os tornam muito populares:

---

[49] Uma pequena variação neste tema é o *regulador shunt*, em que o elemento de controle está conectado da saída ao terra em vez de estar em série com a carga; um exemplo é um simples resistor mais um zener.

[50] Toda a energia armazenada segue adiante se for permitido que a corrente no indutor vá para zero ("modo de condução descontínuo" – *discontinuous--conduction mode*, DCM); obtém-se apenas uma parte da energia armazenada no "modo de condução contínuo" (*continuous-conduction mode*, CCM), em que a corrente do indutor não vai a zero antes do próximo ciclo de condução.

[51] Pode-se objetar que estamos injustamente comparando um circuito conversor chaveado *step-up* com um regulador inerentemente linear com transistor de passagem "*step-down*". Com efeito, a topologia chaveada que é análoga em função a um regulador linear é o regulador *buck* (mostrado em breve, na figura 9.61A). Mas gostamos do choque de valores do conversor chaveado *boost*, porque não se espera que você faça isso vivendo exclusivamente no mundo linear.

(a) Uma vez que o elemento de controle é desligado ou saturado, existe uma dissipação de potência muito pequena; fontes chaveadas são, portanto, muito eficientes, mesmo quando há uma grande diferença de tensão entre a entrada e a saída. Alta eficiência se traduz em tamanho pequeno, porque pouco calor precisa ser dissipado.

(b) Comutadores (outro nome para "fontes chaveadas") podem gerar tensões de saída mais *elevadas* do que a entrada não regulada, como na Figura 9.55B; e também podem facilmente gerar saídas *opostas em polaridade* à da entrada!

(c) O capacitor de armazenamento de saída pode ser pequeno (na capacitância, e, por conseguinte, no tamanho físico), por causa da alta frequência de funcionamento (tipicamente 20 KHz a 1 MHz) corresponde a um intervalo de tempo muito curto (alguns microssegundos) entre recargas.

(d) Para uma fonte chaveada que opera a partir de uma entrada da rede elétrica CA, o isolamento essencial é fornecido por um transformador operando na frequência de chaveamento; ele é *muito* menor do que um transformador que opera diretamente na baixa frequência da rede elétrica (veja a Figura 9.1).

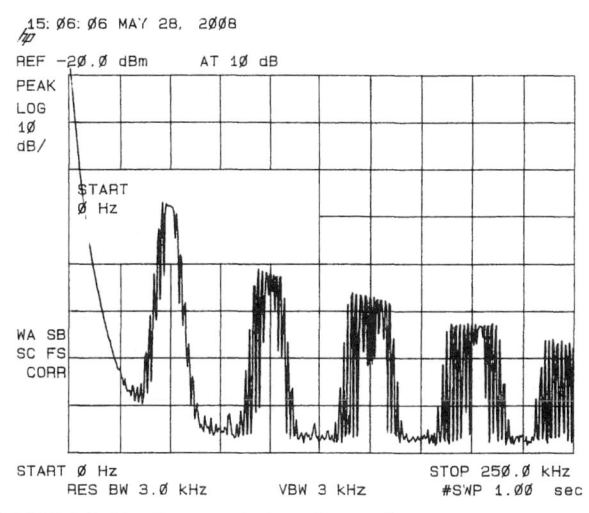

FIGURA 9.54 Espectro de frequência média da fonte chaveada da Figura 9.53, mostrando a hesitação da frequência de chaveamento de ~50 kHz e seus harmônicos.

As boas notícias

A combinação de capacitor e transformador pequenos, juntamente com pouca dissipação de energia, permite fontes CC com alimentação CA compactas, leves e eficientes, bem como conversores CC-CC.[52] Por essas razões, as fontes chaveadas [também conhecidas como fontes de alimentação chaveadas, ou SMPSs (*switchmode power supplies*)] são usadas quase universalmente em dispositivos eletrônicos, como computadores, telecomunicações, eletrônicos de consumo, dispositivos que funcionam com bateria e, bem, em quase tudo que é eletrônico.

As más notícias

Antes que deixemos uma impressão favorável demais, notamos que as fontes chaveadas têm seus problemas. A operação de chaveamento introduz "ruído" na saída CC e também na rede elétrica de entrada e interferência eletromagnética (EMI) irradiada; veja as Figuras 9.53 e 9.54. Comutadores alimentados pela rede elétrica (erroneamente denominados

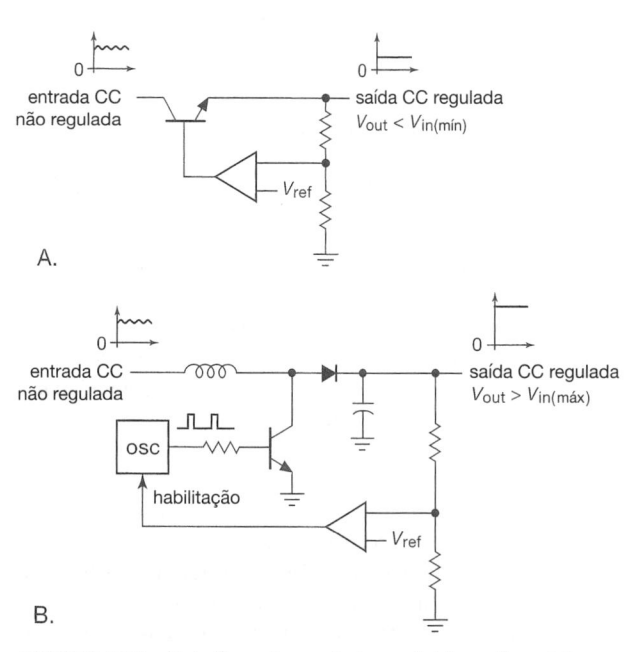

FIGURA 9.55 Dois tipos de reguladores: A. Linear (transistor de passagem em série); B. Chaveado (*step-up*, ou "*boost*").

"*off-line*") exibem uma "corrente de energização" bastante grande quando energizados.[53] E os chaveadores foram vítimas de uma má reputação de confiabilidade, com ocasionais

---

[52] Exemplos mais antigos incluem os "tijolos" de pouca potência que eram usados por computadores portáteis, telefones celulares e similares, bem como as fontes de alimentação mais substanciais construídas em computadores desktop. Exemplos recentes desses são os conversores CC-CC POL ("*point of load*") que você encontra agrupados em torno do processador em uma placa-mãe de computador: o processador pode exigir 1,0 V CC em 60 A(!); para gerar essa enorme corrente, você utiliza um conjunto de conversores *step down* de 12 V para 1,0 V, logo no ponto de carga, alimentado por uma corrente mais baixa do barramento de 12 V.

[53] Para um exemplo, abrimos uma página aleatória na seção de fonte de alimentação do catálogo da DigiKey e encontramos um pequeno comutador de 5 W de entrada CA (5 V CC, 1 A) com uma corrente de energização da rede elétricas especificada de... (rufar de tambores)... 40 A – isso é uma potência de pico de 4 *quilo*watts!

apresentações pirotécnicas espetaculares durante episódios de falha catastrófica.

O resultado final

Felizmente, as fontes chaveadas superaram amplamente os inconvenientes de seus similares anteriores (falta de confiabilidade, ruídos elétrico e acústico, corrente de energização e de estresse de componentes). Por serem pequenas, leves, eficientes e de baixo custo, as fontes chaveadas substituem amplamente os reguladores lineares em toda a faixa de potência de carga (de watts a quilowatts) na eletrônica atual, e, em especial, na grande produção comercial. No entanto, as fontes e os reguladores lineares ainda são bem utilizados, especialmente em simples regulação de baixa potência e em aplicações que exigem fonte CC limpa; e esta última característica – a ausência de ruído de comutação que se infiltra – pode ser de grande importância em aplicações que lidam com pequenos sinais.

9.6.2 Topologias de Conversores de Comutação

Nas seções seguintes, falaremos tudo sobre reguladores chaveados e fontes de alimentação (coletivamente chamados "conversores de comutação") em várias etapas.

- Primeiro (Seção 9.6.3), observamos brevemente conversores *sem indutores*, em que a energia é transportada da entrada à saída pelos capacitores, cujas conexões são trocadas por MOSFETs. Eles são, algumas vezes, denominados "conversores de bomba de carga", ou "conversores de capacitor flutuante". Esses dispositivos simples podem dobrar ou inverter uma tensão de entrada CC e são úteis para cargas de corrente relativamente baixas (até ~ 100 mA).
- Em seguida (Seção 9.6.4), descrevemos topologias de conversores que usam indutores, começando com o conversor chaveado sem isolação CC-CC básico, do tipo que você usaria dentro de um circuito, ou com alimentação por bateria. Existem três topologias básicas de circuitos utilizadas para (a) *step-down* (tensão de saída inferior à entrada), (b) *step-up* (tensão de saída maior do que a entrada) e (c) inversor (saída de polaridade oposta à entrada). Todos esses usam um indutor para armazenamento de energia durante o ciclo de chaveamento.
- Em seguida (Seção 9.6.10), observamos os conversores CC-CC em que um transformador acopla os circuitos de entrada e saída. Além de proporcionar um isolamento galvânico (que pode ou não ser necessário), o transformador é desejável quando há uma grande relação entre as tensões de entrada e saída. Isso porque a relação de espiras do transformador fornece um fator de conversão de tensão útil que está ausente nos projetos não isolados (sem transformador). Projetos com transformadores também permitem produzir várias saídas, e de ambas as polaridades.
- Por fim (Seção 9.7), descrevemos como o conversor isolado permite projetos de fonte de alimentação que funcionam direto da linha de alta tensão CA retificada. Essas fontes *"offline"* são, é claro, comuns na maioria dos eletrônicos alimentados pela rede elétrica. E elas têm os seus problemas específicos, relacionados com segurança, interferência, corrente de energização, fator de potência e assim por diante.

E, como sempre, damos muitos conselhos sobre o assunto: quando usar fontes chaveadas e quando evitá-las; quando criar a sua própria e quando comprar uma. Com humildade característica, sanaremos todas as suas dúvidas!

9.6.3 Conversores Chaveados sem Indutores

O termo " conversor chaveado" geralmente significa um conversor de energia que usa indutores (e, às vezes, transformadores), juntamente com chaves a transistor de alta frequência, para realizar conversão de tensão. No entanto, existe uma classe interessante de conversores *sem indutores* (também conhecidos como conversores de *bomba de carga*, conversores de *capacitores chaveados*, conversores de *capacitor flutuante*) que podem fazer alguns dos mesmos truques – geração de uma tensão de saída de polaridade oposta, ou uma tensão de saída mais elevada do que a entrada. Esses conversores são mais simples e mais silenciosos do que os conversores com indutores, e eles são muito úteis quando você só precisa de uma corrente modesta (menos do que, aproximadamente, 100 mA). Por exemplo, muitas vezes, você tem uma fonte de +5 V (em uma placa de computador ou um dispositivo USB), ou talvez +9 V de uma bateria, e você precisa de uma tensão negativa correspondente, porque você quer operar um AOP de polaridade dual. Apenas opte por um chip inversor de bomba de carga e dois capacitores, e você está pronto para usufruir dele.[54]

A Figura 9.56 mostra como isso funciona: esses dispositivos têm um oscilador interno e algumas chaves CMOS, e eles exigem um par de capacitores externos para fazer o seu trabalho. Quando o par de chaves de entrada está fechado (condução), C_1 carrega até V_{in}; em seguida, durante a segunda metade do ciclo, C_1 é desconectado da entrada e conectado, de cabeça para baixo, na saída. Se $C_2 \ll C_1$, então a tensão de saída vai para próximo de $-V_{\text{IN}}$ em um ciclo de operação. No caso mais típico de $C_2 \geq C_1$ leva um certo número de ciclos, quando ocorre uma "partida fria", para a tensão de saída equilibrar em $-V_{\text{IN}}$.

---
[54] Uma boa referência é M.D. Seeman & S.R. Sanders, "Analysis and optimization of switched-capacitor DC-DC converters" (Análise e otimização de conversores CC-CC de capacitor chaveado), *IEEE Trans. Power Electron.* **23** (2) pp. 841-851 (2008).

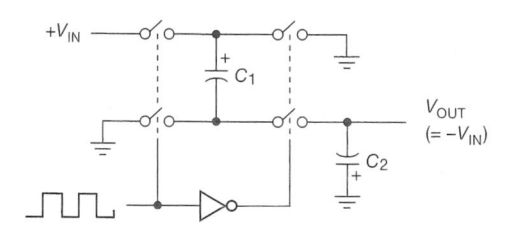

FIGURA 9.56 Inversor de tensão do tipo bomba de carga. Um oscilador opera os pares de chaves em alternância: as chaves do lado esquerdo carregam o "capacitor flutuante" C_1 até a tensão V_{IN}; as chaves do lado direito aplicam essa tensão, com polaridade invertida, no capacitor de armazenamento de saída C_2.

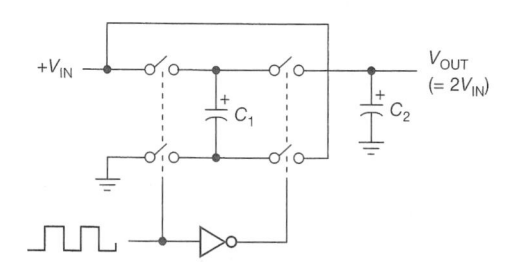

FIGURA 9.57 Dobrador de tensão com bomba de carga. Aqui, a tensão no capacitor flutuante, carregado até V_{IN}, é adicionada à tensão de entrada para gerar uma tensão de saída de duas vezes V_{IN}.

Da mesma forma, você pode criar uma saída de $2V_{in}$, organizando os dispositivos de modo que C_1 seja carregado como antes, mas, em seguida, mantido em série com V_{in} durante o segundo semiciclo (transferência) (Figura 9.57). O LT1026 e o MAX680 integram convenientemente um duplicador positivo e um duplicador inversor em um encapsulamento: a Figura 9.58 mostra o circuito simples necessário para gerar uma fonte simétrica não regulada a partir de uma única entrada de +5 V.

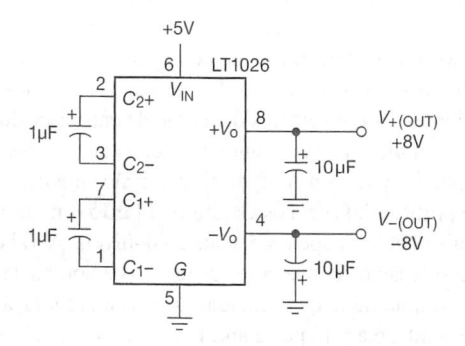

FIGURA 9.58 Geração de um par de saídas de ±8 V não reguladas a partir de uma entrada de +5 V simples.

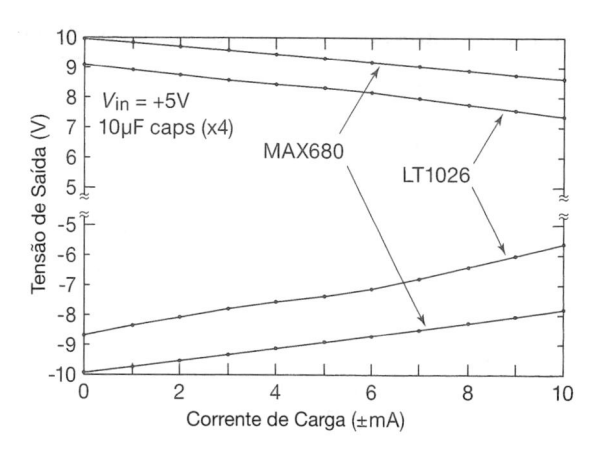

FIGURA 9.59 A tensão de saída de um conversor de bomba de carga cai significativamente sob carga, como visto aqui com os dados medidos para o circuito da Figura 9.58, com o uso de dispositivos tanto bipolar (LT1026) quanto CMOS (MAX680). Chaves MOSFET não têm nenhuma queda de tensão em corrente zero, em que V_{out} é exatamente igual ao dobro de V_{in}.

A. Limitações dos Conversores sem Indutores

Esta técnica de bomba de carga é simples, eficiente, necessita de poucos dispositivos e nenhum indutor. No entanto, a saída não é regulada e cai significativamente sob carga (Figura 9.59). Além disso, em comum com outras técnicas de conversão de fonte chaveada, a operação de comutação produz ondulação de saída, que, no entanto, pode ser reduzida pelo uso de grandes capacitores de saída (Figura 9.60) ou adicionando um regulador linear de baixa queda de tensão (ver a seguir).[55] Além disso, como a maioria dos dispositivos

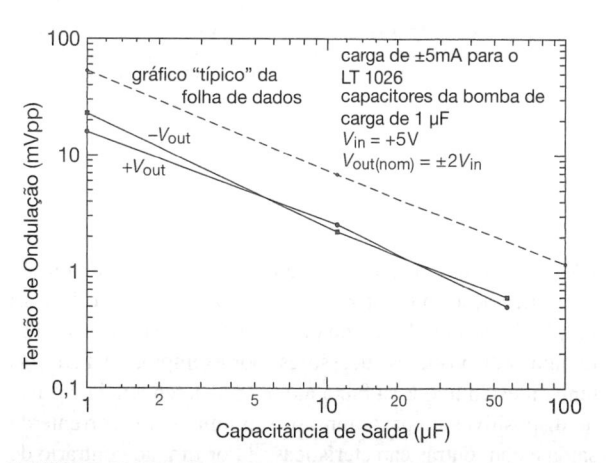

FIGURA 9.60 Redução da ondulação com um capacitor de saída maior: tensão de ondulação pico a pico medida para o dobrador-inversor LT1026.

---

[55] A tensão de ondulação é dada aproximadamente por $V_{ond.}(pp) = I_{out}/2f_{osc}C_{out} + 2I_{out}$. O primeiro termo é apenas $I = CdV/dt$, e o segundo termo acrescenta o efeito da resistência em série equivalente finita do capacitor.

TABELA 9.4 Seleção de conversores de bomba de carga[a]

Nº identif	DIP	SOIC	SOT23	MSOP etc	Config	V_{in} (V)	V_{out} (V)	R_{out} típico @ V_{in} (Ω)	V_{in} (V)	I_{out}^z (mA)	f_{osc} típico (kHz)	I_q típico @ V_{in} (mA)	V_{in} (V)	Observações
sem regulação														
LTC3261	-	-	-	•	inv	4,5-32	faixa	35	12	50[e]	50-500[p]	7	15	alta tensão
TC962	•	•	•	•	inv, x2, x0,5	3-18	faixa	32	15	80	12 or 24[p]	0,5	15	7660/2 melhorado
LTC1144	•	•	-	-	inv, x0,5	2-18	faixa	56	15	50	10 or 100[p]	1,1[m]	15	versão de alta tensão do 1044/7660/62
ICL7662[o]	•	•	-	-	inv, x0,5	9-20 or 4,5-11	faixa	55	15	50	10	0,15	12,5	Maxim, original Intersil
TC1044[k]	•	•	-	-	inv, x0,5	3-12 or 1,5-3,5	faixa	55	15	60	10 or 45[p]	0,15	12,5	7660 melhorado; veja (k)
LM2681	-	-	•	•	x2, x0,5	2,5-5,5[g] or 1,8-11[h]	faixa	15	5	30	160	0,06	5	
ICL7660[k]	•	•	-	-	inv, x0,5	3-10 or 1,5-3,5	faixa	30	10	40	10 or 35[p]	0,08	5	*classic*, 5 manuf, see (k)
LT1026	•	•	-	-	inv & x2	4-10	faixa	b	-	20	-	15	15	
MAX680	•	•	-	-	pos & neg x2	2-6	faixa	100[c]	5	5	8	1	5	MAX864 para 200 kHz
MAX864	-	-	-	•	pos & neg x2	1,8-6	faixa	40[c]	5	15[d]	7-185[p]	0,6-12[p]	5	
LM828	-	-	•	-	inv	1,8-5,5	faixa	20	5	25	12	0,04	5	
LM2767	-	-	•	-	x2	1,8-5,5	faixa	20	5	25	11	0,04	5	
TPS6040x	-	-	•	-	inv	1,6-5,5	faixa	10	3	60	20-250[i,q]	0,06-0,4[q]	5	f_{osc} variável
MAX660	•	•	-	-	inv, x2	1,5-5,5	faixa	6,5	5	100	10 or 80[p]	0,12	5	
regulado[r]														
LTC3260	-	-	-	•	dual LDO	4,5-32	1,2-32 & -1,2 to -32	0,03	12	50	200	4	15	duplo reg fonte simétrica alta tensão
LT1054	•	•	-	-	inv	3,5-15	$-V_{in}$, ou ajuste reg	10	-	100	25	3	15	
ADP3605	-	-	-	•	inv	3-6	-3,0, or -3 to -6	0,3	5	120	250	3	5	
ST662	•	•	-	-	reg 12V	4,5-5,5	12	0,8	5	50	400[i]	0,1	5	fonte programável de memória flash
MAX889	•	•	-	-	reg adj -Vout	2,7-5,5	-2,5 to $-V_{in}$	0,05	5	200	500-2000[x]	6	5	
MAX682	•	•	-	•	reg 5V	2,7-5,5	+5V	<1	3	250	20-3000[i,p]	7,5	3,6	
REG710-vv	-	-	•	•	buck-boost	1,8-5,5	2,5, 2,7,...,5,5[vv]	2	n	30	1000[i]	0,07	3,3	comutação automática *buck/boost*
MAX1595-vv	-	-	•	-	buck-boost	1,8-5,5	3,3 or 5,0[vv]	1	3	125	1000[i]	0,23	3	comutação automática *buck/boost*
TPS6024x	•	•	-	-	buck-boost	1,8-5,5	2,7, 3, 3,3, 5[u]	0,7	3,3	40	160	0,25	3	baixo ruído[v]
LTC1517-5	-	-	•	•	reg 5V	2,7-5	5,0	1	3	50	800	0,006	all	reg 5 V de micropotência
LTC3200	-	-	•	•	reg 5V	2,7-4,5	+5V	0,4	3,6	100	2000[i]	3,5	3,6	
LTC1682	•	•	-	•	LDO, adj Vout	1,8-4,4	2,5-5,5	0,2	3	50	550	0,15	3	x2 para LDO; baixo ruído[w]
LTC1502-3,3	-	•	-	•	reg 3,3V	0,9-1,8	3,3	<0,2	1	20[s]	500[i]	0,04	1	uma única célula para reg em +3,3V
TPS6031x	-	•	-	•	x2 & reg 3[y]	0,9-1,8	3,0, 3,3[u]	4[w], 0,3	1	50	700[i]	0,03	1,5	uma única célula para reg em +3V
NJU7670	•	•	-	-	neg x3 & LDO	-2,6 to -6	-8 to -18	5	-5	20	2,5	0,08	-5	V_{in} neg, triplicador mais LDO

Notas: (a) Todos são sem indutores e exigem vários capacitores externos; os tipos "regulados" incluem ou LDO linear interno pós-regulador, ou regulação via controle de chaveamento; classificados em categorias pelo decréscimo de V_{in} máximo. (b) Bipolar, veja a folha de dados para V_{out} típico. (c) Com outra saída sem carga. (d) Ambas as saídas com carga. (e) No máximo f_{osc}. (g) No modo ×2. (h) No modo ×0,5. (i) f_{osc} alta permite capacitores pequenos. (k) Pino LV para a faixa de V_{in} baixa; muitos fabricantes, prefixos LMC, NJU, TC, TL; veja também MAX/LTC/TC1044, 1144 e TC962. (m) Máximo. (n) Para $V_{in} = V_{out}/2 + 0,8V$. (o) Ou Si7661. (p) Pino de frequência selecionável ou ajustável. (q) Último dígito de p/n define f_{osc}, exceto TPS60400, em que LOEC varia habilmente com V_{in} e I_{out}. (r) Saídas sem regulação também disponíveis na maioria; a não ser quando marcado "LDO", todos regulam via controle de chaveamento. (s) Para $V_{in} = 1,2$ V. (u) Último dígito de p/n define V_{out}. (v) $V_n = 170$ μV RMS em BW = 20 Hz a 10 MHz. (vv) Sufixo seleciona V_{out}. (w) $V_n = 60$ μV RMS em BW = 10 Hz a 100 KHz, 600 μVpp para 10 Hz a 2,5 MHz. (x) Sufixo define f_{osc}. (y) Ou regula +3,3 V; saída ×2 sem regulação também é fornecida. (z) Máximo utilizável.

CMOS, bombas de carga têm uma limitada faixa de tensão de alimentação: o CI original de bomba de carga (o Intersil ICL7660) permite V_{in} na faixa de +1,5 V a +12 V; e, embora alguns dispositivos sucessores (por exemplo, o LTC1144) tenham estendido essa faixa até +18 V, a tendência é o uso de dispositivos de baixa tensão com uma maior corrente de saída e com outras características.[56] Por fim, ao contrário de conversores chaveados *indutivos* (discutido a seguir), que podem gerar qualquer tensão de saída desejada, o conversor de tensão de capacitor flutuante pode gerar apenas pequenos múltiplos discretos da tensão de entrada. Apesar desses inconvenientes, os conversores de tensão de capacitor flutuante podem ser muito úteis em algumas circunstâncias, por exemplo, para alimentar um AOP de alimentação simétrica ou um chip de porta serial (veja os Capítulos 14 e 15) em uma placa de circuito que tem apenas 5 volts disponíveis. A Tabela 9.4 lista um seleção de conversores de tensão de bomba de carga, ilustrando uma faixa de capacidades (tensão, regulação, corrente de saída, e assim por diante).

---

[56] Por exemplo, mais da metade das ofertas da Maxim se limita a uma entrada de 5,5 V; e, das 67 ofertas da Texas Instruments, apenas 7 podem funcionar com uma entrada acima de +5,5 V (e 28 delas se limitam a 3,6 V ou menos). A história é semelhante para 62 conversores de bomba de carga da Linear Technology.

B. Variações

Existem variações interessantes e úteis de conversores de capacitor flutuante, muitas das quais estão listadas na Tabela 9.4, que está organizada em variedades sem regulação e reguladas (cada uma classificada pela tensão máxima de entrada). Os tipos sem regulação representam variações do original ICL7660, incluindo os seus sucessores de nomes semelhantes (da TI, NJR, Maxim, Microchip, etc.) e as atualizações compatíveis pino a pino ('7662, '1044, '1144); tais dispositivos comuns de alimentação múltipla são amplamente disponíveis e baratos. Dispositivos mais recentes, por exemplo, o TPS6040X de baixa tensão, oferece flexibilidade na frequência de chaveamento e resistência de saída geralmente mais baixa. A operação em maior frequência reduz a ondulação de saída (por exemplo, 35 mV a 20 kHz, mas 15 mV a 250 kHz para a série TPS6040x), mas aumenta a corrente quiescente (que vai de 65 μA a 425 μA neste exemplo).[57]

Os tipos regulados, como o LT1054 da LTC (com uma corrente de saída máxima de 100 mA), incluem um amplificador de referência de tensão e erro interno, assim você pode conectar uma realimentação para regular a tensão de saída; o circuito interno acomoda-o ajustando o controle de chaveamento. Outros conversores regulam a saída, incluindo um regulador linear interno de baixa queda de tensão, para uma ondulação de saída bastante reduzida (à custa de uma queda de tensão adicional); exemplos são as séries LTC1550 e 1682, com uma ondulação de saída pico a pico menor do que 1 mV. Note que a maioria dos tipos "regulados" deixam você usá-los como conversores não regulados, se desejar.

Há também conversores que *reduzem* a tensão de entrada por uma fração racional, por exemplo, por um fator de 1/2 ou 2/3 (veja se você pode descobrir como isso é feito!). Na outra extremidade, existem conversores que são quadruplicadores de tensão, por exemplo, o LTC1502, que gera +3,3 V regulados em 10 mA a partir de uma entrada de 0,9 a 1,8 V (por exemplo, para alimentar circuito lógico digital a partir de uma única célula alcalina).[58] E há conversores que podem fornecer até 500 mA de corrente de saída. Alguns conversores de bomba de carga incluem capacitores internos, se você quiser ser especialmente preguiçoso; mas a seleção é limitada, e o preço é alto.

Por fim, há o bloco construtivo de capacitor flutuante independente LTC1043, com o qual você pode implementar diversos tipos de circuito. Por exemplo, você pode usar um capacitor flutuante para transferir uma queda de tensão medida em um potencial inconveniente (por exemplo, um resistor detector de corrente na tensão de alimentação positiva) até o terra, onde você pode facilmente usá-lo. A folha de dados do LTC1043 tem oito páginas de aplicações inteligentes semelhantes.

Existem também circuitos integrados que incluem bombas de carga para alimentar suas funções primárias:

(a) Muitos chips acionador-receptor RS-232/485 estão disponíveis com fontes de bomba carga de ±10 V integrais para operar a partir de uma fonte simples de +5 V ou +3,3 V. Um exemplo desta última é o MAX3232E da Maxim (o criador do MAX232, agora amplamente licenciado para ser produzido por outros fabricantes), que pode operar a partir de uma fonte simples entre +3 V e +5,5 V.

(b) Alguns amplificadores operacionais utilizam bombas de carga integrais para gerar uma tensão além da linha do trilho de alimentação, de modo que suas entradas podem operar de trilho a trilho, mantendo uma arquitetura de alto desempenho convencional (veja a Seção 4.6.3B); exemplos são o OPA369, o LTC1152 e o MAX1462-4.

(c) Bombas de carga são usadas em muitos "acionadores do lado de cima (*high-side*)" de MOSFETs (como a série HIP4080 da Intersil) e em MOSFETs de potência totalmente integrados (como a série PROFET de "chaves de potência de alta corrente no lado de cima (*high-side*) inteligentes" da Infineon); estes geram a necessária polarização de porta acima do trilho para um MOSFET canal *n* operando como um seguidor até o trilho positivo.[59]

(d) Alguns dispositivos complexos de lógica digital (processadores, memória) requerem tensões elevadas, que eles geram internamente com bombas de carga. Os fabricantes são modestos, e você nem sequer ouve falar sobre essas coisas.

9.6.4 Conversores com Indutores: as Topologias Não Isoladas Básicas

O termo *conversor chaveado* (ou *conversor de modo chaveado*[60]) é geralmente entendido como um conversor que utiliza um arranjo de indutores e/ou transformadores, em combina-

---

[57] Você pode reduzir a ondulação usando capacitores de saída muito maiores (com baixo ESR, para minimizar o efeito de picos de corrente), ou, talvez melhor, um estágio de filtro de saída.

[58] Infelizmente, não há conversores de bomba de carga que a partir de uma única célula de entrada (0,9 V no fim da vida útil) elevem até 5 V (isso exigiria pelo menos uma conversão de tensão de ×6), embora você pudesse realizar essa tarefa em duas etapas em cascata, digamos, um TPS60310 (0,9 a 3,3 V) com um TPS60241 (3,3 a 5 V). Isso exigiria dois CIs e sete capacitores. Mas, felizmente, essa tarefa é facilmente feita com um conversor de chaveamento *indutivo* de modo *boost* (Seção 9.6.6). Por exemplo, o TPS61222 da TI que vem em um pequeno encapsulamento de 6 pinos SC-70 requer um único indutor externo de 4,7 μH (mais capacitores de desvio de entrada e saída) e fornece +5 V em 50 mA com 0,9 V de entrada (uma tensão de final de vida útil de uma célula alcalina). Custa menos de 2 dólares em uma quantidade de apenas um dispositivo. Outra abordagem para a alimentação a partir de uma única célula alcalina é a utilização de um conversor de bomba de carga para gerar 3,3 V, que, então, alimenta um ou mais conversores chaveados indutivos para gerar o conjunto completo de tensões de que você precisa; a entrada de HABILITAÇÃO (ENABLE) para o conversor de bomba de carga pode, então, ser utilizada para ligar ou desligar.

[59] Para mais detalhes, veja a Seção 3.5.3 e as Figuras 3.96 e 3.106.

[60] Fontes de alimentação chaveadas são denominadas SMPSs (*switchmode power supplies*), daí os termos como "tecnologia SMPS".

ção com chaves a transistor (normalmente MOSFETs, mas também IGBTs[61] para tensões elevadas), para realizar uma conversão CC-CC eficiente. Uma característica comum de todos esses conversores é a seguinte: na primeira parte de cada ciclo de comutação, a fonte de alimentação de entrada é usada para aumentar a corrente (e, portanto, a energia) de um indutor; essa energia, então, flui para a saída durante a segunda parte do ciclo de comutação. A conversão de potência chaveada é uma importante e vital área da eletrônica, e esses conversores são utilizados em quase todos os dispositivos eletrônicos.

Há, literalmente, centenas de variações de circuitos chaveados, mas eles podem ser reduzidos a algumas topologias fundamentais. Nesta seção, descrevemos os três modelos básicos *sem isolação* – *step-down* (abaixador), *step-up* (elevador) e inversor – mostrados na Figura 9.61. Depois, analisaremos projetos de conversores isolados; em seguida, concluiremos com uma análise do uso de conversores isolados alimentados a partir da rede elétrica CA. Tabelas de conversores chaveados selecionados (Tabelas 9.5a,b) e controladores (Tabela 9.6) aparecem mais adiante.

Juntamente com as topologias básicas de conversão de potência (que descrevem os circuitos que realizam a conversão de tensão em si), há o tema importante da *regulação*. Assim como com os reguladores de tensão linear, uma amostra da tensão de saída é comparada com uma tensão de referência em um *amplificador de erro*. Aqui, no entanto, o sinal de erro é utilizado para ajustar um parâmetro de conversão chaveada – na maioria das vezes, a largura do pulso. Isso é conhecido como *modulação por largura de pulso* (*pulse width modulation*, PWM).[62]

Como veremos, os próprios circuitos do modulador de largura de pulso se encontram em duas categorias (modo de tensão e modo de corrente), com consequências importantes em termos de tempo de resposta, ruído, estabilidade e outros parâmetros. E, para introduzir um pouco de complicação adicional, qualquer uma dessas combinações de circuitos chaveados pode operar em um modo no qual a corrente do indutor cai completamente para zero no final de cada ciclo de comutação, ou em um modo no qual a corrente do indutor nunca cai até zero. Esses modos de operação são conhecidos como *modo de condução descontínuo* (*discontinuous-conduction mode*, DCM) e *modo de condução contínuo* (*continuous-conduction mode*, CCM), respectivamente, e têm efeitos importantes sobre a estabilidade da realimentação, ondulação, eficiência e outros parâmetros operacionais de um regulador chaveado. Descrevemos o básico do PWM com alguns exemplos; mas vamos abordar apenas superficialmente os tópicos mais avançados

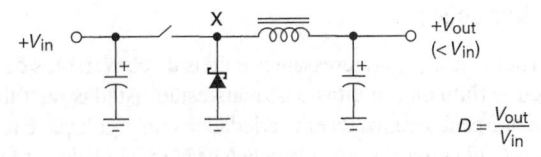

---

[61] Transistores bipolares de porta isolada, Seção 3.5.7A.

[62] Em alguns conversores chaveados, a regulação é feita, então, pela variação da *frequência* de pulso.

A. Buck (step-down)

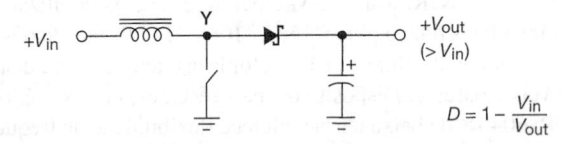

$$D = \frac{V_{out}}{V_{in}}$$

B. Boost (step-up)

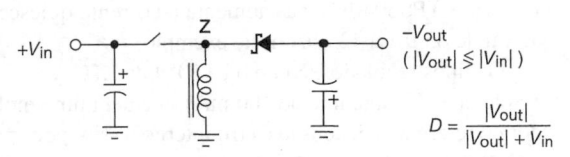

$$D = 1 - \frac{V_{in}}{V_{out}}$$

C. Inversor (ou *buck-boost inversor*)

$$D = \frac{|V_{out}|}{|V_{out}| + V_{in}}$$

FIGURA 9.61 Os conversores chaveados sem isolação básicos. A chave é, geralmente, um MOSFET. Diodos Schottky normalmente são utilizados nos retificadores, como mostrado; no entanto, um MOSFET pode ser utilizado como um eficiente "retificador ativo" sincronicamente comutado.

dos modos de tensão *versus* corrente do PWM e malha de compensação.

9.6.5 Conversor *Step-Down* (*Buck*)

A Figura 9.61A mostra o circuito de comutação *step-down* (ou "*buck*") básico, com a realimentação omitida por questão de simplicidade. Quando a chave é fechada, $V_{out}-V_{in}$ é aplicada ao indutor, causando um aumento linear da corrente (lembre-se de $dI/dt = V/L$) que flui através do indutor. (Essa corrente flui pela carga e pelo capacitor, é claro.) Quando a chave é aberta, a corrente no indutor continua a fluir no mesmo sentido (lembre-se de que indutores não "gostam" de mudar sua corrente de repente, de acordo com a última equação), com o "diodo ceifador" (ou "diodo roda livre") conduzindo agora para completar o circuito. A corrente do indutor encontra agora uma tensão fixa $V_{out}-V_{diodo}$ sobre ele, fazendo sua corrente diminuir linearmente. O capacitor de saída atua como uma energia "volante", suavizando a inevitável onda dente de serra (quanto maior o capacitor, menor a tensão de ondulação). A Figura 9.62 mostra as formas de onda de tensão e corrente correspondentes, considerando componentes ideais. Para completar o circuito como um *regulador*, você deve, é claro, adicionar realimentação, controlando a largura de pulso (em taxa de repetição de pulso constante) ou

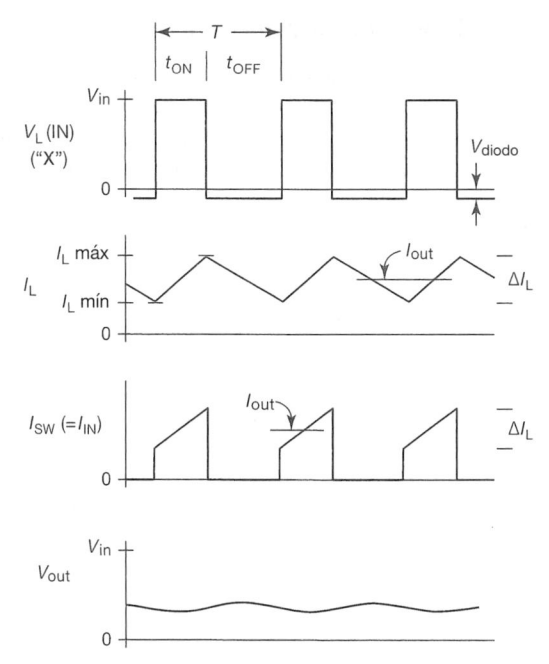

FIGURA 9.62 Operação do conversor *buck*. A corrente no indutor aumenta em forma de rampa quando a chave está ON e, da mesma forma, diminui quando a chave está OFF. A tensão de saída é igual à tensão de entrada vezes o ciclo de trabalho ($D = t_{on}/T$). No caso da corrente contínua no indutor (CCM, como mostrado aqui), a corrente de saída é igual à média da corrente no indutor.

a taxa de repetição (com largura de pulso constante) a partir de um amplificador de erro, que compara a tensão de saída com uma referência.[63]

Para todos os três circuitos da Figura 9.61, a queda de tensão no diodo ceifador gasta energia, reduzindo a eficiência de conversão. Diodos Schottky (como mostrado) são, muitas vezes, utilizados para mitigar isso, mas a melhor solução é adicionar uma segunda chave sobre o diodo ou no lugar dele. Isso é chamado de *comutação síncrona*; veja a coluna "Síncrono" nas Tabelas 9.5a,b e 9.6.

Tensão de saída Qual é a tensão de saída? No estado estacionário, a tensão média sobre um indutor deve ser zero, porque, caso contrário, sua atual cresceria continuamente (de acordo com $V = LdI/dt$).[64] Assim, ignorando quedas de tensão no diodo e na chave, isso requer que $(V_{in} - V_{out})t_{on} = V_{out}t_{off}$, ou

$$V_{out} = DV_{in}, \quad (9.3)$$

onde o "ciclo de trabalho" (ou "taxa de serviço") D é a fração de tempo em que a chave está ON, $D = t_{on}/T$, e T é o período de comutação ($T = t_{on} + t_{off}$).

Você pode pensar sobre isso de outra forma: a rede de saída LC é um filtro passa-baixas, à qual é aplicada uma entrada CC segmentada cuja tensão média é apenas DV_{in}. Assim, depois de suavizar, você obtém essa tensão média como a saída filtrada. Note que, considerando componentes ideais, a tensão de saída a partir de um conversor *buck* funcionando em ciclo de trabalho D fixo a partir de uma tensão de entrada fixa é intrinsecamente regulada: uma variação na corrente de carga não altera a tensão de saída; ela apenas faz a forma de onda triangular de corrente do indutor se deslocar para cima ou para baixo, de tal modo que a corrente média do indutor seja igual à corrente de saída. (Isso pressupõe corrente de indutor contínua, ou CCM, como discutiremos a seguir.)

Corrente de entrada Qual é a corrente de entrada? Se considerarmos componentes ideais, o conversor é sem perdas (100% de eficiência), de modo que a potência de entrada deve ser igual à potência de saída. Igualando essas, a corrente de entrada média é $I_{in} = I_{out}(V_{out}/V_{in})$.[65]

Corrente de saída crítica Consideramos a condução do indutor contínua nas formas de onda da Figura 9.62 e também ao deduzir que a tensão de saída é simplesmente a tensão de entrada vezes o ciclo de trabalho da chave. Observe novamente o gráfico da corrente do indutor: sua corrente média deve ser igual à corrente de saída, mas a sua variação de pico a pico (que chamamos de ΔI_L) é completamente determinada por outros fatores (ou seja, V_{in}, V_{out} T e L); assim, existe uma corrente de saída mínima durante a qual o indutor permanece em condução, isto é, quando $I_{out} = \frac{1}{2}\Delta I_L$.[66] Para correntes de saída menores do que essa corrente de carga crítica, a corrente no indutor atinge o zero antes do final de cada ciclo; o conversor, então, opera em modo de condução descontínuo, para o qual a tensão de saída já não permanece estável para um ciclo de trabalho fixo, mas que depende da corrente de carga. De maior importância, a operação em DCM tem um grande efeito sobre a malha de estabilidade e regulação. Por essa razão, muitos reguladores chaveados têm uma corrente de saída mínima, a fim de operar em CCM.[67] Como mostram as seguintes expressões, a corrente de carga mínima para CCM é reduzida por meio do aumento da indutância, do aumentando da frequência de comutação ou de ambos.

---

[63] Existe também o controle por histerese, em que tanto a largura de pulso quanto a frequência de comutação podem variar.

[64] Engenheiros gostam de dizer que o produto volt-tempo (ou o *produto volt--segundo*) deve ter uma média zero.

[65] Em conversores reais, a eficiência é reduzida por perdas nos indutores, capacitores, chaves e diodos. É um assunto complicado.

[66] O funcionamento nesta corrente é chamado de *modo de condução crítico*.

[67] Em correntes de carga inferiores à corrente mínima para CCM, eles podem entrar em outros modos de operação, incluindo o «modo *burst*».

A. Equações do Conversor *Buck* (Modo de Condução Contínua)

A partir da discussão e das formas de onda anteriores, não é muito difícil descobrir que o conversor *buck* ideal (Figura 9.61A), operando no modo de condução contínuo, obedece a estas equações:

$$\langle I_{\text{in}} \rangle = I_{\text{out}} \frac{V_{\text{out}}}{V_{\text{in}}} = D I_{\text{out}}, \tag{9.3a}$$

$$\Delta I_{\text{in}} = I_{\text{out}}, \tag{9.3b}$$

$$V_{\text{out}} = V_{\text{in}} \frac{t_{\text{on}}}{T} = D V_{\text{in}}, \tag{9.3c}$$

$$D = \frac{V_{\text{out}}}{V_{\text{in}}}, \tag{9.3d}$$

$$I_{\text{out(min)}} = \frac{T}{2L} V_{\text{out}} \left(1 - \frac{V_{\text{out}}}{V_{\text{in}}} \right)$$

$$= \frac{T}{2L} V_{\text{out}} (1-D), \tag{9.3e}$$

$$\Delta I_{\text{C(out)}} = \frac{T}{L} V_{\text{out}} (1-D), \tag{9.3f}$$

$$I_{\text{L(pk)}} = I_{\text{out}} + \frac{T}{2L} V_{\text{out}} (1-D), \tag{9.3g}$$

$$L_{\text{min}} = \frac{T}{2} \frac{V_{\text{out}}}{I_{\text{out}}} (1-D), \tag{9.3h}$$

em que $\langle I_{\text{in}} \rangle$ representa o valor médio no tempo da corrente de entrada, e ΔI_{in} e $\Delta I_{\text{C(out)}}$ são as correntes de ondulação de pico a pico aproximadas na entrada e na saída (importantes para a seleção do capacitor[68]). A primeira equação se mantém independentemente do modo (CCM ou DCM). As expressões para indutância mínima e corrente de saída mínima representam os valores críticos para manter CCM; para essas expressões, utilize a corrente de saída mínima e o valor máximo de V_{in}, respectivamente.

Exercício 9.8 Aceite o desafio: deduza essas equações (e não se esqueça de nos dizer se cometemos erros). *Sugestão*: para $I_{\text{out(mín)}}$ e $L_{\text{mín}}$, utilize o fato de que a corrente de saída I_{out} é igual à metade da corrente de pico a pico do indutor ΔI_L no limiar de CCM, como facilmente visto a partir da forma de onda i_L na Figura 9.62.

B. Exemplo de Conversor *Buck* – I

Façamos um projeto regulador *buck* usando um chip controlador muito simples (e barato), o MC34063 (Figura 9.63). Esse controlador remonta à década de 1980 e custa cerca de 50 centavos de dólar. Apesar de sua herança ancestral, o MC34063 é bastante popular em aplicações pouco exigentes, por causa de seu baixo preço e seus critérios de projeto simples; esse dispositivo de 8 pinos é fabricado por uma meia dúzia de empresas e é fornecido nos estilos de encapsulamentos habituais (DIP, SOIC, SOP). Ele inclui um oscilador, um amplificador de erro e uma referência de tensão, um comparador limitador de corrente e um par Darlington de saída com acesso ao coletor e ao emissor. O seu funcionamento não é sofisticado: ele não usa o PWM mais habitual (em que o tempo de condução da chave durante cada ciclo é variado continuamente, como na Figura 9.72). Em vez disso, os ciclos de condução da chave são habilitados, enquanto a tensão na entrada de realimentação (FB) é inferior à da referência interna, +1,25 V; caso contrário, eles são inibidos. Você pode pensar nisso como uma forma grosseira de PWM, em que a modulação consiste em ligar a chave por um ciclo completo e, em seguida, saltar ciclos suficientes para aproximar a relação ON/OFF necessária da chave.[69] Esse esquema de regulação de realimentação é conhecido como controle *por histerese*.

Para o nosso projeto, suponhamos uma entrada de +15 V e produzamos uma saída regulada de +5 V para correntes de carga até 500 mA. A Figura 9.64 apresenta o circuito. O design é simples:

1. Escolha uma frequência de operação: escolhemos 50 kHz, metade do máxima recomendada para o chip. Para essa frequência, a folha de dados especifica $C_T = 470$

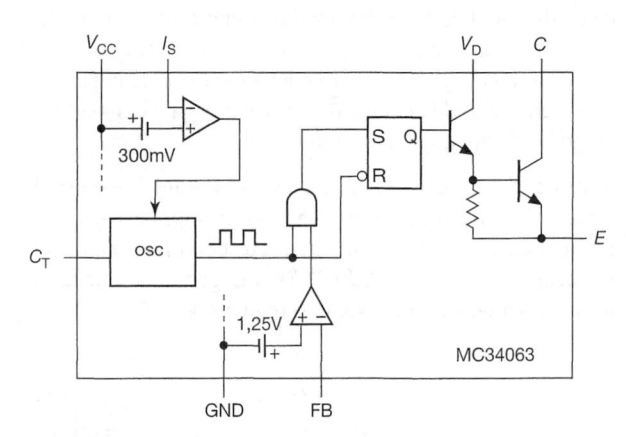

FIGURA 9.63 Um conversor chaveado popular de 50 centavos de dólar. As conexões externas de coletor e emissor da chave de 1,5 A tornam fácil a implementação de conversores *buck*, *boost* ou inversor.

---

[68] Note que folhas de dados de capacitores especificam a corrente de ondulação RMS máxima permitida em vez de pico a pico. Certifique-se de possibilitar uma grande margem de segurança nesse parâmetro na escolha de capacitores de entrada e saída para a conversão de potência.

[69] Isto é análogo ao controle de realimentação "*bang-bang*" (ON-OFF), em comparação com o controle proporcional (ou PID), no qual o sinal de realimentação opera de uma maneira contínua.

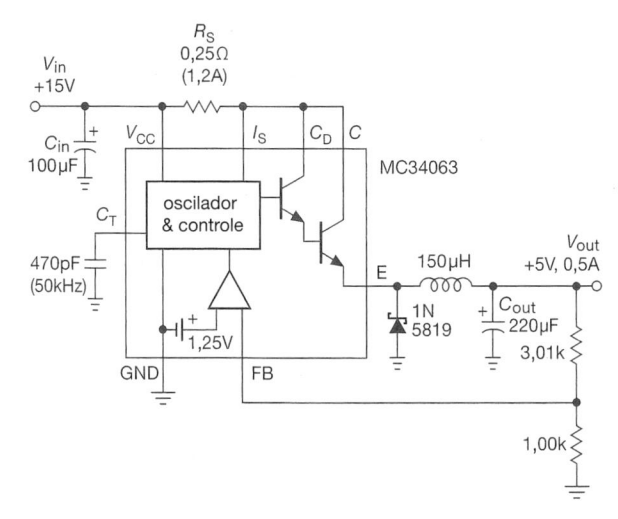

FIGURA 9.64 Regulador *step-down* usando o MC34063. Em comparação com o PWM proporcional, o controle ON-OFF simples do chip elimina a necessidade de componentes de compensação de realimentação. Mas sofre em desempenho.

pF. O oscilador opera com uma relação $t_{on}/t_{off} = 6$, de modo que o tempo de condução da chave é $t_{on} = 17\ \mu s$.

2. Calcule o valor do indutor de modo que o conversor opere em DCM,[70] considerando o início do CCM para uma tensão de entrada mínima e corrente de carga máxima: no início do CCM, a corrente de saída é metade da corrente do indutor de pico, assim, usando $V = LdI/dt$ (e considerando uma queda de 1 V na chave Darlington), temos $L = (V_{in} - V_{sw} - V_{out})t_{on}/2I_{out} = 153\mu H$. Usaremos um valor padrão de 150 μH.

3. Calcule o valor do resistor sensor R_S para limitar a corrente de pico I_{pk} para um pouco mais do que o 1 A esperado, mas não maior do que a especificação de 1,5 A do chip: $R_S = 300mV/I_{lim} = 0,25\Omega$ (para um limite de corrente de 1,2 A).[71]

4. Escolha um valor de capacitor de saída para manter a tensão de ondulação abaixo de um valor aceitável. Você pode estimar a ondulação calculando o aumento da tensão do capacitor durante um ciclo de condução da chave (durante o qual sua corrente vai de 0 a I_{pk}), o que dá um valor $\Delta V = I_{pk}t_{on}/2C_{out}$. Assim, um capacitor de saída de 220 μF resultará em uma tensão de ondulação de pico a pico de $\sim$40 mV.[72]

Alguns comentários. (a) Este projeto simples funcionará, mas o desempenho estará longe de ser ideal. Em especial, o controle ON-OFF grosseiro, combinado com a operação descontínua de condução, produz grande quantidade de ondulação de saída, e até mesmo ruído audível, causado pela sua pulsação intermitente.

(b) A conexão de saída Darlington impede a saturação no estágio de saída, com uma perda de eficiência; isto pode ser resolvido por meio da conexão da linha de coletor do acionador (V_D) à alimentação de entrada, com um resistor limitador de corrente da ordem de 200 Ω. (c) A chave interna é limitada a 1,5 A de corrente de pico, o que é inadequado para correntes de saída maiores do que 0,75 A; isso pode ser resolvido com uma chave a transistor externa, por exemplo, um transistor *pnp* ou um MOSFET canal *p* (para esta configuração *buck*). A principal atração aqui é a combinação do custo muito baixo com a falta de preocupações com a estabilidade e a compensação da realimentação. Você verá esse dispositivo usado em aplicações pouco exigentes, como carregadores de celular e similares.[73]

C. Exemplo de Conversor *Buck* - II

Felizmente, existem comutadores integrados muito bons que implementam PWM proporcional e, além disso, tornam realmente fácil fazer um projeto de circuito (muitos estão listados nas Tabelas 9.5a,b, discutidas mais adiante). Por exemplo, a National Semiconductor (parte da Texas Instruments) tem uma série de CIs "Simple Switcher", individualmente configurados para topologias *buck*, *boost* ou inverter, que incluem todos os componentes necessários de compensação de malha de realimentação dentro do chip.[74] Eles cobrem uma Faixa de tensão até 40 V ou mais, com correntes até 5 A, e têm limite de corrente embutida, limite térmico, referência de tensão, oscilador de frequência fixa e (em algumas versões) características como *soft-start* (veja a Seção 9.6.8G), sincronização de frequência e desligamento. O melhor de tudo, eles tornam muito simples o projeto de um conversor, seja seguindo a receita passo a passo nas folhas de dados ou usando ferramentas web gratuitas de projeto: você obtém os valores dos componentes (incluindo os números de identificação dos fabricantes de componentes recomendados) e dos dados de desempenho.

A Figura 9.65 mostra um desses projetos – neste caso, a conversão de uma entrada de 14 V (a partir de uma bateria de automóvel) para uma saída de +3,3 V, que pode fornecer até 5 A (para alimentar lógica digital). Seguimos a receita da folha de dados para obter os valores dos componentes e os números de identificação mostrados. Com estes componentes, a eficiência é 80%, e a ondulação de saída é inferior a 1% de V_{out} ($\sim$30 mV).

---

[70] Ou seja, a corrente no indutor varia em rampa completamente a zero durante cada ciclo de comutação

[71] Se você acha que a corrente de pico esperada é maior do que o limite do chip, terá que acrescentar um transistor externo, ou (melhor) usar um chip diferente.

[72] A tensão de ondulação real será superior devido ao ESR do capacitor, um efeito que também pode ser estimado.

[73] Aqueles que estão lutando com um circuito de baixo desempenho baseado em um MC34063A devem considerar o NCP3063, uma atualização que opera em 150 kHz. Isso não permite reduzir o tamanho do indutor e entregar correntes de saída mais altas.

[74] Veja, por exemplo, o diagrama em blocos na folha de dados do LM2677 e as patentes associadas para o indutor ativo (Patente dos EUA 5.514.947) e o capacitor ativo (patente dos EUA 5.382.918).

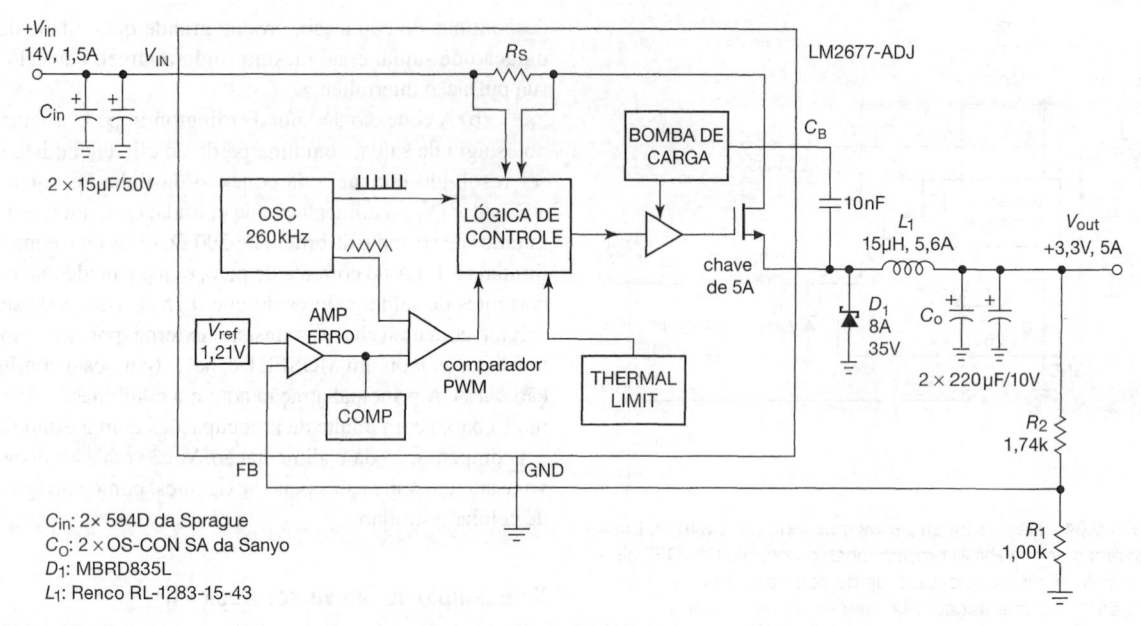

FIGURA 9.65 Regulador *step-down* utilizando o "Switcher Simple" LM2677 (com uma boa compensação interna). Seguimos receita de projeto da folha de dados para obter os valores dos componentes e os números de identificação recomendados.

O LM2677 que usamos (e outros "comutadores simples" substitutos) segue a partir da série inicial LM2574,75,76 (0,5 A, 1 A e 3 A, respectivamente), que funcionam a 52 kHz e que são dispositivos comuns amplamente procurados – eles são baratos e estão disponíveis a partir de muitos fabricantes.[75] O LM2677 é um membro da família LM2670 melhorada, que opera em 260 kHz, com especificações de corrente de saída até 5 A; isso requer um capacitor adicional (C_B, na figura) para acionar o MOSFET de baixa queda de tensão de 5 A.

Alguns comentários:

(a) Este conversor fornece dez vezes a corrente de saída do projeto anterior (Figura 9.64), e com desempenho significativamente melhor em termos de regulação, ondulação e resposta transitória. Isso tem um custo (literalmente), ou seja, um CI que custa dez vezes mais (cerca de 5 dólares versus 50 centavos de dólar).[76]

(b) A boa eficiência é, em parte, devida à utilização de um MOSFET de canal *n*, cuja porta é acionada a partir de uma tensão mais elevada do que V_{in}, graças a uma bomba de carga interna; esse é o propósito do capacitor *boost* C_B.

(c) Observe o uso de capacitores em paralelo na entrada e na saída. Você vê isso muitas vezes em conversores chaveados, nos quais é importante manter ESR e ESL (indutância em série equivalente) baixos: isso reduz a ondulação de tensão causada pela ondulação de corrente e também mantém os capacitores dentro de suas especificações de corrente de ondulação.[77]

(d) Para uma tensão de saída padrão como a de +3,3 V aqui, você pode economizar dois resistores selecionando uma versão de tensão fixa (LM2677-3.3); mas a versão ajustável (LM2677-ADJ) permite escolher a sua tensão de saída, sem ter que manter várias versões em estoque em seu laboratório.

(e) Note que a corrente de entrada é muito menor do que a corrente de saída, o que representa uma eficiência de conversão de potência de 80%; essa é a principal vantagem sobre um regulador linear.

(f) A eficiência fixa significa que, se você aumentar a tensão de entrada, a corrente de entrada *diminui*: uma resistência negativa! Isso cria algumas complicações divertidas – por exemplo, você pode obter oscilação quando a entrada é filtrada com uma rede *LC*, um problema que se aplica também aos conversores em entrada pela rede elétrica CA.

Exercício 9.9 Qual é a eficiência máxima teórica de um regulador linear (com transistor de passagem em série) quando usado para gerar +3,3 V regulados a partir de uma entrada de 14 V?

Exercício 9.10 Qual é a implicação da alta eficiência de um regulador *step-down* sobre a relação da corrente de saída pela corrente de entrada? Qual é a relação correspondente dessas correntes para um regulador linear?

---

[75] E a ON Semiconductor introduziu a família compatível NCV2576, dispositivos de baixo custo especificados especificamente para o mercado automotivo.

[76] CIs conversores de potência variam ao longo uma enorme faixa de preço; os preços aproximados nas tabelas deste capítulo podem fornecer algumas orientações em sua seleção.

[77] Também auxilia na criação de um perfil físico desejavelmente baixo.

9.6.6 Conversor *Step-up* (*Boost*)

Ao contrário dos reguladores lineares, conversores chaveados podem produzir tensões de saída superiores à sua entrada. A configuração *step-up* sem isolação básica (ou "*boost*") foi mostrada na Figura 9.61B (repetida aqui como 9.66, e vista antes, na figura 9.55, em comparação com o regulador linear). Durante a condução da chave (ponto Y próximo do terra), a corrente no indutor aumenta em forma de rampa; quando a chave é desligada, a tensão no ponto Y aumenta rapidamente conforme o indutor tenta manter a corrente constante. O diodo é ligado, e o indutor descarrega corrente no capacitor. A tensão de saída pode ser muito maior do que a tensão de entrada.

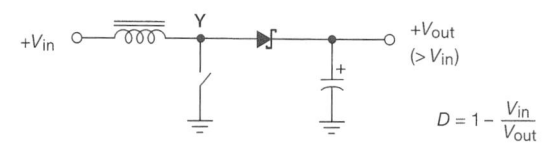

FIGURA 9.66 Topologia *boost* básica (ou "*step-up*") (não isolada).

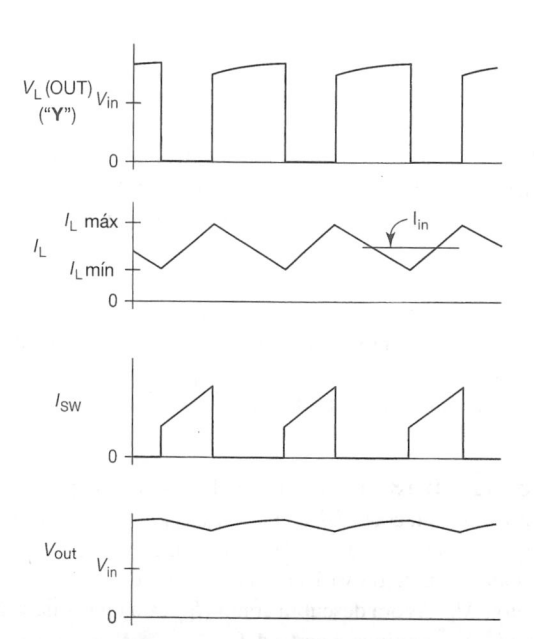

FIGURA 9.67 Operação do conversor *boost*. A corrente cresce em forma de rampa no indutor quando a chave está ON e diminui em forma de rampa quando a chave está OFF. A tensão de saída é igual à tensão de entrada dividida pela fração do tempo em que a chave está OFF. No caso da corrente de indutor contínua (CCM, como mostrado aqui), a corrente de entrada é igual à corrente média do indutor.

A. Equações do Conversor *Boost* (modo de condução contínuo)

A Figura 9.67 apresenta formas de onda de tensão e de corrente relevantes, considerando componentes ideais. Tal como acontece com o conversor *buck*, não é muito difícil descobrir que o conversor *boost* (Figura 9.61B), operando no modo de condução contínuo, obedece a estas equações:

$$\langle I_{\text{in}} \rangle = I_{\text{out}} \frac{V_{\text{out}}}{V_{\text{in}}} = \frac{I_{\text{out}}}{1-D}, \quad (9.4\text{a})$$

$$\Delta I_{\text{in}} = \frac{T}{L} V_{\text{in}} D, \quad (9.4\text{b})$$

$$V_{\text{out}} = V_{\text{in}} \frac{T}{t_{\text{off}}} = \frac{V_{\text{in}}}{1-D}, \quad (9.4\text{c})$$

$$D = 1 - \frac{V_{\text{in}}}{V_{\text{out}}}, \quad (9.4\text{d})$$

$$I_{\text{out(mín)}} = \frac{T}{2L} \left(\frac{V_{\text{in}}}{V_{\text{out}}}\right)^2 (V_{\text{out}} - V_{\text{in}}),$$

$$= \frac{T}{2L} V_{\text{out}} D (1-D)^2, \quad (9.4\text{e})$$

$$\Delta I_{C(\text{out})} = \frac{I_{\text{out}}}{1-D}, \quad (9.4\text{f})$$

$$I_{L(\text{pk})} = \frac{I_{\text{out}}}{1-D} + \frac{T}{2L} V_{\text{in}} D, \quad (9.4\text{g})$$

$$L_{\text{mín}} = \frac{T}{2I_{\text{out}}} \left(\frac{V_{\text{in}}}{V_{\text{out}}}\right)^2 (V_{\text{out}} - V_{\text{in}}). \quad (9.4\text{h})$$

A primeira equação se mantém independentemente do modo (CCM ou DCM). As expressões para indutância mínima e corrente de saída mínima representam os valores críticos para manter CCM; para essas expressões, use o valor máximo de V_{in} e (para $L_{\text{mín}}$) a corrente de saída mínima.

Exercício 9.11 Continuando o desafio: deduza essas equações. *Sugestão*: para $I_{\text{out(mín)}}$ e $L_{\text{mín}}$, utilize o fato de que, no limiar de CCM, a corrente de entrada I_{in} é igual à metade da variação da corrente de pico a pico no indutor, ΔI_L, como facilmente visto a partir da forma de onda de I_L na Figura 9.67.

Exercício 9.12 Por que o circuito de *step-up* não pode ser utilizado como um regulador *stepdown*?

Os procedimentos de projeto para conversores *step-up* (e inversor) são análogas àqueles para o conversor *buck*, e, por isso, resistiremos à tentação de mostrar exemplos de circuito reais.

9.6.7 Conversor Inversor

O circuito inversor (também conhecido como "*buck-boost* invertido" ou "*buck-boost* negativo") foi mostrado na Figura 9.61C (repetido aqui na Figura 9.68). Durante a condução da chave, uma corrente que aumenta linearmente flui da entrada no indutor (ponto Z) ao terra. Para manter a corrente quando a chave está aberta, o indutor leva o ponto Z ao negativo, tanto quanto for necessário para manter contínuo o fluxo de corrente. Agora, no entanto, essa corrente está fluindo para o indutor a partir do capacitor do filtro (e da carga). A saída é, portanto, negativa, e o seu valor médio pode ser maior ou menor em magnitude do que a entrada (conforme determinado pela realimentação); em outras palavras, o regulador inversor pode ser *step-up* ou *step-down*.

A. Equações do Conversor Inversor (modo de condução contínuo)

A Figura 9.69 apresenta as formas de onda relevantes de tensão e corrente do regulador inversor, uma vez mais considerando componentes ideais. Com um pouco de esforço, você pode descobrir que o conversor inversor (Figura 9.61C), que opera em modo de condução contínuo, obedece a estas equações:

$$\langle I_{in} \rangle = I_{out} \frac{V_{out}}{V_{in}} = -I_{out} \frac{D}{1-D}, \quad (9.5a)$$

$$\Delta I_{in} = \frac{\langle I_{in} \rangle}{D}, \quad (9.5b)$$

$$V_{out} = -V_{in} \frac{t_{on}}{t_{off}} = -V_{in} \frac{D}{1-D}, \quad (9.5c)$$

$$D = \frac{|V_{out}|}{|V_{out}| + V_{in}}, \quad (9.5d)$$

$$I_{out(mín)} = \frac{T}{2L} V_{out} \left(\frac{V_{in}}{V_{in} + |V_{out}|} \right)^2$$

$$= \frac{T}{2L} V_{out} (1-D)^2, \quad (9.5e)$$

$$\Delta I_{C(out)} = \frac{I_{out}}{1-D}, \quad (9.5f)$$

$$I_{L(pk)} = I_{out} \frac{1}{1-D} + \frac{T}{2L} V_{in} D, \quad (9.5g)$$

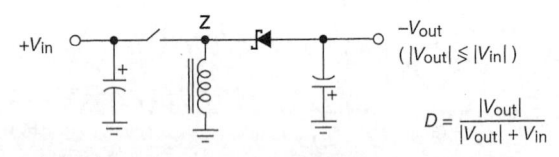

$$L_{mín} = \frac{T}{2} \frac{V_{out}}{I_{out}} \left(\frac{V_{in}}{V_{in} + |V_{out}|} \right)^2. \quad (9.5h)$$

FIGURA 9.68 Topologia do inversor básico (ou "*buck-boost* inversor") (não isolado).

Tal como acontece com os conversores *buck* e *boost*, a primeira equação se mantém independentemente do modo (CCM ou DCM). As expressões para indutância mínima e corrente de saída mínima representam os valores críticos para manter o CCM; para essas expressões, use o valor máximo de V_{in} e (para $L_{mín}$) a corrente de saída mínima. Nessas equações, utilizamos o símbolo de valor absoluto ($|V_{out}|$) nos dois locais em que o leitor, sem se importar com a polaridade oposta da tensão de entrada e saída, poderia seriamente sair dos trilhos.[78]

Exercício 9.13 O desafio final (e mais complicado[79]): deduza as equações. *Dica*: Para $I_{out(mín)}$ e $L_{mín}$, use o fato de que, no limiar do CCM, a corrente média do indutor $\langle I_L \rangle$ é igual à metade da variação da corrente de pico a pico do indutor, ΔI_L. Agora descubra como $\langle I_L \rangle$ está relacionada a I_{in} (ou a I_{out}), e continue a partir daí.

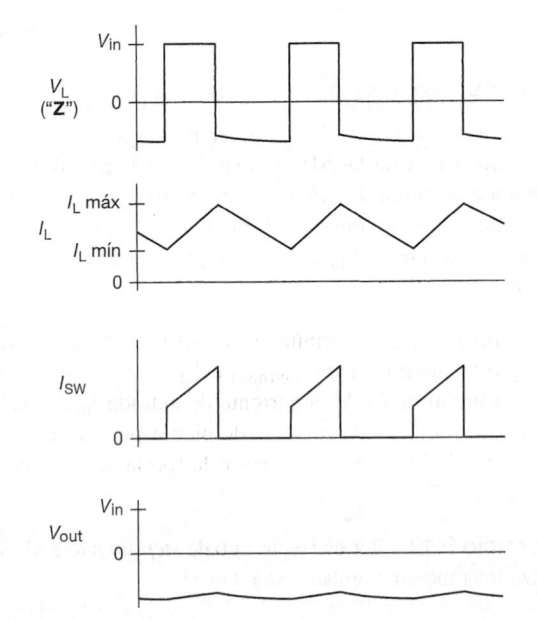

FIGURA 9.69 Operação do conversor inversor. A corrente do indutor cresce em forma de rampa durante o período ON da chave e diminui em forma de rampa durante o período OFF. A tensão de saída é invertida em polaridade, com um módulo igual à tensão de entrada vezes a relação t_{on}/t_{off} da chave (para MCC, como mostrado aqui).

---

[78] Os leitores que se sentem insultados por tal falta de confiança devem substituir "$+|V_{out}|$" por "$-V_{out}$". Eles podem argumentar, com certa razão, que sua equação corretamente sinalizada descreve também um conversor inversor que produz uma saída positiva a partir de um trilho de entrada negativa.

[79] Ousaremos confessar? Ele desconsertou muitos de nós antes de acertamos.

9.6.8 Observações Sobre os Conversores Não Isolados

Este é um bom lugar para fazer uma pausa, antes de passar para os conversores chaveados isolados por transformador, para discutir e rever alguns dos problemas comuns a estes conversores.

A. Relações Grandes de Tensão

A relação entre as tensões de saída e entrada nos conversores básicos não isolados depende do ciclo de trabalho ($D = t_{on}/T$), tal como consta nas fórmulas anteriores. Para índices modestos, isso funciona bem. Mas, para gerar uma relação grande, por exemplo, um conversor *buck* que converte uma entrada de +48 V para uma saída de +1,5 V, você acabará com larguras de pulso indesejavelmente curtas (portanto, maior estresse do transistor, sob a forma de tensões e correntes de pico elevadas e menor eficiência). Uma solução melhor é tirar proveito de um transformador, cuja relação de espiras fornece uma transformação de tensão adicional. Veremos em breve como isso é feito, nas topologias de conversores isolados análogas (conversor *buck* –> conversor *forward*; conversor inversor –> conversor *flyback*).

B. Descontinuidade da Corrente e Ondulação

Os três conversores básicos se comportam de forma bastante diferente em termos da pulsação da corrente de entrada e de saída. Em especial, considerando o preferido modo de condução contínuo, o conversor *buck* tem corrente contínua sendo fornecida para o capacitor de armazenamento de saída, mas uma corrente de entrada pulsada a partir da alimentação $+V_{in}$; o conversor *boost* tem corrente de saída pulsada, mas corrente de entrada contínua; e o conversor inversor tem corrente pulsada na entrada e na saída. Correntes pulsadas (descontínuas) são geralmente indesejáveis em níveis de alta potência, porque elas exigem capacitores de armazenamento de valor maior, com menor ESR/ESL, para um desempenho comparável. Há algumas topologias de conversores interessantes (discutidas em breve, na Seção 9.6.8H) que resolvem esses problemas; em especial, o conversor Ćuk (Figura 9.70) se orgulha de possuir continuidade de corrente na entrada e na saída.

C. Regulação: Modo de Tensão e Modo de Corrente

Conversamos pouco sobre os detalhes da realimentação e regulação de tensão em conversores chaveados, embora os exemplos anteriores ilustrem duas abordagens: o esquema simples de salto de pulso ON-OFF do regulador MC34063 (Figura 9.64); e o esquema PWM proporcional mais comumente usado implementado na Figura 9.65. Na verdade, o controle PWM pode ser feito de duas maneiras, conhecidas como *modo de tensão* e *modo de corrente*: em modo de tensão PWM, o sinal de erro é comparado com uma forma de onda dente de serra (ou triangular) do oscilador interno para definir a duração de ativação (chave ON). Por outro lado, no PWM de modo de corrente, a corrente da chave varia em forma de rampa de acordo com $V = L\, dI/dt$, o dente de serra e é comparada com o sinal de erro para finalizar o estado ON da chave, conforme mostrado na Figura 9.71. Entraremos em um pouco mais de detalhes na Seção 9.6.9.

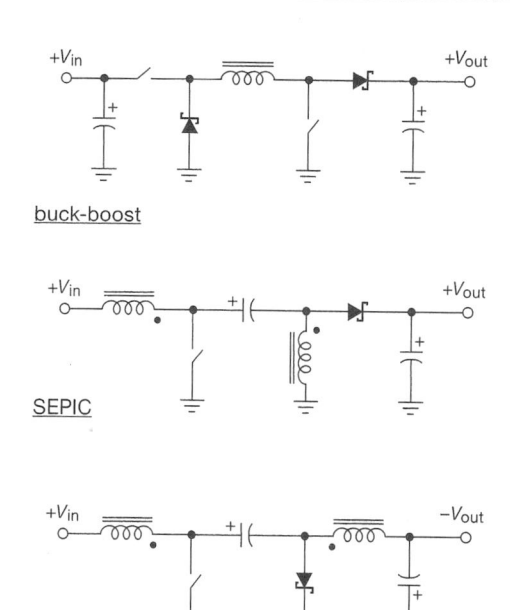

FIGURA 9.70 Conversores que permitem sobreposição das faixas de tensão de entrada e saída. Ambas as chaves são operadas juntas na configuração (A) *buck-boost* (ou "buck-boost não inversor"). As configurações SEPIC (B) e Ćuk (C) usam, cada uma, uma única chave, mas dois indutores (opcionalmente acoplados). O Ćuk "*boost-buck*" é inversor.

D. Comutadores de Baixo Ruído

Comutadores são ruidosos! A Figura 9.53, que compara conversores de potência de 5 V chaveado *versus* linear, apresenta vários aspectos dessa "característica" indesejável: em primeiro lugar, há uma abundância de ruído na frequência de chaveamento, que normalmente cai na faixa 20 kHz a 1 MHz; em segundo lugar, a frequência de comutação pode variar,[80] causando interferências na faixa de frequências; e, em terceiro lugar (e mais angustiante), os sinais chaveados

---
[80] Isto é frequentemente feito intencionalmente, a fim de cumprir as normas regulamentares sobre interferências (EMI) "espalhando" os sinais de chaveamento emitidos ao longo de uma faixa de frequências (veja as Figuras 9.53 e 9.54). Embora haja uma razão para recorrer a essa medida quando outras opções estão esgotadas, não somos muito entusiastas dessa prática, que, paradoxalmente, incentiva projetos desleixados que emitem uma potência total irradiada *maior*. Como o engenheiro da NASA Eric Berger comentou: "Quando eu ouvi pela primeira vez sobre essa prática, fiquei chocado. A energia irradiada não é reduzida, apenas os picos no domínio da frequência. Isso é como se livrar do estrume de vaca pisando nele."

podem ser quase impossíveis de eliminar, propagando-se tanto como sinais irradiados quanto através de correntes de terra. A Figura 9.53 ilustra bem este último ponto: o ruído de chaveamento pode ser fortemente desviado *em um ponto*, como na Figura 9.53B; mas basta colocar a ponta de prova do osciloscópio a alguns centímetros de distância (Figura 9.53C e D), e ele *está de volta!*

Esse problema é amplamente reconhecido, e há várias abordagens para a remoção do ruído do comutador. Em um nível simples, um regulador de baixa queda de tensão na saída ajuda consideravelmente, como faz um filtro de saída *LC* simples. Uma abordagem mais sofisticada é utilizar as topologias de conversor que evitam pulsações de corrente na entrada e na saída (por exemplo, o conversor de Ćuk, Seção 9.6.8H) ou que exploram as propriedades ressonantes da indutância e da capacitância de modo que as chaves sejam colocadas em condução em momentos em que a tensão sobre elas esteja próxima de zero ["comutação de tensão zero" (*switching voltagem zero*, ZVS)] e sejam abertas quando a corrente esteja próxima de zero ["comutação de corrente zero" (*switching-current zero*, ZCS)]. Por fim, alguns conversores (exemplificados pelos LT1533, LT1534, LT1738 e LT3439) incorporam circuitos para limitar a tensão do transistor de chaveamento e taxas de variação de corrente, o que reduz tanto o ruído de comutação por irradiação quanto o por condução.

Ao pensar sobre o ruído do conversor chaveado, tenha em mente que ele surge de várias maneiras, a saber:

(a) ondulação "impressa" *ao longo* dos terminais de saída CC, na frequência de chaveamento, tipicamente da ordem de 10 a 100 mV de pico a pico;

(b) ondulação de *modo comum* na saída CC (que você pode pensar como corrente de ondulação na linha de terra), que causa o tipo de dano visto na Figura 9.53C;

(c) ondulação, novamente na frequência de chaveamento, "impressa" na alimentação de *entrada*;

(d) ruído *irradiado*, na frequência de chaveamento e seus harmônicos, a partir de correntes comutadas no indutores e terminais.

Você pode ter muitos problemas com fontes chaveadas em um circuito que tem sinais de baixo nível (digamos 100 μV ou menos). Embora um trabalho intenso de blindagem e filtragem possam resolver tais problemas, provavelmente seja melhor o uso de reguladores lineares desde o princípio.

E. Compensações de Indutância

Há alguma flexibilidade na escolha de indutância. Normalmente, você deseja operar conversores PWM (mas não conversores ON-OFF, como o MC34063 no nosso primeiro exemplo) em modo de condução contínuo, o que define uma indutância mínima para uma determinada frequência de chaveamento e valor de corrente de carga mínima. Um indutor maior reduz a corrente de carga mínima, reduz a corrente de ondulação para uma dada corrente de carga e melhora a eficiência; mas um indutor maior também reduz a corrente de carga máxima, degrada a resposta transiente[81] e amplia o tamanho físico do conversor. Trata-se de uma negociação (ou compensação).

F. Estabilidade da Realimentação

Conversores chaveados requerem consideravelmente mais cuidado no projeto da rede de compensação de frequência do que, digamos, um circuito com AOP. Pelo menos três fatores contribuem para isso: a rede de saída *LC* produz um deslocamento de fase de atraso de "2 polos" (em última análise, atingindo 180°), o que exige um "zero" de compensação; as características da carga (capacitância de desvio adicional, não linearidades, etc.) afetam as características da malha; e as características de ganho do conversor e fase *versus* frequência mudam abruptamente se o conversor entra em modo de condução descontínuo. E, para adicionar um pouco mais de complexidade em uma situação já complexa, existem diferenças importantes entre os conversores de modo de tensão e modo de corrente: por exemplo, este último, que é mais comportado em termos de deslocamento de fase da rede *LC*, apresenta uma "instabilidade sub-harmônica" quando operado em ciclos de trabalho de comutação superiores a 50% (isso é resolvido por uma técnica chamada *compensação de inclinação*).

A abordagem mais fácil para o usuário casual é escolher conversores com compensação interna (por exemplo, a série Simple Switcher, como na Figura 9.65), ou conversores que oferecem receitas completas para compensação externa confiável. Independentemente disso, o projetista de circuitos (você!) deve certificar-se de *testar* o que você projetou.[82]

G. *Soft Start*

Quando a tensão de entrada é inicialmente aplicada a qualquer circuito regulador de tensão, a realimentação tentará levar a tensão de saída para o destino. No caso de um conversor chaveado, o efeito é comandar o ciclo de trabalho máximo da chave, ciclo após ciclo. Isso gera uma grande corrente de energização (ou de partida) (a partir da carrega do capacitor de saída), mas, ainda pior, pode causar um sobressinal (*overshoot*) da tensão de saída, com efeitos potencialmente prejudiciais sobre a carga. Pior ainda, o núcleo magnético do indutor (ou do transformador) pode saturar (atingindo a densidade máxima de fluxo), e a indutância cai muito, gerando um pico na corrente da chave. A saturação do núcleo é uma das principais causas de falha de componente; você não quer isso.

---

[81] A velocidade transitória é uma das principais razões para usar valores baixos de indutância em conversores chaveados que alimentam microprocessadores, nos quais você vê o conceito de *indutância crítica*, ou seja, uma indutância pequena o suficiente para lidar com os transientes dos degraus de carga.

[82] Ao testar a estabilidade, não se esqueça da característica de entrada de resistência negativa de conversores chaveados: certifique-se de testar com quaisquer filtros de entrada que você planeja usar.

Esses problemas são mais graves em conversores que funcionam a partir da rede elétrica CA, em que o estágio de entrada sem transformador (ponte de diodo e capacitor de armazenamento) provoca uma corrente de energização adicional, e essa fonte de alimentação de entrada pode entregar bastante corrente de pico. Portanto, muitos chips controladores de chaveamento incorporam circuitos *soft-start*, o que restringe o ciclo de trabalho da chave a uma rampa gradual durante a energização; esses casos são indicados na coluna *soft start* dos Quadros 9.5a,b e 9.6.

H. Topologias *Buck-Boost*

Para o conversor *buck*, V_{out} deve ser menor do que V_{in}, e, para o conversor *boost*, V_{out} deve ser maior do que V_{in}, sendo necessário em ambos os casos para resetar a corrente no indutor. Às vezes, você gostaria de um conversor que permitisse que a tensão de entrada variasse em torno de ambos os lados da tensão de saída (por exemplo, um dispositivo alimentado por bateria com lógica digital de 2,5 V funciona com duas pilhas AA, que, no início da vida útil, têm 3 V e, no final da vida útil, têm cerca de 1,8 V; ou uma aplicação automotiva, alimentada por uma bateria de 12 V, que fornece 13,8 V em operação, mas até 8 V na partida e até 40 V em picos de tensão (*load dump*).

Embora o conversor inversor (*buck-boost*) (Figura 9.61C) permita que a tensão de saída seja maior ou menor que a entrada, a sua polaridade é invertida. A Figura 9.70 apresenta três configurações interessantes que permitem a sobreposição das faixas de tensão de saída e entrada. A primeira delas é especialmente fácil de entender: ambas as chaves são operadas simultaneamente por um tempo t_{on}, aplicando V_{in} sobre o indutor; durante t_{off}, a corrente do indutor flui através do par de diodos para a saída. A tensão de saída, a partir da igualdade volt-tempo necessária do indutor (e ignorando quedas de tensão nas chaves e nos diodos), é, então, simplesmente $V_{out} = (t_{on}/t_{off})V_{in}$. Exemplos típicos de CIs conversores *buck-boost* são o LTC3534 (chaves MOSFET internas) e o LTC3789 (chaves MOSFET externas); ambos usam chaves MOSFET síncronas no lugar de diodos Schottky, ou seja, quatro MOSFETs ao total. Para outros conversores com chaveamento síncrono, veja a coluna "Síncrono" nas Tabelas 9.5a,b 9.6.

O conversor com indutância simples no primário (*single-ended primary-indutance converter*, SEPIC) e o conversor Ćuk[83] têm a vantagem de necessitarem apenas de uma única chave controlável. E o conversor Ćuk tem a notável propriedade de produzir corrente de ondulação de saída *zero* quando os indutores são acoplados (enrolados no mesmo núcleo). Esta última propriedade foi descoberta acidentalmente, mas agora faz parte do vocabulário dos profissionais que usam e estudam sistemas chaveados, que o chamam de "fenômeno de ondulação zero". E, embora estejamos elogiando o Ćuk, vale a pena notar que as forma de onda de entrada e saída são contínuas, diferentemente do *buck*, *boost*, inversor, SEPIC ou *buck-boost*.

9.6.9 Modo de Tensão e Modo de Corrente

Há duas abordagens para a implementação de modulação por largura de pulso, como mencionamos anteriormente na Seção 9.6.8C; veja a Figura 9.71.

No nível superior, ambos os métodos comparam a tensão de saída com uma tensão de referência interna para gerar um sinal de erro. Ou seja, ambos os métodos são reguladores de *tensão* (não confunda "modo de corrente" com *regulador* de corrente). A diferença está na forma como o sinal de erro é usado para ajustar a largura de pulso: no PWM de *modo de tensão*, o sinal de erro é comparado com a forma de onda dente de serra do oscilador interno para controlar o tempo ON da chave.[84] No PWM de *modo de corrente*, por

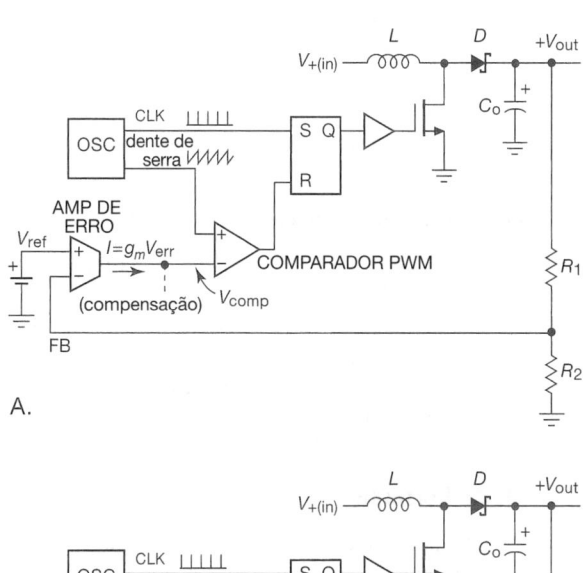

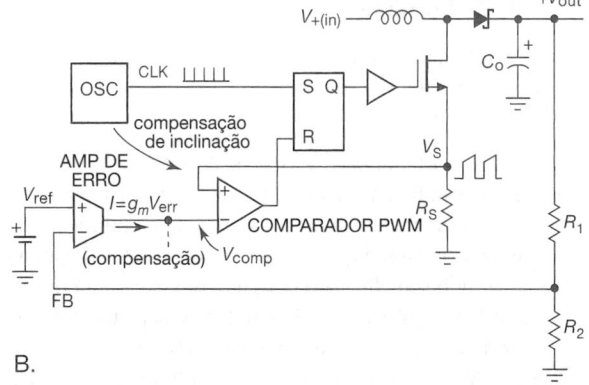

FIGURA 9.71 Modulação por largura de pulso em reguladores chaveados. (A) O PWM de modo de tensão compara o sinal de erro integrado ($V_{err} = V_{ref} - FB$) com a onda dente de serra do oscilador, ao passo que (B) o PWM de modo de corrente substitui a forma de onda de corrente em rampa da chave.

---

[83] Inventado por Slobodan Ćuk em 1976.

[84] Tipicamente, utilizando uma saída de *pulso* do oscilador, para iniciar o ciclo de condução, e a saída do comparador PWM (que compara o sinal de erro com a onda dente de serra do oscilador), para terminar o ciclo de condução, como mostrado nas Figuras 9.71A e 9.72.

outro lado, a corrente em rampa no indutor substitui a onda dente de serra, com o oscilador interno utilizado para *iniciar* cada ciclo de condução[85] (Figuras 9.71B e 9.72). As Tabelas 9.5a,b e 9.6 indicam se o CI SMPS emprega uma malha de controle de modo de corrente ou de modo de tensão.

Como escolher? Antes de comparar os seus méritos relativos, oferecemos este conselho sensato: selecione o chip regulador chaveado que tem as características que você quer (em termos de tensão e corrente, facilidade de projeto, preço e disponibilidade, quantidade de componentes, etc.), e não se preocupe com a forma como os projetistas do chip fizeram seu trabalho.

Agora vamos à comparação.

A. Modo de Tensão

Esta é a forma tradicional de PWM. As suas vantagens incluem

(a) a simplicidade de análise de um único percurso de realimentação,
(b) impedância de saída baixa a partir do estágio de potência e
(c) boas margens de ruído (devido à rampa gerada internamente).

Suas desvantagens incluem

(a) a necessidade de cuidado de malha de compensação (por causa do filtro de saída *LC* de 2 polos),[86]
(b) resposta de malha lenta (especialmente em resposta a variações de entrada) e
(c) a necessidade de circuitos de limitação de corrente separados para a(s) chave(s) transistorizada(s).

B. Modo de Corrente

O controle de modo de corrente se tornou popular no início dos anos 1980, quando seus benefícios se tornaram aparentes. Eles incluem

(a) uma resposta rápida a variações de entrada,
(b) inerente limitação da corrente da chave pulso a pulso,
(c) margem de fase melhorada na malha de realimentação de tensão externa (porque a saída do estágio de potência, sendo semelhante à corrente, remove com eficácia o deslocamento de fase do indutor, ou seja, um polo em vez de dois na malha de realimentação) e

---

[85] E para gerar o sinal em rampa da "compensação de inclinação".

[86] Como a folha de dados do LT3435 sucintamente coloca, "Um sistema alimentado por tensão terá baixo deslocamento de fase até a frequência de ressonância do indutor e do capacitor de saída, seguido de um deslocamento abrupto de 180°. O sistema alimentado por corrente terá 90° de deslocamento de fase com uma frequência muito menor, mas não terá o deslocamento adicional de 90° até muito além da frequência ressonante *LC*. Isso torna muito mais fácil compensar a frequência da malha de realimentação e também proporciona uma resposta transitória muito mais rápida".

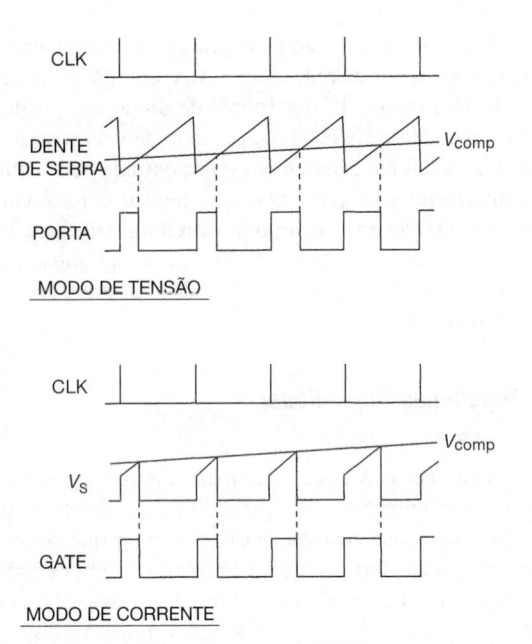

FIGURA 9.72 As formas de onda do PWM nos modos de tensão e de corrente.

(d) a capacidade de conexão em paralelo das saídas de vários conversores idênticos.

As desvantagens do controle de modo de corrente incluem

(a) a maior dificuldade de analisar duas malhas de realimentação aninhadas (mitigada pela ampla separação de suas frequências características),
(b) intrinsecamente maior impedância de saída do estágio de potência (a saída é mais afetada por variações de carga, porque a malha rápida tende para uma saída de corrente constante),
(c) suscetibilidade ao ruído, especialmente para uma carga baixa, e para ressonâncias (porque o PWM depende da rampa derivada da corrente),
(d) término prematuro do estado ON da chave causado pelo pico de corrente na borda de subida (de capacitâncias parasitas e efeitos da recuperação do diodo), e
(e) instabilidades e ressonâncias sub-harmônicas de alto ciclo de trabalho.

Soluções Inteligentes Os projetistas de circuitos são inteligentes e já descobriram alguns truques legais para resolver os problemas de cada método. A resposta lenta de controladores de modo de tensão a variações de entrada pode ser corrigida por meio da adição de um sinal de alimentação de entrada à rampa de dente de serra, e a resposta de malha lenta pode ser aliviada operando a uma frequência de chaveamento superior. Para o controle de modo de corrente, a sacola de truques inclui supressão da borda de subida (para ignorar o pico de corrente no estado ON da chave) e "compensação de inclinação" (para restaurar a estabilidade em um ciclo de trabalho alto).

TABELA 9.5A Reguladores chaveados integrados de modo de tensão[a]

Nº identif	Encapsulamentos TO220, DPAK	DIP	SOIC, MSOP	SOT23	Versões de tensão fixa[b] menor	Comp interno	Soft-start	Modo burst, etc.	Desligamento	UVLO	Modo de controle[c]	Tipo de chave[e]	Chaveamento síncrono	V_{fonte} mín[o] (V)	V_{fonte} máx (V)	I_Q tip. (mA)	V_{fb} tip. (V)	V_{out} mín (V)	V_{out} máx (V)	f_{chave} (kHz)	I_{SW} máx (A)	Nº de Dispositivos ext[g]	Observações
Buck																							
TPS62200	-	-	-	5	-	7	•	•	q	•	•	P	M	•	2,5	6	0,02	0,50	0,7	5,5	1000[t]	0,3	1,3	-
LT1934	-	-	-	6	•	-	•	•	•	•	•	H	B	-	3,2	34	0,012	1,25	1,25	28	~300	0,35	7	-
NCP1522B	-	-	5	-	•	-	•	•	q	•	•	P	M	•	2,7	5,5	0,05	0,90	0,9	3,3	3000[t]	1,2	4	-
CS51413	-	-	8	-	•	-	•	•	•	-	•	V2	B	-	4,5	40	4	1,27			520[t,p]	1,6	7	1
L4976	-	8	16	-	-	-	-	-	-	-	-	P	M	-	8	55	2,5	3,3	3.3	40	to 300	2	7	-
LM2574[h]	-	8	14	-	-	4	•	-	-	•	s	P	B	-	3,5	40,60	5	1,23	1,23	37,57	52[t]	1,0	2,4	-
LM2575[h]	5	-	-	-	-	4	•	-	-	•	s	P	B	-	3,4	40,60	5	1,23	1,23	37,57	52[t]	2,2	2,4	-
LM2576[h]	5	-	-	-	-	4	•	-	-	•	s	P	B	-	3,5	40,60	5	1,23	1,23	37,57	52[t]	5,8	2,4	2
NCP3125	-	-	8	-	-	-	-	•	-	•	•	P	M	•	4,5	13	4	0,80	0,8		350[t]	4 d	9	3
LT1074[h]	5	-	-	-	-	1	-	-	q	•	•	P	B	-	8	40,60	8,5	2,21	2,5	30[k]	100	5	6	4
LM2677	7	-	-	-	-	3	•	-	-	•	s	P	M	-	8	40	4,2	1,21	1,21	37	260	7	3,5	5
LMZ12010	11	-	-	-	-	-	•	-	-	•	•	P	M	•	4,3	20[f]	3	0,80	0,8	6	360[t]	10	3	-
Boost, Flyback, etc.																							
NCP1400A	-	-	-	5	-	9[n]	•	•	q	-	s	P	M	-	0,8[y]	5,5	0,03	-	1,9	5	180	0,1	2	6,8
NCP1423	-	-	-	-	10	-	•	•	•	•	•	P	M	•	0,8	6	0,01	0,50	1,8	3,3	to 600	0,4	4	7,8
L6920DC	-	-	8	-	-	2	•	-	-	•	•	T	M	•	0,8	5,5	0,01	1,23	1,8	5,5	1000	0,5	2,4	8
TPS61070	-	-	-	6	-	-	•	•	•	•	•	P	M	•	1,1[x]	5,5	0,02	0,50	1,8	5,5	1200	0,6	3	8
TPS61030	-	-	16	-	•	2	•	•	•	•	•	P	M	•	1,8	5,5	0,02	0,50	1,8	5,5	600	4,5	1,3	7,8

Notas: (a) Todos têm chave(s) de potência integrada(s), detecção de corrente e (em alguns casos) malha de compensação; listados em ordem crescente de corrente da chave. (b) Número de tensões fixas disponíveis; todos, exceto NCP1400A, têm versões ajustáveis. (c) H = modo com histerese; P = PWM de frequência fixa; T = t_{off} min, t_{on} max; V2 = controle v² da ONsemi. (d) Limite de corrente ajustável. (e) B = BJT; M = MOSFET. (f) Veja o LMZ23608 para V_{in} até 36 V. (g) Número típico de dispositivos externos (sem contar capacitores de desvio); dois números indicam fixo/ajustável. (h) Sufixo HV para 60V. (m) Limite de corrente ajustável. (n) Versão não ajustável. (o) Limiar de reinício. (p) CS51411 para 260 kHz. (q) Frequência reduzida ou salto de pulso para pequena carga. (s) Dispositivo com SHDN pode ter UVLO acrescentado com um circuito externo. (t) Típico. (u) Mais I_{SW}/50, etc., quando a chave está ON (um problema de dissipação de potência se usado com V_{fonte} alta). (v) Mais a corrente de acionamento da chave BJT, no pino BOOST, tomada a partir da saída *buck* de baixa tensão. (x) Opera até 0,9 volts. (y) Opera até 0,3 volts. (z) Opera até 0,5 volts.
Comentários: 1: Compatível pino a pino com LTC1375 **2:** Muitos fabricantes licenciados. **3:** NCP3126 e 3127 para a corrente inferior **4:**.V_{out} negativa até −35 V (veja a folha de dados); comp V_{in}; LT1076 para 2 A. **5:** Destacado no texto. **6:**. NCP1402 para 200 mA. **7:** eficiência de 96%, comparador de bateria baixa. **8:** *Step-up* de uma única célula (pilha).

Escolha do modo de controle: ambos são viáveis. Na prática atual, ambos os modos são viáveis, e estão disponíveis muitos CIs controladores que usam uma ou outra técnica. Como uma declaração geral, conversores de modo de tensão são favorecidos

(a) em aplicações ruidosas, ou em aplicações com condições de carga leve, ou
(b) onde várias saídas são derivadas a partir de um estágio de alimentação comum (isto é, em conversores que utilizam um transformador com vários enrolamentos secundários).

Controladores de modo de corrente são favorecidos

(a) onde a resposta rápida para transientes de entrada e ondulação é importante,
(b) onde é desejável conectar em paralelo várias fontes de alimentação (por exemplo, para redundância),
(c) onde você quer evitar as complexidades ao projetar uma malha de compensação de polo zero adequada e
(d) em aplicações em que a limitação de corrente pulso a pulso rápida é importante para confiabilidade.[87] As Tabelas 9.5a e 9.5b listam reguladores chaveados "integrados" selecionados, ou seja, com chave(s) de potência interna(s). Veja também a Tabela 9.6 para reguladores chaveados que acionam MOSFETS externos, Tabela 3.4 (MOSFETS) e Tabela 3.8 (acionadores).

---

[87] Evidentemente, projetistas de circuitos integrados SMPS (e provavelmente os seus muitos clientes) preferem o controle de modo de corrente sobre o modo de tensão, como refletido pelo comprimento mais curto da Tabela 9.5A em comparação com a Tabela 9.5b, e pela escassez de controladores de modo de tensão na coluna "modo de controle" da Tabela 9.6.

TABELA 9.5B Reguladores chaveados integrados de modo de tensão[a]

Nº identif	Encapsulamentos TO220	DPAK, D2PAK	DIP	SOIC, TSSOP	SOT23, SC70	menor	Versões de tensão fixa	Comp interno	comp inclinação	Soft-start	Modo burst, etc.	UVLO	OVP	Modo de controle[c]	Chave DMOS	Síncrono	V_{fonte} mín (V)	V_{fonte} máx (V)	I_Q tip. (mA)	V_{FB} tip. (V)	V_{out} máx (V)	f_{chave} máx (kHz)	I_{SW} máx (A)	Nº dispositivos[g]	Observações
Buck																									
LTC1174[f]	-	-	8	8	-	-	2	●	●	-	●	●	-	P	●	-	4	13	0,45	1,25		200	0,3,0,6	2	1
LT1776	-	-	8	8	-	-	-	-	-	-	e	e	-	P	●	-	7,4	40	3,2	1,24		200	0,7	7	2
LT1933	-	-	-	6	6	-	●	●	●	p	●	-	P	-	-		3,6	36	1,6[v]	1,25		500[t]	1	6	-
ADP3050	-	-	-	8	-	-	2	-	●	-	-	●	-	P	-	-	3,6	30	0,7[v]	1,30		200	1,25	6/8	3
ADP2300	-	-	-	6	-	-	-	●	●	●	●	●	●	P	●	-	3	20	0,64	0,80		700[r]	1,2	5	4
ADP2108	-	-	-	-	5	5	11	●	-	●	●	-	-	P	●	●	2,3	5,5	0,02	fixed	3,3	3000[t]	1,3	1	5
LT1376	-	-	8	8	-	-	2	-	-	●	●	-	-	P	●	-	2,4	25	3,6[v]	2,42		500[t]	1,5	5/7	6
LMR12010	-	-	-	6	-	-	-	●	●	●	●	-	-	P	●	-	3	20	1,5	0,80	17	3000[t]	1,7	6	7
LT3500	-	-	-	-	12	-	-	●	●	●	●	-	-	P	●	-	3	36	2,5[v]	0,80		250-2000	2,8	12	8
NCP3170B	-	-	-	8	-	-	-	●	●	●	●	-	-	P	●	-	4,5	18	1,8	0,80	V_{in}	1000	3	5	9
A8498	-	-	-	8p	-	-	-	●	-	-	●	-	p	-	O	-	8	50	0,9	0,80	24	30-700	3,5	5	10
LT3435	-	-	-	16	-	-	-	●	●	●	●	-	-	P	-	-	3,3	60	3,3[v]	1,25		500[t,q]	4	12	11
LT1765	-	-	-	8	-	4	-	●	●	e	-	e	-	P	-	-	3	25	1,0[v]	1,20		1250	4	-	11
LT3690	-	-	-	-	16	-	-	●	●	●	●	-	-	P	w	●	3,9	36,60	0,1[v]	0,80	20	140-1500	5	8	12
Boost, Flyback, etc.																									
TPS61220	-	-	-	-	6	-	2	●	-	-	p	-	●	H	●	-	0,7	5,5	0,01	0,50	5,5	1000	0,2	1/3	13
TPS61040	-	-	-	-	5	-	-	●	-	●	●	-	-	M	●	-	1,8	6	0,03	1,233	30	1000	0,4	5	14
LT1613	-	-	-	-	5	-	-	●	-	-	p	-	-	P	-	-	1,1	10	3[u]	1,23	34[d]	1400[t]	0,8	4	15
LMR64010	-	-	-	-	5	-	-	●	-	●	●	-	-	P	-	-	2,7	14	2,1	1,23	40[d]	1600	1	5	16
LT1930A	-	-	-	-	5	-	-	●	-	-	●	-	-	P	-	-	2,6	16	5,5[u]	1,26	34[d]	2200[t]	1,2	5	-
ADP1612	-	-	-	8	-	-	-	-	-	●	●	-	-	P	-	-	1,7	5,5	4	1,235	20	650,1300	1,4	7	17
LTC3401	-	-	-	-	10	-	-	●	-	●	●	-	-	P	-	-	0,9	5,5	0,44	1.25	6	50-3000	1,6	7	18
LT1172[h]	5	5	8	16	-	-	-	-	-	e	-	-	-	P	-	-	3	40,60	6[u]	1,244	65,75[h]	100[t]	1,25	6	-
LT1171[h]	5	5	-	-	-	-	-	-	-	e	-	-	-	P	-	-	3	40,60	6[u]	1,244	65,75[h]	100[t]	2,5	6	-
LT1170[h]	5	5	-	-	-	-	-	-	-	e	-	-	-	P	-	-	3	40,60	6[u]	1,244	65,75[h]	100[t]	5	6	19
LT1534	-	-	-	16	-	-	-	-	-	●	●	-	-	P	-	-	2,7	23	12[u]	1,25		30[d]	20-250	2	12	20
LM2577[b]	5	5	16	-	-	-	2	●	-	●	●	-	-	P	-	-	3,5	40	7,5[u]	1,23	60[d]	52[t]	3	4/6	21
LM2586	7	7	-	-	-	-	3	●	-	●	●	-	-	P	-	-	4	40	11[u]	1,23	60[d]	200	3[k]	4/6	22
TPS61175	-	-	-	14p	-	-	-	●	-	●	●	-	-	-	●	-	2,7	18	3,5[m]	1,23	40[d]	200-2200	3,8	8	-
TPS55340	-	-	-	-	16	-	-	●	●	●	●	-	p	-	P	●	-	2,9	32	1,7	1,23	38[d]	100-1200	5	8	-
Push-pull																									
LT1533	-	-	-	16	-	-	-	-	-	-	●	-	-	-	-	-	2,7	23	12	1,25[n]	x	20-250[r]	1	13	23

Notas: (a) Listados pelo aumento da corrente de chave; todos têm chave(s) de potência integrada(s), detecção de corrente e (em alguns casos) malha de compensação; todos têm capacidade de desligamento, exceto o LM2577; todos têm desligamento térmico. (b) Sem função de desligamento da alimentação; também o UC2577. (c) H = modo de corrente com histerese; M = corrente de pico fixa com um tempo desligado mínimo; O = tempo desligado fixo de frequência variável; P = PWM de frequência fixa. (d) Tensões maiores de *boost* não isolado com um transformador. (e) Com dispositivos externos. (f) Sufixo HIV para versão de 18 V. (g) Número típico de dispositivos externos (sem contar capacitores de desvio); dois números indicam fixo/ajustável. (h) Sufixo HV para versão de 60 V. (k) 5 A para o LM2587. (m) Máximo. (n) Também negativo, −2,5 V. (o) Limiar de reinício. (p) Frequência reduzida ou salto de pulso para pequena carga. (r) Frequência reduzida durante V_{out} baixo. (s) Dispositivo com SHDN pode ter UVLO acrescentado com um circuito externo. (t) Típico. (u) Mais $I_{SW}/50$, etc., quando a chave está ON (um problema de dissipação de potência se usado com V_{fonte} alta). (v) Mais a corrente de acionamento da chave BJT, no pino BOOST, tomada a partir da saída *buck* de baixa tensão. (w) Lado inferior. (x) Saída com transformador.

Comentários: 1: Inversor OK, especialmente conversor de +5 V para −5 V. **2:** Transientes de 60 V OK. **3:** 60V OK para 100 ms; 3,3 V, 5 V e versões ajustáveis. **4:** ADP2301 para 1,4 MHz. **5:** Basta adicionar indutor externo; 11 tensões fixas, de 1,0 V a 3,3 V. **6:** 5 V e ADJ, consulte LT1507 para 3,3 V. **7:** Nano *"simple switcher"*. **8:** *Buck* mais LDO, sincronização externa para 2,5 MHz. **9:** Boa potência de saída; 500 kHz para a versão "A". **10:** Tempo OFF ajustável. **11:** I_Q de 100 μA sem carga. **12:** I_Q de 80 μA sem carga; transientes OK para 60 V. **13:** *Boost* de célula única para saída de 1,8 V a 5,5 V; 3,3 V, 5 V e versões ajustáveis. **14:** Bom para acionar LED com corrente constante. **15:** *Boost* ou *flyback* de célula única. **16:** Nano *"simple switcher"*. **17:** *Boost* a partir de uma única célula Li-ion. **18:** Opera até uma entrada de 0,5 V; 40 μA no modo *burst*. **19:** Pode regular a saída usando a tensão primária do transformador (sem a necessidade de resistores de realimentação). **20:** Baixo ruído, controle de taxa de variação. **21:** 12 V, 15 V e versões ajustáveis. **22:** 3,3 V, 5 V, 12 V e versões ajustáveis. **23:** Taxa de variação programável, muito silencioso.

9.6.10 Conversores com Transformadores: Os Projetos Básicos

Os conversores chaveados não isolados das seções anteriores podem ser modificados para incorporar um transformador dentro do circuito de comutação. Isso serve a três propósitos importantes: (a) fornece isolação galvânica, que é essencial para conversores que são alimentados a partir da rede elétrica CA; (b) mesmo que o isolamento não seja necessário, a relação de espiras do transformador proporciona uma conversão intrínseca de tensão, de modo que você pode produzir grandes relações *step-up* ou *step-down* enquanto fica em uma faixa favorável do ciclo de trabalho de chaveamento; e (c) você pode enrolar vários secundários para produzir múltiplas tensões de saída; é assim que essas fontes de alimentação sempre presentes em computadores geram saídas de +3,3 V, +5 V, +12 V e −12 V, tudo ao mesmo tempo.

Note que esses não são aqueles transformadores grandes, de núcleos laminados e pesados que você usa para a rede elétrica CA de 60 Hz: como eles operam em frequências de chaveamento de centenas a milhares de quilohertz, não exigem uma grande indutância magnetizante (a indutância de um enrolamento, com todos os outros enrolamentos em circuito aberto) e, assim, eles podem ser enrolados em pequenos núcleos de ferrite (ou pó de ferro). Outra forma de entender o pequeno tamanho físico dos dispositivos de armazenamento de energia em conversores chaveados – ou seja, os indutores, transformadores e capacitores – é esta: para uma dada potência, a quantidade de energia que passa através desses dispositivos em cada transferência pode ser muito menor se essas transferências ocorrerem a uma taxa muito mais elevada. E menos energia armazenada ($\frac{1}{2}LI^2$, $\frac{1}{2}CV^2$) significa um encapsulamento físico menor.[88]

9.6.11 O Conversor *Flyback*

O conversor *flyback* (Figura 9.73A) é o análogo do conversor não isolado inversor. Tal como acontece com os conversores não isolados anteriores, a chave é acionada ciclicamente em uma frequência de chaveamento f (período $T = 1/f$), com realimentação (não mostrada) que controla o ciclo de trabalho $D = t_{on}/T$ para manter a tensão de saída regulada. Tal como acontece com os conversores anteriores, a modulação por largura de pulso pode ser configurada como modo de tensão ou modo de corrente; e a corrente no secundário pode ser descontínua (DCM) ou contínua (CCM) de um ciclo para o outro, dependendo da corrente de carga.

O que é novo é o transformador, que, na topologia de conversor *flyback*, age simplesmente como um indutor com um enrolamento secundário fortemente acoplado. Durante o período de chave ON do ciclo, a corrente no enrolamento primá-

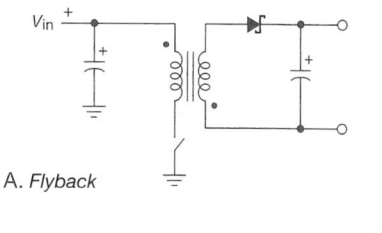

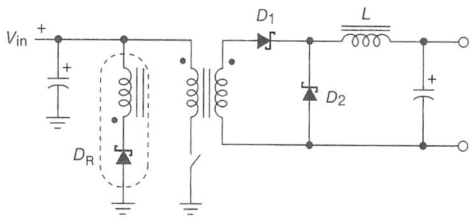

A. *Flyback*

B. *Forward* (terminação simples)

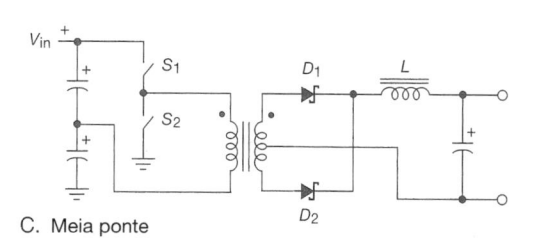

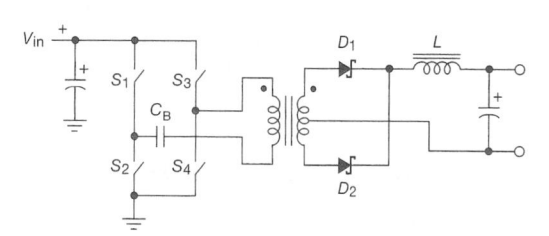

C. Meia ponte

D. Ponte completa ("ponte H")

FIGURA 9.73 Conversores chaveados isolados. O conversor *flyback* (A) usa um indutor de armazenamento de energia com um enrolamento secundário, ao passo que os conversores *forward* e em ponte (B a D) usam, cada um, um verdadeiro transformador sem armazenamento de energia (e, portanto, exigem um indutor de armazenamento de energia de saída). O diodo D_R e o enrolamento terciário no conversor *forward* são uma das várias formas de resetar o núcleo neste projeto de terminação simples. O capacitor C_B de bloqueio CC na ponte H evita um desequilíbrio de fluxo e consequente saturação do núcleo; para a meia-ponte, o par de capacitores em série serve à mesma função, enquanto atua também como o capacitor de armazenamento de entrada.

rio aumenta em forma de rampa de acordo com $V_{in} = dI_{pri}/dt$, que flui para o terminal com o "ponto"; durante esse tempo, o diodo de saída é polarizado inversamente devido à tensão positiva nos terminais com ponto dos dois enrolamentos.

Durante essa fase, a energia de entrada vai inteiramente para o campo magnético do núcleo do transformador. Ele obtém sua chance de ir para outro lugar quando a chave desliga

---
[88] Para o caso específico do conversor *flyback*, discutido a seguir, você pode imaginar o transformador como formado por um segundo enrolamento sobre o já pequeno indutor usado para o armazenamento de energia no conversor inversor não isolado (*buck-boost*).

(OFF): ao contrário da situação com um único indutor, com indutores *acoplados*, a exigência de continuidade da corrente do indutor é satisfeita se a corrente continua a fluir em qualquer um dos enrolamentos. Nesse caso, a corrente da chave em ON, que flui para o terminal com o ponto, é transferida como uma corrente direcional no secundário, mas multiplicada pela relação de espiras $N \equiv N_{pri}/N_{sec}$. Essa corrente flui para a saída (e para o capacitor de armazenamento), diminuindo em forma de rampa de acordo com $V_{out} = L_{sec}\, dI_{sec}/dt$. A partir da igualdade volt-segundos do indutor, a tensão de saída é simplesmente

$$V_{out} = V_{in}\frac{N_{sec}}{N_{pri}}\frac{t_{on}}{t_{off}} = V_{in}\frac{N_{sec}}{N_{pri}}\frac{D}{1-D} \quad \text{(em CCM)} \quad (9.6)$$

E, como ocorre normalmente, a eficiência é alta, de modo que a potência é (aproximadamente) conservada:

$$I_{in} = I_{out}\frac{V_{out}}{V_{in}}. \quad (9.7)$$

Você pode enrolar secundários adicionais, cada um com seu diodo e capacitor de armazenamento, para criar várias tensões de saída (conforme definido pelas relações de espiras). E, devido aos enrolamentos de saída serem isolados, você pode facilmente gerar saídas negativas. Tendo escolhido uma das saídas para regulação da realimentação, no entanto, as outras não será tão estreitamente reguladas. O termo "regulação cruzada" é usado para especificar as dependências da tensão de saída.

A. Observações sobre Conversores *Flyback*

Nível de potência Conversores *flyback* têm pulsações completas de correntes de entrada e de saída. Por essa razão, eles são geralmente utilizados para aplicações de baixa a média potência (até $\sim$200 W). Para potências maiores, costumamos ver projetos usando conversor *forward*, ou, para potência realmente alta, conversores em *ponte*.

O transformador é um indutor A energia de entrada de cada ciclo é armazenada pela primeira vez no núcleo do transformador (durante o estado ON da chave) e, em seguida, transferido para a saída (durante o estado OFF da chave). Assim, o projeto do transformador deve fornecer a correta "indutância magnetizante" (funcionando como um indutor), bem como a correta relação de espiras (agindo como um transformador). Isso é bastante diferente da situação com o conversor *forward* e os conversores em ponte, a seguir, em que o transformador é "apenas um transformador". Não entraremos em mais detalhes sobre o projeto de transformador aqui, simplesmente ressaltamos que o projeto de "magnetismo" é uma parte importante do projeto de conversores chaveados em geral, especialmente de *flybacks*. Você tem que se preocupar com questões como a seção transversal do núcleo, a permeabilidade, a saturação e o deliberado "entreferro"

(em geral, indutores de armazenamento de energia possuem entreferro, ao passo que os transformadores puros não). Recursos extremamente úteis para o projeto são encontrados em folhas de dados de CI e software de projeto (normalmente disponibilizados pelo fabricante sem nenhum custo), que fornecem detalhes sobre a escolha do magnetismo.

Snubbers Com componentes ideais, a corrente no primário seria totalmente transferida para o secundário quando a chave fosse desligada, e você não teria que se preocupar com coisas ruins acontecendo no terminal oscilante do dreno da chave. Na realidade, o acoplamento incompleto entre primário e secundário cria uma série "indutância de fuga", cujo desejo de continuidade da corrente gera um pico de tensão positiva na chave, mesmo que o secundário seja ceifado pela carga. Isso não é bom. A solução habitual para incluir uma rede *snubber* (rede de amortecimento) consiste de um *RC* sobre o enrolamento, ou, melhor, de uma rede "*DRC*", que é um díodo em série com um *RC*.[89]

Regulação Conversores *flyback* podem ser regulados com PWM convencional – ou modo de tensão, ou modo de corrente – com um oscilador roda livre denominado *shots*. Alternativamente, você verá modelos de baixo custo em que o próprio transformador se torna parte de um *oscilador de bloqueio*, economizando, assim, alguns componentes. Abrimos algumas amostras de adaptadores CA de baixa potência (5 a 15 W) e não encontramos quase *nada* dentro! Fizemos uma engenharia reversa para ver os truques do circuito (Figura 9.74). Eles parecem funcionar muito bem.

Conversores desconectados Este circuito final (Figura 9.74) é um exemplo de um conversor de potência que *requer* o isolamento galvânico. O transformador fornece isolamento para o fluxo de potência; além disso, o sinal de realimentação a partir da saída CC deve ser bem isolado no seu caminho de volta para o lado primário. Isso pode ser feito com um acoplador óptico, como aqui, ou com um pequeno transformador de pulso adicional. Discutimos esses conversores desconectados (*off-line*) em breve, na Seção 9.7.

9.6.12 Conversores *Forward*

O *conversor forward de terminação simples* (Figura 9.73B) é a versão isolada por transformador do conversor *buck*. É útil voltarmos ao circuito *buck* básico (Figura 9.61A) para ver como as coisas são. O transformador converte a tensão de en-

---

[89] Os valores de indutância de dispersão (fuga) são tipicamente cerca de $\sim$1% da indutância magnetizante. É possível reduzir bastante a indutância de dispersão dividindo um dos enrolamentos (digamos, o primário) em dois, com o outro (o secundário) "ensanduichado" entre eles. E os enrolamentos *bifilares* (enrolamentos primário e secundário como um par de fios juntos) podem reduzir a indutância de dispersão para um valor baixo. No entanto, essas técnicas aumentam a capacitância entre enrolamentos, e enrolamentos bifilares sofrem de especificações ruins de isolação de tensão.

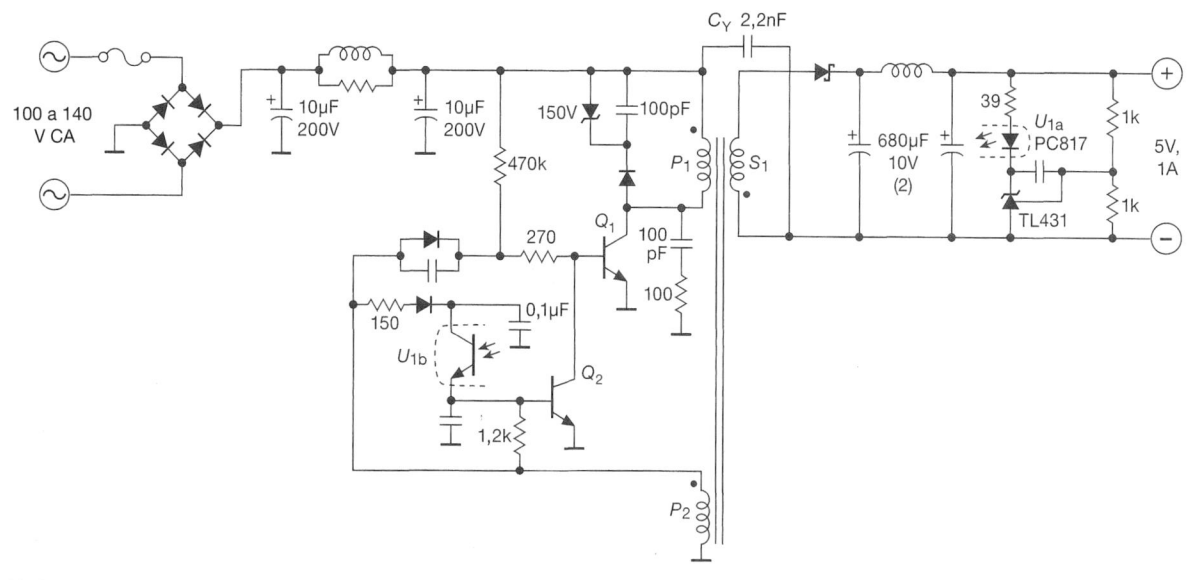

FIGURA 9.74 Um conversor *flyback* de 5 W de baixo custo, alimentado a partir de uma tensão de linha de 115 V CA, que usa um "oscilador de bloqueio" autoexcitado. O enrolamento P2 fornece uma realimentação positiva para sustentar a oscilação. A tensão de saída é detectada e comparada com o regulador *shunt* TL431, realimentada através do optoacoplador U_1 para ajustar o ciclo de condução.

trada V_{in}, durante a condução da chave no primário, para uma tensão no secundário $(N_{sec}/N_{pri})V_{in}$. Esse pulso de tensão transformado aciona um circuito conversor *buck*, que consiste no diodo de captura D_2, indutor L e capacitor de armazenamento de saída. O diodo adicional D_1 é necessário para evitar corrente reversa no secundário quando a chave está desligada (OFF). Note que aqui, em comparação com o conversor *flyback*, o transformador é "apenas um transformador": o indutor L fornece o armazenamento de energia, como ocorre com o circuito *buck* básico. O transformador não precisa armazenar energia, porque o circuito secundário conduz ao mesmo tempo que o primário [energia avança ("*forward*")], como você pode ver na marcação de polaridade.

De forma análoga ao conversor *buck* (Equações 9.3a a 9.3h), a tensão de saída é simplesmente

$$V_{out} = V_{in} \frac{N_{sec}}{N_{pri}} \frac{t_{on}}{T} = D \frac{N_{sec}}{N_{pri}} V_{in} \quad \text{(em CCM)} \quad (9.8)$$

Resete do núcleo Em contraste com o circuito *flyback*, há um enrolamento na Figura 9.73B, que é necessário para *resetar* o núcleo.[90] Isso porque o produto volt-segundo[91] aplicado ao transformador deve fazer uma média zero (ou seja, média CC de entrada nula), a fim de evitar uma acumulação contínua do campo magnético; mas a chave de entrada sozinha sempre aplica tensão em apenas um sentido. O enrolamento terciário corrige isso aplicando tensão no sentido oposto durante a parte do ciclo em que a chave está OFF (quando o diodo D_R conduz, a partir da continuidade da corrente no enrolamento conforme o campo magnético entra em colapso).[92]

Observações adicionais (a) Assim como com o *flyback*, e, na verdade, com qualquer conversor acoplado por transformador, o conversor *forward* permite vários secundários independentes, cada um com seu indutor, capacitor de armazenamento e um par de diodos. A realimentação da regulação mantém, então, uma saída especialmente estável. (b) O transformador isola a saída em um conversor *forward*, se acontecer de você precisar de isolação (como em um conversor com entrada conectada à rede elétrica CA); nesse caso, é necessário isolar galvanicamente o sinal de realimentação também, tipicamente com um acoplador óptico (tal como no diagrama em blocos da Figura 9.48, ou os diagramas detalhados das Figuras 9.74 e 9.83). Por outro lado, se você não precisa de isolamento, pode ter uma referência de terra comum, e trazer o sinal de erro de volta ao circuito de controle PWM diretamente. (c) Como acontece com todos os conversores

---

[90] O reset é inerente ao *flyback*, mas não no conversor *forward* de terminação simples, tal como se tornará evidente.

[91] Às vezes, chamado de "integral volt-tempo".

[92] Existem circuitos inteligentes que resetam o núcleo sem a necessidade de um enrolamento terciário: um método utiliza um par de chaves no primário, uma em cada extremidade do enrolamento, em colaboração com um par de diodos, para inverter a tensão através do único primário (veja se você pode inventar o circuito!). Outro método utiliza uma segunda chave para conectar um pequeno capacitor no primário durante o estado OFF da chave principal: esse método inteligente é conhecido como "resete de ceifador ativo" e foi projetado de forma independente por Carsten, Polykarpov e Vinciarelli. Ele tem a qualidade da *inversão* do campo magnético no núcleo do transformador, proporcionando melhor desempenho permitindo ao dobro da excursão de fluxo normal.

TABELA 9.6 Controladores com chaves externas[a]

Nº identif	Encapsulamentos DIP	SOIC	MSOP, T/SSOP	SOT23	menor	Mcdo de controle[aa]	Comp de inclinação[s]	Soft-start	Modo burst, etc.	SHDN	LEB[oo]	OVP[x]	Modo de controle c	Chaveamento síncrono	V_{fonte} mín (V)	V_{fonte} máx (V)	V_{out} ou ciclo de trab máx (V, %)	I_Q tip. (mA)	V_{FB} V_{ref} (V)	f_{chave} mín máx (kHz)	I_{out}[d] de acionamento typ (A)	V_{out} de acionamento (alto)[k]	Chave externa	R_{sensor}?	Nº Dispositivos[pp]	Observações
Buck																										
ADP1864	-	-	-	6	-	I	•	-	•	•	•	•	P	-	3,2	14	100%	0,24	0,8	580	0,6	V_{in}	1 P	Y	9	1
TLE6389	-	14	-	-	-	I	•	-	•	•	•	•	P[q]	-	5	60	100%	0,12	1,25	360	1	7	1 P	Y	9	2
ADP1872,73	-	-	10	-	-	I	-	-	•	•	-	-	V	•	2,8	20	84%	1,1	0,6	1000[f3]	1	5	2 N	N	10	-
NCV8852	-	8	-	-	-	I	•	-	•	•	•	•	P	-	3,4	36	100%	3	0,8	170-500	0,2	8	1 P	Y	9	3
LTC1735	-	16	16	-	-	I	•	-	•	e	•	•	P	-	4	36	6V,99%	0,45	0,8	200-550	0,6	5,2	2 N	Y	17	-
LM5116	-	-	20	-	-	I	•	-	•	•	•	•	P	•	5	100	80[u]	5	1,22	50-1000	2	7,4	2 N	Y	18	-
LTC3810	-	-	28	-	-	I	-	-	•	•	•	•	V	•	6	100	250ns	3	0,8	50-1000	2	10	2 N	N	16	-
LTC3824	-	-	10	-	-	I	x	-	•	•	•	•	P	•	4	60	100%	0,8	0,8	200-600	2,5	10	1 P	Y	13	4
LTC3830	-	8	-	-	-	V	na	•	•	•	-	-	P	•	2,4	9	90%	0,7	1,265	80-550	1,5[i]	V_{CC}	2 N	N	7,10	5
LTC3703	-	-	16	-	-	V	na	•	•	•	•	•	P	•	9	100	93%	1,7	0,80	100-600	2[i]	V_{CC}	2 N	N	16	-
NCP3030A	-	8	-	-	-	V	na	•	-	-	-	•	P	•	4,7	28	84%	~10	0,80	1200	1[i]	7,5	2 N	Y	13	-
Buck-boost (V_{in} abaixo e acima de V_{out})																										
LTC3780	-	-	24	-	32	I	•	•	•	•	•	•	M	•	4	36	30V	2,4	0,80	200-400	0,6	6	4 N	Y	13	6
Boost, Flyback, etc.																										
UC384x	8	8	-	-	-	I	e	-	-	-	-	-	P	-	9, 18[ex]	30	50,100%	11	2,5	500 m	0,5	V_C	1 N	Y	20-30	7
MIC38HC4x	8	8	-	-	-	I	e	-	-	-	-	-	P	-	9, 16[ex]	20	50,100%	4	2,5	500 m	1	V_C	1 N	Y	20-30	8
ISL684x	8	8	8	-	8	I	e	-	-	-	-	-	P	-	9, 15[ex]	20	50,100%	4	2,5	2000 m	1	V_C	1 N	Y	20-30	8
UCC38C4x	8	8	8	-	-	I	e	-	-	-	-	-	P	-	9, 16[ex]	18	50,100%	2,3	2,5	1000 m	1	V_C	1 N	Y	20-30	8
UCC380x	8	8	8	-	8	I	e	-	-	-	-	-	P	-	5, 14[ex]	30	50,100%	0,5	2,5[h]	1000 m	1	V_C	1 N	Y	20-30	9
TPS40210,11	-	-	10	-	10	I	•	-	•	•	-	-	P	-	4,5	52	80%	1,5	0,26[r]	35-1000	0,4	8	1 N	Y	15	10
LTC3803	-	-	-	6	-	I	•	-	•	•	-	-	P	y	8,7	Ceifa	80%	0,24	0,80	200 t	0,7	V_{CC}	1 N	Y	8	11
MAX668, 69	-	-	10	-	-	I	•	•	•	•	-	-	P	-	1,8	28	90%	0,22	1,25	100-500	1	5,0	1 N	Y	10	12
LM3478	-	8	-	-	-	I	•	-	•	•	-	-	P	-	3	40	100%	3	1,25	100-1000	1	7	1 N	Y	9	13
LM5020	-	-	10	-	10	I	•	-	•	•	-	V	P	-	8	15	80%	2	1,25	50-1000	1	7,7	1 N	Y	Muitos	14
LTC1872B	-	-	6	-	-	I	•	-	•	•	-	-	P	-	2,5	9,8	100%	0,27	0,80	550	1	V_{in}	1 N	Y	8	15
LM3481	-	-	10	-	-	I	•	-	•	•	-	-	P	-	3	48	85%	3,7	1,28	100-1000	1	5,8	1 N	Y	14	-
MAX15004	-	-	16	-	-	I	•	-	•	•	-	-	P	-	-	40	50,80%	2	1,23	15-1000	1	7,4	1 N	Y	20	-
ADP1621	-	-	10	-	-	I	•	-	•	•	-	-	P[q]	-	2,9	5,5	95%	1,8	1,215	100-1500	2	V_{in}	1 N	N[w]	10	16
LTC1871	-	-	10	-	-	I	•	-	•	•	-	-	P	-	2,5	36	92%	0,55	1,23	50-1000	2	5,2	1 N	Y	13	-
NCP1450A	-	-	-	5	-	V	na	•	•	-	e	-	P	-	0,9	6	80%	0,14	f	180	0,05	V_{in}	1 N	N	3	17
Flyback desconectado																										
FAN6300	8	8	-	-	-	I	•	-	•	•	•	•	Q	-	17[o]	25	70%	4,5	p	100[z]	0,15	18	1 N	Y	20	18,28
NCP1252	8	8	-	-	-	I	•	-	•	•	•	•	P	-	8	28	80%	1,4	p	50-500	0,5	15	1 N	Y	20	19,20
NCP1237,38	-	7	-	-	-	I	•	-	•	•	w	P[q]	-	13[o]	28	80%	2,5	p	65[f3]	1	13,5	1 N	Y	20	20,28
L5991	16	16	-	-	-	I	e	•	•	•	•	j	P	-	9, 16[o]	20	50,100%	7	2.5	40-2000	1	V_C	1 N	Y	30	21
Push-Pull, Forward, Meia Ponte, etc.																										
MC34025	16	16	-	-	-	I	•	-	•	•	-	-	P	-	9,6	30	t, 45%	25	5,10	5-1000	0,33	V_C	2 N	Y	Muitos	22
LM5041	-	16	-	-	16	I	•	-	•	•	-	-	P	-	9	15	t, 50%	3	0,75	1000	1,5	V_C	4 N	Y	Muitos	23,14
TL594	16	16	-	-	-	V	na	e	-	-	-	e	P	-	7	40	t, 45%	9	5,0[w]	1 - 300	0,2	b	2	-	9, 12	24
SG3525	16	16	-	-	-	V	na	•	•	•	-	-	P	-	8	40	t, 49%	14	5,10	0,1 - 400	0,2	V_C	2	-	Muitos	24,25
LM5035	-	20	-	-	24	V	na	•	•	•	-	-	P	•	8	105	t, 50%	4	5,0	100-1000	1,25	V_{CC}	2,4 N	Y	Muitos	26,14
NCP1395A	16	16	-	-	-	V	na	•	•	•	-	-	R	•	11	20	t, 50%	2,3	2,5	50-1000	ext	-	2 N	N	22	27

Notas: (a) Todos exigem chaves de potência externas (veja as listas na Tabela 3.4); todos têm proteção contra baixa tensão (UVLO) e tensões de referências internas; listados dentro dos grupos em ordem aproximada do aumento da corrente de acionamento. (aa) I - modo de corrente, V - modo de tensão, P - corrente de pico fixa, M - múltiplos modos. (b) Saída BJT independente, absorve 200 mA, 40 V máx. (c) P = freq. PWM fixa; Q = quase ressonante; R - ressonante; V = largura variável e freq. Fixa. (d) Corrente de acionamento de pico para controladores. (e) Dispositivos externos. (ex) Tensão mais baixa para x = 3 ou 5, maior tensão para x = 2 ou 4. (f) Apenas fixa. (f3) Três opções de frequência de chaveamento. (g) Nota de rodapé não utilizada. (h) 2 V para x = 3 ou 5. (i) Limite de corrente ajustável. (j) Zener de ceifamento de 25 V para V_{CC}. (k) Para V_{CC} ou tensão indicada, a que for menor. (m) Máximo. (n) Nominal. (o) Limiar para ligar. (oo) Mesmo com LEB (supressão de borda anterior) é frequentemente recomendado um filtro RC ou, pelo menos, um capacitor de 100 pF. (p) O pino de referência é fornecedor de corrente. (pp) [mesma nota que as tabelas integradas]. (q) Frequência reduzida ou salto de pulso para pequena carga. (r) 0,7 V para o '11. (s) Ajuda a estabilizar a malha de controle contra oscilações sub-harmônicas. (t) Saída do transformador. (u) Um tempo de desligamento mínimo (450 ns) limita o ciclo de trabalho. (v) Pode não incluir as correntes de carga de porta dinâmicas, etc. (w) Para V_{out} abaixo de 30 V; acima de 30 V, é necessário um resistor sensor de corrente. (x) = OVP proteção contra sobretensão na linha. (y) O sincronismo é possível com baixa tensão sem o transformador *flyback* de isolação. (z) Encontra frequência de ressonância.

Comentários: 1: LTC1772, LTC3801 são dispositivos licenciados para outros fabricantes. **2:** Versão fixa de 5 V disponível. **3:** Automotivo. **4:** Sensor no lado de cima (*high-side*). **5:** LTC3832 desce até 0,6 V. **6:** Indutor simples, limitação por redução de corrente. **7:** Comum. **8:** UC384x melhorado. **9:** UC384x com LEB, SS, I_Q baixa. **10:** Acionador de LED de 52 V impressionante. **11:** Usar com transformador *flyback*. **12:** A 1,8 V, comp inclinação, *soft-start*, caro. **13:** Para 1 MHz, avançado. **14:** Pino HV, para 100 V para a partida. **15:** SOT23, de baixa potência, interessante. **16:** Entradas *boost* podem ser de até 1 V. **17:** Apenas versões de tensão fixa, cinco opções de 1,9 a 5,0 V. **18:** Quase ressonante. **19:** Barato, fontes de alimentação ATX etc. **20:** Frequência de excitação. **21:** Ceifador zener de 25 V para V_{CC}. **22:** Ampla utilização, barato, licenciado para outro fabricante. **23:** Intervalo/sobreposição programável. **24:** Ampla utilização, barato, flexível. **25:** Também o UC3525, etc. **26:** Alimentação de entrada de rampa. **27:** Ressonante, usar com CI acionador de FET. **28:** Pino HV, até 500 V para a partida.

chaveados, redes *snubber* são necessárias para domar os picos de tensão causados por indutâncias parasitas (incluindo, especialmente, a indutância de dispersão do transformador). (d) Tal como acontece com outros tipos de conversores, o controle PWM pode ser qualquer um entre os modos de tensão ou de corrente. Uma alternativa é a utilização de modulação de *frequência* de pulso (PFM), com largura de pulso aproximadamente constante, para tirar proveito do comportamento ressonante (evitando, assim, a "comutação difícil", permitindo que a oscilação ressonante carregue e descarregue as capacitâncias parasitas e, assim, aproxime-se do ideal de comutação de tensão zero/corrente zero.) (e) Conversores *forward* de terminação simples são populares na faixa de média potência (∼25 a 250 W).

9.6.13 Conversores em Ponte

Os últimos dois conversores isolados por transformador na Figura 9.73 são os conversores de *meia-ponte* e *ponte completa* (ponte H). Tal como acontece com o conversor *forward* de terminação simples, o transformador atua simplesmente para efetuar a transformação de tensão e isolamento; o indutor do circuito secundário faz o armazenamento de energia, com a mesma finalidade que no conversor *buck* básico ou conversor *forward* de terminação simples. Na verdade, você pode imaginar os conversores em ponte quase como "conversores *forwards* de terminação dupla". Em ambos os circuitos em ponte, o(s) capacitor(es) no lado de entrada permitem que a tensão na extremidade sem o ponto do primário do transformador se mova para cima ou para baixo, conforme necessário para alcançar a corrente CC média zero, evitando a saturação do núcleo do transformador.

Para entender o conversor de meia-ponte, imagine primeiro que as chaves S_1 e S_2 sejam operadas alternadamente, com ciclo de trabalho de 50% e sem qualquer lacuna ou sobreposição. A tensão na junção dos capacitores de entrada flutuará até metade da tensão de entrada CC, de modo que você tenha um circuito retificador de onda completa com derivação central, acionado por uma onda quadrada. A potência é transferida para a frente durante as duas metades de cada ciclo, e a tensão de saída (ignorando as quedas nos diodos) é apenas

$$V_{out} = V_{in} \frac{N_{sec}}{4N_{pri}}, \quad (9.9)$$

em que o fator de 4 surge a partir do fator de 1/2 para a tensão de entrada aplicada e o mesmo fator a partir da derivação central da saída. A operação do conversor de ponte completa é semelhante, mas as suas quatro chaves permitem a aplicação da tensão de entrada CC completa sobre o primário durante cada meio ciclo, de modo que 4 é substituído por 2 no denominador.

Regulação Com as chaves operando em oposição, com ciclo de trabalho de 50%, a tensão de saída é fixada pela relação de espiras e pela tensão de entrada. Para proporcionar

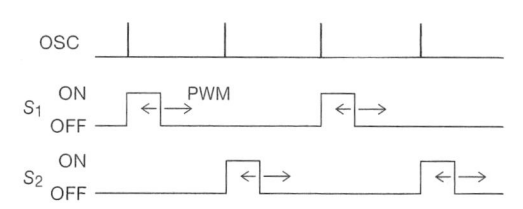

FIGURA 9.75 Modulação por largura de pulso no conversor chaveado de meia-ponte. O oscilador interno inicia a condução da chave em ciclos alternados, com a realimentação proporcionando regulação finalizando a condução de cada chave de acordo com o sinal de erro.

a regulação, você precisa operar cada chave por menos de um semiciclo (Figura 9.75), com um intervalo de condução ("tempo morto"), cujo comprimento é ajustado de acordo com o sinal de erro. Você pode pensar em cada meio ciclo como um conversor *forward*, de ciclo de trabalho $D = t_{on}/(t_{on} + t_{off})$, fazendo o conversor produzir uma tensão de saída (considerando CCM) de

$$V_{out} = DV_{in} \frac{N_{sec}}{4N_{pri}}. \quad (9.10)$$

Conversores em ponte são preferidos para a conversão de alta potência (∼100 W e acima), porque eles fazem uso eficiente do magnetismo, conduzindo durante as duas metades de cada ciclo, e variam ciclicamente o fluxo magnético de forma simétrica. Eles também submetem as chaves à metade do stress de tensão de um conversor de terminação simples. Pela adição de outro par de chaves, você pode convertê-lo em uma ponte completa (ou ponte H), em que a tensão de entrada CC completa é aplicada no primário em cada semiciclo. (Contudo, veja os comentários a seguir sobre o balanceamento de fluxo.) A configuração de ponte completa, além disso, permite outra forma de regulação, denominada "controle de fase completo", na qual um ciclo de trabalho de 50% é mantido em cada par de chaves, mas a fase relativa de um par é deslocada em relação ao outro, para produzir com eficácia um ciclo de trabalho variável.[93]

Comentários adicionais (a) Tal como acontece com o conversor *forward* de terminação simples, é essencial manter a tensão média zero (ou a integral volt-tempo) no primário do transformador. Caso contrário, o fluxo magnético cresce, atingindo a saturação destrutiva. A ponte H na Figura 9.73D inclui um capacitor de bloqueio C_B em série com o primário para essa finalidade; o par de capacitores de entrada serve à mesma função para a meia-ponte (Figura 9.73C). Esse capacitor pode ser muito grande e tem de suportar correntes de ondulação grandes; por isso, seria bom eliminá-lo, por exemplo, conectando a parte inferior do enrolamento a uma tensão fixa de $V_{in}/2$ (que está disponível automaticamente em um dobrador de tensão na ponte de entrada). Essa configuração

---

[93] Alguns CIs controladores de deslocamento de fase de que gostamos são o UCC3895 da TI e o LTC3722 da Linear Technology.

é conhecida como "*push-pull*". No entanto, sem o capacitor de bloqueio, é fácil violar a condição de balanceamento de fluxo. Uma solução é a utilização do controle de modo de corrente, no qual a limitação de corrente ciclo a ciclo (ou, mais precisamente, de meio ciclo em meio ciclo) impede a saturação. Em qualquer caso, esteja ciente de que o desbalanceamento do fluxo nos conversores em ponte é realmente uma má notícia. (b) Nos conversores em ponte, as chaves estão conectadas em série e à fonte de entrada CC. Se houver sobreposição de condução, grandes correntes podem fluir de trilho a trilho; isso é conhecido como corrente "*shoot-through*" (alta corrente de pico). O que você precisa saber é que você não quer essa corrente! Na verdade, os atrasos de desligamento em MOSFETs, e muito mais seriamente em BJTs, exigem que os sinais de controle forneçam um intervalo de tempo curto para evitar *shoot-through*. (c) Uma vez mais, os amortecedores (*snubbers*) são necessários para domar picos indutivos. (d) Conversores em ponte completa são recomendados para conversores de alta potência, para 5 kW ou mais. (e) Em correntes de carga elevada, o indutor do filtro de saída tem uma corrente contínua que flui através dele. Durante os ciclos de condução no primário, ela é, naturalmente, fornecida quer por D_1 ou D_2, por ação normal do transformador. Mas o que acontece durante a *não* condução no primário (as lacunas na Figura 9.75)? Curiosamente, a corrente no indutor contínua flui através de *ambos*, D_1 e D_2, forçando o secundário do transformador a atuar como um curto-circuito (embora o seu primário esteja aberto), porque as correntes iguais nos diodos fluem no mesmo sentido para fora de ambas as extremidades do enrolamento com derivação central.

9.7 CONVERSORES CHAVEADOS ALIMENTADOS PELA REDE ELÉTRICA CA

Com exceção das Figuras 9.48B e 9.74, todos os conversores chaveados e reguladores que vimos até agora são conversores CC-CC. Em muitas situações, isso é exatamente o que você quer – para o equipamento operado por bateria, ou para criar tensões adicionais dentro de um instrumento que tem alimentação CC existente.[94]

No entanto, além de dispositivos alimentados por bateria, você precisa converter a rede elétrica CA de entrada às necessárias tensões CC reguladas. Você poderia, é claro, começar com uma fonte CC de baixa tensão sem regulação do tipo visto na Figura 9.49, seguido de um regulador chaveado. Mas a melhor abordagem é eliminar o volumoso transformador abaixador de 60 Hz, fazendo uso de um conversor chaveado isolado diretamente a partir da alimentação CA retificada (sem regulação) e filtrada, conforme mostrado anteriormente na Figura 9.48.[95]

Duas observações imediatas. (a) A tensão de entrada CC será de aproximadamente 160 volts[96] (para uma alimentação de 115 V CA) – este é um circuito perigoso de mexer! (b) A ausência de um transformador significa que a entrada CC não é isolada da rede elétrica CA, de modo que é essencial utilizar um conversor chaveado com um estágio de potência isolado (*forward*, *flyback* ou ponte) e com realimentação isolada (por meio de um acoplador óptico ou transformador).

9.7.1 Estágio de Entrada CA-CC

A. Configurações de Tensão Dupla

A Figura 9.76 mostra duas configurações de estágio de entrada comuns. A ponte retificadora simples da Figura 9.76A

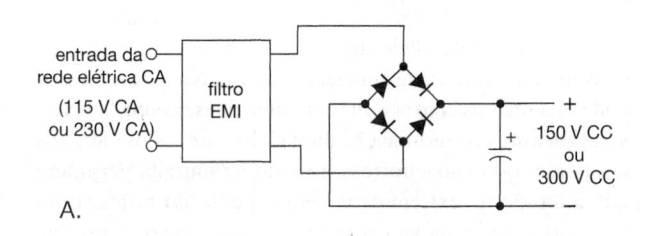

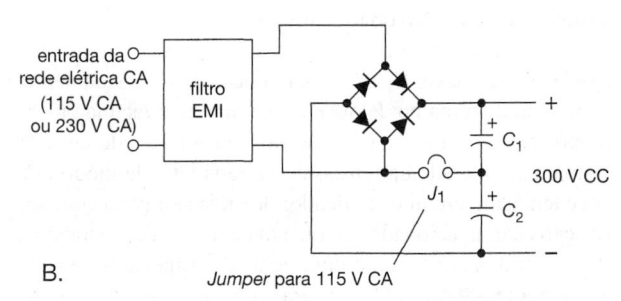

FIGURA 9.76 Fontes de alimentação chaveadas operando a partir da rede elétrica CA usam tensão CC retificada diretamente para alimentar um conversor isolado. O *jumper* no circuito inferior seleciona uma das configurações: ponte ou dobrador de tensão, de modo que qualquer tensão de linha produz a mesma saída de ∼300 V CC.

---

[94] Uma aplicação comum está dentro de um computador, em que o processador pode requerer algo como 1,0 V em 100 A (!). Isso é muita corrente para ser fornecida em torno de uma placa de circuito impresso! O que é feito, em vez disso, é trazer uma tensão de "barramento" maior (normalmente +12 V) na vizinhança do processador, onde ele alimenta uma meia dúzia de conversores *buck* de 12 V a 1,0 V que cercam o chip a ser alimentado e são implementados em várias fases para reduzir ondulação. Isso é chamado de conversão de potência no "ponto de carga". O benefício, é claro, é uma menor corrente no barramento, cerca de 8 A, neste exemplo, combinada com regulação de tensão estreita na própria carga.

[95] Uma história para provar que estamos errados: rotineiramente desmontamos todos os tipos de aparelhos eletrônicos comerciais, apenas para ver como são as coisas "do outro lado". Imaginem a nossa surpresa, então, quando abrimos um carregador de telefone celular e encontramos... um pequeno transformador de potência CA, ponte retificadora e capacitor de armazenamento de baixa tensão, seguido de um conversor chaveado MC34063! Isso é uma prova.

[96] E, mais comumente, 320 volts; veja a seguir.

é perfeitamente adequada para os equipamentos destinados a usar 115 V CA ou 230 V CA, em que o conversor chaveado, que se segue, é projetado para entrada de ~150 V CC ou ~300 V CC, respectivamente. Se você precisar de uma fonte que possa ser comutada para operar em qualquer uma dessas tensões de entrada, use o bom truque mostrado na Figura 9.76B: é uma simples ponte de onda completa para 230 V CA de entrada, mas, com o *jumper* conectado, torna-se um dobrador de tensão para uma entrada de 115 V CA, gerando, assim, ~300 V CC para qualquer uma das entradas. (A outra abordagem popular é projetar o conversor chaveado para acomodar uma ampla faixa de entrada CC; a maioria dos carregadores de baixa potência para equipamentos de consumo como computadores portáteis e câmeras funcionam dessa forma. Contudo, verifique a etiqueta de tensão antes de conectar a 230 V CA. E não espere que equipamentos eletrônicos que consomem mais potência funcionem automaticamente em uma fonte "universal"; eles geralmente têm uma chave de seleção que é o *jumper* na Figura 9.76B).

B. Corrente de Energização

Quando você liga a fonte, a linha CA vê um grande capacitor eletrolítico de filtro descarregado conectado a ela (através de uma ponte de diodo, é claro). A corrente de "energização" (ou de partida) resultante pode ser enorme; mesmo um pequeno adaptador CA pode absorver uma corrente instantânea de 25 A ou mais quando conectado à tomada. Comutadores comerciais usam vários truques de *soft-start* para manter a corrente de partida dentro de limites civilizados. Um método consiste em colocar um resistor de coeficiente de temperatura negativo (um termistor de baixa resistência) em série com a entrada; outro método é desconectar de forma ativa um pequeno resistor em série (10 Ω) em uma fração de segundo após a alimentação ser ligada. A indutância em série fornecida por um filtro de ruído de entrada ajuda um pouco também. Mas uma solução muito interessante vem na forma de um circuito de correção de fator de potência de entrada, discutido a seguir.

C. Correção do Fator de Potência

A forma de onda de corrente pulsada do retificado CA, como se vê, por exemplo, na Figura 9.51, é indesejável, porque ela produz perdas resistivas (I^2R) grandes em comparação com o ideal de uma forma de onda de corrente senoidal que está em fase com a tensão. (É por isso que é fácil cometer o erro de escolher um fusível muito pequeno, como discutido anteriormente na Seção 9.5.1B). Outra maneira de dizer isso é que uma forma de onda de corrente pulsada tem um baixo *fator de potência*, que é definido como a potência fornecida dividida pelo produto $V_{rms} \times I_{rms}$. O fator de potência fez sua primeira aparição no Capítulo 1 em conexão com circuitos reativos, em que a corrente deslocada em fase (mas ainda senoidal) criou um fator de potência igual ao cosseno da diferença de fase entre a tensão e a corrente CA. Aqui o problema não é a fase, é a relação alta RMS/média das amplitudes da corrente pulsada.

A solução é fazer a entrada da fonte de alimentação parecer um resistor passivo, por meio da elaboração de um circuito que force a forma de onda da corrente de entrada a ser proporcional à tensão de entrada ao longo do ciclo CA. Isso é conhecido como um circuito de correção do fator de potência (*power-factor correction*, PFC), e ele está conectado entre a entrada CA retificada de onda completa (mas com o capacitor de armazenamento habitual omitido) e o conversor CC-CC real, como mostrado na Figura 9.77. Ele é constituído por um conversor *boost* não isolado, que opera com a habitual frequência de chaveamento alta, com o ciclo de trabalho de chaveamento continuamente ajustado para manter a corrente de entrada detectada (I_{ca}) proporcional à tensão de entrada CA instantânea (V_{ca}) ao longo dos ciclos CA. Ao mesmo tempo, regula a sua saída CC para uma tensão um pouco maior do que o pico de entrada CA, geralmente de +400 V. Essa saída CC alimenta, então, um conversor CC-CC isolado para produzir as tensões finais reguladas.

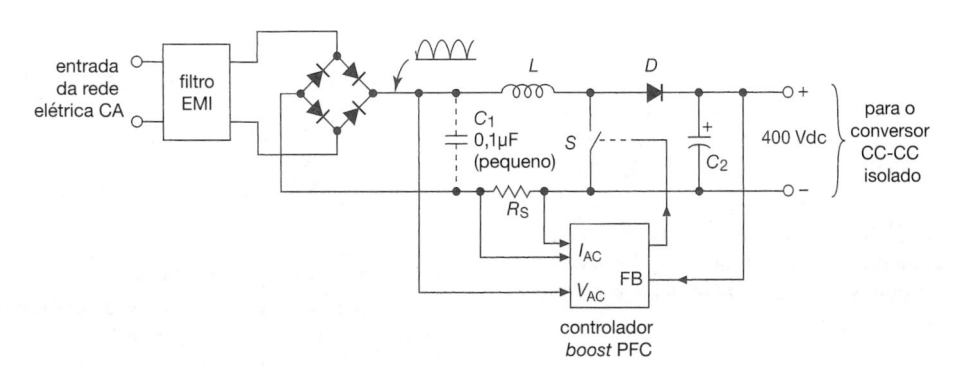

FIGURA 9.77 Os circuitos retificadores diretos da Figura 9.76 criam pulsos de corrente indesejáveis a cada semiciclo (baixo fator de potência). Isto é resolvido com uma correção do fator de potência na seção de entrada, que consiste em um conversor *boost* operando a partir de uma forma de onda de tensão de linha retificada de onda completa (não filtrada) controlada por um chip PFC especial que opera a chave para manter a corrente de entrada aproximadamente proporcional à tensão de entrada.

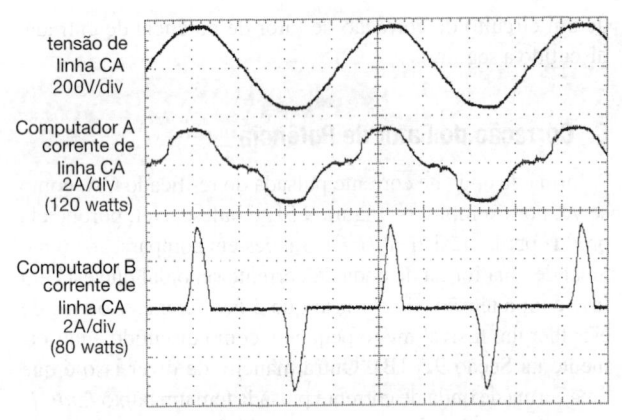

FIGURA 9.78 O computador A tem uma fonte de alimentação com PFC na entrada, fazendo a sua corrente de entrada acompanhar a tensão. A fonte de alimentação no computador B, construído dez anos antes, não tem PFC; seu retificador em ponte de entrada carrega o capacitor de armazenamento com surtos de corrente de curta duração. Escala horizontal: 4 ms/div.

A correção do fator de potência está se tornando padrão na maioria das fontes chaveadas isoladas de potência moderada a alta (> 100 W, por exemplo), e é necessária segundo várias normas regulamentadoras. Ela é bastante eficaz, como pode ser visto na Figura 9.78, em que comparamos a forma de onda da corrente de entrada de um computador mais antigo (B) com um computador atual (A) operando ao mesmo tempo e a partir da mesma tomada elétrica.

9.7.2 O Conversor CC-CC

Existem alguns problemas extras para enfrentar no projeto de conversores isolados.

A. Alta Tensão

Quer o fator de potência seja corrigido ou não, a fonte CC para o regulador-conversor estará a uma tensão substancial, tipicamente 150 V ou 300 V, ou um pouco mais elevada, se o PFC for usado. O próprio conversor fornece a isolação, tipicamente utilizando uma das configurações de transformador da Figura 9.73. A chave tem de suportar as tensões de pico, que podem ser significativamente maiores do que a fonte CC. Por exemplo, no conversor *forward* com um enrolamento de reset terciário (Figura 9.73B), o dreno do MOSFET varia até o dobro de V_{in} durante o reset; e, para o *flyback*, o dreno flutua até $V_{in} \cdot T/t_{off}$. Note também que essas tensões de pico consideram um comportamento de transformador ideal; indutância de fuga e outras realidades não ideais do circuito agravam ainda mais a situação.

B. Perdas de Comutação

MOSFETs de alta tensão não têm o baixíssimo R_{on} de seus irmãos de menor tensão. Para MOSFETs de alta tensão de um determinado tamanho de pastilha, R_{on} aumenta, pelo menos de forma quadrática com tensão nominal (ver Tabelas 3.4 e 3.5). Assim, os projetistas têm de se preocupar com a *perda de condução* durante o período de condução do ciclo, ou seja, $I_D^2 R_{on}$. É possível, é claro, reduz perdas de condução, escolhendo um MOSFET maior, com R_{on} reduzido.[97] Contudo, transistores maiores têm capacitâncias elevadas, que contribuem para *perdas dinâmicas*, que se tornam cada vez mais importantes quando se comutam tensões elevadas: imagine, por exemplo, um conversor *forward* em modo de condução contínuo; quando a chave estiver ligada (ON), ele deve levar o seu dreno (e a carga conectada) de $+2V_{in}$ para o terra. Mas há energia armazenada na capacitância de dreno da chave, bem como na capacitância parasita do enrolamento do transformador, no valor de $E = \frac{1}{2}CV^2$, que é desperdiçado como calor a cada ciclo de comutação. Multiplique isso pela frequência de comutação, e você obtém $P_{diss} = 2fCV_{in}^2$. Ela aumenta de forma quadrática com a tensão de operação, e pode ser substancial: um conversor *forward* isolado, operando a partir de uma tensão de linha retificada de +300 V, comutando a 150 kHz e usando um MOSFET de 750 V com capacitância de dreno (e carga) de 100 pF, dissiparia sozinho 3 W a partir dessa perda de comutação dinâmica.[98]

Existem formas inteligentes de contornar alguns desses problemas. Por exemplo, indutâncias podem ser usadas para fazer a tensão de dreno variar até próximo do terra (idealmente, comutação de tensão *zero*) antes de a chave ser ativada; isso é chamado de "comutação suave", e é desejável para reduzir as perdas *de* comutação $\frac{1}{2}CV^2$ e o estresse do componente causados pela comutação forçada. E a perda de comutação $V_D I_D$ durante as transições pode ser minimizada pelo acionamento forçado da porta (para reduzir o tempo de comutação) e explorando reatâncias para produzir comutação de corrente zero. Esses problemas não são insuperáveis, mas eles mantêm o projetista ocupado, lidando com compensações de tamanho de chave, projeto do transformador, frequência de comutação e técnicas de comutação suave. Esse tipo de projeto de circuito não é para profissionais de eletrônica pouco experientes.

C. Realimentação do Lado do Secundário

Devido à saída ser deliberadamente isolada dos perigos da rede elétrica de entrada, o sinal de realimentação tem de retornar através da mesma barreira de isolação. A configuração

---

[97] Ou, para tensões suficientemente altas, use um IGBT; veja a Seção 3.5.7.

[98] Um segundo tipo de perda de comutação dinâmica ocorre durante o aumento e a diminuição da tensão em forma de rampa na chave, durante os quais a dissipação de potência instantânea do transistor é o produto da tensão pela corrente de dreno. Essa é, basicamente, uma perda de condução dinâmica associada com *transições* de comutação, a ser distinguida tanto da perda de condução *estática* durante o estado ON da chave quanto das perdas por "comutação forçada" dinâmicas associadas à carga e à descarga de capacitâncias parasitas.

na Figura 9.74 é típica: uma referência de tensão e amplificador de erro (aqui implementado com um regulador *shunt* simples) aciona o LED de um acoplador óptico na saída, com o fototransistor isolado fornecendo informações para o controle da chave (geralmente PWM) no lado do acionamento. Uma alternativa menos usada é um transformador de pulso, acionado a partir de um circuito do "controlador no lado do secundário". Uma terceira alternativa, se não for necessário um grau elevado de regulação de saída, é regular a saída de um enrolamento auxiliar que não esteja no lado de "saída" (por exemplo, um enrolamento como P2, na Figura 9.74); como ele retorna para o comum no lado de entrada, não há necessidade de isolação do seu sinal de realimentação. Isso é chamado de regulação do *lado do primário*. Normalmente, você terá algo parecido com ±5% de regulação de saída (ao longo de uma variação de corrente de carga de 10% a 100% da corrente especificada), em comparação com ±0,5% ou melhor com a realimentação do lado do secundário.

D. A Barreira de Isolação

Transformadores e optoacopladores fornecem isolação galvânica. Bastante simples, ao que parece. Mas, assim como na vida, há geralmente uma abundância de nuanças escondidas debaixo da superfície (e, como se tornará evidente, também *ao longo* da superfície).

Existem dois mecanismos por meio dos quais uma barreira de isolação pode ser violada:

(a) Altas tensões podem criar uma faísca ao longo de uma fenda de ar (ou por meio de uma folha isolante); esse tipo de ruptura é chamado de "arco", de modo que você tem que garantir uma distância mínima de *espaço livre*, definida como a menor distância no ar entre um par de condutores.

(b) Um percurso condutor pode ser desenvolvido na superfície do material isolante que separa um par de condutores; esse tipo de ruptura é chamada de "trilhamento elétrico" (*tracking*),[99] evitada da melhor forma garantindo-se uma distância mínima de *isolação de superfície*, definida como a distância mais curta ao longo da superfície do material isolante entre os dois condutores; veja a Figura 9.79. Como se tornará evidente, o isolamento é, geralmente, a maior preocupação (em comparação com o espaço livre) em leiautes de circuito de alta tensão.

É uma má notícia quando há a ruptura de uma barreira isolante; ela provavelmente causará danos ou destruição aos dispositivos eletrônicos alimentados a jusante. Pior ainda, não há segurança – um dispositivo eletrônico cuja isolação da rede elétrica CA é perdida pode lhe matar. Por essas razões,

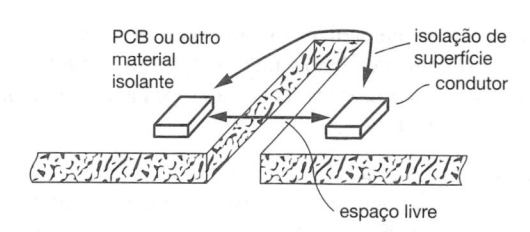

FIGURA 9.79 Dois caminhos para romper uma barreira de isolação: arco rápido através da folga (definido pela distância de espaço livre) e "trilhamento elétrico" condutor ao longo de um caminho na superfície do material isolante (definido pela distância de isolamento de superfície).

existem diretrizes e normas rígidas que regem o projeto de barreiras de isolação (identificada pelo IEC, UL, DIN/VDE, etc.). Publicações como IEC 61950 e IEC 60335 incluem amplas tabelas de isolação de superfície e de folga mínima, e sites como www.creepage.com têm calculadoras online interessantes para manter seus projetos confiáveis e seguros.

De modo geral, as folgas de 2 mm ou mais, e distâncias de isolamento de superfície de aproximadamente 4 a 8 mm, são apropriadas para conversores de potência de 120 V CA. No entanto, existem outras variáveis que afetam os espaçamentos requeridos. Um exemplo é o "grau de poluição" (referindo-se à presença de poeira condutora, água, etc.); e existe a categoria geral de isolação pretendida (que vai desde o nível de segurança meramente "funcional" ao mais rigorosamente "reforçado"). Outro fator é a aplicação pretendida: por exemplo, existem normas de segurança separadas para produtos destinados ao uso doméstico (IEC 60335), e existem normas especialmente estritas para equipamentos médicos (IEC 60601). Uma discussão completa sobre o assunto está muito além do escopo deste livro. A abordagem seguinte tem o objetivo de alertar o leitor sobre a seriedade da isolação de alta tensão e algumas das técnicas que são utilizadas para lidar com isso.

As variáveis: tipo de isolação, tensão, grupo de materiais, grau de poluição

Estes são os parâmetros que você usa com as tabelas ou calculadoras.

Tipo de isolação O nível global de eficácia necessária, em cinco etapas (funcional, básico, complementar, duplicado, reforçado).

Tensão O arco no ar ou através de uma folha isolante é rápido, por isso é a tensão de *pico* (ou transitória de pico) que importa. Por outro lado, a deterioração ou contaminação que torna a isolação de superfície condutora é mais lenta, de modo que você usa tensões RMS ou CC quando consultar as tabelas.

Grupo de material Trata-se da suscetibilidade do material isolante especial à ruptura da superfície; os grupos são chamados I, II e III, indo do menos para o mais suscetível.

---

[99] Um termo interessante que descreve bem as pequenas trilhas carbonizadas que você tende a encontrar em um dispositivo de alta tensão que sofreu uma falha.

Alguns padrões preferem parâmetros análogos chamados índice de rastreamento comparativo (*comparative tracking index*, CTI) e categorias de nível de desempenho (*performance level categories*, PLCs).

Grau de poluição Um termo curioso, que se refere à qualidade do ar: grau 1 é ar limpo e seco; grau 2 é o ambiente de casa ou escritório normal; grau 3 é inadequado, com poeira condutiva, umidade de condensação e similares – basicamente, ele se aplica ao serviço em ambientes industriais ou agrícolas pesados.

Aumentando a Distância de Isolação de Superfície

Se você tem um projeto compacto, de tal forma que não há espaço suficiente para proporcionar distâncias de isolação de superfície adequadas, você pode usar diversas medidas. Você frequentemente verá folgas ou cortes para criar fendas em uma placa de circuito impresso, como na fonte chaveada isolada da Figura 9.80. Você também pode fornecer uma barreira saliente para alongar o caminho estreito da superfície, uma técnica utilizada em optoacopladores de alta tensão, enrolamentos do transformador e similares (veja o próximo parágrafo). Um revestimento isolante aplicado sobre uma placa de circuito cheia de componentes é uma técnica especialmente eficaz (mas não deve descamar, ou pode ser pior do que sem qualquer revestimento). Técnicas relacionadas para componentes individuais envolvem encapsulamento ou moldagem.

Considerações de isolação de superfície em encapsulamento e projeto de componentes

Os componentes que preenchem a barreira de isolação, tais como transformadores e acopladores ópticos, devem ser projetados e encapsulados com folgas e distâncias de isolação de superfície apropriadas, tanto nos terminais externos quanto no isolamento interno. Um exemplo é o capacitor Y de isolamento, com um terminal em cada lado. Como a fotografia da Figura 9.81 mostra, os terminais do capacitor Y de geometria de disco são posicionados perpendicularmente e revestidos com uma extensão da mesma isolação que cobre o corpo do capacitor. Componentes com encapsulamentos do tipo DIP podem conseguir uma maior separação das seções de entrada e saída pela a omissão de pinos intermediários[100] (portanto, um "DIP-8" sem os pinos 2,3,6 e 7). Um exemplo de um dispositivo de alta tensão totalmente especificado vem da Avago, cuja folha de dados para um acoplador óptico (ACNV260E) inclui uma abundância de especificações de folga e isolação de superfície: tanto folgas "externas" quanto "internas" (13 mm e 2 mm, respectivamente), e do mesmo modo para distâncias de isolamento de superfície (13 mm e 4,6 mm, descritos como "medidas a partir dos terminais de entrada para os terminais de saída; percurso de distância mais curta ao longo do corpo e "ao longo da cavidade interna", respectivamente).

As conexões do transformador de comutação devem manter, da mesma forma, espaçamento e distância de isolação de superfície adequados. Igualmente importantes, a isolação entre enrolamentos e a geometria dos enrolamentos devem criar isolações adequadas (por meio de um número suficiente de camadas de fita isoladora, etc.) e também isolação de superfície apropriada. Para satisfazer os requisitos de isolação de superfície, os enrolamentos podem ser dispostos lado a lado (em vez de serem coaxiais) e separados por uma folha isolante que se estende para fora, para além dos enro-

FIGURA 9.80 Os projetistas deste conversor chaveado incluíram uma fenda em forma de L na placa de circuito, aumentando consideravelmente a distância de isolamento de superfície do circuito da rede elétrica para a saída isolada de 5 V.

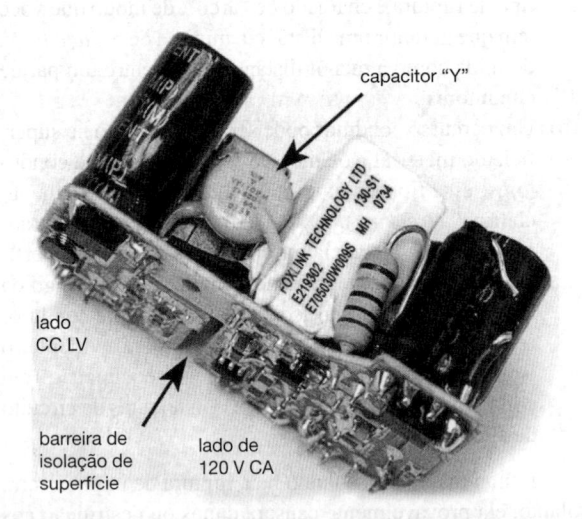

FIGURA 9.81 Esta vista em outro ângulo do mesmo conversor revela que o amplo espaçamento dos terminais do capacitor Y preserva o isolamento de superfície mínimo de 8 mm; em contrapartida, a *folga* mínima do conversor é apenas 1,5 mm.

---

[100] Veja, por exemplo, as folhas de dados para o acoplador CNY64 da Vishay, o controlador PWM NCP1207 da ON Semiconductor ou o acionador LNK-403 da Power Integrations.

lamentos. Isso é bom para a isolação de superfície, mas ruim para o projeto magnético, uma vez que aumenta a indutância de dispersão. Com uma geometria coaxial magneticamente preferível, a distância de isolação de superfície pode ser estendida, permitindo que a fita entre os enrolamentos se estenda além dos enrolamentos, ou que se enrole de volta ao redor do enrolamento exterior.

Os efeitos da isolação de superfície estão presentes sempre que lidamos com tensão alta, com ou sem uma barreira de isolação envolvida. Um exemplo é mostrado na Figura 9.82, que ilustra a configuração de pinos dos dois estilos de encapsulamento de um MOSFET de 1.500 V. Para o maior encapsulamento, TO-3PF (espaçamento entre terminais de 5,4 mm), uma extensão do material do encapsulamento plástico em torno do terminal de dreno fornece distância de isolação de superfície adequada; para o menor encapsulamento, TO-220FH (espaçamento de terminais de 2,5 mm), há uma estrutura sulcada e uma geometria de terminal desalinhada.

9.8 UM EXEMPLO REAL DE FONTE CHAVEADA

Para transmitir a complexidade adicional envolvida em um modelo de produção de fonte chaveada alimentada pela rede elétrica, desmontamos uma fonte chaveada regulada de saída simples[101] comercial (Astrodyne modelo OFM-1501: entrada de 85 a 265 V CA e saída de 5 V CC para 0 a 3 A), outra em nossa série "projetos dos Mestres", revelando o circuito da Figura 9.83.

9.8.1 Fontes Chaveadas: Visualização Superior

Vamos dar um passeio pelo circuito para ver como uma fonte chaveada lida com os problemas do mundo real. A topologia básica é precisamente a do conversor chaveado na Figura 9.48, implementado com a conversão de potência *flyback* (Figura 9.73A); existem, no entanto, alguns componentes adicionais! Vejamos primeiro no nível geral, voltando mais tarde para uma análise mais detalhada.

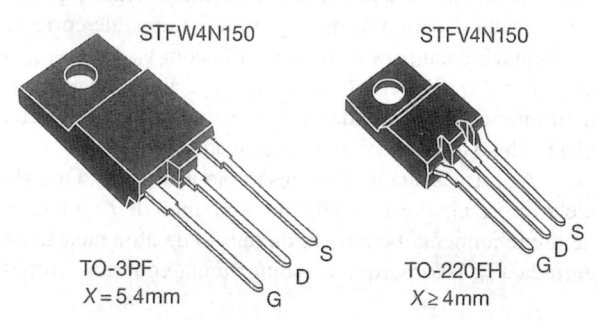

FIGURA 9.82 Estes encapsulamentos MOSFET de 1.500 V empregam isolamento em forma e ranhuras para alongar o comprimento do caminho de isolação de superfície. Adaptado com permissão da STMicroelectronics.

Nesse nível muito básico, observamos: a ponte retificadora D_1, alimentada pela rede elétrica, carrega o capacitor de armazenamento[102] de 47 μF (especificado para 400 V CC, para acomodar a entrada de 265 V CA máxima), proporcionando a alta tensão CC de entrada não regulada ($+160$ V ou $+320$ V CC, para 115 V CA ou 230 V CA de entrada, respectivamente) no lado de alta do enrolamento primário de 70 espiras T_1. O lado de baixa do enrolamento é chaveado ao comum de entrada (o símbolo $\perp$) a uma frequência fixa (mas com largura de pulso variável) pelo chip controlador chaveado PWM U_1, de acordo com a corrente de realimentação no seu terminal FB (realimentação). Do lado secundário, os dois enrolamentos em paralelo de 3 espiras são retificados pelo diodo Schottky D_5, com configuração de polaridade *flyback* (ou seja, não condutor durante o período ON do primário). A saída retificada é filtrada pelos quatro capacitores de armazenamento de baixa tensão (totalizando 2.260 μF), criando a saída isolada de 5 V CC. Essa fonte usa regulação do lado secundário, comparando uma fração de V_{out} (50% nominal) com referência interna de 2,5 V de U_2, ligando o LED emissor de optoacoplador U_3 quando a saída atinge o seu valor nominal de 5 V CC. Este se acopla ao fototransistor U_{3b}, variando a corrente de realimentação no controlador chaveado U_1, variando, assim, a largura de pulso ON para manter regulada a saída de $+5$ V CC.

Neste ponto, já demos conta, talvez, de um terço dos componentes na Figura 9.83. O restante é necessário para lidar com questões como (a) fonte auxiliar para o chip controlador; (b) filtragem da rede elétrica, principalmente do ruído de comutação *de saída*; (c) proteção (fusível, inversão de polaridade); (d) compensação da malha de realimentação; e (e) amortecimento e supressão de transiente de comutação. E, embora não seja evidente a partir do esquema, mas mais essencial para o projeto, a escolha dos parâmetros dos transformadores: tamanho do núcleo e "inserção de fendas", relações de espiras e indutância de magnetização[103] L_M.

Porém, antes de observar os detalhes, veremos como o conversor básico funciona. Seremos capazes de descobrir coisas como as formas de onda de tensão e corrente, tensões e correntes de pico e o ciclo de trabalho em função da tensão de entrada e corrente de saída.

9.8.2 Fontes Chaveadas: Operação Básica

O chip de controle opera a uma frequência fixa f_{osc} de 100 kHz, que ajusta o ciclo de trabalho de condução da chave no primário ($D = t_{on}/T$) de acordo com a tensão de realimentação. Desenhamos formas de onda ideais para um ciclo (dura-

---

[101] Retratado no canto nordeste da Figura 9.1.

[102] O capacitor de armazenamento de entrada é, muitas vezes, chamado de capacitor *bulk* (de alta capacitância).

[103] Os símbolos convencionais para indutância de magnetização e indutância de fuga são L_m e L_l, respectivamente. Mas o subscrito L minúsculo pode ser difícil de enxergar, especialmente em uma nota de rodapé. Portanto, para facilitar a leitura, adotamos pequenos subscritos maiúsculos: L_M e L_L em todos os pontos.

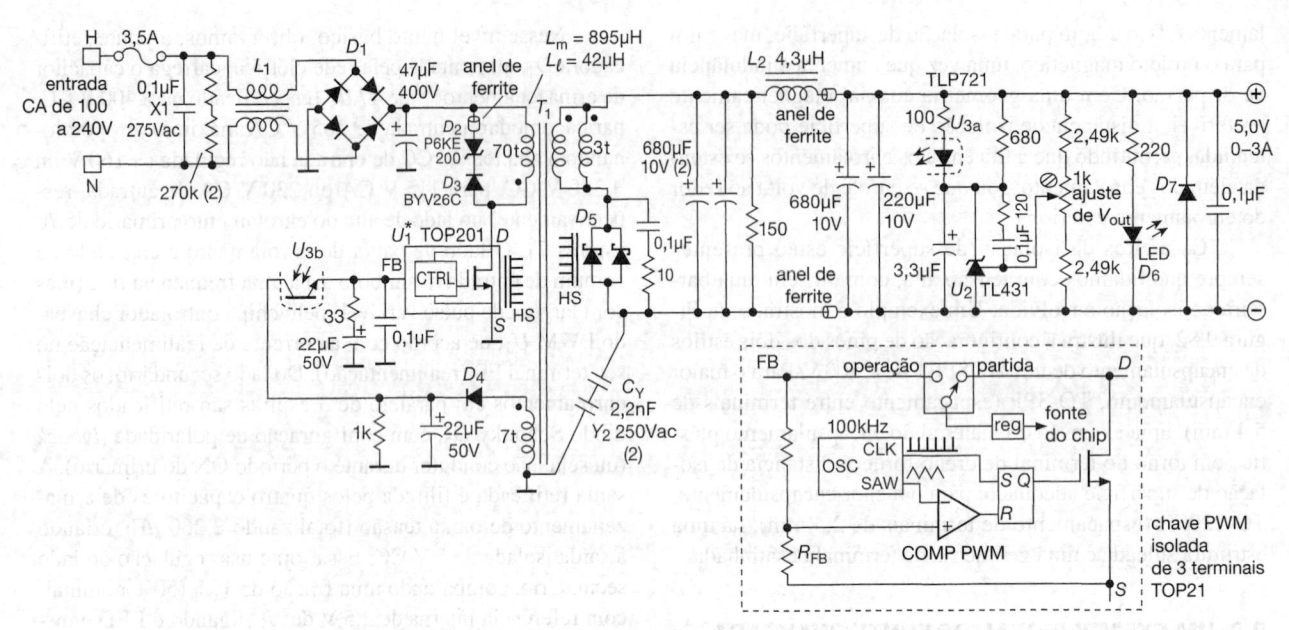

FIGURA 9.83 Fonte de alimentação chaveada real alimentada pela rede elétrica. O circuito é relativamente simples, graças à sua especificação de potência baixa (15 W) e ao interessante controlador chaveado de 3 terminais U_1 da Power Integrations (com MOSFET de alta tensão interno). Essa é a estrutura aberta "Comutador CA/CC de 15 W" mostrada na Figura 9.1.

ção $T = 1/f_{osc}$) na Figura 9.84. Essas são as que você poderia esperar na ausência de efeitos parasitas, como indutância de dispersão e capacitância da chave.

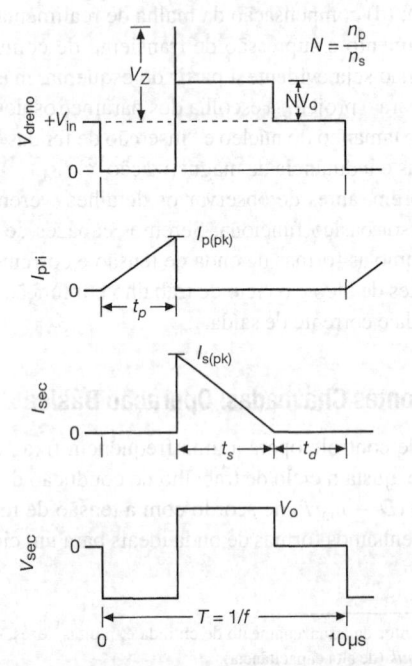

FIGURA 9.84 Formas de onda ideais para uma fonte chaveada isolada *flyback*, operando no modo de condução descontínuo.

A. As Formas de Onda

Faremos os cálculos em breve, mas primeiro observe as formas de onda. (Consideramos que o conversor está operando no modo de condução descontínuo, o que será confirmado quando obtivermos os números.) Durante a condução da chave, a tensão de dreno é mantida no terra, colocando $+V_{in}$ no primário do transformador e causando uma rampa ascendente de corrente no primário, de acordo com $V_{in} = L_M \cdot dI_{pri}/dt$, em que L_M é a "indutância de magnetização" do primário (a indutância vista no primário, com todos os outros enrolamentos desconectados). Essa rampa crescente de corrente atinge um valor de pico I_p, momento em que existe uma energia armazenada de $E = \frac{1}{2}L_M I_p^2$ no núcleo do transformador. Quando a chave desliga, a corrente indutiva persistente transfere ao enrolamento secundário, que entrega a energia armazenada E para a saída conforme a rampa de corrente no secundário cai para zero, de acordo com $V_{out} = L_{M(sec)} \cdot dI_{sec}/dt = L_M \cdot dI_{sec}/N_2 dt$ (onde $L_{M(sec)}$ é a indutância magnetizante vista no secundário.[104]). Para o restante do ciclo, não há fluxo de corrente no transformador.

As formas de onda de tensão são instrutivas. Quando a chave principal está desligada, no tempo de t_p, a tensão de dreno aumenta bem além da tensão de alimentação de entrada V_{in}: isso porque o indutor tenta continuar forne-

---
[104] Na maioria das vezes, é a indutância de magnetização vista no *primário* que importa, para a qual simplesmente usamos L_M: nas poucas situações em que nos referimos à indutância de magnetização vista no secundário, acrescentamos (sec) ao subscrito: $L_{M(sec)}$.

cendo corrente ao terminal do dreno. A tensão subiria, mas, em vez disso, o circuito secundário entra em condução (observe a polaridade de enrolamentos identificados com o "ponto" na Figura 9.83), ceifando sua saída para V_{out}, o que reflete de volta para o primário via a relação de espiras N (abreviação para N_p/N_s). O breve pico mostrado na figura é causado por uma indutância do primário[105] que não está acoplada ao secundário e, portanto, não é ceifada. Esse pico de tensão preocupante é, por fim, ceifado pelo *zener* D_2 visto no esquema (mais sobre isso depois). Quando a corrente no secundário decresce em rampa até zero, a queda de tensão sobre os dois enrolamentos vai para zero; então, o terminal do dreno fica em $+V_{in}$, e a tensão no enrolamento secundário vai para zero. Note que esta última é negativa durante a condução da chave no primário; é uma exigência que a " integral volt-tempo" (ou "produto volt--segundo") sobre qualquer indutor tenha média zero – caso contrário, a corrente subiria sem limites. Isso vale para o primário também.

B. Os Cálculos

Consideraremos, para simplificar, que o conversor está operando em plena carga (5 V, 3 A) com tensão nominal de entrada (115 V RMS ou 160 V CC).[106] Calcularemos o ciclo de trabalho da chave $D = t_p/T$, o ciclo de trabalho de condução do secundário t_s/T e as correntes de pico $I_{p(pk)}$ e $I_{s(pk)}$. É mais fácil obter esses em ordem inversa, fazendo os cálculos a partir de um ponto de vista energético simples.

Os parâmetros Medimos a indutância de magnetização vista no primário como $L_M = 895$ μH e o número de espiras do primário e do secundário como $N_p = 70$e e $N_s = 3$e. A partir disso, conseguimos obter a relação de espiras $N = N_p/N_s = 23,3$, que define as relações de transformação de tensão e corrente. Por fim, a partir da relação de espiras, obtemos a indutância de magnetização como pode ser visto no lado do secundário: $L_{M(sec)} = L_M/N^2 = 1,65$ μH (impedâncias dimensionada como N^2). Um parâmetro final que usaremos mais tarde é a indutância de dispersão do primário medida, $L_L = 42$ μH.

Correntes de pico O circuito de saída está fornecendo 15 W à carga; mas, tendo em conta a queda do retificador (~0,5 V) e as perdas resistivas combinadas no enrolamento secundário e indutor de filtro L_2 (10 mΩ), o transformador secundário está fornecendo uma potência média de, aproximadamente, 6 V × 3 A, ou 18 W. Assim, para uma frequência de comutação de $f_s = 100$ kHz, o transformador deve fornecer um incremento de energia de $E = P/f_s = 180$ μJ durante cada ciclo da chave.

O resto é fácil: igualamos E à energia magnética na indutância magnetizante do núcleo, como visto no secundário (porque é onde ela emerge). Isto é, $E = \frac{1}{2}L_{M(sec)}I_{s(pk)}^2$, a partir da qual temos $I_{s(pk)} = 14,8$. Dividindo pela relação de espiras ($N = 23,3$), descobrimos que a corrente de pico no primário é $I_{p(pk)} = 0,64$ A.

Temporização da condução A chave no primário permanece ON por um período que faz a corrente crescer em rampa até o seu valor de pico. Ou seja, $t_p = L_M I_{p(pk)}/V_{in(CC)} = 3,6$ μs. A condução no secundário começa quando a chave no primário é desligada (OFF) e continua durante o tempo t_s necessário para a sua corrente em rampa diminuir de $I_{s(pk)}$ até zero: $t_s = L_{M(sec)}I_{s(pk)}/V_{sec} = 4,1$ μs. Note que a condução sucessiva do primário e do secundário totaliza 7,7 μs, o que é menos do que o tempo de ciclo de 10 μs, ou seja, o conversor está operando no modo de condução descontínuo, como consideramos desde o início (e desenhamos na Figura 9.84). Há um "tempo morto" de cerca de 2,3 μs antes da próxima condução da chave.

C. Comparação com Realidade

Quão bem nos saímos com esse modelo básico? Para descobrir, medimos as formas de onda de tensão e corrente desse conversor com a tensão nominal de entrada e carga plena na saída. Elas são mostradas na Figura 9.85. A boa notícia é que as temporizações e correntes de pico estão em muito boa concordância com os nossos cálculos. A má notícia é

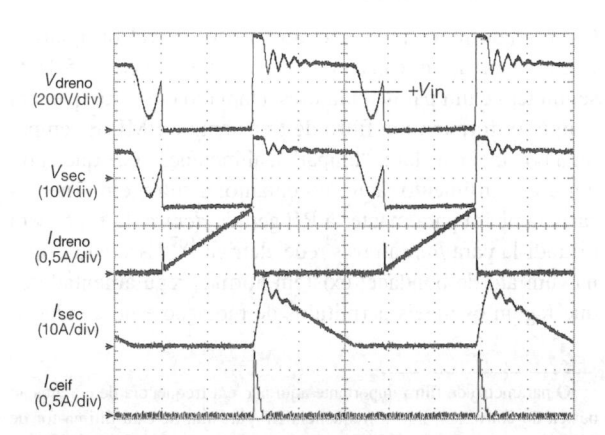

FIGURA 9.85 Formas de onda medidas para a fonte chaveada da Figura 9.83, operando a plena carga (5 V, 3 A) e tensão nominal de entrada (115 V RMS; $V_{in} = 160$ V CC). As setas no eixo vertical marcam o local do zero de tensão e corrente para cada forma de onda. Escala horizontal: 2 μs/div.

---

[105] Esta é, na verdade, a infame "indutância de dispersão" L_L. Tal como acontece com a indutância de magnetização, usamos o L_L sem adornos para nos referirmos à indutância de dispersão vista no enrolamento primário; para a indutância no secundário, acrescentamos (sec) ao subscrito: $L_{L(sec)}$.

[106] Claro, uma análise do projeto completo deve considerar a operação nos extremos, em especial a entrada mínima com carga máxima (portanto, ciclo de trabalho máximo), e para toda a faixa de corrente de saída com a entrada máxima.

que existem alguns "recursos" do mundo real que estão ausentes das nossas formas de onda básicas da Figura 9.84. Destacam-se

(a) um pico de tensão de dreno substancial no desligamento, seguido por
(b) algumas rápidas oscilações em ambos os enrolamentos durante a condução do secundário e
(c) uma oscilação mais lenta durante o tempo morto no final do ciclo.

Também é visível

(d) um pico de corrente de dreno no ligamento (ON).

Esses são causados por um comportamento não ideal da chave MOSFET e do transformador, como discutiremos em breve; mas, para darmos nomes para eles, esses efeitos são devidos

(a) à indutância de dispersão do primário,
(b) à ressonância das capacitâncias de dreno (e outras) com a indutância de dispersão do primário,
(c) à ressonância das capacitâncias de dreno (e outras) com indutância de magnetização do primário e
(d) à "comutação forçada" da tensão no dreno e outras capacitâncias.

9.8.3 Fontes Chaveadas: Olhando Mais de Perto

Voltemos para preencher as lacunas que faltam. No mundo real, você não pode ignorar efeitos importantes como os transitórios de tensão e corrente que vimos na Figura 9.85, e vários outros detalhes que justificam todos os componentes que você vê no diagrama do circuito.

A. Filtragem de Entrada

Começando na entrada, encontramos o fusível obrigatório e, em seguida, um capacitor "X" na linha (Seção 9.5.1D e seguintes) e um par de indutores acoplado em série que, em conjunto, formam um filtro de transiente e EMI. É sempre uma boa ideia, é claro, "limpar" a alimentação CA que entra em um instrumento; aqui, no entanto, a filtragem é necessária também para manter a RF gerada *dentro* da fonte sem difundi-la para *fora* através rede elétrica.[107] Esse não é apenas um ato de bondade; existem normas regulamentadoras que regem os níveis permitidos de radiação e de condução de EMI.[108] O par de resistores de 270k descarrega a tensão residual do capacitor X quando o aparelho estiver desligado.

B. Faixa de Tensão, Corrente de Energização e PFC

Note que esta fonte de baixa potência (15 W) opera diretamente a partir de uma ampla faixa de tensão de entrada (3:1), sem uma chave de faixa de tensão dupla como na Figura 9.76B. Tal operação de faixa ampla é especialmente conveniente em carregadores e adaptadores CA para produtos eletrônicos de consumo. Ela, no entanto, impõe restrições sobre o projeto, porque o conversor deve operar em uma ampla gama de ciclo de trabalho de condução da chave, e os componentes devem ser dimensionados para uma faixa mais ampla de tensões e correntes de pico. Também estão ausentes os elementos de circuito para limitar os picos de corrente durante a carga inicial do capacitor de armazenamento do lado da linha. Isso é permissível em uma pequena fonte como esta; mas, mesmo com o capacitor de armazenamento relativamente pequeno de 47 μF, a corrente de energização típica especificada é um valor pesado de 20 A para uma entrada de 100 V CA (e duas vezes isso para 200 V CA). Note também a ausência do PFC na seção de entrada; é uma prática comum omitir o PFC em pequenas fontes, mas cada vez mais comum em fontes de 50 W ou mais, ao menos em parte devido a pressões regulatórias. Note, a propósito, que um PFC na seção de entrada reduz a corrente de energização de pico.

C. Fonte Auxiliar

Passando para a direita, vemos a configuração interessante da "alimentação auxiliar", necessária para alimentar os circuitos internos do chip regulador-controlador com baixa tensão e baixa potência CC. Uma possibilidade pouco atraente seria a utilização de uma pequena fonte linear separada, com o seu próprio transformador alimentado pela rede elétrica, etc. No entanto, é esmagadora a tentação de pendurar outro enrolamento pequeno (com retificador de meia onda D_4) em T_1, economizando, assim, um transformador separado. Isso é o que foi feito aqui, com um enrolamento de 7 espiras, que gera uma saída nominal de +12 V.

Leitores atentos notarão uma falha nesse esquema: o circuito não pode iniciar por si só, porque a tensão CC auxiliar está presente somente se a fonte já estiver operando! Acontece que esse é um problema antigo,[109] resolvido com um circuito de "pontapé inicial" que alimenta inicialmente a partir da alta tensão CC não regulada, alternando para a

---

[107] O parâmetro de filtro importante aqui não é a frequência de comutação básica do conversor, mas a frequência RF parasita. Se esta última for de 2,5 MHz, por exemplo, um filtro passa-baixas com corte de 250 kHz atenuará a RFI por aproximadamente $(f_{RFI}/f_{LPF})^2$, ou 100×. Com o capacitor "X1" de 100 nF mostrado, a indutância em série do choque de modo comum (sua indutância de dispersão do transformador) precisa ser apenas $L = 1/(2\pi f_{LPF})^2 C_X = 4$ μH. Frequências maiores serão atenuadas ainda mais, até a frequência na qual a indutância das trilhas da PCB e a autocapacitância do enrolamento do choque assumirem o controle.

[108] Nos EUA, equipamentos eletrônicos devem atender à classe A da FCC (em ambientes industriais) e aos limites da classe B (mais rigorosa, para ambientes residenciais); na Europa, as normas análogas são definidas pela VDE.

[109] Por exemplo, os projetistas de aparelhos tradicionais de televisão baseados em CRT enfrentaram o mesmo dilema quando derivavam todas as suas fontes CC de baixa tensão a partir de enrolamentos auxiliares dos transformadores dos circuitos horizontais de alta frequência, ativados por essas mesmas fontes.

sua fonte CC auxiliar depois que as coisas estiverem funcionando. Gostaríamos de mostrar como isso é implementado em detalhes, mas, nessa fonte, essas funções (e outras) são habilmente integradas ao chip controlador TOP201 (mostrado na forma de diagrama em blocos simplificado na caixa tracejada).[110]

D. Chip Controlador: Polarização e Compensação

Passando em seguida para o próprio chip controlador, vemos o seu MOSFET interno de alta tensão (desenhado explicitamente, para maior clareza), que conecta o lado inferior do primário ao comum de entrada. A chave opera com taxa fixa de 100 kHz, variando o ciclo de trabalho de acordo com a realimentação, em um regulador de modo de tensão. O chip é colocado em um encapsulamento de potência TO-220 plástico de 3 pinos e exige um pequeno dissipador de calor. Pense sobre isso – um regulador chaveado de *3 pinos*! Impossível, você diria: ele precisa de pinos pelo menos para o comum, dreno, realimentação e alimentação do chip ("polarização"). Surpreendentemente, esse chip inteligente faz isso com apenas três pinos, com o terminal de realimentação fazendo também o papel do pino de polarização. A realimentação assume a forma de uma corrente no pino FB, com um divisor de tensão interno para criar o sinal de realimentação de tensão que é apresentado ao comparador PWM (ciclo de trabalho) e a um regulador linear para criar a tensão de polarização interna (superior). Os demais componentes do lado do primário são para a malha de compensação (o RC em série e C fazem o desvio do terminal FB) e para ceifamento e amortecimento do pico indutivo no final do ciclo de condução (o zener supressor de transiente de 200 V e o anel de ferrite).

E. Ceifamento de Transiente de Entrada (amortecedor)

A princípio, você pode argumentar que nenhum ceifador é necessário, porque o circuito secundário limita a tensão *flyback* (conforme transformada para o lado do secundário pela relação de espiras) para a tensão de saída. É assim, no fim das contas, que um *flyback* funciona: a energia magnética adicionada ao núcleo durante a condução da chave é armazenada na indutância de magnetização do transformador ($E_M = \frac{1}{2}L_M I_p^2$) e liberada para o circuito secundário quando a chave é desligada (OFF). Mas há também "indutância de dispersão", uma indutância em série efetiva causada pelo acoplamento magnético incompleto entre os enrolamentos.[111] A energia magnética armazenada em L_L ($E_L = \frac{1}{2}L_L I_p^2$) *não* é transferida, nem ceifada, no secundário, e é por isso que você precisa que o zener ceife no lado do primário. (Você pode pensar nessa energia sem ceifamento como decorrente do campo magnético do primário que não está acoplado ao secundário.) Essa energia pode ser substancial – veremos quão robusto é necessário que o zener seja, mesmo para essa fonte chaveada de baixa potência, quando fizermos os cálculos de ceifamento no próximo parágrafo. É importante notar que os efeitos da indutância de dispersão são especialmente grandes em uma fonte alimentada pela rede elétrica, porque o necessário isolamento de alta tensão entre primário e secundário obriga que os enrolamentos sejam fisicamente bem separados, gerando fluxo de acoplamento incompleto.

Tomemos um momento para compreender a forma de onda de pico da tensão de dreno na Figura 9.85. A indutância de dispersão do lado do primário, aqui medida como 42 μH, embora uma fração pequena ($\sim$5%) da indutância de magnetização de 895 μH, armazena essa fração da energia total colocada no transformador durante a condução da chave no primário, e não é transferida para o secundário; em vez disso, ela volta para fora e é dissipada no zener ceifador D_2. Isso é cerca de 0,84 W, que representa o zener robusto que os projetistas escolheram. Podemos estimar o tempo de duração da corrente no primário em rampa para zero (vamos chamá-lo de t_{ceif}), mediado pelo zener ceifador. Observe a Figura 9.86: a indutância de dispersão vê uma tensão ceifada igual à tensão do zener menos a tensão no secundário refletida, que atua para variar a corrente do primário em rampa até zero a partir de seu valor inicial de $I_{p(pk)}$. Assim, a partir de $V =$

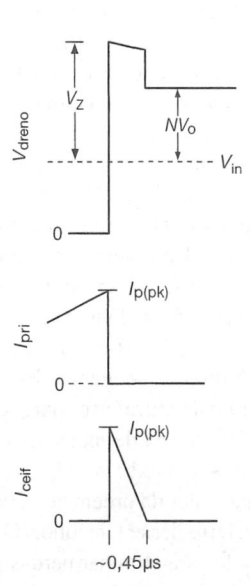

FIGURA 9.86 Pico de tensão do dreno causado pela indutância de dispersão do transformador. O ceifamento do zener, cuja tensão é maior do que a tensão de saída do secundário refletida, varia a corrente em rampa até zero de acordo com $V_Z - NV_{out} = L_L \, dI_D/dt$.

---

[110] Olhe em nossa segunda edição, na qual dedicamos cerca de seis páginas a uma fonte chaveada isolada complexa, se você quiser ver os detalhes de implementação destes e de outros recursos.

[111] No que diz respeito a indutâncias do lado do primário, a indutância de magnetização L_M é o que você mede nos terminais do primário com todos os outros enrolamentos deixados em circuito aberto, e a indutância de dispersão L_L é o que você mede com todos os outros enrolamentos em curto-circuito.

LdI/dt, chegamos a $V_Z-NV_{out} = L_L I_{p(pk)}/t_{ceif}$, então $t_{ceif} = 0{,}45\ \mu s$. Isso concorda bem com as formas de onda medidas da Figura 9.85.

Uma última observação sobre o circuito de ceifamento: o zener D_2 não é um zener normal, mas um tipo de "supressor de tensão transiente" (*transiente voltage supressor*, TVS), projetado e especificado para absorver grandes pulsos de energia. O diodo em série D_3 é necessário para evitar a condução durante o ciclo ON da chave, quando o zener conduz como um diodo normal. Há um problema interessante relacionado com D_3, ou seja, o fato de que diodos comuns têm um "tempo de recuperação reversa" depois da condução direta, em razão dos efeitos de armazenamento de carga, antes de se tornarem não condutores (essa é a origem dos curiosos picos em escala de microssegundos vistos em uma fonte de alimentação não regulada simples de 60 Hz). Por essa razão, D_3, neste circuito, é um retificador de "recuperação suave rápida": "rápida" significa que ele desliga rapidamente (< 30 ns), e "suave" significa que ele faz isso de modo suave, não abruptamente. Isso é útil, porque uma transição abrupta de corrente para o estado de não condução produz grandes picos indutivos ($V = LdI/dt$). Além disso, os projetistas acrescentam um anel de ferrite para amortecer e suprimir tais efeitos.

F. O Transformador

Em um conversor *flyback*, os ciclos de condução do primário e do secundário não se sobrepõem (como ocorre em, digamos, um conversor *forward*). Então, toda a energia que está sendo transferida do primário para o secundário deve passar temporariamente pelo núcleo do transformador. Ou seja, em um conversor *flyback*, o transformador não é "apenas um transformador": além das funções habituais de transformador (transformação de tensão e corrente pela relação de espiras, e a isolação galvânica), também é um *indutor*, que armazena energia do ciclo do primário em sua indutância de magnetização no valor de $E = \tfrac{1}{2} L_M I_{p(pk)}^2$. Na verdade, provavelmente seja mais preciso pensar nele como "um indutor com um enrolamento secundário". Para melhorar as funções de armazenamento de energia, tais transformadores são, normalmente, projetados com um entreferro deliberado no material magnético, que tem o efeito de aumentar a energia armazenada para um determinado produto volt-segundo. Esse transformador é evidentemente feito com entreferro, porque seu valor de A_L (a relação entre a indutância de magnetização e o quadrado do número de espiras) é baixo: $A_L = L_M/N_p^2 = 183\ nH/t^2$, em comparação com um valor da ordem de 1500 para um núcleo de ferrite sem entreferro desse tamanho. (O núcleo de ferrite não condutor é usada para eliminar perdas por correntes parasitas em frequência de operação elevada.)

Como descobrimos antes, esse conversor opera no modo de condução descontínuo para uma tensão de entrada nominal e corrente de carga total. Na verdade, ele permanece em DCM mesmo na tensão de entrada mínima (90 V RMS) e em corrente de carga total, que é a combinação que o traz mais próximo do CCM. Com um pouco mais de indutância do transformador, ele entraria no CCM; provavelmente a escolha de projeto foi baseada no desejo de mantê-lo pequeno e também de evitar alguns problemas associados ao CCM.[112]

Conforme demos a entender anteriormente, as indutâncias do transformador são responsáveis pelas oscilações vistas nas formas de onda da Figura 9.85. Façamos um cálculo simples das frequências que esperamos. Durante a condução do secundário (imediatamente em seguida ao desligamento da chave no primário), o circuito primário se parece com um LC em paralelo, com indutância de dispersão L_L em paralelo com as capacitâncias parasitas do MOSFET e outros componentes (diodo ceifador, enrolamento primário). Uma estimativa razoável para as capacitâncias combinadas é algo como 75 pF, devido, principalmente, à fiação do transformador e ao zener de ceifamento. Assim, o LC em paralelo formado com a indutância de dispersão de 42 μH ressoa em cerca de 2,8 MHz, de acordo com a oscilação observada ($\sim$2,5 MHz). Na conclusão da condução do secundário, o lado do primário já não vê a indutância de dispersão (porque o secundário não é mais ceifado pela carga); em vez disso, vê a indutância de magnetização L_M de 895 μH (porque o secundário agora é um circuito aberto).[113] A nova frequência de ressonância calculada cai, então, para cerca de 615 kHz. Você pode ver o primeiro semiciclo dessa ressonância mais lenta nas formas de onda medidas, centrado sobre a tensão de entrada de $+160$ V e interrompido pelo início do próximo ciclo de condução. (Depois, operamos o conversor com carga de 25%, o que permitiu três ciclos de oscilação em $\sim$600 kHz, em excelente concordância com essa estimativa.)

Embora estejamos no assunto de capacitâncias parasitas, este é um bom momento para observar os picos de corrente de $\sim$0,3 A para a chave ligada. Isso ocorre porque a chave coloca em curto abruptamente um capacitor carregado (a capacitância em paralelo da própria chave, mais as dos componentes conectados). Isso é chamado de "comutação

---

[112] Especialmente uma tendência de a tensão de saída ultrapassar quando há uma queda abrupta na corrente de carga (devido a uma maior indutância necessária em um projeto CCM, talvez também influenciada pelo campo magnético diferente de zero ao longo do ciclo), e também uma mudança no comportamento da malha de realimentação (por causa da dependência funcional diferente da tensão de saída *versus* o ciclo de trabalho e, mais interessante, o fato de que, em CCM, o ciclo de trabalho é fixo, para uma dada tensão de saída, e é independente da corrente de carga). Tendo em conta este último fato, pode parecer paradoxal que a regulação contra variações na corrente de carga ainda seja possível! O que acontece é que, uma vez no CCM, uma variação na corrente de carga produz uma carga transiente no ciclo de trabalho, de tal forma que a linha de base (mínima) da corrente do primário se move para cima ou para baixo para acomodar a corrente de carga alterada; tendo estabelecido essa nova corrente de linha de base, o ciclo de trabalho, então, retorna para o valor fixo apropriado para a tensão de saída regulada.

[113] Um pouco superamortecido pela impedância refletida de cerca de 5 kΩ em série com $\sim$200 pF do circuito amortecedor (*snubber*) do secundário com 10 Ω + 0,1 μF.

forçada", e é responsável por perdas de potência significativas em conversores que funcionam em frequências altas de comutação. Aqui, por exemplo, podemos estimar a potência dissipada na chave multiplicando $\frac{1}{2}CV^2$ pela frequência de comutação, resultando em $P_{diss} \approx 0,15$ W Isso não é muito sério nessa frequência de comutação modesta de 100 kHz, sendo apenas 1% da potência de saída; mas a sua contribuição relativa é maior em baixas correntes de carga e, em qualquer caso, ela contribui para a dissipação e o estresse da chave. E torna-se cada vez mais importante conforme você tenta aumentar a frequência de comutação (a fim de reduzir o tamanho). A solução é se esforçar para ter uma "comutação suave", em que a tensão sobre a chave seja trazida próximo de zero antes da ativação da chave (por meio da exploração de correntes reativas para descarregar capacitâncias parasitas); esse objetivo é chamado de "comutação de tensão zero" (*zero-voltage switching*, ZVS).

G. Tração Elétrica do Secundário

Passando para o lado do secundário, o retificador é um tipo Schottky, que tem tanto uma baixa queda de tensão direta quanto tempo de recuperação zero (ausência de armazenamento de carga).[114] Retificadores Schottky (também conhecidos como retificadores *portador quente*) estão disponíveis em tensões até ∼100 V; acima disso, você usaria um retificador de "recuperação rápida" (ou "recuperação suave rápida", como D_3). Retificadores de potência, muitas vezes, vêm encapsulados em dupla para aplicações que requerem dois; aqui eles foram simplesmente conectados em paralelo. Note o dissipador de calor: 3 A de corrente média de carga fluindo através de uma queda direta de 0,5 V (Schottky) dissipa 1,5 W, o suficiente para merecer um pequeno dissipador de calor. A malha *RC* em série fornece amortecimento e atenuação dos transientes de comutação, assim como os anéis de ferrite. O indutor em série L_2 filtra a ondulação na frequência de comutação: a sua reatância na frequência de comutação de 100 kHz é de 2,7 Ω, em comparação com uma impedância de ∼0,1 Ω (dominada pela resistência em série) para os capacitores de armazenamento a jusante.

H. Regulação do Secundário

Esta fonte usa o popular "regulador *shunt*" TL431, que inclui uma referência de tensão e amplificador de erro interno e que entra em condução intensa quando o pino de referência chega a 2,5 V acima do pino terra. Isso liga o emissor LED do optoacoplador U_3, para correntes acima de cerca de 2 mA (o limite definido pelo resistor de 680 Ω). O divisor resistivo e o *trimmer* permitem ajuste da saída de ±0,4 V, e a malha *RC* em série ao redor do TL431 é uma rede de compensação para evitar oscilação. O grande capacitor *shunt* limita a largura de banda da malha e também realiza o "*soft-start*" (partida suave) na energização: ele faz isso induzindo o emissor óptico a "pensar" que o TL431 está conduzindo, quando, na verdade, a corrente do LED é proveniente da rampa de subida da tensão de saída. É fácil verificar que uma saída em rampa crescente de 1,5 V/ms produz uma absorção de corrente de 5 mA no cátodo do LED do optoacoplador, estendendo, assim, a partida para cerca de 3 ms e, portanto, definindo em ∼3,4 A a corrente do secundário necessária para carregar os quatro capacitores de armazenamento de saída, aproximadamente igual à especificação de corrente máxima da fonte.

I. Outras Características de Projeto

Há apenas alguns recursos adicionais neste circuito. O capacitor C_Y é utilizado para suprimir a EMI conduzida. Como ele constrói a barreira de isolamento, deve ter especificações de segurança de "capacitor Y" adequadas (veja a Seção 9.5.1). O retificador D_7 protege contra inversão de polaridade, no caso de alguma carga de comportamento inadequado decidir criar o caos. O pequeno capacitor de saída assegura uma impedância de saída em altas frequências, em que os grandes capacitores eletrolíticos se tornam menos eficazes (devido a indutância interna e ESR). E, por fim, o próprio controlador chaveado (U_1) inclui uma série de características interessantes: oscilador interno que não requer componentes de temporização externos, limite de corrente interna ciclo a ciclo, proteção contra excesso de temperatura, reinício automático, regulador interno, comutação de fonte CC e MOSFET de potência de alta tensão interno, todos integrados em uma interessante configuração de 3 terminais. Seu alto nível de integração nos tirou a oportunidade de mostrar aos leitores explicitamente esses circuitos importantes!

9.8.4 O "Projeto de Referência"

Esta é uma boa fonte de alimentação. Compramos um monte delas, e funcionam bem e de forma confiável. O projeto do circuito pode parecer muito complicado, sobretudo para aqueles sem experiência em projeto de fonte chaveada isolada. Na verdade, é altamente recomendável que o *usuário* de tais fontes não tente projetá-las e construí-las – *compre-as* de desenvolvedores especialistas que ganham a vida fazendo isso (veja a seguir).

Mas como é que esses especialistas desenvolvem esse projeto? Como se constata, os fabricantes de bons CIs têm um grande interesse que seus produtos sejam fáceis de usar. Com esse nobre objetivo, eles fornecem o que são conhecidos como *projetos de referência*, que basicamente consistem de um exemplo de circuito completo (geralmente disponibilizado por eles como uma "placa de desenvolvimento" ou "placa de avaliação"). Para o chip regulador utilizado nessa

---

[114] Para lidar com uma corrente de pico alta de 15 A em D_5, os projetistas selecionaram um retificador Schottky YG802C04 com um par de unidades de 40 V/10 A em paralelo (cada um dos quais especifica uma queda direta de 0,53 V em 7 A), fixado a um dissipador de calor próprio.

fonte de alimentação especial, por exemplo, a Power Integrations (o fabricante do TOP201) fornece quatro circuitos de exemplo, com níveis crescentes de estabilidade de regulação (chamados de "partes mínimas", "partes mínimas aprimorado", "realimentação por optoacoplador simples" e "realimentação por optoacoplador de precisão"). E, em um par de "Notas de Aplicação",[115] eles fornecem uma receita passo a passo para esses projetos, com fluxogramas, fórmulas e gráficos. Dificilmente pode dar errado. A fonte da Figura 9.83, de fato, acompanha de perto o projeto de "realimentação por optoacoplador de precisão", diferindo principalmente na inclusão de *soft start*, anéis de ferrite e proteção contra inversão de polaridade. Isso não quer dizer que o projeto seja um exercício trivial – a implementação do transformador, o acondicionamento, o leiaute e o processo de testes e aprovação regulamentar são os principais desafios.

9.8.5 Resumo: Comentários Gerais Sobre Fontes Chaveadas Alimentadas pela Rede Elétrica

- Fontes chaveadas alimentadas pela rede elétrica estão em toda parte, e por boas razões. Sua alta eficiência as mantém frias, e a ausência de um transformador de baixa frequência as torna consideravelmente mais leves e menores do que as fontes lineares equivalentes. Como resultado, elas são usadas quase exclusivamente para alimentar eletrônicos de consumo e industriais.
- Comutadores produzem ruídos! Suas saídas têm dezenas de milivolts de ondulação de comutação; eles colocam essa "sujeira" na rede elétrica. Uma solução para a ondulação de saída, se isso for um problema, é adicionar um filtro passa-baixas *LC* externo de alta corrente; como alternativa, você pode adicionar um pós-regulador linear de baixa queda de tensão.[116] Alguns conversores comerciais incluem esse recurso, bem como blindagem completa e filtragem de entrada extensiva.
- Comutadores com várias saídas estão disponíveis e são populares em sistemas de computador. No entanto, as saídas separadas são geradas a partir de enrolamentos adicionais em um transformador comum. Tipicamente, a realimentação é feita a partir da saída de corrente mais elevada (geralmente, a saída de +3,3 V ou +5 V), o que significa que as outras saídas não são particularmente bem reguladas. Geralmente, há uma especificação de "regulação cruzada", que diz, por exemplo, quanto a saída de, digamos, +12 V varia quando você variar a carga na saída de +5 V a partir de 75% da carga total, quer para 50% ou 100% da carga total; uma especificação típica da regulação cruzada tem valor de 5%. Alguns comutadores de múltiplas saídas alcançam excelente regulação usando pós-reguladores lineares nas saídas auxiliares, mas isso é uma exceção. Verifique as especificações!
- Comutadores alimentados pela rede elétrica, como outros conversores de comutação, podem ter um requisito de corrente de carga mínima. Se a sua corrente de carga tiver chance de cair abaixo do mínimo, você terá que adicionar uma carga resistiva; caso contrário, a saída pode subir ou oscilar.
- Ao trabalhar em um comutador alimentado pela rede elétrica, *cuidado*! Esse não é um aviso em vão – você pode se matar. Muitos componentes estão no potencial da rede elétrica ou acima e podem ser letais. Você não pode conectar o terra da ponta de prova do seu osciloscópio ao circuito sem consequências catastróficas! (Utilize um transformador 1:1 de isolamento na entrada se você precisar fazer alguma medição.)
- Comutadores geralmente incluem circuitos de desligamento (*shutdown*) por sobretensão, análogos aos nossos circuitos *crowbar* com SCR, no caso de algo sair errado. No entanto, esse circuito, muitas vezes, é simplesmente um circuito detector zener na saída que desliga o oscilador se a saída CC exceder o ponto de desarme. Há modos de falha em que um "*crowbar*" não funcionaria.[117] Para segurança máxima, convém adicionar um motor de popa SCR tipo pé de cabra autônoma.
- Comutadores costumavam ter uma má reputação de confiabilidade, mas os projetos recentes parecem muito melhores. No entanto, quando decidem queimar, às vezes o fazem com grande espetáculo! Tivemos o caso de um que queimou de forma "catastrófica", espalhando um líquido preto ao redor e atingindo outros dispositivos eletrônicos também.
- Comutadores alimentados pela rede elétrica são, definitivamente, complexos e difíceis de projetar de forma confiável. Nosso conselho é evitar o projeto desses comutadores, *comprando* o que você precisa! Afinal, por que construir o que você pode comprar?
- Uma fonte chaveada, operando com eficiência praticamente constante, apresenta uma carga que se parece com uma resistência negativa (calculando a média sobre a onda CA) para a rede elétrica que a aciona. Ela pode causar alguns efeitos loucos, incluindo oscilação (mas não se limitando a ela), quando combinado com a reatância de entrada de filtros de ruído.

---

[115] AN-14: 'Dicas *TOPSwitch*, Técnicas e Resolução de Problemas"; AN-16:" Metodologia de Projeto *Flyback TOPSwitch*".

[116] Você pode obter um comutador combinado com LDO como um CI regulador único, por exemplo, a série de baixa queda de tensão e alta eficiência ("*High Efficiency Low Dropout*", HELDO™) da Micrel.

[117] Um relato pessoal: um dia sentimos um cheiro de fumaça e encontramos um osciloscópio danificado em nosso laboratório. Nós o abrimos e descobrimos que o capacitor de armazenamento da saída do PFC (470 μF/450 V) tinha falhado, exalando um monte de material pegajoso. Não tem problema, pensamos, vamos substituí-lo; especialmente porque uma nova fonte custa 800 dólares! Energizamos, parecia bom, fomos almoçar. voltamos, *fumaça*! Acontece que o chip controlador PFC falhou de uma forma que impediu tanto a regulação quanto o desligamento por sobretensão, de modo que o circuito *boost* apenas continuou aumentando, até que o capacitor estourou.

9.8.6 Quando Usar Fontes Chaveadas

Felizmente para você, não somos tímidos em dar conselhos! Aqui estão alguns.

- Para os sistemas *digitais*, você geralmente precisa de algo como 2,5 V, 3,3 V ou 5 V, muitas vezes em alta corrente (10 A ou mais). *Conselho*: (a) Use uma fonte chaveada alimentada pela rede elétrica. (b) Compre-a (talvez seja necessário acrescentar filtragem).
- Para circuitos analógicos com sinais de baixo nível (amplificadores de pequenos sinais, sinais de menos de 100 μV, etc.). *Conselho*: Utilize um regulador linear; fontes chaveadas geram muito ruído – isso vai arruinar a sua vida.[118] *Exceção:* Para alguns circuitos que funcionam com bateria, pode ser melhor usar um conversor chaveado CC-CC de baixa potência.
- Para qualquer alta potência. *Conselho*: Use uma fonte chaveada alimentada pela rede elétrica. Ela é menor, mais leve e mais fria.
- Para aplicações de alta tensão e baixa potência (fotomultiplicadoras, tubos de flash, intensificadores de imagem, monitores de plasma). *Conselho*: Use um conversor *step-up* de baixa potência.

Em geral, os conversores CC de baixo consumo de energia são fáceis de projetar e exigem poucos componentes, graças a chips acessíveis como a série Simple Switcher que vimos anteriormente. Não hesite em construir o seu próprio. Por outro lado, fontes chaveadas de alta potência (geralmente alimentadas pela rede elétrica) são complexas, difíceis de projetar e extremamente propensas a defeitos. Se você tiver que projetar a sua própria, tenha cuidado e teste seu projeto muito bem. Melhor ainda, deixe o seu orgulho de lado e compre a melhor fonte chaveada que puder encontrar.

9.9 INVERSORES E AMPLIFICADORES CHAVEADOS

Os benefícios da conversão de potência chaveada – alta eficiência e pequena dimensão – podem ser aplicados para a geração de uma tensão de saída *variável no tempo*. Você pode pensar nisso como uma conversão "CC-CC", em contraste com um conversor de potência CC-CC. Em essência, você pode imaginar substituir um *sinal* de entrada por uma referência de tensão CC fixa em um regulador CC chaveado; a saída seguirá o sinal de entrada enquanto a largura de banda do sinal de entrada for bem abaixo da frequência de comutação.

Conversores chaveados desse tipo são amplamente utilizados, por exemplo, para fornecer potência CA multifásica para acionamento de motores, ou para gerar correntes de enrolamento individuais para pequenos motores de passo. Um acionador de motor de frequência variável permite controlar a velocidade do motor. Conversores CC-CA na frequência de rede elétrica são, muitas vezes, denominados *inversores*, tais como aqueles usados em fontes de alimentação ininterrupta (no-breaks ou UPSs) para computadores. Em níveis mais elevados de potência, tais conversores são usados para gerar CA na frequência da rede elétrica a partir de uma tensão CC alta que é fornecido através de uma região rural (em tensões CC de até um *megavolt*, dá para acreditar?). E, mais próximo a nós, amplificadores de áudio chaveados (conhecidos como amplificadores "classe D"; veja a Seção 2.4.1C) são dominantes em eletrônicos de consumo. Nessa aplicação, um filtro *LC* passa-baixas passivo suaviza a forma de onda de comutação trilho a trilho (tipicamente nas frequências de $\sim$250 kHz ou superior), cujo ciclo de trabalho é modulado de acordo com o sinal de entrada. Veja a Figura 2.73 para formas de onda a partir de um amplificador de áudio classe D de baixa potência.

Para obter apenas uma amostra desse ramo da eletrônica de potência, observe a Figura 9.87, na qual capturamos as formas de onda de dois estilos de fontes de alimentação ininterrupta de 120 V CA, juntamente com a forma de onda da tensão de 120 V CA da tomada elétrica em nosso laboratório. Você pode imaginar que a forma de onda "limpa" do meio seja a da concessionária de energia elétrica, mas, na verdade, essa forma de onda é a obtida na saída de um UPS que se orgulha de ter uma "onda senoidal de baixa distorção". A forma de onda superior é a da tomada elétrica, mostrando níveis bastante típicos de distorção. A forma de onda de 3 níveis na parte inferior é eufemisticamente denominada "onda senoidal modificada" e é típica dos inversores e UPSs mais baratos. Não é bonita, mas dá conta do trabalho: se for comutada para os trilhos de $\pm$170 V 25% do tempo e para zero

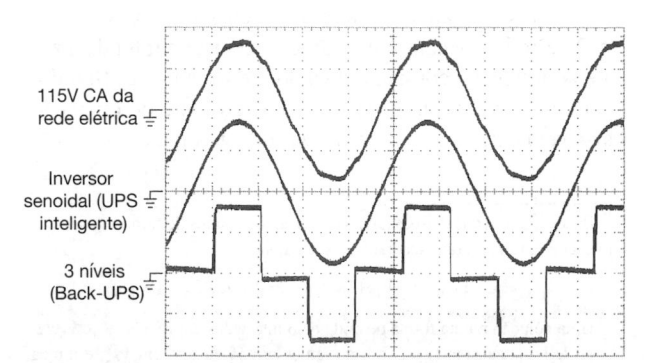

FIGURA 9.87 Um inversor de onda senoidal verdadeira gera uma onda senoidal mais "limpa" do que a da tomada da rede elétrica CA. A forma de onda de 3 níveis (às vezes, denominada *onda senoidal modificada*), embora dificilmente se pareça com uma onda senoidal, tem as mesmas tensões RMS e de pico e é suficiente para a maioria das cargas. Para essas formas de onda medidas, usamos como carga para os UPSs uma lâmpada incandescente de 75 W. Vertical: 100 V/div; Horizontal: 4 ms/div.

---

[118] *De verdade*! Aqui está uma citação concisa de James Bryant (da série da Analog Devices "Perguntas Raramente Feitas"), em resposta à pergunta "Como posso evitar que o ruído de uma fonte chaveada devaste o desempenho do meu circuito?". Resposta: "Com grande dificuldade, mas isso pode ser feito." Ele continua: "As fontes de alimentação chaveadas são os circuitos mais ruidosos imagináveis. Uma grande corrente da fonte é ligada e desligada em alta frequência com um dI/dt muito rápido. Há, inevitavelmente, grandes transientes rápidos de tensão e corrente.".

(ou sem alimentação) no meio, é fácil verificar que ela tem a mesma tensão RMS (120 V RMS) e tensão de pico (170 Vpico) que uma senoide de 120 V RMS.[119] Então, ela oferece a mesma potência para cargas resistivas, etc., e alimenta o lado da entrada de fontes de alimentação CC ou conversores com a mesma tensão de 120 V RMS que seria obtida da rede elétrica da concessionária de energia.

Há mais para pensar do que simplesmente ter as mesmas tensões RMS e de pico, é claro. Há *distorção*: a forma de onda de 3 níveis não tem harmônicos pares, mas tem fortes harmônicos em todos os múltiplos ímpares da frequência fundamental (existem vários esquemas multiníveis para resolver esse problema). Depois, há a preocupação sobre os sistemas que exploram cruzamentos zero da fonte CA de entrada para sincronismo, para os quais a forma de onda de 3 níveis (ou qualquer forma de onda em degraus com um número ímpar de níveis) causaria estragos.[120] Há muito mais para pensar, mesmo nos limitando ao assunto de inversores multiníveis.[121]

Esta área da eletrônica de potência é um tema rico, mas, infelizmente, a vida é finita, e da mesma forma é o tamanho deste livro.

9.10 REFERÊNCIAS DE TENSÃO

Além de utilizadas em reguladores de tensão integrados, as boas referências de tensão também são necessárias dentro de um circuito. Por exemplo, você pode querer construir uma fonte regulada de precisão com características melhores do que aquelas que pode obter usando os melhores reguladores integrados. Ou você pode querer construir uma fonte de corrente constante de precisão. Entre as aplicações que pedem referências de precisão (mas não uma fonte de alimentação de precisão) estão conversores A/D e D/A, geradores de forma de onda de precisão e voltímetros, ohmímetros ou amperímetros de precisão.

Referências de tensão integrados vêm em dois estilos: 2 terminais (ou *shunt*) e 3 terminais (ou *série*). Referências de 2 terminais agem como diodos zener, mantendo uma queda de tensão constante quando a corrente está fluindo; o circuito externo deve fornecer uma corrente de operação razoavelmente estável. Referências de 3 terminais (V_{in}, V_{out}, GND) agem como reguladores lineares de tensão, com o circuito interno ocupando-se de polarizar a referência interna (seja um diodo zener, ou qualquer outra coisa). Nas Tabelas 9.7 e 9.8, listamos uma abundância de referências hoje disponíveis de ambos os tipos.

Hoje há quatro tecnologias diferentes usadas em referências de tensão, e todas utilizam algum efeito físico para manter uma tensão bem definida e estável – *diodos zener, referências de barreira de potencial, referências JFET pinchoff* e *referências de porta flutuante*. Eles estão todos disponíveis como dispositivos autônomos (2 terminais ou 3 terminais); eles também são comumente incorporados como referência de tensão interna dentro de um CI maior, como um conversor A/D. Vamos abordá-los em ordem.

9.10.1 Diodo Zener

A forma mais simples de referência de tensão é o diodo zener, um dispositivo de 2 terminais que introduzimos na Seção 1.2.6A. Basicamente, é um diodo que opera na região de polarização reversa, em que a corrente começa a fluir em uma tensão e aumenta drasticamente com novos aumentos da tensão. Para usá-lo como referência, você simplesmente fornece uma corrente praticamente constante; isso é, muitas vezes, feito com um resistor a partir de uma tensão de alimentação maior, formando o tipo mais primitivo de fonte regulada.

Zeners estão disponíveis em tensões selecionadas de 2 a 200 volts (eles vêm na mesma série de valores que os resistores padrão de 5%), com especificações de potência desde uma fração de um watt a 50 watts, e tolerâncias de 1% a 20%. Por mais atraente que possam parecer para o uso como referências de tensão de uso geral (sendo dispositivos de baixo custo, de 2 terminais simples e passivos), zeners perdem o brilho quando você os olha um pouco mais de perto: é necessário estocar uma seleção de valores, as tolerâncias de tensão são ruins (exceto em zeners de precisão de alto preço), eles são ruidosos (acima de 7 V) e a tensão zener depende da corrente e da temperatura. Como um exemplo dos últimos dois efeitos, um zener de 27 V na série popular 1N5221 de 500 mW tem um coeficiente de temperatura de 0,1%/°C, e alterará a tensão em 1% quando a sua corrente variar de 10% a 50% do máximo.

Há uma exceção a esse desempenho geralmente fraco do zeners. Acontece que, nas vizinhanças de 6 volts, os diodos zener são silenciosos, tornam-se muito estáveis contra variações na corrente e, ao mesmo tempo, alcançam um coeficiente de temperatura próximo de zero. Os gráficos nas Figuras 9.88 e 9.89 ilustram os efeitos.[122] Se você precisa

---

[119] Basta adicionar as tensões ao quadrado em intervalos de tempo iguais e, em seguida, tomar a raiz quadrada de sua média:

$$V_{RMS} = \left[(V_1^2 + V_2^2 + \cdots + V_n^2)/n\right]^{1/2}.$$

[120] Uma solução é uma forma de onda de 6 intervalos e 4 níveis: V_{pk}, $V_{pk}/2$, $-V_{pk}/2$, $-V_{pk}$, gastando o dobro do tempo em $V_{pk}/2$ que em V_{pk}, e nunca ficando em zero. Isso elimina o terceiro harmônico (bem como todos os harmônicos pares) e produz 120 V_{RMS} se $V_{pk} = 170$ V.

[121] Uma boa revisão encontra-se em J. Rodriguez et al., "*Multilevel inverters: a survey of topologies, controls, and applications*" (Inversores multiníveis: uma pesquisa de topologias, controles e aplicações), *IEEE Trans. Indus. Electronics.*, **49**, 724-738 (2002), com 78 referências.

[122] Esse comportamento peculiar acontece porque existem dois mecanismos concorrentes acontecendo em diodos zener: efeito zener em baixas tensões, com coeficiente de temperatura negativo; e ruptura por avalanche em tensões elevadas, com coeficiente de temperatura positivo.

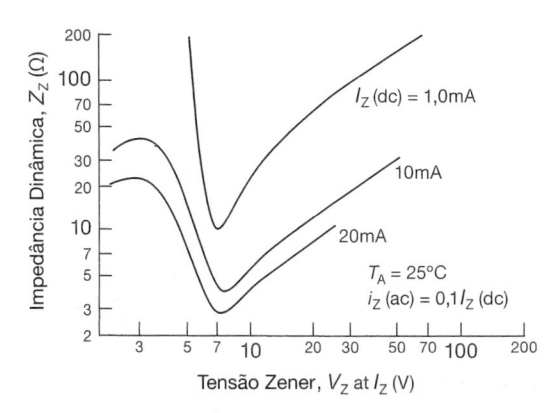

FIGURA 9.88 Impedância dinâmica do diodo zener para diodos zener de várias tensões. (Cortesia da Motorola, Inc.)

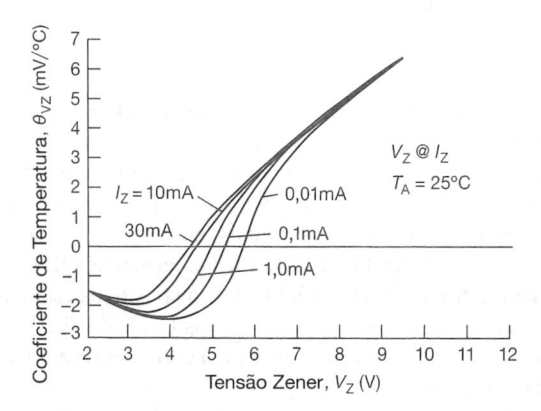

FIGURA 9.89 Coeficiente de temperatura da tensão de ruptura do diodo zener *versus* a tensão do diodo zener. (Cortesia de Motorola, Inc.)

A. Fornecimento de Corrente de Operação

Um zener compensado poderia ser utilizado como tensão de referência estável dentro de um circuito, mas deve ser fornecida com uma corrente constante.[123] O bem especificado[124] 1N4895, por exemplo, é especificado como 6,35 V ±5% para 7,5 mA, com um coeficiente de temperatura de 5 ppm/°C (no máximo) e o aumento de resistência de 10 Ω (máx). Assim, uma variação na corrente de polarização de 1 mA pode alterar a tensão de referência em 10 mV, três vezes mais do que uma variação na temperatura de 0°C a +100°C. Você pode, é claro, fazer um circuito de fonte de corrente separado para polarizar o zener; mas pode fazer melhor – a Figura 9.90 mostra uma maneira inteligente de usar a própria tensão zener para fornecer uma corrente de polarização constante. O AOP é conectado aqui como um amplificador não inversor, a fim de gerar uma saída de + 10,0 V. Essa saída estável é utilizada para fornecer uma corrente de polarização de 7,5 mA de precisão. Esse circuito inicializa sozinho, mas pode ligar com uma ou outra polaridade de saída! Para a polaridade "errada", o zener funciona como um diodo polarizado diretamente comum. Alimentar o AOP a partir de uma fonte simples, como mostrado, supera esse problema.[125] Certifique-se de usar um AOP que tenha faixa de entrada de modo comum para o trilho negativo (AOPs de "fonte simples").

Há zeners compensados disponíveis que caracterizam a estabilidade da tensão zener com o *tempo*, uma especificação que normalmente tende a ficar de fora. O 1N4895, por exemplo, especifica estabilidade melhor do que 10 ppm/1.000 h. O melhor exemplo é, provavelmente, o LTZ1000, um zener integrado de 7,15 V cuja folha de dados especifica uma estabilidade a longo prazo surpreendente de 0,15 ppm/$\sqrt{kHr}$ (típico). Esse dispositivo inclui um aquecedor para estabilização da temperatura do chip e afirma entregar um coeficiente de temperatura de até 0,05 ppm/°C, se usado corretamente.[126] Tais zeners não são baratos: o LTZ1000 custa 50 dólares.

---

[123] A maioria dos pequenos diodos zener é especificada para uma corrente de operação de 20 mA (embora você possa operá-los em correntes mais baixas). Mas, felizmente para aqueles que procuram zeners de baixa corrente, existe a família do 1N4678 até o 1N4713 (MMSZ4678-4713 para o encapsulamento SMD SOD-123), especificado para 50 μA.

[124] E testado individualmente por 1.000 horas! Ele é disponibilizado apenas pelo fabricante, a Microsemi.

[125] Com uma ressalva: o circuito poderia ficar preso na saída zero se a tensão de *offset* de entrada do AOP fosse maior do que a tensão de saída saturada ao terra. Isso pode acontecer com um estágio de saída CMOS trilho a trilho, que é a razão de termos escolhido um AOP BJT (cuja tensão de saturação está, pelo menos, a alguns milivolts do terra). Se você selecionar um AOP CMOS (digamos, um *chopper* de precisão), ou se você está perdendo o sono com a possibilidade remota de um circuito preso, pode forçar o circuito a iniciar corretamente com qualquer um dos suplementos pontilhados conectado ao circuito.

[126] Um exemplo de uso adequado é a prevenção de gradientes de temperatura: uma junção de dois metais diferentes (um "termopar") gera uma FEM térmica, cerca de 35 μV/°C durante a conexão dos terminais de liga de Kovar do LTZ1000 a uma placa de circuito. Isso é cerca de 7 ppm por °C de *diferença* de temperatura nos 2 terminais, que é cem vezes maior do que a do próprio zener do chip!

---

de um zener para uso apenas como uma referência de tensão estável e você não se importa com o valor da tensão, uma possibilidade é usar uma das referências zener compensadas construídas a partir de um zener de 5,6 V (aproximadamente) em série com um diodo polarizado diretamente – se você puder encontrar um! (Continue lendo...) A tensão zener é escolhida para dar um coeficiente positivo para cancelar o coeficiente de temperatura do diodo de −2,1 mV/°C. A compensação de temperatura pode ser realizada por outras tensões zener também, por exemplo, na série 1N4057 a 85, que vai de 12 V a 200 V, com coeficientes de temperatura de 20 ppm/°C.

Vamos seguir esta discussão – a qual nos levará, como veremos, a uma solução muito melhor sob a forma de referências de tensão totalmente integrada (incluindo aquelas com um zener com compensação de temperatura no chip) com características superiores. Na verdade, zeners com compensação de temperatura, como dispositivos *discretos*, praticamente não são mais usados.

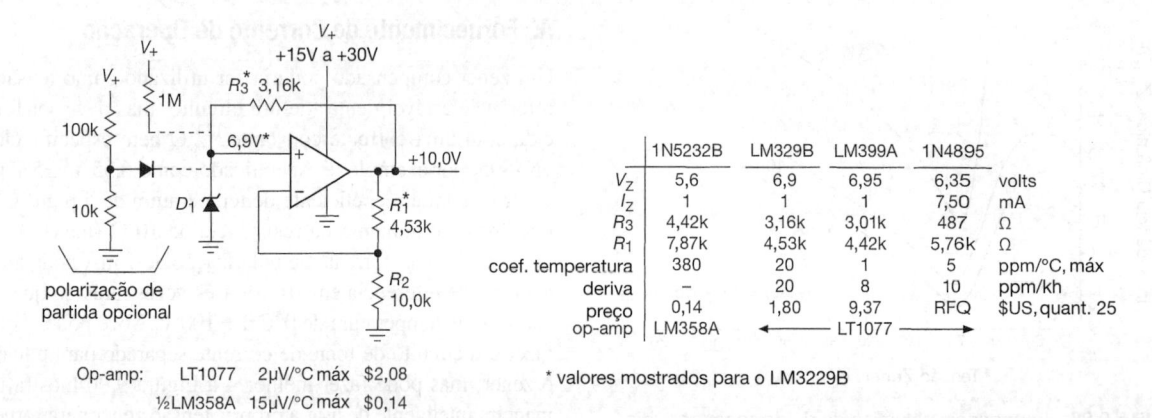

	1N5232B	LM329B	LM399A	1N4895	
V_Z	5,6	6,9	6,95	6,35	volts
I_Z	1	1	1	7,50	mA
R_3	4,42k	3,16k	3,01k	487	Ω
R_1	7,87k	4,53k	4,42k	5,76k	Ω
coef. temperatura	380	20	1	5	ppm/°C, máx
deriva	–	20	8	10	ppm/kh
preço	0,14	1,80	9,37	RFQ	$US, quant. 25
op-amp	LM358A	←———	LT1077	———→	

Op-amp: LT1077   2μV/°C máx $2,08
         ½LM358A 15μV/°C máx $0,14

* valores mostrados para o LM3229B

FIGURA 9.90 A tensão de saída estável fornece uma corrente de polarização zener estável ao longo das variações das tensões de alimentação V+. O AOP deve operar para o trilho negativo. Para um zener comum, como o 1N5232, você pode usar um AOP barato, como um LM358; mas use um AOP de precisão (por exemplo, o LT1077) para preservar o baixo coeficiente de temperatura de uma referência de precisão, como o LM329 ou o LM399. Não utilize uma fonte simétrica aqui, porque a saída pode contentar-se com um valor negativo.

B. CIs zeners

Nós demos a entender que os zeners compensados de precisão como dispositivos *discretos* desapareceram em grande parte; você pode verificar isso por si mesmo, acessando um site como o Octopart.com, à procura de peças antigamente populares, como o 1N4895 ou as séries 1N821-29.

Essa é a má notícia. A boa notícia é que excelentes zeners compensados agora vêm em forma integrada, como referência interna dentro de uma variedade de CIs de referências de tensão. A Tabela 9.7 listas vários deles, desde o barato (menos de 1 dólar) LM329 ao espetacular LTZ1000. Estes incluem circuitos adicionais para obter um melhor desempenho (a saber, a constância da tensão terminal com corrente aplicada), na forma de um circuito integrado; eletricamente, parecem-se com um zener, com apenas 2 terminais, embora internamente incluam dispositivos ativos adicionais. Tendo como base um zener, esses dispositivos operam em torno do ponto ideal de 7 V, embora alguns (como o LT1236 na tabela) incluam um circuito amplificador interno para criar um "zener" com um número redondo de 10,0 V.[127]

Vale a pena manter em mente o comum LM329 quando você só precisa de uma referência zener "boa o suficiente"; ele tem ruído baixo, uma tensão zener de 6,9 V e, na sua melhor versão, tem um coeficiente de temperatura de 10 ppm/°C (máx), quando fornecido com uma corrente constante de 1 mA. Onde for necessário um melhor desempenho, considere o LT1236A ou o LM399A regulado termicamente (com aquecedor no chip), este último com um admirável coeficiente de temperatura de pior caso de 1 ppm/°C!

Ao pensar em referências zener de 2 terminais, não ignore as outras tecnologias de referência de tensão que estão disponíveis como dispositivos de 2 terminais (*shunt*) (veja a Tabela 9.7). Por fora, eles se comportam como diodos zener, mas usam outros truques (por exemplo, uma queda V_{BE}) internamente para criar a sua tensão de referência estável. Entre outros benefícios, tais dispositivos estão disponíveis em tensões baixas desejáveis (1,25 V e 2,5 V são comuns), e alguns podem operar com correntes de até 1 μA. Continue lendo!

E lembre-se sempre de não se limitar a referências de 2 terminais – há excelentes referências de 3 terminais, tanto baseadas em zener quanto em outros dispositivos. Um bom exemplo é o LT1027B, uma referência de 10,0 V à base de zener com excelente coeficiente de temperatura (2 ppm/°C máx) e baixo nível de ruído (3 μ Vpp, típico, 0,1 Hz a 10 Hz). Um recurso interessante da maioria das referências em CI (tanto 2 terminais quanto 3 terminais) são as tensões de saída práticas que eles fornecem: em vez de ter que lidar com algo como V_{out} = 6,95 V ±4% (a especificação de tensão do excelente LM399, que é uma referência zener de 2 terminais de temperatura estabilizada), você obtém tensões de saída em números redondos precisos como 1,25 V, 2,50 V, 5,0 V e 10,0 V, ajustados de fábrica com uma precisão de até ±0,02% (veja as Tabelas 9.7 e 9.8).[128]

Bem, você diria, eu poderia fazer isso com o circuito da Figura 9.90, que me permite definir a tensão de saída CC via a relação de R_1/R_2. Certo. Mas espere – resistores de filme de metal padrão vêm em 1% de precisão, com coeficientes de temperatura na faixa de ±50 ppm/°C. Você *pode* obter resistores fixos e matrizes com coeficiente de temperatura baixo na casa de 1 ppm/°C (veja a Seção 5.6),

---

[127] Diodos zener podem ser muito ruidosos, e alguns CIs zeners sofrem do mesmo mal. No entanto, o ruído está relacionado com efeitos de superfície, e diodos zener de *subsuperfície* são consideravelmente mais silenciosos; essa é a tecnologia usada para conseguir o ruído muito baixo de dispositivos como as referências LT1236 e LTZ1000.

[128] Também tensões de potências de 2 (2,048 V, 4,096 V) para definir degraus LSB em números redondos em ADCs e DACs.

TABELA 9.7 Referências de tensão *shunt* (2 terminais)[a]

Nº identif	Encapsulamentos TO-92	DIP	SOIC	SOT-23	SC70	outro	Tensões 1.235	2.048	2.50	3.0	4.096	5.00	outro	Precisão máx (%)	pino de ajuste	Versões ajustáveis disponível	V_máx	Corrente zener mín[q] (μA)	máx (mA)	Ruído 0,1-10Hz (μVpp)	densidade do ruído (nV/V/√Hz)	Cap carga C_L	Coef temperat típico (ppm/°C)	máx (ppm/°C)	R_out típico[r] (Ω)	Preço quant 25 ($US)	Observações
referências shunt/realimentação																											
TL431A	•	8	-	3,5	-	8	-	-	•	-	-	-	-	1	-	•	36	1000	100	10°	20	6uF[g]	6[f]	16[f]	0,22[b,u]	0,32	1,2
LMV431B	•	-	-	3,5	-	-	w	-	-	-	-	-	-	0,5	-	•	30	80	20	7°	195	2nF	4[f]	12[f]	0,25[b,u]	0,85	1,3
TLV431B[p]	•	-	8	3,5	6	-	w	-	-	-	-	-	-	0,5	-	•	16[v]	100	20	15°	220	20uF	6[f]	20[f]	0,25[b,u]	0,67	1,4
referências de barreira de potencial																											
LM4431	-	-	-	3	-	-	-	-	•	-	-	-	-	2	-	-	-	100	15	-	170	N	30	-	1	0,75	
LM336B-2.5	•	-	8	-	-	-	-	w	-	-	-	-	-	2	•	-	-	400	10	-	95	-	1,8[f]	6[f]	0,27[u]	0,95	5
LM336B-5.0	•	-	8	-	-	-	-	-	-	-	-	•	-	2	•	-	-	600	10	-	95	-	4[f]	12[f]	0,6	0,95	5
LM336Z5	•	-	-	-	-	-	-	-	-	-	-	•	-	2	•	-	-	600	10	-	-	-	4[f]	12[f]	0,6	0,06	5,6
LM385B	•	-	8	-	-	20	w	-	-	-	-	-	-	1	-	•	5	11	20	-	400	N	-	150	0,4[b]	1,38	7
LM385B-1.2	•	-	8	-	-	8	-	•	-	-	-	-	-	1	-	-	-	15	20	-	490	N	20	-	0,4	0,54	-
LM385B-2.5	•	8	8	-	-	-	-	-	-	-	-	-	-	1,5	-	-	-	18	20	-	480	N	20	-	0,4	0,54	-
LT1034	•	-	-	-	-	-	w	-	•	-	-	-	•	1,2	-	-	-	30 g	20	-	24	-	20	40	0,5	3,33	8
ADR510	-	-	-	3	-	-	1.00V	-	-	-	-	-	-	0,35	•	-	-	100	10	4	-	N	-	70	0,3	1,42	9
LT1004	•	-	8	-	-	-	-	•	-	-	-	-	•	0,8	-	-	-	20 g	20	-	260	N[k]	20	-	0,2	1,74	10
LT1004 (TI)	-	-	8	-	-	-	-	-	-	-	-	-	-	0,3	-	-	-	10 h	20	-	310	N[k]	20	-	0,2	0,94	10,11
MAX6006A	-	-	8	3	-	-	w	-	-	-	-	-	-	0,2	-	-	-	1,0 h	2	30	alta	R	30	-	1,5	1,56	12,13
LT1009	•	-	8	-	-	8	-	-	-	-	-	-	-	0,2	•	-	-	400	10	-	48	-	15	25	0,2	1,74	14
LT1029A	•	-	-	-	-	-	-	-	-	-	-	-	-	0,2	•	-	-	700	10	-	silencioso	N[s]	8	20	0,2	3,34	-
LT1029	•	-	-	-	-	-	-	-	-	-	-	-	-	1,0	•	-	-	700	10	-	silencioso	N[s]	12	34		2,07	15
LM4040A	-	-	-	3	5	-	-	•	•	•	•	•	2	0,1	-	-	-	75	15	-	165	N[s]	15g	-	0,3[g]	2,32	16
ADR5041B	-	-	-	3	3	-	-	•	•	•	•	•	-	0,1	-	-	-	50	15	3,2	600	N	10	75	0,2[u]	0,86	17
LM4041A	-	-	-	3	5	-	w	-	-	-	-	-	15	0,1	-	-	-	60	12	-	165	N[s]	15h	-	0,5[h]	1,55	16
LM4050A	-	-	-	3	-	-	-	•	•	•	•	•	2	0,1	-	-	-	60	15	-	180	N[s]	15g	50[g]	0,3[g]	2,43	-
AD1580B	-	-	-	3	3	-	-	•	-	-	-	-	-	0,1	-	-	-	50	20	5	160	N[k]	-	50	0,4	1,56	-
MAX6138	-	-	-	-	3	-	w	•	•	•	•	•	-	0,1	-	-	-	65	15	20	325	N[s]	4	25	0,3	2,08	-
LT1634A	•	8	8	-	-	-	w	-	•	•	•	•	-	0,05	-	-	-	8	20	15[g]	-	N[s]	4	10	0,15[g,u]	3,13	19
LT1389A	-	-	8	-	-	-	w	-	•	•	•	•	-	0,05	-	-	-	0,7	2	25	ruidoso	N[s]	4	10	0,25	7,43	20
zeners de subsuperfície																											
LM329	•	-	-	-	-	-	-	-	-	-	-	-	6,9	5	-	-	-	600	15	-	11	-	50	100	1[u]	0,79	21
LT1236A-10	-	8	8	-	-	-	-	-	-	-	-	-	10,0	0,05	•	-	-	1700	20	6	13	-	2	5	0,5[b,u]	5,09	22
LM399AH	-	TO-46 de metal					-	-	-	-	-	-	6,95	4	-	-	-	500	10	-	13	-	0,3	1	0,5	9,37	23
LTZ1000	-	TO-5 de metal					-	-	-	-	-	-	7,15	4	-	-	-	1000 s	5	1,2	5,5	-	0,05	-	-	55,00	23,24
diodos zeners																											
1N4370A	DO-35						2,4 V							5	-	-	-	20mA especif		-	-	-	-600	-	30	2,11	25
1N752A	DO-35						5,6 V							5	-	-	-	20mA especif		-	-	-	300	-	11	1,56	26
1N4895	DO-7						6,35 V							5	-	-	-	7,5mA especif		-	-	-	5e	-	10	na	27
1N3157	DO-7						8,4 V							5	-	-	-	10mA especif		-	-	-	10c	-	15[m]	na	28

Notas: (a) Listado geralmente o melhor grau de precisão; classificadas por tipo e aumento da precisão. (b) Conectado como um zener. (c) Para 10 mA. (C_L) Capacitor de carga --- R: > 10 nF necessário; N: não é necessário, mas permitido, ou recomendado para cargas transientes; μF = mín exigido se mais do que um pequeno capacitor for adicionado, ver folha de dados, em branco = sem comentário. A impedância de saída CA aumenta com a frequência e entrará em ressonância com a reatância do capacitor de carga. Um pequeno resistor (22 a 100 Ω, etc.) pode isolar o capacitor e reduzir o Q de ressonância. (d) 5 a 10 mA. (e) Para I_Z = 7,5 mA. (f) ΔV (mV) ao longo da temperatura. (g) Para a versão de 2,5 V (a versão de 1,2 V é geralmente menos). (h) Para a versão de 1,225, ou V_{ref} para a versão ajustável. (k) Um RC é sugerido, por exemplo, 22 Ω. (m) Mín ou máx. (n) Nominal. (na) Não disponível. (o) Da ref de 1,24 V, ganho até V_{ceif}. (p) Também TLVH431A. (q) Corrente de operação mínima (máxima, ou seja, pior caso); muitas vezes, maior para tensões fixas superiores. (r) Geralmente em 1 mA, mas não dependente da corrente. (s) Ver folha de dados. (t) Típico. (u) Faixa de operação acima da especificada. (v) 6 V para TLV431 da TI, 16 V para TLV431 da Onsemi ou TLVH431 da TI. (w) Ver folha de dados para valor exato, escolhido para coeficiente de temperatura mínimo.

Comentários: 1: Dois resistores definem V_{ceif}. **2:** I_{ref} = 4 μA máx. **3:** I_{ref} = 0,5 μA máx; complementar ao LM385 ajustável. **4:** I_{ref} = 0,5 μA máx; TLV432 é pinagem alternativa. **5:** LM336 tem pin de ajuste de tensão. **6:** Em fontes múltiplas comuns. **7:** Versão BX é 30 ppm/°C; I_{ref} = 15 nA. **8:** Duplo: barreira de potencial e zener de 7 V (1,6%, 40 ppm/°C típico, 90 Ω), terminal negativo comum. **9:** Menor referência *shunt* V_{ref}. **10:** 1,235 V é tolerância de 0,3%, 2,45 V é tolerância de 0,8%. **11:** Dispositivo da TI com sufixo CDR custa 25 centavos de dólar (quant 25). **12:** Nanopotência, I_Z = 1 μA mín; tempo de estabilização para ligar de 40 ms com polarização de 1,2 μA e capacitância de 10 nF. **13:** MAX6007, 08, 09 para outras tensões. **14:** Atualização do LM336. **15:** Versão sem -A. **16:** Tolerância mais flexível para os sufixos B, C, D. **17:** Tolerância de 0,2% para o sufixo A. **19:** Tolerância mais flexível para o sufixo C. **20:** Nanopotência. **21:** Sufixo A é 5 ppm/°C típico, 10 ppm/°C máx. **22:** Ref em série utilizada no modo *shunt*. **23:** Aquecedor no chip; menor coeficiente de temperatura garantido. **24:** Compra da fábrica. **25:** Zeners de baixa tensão são ruins! **26:** Tensão zener ótima. **27:** Testados 1k horas; "zener de referência", especificado apenas para 7,5 mA. **28:** Referência zener com compensação de temperatura.

TABELA 9.8 Referências de tensão de séries (3 terminais)[a]

Nº identif	Referência[c]	Pkgs[b] DIP	SOIC	SOT-23	TO-92	outro	Tensões Disponíveis[d] (V) 1,024	1,25	1,8	2,048	2,5	3,0	3,3	4,096	5,0	10,0	outro	Ver. ajustável	Precisão máx (%)	coef temp típico máx (ppm/°C)	Fonte faixa mín-máx (V)	I_Q típico (μA)	I_{out} fornece (mA)	I_{out} absorve (mA)	Pino de ajuste	Pino de filtro	Pino de desligamento + sensor	Ruído 0,1Hz-10Hz típico (μVpp)	Ruído 10Hz-10kHz típico (μVrms)	Regulação máx (ppm/V)	C_{in}^z mín (μF)	C_{out}^z mín (μF)	C_{out}^z máx (μF)	Preço quant. 25 ($US)	Observações
LP2950A	B	-	-	-	•	P	-	-	-	-	-	-	-	-	5,0	-	-	-	0,5	20	5,4-30	100	100	-	-	-	-	-	430[r]	0,1%[q]	1	1	-	0,66	1
LP2951	B	•	•	-	-	S	-	-	-	-	-	-	-	-	5,0	-	-	-	0,5	20	3,35-30	100	100	-	•	•	•	-	430[r,s]	0,1%[q]	1	1	-	0,56	2
LT6650	B	-	-	•	-	-	-	-	-	-	-	-	-	-	-	-	0,4	j	0,75	30	1,4-18	5,6	0,2	-	-	-	-	20	23[e]	900	0,1	-	10	1,53[k]	3
LM4128A-2.5	B	-	-	•	-	-	-	-	-	-	•	-	-	-	-	-	-	-	0,1	75	2,9-5,5	60	20	0,2	-	-	-	275	-	50 t	0,1[w]	-	10	1,80	4
AD680J	B	•	•	-	-	-	-	-	-	-	•	-	-	-	-	-	-	-	0,4	10	4,5-36	200	10	-	-	-	-	8	-	16	0,1	0,05	10	3,20	5
REF43G	B	•	•	-	-	-	-	-	-	-	•	-	-	-	-	-	-	-	0,2	10	4,5-40	340	20	1,2	-	-	-	-	7[e]	2	0,1	10	-	6,66	6,7
ISL21010-25	B	•	•	-	-	-	-	-	-	-	•	-	-	-	-	-	1,5	-	0,2	15	2,6-5,5	46	25	1	-	-	-	67	37[e]	100	-	-	10	0,70[k]	6,7
LM4120A-2.5	B	-	-	•	-	-	-	-	-	-	•	-	-	-	-	-	-	-	0,2	50	2,7-12	160	5	5	-	-	•	20	36[p]	80	-	0,022	0,047	2,37	8
LM4125A-2.5	B	-	-	•	-	-	-	-	-	-	•	-	-	-	-	-	-	-	0,2	14	2,7-6	160	5	5	-	-	-	20	36[p]	80	-	0,022	0,1	1,75	8
LM4132A-2.5	B	-	-	•	-	-	-	-	-	-	•	-	-	-	-	-	-	-	0,05	10	2,9-5,5	60	20	5	-	•	•	240	-	50 t	0,1[w]	1	10	2,60	4
ISL60002B-25	F	-	-	-	-	-	-	-	-	-	•	-	-	-	-	-	1,2	-	0,04	20	2,7-5,5	0,35	7	7	-	-	-	33	48	25	0,47	-	0,001[v]	5,86	7
REF3125	B	-	-	•	-	-	-	-	-	-	•	-	-	-	-	-	-	-	0,2	15	2,55-5,5	100	10	10	-	-	-	33	48	65	0,47	1	10	2,07	7
REF3225	B	-	-	•	-	-	-	-	-	-	•	-	-	-	-	-	-	-	0,2	4	2,55-6	100	10	10	-	-	-	50	40	50	-	-	-	3,60	7
AD584K	B	•	-	-	-	-	-	-	-	-	•	-	-	-	-	-	7,5	-	0,14	15	4,5-30	750	10	5	-	-	-	30	-	30	-	-	-	10,61	11
X60003B-50	F	-	-	•	-	-	M	-	-	-	-	-	-	-	5,0	-	-	-	0,02	10	5,1-9	0,5	5	0,1	-	-	-	30	80[e]	25	-	-	0,001[v]	2,68[h]	11
LT6656A-2.5	B	-	-	•	-	-	T	-	-	-	•	-	-	-	-	-	-	-	0,05	10	2,9-18	0,85	5	10	-	-	-	7,5	-	1	-	-	50	6,42	4,13
REF5025	B	-	•	-	-	-	-	-	-	-	•	-	-	-	-	-	-	-	0,05	4	5,2-18	800	10	10	-	-	-	18	42	25	0,1	1	-	2,97	6
ADR3425	B	-	-	•	-	-	-	-	-	-	•	-	-	-	-	-	-	-	0,1	2,5	2,7-5,5	85[m]	10	3	-	-	-	18	42	50	0,1	0,1	-	2,34	6
LT1021B-5	Z	-	-	-	-	-	-	-	-	-	-	-	-	-	5,0	-	7,0	-	0,1	2	7,2-36	800	10	10	-	-	-	3	2,2[e]	12	1	1	-	7,00	7,14
LT6654A-2.5	B	-	-	•	-	-	T	-	-	-	•	-	-	-	-	-	-	-	0,05	10	2,7-36	350	10	10	-	-	-	1,5	2[e]	5	-	0,1	-	5,66	4,7,15
LT1019A-2.5	B	-	•	-	-	-	-	-	-	-	•	-	-	-	-	-	4,5	-	0,05	5	4-36	650	10	10	-	-	-	6,3	6,3[e]	3	-	y	y	7,50	6,14
LTC6652A-2.5	B	-	•	-	-	-	-	-	-	-	•	-	-	-	-	-	-	-	0,05	2	2,8-12	350	5	5	-	-	-	5	7,5[e]	50	-	y	y	4,80	4
ISL21090B-25	B	-	-	•	-	-	S	-	-	-	•	-	-	-	-	-	7,0	-	0,02	7	3,7-36	930	20	10	-	-	-	1,9	1,6[e]	18	-	0,1	10	7,56	7
LT1236A-5	Z	-	•	-	-	-	-	-	-	-	-	-	-	-	5,0	-	-	-	0,05	2	7,2-36	800	10	10	-	-	-	3	2,2[e]	12	-	-	-	5,09	7
MAX6033A-25	B	-	-	•	-	-	-	-	-	-	•	-	-	-	-	-	-	-	0,04	1,5	2,7-12,6	75[m]	15	-	-	-	-	16	12[e]	-	-	0,1	100	6,32	7
LM4140A-2.5	B	-	-	•	-	-	-	-	-	-	•	-	-	-	-	-	-	-	0,1	3	2,7-5,5	230	8	0,01	-	-	-	2,2	-	20	-	1[x]	4,7[x]	2,87	4,7
ADR441B	J	-	•	-	-	-	-	-	-	-	•	-	-	-	-	-	-	-	0,04	1	3-18	3000	10	5	-	-	-	1,2[g]	-	200	0,1	0,1	100	6,53	9,10
ISL21009B25	F	-	•	-	-	-	S	-	-	-	•	-	-	-	-	-	-	-	0,02	5	3,5-16,5	95	7	7	-	-	-	4,5	2,2[e]	60	-	-	0,001[v]	6,11	4,7,12
ADR421B	J	-	•	-	-	-	-	-	-	-	•	-	-	-	-	-	-	-	0,04	3	5-15	390	10	-	-	-	-	1,8	-	35	-	-	-	7,76	4,9
LT1027B	Z	-	•	-	-	-	-	-	-	-	-	-	-	-	5,0	-	-	-	0,02	2	8-40	2200	15	10	-	-	-	3	2[e]	6	-	-	-	6,17	4,7
LTC6655B-2.5	B	-	•	-	-	-	S	-	-	-	•	-	-	-	-	-	-	j	0,025	1	3-13	5000	5	5	-	-	-	0,6	1,7[e]	25	0,1	2,7	100	8,16	7,9,16
ADR4525B	B	-	•	-	-	-	-	-	-	-	-	•	-	-	-	-	-	-	0,02	2	3-15	700	10	10	-	-	-	1,25[g]	-	10	0,1	1[u]	100	5,85	9,17
MAX6325C	B	-	•	-	-	-	-	-	-	-	-	•	-	-	-	-	-	-	0,04	0,5	8-36	1800	15	15	-	-	-	1,5	1,3[e]	10	0,1	-	100	13,40	4,7,18

Notas: (a) Classificados aproximadamente pela tolerância, coeficiente de temperatura e ruído de 0,1 a 10 Hz; geralmente listados pelo melhor grau de precisão. (b) Outros encapsulamentos: M - chapéu metálico TO-99; P - encap de potência DPAK; S - pequeno (micro 8, MSOP); T - minúsculo (DFN, LCC). (c) B: barreira de potencial; F: porta flutuante; J: JFET *pinchoff*; Z: zener. (d) Os dados tabulados correspondem à escolha da tensão indicada por um marcador grande. (e) 10 Hz a 1 kHz. (f) No encapsulamento LCC. (g) Para a versão de 2,5 V. (h) Quant 3k. (j) Ajustável através de resistores externos. (k) Quant 1k. (m) Mín ou máx. (n) Nominal (o) 15nV/√Hz com $C_{NR} = 1$ μF. (p) De pico a pico. (q) Sobre a faixa de V_{in}. (r) 10 Hz a 100 kHz. (s) 100 μV com capacitor de filtro de 10 nF. (t) Típico. (u) 0,1 μF para $V_{out} \geq 3$ V. (v) Até 10 μF com rede de polo zero recomendada. (w) Um mínimo de 0,1 uF ou C_{out}, o que for maior. (x) ESR deve cair na faixa mín-máx, ver folha de dados. (y) Sem mín ou máx para todos, exceto a versão de 2,5 V, que pode oscilar com 400pF<C_{out}<2μF quando absorve entre 1 mA e 6 mA. (z) Um "''" significa que não há mínimo ou máximo; de qualquer forma, consulte a folha de dados para obter detalhes.

Comentários: 1: reg/ref de LDO barato. **2:** reg/ref de LDO barato com uma indicação de queda de tensão mínima; pode adicionar BJT externo. **3:** Menor V_{ref}; entrada FB do AOP para V_{out} de 0,4 V até o trilho. **4:** Outros sufixos para coeficiente de temperatura e precisão relaxados. **5:** Classe A para precisão de 0,2%; saída temporária (em encapsulamentos de 8 pinos). **6:** Saída de temperatura. **7:** Regulação de carga de 20 ppm/mA ou melhor. **8:** Nenhum sufixo para coeficiente de temperatura e precisão relaxados. **9:** Baixo ruído, baixo coeficiente de temperatura. **10:** Um favorito. **11:** V_{out} selecionável por pino; resistores externos para V_{out} variável. **12:** ISL21007 para V_{in} = 2,7 a 5,5 V e I_Q = 75 μA. **13:** Queda de tensão mínima sem carga de 10 mV. **14:** Pode utilizar no modo *shunt*. **15:** Baixo nível de ruído, fonte ampla. **16:** Ruído muito baixo. **17:** Ruído baixo, coeficiente de temperatura baixo. **18:** Menor ruído e coeficiente de temperatura.

mas você vai pagar um preço caro, e a seleção de resistência é escassa. E não se esqueça de que você ainda tem que ajustar o ganho para alcançar um número redondo preciso de tensão de saída. Usar um trimpot? Não é uma boa ideia, porque o coeficiente de temperatura sofrerá, e você terá que se preocupar com a estabilidade da resistência (resistência do cursor, estabilidade mecânica, etc.). É provável que você conclua que um divisor resistivo ajustado de fábrica no chip (coeficientes de temperatura casados, portanto muito baixo coeficiente de temperatura do ganho) é o caminho a seguir. E é mesmo.

9.10.2 Referência de Barreira de Potencial (V_{BE})

Este método explora a queda de tensão base-emissor de $\sim 0,6$ V de um transistor operando em uma corrente de coletor constante (isto poderia corretamente ser chamado de referência V_{BE}), como dado pela equação de Ebers-Moll. Uma vez que a tensão tem um coeficiente de temperatura negativo, a técnica envolve a geração de uma tensão com um coeficiente de temperatura positivo igual ao coeficiente negativo de V_{BE}; quando adicionada a um V_{BE}, a tensão resultante tem coeficiente de temperatura zero.

A Figura 9.91 mostra como isso funciona. Começamos com um espelho de corrente com dois transistores que operam em diferentes densidades de corrente de emissor (tipicamente uma razão de 10:1). Usando a equação de Ebers-Moll, é fácil demonstrar que I_{Q2} tem um coeficiente de temperatura positivo, porque a diferença de V_{BE} é apenas (/ q) loge r, em que r é a razão entre as densidades de corrente (veja o gráfico na Figura 2.62). Você pode se perguntar onde obtivemos a corrente constante para programar o espelho. Não se preocupe – você verá o método inteligente no final. Agora, tudo que você faz é converter essa corrente para uma tensão com um resistor e adicionar um V_{BE} normal (aqui, V_{BE} de Q_3). R_2 define a quantidade de tensão de coeficiente positivo que você adicionou ao V_{BE}, e, escolhendo adequadamente, você obtém um coeficiente de temperatura global zero.[129] Acontece que o coeficiente de temperatura zero ocorre quando a tensão total equivale à barreira de potencial do silício (extrapolado para o zero absoluto), cerca de 1,22 V. O circuito na caixa é a referência. Sua própria saída é usada (via R_3) para criar a corrente constante de programação do espelho que consideramos inicialmente.

A referência de barreira de potencial clássica requer três transistores, dois para ΔV_{BE} e o terceiro para adicionar um V_{BE}. No entanto, Widlar e Dobkin habilmente criaram uma versão com dois transistores, usada pela primeira vez no LM317 – veja a Figura 9.13.

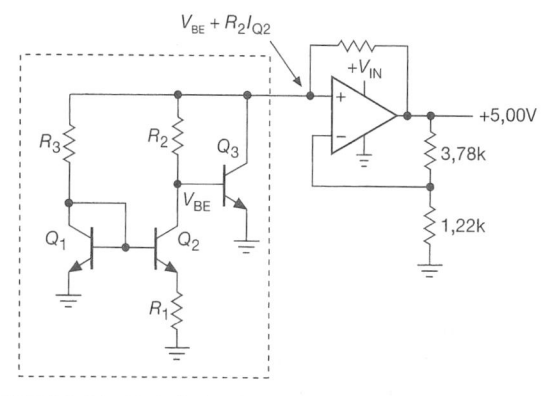

FIGURA 9.91 Referência de tensão de barreira de potencial V_{BE} clássica. O par de transistores Q_1Q_2 é um espelho de corrente de relação, tipicamente $I_{Q1} = 10 I_{Q2}$; essa relação coloca 60 mV sobre R_1, que define a corrente I_{Q2} proporcional à temperatura absoluta (PTAT).

CIs de Referência de Barreira de Potencial

Um exemplo de um CI de referência de barreira de potencial é o barato (cerca de 50 centavos de dólar) LM385-1.2 de 2 terminais, com uma tensão de operação nominal de 1,235 V, $\pm 1\%$ (o seu similar LM385-2.5 usa circuito interno para gerar 2,50 V), utilizável até 10 μA. Isso é muito menos do que você normalmente utiliza com zeners, tornando essas referências excelentes para equipamentos de micropotência.[130] A tensão de referência baixa (1,235 V), muitas vezes, é mais conveniente do que a tensão de aproximadamente 5 V mínimo utilizável por zeners (você pode obter zeners especificados para tensões de até 1,8 V, mas eles são bastante ruins, com os seus joelhos muito suaves). A melhor série do LM385 garante 30 ppm/°C máximo de coeficiente de temperatura e tem uma impedância dinâmica típica de 1 Ω em 100 μA. Compare isso com os valores equivalentes para um diodo zener 1N4370 de 2,4 V: coeficiente de temperatura = 800 ppm/°C (típico), impedância dinâmica ≈ 3.000 Ω em 100 μA, em que a "tensão zener" (especificada como 2,4 V em 20 mA) cai para 1,1 V! Quando você necessita de referência de tensão estável de precisão, esses CIs de barreira de potencial excelente deixam os diodos zener convencionais envergonhados.

Se você estiver disposto a gastar um pouco mais de dinheiro, pode encontrar referências de barreira de potencial de excelente estabilidade, por exemplo, o LT1634A de 2 termi-

---

[129] A expressão completa para V_{ref} é, portanto, $V_{ref} = V_{BE3} + (V_{BE1} - V_{BE2})R_2/R_1$.

[130] Mas note que as referências de corrente baixa tendem a ser ruidosas: o LM385-2.5 (20 μA mín) operando em 100 μA tem uma densidade de tensão de ruído de 800 nV/$\sqrt{Hz}$, em comparação com 120 nV/$\sqrt{Hz}$ para as referências análogas LT1009 ou LM336-2.5 (400 μA mín) operando em 1 mA. E, se você estiver disposto a desperdiçar mais corrente de operação, a referência de barreira de potencial de 3 terminais de baixo ruído LTC6655 (com uma corrente quiescente de 5 mA) tem uma densidade de ruído de saída de apenas 50 nV/$\sqrt{Hz}$, e, impressionantemente, com um ruído de corte 1/f abaixo de 10 Hz.

nais (2,5 V ou 5 V, 10 ppm/°C máximo, cerca de 6 dólares), ou o AD586 de 3 terminais (5 V, 2 ppm/°C máximo, cerca de 9 dólares).

Outra referência de tensão interessante à base de barreira de potencial é o extremamente popular TL431. Ele é um regulador *shunt* de 2 terminais barato (menos de 10 centavos de dólar em grandes quantidades), mas com um terceiro terminal para ajustar a tensão. Você o conecta como mostra a Figura 9.92. O "zener" liga quando a tensão de controle alcança 2,50 V; o dispositivo consome apenas algumas microampères do terminal de controle, e fornece um coeficiente de temperatura típico de tensão de saída de 10 ppm/°C. Os valores do circuito mostrados dão uma tensão zener de 10,0 V, por exemplo. Esse dispositivo versátil está disponível em encapsulamentos TO-92, miniDIP e meia dúzia de encapsulamentos SMD, e pode lidar com correntes de até 100 mA e tensões de até 36 V. Seus similares de baixa tensão e baixa potência (80 μA mín), o TLV431 e o TLVH431, funcionam da mesma maneira, mas com uma referência de barreira de potencial de 1,25 V interna e tensão e corrente de saída limitadas.[131] Ambos os tipos estão disponíveis em graus de precisão de ±2%, ±1% e ±0,5%.

Sensores de temperatura de barreira de potencial

A previsível variação de V_{BE} com a temperatura pode ser aproveitada para fazer um CI de medição de temperatura. Na Figura 9.91, por exemplo, a diferença nas tensões V_{BE} de $(kT/q)\log_e r$ implica que a corrente através de Q_2 (e também Q_1) é proporcional à temperatura absoluta (PTAT). O circuito pode ser rearranjado (circuito de Brokaw) para produzir simultaneamente uma tensão de saída proporcional à temperatura e uma referência de tensão de barreira de potencial (fixa) de 1,25 V. Esse é o caso com uma série de referências de barreiras de potencial, por exemplo, o AD680, uma referência de 2,50 V com um pino TEMP adicional cuja tensão de saída é 2,0 mV/K (portanto, 596 mV em 25°C). Se quiser apenas um sensor de temperatura e não for necessária a referência de barreira de potencial, você pode obter um bom sensor de temperatura autônomo, por exemplo, o LM35, um sensor de 3 terminais com saída de 10 mV/°C (0 V em 0°C), ou o LM61, cuja saída é deslocada de +600 mV, de modo que pode medir a partir de −30°C a +100°C. O LM61 custa meio dólar, em comparação com os 3 dólares do multifunções AD680 de 8 pinos.

9.10.3 Referência JFET *pinch-off* (V_P)

Esta técnica recente é análoga à referência de barreira de potencial baseada no V_{BE}, mas usa as tensões porta-fonte de um par de JFETs. Um único JFET operando com corrente de dreno fixa tem um coeficiente de temperatura ruim de V_{GS}, mas isso pode ser contornado inteligentemente usando um par de JFETs. A Figura 9.93 apresenta a configuração usada na série ADR400 de referências de tensão "XFET" da Analog Devices. O par de JFETs $Q_1 Q_2$ tem geometria idêntica e opera com correntes de dreno iguais; mas as suas dopagens de canal diferentes produzem uma *diferença* de tensão de porta de ∼0,5 V bastante estável, com um coeficiente de temperatura relativamente pequeno de −120 ppm/°C. Isso é muito menor do que o coeficiente de temperatura de uma queda V_{BE} (aproximadamente −3.000 ppm/°C) e requer apenas uma pequena dose de correção do coeficiente de temperatura positivo, aqui aplicado por meio da queda de tensão em R_1.

O resultado é uma referência de tensão com excelente coeficiente de temperatura (por exemplo, 3 ppm/°C ou 10 ppm/°C para os dois valores na série ADR400). Um benefício importante dessa técnica é o seu ruído excepcionalmente baixo (1,2 μVpp para o dispositivo de 2,5 V[132]). Referências

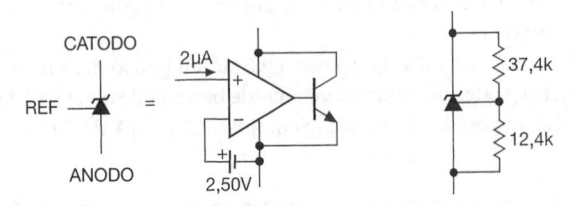

FIGURA 9.92 Regulador-referência *shunt* ajustável TL431. O divisor resistivo no circuito aplicativo à direita define a tensão "zener" em 10,0 V.

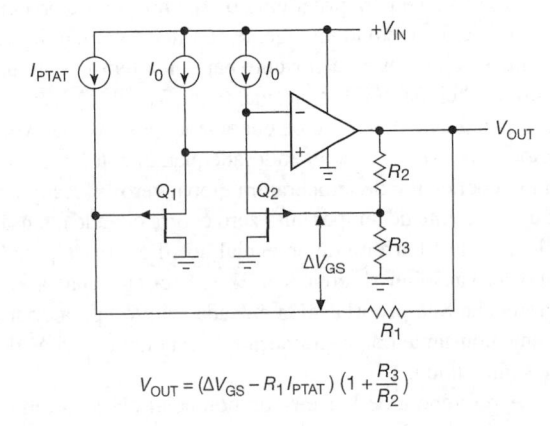

$$V_{OUT} = (\Delta V_{GS} - R_1 I_{PTAT})\left(1 + \frac{R_3}{R_2}\right)$$

FIGURA 9.93 Referência de tensão JFET. Um par de JFETs assimetricamente dopados, operando com a mesma corrente de dreno, gera uma diferença de tensão ΔV_{GS} entre as portas. O coeficiente de temperatura relativamente pequeno é compensado por uma corrente derivada de uma referência do tipo barreira de potencial (não mostrada).

---

[131] 6 V e 15 mA para o TLV431; 18 V e 80 mA para o TLVH431. O LM385 ajustável funciona de forma semelhante, mas com uma faixa de corrente de operação de 10 μA a 20 mA e tensões até 5,3 V.

[132] Mais bem especificado como 0,5 ppm(pp), porque a tensão de ruído varia de forma linear com a tensão de saída.

de barreira de potencial não podem corresponder a esse tipo de desempenho de ruído, porque o processo de compensar o seu coeficiente de temperatura intrínseca grande introduz a maior parte do seu ruído de saída.

9.10.4 Referência de Porta Flutuante

Esta aposta mais recente na obtenção de uma tensão de referência é, digamos, bizarra. Se você fosse desafiado a apresentar uma ideia que fosse mais provável de dar errado, poderia inventar uma referência a partir de um "arranjo de porta flutuante" (FGA). A Intersil fez isso, mas foi bem-sucedida! A ideia é colocar alguma carga elétrica na porta de subsuperfície e bem isolada de um MOSFET durante a fabricação, o que o submete a uma tensão (pensando nisso como um capacitor); o MOSFET, então, atua como um seguidor de tensão (ou a entrada AOP) para criar uma tensão de saída estável.

A estabilidade ao longo do tempo depende, é claro, de o minúsculo capacitor não perder ou ganhar qualquer carga elétrica. Isso é algo difícil – você gostaria que ele permanecesse estável a, talvez, 100 ppm ao longo de vários anos, na faixa de temperatura de operação completa. A capacitância da porta de 100 pF carregada até 1 V, por exemplo, exigiria que a fuga da porta não fosse mais do que 10^{-22} A; isso é cerca de dois elétrons por hora!

De alguma forma, o pessoal da Intersil fez isso funcionar. Eles também lidaram com a estabilidade de temperatura, com alguns truques: um método usa capacitores de construção diferente para cancelar o já pequeno coeficiente de temperatura de aproximadamente 20 ppm/°C; outro método utiliza capacitores de apenas um tipo, cancelando o pequeno coeficiente de temperatura residual pela adição de uma tensão de coeficiente de temperatura conhecido (como nas referências de barreira de potencial e JFET).

Os resultados são impressionantes: a série ISL21009 declara estabilidades de longa duração da ordem de 10 ppm pela raiz quadrada de quilo-horas, coeficientes de temperatura de 3 ppm/°C, 5 ppm/°C e 10 ppm/°C (máx) para as três classes;[133] ruído de 4,5 μVpp; e uma corrente de alimentação muito baixa, de 0,1 mA (típico). Eles estão disponíveis em tensões predefinidas de 1,250 V, 2,500 V, 4,096 V e 5,000 V, cada um disponível em vários graus de precisão e coeficiente de temperatura.

9.10.5 Referências de Precisão de 3 Terminais

Conforme observamos anteriormente, essas técnicas inteligentes tornam possíveis referências de tensão de notável estabilidade de temperatura (até 1 ppm/°C ou menos). Isso é especialmente impressionante quando se considera que a venerável célula Weston, uma referência de tensão tradicional através dos tempos, tem um coeficiente de temperatura de 40 ppm/°C. Existem dois métodos utilizados para obter referências da mais alta estabilidade.

A. Referências de Temperatura Estabilizada

Uma boa maneira de alcançar uma estabilidade de temperatura excelente em um circuito de referência de tensão (ou qualquer outro circuito, aliás) é manter a referência, e talvez os componentes eletrônicos associados, a uma temperatura elevada constante. Dessa forma, o circuito pode oferecer um desempenho equivalente com um coeficiente de temperatura bastante relaxado, porque os componentes do circuito real estão isolados das flutuações de temperatura exterior. De maior interesse para os circuitos de precisão é a capacidade de entregar um desempenho significativamente melhor, colocando um circuito de referência já bem compensado em um ambiente de temperatura constante.

Essa técnica de circuitos de temperatura estabilizada ou encapsulados em "fornos" foi utilizada durante muitos anos, em especial para circuitos osciladores ultraestáveis. Existem fontes de alimentação disponíveis comercialmente e referências de tensão de precisão que usam circuitos de referência encapsulados em fornos. Esse método funciona bem, mas tem os inconvenientes de ser volumoso, consumir uma potência relativamente grande no aquecedor e ter aquecimento lento (tipicamente 10 min ou mais). Esses problemas são bastante reduzidos se a estabilização térmica for feita no nível do chip por meio da integração de um circuito de aquecimento (com sensor) no próprio CI. Essa abordagem foi iniciada na década de 1960 pela Fairchild com o μA726 e o μA727, um par diferencial e um pré-amplificador de temperatura estabilizada, respectivamente.

Essa técnica é utilizada nas referências LM399 e LTZ1000, que declaram coeficientes de temperatura estabilizados abaixo de 1 ppm/°C (máximo). Os usuários devem estar cientes de que o circuito AOP subsequente, incluindo resistências de ajuste de ganho, pode degradar o desempenho consideravelmente, a menos que um cuidado extremo seja aplicado no projeto. AOPs de precisão de baixa deriva e arranjos de resistores de coeficientes de temperatura casados são particularmente essenciais. Esses aspectos do projeto de circuito de precisão são discutidos no Capítulo 5.

B. Referências de Precisão sem Aquecimento

O projeto de chips inteligentes tornou possíveis referências sem aquecimento de estabilidade quase comparável. Por exemplo, a série MAX6325 da Maxim tem coeficientes de temperatura de 1ppm/°C (máx), sem aquecedor ou atrasos de aquecimento. Além disso, apresentam baixo nível de ruído e

---
[133] Mas veja o parágrafo e a nota de rodapé sobre radiação ionizante na página 684.

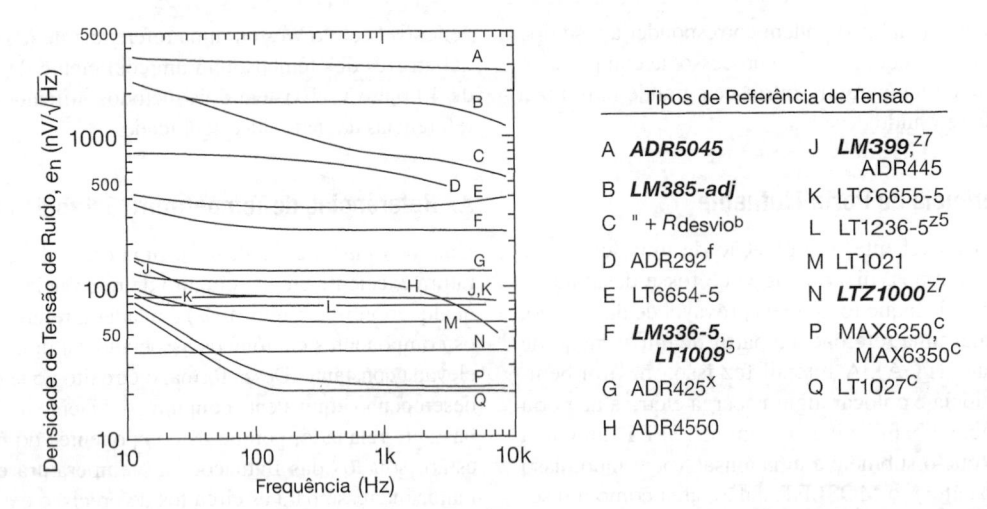

FIGURA 9.94 Densidade de ruído (e_n) em função da frequência para uma seleção de referências de tensão. Todas são para 5 V de saída, exceto quando indicado de outra forma; números de identificação em negrito são do tipo *shunt* (2 terminais), o restante é do tipo série (3 terminais). O LTZ1000 é operado em 4 mA. *Notas*: (5) referência de 2,5 V, curva mostrada é 2× o gráfico de e_n da folha de dados; (b) resistor superior desviado; (c) com capacitor de redução de ruído de 1 μF; (f) dispositivo de 4,096 V; (x) referência de "XFET"; (z5) zener de subsuperfície, saída de 5 V com *buffer*; (z7) zener de subsuperfície de 7 V.

Tipos de Referência de Tensão

A **ADR5045**
B **LM385-adj**
C " + Rdesvio[b]
D ADR292[f]
E LT6654-5
F **LM336-5,
    LT1009**[5]
G ADR425[x]
H ADR4550
J **LM399**,[z7]
    ADR445
K LTC6655-5
L LT1236-5[z5]
M LT1021
N **LTZ1000**[z7]
P MAX6250[c]
    MAX6350[c]
Q LT1027[c]

deriva de longa duração. Sua desvantagem principal é a dificuldade de implementá-los! Todas essas referências de alta estabilidade (LTZ1000, LM399 e MAX6325) usam zeners de subsuperfície.

9.10.6 Ruído de Referência de Tensão

Mencionamos brevemente o negócio de *ruído*, em conexão com referências de baixa potência. Você pode sempre adicionar filtragem para suprimir o ruído da fonte de alimentação ou da referência em frequências mais altas (veja a discussão sobre o *multiplicador de capacitância* na Seção 8.15.1), mas não há substituto para uma referência silenciosa em baixas frequências, em que as propriedades de ruído da referência definem um limite inferior para o ruído de saída. As listagens na Tabela 9.7 e na Tabela 9.8 incluem valores de folha dados para ruído de baixa frequência integrado (0,1 a 10 Hz, em unidades de μVpp), bem como a tensão de ruído RMS em frequências um pouco mais elevadas (geralmente de 10 Hz a 10 kHz). Na Figura 9.94, traçamos as curvas de densidade de ruído (e_n, em unidades de nV/$\sqrt{Hz}$) para essas referências cujas folhas de dados são consideradas suficientes para fornecer tais informações. Muitas vezes, é útil normalizar os valores de tensão de ruído especificados pela tensão da referência, para obter uma comparação justa entre dispositivos concorrentes.

Você pode adicionar filtragem passa-baixas para reduzir o ruído a partir de uma referência de tensão. Algumas referências trazem para fora um nó interno em um pino de "filtro" (ou pino de "desvio", ou de "redução de ruído") que você pode desviar para o terra; a Tabela 9.3 indica isso na coluna "pino de filtro". Muitas vezes, as folhas de dados para tais dispositivos incluem informação numérica ou gráfica para orientá-lo na escolha do capacitor de filtro.[134]

Outra técnica que você pode usar é a adição de um filtro passa-baixas externo, com um seguidor AOP. A Figura 9.95 mostra esse esquema simples, com uma característica interessante: o filtro passa-baixas básico é R_2C_2, com uma constante de tempo de 2,2 segundos (decaimento de 3 dB em 0,07 Hz). Mas por que ele está conectado no topo de C_1?! Isso é feito para eliminar a corrente de fuga de C_2 (que produziria uma queda de tensão prejudicial de precisão sobre R_2) fazendo o *bootstrap* do lado inferior de C_2 – esperto! A inclusão de R_1C_1 afeta o decaimento e a estabilização da forma de onda, colocando o decaimento de 3 dB em 0,24 Hz e produzindo um *overshoot* de 8% com um tempo de estabilização alongado (30 segundos) para 0,1%.[135] Para essa aplicação, você precisa de um bom AOP: corrente de polarização de entrada baixa o suficiente para evitar erro a partir de $\Delta V = I_B R_2$ e tensão de ruído baixa o suficiente para acrescentar um valor insignificante à saída da referência filtrada. O OP-97E e o LT1012A são semelhantes e dão conta do trabalho (ou você poderia usar um R menor e um C maior, permitindo uma corrente de entrada do AOP maior).

---

[134] Uma das partes mais interessantes de tal orientação aparece na folha de dados do LTC1844, que adverte: "Além disso, alguns capacitores de cerâmica têm uma resposta piezoelétrica. Um dispositivo piezoelétrico gera tensão nos seus terminais devido ao estresse mecânico, semelhante à maneira como um acelerômetro ou microfone piezoelétrico funciona. Para um capacitor de cerâmica, o stress pode ser induzido por vibrações no sistema ou por transientes térmicos. As tensões resultantes produzidas podem causar quantidades apreciáveis de ruído, especialmente quando um capacitor de cerâmica é utilizado para desvio de ruído"

[135] Isto é, com $R_1 = R_2$ e $C_1 = C_2$, a frequência de decaimento de 3 dB se torna $f_{-3dB} \approx 3,3/2\pi RC$, e o tempo de estabilização para 0,1% (se você se importa) é de aproximadamente $\tau \approx 14RC$. Coloque um diodo sobre R_2 para encurtar o tempo para ligar.

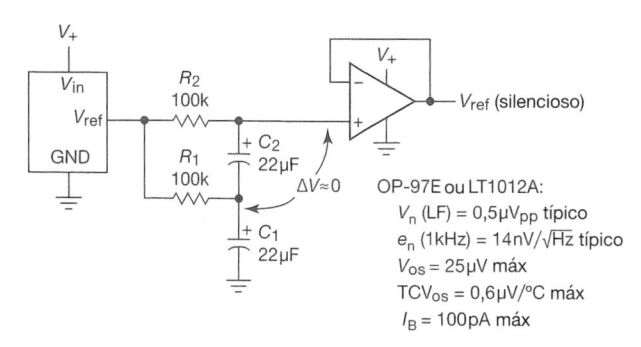

FIGURA 9.95 O filtro passa-baixa externo com *bootstrap* CC torna silenciosa qualquer referência de tensão, ao mesmo tempo que suprime o erro a partir das correntes de fuga do capacitor. Use um seguidor AOP silencioso com baixa corrente de entrada.

OP-97E ou LT1012A:
V_n (LF) = 0,5μV_{pp} típico
e_n (1kHz) = 14nV/$\sqrt{Hz}$ típico
V_{OS} = 25μV máx
TCV$_{OS}$ = 0,6μV/°C máx
I_B = 100pA máx

De um modo geral, uma referência que funciona em corrente muito baixa apresentará mais ruído, uma tendência evidente na Tabela 9.8. Isso é fácil de entender no caso de uma referência de barreira de potencial (V_{BE}), porque a tensão de ruído do BJT diminui conforme a raiz quadrada da corrente de coletor (veja a Seção 8.3). Você pode concluir a partir disso que um determinado CI de referência *shunt* (2 terminais) seria mais silencioso quando polarizado em correntes mais elevadas; mas você está errado – uma referência *shunt* opera seu circuito de barreira de potencial interno a uma corrente próxima da "corrente mínima de funcionamento" do dispositivo (com a tensão de ruído correspondente) e, dessa forma, operar a referência a uma corrente mais alta não ajuda.

9.10.7 Referências de Tensão: Comentários Adicionais

Como deve estar evidente a partir das Tabelas 9.7 e 9.8, há muitas coisas para pensar quando se seleciona uma referência de tensão. Aqui estão alguns conselhos para ajudar um projetista de circuito desnorteado (que é *você*).

Precisão e deriva Há precisão *inicial*, é claro, muitas vezes com uma escolha de tipos designados por um sufixo (-A, -B, etc.), com preços equivalentes. Mas os dispositivos *envelhecem*, e uma boa especificação de dispositivo inclui um valor de "deriva de longo prazo" (geralmente em partes por milhão por mil horas, ou, talvez mais adequado,[136]

---
[136] Segundo a folha de dados do LTC6655: a "estabilidade de longo prazo tem, tipicamente, uma característica logarítmica, e, por conseguinte, as variações após 1000 horas tendem a ser muito menores do que antes desse tempo. A deriva total nas mil horas seguintes é normalmente menor do que um terço das primeiras mil horas com uma tendência contínua em direção a uma deriva reduzida com o tempo. A estabilidade de longo prazo também é afetada pelo estresse diferencial entre o CI e o material de placa criado durante a montagem da placa." Outra pequena sugestão da LTC: "Uma melhoria significativa na deriva de longo prazo pode ser realizada por meio de pré-condicionamento do CI com 100 a 200 horas a 125°C." A especificação de deriva típica de longo prazo é de 60 ppm/$\sqrt{kHr}$. A folha de dados do REF5025 é instrutiva: ele apresenta menor deriva para o encapsulamento MISOP-8 do que para um SO-8, 50 contra 90 ppm/$\sqrt{kHr}$, e ele mostra ainda 50 ppm/$\sqrt{kHr}$ para as primeiras 1.000 horas e 5 ppm/$\sqrt{kHr}$ para o intervalo de 1.000 a 2.000 horas.

por $\sqrt{kHr}$), e, às vezes, uma especificação de "histerese térmica" (o *offset* de tensão após ciclos térmicos ao longo da faixa de temperatura de operação do dispositivo). Tomando o LTC6655B (melhor nota) como um exemplo, a precisão inicial é de ±0,025%, o coeficiente de temperatura é de 1 ppm/°C (típico) e 2 ppm/°C (no máximo), a deriva de longo prazo é de 60 ppm/$\sqrt{kHr}$ (típico) e a histerese térmica é 35 ppm (típico) para ciclos térmicos entre −40°C e +85°C. A partir desses valores, fica claro que a precisão inicial é apenas uma parte da história.

Um cuidado sobre "coeficiente de temperatura": na maioria das vezes, usamos a descrição em termos de *inclinação*, ou seja, ppm/°C (ou μV/°C, etc.), dando, talvez, um valor típico e um máximo (pior caso). Mas, às vezes, você verá a descrição em termos do desvio máximo na faixa de temperatura do dispositivo; um exemplo é o LM385, em que o coeficiente de temperatura *médio* especificado de pior caso de 150 ppm/°C é descrito em uma nota de rodapé: "O coeficiente de temperatura médio é definido como o desvio máximo da tensão de referência em todas as temperaturas medidas de $T_{MÍN}$ a $T_{MÁX}$, dividido por $T_{MÁX} - T_{MÍN}$." Garante-se que um coeficiente de temperatura máximo assim definido será menor do que o valor máximo de "inclinação" do coeficiente de temperatura (ou seja, o valor máximo de $\Delta V/\Delta T$ em relação ao mesmo intervalo de temperatura), como você pode se convencer desenhando algumas curvas sinuosas. A Figura 9.96 mostra um exemplo, adaptado a partir da folha de dados para a série ADR4520-50 de referências de precisão de 3 terminais.

Algumas referências incluem um terminal "ajuste", que parece uma grande ideia. Mas, assim como ocorre com as configurações de ajuste de *offset* do AOP, ela, muitas vezes, fornece uma faixa de ajuste *muito grande*! Você pode tentar consertar essa situação por meio da reconfiguração da rede de ajuste para fornecer menos corrente. Mas cuidado:

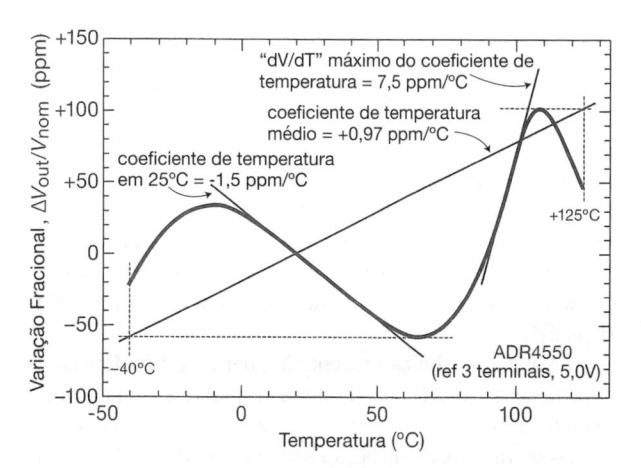

FIGURA 9.96 Três maneiras de definir o coeficiente de temperatura de uma referência de tensão, ilustradas com a curva sinuosa da folha de dados do ADR4550. O coeficiente de temperatura especificado da folha de dados é indicado como 2 ppm/°C (máx) na faixa de temperatura completa.

alguns dispositivos exigem que o circuito de ajuste externo apresente um determinado coeficiente de temperatura. Talvez você esteja melhor, assim como com AOPs, simplesmente escolhendo uma referência com uma especificação mais apertada; uma referência da melhor precisão inicial geralmente proporciona melhor coeficiente de temperatura também.

Autoaquecimento Referências de tensão são mais felizes quando têm apenas uma carga leve. Se um CI de referência for utilizado para alimentar uma carga, o aquecimento interno do chip produz gradientes térmicos que podem degradar seriamente a precisão e a deriva do dispositivo. Para tais aplicações, é melhor conectar um *buffer* na saída com um AOP. A maioria dos bons AOPs têm ruído e tensões de *offset* menores do que a própria referência de tensão (você pode fazer o cálculo!), por isso não degradam a tensão de referência. Muito pelo contrário, na verdade, considerando o efeito degradante da corrente de carga substancial com uma referência sem *buffer*, que é o objetivo. E mesmo AOPs medianos têm coeficientes de temperatura muito mais baixos de tensão de *offset* que a maioria das referências de tensão (mas use um AOP de precisão para uma referência de precisão, como fizemos na Figura 9.90).

Um *buffer* AOP também oferece uma oportunidade ideal para adicionar um filtro de ruído *RC*; veja a Seção 9.10.6, com a sua configuração de filtro incomum (Figura 9.95).

Influências externas Como a nota de rodapé 136 sugere, você pode degradar seriamente a precisão de uma referência de precisão, estressando fisicamente o encapsulamento; a estabilidade também é comprometida pela infiltração gradual da humidade através do encapsulamento de plástico. Às vezes, você verá as especificações melhoradas para versões de encapsulamentos hermeticamente fechados: o LT1236LS8 é encapsulado em um LCC hermético e oferece uma especificação de deriva melhorada em relação à versão de plástico LT1236. E as referências mais estáveis são oferecidas exclusivamente em encapsulamentos metálicos herméticos para contornar esses problemas: por exemplo, o LM399 (referência zener de subsuperfície estabilizada termicamente) vem apenas em um encapsulamento metálico TO-46; ele tem uma especificação excelente de deriva de longo prazo de 8 ppm/$\sqrt{kHr}$ (típico). Muito bom – mas com folga superado pela referência *shunt* de "Ultraprecisão" LTZ1000 (também em um encapsulamento metálico hermético), com um espetacular 0,3 ppm/$\sqrt{kHr}$ (típico)!

Uma contribuição recente à galeria de problemas é a exposição de referências de porta flutuante a radiações ionizantes (Seção 9.10.4), mais seriamente na forma de máquinas de raios X de inspeção de bagagem de aeroportos ou inspeção por raio X de PCBs pós-montagem. De acordo com a Nota de Aplicação da Intersil,[137] por experiência real em aeroportos dos EUA, a mudança de tensão para nove amostras de referência de porta flutuante de 5,0 V (ISL21009) após seis passagens através das máquinas de raio X foram, em média, de 25 ppm (negativo); isso é pequeno em comparação com a precisão inicial de ±100 ppm, mas na mesma estimativa que as especificações de deriva de longo prazo (1.000 horas) e histerese (ambas 50 ppm, típico).

Regulação de linha e de carga Você tem que se preocupar com a regulação contra variações de tensão de entrada ("regulação de linha") para uma referência de tensão que é alimentada a partir de CC regulada, por exemplo, em uma aplicação alimentada por bateria. Para tal utilização, não é apropriado que uma referência possua um coeficiente de temperatura de pior caso de 3 ppm/°C, mas cuja saída varia 200 ppm por volt de variação de entrada (essas são as características de um dispositivo na Tabela 9.8), ainda que essa referência fosse boa se alimentada a partir de uma fonte CC razoavelmente regulada. Por essa razão, listamos o pior caso de regulação de linha para as referências na Tabela 9.8 – elas variam ao longo de uma faixa de quase 1000:1!

A regulação de carga também importa se você estiver usando a referência como um regulador de tensão, ou seja, para alimentar uma carga que consome alguns miliampères, talvez com variação na corrente de carga. Mas desencorajamos tal utilização de uma referência de precisão, porque ela produz aquecimento no chip e derivas; por essa razão (e falta de espaço), não listamos as especificações de regulação de carga nas tabelas.

9.11 MÓDULOS DE FONTE DE ALIMENTAÇÃO COMERCIAIS

Em todo o capítulo, descrevemos como projetar sua própria fonte de alimentação regulada, implicitamente assumindo que é a melhor coisa a fazer. Só na discussão de fontes chaveadas operadas pela rede elétrica é que sugerimos que o melhor a fazer é engolir seu orgulho e comprar uma fonte de alimentação comercial.

Conforme a realidade econômica que se tem, no entanto, a melhor abordagem é, muitas vezes, usar uma das mui-

---

[137] Nota de Aplicação Intersil nº1533, 23 de fevereiro de 2010. *X-Ray Effects on Intersil FGA References* (Efeitos de Raio X sobre Referências FGA da Intersil), que explica: "O capacitor de porta flutuante é suscetível à degradação por radiação de várias partículas e fótons em doses excessivas, conforme os elétrons gerados no dióxido de silício são coletados na célula de armazenamento. A radiação normal a partir de raios cósmicos ou do elemento químico radônio que existe em pequenas quantidades na terra não fará com que a tensão de referência da FGA entre em deriva por mais de 100 anos. Fontes artificiais de radiação, tais como máquinas de raios X, são capazes de dosagem alta o suficiente para causar alteração na tensão de saída. Note que dispositivos de memória Flash também são suscetíveis à degradação por radiação de raio X, embora em menor grau, por não serem dispositivos analógicos de precisão".

FIGURA 9.97 Fontes de alimentação comerciais estão disponíveis em uma variedade de formas e tamanhos, incluindo módulos plotados, unidades de estrutura aberta e as de invólucros totalmente fechados. (Cortesia de Computer Products, Inc.)

tas fontes de alimentação comerciais vendidas por empresas como a Artesyn, Astec, Astrodyne, Acopian, Ault, Condor, CUI, Elpac, Globtek, Lambda, Omron, Panasonic, Phihong, PowerOne, V-Infinity e literalmente centenas de outras. Elas oferecem tanto fontes lineares quanto chaveadas que vêm em diversos invólucros básicos (Figura 9.97)

- Fontes "montadas em placa": estas são de invólucros relativamente pequenos, não mais do que alguns centímetros de um lado, com terminais de fio rígido na parte inferior para que você possa montá-las diretamente em uma placa de circuito. As fontes de CA-CC e os conversores CC-CC vêm nesse estilo, e eles podem ser de construção acomodada em um invólucro em forma de "vaso" ou aberta. Você pode obtê-las nos tipos linear ou chaveada, e elas vêm com tensões de saída únicas ou múltiplas. Um típico PC de gabinete usa uma fonte chaveada CA-CC de saída tripla que fornece +5 V a 2 A e ±12 V a 0,2 A e custa cerca de 30 dólares em pequenas quantidades. Fontes lineares montadas em placa estão na faixa de 1 W a 10 W, e as chaveadas, na faixa de 15 W a 50 W. Na categoria CC-CC (que são sempre conversores chaveados), pode-se obter conversores isolados ou não isolados.[138] Eles são comumente usados para gerar tensões adicionais necessárias (por exemplo, ±15 V a partir de 5 V), como vimos neste capítulo. Mas outro uso importante é a conversão no

---

[138] Estilos de invólucros produzidos pela Vicor denominados "*full-brick*," "*half-brick*" e "*quarter-brick*" (4,6"x2,2", 2,3"x2,2" e 1,45"x2,3", respectivamente); estes abrangem a faixa de 50 a 500 W e podem incluir uma placa de base de alumínio para dissipação de calor.

ponto de carga (*point-of-load*, POL), por exemplo, para criar +1,0 V a 75 A direto nos pinos do chip, para alimentar um microprocessador de alta performance. Conversores POL vêm em versões reguladas e não reguladas, esta última com uma relação de redução fixa a partir de uma entrada CC regulada.[139]

- Fontes "montadas em chassi": estas são fontes de alimentação maiores, destinadas a ser fixadas no interior de um instrumento maior. Elas estão disponíveis tanto em estilos de "estruturas abertas" quanto "em gabinetes fechados"; a primeira tem todos os componentes visíveis, enquanto a segunda (por exemplo, as fontes de alimentação "ATX" que você encontra em um computador desktop ou servidor) está envolta em uma caixa de metal perfurado. Elas estão disponíveis em uma enorme variedade de tensões, tanto com saídas simples quanto múltiplas. Fontes lineares montadas em chassi estão na faixa de 10 a 200 W, e as chaveadas, na faixa de 20 a 1.500 W.

- "Adaptadores externos": estes são os conhecidos "carregadores" que vêm com pequenos aparelhos eletrônicos e que são amplamente disponibilizados por dezenas de fabricantes. Eles vêm em três variedades: (a) apenas um transformador CA abaixador, (b) fonte CC não regulada e (c) fonte CC regulada completa; este último pode ser linear ou chaveado. Algumas das unidades chaveadas permitem uma tensão de entrada na faixa de 95 a 252 V CA, útil para equipamentos utilizados em viagens.

- Fontes "montadas em trilho DIN": uma maneira popular de montagem de alguns tipos de dispositivos industriais (relés, disjuntores, protetores contra surtos, conectores, blocos de terminais, e assim por diante) é o trilho DIN introduzido na Europa, que consiste em um comprimento de trilho de metal formatado de 35 mm de largura. O mecanismo de montagem em trilho torna fácil a montagem de equipamentos elétricos em ambientes industriais, e você pode obter uma variedade de fontes chaveadas nesse estilo.

---

[139] Embora possamos esperar que fontes POLs *não reguladas* entreguem "regulações" fracas, na verdade, elas podem nos surpreender: por exemplo, a série VTM da Vicor de "multiplicadores de corrente" de relação fixa e alta eficiência (por exemplo, abaixador de tensão) inclui uma unidade abaixadora (40:1) especificada para 130 A (assim, 1,0 V CC de saída a partir de 40 V CC de entrada) com uma impedância de saída de pior caso de 0,00094 Ω em 100°C (portanto, uma variação de saída <0,1 V para um degrau de corrente de 100 A). Nada mau. E você pode sempre adicionar uma realimentação à fonte que fornece a entrada de 40 V CC para estabilizar ainda mais a saída para as variações de carga dentro da largura de banda da malha. Além disso, esses conversores operam a 1,2 MHz de frequência de comutação, assim a ondulação residual é de 2,4 MHz, convenientemente desviada com capacitores de filtro relativamente pequenos. Na verdade, a folha de dados mostra formas de onda de tensão de saída muito boas com degraus de carga de 0 a 130 A, exibindo essencialmente nenhum *overshoot*, mesmo quando a saída não é filtrada ou desviada com qualquer capacitor externo.

9.12 ARMAZENAMENTO DE ENERGIA: BATERIAS E CAPACITORES

Nenhum capítulo que trata de reguladores e de conversão de potência estaria completo sem uma discussão sobre fonte portátil. Isso significa geralmente baterias (substituível ou recarregável), às vezes auxiliadas por capacitores de armazenamento de energia. A vida contemporânea está inundada de dispositivos eletrônicos portáteis, que impulsionaram o desenvolvimento e a melhoria de baterias e capacitores. Nesta seção, forneceremos uma introdução às opções de baterias e suas propriedades e ao uso de capacitores para armazenamento de energia. Como este capítulo já está, bem, *enorme*, seremos mais sucintos aqui.[140]

Como observamos na edição anterior, o "Guia Abrangente de Baterias" da Duracell (agora esgotado) listava 133 baterias disponíveis, com descrições como zinco-carbono, manganês alcalinas, de lítio, mercúrio, prata, zinco-ar e níquel-cádmio. Existe até mesmo subclasses, por exemplo, Li/FeS_2, Li/MnO_2, Li/SO_2, Li/$SOCl_2$ e "lítio de estado sólido". E, de outros fabricantes, você pode obter baterias seladas do tipo chumbo-ácido e de gel. Para uma aplicação realmente exótica, você pode até querer considerar células de combustível ou geradores térmicos radioativos. O que são todas essas baterias? Como escolher o que é melhor para seu aparelho portátil?

A lista anterior divide-se nas chamadas baterias *primárias* e *secundárias*. Baterias primárias são projetadas para um ciclo único de descarga, ou seja, elas não são recarregáveis. Baterias secundárias (íon de lítio, hidreto metálico de níquel e chumbo-ácido selada e tipo gel), em comparação, são projetadas para ser recarregadas, tipicamente de 200 a 1.000 vezes. Você costuma fazer a sua escolha entre os tipos de baterias baseando-se em compensações entre preço, densidade de energia, vida útil, constância da tensão durante a descarga, capacidade de corrente de pico, faixa de temperatura e disponibilidade. Uma vez que você tenha escolhido a química certa da bateria, descubra qual bateria (ou a combinação em série de baterias) tem energia suficiente para a carga a ser alimentada.

Felizmente, é muito fácil eliminar a maioria das baterias nos catálogos, se você seguir a nossa primeira sugestão: *Evite baterias difíceis de obter*. Além de ser difícil encontrá-las, elas normalmente não são muito novas. Portanto, é geralmente melhor ficar com as variedades disponíveis na farmácia, ou talvez na loja de fotografia, mesmo que isso resulte em um pouco menos do que o projeto ideal. Recomendamos especialmente o uso de baterias comumente disponíveis no projeto de qualquer dispositivo eletrônico de consumo; como consumidores, evitamos essas maravilhas baratas que usam baterias exóticas e caras. (Lembra-se daqueles primeiros de-

---

[140] Veja também uma discussão mais ampla no Capítulo 14 da edição anterior deste livro.

tectores de fumaça que utilizaram uma bateria de 11,2 V de mercúrio? É melhor esquecer...)

9.12.1 Características de Baterias

Se você quer uma bateria primária (não recarregável), suas escolhas são essencialmente alcalina ("ZnMnO$_2$") ou um dos produtos químicos de lítio ("Li/MnO$_2$", "Li/FeS$_2$" ou 'LiSO-Cl$_2$"). As baterias de lítio têm uma tensão terminal de célula única maior ($\sim$3 V), maior densidade de energia, curvas mais planas de descarga (ou seja, constância de tensão conforme sua vida chega ao fim, veja a Figura 9.98), melhor desempenho em baixas temperaturas (em que as baterias alcalinas simplesmente desaparecem) e preço mais elevado. Por outro lado, os tipos alcalinos (a bateria básica da mercearia) são baratos e abundantes, e você pode comprá-los por um bom preço em grandes lojas de varejo (se você não se importa em adquiri-los em pacotes de várias dezenas); eles são bons para aplicações pouco exigentes.

Suas escolhas para uma bateria secundária (recarregável) são de íon de lítio ("Li-ion"), hidreto metálico de níquel ("NiMH") ou chumbo-ácido ("Pb-ácido"). Baterias Li-ion são leves e fornecem a mais alta densidade e taxa de retenção de energia, mas há questões de segurança com produtos químicos de lítio, e esse não é o tipo de coisa que você pega da prateleira e compra; elas são as preferidas dos fabricantes de smartphones, tablets e computadores portáteis. Baterias de hidreto metálico de níquel são as recarregáveis de consumo mais comuns, e estão disponíveis em formatos padrão (tamanhos AA, 9 V); as primeiras tiveram efeitos de memória e taxas de autodescarga ($\sim$30%/mês!) desestimulantes, mas as versões recentes de autodescarga baixa (*low self-discharge*, "LSD") foram muito melhoradas. Baterias de chumbo-ácido são as levantadoras de peso, com sua resistência interna muito baixa; elas são dominantes em fontes de alimentação ininterruptas (UPSs) e outros dispositivos que consomem muita energia (como barcos e automóveis!); elas não vêm em invólucros pequenos, mas você pode obtê-las em tamanhos pequenos como o das pilhas D.

Baterias secundárias recarregáveis podem ser um negócio complicado, especialmente para produtos químicos mais exigentes, como íon de lítio. Consideremos primeiro o exemplo da bateria de chumbo-ácido simples, um método de carregamento bom é a chamada técnica de dois degraus: após uma carga "leve" preliminar, você começa a fase de "carga pesada" de alta corrente, aplicando uma alta corrente fixa $I_{máx}$ até que a bateria atinja a "tensão de sobrecarga", V_{OC}. Você mantém a tensão constante em V_{OC}, monitorando a corrente (que cai) até atingir a "corrente de transição de sobrecarga", I_{OCT}. Você mantém uma "tensão de flutuação" constante V_F, que é menor do que V_{OC}, sobre a bateria. Para uma bateria chumbo-ácido de 12 V/2,5 Ah, os valores típicos são $I_{máx}$ = 0,5 A, V_{OC} = 14,8 V, I_{OCT} = 0,05 A e V_F = 14,0 V.

Apesar de tudo isso parecer bastante complicado, resulta em rápida recarga da bateria sem danos. A TI faz alguns CIs interessantes, por exemplo, o UC3906 e o BQ24450, que têm exatamente tudo de que você precisa para fazer essa tarefa. Eles incluem referências de tensão internas que rastreiam as características de temperatura das células chumbo-ácido e requerem apenas um transistor *pnp* externo e quatro resistores de definição de parâmetros.

Carregar baterias de íon de lítio requer um pouco mais de cuidado, mas, mais uma vez, a indústria de semicondutores respondeu com soluções fáceis de usar em um único chip. A Figura 9.99 apresenta um exemplo do tipo de coisa que é frequentemente observada. Aqui, a alimentação a partir de uma porta USB (+5 V nominal, capaz de fornecer 100 mA ou 500 mA) é usada para carregar uma única célula de 4,2 V de uma bateria de íon de lítio; a saída desta última (que cai até $\sim$3,5 V quando mais descarregada) é reduzida a uma fonte lógica estável de +3,3 V com um regulador LDO linear. Nesse circuito, o CI carregador (U_1) encarrega-se dos perfis de corrente de carga e de tensão e inclui recursos de segurança para detectar o excesso de tensão, curto-circuito e excesso de temperatura no chip e na bateria (esta última utiliza o termistor opcional, que é encontrado em muitos invólucros de bateria ou pode ser adicionado externamente). A temperatura da célula também é utilizada para ajustar a tensão ou a corrente de carga quando a temperatura estiver fora do intervalo normal de 10 a 45°C, de acordo com o que é chamado padrões JEITA. O pino ISET2 define o limite de corrente de entrada, como indicado; o protocolo USB permite a absorção

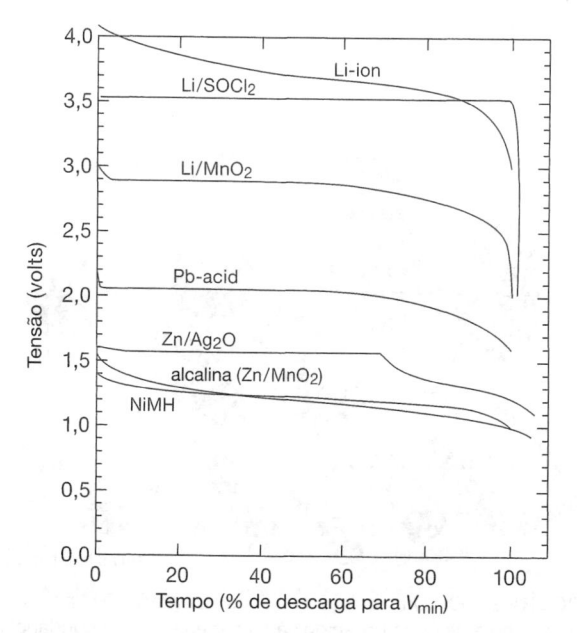

FIGURA 9.98 Curvas de descarga de baterias, como mostrado nas respectivas folhas de dados. Em cada caso, a descarga de 100% corresponde às tensões listadas nas notas da Tabela 9.9.

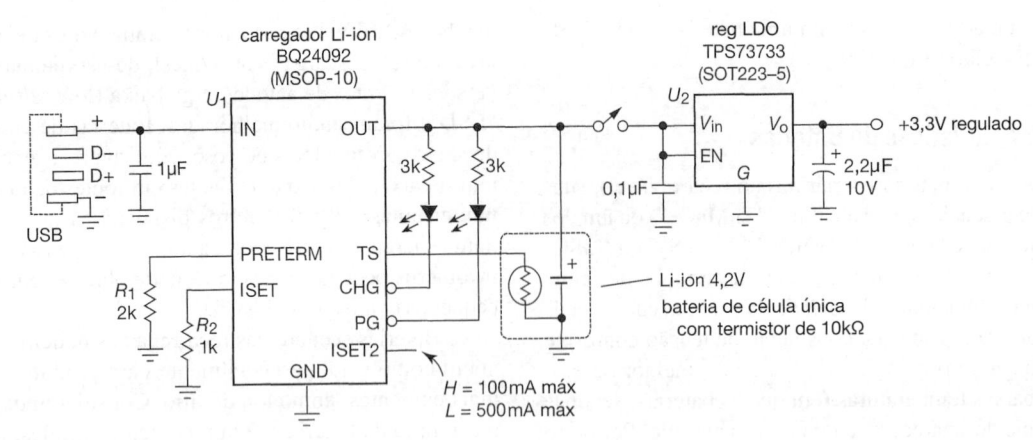

FIGURA 9.99 Uma porta USB que fornece +5 V é ideal para carregar uma bateria de íon de lítio de célula única; o regulador LDO U_2 converte uma saída de 3,5 a 4,2 V para uma tensão estável de 3,3 V. Veja o texto para discussão sobre o que fazer com os pinos D+ e D− do USB.

de 100 mA inicialmente, que pode ser aumentada para 500 mA por uma negociação através dos pinos de dados USB D− e D+ (isso requer um microcontrolador ou outro chip inteligente, não mostrado aqui). Os LEDs indicam o status (em carga, entrada de alimentação boa).

9.12.2 Escolhendo uma Bateria

A Tabela 9.9 lista as características da maioria das baterias que você pode considerar, e a Figura 9.100 mostra uma variedade de tipos comuns de baterias. Aqui está um resumo das características mais distintivas de baterias disponíveis para uso em dispositivos eletrônicos.

Baterias Primárias (não recarregáveis)

Alcalina (Zn/MnO$_2$) Baixo custo; amplamente disponível (1,5 V/célula em tamanhos AA, C, D e 9 V); tempo de vida excelente; bom desempenho em baixa temperatura; descarga inclinada.

Lítio (Li/MnO$_2$) Alta densidade de energia; bom desempenho de alta corrente; 3 V em tamanhos de AA, C, D e 9 V; tempo de vida excelente; excelente desempenho em baixas temperaturas; descarga plana.

Lítio (Li/FeS$_2$) Tempo de vida extraordinário (90% após 15 anos); excelente desempenho em baixas temperaturas; descarga plana.

Lítio (LiSOCl$_2$) Extraordinário desempenho de baixa temperatura (para −55°C); excelente tempo de vida; descarga muito plana (mas varia de acordo com I_{carga}).

Prata (Zn/AG$_2$O) Pilhas do tipo botão; descarga muito plana.

Zinco-ar (ZnO$_2$) Alta densidade de energia (respira); descarga plana; vida curta depois do selo removido.

Baterias Secundárias (recarregáveis)

Íon de lítio (Li-ion) Alta densidade de energia; popular; 3,6 V/célula; descarga plana; auto-descarga muito baixa; problemas de segurança.

Hidreto metálico de níquel (NiMH) Barata e popular; invólucros padrão (AA, 9 V); 1,2 V/célula; descarga plana; formulações recentes têm baixa auto-descarga.

Chumbo-ácido (Pb-ácido) Alta corrente (baixo R_{int}); 2 V/célula; descarga plana; autodescarga moderada.

9.12.3 Armazenamento de Energia em Capacitores

As baterias armazenam energia *quimicamente*, ou com reações reversíveis (pilhas recarregáveis) ou irreversíveis (não recarregáveis). Mas as baterias não são a única forma de armazenar energia elétrica: um capacitor carregado armazena $CV^2/2$ joules em seu campo elétrico, e um indutor transpor-

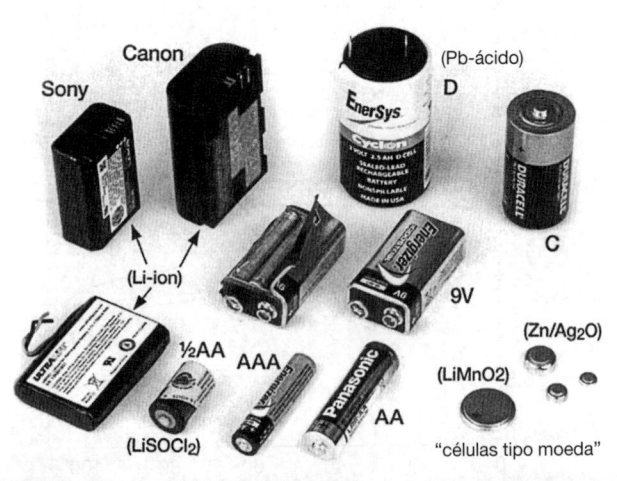

FIGURA 9.100 Uma coleção de tipos da bateria. Os tipos de íon de lítio e de chumbo-ácido são recarregáveis ("secundário"); o restante não é recarregável ("primário"). Aquelas sem identificação química são alcalinas. A que tem invólucro metálico aberto mostra o interior do tipo 9 V − seis células alcalinas minúsculas.

TABELA 9.9 Opções de bateria[a]

Química	Nº identif	V_{nom} (V)	Capacidade de Descarga				Tamanho (mm)	Peso (gm)	Observações
			(mAh)	at mA	(mAh)	em mA			
Primária (não recarregável)									
9V "1604"									
carbono-zinco	122	9	320[b]	5	150[b]	25	17.5 x 12.9 x 46	37	
alcalina MnO_2	MN1604	9	550[b]	10	320[b]	100	17.5 x 12.9 x 46	45	popular
lítio MnO_2	DL1604	9	1200[b]	20	850[b]	100	17.5 x 12,9 x 46	34	
zinco-ar	146X	8,4	1300[b]	10	-	-	17,5 x 12.9 x 46	34	aba de puxar para respirar!
cilíndrica									
D alcalina	MN1300	1,5	11500[f]	250	3700[f]	1000	34D x 61L	139	tamanho D
D LiMnO2	U10013	3	11100[c]	250	10400[c]	2000	34D x 61L	115	tamanho D
C alcalina	MN1400	1,5	5100[f]	250	1300[f]	1000	26D x 50L	69	tamanho C
AA alcalina	MN1500	1,5	2800[f]	10	2400[f]	100	14,5D x 50,5L	24	tamanho AA
AA $LiFeS_2$	L91	1,5	3200[f]	25	3000[f]	500	14,5D x 50,5L	15	90% após 15 anos em 20°C
AA $LiSOCl_2$	ER14505	3,6	2100[c]	1	1600[c]	16	14,5D x 50,5L	18	descarga bastante plana
AAA alcalina	MN2400	1,5	1200[f]	10	1000[f]	100	10D x 44L	11	tamanho AA
CR2 $LiMnO_2$	CR2	3	850[c]	20	-	-	15,5D x 27L	11	popular
2/3A $LiMnO_2$	CR123A	3	1550[c]	20	-	-	17D x 34,2L	17	popular
2/3A poli Li	BR-2/3A	3	1200[c]	2,5	-	-	17D x 33,5L	13,5	
botão									
prata	357	1,55	195[d]	0,2	-	-	11,5D x 4,8H	2,3	
zinco-ar	675	1,45	600[e]	2	-	-	11,6D x 5,4H	1,9	4 anos inativada
$LiMnO_2$	CR2032	3	225[c]	0,2	175[c]	2	20D x 3,2H	2,9	tamanho 2032; popular
poli Li	BR2032	3	190[c]	0,2	90[c]	2	20D x 3,2H	2,5	tamanho 2032
Secundária (recarregável)									
cilíndrica									
NiMH	HHR210AA/B	1,2	2000[f]	2000	-	-	14,5D x 50,5L	29	tamanho AA; R_s=25Ω; 80%/6 meses
Li-ion	NCR18650	3,6	2900[h]	500	2500[h]	5000	18D x 65,2L	45	popular
Pb-acid	0810-0004	2	2500[g]	250	1900[g]	2000	34D x 61L	178	tamanho D; R_s=5Ω
botão									
LiMn	ML2020	3	45[c]	0,12	40[c]	1	20D x 2.0H	2,2	backup de memória
LiMnTi	MT621	1,5	2,5[f]	0,05	-	-	6,8D x 2,1H	0,25	backup de memória
LiNb	NBL414	2	1[f]	0,004	-	-	4,8D x 1,5H	0,08	backup de memória
LiV_2O_5	VL3032	3	100[c]	0,2	95[c]	1	30D x 3,2H	6,2	backup de memórai
retangular									
Pb-acid	LC-R061	6	1200[k]	100	800[k]	1000	96 x 24 x 50	300	80% após 6 meses; R_s=50mΩ
Pb-acid	LC-R127	12	7200[m]	500	5000[m]	5000	151 x 65 x 94	2470	80% após 6 meses; R_s=40mΩ

Notas: (a) Os números dos dispositivos listados são representativos (existem muitos fabricantes). (b) Para 6 V. (c) Para 2 V. (d) para 1,2 V. (e) Para 1,1V. (f) Para 1,0V. (9) Para 1,7V. (h) Para 2,5 V. (k) Para 4,8 V. (m) Para 9,6 V. (n) Também o TL-2100 da Tadiran.

---

tando corrente armazena $LI^2/2$ joules em seu campo magnético. Em termos quantitativos, essas energias armazenadas são muito pequenas em comparação com àquela armazenada em baterias; mas para algumas aplicações, capacitores são exatamente o que você quer. Entre suas outras qualidades, eles têm uma vida longa, duração infinita (ciclos de carga/descarga), a capacidade de ser totalmente carregados e descarregados em segundos (ou frações de segundo) e capacidade de corrente de pico muito alta (ou seja, resistência interna muito baixa, ESR). Um capacitor de armazenamento, unido com uma bateria convencional, pode fornecer o melhor dos dois mundos: extraordinário pico de potência juntamente com armazenamento de energia substancial. Além disso, a densidade de energia de "supercapacitores" recentes já se aproxima das baterias. Esses pontos são vistos muito bem em um *gráfico de Ragone* (Figura 9.101). Para colocar números nele, coletamos dados sobre alguns capacitores e baterias representativos do mundo real; eles estão listados na Tabela 9.10. Capacitores se destacam em baixo ESR e alta corrente de pico (e, portanto, em alta densidade de *potência*: W/gm ou W/m³), mas as baterias perdem terreno para os capacitores em densidade de energia (Wh/gm ou Wh/m³).

TABELA 9.10 Armazenamento de energia: capacitor *versus* bateria[a]

Parâmetro	Condições	Ultracap Maxwell K2 3000F, 2,5V	Eletrolítico de alumínio Panasonic T-UP 180.000µF, 25V	Gel chumbo-ácido Yuasa NP7-12 12V, 7Ah	Íon de lítio Saft VL34570 3,7V, 5,4Ah	Alcalina[p] Duracell MN1500 AA: 1,5V, 2Ah
genérico[a]						
Wh/kg	descarga de 1 h	6	0,05	16	150	40
Wh/m^3	descarga de 1 h	7800	73	44000	360000	120000
W/kg	máximo	1000	1400	170	500	65
kW/m^3	máximo	1300	2000	500	1100	180
Tempo de carga	carga rápida	30s	0,25s	1hr	1hr	-
Ciclos de carga		10^6	(note b)	500	500	0
autodescarga	25°C	7x10^5hr	0,2hr	10^4hr	10^5hr[e]	10^5hr
vida	flutuação, 25°C	10yr	25yr	5yr	?	10^5hr
Específico para exemplar						
ESR	máximo	0.29mΩ	9mΩ	25mΩ	30mΩ[e]	120mΩ
I_{max}	contínuo	210A	17A	40A	11A	1A
P_{max}	contínuo	525W	425W	440W	35W	1.2W
peso		510g	300g	2650g	125g	24g
energia (Wh)	descarga de 1 h	3,0	0,015	45	18,9	1
volume (cm^3)	com terminais	390	206	950	53	8,4

(a) A partir de folhas de dados de fabricantes para unidades listadas. (b) Sem desgaste, limitada apenas pelo tempo de vida útil. (e) Estimado. (p) Células primárias (não recarregáveis).

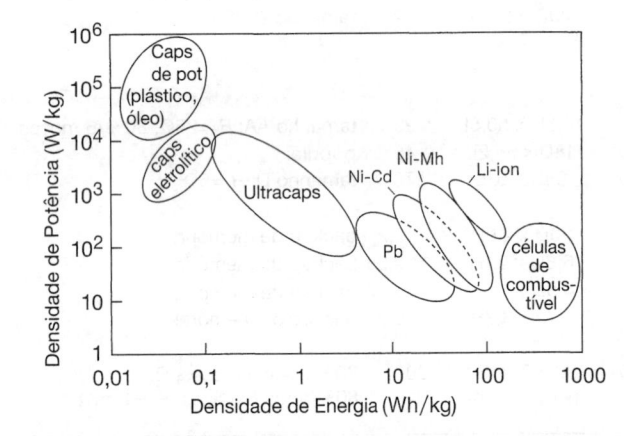

FIGURA 9.101 Proficiência de capacitores de armazenamento de energia no fornecimento de potência de pico, mas as baterias ganham no armazenamento de energia, como visto neste "gráfico de Ragone".

9.13 TÓPICOS ADICIONAIS NA REGULAÇÃO DE POTÊNCIA

9.13.1 *Crowbars* de Sobretensão

Como observamos na Seção 9.1.1C, muitas vezes, é uma boa ideia incluir algum tipo de proteção contra sobretensão na saída de uma fonte regulada. Consideremos, por exemplo, uma fonte chaveada de 3,3 V e alta corrente usada para alimentar um grande sistema digital. A falha de um componente no circuito de regulação (até mesmo algo tão simples como um resistor no divisor de detecção de tensão) pode fazer a tensão de saída subir, com resultados devastadores.

Embora um fusível provavelmente vá queimar, o que está em jogo é a corrida entre o fusível e o "fusível de silício", que é constituído pelo restante do circuito; o restante do circuito provavelmente responderá primeiro! Esse problema é mais sério com a lógica de baixa tensão e VLSI, que operam a partir de tensões de alimentação CC baixas, de até + 1,0 V e não toleram uma sobretensão de até 1 V sem danos.[141] Outra situação com considerável potencial de desastre surge quando você opera um circuito a partir de uma fonte de "bancada" de ampla faixa, em que a entrada não regulada do regulador linear pode ser 40 volts ou mais, independentemente da tensão de saída. Encontramos algumas fontes de bancada extravagantes que se elevam até sua tensão de saída completa por um breve momento quando você as desliga. Mas "um breve momento" é tudo o que é preciso para estragar o seu dia inteiro!

A. Sensor Zener

A Figura 9.102 mostra três circuitos *crowbar* clássicos – (A) é simples e robusto, mas inflexível; (B) utiliza um CI no circuito de disparo que permite definir o ponto de disparo com mais precisão; e (C) utiliza um "regulador *shunt*" popular de 3 terminais e com precisão de ponto de ajuste de 1%.

Em cada caso, você conecta o circuito entre o terminal de saída regulado e o terra; nenhuma fonte adicional é neces-

---

[141] E, às vezes, muito menos: as folhas de dados para FPGAs Virtex-5 e Virtex-6 da Xilinx, por exemplo, especificam uma tensão de núcleo de 1,0 V ± 5%, com um máximo absoluto de 1,1 V! O Virtex-7 tem o mesmo limite de 1,1 V e tensão nominal de núcleo de 1,0 V, mas estreita a tolerância sobre este último para ±3%.

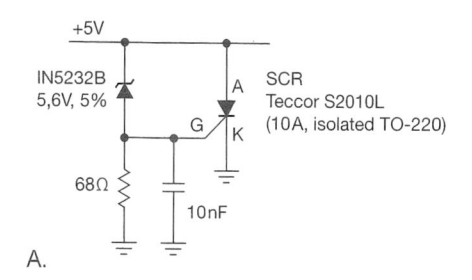

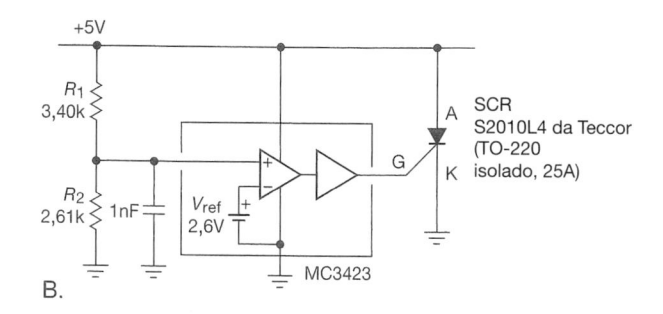

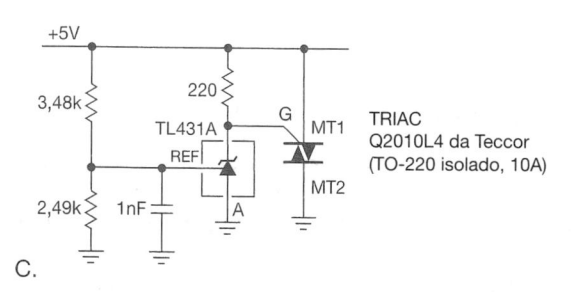

FIGURA 9.102. *Crowbars* de sobretensão.

sária – os circuitos são "alimentados" pela linha CC que eles protegem. Para o circuito simples (Figura 9.102A), o SCR é ligado se a tensão CC exceder a tensão zener mais uma queda de diodo (cerca de 6,2 V para o zener mostrado), e permanece em um estado de condução até que sua corrente de anodo caia abaixo de alguns miliampères. Um SCR de baixo custo como o S2010L pode absorver 10 ampères continuamente e suporta correntes de surto de 100 A; a sua queda de tensão no estado de condução é tipicamente 1,1 V em 10 A. A unidade em questão aqui é eletricamente isolada, para que você possa afixá-la diretamente ao chassi de metal (SCRs geralmente têm seus anodos conectados às abas metálicas, de modo que normalmente você teria que usar um espaçador de isolamento, etc.). A resistência de 68 Ω é fornecida para gerar uma corrente zener razoável (10 mA) para o SCR ligado, e o capacitor é adicionado para evitar o disparo do *crowbar* em inocentes picos curtos.

Há vários problemas com esse circuito *crowbar* simples, envolvendo principalmente a escolha da tensão zener. Zeners estão disponíveis apenas em valores discretos, com tolerâncias geralmente ruins e (muitas vezes) joelhos suaves na curva característica *VI*. A tensão de disparo *crowbar* desejada pode envolver tolerâncias bastante estreitas. Considere uma fonte de 5 volts utilizada para alimentar a lógica digital. Existe normalmente uma tolerância de 5% ou 10% na tensão de alimentação, o que significa que o *crowbar* não pode ser definido em menos de 5,5 V. A tensão *crowbar* mínima permitida é gerada pelo problema da resposta transitória de uma fonte regulada: quando a corrente de carga for alterada rapidamente, a tensão pode saltar, criando um pico seguido por alguma ondulação. Esse problema é agravado pela detecção remota via longos cabos sensores (indutivos). A ondulação resultante produz *gliches* na fonte que não queremos que acione o *crowbar*. O resultado é que a tensão do *crowbar* deve ser definida, pelo menos, em cerca de 6,0 V, mas não pode exceder 7,0 V sem risco de danos para os circuitos lógicos. Quando você dobra a tolerância zener, as tensões discretas efetivamente disponíveis e as tolerâncias da tensão de disparo do SCR, você tem um problema complicado. No exemplo mostrado anteriormente, o limiar do *crowbar* poderia estar entre 5,9 e 6,6 V, usando o relativamente preciso zener indicado de 5%.

B. CI de Detecção de Sobretensão

O segundo circuito (Figura 9.102B) trata desses problemas utilizando um CI de disparo do *crowbar*, neste caso, o MC3423, que tem referência de tensão interna (2,6 V ± 6%), comparadores e acionadores de SCR. Aqui criamos o divisor externo R_1R_2 para disparar em 6,0 V e escolhemos um SCR de 25 A (contínuo), também com uma aba de montagem isolada; que custa cerca de um dólar. O MC3423 pertence à família dos assim chamados chips de *controle de fonte de alimentação*; o mais sofisticado desses não só detecta sobretensão e subtensão, mas pode comutar para uma bateria de *backup* quando a alimentação CA falhar, gerar um sinal de resete ao energizar (*power-on reset*) no retorno da alimentação normal e verificar continuamente se há condições de travamento em circuitos de microprocessador.

O terceiro circuito (Figura 9.102C) dispensa um CI de controle, usando em vez dele o amplamente popular[142] regulador *shunt* TL431 para acionar um triac (um SCR bidirecional) quando a tensão apresentada para a entrada de referência exceder a tensão de referência interna de 2,495 V ± 1%; isso estabelece uma condução intensa de cátodo (K) para o terra, disparando o triac no que é conhecido como operação no "terceiro quadrante".[143] Esse circuito pode ser flexivelmente

---

[142] Uma verificação rápida no excelente site da DigiKey mostra aproximadamente meio milhão de dispositivos em estoque, em 134 variantes, de cinco fabricantes. Eles custam até 9 centavos de dólar em grandes quantidades.

[143] O primeiro e o segundo quadrantes têm MT2 mais positivo do que MT1 e disparam quando a porta é levada para positivo ou negativo em relação a MT1, respectivamente; o terceiro e o quarto quadrantes têm MT2 mais negativo do que MT1 e disparam quando a porta é levada para negativo ou positivo com relação a MT1, respectivamente. Os quadrantes dois e quatro sofrem de uma sensibilidade de porta menor.

estendido para tensões de alimentação superiores (o TL431 opera até 37 V); e, com a variante TLV431 de baixa tensão (cuja referência interna é 1,240 V) para tensões de disparo muito baixas.

Os circuitos anteriores, como todos os *crowbars*, colocam um implacável "curto-circuito" de 1 V na fonte quando disparados por uma condição de sobretensão, e isso só pode ser resetado desligando a fonte. Como o SCR mantém uma baixa tensão enquanto está em condução, não há muito problema com falha no próprio *crowbar* devido a superaquecimento. Como resultado, esses circuitos crowbar são confiáveis. É essencial que a fonte regulada tenha algum tipo de limitação de corrente ou, pelo menos, um fusível para lidar com o curto. Pode haver problemas de superaquecimento com a fonte após o *crowbar* ativar. Em particular, se a fonte inclui limitação de corrente interna, o fusível não queima, e a fonte ficará no estado de *crowbar* com a saída em baixa tensão até que alguém perceba. A limitação por redução de corrente da fonte regulada seria uma boa solução aqui.

C. Limitadores

Outra solução possível para proteção contra sobretensão é colocar um zener de potência, ou seu equivalente, nos terminais da fonte. Isso evita os problemas de falsos disparos em picos, pois o zener parará de absorver corrente quando a condição de sobretensão desaparecer (ao contrário de um SCR ou triac, que têm a "memória de um elefante"). No entanto, um *crowbar* que consiste de um simples zener de potência tem os seus próprios problemas. Se o regulador falhar, o *crowbar* tem de lidar com a dissipação de alta potência ($V_{zener}I_{limit}$) e pode ele próprio falhar. Testemunhamos tal falha apenas em uma fonte de disco magnético comercial de 15V/4A. Quando o transistor de passagem falhou, o zener de potência de 50 W/16 V viu-se dissipando mais do que a potência especificada, e ele começou a falhar também.

Uma alternativa melhor, se você realmente quer um zener de potência, é uma "zener ativo" construído a partir de um pequeno zener e um transistor de potência. A Figura 9.103 mostra dois de tais circuitos, em que um zener puxa a base ou porta de um transistor em condução, com uma resistência de *pull-down* para levar a corrente zener para a região do joelho no transistor ligado. O TIP142 (na Figura 9.103A) é um popular transistor Darlington bipolar de potência, com preços em torno de 1 dólar, pronto para dissipação de 75 W para uma temperatura de encapsulamento de 75°C e com um beta mínimo de 1.000 em 5 A. Para uma maior tensão e corrente, e quando a precisão efetiva da tensão zen não for crucial, o circuito MOSFET (Figura 9.103B) será melhor: os MOSFETs não têm as áreas de operação segura limitadas pela segunda ruptura de BJTs e estão amplamente disponíveis em versões robustas de alta potência. O circuito mostrado permite uma dissipação de 130 W ou 300 W em 75°C de temperatura de

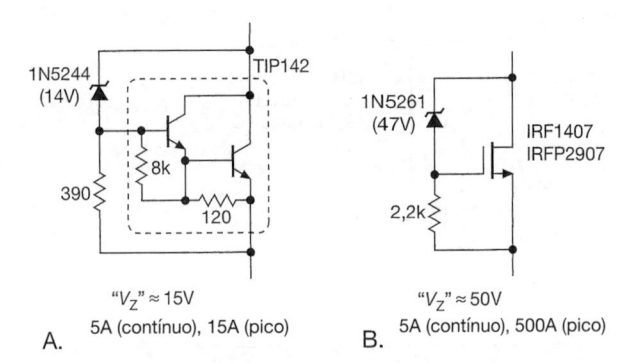

FIGURA 9.103 Zener de potência ativo.

encapsulamento T, para um IRF1407 ou IRFP2907, respectivamente. Esses são MOSFETs da área "automotiva", especificados para 75 V, e custam 2,50 e 10 dólares, respectivamente. Observe particularmente a especificação de corrente de pico alta, limitada apenas pela resistência térmica transiente. Um cuidado: um MOSFET ceifador é propenso a oscilação, especialmente quando implementado com um dispositivo de alta tensão (baixa capacitância).

D. *Crowbar*-Limitador de Baixa Tensão

Essas técnicas – *crowbars* com zener, *crowbars* em CIs e limitadores zener – são geralmente inadequadas para as fontes de baixa tensão e alta corrente usadas para alimentar sistemas de microprocessadores atuais; eles podem necessitar de +3,3 V (ou menos) para 50 a 100 A: zeners de baixa tensão são imprecisos, sofrem de um joelho suave, e circuitos de disparo de *crowbar* como o MC3423 requerem uma tensão de alimentação muito alta (por exemplo, 4,5 V, no mínimo, para o 3423). Além disso, quando um SCR dispara, seu *crowbar* atua na saída da fonte até que a alimentação complete o ciclo – não é uma boa coisa a fazer em um computador, especialmente se a causa foi um transiente momentâneo (e inofensivo).

Lutamos com esse problema e, seguindo os ensinamentos de Billings,[144] surgiu um bom circuito para um *crowbar* limitador de baixa tensão: é ajustável e opera com tensão baixa até 1,2 V. E (o melhor de tudo) opera em dois degraus – ele *limita* o transiente até um pico de corrente de 5 a 10 A; mas, se o transiente persistir, ou ultrapassar essa corrente de pico, ele dispara um SCR do *crowbar* que pode lidar com 70 A contínuos (1.000 A de pico). Devido a você poder estar lidando com um sistema de alta potência, ele também tem disposição para desligar a entrada CA. Com certeza é uma solução bastante cuidadosa!

---

[144]*"Overvoltage clamping with SCR 'crowbar' backup"* (Limitação de sobretensão com um *crowbar* com SCR de *backup*), de K. Billings. *Switchmode Power Supply Handbook*, McGraw-Hill, 2ª ed. (1999).

9.13.2 Extensão da Faixa de Tensão de Entrada

Conforme mencionado nas Seções 9.3.12 e 3.6.2, os reguladores lineares têm uma faixa limitada de tensão de entrada, tipicamente de 20 V a 30 V para os tipos BJT, ou até 5,5 V para os tipos CMOS. A Figura 9.104 (uma implementação do diagrama em blocos na Figura 3.114) mostra uma boa maneira de estender o intervalo permitido de V_{IN} para até 1.000 V. Q_1 é um MOSFET de modo depleção de alta tensão (veja a Tabela 3.6), aqui configurado como um seguidor de entrada para manter a V_{IN} de U_1 em alguns volts acima da sua saída regulada. Para os dispositivos mostrados, V_{GS} é, pelo menos, $-1,5$ V, uma margem confortável para qualquer LDO;[145] e sua especificação de VDS máximo de 400 V e 500 V fornece muita flexibilidade de tensão de entrada (substitua por um IXTP08N100 se você quiser ir até 1 kV).

Alguns detalhes. (a) Nesse circuito, usamos um pequeno resistor de porta para suprimir a tendência de oscilação de MOSFETs de alta tensão. (b) O resistor de fonte R_S definem um limite de corrente de saída de cerca de V_{GS}/R_S, o que é essencial aqui, porque esse regulador por si só é capaz de correntes de saída de até 350 mA, o que causaria mais de 150 W de dissipação em Q_1 para $V_{IN} = 500$ V. Aqui, escolhemos R_S para $I_{lim} \sim 10$ mA, portanto com dissipação máxima de 3,5 W, manipulados facilmente com um dissipador de calor modesto acoplado a Q_1 em seu encapsulamento de potência TO-220. (c) Um resistor de potência poderia ser acrescentado ao dreno de Q_1 para descarregar um pouco de sua dissipação de potência. (d) Reguladores de baixa queda de tensão especificam (e exigem!) um capacitor C_{out} mínimo de saída para a estabilidade (juntamente com uma especificação do intervalo permitido de sua resistência em série efetiva ESR); o valor mostrado atende à especificação para o TPS76301. (e) Algumas escolhas alternativas para um LDO de baixa potência de tensão fixa ($+3,3$ V; omitir R_1 e R_2) são listadas, com alguns parâmetros relevantes. Todos, menos o LM2936, estão disponíveis também nas versões ajustáveis, definidos com um divisor resistivo como fizemos com o TPS76301 (mas consulte as suas folhas de dados para V_{ref} e resistências do divisor).

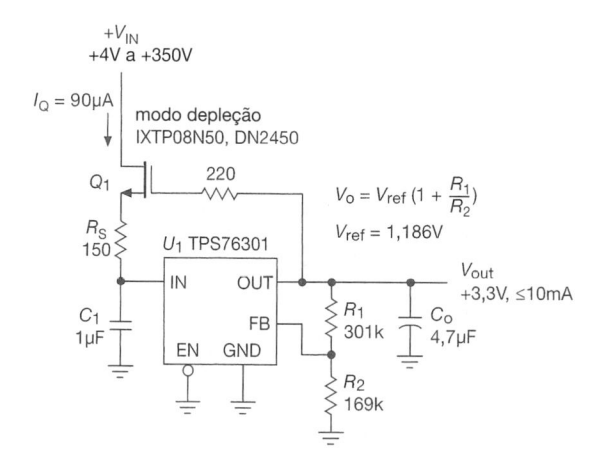

9.13.3 Limitação Por Redução de Corrente

Na Seção 9.1, mostramos o circuito básico de limitação de corrente, que é, muitas vezes, suficiente para evitar danos ao regulador ou à carga durante uma condição de falha. No entanto, para um regulador com uma limitação de corrente simples, a dissipação do transistor é máxima quando a saída é um curto para o terra (seja acidentalmente ou por algum mau funcionamento do circuito), e excede o valor máximo de dissipação que, de outra forma, poderia ocorrer em condições normais de carga. Consulte, por exemplo, o circuito regulador da Figura 9.105, projetado para proporcionar $+15$ V para uma corrente de até 1 A. Se ele fosse equipado com limitador de corrente simples, o transistor de passagem dissiparia 25 watts com a saída em curto-circuito ($+25$ V de entrada, limita a corrente em 1 A), ao passo que a dissipação de pior caso, em condições normais de carga, é de 10 watts (queda de 10 V para 1 A). E a situação é ainda pior em circuitos em que a tensão sobre o transistor de passagem é normalmente uma fração menor da tensão de saída.

Você entra em um problema semelhante com amplificadores de potência *push-pull*. Em condições normais, você tem corrente de carga máxima quando a tensão através dos transistores é mínima (perto dos extremos da variação de saída), e você tem tensão máxima sobre os transistores quando a corrente é quase zero (tensão de saída zero). Com uma carga de curto-circuito, por outro lado, você tem corrente de carga máxima no pior momento possível, ou seja, com tensão de alimentação total sobre o transistor. Isso resulta em dissipação do transistor muito maior do que a normal.

Nº identif	I_Q typ (µA)	V_{IN} máx (V)	C_O mín (µF)	V_{DO} máx (mV)	@I_{carga} (mA)	Pkgs
TPS76333	85	10	4,7	450	150	SOT-23
LP2950/1-33	75	30	2,2	600	100	TO-92, DIP, SOIC
LM2936-3.3	15	40	22	400	50	TO-92, SOT-23, SOIC
TPS71533	3,2	24	0,47	740	50	SC-70

FIGURA 9.104 Extensão da faixa de tensão de entrada do LDO. A lista inclui algumas outras escolhas de LDO de tensão fixa de 3,3 V e baixa potência.

---

[145] A queda mínima de tensão disponível a partir do FET de modo depleção pode ser facilmente aumentada (por um fator de 2× ou 3×, se necessário) por meio da conexão à porta de um divisor resistivo entre a saída do LDO e o terminal de fonte do FET. Note que isso eleva a corrente de carga de saída mínima.

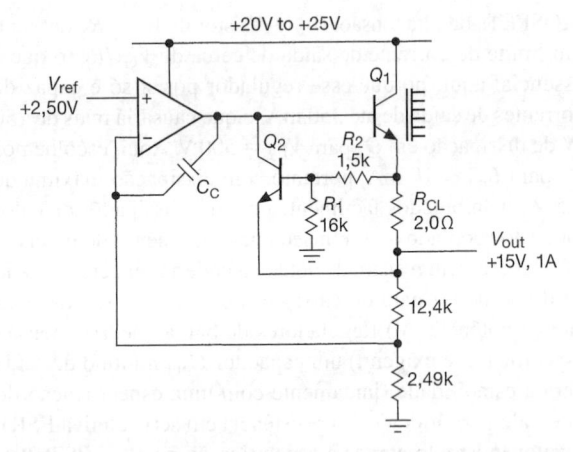

FIGURA 9.105 Regulador linear com limitação por redução de corrente.

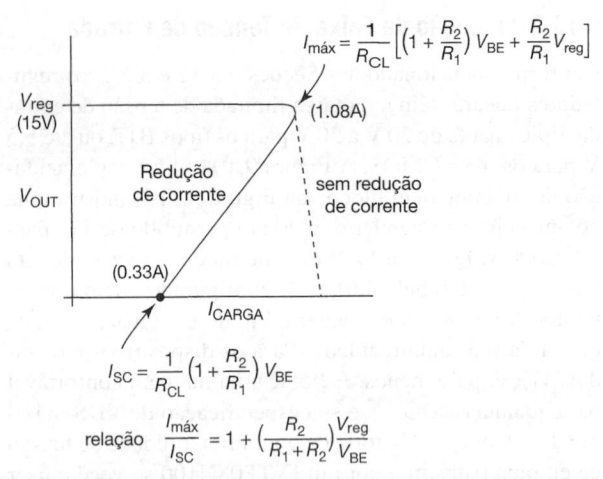

$$I_{máx} = \frac{1}{R_{CL}}\left[\left(1+\frac{R_2}{R_1}\right)V_{BE} + \frac{R_2}{R_1}V_{reg}\right]$$

$$I_{SC} = \frac{1}{R_{CL}}\left(1+\frac{R_2}{R_1}\right)V_{BE}$$

relação $\dfrac{I_{máx}}{I_{SC}} = 1 + \left(\dfrac{R_2}{R_1+R_2}\right)\dfrac{V_{reg}}{V_{BE}}$

FIGURA 9.106 Limitação por redução de corrente para o circuito da Figura 9.105.

A solução de força bruta para este problema é a utilização de dissipadores de calor enorme e transistores de especificações de potência mais elevadas do que o necessário (e área de operação segura; veja a Seção 9.4.2). Mesmo assim, não é uma boa ideia ter grandes correntes fluindo para o circuito energizado sob condições de falha, porque outros componentes do circuito podem, então, ser danificados. Uma solução melhor é usar a limitação por *redução* de corrente, uma técnica de circuito que reduz a corrente de saída sob condições de curto-circuito ou sobrecarga.

Olhe novamente a Figura 9.105. O divisor na base do transistor de limitação de corrente Q_2 proporciona a redução de corrente. Para uma saída de +15 V (o valor normal), o circuito limitará em cerca de 1 A, porque a base de Q_2 está, então, em +15,55 V, enquanto o seu emissor está em +15 (V_{BE} é tipicamente um pouco abaixo do normal, 0,6 V, no ambiente quente da eletrônica de potência). Mas a corrente de curto-circuito é menor; com a saída em curto para o terra, a corrente de saída é cerca de 0,3 A, mantendo a dissipação de Q_1 menor (cerca de 7,5 W) do que no caso de plena carga (10 W). Isso é altamente desejável, uma vez que o excesso de dissipação de calor não é necessário agora, e o projeto térmico necessita apenas satisfazer os requisitos de carga total. A escolha dos três resistores no circuito de limitação de corrente define a corrente de curto-circuito para um limite de corrente de plena carga dado; veja a Figura 9.106.

Um cuidado importante: tenha cuidado na escolha da corrente de curto-circuito, porque é possível ter excesso de zelo e projetar uma fonte que não vai "iniciar" a operação em determinadas cargas. A Figura 9.107 mostra a situação com duas cargas não lineares comuns: uma lâmpada incandescente (cuja resistência aumenta com a tensão) e a entrada de um regulador linear (que começa como um circuito aberto e, em seguida, parece-se com a sua resistência de carga ao operar abaixo da queda de tensão e, por fim, forma uma carga

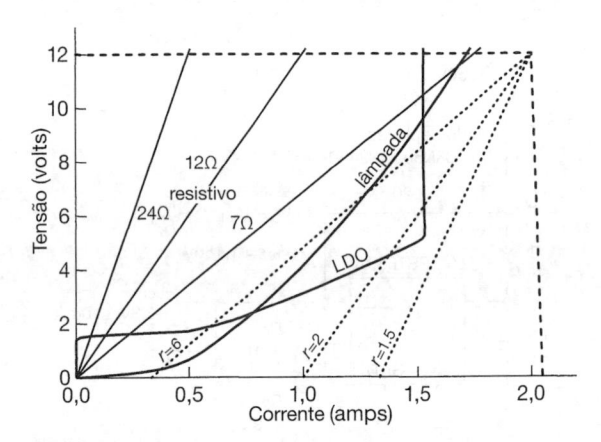

FIGURA 9.107 Uma redução excessiva pode impedir a inicialização em algumas cargas. Traçamos as curvas *VI* medidas para uma lâmpada automotiva (12 V/21 W e para um regulador LDO de 5 V com carga de 3,3 Ω. A linha pontilhada é a limitação de corrente normal de 2 A, e as linhas pontilhadas mostram três valores de limitação por redução de corrente. Uma relação de redução de corrente de $r = I_{max}/I_{SC} = 6$ não seria suficiente para iniciar qualquer carga (ela ficaria presa na interseção inferior); para $r = 2$, a lâmpada está OK, mas o LDO não. Uma carga resistiva nunca é um problema.

de corrente constante acima da queda de tensão). Como uma estimativa, ao projetar um circuito de redução de corrente, o limite de corrente de curto-circuito deve ser definido como não menos do que um terço a um meio da corrente de carga máxima na tensão de saída total.

9.13.4 Transistor de Passagem Fora da Placa

Reguladores lineares de 3 terminais estão disponíveis com 5 A ou mais de corrente de saída, por exemplo, o ajustável

LM396 de 10 A. No entanto, tal operação de alta corrente pode ser indesejável, pois a temperatura máxima de operação do chip para esses reguladores é inferior à dos transistores de potência, exigindo dissipadores de calor de grandes dimensões. Além disso, eles são de alto custo. Uma solução alternativa é a utilização de transistores de passagem externos, que podem ser acrescentados aos reguladores lineares integrados, como os reguladores fixos ou ajustáveis de 3 terminais, seja de configuração convencional ou de baixa queda de tensão. A Figura 9.108 mostra o circuito básico (mas falho!).

O circuito funciona normalmente para correntes de carga inferiores a 100 mA. Para correntes de carga maiores, a queda em R_1 liga Q_1, que limita a corrente real através do regulador de 3 terminais em cerca de 100 mA. O regulador de 3 terminais mantém a saída com a tensão correta, como usual, através da redução da corrente de entrada e, por conseguinte, aciona Q_1 se a tensão de saída aumentar, e vice-versa. Ele nem sequer percebe que a carga está utilizando mais de 100 mA! Com esse circuito, a tensão de entrada deve exceder a tensão de saída em um valor que é a queda no regulador (por exemplo, 2 V para um LM317) mais uma queda V_{BE}.

Na prática, o circuito deve ser modificado para fornecer limitação de corrente para Q_1, que poderia fornecer uma saída de corrente igual a β vezes o limite de corrente interna do regulador, ou seja, 20 ampères ou mais! Isso é o suficiente para destruir Q_1, bem como a carga infeliz que esteja conectada no momento. A Figura 9.109 mostra dois métodos de limitação de corrente.

Em ambos os circuitos, Q_1 é o transistor de passagem de alta corrente, e o seu resistor de emissor para base, R_1, foi escolhido para ligá-lo em cerca de 100 mA de corrente de carga. No primeiro circuito, Q_2 detecta a corrente de carga via a queda sobre R_{SC}, cortando o acionador de Q_1 quando a queda ultrapassa uma queda de diodo. Há dois inconvenientes para esse circuito: para correntes de carga perto do limite de corrente, a tensão de entrada deve agora ultrapassar a tensão de saída regulada mais a queda de tensão do regulador de 3 terminais mais duas quedas de diodo. Além disso, os valores exigidos para o resistor pequeno na base de Q_2 tornam difícil acrescentar limitação por redução de corrente.

O segundo circuito ajuda a resolver esses problemas, à custa de uma complexidade adicional. Com reguladores lineares de alta corrente, uma baixa queda de tensão, muitas

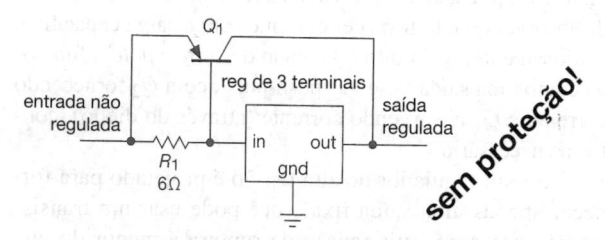

FIGURA 9.108 Regulador de 3 terminais básico com um transistor externo para reforço de corrente. *Não construa isso* – ele não tem circuito limitador de corrente!

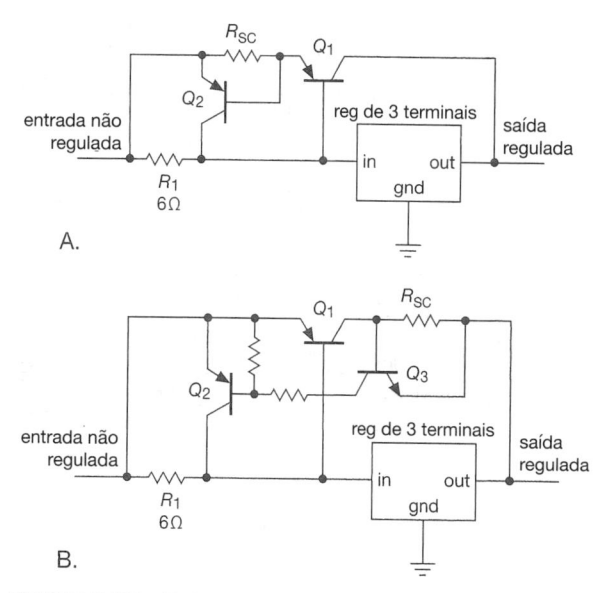

FIGURA 9.109 Reforçador com transistor externo e limitação de corrente.

vezes, é importante para reduzir a dissipação de potência a níveis aceitáveis. Para acrescentar limitação por redução de corrente no último circuito, basta conectar a base de Q_3 ao divisor do coletor de Q_1 ao terra, em vez de diretamente ao coletor de Q_1. Note que, em qualquer circuito, Q_2 deve ser capaz de lidar com o limite de corrente total do regulador.

Um cuidado: Com um transistor externo, você não obtém a proteção de sobretemperatura que está incluída em quase todos os reguladores integrados. Então, você tem que ter cuidado usando um dissipador de calor adequado tanto para as condições normais de carga quanto de curto-circuito.

9.13.5 Reguladores de Alta Tensão

Alguns problemas especiais surgem quando você projeta reguladores lineares para entregar altas tensões, e, muitas vezes, você precisa recorrer a alguns truques de circuito inteligentes. Esta seção apresenta algumas dessas técnicas.

A. Força Bruta: Componentes de Alta Tensão

Transistores de potência, tanto bipolar quanto MOSFET, estão disponíveis com tensões de ruptura de até 1200 volts e superiores e não são muito caros. IGBTs estão disponíveis em especificações de tensão ainda mais elevadas, até 6.000 volts.

O MJE18004 da ON Semiconductor, por exemplo, é um transistor de potência *npn* de 5 A com tensão de ruptura coletor-emissor convencional (V_{CEO}) de 450 V e ruptura por polarização reversa de base (V_{CEX}) de 1.000 volts; custa menos de um dólar em quantidades individuais. E MOSFETs de potência são frequentemente excelentes opções para os reguladores de alta tensão, devido à sua excelente área de

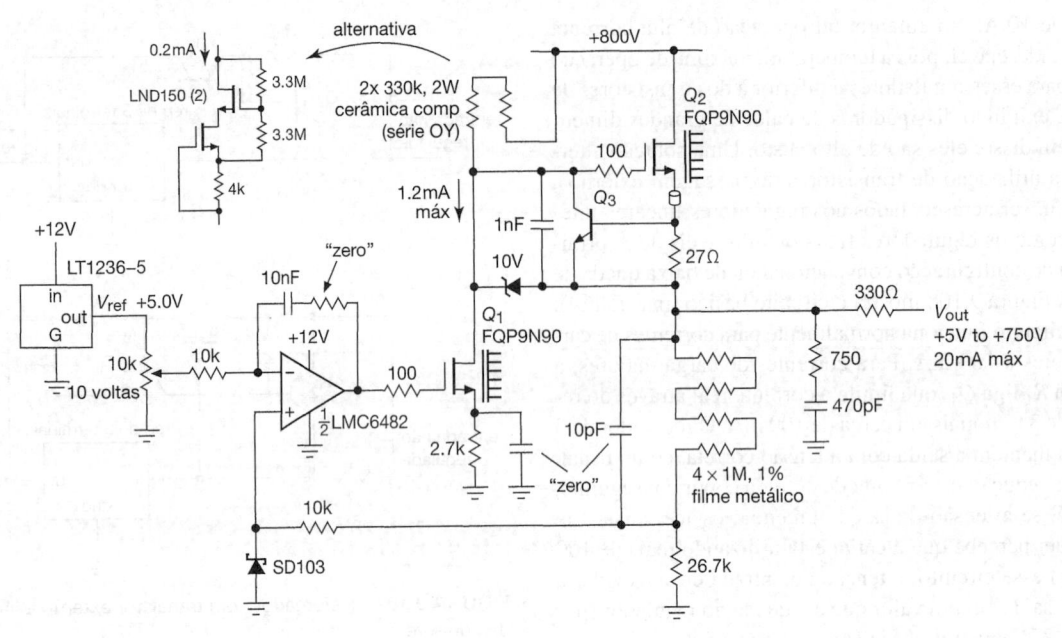

FIGURA 9.110 Fonte regulada de alta tensão. A fonte de corrente que eleva como *pull-up* o dreno de Q_1 é uma alternativa preferível à carga resistiva de dreno mais simples; veja a Seção 9.3.14C. Veja também a Figura 3.111.

operação segura (ausência de segunda ruptura induzida termicamente); eles estão amplamente disponíveis com especificações de 800 a 1200 V e correntes de até 8 A ou mais. Por exemplo, o MOSFET FQP9N90 de canal n (9 A, 900 V) da Fairchild custa cerca de 1,75 dólar. Veja listas nas Tabelas 3.4b e 3.5.

Ao operar o amplificador de erro próximo ao terra (o divisor sensor de tensão de saída fornece uma amostra de baixa tensão da saída), você pode construir um regulador de alta tensão apenas com o transistor de passagem e seu acionador que vê a alta tensão. A Figura 9.110 mostra a ideia, neste caso, uma fonte regulada de +5 V a +750 V através de um transistor de passagem NMOS e acionador. Q_2 é o transistor de passagem em série, acionado pelo amplificador inversor Q_1. O AOP serve como amplificador de erro, comparando uma fração da saída com uma referência de precisão de +5V. Q_3 fornece limitação de corrente desligando o dispositivo Q_2 quando a queda no resistor de 27 Ω for igual a uma queda V_{BE}. Os componentes restantes servem a funções mais sutis, mas necessárias: o diodo zener protege Q_2 da ruptura de porta por tensão reversa se Q_1 decide baixar sua tensão de dreno rapidamente (enquanto o capacitor de saída mantém a tensão na fonte de Q_2); também protege contra ruptura de porta direta, por exemplo, se a saída for abruptamente colocada em curto-circuito. O diodo Schottky igualmente protege a entrada do AOP de um pico de corrente negativa, juntamente com o capacitor de 10 pF.

Note a utilização de diversos resistores em série para suportar as grandes tensões; a série de resistores de composição cerâmica de 1 W e 2 W da Ohmite é não indutiva, tal como os resistores de filme metálico no divisor detector de saída. Os vários pequenos capacitores do circuito proporcionam compensação, que é necessária porque Q_1 é operado como um amplificador inversor com ganho de tensão, tornando, assim. a malha do AOP instável (especialmente considerando a carga capacitiva do circuito). Da mesma forma, um resistor de saída em série de 330 Ω promove a estabilidade, desacoplando cargas capacitivas (com o custo da regulação degradada). E o resistor de porta em série de Q_2 e o anel de ferrite no terminal da fonte suprimem oscilações, às quais MOSFETs de alta tensão são particularmente propensos. *Um cuidado importante*: circuitos de fonte de alimentação como esse apresentam um verdadeiro perigo de choque elétrico – tenha cuidado!

Não podemos resistir a um comentário paralelo aqui: em forma ligeiramente modificada (referência substituída pela entrada de sinal), esse circuito faz um amplificador de alta tensão muito bom, útil para acionar cargas incomuns, como transdutores piezoelétricos; veja Figura 3.111 para um simples amplificador de 1 kV configurado dessa forma. Para essa aplicação específica, o circuito deve ser capaz tanto de absorver quanto fornecer corrente para a carga capacitiva. Curiosamente, o circuito (chamado de "*totem pole*") funciona como uma saída "pseudo-push-pull", com Q_2 fornecendo corrente e Q_1 absorvendo corrente (através do diodo), conforme necessário.

Se um regulador de alta tensão é projetado para fornecer apenas uma saída fixa, você pode usar um transistor de passagem, cuja tensão de ruptura é menor do que a tensão de saída. Por exemplo, você pode modificar esse circuito para produzir uma saída fixa de +500 V, usando um transistor de 400 V para Q_2. Mas, com tal circuito, é necessário garantir que a tensão entre o regulador nunca exceda suas especificações, mesmo quando ligado, desligado e saída em curto. Alguns zeners estrategicamente colocados podem dar conta do trabalho, mas não deixe de pensar sobre condições de falha incomuns, tais como um curto-circuito abrupto a montante (uma descarga elétrica, ou falha com a ponta de prova), bem como eventos "normais", como uma saída em curto. É extremamente fácil um circuito muito bom (e testado) de alta tensão falhar abruptamente (e, geralmente, com um som de "estalo"), deixando poucas preciosas pistas sobre a causa. Aprenda com a experiência suada aqui: use um MOSFET com especificação além da tensão de alimentação total.

Exercício 9.14 Acrescente uma limitação por redução de corrente à Figura 9.110.

B. Transistores em Série

A Figura 9.111 mostra um truque para conectar transistores em série para aumentar a tensão de ruptura. No circuito do lado esquerdo, as resistências iguais distribuem as quedas de tensão entre os MOSFETs conectados em série, e os capacitores em paralelo asseguram que a ação do divisor se estenda a frequências altas. (Os capacitores devem ser escolhidos grandes o suficiente para encobrir as diferenças de capacitância de entrada do transistor, que, de outra forma, causariam divisão desigual, reduzindo a tensão de ruptura total.) Os diodos zener protegem contra ruptura.[146] E os resistores em série de porta de 100 Ω ajudam a suprimir oscilações comuns em MOSFETs de alta tensão (use alguns anéis de ferrite nos terminais de porta e fonte se perceber alguma oscilação).

Para transistores bipolares conectadas em série, é possível distribuir as quedas de tensão apenas com resistores, como mostrado, porque as junções base-emissor robustas não são suscetíveis a danos análogo à perfuração do óxido do MOSFET (no sentido direto, elas simplesmente conduzem uma pequena corrente; e as pequenas correntes inversas do divisor de base são geralmente benignas e podem ser inteiramente evitadas com diodos de pequeno sinal 1N4148 conectados entre a base e o emissor). Transistores de pequenos sinais, como o MPSA42 e o MPSA92 de 300 V (*npn* e *pnp*, respectivamente) e o MPSA44 de 400 V (disponível em encapsulamentos TO-92 e de montagem em superfície), são utilmente ampliados para tensões mais altas desse modo.

Note que a sequência conectada em série tem tensão de saturação consideravelmente menor do que a de um transistor de alta tensão equivalente: para três MOSFETs (como mostrado), a tensão ON é $V_{sat} \approx 3V_{DSon} + 3V_{GSon}$; para o circuito BJT, é $3V_{CEon} + 3V_{BE}$.

Transistores conectados em série podem, é claro, ser utilizados em circuitos diferentes de fontes de alimentação. Por vezes, você os verá em amplificadores de alta tensão, apesar da disponibilidade de MOSFETs de alta tensão frequentemente tornar desnecessário recorrer à conexão em série.

Em circuitos de alta tensão como esse, é fácil ignorar o fato de que você pode precisar usar resistores de 1 watt (ou maiores) em vez do tipo 1/4 watt padrão. Uma armadilha mais sutil aguarda o imprudente, ou seja, a especificação de *tensão* máxima de um resistor, independentemente de sua potência de dissipação. Por exemplo os resistores de terminais axiais de 1/4 watt padrão são limitados a 250 V e, muitas vezes, menos do que isso para os tipos de montagem em superfície.[147] Outro efeito subvalorizado são os coeficientes de tensão surpreendentes de resistores de composição de carbono quando operados em altas tensões. Por exemplo, em uma medição real (Figura 9.112), um divisor de 1000:1 (10 M, 10k) produziu uma relação de divisão de 775:1 (29% de erro) quando acionado com 1 kV; note que a *potência* estava bem dentro das especificações. Esse efeito não ôhmico é particularmente importante no divisor detector de tensão de saída de fontes de alta tensão e amplificadores – cuidado! Empresas

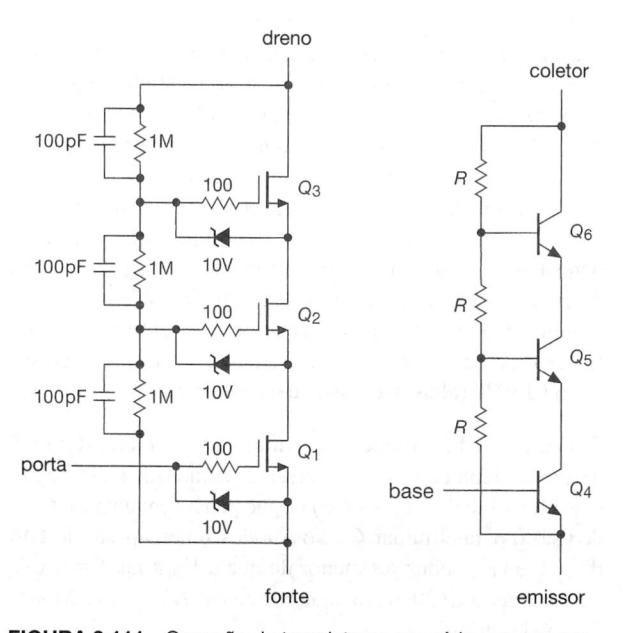

FIGURA 9.111 Conexão de transistores em série para aumentar a tensão de ruptura, para distribuir a dissipação de potência e (em BJTs de potência) para ficar dentro da área de operação segura (SOA).

---

[146] Muitos projetistas usam diodos de sinal comuns em vez de zeners, considerando que não haveria qualquer risco de ruptura de porta *direta*, porque os MOSFETs deveriam ligar vigorosamente muito antes da ruptura canal-porta. Não temos tanta certeza disso.

[147] Especificamente, 200 V, 150 V, 75 V, 50 V e 30 V para resistores de filme fino CRCW da Vishay nos tamanhos 1206, 0805, 0603, 0402 e 0201, respectivamente.

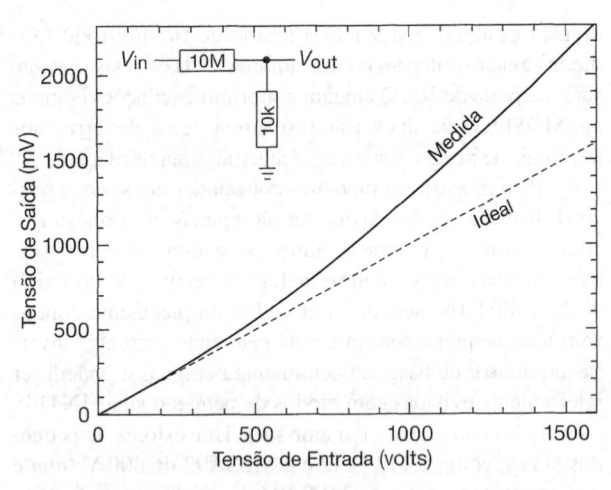

FIGURA 9.112 Resistores de composição de carbono apresentam uma redução na resistência à medida que se aproximam da sua especificação de 250 V. Não use resistores acima de sua especificação de tensão!

como Ohmite (divisão Victoreen) e Caddock fazem resistores em muitos estilos projetados para aplicações de alta tensão como essa.

Para além da sua utilização em aplicações de alta tensão, outra motivação para conexão em série de múltiplos transistores é distribuir uma grande dissipação de potência. Para tais aplicações de potência, em que você não está lidando com tensões elevadas, você pode, é claro, usar uma conexão em *paralelo*. Mas, então, você tem que garantir que a corrente seja dividida em partes aproximadamente iguais entre os vários transistores. Para BJTs em paralelo, isso geralmente é feito com resistores individuais de controle de corrente de emissor, como vimos na Seção 2.4.4. Mas esse esquema é problemático com MOSFETs, porque eles têm uma amplitude de valores de tensão porta-fonte, forçando-o a permitir uma queda de tensão desconfortavelmente grande através dos resistores de fonte. Porém, isso pode ser resolvido com um pouco de inteligência; veja a Figura 3.117 para uma solução interessante.

C. Regulador Flutuante

Outro método, por vezes utilizado para alargar a faixa de tensão de reguladores integrados, incluindo o tipo simples de 3 terminais, é a flutuação de todo o regulador acima do terra, por exemplo, como mostrado na Figura 9.113. Aqui, o zener D_2 limita a queda no regulador de 3 terminais para apenas alguns volts (a tensão zener menos a tensão porta-fonte de Q_1), com o MOSFET Q_1 externo ficando com o restante da queda de tensão. O LT3080 é uma boa escolha aqui, com sua

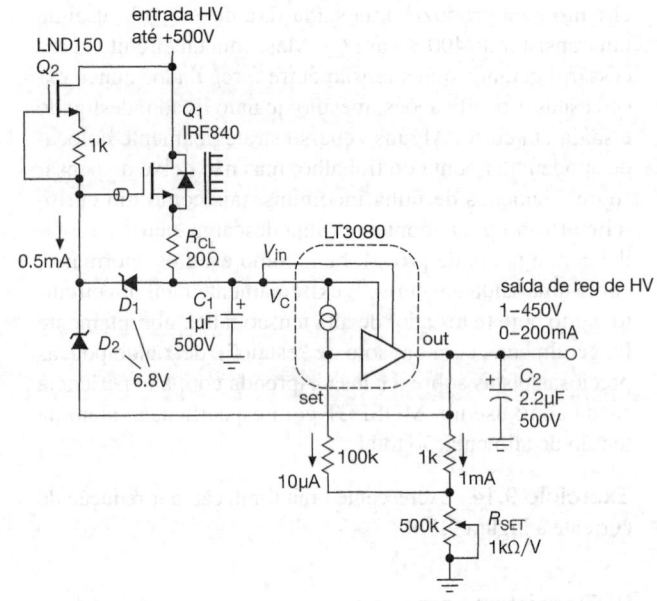

FIGURA 9.113 Regulador de 3 terminais de alta tensão (HV) flutuante.

simples corrente de programação de 10 μA definindo a tensão de saída. Usamos o truque de um par de resistores (um "divisor de corrente", em que você pode pensar como um multiplicador de corrente, visto a partir do lado da fonte de 10 μA) para elevar a corrente de programação efetiva para 1 mA, de modo a podermos usar um potenciômetro de 500k para ajustar a tensão (em vez dos desajeitados – e inatingíveis – 50 megaohms, que, de outro modo, seriam necessários); a corrente de programação reforçada favoravelmente fornece a corrente de carga mínimas de 1 mA do LT3080 também. A corrente zener é fornecida pelo prático MOSFET de modo depleção LND150 da Supertex, aqui estrangulado até 0,5 mA com um resistor de autopolarização da fonte.

Os demais componentes são fáceis de entender: D_1 protege a porta de Q_1; o anel de ferrite suprime oscilações (você pode usar no lugar um resistor de porta de 150 Ω); e o LT3080 é equipado com seus capacitores de entrada e saída de desvio mínimo exigido. Se houver uma chance de a entrada HV (alta tensão) cair abaixo da tensão de saída, adicione um diodo sobre o LT3080 (aliás, faça isso de qualquer maneira).

Exercício 9.15 Explore substituindo Q_1 por um MOSFET de modo depleção de alta corrente, como um IXTP3N50; consulte a Tabela 3.6. Você consegue pensar em uma maneira de usá-lo para eliminar Q_2 e os diodos zener, apesar do fato de sua $-V_{GS}$ poder ser menor do que a $V_{DO}(máx) = 1,6$ V necessária do LT3080 em altas correntes? *Dica:* um LM385-2.5 pode ser útil.

REVISÃO DO CAPÍTULO 9

Um resumo de A a K do que aprendemos no Capítulo 9. Revisaremos os princípios básicos e fatos do Capítulo 9, mas não abordaremos diagramas de circuitos de aplicação e conselhos práticos de engenharia apresentados neste capítulo.

¶ A. Classificação de Reguladores de Tensão

Reguladores de tensão fornecem as tensões CC estáveis necessárias para alimentar todos os tipos de circuitos eletrônicos. O tipo mais simples (e menos ruidoso) é o regulador *linear* (Figura 9.2), em que o sinal de erro de saída, adequadamente amplificado e compensado, é utilizado para controlar um "transistor de passagem" linear (BJT ou MOSFET) que está em série com uma tensão CC de entrada maior (e talvez não regulada). Reguladores lineares não são fontes de alimentação eficientes, com dissipação $P_{diss} = I_{out}(V_{in} - V_{in})$, e eles não são capazes de produzir uma saída CC maior do que a entrada nem uma saída CC de polaridade invertida.

O regulador *chaveado* (ou *conversor* chaveado, *fonte de alimentação comutada*, SMPS ou apenas "comutador", Seção 9.6) lida com essas deficiências, ao custo de um ruído de comutação induzido e maior complexidade. A maioria das fontes chaveadas utiliza um ou mais indutores (ou transformadores), e uma ou mais chaves saturadas (geralmente MOSFETs), operando em frequências de chaveamento relativamente elevadas (50 kHz a 5 MHz), para converter uma entrada CC (que pode não ser regulada) para uma ou mais tensões de saída estáveis e reguladas; estas últimas podem ser inferiores ou superiores à tensão de entrada, ou podem ser de polaridades opostas. O(s) indutor(es) armazena(m) energia e a transfere(m), em seguida, em ciclos de comutação discretos, da entrada para a saída, com a(s) chave(s) que controla(m) as vias de condução; com componentes ideais, não haveria dissipação, e a conversão seria 100% eficiente. O sinal de erro de saída, adequadamente amplificado e compensado, é utilizado para variar tanto a largura do pulso ("PWM") quanto a frequência do pulso ("PFM"). Conversores chaveados podem ser *não isolados* (isto é, entrada e saída que compartilham de um terra em comum, Figura 9.61) ou *isolados* (por exemplo, quando alimentados a partir da rede elétrica CA, Figura 9.73); para cada classe, existem dezenas de topologias; consulte ¶D a seguir.

Uma subclasse menor de conversor chaveado é o *conversor sem indutor* (ou conversor de "bomba de carga"; veja a Seção 9.6.3), em que uma combinação de várias chaves e um ou mais capacitores "flutuantes" é usada para criar uma saída CC que pode ser um múltiplo da entrada CC ou uma saída de polaridade oposta (ou uma combinação de ambas). Para muitos desses, a(s) saída(s) acompanha(m) a entrada CC (ou seja, não regulada), mas há também variantes que regulam a saída controlando o ciclo de chaveamento. Veja a Tabela 9.4 e as Figuras 9.56 e 9.57.

¶ B. A Entrada CC

Independentemente do tipo de conversor ou circuito regulador, você precisa fornecer uma forma de entrada CC. Ela pode ser mal regulada, como uma bateria (equipamento portátil) ou CA retificada (equipamento alimentado pela rede elétrica, Figuras 9.25 e 9.48); ou pode ser uma de tensão estável existente já presente dentro de um circuito (por exemplo, Figura 9.64). Para um instrumento alimentado pela rede elétrica que utiliza um regulador linear, a entrada CC "não regulada" (com uma ondulação CA) é constituída por um transformador (tanto para isolamento galvânico como para transformação de tensão) mais retificador (para conversão para CC) mais capacitor(es) de grande capacidade de armazenamento (para suavizar a ondulação do CA retificado). Por outro lado, em um comutador CA (erroneamente denominado "isolado"), o transformador conectado à rede elétrica é omitido, porque um transformador no circuito de um comutador isolado fornece isolação galvânica e é muito menor e mais leve, uma vez que opera em uma frequência de comutação muito maior; veja a Figura 9.48.

Uma ponte de diodos e um capacitor de armazenamento convertem uma entrada CA para uma saída CC de onda completa sem regulação, seja a partir de um transformador conectado na rede elétrica ou diretamente a partir dela. Ignorando a resistência e a indutância do enrolamento, a tensão CC de saída é aproximadamente de $V_{CC} = 1,4V_{RMS} - 2V_{diodo}$, e a tensão de ondulação de pico a pico é aproximadamente[148] $\Delta V_{ondulação(pp)} \approx I_{carga}/2fC$, onde C é a capacitância do capacitor de armazenamento CC de saída e f é a frequência de entrada CA (60 Hz ou 50 Hz, dependendo de fronteiras geográficas e políticas). A corrente de entrada CA está confinada a pulsos relativamente curtos durante a parte anterior da forma de onda para os picos positivos e negativos (ver Figuras 9.51 e 9.78). Essa forma de onda de baixo "fator de potência" é indesejável, porque produz aquecimento I^2R excessivo e correntes de pico mais estressantes. Por essa razão, todos os conversores, menos os chaveados pequenos, usam um estágio de correção do fator de potência (PFC) de entrada (Figura 9.77) para espalhar a forma de onda de corrente e, assim, criar uma entrada de corrente aproximadamente proporcional à tensão de entrada CA instantânea.

Instrumentos alimentados pela rede elétrica precisam de alguns componentes adicionais, tanto para segurança como para conveniência. Esses incluem fusível, chave e filtro de linha e supressor de transientes opcionais; eles são, muitas vezes, combinados em um "módulo de entrada de alimentação" IEC; veja a Figura 9.49.

¶ C. Reguladores de Tensão Lineares

O regulador de tensão linear básico compara uma amostra da tensão de saída CC com uma tensão de referência interna (veja ¶G a seguir) em um *amplificador de erro* que fornece

---
[148] A partir de $I = C\, dV/dt$, consideramos a corrente de descarga I aproximadamente constante.

realimentação negativa a um *transistor de passagem*; veja a Figura 9.2. A tensão de saída CC pode ser maior ou menor do que a referência (Figuras 9.4 e 9.5), mas é sempre menor do que a entrada CC. Você pode pensar nisso como um amplificador de potência realimentado, que é propenso a instabilidade com cargas capacitivas, por isso existe o capacitor de compensação C_c na Figura 9.2D,E. O circuito final nessa figura mostra um circuito limitador de corrente (R_{CL} e Q_2) e também um *crowbar de sobretensão* (D_1 e Q_3, veja ¶J a seguir) para proteger a carga no caso de uma falha do regulador.

Todos os componentes do regulador de tensão linear 723 original podem ser integrados em um único CI (Figura 9.6), formando um regulador fixo de "3 terminais", por exemplo, o clássico 78xx (onde "xx" é a sua tensão de saída). Esses exigem apenas capacitores de desvio externos (Figura 9.8) para fazer um regulador completo. No entanto, existem apenas algumas tensões padrão disponíveis (por exemplo, +3,3 V, +5 V, +15 V); assim, uma variante popular é o regulador *ajustável* de 3 terminais (por exemplo, o clássico 317; veja a Figura 9.9), que permite ajustar a tensão de saída com um divisor resistivo externo (Figura 9.10). As Figuras 9.14, 9.16 e 9.18 mostram algumas dicas de aplicações para esse regulador muito flexível. Ambos os reguladores de 3 terminais, fixos e ajustáveis, também estão disponíveis em polaridades negativas (79xx e LM337, respectivamente), bem como nas variantes de baixa corrente (78Lxx e LM317L, respectivamente).

Uma desvantagem desses reguladores lineares clássicos é a sua necessidade de uma tensão de entrada que é, pelo menos, $\sim$2 V maior do que a saída (sua *queda de tensão*); isso é necessário porque o seu transistor funciona como um seguidor de emissor (assim, pelo menos, uma queda V_{BE}), e o circuito de limitação de corrente pode acrescentar mais uma queda V_{BE}. Dois volts pode não parecer muito, mas se torna uma tensão alta em um circuito regulador de baixa tensão, por exemplo, um com 2,5 V de saída. Para contornar esse problema, você pode usar um regulador de baixa queda de tensão (*low-dropout*, LDO), em que o transistor de passagem (BJT ou MOSFET) é configurado como um amplificador emissor-comum (ou fonte-comum) – consulte a Figura 9.20; as baixas quedas de tensões são diminuídas para décimos de volts (Figura 9.24). LDOs são interessantes, mas eles custam mais e são mais propensos a instabilidade, porque a sua alta impedância de saída (coletor ou dreno) provoca um deslocamento de fase em atraso na substancial capacitância de carga. LDOs podem exigir capacitância de desvio de saída mínima significativa (até 10 μF ou 47 μF), muitas vezes restrita com resistência em série equivalente (ESR) mínima e máxima de, por exemplo, 0,1 Ω mín e 1 Ω máx; consulte a Tabela 9.3.

¶ D. Topologias de Conversores Chaveados

As topologias de conversores não isolados são o *buck* (ou "*step-down*"), o *boost* (ou "*step-up*") e o *inversor* (ou "inversor *buck-boost*"); veja a Seção 9.6.4 e Figura 9.61. A tração elétrica de cada um desses usa um indutor, uma chave e um diodo (ou uma segunda chave atuando como um retificador ativo), além dos capacitores de armazenamento de entrada e saída. Um conversor completo exige componentes adicionais: oscilador, comparador, amplificador de erro, circuitos de acionamento e provisões para compensação e proteção de falha; veja, por exemplo, a Figura 9.65. Tal como acontece com reguladores lineares, os fabricantes de semicondutores entraram em cena para fornecerem a maioria dos componentes necessários como CIs encapsulados; veja as Tabelas 9.5a,b e 9,6.

Para o conversor *buck*, $V_{out} < V_{in}$, e, para o conversor *boost*, $V_{out} > V_{in}$. O conversor inversor produz uma saída de polaridade oposta à entrada e cujo módulo da tensão pode ser maior ou menor do que a tensão de entrada (isso vale também para o notável conversor Ćuk, Seção 9.6.8H). As respectivas tensões de saída CC são $V_{out(buck)} = DV_{in}$, $V_{out(boost)} = V_{in}/(1-D)$, e $V_{out(inversor)} = -V_{in}D/(1-D)$, onde D é o ciclo de trabalho ON da chave $D = t_{on}/T$. Há também as topologias *buck-boost* não inversor que permitem à faixa de tensão de saída colocar entre parênteses a entrada (ou seja, é capaz de ir acima ou abaixo da entrada). Exemplos disso são as 2 chaves *buck-boost* (duas chaves, dois diodos, um indutor) e SEPIC (uma chave, um diodo, dois indutores); veja a Figura 9.70. É claro que um conversor chaveado com um transformador (seja isolado ou não) fornece flexibilidade na polaridade de saída, assim como desempenho melhorado para a conversão de tensão de relação grande.

Conversores chaveados *isolados* utilizam um transformador (para a isolação), em adição a um ou mais indutores (para armazenamento de energia); veja a Figura 9:73. No conversor *flyback* (Figura 9.73A), o transformador atua também como indutor de armazenamento de energia (portanto, nenhum indutor adicional), ao passo que, no conversor *forward* e nos conversores em *ponte* (Figuras 9.73B-D), o transformador é "apenas um transformador", e os diodos e o indutor completam o armazenamento e a transferência de energia. As respectivas tensões de saída CC são $V_{out(flyback)} = V_{in}[N_{sec}/N_{pri}][D/(1-D)]$ e $V_{out(forward)} = DV_{in}(N_{sec}/N_{pri})$. Falando em termos gerais, conversores *flyback* são usados em aplicações de baixa potência ($\leq$200 W); conversores *forward*, em aplicações de média potência (até $\sim$500 W); e conversores em ponte, em aplicações de potência real.

¶ E. Regulação de Fonte Chaveada: com Histerese, Modo de Tensão e Modo de Corrente

Existem várias maneiras de regular a tensão de saída CC de um conversor chaveado. A mais simples é a realimentação *com histerese*, em que o sinal de erro simplesmente habilita ou desabilita ciclos de comutação sucessivos. É uma forma de controle "ON-OFF" simples, sem problemas de estabilidade que exigem uma malha de compensação; veja a Figura 9.64 para um projeto de conversor *buck* com o popular MC34063. O controle PWM proporcional é melhor e está disponível em dois tipos: modo de tensão e modo de corrente. Ambos os métodos comparam a tensão de saída com uma referência fixa para regular a tensão de saída, mas o fazem de maneiras diferentes. No PWM *modo de tensão*, o sinal de erro de tensão de saída é comparado com a forma de onda dente de serra do oscilador interno para controlar o tempo ON da chave no primário, ao passo que, no PWM *modo de corrente*, a rampa de comparação é gerada pela corrente crescente no indutor, com o oscilador interno utilizado apenas para iniciar cada ciclo de condução. Veja a Seção 9.6.9 e, especialmente, as Figuras 9.71 e 9.72. Em qualquer caso, o controlador termina um ciclo de condução se a chave exceder um pico de corrente, a entrada cair abaixo de um limiar de "bloqueio de subtensão" ou o chip exceder uma temperatura máxima. A Figura 9.65 mostra um conversor *buck* PWM de modo de tensão simples.

Malhas de controle de modo de tensão e modo de corrente exigem compensação para a estabilidade, e cada uma tem suas vantagens e desvantagens. Os controladores de modo de corrente parecem estar ganhando a preferência, devido à sua melhor resposta transitória, proteção de chave inerente (pela limitação de corrente pulso a pulso), margem de fase do circuito externo melhorada e capacidade de serem conectados em paralelo.

¶ F. Variedades de Conversores Chaveados

A conversão chaveada é um assunto rico, muitos detalhes dos quais estão muito além do escopo deste capítulo (ou deste livro). Alguns tópicos – corrente de ondulação e projeto de indutor, saturação de núcleo e reset, indutância de magnetização e amortecimento, *soft start*, recuperação de diodo, modos de condução CCM e DCM, perdas de comutação, malha de compensação, modo *burst*, corrente de energização, barreiras de isolação, PFC, *amplificadores* de comutação – são tratados superficialmente aqui. Considere a abordagem deste capítulo sobre conversores chaveados uma longa introdução a um campo de especialidade que pode facilmente ser uma área de especialidade de um profissional ao longo de uma carreira inteira.

¶ G. Tensões de Referência

É necessária uma tensão de referência estável em qualquer regulador de tensão, bem como em aplicações precisas, tais como fontes de corrente de precisão, conversão A/D e D/A e circuitos de medição de tensão e corrente. Muitas vezes, uma boa tensão de referência é embutida em um CI regulador ou conversor (ver, por exemplo, a Tabela 13.1), mas você pode querer um desempenho melhorado que pode ser obtido com uma referência externa de alta qualidade. E, muitas vezes, você precisa de uma tensão de referência para utilizar em outros pontos de um circuito.

A tensão de referência mais simples é o *diodo zener* discreto (Seção 9.10.1), mas a maioria das tensões de referência são circuitos integrados multicomponentes que se comportam externamente como um excelente zener ("2 terminais", ou *shunt*; Tabela 9.7), ou como um regulador linear extremamente bom ("3 terminais", ou *série*; Tabela 9.8). Referências *shunt* devem ser polarizadas no estado de condução (como um zener) por meio do fornecimento de corrente a partir de um trilho de tensão alta (use um resistor ou uma fonte de corrente), ao passo que referências em série são alimentadas pela conexão de seus pinos de alimentação diretamente à fonte CC. As referências de qualquer um desses tipos estão disponíveis em um pequeno conjunto de tensões padrão, tipicamente no intervalo de 1,25 a 10,0 V.

O zener de 2 terminais discreto é bom para aplicações não cruciais, mas sua precisão típica de ±5% é insuficiente para circuitos de precisão. Referências em circuito integrado de qualquer tipo são muito melhores, com precisões de pior caso na faixa de 0,02% a 1% e coeficientes de temperatura que variam de 1 ppm/°C a 100 ppm/°C, como pode ser visto nas tabelas. A maioria das referências em circuitos integrados é baseada em um circuito que compensa a temperatura do V_{BE} de um BJT (a chamada "referência de barreira de potencial"), gerando uma tensão estável de aproximadamente 1,24 V; mas outros usam um diodo zener de subsuperfície com $V_z \approx 7$ V. Estes últimos são geralmente mais silenciosos, mas as referências de barreira de potencial podem operar a partir de tensões de alimentação baixas e estão amplamente disponíveis em tensões de 1,24 V, 2,50 V, etc. Duas tecnologias mais recentes com um desempenho surpreendentemente bom são a referência *pinchoff JFET* da ADI (as referências "XFET" ADR400) e a referência de *porta flutuante* da Intersil. Ambas exibem um coeficiente de temperatura muito bom e baixo ruído. Outras características importantes de referências de tensão são a *regulação* (R_{out} para tipos *shunt*, PSRR para os tipos série), capacitância de carga mínima e estabilidade para cargas capacitivas, pinos de *ajuste* e *filtro* e tipos de *encapsulamentos*.

¶ H. Calor e Dissipação de Potência

Junto com a eletrônica de potência vem... *calor*! Ele é removido com uma combinação de convecção (fluxo de ar) e condução (contato térmico com um dissipador de calor). O fluxo de calor por condução é proporcional à diferença de temperatura entre os lados quente e frio (lei de Newton de arrefecimento), $\Delta T = P_{diss} R_\Theta$, onde R_Θ é conhecido como "resistência térmica". Para uma sucessão de junções condutoras, as resistências térmicas se somam; assim, por exemplo, a temperatura da junção T_J de um semicondutor de potência que dissipa P_{diss} watts é $T_J = T_A + P_{diss}(R_{\Theta JC} + R_{\Theta CS} + R_{\Theta SA})$, em que T_A é a temperatura ambiente e os parâmetros R_Θ sucessivos representam as resistências térmicas da junção para a carcaça, da carcaça para o dissipador de calor e do dissipador de calor para o ambiente. Padrões de folha de circuito impresso são, muitas vezes, adequados para a dissipação de alguns watts ou menos (Figura 9.45); dissipadores de calor de aletas ou superfícies de chassis metálicos são usados para uma maior remoção de calor, com fluxo de ar forçado geralmente necessário quando a dissipação de potência atinge níveis de 50 W ou mais (Figura 9.43). Dispositivos semicondutores podem resistir a uma dissipação de potência consideravelmente maior durante pulsos curtos; isso, às vezes, é especificado como um gráfico de *resistência térmica transiente* (isto é, R_θ versus a duração do pulso e o ciclo de trabalho), ou contornos elevados em um gráfico de Área de Operação Segura (veja ¶ I).

Área de Operação Segura

Um transistor de potência (seja BJT ou MOSFET) fornece valores máximos de tensão e corrente e também (por causa da temperatura máxima de junção permitida) um produto $V_{DS}I_D$ máximo (ou seja, a dissipação de potência) para uma dada temperatura do invólucro; este último é apenas $V_{DS}I_D \leq (T_{J(max)} - T_C)/R_{\Theta JC}$. Esses limites definem uma área de operação segura (SOA, Seção 9.4.2), geralmente apresentada como contornos nos eixos log-log de corrente *versus* tensão; veja, por exemplo, a Figura 3.95. Esse gráfico mostra mais duas características: (a) maior dissipação é permitida para pulsos curtos; (b) o SOA de BJTs (mas não MOSFETs) é ainda mais limitado por um fenômeno conhecido como "segunda ruptura".

¶ I. *Crowbars* de Sobretensão

Alguns modos de falha de conversores de potência provocam sobretensão de saída, por exemplo, um transistor de passagem em curto-circuito em um regulador linear, ou perda de controle de realimentação em um comutador. Com isso, é possível danificar ou destruir circuitos de potência. Um *crowbar de sobretensão* (Seção 9.13.1) detecta sobretensão e faz um SCR promover um curto na saída. Uma técnica de força bruta menor desliga o conversor quando uma sobretensão é detectada; isso é indicado na coluna "OVP" na Tabela 9.5b.

¶ J. Fontes de Corrente

"Regulador" geralmente significa uma fonte de *tensão* estável; mas existem muitos usos para uma fonte de *corrente* controlável (Seção 9.3.14). Reguladores lineares de 3 terminais são facilmente convertidos para operar como fonte de corrente (Seção 9.3.14A). Há também CIs de fonte de corrente dedicados, como o LM334 e o REF200. JFETs fazem convenientes fontes de corrente de 2 terminais, e MOSFETs de modo depleção fazem excelentes fontes de corrente que podem operar a tensões elevadas de até 1 kV; consulte a Seção 9.3.14C. E não se esqueça da fonte de corrente BJT simples discreta (Seções 2.2.6 e 2.3.7B) ou dos circuitos de fonte de corrente com AOP (Seção 4.2.5: Howland; AOP + transistor).

Fundamentos de lógica digital 10

10.1 CONCEITOS BÁSICOS DE LÓGICA

10.1.1 Digital *versus* Analógico

Até agora, lidamos principalmente com circuitos em que as tensões de entrada e saída variaram ao longo de uma faixa contínua de valores: circuitos *RC*, amplificadores, integradores, retificadores, AOPs, etc. Isso é natural quando se lida com sinais que são contínuos (por exemplo, sinais de áudio) ou tensões que variam de forma contínua a partir de instrumentos de medição (por exemplo, leitura de temperatura ou dispositivos de detecção de luz, ou pontas de prova biológicas ou químicas).

No entanto, há casos em que o sinal de entrada é, naturalmente, de forma discreta – por exemplo, pulsos de um detector de partículas, ou "bits" de dados de uma chave, teclado ou computador. Nesses casos, o uso da eletrônica digital (circuitos que lidam com dados feitos de 1s e 0s) é natural e conveniente. Além disso, é muitas vezes desejável converter dados contínuos (analógicos) para a forma digital, e vice-versa, usando conversores analógico-digitais (ADCs) e conversores digital-analógicos (DACs), a fim de executar os cálculos nos dados (com um computador ou processador de sinal) ou para armazenar grandes quantidades de dados como números. Em uma situação típica, um microprocessador ou computador pode monitorar os sinais de um experimento ou de processos industriais, controlar os parâmetros experimentais com base nos dados obtidos e armazenar para uso futuro os resultados obtidos ou calculados enquanto o experimento estava sendo executado.

Outro exemplo interessante do poder de técnicas digitais é a transmissão de sinais analógicos sem degradação por ruído: um sinal de áudio ou de vídeo analógico, por exemplo, capta "ruído" que não pode ser removido enquanto está sendo transmitido por cabo ou sem fios. Se, em vez disso, o sinal for convertido em uma série de números que representem a sua amplitude em instantes sucessivos de tempo e esses números forem transmitidos como sinais digitais, a reconstrução do sinal analógico na extremidade de recepção (feito com DACs) será sem erro, desde que o nível de ruído no canal de transmissão não seja grande o suficiente para impedir o reconhecimento preciso de 1s e 0s. Essa técnica, conhecida como PCM (*pulse-code modulation*, modulação por codificação de pulso), é particularmente atraente quando um sinal deve passar através de uma série de "repetidores", uma vez que a regeneração digital em cada estágio garante uma transmissão sem ruído. As informações e imagens deslumbrantes enviadas de volta por sondas espaciais planetárias – por exemplo, a Pioneer 10 na missão a Júpiter em 1973 – foram armazenadas e transmitidas com PCM. Áudio e vídeo digitais agora são comuns em casa, por exemplo, sob a forma de um simples CD óptico de 12 cm,[1] em que a música é armazenada sob a forma de um par estéreo de números de 16 bits a cada 23 microssegundos (1,4 megabits/s), 6 bilhões de bits (gigabits, GB) de informação ao todo. E, pelos padrões atuais, esse é um meio de armazenamento de baixa velocidade e capacidade: os valores correspondentes para DVDs e Blu-rays são 10 e 48 megabits/s (máximo), com um total de armazenamento de 38 e 200 gigabits por camada.

Na verdade, o hardware digital se tornou tão poderoso, que as tarefas que pareciam adaptadas às técnicas analógicas normalmente são mais bem resolvidas por meio de métodos digitais. Como exemplo, um medidor de temperatura analógico pode incorporar um microprocessador e memória para melhorar a precisão com a por meio ompensação dos desvios do instrumento a partir de uma linearidade perfeita; mesmo para algo tão banal como uma balança de banheiro digital. Devido à grande disponibilidade de microcontroladores de baixo custo (menos de 1 dólar), tais aplicações são amplamente utilizadas. Uma casa normal é inundada de equipamentos com processadores "embutidos": em cada aparelho de música, televisão, celular, lava-louças, máquina de lavar e secar roupa, fax, copiadora, forno micro-ondas, cafeteira.... A lista é longa, e, por vezes, surpreendente.[2] Em vez de tentar enumerar o que pode ser feito com a eletrônica digital, começaremos logo a aprender sobre ela. Aplicações surgirão naturalmente à medida que avançamos.

---

[1] E os seus equivalentes de vídeo: DVDs e discos Blu-ray (BD).

[2] Pode-se resumir a história da "conquista do digital sobre o analógico" como algo assim: década de 1970 – fotografias de planetas enviadas digitalmente a 800 milhões de quilômetros de distância, mas a vida doméstica ainda era governada pelos sistemas analógicos; década de 1980 – o áudio digital (CDs) e o computador pessoal invadem as casas; década de 1990 – vídeo digital (DVDs), celulares e MP3; década de 2000 – HDTV, conectividade sem fio digital, fotografia digital e videografia, Internet de alta velocidade e o *Google*; e a década de 2010 (OK, OK, nós sabemos que o velho ditado "É difícil prever... especialmente o futuro".) – a difusão digital universal e a fusão de informação e meios de comunicação.

10.1.2 Estados Lógicos

Por "eletrônica digital", queremos dizer circuitos em que existem apenas dois estados possíveis (geralmente) em qualquer ponto, por exemplo, um transistor que pode estar tanto na saturação quanto no corte (não condução). Geralmente, escolhemos falar de tensões em vez de correntes, chamando o nível de ALTO (*high*) ou BAIXO (*low*). Os dois estados podem representar qualquer um de uma variedade de "bits" (dígitos binários) de informação, tal como:

> um bit de um número;
> se uma chave está aberta ou fechada;
> se um sinal está presente ou ausente;
> se algum nível analógico está acima ou abaixo de algum limite pré-definido;
> se algum evento já aconteceu ou não;
> se alguma ação deve ser tomada ou não;
> e assim por diante.

A. ALTO e BAIXO

Os estados de tensão ALTO e BAIXO representam os estados VERDADEIRO e FALSO da lógica booleana, de alguma forma pré-definida. Se em algum momento uma tensão de nível ALTO representa VERDADEIRO, essa linha de sinal está no nível denominado "ativo ALTO" (ou "ALTO verdadeiro"), e vice-versa. Isso pode ser confuso no início. A Figura 10.1 ilustra um exemplo. CHAVE FECHADA é verdadeiro quando a saída é BAIXO; isso é um sinal "ativo BAIXO" (ou "BAIXO verdadeiro"), e você pode identificar o terminal como mostrado (a barra sobre um símbolo significa NÃO (NOT); essa linha é nível ALTO quando a chave *não* está fechada). Basta lembrar que a presença ou ausência da barra de negação sobre a identificação informa se o fio está em um estado de tensão BAIXO ou ALTO quando a condição descrita (CHAVE FECHADA) for verdadeira.[3] No início, a ideia de ativo BAIXO pode parecer, digamos, *em sentido contrário*;

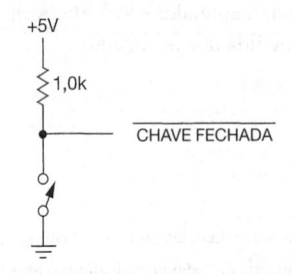

FIGURA 10.1 Um nível lógico BAIXO-verdadeiro ("ativo-BAIXO").

---

[3] Às vezes, você verá os termos "positivo-verdadeiro" e "negativo-verdadeiro" usados para ALTO-verdadeiro e BAIXO-verdadeiro, respectivamente. Esses termos também são usados, mas eles podem ser confusos para os inexperientes, especialmente visto que não há tensões negativas envolvidas.

por que não simplificar e banir essa lógica de cabeça para baixo? Como veremos, no entanto, há boas razões para fazer as coisas "em sentido contrário" às vezes. Seja paciente.

Um circuito digital "sabe" o que representa um sinal com base em sua origem, assim como um circuito analógico pode saber o que a saída de um AOP representa. No entanto, uma flexibilidade adicional é possível em circuitos digitais; por vezes, as mesmas linhas de sinal são utilizadas para transportar diversos tipos de informação, ou mesmo enviá-las em sentidos diferentes, em diferentes momentos. Para fazer essa "multiplexação", informações adicionais também devem ser enviadas (bits de endereço, ou bits de status). Você verá muitos exemplos dessa habilidade muito útil mais tarde. Por agora, imagine que um dado circuito esteja conectado para executar uma função pré-determinada e que ele saiba qual é essa função, de onde suas entradas estão vindo e para onde as saídas estão indo.

Para colocar um pouco de confusão em uma situação basicamente simples, introduzimos 1 e 0. Esses símbolos são usados em lógica booleana para indicar VERDADEIRO e FALSO, respectivamente, e, às vezes, são usados em eletrônica exatamente dessa forma. Infelizmente, eles também são usados de outra forma, em que 1 = ALTO e 0 = BAIXO! Neste livro, tentamos evitar qualquer ambiguidade usando a palavra ALTO (HIGH) (ou o símbolo H) e a palavra BAIXO (LOW) (ou o símbolo L) para representar estados lógicos, um método que está em amplo uso na indústria eletrônica. Usamos 1 e 0 somente em situações em que não pode haver ambiguidade.

B. Faixas de tensão de ALTO e BAIXO

Em circuitos digitais, permite-se que os níveis de tensão correspondentes a ALTO e BAIXO situem-se em uma faixa, de acordo com a família lógica específica.[4] Por exemplo, com a lógica CMOS de alta velocidade (família "HC") que funciona a partir de uma fonte de +5 V, tensões de *entrada* dentro de cerca de 1,5 volts a partir do terra são interpretadas como nível BAIXO, ao passo que as tensões dentro de 1,5 volt a partir da fonte de +5 V são interpretadas como nível ALTO.[5] Essas entradas são acionadas a partir das saídas de alguns outros dispositivos, para os quais as tensões de *saída* dos estados BAIXO e ALTO estão geralmente dentro de um décimo de um volt a partir de 0 e +5 V, respectivamente (a

---

[4] Uma "família" é uma implementação específica de hardware da lógica digital, caracterizada pela tensão de operação, os níveis lógicos de tensão e velocidade. Por razões históricas, a maioria das famílias lógicas nomeia seus dispositivos lógicas padrão com um prefixo 74, seguido por algumas letras que nomeiam a família e terminando com alguns números que especificam a função lógica. As próprias funções lógicas são as mesmas entre as famílias. Por exemplo, um 74LVC08 é uma porta AND de 2 entradas (na verdade, quatro delas em um encapsulamento) na família elétrica de baixa tensão CMOS (LVC), o "08" designa quatro portas AND de 2 entradas e o "74" designa um chip lógico para operação a temperaturas normais.

[5] Veja o quadro "Níveis Lógicos" para exemplos adicionais.

saída é uma chave a transistor saturada para um dos trilhos; veja a Figura 10.25). Isto permite a amplitude de valores na fabricação, variações dos circuitos com a temperatura, efeito de carga, tensão de alimentação, etc., e a presença de "ruído", o "lixo" variado adicionado ao sinal na sua jornada através do circuito (a partir de acoplamento capacitivo ou indutivo, interferências externas, etc.). O circuito de recepção do sinal decide se é ALTO ou BAIXO e age em conformidade.[6] Enquanto o ruído não alterar 1s para 0s, ou vice-versa, tudo está bem, e qualquer ruído é eliminado em cada estágio, em que 1s e 0s são regenerados ("limpos"). Nesse sentido, a eletrônica digital é sem ruído e perfeita.

O termo *imunidade ao ruído* é usado para descrever o nível de ruído máximo que pode ser adicionado a níveis lógicos (na pior das hipóteses), mantendo o funcionamento livre de erros. Como exemplo, a família lógica outrora popular conhecida como "TTL" (*transistor-transistor logic*, lógica transistor-transistor) lutava justamente contra esse problema, porque tinha apenas 0,4 V de imunidade a ruídos: garante-se que uma entrada TTL interpreta qualquer coisa menor do que +0,8 V como nível BAIXO e qualquer coisa maior do que 2,0 V como nível ALTO, ao passo que os níveis de *saída* de pior caso são 0,4 V e 2,4 V, respectivamente (veja o quadro de acompanhamento de níveis lógicos). Na prática, a imunidade ao ruído será melhor do que o pior caso de margem de 0,4 V, com tensões de níveis BAIXO e ALTO típicas de 0,2 V e 3,4 V e um limiar de decisão de entrada próximo de +1,3 V. Mas lembre-se sempre de que, se você estiver fazendo um bom projeto de circuito, usará valores de pior caso. Vale a pena ter em mente que diferentes famílias lógicas têm quantidades diferentes de imunidade a ruídos. CMOS tem imunidade de tensão de ruído maior do que a de TTL, enquanto a família rápida ECL (*emitter-coupled logic*, lógica de emissores acoplados) tem uma menor. Claro que a suscetibilidade ao ruído em um sistema digital depende também da amplitude do ruído que está presente, que, por sua vez, depende de fatores tais como a rigidez do estágio de saída, a indutância nas conexões de terra, a existência de longas linhas de "barramento" e taxas de variação de saída durante as transições lógicas (que produzem correntes transitórias e, portanto, picos de tensão na linha de terra, por causa da carga capacitiva). Lidamos com alguns desses problemas no Capítulo 12 (Interfaceamento Lógico).

10.1.3 Códigos Numéricos

A maioria das condições listadas anteriormente que podem ser representadas por um nível digital é autoexplicativa.

Como um nível digital pode representar parte de um número é uma questão mais complicada e muito interessante. Dito de outra forma, vimos *bits como indicadores*; agora, veremos *grupos de bits como um número*.

Um número decimal (base 10) é simplesmente uma sequência de números inteiros que podemos interpretar como dígitos que multiplicam potências sucessivas de 10, os produtos individuais que, em seguida, são adicionados. Por exemplo,

$$137,06 = 1 \times 10^2 + 3 \times 10^1 + 7 \times 10^0 + 0 \times 10^{-1} + 6 \times 10^{-2}.$$

Dez símbolos (0 a 9) são necessários, e a potência de 10 que multiplica cada um é determinada pela sua posição em relação ao ponto decimal. Se queremos representar um número usando somente dois símbolos (0 e 1), usamos o sistema de numeração *binário*, ou base 2. Cada 1 ou 0, então, multiplica uma potência sucessiva de 2. Por exemplo,

$$1101_2 = 1 \times 2^3 + 1 \times 2^2 + 0 \times 2^1 + 1 \times 2^0 = 13_{10}.$$

Os 1s e 0s individuais são chamados de "bits" (dígitos binários). O subscrito (sempre dado na base 10) diz que sistema de número estamos usando e, muitas vezes, ele é essencial, a fim de evitar confusão, uma vez que os todos símbolos têm a mesma aparência.

Convertemos um número binário para decimal pelo método que acabamos de descrever. Para fazer a conversão inversa, dividimos sucessivamente o número por dois e anotamos os restos. Para converter 13_{10} em binário, portanto:

$$13/2 = 6 \text{ e sobra } 1,$$
$$6/2 = 3 \text{ e sobra } 0,$$
$$3/2 = 1 \text{ e sobra } 1,$$
$$1/2 = 0 \text{ e sobra } 1,$$

a partir dos quais $13_{10} = 1101_2$. Note que a resposta se mostra na ordem do bit menos significativo (*least significant bit*, LSB) para o bit mais significativo (*most significant bit*, MSB).

A. Representação hexadecimal ("Hex")

A representação binária de números é a escolha natural para sistemas de dois estados (embora não seja a única maneira; veremos algumas outras em breve). Como os números tendem a ficarem um pouco longos, é comum escrevê-los em representação hexadecimal (base 16): cada posição representa potências sucessivas de 16, com cada símbolo hex com um valor de 0 a 15 (os símbolos de A a F são atribuídos para os valores de 10 a 15). Para escrever um número binário em hexadecimal, basta agrupá-lo em grupos de 4 bits, começando com o LSB, e escrever o equivalente hexadecimal de cada grupo:

$$707_{10} = 1011000011_2 \,(= 10\ 1000\ 0011_2) = 2C3_{16}.$$

---

[6] Às vezes, sinais digitais são enviados como uma tensão diferencial em vez de "terminação simples". Isso é especialmente popular entre os sinais mais longos de alta velocidade, ou sinais que vão para fora da placa cobrindo alguma distância, por exemplo, barramentos seriais rápidos, tais como USB, Firewire e SATA; também é comumente usado para distribuir sinais de *clock* de alta frequência. Um formato popular é o "LVDS" (*low-voltage differential signaling*, sinalização diferencial de baixa tensão), em que a amplitude do sinal diferencial é ~0,3 V, centrado em +1,25 V.

NÍVEIS LÓGICOS

O diagrama na Figura 10.2 mostra as faixas de tensões que correspondem aos dois estados lógicos (ALTO e BAIXO) para as famílias populares de lógica digital. Para cada família lógica, é necessário especificar os valores legais das tensões de saída e de entrada correspondentes aos dois estados, ALTO e BAIXO. As áreas sombreadas acima da linha mostram o intervalo especificado de tensões de saída dentro do qual garante-se que se encontrae uma lógica de nível BAIXO ou ALTO, com o par de setas que indicam valores de saída típicos (BAIXO, ALTO) encontrados na prática. As áreas sombreadas abaixo da linha mostram a faixa de tensões de entrada que se garante que serão interpretadas como nível BAIXO ou ALTO, com a seta indicando a tensão lógica de *limiar* típica, ou seja, a linha divisória entre BAIXO e ALTO. Em todos os casos, um nível lógico ALTO é mais positivo do que um nível lógico BAIXO. A Tabela 10.1 e a Figura 10.26 fornecem informações adicionais sobre essas famílias, um assunto que veremos com mais detalhes no Capítulo 12.

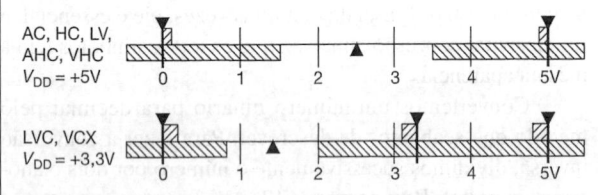

AC, HC, LV, AHC, VHC
$V_{DD} = +5V$

LVC, VCX
$V_{DD} = +3,3V$

FIGURA 10.2 Níveis lógicos de algumas famílias lógicas populares.

Os significados de "mínimo", "típico" e "máximo", nas especificações em eletrônica, merecem algumade explicação. Nesse caso, o Falando de forma simplesfabricante garante que os componentes se situarão no intervalo mínimo-máximo, com muitos perto do "típico". Esspecificações típicas são um guia aproximado para o projeto de circuitos; no entanto, esses circuitos devem funcionar corretamente em toda a faixa de especificações, do mínimo ao máximo (os extremos da variabilidade de fabricação). Um circuito bem projetado deve, especialmente, funcionar sob a pior combinação possível de valores mínimos e máximos. Isso é chamado de *projeto de pior caso* e é essencial para qualquer instrumento produzido a partir de componentes de prateleira (ou seja, não especialmente selecionados).

TABELA 10.1 Seleção de famílias lógicas

Família	Fabricantes	Tensão de alimentação (V_{CC}) mín (V)	Tensão de alimentação (V_{CC}) máx (V)	V_{in} máx	t_{pd} @ Vcc (ns, típico)	Vcc (V)	Encapsulamentos disponíveis DIP	SMT	1G, 2G
74HC00	9	2	6	V_{CC}	9	5	•	•	•
74AC00	5	3	6	V_{CC}	6	5	•	•	-
74AHC00	2	2	5,5	V_{CC}	3,7	5	•	•	•
74LV00	2	1,2[a]	5,5	5,5	3,6	5	•	•	•
74LVC00	4	1,7	3,6	5,5	3,5	3,3[b]	-	•	•
74ALVC00	3	1,7	3,6	3,6	2	3,3[c]	-	•	-
74AUC00	1	0,8	2,7	3,6	0,9	1,8	-	•	•

Notas: (a) apenas NXP (TI especifica para apenas 2 V). (b) 6 ns a 1,8 V. (c) 2,7 ns a 1,8 V.

A representação hexadecimal[7] é bastante adequada para a popular organização de computadores de "byte" (8 bits), normalmente organizados como "palavras" de computador de 16, 32 ou 64 bits; uma palavra é, então, de 2, 4 ou 8 bytes. Assim, em hexadecimal, cada byte é 2 dígitos hexadecimais, uma palavra de 16 bits é de 4 dígitos hexadecimal, etc. Por exemplo, as posições de memória em um microcontrolador com 65.536 ("64 K") bytes de memória podem ser identificadas por um endereço de 2 bytes, porque $2^{16} = 65.536$; o menor endereço em hexadecimal é 0000h (o "h" à direita significa hexa), o maior endereço é FFFFh, a segunda metade da memória começa em 8000h, e o último quarto da memória começa em C000h.

Um byte situado em algum lugar na memória do computador pode representar um número inteiro ou parte de um número. Mas pode representar também outras coisas: por exemplo, um caractere alfanumérico (letra, número ou símbolo) é comumente representado como um byte. Na representação ASCII amplamente utilizada (mais na Seção 14.7.8), a letra minúscula "a" é representada como o valor ASCII 01100001 (61h), "b" é 62h, etc. Assim, a palavra "nerd" pode ser armazenada em um par de palavras de 16 bits cujos valores em hexa são 6E65h e 7264h.

B. Decimal codificado em binário

Outra maneira de representar um número é codificar cada algarismo decimal em binário. Isto é chamado de decimal codificado binário (*binary-coded decimal*, BCD) e requer um grupo de 4 bits para cada dígito. Por exemplo,

$$137_{10} = 000100110111 \quad (BCD).$$

Note que a representação BCD *não* é a mesma que a representação binária, que, neste caso, seria $137_{10} = 10001001_2$. É possível pensar nas posições de bit (a partir da direita)

---
[7] As notações alternativas para um número hexadecimal (como $2C3_{16}$) são 2C3H, 2C3h, 2c3h e 0x2C3.

como representando 1, 2, 4, 8, 10, 20, 40, 80, 100, 200, 400, 800, etc. É claro que BCD é um desperdício de bits, uma vez que cada grupo de 4 bits poderia representar números de 0 a 15, mas BCD não representa números superiores a 9. No entanto, BCD é ideal se você deseja exibir um número em decimal, uma vez que é necessário apenas converter cada caractere BCD para o número decimal adequado e exibi-lo. Por essa razão, BCD é utilizado para entrada e saída de informação numérica. Infelizmente, a conversão entre binário puro e BCD é complicada, porque *cada* algarismo decimal depende do estado de quase todos os bits binários, e vice-versa. No entanto, a aritmética binária é tão eficiente, que a maioria dos computadores converte todos os dados de entrada para binário, convertendo de volta apenas quando os dados precisam estar na saída. Pense quanto esforço e preocupação teria sido poupado se o *Homo sapiens* tivesse evoluído com 8 (ou 16) dígitos.

Exercício 10.1   Converta para decimal: (a) 1110101.0110_2, (b) $11.01010101..._2$, (c) $2A_H$. Converta para binário: (a) 1023_{10}, (b) 1023_H. Converta para hexadecimal: (a) 1023_{10}, (b) 1011101101_2, (c) 61453_{10}.

C. Números sinalizados

Representação sinal-magnitude

Mais cedo ou mais tarde, torna-se necessário representar números negativos em binário, especialmente em dispositivos em que algum cálculo é feito. O método mais simples é dedicar um bit (o MSB, por exemplo) ao sinal, com os bits restantes representando a magnitude do número. Isso é chamado de "representação sinal-magnitude" e corresponde à maneira como os números sinalizados normalmente são escritos (veja a Tabela 10.2). Ela é usada quando os números são mostrados, bem como em alguns esquemas de ADCs. Em geral, não é o melhor método para representar números sinalizados (exceto para os números de ponto flutuante), especialmente quando algum cálculo é feito, por várias razões: o cálculo é complicado, e subtração é diferente de adição (isto é, a adição não "funciona" para números sinalizados). Além disso, não pode haver dois zeros (+0 e −0), então você tem que ter o cuidado de usar apenas um deles.

Representação de *offset* binário

Um segundo método para representar números sinalizados é o "*offset* binário", em que você subtrai a metade do maior número possível de obter o valor representado (Tabela 10.2). Isso tem a vantagem de que a sequência de números a partir do mais negativo até o mais positivo é uma progressão binária simples, o que o torna mais natural para "contadores" binários. O MSB ainda carrega as informações de sinal e o zero aparece apenas uma vez. O *offset* binário é popular em conversões A/D, mas ainda é difícil para cálculos.

Representação do complemento de 2

O método mais amplamente utilizado para o cálculo de número inteiro é chamado de "complemento de 2". Nesse sistema, números positivos são representados como um simples binário sem sinal. O sistema é manipulado de modo que um número negativo é, então, simplesmente representado como o número binário que você adiciona a um número positivo de mesma magnitude para obter zero. Para formar um número negativo, primeiro complemente cada um dos bits do número positivo (ou seja, escrever 1 para 0, e vice-versa, o que é chamado de "complemento de 1") e, em seguida, adicione 1 (que é o "complemento de 2").[8] Como você pode ver na Tabela 10.2, os números em complemento de 2 são relacionados aos números de *offset* binário tendo o MSB complementado. Tal como acontece com as outras representações de números sinalizados, o MSB carrega a informação do sinal. Há apenas um zero, convenientemente representado por todos os bits 0 ("limpar" um contador ou registrador define seu valor em zero). Devido ao sistema de complemento de 2 ser natural para a computação (ou seja, ele permite aos computadores tratar inteiros negativo e positivo da mesma forma), ele é universalmente utilizado para a aritmética de números inteiros em computadores.[9]

TABELA 10.2   Inteiros sinalizados de 4 bits em três sistemas de representação

Inteiro	Sinal-magnitude	Offset binário	Complemento de 2
+7	0111	1111	0111
+6	0110	1110	0110
+5	0101	1101	0101
+4	0100	1100	0100
+3	0011	1011	0011
+2	0010	1010	0010
+1	0001	1001	0001
0	0000	1000	0000
-1	1001	0111	1111
-2	1010	0110	1110
-3	1011	0101	1101
-4	1100	0100	1100
-5	1101	0011	1011
-6	1110	0010	1010
-7	1111	0001	1001
-8	-	0000	1000
(-0)	1000	-	-

---

[8] Ou você pode simplesmente pensar nisso como o antigo plano binário (sem sinal), mas com o MSB representando o negativo do seu valor habitual.

[9] Note, no entanto, que os números de "ponto flutuante" normalmente são representados em uma forma de "sinal-magnitude", ou seja, sinal-expoente-mantissa.

D. Aritmética em complemento de 2

A aritmética é simples em complemento de 2. Para adicionar dois números, basta adicionar bit a bit (com *carry*), da seguinte forma:

5+(−2)=3:

$$\begin{array}{rr} 0101 & (+5) \\ +1110 & (-2) \\ \hline 0011 & (+3) \end{array}$$

Para subtrair B de A, tome o complemento de 2 de B e adicione (ou seja, adicione o negativo):

2−5=−3:

$$\begin{array}{rr} 0010 & (+2) \\ +1011 & (-5) \\ \hline 1101 & (-3) \end{array}$$

(Note neste último exemplo que $+5 = 0101$, de modo que o seu complemento de 1 é 1010 e seu complemento de 2 é $-5 = 1011$). A multiplicação também "funciona bem" em representação do complemento de 2. Tente os seguintes exercícios.

Exercício 10.2 Multiplique $+2$ por -3 em aritmética binária do complemento de 2 de 3 bits. *Dica*: a resposta é -6.

Exercício 10.3 Mostre que o complemento de 2 de -5 é $+5$.

Como um número inteiro de n bits pode representar apenas 2^n números, você pode obter transbordamento (*overflow*) ou transbordamento negativo (*underflow*) quando adicionar ou subtrair dois números de tamanho de palavra fixo. Para ser preciso, um inteiro sem sinal de n bits pode assumir valores de 0 a $2^n - 1$, e um inteiro sinalizado em complemento de 2 de n bits pode assumir valores de -2^{n-1} a $+2^{n-1} - 1$. Para inteiros de 8 bits, esses intervalos são de 0 a 256 e -128 a $+127$. Para determinar se ocorreu *overflow* em uma soma sem sinal (e, portanto, está incorreta), basta observar se foi gerado um *carry* do MSB. Para números sinalizados em complemento de 2, o critério análogo é um pouco estranho: se o bit de sinal (o MSB) for alterado *pelo carry* (ou seja, se um *carry* de entrada no MSB não for equilibrado por um carry de saída, ou vice-versa), o resultado está incorreto.

Exercício 10.4 Verifique este critério improvável fazendo uma adição de complemento de 2 de cada um dos seguintes pares de números sinalizados, assumindo um tamanho de palavra de 4 bits: $7 + (-6)$; $7 + 7$; $7 + 4$; $-7 + (-8)$. Em seguida, repita as mesmas somas com um tamanho de palavra de 5 bits, na qual todas as respostas devem se encaixar.

E. Código Gray

O código a seguir é usado para encoders mecânicos lineares e rotativos e para determinados ADCs, entre outras coisas.

Ele é chamado de código Gray[10] e tem a propriedade de que apenas um bit se altera de um estado para o outro. Isso impede códigos incorretos nas transições, o que, de outro modo, produziria erros, porque não há qualquer maneira de garantir que todos os bits mudarão simultaneamente na fronteira entre dois valores codificados. Se fosse usado o binário puro, seria possível gerar uma saída 7 indo de 3 a 4, por exemplo. Aqui está uma regra simples para a geração de estados do código Gray: comece com um estado em que todos os bits são zero. Para chegar ao próximo estado, sempre mude o único bit menos significativo que o leva para um novo estado.

Estado	Binário	Gray
0	000	000
1	001	001
2	010	011
3	011	010
4	100	110
5	101	111
6	110	101
7	111	100

A Figura 10.3 mostra como um *encoder* de ângulo de código Gray elimina falsos códigos nas transições. Códigos Gray podem ser gerados com qualquer número de bits. Eles também encontram uso na "codificação em paralelo" (também chamada de *conversão flash*), uma técnica de conversão A/D de alta velocidade que veremos mais adiante. Falaremos sobre a conversão entre as representações de código Gray e código binário na próxima seção (incluindo uma implementação com portas na Figura 10.10).

10.1.4 Gates e Tabelas-Verdade

A. Lógica combinacional *versus* sequencial

Em eletrônica digital, circuitos geram saídas digitais a partir de entradas digitais. Por exemplo, um *somador* pode ter dois números de 16 bits como entradas e gerar uma soma de 16 bits (mais *carry*). Ou você pode construir um circuito para multiplicar dois números. Esses são os tipos de operações que a unidade de processamento de um computador deve ser capaz de executar. Outra tarefa poderia ser a de comparar dois números para ver qual é maior, ou comparar um conjunto de entradas com a entrada desejada para se certificar de que "todos os sistemas estão funcionando". Ou talvez você queira calcular um "bit de paridade" e anexá-lo a um número para tornar o número total de 1s par, digamos, antes da trans-

---

[10] Frank Gray, do Bell Telephone Laboratories, recebeu uma patente para a *Modulação por Codificação de Pulso* em 1953. Ele divulgou um "código estranho" para a conversão A/D, que denominou "código binário refletido", mas conhecido posteriormente como código Gray. No entanto, esses foram evidentemente descobertos mais cedo por ninguém menos que Emile Baudot (a partir do qual se deriva o "baud"), que os usava em telegrafia em 1878.

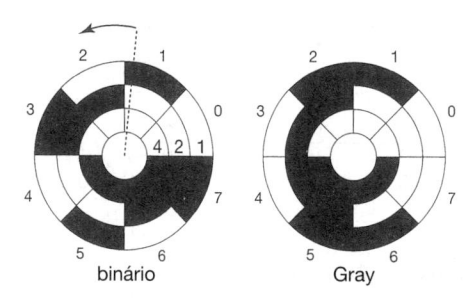

FIGURA 10.3 Duas versões de um *encoder* de ângulo de 3 *bits*. Setores brancos ou pretos representam 0 ou 1 para cada um dos três *bits* codificados (valor de 4, 2 e 1 para a codificação binária). A codificação binária é propensa a erros em transições como 1→2 (mostrado), em que mais de um bit deve alterar simultaneamente; o código Gray contorna esse problema.

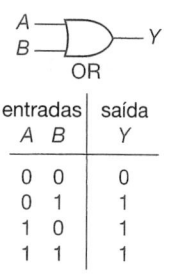

FIGURA 10.4 Porta OR de 2 entradas e tabela-verdade.

missão em um enlace de dados; em seguida, a paridade pode ser verificada no momento da recepção como uma simples verificação de transmissão correta. Outra tarefa típica é tomar alguns números expressos em binário e exibi-los ou imprimi-los como caracteres decimais. Todas essas são tarefas em que a saída ou as saídas são funções pré-determinadas da entrada ou das entradas. Como uma classe, essas tarefas são conhecidas como *combinacionais*[11]. Todos elas podem ser realizadas com dispositivos chamados *portas*, que realizam as operações de álgebra booleana aplicada a sistemas de dois estados (binários).

Há uma segunda classe de problemas que não podem ser solucionados fazendo apenas uma função combinacional das entradas, mas requerem o conhecimento das entradas anteriores também. Essas soluções requerem o uso de circuitos *sequenciais*. As tarefas típicas desse tipo de circuito podem ser convertidas em uma sequência de bits em formato serial (um após o outro) em um conjunto em paralelo de bits, ou fazendo a contagem do número de 1s em uma sequência, ou reconhecendo um certo padrão em uma sequência, ou dando um pulso de saída para cada quatro pulsos de entrada, ou controlando o estado de um sistema conforme o tempo passa. Todas essas tarefas exigem memória digital de algum tipo. O dispositivo básico aqui é o *flip-flop* (o nome bonito é "multivibrador biestável").

Começamos com portas e lógica combinacional, pois elas são a base de tudo. A vida digital se tornará mais interessante quando chegarmos aos dispositivos sequenciais, mas não será menos divertido trabalhar apenas com portas lógicas.

B. Porta OR

A saída de uma porta OR (OU) é nível ALTO se qualquer uma das entradas (ou ambas) for nível ALTO. Isso pode ser expresso em uma *tabela-verdade*, como mostrado na Figura 10.4. A porta ilustrada é uma porta OR de 2 entradas. Em geral, as portas podem ter qualquer número de entradas, mas, quando encapsuladas sob a forma de CIs de "lógica padrão", você obtém de uma a quatro portas em um único encapsulamento de CI.[12] Por exemplo, uma porta OR de 4 entradas terá uma saída de nível ALTO se uma entrada (ou mais de uma) for nível ALTO.

O símbolo booleano para OR é +. "A OR B" é escrito como A + B (em texto), ou como A | B (em linguagens de codificação Verilog ou C).

C. Porta AND

A saída de uma porta AND (E) é nível ALTO somente se ambas as entradas forem nível ALTO. O símbolo lógico e a tabela-verdade são conforme mostrado na Figura 10.5. Assim cormo com as portas OR, as portas AND estão disponíveis com 3 ou 4 entradas (às vezes, mais). Por exemplo, uma porta AND de 8 entradas terá uma saída de nível ALTO somente se *todas* as entradas forem nível ALTO.

O símbolo booleano para AND é um ponto (·); ele pode ser omitido, e geralmente é. "A AND B" é escrito $A \cdot B$, ou simplesmente AB (no texto), ou como A & B (em Verilog ou C).

D. Inversor (a função NOT)

Frequentemente precisamos do complemento de um nível lógico. Essa é a função de um inversor, uma "porta" com apenas uma entrada (Figura 10.6).

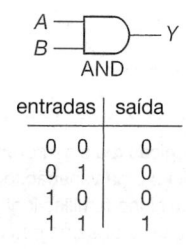

FIGURA 10.5 Porta AND de 2 entradas e tabela-verdade.

---

[11] Às vezes, chamadas de combinatórias.

[12] A alternativa à lógica padrão é a "lógica programável", na qual você pode construir o seu próprio circuito de portas, até centenas de milhares dentro de um único CI de baixo custo. Teremos muito a dizer sobre isso mais adiante neste capítulo, começando na Seção 10.5.4, e em detalhes no Capítulo 11.

FIGURA 10.6 Inversor (porta NOT) e tabela-verdade.

A	Y
0	1
1	0

O símbolo booleano para NOT é uma barra sobre o símbolo, ou, às vezes, o símbolo de plica ('). "NOT A" é escrito $\overline{A}$ ou A'. Para a conveniência do equipamento de impressão, os símbolos /, * – e ' são, muitas vezes, utilizados no lugar da barra superior para indicar NOT; assim, "NOT A" pode ser escrito em uma das seguintes formas: A', $-A$, $*A$, $/A$, $A*$, $A/$. Um dado documento normalmente escolherá uma dessas alternativas e manterá o seu uso em todo o documento. Escolhemos a forma A' para este livro. Em linguagens codificadas, NOT é estrito como ! ou ~.

Um aparte: tempo de propagação

No mundo real, dispositivos lógicos como portas e inversores não operam instantaneamente quando sofrem uma alteração no nível lógico de entrada: é preciso um *tempo de propagação* (t_p) para essa alteração ir da entrada para a saída. A Figura 10.7 mostra formas de onda reais a partir de um osciloscópio de saídas de inversor de cinco famílias lógicas, quando acionadas com um pulso ativo baixo de 15 ns. As famílias lógicas de baixa tensão mais recentes (74AUC, 74AVLC) são as mais rápidas, com tempos de propagação de 2 ns ou menos.

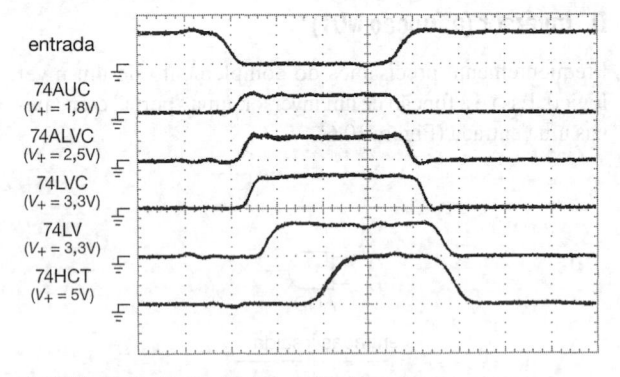

FIGURA 10.7 Portas lógicas reais demoram alguns nanossegundos para responder a uma variação lógica na entrada. Acionamos inversores de cinco famílias lógicas populares com o pulso ativo BAIXO "entrada" e observamos os resultados mostrados. A família mais lenta (74HCT, acionada com uma variação de 5 V) apresenta atrasos de 9 ns e 5 ns a partir das bordas anterior e posterior, respectivamente, resultando em uma largura de pulso de saída encurtada. Vertical: 5 V/div; Horizontal: 4 ns/div.

FIGURA 10.8 NAND, NOR e tabelas-verdade.

NAND:
A	B	Y
0	0	1
0	1	1
1	0	1
1	1	0

NOR:
A	B	Y
0	0	1
0	1	0
1	0	0
1	1	0

E. NAND e NOR

A função de INVERSOR pode ser combinada com portas, formando NAND e NOR (Figura 10.8), que são um pouco mais populares do que AND e OR (porque, tendo uma inversão, elas podem ser transformadas em qualquer uma das outras portas, como veremos em breve).

F. Exclusive-OR

Exclusive-OR (EX-OR) é uma função interessante, embora menos fundamental do que AND e OR (Figura 10.9). A saída de uma porta EX-OR é nível ALTO se uma ou a outra entrada (mas não ambas) for nível ALTO (ela nunca[13] possui mais de duas entradas). Outra maneira de dizer isso é que a saída é nível ALTO se as entradas são diferentes. A porta EX-OR é idêntica à adição de módulo 2 de dois bits. O símbolo booleano para EX-OR é $\oplus$. "A EX-OR B" é escrito como A $\wedge$ B (em Verilog ou C).[14]

Exercício 10.5 Mostre como utilizar a porta EX-OR como um "inversor opcional", isto é, ele inverte um sinal de entrada ou apenas funciona como um *buffer* sem inversão, dependendo do nível em uma entrada de controle.

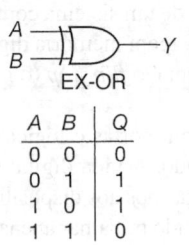

FIGURA 10.9 EX-OR e tabela-verdade.

A	B	Q
0	0	0
0	1	1
1	0	1
1	1	0

---

[13] Bem, quase nunca: o '1G386 afirma ser uma "porta EX-OR de 3 entradas", mas diríamos que é um gerador de paridade de 3 entradas.

[14] Todavia, o símbolo ^ é usado, provavelmente porque ele passa a ser incluído nos teclados padrão. No texto, usa-se o símbolo mais agradável de uma "cunha" $\wedge$, ignorando as críticas dos puristas da linguagem C.

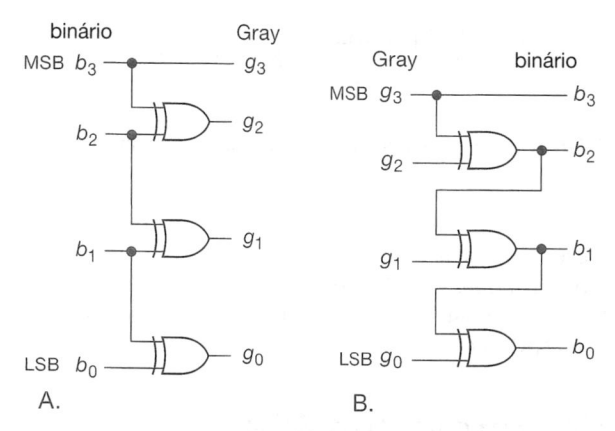

FIGURA 10.10 Conversores de código em paralelo: de binário para Gray e de Gray para binário.

	AND	OR	NOT	XOR
Em texto	A B	A + B	$\overline{A}$	A ⊕ B
ABEL	A & B	A # B	! A	A $ B
Verilog	A & B	A | B	~A	A ∧ B
VHDL	A and B	A or B	not A	A xor B

FIGURA 10.11 Sintaxe para operações lógicas, conforme expressas em linguagens de descrição de hardware ou em texto. Para estes operadores, a linguagem CUPL compartilha os mesmos símbolos com a linguagem ABEL; do mesmo modo para C e Verilog. Símbolos alternativos para uso em texto são os seguintes: para A·B; para NOT, qualquer um dos seguintes: A′, A*, *A, /A, A/, −A.

Exercício 10.6 Verifique se os circuitos na Figura 10.10 convertem do código binário para o código Gray, e vice-versa.

G. Lógica básica: linguagem de descrição de hardware

Até agora, utilizamos *símbolos esquemáticos* para a lógica básica de portas. No entanto, quando você usa dispositivos lógicos *programáveis* (PLDs: Capítulo 11) em vez da lógica padrão pré-fabricada, as funções lógicas que você deseja implementar têm que entrar como texto. Isso é feito em uma *linguagem de descrição de hardware* (*hardware description language*, HDL), com nomes como Verilog ou VHDL. Em seguida, um software converte essas expressões, criando um arquivo que é usado para programar a parte real (ou, para aplicações de grande volume, para criar um CI "totalmente personalizado"). A nomenclatura apresentada na Figura 10.11 mostra como essas operações lógicas básicas são expressas nas várias linguagens de programação utilizadas para dispositivos lógicos programáveis e CIs personalizados.

Como um exemplo simples, a lógica de conversão de Gray para binário mostrada esquematicamente na Figura 10.10B poderia ser escrita em Verilog HDL (seguindo algumas declarações enfadonhas) como:

```
assignb3 = g3;
assignb2 = g2 ∧ g3;
assignb1 = g1 ∧ (g2 ∧ g3);
assignb0 = g0 ∧ (g1 ∧ (g2 ∧ g3));
```

10.1.5 Circuitos Discretos Para Portas

Antes de discutir as aplicações das portas, veremos como construir portas a partir de componentes discretos. A Figura 10.12 mostra uma porta AND com diodos. Se qualquer entrada for mantida em nível BAIXO, a saída será nível BAIXO. A saída pode ir para nível ALTO apenas quando as duas entradas forem para nível ALTO. Esse circuito funciona, mas tem muitas desvantagens. Em particular: (a) sua saída de nível BAIXO é uma queda de diodo acima do sinal segurando a entrada em nível BAIXO – obviamente você não poderia usar muitos deles em uma linha!; (b) não há "*fan-out*" (a capacidade de uma saída de acionar várias entradas), uma vez que qualquer carga na saída é vista pelo sinal na entrada; (c) é lento, por causa do *pull-up* resistivo.

A Figura 10.13 mostra como corrigir algumas dessas desvantagens usando um par de chaves a transistor *npn* para fazer uma porta NOR, seguidas de um inversor para torná-la uma porta OR.[15] Um nível ALTO em qualquer entrada (ou em ambas) liga pelo menos um dos transistores de entrada, puxando seu nível BAIXO de saída para o comum. Uma vez que essa parte da porta é intrinsecamente inversora (é uma NOR), você adiciona um inversor, como mostrado, para torná-la uma porta OR de 2 entradas (não inversora).

Os circuitos lógicos usando transistores bipolares foram quase totalmente substituídos por circuitos MOS. A Figura 10.14 mostra o circuito de porta NOR/OR análogo, com chaves a transistor MOS canal *n* substituindo as chaves

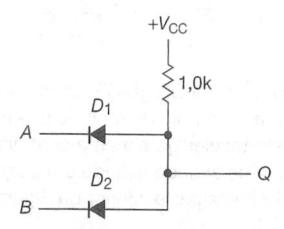

FIGURA 10.12 Porta AND com diodos.

---
[15] Este circuito foi utilizado na família lógica conhecida como RTL (lógica resistor-transistor), que foi popular na década de 1960 por causa de seu baixo custo, mas agora está completamente obsoleto.

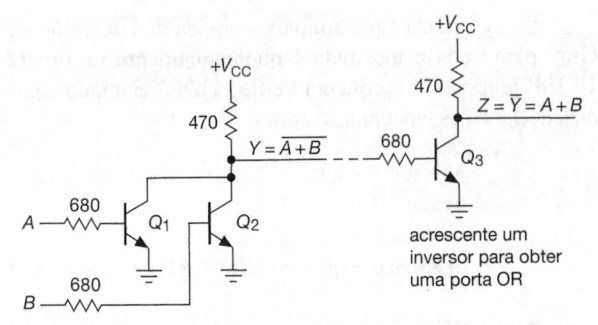

FIGURA 10.13 Lógica resistor-transistor: estágio de entrada NOR, seguido por um inversor para obter uma porta OR de 2 entradas.

npn bipolares da Figura 10.13. A implementação MOS tem a vantagem de não necessitar de corrente de entrada (embora a capacitância de entrada signifique que você tem que fornecer corrente durante as transições de entrada). Mas ainda apresenta alguns inconvenientes, tais como a velocidade de comutação limitada e dissipação de potência significativa (devido aos *pull-up* serem resistivos). Ambos os problemas são astutamente resolvidos com o uso de transistores MOS complementares ("CMOS") em um arranjo *push-pull*, como discutimos anteriormente na Seção 3.4.4A.

Embora os circuitos de porta discretos há pouco ilustrados sejam simples de entender, você não os usaria na prática por causa de suas desvantagens. De fato, exceto em raras circunstâncias,[16] você nunca construiria portas (ou qualquer outra lógica) a partir de componentes discretos, visto que uma gama completa de lógica excelente está disponível como CIs baratos e compactos, como veremos em breve. Atualmente, quase todos os circuitos lógicos dos CIs são construídos com MOSFETs complementares (CMOS). Consulte a Figura 3.91 para se lembrar de como faria uma porta NAND CMOS.

10.1.6 Exemplo de Porta Lógica

Vamos montar um circuito para realizar a lógica que demos como exemplo nos Capítulos 1 e 2: a tarefa é soar um alarme se qualquer porta do carro estiver aberta e o motorista estiver sentado. A resposta é óbvia, se você reformular o problema como "a saída será nível ALTO se a porta esquerda ou se a porta direita estiver aberta e o motorista estiver sentado", isto é, $Q = (L + R)S$. A Figura 10.15 mostra o circuito com as portas. A saída da porta OR é nível ALTO se uma das portas do carro (ou ambas) estiver aberta. Se for assim, e o motorista estiver sentado, Q vai para nível ALTO. Com um transistor adicional, o alarme sonoro poderia ser acionado ou um relé poderia ser fechado.[17]

Na prática, as chaves que geram as entradas provavelmente fecharão um circuito para o terra, para economizar fiação adicional (entre outras razões). Isso significa, por exemplo, que as entradas vão para nível BAIXO quando uma porta é aberta. Em outras palavras, temos entradas que são "ativo-BAIXO". RefaçamosVamos refazer o exemplo com isso em mente, chamando as entradas L', R' e S'.

Primeiro, precisamos saber se alguma das entradas da porta do carro (L', R') é nível BAIXO; ou seja, é preciso distinguir o estado "ambas as entradas em nível ALTO" de todos os outros. Isso é uma porta AND. Assim, fazemos de L' e R' as entradas para uma porta AND. A saída será nível BAIXO se qualquer entrada for nível BAIXO; essa é a saída QUALQUER'. Agora precisamos saber quando QUALQUER' é nível BAIXO e S' é nível BAIXO; ou seja, é preciso distinguir o estado "ambas as entradas em nível BAIXO" de todos os

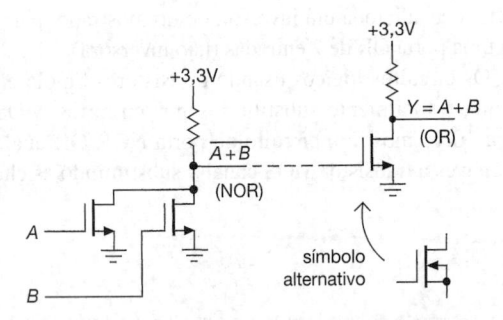

FIGURA 10.14 Uma porta OR nMOS. Os projetistas de circuito digital simplificam o símbolo do MOSFET, sempre omitindo o terminal de substrato; eles geralmente centralizam a porta também e indicam a polaridade usando um pequeno círculo na porta, como se mostra na parte inferior da Figura 3.6.

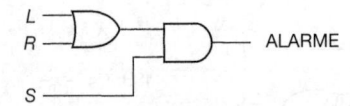

FIGURA 10.15 Exemplo da porta do carro: níveis ativo-ALTO.

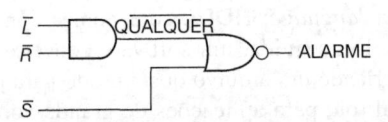

FIGURA 10.16 Exemplo da porta do carro: os níveis ativo-BAIXO causam confusão.

---

[16] Em algumas aplicações industriais e de consumo, em que robustez e simplicidade são importantes, você encontrará circuitos como o da Figura 10.13, construídos a partir de componentes discretos. Para esse efeito, você pode obter transistores com resistores de base integrados (ou divisor de base); esses são chamados de "transistores com resistor de polarização" (*bias resistor transistor*, BRTs)", transistores pré-polarizados" ou, às vezes, "transistores digitais". Eles têm um custo muito baixo, de até 2 centavos de dólar cada em grande quantidade. Eles são feitos por empresas como a ON Semiconductor, a Diodes Inc e a Rohm.

[17] Este circuito de porta especial pode ser implementado em um pequeno encapsulamento minilogic, como um 74LVC1G3208; ele é chamado de "porta OR-AND positiva de 3 entradas". Mas não espere este nível de serviço para todas as suas necessidades de circuito de porta.

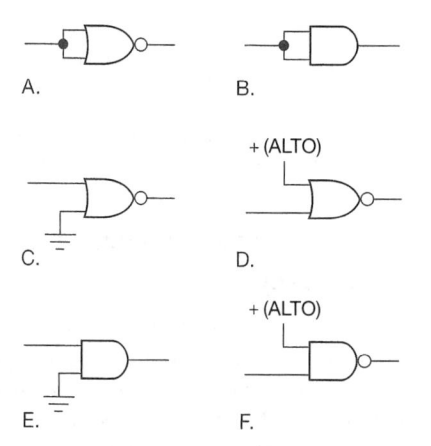

FIGURA 10.17 Configurações de porta para o Exercício 10.7.

outros. Isso é uma porta OR. A Figura 10.16 mostra o circuito. Usamos uma porta NOR, em vez de uma porta OR, para obter o mesmo resultado como antes, ou seja, a saída Q é nível ALTO quando a condição desejada está presente. No entanto, algo estranho parece estar acontecendo aqui. Usamos AND em vez de OR (e vice-versa), em comparação com o circuito anterior. A Seção 10.1.7 deve esclarecer o assunto. Primeiro, no entanto, considere o seguinte exercício.

Exercício 10.7 O que os circuitos mostrados na Figura 10.17 fazem?

A. Permutabilidade de porta

Ao projetar circuitos digitais, tenha em mente que é possível obter um tipo de porta a partir de outra. Por exemplo, se você precisar de uma porta AND e tem metade de um 74LVC00 disponível (quatro NANDs de 2 entradas), pode substituir, como mostrado na Figura 10.18. A segunda NAND funciona como um inversor, fazendo uma AND. Os seguintes exercícios devem ajudá-lo a explorar essa ideia.

Exercício 10.8 Usando portas de 2 entradas, mostre como fazer (a) INVERSOR a partir de NOR, (b) OR a partir de NORs e (c) OR a partir de NANDs.

Exercício 10.9 Mostre como fazer (a) uma AND de 3 entradas a partir de ANDs de 2 entradas, (b) uma OR de 3 entradas a partir de ORs de 2 entradas, (c) NOR de 3 entradas a partir de NANDs de 2 entradas e (d) AND de 3 entradas a partir de NANDs de 2 entradas.

Em geral, o uso múltiplo de um tipo de porta inversora (por exemplo, NAND) é suficiente para fazer qualquer função combinacional. No entanto, isto não é verdade para uma

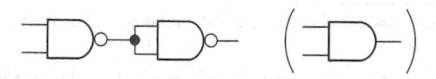

FIGURA 10.18 Exemplo para uma porta de carro: níveis ativo-ALTO.

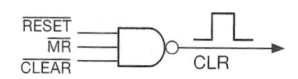

FIGURA 10.19 Notação confusa para a função OR de sinais ativos em nível BAIXO.

porta sem inversão, porque não existe nenhuma maneira de fazer um INVERSOR. Isso provavelmente contribui para a maior popularidade de NAND e NOR em projeto de lógica.

10.1.7 Notação de Nível Lógico Ativo

Uma porta AND tem uma saída de nível ALTO se ambas as entradas são nível ALTO. Assim, se ALTO significa "verdadeiro", você obtém uma saída verdadeira somente se todas as entradas são verdadeiras. Em outras palavras, com a lógica ativa em nível ALTO, uma porta AND executa a função AND. O mesmo vale para OR.

O que acontece se o nível BAIXO significar "verdadeiro", como no último exemplo? Uma porta AND produz um nível BAIXO se qualquer entrada for verdadeira (BAIXO): isso é uma função OR! Da mesma forma, uma porta OR produz um nível BAIXO somente se ambas as entradas são verdadeiras (BAIXO). Isso é uma função de AND! Muito confuso.

Existem duas maneiras de lidar com esse problema. A primeira maneira é pensar em qualquer problema de projeto digital como fizemos anteriormente, escolhendo o tipo de porta que dá a saída necessária. Por exemplo, se você precisa saber se qualquer uma de três entradas é nível BAIXO, use uma porta NAND de 3 entradas. Esse método ainda é usado por alguns projetistas equivocados. Ao projetar dessa forma, você desenharia uma porta NAND, mesmo que a porta esteja executando uma função NOR sobre as entradas (ativas em nível BAIXO). Você provavelmente identificaria as entradas como na Figura 10.19. Neste exemplo, CLEAR', MR' (reset mestre) e RESET' podem ser ativas em nível BAIXO vindo de vários pontos em um circuito. A saída, CLR, é ativa em nível ALTO e vai para os dispositivos que devem ser inicializados se *qualquer* um dos sinais de reset for para nível BAIXO (verdadeiro).

A segunda maneira de lidar com o problema de sinais ativos em nível BAIXO é usar a "notação de nível lógico ativo". Se uma porta executa uma função OR sobre as entradas ativas em nível BAIXO, desenhe-a dessa forma, como na Figura 10.20. A porta OR de 3 entradas com entradas negadas é funcionalmente idêntica à NAND anterior de 3 entradas. Essa equivalência acaba por ser uma identidade lógica importante, tal como indicado no teorema de DeMorgan, e

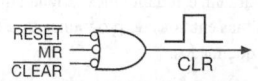

FIGURA 10.20 Use "pequenos círculos" inversores de entrada para entradas ativas em nível BAIXO.

enunciaremos uma série de tais identidades úteis em breve. Por ora, basta saber que você pode mudar de AND para OR (e vice-versa) se negar (inverter) a saída e todas as entradas (veja a Tabela 10.3). A notação de nível lógico ativo parece, a princípio, desagradável, por causa da proliferação de portas de aparência engraçada. No entanto, isso é melhor, porque as funções lógicas das portas no circuito se destacam claramente. Você as achará amigáveis depois de usá-las por um tempo e não irá querer usar outra coisa.

Vamos refazer o exemplo para uma porta de carro novamente com a notação de nível lógico ativo (Figura 10.21). A porta do lado esquerdo determina se L ou R é verdadeiro, ou seja, nível BAIXO, dando uma saída ativa em nível BAIXO. A segunda porta dá uma saída de nível ALTO se ambas ($L + R$) e S são verdadeiras, ou seja, nível BAIXO. A partir do teorema de DeMorgan (depois de algum tempo, você nem precisará mais dele, pois reconhecerá essas portas como equivalentes), a primeira porta é uma AND e a segunda é uma NOR, assim como no circuito desenhado anteriormente. Dois pontos importantes.

1. Ativo em nível BAIXO (ou BAIXO-verdadeiro) é, às vezes, chamado de "negativo-verdadeiro", mas isso não significa que os níveis lógicos são de *polaridade negativa*.[18] Isso significa que o menor dos dois estados (BAIXO) quer dizer VERDADEIRO.
2. O símbolo utilizado para desenhar a própria porta supõe a lógica ativa em nível ALTO. Uma porta AND usada como uma OR para sinais ativos em nível BAIXO poderia ser desenhada como uma NAND, ou (melhor) usando a notação de nível lógico ativo, como uma OR com símbolos de negação (pequenos círculos) nas entradas. Neste último caso, você pensa nos pequenos círculos como indicadores de inversão dos sinais de entrada, seguidos por uma porta OR operando sobre em níveis lógicos de entrada ativos em nível ALTO como definido originalmente.[19]

Você pode se perguntar por que não deveria apenas simplificar, fazendo todos os seus projetos com a notação de nível lógico ativo em nível ALTO. Em alguns casos, você está limitado pelos níveis lógicos definidos pelos próprios componentes (por exemplo, o uso comum de uma entrada de reset ativo em nível BAIXO em um microcontrolador); e, em outras situações (como as chaves da porta do carro), é melhor, eletricamente, conectar o terminal comum ao terra. Em todo caso, você tem que ser capaz de analisar os sistemas digitais repletos de sinais ativos em nível ALTO e em nível BAIXO.

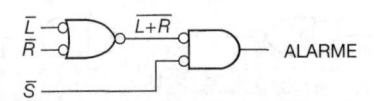

FIGURA 10.21 Reedição do circuito da porta do carro: a notação de nível lógico ativo corrige a confusão da Figura 10.16.

10.2 CIRCUITOS INTEGRADOS DIGITAIS: CMOS E BIPOLAR (TTL)

Funções lógicas digitais são implementadas em CIs de hardware, seja como *lógica padrão* (pequena escala) (por exemplo, as portas 74xx que vimos), ou como *lógica programável* (por exemplo, um FPGA – arranjo de portas programáveis em campo; Seção 11.2.3), ou como um CI de uma aplicação específica totalmente personalizada (ASIC, ou ASSP[20]; por exemplo, um processador de gráficos). Visto que este livro destina-se principalmente a projetistas de *circuitos* (em oposição a projetistas de *chips*[21]), não discutiremos o projeto dos CIs em si.

CMOS domina a tecnologia de CIs digitais atuais, tendo, em grande parte, substituído a lógica bipolar anterior ("TTL"). CMOS é mais rápido, mais bem adaptado para operação em baixa tensão de alimentação e consome menos potência. Existem diversas famílias dentro do CMOS (e também dentro do bipolar); elas oferecem as mesmas funções lógicas, e as diferenças têm a ver, principalmente, com a velocidade, a tensão de alimentação e a capacidade de acionamento de saída. Há mais de meia dúzia de fabricantes de lógica digital, com muita duplicação ("licenciamento da produção para outros fabricantes"). Por exemplo, você pode obter um CI com quatro NANDs de 2 entradas na popular família LVC (o seu número de identificação é 74LVC00) de cinco fabricantes, e o semelhante 74LCX00 pode ser obtido de três outros fabricantes.

Discutimos essas escolhas de famílias em detalhe nas Seções 10.2.2 e 12.1.1. Porém,C como uma prévia, e para ter uma noção do avanço da tecnologia, dê uma olhada na Figura 10.22, que mostra o ciclo de vida da maior parte das importantes famílias lógicas digitais. Os dias da lógica Bipolar estão contados (exceto para BiCMOS – lógica CMOS com saída bipolar – e também para algumas famílias especiais, tais como a rápida ECL).

Sem entrar em detalhes agora (veja a Seção 12.1.1), gostaríamos de sugerir, na maioria dos casos, tanto a veterana família HC(T) como a mais recente (e mais rápida) família LVC/LVX. A primeira está amplamente disponível, tem uma enorme variedade de funções lógicas e inclui dispositivos PTH (encapsulamento DIP – *dual in-line package*), bem como SMD (dispositivo de montagem em superfície);

---

[18] Uma confusão que pode levar a danos reais: emprestamos um sintetizador de frequência digital para um estudante inexperiente, que leu o manual e, em seguida, aplicou −5 V nas entradas de programação. Ele passou muitos dias substituindo circuitos queimados.

[19] Obviamente, AND e OR não devem ser confundidas com os equivalentes *legais*.

[20] *Application-Specific Standard Product* (Produto Padrão de Aplicação Específica.)

[21] Às vezes, você ouve os termos projeto em *nível de placa* e e projeto em *nível de chip*.

FIGURA 10.22 Ciclo de vida de famílias lógicas em um momento no início do terceiro milênio. CMOS está em ascendência, bipolar em declínio. Fizemos esta figura vendo os números análogos da NXP, da TI e outros fabricantes; verificando estoque nos distribuidores; e considerando as nossas preferências próprias.

esta última é mais rápida e otimizada para desempenho em tensões de alimentação mais baixas, mas disponível apenas em SMT.

10.2.1 Catálogo de Portas Comuns

A Tabela 10.3 mostra as portas comuns que você pode obter como lógica digital padrão. Cada porta é desenhada em sua forma normal (entradas ativas em nível ALTO) e também na forma coma a vemos para entradas ativas em nível BAIXO. Essas funções estão disponíveis em encapsulamentos tradicionais de 14 ou 16 pinos, com múltiplas portas por encapsulamento (limitada pela contagem total de pinos); elas também estão disponíveis individualmente em minúsculos encapsulamentos.[22] A Figura 10.23 mostra o aspecto desses encapsulamentos, indo desde o tradicional DIP até o minúsculo encapsulamento CSP (*chip-scale package*) "grão de areia" no canto inferior direito; você poderia encaixar os dois últimos dispositivos bem entre quaisquer dois terminais do DIP tradicional!

Para especificar totalmente uma dessas portas, você poderia formar um número de identificação começando com 74 e, em seguida, adicionar as várias letras (como LVC, para CMOS de baixa tensão) para especificar a família e, em seguida, os números que designam a função (como 08, para AND de 2 entradas). Além disso, você+ acrescentaria alguns sufixos para especificar encapsulamento e faixa de temperatura, e talvez um prefixo como "SN" para especificar o fabricante: eis um SN74LVC08ADR, que tem quatro portas

---

[22] Em um tipo curioso de inversão, os números de identificação são mais curtos para os dispositivos maiores, e vice-versa. Aqui está um exemplo: uma porta NAND de 2 entradas, encapsulada como um CI de 4 portas em um encapsulamento de 14 pinos, tem o número da identificação SN74LVC00DR; a mesma função, encapsulada individualmente em um encapsulamento de 5 pinos, é denominada SN74LVC1G00MDBVREP. (A porção "1G" especifica o que chamaremos de "minilogic" – o encapsulamento de unidades lógicas individuais em encapsulamentos pequenos de poucos pinos.)

FIGURA 10.23 Uma seleção de encapsulamentos de lógica digital; todos são de montagem em superfície, exceto o DIP-16 na parte superior esquerda. Linha superior, da esquerda para a direita: DIP-16, SOIC-16, SSOP-16, TSSOP-16, QFN-16. Linha do meio: TQFP-48, SOIC-8, SSOP-8, SOT-23-8, US-8, WCSP-8 (DSBGA-8: *die-size ball-grid array*). Linha inferior (duas amostras cada): SOT-23-6, SOT-23-5, SC-70, SOT-533, WCSP-5 (DSBGA- 5).

AND de 2 entradas da família LVC, em carretéis de 2.500 dispositivos, encapsulados em SOIC (CI de perfil baixo) de 14 pinos de faixa de temperatura de −40°C a +125°C, fabricados pela Texas Instruments. Para simplificar, rotineiramente omitimos a maior parte desses detalhes, indicando os tipos de CIs digitais com um apóstrofo, por exemplo, '08 para uma função AND de 2 entradas; em situações em que importa o tipo de família, adicionamos a designação da família, por exemplo, 'LVC08.

A. Uma porta "universal"?

A Figura 10.24 mostra um truque interessante: um pequeno dispositivo de 6 pinos (denominado '1G97), cujo pequeno

TABELA 10.3 Portas lógicas padrão em famílias populares

Função	Símbolo Ent. ativas em nível H / Ent. ativas em nível L	Designador[a]	Entradas	Saída[b]	AUC	AUP	ALVC	LVC	LCX	LVX	LV	AHC(T)	VHC(T)	AC(T)(Q)	HC(T)	F	LS	7N, 7S, 7W	4000B	100E, EL, EP
AND		'08	2	PP	1·4	1	4	1·4	4	4	4	1·4	1·4	4	4	4	4	1·2	4	1·4·5
		'11	3	PP	-	1·3	-	1	3	-	3	-	3	3	3	3	3	1	3	-
		'21	4	PP	-	-	-	-	-	-	2	-	2	-	2	2	2	-	2	-
NAND		'00, '37	2	PP	1·2	1·2	4	1·2·4	4	4	4	1·2·4	1·4	4	4	4	4	1·2	4	1·4·5
		'03, '38	2	OD	-	1·2	-	1·2	4	-	-	-	-	-	-	-	-	1·2	-	-
		'10	3	PP	-	1	-	1	-	-	3	-	-	-	-	-	-	1	3	-
		'20	4	PP	-	-	-	-	-	-	2	-	-	2	2	2	2	-	2	-
		'30	8	PP	-	-	-	-	-	-	-	-	-	-	1	1	1	-	1	-
OR		'32	2	PP	1·4	1	4	1·2·3·4	4	4	4	1·4	1·4	4	4	4	4	1·2	4	-
		'332	3	PP	-	1	-	-	-	-	-	-	-	-	-	-	-	1	-	-
		'802	4	PP	-	-	-	-	-	-	-	-	-	-	2	-	-	-	2	1·4
NOR		'02	2	PP	1·2·4	1·2	-	1·2·4	4	4	4	1·4	1·4	4	4	4	4	1·2	4	-
		'27	3	PP	-	1	-	1	3	-	3	-	3	-	3	3	3	1	3	-
		'25	4	PP	-	-	-	-	-	-	-	-	2	-	-	-	-	-	2	1·4
INVERSOR (NOT)		'04		PP	1·2·6	1·2·3	6	1·2·3·6	6	6	6	1·6	1·6	6	6	6	6	1·2·3	6	-
		'14 (⎍)		PP	1·2	1·2	-	1·2·3·6	6	6	-	-	1·6	-	-	-	-	1·2·3	-	-
		'240		3S	1·2	1·2	-	1	6	-	-	-	6	-	-	-	-	2	-	-
		'05, '06		OD	1·2·6	1·2·3	-	1·2·3·6	6	-	6	6	1·6	6	6	-	6	1	-	-
BUFFER		'34		PP	2·6	1·2	-	1	-	-	-	-	-	-	-	-	-	1·2·3	6	-
		'125, '126		3S	1	1	6	1	6	6	-	1·6	1·6	-	6	6	6	1·2	6	-
		'07, '17		OD	1·2	1·2	-	1·2	6	-	-	1	1	-	-	-	-	1·2·3	-	-
		'241, '244, '541		3S	6	-	6	6	6	6	6	6	6	6	6	6	6	-	-	-
XOR		'86	2	PP	1·2	-	-	1·2·4	4	4	4	1·4	1·4	4	4	4	4	1·2	4	1·5
		'386	3	PP	-	-	-	-	-	-	-	-	-	-	-	-	-	1	-	-
UNIVERSAL		'57-8, '97-8	3	PP	-	1	-	1	-	-	-	-	-	-	-	-	-	1	-	-
		'99	4	3S	-	1	-	1	-	-	-	-	-	-	-	-	-	-	-	-

Notas: (a) Os dígitos significam a função lógica seguida do designador da família (por exemplo, portas AND de 2 entradas: *74LVC***08**, *74LVC1G***08**); comum a todas as famílias, exceto HV CMOS (4000B) e ECL (100E, EL, EP). (b) = PP *push-pull* (*pull-up* e *pull-down* ativos); OD = dreno aberto; 3S = 3 estados (tri-state).

bloco de lógica permitem que você faça qualquer uma das nove funções lógicas, conforme você conecta as entradas: inversor, *buffer* não inversor, multiplexador de 2 entradas (MUX, veja a Seção 10.3.3A) e seis variedades de portas de 2 entradas (AND, OR AND com uma entrada invertida, OR com uma entrada invertida, NAND com uma entrada invertida ou NOR com uma entrada invertida). O par '1G98 (mesma lógica, mas com a saída invertida) também tem nove disfarces, dos quais três são diferentes (NAND, NOR e MUX com saída invertida). O menor encapsulamento para esses dispositivos é de mero 0,9 × 1,4 milímetro, pequeno demais para ter um espaço para imprimir o seu número.[23] Indo um passo adiante, o '1G99 desperdiça dois pinos extras para proporcionar (a) inversão de saída selecionável (através de uma EX-OR) e (b) uma saída de "três estados" (abordada na

---

[23] Experimente: um número de identificação completo é "SN74AUP1G97YZPR", e este ◇ é o tamanho do encapsulamento (na verdade, estamos sendo um pouco generosos, mas não foi possível encontrar um símbolo pequeno o suficiente na linguagem de composição tipográfica LATEX).

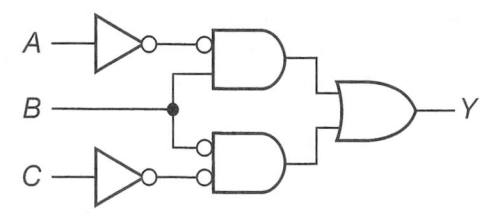

FIGURA 10.24 As "portas de múltiplas funções configuráveis" '1G97 e '1G98 podem executar qualquer uma das nove funções lógicas. O '1G97 é mostrado; o '1G98 é idêntico, exceto pela saída invertida.

Seção 10.2.4A). As portas semelhantes '1G57 e '1G58 têm entradas Schmitt-trigger.

Exercício 10.10 Mostre como conectar um '1G97 para fazer cada uma das nove funções há pouco listadas.

10.2.2 Circuitos das Portas em CIs

Embora uma porta NAND, por exemplo, execute operações lógicas idênticas nas diferentes versões de família, os níveis lógicos e outras características (velocidade, potência, corrente de entrada, etc.) são muito diferentes. Em geral, você tem que ter cuidado ao misturar tipos de famílias lógicas. Para entender as diferenças, observe os esquemas de uma porta NAND na Figura 10.25.

A porta CMOS (de longe o tipo de família mais comum) é construída a partir de MOSFETs modo intensificação de ambas as polaridades, conectados como chaves (em vez de seguidores). Um FET ON parece com uma baixa resistência (R_{on}) para qualquer trilho de alimentação que esteja conectado. Ambas as entradas devem ser nível ALTO para ligar o par em série Q_3Q_4 e para desligar ambos os transistores *pull-up* Q_1Q_2. Isso produz um nível BAIXO na saída (identificada com um X), ou seja, é uma porta NAND. Q_5 e Q_6 constituem o inversor CMOS padrão, completando, assim, a porta AND. A partir desse exemplo, deve ser evidente como generalizar para AND, NAND, OR e NOR com qualquer número de entradas.

Exercício 10.11 Desenhe o circuito de uma porta OR CMOS de 3 entradas.

Famílias lógicas de transistor bipolar não são mais preferidas, porque foram superadas pelas famílias CMOS;[24] mas é instrutivo observar o legado da família "TTL".[25] A porta NAND LS (Schottky de baixa potência) outrora popular (Figura 10.25A) consiste basicamente na lógica diodo-resistor da Figura 10.12 que aciona um transistor inversor seguido

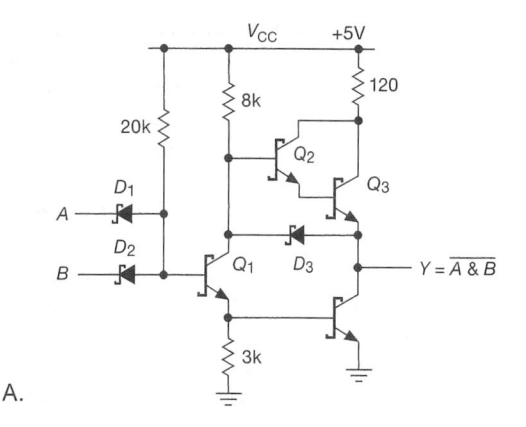

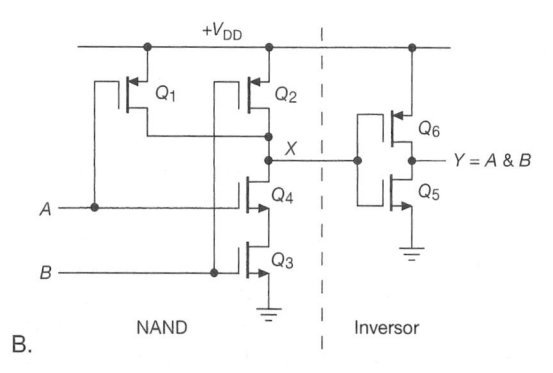

FIGURA 10.25 Portas NAND/AND: duas implementações de circuito. A. Porta NAND bipolar LS TTL, com o seu estágio de saída "*totem-pole*". B. Porta AND CMOS.

por uma saída *push-pull*. Se ambas as entradas estão em nível ALTO, o resistor de 20k mantém Q_1 ligado, produzindo, assim, uma saída de nível BAIXO saturando Q_4 e desligando o Darlington Q_2Q_3. Se pelo menos uma entrada for nível BAIXO, Q_1 é mantido desligado, produzindo, assim, uma saída de nível ALTO pela ação do seguidor de Q_2Q_3 combinado com Q_4 sendo mantido desligado. (Note que a saída de nível ALTO, proveniente de um seguidor Darlington, está, pelo menos, a uma queda de dois diodos abaixo da fonte de +5 V.) Diodos Schottky e transistores Schottky ceifados são utilizados para se obter maior velocidade.[26]

Note-se que tanto portas CMOS quanto TTL bipolares têm um circuito de saída com "*pull-up* ativo" para o trilho de alimentação positiva, ao contrário de nossos exemplos de porta discreta (Figuras 10.12 a 10.14).

10.2.3 Características CMOS e Bipolar ("TTL")

Esta seção pode ser intitulada "Aspectos analógicos de circuitos digitais". A mesma função lógica (por exemplo, NAND)

---

[24] Com exceção dos tipos ECL extremamente rápidos e dos acionadores de barramento robustos das famílias híbridas "BiCMOS".

[25] Entre outras razões, seu fantasma paira sobre muita lógica atual, sob a forma de limites de "nível de entrada TTL" de ≤ 0,8 V (BAIXO) e ≥ 2,0 V (ALTO), visto, por exemplo, em diversas famílias lógicas na Figura 10.2.

[26] Diodos Schottky não têm carga armazenada e, portanto, nenhum atraso de recuperação reversa (ver, por exemplo, a Seção 9.5.3B); e Schottky atuando como limitador impede a saturação do transistor, que, de outra forma, provocaria um atraso de desligamento.

pode ser implementada de maneiras diferentes; elas podem diferir nas suas características *elétricas*, mas executando a mesma *lógica*. Em poucas palavras – **Tensão de alimentação:** CMOS pode operar ao longo de uma faixa, enquanto TTL requer +5 V; **Corrente de entrada:** entradas CMOS não consomem nenhuma corrente de estado estacionário, enquanto entradas TTL requerem corrente; **Tensão de entrada:** as várias famílias têm diferentes limiares de lógica e tensão de entrada permissível, portanto incompatibilidades; **Saída:** saídas CMOS são trilho a trilho, TTL não pode chegar a V_+; **Velocidade e potência:** CMOS têm apenas consumo de potência *dinâmico* (proporcional à frequência), enquanto TTL tem potência quiescente substancial; e as famílias mais rápidas são CMOS de baixa tensão e ECL bipolar.

Com um pouco mais de detalhes (abrindo o resumo):

Tensão de alimentação: Na Figura 10.26, plotamos as faixas de tensão de alimentação para a maioria das famílias lógicas interessantes. Cada uma das várias famílias CMOS tem uma faixa de tensões de alimentação admissíveis; por exemplo, a família LVC é totalmente especificada para tensões de alimentação de +1,8 V a 3,3 V, e a maioria dos membros da família suporta a operação em 5 V.[27] Dentro de sua faixa, um dispositivo CMOS opera mais rápido em tensões de alimentação superiores (onde há mais tensão de acionamento de porta). As famílias bipolares operam em uma única tensão: 5 V ±5% para TTL, e −5 V (às vezes, −5,2 V) ou +5 V para ECL (chamado NECL e PECL, para ECL negativo e positivo, respectivamente).

Entrada – Corrente: dispositivos CMOS não têm nenhuma corrente de entrada quiescente (além da fuga); no entanto, como todos os dispositivos, a sua capacitância de entrada (da ordem de 4 pF) consome corrente durante a comutação ($I = CdV/dt$; assim, por exemplo, uma transição de entrada de 2,5 V em 2 ns exigiria ∼5 mA de corrente de acionamento). A lógica bipolar exige corrente quiescente de entrada: uma entrada TTL mantida em estado BAIXO fornece corrente para tudo o que a aciona (por exemplo, 0,6 mA típico para a família F), assim, para mantê-la em nível BAIXO, é necessário absorver corrente (além da corrente de carga capacitiva durante a comutação).[28] "Em geral, as famílias lógicas têm capacidade de saída de corrente adequada para acionar lógica adicional; o que importa mais é a compatibilidade de *tensões* de nível lógico.

- Níveis lógicos: famílias CMOS geralmente colocam a sua tensão de limiar de entrada na metade da tensão de alimentação (embora com amplitude de valores considerável, normalmente de 1/3 a 2/3 da tensão de alimentação); essa é uma boa escolha, uma vez que as saídas CMOS variam para ambos os trilhos de alimentação. No entanto, para compatibilidade com os níveis de saída TTL bipolar (onde a saída de nível ALTO é bem abaixo da fonte positiva), muitas famílias CMOS têm variantes de "limiar TTL", muitas vezes especificadas com um "T" no nome da família: HC→HCT, VHC→VHCT. Essas famílias especificam um limiar de nível BAIXO máximo de 0,8 V e um limiar de nível ALTO mínimo de 2,0 V (veja a Figura 10.2 e a Figura 12.6, mais completa). Elas duplicam a especificação TTL bipolar, em que o limiar lógico de entrada é de cerca de duas quedas de diodo acima do terra (cerca de 1,3V).[29]

- Tolerância de tensão: O mundo não padronizou em uma única tensão de alimentação lógica (nem deve), então, em um sistema digital típico, normalmente você terá várias tensões de alimentação (por exemplo, +5 V e +3,3 V). Daí a pergunta: a saída de uma lógica que funciona em uma tensão de alimentação (chamemos de X) pode acionar a entrada de uma lógica com uma tensão de alimentação diferente (chamemos de Y)? A resposta curta (temos uma resposta mais longa no Capítulo 12) é que duas coisas são necessárias: (a) os níveis de saída de X têm de satisfazer os requisitos dos níveis de entrada da lógica Y; e (b) se a tensão de alimentação de Y for menor do que X, as entradas de Y devem tolerar as tensões (maiores) de saída de X. Este último é chamado de tolerância de tensão de entrada, e você tem que respeitá-lo! Por exemplo, você pode ver na Figura 10.26 que o legado da família HC(T) não tolerará entradas maiores do que sua tensão de alimentação,[30] ao passo que a família mais recente LVC aceita entradas até +5,5 V, independentemente da sua própria tensão de alimentação (incluindo quando está desenergizada). A tolerância de tensão de entrada é essencial quando os sinais digitais ultrapassam os limites da tensão de alimentação. Entradas CMOS são suscetíveis a danos causados por eletricidade estática durante o manuseio. Entradas não utilizadas devem ser conectadas nos níveis ALTO ou BAIXO, conforme necessário (mais sobre isso na Seção 10.8.3B).

Saída: Saídas CMOS são acionadas por um par de chaves MOSFET, ou para o terra, ou para V_+; isto é, "trilho a trilho". O estágio de saída TTL, pelo contrário, é um transistor saturado para aterrar no estado BAIXO e um seguidor (Darlington) no estado ALTO (duas quedas de diodo abaixo de V_+). A folha de dados normalmente dá

---

[27] Para a maioria dos dispositivos de lógica LVC, as folhas de dados informam que a faixa de operação "recomendada" se estende apenas até +3,6 V, mas, para alguns dispositivos LVC, ela se estende até +5,5 V, com as suas características operacionais especificadas para 5 V.

[28] O nicho bipolar ECL é uma coisa estranha – as suas saídas são "emissores simples", que são deliberadamente terminados com resistores de 50 Ω para −2 V (NECL) ou +3 V (PECL).

[29] Esta pequena parte da história lançou sua sombra por todo o mundo digital, com os "níveis de entrada TTL" praticamente estabelecidos como padrão para quase todos os dispositivos com entradas digitais.

[30] Mais precisamente, as entradas não podem ir mais de 0,5 V além de V_+ ou terra.

mais detalhes, especificando tensões de saída típicas e de pior caso para algumas correntes de carga típicas.[31] Em geral, as famílias mais rápidas (ALVC, LVC, LCX; F, AS) têm maior capacidade de acionamento de saída do que as famílias mais lentas (CD4000, HC(T); LS).

Velocidade e potência: Todas as famílias CMOS de lógica padrão consomem zero corrente quiescente.[32] No entanto, o consumo de energia aumenta linearmente com o aumento da frequência, porque a comutação das cargas capacitivas de nós internos e externos requerem corrente ($I = C\,dV/dt$). CMOS que operam perto de seu limite de frequência superior podem até mesmo dissipar mais potência do que a lógica bipolar (veja a Figura 10.27). É comum ver essa *corrente dinâmica*[33] especificada em termos de uma efetiva "capacitância de dissipação de potência", C_{pd}, a partir da qual você pode calcular a dissipação de potência dinâmica sem carga como $P_{diss} = C_{pd}V^2 f$ (há duas transições por ciclo, o que cancela o habitual fator de 1/2). Por exemplo, um 74LVC00 (quatro portas NAND) especifica $C_{pd} = 19$ pF por porta, do qual se obtém uma dissipação de potência de 0,2 mW/MHz por porta (para uma fonte de 3,3 V); assim, tal CI com todas as quatro portas comutando em 100 MHz dissiparia 80 mW internamente (e potência adicional a partir da comutação de capacitâncias de carga externas). A faixa de velocidades de funções lógicas padrão CMOS vai de cerca de 2 MHz (para a série CD4000 de alta tensão operando em uma tensão baixa de 5 V) a cerca de 100 MHz (para AHCT/VHCT a 5 V) a cerca de 150 MHz (para LVC/LCX a 3,3 V) a cerca de 350 MHz (para AUC a 2,5 V). Em contraste com a corrente quiescente zero do CMOS, as famílias TTL bipolares consomem uma considerável corrente quiescente, mais para as famílias mais rápidas (AS, F, ABT); as velocidades correspondentes vão desde cerca de 25 MHz (para LS) a cerca de 100 MHz (para AS e F).

Na Figura 10.26 (vista novamente como Figura 12.3, com comentários adicionais) plotamos os atrasos de propagação de porta de pior caso para famílias lógicas padrão comumente usadas.

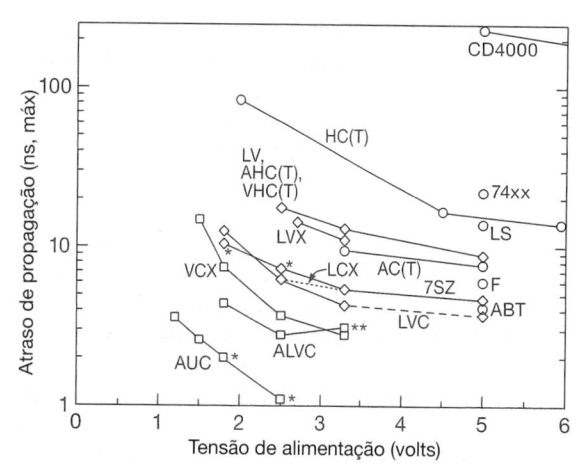

FIGURA 10.26 Velocidade de porta em função da tensão de alimentação para famílias lógicas populares. Atraso de propagação máximo especificado ($t_{pd(máx)}$) é mostrado para as tensões de alimentação padrão em que cada família é especificada. (Atrasos "típicos" estão na faixa de 35 a 75% de $t_{pd(máx)}$). Veja o título da Figura 12.3 para obter detalhes.

Em geral, as características interessantes das famílias CMOS (corrente quiescente zero, variações de saída de trilho a trilho, correntes simétricas de saída fornecida-absorvida e alta velocidade) tornam essa lógica a mais escolhida. Entre elas, as famílias LVC e 7SZ são interessantes,[34] com as suas entradas tolerantes a 5 V e boas faixas de tensão de alimentação (1,8 a 3,3 V[35] e 1,8 a 5 V). Para operação a 5 V, as

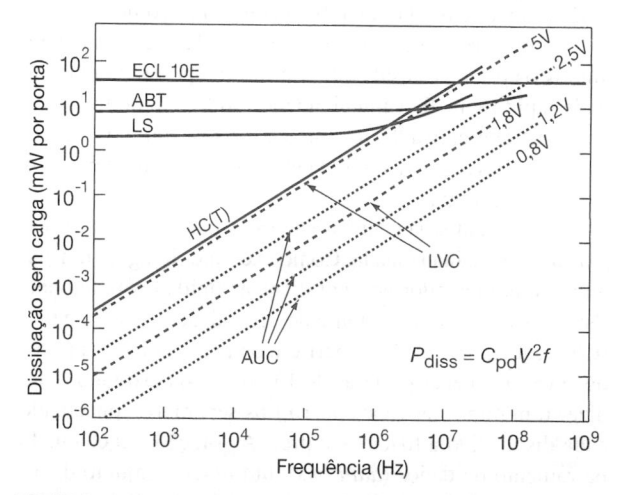

FIGURA 10.27 Dissipação de potência interna de porta em função da frequência para algumas famílias lógicas CMOS e bipolar. Observe a grande dependência (quadrática) da tensão de alimentação, dentro de qualquer família. Ver também a Figura 12.2.

---

[31] Dispositivos CMOS geralmente especificam tensão de saída em pares simétricos de correntes de carga nos estados ALTO e BAIXO, por exemplo, para ±8 mA; dispositivos TTL, com a sua saída assimétrica, são normalmente especificados para uma abundância de absorção de corrente, mas correntes fornecidas muito pequenas (por exemplo, para 8 mA e para −0,4 mA). Isso é importante quando uma saída lógica é usada para acionar algum componente externo, por exemplo, um LED indicador ou relé de estado sólido: conecte o componente de modo que a saída absorva a corrente (com a outra extremidade retornando para a fonte positiva, através de um resistor limitador de corrente, se necessário).

[32] Circuitos CMOS de *larga escala* (por exemplo, arranjos de porta ou microprocessadores, em oposição às funções "lógicas padrão" básicas como portas e *flip-flops*) têm, geralmente, corrente quiescente diferente de zero (e, às vezes, bastante substancial).

[33] Ao carregar e descarregar um capacitor de 0 a V à frequência f, a corrente média é de $I = fCV$.

[34] As famílias 7SZ e 17SZ vêm em encapsulamentos minilogic.

[35] A máxima tensão de alimentação "recomendada" para alguns dispositivos LVC é 5,5 V, ao passo que para outros é apenas 3,6 V; no entanto, embora os últimos tipos não forneçam especificação para operação acima de 3,6 V, todos os dispositivos LVC, a contragosto, permitem tensões de alimentação até 5,5 V.

famílias AHC(T), VHC(T) ou LV são também boas escolhas; as suas entradas são tolerantes a 5 V, independentemente da tensão de alimentação (que pode ser de 2,5 a 5 V). Esses dispositivos estão disponíveis em encapsulamentos SMD; se você quiser usar dispositivos DIP (encapsulamento PTH) de *thorugh-hole* para facilitar o uso de *protoboard*, use HC(T) ou AC(T).

Para aplicações não usuais, você pode escolher dispositivos da série CD4000B (tensões de alimentação até 15 V, mas *lento*!)), lógica ECL (*rápida*! – até 1 GHz) ou a série ABT híbrida (BiCMOS) (corrente de saída de 64 mA, boa para acionar cargas pesadas, tais como barramentos).

Dentro de qualquer família lógica, as saídas são projetadas para acionar outras entradas facilmente, para que você não tenha que se preocupar o tempo todo com limiares, corrente de entrada, etc. Por exemplo, com TTL bipolar, qualquer saída pode acionar pelo menos 10 outras entradas (o termo oficial para isso é *fan-out*: TTL tem um *fan-out* de 10), assim você não tem que fazer nada especial para garantir a compatibilidade. No Capítulo 12, abordaremos a questão da interface entre famílias lógicas e entre circuitos lógicos e o mundo exterior.

10.2.4 Dispositivos de Três Estados e de Coletor Aberto

As portas CMOS e TTL que acabamos de discutir têm circuitos de saída *push-pull*: a saída é mantida ou em nível ALTO, ou em nível BAIXO por um transistor ON (ligado). Quase toda a lógica digital utiliza esse tipo de circuito (chamado *pull-up* ativo; em TTL é também conhecido como saída *totem-pole*), porque ele fornece baixa impedância de saída em ambos os estados, resultando em um tempo de comutação mais rápido e melhor imunidade ao ruído, em comparação com uma alternativa de um único transistor com um resistor *pull-up* passivo no coletor. Ele também resulta em menor dissipação de energia.

No entanto, há algumas situações para as quais a saída *pull-up* ativa é inadequada. Como exemplo, imagine um sistema de computador no qual diversas unidades funcionais têm de trocar dados. A unidade central de processamento (CPU), memória e vários periféricos precisam ser capazes de enviar e receber palavras de 16 bits. Seria estranho (para dizer o mínimo) ter cabos de 16 fios separados conectando cada dispositivo a todos os outros. A solução é o chamado barramento de dados (*data bus*), um único conjunto de 16 fios acessível a todos os dispositivos. É como a antiquada (agora extinta?) "linha compartilhada" de telefone: apenas um dispositivo de cada vez pode "falar" (transferir dados), mas todos podem "ouvir" (receber dados). Com um sistema de barramento, deve haver um acordo sobre quem pode falar, e você verá palavras como *arbitragem de barramento* e *mestre de barramento*.

Você não pode usar portas (ou quaisquer outros dispositivos) com saídas *pull-up/pull-down* ativas para acionar um barramento, visto que não pode desconectar a sua saída a partir das linhas de dados compartilhadas (você a está mantendo ou em nível ALTO, ou em nível BAIXO o tempo todo). O que é necessário é uma porta cuja saída possa ser *aberta*. Tais dispositivos estão disponíveis, e eles vêm em duas variedades: dispositivos de três estados (*tri-state*) e dispositivos de *coletor aberto*.

A. Lógica de três estados

A lógica de três estados, também chamada de lógica TRI-STATE® (uma marca registrada da National Semiconductor Corporation, NSC), fornece uma solução interessante. O nome é enganador; não se trata de uma lógica digital com três níveis de tensão. É apenas a lógica comum, com um terceiro estado de saída: circuito aberto (Figura 10.28). Uma entrada de *habilitação* (EN – *enable*) separada determina se a saída se comporta como uma saída *pull-up* ativa comum ou se vai para o "terceiro" estado (aberto), independentemente dos níveis lógicos presentes nas outras entradas. Saídas de três estados estão disponíveis em muitos chips digitais, incluindo contadores, *latches*, registradores, etc., bem como em portas e inversores. Um dispositivo com saída de três estados se comporta, quando habilitado, exatamente como lógica *pull-up* ativa comum, sempre acionando sua saída ou em nível ALTO, ou em nível BAIXO; quando desabilitado, ele efetivamente desconecta sua saída, para que outro dispositivo lógico possa acionar a mesma linha. Vejamos um exemplo.

B. Antecipando o assunto: barramentos de dados

Acionadores de três estados são amplamente utilizados para acionar barramentos de dados de computador. Cada dispositivo (memória, periféricos, etc.) que precisa colocar os dados no barramento (que é compartilhado) se conecta ao barramento através de portas de três estados (ou funções mais complexas, como "registradores"). As coisas estão in-

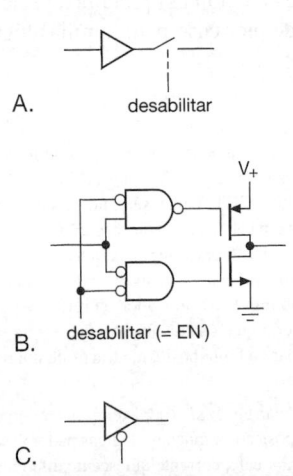

FIGURA 10.28 Lógica CMOS de três estados. A. Diagrama conceitual. B. Implementação com portas CMOS internas. C. Símbolo lógico.

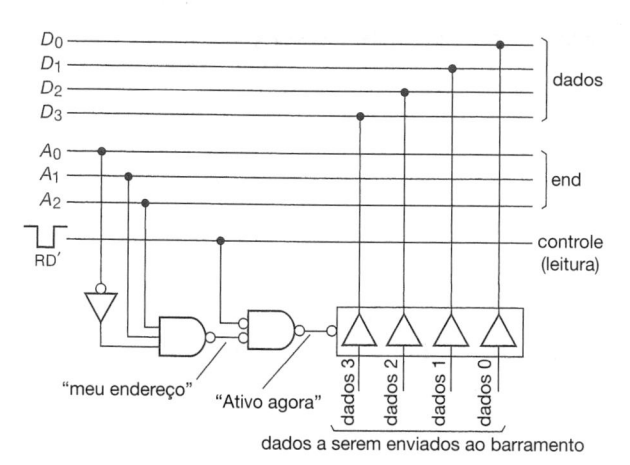

FIGURA 10.29 Barramento de dados com lógica de decodificação de endereço e acionadores de três estados.

teligentemente organizadas de modo que, no máximo, um dispositivo tenha os seus acionadores habilitados em qualquer instante, todos os outros dispositivos sendo desabilitados para o estado aberto (terceiro estado). Em uma situação típica, o dispositivo selecionado "sabe" que pode colocar os dados no barramento, reconhecendo seu endereço específico em um conjunto de linhas de controle (Figura 10.29). Neste caso simplificado, o dispositivo é conectado como porta 6: ele olha para linhas de endereço A0 a A2 e coloca os dados no barramento de dados D0 a D3 quando vê seu endereço (ou seja, 6) nas linhas de endereço e vê um pulso de leitura (RD'). Esse protocolo de barramento é adequado para muitos sistemas simples. Algo desse tipo é usado na maioria dos microcomputadores, como você verá no Capítulo 14.

Note que deve haver alguma lógica externa para se certificar de que os dispositivos de três estados que partilham as mesmas linhas de saída não tentem "falar" ao mesmo tempo (essa condição indesejável é oficialmente chamada de "contenção de barramento"). Nesse caso, tudo está bem desde que cada dispositivo responda a um endereço único.

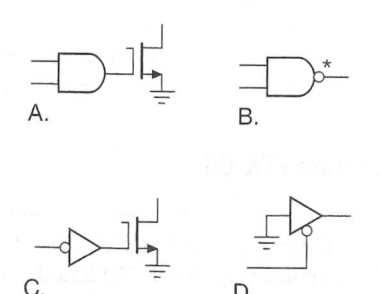

FIGURA 10.30 Lógica de dreno aberto: A. NAND de dreno aberto B. Símbolo; C. *Buffer* não inversor de dreno aberto; D. Implementação com *buffer* de três estados.

C. Lógica de coletor aberto e dreno aberto

A antecessora da lógica de três estados era a lógica de "coletor aberto", que permitia que você compartilhasse uma única linha entre as saídas dos vários acionadores. Uma saída de coletor aberto (ou dreno aberto) simplesmente omite o transistor *pull-up* ativo do estágio de saída (Figura 10.30). O nome "coletor aberto" é um bom nome. Quando você usa essas portas, deve colocar um resistor *pull-up* externo em algum ponto. Seu valor não é crítico; um resistor de pequeno valor proporciona maior velocidade e melhora a imunidade ao ruído, à custa do aumento da dissipação de potência e da capacidade de carga do acionador. Os valores de algumas centenas a alguns milhares de ohms são típicos. Se você quer acionar um barramento com portas de coletor aberto (em vez de acionadores de três estados), terá que substituir os acionadores de três estados da Figura 10.29 por portas NAND de 2 entradas de coletor aberto, colocando uma entrada de cada porta em nível ALTO para permitir que as portas enviem dados para o barramento; note que os bits de dados, então enviados ao barramento, são invertidos. Cada linha do barramento precisaria de um único resistor *pull-up* para a fonte positiva.

A desvantagem da lógica de coletor aberto é que a velocidade e a imunidade a ruídos são degradadas, em comparação com a lógica construída com dispositivos *pull-up* ativos, por causa do circuito *pull-up* resistivo. É por isso que os acionadores de três estados são quase universalmente escolhidos para aplicações de barramento de computador. No entanto, existem três situações em que você escolheria dispositivos de coletor aberto (ou dreno aberto): acionamento de cargas externas, "*wired-OR*" e barramentos externos. Vamos analisá-las brevemente.

D. Acionamento de cargas externas

A lógica de coletor aberto (O/C – *open colector*) é boa para o acionamento de cargas externas que retornam para uma tensão de alimentação positiva maior. Você pode querer acionar uma lâmpada de baixa corrente ou relé que requeira 12 V, ou talvez apenas gerar uma variação lógica de 15 V, operando um resistor a partir da saída de uma portaa +15 V, como na Figura 10.31. Um dispositivo O/C popular é o ULN2003/4, um arranjo de Darlington de coletor aberto de sete canais com diodos de ceifamento internos (para cargas indutivas); ele aceita acionamento de lógica direta, tem uma especificação de ruptura de 50 V e pode comutar até 500 mA

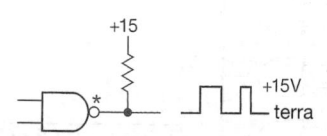

FIGURA 10.31 Lógica de coletor aberto como conversor de nível.

(o 75468/9 é semelhante, mas com ruptura de 100 V). Mais sobre esses temas na Seção 12.4.

E. Wired-OR

Se você conectar algumas portas de coletor aberto como mostrado na Figura 10.32, obterá o que é chamado de "*wired*-OR" – a combinação se comporta, neste caso, como uma porta NOR maior, com a saída indo para nível BAIXO se qualquer entrada for para nível ALTO. Você não pode fazer isso com saídas *pull-up* ativas, porque haveria uma competição se todas as portas não concordassem com o nível lógico que a saída deveria ter. Você pode combinar NORS, NANDS, etc. com esse tipo de conexão, e a saída será nível BAIXO se qualquer uma das portas produzir um nível BAIXO na saída. Essa conexão é, às vezes, chamada "*wired*-AND", porque a saída é ALTA somente se todas as portas têm saídas de nível ALTO (abertas). Ambos os nomes descrevem a mesma coisa: a conexão é *wired*-AND se a lógica for ativa em nível ALTO e *wired*-OR se a saída for ativa em nível BAIXO. Isso fará mais sentido para você depois de ver o teorema de DeMorgan na próxima seção.

A lógica *wired*-OR teve uma breve popularidade no início da eletrônica digital, mas não é muito usada hoje, com duas exceções: (a) na família lógica conhecida como ECL (lógica de emissores acoplados), as saídas são o que você pode chamar de "emissor-aberto", e podem ser conectadas em *wired*-OR sem problemas; e (b) existem algumas linhas compartilhadas em barramentos de computador (a mais notável sendo a linha chamada de *interrupção*), cuja função não é a transferência de bits de dados, mas apenas indicar se *pelo menos um* dispositivo está solicitando atenção; nesse caso, você usa *wired*-OR, porque ela faz o que você quer e não requer lógica externa para evitar contenção.

F. Barramentos externos

Quando a velocidade não é muito importante, às vezes, você vê acionadores de coletor aberto usados para acionar barramentos. Exemplos disso são o barramento SCSI original usado para conectar discos e periféricos e o IEEE-488 (também chamado de barramento de interface de propósito geral, GPIB) para barramento de instrumentos. Mais sobre isso no Capítulo 14.

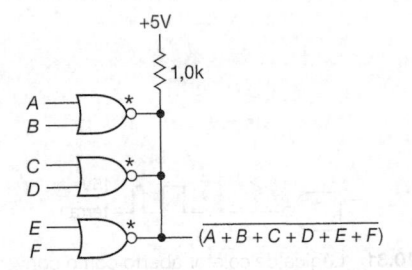

FIGURA 10.32 Wired-OR.

TABELA 10.4 Identidades lógicas

$ABC = (AB)C = A(BC)$
$AB = BA$
$AA = A$
$A1 = A$
$A0 = 0$
$A(B + C) = AB + AC$
$A + AB = A$
$A + BC = (A + B)(A + C)$
$A + B + C = (A + B) + C = A + (B + C)$
$A + B = B + A$
$A + A = A$
$A + 1 = 1$
$A + 0 = A$
$1' = 0$
$0' = 1$
$A + A' = 1$
$AA' = 0$
$(A')' = A$
$A + A'B = A + B$
$(A + B)' = A'B'$
$(AB)' = A' + B'$

10.3 LÓGICA COMBINACIONAL

Como discutimos anteriormente, na Seção 10.14A, a lógica digital pode ser dividida em *combinacional* (às vezes, chamado *combinatória*) e *sequencial*. Circuitos combinacionais são aqueles em que o estado da saída depende apenas dos estados atuais de entrada de alguma forma predeterminada, ao passo que, em circuitos sequenciais, o estado da saída depende tanto dos estados de entrada quanto dos estados anteriores. Circuitos combinacionais podem ser construídos apenas com portas, enquanto circuitos sequenciais exigem algum tipo de memória (*flip-flops*). Nestas seções, exploramos as possibilidades da lógica combinacional antes de entrar no mundo "turbulento" dos circuitos sequenciais.

10.3.1 Identidades Lógicas

Nenhuma conversa sobre lógica combinacional está completa sem as identidades apresentadas na Tabela 10.4. A maior parte delas é óbvia. As duas últimas compreendem o teorema de DeMorgan, o mais importante para o projeto de circuito.

A. Exemplo: porta EX-OR

Ilustramos o uso das identidades com um exemplo: fazendo a função EX-OR a partir de portas comuns. A Figura 10.33 mostra a tabela-verdade da EX-OR. A partir do estudo dela e observando que a saída é 1 apenas quando $(A,B) = (0,1)$ ou $(1,0)$, podemos escrever

a	B	$A \oplus B$
0	0	0
0	1	1
1	0	1
1	1	0

FIGURA 10.33 Tabela-verdade da EX-OR.

$$A \oplus B = \overline{A}B + A\overline{B},$$

a partir da qual temos a percepção mostrada na Figura 10.34. No entanto, essa percepção não é única. Aplicando as identidades, encontramos

$$A \oplus B = A\overline{A} + A\overline{B} + B\overline{A} + B\overline{B}$$
$$(A\overline{A} = B\overline{B} = 0)$$
$$= A(\overline{A} + \overline{B}) + B(\overline{A} + \overline{B})$$
$$= A(\overline{AB}) + B(\overline{AB})$$
$$= (A + B)(\overline{AB}).$$

(No primeiro passo, utilizamos o truque de adição de duas quantidades que igualam zero; no terceiro passo, utilizamos o teorema de DeMorgan). Isso tem a implementação mostrada na Figura 10.35. Há ainda outras maneiras de construir EX-OR. Considere o seguinte exercício.

Exercício 10.12 Mostre que

$$A \oplus B = \overline{AB + \overline{A}\overline{B}},$$
$$A \oplus B = (A+B)(\overline{A}+\overline{B}),$$

por manipulação lógica. Você deve ser capaz de se convencer de que essas expressões são verdadeiras por inspeção da tabela-verdade, combinado com um raciocínio adequado.

Exercício 10.13 Quais são os seguintes: (a) $0 \cdot 1$, (b) $0 + 1$, (c) $1 \cdot 1$, (d) $1 + 1$, (e) $A(A+B)$, (f) $A(A'+B)$, (g) A EX-OR A, (h) A EX-OR A'?

10.3.2 Minimização e Mapas de Karnaugh

Como a implementação de uma função lógica (mesmo uma tão simples como EX-OR) não é única, muitas vezes, é desejável encontrar o circuito mais simples, ou talvez o mais convenientemente construído, para uma dada função. Muitas mentes boas trabalharam sobre esse problema, e existem vá-

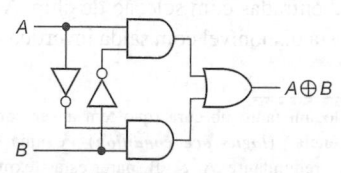

FIGURA 10.34 Implementação da EX-OR.

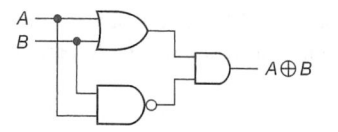

FIGURA 10.35 Outra implementação da EX-OR.

rios métodos disponíveis, incluindo técnicas algébricas amplamente disponíveis como software. Por exemplo, todas as "linguagens de descrição de hardware" (HDLs) usadas para implementar circuitos em lógica programável (ver Seção 11.2.6) incluem minimização lógica automática; você nem vê acontecendo.

Talvez apenas de interesse histórico: algumas vezes, você ouvirá o termo *mapa de Karnaugh*, que é um simples método de tabulação para minimizar a lógica com quatro ou menos entradas; ele também permite que você encontre uma expressão lógica (se você não sabe disso), uma vez que você pode escrever a partir da tabela-verdade.

Ilustramos o método com um exemplo (e depois o abandonaremos completamente!). Suponha que você deseje gerar um circuito lógico para contar votos. Imagine que você tenha três entradas ativas em nível ALTO (cada uma é 1 ou 0) e uma saída (0 ou 1). A saída deve ser 1 se pelo menos duas das entradas são 1.

Passo 1. Faça uma tabela-verdade:

A	B	C	Q
0	0	0	0
0	0	1	0
0	1	0	0
0	1	1	1
1	0	0	0
1	0	1	1
1	1	0	1
1	1	1	1

Todas as permutações possíveis devem ser representadas, com saída(s) correspondente(s). Escreva um X (= "*don't care*") (= "não importa") se um estado de saída estiver correto.

Passo 2. Faça um mapa de Karnaugh. Ele é um pouco semelhante a uma tabela-verdade, mas as variáveis são representadas em dois eixos. Além disso, elas são or-

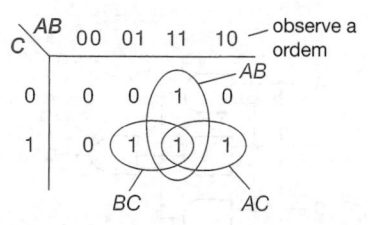

FIGURA 10.36 Mapa de Karnaugh para a lógica da maioria (maiores grupos possíveis).

ganizadas de tal forma que apenas um bit de entrada varia ao passar de um quadrado para o adjacente (Figura 10.36).

Passo 3. Identifique os grupos de 1s no mapa (alternativamente, você pode usar grupos de 0s): os três agrupamentos representam as expressões lógicas AB, AC e BC. Por fim, faça a "leitura" da função necessária, neste caso

$$Q = AB + AC + BC$$

com a implementação mostrada na Figura 10.37. O resultado parece óbvio, em retrospecto. Poderíamos ter lido o padrão de 0s para obter

$$Q' = A'B' + A'C' + B'C',$$

que pode ser útil se os complementos A', B' e C' já existem em algum ponto do circuito.

Exercício 10.14 Apenas por diversão, desenhe um mapa de Karnaugh para lógica para determinar se um número inteiro de 3 bits (0-7) é primo (considere que 0, 1 e 2 não são primos). Mostrar uma realização com portas de 2 entradas.

Exercício 10.15 Construindo um mapa de Karnaugh divertido: encontre a lógica para executar a multiplicação de dois números sem sinal de 2 bits (isto é, cada um de 0 a 3), produzindo um resultado de 4 bits. *Sugestão*: use um mapa de Karnaugh separado para cada bit de saída.

10.3.3 Funções Combinacionais Disponíveis como CIs

Apenas com portas lógicas você poderia construir a lógica para desempenhar funções bastante complicadas, como a adição binária ou comparação de magnitude, a verificação de paridade, multiplexação (seleção de uma das várias entradas, conforme determinado por um endereço binário), etc. Na verdade, isso é exatamente o que é feito quando você implementa uma lógica complexa em um *arranjo de portas* ou em outras formas de *lógica programável* (veja as Seções 10.3.3F e 10.5.4 e o Capítulo 11.). A Lógica programável (normalmente combinada com um microcontrolador) é, muitas vezes, o método de escolha quando você quiser fazer algum sistema digital (ou um combinado analógico/digital). Ilustraremos essas técnicas no próximo capítulo.

No entanto, essas funções também estão geralmente disponíveis na forma de chips MSI pré-fabricados (integração de média escala, para cima de 100 portas em um chip), para ser usadas como funções de lógica padrão. Embora muitas funções interessantes MSI envolvam *flip-flops* (ou seja, circuitos *sequenciais*, que abordaremos em breve), há uma série delas que são funções de combinações envolvendo apenas portas. Veremos quais funções lógicas MSI estão disponíveis.

A. Seletor de 2 entradas (multiplexador)

O seletor de 2 entradas (também chamado *multiplexador* de 2 entradas, ou "MUX") é uma função muito útil. É basicamente uma chave de duas posições para sinais lógicos. A Figura 10.38 mostra a ideia básica, com uma implementação de portas discretas e outra com CI que encapsula quatro multiplexadores de 2 entradas (um "*quad* MUX") em um CI. Quando SELECT (selecionar) for nível BAIXO, as entradas A passam para as suas respectivas saídas Y; quando SELECT for nível ALTO, as entradas B aparecem na saída. Mantendo ENABLE' em nível ALTO desativa o dispositivo, forçando todas as saídas para nível BAIXO. Esse é um conceito importante que veremos mais tarde. Aqui está a tabela-verdade, que ilustra o X (não importa) de entrada:

Entradas				*Saídas*
E'	SEL	A_n	B_n	Y_n
H	X	X	X	L
L	L	L	X	L
L	L	H	X	H
L	H	X	L	L
L	H	X	H	H

Ela pode ser escrita de forma mais compacta como a seguir:

Entradas		*Saídas*
E'	SEL	Y_n
H	X	L
L	L	A_n
L	H	B_n

Em uma linguagem de descrição de hardware da função lógica de um MUX de 2 entradas (sem uma entrada de habilitação) seria escrito como `Y = ~S & A | S & B`, com uma entrada habilitação (ENABLE) que se tornaria `Y = E & (~S & A | S & B)`.[36] A Figura 10.38 e a tabela anterior correspondem ao '157, quatro MUX de 2 entradas com seleção de chip. A mesma função também está disponível com saída invertida ('158) e com

---

[36] Por uma razão um tanto obscura (que tem a ver com uma "condição de concorrência" (*logic-race condition*)), é uma boa ideia adicionar o termo redundante A & B para estas expressões; assim `Y = E & (~S & A | S & B | A & B)`.

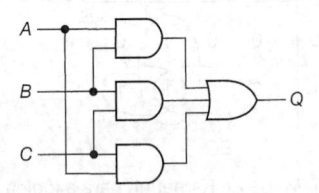

FIGURA 10.37 Lógica da maioria (votação).

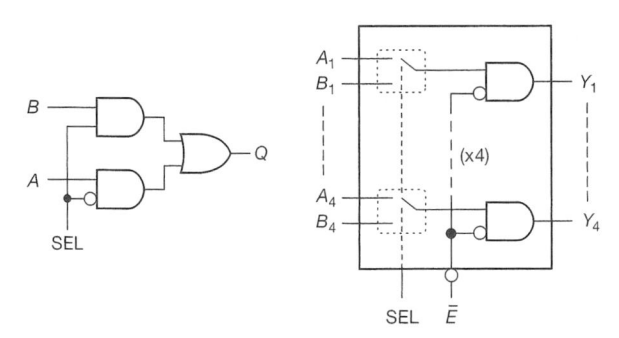

FIGURA 10.38 Portas "seletoras" de duas entradas: A. Implementado com portas discretas; B. Encapsulados em conjunto com quatro unidades e uma única linha SELECT (SEL).

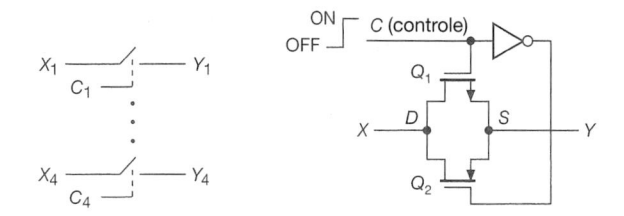

FIGURA 10.39 Quatro portas de transmissão; uma única porta, implementada com transistores MOS, é mostrada à direita.

saídas de três estados (verdadeiro: '257; invertido: '258). Ela também está disponível como um pequeno MUX de seção única (sem a entrada EN'), com números de identificação '1G157 e '2G157. Esses chips funcionam eletricamente como portas – eles fazem a lógica e regeneram um nível lógico na saída em conformidade. Outra forma de implementar esta função é com algumas *portas de transmissão*, nas quais o sinal de entrada adequado é simplesmente passado para a saída (via transistores MOS) sem regeneração; veremos isso em seguida.

Exercício 10.16 Mostre como fazer um seletor de 2 entradas utilizando um par de *buffers tri-state* e qualquer outra lógica de que você precise.

Embora a função de uma porta de seleção possa ser executada por uma chave mecânica, em alguns casos, a porta é uma solução muito melhor, por várias razões:

(a) é mais barata;
(b) todos os canais são comutados simultaneamente e rapidamente;
(c) pode ser comutado, quase instantaneamente, por um nível lógico gerado em outras partes do circuito (o mais interessante, a partir de um microprocessador ou de outro dispositivo inteligente);
(d) mesmo que a função de seleção seja controlada por uma chave no painel frontal, é melhor não operar com sinais lógicos rápidos em torno de cabos e chaves, para evitar a degradação do sinal capacitivo e captação de ruídos.

Com uma porta de seleção acionada por um nível CC, você mantém sinais lógicos na placa de circuito e obtém o bônus de uma fiação externa mais simples, ou seja, uma única linha com *pull-up* comutada para a terra por uma chave de um polo e uma posição (SPST). O controle das funções do circuito com níveis CC gerados externamente dessa maneira é conhecido como "comutação fria", e é uma abordagem muito melhor do que controlar os próprios sinais com chaves, potenciômetros, etc. Além de suas outras vantagens, a comutação fria permite que você desvie linhas de controle com capacitores para eliminar a interferência, ao passo que as linhas de sinal geralmente não podem ser desviadas. Veremos alguns exemplos de comutação fria mais tarde.

B. Portas de Transmissão

Conforme discutido na Seção 3.4.1A, é possível fazer "portas de transmissão" com CMOS simplesmente com um par de chaves MOSFET complementares em paralelo, de modo que um sinal de entrada (analógico) entre o terra e V_{DD} é conectado à saída oupor uma resistência baixa (menos de cem ohms), ou por um circuito aberto (resistência essencialmente infinita). Como você deve lembrar, tal dispositivo é bidirecional e não sabe (nem se preocupa em saber) qual extremidade é a entrada e qual é a saída. Portas de transmissão funcionam perfeitamente bem com níveis CMOS digitais, e, de fato, elas são usadas extensivamente no circuito interno de dispositivos digitais CMOS. Você pode obtê-las também como CIs de lógica padrão. A Figura 10.39 mostra o layout do popular CMOS '4066 "chave bilateral quádrupla". Cada chave tem uma entrada de *controle* separada: nível ALTO fecha a chave, e nível BAIXO abre. Elas estão disponíveis também em encapsulamentos de seção única compacta e duas seções ('1G66, "2G66). Observe que as portas de transmissão são meramente chaves e, portanto, não têm *fan-out*; ou seja, elas simplesmente passam os níveis lógicos da entrada até a saída sem fornecer capacidade de acionamento adicional.[37]

Com portas de transmissão, você pode fazer funções de seleção de 2 entradas (ou mais), utilizáveis com níveis digitais CMOS ou sinais analógicos. Para selecionar entre um número de entradas, você pode usar um monte de portas de transmissão (gerando os sinais de controle com um *decodificador*, como será explicado mais tarde). Essa é uma função lógica útil que foi institucionalizada como o multiplexador, discutido a seguir.

Exercício 10.17 Mostre como fazer um seletor de 2 entradas com portas de transmissão. Você precisará de um inversor.

---
[37] Portas de transmissão são interessantes para os projetistas de CIs, porque seu projeto simples requer pouco espaço na pastilha de silício, e elas não ficam sujeitas ao atraso de comutação de uma porta convencional.

```
            wire [1:0] A; // 2 linhas de entrada de endereço ("seleção")
            wire [3:0] D; // 4 linhas de entrada
            wire Y, YBAR, ENBAR // saídas (verdadeiras e complementadas), e habilitação
            assign Y = ~ENBAR & ( D[0] & ~A[1] & ~A[0]
                                | D[1] & ~A[1] & A[0]
                                | D[2] & A[1] & ~A[0]
                                | D[3] & A[1] & A[0] )
            assign YBAR = ~ Y;
```

FIGURA 10.41 Código Verilog para um multiplexador de 4 entradas.

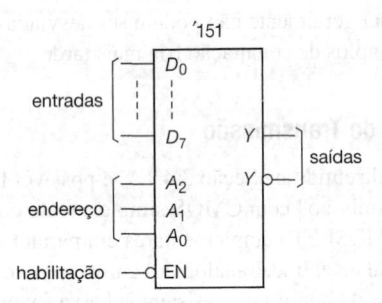

FIGURA 10.40 Multiplexador de 8 entradas '151.

C. Multiplexadores com muitas entradas

Multiplexadores estão disponíveis com 4, 8 e 16 entradas. Um endereço binário é usado para selecionar qual dos sinais de entrada aparece na saída. Por exemplo, um MUX de 8 entradas tem uma entrada de endereço de 3 bits para endereçar a entrada de dados selecionada (Figura 10.40). O MUX digital ilustrado é um '151. Ele tem uma entrada STROBE' ativa em nível BAIXO (outro nome para ENABLE') e fornece saídas verdadeiras e complementadas. Quando o chip é desabilitado (ENABLE' mantido em nível ALTO), Y é nível BAIXO e Y' é nível ALTO, independentemente dos estados das entradas de endereços e de dados.

É uma boa ideia se familiarizar um pouco com linguagens de descrição utilizadas para a entrada lógica, se não por outra razão, ao menos para reduzir a ansiedade. A Figura 10.41 mostra a aparência do código Verilog, para o exemplo mais simples de um multiplexador de 4 entradas.

Eletricamente, duas variedades de multiplexadores estão disponíveis. Um tipo é apenas para níveis digitais, com um limiar de entrada e regeneração "limpa" de níveis de saída de acordo com o estado de entrada: um exemplo é o MUX lógico '153 (disponível em CMOS e famílias lógicas bipolares). O outro tipo de MUX é analógico e bidirecional; é, na verdade, apenas um conjunto de portas de transmissão. Estes estão disponíveis apenas em famílias CMOS, e podem ser utilizados para ambos os sinais, lógicos e analógicos. Os multiplexadores CMOS '4051-'4053 trabalham dessa forma. Lembre-se de que a lógica feita a partir de portas de transmissão não tem nenhum *fan-out*. Uma vez que são portas de transmissão bidirecionais, esses multiplexadores podem ser usados como "demultiplexadores", ou decodificadores. Nós os discutiremos em seguida.

Exercício 10.18 Mostre como fazer um multiplexador de 4 entradas utilizando (a) portas comuns, (b) portas com saídas de três estados e (c) portas de transmissão. Em que circunstâncias (c) é preferível?

Você pode estar se perguntando o que fazer se quiser selecionar entre mais entradas do que as fornecidas em um multiplexador. Essa pergunta insere-se no âmbito da categoria geral de "expansão" de chip (usando vários chips que têm pequenas capacidades individuais para gerar uma capacidade maior), e aplica-se aos decodificadores, memórias, registradores de deslocamento, lógica aritmética e muitas outras funções também. Neste caso, o trabalho é fácil (Figura 10.42). Aqui nós expandimos dois multiplexadores de 8 entradas 74LS151 em um multiplexador de 16 entradas (note que usamos denominações em letras minúsculas para os sinais de entrada e saída, para evitar confusão com os pinos de nomes semelhantes do chip).[38] Há um bit de endereço adicional, é claro, e você o usará para habilitar (*enable*) um chip ou outro. O chip desabilitado mantém a sua saída Y em nível BAIXO, então uma porta OR na saída completa a expansão. Com saídas de três estados, o trabalho é ainda mais simples, porque você pode ligar as saídas diretamente.

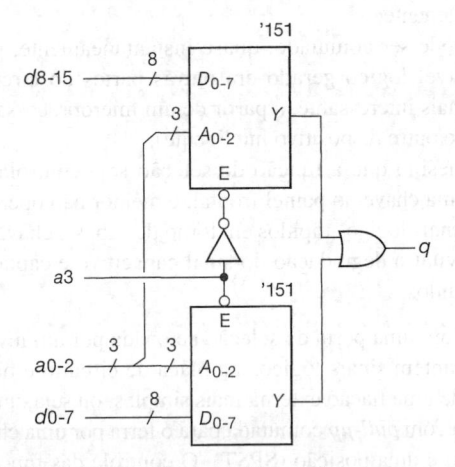

FIGURA 10.42 Expansão de multiplexador.

---
[38] Também introduzimos uma convenção de "barramento" comum, isto é, a utilização de uma única linha com uma barra diagonal para indicar um conjunto de linhas de sinal semelhantes; o número junto à barra diagonal indica quantos sinais estão no grupo, e o rótulo lhe diz o que são esses sinais.

```verilog
wire [1:0] A; // endereço de 2 bits: os colchetes mostram a faixa do arranjo
wire [3:0] YBAR; // quatro saídas ativas em nível BAIXO
wire ENBAR; // habilitação ativa em nível BAIXO
assign YBAR[0] = ~(~ENBAR & ~A[1] & ~A[0]);
assign YBAR[1] = ~(~ENBAR & ~A[1] & A[0]);
assign YBAR[2] = ~(~ENBAR & A[1] & ~A[0]);
assign YBAR[3] = ~(~ENBAR & A[1] & A[0]);
```

FIGURA 10.44 Código Verilog para um duplo decodificador 1 de 4.

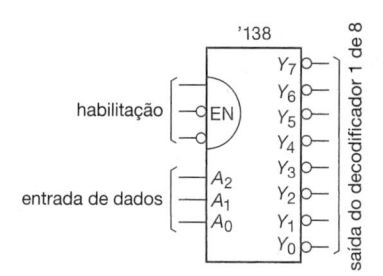

FIGURA 10.43 Decodificador 1 de 8 '138.

D. Demultiplexadores e decodificadores

Um demultiplexador é o oposto de um multiplexador: ele toma uma entrada e a encaminha para uma das várias saídas possíveis, de acordo com um endereço binário de entrada. As outras saídas ou são mantidos no estado inativo, ou em circuito aberto, dependendo do tipo do demultiplexador.

Um decodificador é semelhante, exceto que o endereço é a única entrada, e é "decodificado" identificando uma das n possíveis saídas. A Figura 10.43 mostra um exemplo. Esse é o "decodificador 1 de 8" '138. A saída que corresponde (endereçada por) aos dados de entrada de 3 bits é nível BAIXO; todas as outras são nível ALTO. Esse decodificador específico tem três entradas de habilitação (ENABLE), as quais devem ser ativadas (duas em nível BAIXO, uma em nível ALTO); caso contrário, todas as saídas serão nível ALTO.

Decodificadores são comumente usados quando se faz a interface com um barramento de dados, para desencadear ações diferentes que dependem do endereço; trataremos esse assunto em detalhe no Capítulo 13. Outro uso comum de um decodificador é permitir uma sequência de ações, por sua vez, de acordo com um endereço que avança dado pela saída de um *contador* binário (Seção 10.4.2E). Um dispositivo similar ao '138 é o '139, um duplo decodificador 1 de 4 com uma única entrada de habilitação (ENABLE) ativo BAIXO por seção. A Figura 10.44 ilustra como seria o seu código Verilog.

A Figura 10.45 mostra como a utilização de um par de decodificadores 1 de 8 '138 gera um decodificador 1 de 16. Nenhuma porta externa é necessária, uma vez que o '138 tem entradas de habilitação (ENABLE) para ambas as polaridades.

Exercício 10.19 Mais expansão: faça um decodificador 1 de 64 a partir de nove '138s. *Dica*: use um deles como um controle de habilitação para os outros.

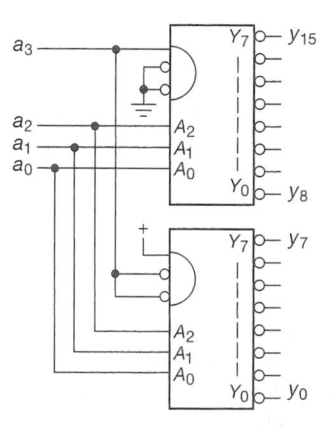

FIGURA 10.45 Expansão de decodificador.

Na lógica CMOS, os multiplexadores que utilizam portas de transmissão também são demultiplexadores, uma vez que portas de transmissão são bidirecionais. Quando eles são usados dessa maneira, é importante perceber que as saídas que não estão selecionadas são abertas. Um resistor *pull-up* ou *pull-down*, ou equivalente, deve ser utilizado para fazer valer um nível lógico bem definido sobre essas saídas (o mesmo requisito que com portas TTL de coletor aberto).

Outro tipo de decodificador é o "decodificador/acionador BCD para 7 segmentos" '47. É preciso que uma entrada BCD gere saídas em 7 linhas que correspondam aos segmentos de um "display de 7 segmentos" que têm de ser iluminados para exibir o caractere decimal. Esse tipo de decodificador é um exemplo de um *conversor de código*, mas normalmente é chamado de decodificador.

Exercício 10.20 Projete um decodificador de BCD para decimal (1 de 10) usando portas.

Exercício 10.21 Projete um codificador "simples": um circuito que gera um endereço (2 bits) informando qual das 4 entradas é nível ALTO (todas as outras entradas deve ser nível BAIXO).

Exercício 10.22 Descubra como fazer um gerador de paridade com portas EX-OR.

E. Outros chips aritméticos

O *codificador de prioridade* gera um código binário que dá o endereço da entrada de numeração mais alta ativada. É es-

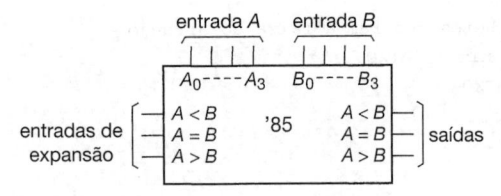

FIGURA 10.46 Comparador de magnitude.

pecialmente útil em ADCs "de conversão em paralelo" (veja próximo capítulo) e no projeto do sistema de microprocessador. Um exemplo é o codificador de prioridade de 8 entradas (3 bits de saída) '148. O '147 codifica 10 entradas.

A Figura 10.46 mostra um *comparador de magnitude* de 4 bits. Ele determina os tamanhos relativos dos números de entrada de 4 bits A e B e informa, via saídas, se $A < B$, $A = B$ ou $A > B$. Entradas são fornecidas para a expansão para um número maior do que 4 bits.

Um chip *gerador de paridade* é usado para gerar um bit de paridade para ser anexado a uma "palavra" na transmissão (ou gravação) de dados e para verificar a paridade recebida quando esses dados são recuperados. Paridade pode ser par ou ímpar (por exemplo, com paridade ímpar, o número de bits 1 em cada caractere é ímpar). O gerador de paridade '280, por exemplo, aceita uma palavra de entrada de 9 bits, fornecendo na saída um bit de paridade par ou ímpar. A construção básica é um arranjo de portas EX-OR.

A Figura 10.47 mostra um *somador completo* de 4 bits.[39] Ele soma o número A_i de 4 bits ao número B_i de 4 bits, gerando uma soma S_i de 4 bits, além do bit *carry* C_o. Somadores podem ser "expandidos" para adicionar números maiores: o "*carry-in*" de entrada C_i é fornecido para receber o *carry-out* do próximo somador inferior.

A Figura 10.48 mostra o código Verilog (aqui escrito em forma um pouco demasiadamente longa, para maior clareza) para um somador completo de 4 bits; veja se você pode entender como ele descobre a soma.

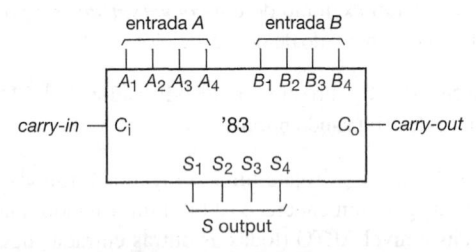

FIGURA 10.47 Somador completo de 4 bits.

[39] Mostramos o número de identificação '83 de uma família lógica movidos principalmente por um sentimento de nostalgia. Esse dispositivo não existe na família 'HC, e os dispositivos 7483 e 74LS83 são obsoletos. Em projetos atuais, tais funções MSI (média escala de integração) são mais frequentemente implementadas com uma forma de lógica programável (veja a Seção 10.5.4 e o Capítulo 11). Na verdade, foi a própria superioridade deste último que provocou a morte de muitos dos antigos dispositivos MSI.

Uma coisa boa sobre linguagens como Verilog ou VHDL é que elas compreendem os níveis mais altos de abstração (e você também, uma vez que pegue o jeito delas). Neste caso, tudo o que vem após as declarações `wire` pode ser escrito como uma única linha, ou seja, `assign {COUT, S} = A + B + CIN;`.

Um dispositivo conhecido como *unidade lógica e aritmética* (*arithmetic logic unit*, ALU) pode ser utilizado como um componente adicional, embora ele tenha a capacidade de executar um grande número de funções diferentes. Por exemplo, a ALU de 4 bits '181 (expansível para palavras de comprimentos maiores) pode somar, subtrair, deslocar bits, comparar magnitude e algumas outras funções. Somadores e ALUs fazem sua aritmética em tempos medidos em nanossegundos a dezenas de nanossegundos, dependendo da família lógica. Outros chips aritméticos dedicados incluem o *multiplicador-acumulador* (MAC), que acumula uma soma de produtos, e o *dispositivo de correlação*, que compara os bits correspondentes de um par de sequências de bits, calculando o número de bits que estão de acordo.

No entanto, devido ao desenvolvimento de microprocessadores grandes e rápidos, projetos digitais atuais optam por microprocessadores de uso geral ou os processadores de digitais de sinais (*digital signal processors*, DSPs) mais otimizados para o tipo de processamento de sinal que envolve funções aritméticas extensas. Uma alternativa atraente é o FPGA, configurável pelo usuário para ser qualquer coisa; você pode se deparar com um processador "mais simples" ou outra função, e pode obtê-los com funções "mais complexas" otimizadas já construídas. Vamos falar sobre lógica configurável no próximo capítulo, e microprocessadores no Capítulo 15.

F. Dispositivos Lógicos Programáveis

Você pode configurar a sua própria lógica combinacional (e sequencial) personalizada em um único chip usando CIs que contêm uma série de portas com interligações programáveis. Eles são conhecidos genericamente como *dispositivos lógicos programáveis* (PLDs). As variedades populares são CPLDs (PLDs complexas) e arranjos lógicos programáveis em campo (FPGAs – *field-programmable gate arrays*). Ambos os tipos são grandes empreendedores, flexíveis e fáceis de usar. Eles são uma parte dos truques da caixa de ferramentas de cada projetista. Vamos encontrá-los mais adiante neste capítulo e novamente no próximo.

10.4 LÓGICA SEQUENCIAL

10.4.1 Os Dispositivos com Memória: *Flip-flops*

Todo o nosso trabalho com lógica digital até agora tem sido com circuitos combinacionais (por exemplo, arranjos de portas), para os quais a saída é determinada completamente pelo estado atual das entradas. Não há "memória", nenhuma saída anterior é usada nesses circuitos. Os sistemas digitais ficam

```
wire [3:0] A;
wire [3:0] B;
wire [3:0] S; // bits soma
wire CIN, COUT; // carrys
assign S[0]  = A[0] ∧ B[0] ∧ CIN; // lembre-se de que "∧" significa EX-OR
assign C01  = A[0] & B[0] | A[0] & CIN | B[0] & CIN;
assign S[1]  = A[1] ∧ B[1] ∧ C01;
assign C12  = A[1] & B[1] | A[1] & C01 | B[1] & C01;
assign S[2]  = A[2] ∧ B[2] ∧ C12;
assign C23  = A[2] & B[2] | A[2] & C12 | B[2] & C12;
assign S[3]  = A[3] ∧ B[3] ∧ C23;
assign COUT = A[3] & B[3] | A[3] & C23 | B[3] & C23;
```

FIGURA 10.48 Código Verilog para um somador completo de 4 bits.

realmente interessantes quando acrescentamos dispositivos com memória. Isso faz com que seja possível construir contadores, acumuladores aritméticos, bem como circuitos que geralmente fazem uma coisa interessante após outra. A unidade básica é o *flip-flop*, um nome pitoresco para descrever um dispositivo que, na sua forma mais simples, tem o aspecto mostrado na Figura 10.49.

Considere que tanto A como B estão em nível ALTO. Quais são os níveis de *X* e *Y*? Se *X* for nível ALTO, então ambas as entradas de G_2 estão em nível ALTO, tornando *Y* nível BAIXO. Isso é consistente com o *X* sendo nível ALTO, então terminamos. Certo?

$$X = \text{ALTO},$$
$$Y = \text{BAIXO}.$$

Errado! O circuito é simétrico, assim um estado igualmente bom é

$$X = \text{BAIXO},$$
$$Y = \text{ALTO}.$$

Os estados de *X*, *Y* ao mesmo tempo em nível BAIXO e *X*, *Y* ao mesmo tempo em nível ALTO não são possíveis (lembre-se, A = B = ALTO). Assim, o *flip-flop* tem dois estados estáveis (às vezes, ele é chamado de "biestável"). O estado no qual ele está depende de um histórico anterior. Ele tem memória! Para escrever na memória, basta trazer uma das entradas momentaneamente para o nível BAIXO. Por exemplo, trazer A para o nível BAIXO momentaneamente garante que o *flip-flop* vai para o estado

$$X = \text{ALTO},$$
$$Y = \text{BAIXO},$$

não importa o estado em que estava anteriormente. Você poderia descrevê-lo como um "*flip-flop* SR", que é SET ou RESET com um pulso de entrada ativo em nível BAIXO.

A. Removendo o repique de uma chave

Este tipo de *flip-flop* (com entradas SET e RESET, muitas vezes indicadas por S e R) é bastante útil em muitas aplicações. A Figura 10.50 mostra um exemplo típico. Supõe-se que este circuito permite que a porta a passe os pulsos de entrada quando a chave está aberta.[40] O problema com esse circuito é que os contatos da chave sofrem um *repique* (*bounce*). Quando a chave é fechada, os dois contatos, na realidade, abrem e fecham, tipicamente de 10 a 100 vezes durante um período de cerca de um milésimo de segundo. Você poderia obter o tipo de forma de onda mostrada; se houvesse um contador ou registrador de deslocamento utilizando a saída, ele responderia fielmente a todos os "pulsos" extras causados pelo repique.

A Figura 10.51 mostra uma solução. O *flip-flop* muda de estado quando os contatos fecham pela primeira vez. Repiques posteriores nesse contato não fazem qualquer diferença, e as chaves SPDT (um polo, duas posições) nunca repicam saltando de volta para a posição oposta; a saída é um sinal *sem repique*, como esboçado. Esse circuito antirrepique é amplamente utilizado; o "*latch* SR quádruplo" '279 lhe

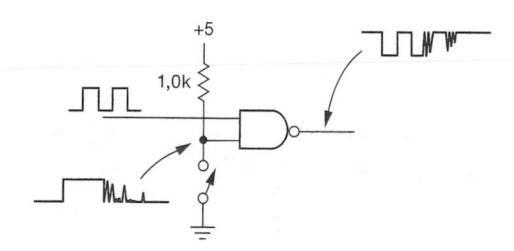

FIGURA 10.50 "Repique" de uma chave mecânica.

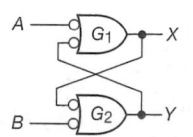

FIGURA 10.49 *Flip-flop* (tipo "*set-reset*").

---

[40] Geralmente, gostamos de conectar uma chave ao terra (não ao +5 V) por duas razões: (1) o terra é um caminho de retorno conveniente (e eletricamente "silencioso") para chaves e outros controles; e (2) nos acostumamos a ele, devido a uma peculiaridade da lógica bipolar (fornecimento de corrente).

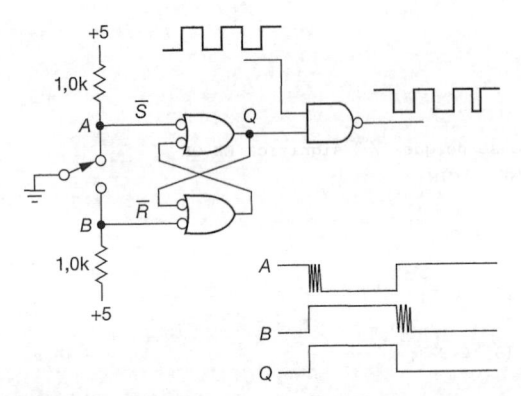

FIGURA 10.51 *Flip-flop* SR como antirrepique de uma chave. Note a forma de onda de saída com danos. Os nós identificados por $\overline{S}$ e $\overline{R}$ são as entradas SET e RESET do *flip-flop* ativas em nível BAIXO.

oferece quatro em um único encapsulamento, e o '1G74 (em um encapsulamento menor) pode ser usado quando apenas um único *flip-flop* for necessário. Aliás, o circuito anterior tem uma pequena falha: o primeiro pulso após a porta se habilitada pode ser reduzido, dependendo de quando a chave é fechada em relação ao trem de pulsos de entrada; o mesmo é válido para o pulso final de uma sequência (é claro, uma chave cujo repique não é removido tem o mesmo problema). Um circuito "sincronizador" (ver Seção 10.4.4) pode ser usado para impedir que isso aconteça, para aplicações em que isso faz diferença.

A Figura 10.52A mostra um truque que usamos para fazer um antirrepique mais simples: o *buffer* não inversor (que poderia ser feito com uma AND de 2 entradas '08, ou dois inversores em cascata '04, ou qualquer outro) mantém o seu último estado (tal como um *flip-flop*). A chave, quando acionada, momentaneamente sobrepõe-se à saída do *buffer*; este último, no entanto, é sábio o suficiente para não lutar contra o inevitável, e ele comuta (sem repique) para concordar. Há uma grande quantidade de corrente de saída durante a disputa momentânea, que, no entanto, dura apenas durante o tempo de transição da porta, da ordem de alguns nanossegundos. Nenhum dano ocorre, e, apesar de uma sensação de desconforto em um truque tão sujo,[41] ele funciona muito

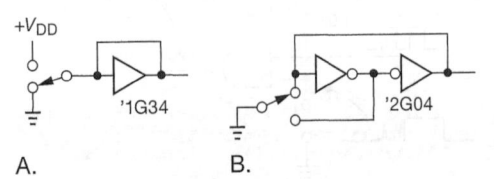

FIGURA 10.52 Antirrepique de chave simples.

---

[41] Engenheiros tímidos são conhecidos por substituir o fio de realimentação por um resistor de, digamos, 1 kΩ. Isso elimina o pico de corrente momentâneo no trilho de alimentação, aliviando ao mesmo tempo a sua ansiedade persistente.

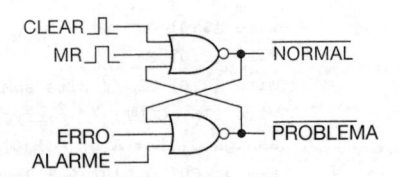

FIGURA 10.53 *Flip-flop* SR com várias entradas.

bem. Com um par de inversores em cascata (Figura 10.52B), você pode evitar a conexão com VDD.

B. *Flip-flop* de múltiplas entradas

A Figura 10.53 mostra outro *flip-flop* simples. Aqui, portas NOR são utilizadas; uma entrada de nível ALTO força a saída correspondente para o nível BAIXO. Várias entradas permitem a vários sinais setar ou resetar o *flip-flop*. Nesse fragmento de circuito, não são utilizados *pull-up*s, porque os sinais lógicos provenientes de outras fontes (por saídas *pull-up* ativas padrão) são utilizados como entradas.

10.4.2 *Flip-flops* com Clock

Flip-flops feitos com duas portas, como nas Figuras 10.49 e 10.53, são conhecidos genericamente como *flip-flops* SR (*set-reset*), ou de carga assíncrona. Você pode forçá-los em um estado ou outro sempre que quiser, apenas gerando o sinal de entrada certo. Eles são úteis para antirrepique de chaves e muitas outras aplicações. Mas a forma mais utilizada de *flip-flop* parece um pouco diferente. Em vez de um par de entradas assíncronas, ele tem uma ou duas entradas de "dados" e uma única entrada de "*clock*". As saídas mudam de estado ou permanecem no mesmo, dependendo dos níveis nas entradas de dados quando o pulso de *clock* chega.

O mais simples *flip-flop* com *clock* tem a aparência mostrada na Figura 10.54. É apenas o nosso *flip-flop* original com um par de portas adicionadas (controladas pelo *clock*) para habilitar as entradas SET e RESET. É fácil verificar que a tabela-verdade é

S	R	Q_{n+1}
0	0	Q_n
0	1	0
1	0	1
1	1	indeterminado

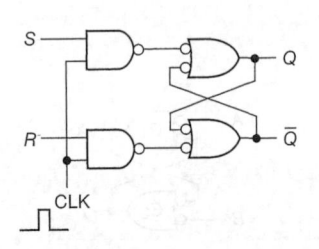

FIGURA 10.54 *Flip-flop* com *clock*: primeira aproximação.

em que Q_{n+1} é a saída Q após o pulso de *clock* e Q_n é a saída antes do pulso de *clock*. A diferença básica entre esse e os *flip-flops* anteriores é que R e S agora devem ser pensadas como entradas de *dados* (ao contrário de *flip-flop* de entradas *set-reset*). O que estiver presente em R e S quando um curto pulso de *clock* surge determinará o que acontecerá à saída Q. De outro modo, as entradas R e S são ignoradas.

No entanto, esse *flip-flop* tem uma propriedade estranha. A saída pode mudar em resposta às entradas durante o tempo do *clock* em nível ALTO. Nesse sentido, ele ainda é como o *flip-flop* SR de carga assíncrona (que também é conhecido como um *latch transparente*: a saída "vê através dele" a entrada quando o *clock* é nível ALTO). O benefício de *flip-flops* com *clock* vem com a introdução de configurações ligeiramente diferentes: o *flip-flop* mestre-escravo e o *flip--flop* disparado por borda.

A. Diparado por borda: o *flip-flop* tipo D

Este é, de longe, o mais popular tipo de *flip-flop*. O nível lógico presente na entrada D (dados) exatamente antes[42] da transição do *clock*, ou "borda", determina o estado da saída após o *clock* ter mudado.

Aqui está a tabela verdade para o *flip-flop* tipo D:

D	Q_{n+1}
0	0
1	1

Você pode pensar no FF D como se estivesse copiando o estado da sua entrada para a sua saída (*latch*). Uma de suas muitas aplicações é, na verdade, simplesmente pegar e manter um nível lógico transitório,[43] conforme ordenado por uma transição de *clock* separada. Esses *flip-flops* estão disponíveis como CIs encapsulados de baixo custo e são sempre utilizados dessa forma.

Vale a pena parar por um momento para olhar um *flip--flop* D por dentro, a fim de entender o que está acontecendo. A Figura 10.55 mostra duas configurações de circuito, conhecidas como "mestre-escravo" e "disparado por borda", respectivamente. A configuração mestre-escravo é provavelmente mais fácil de entender. Aqui está como ela funciona.

Enquanto o *clock* for nível ALTO, as portas 1 e 2 são habilitadas, forçando o *flip-flop* mestre (portas 3 e 4) para o mesmo estado conforme a entrada D: $M = D$, $M' = D'$. As portas 5 e 6 estão desativadas, para que o escravo (portas 7 e 8) mantenha o seu estado anterior. Quando o *clock* vai para nível BAIXO, as entradas do mestre são desconectadas da entrada D, enquanto as entradas do escravo são simultaneamente acopladas às saídas do mestre. O mestre transfere,

assim, seu estado para o escravo. Nenhuma alteração a mais pode ocorrer na saída, porque o mestre está agora em um estado que não muda. Na próxima borda de subida do *clock*, o escravo será desacoplado do mestre e manterá seu estado, enquanto o mestre mais uma vez seguirá a entrada.

O circuito disparado por borda se comporta externamente da mesma forma, mas o funcionamento interno é diferente. Não é difícil entendê-lo. O circuito específico mostrado é o sempre popular *flip-flop* tipo D disparado por borda '74. Os *flip-flops* estão disponíveis com disparo por borda de subida ou descida.[44] (o circuito mestre-escravo anterior transfere os dados para a saída na *borda de descida*). Além disso, a maioria dos *flip-flops* também tem entradas do tipo assíncronas, SET e CLEAR. Eles podem ser setados (levar Q para nível 1) ou resetados (levar Q para nível 0) em nível ALTO ou nível BAIXO, dependendo do tipo de *flip-flop*. A Figura 10.56 mostra quatro exemplos de *flip-flops*. O símbolo em forma de cunha significa "disparado por borda", e o pequeno círculo significa "negação", ou complemento. Assim, o '74 é um duplo *flip-flop* tipo D disparado na borda de subida com as entradas SET (S) e CLEAR (R) ativas em nível BAIXO; o '4013 é um duplo *flip-flop* tipo D disparado por borda de subida com entradas SET (S) e CLEAR (R) ativas em nível ALTO; o '1G79 é um *flip-flop* único tipo D disparado por borda de subida sem entradas de SET e CLEAR e sem a saída Q'; e o '112 é um duplo *flip-flop* JK mestre-escravo com a transferência de dados na borda de descida e com as entradas SET e CLEAR ativas em nível BAIXO.

Flip-flops JK e tipo T

Os flip-flops JK e T funcionam sob princípios semelhantes aos do *flip-flop* tipo D. Aqui estão as tabelas-verdade:

J	K	Q_{n+1}
0	0	Q_n
0	1	0
1	0	1
1	1	Q_n'

T	Q_{n+1}
0	Q_n
1	Q_n'

Assim, se J e K são complementos, Q vai para o valor da entrada de J na próxima borda de *clock*. Se J e K estiverem em nível BAIXO, a saída não vai mudar. Se J e K estiverem em nível ALTO, a saída irá "alternar" (*toggle*) (inverte seu estado depois de cada pulso de *clock*).

O *flip-flop* T (tipo alternando) alterna a cada *clock* se T for nível ALTO; se T for nível BAIXO, a saída se mantém inalterada.

B. Divisor por 2

Em circuitos digitais, muitas vezes, você deseja criar um sinal que alterna em uma subdivisão de algum sinal de *clock* de

---

[42] Esta expressão vaga pode ser (e será) esclarecida quando abordarmos os tempos de *setup* e *hold* na Seção 10.4.2C.

[43] Ou talvez um monte de bits separados (por exemplo, um byte de dados de 8 bits) em um arranjo de *flip-flops* D (que é chamado *registrador*).

[44] Às vezes, imprecisamente chamado de *borda positiva* e *borda negativa*, respectivamente.

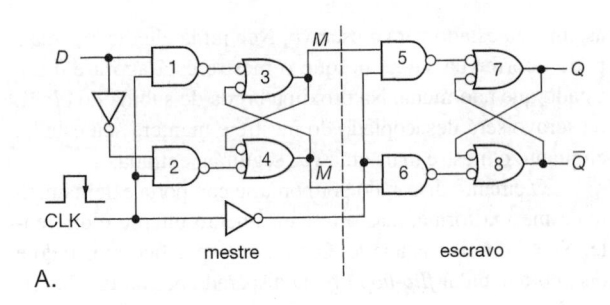

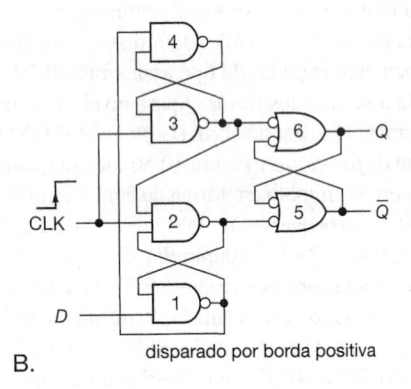

FIGURA 10.55 Flip-flops com clock verdadeiro: flip-flops mestre-escravo e do tipo D disparado por borda.

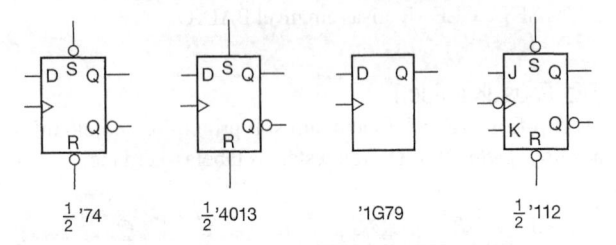

FIGURA 10.56 Flip-flops tipo D e JK.

maior frequência já existente. Por exemplo, relógios de pulso digitais usam como base de tempo um oscilador a cristal de 32.768 Hz; essa frequência peculiar é escolhida porque sua subdivisão 2^{15} é 1 Hz, exatamente a cadência para mover o ponteiro de segundos do relógio (ou incrementar a sua hora digital exibida). O truque básico aqui é usar a capacidade de alternância de *flip-flops*: na Figura 10.57, o *flip-flop D* sempre vê, em sua entrada D, o complemento de sua saída Q existente. Portanto, ele alterna a cada pulso de *clock*, gerando uma saída na metade da frequência do *clock* de entrada.

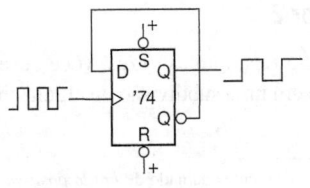

FIGURA 10.57 Flip-flop tipo D alternante.

```
wire CLKIN;
reg Q;
always @(posedge CLKIN)
    Q = ~Q;
```

FIGURA 10.58 Código Verilog para o *flip-flop D* alternante.

Na Figura 10.58, você pode ver a essência da codificação Verilog para o *flip-flop D* alternante.

C. Temporização de dados e de *clock*

Este último circuito levanta uma questão interessante: o circuito não conseguirá alternar, porque a entrada D muda quase imediatamente após o pulso de *clock*? Em outras palavras, o circuito ficará confuso com essas coisas malucas acontecendo na sua entrada? Você poderia, em vez disso, fazer esta pergunta: exatamente *quando* é que um flip-flop D (ou qualquer outro *flip-flop*) "vê" suas entradas em relação ao pulso de *clock*? A resposta é que existe um tempo de *setup* t_s (tempo de preparação) e um tempo de *hold* t_h (tempo de manutenção) para qualquer dispositivo com *clock*. O dado de entrada deve estar presente e estável pelo menos o tempo t_s antes da transição do *clock* até, pelo menos, t_h depois dessa transição, para garantir o funcionamento adequado. Para o 74HC74, por exemplo, $t_s = 20$ ns e $t_h = 3$ ns (Figura 10.59). Assim, para a conexão de alternância anterior, o requisito de tempo de *setup* é respeitado se a saída ficar estável por pelo menos 20 ns antes da próxima borda de subida do *clock*. Pode parecer como se o requisito de tempo de *hold* fosse violado, mas está tudo bem. O *tempo de propagação* mínimo a partir do *clock* para a saída é de 10 ns, de modo que, para um *flip-flop D* conectado para alternar como descrito, é garantido que a sua entrada D se mantenha estável durante pelo menos 10 ns depois da transição do *clock*. A maioria dos dispositivos atuais tem um requisito de tempo de *hold* zero.

D. Metaestabilidade

Uma coisa interessante pode acontecer se o nível na entrada D mudar durante o intervalo de tempo de *setup*, ou seja, um estado denominado *metaestável* em que o *flip-flop* não

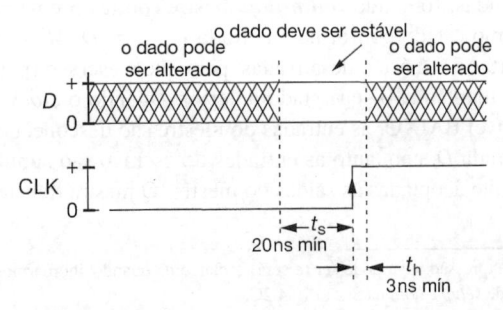

FIGURA 10.59 Os tempos de *setup* e *hold* do dado para o *flip-flop* 74HC74.

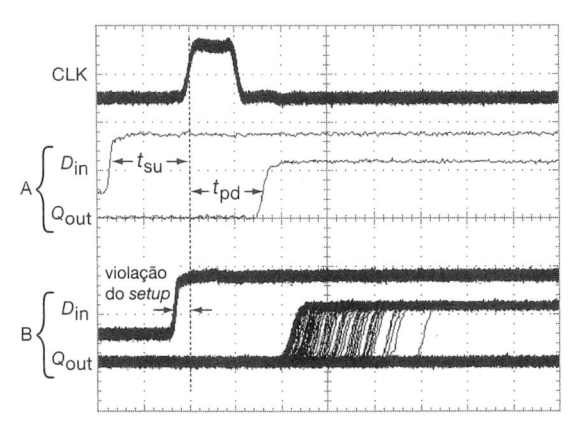

FIGURA 10.60 A violação de temporização produz metaestabilidade na lógica com *clock*. Aqui uma violação do tempo de *setup* na entrada D de um 74HC74 (curvas em B) produz uma saída muito atrasada (Q_{out}) a partir do CLK para Q em comparação com o atraso normal de ~16 ns (curvas em A). Escala horizontal: 10 ns/div.

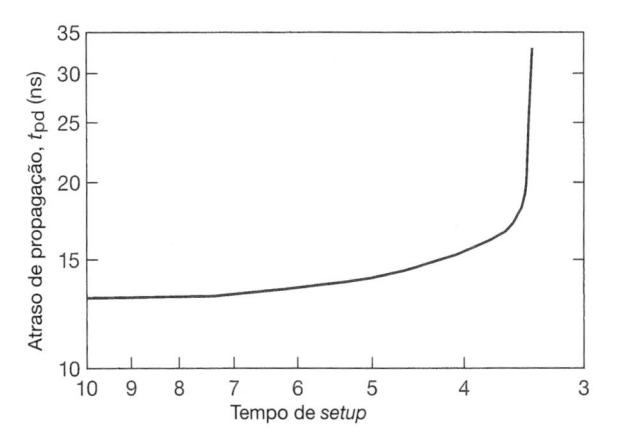

FIGURA 10.61 Atraso de propagação metaestável *versus* tempo de *setup* (violado) para o 74HC74.

E. Divisor por mais

consegue saber para qual estado ir. A Figura 10.60 mostra o que aconteceu quando deliberadamente o tempo de *setup* foi violado para um *flip-flop* tipo D 74HC74 (operando a partir de uma fonte de 3,3 V), ao colocar D_{in} em nível ALTO na temporização inferior (B): a saída Q leva um tempo para decidir para qual estado ir.[45] O osciloscópio acumulou cerca de 2 segundos de dados, durante os quais houve alguns eventos em que o atraso do *clock* para a saída Q foi estendido para cerca de 50 ns, em comparação com o seu valor normal de cerca de 16 ns; quando operamos o dispositivo por alguns minutos, o seu maior tempo de indefinição foi de 75 ns (quase na borda do lado direito da tela). Famílias lógicas mais rápidas mostram um atraso correspondentemente mais curto, e afirma-se que algumas são projetadas para ser "resistentes a metaestabilidade".[46] Testamos um 74LVC74 (em 3,3 V de alimentação) quanto a metaestabilidade (que ocorreu em t_s ~ 0,4 ns!) e medimos um tranquilo(!) atraso de propagação de 2 a 4 ns, em comparação com o atraso normal frenético de apenas 1,4 ns.[47]

Apenas por diversão, medimos o alongamento do "tempo de decisão" para o *flip-flop* 74HC74, à medida que diminuíamos o tempo de *setup*; a Figura 10.61 mostra os resultados.

Conectando em cascata alguns *flip-flops* alternantes (conectando cada saída Q à próxima entrada de *clock*), é fácil fazer um divisor por 2^n, ou binário, ou contador. A Figura 10.62 mostra um *contador ondulante* (*ripple conter*), que é uma divisor por 8: a forma de onda do último *flip-flop* de saída é uma onda quadrada, cuja frequência é 1/8 de frequência de *clock* de entrada do circuito. Tal circuito é chamado de *contador*, porque os dados presentes nas três saídas Q, considerados um único número binário de 3 bits, passam por uma sequência binária de 0 a 7, incrementando após cada pulso de entrada. (Usamos as saídas Q' para dar *clock* nos estágios sucessivos, para fazê-lo contar *crescente* (*up*) em vez de *decrescente* (*down*).[48])

A Figura 10.63 mostra formas de onda medidas para esse contador, com *clock* de 50 MHz (as setas curvas foram adicionadas para indicar a causa e ajudar no entendimento): você pode ver a sequência binária dos números de 3 bits (0 a 7), onde Q_A é o bit menos significativo e MSB é o Q_C. Você também pode ver que existe um atraso sucessivo passando de estágio para estágio (daí o "ondulante").[49]

Na prática, o esquema simples de conexão de contadores em cascata conectando cada saída Q na próxima entrada de *clock* cria alguns problemas relacionados com os atrasos em cascata, como o sinal de ondulações através da cadeia de *flip-flops*, e um esquema síncrono (em que todas as entradas de *clock* recebem o mesmo sinal de *clock*) é geralmente me-

---

[45] A saída Q abrupta, com *buffer* no estágio de saída, esconde o comportamento metaestável interno mais interessante, em que a tensão (sem *buffer*) paira entre os níveis BAIXO e ALTO, equilibrada em um "fio de navalha", tentando decidir qual caminho tomar.

[46] *Resistente* à metaestabilidade não é a mesma coisa que *à prova* de metaestabilidade; é como em resistente à água *versus* à prova d'água.

[47] A família LVC é uma escolha geral boa para a operação de 1,8 a 3,3 V, embora não signifique ela seja a mais rápida no bloco (veja a Figura 10.26).

[48] Há duas outras configurações que produzem um *contador crescente*: (1) usar as saídas Q para o *clock* dos estágios sucessivos, mas usar os sinais de Q' como suas saídas digitais; ou (2) usar as saídas Q para o *clock* dos estágios sucessivos disparados por borda de descida.

[49] Na verdade, o atraso ondulante aqui é suficientemente grande para que a contagem em qualquer instante (isto é, uma fatia vertical através dos traços) nunca seja correta. Isto não importa, no entanto, se o contador for utilizado apenas para gerar uma saída de frequência subdividida, ou se o contador for parado antes da leitura.

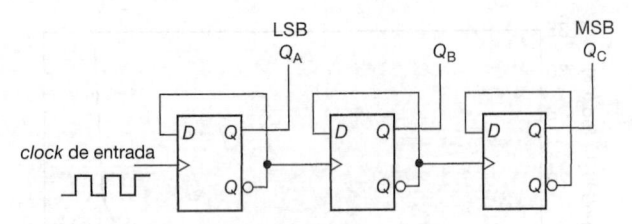

FIGURA 10.62 Contador ondulante binário de três estágios.

lhor.[50] Veremos, em breve, como fazer um contador síncrono de 3 bits.

O contador é uma função útil, com muitas versões disponíveis como lógica padrão, incluindo 4 bit, BCD e formatos de contagem multidígitos. Conectando em cascata vários desses contadores e exibindo a contagem em um dispositivo display numérico (por exemplo, um display digital de LED), você pode facilmente construir um contador de eventos. Se o trem de pulsos de entrada para esse contador tiver uma janela de passagem para o contador de exatamente 1 segundo, você tem um contador de frequência que apresenta frequência (ciclos por segundo), contando simplesmente o número de ciclos em um segundo.

10.4.3 Combinando Memória e Portas: Lógica Sequencial

Tendo explorado as propriedades dos *flip-flops*, veremos o que pode ser feito quando eles são combinados com a lógica combinacional (porta) que discutimos anteriormente. Circuitos feitos com portas e *flip-flops* constituem a forma mais geral de lógica digital.

A. Sistemas a base de *clock* síncronos

Conforme demos a entender na seção anterior, circuitos lógicos sequenciais em que há uma fonte comum de pulsos de *clock* que acionam todos os *flip-flops* têm algumas propriedades muito desejáveis. Em tal *sistema síncrono*, todas as ações ocorrem apenas depois de cada pulso de *clock*, com base nos níveis estáveis presentes imediatamente antes de cada pulso de *clock*. O sistema atinge o seu próximo estado estável antes do próximo pulso de *clock*; é uma boa maneira de gerenciar a realimentação; e, aplicando *clocks* em todos os *flip-flops* simultaneamente, tem-se a vantagem da relativa falta de ruído digital antes de cada pulso de *clock* (a calmaria antes da tempestade).

A Figura 10.64 mostra o esquema geral. Os *flip-flops* foram todas combinados em um único registrador, que nada mais é do que um conjunto de *flip-flops* tipo D com suas entradas de *clock* todas interligadas e as suas entradas D e saídas individuais Q acessadas externamente; ou seja, cada pulso de *clock* faz com que os níveis presentes nas entradas D sejam transferidos para as respectivas saídas Q. A caixa cheia de portas olha para as saídas Q e para quaisquer níveis de entrada aplicados ao circuito e gera um novo conjunto de entradas D e saídas lógicas. Esse esquema de aparência simples é extremamente poderoso; ele é a base para os processadores digitais gerais. Vejamos um exemplo.

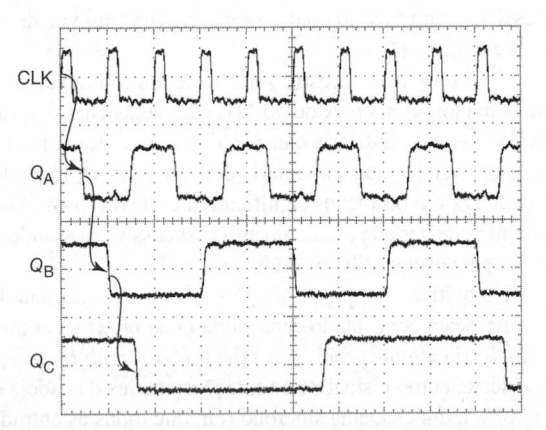

FIGURA 10.63 Formas de onda de um contador ondulante. Essas formas de onda do osciloscópio (em 4 V/div vertical, 20 ns/div horizontal) mostram uma conexão em cascata de *flip-flops* D 74HC74 disparado por borda, com *clock* de 50 MHz, exibindo sucessivos atrasos de estágio de ∼10 ns. O contador, que começa na contagem máxima (1, 1, 1), recebe um pulso de *clock*, o que leva todas as saídas para zero na borda de subida de CLK (borda na extrema esquerda). Veja a Figura 10.71 para formas de onda análogas de um contador totalmente síncrono.

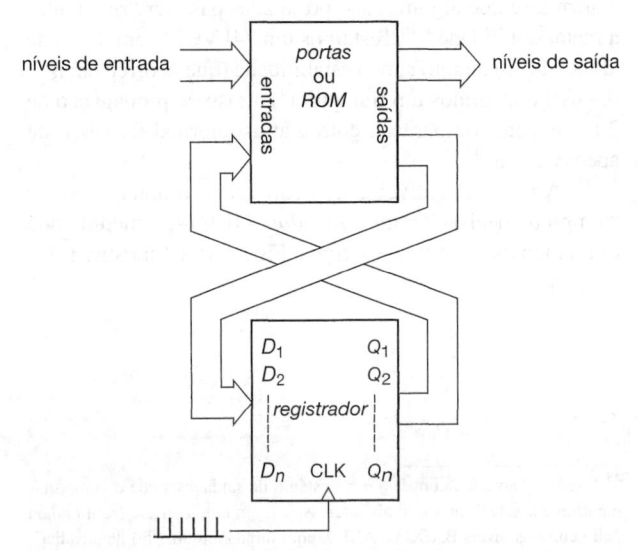

FIGURA 10.64 A clássica "máquina do estado" sequencial: um conjunto de *flip-flops* com *clock* (um *registrador*) mais lógica combinacional. Este esquema é facilmente implementado com um único chip de dispositivos lógicos programáveis (PLDs ou FPGAs).

---

[50] No entanto, se tudo de que você precisa é uma subdivisão de 2^n do clock de entrada, sem uma relação de fase especial com a entrada, um contador ondulante é perfeitamente adequado; é também mais fácil e operará a uma frequência máxima superior.

B. Exemplo: divisor por 3

Projetemos um circuito síncrono divisor por 3 com dois *flip-flops* D, ambos com *clock* a partir do sinal de entrada. Nesse caso, D_1 e D_2 são as entradas do registrador, Q_1 e Q_2 são as saídas e a linha de *clock* comum é a entrada de *clock* mestre (Figura 10.65). O truque consiste em conectar portas de modo que as entradas D sejam apresentadas com o próximo estado desejado.

1. Escolha os três estados. Vamos usar

Q_1	Q_2	
0	0	
0	1	
1	0	
0	0	(ou seja, o primeiro estado)

2. Determine as saídas do circuito lógico combinacional necessárias para gerar essa sequência de estados; ou seja, descubra o que as entradas D têm que ser para obter os resultados:

Q_1	Q_2	D_1	D_2
0	0	0	1
0	1	1	0
1	0	0	0

3. Invente uma lógica combinacional (portas) adequada, utilizando saídas disponíveis para produzir essas entradas D. Em geral, você pode usar uma "tabela de pesquisa" (LUT – *lookup table*) em ROM (memória somente leitura), programada para manter os valores de D do próximo estado (e endereçada pelo valor atual de Q, juntamente com quaisquer entradas externas).[51] Este exemplo é simples, de modo que você pode fazê-lo com uma porta lógica: você pode ver por inspeção que

$$D_1 = Q_2,$$
$$D_2 = (Q_1 + Q_2)',$$

a partir do que o circuito da Figura 10.66 segue.

É fácil verificar que o circuito funciona conforme planejado. Como se trata de um contador síncrono, todas as saídas mudam ao mesmo tempo (ao contrário do contador ondulante). Em geral, sistemas síncrono (ou acionados por *clock*) são desejáveis, uma vez que a suscetibilidade ao ruído é melhorada: as coisas se acalmam no momento do próximo pulso de *clock*, por isso os circuitos que olham para suas entradas somente nas bordas do *clock* não são perturbados pela interfe-

---

[51] Este exemplo não tem entradas lógicas, como você teria com, por exemplo, um contador crescente/decrescente, ou um contador com uma entrada RESET.

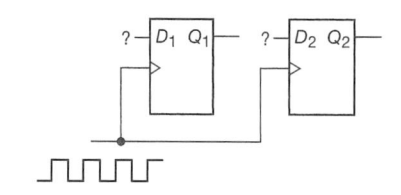

FIGURA 10.65 Divisor por 3: necessidade de lógica!

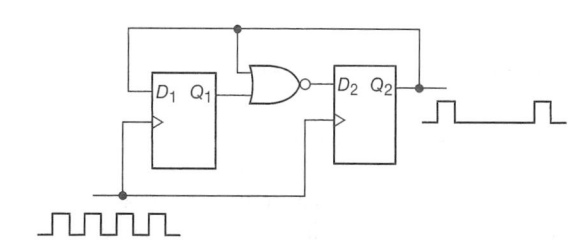

FIGURA 10.66 Divisor por 3 síncrono.

rência acoplada capacitivamente de outros *flip-flops*, etc. Outra vantagem dos sistemas com *clock* é que os estados transitórios (causados por atrasos, de modo que todas as saídas não se alteram ao mesmo tempo) não produzem uma saída falsa, porque o sistema é insensível ao que acontece imediatamente *após* um pulso de *clock*. Veremos alguns exemplos mais tarde.

C. Estados excluídos

O que acontece com o circuito divisor por 3 se os *flip-flops* de alguma forma entram no estado $(Q_1, Q_2) = (1, 1)$? Isso pode facilmente acontecer quando o circuito é ligado pela primeira vez, desde que o estado inicial de um *flip-flop* seja uma incógnita. A partir do diagrama, é claro que o primeiro pulso de *clock* fará com que ele vá para o estado (1, 0), a partir do qual ele funcionará como antes. É importante verificar os estados excluídos de um circuito como este, uma vez que é possível ser azarado e ter o sistema preso em um desses estados. (De forma alternativa, e melhor ainda, o procedimento inicial do projeto pode incluir uma especificação de todos os estados possíveis.) Uma ferramenta de diagnóstico útil é o *diagrama de estado*, que, para este exemplo, parece-se com a Figura 10.67. Normalmente você escreve as condições para cada transição ao lado das setas se outras variáveis do sistema estiverem envolvidas. As setas podem ir em ambos os sentidos entre os estados, ou de um estado para vários outros.

O código Verilog para este circuito (desta vez, um "módulo" completo está na Figura 10.68.

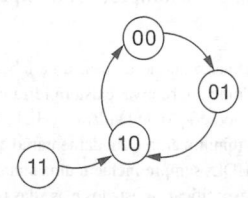

FIGURA 10.67 Diagrama de estado: divisor por 3.

```
module divideBy3(CLKIN,Q1,Q2);
    input CLKIN;
    output Q1, Q2;
    reg Q1, Q2;
    always @(posedge CLKIN)
        begin
            Q1 <= Q2;                 // o símbolo <= é denominado "atribuição sem bloqueio"
            Q2 <= ~(Q1|Q2);           // faz todas as etapas acontecerem uma vez, não sequencialmente
        end
endmodule
```

FIGURA 10.68   Código Verilog para o circuito divisor por 3.

Exercício 10.23   Projete um circuito divisor por 3 síncrono usando dois *flip-flops* JK. Isso pode ser feito (em 16 maneiras diferentes!) sem qualquer porta ou inversor. *Uma dica*: quando você construir a tabela das entradas J_1,K_1 e J_2,K_2 requerida, tenha em mente que existem duas possibilidades para J,K em cada ponto. Por exemplo, se uma saída de *flip-flop* for de 0 para 1, $J,K = 1,X$ (X = não importa). Por fim, verifique se o circuito ficará preso no estado excluído (das 16 soluções distintas para esse problema, 4 ficarão presas e 12 não).

Exercício 10.24   Projete um contador crescente/decrescente (UP/DOWN) de 2 bits síncrono: ele tem uma entrada de *clock* e uma entrada de controle (U/D'); as saídas são Q_1 e Q_2 dos dois *flip-flops*. Se U/D' for nível ALTO, ele passa por uma sequência normal de contagem binária; se for nível BAIXO, ele conta decrescente – Q_2Q_1 = 00, 11, 10, 01, 00...

D. Diagramas de estado como ferramentas de projeto

O diagrama de estado pode ser bastante útil no projeto de lógica sequencial, especialmente se os estados estão conectados entre si por vários caminhos. Nesta abordagem de projeto, você começa selecionando um conjunto de estados únicos do sistema, dando nome a cada um (ou seja, um endereço binário). Você vai precisar de um mínimo de *n flip-flops*, ou bits, onde *n* é o menor inteiro para o qual 2^n é igual ou maior do que o número de estados distintos no sistema. Em seguida, você define todas as regras para a movimentação entre os estados, ou seja, todas as condições possíveis para a entrada e saída de cada estado. Deste ponto em diante, é uma tarefa simples (mas talvez tediosa) gerar a lógica combinacional necessária, porque você tem todos os conjuntos possíveis de Qs e o conjunto de Ds a que cada um leva. Assim, você converteu um problema de projeto sequencial em um problema de projeto combinacional.[52] A Figura 10.69 mostra um exemplo do mundo real. Note que pode haver estados que não levam a outros, por exemplo, "com diploma."

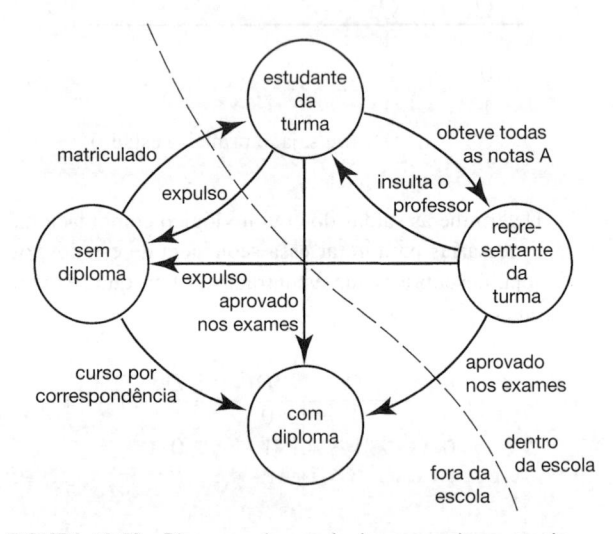

FIGURA 10.69   Diagrama de estado: ingressando na escola.

E. Projeto de máquina de estado

Linguagens de descrição de hardware, utilizadas como ferramentas de entrada algébricas tanto para lógica programável (CPLDs e FPGAs) quanto para circuitos integrados totalmente personalizados (ASICs) fornecem uma rota direta para especificar máquinas de estado. Elas incluem declarações *if/elseif/else* que permitem especificar condições para ir para o próximo estado, e para as saídas, dado o estado atual e as entradas. O software HDL traduz essas especificações em um circuito lógico, implementado com as portas comuns e *flip-flops*.

Outro ponto sobre máquinas de estado: o diagrama em blocos da Figura 10.64 permite duas possibilidades, ou seja, (a) as saídas podem depender apenas do estado atual (definidos pelos Qs), e, de fato, podem consistir simplesmente dos próprios Qs; ou (b) para qualquer dado dos estados dos Qs, a saída pode depender também das entradas, que estão disponíveis para a lógica combinacional no bloco identificado como "*portas ou ROM*". Essas são conhecidas como máquinas de estado de *Moore* e de *Mealy*, respectivamente.[53] As máquinas de Moore mudam de estado só nas bordas do *clock*, e, se os próprios Qs são considerado as saídas, elas são

---

[52] Você sempre pode tomar o atalho de usar uma tabela de pesquisa, sob a forma de uma ROM. Como alternativa, existem ferramentas de projeto (por exemplo, linguagens de descrição de hardware (HDLs) utilizadas para a lógica programável) que minimizarão e fundamentarão a lógica necessária. O melhor de tudo: essas HDLs sempre incluem uma sintaxe de entrada que lhe permite simplesmente especificar os estados e as suas regras de transição, de modo que você não tem nem sequer que descobrir a lógica necessária.

[53] É fácil obtê-las misturadas; talvez o mnemônico "Moore↔*O*utputs*O*nly" seja útil.

rigorosamente síncronas. A Máquina de Mealy responde de forma assíncrona a mudanças de entrada, independentemente do *clock*; ela geralmente requer menos *flip-flops*, porque há várias saídas possíveis que correspondem a um único estado (definido pelos Qs).

F. Contador Binário Síncrono

Prometemos que voltaríamos ao nosso contador ondulante de 3 bits original (Seção 10.4.2E) para torná-lo totalmente síncrono. A Figura 10.70 mostra como isso é feito: o LSB sempre alterna, facilmente implementado através da realimentação de Q invertido para D. Para os bits de ordem superior, a regra para a contagem em binário é alternar somente quando todos os bits de ordem inferior são 1s. Devido a uma EX-OR ser um "conversor opcional", isso é facilmente implementado alimentando cada entrada D a partir de uma EX-OR, em que uma das entradas vem do Q correspondente e a outra de uma AND de todos os Qs de ordem inferior. Vale a pena vê-lo também em uma linguagem de descrição de hardware:[54]

```
QA.d = !QA.q
QB.d = QB.q $ QA.qQC.d = QC.q $ (QB.q & QA.q)
```

Como prometido, todos os Qs respondem ao *clock* simultaneamente,[55] como você pode ver na Figura 10.71, que mostra as formas de onda medidas para um contador binário de 3 bits síncrono com *clock* na mesma frequência que o contador ondulante da Figura 10.63. Aqui é fácil ver que os Qs dos estados sucessivos sincronizados são simplesmente os números binários de 0 a 7 em 3 bits.

```
QA.d = QA.q
QB.Qd = QB.q $ QA.qQC.d = QC.q $ (QB.q & QA.q)
```

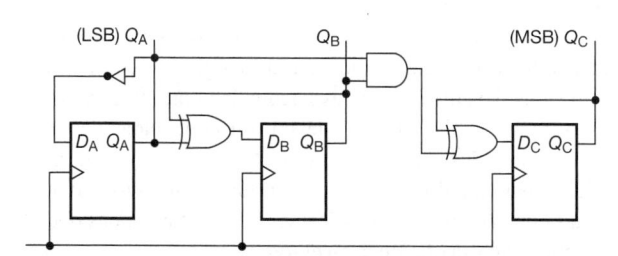

FIGURA 10.70 Contador binário síncrono de 3 bits.

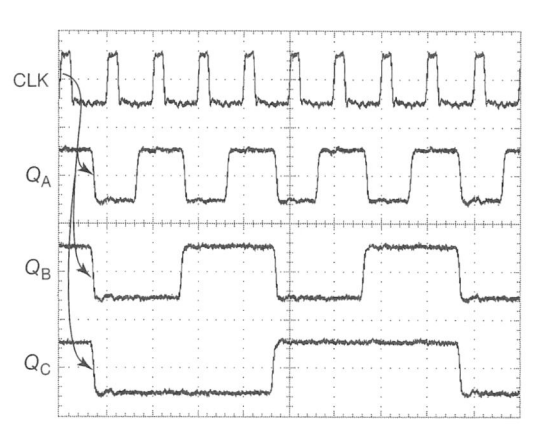

FIGURA 10.71 Em contraste com um contador ondulante (Figura 10.62), um contador *síncrono* (ou, na verdade, qualquer sistema síncrono) tem todos os *clocks* dos *flip-flops* disparados a partir de uma fonte comum. Aqui, um contador síncrono 74HC161 de 4 bits (disparado por borda de subida) exibe um atraso de CLK para Q de cerca de 14 ns, constantes para todos os Qs, produzindo, assim, mudanças coincidentes. (Mesmas condições que a Figura 10.63)

G. PLDs para o projeto de máquina de estado

Dispositivos lógicos programáveis têm justamente o que você precisa para máquinas de estado – uma abundância de *flip-flops* e lógica, tudo em um chip configurável (daí o "programável"). E o software de programação inclui ferramentas que tornam simples o projeto de máquina de estado. Teremos muito mais a dizer sobre esses dispositivos notáveis na Seção 10.5.4 e no próximo capítulo.

10.4.4 Sincronizador

Uma aplicação interessante de *flip-flops* em circuitos sequenciais é a sua utilização em um *sincronizador*. Suponha que você tenha um sinal de controle externo que entra em um sistema síncrono que tem *clocks*, *flip-flops*, etc., e que pretende utilizar o estado do sinal de entrada para controlar uma ação. Por exemplo, um sinal a partir de um instrumento ou experimento pode significar que os dados estão prontos para ser enviados para um computador. Visto que o experimento e o computadors dançam conforme músicas diferentes (em linguagem elegante, diríamos que são processos *assíncronos*), você precisa de um método para restabelecer a ordem entre os dois sistemas.

A. Exemplo: pulso sincronizador

Como exemplo, vamos reconsiderar o circuito em que um *flip-flop*, que remove o repique, controla a passagem de um trem de pulsos, juntamente com uma lógica (Figura 10.51 na Seção 10.4.1A). Esse circuito habilita a porta quando a chave está fechada, independentemente da fase do trem de pulsos que passa pela porta, de modo que o primeiro ou o último impulso pode ser encurtado. O problema é que o fechamento da chave é assíncrono com o trem de pulsos. Em algumas apli-

---

[54] Escolhemos o primitivo ABEL em vez de algo sofisticado como Verilog porque é "uma versão beta"; ele permite que você especifique as entradas D, saídas Q, etc. Em ABEL, a EX-OR é escrita como $.

[55] Bem, quase. Em um nível exigente de análise, você pode se preocupar com a *inclinação* da temporização, a dispersão (relativamente pequena) dos tempos de propagação, entre os vários flip-flops, a partir da borda de *clock* comum para as várias saídas Q.

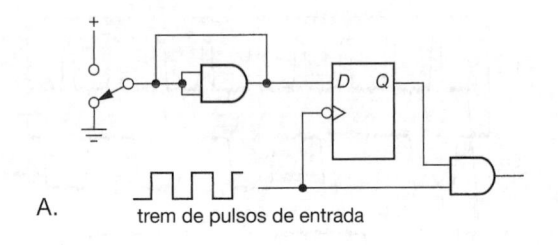

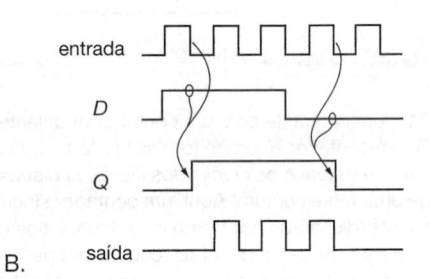

FIGURA 10.72 Sincronizador de trem de pulso: A. Circuito; B. Diagrama de temporização.

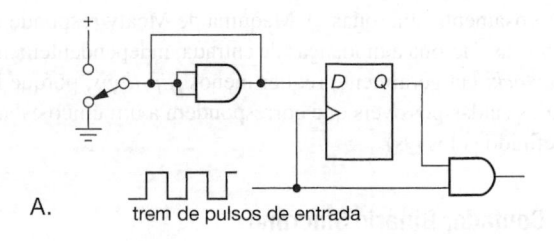

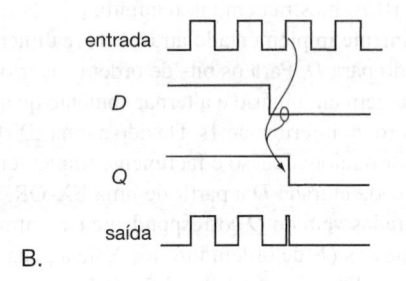

FIGURA 10.73 Uma condição de concorrência pode gerar um *glitch*.

cações, é importante ter apenas ciclos de clock *completos*, o que exige um circuito sincronizador como a da Figura 10.72. Quando a chave cria um nível ALTO sem repique na entrada D, Q permanece em nível BAIXO até a próxima borda de descida do trem de pulso de entrada. Dessa forma, apenas os pulsos completos são passados pela porta AND. Nas formas de onda, as setas curvas são desenhadas para mostrar o que causa o quê. Você pode ver, por exemplo, que as transições de Q ocorrem pouco *após* as bordas de descida da entrada.

B. Concorrência e *glithes*

Este exemplo levanta um ponto sutil, mas extremamente importante: o que aconteceria se um *flip-flop* disparado por borda de *subida* fosse usando em vez de um de borda de descida? Se você analisar com cuidado, descobrirá que as coisas funcionam bem no início do trem de pulsos, mas que uma coisa ruim acontece no final (Figura 10.73). Um pico curto (ou "*glitch*" ou "pulso estreito") ocorre porque a porta AND final não é desabilitada até que a saída do *flip-flop* vá para o nível BAIXO, um atraso de cerca de 20 ns para a família lógica HC. Esse é um exemplo clássico de uma *condição de concorrência*. Com algum cuidado, essas situações podem ser evitadas, como o exemplo mostra.[56] *Glitches* são coisas terríveis para a operação dos circuitos. Entre outras coisas, eles são difíceis de ver em um osciloscópio, e você pode não saber que eles estão presentes. Eles podem dar *clocks* subsequentes em *flip-flops* de forma irregular e podem ser alargados – ou estreitados até a extinção – através da passagem por portas e inversores.

Exercício 10.25 Demonstre que o circuito sincronizador de pulsos anterior (Figura 10.72) não gera *glitches*.

Alguns comentários sobre sincronizadores: a entrada para o *flip-flop* D pode vir de outros circuitos lógicos, em vez de uma chave sem repique. Existem aplicações em interface de computador, etc., em que um sinal assíncrono deve se comunicar com um dispositivo que tem entrada de *clock*; em tais casos, *flip-flops* com *clock* ou sincronizadores são ideais. Neste circuito, como em toda a lógica, as entradas não utilizadas devem ser tratadas adequadamente. Por exemplo, as entradas SET e CLEAR devem ser conectadas de modo que estejam desativadas (para um '74, conecte-as em nível ALTO; para um 4013, elas são aterradas). Entradas não utilizadas que não têm qualquer influência sobre as saídas podem ser conectadas a qualquer nível lógico.

10.4.5 Multivibrador Monoestável

Na Seção 7.2.2, introduzimos o que é realmente um dispositivo de *sinal misto* (analógico e digital combinados), o multivibrador monoestável (também conhecido como "um pulso"); veja as Tabelas 7.3 e 7.4. Embora tenhamos aconselhado cautela quando se consideram monoestáveis, há momentos em que eles fazem exatamente o que você quer. Interromperemos a narrativa aqui para ver um bom exemplo, ou seja, um gerador de pulsos disparável.

---

[56] Esse exemplo exigiu um *flip-flop* disparado por borda de descida, que é uma espécie rara – mas um *flip-flop* de borda de subida gera *glitch*! O que fazer? Com um pouco de análise, você perceberá que a condição sem *glitch* é esta: *o nível do clock que habilita a porta tem que preceder as bordas que ativam o clock do flip-flop*. OK, você diz: "Eu proporciono o *clock* no *flip-flop* de borda de subida com o trem de pulso de entrada, e passo essa mesma entrada através de um inversor no caminho para a porta AND". Isso soa bem, mas há um novo problema, ou seja, um risco de lógica no *início* do trem de saída sincronizado. Tenha como um desafio descobrir isso, e desenhe um circuito que funcione corretamente com um *flip-flop* de borda de subida.

A. Exemplo de gerador de pulso

A Figura 10.74 mostra um gerador de onda quadrada com ajustes independentes de frequência e ciclo de trabalho (a relação entre os níveis ALTO e BAIXO), juntamente com uma entrada que permite a um sinal externo iniciar e parar o trem de pulsos de forma síncrona. A fonte de corrente $U_1 - Q_1$ gera uma rampa em C_1, com taxa de variação proporcional à resistência do potenciômetro de painel R_2. Quando a tensão de C_1 atinge o limiar de 3,0 V do comparador superior, o monoestável é disparado e gera um pulso de nível BAIXO de 100 ns, colocando o MOSFET canal n Q_2 em condução e descarregando o capacitor. Portanto, C_1 tem uma forma de onda dente de serra que vai do terra a +3 volts, com a taxa (ou frequência) definida pelo potenciômetro R_2. O comparador inferior gera uma onda quadrada de saída a partir da onda dente de serra, com ciclo de trabalho ajustável linearmente entre 2% e 98% através de R_7. Os dois comparadores têm alguns milivolts de histerese (R_{10} e R_{11}) para evitar múltiplas transições induzidas por ruído. O TLV3502 é um duplo comparador CMOS rápido (4,5 ns) com faixa de modo comum de entrada para os dois trilhos de alimentação (terra e +5 V), e saídas trilho a trilho (veja a Tabela 12.2 para mais tipos de comparador).

Uma característica desse circuito é a capacidade de sincronizar (iniciar/parar) por meio de um nível de controle aplicado externamente. A entrada de habilitação (ENABLE) permite que o circuito acionado comande o início do oscilador em uma fase previsível (o instante de uma borda de descida do pulso de saída) e a parada do oscilador após o próximo pulso completo.

Alguns detalhes instrutivos (que podem ser desconsiderados em uma primeira leitura).

- A entrada adicional para a NAND de 3 entradas a partir da saída do comparador garante que o circuito não vai ficar preso com C_1 carregado.
- A largura de pulso do monoestável foi escolhida suficientemente longa para garantir que C_1 esteja totalmente descarregado durante o pulso: você pode estimar o tempo de descarga olhando tanto para a corrente de dreno de saturação do 2N7000 (cerca de 350 mA), com acionamento de porta de 5 V, quanto para a sua R_on (5 Ω) quando a descarga estiver quase completa; eles correspondem a tempos de descarga aproximados de 50 ns e 17 ns, respectivamente, a partir do que definimos conservadoramente um tempo de descarga fixo de 100 ns.
- O resistor de 50 Ω na saída fornece "terminação de fonte" para um cabo de 50 Ω (veja o Apêndice H).
- Arranjamos as coisas de modo que a parte superior da forma de onda dente de serra corresponda à definição de ciclo de trabalho curto; isso porque a forma de onda tem uma base plana de 100 ns (durante a descarga), enquanto a parte superior é uma dente de serra precisa.
- Observe que a frequência de oscilação é, em boa aproximação, independente das variações da tensão de alimentação, sendo definida ratiometricamente (tanto a corrente de carga quanto a amplitude de pico são definidas como uma fração do V_+, nominalmente 5 V).
- A tensão de ajuste de frequência aplicada a U_1 é desviada para o trilho *positivo*, porque essa é a referência para a fonte de corrente; no final do intervalo de baixa frequência, a tensão em R_{15} é apenas 5 mV abaixo do trilho positivo, sendo bastante sensível ao ruído da fonte de alimentação.

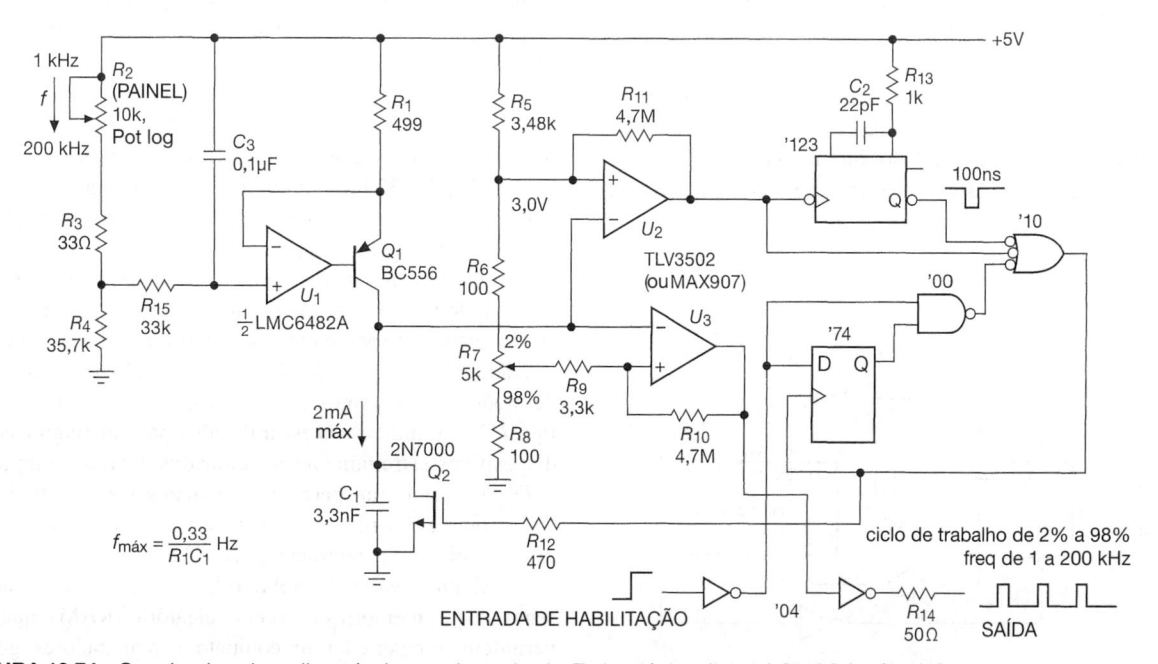

FIGURA 10.74 Gerador de pulsos disparável autossincronizado. Toda a lógica digital é CMOS família LVC.

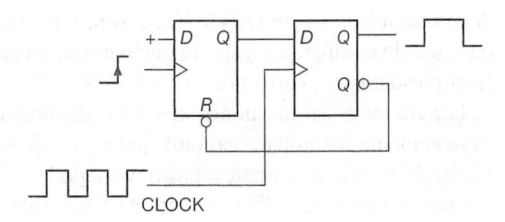

FIGURA 10.75 Gerador de pulso simples.

- Especificamos um potenciômetro logarítmico, R_2, para o controle de frequência; caso contrário, o fim do intervalo de baixa frequência fica achatado.

10.4.6 Geração de Pulso Simples com *Flip-flops* e Contadores

Na Seção 7.2.2, discutimos a geração de pulsos e atrasos com multivibradores monoestáveis e algumas razões para ter cuidado ao considerar a possibilidade de utilizar esses dispositivos parcialmente analógicos. Quando um sinal de *clock* está presente (o que é quase sempre), existem alternativas puramente digitais. A Figura 10.75 mostra como gerar um único pulso sem *glitches* cuja largura seja igual a um ciclo de *clock*. Você se divertirá desenhando o diagrama de tempo para este circuito – aceite o desafio!

Exercício 10.26 Aceite o desafio!

A Figura 10.76 mostra outro caso em que flip-flops e contadores (*flip-flops* alternantes em cascata) podem ser utilizados no lugar de um monoestável para gerar um pulso de saída longo. O '4060 é um contador ondulante binário CMOS de 14 estágios (14 *flip-flops* em cascata). A borda de subida na entrada leva Q para nível ALTO, habilitando o contador. Depois de 2^{n-1} pulsos de *clock*, Q_n vai para nível ALTO, zerando o contador com as saídas dos *flip-flops* em nível BAIXO. Esse circuito gera um pulso longo de precisão cuja largura pode ser variada por fatores de 2. O '4060 também inclui circuito oscilador interno que pode substituir o *clock* de referência externo. Nossa experiência é que o oscilador interno tem tolerância de frequência ruim e pode apresentar um mau funcionamento (em algumas versões HC).

Você pode obter CIs completos para implementar temporização com contadores. O ICM7240/50/60 da Maxim tem 8 bits ou contadores internos de 2 dígitos e a lógica necessária para gerar atrasos igual a um número inteiro de contagem (1 a 255 ou 1 a 99 contagens); você pode definir o número ou por meio de conexões "com fio", ou por chaves *thumbwheel* externas. O ICM7242 é semelhante, mas com contador divisor por 128 pré-programado.

10.5 FUNÇÕES SEQUENCIAIS DISPONÍVEIS COMO CIRCUITOS INTEGRADOS

Tal como acontece com as funções combinacionais que descrevemos anteriormente, é prática padrão integrar várias combinações de *flip-flops* e portas em um único chip para criar "lógica padrão" sequencial. Nas seções seguintes, apresentamos um breve levantamento dos tipos mais úteis. *Como nos sentimos obrigados a mencionar muitas vezes, você também pode obter arranjos* sem compromisso *de portas e flip-flops, as interconexões a serem programadas pelo usuário. Esses são os imensamente populares FPGAs e CPLDs, que discutiremos mais adiante neste capítulo e no Capítulo 11.*

10.5.1 *Latches* e Registradores

Latches e registradores são usados para "manter" um conjunto de bits, mesmo que as entradas mudem. Um conjunto de *flip-flops D* individuais constitui um registrador, mas tem mais entradas e saídas do que o necessário. Como você não precisa de *clocks* separados, ou entradas de SET e CLEAR, as primeiras linhas podem ser conectadas entre si, exigindo menos pinos e, portanto, permitindo que oito *flip-flops* se acomodem em um encapsulamento de 20 pinos. O popular '574 é um registrador *D* octal com *clock* de borda de subida e saídas de três estados; o '273 é semelhante, mas tem um RESET em vez de saídas de três estados. Para larguras de dados maiores, você pode contar com os registradores *D* '16374 (16 bits) e '32374 (32 bits). A Figura 10.77 mostra um registro *D* quádruplo com as saídas verdadeira e complementada. O código Verilog que o descreve está na Figura 10.78.

O termo "*latch*" é geralmente reservado para um tipo especial de registrador: um no qual as saídas seguem as entradas quando ativado e mantenha o último valor quando desativado. Mas o termo "*latch*" tornou-se ambíguo com o uso, de modo que os termos "*latch* transparente" e "registrador tipo *D*" são, muitas vezes, utilizados para distinguir esses dispositivos estreitamente relacionados. Como exemplo, o '573 é um latch transparente octal análogo ao registrador *D* '574, completo com saídas de três estados. As versões de 16 bits e 32 bits são denominadas '16373 e '32373.

Algumas variações sobre o *latch* ou registrador são as seguintes: a) memórias de acesso aleatório (RAM), que lhe permitem escrever e ler um conjunto de registradores (geral-

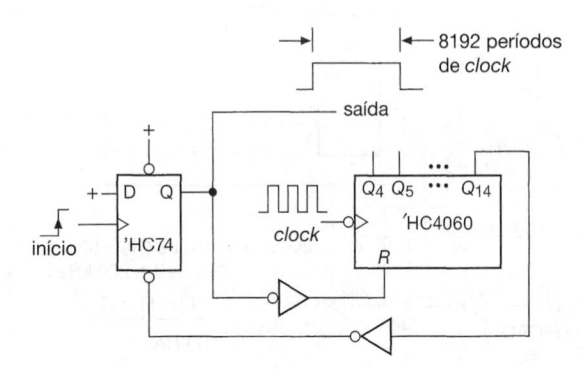

FIGURA 10.76 Geração digital de pulsos longos.

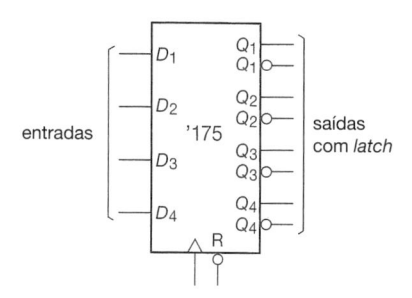

FIGURA 10.77 Registrador *D* de 4 bits '175.

mente grande), mas apenas um (ou no máximo alguns) de cada vez; CIs de RAM estão disponíveis em tamanhos de até 1 Gbyte ou mais, e são utilizados principalmente para a memória em sistemas de microprocessadores (veja o Capítulo 14); (b) *latches* endereçáveis, um *latch* multibit que permite que você atualize bits individuais, mantendo inalterados os outros; (c) um *latch* ou registrador incorporado em um chip maior – por exemplo, um conversor digital-analógico; tal dispositivo precisa da entrada aplicada apenas momentaneamente (com uma borda de *clock* apropriada), uma vez que um registrador interno pode armazenar os dados.

Ao escolher um registrador ou *latch*, procure características importantes, como a entrada de habilitação, reset, saídas de três estados e pinagem *broadside* (entradas de um lado do chip e saídas do outro lado); o último é conveniente quando você está roteando uma placa de circuito impresso (PCB).

10.5.2 Contadores

Como mencionamos anteriormente, é possível construir um *contador* conectando *flip-flops*. Existe disponível uma incrível variedade de dispositivos, tais como chip único, alguns dos quais estão listadas na Tabela 10.5. Aqui estão algumas das características a procurar.

```
// registrador D de 4 bits com saídas verdadeira
// e complementada e com reset assíncrono ativo em nível baixo
reg [3:0] D;
reg [3:0] Q;
reg [3:0] QBAR;
wire CLKIN;
wire RESETBAR;
always @(posedge CLKIN or negedge RESETBAR)
  if (!RESETBAR)
    begin
      Q <= 4'b0000;
      QBAR <= 4'b1111;
    end
  else
    begin
      Q <= D;
      QBAR <= ~D;
    end
```

FIGURA 10.78 Código Verilog para um registrador *D* quádruplo com saídas verdadeira e complementada.

A. Tamanho

Você pode obter contadores BCD (divisão por 10) e binário (ou hexadecimal, divisão por 16) na categoria popular de 4 bits. Existem contadores maiores, de até 24 bits (nem todos eles disponíveis como saídas); o 74LV8154 é um bom exemplo – ele tem um par de contadores síncronos de 16 bits com os registradores de saída e entradas de *clock* separados e uma saída *tri-state* de 8 bits que encaminha qualquer byte selecionado. Também existem contadores de módulo *n* que se dividem por um número inteiro *n*, com o módulo *n* especificado como uma entrada. Para algumas aplicações (por exemplo, temporização), você não se preocupa com os bits intermediários, você só quer um monte de estágios internos, fornecidos por chips como ICM7240-60, MC14541 e MC14536; veja a Seção 7.2.4D. Você sempre pode conectar contadores em cascata (incluindo tipos síncronos) para obter mais estágios.

B. *Clock*

Uma distinção importante é saber se o contador é um contador ondulante ou um contador síncrono. Neste último, todos os *flip-flops* recebem *clock* simultaneamente, ao passo que, em um contador ondulante, cada estágio recebe clock a partir da saída do estágio anterior (Figuras 10.62 e 10.63). Contadores ondulantes geram estados transitórios, porque os estágios iniciais alternam um pouco antes dos posteriores. Por exemplo, um contador ondulante que vai da contagem 7 (0111) para a 8 (1000) passa pelos estados 6, 4 e 0 ao longo do caminho. Isso não causa problemas em circuitos bem projetados, mas acontece em um circuito que utiliza portas para procurar um determinado estado (esse é um bom lugar para usar algo como um registrador *D*, de modo que o estado da saída do contador é examinado apenas na borda de um *clock* seguro). Contadores ondulantes são mais lentos do que os contadores síncronos, por causa dos atrasos de propagação acumulados. Ou seja, leva mais tempo para todos os bits "estabilizarem" no seu próximo estado; por outro lado, um contador ondulante tem uma taxa de contagem máxima mais elevada (para a mesma velocidade de *flip-flop*). Contadores ondulantes têm *clock* na borda de descida para fácil expansibilidade (conectando a saída *Q* de um contador diretamente à entrada de *clock* do seguinte); em contadores síncronos, o *clock* é ativado na borda de subida.

Preferimos a família '160 a '163 de contadores síncronos de 4 bits para a maioria das aplicações que não necessitam de um recurso especial (Figura 10.79). Os quatro membros da família incluem BCD e binário, cada um disponível com RESET síncrono ou assíncrono.[57] Eles podem ser car-

---

[57] Com a entrada reset *R'* ativada, um contador com reset síncrono espera até a próxima subida do *clock* para resetar, ao passo que um contador com reset assíncrono reseta ao ativar a entrada *R'*, independentemente do estado do *clock*.

TABELA 10.5 CIs contadores selecionados[a]

Nº identif (74xxx)	Tensão de alimentação min (V)	Tensão de alimentação máx (V)	Bits	Síncrono?	U/D	BCD	CLEAR síncrono	$f_{máx}$ min (MHz)	$f_{máx}$ @ V_{CC} (V)	DIP disponível?
HC4024	2,0	6,0	7	no	–	–	–	30	4,5	●
HC4040	2,0	6,0	12	no	–	–	–	30	5	●
VHC4040	2,0	6,0	12	no	–	–	–	150	5	–
HC4060	2,0	6,0	14[b]	no	–	–	–	28	4,5	●
LV4060	1,2	5,5	14[b]	no	–	–	–	99[c]	3,3	(●)
HC40103	2,0	6,0	8	●	D	'102	●	15	4,5	●
74HC161	2,0	6,0	4	●	–	'162	'163	30	4,5	●
74AC161	1,5	6,0	4	●	–	–	'163	90[c]	3,3	–
74LV161	2,0	5,5	4	●	–	–	'163	165[c]	3,3	–
74LVC161	1,2	3,6	4	●	–	–	'163	200[c]	3,3	–
74HC191	2,0	6,0	4	●	●	'192	'193	30	4,5	●
74AC191	1,5	6,0	4	●	–	–	–	133[c]	5	–
74HC590	2,0	6,0	8[d]	●	–	–	–	33	4,5	●

Notas: (a) Todos são binários, RESET assíncrono, contagem crescente, a não ser indicado o contrário. (b) Não há pinos de saída para os bits 0, 1, 2 e 10. (c) Típico. (d) Com saídas *tri-state*.

regados em paralelo e são facilmente conectados em cascata através da saída de *carry* e entradas de habilitação (*enable*).

C. Crescente/decrescente

Alguns contadores podem contar em qualquer sentido, sob o controle de algumas entradas. As duas possibilidades são: (a) uma entrada *U/D*' que define o sentido da contagem e (b) um par de entradas de *clock*, um para crescente (UP), outra para decrescente (DOWN). Exemplos são o '191 e o '193, respectivamente. O '579 e o '779 são contadores crescente/decrescente de 8 bits úteis.

D. Carga e *clear*

A maioria dos contadores têm entradas de dados para que possam ser pré-carregados com uma dada contagem. Isso é útil se você quiser fazer um contador de módulo *n*, por exemplo. A função de carga pode ser síncrona ou assíncrona: os '160 a '163 têm carga síncrona, o que significa que os dados nas linhas de entrada são transferidos para o contador coincidente com a próxima borda de subida do *clock*, se a linha CARGA também for ativada em nível BAIXO; os '190 a '193 são assíncronos, o que significa que os dados de entrada são transferidos para o contador quando a linha CARGA é ativada, independentemente do *clock*. O termo "carga em paralelo" é utilizado por vezes, uma vez que todos os bits são carregados ao mesmo tempo.

A função CLEAR (ou RESET) é uma forma de pré-carga. A maioria dos contadores tem uma função CLEAR do tipo assíncrona, porém alguns têm CLEAR síncrono; por exemplo, o '160/'161 têm CLEAR assíncrono, ao passo que o '162/'163 têm CLEAR síncrono.

Exemplo: divisor por 3 (de novo)

Faremos uma pausa por um momento para olhar esse negócio de sinais de controle síncronos *versus* assíncronos. Nenhum é "melhor" (afinal, a família '160 a '163 lhe dá ambas as escolhas, e ao mesmo preço) – a escolha depende da aplicação. Imaginemos que queiramos utilizar um contador binário síncrono de 4 bits do tipo '161/'163 funcionando como um divisor por 3 (um desafio que assumimos anteriormente, com *flip-flops* discretos, na Seção 10.4.3B). Devido a esses serem apenas contadores *crescentes*, usaremos uma porta NAND

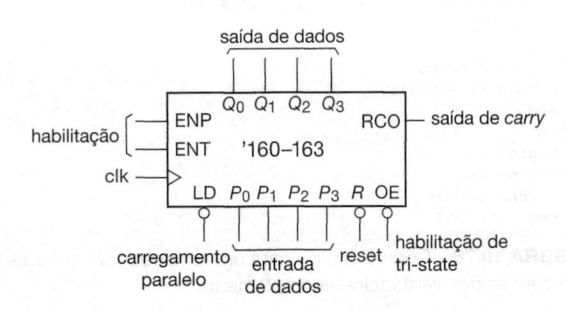

FIGURA 10.79 Contadores síncronos: '160 a '163.

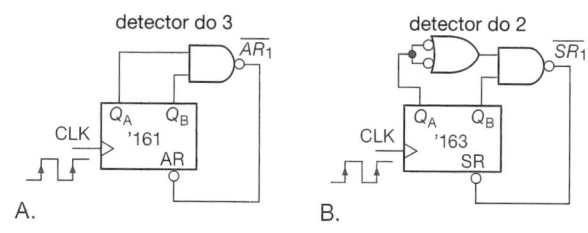

FIGURA 10.80 Dois circuitos divisor por 3, a partir de contadores síncronos de 4 bits: A. Com reset assíncrono ('161); B. Com reset síncrono ('163). Construímos ambos, com a família lógica LV-A operando em 3,3 V; formas de onda nas Figuras 10.81 e 10.82.

para detectar o estado da contagem = 3 e usaremos sua saída ativa em nível BAIXO para ativar a entrada RESET' do contador. Por isso, ele deve contar 0, 1, 2, e o próximo *clock* o leva a uma contagem de 3, após o que é imediatamente resetado. Como queremos que o reset aconteça imediatamente, escolhemos o '161, com a sua entrada RESET' assíncrona (Figura 10.80A).

Soa bem e funciona, mais ou menos. Mas há um pequeno problema: olhe para a Figura 10.81, que mostra as formas de onda medidas, conforme ocorrem os pulsos de *clock* a 12 MHz. Você pode ver o contador passar sucessivamente pelos estados 0, 1 e 2; em seguida, você o vê alcançar o estado 3 (Q_A e Q_B em nível ALTO), após o que a porta NAND gera um pulso de nível BAIXO (AR'_1), que reinicia o contador em 0. O problema é que o pulso RESET' contém as sementes da sua própria destruição, por assim dizer: ele traz a contagem a zero, o que o faz desaparecer imediatamente. Portanto, é possível para o pulso ser mais curto do que a largura do pulso mínimo de reset, o que poderia resultar em um reset incompleto de todos os *flip-flops* do contador.[58]

A forma de onda do osciloscópio mostra outro perigo potencial do uso de reset assíncrono aqui: a forma de onda indicada por AR'_2 é a saída da porta NAND quando a saída Q_A vê mais carga capacitiva do que Q_B (colocamos 39 pF para o terra); isso atrasou Q_A o suficiente para produzir um falso estado transitório "3" durante a transição 1→2. Nesse circuito, não foi suficiente resetar o contador prematuramente... mas com certeza parece ruim!

A melhor solução é o reset *síncrono* (Figura 10.80B), onde o contador é resetado na subida do clock *seguida* da ativação da sua entrada RESET'. Isso significa que é preciso detectar a contagem = 2 (em vez de 3; isto é, *n*–1 em vez de *n*).[59] A Figura 10.82 mostra as formas de onda, livre de *gliches* e pulsos estreitos (mesmo com a carga capacitiva extra de Q_A, mostrada como a forma de onda de reset SR'_2).

---

[58] Mesmo que funcione na prática, você não quer pulsos insignificantes em torno de seu circuito, certo?

[59] Poderíamos ter ignorado Q_A e simplesmente invertido Q_B (descubra o porquê); no entanto, para maior clareza, fizemos a lógica completa com portas para detectar $Q_A = 0$ AND $Q_B = 1$ para o sinal de reset síncrono SR'_1.

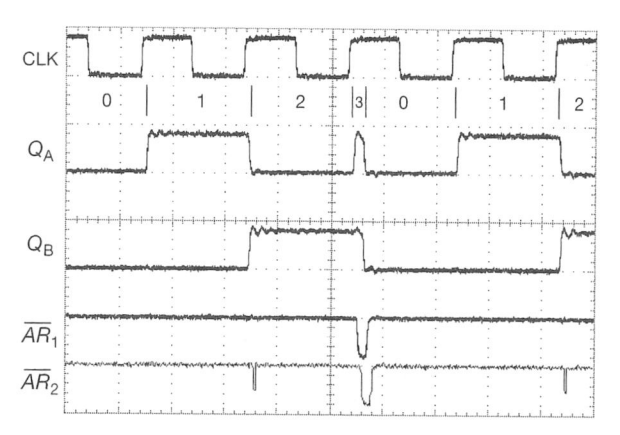

FIGURA 10.81 Formas de onda medidas a partir do circuito divisor por 3 da Figura 10.80A. O pulso de reset modificado AR'_2 resultou de uma carga adicional de 39 pF em Q_A. Horizontal: 40 ns/div. Vertical: 4 V/div.

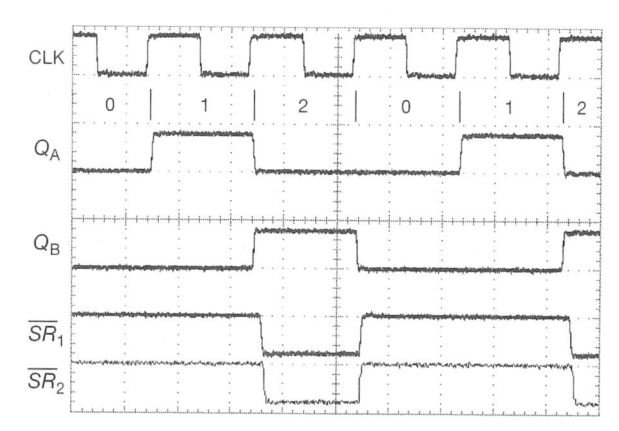

FIGURA 10.82 Formas de onda medidas a partir do circuito divisor por 3 da Figura 10.80B; mesmas condições como na Figura 10.80A.

Veremos essa questão novamente em conexão com o gerador de *n* pulsos (Seção 10.6.3).

E. Outras características do contador

Alguns contadores apresentam *latches* nas linhas de saída; eles são sempre do tipo transparente, de modo que o contador pode ser usado como se nenhum *latch* estivesse presente. (Tenha em mente que qualquer contador com entradas de carga em paralelo pode funcionar como *latch*, mas você não pode contar ao mesmo tempo em que os dados são mantidos, como você pode com um chip contador/*latch*.) A combinação de contador mais *latch* é, às vezes, bastante conveniente, por exemplo, se você deseja exibir ou fornecer uma contagem anterior, enquanto começa um novo ciclo de contagem. Em um contador de frequência, isso permitiria uma exibição estável, com a atualização após cada ciclo de contagem, em vez de uma exibição que repetidamente volta para zero e, em seguida, conta crescente.

Há contadores com saídas de três estados. Eles são ótimos para aplicações em que os dígitos (ou grupos de 4 bits) são multiplexados em um barramento para a apresentação ou a transferência para outro dispositivo. Exemplos disso são o '560/1, '590 e '779; este último é um contador binário síncrono de 8 bits cujas saídas *tri-state* também servem como entradas em paralelo; por meio do compartilhamento de linhas de entrada-saída, o contador se encaixa em um encapsulamento de 16 pinos. O '593 é semelhante, mas em um encapsulamento de 20 pinos. Se você quer um contador para usar com um display, há alguns que combinam contador, *latch*, decodificador de 7 segmentos e acionador em um único chip; um exemplo é o contador de 4 dígitos 74C926.[60]

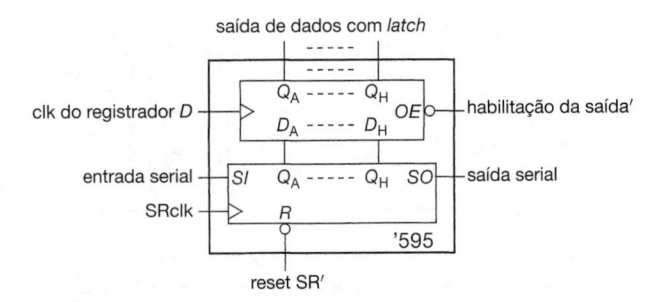

FIGURA 10.83 Registrador de deslocamento octal '595 com *latch* de saída. Um dispositivo útil para criar saídas múltiplas com *latch* a partir de alguns pinos de um microcontrolador; a variante TPIC6595 tem acionadores MOS de dreno aberto, adequado para acionamento de cargas pesadas, 45 V e 250 mA.

10.5.3 Registradores de Deslocamento

Se você conectar uma série de *flip-flops* de modo que cada saída Q acione a próxima entrada D e todas as entradas de *clock* sejam acionadas simultaneamente, você tem o que é chamado de *registrador de deslocamento*. A cada pulso de *clock*, o padrão de 0s e 1s se desloca no registrador para a direita, com os dados na primeira entrada D que entram a partir do lado esquerdo. Tal como acontece com *flip-flops*, os dados presentes na entrada serial imediatamente antes do pulso de clock são inseridos, e há o atraso de propagação habitual para as saídas. Assim, eles podem ser conectados em cascata, sem medo de uma condição de concorrência. Registradores de deslocamento são muito úteis para a conversão de dados em paralelo (n bits presentes simultaneamente, em n linhas separadas) para os dados em série (um bit após o outro, por uma única linha de dados), e vice-versa. Eles também são úteis como memórias, principalmente se os dados são sempre lidos e escritos em ordem. Tal como acontece com contadores e *latches*. Registradores de deslocamento vêm em uma variedade interessante de estilos pré-fabricados. As características importantes a procurar são as seguintes.

A. Características

Tamanho e organização
Os registradores de 4 bits e de 8 bits são padrão, com alguns tamanhos maiores disponíveis (até 64 bits ou mais).[61]

Registradores de deslocamento são geralmente um pouco grandes, mas existem também registradores de largura dupla, quádrupla e hexa. A maioria dos registradores de deslocamento desloca apenas para a direita, mas existem registradores bidirecionais, como o '194 e o '299.

Entradas e saídas
Pequenos registradores de deslocamento podem fornecer entradas ou saídas em paralelo, e geralmente o fazem; um exemplo é o '395, um registrador de deslocamento de 4 bits de entrada em paralelo e saída em paralelo (PI/PO – *parallel-in/parallel-out*) com saídas *tri-state*. Registradores maiores podem fornecer apenas entrada ou saída *serial*, ou seja, apenas a entrada para o primeiro *flip-flop* ou a saída do último é acessível. Em alguns casos, são fornecidas algumas derivações intermediárias selecionadas. Uma maneira de fornecer entrada e saída em paralelo em um encapsulamento pequeno é compartilhando entradas e saídas (*tri-state*) nos mesmos pinos, por exemplo, um '299, um registrador de 8 bits PI/PO bidirecional em um encapsulamento de 20 pinos. Alguns registradores de deslocamento incluem um *latch* na entrada ou na saída em paralelo, por isso podem ir deslocando enquanto os dados estão sendo carregados ou descarregados. Um exemplo particularmente bom deste último é o registrador de deslocamento de 8 bits '595 (Figura 10.83), disponível em muitas famílias lógicas, incluindo AHC(T), F, FCT, HC(T), LV, LVC e VHC; isso é ótimo para a criação de uma saída em paralelo de vários bits com latch a partir de um fluxo de bits pequeno vindo de um microcontroller.[62] Da mesma forma, o '597 é um registrador de 8 bits em paralelo, conveniente para a obtenção de dados para um microcontrolador através de um pino de entrada em série de um único bit.

Tal como acontece com os contadores, LOAD e CLEAR em paralelo podem ser síncronos; por exemplo, o '323 é o mesmo que ao '299, mas com CLEAR síncrono.

---

[60] Lamentamos a descontinuidade do incomum TIL306/7, um contador *com display* em um único chip: um CI fácil e prático de usar. Outro bom exemplo de um contador integrado é o ICL7216 da Intersil, um contador universal de 10 MHz e 8 dígitos em um chip (com acionador de LEDs de 7 segmentos); ele é mostrado em toda sua glória em nossa segunda edição (na página 526). A má notícia é que ele foi recentemente interrompido; mas a boa notícia é que você pode implementá-lo sozinho, em um FPGA ou CPLD – consulte o Capítulo 11. (A Maxim ainda faz o ICM7217, um contador crescente/decrescente de 4 dígitos com acionador de LED multiplexado, e os acionadores de LED de 8 dígitos ICM7218 e 7228, são disponibilizados pela Maxim e pela Intersil.)

[61] Há ainda registradores de comprimento variável (por exemplo, o 4557: 1 a 64 estágios, definido por uma entrada de 6 bits).

[62] O maravilhoso microcontrolador que faz tudo é o assunto do Capítulo 15, no qual mostraremos um exemplo.

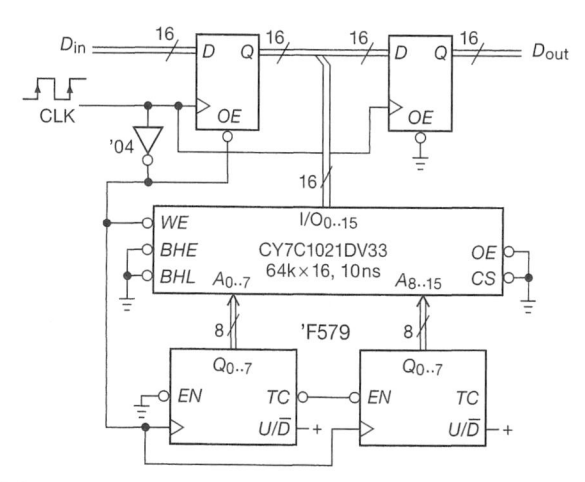

FIGURA 10.84 Registrador de deslocamento grande e largo implementado a partir de RAM mais contador; a barra indica várias linhas, neste caso, os caminhos de dados de 16 bits de largura e um par de endereços de 8 bits de largura, para um comprimento total de 65.536 palavras de 16 bits.

B. RAMs como registradores de deslocamento

Uma memória de acesso aleatório pode sempre ser utilizada como um registrador de deslocamento (mas não vice-versa), utilizando um contador externo para gerar endereços sucessivos. A Figura 10.84 mostra a ideia. Um par de contadores síncronos de 8 bits em cascata gera endereços sucessivos para uma RAM estática de 16 bits × 64k palavras. A combinação se comporta como um registrador de deslocamento longo de 65.536 palavras de 16 bits de largura. Ao escolher um contador e memória rápidos[63], fomos capazes de alcançar uma taxa máxima de *clock* de 27 MHz (veja o diagrama de temporização, Figura 10.85), o que é comparável ao de um registrador de deslocamento integrado de lógica padrão (mas muito menor). (Vale a pena passar alguns minutos estudando esse cálculo. Um bom exercício de cálculo dos tempos de *setup* e *hold*, atrasos de propagação e tempo de acesso à memória). Essa técnica pode ser usada para produzir registradores de deslocamento muito grandes, se desejado.

---

[63] O '579 está disponível apenas em uma família lógica de 5 V. O restante do circuito é alimentado a partir de +3,3 V; no entanto, os níveis de sinal são compatíveis por toda parte (ou seja, a lógica que opera em 3,3 V tem entradas "tolerantes a 5V"; e a lógica 5V aceita níveis de entrada de 3,3 V, veja a Seção 12.1.2A).

Exercício 10.27 No circuito da Figura 10.84, os dados de entrada parecem ir para o mesmo local de onde os dados de saída são lidos. No entanto, o circuito se comporta de forma idêntica a um clássico registrador de deslocamento de 64k palavras. Explique o porquê.

10.5.4 Dispositivos Lógicos Programáveis

Já dissemos isso antes (e diremos de novo) – o projeto digital contemporâneo está se movendo implacavelmente na direção dos CIs programáveis pelo usuário, contendo tipicamente de centenas a centenas de milhares de portas e *flip-flops*,[64] em que as *conexões* são programáveis. A inserção do projeto é feita em uma linguagem de descrição de hardware, processada por software para gerar o *netlist* de conexões e, então, carregada no chip através de uma interface serial (normalmente JTAG). Teremos mais a dizer sobre isso no próximo capítulo; mas eles fazem muitas tarefas lógicas tão bem, que não podemos terminar este capítulo sem um breve resumo.

A. A má notícia

Para usar esses pequenos dispositivos, você geralmente precisa aprender uma HDL (lógica de descrição de hardware) como Verilog ou VHDL, e você precisa de uma programação "*pod*" (ou outro *link* para o computador onde o HDL é processado). E esses dispositivos são universalmente (bem, quase todos) encapsulados em SMD, o que torna a prototipagem um pouco mais difícil.

B. A boa notícia

Você pode preservar um desconhecimento da programação HDL usando, no lugar, alternativas de inserção de esquemáticos que estão disponíveis tanto a partir de fabricantes de PLDs quanto de terceiros (Seção 11.3.3A). E, para a maioria dos trabalhos digitais, PLDs vêm mesmo a calhar. Aqui estão os usos e as vantagens dos PLDs mais importantes.

---

[64] Às vezes, complementado com funções dedicadas, tais como RAM, interfaces e processadores.

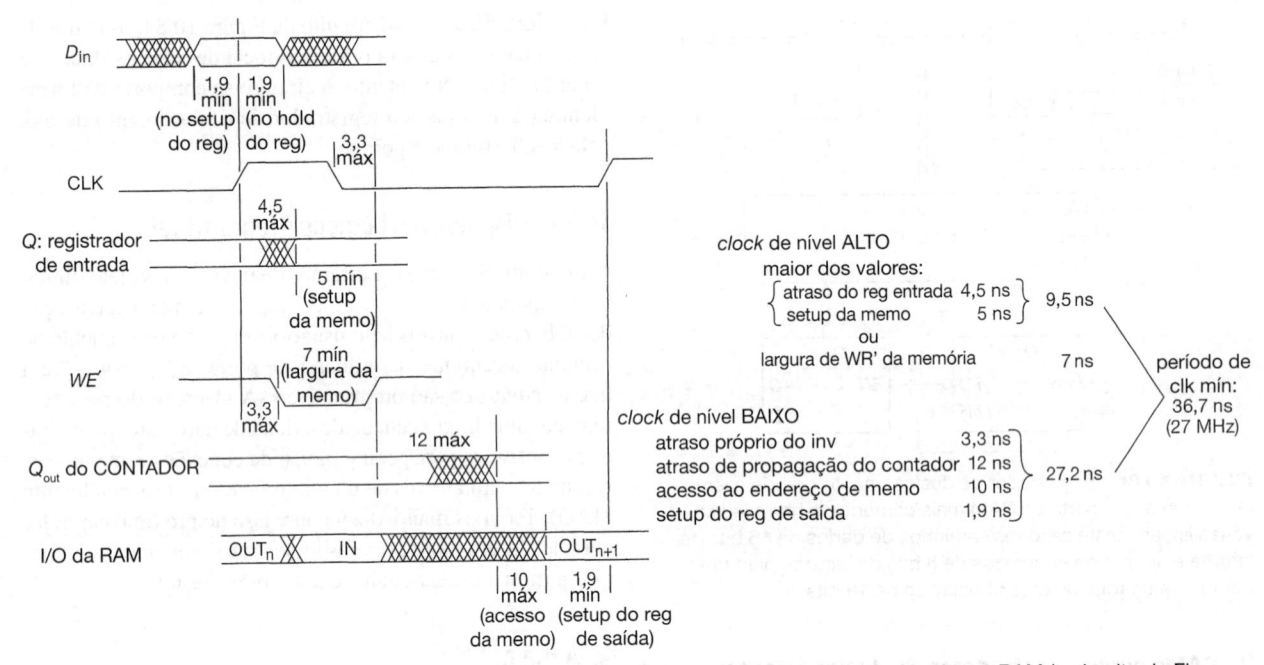

FIGURA 10.85 Diagrama de temporização para o registrador de deslocamento longo implementado em RAM (o circuito da Figura 10.85), considerando especificações de temporização de pior caso. Isso facilita o cálculo da velocidade máxima de clock de 27 MHz.

Máquinas de estado
O PLD é natural para uma máquina de estado síncrona arbitrária. Você seria tolo de usar uma variedade de *flip-flops D* e combinações lógicas discretas quando um PLD faz o trabalho em um encapsulamento barato e poderoso.

Substituição da lógica "aleatória"
Dentro de muitos circuitos, você encontra pequenos nós e emaranhados de portas, inversores e *flip-flops* denominados simplesmente de *lógica aleatória* ou *lógica programável*. Um PLD geralmente reduzirá a contagem de encapsulamentos em um fator de 10 ou mais.

Flexibilidade
Às vezes, você não está muito certo de como quer que algum circuito funcione, mas ainda assim deve terminar o projeto de modo que possa experimentá-lo. Os PLDs são excelentes aqui, porque você pode reprogramá-los em algum momento mais tarde, sem ter que refazer conexões físicas que seriam necessárias se tivesse usado a lógica discreta. Com PLDs, o próprio circuito é uma forma de software.[65]

Várias versões
PLDs tornam possível projetar um único circuito e, em seguida, produzir várias versões diferentes do instrumento preenchendo a placa com PLDs programadas de forma diferente.

Velocidade e estoque
Com PLDs, geralmente você pode começar o trabalho de projeto feito de forma mais rápida (uma vez que você aprendeu os comandos e a configurar as suas ferramentas de software). Além disso, você precisa estocar apenas alguns tipos de PLDs em vez de dezenas de tipos de lógica MSI de funções padrão.

Sistema em um chip
Os PLDs maiores (em particular, FPGAs) têm recursos suficientes para que você possa ser capaz de fazer todo o seu projeto em um PLD. Em particular, você pode incluir funções como uma interface (Ethernet, USB, ou qualquer outro), memória e até mesmo um microprocessador em um único FPGA. Há duas possibilidades: (a) se você incluir essas funções em seu projeto de HDL e deixar o software implementá-las dentro da matriz de portas e *flip-flops*, terá uma implementação "soft"; isso pode incluir satisfatoriamente as funções implementadas que você recebe de outros lugares, caso em que é denominado "propriedade intelectual" (PI); (b) essas funções podem ser implementadas rigidamente (não mutável) em um FPGA – trata-se de uma "implementação rígida". Mais sobre isso no próximo capítulo.

10.5.5 Funções Sequenciais Diversas
Com o avanço implacável da indústria de semicondutores, que rotineiramente coloca milhões de transistores em um

---
[65] Mais corretamente, *firmware*: entre o hardware imutável e o software facilmente alterado.

chip,[66] você pode obter aparelhos estranhos e maravilhosos em um único chip de baixo custo. Esta breve seção apresenta apenas uma amostragem.

Memória FIFO

Uma memória em que o primeiro a entrar é o primeiro a sair (FIFO – *first-in-first-out*) é um pouco semelhante a um registador de deslocamento, em que os dados introduzidos na entrada aparecem na saída na mesma ordem. A diferença importante é que, com um registrador de deslocamento, os dados são empurrados enquanto dados adicionais são inseridos mediante *clocks*, mas, com uma FIFO, os dados ficticiamente *caem* em uma fila de saída. Entrada e saída são controladas por *clocks* separados, e a FIFO mantém o controle de quais dados foram inseridos e os que foram removidos[67]

FIFOs são úteis para *buffer* de dados assíncronos. A aplicação clássica é o *buffer* de um teclado (ou outro dispositivo de entrada, tal como um disco magnético, ou uma porta externa rápida como Ethernet) para um computador ou instrumento lento. Por esse método, nenhum dado é perdido se o computador não está pronto para cada palavra de dado conforme é gerada, desde que não se permita que a FIFO seja preenchida completamente. A série genérica 7201-06 de largura de um byte foi muito popular e vem em diversas tensões e comprimentos; por exemplo, a série 72V01-06 de FIFOs CMOS de 3,3 V tem de 0,5k a 16k palavras de 9 bits cada, velocidade máxima de 40 MHz e *tempo de fall-through* zero (uma aflição sofrida pelas primeiras FIFOs, que foram implementadas como registradores seriais). Você pode obter FIFOs bidirecionais, síncronas e de até 72 bits de largura.

Uma FIFO é desnecessária se o dispositivo para o qual você está enviando os dados pode sempre os receber antes que os próximos dados cheguem. Em linguagem de computador, você deve garantir que a *latência* máxima seja menor do que o tempo mínimo entre palavras de dados. Note que uma FIFO não ajudará se o destinatário dos dados não estiver apto, *em média*, para manter-se com os dados recebidos.

Voltímetros digitais

Você pode obter voltímetros digitais completos (DVMs) em um único chip (por algum motivo, você encontrará esses dispositivos listados como "acionadores (*drivers*) de vídeo" quando procurá-los em distribuidores). Eles incluem referência de tensão, entradas diferenciais de alta impedância, acionadores de LCD e assim por diante. Um exemplo é o MAX1495, um voltímetro de $4\frac{1}{2}$ dígitos totalmente integrado em um encapsulamento quadrado de 7 mm; ele consome cerca de um miliampere a partir de uma única fonte de 3 a 5 V. Um dispositivo popular genérico é o '7135 (a TI, a Intersil e a Maxim o chamam de ICL7135; a Microchip o chama de TC7135; e a TI também o vende como o TLC7135): é um voltímetro digital de $4\frac{1}{2}$ que opera a partir de +5 V e aciona display de LEDs de 7 segmentos. O '7136 é um acionador de display LCDs de 7 segmentos de $3\frac{1}{2}$ dígitos.

Circuitos de propósito especial

Há boas coleções de chips de integração em larga escala (LSI) para trabalhos misteriosos como comunicações de rádio (por exemplo, sintetizadores de frequência), processamento digital de sinais (filtros digitais, dispositivos de correlação, transformadas de Fourier, unidades aritméticas), comunicações de dados (UARTs, modems, interfaces de redes, CIs de criptografia de descriptografia de dados, conversores de formato serial, protocolos sem fio) e semelhantes. Muitas vezes, esses chips são usados em conjunto com dispositivos baseados em microprocessadores, e muitos deles não podem ficar sozinhos.

Chips de consumo

A indústria de semicondutores ama desenvolver CIs para uso em produtos no grande mercado de consumo. Você pode obter chips individuais para produzir relógios digitais (ou "analógicos"), fechaduras, calculadoras, detectores de fumaça, discadores de telefone, sintetizadores de música, geradores de ritmo e acompanhamento, etc. A parte interna de rádios, TVs, equipamentos de música e vídeo, navegadores GPS e celulares quase não possuem circuitos nos dias de hoje, graças à integração em larga escala. Síntese e reconhecimento de fala estão bem desenvolvidos: é por isso que dispositivos como navegadores GPS podem falar e entender nossas respostas, que são analógicas. Veículos são carregados com dezenas de processadores, para tarefas como controle de motor, freio, sistemas anticolisão, navegação, e assim por diante. Mesmo a humilde escova de dente tem um chip processador, que executa alguns milhares de linhas de código de computador.[68]

Microprocessadores

O exemplo mais impressionante das maravilhas da integração em escala muito ampla (VLSI) é o microprocessador, um computador em um chip. Em um extremo, há poderosos manipuladores de número como o Intel de oito núcleos Itanium, com mais de 3 bilhões de transistores; ele tem centenas de registradores internos, suporta até um petabyte (um milhão de gigabytes) de memória RAM e pode ser improvisado em arquiteturas de 512 processadores. No outro extremo, estão os processadores de chip único de baixo custo com uma rica

---

[66] E *bilhões* de transistores em alguns dos microprocessadores maiores, processadores gráficos (GPUs) e FPGAs.

[67] Uma FIFO pode ser implementada em software (como normalmente é feito em hardware) por meio da criação de um *buffer anel* na RAM, com um par de ponteiros (escrita e leitura).

[68] Confira O MC9RS08KA da Freescale Semiconductor, com oscilador de 10 MHz interno e 2 KB de memória interna; é "suficientemente pequeno para caber na cabeça de uma escova de dente elétrica" e destinado a "aparelhos de cuidados pessoais", entre outros usos. Custa apenas 40 centavos de dólar em grande quantidade.

estrutura com funções de entrada, saída e memória incluídas no mesmo chip para uso autônomo.

Um exemplo (Figura 10.86) é o ARM7 LPC2458 da NXP (anteriormente Philips): memória de 512kB/64kB, *clock* de 72 MHz, Ethernet 10/100, USB 2.0, A/D e D/A de 10 bits, 2xPWM, 4 UARTs, 2xCAN, SPI, 2xSSP, 3xI^{2}C, I^{2}S, 136 bits de I/O de uso geral e um controlador de memória externo. Esse dispositivo custa apenas 10 dólares![69] Este último tipo se destina a ser um controlador dedicado em um instrumento em vez de ser um dispositivo de computação versátil.

A revolução do microprocessador não começou a desacelerar, e vimos uma duplicação da capacidade do computador e do tamanho de memória (agora 8 Gbit por chip, em comparação com 1 Mbit/chip e 16 kbit/chip no momento em que as duas edições anteriores deste livro foram escritas) a cada 18 meses ("lei de Moore"); ao mesmo tempo, os preços caíram drasticamente (Figura 10.87). Juntamente com processadores e memória maiores e melhores, atividade recente em dispositivos de exibição, redes e comunicação de dados sem fio prometem ainda mais emoção nos próximos anos.

10.6 ALGUNS CIRCUITOS DIGITAIS TÍPICOS

Graças aos esforços da indústria de semicondutores, o projeto digital é maravilhosamente fácil e agradável. Quase nunca é necessário implementar um circuito digital em *"protoboard"*, como tantas vezes ocorre em projetos analógicos. De modo geral, as únicas armadilhas sérias envolvem tempo e ruído. Teremos mais a dizer sobre este último no Capítulo 12.

Este é um bom lugar para ilustrar sincronismo com alguns exemplos de projetos sequenciais. Algumas dessas funções podem ser realizadas com circuitos LSI ou com lógica programável, mas as implementações mostradas são razoavelmente eficientes e ilustram o tipo de projeto de circuito que é simples com peças amplamente disponíveis (e sem o domínio de quaisquer linguagens ou ferramentas de software).

10.6.1 Contador de Módulo *n*: um Exemplo de Temporização

O circuito na Figura 10.88 produz um pulso de saída para cada $n + 1$ pulsos de *clock* de entrada, onde *n* é o número de 8 bits que você definiu no par de chaves *thumbwheel* hexadecimais. Os '163s são contadores crescentes síncronos de 4 bits, com carga síncrona (quando LD' for nível BAIXO) através das entradas P_n. A ideia é carregar os contadores com o *complemento* da contagem desejada e, em seguida, contar até

---

[69] O LPC1768 da NXP é um dispositivo de baixa potência popular com a grande quantidade de prototipagens. Ele tem a maioria das características do LPC2458, mas falta-lhe o controlador de memória externo. Ele tem apenas 70 pinos GPIO (temos certeza de que você não vai perder o resto) e vem em um encapsulamento QFP de 100 pinos fácil de soldar (espaçamento de pino 0,5 mm). Em especial, tem um ADC de 12 bits, um DAC de 10 bits e seis saídas PWM de uso geral.

FF_H, recarregando no próximo pulso de clock. Como geramos os níveis de pré-carga com *pull-ups* para a fonte positiva (com o comum da chave aterrado), esses níveis são BAIXO-verdadeiro para as definições da chave exibida; isso torna os valores de pré-carga, interpretados como ativo em nível ALTO, equivalentes ao complemento de 1 das definições da chave.

Exercício 10.28 Mostre que a última afirmação é verdadeira descobrindo o valor ativo em nível ALTO que será carregado conforme o ajuste das chaves mostrado na Figura 10.88.

A operação do circuito é inteiramente clara. Para conectar contadores síncronos em cascata, você conecta todos os *clocks* e, em seguida, conecta a saída de "contagem máxima" de cada contador na entrada de habilitação (enable) do contador sucessivo. Para um '163 habilitado, a saída RCO (*ripple-clock output*) vai para nível ALTO na contagem máxima, habilitando o segundo contador via entradas de habilitação ENT e ENP. Assim, o CI_1 avança a cada *clock*, e IC_2 avança no *clock* após IC_1 atingir F_H. A dupla conta, assim, em binário até que o estado FF_H, ponto no qual a entrada LD' é ativada. Isso produz a pré-carga síncrona no próximo *clock*. Neste exemplo, escolhemos contadores com carga *síncrona* para evitar a concorrência lógica (e um pulso RCO estreito) que você obteria com um contador de carga assíncrona. Infelizmente, isso faz com que o contador divida por $n + 1$ em vez de *n*.

Exercício 10.29 Explique o que aconteceria se os contadores de carga assíncrona (por exemplo, '191s) fossem substituídos por contadores '163 de carga síncrona. Em particular, mostre como um pulso estreito seria criado. Demonstre também que o circuito precedente divide por $n + 1$, enquanto a versão de carga assíncrona divide por *n* (se ele funcionar!).

A. Temporização

Quão rápido o nosso contador de módulo *n* pode contar? Usaremos a família lógica LV em 3,3 V, em que o 74LV163A especifica um $f_{máx}$ garantido de 70 MHz.[70] No entanto, em nosso circuito, existem atrasos adicionais associados com a conexão em cascata (o CI_2 tem que saber que o CI_1 alcançou a contagem máxima em tempo para o próximo pulso de *clock*) e a conexão do *overflow* (estouro) da carga. Para descobrir a frequência máxima em que se garante que o circuito funciona, você tem que somar os atrasos de pior caso e garantir que o tempo restante de configuração seja suficiente. Observe a Figura 10.89, na qual desenhamos um diagrama de temporização mostrando a sequência de carga que ocorre na contagem máxima.

---

[70] O '1G04 não está disponível na família LV, por isso usaremos um 74LVC1G04.

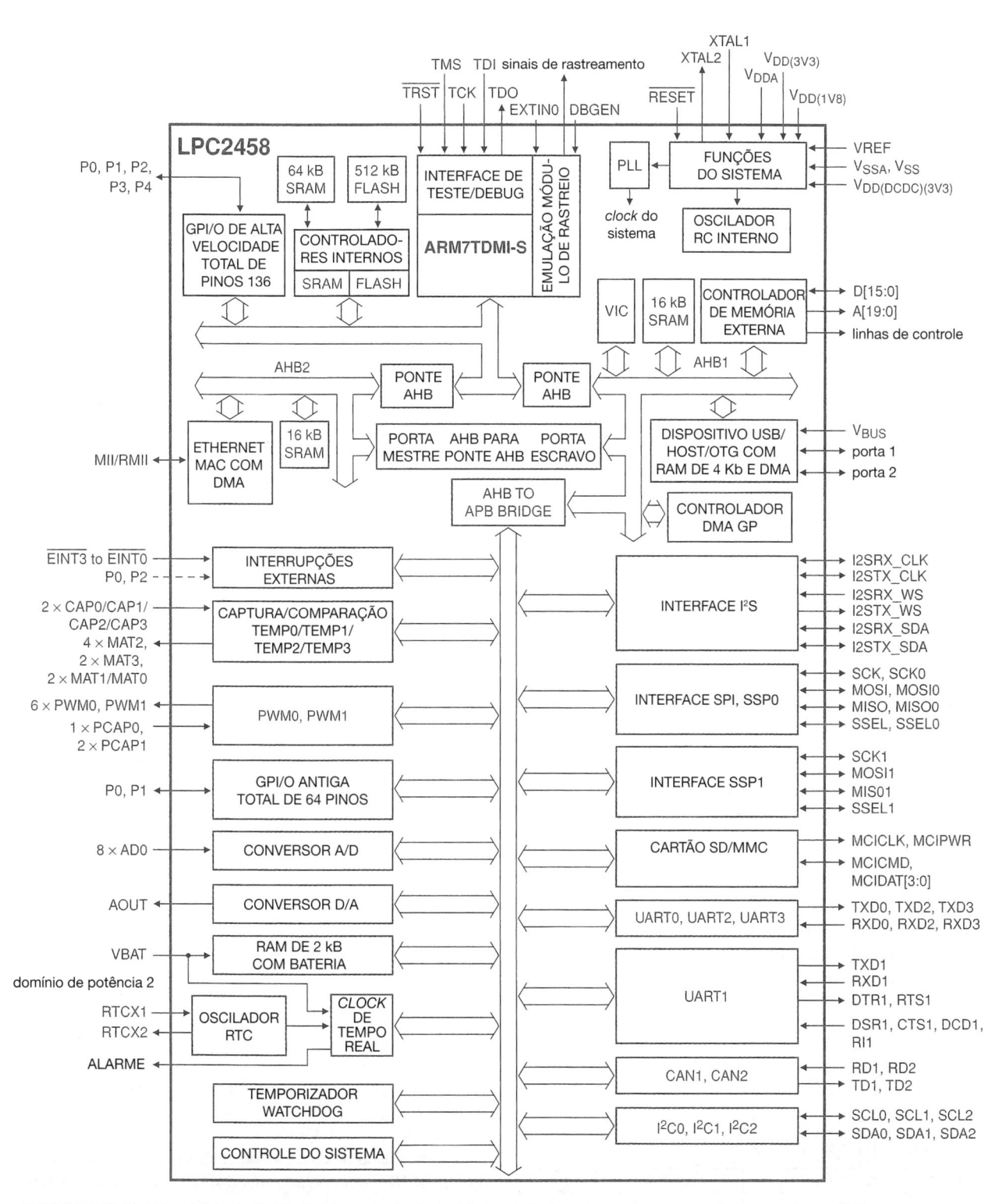

FIGURA 10.86 Uma prévia do Capítulo 13: uma microcontrolador de baixo custo com diversas funcionalidades interessantes. Adaptado do documento LPC2131_32_34 _36_38_4©NXP B.V. 2007).

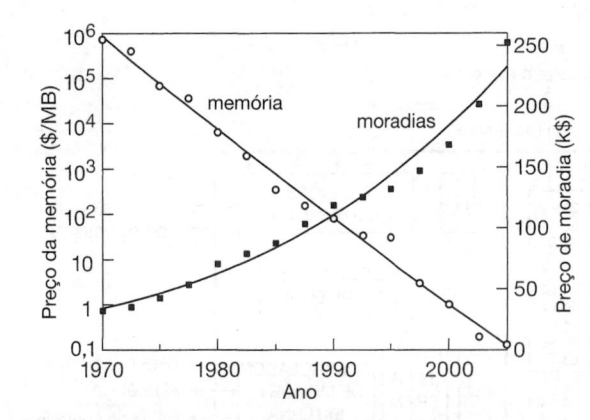

FIGURA 10.87 A lei do Vale do Silício: trinta e cinco anos de preços no varejo de computador com memória caindo 50% a cada 18 meses. (A mesma lei não se aplica aos preços médios de novas moradias nos Estados Unidos, que aumentaram durante muitas décadas. Mas os acontecimentos mais recentes demonstraram os perigos de uma expectativa confiante de os preços das casas continuarem aumentando.)

Uma mudança de BAIXO para ALTO em qualquer saída Q segue a uma borda de subida de CLK em no máximo 15 ns. Isso é interessante, mas não é relevante, porque a sequência de carga usa a saída RCO; essa saída do CI_1 segue a borda de subida do pulso CLK que traz a contagem máxima em no máximo 16 ns, e a RCO do IC_2 segue a sua entrada de habilitação (assumindo, claro, que é a contagem máxima) em, no máximo, 14,5 ns. O LVC1G04 adiciona um atraso de 3,3 ns max para gerar LD', que deve preceder CLK (t_{setup}) em, no mínimo, 9,5 ns. Isso nos leva ao próximo CLK; portanto, $1/f_{máx} = (16 + 14,5 + 3,3 + 9,5)$ ns, ou $f_{máx} = 23,1$ MHz. Isso é consideravelmente menos do que a máxima frequência garantida de contagem de 70 MHz de um único 74LV163A.

Exercício 10.30 Mostre, por um cálculo semelhante, que um par de CIs 74LV163A sincronicamente em cascata (sem carga no *overflow*) tem uma taxa de contagem máxima garantida de 40 MHz. Encontre os dados de temporização de que você precisa indo ao site da TI.

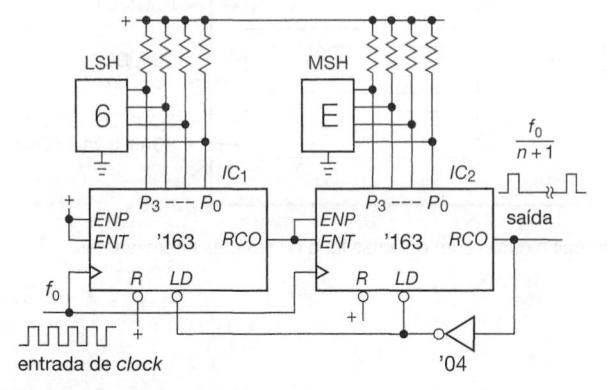

FIGURA 10.88 Contador de módulo n, com módulo definido por chaves *thumbwheel*.

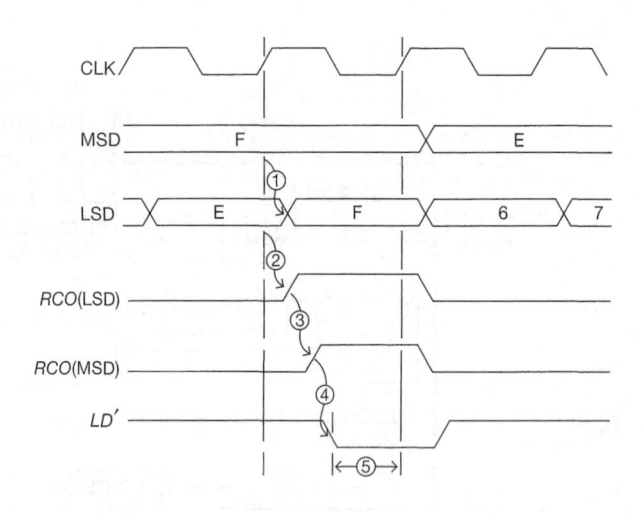

	ns, máx
① CLK para Q	15
② CLK para RCO	16
③ ENT to RCO	14,5
④ A to Y ('04)	3,3
⑤ setup de LD' para CLK	9,5 (mín)

FIGURA 10.89 Diagrama de temporização e cálculo para o contador de módulo n.

Claro, se for necessária uma maior velocidade, você pode procurar por uma lógica mais rápida. Fazendo o mesmo cálculo para a lógica 74F (para o qual a taxa máxima de contagem de um único 74F163 é de 100 MHz), encontramos $f_{máx} = 29$ MHz. É aqui que a veloz lógica bipolar ECL vem ao resgate: o MC100E016 é um contador síncrono carregável de 8 bits com uma $f_{máx}$ especificada de 700 MHz(!). Qual é a velocidade, no entanto, em uma conexão de módulo n? Visto que ele é de 8 bits, não precisamos de conexão em cascata; além disso, a sua saída de contagem máxima (denominada TC') é ativa em nível BAIXO, bem como o seu controle de carga em paralelo (denominado PE'), de modo que não precisamos também do inversor: TC' se conecta diretamente a PE'. O atraso CLK TC é um mero 0,9 ns, e o *setup* PE CLK é de 0,6 ns, que calculamos para uma $f_{máx}$ de módulo n garantida de 667 MHz. Nada mal. Melhor ainda, esse chip foi planejado com antecedência para aplicações de módulo n incluindo um pino de entrada de "carga na contagem final" – permitindo que você alcance a velocidade garantida de 700 MHz (ou a velocidade "típica" de 900 MHz) para a divisão de frequência de módulo n: 30 vezes mais rápido do que a nossa implementação CMOS muito boa!

Entusiastas de contador de módulo n devem tomar nota do 'HC40103, um contador *decrescente* síncrono de 8 bits com carga em paralelo (síncrona ou assíncrono), saída de estado zero decodificada e reset para entrada máxima.

10.6.2 Display Digital de LED Multiplexado

Este exemplo ilustra a técnica de multiplexação de display: exibir um número de n dígitos mostrando sucessivos dígitos

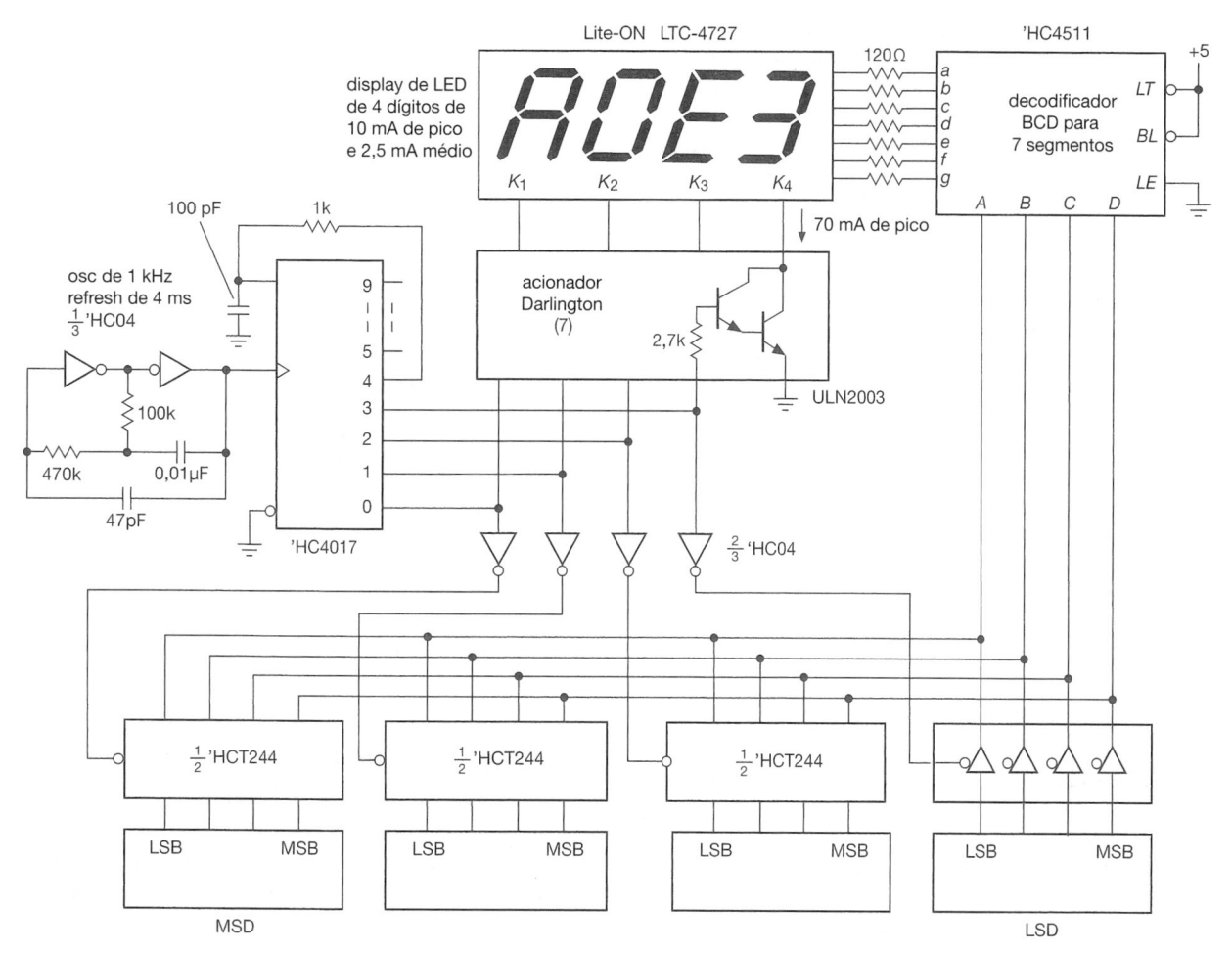

FIGURA 10.90 Display multiplexado de quatro dígitos. Seja qual for a quantidade mostrada.

rapidamente em sucessivos displays de LED de 7 segmentos (é claro, os caracteres não precisam ser números, e os displays podem ter uma organização diferente do popular arranjo de 7 segmentos). A multiplexação de displays é feita por razões de economia e simplicidade: a exibição de cada dígito continuamente requer decodificadores, acionadores e resistores de limitação de corrente separados para cada dígito, assim como conexões separadas a partir de cada registrador para o seu correspondente decodificador (4 linhas) e a partir de cada acionador para o seu display correspondente (7 fios); é uma bagunça!

Com a multiplexação, há apenas um descodificador/acionador e um conjunto de resistores limitadores de corrente. Além disso, como os displays de LED vêm em módulos de n caracteres, com os segmentos correspondentes de todos os caracteres conectados, o número de interconexões é bastante reduzido. Um display de 8 dígitos requer 15 conexões quando multiplexado (entradas dos 7 segmentos, comum a todos os dígitos, mais um cátodo ou ânodo de retorno para cada dígito), em vez das 57 que seriam necessárias para a exibição contínua (e, visto que os displays de LED vêm somente em variedades multiplexadas, você não tem escolha, de qualquer maneira).

A Figura 10.90 mostra o diagrama esquemático. Os dígitos a serem exibidos são residentes em registradores na parte inferior; eles podem ser contadores (por exemplo, se o dispositivo por acaso for um contador de frequência) ou, talvez, um conjunto de *latches* que recebe dados de um computador, ou possivelmente a saída de um ADC, etc. Em qualquer caso, a técnica é ativar cada dígito sucessivamente para um "barramento" interno de 4 bits (neste caso, com quatro *buffers* de três estados de 4 bits em cada metade de um *buffer* octal 'HCT244), decodificar e apresentar no display enquanto ativado no barramento (usando o decodificador/acionador de 7 segmentos 'HC4511).

Usamos um par de inversores para formar um oscilador clássico CMOS (Figura 7.2) operando a cerca de 1 kHz, acionando um contador/decodificador decimal 'HC4017. Como cada saída sucessiva do contador vai para nível ALTO, ele habilita um dígito para o barramento e, simultaneamente, puxa para o nível BAIXO o cátodo do dígito correspondente através do popular acionador Darlington de coletor aberto e alta corrente ULN2003. O 'HC4017 é conectado para percorrer de forma cíclica os estados de 0 a 3 resetando quando a contagem chega a 4 (com um pouco de atraso RC para garantir um reset total). A multiplexação do display funcionará com números de dígitos maiores e é universalmente usada em instrumentos com vários displays de LED. Tente deslocar rapidamente seus olhos durante a visualização de um display desse tipo – você verá uma sopa de caracteres alfanuméricos!

Uma das questões interessantes de projeto tem a ver com a "estimativa de tensão" do LED: você tem uma fonte de 5 V, e os LEDs que compõem os segmentos têm uma queda de tensão de $\sim$2,2 V para uma corrente de acionamento desejada de 10 mA, portanto parece que não há nada com que se preocupar. Um olhar mais atento (Figura 10.91) mostra o problema, ou seja, que os acionadores de anodo 'HC4511 (que são um híbrido pMOS-*npn*) têm uma queda V_{BE} (cerca de 0,7 V); e o Darlington do ULN2003 que absorve a corrente do dígito, operando a 70 mA, tem outra V_{BE} mais alguma tensão de saturação, para um total de cerca de 0,9 V. Adicione a queda do LED de 2,2 V,[71] e você tem apenas 1,2 V sobre os resistores de limitação de corrente. Então, para uma corrente de LED de 10 mA, precisamos de resistores de 120 Ω. Isso é muito bonito, mas você seria perdoado por se preocupar que alguma dispersão na queda direta no LED, etc., produziria mudanças percentuais significativas na pequena tensão remanescente sobre os resistores, ou seja, você pode ver variações de brilho inaceitáveis em todo os dígitos. Se você ainda não está preocupado, considere o efeito de uma queda de 10% na fonte de +5 V. Note-se, também, que este circuito de acionamento de LED não iria funcionar de todo com uma oferta de +3,3 V.[72]

Em um LED, a corrente máxima permitida é limitada apenas por superaquecimento. Então, não há problema em usar correntes muito elevadas de pico em um display multiplexado, enquanto a corrente média permanecer dentro do valor nominal. Porém, você tem que ser um pouco cuidadoso: a constante de tempo térmica do pequeno chip semicondutor do LED está em algum lugar abaixo de um milésimo de segundo, assim, para tempos ON (ligado) significativamente mais longos, a corrente de pico não pode exceder muito a corrente máxima média especificada. Outra boa maneira de destruir um LED pulsado é ter o circuito acionador preso no estado ON, por exemplo, causado por uma pane de programa durante a depuração no microcontrolador com display multiplexado (acionado pelo firmware).[73]

Muitos chips LSI dedicados de display, inseridos em dispositivos tais como relógios, conversores (televisão) e assim por diante, incluem a multiplexação do display no circuito do chip (e mesmo o acionador). Você também pode obter (embora com alguma dificuldade[74]) um multiplexador acionador de display autônomo de 6 dígitos, o antigo 74C912; ele aceita os caracteres de 4 bits em sequência e requer apenas o acionador de dígito externo.

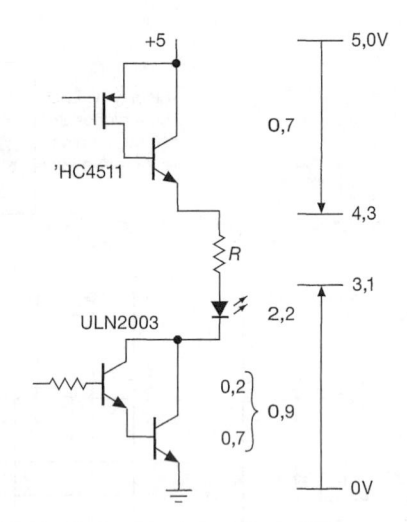

FIGURA 10.91 Estimativa da tensão do LED.

10.6.3 Um Gerador de *n* Pulsos

O gerador de *n* pulsos é um pequeno instrumento de teste útil. Ele gera uma rajada de *n* pulsos de saída que segue um sinal de disparo de entrada (ou você pode acionar um botão), com um conjunto de taxas de repetição de pulso selecionável. A Figura 10.92 mostra o circuito.[75] Os CIs 'HC190 são contadores crescente/decrescente (*up/down*) de década (aqui configurados como contadores decrescentes), com um *clock* contínuo a partir de uma subdivisão de potência de 10 do oscilador a cristal de 10 MHz fixo, porém desabilitados tanto pelas entradas ALD' (carga assíncrona) quanto por EN' (habilitação de contagem). Quando um pulso de disparo chega, o primeiro *flip-flop* habilita o contador, e o segundo *flip-flop* sincroniza a contagem após a próxima borda de subida do *clock*.

Pulsos (durante o *clock* em nível BAIXO) são passados pela porta AND até que o contador chegue a zero, estado no qual a saída RCO'[76] é ativada por um *clock* e ambos os *flip-flops* são resetados; ela carrega em paralelo o contador de volta para $n - 1$ a partir das chaves BCD, desabilita a conta-

---

[71] Conforme especificado para o módulo de display amarelo mostrado na figura; a queda direta de um LED depende da cor; veja a Figura 2.8.

[72] Nem com uma fonte de 5 V e display de LED azul, onde a tensão direta é $V_f \sim 3,5$ V.

[73] Veja a Seção 7.2.3 para uma boa maneira de evitar esta catástrofe específica.

[74] A Jameco os tem em estoque a 2 dólares em quantidade unitária.

[75] Desafio para o leitor: o que é tão "perfeito" na figura?

[76] Indicando uma "contagem de terminal" ondulante que, para um contador decrescente (como aqui), é o estado 0000 dos 4 dígitos. Uma particularidade do '190 é que RCO' é ativado somente durante o *clock* de nível BAIXO.

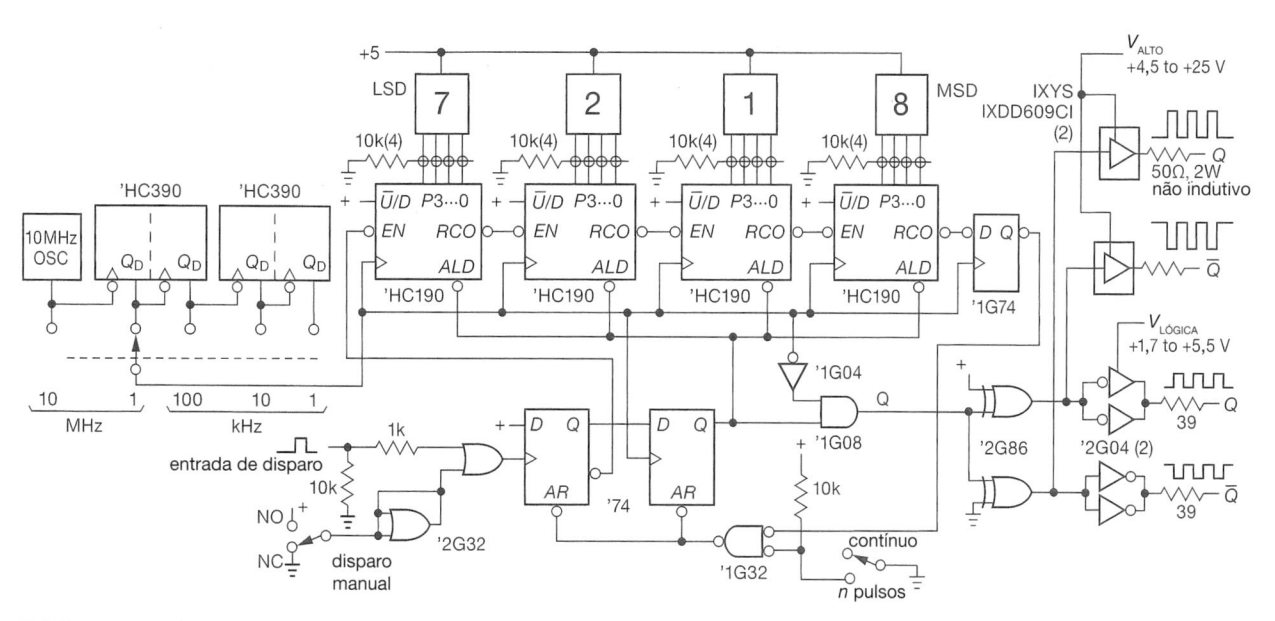

FIGURA 10.92 Gerador perfeito de *n* pulsos. Toda a lógica é a família LVC, que opera a partir de +5 V, salvo indicado o contrário.

gem e prepara o circuito para um outro disparo.[77] Note que o uso de resistores *pull-down* nesse circuito significa que as chaves BCD verdadeiras (em vez de complementadas) devem ser utilizadas. Observe também que a entrada de disparo manual deve ser antirrepique, como mostrado, uma vez que ela dá *clock* em um *flip-flop*. Isso não é necessário para a chave contínuo/*n* pulsos, que simplesmente habilita um fluxo contínuo de pulsos de saída.

O estágio de saída oferece dois pares de sinais verdadeiro/complementado: as portas EX-OR geram sinais lógicos complementares com igual atraso; os inversores LVC2G04 em paralelo têm nas saídas variações lógicas trilho a trilho configuráveis a partir de + 1,7 a 5,5 V através de uma entrada de alimentação externa. Foram utilizados dois inversores em paralelo para aumentar a capacidade de acionamento (as seções de inversor em paralelo podem absorver ou fornecer 32 mA, ficando dentro de 0,5 V dos trilhos, para $V_+ = 3$ V); os resistores de 39 Ω, em combinação com a impedância de saída de estágio inversor de $\sim$10 Ω, fornecem terminação em série para cabo de 50 Ω.

Acrescentamos o par de acionadores (dentro dos retângulos) para tarefas de acionamento graves. Ele usa um robusto chip "acionador MOSFET", que se destina à comutação rápida de entradas de porta MOSFET altamente capacitivas. Esse tipo específico pode absorver ou fornecer até 8 A, com um tempo de comutação melhor do que a média de $\sim$10 ns; ele é não inversor e aceita variações lógicas de 5 V padrão. As saídas são terminadas em série com resistores de 50 Ω/2 W não indutivos.[78]

10.7 PROJETO DIGITAL DE MICROPOTÊNCIA

Pequenos aparelhos movidos a bateria de todos os tipos precisam operar em correntes muito pequenas, idealmente baixas na faixa do microampère. Para ter uma ideia, considere que uma bateria de 9 V tem uma capacidade de cerca de 500 mAh, assim ela dura cerca de 20 dias com um consumo de corrente de 1 mA; e uma pequena bateria que se assemelha a uma "moeda", como a sempre popular CR2032 (verificamos o estoque: quase dois milhões em estoque na DigiKey hoje), que oferece cerca de 200 mAh em 3 V.

Há muitos chips de micropotência por aí – tanto lineares (AOPs, referências de tensão, osciladores, etc.) quanto digitais (lógica padrão e programável, ADCs e DACs, microcontroladores, etc.) – que é por onde todo projeto de micropotência deve começar.

Mas se você não tiver cuidado, é fácil sacrificar o desempenho de micropotência desses excelentes chips. A edição anterior deste livro[79] tem um capítulo inteiro (Capítulo 14) sobre projeto de micropotência. Ele inclui muitas

---

[77] Devido ao *latch* do RCO', o trem de pulsos de saída tem $n + 1$ pulsos (em vez de *n*), então você tem que ajustar as chaves para um a menos do que você quer. A omissão desse *latch*, no entanto, trocaria esse embaraço *numérico* por uma *lógica*, ou seja, a geração de um pulso de saída estreito terminal. Sinta-se desafiado a descobrir o porquê. No entanto, remover ainda mais a inversão do *clock* de 1G04 eliminaria a saída estreita, produzindo, então, um pulso de recarga muito reduzido, mantendo-se a "característica" de contagem $n + 1$. Não há nada errado, na verdade, em um pulso de recarga cuja largura é determinada apenas por atrasos de propagação de lógica – é apenas, digamos, um pouco *feio*; em contrapartida, o *latch* do RCO para reset-recarga assíncrono é arrumado e limpo (e fácil de ver em um osciloscópio).

[78] Os leitores interessados em construir este circuito devem considerar, como uma alternativa para os contadores '190 (ou '192), o elegante HC4059, um contador decrescente carregável de 4 décadas, que substitui quatro chips por apenas um. Se, no entanto, o que você quer é a contagem *hexadecimal*, use o 'HC191 (binário).

[79] Com a disponibilidade contínua (e talvez perpétua) como um e-book.

informações sobre baterias e outras fontes de energia e sobre projetos de micropotência linear e digital; é uma boa leitura. Mas, por razões de espaço, estamos limitados aqui a um breve subconjunto dessa área importante, ou seja, o negócio da lógica digital de micropotência.

10.7.1 Mantendo CMOS com Baixa Potência

Existem várias medidas de rotina que você deve tomar para atingir a operação CMOS de baixa corrente. Além disso, vale a pena elevar o seu conhecimento sobre a natureza das causas do consumo de dispositivos CMOS.

A. Considerações de projeto de rotina

- *Mantenha o mínimo possível de nós em altas frequências.* CMOS não tem corrente quiescente (com exceção da corrente de fuga), mas a corrente é necessária para carregar capacitâncias internas (e carga) durante a comutação. Uma vez que a energia armazenada no capacitor é $\frac{1}{2}CV^2$, e uma quantidade igual de energia é dissipada pelo circuito de carga resistiva, a potência dissipada é

$$P = V_{DD}^2 fC$$

  para uma frequência de comutação f. Assim, dispositivos CMOS consomem energia proporcional à sua frequência de comutação, como vimos na Figura 10.27. Na sua frequência máxima de funcionamento, podem usar mais energia do que a lógica bipolar TTL equivalente. A capacitância efetiva C é, muitas vezes, dada em folhas de dados como a "capacidade de dissipação de energia", C_{pd}, para a qual você deve adicionar a capacitância de carga C_L antes de aplicar a fórmula anterior.
- *Dentro de um circuito, tenha cuidado quando misturar tensões de alimentação.* Caso contrário, você pode ter correntes que fluem através dos diodos de proteção de entrada. Ainda pior, você pode forçar um chip em *latchup* SCR (veja a Seção 10.8.3B).
- *Certifique-se de que as variações lógicas percorrem todo o caminho para os trilhos de alimentação.* Saídas CMOS variam de trilho a trilho. Saídas de outros dispositivos – TTL bipolar, osciladores, chips NMOS – podem flutuar entre os trilhos, causando corrente de classe A e diminuindo a imunidade ao ruído (lembre-se da Figura 3.93).
- *Não deixe entradas abertas.* Entradas abertas são o inimigo da operação de micropotência, uma vez que pode haver uma considerável corrente classe A (e mesmo oscilação) conforme a entrada flutua para o limiar da lógica (Figura 10.101). Conecte todas as entradas não utilizadas ao terra (ou V_{DD}, se isso desativar algo que você não quer).
- *Organize as cargas para manter um consume baixo no estado normal. Pull-ups*, *pull-downs*, LEDs e acionadores de saída *pull-up* devem ser conectados de modo que a corrente seja mínima no estado habitual.
- *Evite transições lentas.* Novamente, correntes classe A são as culpadas. Uma entrada senoidal acionando um *Schmitt trigger* CMOS pode causar uma série de correntes de alimentação.
- *Coloque resistores sensores de corrente no terminal de V_{DD}.* Em determinados modos de falha, especialmente aqueles causados por danos de eletricidade estática, um chip CMOS pode absorver excessiva corrente quiescente: um resistor de 10 Ω em série com V_{DD} em cada placa (Figura 10.93) torna mais fácil ver se isso está acontecendo (e você pode usar o rastreador de sinal (Seção 4.8.2) para rastrear o componente ofensivo).
- *Rastreio de corrente quiescente.* Um chip de lógica CMOS típico (em qualquer família – 4000B, HC, LVC, LCX, AUC, etc.) tem uma I_Q especificada de 5 a 20 μA, *no máximo*, mas tipicamente abaixo de aproximadamente 0,04 μA (isso se especificada). Fabricantes evidentemente definem uma especificação conservadora para uma máxima corrente de fuga, provavelmente porque eles não querem se preocupar com testes de valores realistas muito menores. Na maioria das vezes, é raro ter uma corrente quiescente em qualquer ponto próxima do máximo, mas pode acontecer. Se você estiver operando em frequências de comutação baixas (portanto, baixa corrente dinâmica) e exige-se corrente quiescente comparativamente baixa, pode ser necessário testar os chips recebidos. A utilização de pequenos resistores em série, tal como recomendado antes, torna o trabalho muito mais fácil. Percebemos que, no caso de chips CMOS LSI (como grandes memórias), a corrente quiescente típica pode estar próxima das especificações de fuga máximas do fabricante – cuidado!
- *Comutação de potência no repouso.* Você pode economizar uma grande quantidade de energia certificando-se de que um instrumento seja desligado quando ninguém o estiver usando. Volte ao Capítulo 7, em que mostramos um circuito de tempo limite simples, construído com lógica discreta, que desliga a alimentação de 9 volts uma hora depois de o instrumento ser ligado (Seção 7.2.4A). Melhor ainda, em qualquer aparelho

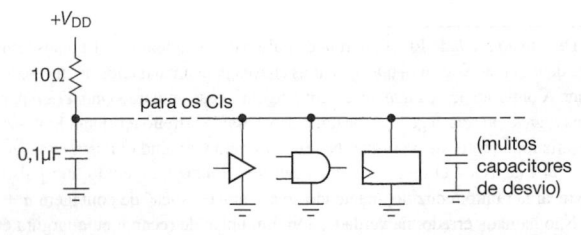

FIGURA 10.93 Um "espião de corrente" faz com que seja fácil localizar subseções de circuito em que se esconde um CI que consome muita corrente.

com um microcontrolador incorporado (Capítulo 15), utilize o temporizador interno do controlador (ou uma rotina de tempo limite programado) para comandar a comutação de potência. Em aplicações com energia de bateria limitada, é melhor escolher um controlador de micropotência; alternativamente, providencie para que ele passe a maior parte de seu tempo em um modo de baixo consumo (variavelmente chamado de "inativo", "economia de energia", "desligamento", "espera", "hibernar" ou "dormir").

10.8 PROBLEMAS EM CIRCUITOS LÓGICOS

Há armadilhas interessantes – e, às vezes, divertidas – que aguardam os desavisados que atuam com lógica digital. Algumas dessas, tais como concorrência lógica e condições de travamento, podem ocorrer independentemente da família lógica em uso. Outras (por exemplo, "SCR *latchup*" em chips CMOS) são características de uma família lógica ou outra. Nas seções seguintes, compilamos nossas experiências ruins na esperança de que elas possam ajudar os outros a evitar tais problemas.

10.8.1 Problemas CC

A. Bloqueio

É fácil cair na armadilha de projetar um circuito com um estado de bloqueio. Suponha que você tenha algum aparelho com um número de *flip-flops*, todos passando por seus estados adequados. Tudo parece funcionar bem. Então, um dia, ele simplesmente para de funcionar. A única maneira de fazê-lo funcionar é desligar a alimentação e ligá-la novamente. O problema é que há um estado de bloqueio (um estado excluído do sistema de que você não pode escapar), e o sistema acabou entrando nele por causa de algum transiente na alimentação que enviou o sistema para o estado proibido. É importante olhar para esses estados quando você projetar o circuito e configurar uma lógica para que o circuito se recupere automaticamente. No mínimo, as coisas devem ser organizadas de modo que um sinal de RESET (gerado manualmente, na inicialização, etc.) traga o sistema para um estado bom. Isso pode não exigir quaisquer componentes adicionais (por exemplo, Exercício 10.23).

B. Inicialização correta

Um problema relacionado é o estado do sistema na inicialização. É sempre uma boa ideia fornecer algum tipo de sinal de RESET na inicialização. Caso contrário, o sistema pode fazer coisas estranhas quando ligado pela primeira vez. Uma abordagem é a utilização de uma forma de onda de carga *RC*, que passa por um *buffer Schmitt trigger* (Figura 10.94). No entanto, além de exigir vários componentes discretos, esse circuito tem o inconveniente de não responder de forma fiável a uma queda momentânea de tensão.

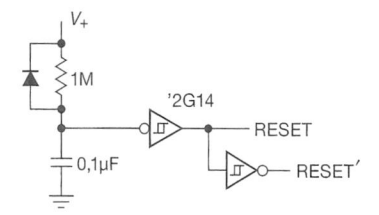

FIGURA 10.94 Reset simples ao energizar.

Uma abordagem melhor é fornecida por um CI com circuito de supervisão da fonte de alimentação. Esses chips vêm em muitas variedades. Os mais simples são dispositivos de 3 pinos que geram um pulso de reset na energização, por exemplo, o venerável MC34164, que vem em um conveniente encapsulamento de transistor TO-92 (além do pequeno SMD habitual) e mantém a sua saída de coletor aberto em nível BAIXO até que a tensão de alimentação suba acima de 4,3 V (2,7 V para o dispositivo 34164-3); ele inclui uma referência de tensão interna e alguma histerese. Um dispositivo mais flexível é identificado pela Maxim como MAX700, o qual está disponível em encapsulamentos de 8 pinos (incluindo DIP) e prevê tanto saídas *pull-up* ativas de RESET como de RESET'; ele permite que você defina os limiares no intervalo de 1,2 a 4,7 V com resistores externos (você também pode definir a histerese) e tem uma entrada para uma chave de RESET manual (Figura 10.95). As famílias MAX823 e ADM823 são tipos "comuns" amplamente licenciadas para outros fabricantes. Outros chips de supervisão incluem a chamada função de *watchdog* (cão de guarda): você tem que pulsá-lo pelo menos uma vez por segundo, ou ele faz um reset; eles são destinados a detectar uma falha do processador e forçar um *reboot* (uma função, muitas vezes, integrada em microcontroladores atuais também).

Muitos desses dispositivos de supervisão são feitos por múltiplos fabricantes, mas com nomes de prefixo diferentes. Por exemplo, o MAX809 também está disponível com prefixos APX, ADM, CAT, LM, STM e TCM e custa 14 centavos de dólar em um rolo de 3.000 peças, graças a toda a competição. Mas tenha cuidado e leia a folha de dados antes de fazer uma substituição! Por exemplo, a folha de dados do MCP809

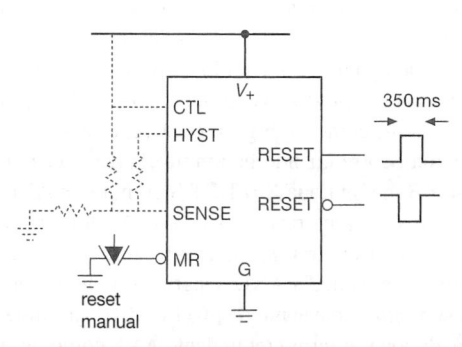

FIGURA 10.95 CI de supervisão fornece funções ao energizar, monitoramento de tensão e reset manual. O circuito opcional (pontilhado) permite o ajuste de limiar e histerese.

TABELA 10.6 RESET/supervisores selecionados

Tipo	Pinos	Encapsulamento(s)	#N° de Tensões[a]	Watchdog	Ent Reset	Ativo Alto[c]	Corrente de alimentação (µA)
MC34164	3	TO-92, SO-8	2	-	-	-	12
MAX809	3	SOT-23	7	-	-	'810	15
NCP303	5	SOT-23	7	-	-	'302	0,5
MAX700	8	SOIC-8	1[b]	-	●	ambos	100
ADM811	4	SOT-143	6	-	●	'812	5
ADM823	5	SOT-23, SC-70	7	●	●	'824	10

Notas: (a) A tensão é especificada por um sufixo. (b) Ajuste externo. (c) Todos têm saída ativa em nível BAIXO; os números de identificação listados têm saídas ativas em nível ALTO; MAX700 tem ambos.

da NSC diz que ele tem uma pinagem diferente da dos outros dispositivos '809 (ele corresponde ao comum STM1001 da STM). Um erro de redação? Talvez, mas o advertimos a ter cuidado.

Dispositivos avançados, como as séries ADM690 adicionam funcionalidades como comutação da alimentação para uma bateria reserva, um segundo comparador avisa da baixa tensão e lógica de habilitação de chip. Veja a Tabela 10.6 para as características de alguns CIs de supervisão favoritos.

10.8.2 Problemas de Comutação

A. Concorrência Lógica

Muitas armadilhas sutis se escondem aqui. A concorrência clássica foi ilustrada com o pulso sincronizador na Seção 10.4.4. Basicamente, em qualquer situação em que portas estão ativadas por sinais provenientes de *flip-flops* (ou qualquer dispositivo com clock), você deve ter certeza de que uma porta não fica ativada e, em seguida, imediatamente desativada após um tempo de atraso lógico. Da mesma forma, certifique-se de que os sinais que aparecem nas entradas do *flip-flop* não estejam atrasados em relação ao *clock* (outra vantagem para sistemas síncronos!). Em geral, atrase o *clock* em vez dos dados.

É surpreendentemente fácil ignorar uma condição de concorrência lógica. Um exemplo clássico é o multiplexador de 2 entradas simples: se você fizer a coisa óbvia, ou seja, Y=S&A|~S&B, como na Figura 10.96A, estará em apuros! O problema ocorre quando há um nível ALTO nas duas entradas *A* e *B*, e a entrada SELECT S comuta de ALTO para BAIXO, ou seja, a partir da seleção de *A* para a seleção de *B*. O atraso do inversor faz a parte inferior da porta AND ser desabilitada antes que a AND superior seja habilitada, produzindo um *glich* transiente de nível BAIXO na saída. A solução é adicionar o termo redundante A&B, como desenhado na Figura 10.96B. (Isto é feito corretamente em qualquer CI comercial. O problema surge quando você quer colocar um

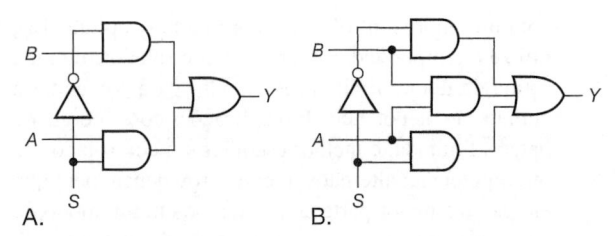

FIGURA 10.96 A adição de um termo redundante elimina um *glitch* de concorrência lógica no MUX de 2 entradas.

MUX na lógica programável,[80] para o qual você enuncia a lógica em uma linguagem de descrição de hardware. Você tem que instruí-lo com firmeza a não "otimizar" fora o termo redundante. Você tem que dizer a ele que você é mais sábio do que ele. Você pode dizer a ele, se tudo mais falhar, que você leu este livro.)

B. Estados metaestáveis

Como discutimos em pormenor anteriormente (Seção 10.4.2D), um *flip-flop* (ou qualquer dispositivo com *clock*) pode ficar confuso se a entrada de dados muda durante o intervalo de tempo de *setup* que antecede um pulso de *clock*. Enquanto o *flip-flop* toma *alguma* decisão prontamente nesse caso ambíguo, está tudo bem. Contudo, há uma chance de que a entrada possa ter mudado no momento errado, exatamente no "momento da verdade", de tal forma que o *flip-flop* não pode tomar uma decisão; sua saída pode flutuar no limiar da lógica por muitas vezes o tempo de propagação usual (ou pode permanecer em um estado lógico e, em seguida, mudar de posição mais tarde, como na Figura 10.60).

Esse problema não surge em sistemas síncronos adequadamente projetados em que os tempos de *setup* são sempre satisfeitos (usando lógica rápida o suficiente para que as entradas dos flip-flops estejam estáveis por t_{setup} antes do próximo pulso de *clock*). Contudo, ele *pode* criar problemas em situações em que os sinais assíncronos (por exemplo, passando do dispositivo A, com o seu próprio *clock*, para o dispositivo B, com um *clock* em separado) devem ser sincronizados. Nesses casos, você não pode garantir que as transições de entrada não ocorram durante o intervalo de *setup*; na verdade, você pode calcular quantas vezes elas ocorrem![81] Os problemas de metaestabilidade foram responsabilizados por falhas misteriosas no computador, apesar de sermos céticos. A solução envolve geralmente um conjunto de sincronizadores concatenados, ou um "detector de estado metaestável" que reseta o *flip-flop*. Você pode encontrar afirmações

---

[80] O assunto do próximo capítulo.

[81] A chance de desembarque no "intervalo de *setup*" Δt do *clock* mais rápido (a partir de t_{su} antes do *clock* para t_h após o clock) é $\Delta t/t_{clkF}$, onde $t_{clkF}=1/f_{clkF}$ é o período do mais rápido par de *clocks* assíncronos. Enquanto isso, o *clock* mais lento está correndo ao longo de f_{clkS}. Então, ele cai no intervalo metaestável, em média, a uma taxa de $f_{clkS}f_{clkF}\Delta t$ por segundo.

de lógica "metaestável-resistente" – por exemplo, a família lógica AC(T) de 5 V.

C. Inclinação do *clock*

Os problemas de inclinação do *clock* surgem quando você tem um sinal de *clock* de tempo de subida lento acionando vários dispositivos interconectados (Figura 10.97). Nesse caso, dois registradores de deslocamento octal '595 foram conectados em cascata para criar uma saída com *latch* em paralelo de 16 bits; eles estão sendo acionados pelo *clock* por uma borda que sobe lentamente, devido a uma carga capacitiva de um sinal de *clock* com inclinação (talvez vindo do pino de saída de um microcontrolador lento). O problema é que o primeiro registrador pode ter o seu limiar em uma tensão mais baixa do que a do segundo registrador (devido a variações do processo), e isso o faz deslocar mais cedo do que o segundo registrador. Então, o último bit do primeiro registrador é perdido. Dispositivos CMOS podem exibir uma grande amplitude de valores de tensões de limiar de entrada, o que agrava o problema (a especificação de limiar pode ser de um terço a dois terços de V_{DD}, e eles estão falando sério!). A melhor solução em tal situação é acionar as entradas de *clock* de um chip vizinho de velocidade adequada e sem carga capacitiva excessiva. (Outra forma de corrigir o problema, se você tem a inclinação do *clock*, é adicionar algum pequeno atraso nas linhas de dados entre chips sucessivas que recebem clocks, mas não deixe que isso substitua um *clock* "limpo".)

Falando em termos gerais, entradas de *clock* disparadas por borda em qualquer CI digital devem ser sempre tratadas com respeito. Por exemplo, as linhas de *clock* com ruído ou oscilação devem ser sempre "limpas" com uma porta (talvez uma com histerese de entrada) antes de acionar o chip com *clock* (mas tome cuidado para não violar os requisitos de tempo de *setup* e *hold*). Você é especialmente propenso a ter problemas com linhas de *clock* que vêm de outra placa ou de uma família lógica diferente. Por exemplo, as lógicas lentas 4000B ou 74C que acionam as famílias lógicas mais rápidas, HC ou AC, são propensas a apresentar problemas de inclinação do *clock* ou transições múltiplas; idem para o HC acionando LVC, e assim por diante.

Problemas de inclinação de *clock* podem ocorrer, surpreendentemente, mesmo dentro de um único chip de lógica programável. Um exemplo que encontramos é a venerável série 9500 de cPLDs, em que *flip-flops* individuais podem ter o *clock* acionado ou por um dos sinais de *clock* global distribuídos no chip, ou, alternativamente, pela saída da lógica interna (estes são chamados de *termos-produto*). Parece bom. Mas, se você usar um termo-produto para o *clock* de um conjunto de *flip-flops* em um registrador de deslocamento, por exemplo, o chip pode não funcionar bem. Isso ocorre por causa de atrasos de roteamento em trazer esses sinais de *clock* para os vários *flip-flops*. Um circuito síncrono como esse só funciona de forma garantida se receber pulsos de *clo-*

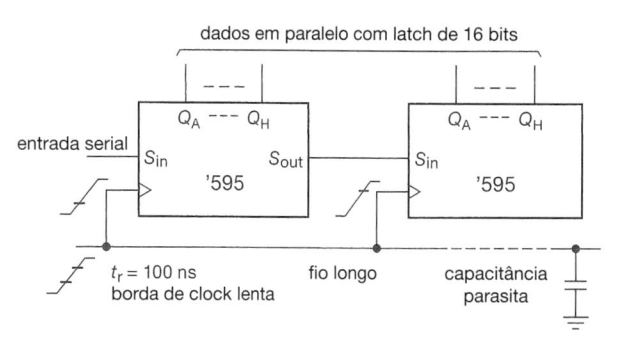

FIGURA 10.97 Tempos de subida lentos podem causar inclinação do *clock* quando os limiares diferem.

ck global.[82] Essa "pegadinha" não está em nenhum lugar de destaque nas folhas de dados.

D. Pulsos estreitos

Na Seção 10.6.1 (contador de módulo *n*), foram utilizados contadores de carga síncrona ('163) em vez de uma alternativa de carga assíncrona (como o '191), porque, com este último, você precisa adicionar um atraso para evitar um pulso de largura inferior (visto que a saída do contador faz com que ele próprio volte ao início). A mesma observação vale para pulsos de carga (LOAD) quando você estiver usando contadores ou registradores de deslocamento. Pulsos estreitos irão atormentá-lo, porque você pode ter operação marginal ou falhas intermitentes. Use as especificações de pior caso de atraso de propagação ao projetar.

E. Regras não especificadas

Conforme a indústria de semicondutores foi encontrando seu caminho, começando com os CIs RTL mais simples da década de 1960 (veja a Seção 12.1.1 para uma breve cronologia), então as famílias TTL e Schottky melhoradas, até as famílias CMOS modernas de alto desempenho, houve uma compreensível falta de padronização de pinagem, especificações e funcionalidades. Como exemplos, o 7400 (NAND) teve suas portas apontando "para baixo", mas o 7401 (NOR de coletor aberto) foi construído com as portas direcionadas para o outro lado. Isso criou tanta confusão, que teve de ser modificado para o 7403, que é um 7401 com a pinagem no estilo do 7400; um desastre semelhante aconteceu com o 7490 (contador ondulante BCD), com os pinos da fonte de alimentação no meio em vez de nos cantos. (Ironicamente, os pinos de alimentação no meio vêm recuperando força em CMOS rápido, por causa de sua indutância reduzida.)

Um legado importante dessa anarquia precoce é a mistura de "regras não especificadas" que nos prendem. Por

---

[82] Os quais, infelizmente, você não pode acionar a partir de um termo-produto, exceto trazendo o sinal para fora em um pino e de volta em outro (para um *clock* global).

exemplo, o sempre popular flip-flop tipo D '74 existe em cada família lógica; ativar tanto SET quanto CLEAR leva as duas saídas para nível ALTO em todas as famílias, exceto 74C, em que leva as duas saídas para nível BAIXO! Isso não é exatamente uma regra não especificada, uma vez que, se você olhar com cuidado nas letras miúdas, encontrará a inconsistência; o termo técnico para isso é *"pegadinha"*. Outra das nossas pegadinhas favoritas é o '96, um registrador de deslocamento de 5 bits com entradas de carga assíncrona complicada: elas podem levar a saída para 1 (SET), mas não podem levar para 0 (CLEAR)!

Uma regra não especificada genuína, e de fato muito importante, é o *tempo de remoção*: essa é a quantidade de tempo que você deve esperar após desativar uma entrada do tipo assíncrona antes de um dispositivo com *clock* ter garantido um *clock* correto. Projetistas de chips não se incomodam especificando isto até as famílias lógicas do início da década de 1980 (embora os projetistas sempre quisessem conhecê-lo), especificamente as famílias Schottky avançada e CMOS rápida. Se você está projetando com lógica anterior, o nosso conselho é que você seja conservador; por exemplo, considere que o tempo de remoção seja o mesmo que o tempo de *setup* dos dados.[83]

10.8.3 Deficiências Congênitas de TTL e CMOS

Dividimos esta seção em problemas incômodos e comportamento realmente bizarro.

A. Problemas incômodos

TTL bipolar (legado)
Você tem que lembrar que as entradas TTL *fornecem* corrente quando mantidas no estado BAIXO (por exemplo, 0,25 mA para LS, 0,5 mA para F). Isso torna difícil usar atrasos *RC*, etc., por causa das baixas impedâncias necessárias, e, em geral, você tem que refletir um pouco ao fazer a interface de níveis lineares para entradas TTL.

O limiar de TTL (e de seus imitadores, HCT e ACT) é muito perto do terra, tornando toda a família lógica um tanto propensa ao ruído (mais sobre isso no Capítulo 12). A alta velocidade dessas famílias lógicas as faz reconhecer picos de curta duração sobre a linha de terra; esses picos, por sua vez, são gerados pelas velocidades de transição de saída rápidas, tornando o problema mais grave.

TTL Bipolar faz exigências sobre a fonte de alimentação (+ 5 V, ±5%, com dissipação de potência quiescente relativamente alta.). Picos de corrente da fonte de alimentação gerados pelos circuitos de saída *pull-up* geralmente requerem

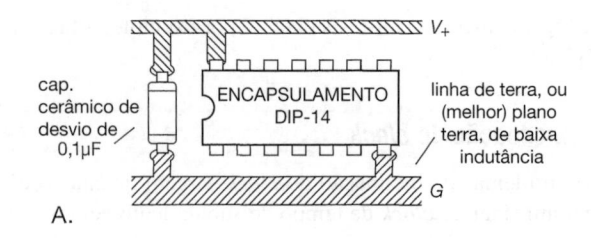

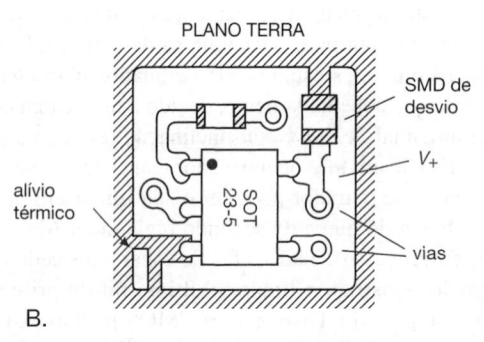

FIGURA 10.98 É sempre uma boa ideia usar fiação de terra robusta de baixa indutância, com uso liberal de capacitores de desvio. A. Para uma placa de dupla face de baixo custo, deve-se utilizar o traçado da alimentação e do terra em forma de grade. B. Melhor ainda, use um plano de terra e capacitores cerâmicos de desvio SMD. (A face superior é geralmente uma camada de sinal, com os planos de alimentação e terra empilhados por baixo, em uma PCB de multicamada. Mostramos o terra em cima para maior clareza, mas você pode muito bem fazer isso em uma PCB de dupla face.)

o uso liberal de capacitores de desvio da fonte de alimentação, idealmente de 0,1 μF por chip (Figura 10.98).

CMOS
Entradas CMOS são tradicionalmente propensas a danos causados por eletricidade estática, com taxas de "mortalidade" que crescem bastante no inverno. Famílias lógicas recentes com portas de polissilício e redes de proteção de entrada

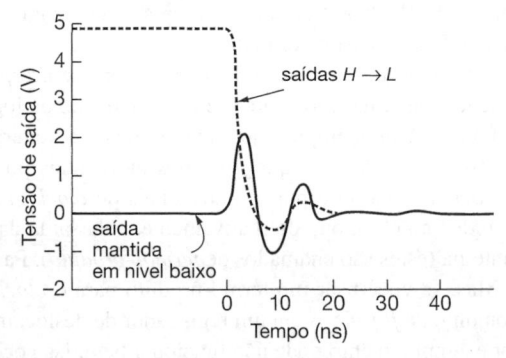

FIGURA 10.99 Repique do terra: *buffer* octal 74AC244, acionando sete cargas de 50 pF de H→L, segurando oito saídas em nível BAIXO. O terra é um plano de folha de cobre (0,3 kg/m^2). (Depois da Figura 1.1-4, *TI advanced CMOS Logic Designer's Handbook*.)

---

[83] É geralmente menos; por exemplo, o *flip-flop* tipo D 74HC74 especifica o tempo mínimo de remoção (de PRESET ou CLEAR para o *clock*) de 5 ns, enquanto o tempo mínimo de *setup* de dados é de 20 ns.

eficazes são muito mais robustas do que os seus antepassados de metal. Entradas CMOS mostram uma grande amplitude de valores no limiar da lógica, o que pode levar a problemas de inclinação do *clock* (seção 10.8.2C). Saídas lógicas podem até mesmo apresentar transições duplas quando acionadas com entradas que sobem lentamente. CMOS exige que todas as entradas não utilizadas, mesmo aquelas de seções de porta não utilizadas, sejam conectadas em nível ALTO ou BAIXO.

Um problema congênito interessante com as famílias rápidas CMOS é a presença de *repique do terra*: um chip CMOS rápido que aciona sua carga capacitiva gera enormes correntes de terra transientes, fazendo a linha de terra do chip saltar momentaneamente e, assim, levando consigo as saídas de nível BAIXO que são espectadores inocentes no mesmo chip. A Figura 10.99 mostra o tipo de coisa que você vê. Note particularmente a magnitude do efeito: 1 a 2 volts não é incomum! Quando você considera que uma transição de 3 ns, 5 V em 50 pF equivale a um transitório de corrente $I = C\,dV/dt = 83$ mA, e que um *buffer* octal pode acionar oito dessas cargas simultaneamente (corrente total de 2/3 A!), esse comportamento não é surpreendente. Quando a lógica rápida AC(T) apareceu pela primeira vez, veio no tradicional encapsulamento DIP com alimentação e terra nos cantos, problema que acabou por ser mais difícil de resolver do que o previsto, levando a um novo conjunto de circuitos AC(T) com alimentação e terra em "pinos centrais" (para uma indutância menor). Além disso, fabricantes de CIs lógicos implementaram melhorias no projeto para limitar as taxas de variação de pico (às vezes, chamadas *taxas de borda*) e, assim, as consequentes correntes de carga capacitivas $C\,dV/dt$: famílias lógicas, tais como AC(T)Q ("Q" para *quiet*, silencioso) ajudaram consideravelmente, com pouco compromisso de velocidade.

Uma solução melhor evoluiu, ou seja, a mudança para encapsulamentos de montagem em superfície (com menos indutância nos terminais), e o uso generalizado de placas de circuito multicamadas (com camadas de alimentação e terra dedicados), combinado com capacitores de desvio SMD. CIs lógicos recentes, por vezes, especificam níveis de ruído auto-induzido.[84] E chips VLSI com muitos pinos normalmente dedicam múltiplos pinos (às vezes, dezenas![85]) para o terra. No entanto, problemas de repique do terra não foram banidos. Os usuários devem estar cientes desse problema sério e tomar medidas para manter a indutância do a mais baixa possível (Figura 10.98). É melhor usar placas de circuito com alimentação dedicada, planos de terra e abundância de capacitores de desvio de baixa indutância. Melhor ainda, se você não precisa de velocidade, fique inteiramente longe das famílias lógicas mais rápidas.

B. Comportamento bizarro

Lógica bipolar

TTL não faz muitas coisas realmente estranhas. No entanto, alguns monoestáveis TTL disparam mediante um *glitch* na linha de alimentação (ou terra), e eles geralmente ficam um pouco "agitados". Um circuito que funciona bem com TTL LS pode apresentar mau funcionamento quando substituído por TTL AS, por causa dos tempos de borda mais rápidos e consequentemente correntes na linha de terra e oscilações maiores (TTL 74F parece melhor a esse respeito). A operação TTL mais estranha pode ser atribuída a problemas de ruído.

ECL envolve tempos de transição muito rápidos, e interconexões maiores do que alguns centímetros devem ser tratadas como linhas de transmissão terminadas (veja o Anexo H).

CMOS

A lógica CMOS pode deixá-lo louco! Entradas abertas nos chips CMOS são más notícias: você pode ter um circuito que se comporta mal de forma intermitente. Ao colocar uma "ponta de prova em um ponto do circuito, ela mostra zero volt, como deveria. Em seguida, o circuito funciona bem por alguns minutos – antes do mau funcionamento novamente! O que aconteceu foi que o osciloscópio descarregou a capacitância na entrada aberta, e levou um longo tempo para carregar de volta até o limiar da lógica.

Outro golpe divertido é quando um chip CMOS entra em "SCR *latchup*", causado por forçar uma entrada (ou saída) para além dos trilhos de alimentação momentaneamente. A corrente resultante (50 mA, mais ou menos), através dos diodos de proteção de entrada, liga um par de transistores parasitas de conexão cruzada que são um efeito colateral do processo CMOS de "junção isolada". Isso coloca um curto efetivo de V_{DD} para o terra; o chip fica quente, e você tem que desligar a fonte de alimentação antes de ele atuar novamente. Se você deixar que isso aconteça por mais do que alguns segundos, terá que substituir o chip. Alguns dos projetos CMOS mais recentes afirmam imunidade a *latchup*, mesmo com a entrada variando 5 V além dos trilhos, e afirmam operar corretamente a variações de entrada de 1,5 volt além dos trilhos.[86]

---

[84] Às vezes chamados de níveis lógicos de *saída silenciosa*, ou *saída livre*. Estes especificam a variação dinâmica máxima em uma saída que deveria permanecer em um estado lógico, enquanto todas as outras saídas do mesmo chip fazem uma transição lógica.

[85] Ou até mesmo centenas: contamos 423 pinos de terra no FPGA Virtex-7 da Xilinx em um encapsulamento de 1761 pinos.

[86] SCR *latchup* acontece quando a *corrente* de entrada excede algum limite: os fabricantes, muitas vezes, garantem que o *latchup* não ocorre se I_{in} for mantida abaixo de alguma "corrente de ceifamento de entrada" máxima, por exemplo, 20 mA. A folha de dados dirá algo como "as especificações de tensão de entrada e saída podem ser ultrapassadas se as especificações de corrente de entrada e saída forem observadas". É bom saber isso, porque você pode usar um resistor de entrada em série para evitar *latchup* mesmo com a extrapolação da tensão de entrada.

CMOS tem alguns modos de falha estranhos e sutis. Um dos FETs de saída pode "abrir", dando falhas sensíveis ao padrão que são difíceis de detectar. Uma entrada pode começar a absorver ou fornecer corrente. Ou todo o chip pode começar a consumir uma corrente substancial da fonte. Colocar um resistor de 1 Ω em série com o terminal V_{DD} de cada chip (com o desvio a jusante) torna fácil localizar chips CMOS defeituosos que estejam consumindo corrente quiescente de alimentação (para os acionadores de potência ou chips que acionam muitas saídas, use resistores sensores de 0,1 Ω). Na maioria das vezes, você não se preocupa com essa precaução; mas pode ser uma boa ideia se você estiver fazendo um dispositivo operado por bateria, em que microampères importam.

Além da variação do limiar de entrada entre chips, um único chip pode exibir limiares diferentes para várias funções de chips internos acionados a partir de uma única entrada. Por exemplo, a entrada RESET de um CD4013 pode levar Q' para nível ALTO antes de trazer Q para nível BAIXO. Isso significa que você não deve terminar um pulso de reset com base na saída Q', porque o pulso estreito que será gerado pode realmente deixar de "limpar" o *flip-flop*.

Entradas abertas seriam uma má notícia de qualquer maneira, mesmo em seções de porta não utilizadas. Isso porque a entrada pode flutuar para cima em direção a meados da alimentação, colocando os dois MOSFETs, canal *n* e canal *p*, em condução. Essa "corrente classe A" provoca uma corrente quiescente indesejada (opa, CMOS é potência zero, certo?) e pode causar oscilações e dissipação de potência suficiente para destruir o CI. Você pode ver como isso ocorre na Figura 10.100, em que medimos separadamente as correntes absorvida e fornecida em uma seção de um inversor 74LVC04 operando em 3,3 V. Enquanto a entrada está dentro de cerca de 0,7 V de qualquer trilho, o MOSFET correspondente está totalmente OFF; mas, no meio, há alguma condução simultânea, ou uma corrente de pico. Nesse caso, essa corrente de pico é aproximadamente 20 mA para $V_{in} \sim 1,4$ V, causando 28 mW de dissipação no inversor. Se todas as seis seções de inversor flutuarem, você poderia ter cerca de 200 mW de dissipação; e, se o chip estiver operando a partir de uma fonte lógica de 5 V, a dissipação poderá atingir níveis destrutivos.

A corrente de pico máxima depende fortemente da tensão de alimentação, como mostrado nos dados medidos da Figura 10.101. Em tensões muito baixas de alimentação, não há um nível de tensão de entrada que leve os dois MOSFETs para a condução simultânea.

Aqui está o mais louco de todos eles: você se esqueceu de conectar o pino V_{DD} em um chip CMOS, mas o circuito funciona muito bem! Isso porque ele está sendo alimentado por uma de suas entradas lógicas (via diodos de proteção de entrada internos do chip da entrada para V_{DD}). Você pode conseguir acabar com isso por um longo tempo, mas, de repente, o circuito atinge um estado em que todas as entradas lógicas para o chip são simultaneamente nível BAIXO; o chip perde a sua alimentação e esquece seu estado. Claro,

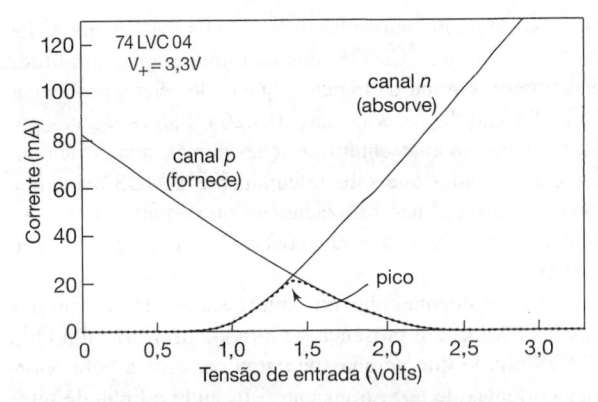

FIGURA 10.100 Correntes medidas absorvida e fornecida em uma seção de um inversor 'LVC04, em função da tensão de entrada lógica. "Corrente de pico" é o nome dado à condução simultânea, causada por uma tensão de entrada digital que não está próxima dos trilhos de alimentação.

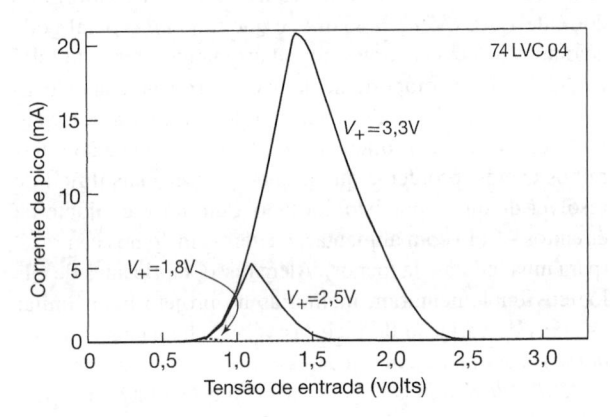

FIGURA 10.101 Corrente de pico medida em função do nível de tensão de entrada digital, para algumas tensões de alimentação.

essa é uma situação ruim de qualquer maneira, uma vez que o estágio de saída não está devidamente alimentado e não pode fornecer muita corrente. O problema é que essa situação pode produzir sintomas apenas ocasionalmente, e você pode ficar andando em círculos até descobrir o que está realmente acontecendo.

EXERCÍCIOS ADICIONAIS PARA O CAPÍTULO 10

Exercício 10.31 Mostre como fazer um *flip-flop* JK usando um *flip-flop* tipo D e um MUX de 4 entradas. *Dica*: use as entradas de endereço para *J* e *K*.

Exercício 10.32 Projete um circuito que mostre, em algarismos de 7 segmentos, quantos milissegundos você manteve acionado um botão. O dispositivo deve ser inteligente o suficiente para reiniciar-se a cada vez. Use um oscilador de 1,0 MHz.

Exercício 10.33 Projete um temporizador de reação. "A" aciona seu botão; um LED acende, e um contador começa a contar. Quando "B" aciona seu botão, a luz se apaga e um display de LED mostra o tempo, em milissegundos. Certifique-se de projetar o circuito de modo que ele funcione corretamente mesmo se o botão de A ainda estiver pressionado quando o botão de B for acionado.

Exercício 10.34 Projete um contador de período: um dispositivo para medir o número de microssegundos em um período de uma onda de entrada. Use um comparador Schmitt para gerar níveis lógicos; e use uma frequência de *clock* de 10 MHz. Faça-o funcionar de modo que acionar um botão inicie a próxima medição.

Exercício 10.35 Adicione *latches* ao contador de períodos, se você já não o tiver feito.

Exercício 10.36 Agora faça-o medir o tempo para 10 períodos. Além disso, faça-o acender um LED enquanto ele está contando.

Exercício 10.37 Projete um verdadeiro cronômetro eletrônico. Um botão *A* inicia e para a contagem. Um botão *B* reseta a contagem. A saída deve ser da forma xx,x (segundos e décimos); suponha que você tenha uma onda quadrada de 1,0 MHz.

Exercício 10.38 Alguns cronômetros usam um único botão (iniciar, parar, resetar, iniciar, etc., cada vez que é pressionado). Projete um equivalente eletrônico.

Exercício 10.39 Projete um bom contador de frequência para medir o número de ciclos por segundo de uma forma de onda de entrada. Inclua muitos dígitos. Faça o *latch* da contagem enquanto se conta o próximo intervalo e se escolhe o intervalo de contagem entre 1 s, 0,1 s ou 0,01 s. Você pode adicionar um circuito de entrada bom com várias sensibilidades, um *Schmitt trigger* com histerese e ponto de disparo ajustáveis (use um comparador rápido) e uma entrada de sinais lógicos para sinais TTL. Que tal uma saída BCD? Multiplexe os dígitos na saída, além de fazer a saída em paralelo. Passe algum tempo neste caso.[87]

Exercício 10.40 Projete um circuito, usando a lógica LVC em 3,3 V, para medir a velocidade de uma bala. O projétil quebra um arame fino esticado ao longo de sua trajetória; em seguida, após alguma distância medida ao longo de sua trajetória, ele quebra um segundo fio. Cuidado com os problemas como "repique de contato". Suponha que você tenha uma onda quadrada lógica de 10 MHz e projete seu circuito para mostrar, em microssegundos (quatro dígitos), o inter-

FIGURA 10.102 Diagrama em blocos do circuito *checksum*.

valo de tempo entre a quebra dos dois fios. Um botão deve resetar o circuito para o próximo tiro.

Exercício 10.41 Invente um circuito para realizar uma soma de sucessivos números binários de 4 bits que estão na sua entrada. Mantenha o seu resultado em apenas 4 bits (ou seja, execute uma soma de módulo 16).[88]

Agora adicione outra característica ao circuito, ou seja, um bit de saída que é 1 se o *número total* de bits 1 em todos os números de entrada (desde a última entrada de reset) for ímpar e 0 se o mesmo for par. *Dica*: uma porta EX-OR "paridade verdadeira" lhe dirá se a soma de 1 s em cada número é ímpar; descubra a partir daí.

Exercício 10.42 No Exercício 10.15, você projetou um multiplicador 2×2 usando um mapa de Karnaugh para cada bit de saída. Neste problema, você deve realizar a mesma tarefa pelo processo de "deslocar e somar". Comece escrevendo o produto da forma que você faria na escola primária (Figura 10.103). Esse processo tem um padrão de repetição simples, exigindo portas de 2 entradas (que tipo?) para gerar os termos intermediários a_0b_0, etc., e "meio somadores" de 1 bit (somadores que têm *carry* de saída, mas não têm de entrada) para somar os termos intermediários.

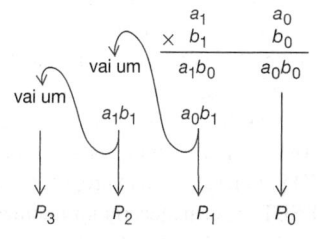

FIGURA 10.103 Como multiplicar.

---

[87] Feito por H & H – este foi um dos nossos primeiros projetos conjuntos, cerca de quarenta anos atrás.

[88] Variantes mais sofisticadas de tal soma, por exemplo, um código CRC (*cyclic-redundancy checksum*) são úteis como uma verificação de validade contra erros introduzidos em arquivos de dados destinados ao armazenamento ou transmissão.

REVISÃO DO CAPÍTULO 10

Um resumo de A a H do que aprendemos no Capítulo 10. Revisaremos os princípios básicos e fatos do Capítulo 10, mas não abordaremos diagramas de circuitos de aplicação e conselhos práticos de engenharia apresentados neste capítulo.

¶ A. Níveis de Tensões Digitais.

Em contraste com a eletrônica analógica, em que os sinais válidos ocupam alguma faixa de tensões (por exemplo, uma variação de saída de ± 10 V do AOP), os sinais em eletrônica digital estão confinados a dois estados (geralmente), denominados ALTO e BAIXO (ou 1 e 0, ou VERDADEIRO e FALSO). Cada estado tem um nível de tensão nominal e um intervalo válido definido sobre o qual será devidamente interpretado pela entrada de um dispositivo digital acionado (Seção 10.1.2B, também a Seção 12.1.2). O sinal pode ser de terminação simples (por exemplo, uma saída CMOS de $+3,3$ V, com níveis nominais de 0 e 3,3 V, veja a Figura 10.2), ou pode ser um par diferencial (por exemplo, LVDS, cujo modo de corrente de acionamento produz uma variação nominal de 300 mV centrada em torno de $+1,25$ V, visto posteriormente na Figura 12.135). Existem diversas famílias lógicas digitais, que se distinguem pela sua faixa de tensão de alimentação, limiares de entrada, velocidade, dissipação de potência e outros semelhantes; veja ¶G.

¶ B. Significado de Bits Digitais.

Bits individuais de lógica podem representar parte de uma quantidade maior (por exemplo, bits em um byte de dados), ou podem representar um estado (por exemplo, RESET, ou ATIVADO). Um grupo de n bits pode ser enviado simultaneamente como uma quantidade em *paralelo* (em n fios) ou sequencialmente no tempo (em um único fio ou par) como uma sequência em *série*, que compreende um *barramento* paralelo ou serial. Quantidades numéricas são representadas como números inteiros sem sinal, números inteiros em complemento de 2 ou números de ponto flutuante (Seção 10.1.3), ao passo que os caracteres alfanuméricos usam a codificação ASCII de byte único (ou suas extensões de dois bytes). A notação hexadecimal de base 16 (0 a 9, A a F) é normalmente usada para escrever quantidades binárias multibit, com cada caractere hexadecimal representando quatro bits binários (assim, dois caracteres hexadecimais por byte). Seja representando quantidades multibit ou bits sozinhos de estado, os níveis digitais de tensão em um circuito podem ser atribuídos como ativo em nível ALTO ou ativo em nível BAIXO. Por exemplo, pode-se ter um sinal ativo em nível BAIXO para resetar um microprocessador; esse seria chamado de RESET' e permaneceria normalmente desativado no estado de tensão de nível ALTO, indo para nível BAIXO somente quando fosse ativada a operação de reset.

¶ C. Lógica Combinacional: Portas.

Os circuitos digitais cujo estado depende apenas das entradas atuais (ou seja, não do passado histórico) são chamados de *combinacionais*. Suas operações lógicas são realizadas com *portas*, cujas formas básicas (Seção 10.1.4) são AND, OR e NOT (ou inversor) e cujo padrão de símbolos gráficos e tabelas-verdade são mostrados nas Figuras 10.4, 10.5 e 10.6. Eles podem ser combinados para formar funções tais como NAND e NOR (saída da AND e da OR invertida, Figura 10.8) ou OR-exclusivo (EX-OR, Figura 10.9). E eles podem ser conectados para fazer qualquer saída (ou saídas) combinacional lógica especificada a partir de um conjunto de entradas.

¶ D. Lógica Sequencial: *Flip-flops*.

O elemento básico de um circuito lógico sequencial é o *flip-flop* (Seção 10.4), um dispositivo que mantém o seu estado na ausência de entradas externas; é uma "memória de 1 bit". O estado de um circuito com *flip-flops* depende tanto das entradas atuais quanto do estado anterior. Para o *flip-flop* tipo D bastante utilizado, o nível lógico presente na entrada D (dados) no instante da transição do *clock*[89] (borda) é capturado e apresentado na saída Q. Uma vez que você tem *flip-flops*, o mundo está aos seus pés – você pode fazer contadores, registradores, "máquinas de estados finitos" arbitrárias – e (que rufem os tambores) *computadores*!

Quando um *flip-flop* é acrescido de uma malha RC, você obtém um circuito de temporização multivibrator monoestável[90] (ou "um pulso"), o que gera um pulso lógico de saída (de largura definida pela constante de tempo RC) quando disparado por uma borda de entrada. O monoestável é um exemplo de um circuito de sinal misto, isto é, uma combinação de técnicas analógicas e digitais.

¶ E. Lógica Sequencial: Registradores e Contadores.

Um *flip-flop* D com *clock* captura e armazena um bit; uma coleção de n *flip-flops* D com uma entrada de *clock* comum é chamado de *registrador* (Seção 10.5.1); ele captura e armazena n bits (um byte, para $n = 8$). Quando combinado com memória e portas, pode formar uma *máquina de estado finito* (FSM – *finite state machine*, veja a Figura 10.64), apenas a um passo do microprocessador.

Se os bits de saída Q_i de um registrador D acionam as entradas subsequentes (ou seja, Q_i está conectada a D_{i+1}), você tem um *registrador de deslocamento*; estes são úteis para transformar em paralelo uma sequência serial, ou vice-versa (se carregado em paralelo e, em seguida, deslocado para fora em uma extremidade). Uma aplicação de registrador de deslocamento é a geração de sequências de bits pseudoaleatórias (semelhante ao ruído), veja as Seções 8.12.4A e 13.14.

Uma coleção de n *flip-flops* D pode ser conectada para formar um *contador* de n bits, de tal forma que as transições

---

[89] Mais precisamente, presente e estável a partir de um *tempo de setup* t_s antes da borda até o *tempo de hold* t_h após a borda, para garantir o funcionamento adequado.

[90] Monoestável estável, em contraste com o *flip-flop biestável* (estável em qualquer estado), ou o oscilador *astável* (estável em nenhum estado).

de entrada sucessivas fazem o número de *n* bits representado por Q_0-Q_{n-1} ser incrementado.[91] O mais simples é o *contador ondulante* (Seção 10.4.2 E), em que as saídas Q_i acionam as entradas de *clock* sucessivas; a alternativa é um contador *síncrono*, em que todas as entradas de *clock* são acionadas pelo sinal de entrada e uma lógica de portas é manipulada de forma a apresentar às entradas *D* os níveis correspondentes para o próximo estado. O último é apenas um caso especial de um FSM síncrono. Contadores síncronos (e sistemas síncronos em geral) são preferidos, tendo as propriedades agradáveis de mudanças de estado simultâneas (tirando a *inclinação*) e falta de ruído digital no intervalo de configuração antes de cada clock do sistema.

¶ F. Lógica Padrão e Lógica Programável.

A lógica digital está disponível como funções padrão pré-implementadas (portas, *flip-flops*, contadores, registros) em encapsulamentos que vão do popular *mini-logic* "*glue*" de porta única em encapsulamentos de 5 ou 6 pinos, passando pelos mais procurados de tamanho médio (14, 16 ou 20 pinos) até grandes acionadores de barramento multibyte em encapsulamentos de 48 pinos ou 96 pinos; veja, por exemplo, as listagens na Tabela 10.3 (portas) e na Tabela 10.5 (contadores).

Estes são bons o suficiente para muitas tarefas; mas uma alternativa atraente, em especial em um sistema complexo, é a utilização de *dispositivos lógicos programáveis* (PLDs – *programmable logic devices*). Eles contêm um grande número de portas não atribuídas e *flip-flops*, cujas interligações são configuráveis (e reconfiguráveis) pelo usuário; veja a Seção 10.5.4. A categoria conhecida como cPLDs (PLDs complexos) contém de algumas dezenas a algumas centenas de "macrocélulas" (um *flip-flop* e uma coleção de portas) e alguns milhares de portas, juntamente com a memória do programa não volátil, e eles podem substituir grande parte da "lógica aleatória" (o emaranhado de portas e *flip-flops*) em um sistema digital; eles também são ideais para a implementação de máquinas de estado. Em um nível mais elevado de integração, o *arranjo de portas programáveis em campo* (FPGA – *field-programmable gate array*) reina supremo; o maior deles incorpora bilhões de transistores que implementam milhões de *flip-flops*, juntamente com a memória, transceptores seriais e todos os recursos necessários para implementar um microprocessador.

A maioria dos projetistas utiliza uma linguagem de descrição de hardware (HDL), que opera em uma plataforma PC, para especificar a função do PLD, mas existem ferramentas de inserção de esquemático disponíveis também; esses conjuntos de ferramentas lhe permitem simular as funções programadas, para verificar se você programou o que você pretendia. PLDs atuais são programados no circuito, geralmente através de uma porta serial JTAG. Discutimos PLDs em mais detalhes no Capítulo 11.

Qualquer discussão de lógica digital deve incluir *microcontroladores*, que são os computadores em um chip cada vez mais capazes e baratos que podem substituir dispositivos lógicos programáveis e discretos em sistemas digitais. Pense em microcontroladores embutidos não como criaturas exóticas, mas simplesmente como componentes do circuito – eles custam menos do que um AOP de precisão e podem fazer maravilhas. Eles são o assunto do Capítulo 15.

¶ G. Famílias Lógicas.

Funções de lógica digital, seja a lógica padrão ou a programável, podem ser implementadas em CIs com uma variedade de tecnologias de transistores em um chip (Seção 10.2). A herança das famílias anteriores de lógica padrão (bipolar RTL, DTL e TTL) cedeu terreno para as famílias lógicas CMOS agora dominantes. Estas últimas incluem as tradicionais famílias HC[T] e AC[T] de 5 V (o sufixo T indica limiares TTL, cerca de 1,4 V), a série 4000B de tensão alta (mas muito lenta) e uma proliferação de famílias CMOS destinadas a operação em tensões baixas; estas últimas incluem famílias populares como LVC (1,8 a 5 V) e AUC (1,2 a 2,5 V), entre dezenas de opções. Veja as Figuras 10.22, 10.26, 10.27 e (no Capítulo 12) Seção 12.1 e Figura 12.2.

Dispositivos lógicos programáveis (cPLD, FPGA) e microcontroladores são, invariavelmente, construídos com CMOS, com tensão de alimentação que varia de 1 V até 5 V e reflete em sua velocidade e dissipação de potência. É comum ter "núcleo" separado e trilhos de alimentação de I/O (entrada/saída) em muitos desses dispositivos; por exemplo, um microcontrolador ou FPGA pode ter um núcleo de 1,2 V e um I/O de 1,6 a 3,6 V (este último é para ter compatibilidade com dispositivos externos).

Todas essas variações podem ser confusas. O Capítulo 12 lida em detalhe com interfaceamento de famílias lógicas. Em um nível simples, porém, o que você precisa saber (resumido na Seção 12.1.3 e na Figura 12.9) é que (a) você sempre pode fazer uma conexão direta entre lógicas que operam na mesma tensão; (b) a lógica que funciona a partir de uma tensão mais elevada (por exemplo, +5 V) pode acionar a lógica de menor tensão se a entrada desta última for "tolerante"; e (c) a lógica de baixa tensão pode acionar a lógica de maior tensão se esta tem "limites TTL" e a primeira for alimentada a partir de, pelo menos, 2,5 V.

¶ H. Cuidados com a Lógica Digital.

Um bom projeto digital evita as complicações inerentes em circuitos lineares (polarização, estabilidade térmica, etc.), e é fácil se tornar complacente e preguiçoso. Mas há uma abundância de perigos no campo digital – veja a Seção 10.8. Entre os *problemas CC*, estão aqueles de estados lógicos de bloqueio, SCR *latchup* e estados de inicialização indeterminados. Mais sinistros são os problemas de comutação, tais como concorrência lógica e pulsos estreitos, estados metaestáveis, *clock* e distorção de dados, repique de terra e ruído de comutação conduzido da fonte e do terra.

---

[91] Ou decrementar, para um *contador decrescente*.

11 Dispositivos lógicos programáveis

No capítulo anterior, introduzimos os conceitos básicos de eletrônica digital – portas e combinações lógicas, *flip-flops* e lógica sequencial – e ilustramos sua aplicação com alguns exemplos: um contador de módulo *n*, um display de LED multiplexado e um gerador de *n* pulsos. Nesse capítulo mencionado, usamos principalmente a *lógica padrão*; isto é, pequenos blocos de lógica (portas, *flip-flops*, contadores, registradores) encapsulados como circuitos integrados individuais.

No entanto, como se observou, muitas vezes, há uma forma alternativa (e, geralmente, melhor) de implementar esses tipos de circuitos: a utilização de *dispositivos lógicos programáveis* (PLDs – *programmable logic devices*).[1] Um PLD é composto por um chip com muitas funções lógicas (portas e registradores, e às vezes muito mais), em que as *conexões* são programáveis. Mas não é um programa de computador: em um computador o programa diz ao processador *o que fazer*; em um PLD o programa diz ao chip *como conectar* seus componentes.

11.1 UMA BREVE HISTÓRIA

Os primeiros PLDs (1975) foram os dispositivos "Lógicos com Fusível Integrado" da Signetics, com um punhado de portas independentes e uma matriz de fusíveis (literalmente!) que podem ser queimados seletivamente para permitir as interconexões desejadas. Você "programa" os circuitos com um mapa de elos fusíveis, ou (mais tarde), designando os locais de fusíveis manualmente na tela do computador. Em desenvolvimentos subsequentes, a Signetics adicionou *flip-flops*, permitindo circuitos sequenciais, e a Monolithic Memories concebeu uma família simplificada conhecida como PALs (matriz lógica programável), com uma linguagem de projeto de entrada de texto mais utilizável chamada PALASM. Em meados da década de 1980 foi introduzida a GAL (matriz lógica genérica), da Lattice, que usou a memória reprogramável eletricamente e uma célula de saída versátil que poderia ser um *flip-flop* ou uma porta. Surgiram também melhorias nas linguagens de programação, a saber, CUPL e ABEL; estas, e suas sucessoras são genericamente denominadas HDL (linguagens de descrição de hardware).

Na mesma época, a Xilinx introduziu o arranjo de portas programável em campo (FPGA – *field-programmable gate array*), uma alternativa de esquema de lógica programável com uma arquitetura de "granulação mais fina" – muito mais portas e registradores, organizado como um tecido de blocos lógicos, cercado por blocos de I/O (entrada/saída), com interconexões mais flexíveis – e cuja programação de configuração foi realizada fora do chip em um pequeno dispositivo de memória não volátil separado (uma "ROM de configuração" serial), e carregado para dentro do chip em uma SRAM (volátil) ao energizar (*power-up*).

FPGAs e PLDs complexos, que vêm melhorando muito com o tempo, fazem parte do kit de ferramentas essencial de projetistas de circuito. cPLDs contemporâneos (o "c" significa "complexos") têm de 32 a 2000 macrocélulas, com dezenas de milhares de portas, e operam em velocidades de clock de até algumas centenas de megahertz; eles usam memória de programa não volátil no chip, e podem ser programados e reprogramados no próprio circuito, usando protocolos seriais simples (por exemplo, JTAG). Há variantes[2] com corrente quiescente praticamente zero. Eles têm temporização altamente previsível.

FPGAs contemporâneos são mais densos, chegando a cerca de um milhão de *flip-flops*, em encapsulamentos (veja a Figura 11.1) com até 1.738 pinos (!). Eles podem incluir blocos com memória dedicada, módulos aritméticos (ALUs, MACs, outro DSP), interface (USB, Ethernet, PCI) e outras funções especializadas. Com tais capacidades extensas, agora é rotina programar em projetos padrão para grandes módulos, como um processador de vídeo, controlador PCIe, Bluetooth, ou até mesmo um microprocessador completo (e periféricos), com abundância de lógica programável de sobra para formar um "sistema em um chip." Estes projetos padrão ("soft") são conhecidos como "PI" (propriedade intelectual, alguns dos quais você pode ter a licença); se você colocar em um microprocessador PI, ele é denominado *soft processor core*.[3] Uma alternativa eficiente, se você quiser um processador dentro de seu FPGA, é a utilização de um FPGA híbrido, com o microprocessador e os periféricos já implementados.[4]

Para esses dispositivos complexos, as ferramentas antigas de programação (CUPL, ABEL) que evoluíram com pe-

---

[1] Oficialmente "PLDs", mas geralmente inclui cPLDs (PLDs complexos) e FPGAs (arranjo de portas programável em campo).

[2] Particularmente a série CoolRunner™ da Xilinx (originalmente Philips), e a série ispMACH™ 4000Z da Lattice.

[3] Exemplos são o MicroBlaze da Xilinx, Nios-II da Altera, Mico da Lattice e o ARM da Actel.

[4] Exemplos são o PowerPC (em FPGAs da Xilinx), o AVR (em FPSLIC da Atmel), e o ARM (em FPGAs da Altera).

FIGURA 11.1 Uma seleção de encapsulamentos lógicos programáveis. No canto superior esquerdo são três PLCCs (84, 68 e 44 pinos), a ser comparados com os seus similares QFP mais densos na parte superior direita (no sentido horário: PQFP-208, TQFP-100, VQFP-44, TQFP-48 e TQFP-144). Na área central, são exibidos o mesmo tipo sPLD (22V10) em quatro encapsulamentos cada vez mais densos: DIP-24, PLCC-28, SOic-24 e TSSOP-24. Na parte inferior são os encapsulamentos mais densos (da esquerda para a direita): FTBGA-256, FBGA-100 (e o mesmo CI em um TQFP-100), BGA-132, BGA-49 (CSP-49) e QFN-32; para os últimos três, as partes superior e inferior são mostradas.

quenos PLDs são impossíveis.[5] A prática em vigor favorece a entrada esquemática gráfica, ou um dos dois HDLs baseados em texto contemporâneos e poderosos (chamados *Verilog* e *VHDL*); em breve vamos ilustrar os dois tipos. Para a maioria dos projetos digitais, a lógica programável é geralmente uma escolha melhor do que a lógica padrão, porque (a) um único chip substitui muitos – menos fiação, um produto acabado menor, menos estoque, menor custo; e (b) é fácil de reprogramar o dispositivo se o projeto inicial falhar, ou se quiser adicionar recursos.

11.2 O HARDWARE

PLDs contemporâneos são incrivelmente complexos... e eles não estão ficando mais simples. Dispositivos de última geração já têm mais de 5 bilhões de transistores (e vêm aumentando). Para tornar tudo isso compreensível, vamos dividir em etapas fáceis: primeiro as arquiteturas simples, os clássicos PAL (por exemplo, 22V10) e os PLAs mais flexíveis

(por exemplo, CoolRunner-II da Xilinx) e depois os FPGAs complexos e ricos em registradores.

11.2.1 O Dispositivo PAL Básico

Um bom ponto de partida é o PAL básico, um exemplo de PLD simples. O dispositivo clássico é o 22V10: o número de identificação significa 10 *macrocélulas* de saída (mais sobre isso em breve), entre um total de 22 entradas e saídas (originalmente oferecido em um encapsulamento de 24 pinos). O esquema de circuito PAL consiste de uma matriz programável de conexões, em que as entradas e saídas de realimentação podem ser conectadas seletivamente a um conjunto de portas AND de muitas entradas; as saídas, a partir de um número fixo das tais portas AND, alimentam então uma porta OR. A sua saída pode ser usada diretamente (uma saída combinacional), ou pode alimentar um flip-flop tipo D (uma saída "com registrador"); o circuito para essas opções de saída é chamado de "macrocélula de saída." A Figura 11.2 mostra a ideia básica, em um esquema simplificado com apenas quatro sinais de entrada; aqui cada saída lógica vem de uma porta OR alimentada a partir de duas AND de 8 entradas, e a saída da OR aciona a macrocélula de saída. (Observe

---

[5] Você ainda pode obter (a partir de Atmel ou Lattice) os clássicos pequenos "sPLDs" (PLDs simples): 16V8, 20V8, 22V10 e 26V12, para os quais CUPL e ABEL são completamente adequadas.

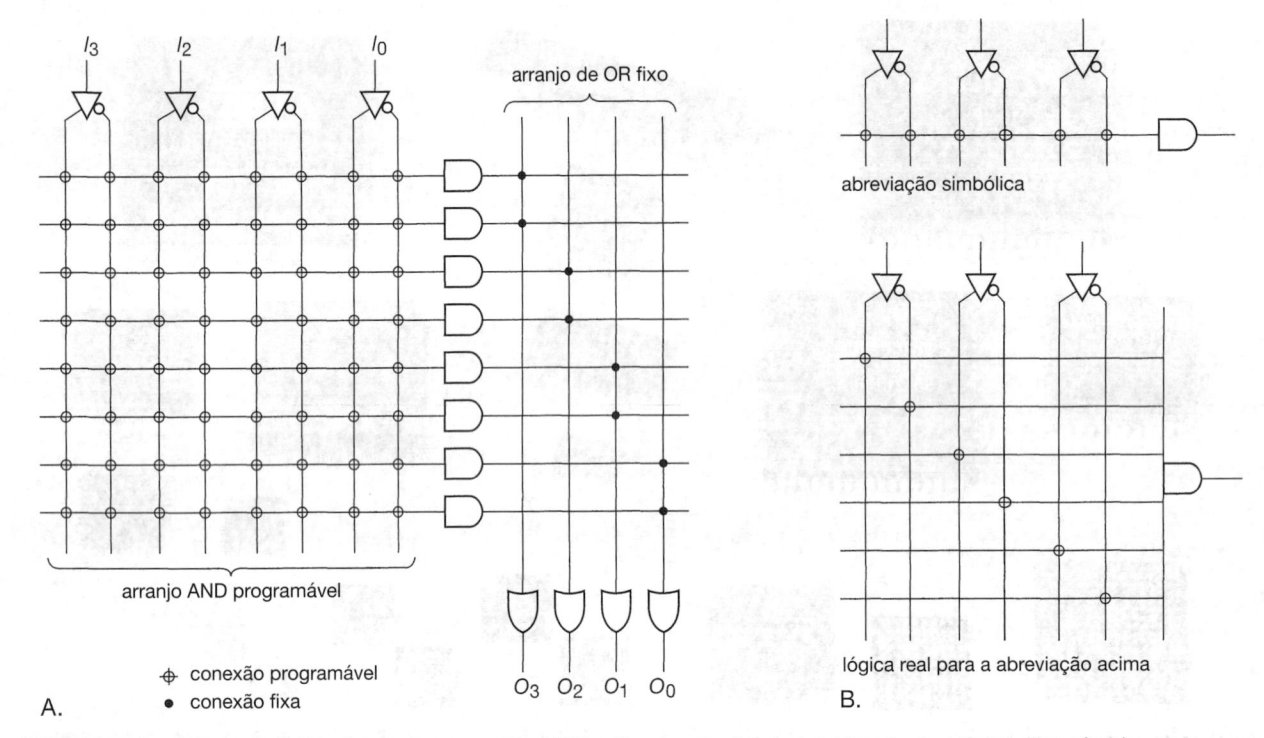

FIGURA 11.2 A. Em uma lógica de arranjo programável (PAL – *Programmed Array Logic*) cada sinal lógico disponível (ou o seu complemento) pode ser conectado a uma AND de muitas entradas; as saídas de várias destas ANDs passam por portas OR para formar as saídas lógicas, cada uma passando através de um macrocélula de saída a caminho de um pino de saída. B. Cada porta AND tem muitas entradas, mostradas aqui em abreviação convencional e de forma totalmente expandida.

a notação abreviada utilizada na Figura 11.2A para as portas AND e OR de várias entradas, mostrada expandida na Figura 11.2B.)

Na vida real, um PAL tem muito mais entradas e portas. A Figura 11.3 mostra o esquema real para o 22V10, que, embora pareça impressionante, é de fato pequeno para os padrões contemporâneos. As 12 entradas (e seus complementos), juntamente com a realimentação a partir das 10 saídas (e seus complementos) – logo, um total de 44 sinais – são todas trazidas para dentro da matriz de conexões, na qual qualquer conjunto delas pode ser conectado a qualquer AND de 44 entradas, cuja saída passa por uma OR juntamente com outras 7 a 15 ANDs (mais na direção do centro do chip, menos para as extremidades) para criar uma saída (uma de dez). Essa saída não vai diretamente para fora do chip, mas sim para uma macrocélula de saída (Figura 11.4), que consiste em uma parcela de lógica programável que lhe permite armazenar (*latch*) a saída da OR em um flip-flop, ou apenas passá-la sem o armazenamento. Você pode ver na Figura 11.4 que a saída, seja com registrador ou combinacioal, pode ser verdadeira ou complementada, e ainda pode ser de três estados.

O 22V10 é adequado para muitas tarefas de lógica: você pode fazer um registrador de deslocamento ou um contador, ou um decodificador de endereço, ou apenas uma coleção do que é denominado "lógica aleatória." Mas pelos padrões contemporâneos ele é extremamente limitado, tanto pelo pequeno número de registradores e pinos, quanto pela restrição de um sinal CLK comum; você não pode, por exemplo, fazer um contador ondulante.

Um caminho evolutivo tem sido a criação do que poderíamos chamar de um "super PAL", no qual as macrocélulas permitem clocks individuais a partir da matriz lógica, e no qual muito mais macrocélulas são encapsuladas em um CI. Estes incluem frequentemente esquemas de expansão da lógica através do compartilhamento de termos-produto nas macrocélulas. Tais extensões da arquitetura PAL são denominadas "cPLDs" (PLDs complexos) e estão amplamente disponíveis.[6] Elas variam em capacidade de até 2.000 ou mais macrocélulas (alguns das quais podem ser de "subsuperfície", ou seja, disponíveis para interconexões internas, mas não conectadas a pinos de I/O), e permitem clock assíncrono.

A arquitetura "AND fixa/OR programável" (às vezes denominada soma de produtos) pode ser uma limitação também, especialmente quando você deseja implementar uma lógica combinacional um pouco complicada, porque obriga a implementação a ser uma única soma (OR) de vários produtos (ANDs). O próximo avanço em complexidade lógica é a matriz lógica programável (PLA).

---

[6] Por exemplo, a série MAX7000 da Altera, série 4000 da Lattice Mach. Ou a série CoolRunner-II da Xilinx (esta última usa a arquitetura PLA mais avançada; veja a Seção 11.2.2).

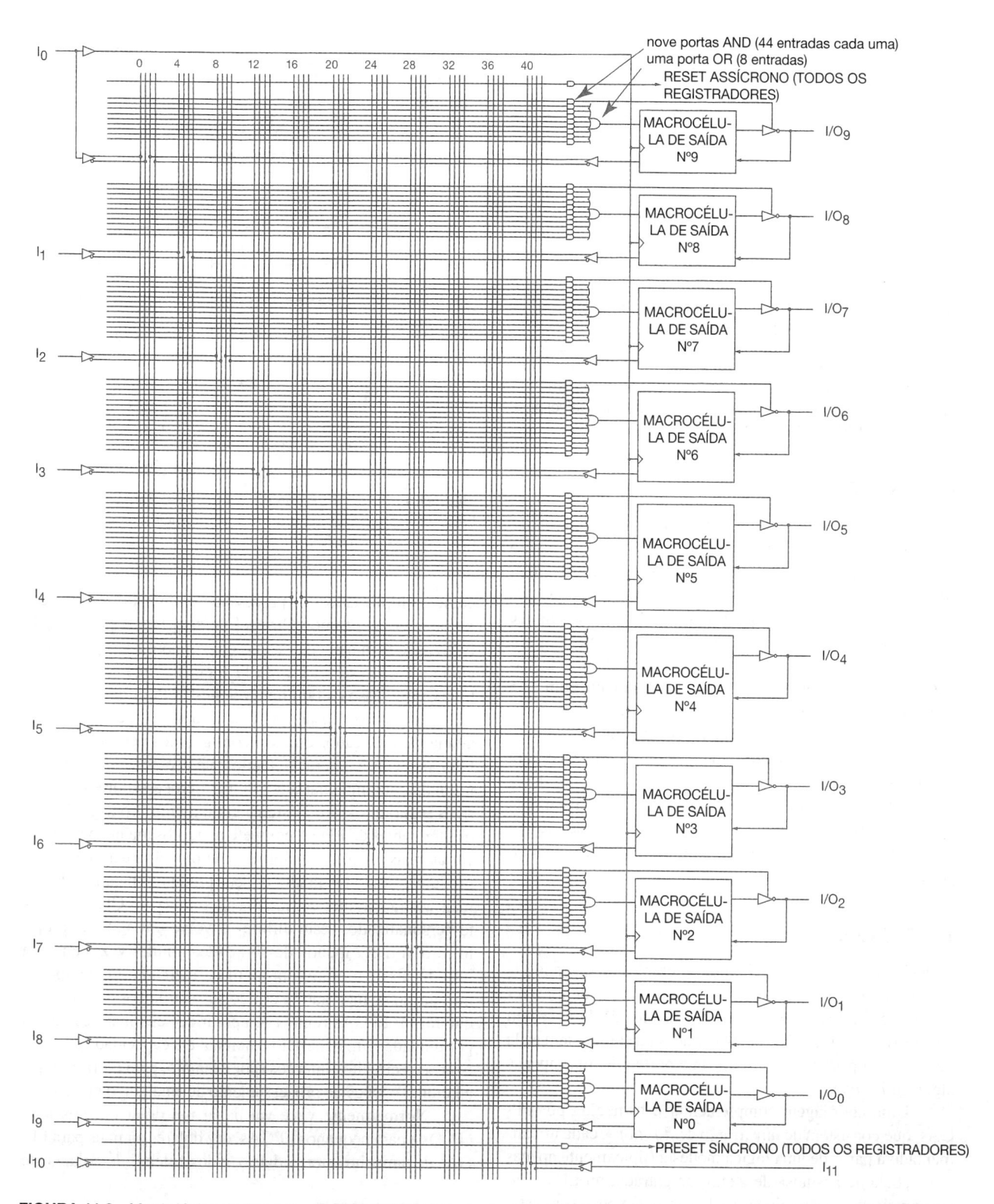

Capítulo 11 Dispositivos lógicos programáveis

FIGURA 11.3 Matriz lógica do PAL clássico 22V10: AND programável/OR fixa. A macrocélula de saída pode ser programada como um flip-flop tipo D ou simplesmente passando direto sem um *latch* no caminho; veja a Figura 11.4. (Adaptado da folha de dados para o ispGAL22V10 da Lattice, ©Lattice Semiconductor Corporation, 2004.)

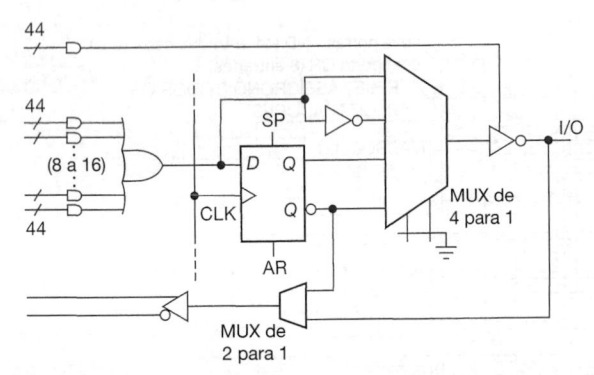

FIGURA 11.4 "Macrocélula" programável do PAL clássico 22V10: saída e realimentação de três estados verdadeira ou invertida, com registrador ou lógica combinacional dentro da matriz lógica. O CLK, SP (preset síncrono) e AR (reset síncrono) são comuns a todas as 10 macrocélulas, enquanto que um "termo-produto" (uma AND de 44 entradas) está disponível para o controle de três estados de cada macrocélula.

11.2.2 O PLA

No PLA, a matriz é constituída por ANDs programáveis que alimentam OR *programáveis* (em oposição às fixas) (Figura 11.5). Os fabricantes geralmente não distinguem estes dispositivos chamando-os de PLAs; eles simplesmente os chamam de cPLDs (o mesmo que PALs grandes); você tem que olhar na folha de dados para ver o que realmente tem por dentro. Um exemplo contemporâneo é a série CoolRunner-II (XC2C) de cPLDs da Xilinx, oferecida atualmente com 32 a 512 macrocélulas (sendo a segunda metade de subsuperfície, dado o seu modesto encapsulamento de 324 pinos).

Como veremos em breve, o software que você usa para programar esses dispositivos praticamente esconde dos usuários sua arquitetura interna; você apenas escreve um monte de códigos HDL, executa o software e vê (a) se ele se encaixa e (b) se cumpre os requisitos de velocidade e atrasos de temporização.

11.2.3 O FPGA

Os PALs, PLAs e cPLDs acima são exemplos do que poderia ser chamado de arquiteturas "ricas em lógica e pobres em registradores". Afinal, mesmo com o modesto 22V10 você tem uma dúzia de portas AND de 44 entradas que alimentam cada macrocélula passando antes por uma porta OR, mas apenas alguns *flip-flops*.

Uma abordagem complementar é fornecida por FPGAs, que consistem de um arranjo de *flip-flops*, cada um alimentado a partir de uma lógica modesta (tipicamente apenas uma tabela de pesquisa de quatro de entrada, ou LUT), incorporada em um arranjo vasto de interconexões. Aqui estamos falando de dezenas de milhares a milhões destas células, chamadas diferentemente de "blocos lógicos configuráveis" (CLBs – *configurable logic blocks*), ou "elementos lógicos" (LEs – *logic elements*); estes são frequentemente acompanhados de blocos de memória (RAM), funções aritméticas

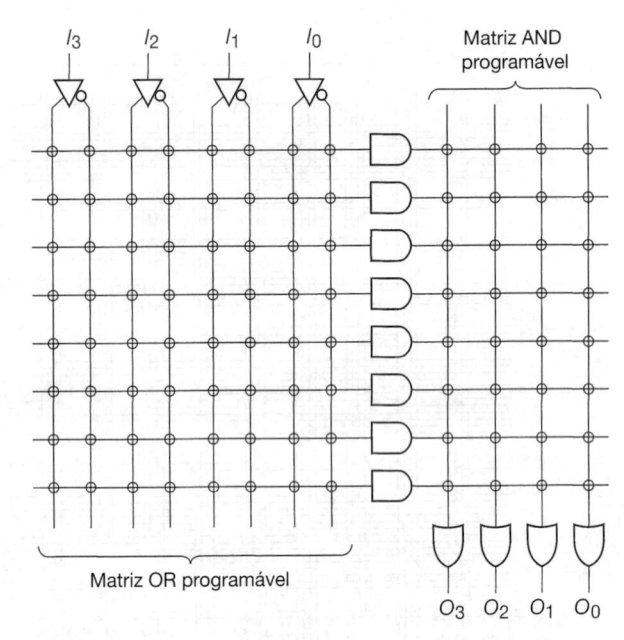

FIGURA 11.5 Um PLA (matriz de lógica programável) é mais flexível do que o PAL (Figura 11.2), ao permitir a programação das matrizes AND e OR.

como multiplicadores ou processadores embutidos e elementos de interface, como PCIe ou Ethernet. Tais arquiteturas de FPGA são bem caracterizadas como "pobre em lógica e rica em registradores."[7] A Figura 11.6 mostra uma célula lógica típica, neste caso da família Cyclone-II FPGA da Altera.

Você pode pensar em FPGAs como CIs personalizados altamente avançados que são configurados pelo usuário. Os FPGAs de última geração facilmente acomodam o que você normalmente imaginaria como microprocessadores e periféricos separados – um "sistema em um chip" configurável. E os fabricantes de FPGA competem vigorosamente para colocar as mais recentes tecnologias de processamento em seus produtos. Como resultado, os seus produtos apelam cada vez mais aos fabricantes como uma alternativa aos CIs totalmente personalizados: este último[8] envolve um ciclo de projeto caro, fornece menos flexibilidade e muitas vezes atrasa a introdução de um novo produto no mercado. O "tempo de introdução no mercado" é crítico em eletrônicos de consumo, que fazem FPGAs rentáveis, apesar de seus maiores custos por unidade. Um benefício adicional é a capacidade de atualizar seus circuitos internos (por exemplo, para corrigir bugs, adicionar opções de processamento de sinal, ou o que for).

Normalmente você vai pagar um dólar ou dois para cPLDs e para pequenos FPGAs, dez dólares ou mais para FPGAs de tamanho intermediário, e de centenas de dólares até

---

[7] Por sorte, esta organização interessante é desafiada por alguns dos cPLDs, que são na verdade FPGAs disfarçados; por exemplo, o cPLD Max-II da Altera (que usa LUTs de 4 entradas), os cPLDs Delta39K da Cypress ou os cPLDs de cruzamento MachXO da Lattice.

[8] Algumas vezes denominado ASIC, para circuito integrado de aplicação específica.

mil dólares ou mais para FPGAs de maior tamanho e maior desempenho. Tradicionalmente, FPGAs não atuam como dispositivos de baixa potência, com correntes quiescentes típicas da ordem de miliamperes a dezenas de miliamperes (e dissipação de potência dinâmica adicional, é claro, para um clock mais rápido). No entanto, FPGAs micropotência estão se tornando disponíveis, apontando diretamente para aplicações portáteis: um exemplo é a série IGLOO da Actel, com dissipação de potência quiescente na faixa de 5 a 50 μW.

Os fabricantes mais importantes no mercado de FPGAs de última geração são Altera e Xilinx (o criador), com FPGAs menores fabricadas pela Actel, Atmel, Cypress e Lattice.

11.2.4 A Memória de Configuração

Um dispositivo lógico programável tem de ter o seu programa armazenado em *algum lugar*. Tradicionalmente, sPLDs e cPLDs sempre mantiveram sua configuração no próprio chip, em armazenamento não volátil: os primeiros PLDs (por exemplo, os PALs iniciais da MMI) usaram elos fusíveis outrora no chip, mas eles foram rapidamente substituídos por memórias CMOS reprogramáveis. Alguns dispositivos iniciais (por exemplo, o original Max 7000 da Altera) utilizou memória apagável por UV (EPROM) (com uma janela de quartzo, para que você pudesse expor a pastilha a uma dose de luz ultravioleta – normalmente de 20 minutos de duração – para apagar os dados adequadamente), mas com suficiente rapidez a indústria adotou a memória eletricamente apagável (EEPROM, ou memória "flash"). É dessa forma que todos os sPLDs e cPLDs são feitos atualmente; eles podem ser apagados em segundos e reprogramados tipicamente em menos de um minuto. Há especificações para o tempo mínimo de *retenção de dados* da memória no chip (normalmente 20 anos), e para *resistência* (normalmente um mínimo de 1.000 a 10.000 ciclos de programar-apagar).

Os sPLDs iniciais tinham que ser programados em um *programador de dispositivo* (que você comprava de uma empresa como a BP Microsystems, Needhams Electroncis ou DataIO), e então colocados no circuito de destino. Isso funcionou bem para dispositivos em encapsulamentos DIP, para os quais se tinha soquetes para inserção no circuito final; mas era difícil para dispositivos SMD soldados na placa, porque para a reprogramação era necessário a remoção do CI. A solução é a programação "no próprio sistema" (*in-system*), que foi adaptada para alguns sPLDs (por exemplo, o isp-GAL22V10 da Lattice, uma versão ISP do padrão 22V10). Todos os cPLDs contemporâneos são programáveis no próprio sistema, utilizando um protocolo de dados seriais simples, como JTAG (IEEE 1149) *boundary scan*.[9] Você conecta os pinos de programação serial com um "módulo" conectado ao computador *host* que contém os dados de programação através de uma conexão USB. Os módulos normalmente custam cerca de 100 dólares; veja a discussão sobre JTAG na Seção 14.7.4.

Para FPGAs a situação é um pouco diferente. Tradicionalmente, os FPGAs não tinham ROM no próprio chip; em vez disso, recebiam seus dados de configuração na energização (*power-on*) a partir de uma "ROM de configuração" serial externa, que transferia a configuração para uma memória estática (volátil) no chip. Embora este ainda seja o protocolo para muitos FPGAs, existem agora disponíveis algumas famílias de FPGA com memória flash não-volátil no chip, fornecidas, por exemplo, pela Actel, Lattice e Xilinx. Tal como acontece com cPLDs contemporâneos, a programação é feita no próprio circuito, através de um módulo com preço comparável.

11.2.5 Outros Dispositivos Lógicos Programáveis

Vale a pena lembrar que uma memória digital simples é uma "lógica programável": ela produz uma saída de *n*-bits armazenada para cada possível entrada de *m*-bits (endereços). É assim que é utilizada na máquina de estado geral da Figura 10.64; a um nível mais simples, uma pequena tabela de pesquisa (por exemplo, 16 x 1) é usada nos elementos lógicos de um FPGA.

Há desenvolvimentos recentes na área da lógica programável de *sinal misturado*; um exemplo é a família programável de sinal misturado PSoC^{TM} da Cypress, que incorpora amplificadores, filtros e outros componentes analógicos num chip programável que inclui um microprocessador.

11.2.6 O software

Para usar dispositivos lógicos programáveis, você tem que aprender algumas ferramentas de software. Você começa com a *inserção* do projeto, seja com uma linguagem de descrição de hardware (HDL) ou com a inserção de esquemas. Em seguida, você executa uma ferramenta de *simulação*, para verificar se o projeto faz o que você pretende. Em seguida vem a *síntese*, que converte o desenho de uma "*netlist*" (lista de conexões), que descreve as conexões lógicas. A *netlist* é então montada no dispositivo de destino, um processo denominado *place-and-route* (posicionamento e interligação de células). Finalmente, o projeto montado é baixado para o chip de lógica programável, quer para o próprio chip (se

---

[9] O IEEE desenvolveu um formato de dados padrão da indústria para a utilização de JTAG para configuração no próprio sistema, conhecido como IEEE 1532.

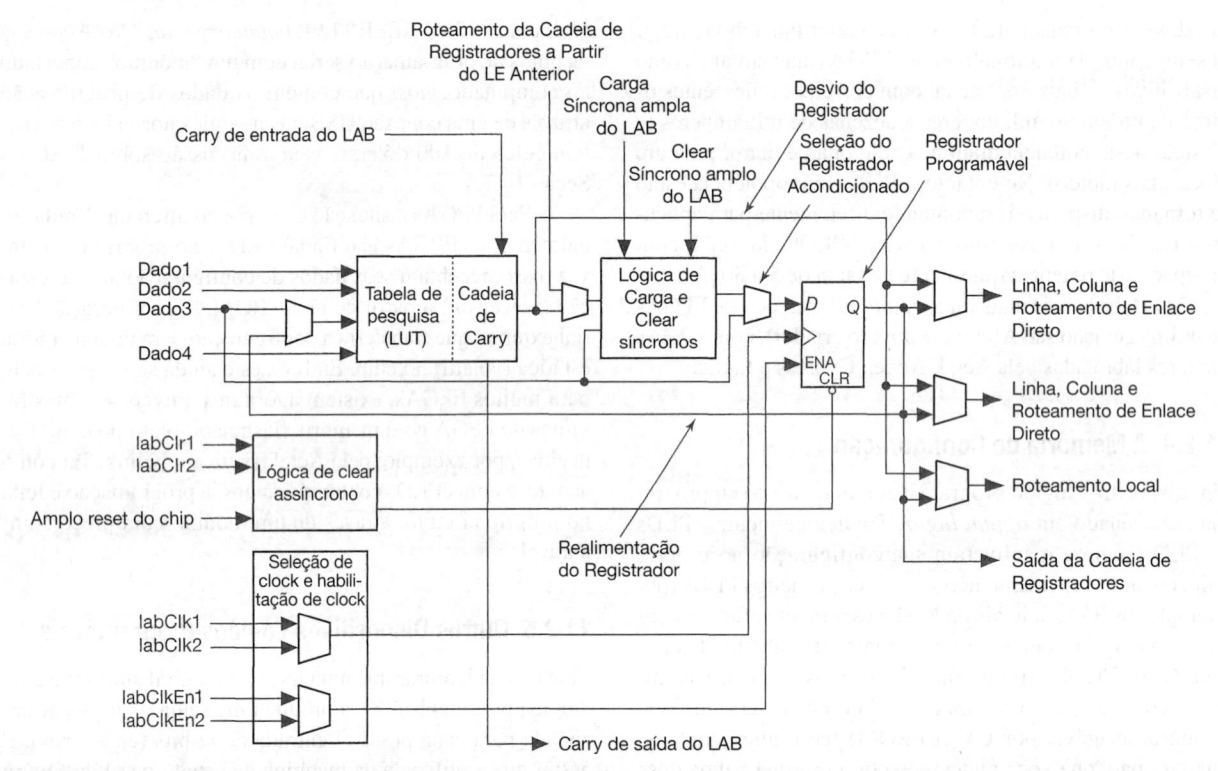

FIGURA 11.6 Um elemento lógico (LE) de FPGA, um dos cerca de dezenas de milhares em um FPGA típico, da família "Cyclone II" da Altera. O flip-flop com clock e a tabela de pesquisa (LUT) estão rodeados de lógica extra e sinais de controle do bloco da matriz lógica (LAB) maior, para expansão flexível. (Adaptado da folha de dados da família de dispositivos Cyclone II da Altera, ©Altera Corporation, 2007.)

ele tiver memória não volátil), quer para uma ROM de configuração (a partir da qual ele carrega na energização), ou, eventualmente, é carregado a partir de um processador diretamente ao chip na sua energização, processo denominado "carga a quente".

Fabricantes de FPGA tipicamente fornecem software livre para os seus produtos de baixa a média capacidade,[10] mas podem cobrar desde várias centenas de dólares até vários milhares de dólares por softwares que suportam os seus produtos de última geração; parte do custo deste último é atribuível aos "núcleos" de software incluídos (módulos de código que criam blocos de hardware úteis, às vezes chamados de "IP", para a propriedade intelectual). Pode haver grandes descontos oferecidos aos usuários educacionais e sem fins lucrativos.

Estas ferramentas de software não são muito fáceis de aprender, e elas têm uma tendência angustiante de mudar com o tempo. Elas são frequentemente afetadas com erros (*bugs*), exigindo soluções hábeis. Acompanhar essas mudanças pode ser um trabalho em tempo integral. É sempre útil, portanto, ter alguma empresa com a qual se possa contar; isto

é, usar as mesmas ferramentas de software que essas pessoas muito mais experientes em torno de você estão usando.

Não tentaremos ensinar essas ferramentas. No entanto, para ilustrar o processo geral, mostraremos a seguir um exemplo de um projeto de circuito completo feito de cinco maneiras diferentes (Seção 11.3), uma das quais usa um cPLD (Seção 11.3.3).

11.3 UM EXEMPLO: GERADOR DE BYTE PSEUDOALEATÓRIO

A maneira mais rápida para ver como uma ideia de circuito pode ser implementada de várias maneiras é simplesmente ver um exemplo. O nosso é o que poderia ser descrito como uma máquina complicada, ou seja,[11] um circuito que envia uma sucessão de bytes pseudoaleatórios, como um dado serial RS-232 padrão. Nesta seção, vamos começar com um diagrama em blocos, em seguida vamos mostrar o circuito implementado pela primeira vez em (a) uma lógica padrão, e, em seguida, em (b) *lógica programável* (com a inserção em dois métodos populares: um gráfico com a *inserção do esquemático* e outro que é uma *linguagem de descrição de*

---

[10] Um exemplo é o "WebPACK" da Xilinx, que você recebe diretamente através da Internet (se você tiver a paciência de baixar e instalar um conjunto de arquivos >5 GBytes!).

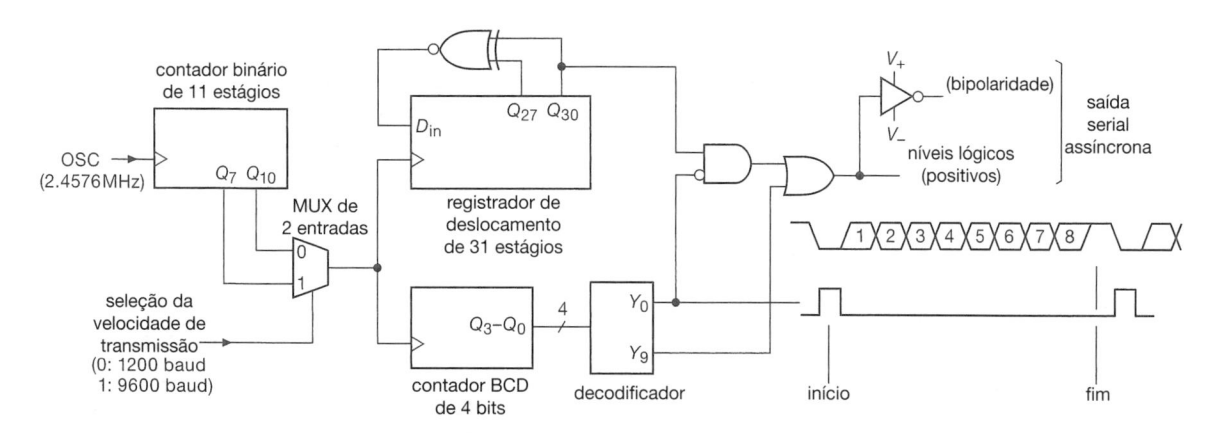

FIGURA 11.7 Diagrama em blocos do gerador de byte pseudoaleatório RS-232. Um MUX (multiplexador) de 2 entradas seleciona a velocidade de transmissão a partir de um oscilador subdividido; o clock resultante desloca um registrador de deslocamento realimentado linear de comprimento máximo para produzir bits pseudoaleatórios, que são agrupados em um quadro (*frame*) com bits de INÍCIO e FIM para produzir bytes seriais no formato 8n1.

hardware baseada em texto.[11]) Finalmente, mostramos como a mesma função é facilmente implementada com um microcontrolador, o computador em um chip (com memória interna e funções de I/O) programável e de baixo custo (e indispensável), destinado a ser utilizado "embutido" em qualquer dispositivo eletrônico. Microcontroladores embutidos são o assunto do Capítulo 15 – mas não conseguimos resistir a mostrar agora, simplesmente porque eles são a alternativa de projeto mais atraente.

Inserimos nesta seção alguns conselhos – em particular, sobre qual hardware usar, combinado com suas ferramentas de projeto apropriadas e os prós e contras de cada um.

11.3.1 Como Fazer Bytes Pseudoaleatórios

A Seção 13.14 descreve um método simples para produzir uma sequência de bits "pseudoaleatórios" (PRBS), usando um registrador de deslocamento em série cuja entrada vem de uma EX-OR de dois (ou mais) bits a jusante.[12] A sequência assim produzida é pseudoaleatória, porque, embora tenha muitas propriedades de aleatoriedade, não é verdadeiramente aleatória; na verdade, é completamente determinística, com um intervalo de repetição (com os bits que passam pela EX-OR devidamente escolhidos) de $2^n - 1$ para um registrador de n estágios[13].

Nosso exemplo usa um registrador de comprimento 31 (Figura 11.7), para o qual a realimentação da EX-OR a partir dos bits 28 e 31 produz uma sequência de comprimento máximo. Seu comprimento ($2^{31} - 1$, ou 2.147.483.647)

corresponde a um intervalo de repetição de 2,6 dias para uma taxa de saída serial máxima de 9.600 baud.[14] O registrador de deslocamento recebe clocks a uma taxa selecionável de 1200 ou 9.600 deslocamentos/segundo, com os bits de saída agrupados em bytes de 8 bits, cada um dos quais é agrupado em um quadro por um par de bits conhecido como INÍCIO e FIM. Isto é conhecido como comunicação serial assíncrona, representada pela familiar porta serial de computador RS-232C. Este circuito permite a seleção de uma taxa de transmissão (1.200 ou 9.600), e formata a saída como dados de 8 bits, sem paridade, e um bit de fim (isto é normalmente abreviado por "8n1").

Como explicado na Seção 14.7.8, os níveis de tensão reais para a comunicação de porta serial, descritos na especificação RS-232C, são (irritantemente) de ambas as polaridades, com níveis de ± 5 V a ± 15 V correspondentes aos dois estados lógicos; para aumentar a confusão, essas saídas são logicamente invertidas, com o nível lógico ALTO correspondendo ao nível de sinalização negativo, e vice-versa.[15] A boa notícia é que há uma abundância de chips de interface acionador-receptor RS-232C disponíveis, a maioria dos quais incluem geradores internos de tensão de bomba de carga para que você possa alimentá-los a partir de uma fonte positiva para circuitos lógicos (geralmente 3,3 V ou 5 V); um exemplo é o MAX3232 mostrado na Figura 11.8.

---

[11] Em particular, Verilog e VHDL, as duas escolhas populares.

[12] Às vezes chamado de *registrador de deslocamento com realimentação linear*, ou LFSR, introduzido anteriormente no início da Seção 8.12.4A.

[13] Deve-se notar que há algoritmos computacionais muito melhores para a geração de sequências de bits pseudoaleatórios; este método foi escolhido por sua simplicidade extrema.

[14] Os leitores insatisfeitos com o conceito de que uma sequência aleatória eventualmente se repete podem preferir algo um pouco mais longo, digamos, um registrador de deslocamento de comprimento 71 (com derivação por EX-OR no bit 65), cujo intervalo de repetição é de aproximadamente 8 bilhões de anos (cerca de metade da idade do universo). Puristas *reais* podem eleger um registrador mais longo, digamos, de comprimento 167 (com derivação por EX-OR no bit 161), que não vai repetir para 10^{38} anos (cerca de 1028 vezes a idade do universo).

[15] Às vezes chamado MARCA e ESPAÇO, respectivamente.

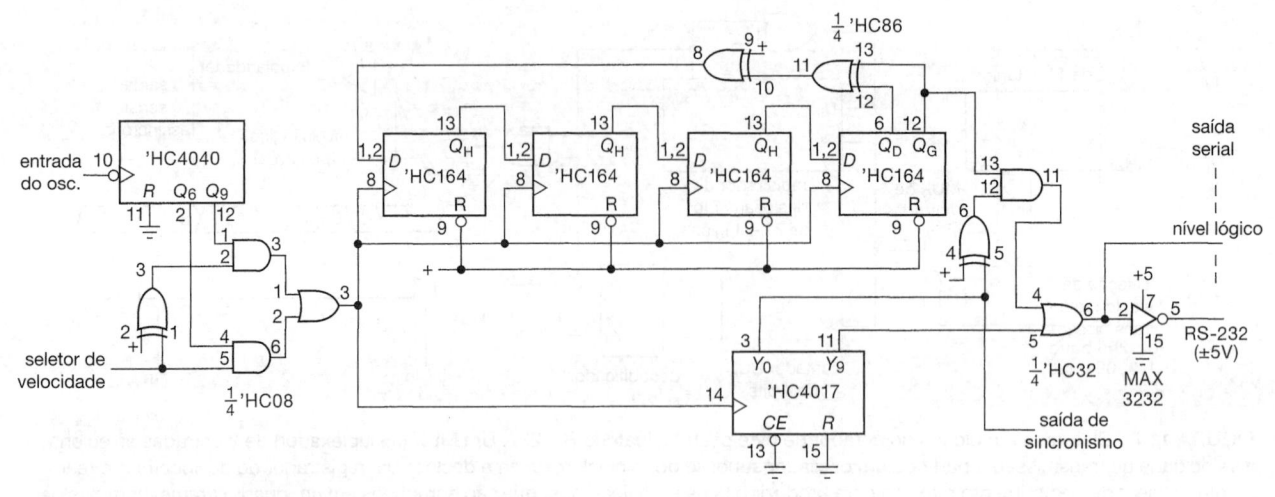

FIGURA 11.8 Implementação com lógica padrão (família 74HC).

11.3.2 Implementação em Lógica Padrão

Portas, contadores, registradores de deslocamento – estes são objetos da "lógica padrão", mais famosa pela lendária família lógica 74xxx, cujas funções lógicas discretas são fornecidas em encapsulamentos PTH (DIP) ou nas muitas variedades de SMD (SOIC, SSOP, QFN, BGA). Na Figura 11.8 implementamos o gerador aleatório na subfamília 74HC (escolhida pela ampla disponibilidade, velocidade adequada, baixa potência e opções de encapsulamento DIP/SMT). Indicamos os números dos pinos DIP para enfatizar que este é um projeto completo e acabado.

Alguns comentários.

- Com uma lógica padrão, você vê truques como EX-ORs não utilizadas convertidas para inversores, para evitar componentes extras (como um encapsulamento de inversores). Outro exemplo é a utilização das portas discretas que sobraram (em vez de um MUX de 2 entradas integrado) para a seleção da taxa de transmissão.[16]
- Tiramos vantagem de algumas funções encapsuladas incomuns, por exemplo, o contador decimal totalmente decodificado 'HC4017, aqui usado para formar um quadro de 8 bits de dados em caracteres seriais de 10 bits; a maneira mais convencional usaria contador e lógica de decodificação separados. Outra função encapsulada útil é o contador *ondulante* de 12 estágios 'HC4040 (usado para a subdivisão do clock), ao invés de uma conexão em cascata de contadores síncronos menores.
- Mesmo com truques como estes, este projeto exigiu muitos encapsulamentos de CIs (nove, para ser exato, sem contar o acionador RS-232) – uma característica de implementações digitais feitas em lógica padrão. Esses nove CIs têm que ser interconectados; e, uma vez conectados, quaisquer mudanças exigem, pelo menos, uma mudança física na conexão. Além disso, existem seis tipos de CIs diferentes, assim, para este tipo de aplicação, você tem que manter um estoque substancial de CIs de diferentes funções.

11.3.3 Implementação com Lógica Programável

Como observamos, dispositivos lógicos programáveis geralmente fornecem uma melhor implementação de hardware da lógica digital, e este exemplo não é exceção. A lógica programável aqui é uma escolha muito melhor do que a lógica padrão, com um único chip substituindo nove; e, como

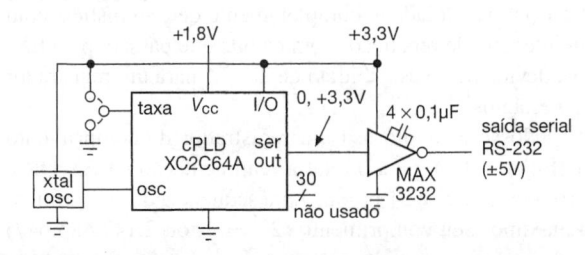

FIGURA 11.9 A lógica programável permite uma implementação de circuito muito mais simples. As conexões dentro da CPLD podem ser especificadas, usando ferramentas de software, quer através de inserção de esquemas gráficos, quer por um HDL baseado em texto; ilustramos ambos. A configuração de "fusíveis" resultante desejada é programada na memória interna não volátil do cPLD, com o cPLD no seu circuito real, através de quatro pinos dedicados (conhecidos como JTAG, não mostrados aqui).

---

[16] Note, no entanto, que você *pode* obter a lógica em partes convenientemente menores, sob a forma de pequenos encapsulamentos de poucos pinos com 1 a 3 portas; esses são conhecidos por nomes como "TinyLogic™!" (Nome da Fairchild), "PicoGate™" (nome da NXP), "MiniGate" (nome da ON Semiconductor), "LatticeLogic™" (nome da TI), Single Gate (nome de ST), ou LMOS™ (nome da Toshiba). São chamados "mini-logic", um nome evidentemente esquecido em meio ao frenesi de marcas registradas dos grandes fabricantes. Eles vêm a calhar quando você precisa de alguma lógica entre grandes chips digitais.

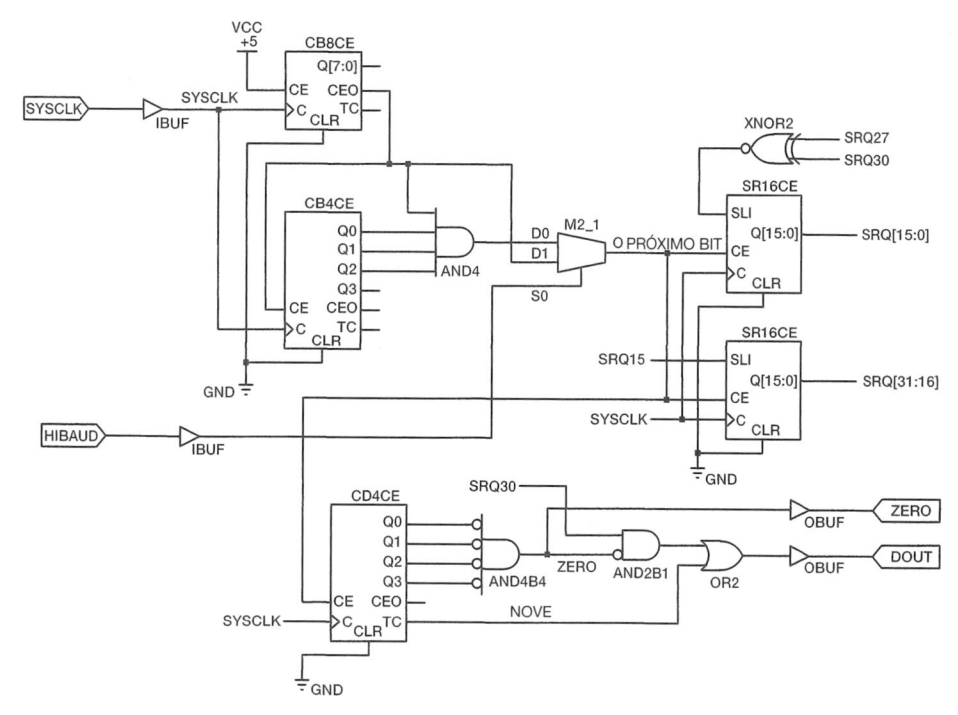

FIGURA 11.10 Entrada de esquemático gráfico para um projeto de lógica programável utilizando ferramentas da Xilinx. Os blocos de componentes podem ser funções lógicas genéricas (por exemplo, CB4CE = contador, binários, 4 bits, com habilitação de chip), ou números de dispositivos de lógica padrão específicos (por exemplo, "163" = 74xx163 = contador carregável binário síncrono de 4 bits com saídas de 3 estados, carga síncrona e reset; não usado neste projeto); ou podem representar módulos especificados por uma linguagem de descrição de hardware baseada em texto, como VHDL.

geralmente ocorre com lógica programável, você pode reprogramar o circuito para corrigir erros, ou para adicionar características.

Este projeto é pequeno, razoável para um cPLD, diferente dos FPGAs geralmente muito maiores. A Figura 11.9 mostra as conexões, usando um cPLD pequeno (64 macrocélulas). O cPLD que escolhemos em particular opera com seu núcleo em 1,8 V, mas permite a operação de entradas e saídas de 1,5 V a 3,3 V. Esta tarefa utiliza os recursos de I/O do chip; 30 pinos (de 34 disponíveis) não são utilizados. Ele, no entanto, utiliza a maioria dos 64 *flip-flops* disponíveis. O chip custa cerca de 2 dólares.

A. Lógica Programável – Inserção de Esquemático

Muitos projetistas de circuito são a favor da técnica gráfica "inserção de esquemático" para o projeto de lógica programável. A Figura 11.10 mostra como se parece o nosso gerador de bytes pseudoaleatórios, inserido usando as ferramentas fornecidas pela Xilinx.

Os símbolos individuais podem ser portas familiares (OR2: OR de 2 entradas), ou portas assimétricas (AND2B1: AND de 2 entradas com um pequeno círculo em uma entrada), ou funções genéricas maiores (CD4CE: contador, decimal, 4 bits, com habilitação do chip). No entanto, você pode desenhar um bloco modular para representar algo maior, por exemplo, uma série de blocos interligados. Aqui, por exemplo, toda a figura pode ser representada por um bloco com duas entradas (SYSCLK e HIBAUD) e duas saídas (ZERO e DOUT); esse bloco poderia então ser utilizado como um componente em um diagrama de um sistema maior. Além disso, você pode usar a inserção de HDL baseado em texto (ver abaixo) para definir as partes internas de um bloco, que você, em seguida, conecta graficamente assim como os blocos aqui mostrados. E você ainda pode criar o HDL (que define tal bloco) com ferramentas gráficas. Por exemplo, você pode implementar uma máquina de estado, inserindo o diagrama de transição de estado em uma ferramenta como StateCAD da Xilinx (ou Quartus da Altera); que gera uma saída HDL (Verilog, VHDL ou ABEL), que pode então ser representada como um bloco gráfico, com os pinos de entrada e saída.

Ferramentas de software de inserção gráfica permitem que você simule o projeto, para se certificar de que ele faz o que você pretendia; em seguida, ele executa um "ajuste" ou "*place and route*" para criar o padrão de conexão de um hardware particular em PLD (cPLD ou FPGA). Por fim, tal como descrito anteriormente, você programa o próprio dispositivo, seja em um "programador de dispositivo" (de uma empresa como a BP Microsystems) ou (mais comumente) com o dispositivo já montado e alimentado no circuito. Este último é feito através de alguns pinos de programação dedicados, que você aciona com um módulo de programação co-

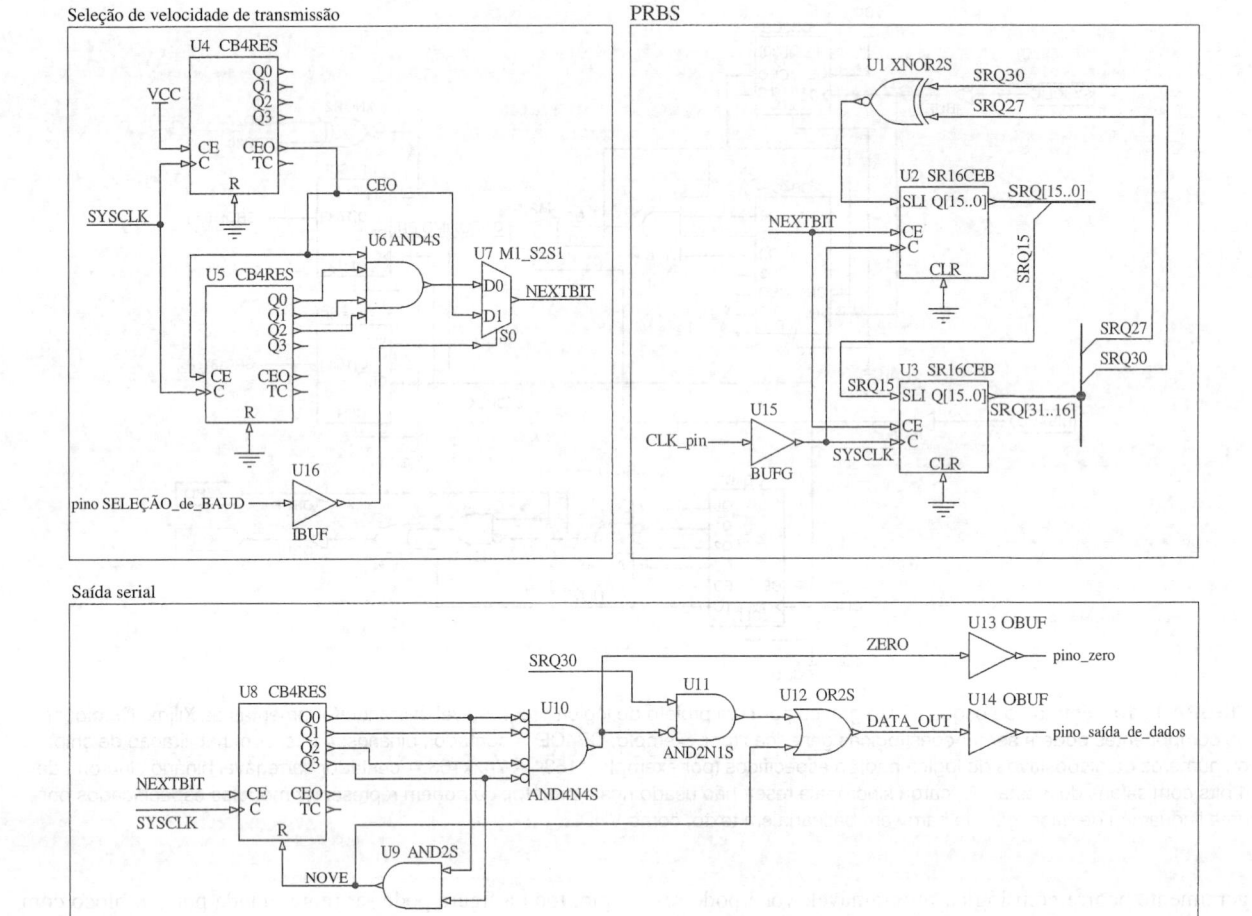

FIGURA 11.11 O mesmo projeto da Figura 11.10, implementado com o software "Designer" da Altium, e depurado usando sua placa de desenvolvimento NanoBoard.

nectado a um computador que executa o software de projeto (normalmente via USB).

Neste exemplo, a inserção de esquemático fornece um circuito razoavelmente legível. O projetista[17] escolheu uma implementação totalmente síncrona (todos os dispositivos sincronizados são acionados a partir do mesmo clock, ou seja, o oscilador de entrada), explicando que, para alguns PLDs, os registradores de deslocamento ou contadores não são garantidos que funcionem corretamente quando acionados a partir de um clock derivado (por exemplo, a partir da saída de um contador ondulante), mesmo que esta seja uma prática normal quando implementada com lógica padrão discreta.[18]

Uma queixa tradicional sobre a inserção de esquemas tem sido que as ferramentas de software tendem a ser específicas para o hardware de um fornecedor (como neste exemplo). Isso torna difícil migrar um projeto para dispositivos de um fornecedor diferente. Mas recentemente tornaram-se disponíveis alguns conjuntos de programas de inserção de esquemáticos e simulação com preços razoáveis que permitem escolher entre FPGAs de vários fornecedores. Experimentamos um produto desse tipo – a série "NanoBoard" de placas de desenvolvimento de hardware fornecidas pela Altium para uso com seu software "Designer" – que atualmente suporta FPGAs da Altera (série Cyclone), Lattice (série ECP2) e Xilinx (séries Spartan e Virtex). Se você utilizar as bibliotecas de dispositivos genéricos, seu projeto é portátil. Um exemplo é mostrado na Figura 11.11 – mais uma vez o nosso amigo gerador de bit pseudoaleatório. O projetista[19] escolheu agrupar o projeto em módulos funcionais, para manter o esquema legível. Com a exceção dos buffers de entrada e de saída (que são da biblioteca específica da Xilinx), todos os dispositivos são genéricos, e deste modo o projeto é portátil com pouco esforço.

---

[17] Agradecemos Jim MacArthur por aceitar o desafio e produzir o diagrama e o chip funcionando em uma ou duas horas.

[18] Evidentemente, os atrasos de sinal tal como um sinal de clock que é roteado no PLD provoca distorção inaceitável (Seção 10.8.2C); apenas os "sinais de clock globais" são garantidos que funcionem de forma confiável, um fato um tanto escondido nas entrelinhas.

[19] O sempre inteligente Curtis Mead, a quem devemos agradecer.

Em um nível mais alto de abstração (e custo), você pode obter conjuntos de ferramentas de software de síntese, como o elegante "Synphony HLS" (Síntese de Alto Nível) a partir da Synopsys. Você começa seu projeto com MATLAB e Simulink (da The MathWorks™), que permite você encaixar módulos funcionais como um Lego a partir de uma caixa de ferramentas de blocos (filtro digital, FFT, amostrador, etc.). A Synphony carrega esta descrição e mira (por meio de um nível de HDL) um FPGA ou uma implementação ASIC completa, juntamente com o código em linguagem C para a simulação funcional, a geração de vetor de teste e a temporização. Isto é muito menos trabalhoso do que a inserção do projeto HDL tradicional. E, devido a descrição de alto nível inicial ser verificável (e os seus blocos funcionais serem seguramente corretos), o resultado é muito menos propenso a erros do que um chip complexo semelhante que é criado a partir de um HDL de modo convencional. Note, no entanto, que a implementação resultante pode não ser muito eficiente em termos de utilização de recursos do silício, velocidade e potência.

Vantagens da Inserção de Esquemáticos

Aqueles que são a favor da inserção esquemática gráfica geralmente explicam a sua escolha com os seguintes motivos:(a) eles são provenientes de uma experiência com esquemático, por isso é natural; (b) eles acham que é mais fácil de aprender, entender e explicar aos outros; (c) eles gostam de ter um esquema gráfico como documentação; (d) devido os módulos poderem ser expressos em HDL, tem todo o poder da HDL para projetos complexos, para aplicar onde for necessário; e (e) a inserção gráfica é usada em linguagens de programação gráfica (GPLs) como LabVIEW, MATLAB® e Simulink®.

11.3.4 Lógica Programável – Inserção em HDL

A alternativa para a entrada de projeto gráfico é usar uma das linguagens de descrição de hardware (HDL) baseadas em texto. As atuais favoritas são Verilog e VHDL, com muita atividade também na aplicação da linguagem de programação C para projetos de alto nível.

Achamos que pode ser útil mostrar primeiro como seria este projeto na antiga ABEL HDL, cujas declarações tendem a ser "próximas do hardware": em ABEL você define *pinos* (entrada e saídas) e *nós* (*flip-flops* ou portas internas), e então você escreve *equações* que conectam os sinais, por exemplo, as portas que determinam a entrada D e fonte de clock para um flip-flop. Tal como acontece com a inserção de esquemáticos, você pode simular (com *vetores de teste*) e depois executar o programa *montador* que cria um *netlist* de conexões (chamada de *arquivo JEDEC*) para o seu PLD particular de destino. Finalmente, você programa o próprio dispositivo, seja no circuito ou (mais raramente) em um programador de dispositivo autônomo separado.

A. Lógica Programável – Inserção HDL I (ABEL)

A Figura 11.12 mostra o arquivo fonte ABEL para criar o gerador de bytes pseudoaleatórios, usando um cPLD com 64 macrocélulas (cada um dos quais pode implementar uma função lógica complicada de sinais disponíveis, entregando o resultado em lógica combinacional ou com registrador em um flip-flop).

Alguns comentários explicativos (percorrendo de cima para baixo): (a) as linhas terminam com um ponto e vírgula, e // significa um comentário; (b) as designações com reg_D (ou reg_T) na sequência da diretiva istype especificam saídas e nós como combinacional ou com registrador (*flip-flops*); sem designação significa uma entrada; (c) uma série de sinais (chamada de *set* em ABEL) é escrita como [sr30..sr0] (nosso registrador de deslocamento de 31 bits); (d) NOT, AND, OR e EX-OR são escritas como !, &, #, $; (e) os nomes de variáveis não declaradas como pinos ou nós (como baudclk) são apenas *definições*, para simplificar equações posteriores (como [sr30..sr0].clk = baudclk); assim, por exemplo, sr*n* é o nome que escolhemos para o enésimo bit do registrador de deslocamento, e não um nome reservado na linguagem ABEL; (f) os vários pinos para um flip-flop nomeado são designados por "ponto extensões", por exemplo, sr0.d = !(sr30.q $ sr27.q) cria a EX-OR das saídas Q dos bits 30 e 27 do registrador de deslocamento e a conecta no bit 0 da entrada D (que é a realimentação da EX-OR que gera os bits pseudoaleatórios).

Vale a pena gastar um pouco de tempo no desenvolvimento do código para obter uma percepção de como fazer um circuito em uma linguagem baseada em texto; comentamos o código liberalmente para torná-lo (um pouco) compreensível. Não é a implementação mais eficiente (veja a seguir um método verdadeiramente inspirado!), mas funciona.

B. Lógica Programável – Inserção HDL II (Verilog)

Linguagens simples como ABEL foram adequadas para projetos cPLDs simples (que usamos para projetos com até 128 macrocélulas, com um pouco de dificuldade), mas em algum lugar entre a frustração e a falta de esperança para os projetos realmente complexos é que os FPGAs contemporâneos estão muito bem adaptados. Embora ABEL e CUPL tenham evoluído de suas raízes PALASM para incorporar construções de alto nível (como "If-Then-Else"), eles foram finalmente abandonados em favor de linguagens contemporâneas, principalmente Verilog e VHDL. Estas têm capacidades semelhantes, mas, infelizmente, dividem a humanidade em dois

```
// --------------------------------------------------------
module PRBYTES
title 'pseudo random byte generator - async serial
      Paul Horowitz, 10 Dec 07, rev 5'

// PRBYTES device 'XC2C64A';     cPLD de potência zero da xilinx

// Entradas
    osc      pin;   // entrada do oscilador de 2,4576 MHz (9600 baud x 256)
    rate     pin;   // nível BAIXO seleciona 1.200 baud, nível ALTO seleciona 9.600 baud

// Saídas
    serout   pin    istype 'reg_D';     // dados seriais
    syncout  pin    istype 'com';       // pulso de INÍCIO RS-232 (para teste)

// Nós
    [sbc3..sbc0]    node   istype 'reg_D';   // contador de bit serial, BCD (10 estados, 0 a 9)
    [brd10..brd0]   node   istype 'reg_T';   // divisor de taxa de transmissão: divide por 256 ou 2.148
    [sr30..sr0]     node   istype 'reg_D';   // registrador de deslocamento de 31 bits para o gerador pseudoaleatório

// Constantes & Declarações
    alto  = ^b1;             // alto
    baixo = ^b0;             // baixo
    baudclk = rate & brd7.q # !rate & brd10.q;     // clock da taxa de transmissão
    sbczero = !sbc3.q & !sbc2.q & !sbc1.q & !sbc0.q;   // o contador de bit serial é zero
    sbcnine = sbc3.q & !sbc2.q & !sbc1.q & sbc0.q;     // o contador de bit serial é nove


Equations
        // divisor de taxa de transmissão: cont. ondulante binário de 11 bits, usa 7 ou 10 bits para taxa de transmissão
    [brd10..brd0].t = [1,1,1,1,1,1,1,1,1,1,1];   // todos os flip-flops definidos para comutar
    brd0.clk = osc;                              // clock lsb a partir do osc externo
    [brd10..brd1].clk = [brd9..brd0].q;          // todos os clocks dos bits superiores a partir da saída Q anterior
                                                 // ou seja, brd10.clk = brd9.q; brd9.clk = brd8.q; etc.

        // contador de bit serial: contador crescente BCD síncrono (4 bits, 10 estágios: 0 a 9)
    [sbc3..sbc0].clk = baudclk;    // bits seriais com clock na taxa de transmissão
    sbc0.d = !sbcnine & !sbc0.q # sbcnine & low;        // comutação lsb, exceto reset após o estado 9
    sbc1.d = !sbcnine & (sbc0.q $ sbc1.q);              // comuta se bits inferiores setados
    sbc2.d = !sbcnine & ((sbc1.q & sbc0.q) $ sbc2.q);   // a menos que o termo "sbcnine & low" da linha superior
    sbc3.d = !sbcnine & ((sbc2.q & sbc1.q & sbc0.q) $ sbc3.q);  // seja incluído apenas para clareza

        // registrador de deslocamento realimenta o bit 31 que passa por uma EX-OR para garantir bis pseudoaleatórios
    [sr30..sr0].clk = baudclk;         // registr. deslocamento de bits pseudoaleatórios com clock na taxa de transmissão
    [sr30..sr1].d = [sr29..sr0].q;     // forma compacta: sr30.d = sr29.q; sr29.d = sr28.q; etc.
    sr0.d = !(sr30.q $ sr27.q);        // a realimentação pela EX-OR faz o deslocamento de bits pseudoaleatórios; a negação
                                       //   garante a partida a partir do reset

        // acrescenta bits de início e fim para gerar bytes de saída serial assíncronos no estilo RS-232; produz syncount
    serout.clk = baudclk;   // saída serial com clock na taxa de transmissão
    serout.d = (!sbczero & sr30.q # sbczero & low) # sbcnine & high;
        // bit de fim (alto) no nono, bit de início (baixo) no zero, aleatório de 1 a 8
        // acionador RS-232 inversor; segundo termo em parentesis, e 'alto', são ambos desnecessários

    syncout = sbczero;             // pulso de início do RS-232

end PRBYTES
// --------------------------------------------------------
```

FIGURA 11.12 Código ABEL para um gerador de bytes pseudoaleatórios.

campos, com projetistas jurando fidelidade apaixonada para um ou outro.

Para dar um sentido a essas poderosas linguagens de projeto baseadas em texto, codificamos o projeto do gerador de bytes pseudoaleatórios tanto em Verilog quanto em VHDL.[20] Declarações nestas linguagens podem ser escritas em termos da *estrutura* (por exemplo, quais sinais são conectados às entradas de registradores), ou, em um nível um pouco mais elevado, em termos de *comportamento* (por exemplo, o que deve acontecer em seguida). Estes exemplos são principalmente codificados de modo comportamental, que é o modo geralmente preferido por usuários experientes; mas mostramos também uma alternativa estrutural para uma pequena parte (o contador de bits serial). A Figura 11.13 mostra o projeto Verilog, codificado comportamentalmente; e a Figura 11.14 mostra a codificação Verilog alternativa para a parte de contador BCD de 4 bits que é predominantemente estrutural.

Alguns comentários explicativos. (a) O código Verilog é reconhecidamente semelhante ao código análogo ABEL, particularmente sob a forma estrutural. (b) A declaração *wire* (fio) cria um nó interno e *assign* (atribuir) faz uma definição. (c) Em comum com linguagens de programação de computador, Verilog e VHDL fazem uso abundante de estruturas condicionais como o if, else if, else. (d) Os projetistas tendem a preferir declarações comportamentais (sendo mais compacta e de fácil compreensão), pelo menos através de uma validação por simulação; No entanto, muitas vezes a codificação estrutural produz uma implementação mais eficiente.[21]

Outro detalhe: neste exemplo, existem dois clocks – o clock de entrada rápido de ∼2,5 MHz, e um clock subdividido na taxa de transmissão (1,2 kHz ou 9.6 kHz, de acordo com a taxa de transmissão selecionada) para o contador de bit serial. Assim, o sistema não é completamente síncrono (embora cada contador seja síncrono, por si só). Tudo bem para um projeto que vai ser implementado como um CI totalmente personalizado, mas pode criar dificuldades se destinado a um cPLD ou a alguns FPGAs.[22] A solução clara é usar um único clock global rápido para ambos os contadores, e em seguida, habilitar o contador de bit serial (mais lento) apenas a uma taxa subdividida.

C. Lógica Programável – Inserção HDL III (VHDL)

A *outra* HDL popular atualmente é a VHDL, uma linguagem mais fortemente digitada com raízes na linguagem de programação Ada (a Verilog tem uma derivação mais próxima da linguagem de programação C). Ela tende a ser mais detalhada. Para a codificação VHDL do gerador de bytes pseudoaleatórios tivemos uma abordagem totalmente sincronizada; isto é, o clock de entrada de ∼2,5 MHz é utilizado tanto para o divisor de taxa de transmissão quanto o contador de bits serial, com este último habilitado apenas por um ciclo de clock (quando nextbit for verdadeiro). Isto reflete o esquema usado nos exemplos de inserção de esquemáticos das Figuras 11.10 e 11.11. O código (bastante longo) é mostrado na Figura 11.15.

Vantagens de inserção HDL

Aqueles que preferem a inserção HDL baseada em texto geralmente explicam sua escolha assim: (a) a inserção do projeto é rápida, especialmente quando partes de projetos anteriores são usadas; (b) o projeto é mais conciso (portanto, mais fácil de saber que está certo), e autodocumentado (como uma descrição textual); (c) o ciclo de projeto é simplificado, conforme um projeto é iterado através de simulação e protótipo; (d) é particularmente fácil de alterar os parâmetros (como o número de bits em um registrador, ALU, etc.) meramente redimensionando matrizes (em comparação com a reorganização de módulos gráficos); (e) as linguagens são padronizadas e universais (em comparação com ferramentas de inserção de esquemático proprietárias); (f) bons simuladores estão disponíveis e são gratuitos; (g) as linguagens HDL são as mais adequadas para a síntese de alto nível de projetos complexos (como um microprocessador), e núcleos IP de código aberto pré-fabricados são fornecidos como HDL;[23] (h) a inserção HDL é bem adequada para implementação com um CI totalmente personalizado (ASIC), que é muitas vezes desejável para um projeto de circuito destinado à fabricação em grande quantidade e um grau elevado de otimização em velocidade e potência (mas que começa como um FPGA durante o desenvolvimento e produção em pequenas quantidades); e (i) para aqueles com uma base de programação, a inserção HDL é mais natural.

11.3.5 Implementação com um Microcontrolador

Microcontroladores (o assunto do Capítulo 15) são processadores de baixo custo para uso em outras aplicações diferentes de computadores. Você deve pensar neles mais como um componente do circuito e menos como um computador. Comparado com um *microprocessador* destinado a um computador, um microcontrolador destina-se a operar sozinho e, portanto, sempre inclui as memórias de programa e de dados no próprio chip, juntamente com uma seleção de "periféri-

---

[20] Somos gratos aos nossos colegas GuYeon Wei e Curtis Mead, que gentilmente codificaram este exemplo.

[21] Um exemplo pode ser um contador de 32 bits, onde uma declaração comportamental como "count = count+1" pode compilar para um registrador e um somador completo de 32 bits, este último recebendo uma constante 00000001(hex) como uma de suas entradas.

[22] Alguns FPGAs nos permitem acionar linhas de distribuição de clock interno a partir de saídas lógicas, mas outros não, por exemplo, o Virtex-5 e o Spartan-3, respectivamente; para este último, você teria que levar o sinal de clock para um módulo.

[23] Porém, núcleos IP que devem ser licenciados são criptografados.

```verilog
// ----------------------------------------------------------------------
// gerador de bytes pseudoaleatórios
// Gu-Yeon Wei e Curtis Mead; codificação "comportamental"

module PRBYTES(osc, rate, reset, serout);

// entradas
// osc: entrada do oscilador de 2,4576 MHz (9.600 baud x 256)
// taxa: 0 5 1.200 baud, 1 5 9.600 baud
// reset: reset ativo em nível alto para zerar contadores
input osc, rate, reset;

// saídas
// serout: dados seriais
output serout;

// definição de registradores
reg serout;       // um "reg" é um nó que armazena seu valor até uma nova escrita
reg [3:0] sbc;    // contador de bit serial RS-232
reg [10:0] brd;   // divisor de taxa de transmissão
reg [30:0] sr;    // registrador de deslocamento PRBS

// definição de conexões
wire baudclk, sbczero, sbcnine; // um "wire" é um nó de circuito combinacional

// lógica
assign baudclk = rate & brd[7] | ~rate & brd[10];   // clk de taxa de transmissão, div 256 ou 2k
assign sbczero = ~sbc[3] & ~sbc[2] & ~sbc[1] & ~sbc[0];   // flag de zero do contador de bit serial
assign sbcnine = sbc[3] & ~sbc[2] & ~sbc[1] & sbc[0];     // flag de nove do contador de bit serial

// divisor de taxa de transmissão: contador binário de 11 bits que usa os bits 7 ou 10 para a taxa de transmissão
always @(posedge osc)   // recebe clock lógico do osc.
  begin
    if (reset)
        brd <= 0;
    else
        brd <= brd+1;
  end

// contador de bit serial: contador crescente BCD síncrono (4 bits, 10 estágios: 0 a 9)
// este é "comportamental"; veja a seguir o fragmento de programa "estrutural"
always @(posedge baudclk)   // recebe clock lógico de baudclk
  begin
    if (reset)
        sbc <= 0;
    else if (sbcnine)
        sbc <= 4'b0000;
    else
        sbc <= sbc + 1;
  end

// registrador de deslocamento de 31 bits com realimentação por EX-OR para gerar bits pseudoaleatórios
always @(posedge baudclk)
  begin
    if (reset)
        sr[0] <= 0;   // evita o estado preso de todos uns
    else
      begin
        sr[30:1] <= sr[29:0];
        sr[0] <= ~(sr[30] ^ sr[27]);   // a EX-NOR torna todos os bits 1 no estado preso
      end
  end

// serial output stream comes from last SR bit, but overridden by "0" start, and "1" stop
always @(posedge baudclk) begin
    serout <= (~sbczero & sr[30]) | sbcnine;
end

endmodule //PRBYTES
// ----------------------------------------------------------------------
```

FIGURA 11.13 Verilog codificado em termos comportamentais para o gerador de bytes pseudoaleatórios.

```
// -----------------------------------------------------------------
// codificação estrutural alternativa de um contador de bit serial
// contador crescente BCD síncrono (4 bits, 10 estágios: 0 a 9)
always @(posedge baudclk) begin
   sbc[0] <= ~sbcnine & ~sbc[0] & ~reset;
   sbc[1] <= ~sbcnine & (sbc[0] ^ sbc[1]) & ~reset;
   sbc[2] <= ~sbcnine & ((sbc[0] & sbc[1]) ^ sbc[2]) & ~reset;
   sbc[3] <= ~sbcnine & ((sbc[0] & sbc[1] & sbc[2]) ^ sbc[3]) & ~reset;
end
// -----------------------------------------------------------------
```

FIGURA 11.14 Fragmento de Verilog codificado de modo estrutural para um contador BDC de 4 bits.

cos", como sistemas de comunicação (USB, Firewire, Ethernet, UART, CAN, SPI, I²C), ADCs, I/O digitais, comparadores, acionadores de display LCD, moduladores de largura de pulso, temporizadores e afins. Muitos também incluem um oscilador interno (tudo o que eles precisam é de uma fonte CC!), em alguns casos preciso o suficiente para a temporização de portas seriais no próprio chip (por exemplo, ±2%). Eles são programados (e reprogramados) no circuito, por uma conexão serial como o JTAG *boundary-scan protocol*.[24] Projetos recentes incluem circuitos internos que permitem a depuração em tempo de execução no próprio circuito (pela mesma porta JTAG usada para a programação).

Microcontroladores (por vezes abreviado como µCs) são baratos (geralmente variando de menos de meio dólar até dez dólares) e estão disponíveis em literalmente milhares de versões de dezenas de fabricantes; ofertas populares são a série PIC (da Microchip), a série AVR (da Atmel), a série ARM (fornecida por múltiplos fornecedores) e variações evoluídas da antiga série do 8051 da Intel (vários fornecedores). µCs de baixa capacidade são geralmente processadores de 8 bits, com talvez 1 kB de memória de programa, 128 bytes de RAM e velocidades de clock de 20 MHz; entre os de alta capacidade há processadores de 32 bits com memória de programa de 512KB, 64kB de RAM e muitos periféricos integrados.[25]

Microcontroladores são maravilhosamente versáteis e eficazes, e são encontrados em quase tudo que é eletrônico, desde torradeiras e escovas de dente até caminhões e semáforos. Eles podem fazer um gerador de bytes pseudoaleatórios com a maior facilidade. A Figura 11.16 mostra o "circuito" – basicamente apenas uma fonte CC conectada ao chip, e os bytes saem dele! O restante da tarefa é programação, que ilustraremos de duas maneiras.

A. Programação de Microcontroller – Código Assembly

Microcontroladores, e de fato todos os processadores, realizam uma sequência de operações especificada como instruções que são armazenadas em alguma forma de memória eletrônica (veja o Capítulo 14); no caso dos µCs, o programa é executado no próprio chip na memória não-volátil (assim mantido quando a alimentação é desligada). O conjunto de instruções é específico para o tipo de processador, e inclui operações como aritmética (por exemplo, add), lógica (por exemplo, shift), transferência de dados (por exemplo, move), e salto (por exemplo brz, salte se zero). As próprias instruções residem na memória como um conjunto de bytes, buscadas pelo processador durante a execução do programa.

Tal como acontece com a programação de computadores em geral, os programadores raramente lidam propriamente com este *código de objeto* (que é tedioso e propenso a erros), em vez disso programando e depurando em um nível mais humanamente compreensível: ou em *linguagem assembly*, ou em uma linguagem de alto nível (normalmente C ou C++). O código assim escrito é, então, *montado* ou *compilado* (usando software) para produzir o código objeto binário, lido pelo µC, que irá residir na memória de programa do processador. Existem boas ferramentas de software para ajudá-lo a obter o código correto – por exemplo, *simuladores* que permitem ver como o programa em teste é executado, passo-a-passo, e depuradores em tempo de execução que lhe permitem observar o que o µC está realmente fazendo, no próprio circuito, quando ele está executando o seu programa. O termo *Ambiente de Desenvolvimento Integrado* (IDE – *Integrated Development Environment*) é usado para descrever um conjunto de software que inclui compilador, assembler, carregador e depurador em tempo de execução. Você precisa de um desses.

A Figura 11.17 é uma listagem de código *assembly* para o gerador pseudoaleatório de bytes implementado no circuito microcontrolador da Figura 11.16; não se preocupe, vamos vê-lo codificado em C, por fim, na Figura 11.18.

Apenas algumas notas de explicação (este não é um livro sobre software!). (a) Todos os microcontroladores incluem um monte de "registros de função especial," internos cujo conteúdo deve inicializar a definição de modos do temporizador, interrupções, localização do ponteiro de pilha

---

[24] Um protocolo serial a 4 fios, que pode ser interconectado por uma sucessão de CIs, e que permite a carga, verificação e desvio em tempo de execução de alguns registradores internos em CIs complexos; veja a Seção 14.7.4.

[25] Um exemplo atual é o ARM7 LPC2458 da NXP (anteriormente Philips), exibido na Figura 10.86: memórias 512kB/64kB, clock de 72 MHz, Ethernet 10/100, USB 2.0, A/D e D/A de 10 bits, 2xPWM, 4 UARTs, 2xCAN , SPI, 2xSSP, 3xI²C, 1²S, 136 bits de I/O de uso geral e um controlador de memória externo. Este dispositivo custa apenas 10 dólares! Para maiores velocidades de clock você poderia escolher o ARM9, mais rápido.

```vhdl
-- Gerador de bytes pseudoaleatórios — serial assíncrono
-- Modelado a partir do Verilog de Gu-Yeon por Curtis Mead
-- Mas implementado como um projeto totalmente síncrono
-- Comentários começam com dois traços

library IEEE;
use IEEE.STD_LOGIC_1164.ALL;

entity PRBS is
    Port ( CLK          : in   STD_LOGIC;   -- Oscilador de 2,4576 MHz
           RESET        : in   STD_LOGIC;   -- Reset síncrono, ativo em nível alto
           BAUD_SELECT  : in   STD_LOGIC;   -- 0 = 1200 baud, 1 = 9600 baud
           ZERO_pin     : out  STD_LOGIC;   --
           DATA_OUT_pin : out  STD_LOGIC);  -- Saída de dados seriais
end PRBS;

architecture Behavioral of PRBS is
    signal sbc            : STD_LOGIC_VECTOR( 3 downto 0);  -- Contador de bit serial
    signal brd            : STD_LOGIC_VECTOR(10 downto 0);  -- Divisor de taxa de transmissão
    signal prbs_bits      : STD_LOGIC_VECTOR(30 downto 0);  -- Registrador de deslocamento prbs
    signal baudtemp       : STD_LOGIC_VECTOR( 1 downto 0);  -- Registrador de temp brd
    signal nextbit        : STD_LOGIC; -- Sinal de pseudo clock para o contador de bit serial
    signal sbcnine, sbczero : STD_LOGIC;

begin

-- PRBS com registrador de deslocamento de 32 bits, com os bits 27 e 30 passando por EX-NOR na entrada
process (CLK)
begin
    if CLK'event and CLK='1' then
        if RESET ='1' then
            prbs_bits(0) <= '0';
        elsif nextbit = '1' then
            prbs_bits(30 downto 1) <= prbs_bits(29 downto 0);
            prbs_bits(0) <= prbs_bits(27) xnor prbs_bits(30);
        end if;
    end if;
end process;

-- divisor de taxa de transmissão, contador de 11 bits, reset síncrono
-- usa o bit 7 para 9600 baud e o bit 10 para 1200 baud
process (CLK)
begin
    if CLK='1' and CLK'event then
        if RESET='1' then
            brd <= (others => '0');
        else
            brd <= brd + 1;
        end if;
    end if;
end process;
```

FIGURA 11.15 Código VHDL totalmente síncrono para o gerador de bytes pseudoaleatório (continua a seguir).

```vhdl
-- registrador de deslocamento usado para definir nextbit em apenas um clock,
--  disparado pelos bits do divisor de taxa de transmissão
para o clock de nextbit a partir da saída do divisor da taxa de transmissão 'baudtemp'
process (CLK)
begin
   if CLK='1' and CLK'event then
      if RESET='1' then
         baudtemp <= "00";
      else
         baudtemp(1) <= baudtemp(0);
         baudtemp(0) <= (BAUD_SELECT and brd(7)) or (not BAUD_SELECT and brd(10));
      end if;
   end if;
end process;
nextbit <= baudtemp(0) and not baudtemp(1); -- nextbit em nível alto por um ciclo de clock

-- contador de bit serial, BCD crescente de 4 bits com clear síncrono
process (CLK)
begin
   if CLK='1' and CLK'event then
      if RESET = '1' then
         sbc <= (others => '0');
      elsif nextbit='1' then
         if sbcnine='1' then
            sbc <= (others => '0');
         else
            sbc <= sbc + 1;
         end if;
      end if;
   end if;
end process;
sbczero <= '1' when sbc = "0000" else '0'; -- flag de zero do contador de bit serial
sbcnine <= sbc(0) and sbc(3); -- flag de nove do contador de bit serial

-- saídas síncronas com sinal de clock CLK
process (CLK)
begin
   if CLK='1' and CLK'event then
      if RESET = '1' then
         DATA_OUT_pin <= '0';
         ZERO_pin <= '0';
      elsif nextbit = '1' then   -- nextbit é uma "habilitação" (na taxa de transmissão)
         DATA_OUT_pin <= (not sbczero and prbs_bits(30)) or sbcnine;
         ZERO_pin <= sbczero;
      end if;
   end if;
end process;

end Behavioral;
```

FIGURA 11.15 Continuação.

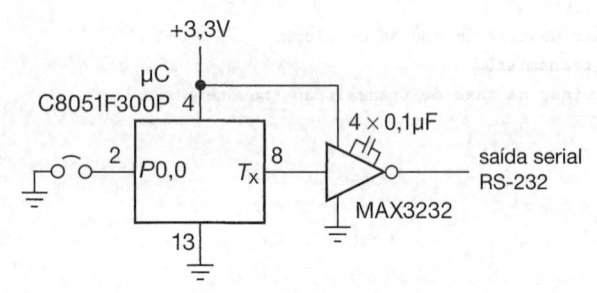

FIGURA 11.16 Microcontroladores representam uma alternativa compacta à lógica programável, particularmente quando a velocidade não é crítica. Esta escolha particular de um microcontrolador (entre literalmente milhares) inclui um oscilador interno, de modo que nenhum componente externo é necessário para gerar o nível lógico de saída da sequência serial de bits.

inicial e assim por diante. Isso é o que as primeiras sete operações mov fazem, aqui. Este código pode ser exigente, particularmente envolvendo modos de temporização e taxas de transmissão (melhor copiá-lo a partir de um programa conhecido para funcionar corretamente). E, surpresa, não há absolutamente nenhuma padronização entre as diferentes famílias de microcontroladores. Complicado, complicado, complicado ... (b) Os delimitadores de programa org 00h e end dizem ao *assembler* onde colocar a primeira instrução e onde termina o código. Ou seja, eles não são instruções que o microcontrolador executa, mas sim diretivas do *assembler*; eles são às vezes chamados de "pseudo-operações". (c) O restante do código consiste em operações aritméticas e lógicas, como limpar, copiar (chamada mov), comparar (cjne: compare e salte se não for igual), contadores de *loops* (djnz: decremente e salte se diferente de zero), chamada de sub-rotina (acall) e assim por diante.

Você realmente não quer se apaixonar por esta linguagem – nosso objetivo é justamente tentar afasta-lo dela!

B. Programação de Microcontroladores – Codificação em C

A programação em linguagem assembly é algo bastante complicado, e é fácil cometer erros banais. Mesmo quando você faz a coisa certa, é difícil de modificar. Grandes programas são trabalhosos. O código deve ser reescrito se você quiser usá-lo com uma família diferente de microcontrolador. E, o pior de tudo, você provavelmente não vai entender o que escreveu algumas semanas mais tarde, quando o programa precisar ser alterado.

Por estas razões, a maioria dos programadores prefere uma linguagem de alto nível como C ou C++ para codificação.[26] É mais fácil escrever e entender, e é portátil através de famílias de microcontroladores (embora com algumas alterações necessárias para acomodar diferenças de arquitetura). A Figura 11.18 lista o gerador PRBS, na linguagem de programação C.

O programador[27] reconhece que o PRBS pode ser codificado para realizar um byte completo de cada vez, em vez da pesada codificação de um bit de cada vez que consideramos necessária nos exemplos anteriores. Isso porque o registrador de deslocamento tem, em qualquer momento, todos os bits a jusante que você precisa para calcular todos os bits novos até a primeira derivação de realimentação (neste caso 27 bits). Dada a organização de byte de μCs de 8 bits e o fato de que a porta serial UART interna espera uma quantidade de 8 bits completa antes da transmissão, o acerto é a criação de um novo byte a montante, mediante a instrução de largura de um byte EX-OR (EX-OR bit a bit, sem *carry*). O programa resultante é executado assustadoramente rápido! Veja se você pode descobrir a codificação.

11.4 CONSELHO

Então, o que você deve fazer? Aqui está um breve resumo de recomendações, que achamos que representam adequadamente os altos e baixos das várias opções que você tem para implementações digitais (e de sinal misto).[28] Vamos fazer isso de duas maneiras: primeiro, por *Tecnologia*, em seguida, por *Comunidade de Usuários*.

11.4.1 Por Tecnologias

- Lógica padrão
  - Vantagens: OK, se você quiser montar um circuito simples, de forma rápida e tem as peças na mão; útil para acionadores de barramentos, buffers e pequena lógica de interconexão (para interconectar grandes chips, ou para corrigir erros de lógica); disponível em PTH, assim você pode usar uma *protoboard*, ou uma placa de solda (ou *wirewrap*); não necessita de nenhuma ferramenta de projeto de software.
  - Desvantagens: pesado para circuitos complexos; múltiplas funções para estoque; inflexível.
- Lógica Programável (cPLD, FPGA)
  - Vantagens: geralmente preferido (sobre a lógica padrão) para a maioria dos projetos digitais – número reduzido de encapsulamentos, facilmente reprogramado, flexível e de baixo custo, pequeno estoque necessário; preferível usar cPLDs para temporização previsível e para pequenos projetos, e usar FPGAs para grandes projetos (embora os FPGAs pequenos estejam surgindo); melhor escolha para

---

[26] Talvez com pequenos blocos de código assembly inseridos onde a velocidade é fundamental, por exemplo, uma rotina de atendimento à interrupção (veja o Capítulo 13), dentro de um programa maior.

[27] Jason Gallicchio, a quem somos gratos por este código e pelo apoio com o tema Microcontroladores.

[28] Note, no entanto, que é geralmente mais tranquilo se você adotar os métodos que as pessoas ao seu redor estão usando – a sua base de experiência e conjuntos de ferramentas aceleram o aprendizado e a depuração – mesmo se alguma técnica diferente oferece potencialmente outras vantagens.

```
// -----------------------------------------------------------
;; programa para envio de bytes pseudoaleatórios a partir de UART serial. Revisão de 14/12/07

            org 00h;                endereço de início no reset ou na energização

            mov IE, #00h;           desabilita interrupções
            mov SP, #90h;           inicia ponteiro de pilha, usado para subrotina
            mov PCON, #00h;
            mov TMOD, #20h;         Temporizador 1: 8 bits autorecarregado
            mov TCON, #40h;         desliga temporizador 0, liga temporizador 1
            mov SCON, #40h;         UART de 8 bits, apenas tx, definido pelo temporizador 1
            mov TH1, #0FDh;         9600 baud (valor recarregado 5 253 decimal)

            clr A;
            clr TI;
            jb P1.0, makebyte;      entrada de nível lógico ALTO no pino P1.0 5 9600 baud
            mov TH1, #0E8h;         BAIXO: 1200 baud (valor de recarga 5 232 decimal)

makebyte:   mov R3, #8;             definição do contador de loops — deslocamento de 8 bits constitui um byte

            ; cria bit de realimentação como EX-NOR dos bits 27 e 30 (0..30)
makebit:    mov C, ACC.4;           ou seja, ACC.4 e ACC.1
            mov R2, #0;
            mov R2.1, C;            passa ACC.4 para R2.1, para fazer XNOR com ACC com máscara
            anl A, #2;              mascara ACC, preservando apenas ACC.1
            clr C;
            cjne A, R2, loadreg;    XNOR=0, carry já zerado
            setb C;                 XNOR=1 seta carry

loadreg:    mov R0, #80h;           80h-83h manterá MSByte-LSByte do SR de 32 bits

shift32:    mov A, @R0;             R0 aponta para um dos quarto bytes em 80h..83h
            rrc A;                  desloca à direita através de carry
            mov @R0, A;             o esconde
            inc R0;
            cjne R0, #84h, shift32; verifica para o último dos 4 bytes

            djnz R3, makebit;       faz isso 8 vezes
            acall sendbyte;         envia byte concluído via UART serial
            sjmp makebyte;          e começa no próximo byte

            ; código para envio de um byte
sendbyte:   jnb TI, sendbyte;       espera pela última tx feita
            mov SBUF, A;            carrega buffer de transmissão
            ret;

            end
// -----------------------------------------------------------
```

FIGURA 11.17 Código assembly para o gerador de bytes pseudoaleatórios.

```c
// --------------------------------------------------------
#include <avr/io.h>

#define F_CPU      20000000    // 20 MHz
#define BAUD_RATE  9600        // ou 115200

void USART_Init(void) {
  UBRR0 = F_CPU/BAUD_RATE/8 - 1;  // define taxa de transmissão
  UCSR0A = (1<<U2X0);     // altera o divisor de baud de 16 para 8
  UCSR0B = (1<<RXEN0) | (1<<TXEN0);    // habilita Rx & Tx
  UCSR0C = (1<<UCSZ01) | (1<<UCSZ00);  // 8N1, sem paridade
}

void putch(unsigned char ch)
{
  while ( !(UCSR0A & (1<<UDRE0)) );
  UDR0 = ch;
}


int main(void)
{
unsigned char out;
unsigned char d=0xff, c=0xff, b=0xff, a=0xff;

USART_Init();

while(1) {
out = ( (d<<1) | (c>>7) ) ^ c;   // 31 bits, derivação 24
d = c;
c = b;
b = a;
a = out;

putch(out);
}
}
// --------------------------------------------------------
```

FIGURA 11.18 Código C para o gerador de bytes pseudoaleatórios.

lógica em paralelo rápida e máquinas de estado; bom para as funções de temporizações críticas (tais como protocolos de comunicação), operações no nível de bit (CRC, Viterbi), e funções com muitos I/O; projetos podem ser migrados através de famílias de PLDs e para CIs totalmente personalizados.
- Desvantagem: tempo para aprender ferramentas de software (muitas vezes proprietárias), e seu custo; somente dispositivos de montagem em superfície (requer PCB personalizada ou adaptador); custo do módulo de programação e ferramentas de design; ciclo de vida curto (problemas de alimentação).
- Projeto de PLD- – ferramentas de programa
  - *Inserção de esquemático*
    - Vantagens: fácil de aprender, entender e explicar aos outros (para circuito especialmente nerd); auto-documentação; inserção de circuitos em paralelo de forma paralela; linguagens de programação gráfica (GPLs) análogas usadas em ferramentas como o LabVIEW, MATLAB®, e Simulink®.
    - Desvantagem: ferramentas de projeto proprietárias; custos; aplicabilidade limitada.
- HDL (Verilog/VHDL)
  - Vantagens: migração natural para programadores nerds que podem se adaptar ao pensamento paralelo; concisa e padronizada; ferramentas de simulação e compilação sem custos; modificações de projeto de iteração fácil; podem migrar através de famílias de PLDs e para CIs totalmente personalizados;

bem adequada para grandes projetos complexos; disponibilidade de núcleos IP.
  - Desvantagens: tempo para aprender e falta de documentação esquemática (especialmente para não-programadores).
- **Microcontroladores** (veja o Capítulo 15!)
  - Vantagens: computador incorporado programável e flexível; ideal para máquinas de estado complexas, com muitos saltos de decisão; iteração rápida de código e depuração (no próprio circuito); muitos periféricos no chip (comunicação,[29] conversão, interface,[30] outros[31]); linguagem de programação familiar (C, C++); melhor para controle embarcado, especialmente envolvendo a comunicação do usuário (apresentação e controle); agradável!
  - Desvantagens: mais lento do que cPLD/FPGA; menos adequado para manipulação no nível de bit; menos paralelismo.
  - Ferramentas de programa de μC
    - *Linguagem Assembly*
      - Vantagem: o código pode ser otimizado de modo artesanal, por exemplo, numa rotina de atendimento à interrupção.
      - Desvantagens: exigente e propenso a erros; difícil de fazer grandes modificações; não é portátil entre famílias de processadores diferentes.
    - *C, C++*
      - Vantagens: padronizada e portátil (apesar da necessidade de algumas alterações específicas do processador); conhecimento de programação generalizado; linguagem estruturada facilita alterações e atualizações; bibliotecas de funções úteis; bem adequado para tarefas complexas.
      - Desvantagens: nem tanto ... O código compilado pode ser menos eficiente em tamanho e velocidade (pode incorporar código assembly para loops críticos e rotinas, e para o acesso a recursos especiais); o código pode ser difícil de entender; exige ferramentas de compilação (algumas são caras, outras são gratuitas).
    - *Outros (Basic, Software Arduino; Java, Python)*
      - Vantagens: de fácil compreensão, bom para nível de inserção.
      - Desvantagens: faixa limitada de suportes de microcontroladores, que geralmente não são portáteis entre famílias de processadores e não servem para grandes projetos.

11.4.2 Por Comunidades de Usuários

Todas as comunidades de usuários são bem servidas por microcontroladores, devido ao baixo custo, facilidade de programação e flexibilidade. Entre essas comunidades, as seguintes tecnologias adicionais são preferidas.
- Produção de Alto-Volume[32]
  Neste caso, o custo unitário e o tempo de disponibilização para o mercado são críticos. Em grandes volumes, o custo unitário é minimizado com ASICs (aplicação específica em circuitos integrados totalmente personalizados) e ASSPs (Aplicação Específica de Produtos Padrão geralmente disponíveis), enquanto que o tempo de disponibilização para o mercado é geralmente encurtado usando FPGAs para eliminar o ciclo de depuração ASIC. Na produção em larga escala é comum o uso de encapsulamentos BGA (*ball-grid array*) de alta densidade e outros dispositivos de montagem em superfície (SMDs) de *fine-pitch* (pequeno espaçamento entre pinos), juntamente com as placas de circuito multicamadas necessárias e técnicas de montagem avançadas. E, claro, sempre use microcontroladores.
- Protótipo Complexo e Pequena Produção[33]
  Aqui você normalmente não pode arcar com os atrasos e custos associados com ASICs e encapsulamentos BGA de alta densidade. Assim, as tecnologias preferidas são cPLDs e FPGAs, juntamente com chips de apoio variados, todos em encapsulamentos SMD e montados em placas multicamadas.[34] E, claro, sempre use microcontroladores.
- Laboratório e Desenvolvimento "Único"[35]
  Aqui é importante ser capaz de montar um instrumento de forma relativamente rápida, e modificar e aprimorar seu circuito em caso de necessidade. Preferimos usar placas de prototipagem para dispositivos PTH, com muitos componentes PTH e (quando necessário) com um pequeno número de dispositivos SMD (com adaptadores para PTH[36]). Isso lhe restringe à lógica e a interfaces padrão, a uma seleção limitada de microcontroladores e, talvez, a algumas CPLDs/FPGAs, juntamente com componentes analógicos (AOPs, etc.). Você pode fazer um maior uso de FPGAs se tirar proveito de "placas filha" pré-fabricadas por terceiros a partir de empresas como a Digilent, DLP Design ou

---

[29] Por exemplo, UART, SPI, 12C, CAN, USB, Ethernet, IrDA, Wi-Fi, áudio/vídeo digital, Bluetooth, ZigBee.

[30] Por exemplo, teclado, mouse, PCI, PCIe, PWM, SIM e Smart Card, GPS, PCMCIA/CF.

[31] Por exemplo, DRAM/SDRAM externa, MMU, GPS, câmeras CCD/CMOS, LCDs, display gráfico.

[32] Telefones celulares, conversores de TV, etc.

[33] Instrumentos de pesquisa científica e oceanográfica, máquinas de MRI (imagem por ressonância magnética), produtos experimentais, etc.

[34] Se você precisa usar BGA ou outros dispositivos de grande quantidade de pinos, é bom saber sobre serviços de montagem de protótipo, como Advanced Assembly™: eles podem lidar com montagem de BGAs com pequeno espaçamento entre pinos (incluindo inspeção de raio X), e vão inclusive encomendar os dispositivos para você. O melhor de tudo: eles não se importam com pedidos de apenas algumas placas.

[35] O *primeiro* NMR, MRI, STM; armadilhas atômicas, resfriamento a laser, um controle de telescópio astronômico, etc.

[36] Por exemplo a partir da Aries Electronics, ou Bellin Dynamic Systems.

Opal Kelly: elas variam desde placas com as partes essenciais (FPGA, ROM de programa e interface USB ou JTAG) até placas complexas com displays, Ethernet e assim por diante.[37] Alternativamente, você pode começar com um kit de microcontrolador bastante denso, incluindo PLDs, que pode incluir também blocos de "prototipagem" pouco densos para um pequeno número de dispositivos adicionais.

- Aficionado.[38]

Aqui a ideia é ter muita diversão barata. A unidade básica é o microcontrolador, quer como parte de um kit pré-fabricado,[39] quer usado em um protoboard, ou talvez uma placa de circuito impresso personalizada.[40] Componentes PTH (veja *Laboratório e Desenvolvimento "Único"*, acima) são sempre fáceis de utilizar, assim como os PLDs incluídos nos kits de microcontrolador.

---

[37] Se você quiser usar FPGAs como blocos de construção em diversos projetos, e não consegue encontrar o que quer de empresas como estas, você pode seguir o exemplo de um de nossos colegas: ele projetou uma pequena placa-filha para manter seu FPGA escolhido, juntamente com um par de EEPROMs, um oscilador, um cabeçote JTAG e reguladores de tensão (para que funcione a partir de uma fonte de +5 V). Ela possui um par de conectores de 2x20 pinos (conectado a vários dos pinos do FPGA) voltados para baixo, para se conectar a uma placa personalizada.

[38] Robôs, controle remoto, sistemas de iluminação, áudio/radio/vídeo, etc.

[39] Fornecido pelo fabricante do μC, ou a partir de um fornecedor independente como a Parallax, Digilent, DLP Design, ou o projeto Arduino. É prazeroso também demorar-se em sites como sparkfun.com e adafruit.com.

[40] Há versões gratuitas de ferramentas de layout, como a Eagle (da CadSoft); existem ferramentas de código aberto; e há empresas que fabricam PCBs de baixo custo, como a Advanded Circuits (www.4pcb.com), que também oferece o seu software de leiaute de PCB gratuito "PCB Artist" (que, no entanto, produz arquivos em seu formato proprietário).

REVISÃO DO CAPÍTULO 11

Um resumo de A a G do que aprendemos no Capítulo 11. Este resumo revê princípios básicos, fatos e conselhos de aplicações no Capítulo 11.

¶ **A. Dispositivos Lógicos Programáveis (PLDs).**
PLDs são circuitos integrados digitais, tipicamente contendo de milhares a milhões de portas (e, às vezes, blocos funcionais adicionais, tais como transceptores, RAM, DSP, ou microcontroladores de uso geral), cujas interconexões do circuito são determinadas pela programação do usuário (Seção 11.2). Isto é, em analogia com um programa de computador (que diz ao processador *o que fazer*), o programa para um PLD diz ao chip *como conectar* seus componentes internos. Alguns PLDs incluem memória não volátil (e reprogramável) que mantém a configuração programada; outros leem suas configurações a partir de uma ROM não volátil externa no momento da energização e armazenam essa configuração dentro do chip em uma memória (volátil); e muitos permitem a programação através de uma porta de configuração serial (normalmente uma porta JTAG).

¶ **B. Aplicações dos PLDs.**
Pequenos PLDs (dezenas a centenas de macrocélulas, milhares de portas) são comumente usados como "dispositivos lógicos de conexão", substituindo portas discretas, *flip-flops*, registradores e assim por diante. PLDs maiores, e particularmente arranjos de portas programáveis em campo (FPGAs – *field-programmable gate arrays*), podem implementar quase um sistema completo num chip. Os maiores FPGAs contêm milhões de *flip-flops*, megabytes de memória RAM, centenas de portas de I/O (LVDS, PCIe, etc.), e dezenas de transceptores seriais – recursos adequados para manter um processador "simples" (ou seja, configurado a partir de portas e *flip-flops*) executando Linux embarcado. (E quando pensar em PLDs para alguma aplicação, não se esqueça de considerar a alternativa de um *microcontrolador* de uso geral – eles são cada vez mais capazes, baratos e fáceis de programar.)

¶ **C. Visão Geral de Programação.**
O projeto de PLD (Seção 11.2.6) começa com a especificação funcional, onde a escolha é entre a *inserção de esquemático* ou uma *linguagem de descrição de hardware* (HDL). Em seguida, você executa uma simulação, para verificar se o projeto funciona como pretendido. Depois, um processo de *síntese* converte o projeto em uma *netlist* (um conjunto completo de conexões lógicas). A *netlist* é, então, "montada" na PLD destino, um processo conhecido como *place and route*. Finalmente, o projeto montado é transferido para a memória do PLD, seja para o próprio PLD (se tiver internamente uma memória não volátil), ou para uma ROM de configuração externa (a partir da qual o PLD é carregado no momento da energização), ou possivelmente carregado "à quente" a partir de um processador externo diretamente para o PLD na energização.

Ferramentas de projeto de PLD são fornecidas pelos fabricantes do PLD e por alguns terceiros. Para PLDs de baixa capacidade as ferramentas podem ser livres, mas podem ser bastante caras para os dispositivos de alta capacidade. Muito tempo pode ser necessário para dominar as ferramentas de projeto de PLDs (que têm uma tendência angustiante de mudar com o tempo) e o software pode apresentar (e geralmente isso ocorre) *bugs* (erros de programa).

¶ **D. Inserção de Esquemático.**
Mais confortável para não programadores é a inserção de esquemático, em que você conecta símbolos lógicos familiares (por exemplo, a Figura 11.10) da mesma maneira como você faria ao inserir um circuito para um leiaute de PCB. Há flexibilidade adicional, porque você pode definir blocos funcionais maiores que são especificados com uma inserção de esquemático ou de texto HDL.

Outro método de inserção gráfica, em um nível mais alto de abstração, explora ferramentas de síntese de software que convertem um bloco funcional como um Lego do MATLAB/Simulink em uma saída de código-fonte HDL; este último pode ser destinado a um PLD ou uma implementação totalmente personalizada (ASIC), bem como proporcionando simulação, temporização e vetores de teste.

Aqueles que preferem a inserção de esquemático gráfica geralmente explicam a sua preferência quanto a (a) ter uma experiência no uso de esquemáticos, achando esse método natural; (b) acham que é mais fácil de aprender, entender e de explicar aos outros; (c) gostam de ter um esquema gráfico como documentação; (d) devido os módulos poderem ser expressos em HDL, têm todo o poder de HDL para projetos complexos, onde for necessário; e (e) a inserção gráfica é usada em linguagens de programação gráfica (GPLs) como LabVIEW, MATLAB® e Simulink®.

¶ **E. Inserção HDL.**
Linguagens de descrição de Hardware como Verilog e VHDL dominam a cena de inserção PLD. Declarações em qualquer idioma podem ser *estruturais* (por exemplo, que os sinais estão conectados de alguma saída para outra entrada) ou *comportamentais* (por exemplo, que estado se segue a outro e em que condições). Veja os exemplos ilustrativos nas Seções 11.3.4B e 11.3.4C.

Aqueles que preferem a inserção HDL baseada em texto geralmente explicam a sua preferência quanto a (a) ter uma base de programação, achando esse método natural; (b) a inserção do projeto é rápida, especialmente quando se reutiliza partes de projetos anteriores; (c) o projeto é mais conciso (portanto, mais fácil de saber que está certo), e autodocumentado (como uma descrição textual); (d) o ciclo de projeto é simplificado, conforme um projeto é iterado através de simulação e protótipo; (e) é particularmente fácil de alterar os parâmetros (como o número de bits em um registrador,

ALU, etc.) meramente redimensionando matrizes (em comparação com a reorganização de módulos gráficos); (f) as linguagens são padronizadas e universais (em comparação com ferramentas de inserção de esquemáticos proprietárias); (g) bons simuladores estão disponíveis, e de forma gratuita; (h) as linguagens HDL são as mais adequadas para a síntese de alto nível de projetos complexos (como um microprocessador) e núcleos IP de código aberto pré-fabricadas são fornecidos como HDL; e (i) a inserção HDL é bem adequada para aplicações posteriores como um CI totalmente personalizado (ASIC), após uma fase de protótipo implementado inicialmente como um FPGA.

¶ F. Conselho, por Tecnologia.
(Copiando diretamente da Seção 11.4.1.)
- Lógica padrão
  - Vantagens: OK, se você quiser montar um circuito simples, de forma rápida e tem as peças na mão; útil para acionadores de barramentos, buffers e pequena lógica de interconexão (para interconectar grandes chips, ou para corrigir erros de lógica); disponível em PTH, assim você pode usar uma protoboard, ou uma placa de solda (ou *wirewrap*); não necessita de nenhuma ferramenta de projeto de software.
  - Desvantagens: pesado para circuitos complexos; múltiplas funções para estoque; inflexível.
- Lógica Programável (cPLD, FPGA)
  - Vantagens: geralmente preferido (sobre a lógica padrão) para a maioria dos projetos digitais – número reduzido de encapsulamentos, facilmente reprogramado, flexível e de baixo custo, pequeno estoque necessário; preferível usar cPLDs para temporização previsível e para pequenos projetos, e usar FPGAs para grandes projetos (embora os FPGAs pequenos estejam surgindo); melhor escolha para lógica em paralelo rápida e máquinas de estado; bom para as funções de temporizações críticas (tais como protocolos de comunicação), operações no nível de bit (CRC, Viterbi), e funções com muitos I/O; projetos podem ser migrados através de famílias de PLDs e para CIs totalmente personalizados.
  - Desvantagem: tempo para aprender ferramentas de software (muitas vezes proprietárias), e seu custo; somente dispositivos de montagem em superfície (requer PCB personalizada ou adaptador); custo do módulo de programação e ferramentas de design; ciclo de vida curto (problemas de alimentação).
  - Projeto de PLD- – ferramentas de programa
    - *Inserção de esquemático*
      - Vantagens: fácil de aprender, entender e explicar aos outros (para circuito especialmente nerd); auto-documentação; inserção de circuitos em paralelo de forma paralela; linguagens de programação gráfica (GPLs) análogas usadas em ferramentas como o LabVIEW, MATLAB® e Simulink®.
      - Desvantagem: ferramentas de projeto proprietárias; custos; aplicabilidade limitada.
    - HDL (Verilog/VHDL)
      - Vantagens: migração natural para programadores nerds que podem se adaptar ao pensamento paralelo; concisa e padronizada; ferramentas de simulação e compilação sem custos; modificações de projeto de iteração fácil; podem migrar através de famílias de PLDs e para CIs totalmente personalizados; bem adequada para grandes projetos complexos; disponibilidade de núcleos IP.
      - Desvantagens: tempo para aprender e falta de documentação esquemática (especialmente para não-programadores).
- **Microcontroladores** (veja o Capítulo 15!)
  - Vantagens: computador incorporado programável e flexível; ideal para máquinas de estado complexas, com muitos saltos de decisão; iteração rápida de código e depuração (no próprio circuito); muitos periféricos no chip (comunicação, conversão, interface, outros); linguagem de programação familiar (C, C++); melhor para controle embarcado, especialmente envolvendo a comunicação do usuário (apresentação e controle); agradável!
  - Desvantagens: mais lento do que cPLD/FPGA; menos adequado para manipulação no nível de bit; menos paralelismo.
  - Ferramentas de programa de μC
    - *Linguagem Assembly*
      - Vantagem: o código pode ser otimizado de modo artesanal, por exemplo, numa rotina de atendimento à interrupção.
      - Desvantagens: exigente e propenso a erros; difícil de fazer grandes modificações; não é portátil entre famílias de processadores diferentes.
    - *C, C++*
      - Vantagens: padronizada e portátil (apesar da necessidade de algumas alterações específicas do processador); conhecimento de programação generalizado; linguagem estruturada facilita alterações e atualizações; bibliotecas de funções úteis; bem adequado para tarefas complexas.
      - Desvantagens: nem tanto ... O código compilado pode ser menos eficiente em tamanho e velocidade (pode incorporar código assembly para loops críticos e rotinas, e para o acesso a recursos especiais); o código pode ser difícil de entender; exige ferramentas de compilação (algumas são caras, outras são gratuitas).

- *Outros (Basic, Software Arduino; Java, Python)*
  - Vantagens: de fácil compreensão, bom para nível de inserção.
  - Desvantagens: faixa limitada de suportes de microcontroladores, que geralmente não são portáteis entre famílias de processadores e não servem para grandes projetos.

¶ G. Conselho, por comunidade de usuários.
(Copiando diretamente da Seção 11.4.2.)

Todas as comunidades de usuários são bem servidas por *microcontroladores*, devido ao baixo custo, facilidade de programação, e flexibilidade. Entre essas comunidades, as seguintes tecnologias adicionais são preferidas.

- Produção de Alto-Volume
  Neste caso, o custo unitário e o tempo de disponibilização para o mercado são críticos. Em grandes volumes, o custo unitário é minimizado com ASICs (aplicação específica em circuitos integrados totalmente personalizados) e ASSPs (Aplicação Específica de Produtos Padrão geralmente disponíveis), enquanto que o tempo de disponibilização para o mercado é geralmente encurtado usando FPGAs para eliminar o ciclo de depuração ASIC. Na produção em larga escala é comum o uso de encapsulamentos BGA (*ball-grid array*) de alta densidade e outros dispositivos de montagem em superfície (SMDs) de *fine-pitch* (pequeno espaçamento entre pinos), juntamente com as placas de circuito multicamadas necessárias e técnicas de montagem avançadas. E, claro, sempre use *microcontroladores*.
- Protótipo Complexo e Pequena Produção
  Devido aos atrasos e custos associados com ASICs e encapsulamentos BGA de alta densidade, as tecnologias preferidas são cPLDs e FPGAs, juntamente com chips de apoio variados, todos em encapsulamentos SMD e montados em placas multicamadas. E, claro, sempre use *microcontroladores*.
- Laboratório e Desenvolvimento "Único"
  Para cumprir as metas de montagem rápida e fácil modificação, preferimos usar placas de prototipagem para dispositivos PTH, com muitos componentes PTH e (quando necessário) com um pequeno número de dispositivos SMD (com adaptadores para PTH). Isso lhe restringe à *lógica e a interfaces padrão*, a uma seleção limitada de *microcontroladores* e, talvez, a algumas *CPLDs/FPGAs*, juntamente com componentes *analógicos* (AOPs, etc.). Você pode fazer um maior uso de FPGAs se tirar proveito de "placas filha" pré-fabricadas por terceiros. Alternativamente, você pode começar com um kit de *microcontrolador* bastante denso, incluindo PLDs, que pode incluir também blocos de "prototipagem" pouco densos para dispositivos adicionais.
- Aficcionado.
  Aqui a ideia é ter muita diversão barata. A unidade básica é o *microcontrolador*, quer como parte de um kit pré-fabricado, quer usando em um protoboard, ou talvez uma placa de circuito impresso personalizada. Componentes PTH (veja *Laboratório e Desenvolvimento "Único"* acima) são sempre fáceis de utilizar, assim como os PLDs incluídos nos kits de microcontrolador.

12 Interfaceamento lógico

Embora o simples "processamento numérico" seja uma importante aplicação da eletrônica digital, o poder real de técnicas digitais é visto quando métodos digitais são aplicados aos sinais e processos analógicos (ou "lineares"). Neste capítulo, vamos começar com uma breve cronologia da ascensão e queda de famílias lógicas digitais e uma revisão das propriedades de entrada e saída das famílias sobreviventes (principalmente CMOS) que você provavelmente usa em projetos de circuitos. Isto é essencial para a compreensão de como interfacear famílias lógicas entre si e com dispositivos digitais de entrada (chaves, encoders rotativos, teclados, comparadores, etc.) e dispositivos de saída (LEDs indicadores, relés, MOSFETs de potência, etc.). Continuamos com o importante assunto de ligar e desligar sinais digitais nas placas de circuito, dentro e fora dos instrumentos e por meio de cabos, e examinamos dispositivos optoeletrônicos (acionadores e receptores de fibra óptica, optoacopladores, displays de LCD e LED e relés de estado sólido). E, no próximo capítulo, discutiremos o assunto principal da conversão entre sinais analógicos e digitais. Finalmente, com uma compreensão destas técnicas, abordamos diversas aplicações em que técnicas analógicas e digitais combinadas proporcionam soluções poderosas para problemas interessantes. Grande parte deste material é aplicável não só à lógica digital "discreta", mas também aos PLDs e FPGAs do capítulo 11 e aos microcomputadores e microcontroladores dos Capítulos 14 e 15.

12.1 INTERFACEAMENTO LÓGICO ENTRE CMOS E TTL

12.1.1 Cronologia de Famílias Lógicas – um Breve Histórico

No início da década de 1960, as pessoas aventureiras que não queriam construir a sua lógica de transistores discretos lutaram com a RTL (lógica resistor-transistor), uma família lógica simples introduzida pela Fairchild e caracterizada por um *fan-out* e imunidade a ruídos ruins. A Figura 12.1 mostra o problema: um limiar de lógica em um VBE acima do terra e um *fan-out* muito pequeno (em alguns casos, uma saída poderia acionar apenas uma entrada!) devido ao *pull-up* passivo e uma carga de absorção de corrente de baixa impedância. Aqueles foram os dias de pequena integração de componentes em CIs, e a função mais complicada que você poderia obter era um duplo flip-flop, que operaria a 4 MHz (o MC790P, caso você queira dar uma olhada). Construímos bravamente circuitos com RTL; eles às vezes paravam de funcionar quando do alguém ligava um ferro de solda na mesma sala.

A sentença de morte para a RTL veio alguns anos depois, com a introdução da DTL (lógica diodo-transistor) pela Signetics e, logo depois, da "Lógica de Alta Velocidade Universal da Sylvania" (SUHL – Sylvania Universal High Speed Logic) – posteriormente chamada TTL (lógica transistor-transistor). A Signetics tinha uma mistura popular dos dois, chamada de Utilogic DCL (*"Designer's Choice Logic"*) Série 8000. A família TTL se popularizou rapidamente, particularmente com a numeração "74xx" originada pela Texas Instruments. (Embora o TTL bipolar seja agora praticamente parte da história, as denominações 74xx mantiveram-se saudáveis até hoje, em versões CMOS contemporâneas.) Estas famílias usavam entradas de *absorção* de corrente com limiar lógico de duas tensões VBE e (geralmente) saídas "*totem-pole*" push-pull (Figura 12.1). DTL e TTL começaram a era da lógica de +5 V (RTL usava +3,6 V), e oferecia velocidades de 25 MHz e *fan-outs* de 10 (ou seja, uma saída poderia acionar 10 entradas). Projetistas se alegraram com a velocidade, confiabilidade e funções complexas (contadores divisores por 10, por exemplo) destas famílias. Parecia-nos que melhor era impossível; a TTL viveria para sempre.

As pessoas são insaciáveis, no entanto. Elas queriam mais velocidade. Queriam menor consumo de energia. Elas logo obtiveram as duas coisas. Na arena de alta velocidade, um dispositivo TTL veloz (série 74H; TTL "de alta velocidade") apresentava cerca de duas vezes a velocidade, para o dobro da potência! (Ele conseguia este feito nada assombroso diminuindo todos os valores de resistência pela metade.) Outra família, a ECL (lógica por acoplamento de emissor), fornecia velocidade real (30 MHz na sua versão original), usando uma fonte de alimentação negativa e níveis lógicos mais próximos ($-0,9$ V e $-1,75$ V); isso consumia muita energia (30 mW/porta) e veio apenas em pequena escala de integração. Para potência baixa, havia um dispositivo TTL mais lento (série 74L; TTL de "baixa potência") com 1/4 da velocidade para 1/10 da potência do TTL "padrão" 7400.

De volta à RCA, a primeira das famílias lógicas MOSFET foi desenvolvida, a CMOS série 4000. Ela tinha consumo de potência quiescente zero e uma ampla faixa de ali-

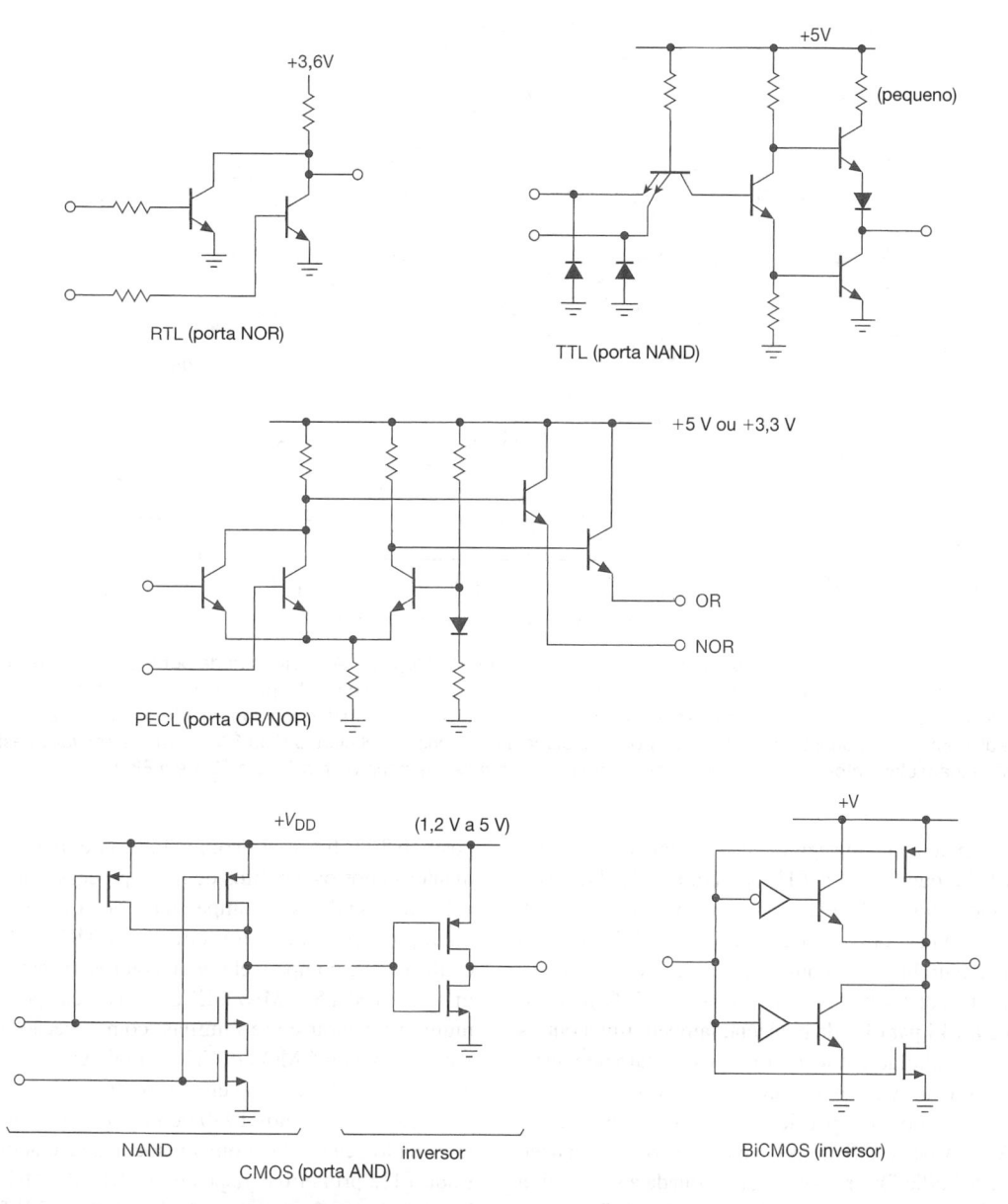

FIGURA 12.1 Diagramas simplificados de algumas famílias lógicas.

mentação (+3 V a +12 V). As saídas variavam de trilho a trilho e as entradas não absorviam corrente. Essa foi a boa notícia. A má notícia foi a velocidade (1 MHz a 5 V de alimentação) e o preço (cerca de 20 dólares para um encapsulamento de quatro portas). Apesar do preço, toda uma geração de projetistas de instrumentos movidos a bateria cresceu usando CMOS de micropotência simplesmente porque não havia alternativa. Eles aprenderam o verdadeiro significado de eletricidade estática conforme trabalhavam com entradas facilmente danificadas.

Esta, então, era a situação no início dos anos de 1970 – duas principais linhas de lógica bipolar (TTL e ECL) e a extraordinária CMOS. As variantes TTL eram essencialmente compatíveis, exceto que a série TTL 74L teve acionamento de saída fraco (absorção de 3,6 mA) e poderia acionar apenas duas cargas TTL padrão (série 74) (cujas entradas forneciam 1,6 mA quando mantida em nível BAIXO). Quase não havia compatibilidade entre as principais famílias (embora a TTL com *pull-up* pudesse acionar CMOS, e CMOS em 5 V mal podia acionar uma única carga TTL 74L).

Durante os anos de 1970 houve melhorias contínuas em todas as frentes. A TTL fez surgir as famílias não saturadas de "limitação Schottky": primeiro a série 74S (Schottky), que tornou a 74H obsoleta, dando três vezes a velocidade em

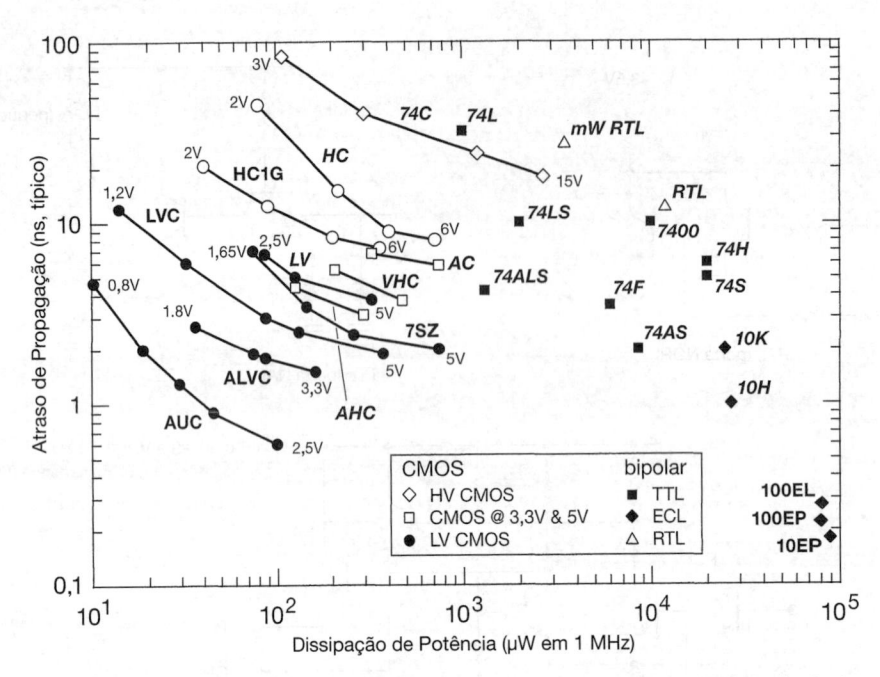

FIGURA 12.2 Atraso de porta em função da potência para várias famílias lógicas. A dissipação de potência depende da tensão de alimentação e frequência de comutação lógica: $P = C_{pd}V_{cc}^2 f$, em que C_{pd} é denominado "capacitância de dissipação de potência." (C_{pd} não inclui capacitâncias da fiação e da carga externa.) As Famílias CMOS permitir o funcionamento ao longo de uma faixa de tensões de alimentação, enquanto que a lógica bipolar funciona a uma tensão definida (3 V ou 5 V). Famílias em *itálico* estão disponíveis em DIP (encapsulamentos com furos para passagem dos terminais). Veja também a Tabela 10.1 e a Figura 12.3.

duas vezes a potência; em seguida, a série 74LS ("*Low-power Schottky*"), que tornou a TTL padrão, a série 74, obsoleta, entregando uma velocidade ligeiramente maior em 1/5 de potência. A vida com as séries 74LS e 74S foi boa, mas em seguida a Fairchild veio com a 74F (F de FAST [rápido]: "Fairchild Advanced Schottky TTL"), sendo até 50% mais rápida do que a 74S para 1/3 da potência; também tinha outras propriedades melhoradas que a tornava extremamente agradável para projetar. A Texas Instruments, criadora de muitas linhas 74xx, veio com um par de famílias Schottky avançadas, a 74AS ("Advanced Schottky") e a 74ALS. ("Advanced Low-power Schottky"); a primeiro foi destinada a substituir a 74S, e esta última se destinava a substituir a 74LS. Todas estas famílias TTL têm os mesmos níveis lógicos e abundância de acionamento de saída, e assim elas podem ser misturadas dentro de um circuito. A Tabela 10.1 e a Figura 12.2 ilustram a velocidade e a potência dessas famílias.

Enquanto isso, a CMOS série 4000 evoluiu para a série 4000B melhorada, com uma faixa mais ampla de alimentação (3 V a 18 V), melhor proteção de entrada e velocidade mais elevada (3,5 MHz em 5 V). A série 74C era essencialmente a mesma, com funções e pinagem da família 74 para aproveitar o tremendo sucesso da lógica bipolar dessa família. A ECL fez surgir a ECL II, a ECL III, a ECL 10.000, e a série 100.000, com velocidades de até 500 MHz.

A situação em 1980, então, era esta: a maioria dos projetos era feita com 74LS, com 74F (ou 74AS) misturados onde era necessária uma maior velocidade. Este mesmo dispositivo TTL foi usado como "lógica de interconexão" para manter juntos os circuitos de microprocessador nMOS cujas entradas e saídas são compatíveis com TTL. Um projeto de micropotência sempre foi feito com CMOS 4000B ou 74C, equivalente e compatível com os outros. E, para velocidades maiores (100 a 500 MHz), ECL foi a única opção. Não havia muito a misturar entre famílias, com exceção ocasional da combinação de CMOS e TTL, ou talvez interfaces de TTL para um circuito de alta velocidade ECL.

Durante os anos 1980 ocorreu o desenvolvimento notável da lógica CMOS com a velocidade e o acionamento de saída TTL: primeiro o dispositivo 74HC ("CMOS de alta velocidade"), com a mesma velocidade que o 74LS, e, é claro, zero de corrente quiescente; em seguida, o 74AC ("Advanced CMOS"), com a mesma velocidade que 74F ou 74AS. Com saídas variando de trilho a trilho e limiares de entrada na metade da tensão de alimentação, esta lógica combinou as melhores características das lógicas TTL e CMOS anteriores, e essencialmente substituiu a TTL bipolar. No entanto, houve uma incompatibilidade quando ambos os tipos de lógica foram usados dentro de um circuito, porque a saída de nível lógico ALTO de +2,4 V (mínimo garantido) da lógica padrão TTL (e também de funções mais complexa que eram feitas em nMOS) foi insuficiente para acionar uma entrada HC ou AC (com sua exigência de +3,5 V, min).

Para resolver este problema, cada família CMOS ofereceu uma variante com o limiar de entrada menor. Estes são nomeados 74HCT e 74ACT ("CMOS de alta velocidade com limiares de TTL"). Durante a década de 1980, também, dispositivos complexos de integração em larga escala (LSI) e integração em escala muito ampla (VLSI) (microprocessadores, memória, etc.) evoluiram de nMOS para CMOS (com consequente baixa potência e, geralmente, compatibilidade CMOS de saída de variação total), ao mesmo tempo aumentando velocidade e complexidade. E, nos extremos da alta velocidade, houve algum desenvolvimento de dispositivos lógicos de GaAs (arseneto de gálio) (por empresas como GigaBit Logic e Vitesse) para atingir velocidades de $\sim$3 GHz.

Previsivelmente, as coisas ficaram ainda melhores nas duas décadas seguintes. O desenvolvimento mais importante foi a melhoria no desempenho CMOS, provocada pelo tamanho reduzido do chip de silício ("escala"). Em primeiro lugar, como as escalas de comprimento foram encolhidas, tornou-se possível colocar muito mais transistores em um chip de tamanho razoável – isso levou ao desenvolvimento maciço de chips de processador, memória e outras funções complexas (por exemplo, vídeo), com o número de transistor passando de milhões para bilhões. Em segundo lugar, e talvez tão importante quanto, a escala aumentou a velocidade e também reduziu a tensão de funcionamento e a potência por porta.[1] O resultado foi o surgimento de novas famílias de dispositivos lógicos CMOS de baixa tensão compatíveis pino a pino (74LVC, 74AUC, e assim por diante; veja a Figura 12.3), com velocidades na faixa de várias centenas de megahertz (tempos de atraso de 1 ns ou menos).

Estas famílias CMOS rápidas têm proliferado (são dezenas), com uma mistura variada de numeração de pinos. A maioria delas funciona ao longo de uma gama de tensões de alimentação (por exemplo, 1,8 V a 5 V para 74LVC) e, na maioria dos casos, a tensão de entrada lógica pode variar além da fonte positiva (por exemplo, 74LVC é "tolerante a 5 V", independentemente da tensão de alimentação; veja a Figura 12.3). Com uma maior integração da maior parte da lógica necessária para os grandes componentes VLSI, há pouca confiança na lógica discreta, e estes dispositivos de "lógica padrão" são utilizados principalmente como elementos de conexão ocasionais. Para esta finalidade eles vêm em encapsulamentos pequenos, contendo uma ou duas portas, ou um único flip-flop, com nomes como TinyLogic, Little Logic, MiniGate, ou PicoGate.

Estes encapsulamentos compartilham com outros CIs de montagem em superfície a vantagem de pinos de terra de baixa indutância (e potência), o que reduz "o repique do terra" (Seção 10.8.3 e Figura 10.99) e outros sintomas transitórios causados por taxas de borda rápidas que acionam a capacitância combinada da fiação e da carga. O repique do terra tornou-se uma dor de cabeça grave na década de 1990, com as novas famílias 74AC e 74ACT, que combinavam uma variação total rápida (entre $+5$ V e terra) de transições lógicas em DIPs tradicionais com potência de corte e pinos de terra. Alguns fabricantes (especialmente a TI) abordou este problema através da adição de pinos de alimentação e terra extras, e os movendo para o centro (criação de novos números de identificação como 74AC11004, uma versão DIP-20 a partir da DIP-14, '04 de seis inversores); outros criaram famílias lógicas "silenciosas" com taxas de borda controladas (por exemplo, a família 74ACTQ a partir da FSC/NSC). A situação melhorou consideravelmente com a mudança para tensões de alimentações menores, encapsulamentos SMD de baixa indutância, e as boas práticas de leiaute de circuito impresso (especialmente o uso de planos de alimentação e terra dedicados em PCBs multicamadas). E o uso da sinalização diferencial de baixa tensão (LVDS) para os sinais e clocks rápidos praticamente eliminou o problema por completo, devido às variações de correntes balanceadas e sua relativamente pequena oscilação ($\sim$0,4 V).

Todas as famílias CMOS de lógica padrão (começando com a 4000A original, e que se estende através de HC, LVC, AUC, e uma dezena de outras) têm a característica agradável de dissipação de potência "estática" zero (ou seja, nada acontece), com correntes quiescentes típicas menores do que um microampere. Mas CMOS consome corrente "dinâmica" quando os níveis lógicos estão mudando, por causa dos efeitos combinados de (a) condução transiente de trilho a trilho dos pares de *push-pull* internos durante a metade da variação lógica e (b) corrente dinâmica necessária para carregar e descarregar capacitâncias internas e de carga. Correntes dinâmicas são proporcionais à frequência de comutação e pode rivalizar com a lógica bipolar conforme você atinge frequências de operação máxima, como discutimos no Capítulo 10 – veja a Figura 10.27. Note, entretanto, que muitas funções VLSI implementadas em CMOS (por exemplo, FPGAs e CPLDs, consulte o Capítulo 11) têm muitas vezes uma corrente quiescente substancial; esta situação está mudando, no entanto, com uma tendência voltada para VLSI de micropotência acionado por aplicações movidas a bateria.

Encerramos nossa breve história com algumas recomendações.

- Para circuitos lógicos simples que são fáceis de montar em um protoboard, e onde a velocidade estonteante não é necessária (nem desejada), use a lógica 74HC ou

---

[1] Para ver como isso funciona, considere o processo de diminuir o tamanho linear (comprimento L e largura W do canal) em um CI CMOS por um fator de k ($k < 1$), enquanto se faz os ajustes para manter as forças do campo elétrico constante; isso é chamado de "escala de campo constante." Em seguida, com $L \propto k$ e $W \propto k$, a escala de campo constante requer que $V_{DD} \propto k$; que faz com que a escala de espessura do isolamento óxido de porta seja $t_{ox} \propto k$, que faz então a capacitância da porta (que é proporcional à LW/t_{ox}) ser $C_g \propto k$. Uma consequência da geometria de escala é que a corrente de saturação do dreno seja $I_D \propto k$. Finalmente, com essa corrente de dreno, uma entrada de porta pode ser acionada através de V_{DD} em um tempo $\tau \approx C_g V_{DD}/I_D$, que, portanto, varia conforme $\tau \propto k$. Eis aí: o tempo de atraso de porta varia conforme k; ou seja, a velocidade aumenta proporcionalmente a 1/k. Ainda melhor, a potência ($V_{DD}I_D$) diminui conforme $P \propto k^2$; e uma razoável figura de mérito $1/P\tau$ (velocidade/potência) varia conforme $1/k^3$. Talvez isso explique parte do empenho incansável da indústria de semicondutores de sempre passar para a próxima geração em termos de escala (fator de encolhimento de $1/\sqrt{2}$).

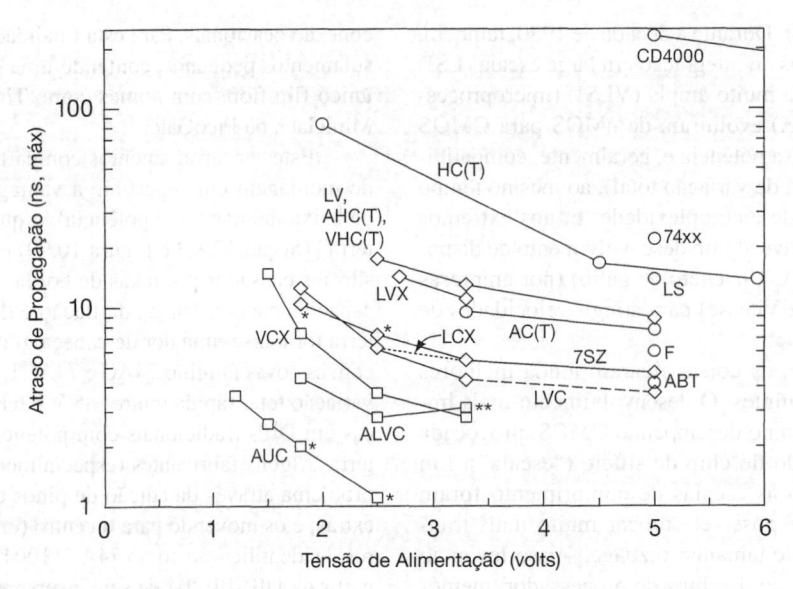

FIGURA 12.3 Velocidade de porta em função da tensão de alimentação, para famílias lógicas populares. O atraso de propagação máximo especificado ($t_{pd(máx)}$) é mostrado para a tensão de alimentação padrão em que cada família é especificada. (Como uma regra prática, atrasos "típicos" estão na faixa de 35 a 75% de $t_{pd(máx)}$.) Círculos indicam famílias para as quais $V_{in(máx)}$ está limitado a V_{fonte}, e os dados são para operação a 25°C; as famílias indicadas com losangos têm entradas "tolerantes a 5 V" ($V_{in} \leq 5,5$ V, independente da tensão de alimentação), e os dados são para operação na faixa de temperatura "industrial" ($-40°C$ a $+85°C$); famílias indicadas por quadrados têm entradas "tolerantes a 3,3 V" ($V_{in} \leq 3,6$ V), dados novamente sobre a faixa de temperatura industrial. Algumas famílias (por exemplo, LVC) possuem um circuito no estágio de saída para garantir que a saída não exerça carga nas linhas de sinais compartilhadas quando não energizada. Os dados registrados no gráfico são para capacitância de carga $C_L = 50$ pF para operação em 5 V e 3,3 V, 30 pF para 2,5 V e 1,8 V e 15 pF para 1,5 V e abaixo (exceto 50 pF para dados marcados com **, e 15pF para *). A lógica CMOS da série 4000 opera até $+15$ V, na qual $t_{pd(máx)} = 70$ns. Somente alguns membros da família LVC operam até $+5$ V. Não são mostradas as famílias bipolares ECL velozes (e de maior consumo), que operam somente em 5 V: os seus atrasos de porta máximos são de 0,6 ns (família 10E), 0,44 ns (10EL) e 0,32 ns (10EP). Algumas famílias têm evoluído com versões "aprimoradas", por exemplo, LVC→LVCE, que opera até 1,4 V e é 30% mais rápida com baixas tensões de alimentação. Veja também a Figura 10.22 e Seção 10.2.3.

74HCT (este último para compatibilidade com qualquer sinal TTL existente, ou com sinais vindos de lógica de baixa tensão, por exemplo, alimentada a partir de 3,3 V); você pode substituir 74AC/74ACT/74ACTQ se você precisar de velocidade extra, mas cuidado com o repique do terra.

- Para os sistemas de baixa tensão contendo microcontroladores ou outros CIs complexos, em que é necessária alguma lógica rápida para interconexão, use uma família universal como 74LVC, consciente de que ela está disponível apenas em encapsulamentos SMD; essas famílias são úteis também para sistemas com várias tensões de alimentação lógica.
- Se você precisa acionar saídas de 5 V (por exemplo, LEDs brancos, ou relés de estado sólido) a partir de um sistema de baixa tensão, utilize 74HCT.
- Para dados seriais rápidos e sinais de clock, utilize acionadores diferenciais LVDS (ou PECL de baixa tensão, "LVPECL"), receptores, ou SERDESs (serializador-deserializador).
- Escolha a lógica mais antiga, 4000B/74C, onde é necessária uma faixa de tensão de alimentação estendida e a velocidade for importante (por exemplo, um dispositivo portátil alimentado por uma bateria de 9 V não regulada).
- Finalmente, use CIs VLSI (cPLDs, microcontroladores, ASSCs) em vez de lógica discreta – isso reduz o número de encapsulamentos e a complexidade de conexões e acrescenta flexibilidade.

12.1.2 Características de Entrada e Saída

Famílias de lógica digital são projetadas de modo que a saída de um chip possa acionar corretamente muitas entradas dentro da mesma família lógica, alimentada a partir da mesma tensão de alimentação. Uma capacidade do fan-out típica é, pelo menos, 10 cargas, o que significa que uma saída de uma porta ou flip-flop, por exemplo, pode ser conectada a 10 entradas e ainda atender às especificações.[2] Em outras palavras, na prática, o projeto digital normal pode ser feito sem que se saiba nada sobre as propriedades elétricas dos chips que você está usando, desde que o seu circuito consista apenas de acionamento de lógica digital combinado com lógica digital

---
[2] Para a lógica CMOS, que tem corrente de entrada CC zero, a carga excessiva apenas retarda as transições. Nesse sentido, o fan-out é "infinito". No entanto, se você estiver acionando lógica bipolar, há o problema adicional de corrente necessária de entrada (por exemplo, 1,6 mA para a família 74LS), o que leva a um típico fan-out de 10.

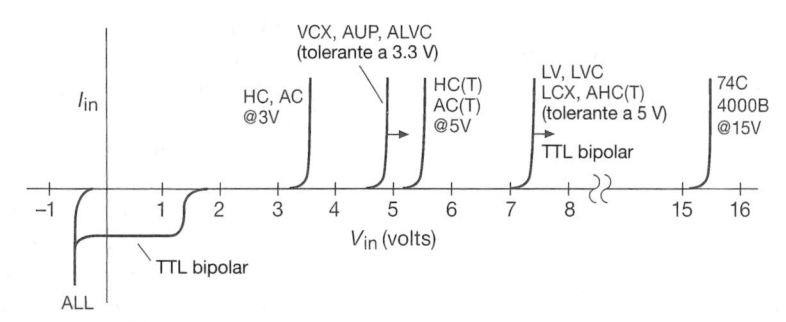

FIGURA 12.4 Corrente de entrada da porta lógica em função da tensão de entrada. Com exceção da "TTL" bipolar, não há nenhuma corrente de entrada estática dentro da faixa de tensão de entrada normal. Todas as famílias lógicas incluem diodos ceifadores de proteção internos para o terra. Algumas famílias (por exemplo, a 74HC) limitam a tensão positiva e, portanto, consomem corrente de entrada quando a tensão do sinal de entrada exceder uma queda de diodo acima de V_+. Famílias mais recentes (por exemplo, 74LVC ou 74AUP) utilizam proteção zener interna e permitem entradas bem acima da tensão de alimentação; elas são chamadas "tolerantes a 5 V " ou "tolerantes a 3,3 V" (por exemplo, LVC e AUP, respectivamente), e permitem tais entradas mesmo quando não alimentadas (a situação em que um dispositivo de lógica 74HC iria limitar em 0,6 V ou, pior, fazer com que a entrada de nível ALTO alimentasse parcialmente o trilho de alimentação).

do mesmo tipo. Na prática, isso significa que geralmente não precisamos nos preocupar com o que está realmente acontecendo em entradas e saídas lógicas.

No entanto, assim que você tentar acionar circuitos digitais com sinais gerados externamente, sejam digitais ou analógicos, ou sempre que você utiliza saídas lógicas digitais para acionar outros dispositivos, tem que enfrentar as realidades do que é necessário para acionar uma entrada lógica e o que uma saída lógica pode acionar. Além disso, quando se mistura famílias lógicas, ou quando se tem lógica operando entre diferentes tensões de alimentação, é essencial entender as propriedades dos circuitos de entradas e saídas lógicas. A interface entre famílias lógicas não é uma questão acadêmica. Para tirar proveito de chips VLSI avançados, ou funções especiais que estão disponíveis em apenas uma família lógica, você deve saber como misturar tipos de lógica e tensões. Nas próximas seções, vamos considerar as propriedades lógicas dos circuitos das entradas e saídas em detalhe, com exemplos de interface entre famílias lógicas e entre dispositivos lógicos e o mundo exterior.

A. Características de Entrada

Os gráficos das Figuras 12.4 e 12.5 mostram as propriedades importantes de entradas digitais lógicas: corrente de entrada e tensão de saída (para um inversor) como funções da tensão de entrada. Estendemos os gráficos para tensões de entrada para além dos valores normalmente encontrados em circuitos digitais, porque em situações de interface os sinais de entrada podem facilmente ultrapassar as tensões da fonte de alimentação. Como os gráficos sugerem, as lógicas CMOS e TTL bipolar são normalmente operadas com o terminal da fonte negativa conectado ao terra.

Corrente de entrada (Figura 12.4)

A maioria dos circuitos lógicos nos dias de hoje é construída com CMOS, onde as entradas não consomem nenhuma corrente (com exceção da corrente de fuga, normalmente 10^{-5} μA) para as tensões de entrada entre o terra e a tensão de alimentação.[3] Para tensões além do intervalo de alimentação, a rede de proteção de entrada se parece com um diodo de limitação para o terra e também um diodo para V_+ (por exemplo, a família 74HCT) ou um limitador tipo zener que permite variações de entrada para além da alimentação positiva (por exemplo, a família 74LVC "tolerante a 5 V"); veja as Figuras 12.3 e 12.4 para mais detalhes. Correntes momentâneas superiores à faixa de 20 a 50 mA através destes diodos irão danificar ou destruir o dispositivo, em alguns casos, causando o que é conhecido como "SCR *latchup*" (Seção 10.8.3B); você vai encontrar esses limites mencionados na seção "Especificações Máximas Absolutas" das folhas de dados.

Limiar Lógico (Figuras 12.5 e 12.6)

A tensão de limiar lógico (a linha divisória entre as entradas de nível lógico BAIXO e ALTO) depende da família lógica e da tensão de alimentação (para as famílias onde é permitida uma faixa de tensões de alimentação, como se vê, por exemplo, na Figura 12.3). A autoridade final é sempre a folha de dados! Mas podemos ser úteis aqui.

- Numerosos dispositivos digitais aderem ao que é conhecido como "limiares TTL," um legado da lógica bipolar da década de 1960: garante-se que V < 0,8 V será interpretado como nível lógico BAIXO e que V > 2,0 V será interpretado como nível lógico ALTO (As tensões que você envia para tal dispositivo lógico

---
[3] Note a peculiaridade do TTL bipolar quase obsoleto: uma entrada fornece uma corrente significativa (da ordem de 0,1 a 1 mA), quando mantida em nível BAIXO, mas consome apenas uma pequena corrente quando em nível ALTO (tipicamente alguns microamperes, nunca mais do que 20 μA). Para acionar uma entrada TTL, este acionador deve ser capaz de absorver aproximadamente um miliampere, mantendo a entrada abaixo de 0,4 V. A incapacidade de entender isso pode levar ao mau funcionamento do circuito generalizado em situações de interface!

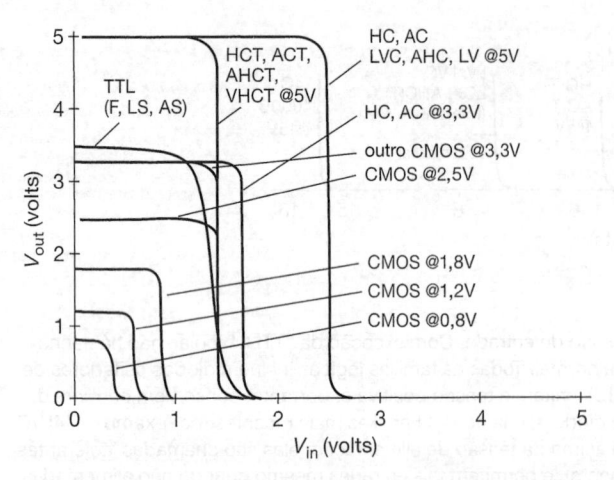

FIGURA 12.5 Saída em função da entrada ("função de transferência") para inversores lógicos nas famílias mais usadas. Em geral, as famílias CMOS que operam em tensões de alimentação de 2,5 V ou menos têm seu limiares na metade da alimentação. Em tensões mais altas, a maioria das famílias lógicas (e muitos outros chips mais complexos, como microcontroladores e lógica configurável) estão de acordo com a especificação de entrada "TTL", o que garante que o limiar situe-se entre 0,8 V e 2,0 V (e seja tipicamente de 1,3 a 1,5 V). As famílias HC/AC e 4000B são exceções, com seus limiares de rastreamento de fonte de $V_+/2$ maiores.

devem ficar fora destes limites, para fornecer imunidade a ruídos; normalmente você iria fornecer um nível BAIXO abaixo de 0,4 V, e um ALTO acima de 2,4 V). A tensão de limiar real é normalmente em torno de 1,35 a 1,5 V.[4] Famílias de dispositivos lógicos comum com limiares de entrada TTL (além das famílias TTL bipolares genuínas como 74F, 74LS e 74AS) incluem 74HCT, 74ACT, 74AHCT e 74VHCT; o sufixo "T" representa a variante familiar com limiares TTL (reduzidos), em comparação com o limiar de metade da alimentação ($V_+/2$) das famílias sem o T (74HC, 74AC 74AHC, 74VHC). Curiosamente, muitos dispositivos digitais contemporâneos de alta complexidade, como a lógica programável (Capítulo 11) e microcontroladores (Capítulo 15), continuam a aderir tanto à especificação de limiar de entrada TTL (BAIXO = 0,8 V ou menos, ALTO = 2,0 V ou mais) quanto aos níveis de saída "TTL" correspondentes (BAIXO = 0,4 V ou menos, ALTO = 2,4 V ou mais).

- Entradas lógicas que não são da variedade "compatível com TTL" têm os seus limites tipicamente em meados da alimentação; isto é, $V_+/2$. Isto é verdade para as famílias CMOS mais antigas, por exemplo, 74HC

e 74AC (que pode operar com tensões de alimentação de 2 V a 6 V), e as famílias de tensão alta 4000B/74C (que podem operar com tensões de alimentação de 3 V a 18 V). Isso geralmente se mantém também para a maioria das famílias de baixa tensão mais recentes como 74LVC e 74AUC. Note, no entanto, que a tensão de limiar real para um dispositivo lógico com um "limiar de metade da alimentação" pode variar consideravelmente: as especificações da folha de dados tipicamente permitem uma faixa desde cerca de um terço a dois terços de V_+ (V_+ é muitas vezes denominado V_{CC} ou V_{DD}).

B. Características de Saída

O circuito de saída de dispositivos lógicos CMOS quase sempre usa um par de MOSFETs complementares, um ON e outro OFF (Figura 12.1). A saída parece um r_{ON} de MOSFET para o terra ou para V_+ quando está dentro de aproximadamente um volt do respectivo trilho, tornando-se algo como uma fonte de corrente quando se absorve muita corrente de modo que a saída é forçada mais do que um volt ou dois de distância dos trilhos de alimentação. Valores típicos de r_{ON} são 30 Ω para 74HC(T) operando em 5 V, 12 Ω para 74AC(T) operando em 5 V, 10 Ω/15 Ω (absorvendo/fornecendo) para 74LVC operando em 3,3 V e 200 Ω para 4000B operando em 15 V.[5]

O circuito de saída de dispositivos TTL bipolar (que está desaparecendo) usa uma chave transistor *npn* para o terra e um seguidor *npn* (ou Darlington) para V_+ com um resistor limitador de corrente em seu coletor. Um transistor está saturado e outro está desligado. Como resultado, um dispositivo TTL pode absorver uma grande corrente (8 mA para 74LS, 24 mA para 74F) para o terra com uma queda de tensão pequena (saturação), mas quando fornece corrente a sua saída de nível ALTO será, pelo menos, 1,5 V inferior à alimentação de +5 V (ver as curvas 74AS e 74LS na Figura 12.7). O circuito de saída é projetado para acionar entradas TTL, ou dispositivos com "especificações de entrada TTL" (< 0,8 V garante nível BAIXO, > 2,0 V garante nível ALTO) com um fan-out de 10.

Na Figura 12.7 temos traçada a tensão de saída típica para ambos os estados de saída, ALTO e BAIXO, em função da corrente de saída, para uma seleção de famílias lógicas padrão populares. Para simplificar o gráfico, a corrente de

---

[4] Nós medimos as tensões de limiar para uma amostragem de inversores de "limiar TTL" (conectando a saída de volta para a entrada), e aqui está o que encontramos – 7404: 1,37 V; 74ACT04: 1,48 V; 74AS1004: 1,49 V; 74F04: 1,43 V; 74HCT04: 1,34 V; e 74LS04: 1,50 V.

[5] Cuidado, porém, para algumas funções digitais "CMOS" (principalmente os projetos antigos que funcionam a partir de uma alimentação de +5 V, como alguns microcontroladores e cPLDs), onde a chave *pull-up* canal *p* é substituída por um seguidor de fonte canal *n*: para esses dispositivos a saída de estado ALTO não alcança a alimentação positiva; em vez disso, fica em torno de +3 V. Você pode reconhecer estes dispositivos a partir das "Características CC" de sua folha de dados, que vai informar algo como V_{OH} (mín) = 2,4 V, os sinais reveladores de imitação da saída de um "TTL" antigo (onde um seguidor *npn* forma o *pull-up*).

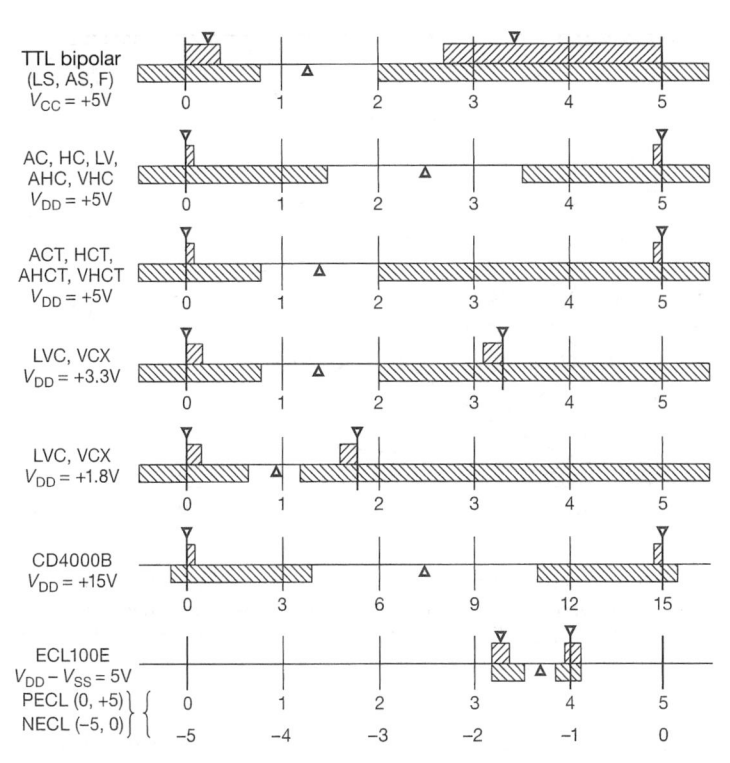

FIGURA 12.6 Faixa de tensões correspondentes aos dois estados lógicos (ALTO e BAIXO) para as famílias populares de lógica digital. As áreas sombreadas acima da linha mostram a faixa especificada de tensões de saída dentro da qual garante-se um nível lógico BAIXO ou ALTO, com o par de setas indicando os valores de saída típicos (BAIXO, ALTO) encontrados na prática. As áreas sombreadas abaixo da linha mostram a faixa de tensões de entrada interpretada com segurança como nível BAIXO ou ALTO, com a seta indicando a tensão de limiar lógico típica, ou seja, a linha divisória entre BAIXO e ALTO. Em todos os casos, um nível lógico ALTO é mais positivo do que um nível lógico BAIXO. A Tabela 10.1 e a Figura 12.3 fornecem informações adicionais sobre essas famílias. Veja também a Figura 12.135.

saída é sempre desenhada como positiva. Observe que os dispositivos CMOS verdadeiros (ou seja, um par de chaves push-pull com os complementares nMOS e pMOS) puxam as suas saídas de qualquer modo para V_+ ou terra, gerando uma variação completa a menos que estejam com uma carga intensa; por isso, quando se aciona apenas cargas CMOS (zero de corrente), a variação é completa, de trilho a trilho. Em comparação, os níveis TTL bipolar são tipicamente de 50 a 200 mV (BAIXO) ou +3,5 volts (ALTO) ao acionar outros dispositivos TTL como cargas. Com um resistor *pull-up* (discutido mais tarde), as saídas TTL de nível ALTO vão até os +5 volts. Também plotamos dois exemplos de acionadores de porta MOSFET, que aceitam uma entrada de nível de lógica compatível com TTL e usam um estágio de saída CMOS de alta corrente para gerar uma variação de saída entre o terra e uma fonte V_{DD} positiva escolhida; para a série TC4420, pode variar de +4,5 a 18 V, enquanto que para a série IXDD509 a faixa é de +4,5 a 30 V.[6]

Na eletrônica digital contemporânea estamos cada vez mais explorando as capacidades interessantes de dispositivos lógicos programáveis (Capítulo 11) e de microcontroladores (Capítulo 15). Então, você realmente precisa saber o que as suas saídas podem fazer, em termos de acionamento de cargas externas. A Figura 12.8 mostra as características de acionamento de saída de alguns PLDs populares (MAX7000A da Altera, Mach 4000 da Lattice, Coolrunner-II da Xilinx) e microcontroladores (ATmega da Atmel, PIC16F da Microchip, MSP430 da TI). Estes usam verdadeiras saídas CMOS com variações de tensão de trilho a trilho. Como é evidente a partir do gráfico, no entanto, nem todos os estágios de saída CMOS são criados iguais.

---

[6] Note, no entanto, que os acionadores MOSFET não operam em velocidades lógicas completas: embora a temporização deles seja geralmente especificada na ampla carga capacitiva característica de MOSFETs de potência, você geralmente presencia atrasos de propagação nas proximidades de 10 a 25 ns ou mais (a ser comparado com $t_{pd} \sim 2$ ns para famílias lógicas padrão como 74LVC).

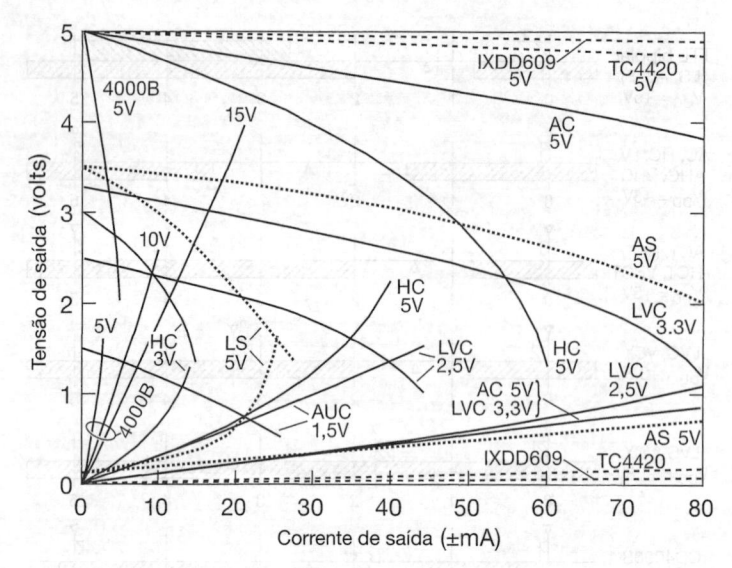

FIGURA 12.7 Características de saída de portas lógicas. As famílias 74LS e 74AS são TTL bipolar de 5 V, com seguidor *npn* pull--up, daí a saída de nível ALTO de ~3,5 V. Todos os outros são CMOS verdadeiros, com variação de saída trilho a trilho. O TC4420/ MCP1406 e IXDD509 são CIs "acionadores MOSFET", com saídas CMOS robustas que podem fornecer ou absorver até 6 A e 9 A, respectivamente; eles dificilmente notarão uma carga de 80 mA.

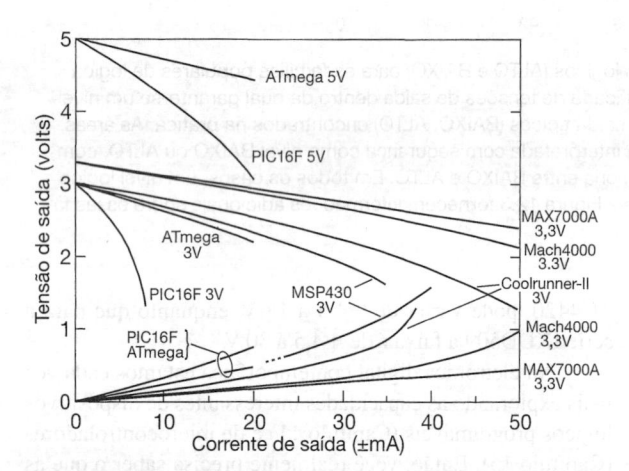

FIGURA 12.8 Características de acionamento de saídas de PLDs e microcontroladores selecionados.

12.1.3 Interfaceamento Entre Famílias Lógicas

É importante saber como fazer diferentes famílias lógicas "conversarem" entre si, porque há situações em que você deve misturar tipos de lógica, ou porções de lógica que operam a partir de diferentes tensões de alimentação. Em uma situação típica você pode querer usar uma saída a partir de um microcontrolador que opera em +2,5 V para acionar uma única porta inversora em 5 V, de modo que a variação completa de saída de 5 V possa acionar um relé mecânico de 5 V, ou um relé de estado sólido (SSR) ou um LED branco. Ou você pode querer ir por outro caminho: uma variação completa de 5 V da saída lógica necessita chegar a uma parte de baixa tensão que opera em 1,8 V.

As três coisas que podem te impedir de interconectar qualquer par de chips lógicos são: (a) a incompatibilidade de entrada de nível lógico, (b) a capacidade de acionamento de saída e (c) as tensões de alimentação. Ao invés de aborrecê-lo com páginas de regras e de explicações sobre o que funciona e o que não funciona, resumimos o problema de interface em um simples conjunto de métodos recomendados (Figura 12.9). Vamos fazer uma abordagem desses métodos.

A. CMOS na Mesma Tensão
Você sempre pode fazer uma conexão lógica direta entre dispositivos lógicos CMOS que funcionam na mesma tensão de alimentação. A saída é de variação completa, e, por conseguinte, felizmente aciona outro dispositivo CMOS, independentemente da tensão de limiar específica deste último.

B. "Lógica de 5 V" Acionando CMOS de Baixa Tensão
Um CMOS operando a partir de 5 V pode ser conectado diretamente ao que é chamado lógica "tolerante a 5 V" (por exemplo, a família 74LVC) operando a uma tensão de alimentação inferior. Tal como mostrado aqui, qualquer dispositivo com níveis de saída CMOS (com saídas de variação completa) ou "TTL" (incluindo TTL bipolar verdadeiro, ou CIs com *pull-ups* de seguidores nMOS, ambos com uma saída de estado ALTO de ~3,5 V) satisfaz os requisitos de tensão de entrada de CMOS tolerante a 5 V que opera a partir de tensões de alimentação na faixa de 2,5 a 3,3 V. Há também a família de conversores de nível 74LV1T, que pode fazer tanto "conversão para baixo" (como aqui) quanto "conversão para cima" (como em C).

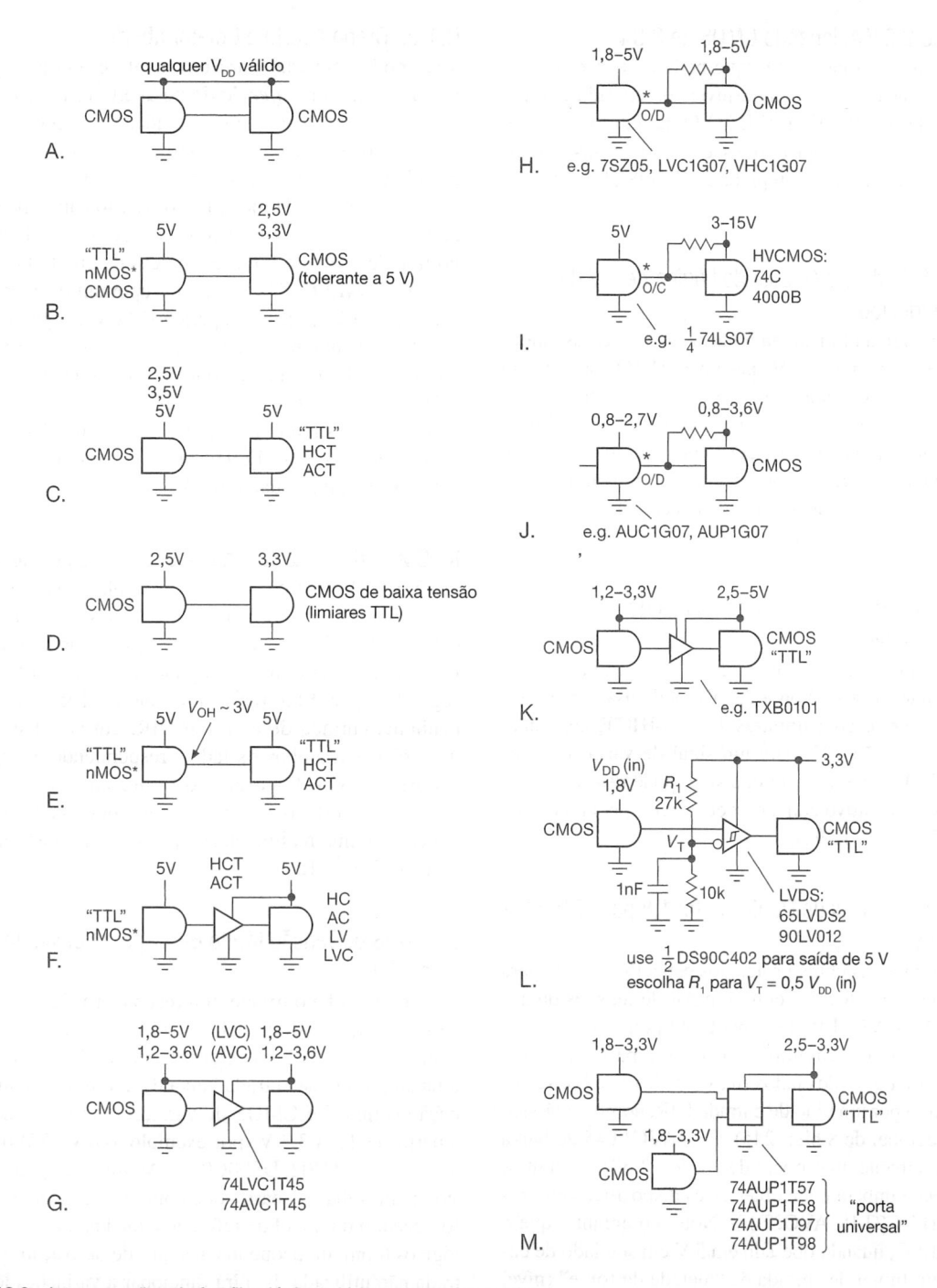

FIGURA 12.9 Interconexões de famílias lógicas. Veja o texto para o relato.

C. CMOS de baixa tensão Acionando Lógica de 5 V

Você pode acionar a '"entrada TTL" (limiar reduzido) de uma lógica de 5 V diretamente de saídas CMOS que variam, pelo menos, até 2,5 V, como mostrado. Além dos dispositivos TTL bipolares verdadeiros, algumas famílias CMOS de 5 V (como 74HC, 74AC, 74AHC, 74VHC) incluem variantes de limiares TTL (74HCT, 74ACT, 74AHCT,[7] 74VHCT). Há também o 74LV1T da família de conversores de nível.

---

[7] Como exemplo, o 74AHCT1G125 é útil para a conversão de um sinal lógico de 3,3 V para uma saída de 5 V necessária; ele vem nos convenientes encapsulamentos SOT23-5 ou SC70-5 e custa menos de 10 centavos de dólar.

D. CMOS de 2,5 V Acionando CMOS de 3,3 V

Quase todas as famílias CMOS que podem operar em tensão de alimentação de 3,3 V têm níveis de entrada compatíveis com TTL ($< 0,8$ V nível BAIXO garantido, $> 2,0$ V nível ALTO garantido), por isso é seguro acioná-las a partir de uma saída de variação completa de CMOS alimentado a partir de 2,5 V.

E. "Saídas TTL" de 5 V Acionando Lógica de 5 V de Limiar Reduzido

Para acionar lógica alimentada a partir de 5 V, essas saídas – nível BAIXO próximo a 0 V, mas nível ALTO somente em $\sim 3,5$ V (e somente garantido se for $> 2,4$ V) – devem ser emparelhadas com entradas compatíveis com TTL; isso limita você à TTL bipolar de 5 V verdadeiro (por exemplo, 74F), ou famílias lógicas CMOS de 5 V (ou chips digitais mais complexos de 5 V) com entradas compatíveis com TTL (74ACT, 74HCT, 74AHCT, 74VHCT).

F. "Saídas TTL" de 5 V Acionando Lógica de 5 V Incompatível

Se você está preso a uma lógica de 5 V de limiar normal (ou seja, limiar em $V_{DD}/2$ ou $\sim 2,5$ V), pode usar um buffer CMOS ou inversor com limiares TTL (74HCT, etc.) para converter a variação TTL para um sinal de variação completa de 5 V. Observe também que você pode usar como alternativa um dispositivo conversor de nível especial como o 74LVC1T45 (Figura 12.90).

G. Conversor de Nível de Dupla Fonte: 1,8 para 5 V e 1,2 para 3,6 V

Existem alguns bons chips projetados especificamente para conversão de níveis lógicos entre um par de tensões de alimentação. O 74LVC1T45 de dupla fonte permite converter níveis lógicos em um circuito alimentado a partir de 1,8 V para 5 V em qualquer dos lados (na verdade ele é bidirecional, controlado por um pino de entrada DIR, como o clássico buffer bidirecional de 8 bits '245). O 74AVC1T45 de baixa tensão é semelhante, mas opera de 1,2 V a 3,6 V em ambos os lados. Você também pode obter esses dispositivos em formato dual. (LVC2T45, AVC2T45). Note, no entanto, que o dispositivo LVC, quando operado em 5 V em seu lado de entrada, tem um limiar de entrada de "metade da fonte" (nível BAIXO garantido $< 1,5$ V, nível ALTO $> 3,5$ V), e, portanto, não pode ser acionado a partir de um nível de saída TTL (com saída de nível ALTO garantida apenas para $\geq 2,4$ V). Veja também o conversor de dupla fonte TXB0101 (Figura 12.9K).

H, I, J. Dreno Aberto e Coletor aberto

Você pode converter para um nível de tensão superior ou inferior com um *buffer* de dreno aberto (ou coletor aberto), embora acabe pagando em velocidade e corrente quiescente com o resistor *pull-up* passivo (o valor do resistor é um compromisso – menor é mais rápido, mas consome mais potência). A Figura 12.9H mostra a conversão entre níveis lógicos na faixa de 1,8 a 5 V em ambos os lados, usando buffers de porta única '07 em famílias lógicas de ampla faixa de tensão (7SZ, 74LVC, 74VHC), que suportam operação em 5 V e aceitam *pull-up* de saída para 5 V. Se você quer uma variação de saída maior, pode usar o 74LS07 de coletor aberto e tensão alta (Figura 12.9I), que permite conectar o *pull-up* de saída em +15 V. E se você precisa de conversões a partir de tensões lógicas muito baixas, pode usar um 74AUC1G07 ou 74AUP1G07 (Figura 12.9J), que opera em níveis lógicos de entrada tão baixos quanto 0,8 V.

K. CMOS de Baixa Tensão Acionando Lógica de 2,5 a 5 V

O TXB0101 é outro conversor de dupla alimentação (como o LVC/AVC1T45, na Figura 12.9G), mas tem um par de peculiaridades. Em primeiro lugar, $V_{DD(B)}$ (do lado direito do fornecimento na figura) não pode ser inferior a $V_{DD(A)}$. Em segundo lugar, é bidirecional (como o 1T45), mas não tem nenhuma entrada de controle DIR; em vez disso, detecta transições em ambos os lados, respondendo ao ligar acionadores CMOS de porta oposta brevemente, em seguida, mantém esse estado fracamente (resistor de saída em série de $\sim 4k$) com uma realimentação positiva (útil para chave sem repique, Figura 12.16).

L. CMOS de Tensão Muito Baixa para Lógica de 3,3 V ou 5 V

Aqui está um belo truque: um receptor LVDS aceita um par de sinais digitais diferenciais, dentro de uma faixa de modo comum de 0 V a 2,4 V, e com garantia de comutação para uma amplitude de entrada baixa de 200 mV. A saída (terminação simples) é CMOS de variação completa, alimentada a partir de 2,5 a 3,3 V (por exemplo, 65LVDS2) ou a partir de 5 V (DS90C402, DS90C032). Assim, você pode "enganá-lo" para trabalhar para você como um conversor de nível, fornecendo um nível de referência mediano entre os estados lógicos (com um pequeno capacitor de derivação) para a entrada não utilizada. Isto irá funcionar a variações lógicas de entrada muito baixas, tão pequenas quanto 0,5 V, onde nenhum dos outros conversores de nível ousam pisar. Chips de interface LVDS são rápidos, também, muitas vezes especificados para taxas de 400 Mbps, com atrasos de propagação típicos < 2ns.

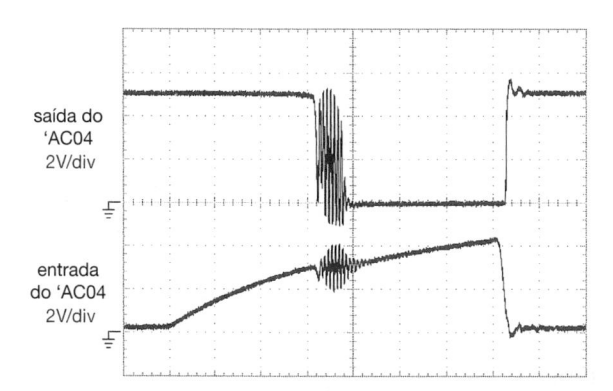

FIGURA 12.10 A "borda" de subida relativamente lenta de um inversor de coletor aberto LS05 com *pull-up* de 5 kΩ (forma de onda inferior) aciona um inversor rápido 'AC04, causando várias transições de saída. A borda de subida não exibe nenhum comportamento ruim, porque a borda de descida do coletor aberto é rápida. Horizontal: 40 ns/div.

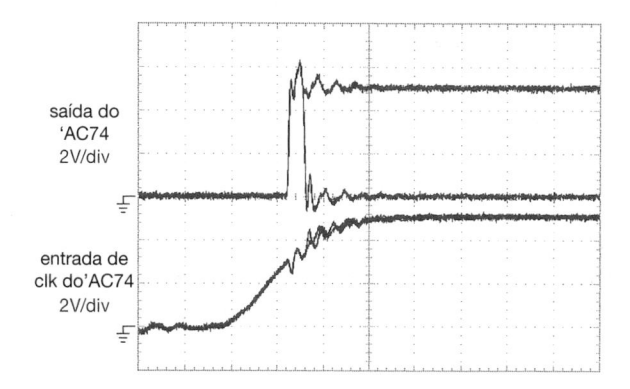

FIGURA 12.11 A borda de subida lenta de uma porta CD4001B, com uma carga de 27 pF (um valor típico da fiação e da capacitância de carga), promove o clock de um flip-flop alternante rápido AC74. A persistência do osciloscópio exibe vários eventos de clock, alguns mais bem sucedidos do que outros. Horizontal: 20 ns/div.

M. Conversor CMOS de Baixa Tensão com Lógica Configurável

As portas "universais" interessantes que mencionamos no capítulo 10 (Seção 10.2.1A) podem ser usadas para executar um pouco de lógica enquanto fazem a conversão de nível ao longo dos domínios de tensão lógica. Quando utilizada desta maneira, a porta opera a partir de uma única fonte em comum com a lógica do lado da saída (que pode variar de 2,5 a 3,3 V), aceitando entradas de lógica que podem ser alimentadas variadamente de 1,8 a 3,3 V. Estas portas têm entradas *Schmitt-trigger*, com histerese de cerca de 0,4 V centrada aproximadamente no limiar de ~0,7 V.

A. Incompatibilidade Dinâmica: Taxas de Borda Lentas

Aqui está um problema que às vezes surge quando você aciona uma entrada de lógica digital rápida com um sinal digital que não varia suficientemente rápido através do limiar: a saída de comutação abrupta do dispositivo acionado pode acoplar de volta para a entrada (através da conexão de terra ou da fonte de alimentação, ou internamente no próprio chip, ou apenas capacitivamente), causando várias transições de saída, como pode ser visto nas formas de onda medidas da Figura 12.10. Para incentivar tal comportamento impróprio, foi utilizado um inversor 74LS05 de coletor aberto (OC) com um lento *pull-up* de 5kΩ para +5 V, acionando uma porta rápida 74AC00.[8] Você pode ver claramente a ruptura da vagarosa onda de entrada, conforme o inversor rápido furiosamente comuta a sua saída.

Várias transições de saída podem ser meramente "feias"; mas este problema torna-se devastador quando você está acionando entradas sensíveis à borda (por exemplo, a entrada de clock de flip-flops ou contadores). Um flip-flop pode falhar para alternar de estado; ou um contador ou registrador de deslocamento pode receber vários clocks em cada borda. Para ilustrar esse efeito, acionamos a entrada de clock de um flip-flop de alternância 74AC74 a partir da saída de uma porta NOR de um CD4001B, com ambos alimentados a partir de 5 V (e com um pulso de reset aplicado ao flip-flop antes do próximo clock). A Figura 12.11 mostra o resultado confuso: por vezes, o flip-flop alterna corretamente, mas às vezes ele alterna duas vezes em rápida sucessão.

A lição é clara: não use bordas lentas para uma lógica de clock rápido. Às vezes é suficiente "limpar" o sinal ofen-

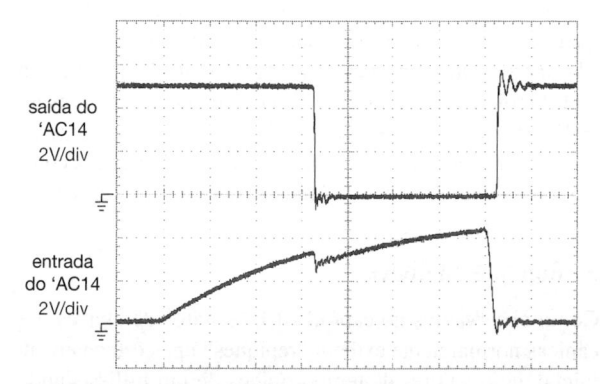

FIGURA 12.12 O mesmo que a Figura 12.10, mas com o inversor 'AC04 substituído pelo inversor *Schmitt-trigger* 'AC14. A saída de comutação rápida se acopla à entrada, como antes, mas não o suficiente para levá-la de volta ao novo limiar (mais baixo), graças à histerese do *Schmitt-trigger*. Horizontal: 40 ns/div.

---

[8] Descobrimos que as lógicas 74AC e 74ACT são exigentes, particularmente com a alimentação e terra posicionados nos pinos dos cantos do encapsulamento DIP (PTH). Fique longe deste material, a menos que você precise de velocidade; e, em seguida, certifique-se de usar um plano de terra, mantenha curtas as conexões de terra e use capacitor de desvio próximo ao chip.

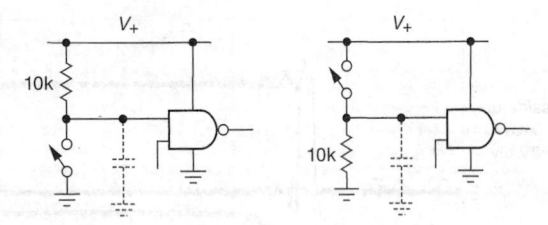

FIGURA 12.13 Chave mecânica para circuitos de nível lógico (não o anti-repique). Se a chave não estiver próxima do circuito lógico, é comum ver um pequeno capacitor (~100 a 1.000 pF) utilizado para suprimir o ruído acoplado capacitivamente.

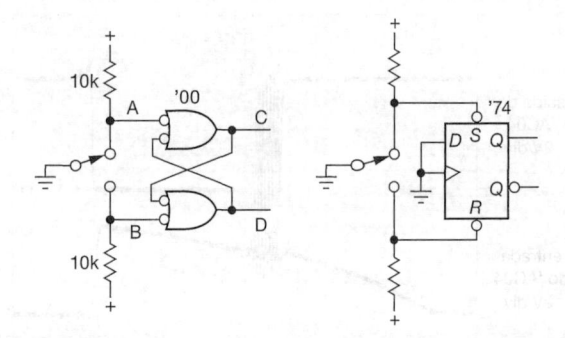

FIGURA 12.14 Flip-flop SR como anti-repique de chave, implementado com portas de conexão cruzada, ou com um flip-flop com entradas SET e RESET assíncronas.

sivo com um inversor *Schmitt-trigger*, disponível na maioria das famílias lógicas como o '14 (por exemplo, 74LVC14). A Figura 12.12 mostra formas de onda a partir da mesma configuração que as da Figura 12.10, mas com um 74AC14 (inversor com *Schmitt-trigger*) que substituiu o 74AC04 (inversor sem *Schmitt-trigger*). Melhor ainda, fique longe de bordas lentas.

Você pode ter o mesmo tipo de problema quando envia sinais digitais entre placas de circuito, ou entre instrumentos, ou através de cabos, um importante conjunto de temas que vamos discutir logo (Seção 12.9).

12.1.4 Acionamento de Entradas Lógicas Digitais

A. Chaves Como Dispositivos de Entrada

É fácil acionar entradas digitais a partir de chaves, teclados, comparadores, etc., se você conhece as características de entrada do circuito lógico que está acionando. A maneira mais simples é gerar um nível lógico válido com um resistor *pull-up* ou *pull-down* (Figura 12.13). Com a lógica CMOS, qualquer um é bom, porque as entradas não consomem corrente e o limiar é tipicamente na faixa de $0,3V_{DD}$ a $0,5V_{DD}$. É geralmente mais conveniente aterrar um lado da chave, mas se o circuito for simplificado tendo uma entrada em nível ALTO quando a chave estiver fechada, o método com resistor *pull-down* é perfeitamente adequado. Tenha cuidado, porém, com TTL bipolar: suas entradas *fornecem* uma corrente substancial (por exemplo, uma entrada da família 74F fornece 0,6 mA quando em nível BAIXO), por isso é melhor usar a configuração com um resistor *pull-up* e a chave conectada ao terra.

B. Repique da Chave

Como observamos no capítulo 10, contatos de chaves mecânicas normalmente exibem "repiques" após o fechamento inicial, com valores de tempo típicos de um milissegundo. Para chaves fisicamente grandes, o repique pode durar até 50 ms. Isso pode causar estragos com circuitos que são sensíveis a mudanças de estado, ou "bordas" (um flip-flop ou contador poderia alternar muitas vezes se recebesse um clock diretamente de uma chave). Em tais casos, é essencial remover eletronicamente o repique da chave. Aqui estão alguns métodos:

- Use um par de portas para fazer um flip-flop SR do tipo assíncrono. Claro, use *pull-ups* nas entradas para o anti-repique (Figuras 12.14 e 12.15). Equivalentemente você pode usar um flip-flop com entradas SET e CLEAR (por exemplo, um '74); nesse caso, aterre a entrada de clock.

- Use um buffer não inversor com uma malha de volta para a entrada fazendo um circuito "retentor" com *latch*, como na Figura 12.16. Um buffer ou porta não inversora (por exemplo, 1G34, '08, ou '32) com sua saída com uma malha de volta para entrada funciona bem. Projetistas de circuitos receosos incluem um resistor no caminho de realimentação (como mostrado) para limitar a corrente transitória momentânea quando a chave muda de estado; mas, confie em nós, você pode felizmente omiti-lo.[9] O TXB0101 (Seção 12.1.3, Figura 12.9K) é um dos muitos chips deslocadores de

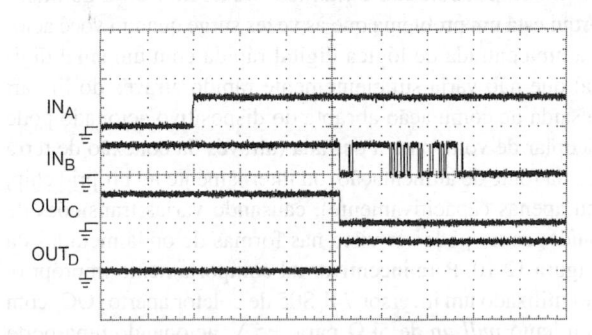

FIGURA 12.15 Formas de onda a partir do anti-repique da Figura 12.14, implementado com portas CMOS de 3 V ('HC00) e uma chave de pressão SPDT (um polo e duas posições) da C&K. Observe o atraso a partir da liberação do contato A para o primeiro fechamento do contato B, conforme a armadura da chave se move entre os contatos. Vertical: 5 V/div; horizontal: 100 μs/div.

---

[9] É sempre aceita a substituição de uma saída lógica por um curto-circuito para V+ ou terra, *desde que a duração seja curta*. Neste circuito, não há problema, devido à saída ser forçada por apenas um atraso de propagação da porta, após o qual tranquilamente se mantém no novo estado.

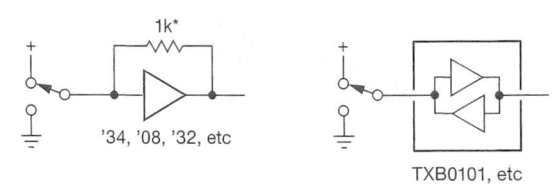

FIGURA 12.16 Anti-repique de chave usando um circuito "retentor" que mantém o seu estado lógico quando a entrada não é acionada.

níveis bidirecionais "automáticos" que mantém o seu estado, mas pode ser sobrecarregado por uma mudança de estado em qualquer lado.

- • Use uma rede *RC* lenta para acionar um *Schmitt-trigger* CMOS (Figuras 12.17 e 12.18). O filtro passa-baixas suaviza a forma de onda com repique para que a porta *Schmitt-trigger* faça apenas uma transição. Uma constante de tempo de 1 ms a 10 ms é geralmente o tempo suficiente. Este método não é bem adequado para TTL bipolar devido à baixa impedância de acionamentos que requerem entradas TTL.
- Use um circuito com clock que amostre o nível de entrada de uma forma que não se deixe enganar pelo repique. Uma maneira simples é acionar o clock de um flip-flop do tipo *D* com um período seguramente mais longo do que a duração do repique da chave, por exemplo, com uma frequência de clock de 100 Hz (Figura 12.19). Mas existem chips anti-repiques dedicados, por exemplo, o MAX6816-8 (anti-repiques simples, dual e octal), que testam na transição para um estado estável durante vários períodos de clock (com oscilador interno, contadores e lógica; efetivamente um filtro passa-baixas digital) e geram uma saída "limpa" sem repique; eles incluem resistores *pull-up* internos, proteção de entrada de ±25 V, e operação de 2,7 V a 5,5 V. Você apenas conecta as suas chaves SPST a partir da entrada para o terra – sem a necessidade de componentes externos (Figura 12.19). Uma parte semelhante é o anti-repique MC14490 (6 seções), que pertence à série CMOS 4000B e pode funcionar com tensões de alimentação de 3 V a 18 V; inclui *pull-ups* internos, mas requer um capacitor externo para definir a velocidade do clock. Outra alternativa é o chamado chip de "supervisão de fonte de alimentação", que é normalmente usado para detectar falhas de alimentação (subtensão) e para gerar um pulso de reset "limpo" na restauração da alimentação (ou energização inicial). Muitos destes chips incluem uma entrada de reset manual, na qual você pode conectar um botão, tomando o controle assim para funcionar como um anti-repique.
- Use um microcontrolador, com programação para realizar "anti-repique por software" (Figura 12.20). A maioria dos microcontroladores incluem *pull-ups* internos; um código simples (acionamento por interrupção, ou varredura) pode buscar por uma mudança estável de estado. Este é um método favorito usado por projetistas de circuito para qualquer dispositivo que precisa de um microcontrolador de qualquer maneira.
- Use um dispositivo com anti-repique embutido. Codificadores de teclado, por exemplo, são projetados tendo em mente a conexão a chaves mecânicas como dispositivos de entrada, e eles geralmente contêm circuitos anti-repique. Outro exemplo é mostrado na Figura 12.20: um "potenciômetro digital" controlado por botão (uma

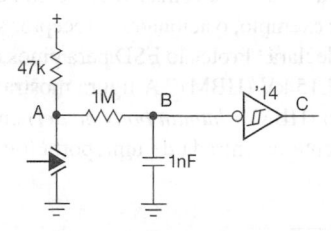

FIGURA 12.17 Anti-repique de uma chave SPST (um polo e uma posição) com um circuito de suavização *RC* e um inversor Schmitt-trigger.

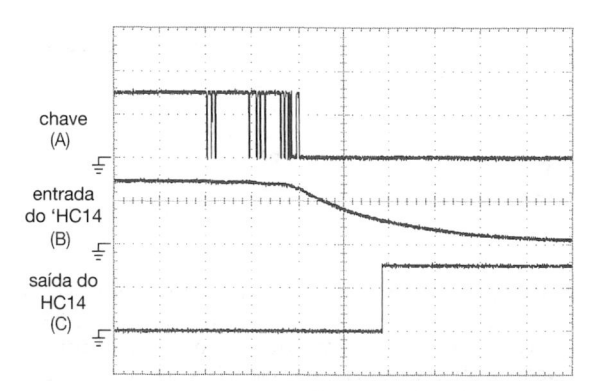

FIGURA 12.18 Formas de onda do anti-repique da Figura 12.17, implementado com CMOS de 3V ("HC14") e um botão 1PB13 da Microswitch. Vertical: 2 V/div; Horizontal: 400 µs/div.

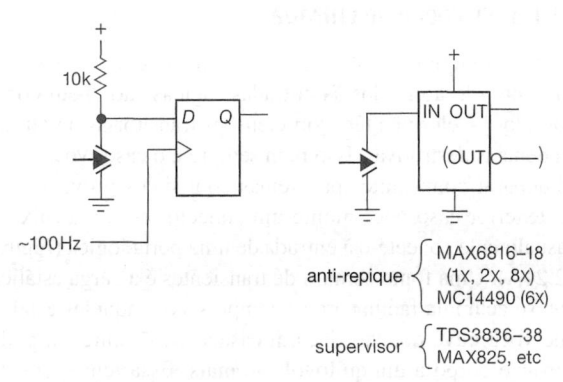

FIGURA 12.19 Anti-repique com clock. O mais simples é um flip-flop *D* com clock lento. Há métodos melhores, embutidos, por exemplo, em chips anti-repique especiais como o MAX6816-8 e MC14490, e em chips de "supervisão" como o TPS3836-8.

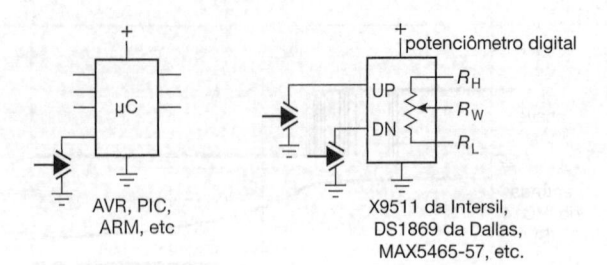

FIGURA 12.20 Remoção de repique com CIs digitais complexos: um microcontrolador (µC) pode usar o programa escrito pelo usuário (seu *firmware*) para executar "anti-repique por software"; e chips específicos de aplicações que aceitam comandos de botões (como o potenciômetro digital mostrado, com entradas UP [incremento] e DOWN [decremento]) muitas vezes incluem *pull-up* interno e circuito anti-repique.

sequência de resistores internos, com a seleção da derivação através de chaves MOSFET). Cada botão pressionado incrementa ou decrementa o contador interno, e por isso deve ser livre de repique. E é.

Algumas observações gerais sobre chaves como dispositivos de entrada: note que as chaves SPDT são necessárias com os dois primeiros métodos (flip-flop SR, circuito "retentor"), enquanto as chaves SPST mais simples podem ser usadas com os outros métodos. Tenha em mente, também, que muitas vezes não é necessário usar chaves de entrada sem repique, uma vez que elas nem sempre são utilizadas para acionar circuitos sensíveis à borda. Outro ponto: chaves bem projetadas são geralmente "auto-limpantes" para manter a superfície de contato limpa (procure saber o que isso significa), mas é uma boa ideia escolher valores de circuito para que uma corrente de pelo menos alguns miliamperes flua através dos contatos da chave para limpá-los. Com a escolha adequada do projeto mecânico e do material do contato (por exemplo, ouro), as chaves podem ser projetadas para evitar esse problema de "comutação seca" e irão funcionar corretamente mesmo quando em comutação de corrente zero.

12.1.5 Proteção de Entrada

Nestes exemplos de interface, temos considerado que os sinais que são aplicados às entradas lógicas são "bem comportados" – eles não têm sobretensões transitórias ou outras tendências destrutivas. Isso nem sempre é o caso. Você pode se deparar com muitos problemas com sinais provenientes do exterior caso você monte um conector em uma caixa e casualmente conecte-o à entrada de uma porta lógica (Figura 12.21A). Uma fonte comum de transientes é a carga estática que se acumula facilmente no tempo seco – aqueles estalos que você ouve quando tira um casaco de lã sintética pode elevar o corpo a um quilovolt ou mais. Essa tensão reside no capacitor humano (cerca de 100 pF), e pode passar para um circuito de entrada quando você encaixar um conector ou imprudentemente tocar nos componentes em uma placa de circuito sem antes descarregar-se para o terra.

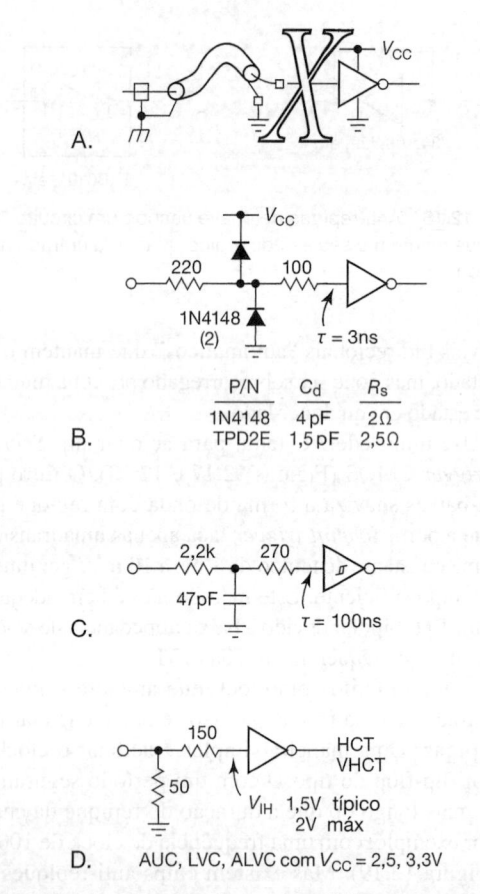

FIGURA 12.21 Proteção de entradas lógicas de transientes destrutivos: A. sem proteção; B. diodos limitadores para V_{CC} e terra, ou matriz de proteção ESD, com resistores em série de limitação de corrente; C. filtro RC mais entrada *Schmitt-trigger*; D. terminação do cabo e resistor em série para dissipar a energia transitória.

O problema é bem conhecido na indústria de eletrônicos, e CIs são testados e especificados quanto a resistirem quando submetidos à descarga eletrostática. Para este propósito, o corpo humano é modelado como mostrado na Figura 12.22. Num modelo científico bem simplificado, Engenheiros Eletricistas reduzem todos os seres humanos a um capacitor de 100 pF em série com um resistor de 1,5 kΩ,[10] e usa isso para testar a robustez dos seus CIs. As tensões de carga habituais são de 1 a 2,5 kV, mas você vê CIs especificados até 15 kV; por exemplo, o acionador e receptor serial RS-232 MAX3232E declara "Proteção ESD para pinos de barramento RS-232 – ±15 kV (HBM)." A figura mostra o modelo do corpo humano (HBM – *human body model*) entregando um pulso de corrente na entrada de uma porta lógica sob teste,

---
[10] Padrão JEDEC JESD22-A114D, datado de 2006.

Corrente de Pico e Energia limitada

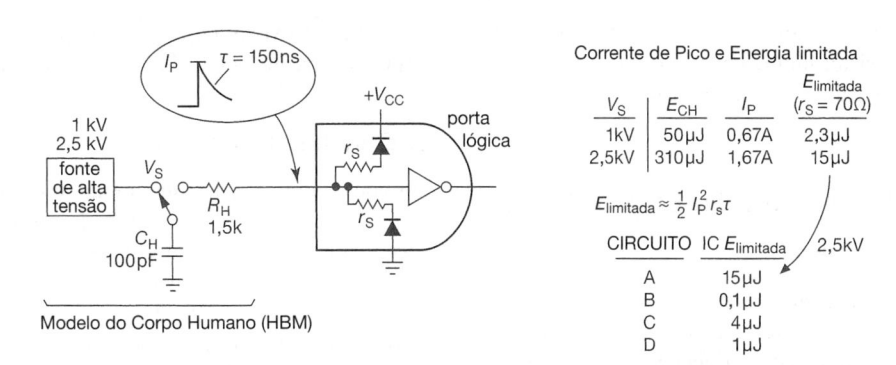

V_S	E_{CH}	I_P	$E_{limitada}$ ($r_S = 70\Omega$)
1kV	50µJ	0,67A	2,3µJ
2,5kV	310µJ	1,67A	15µJ

$$E_{limitada} \approx \tfrac{1}{2} I_P^2 r_S \tau$$

CIRCUITO	IC $E_{limitada}$ 2,5kV
A	15µJ
B	0,1µJ
C	4µJ
D	1µJ

FIGURA 12.22 A visão da biologia do engenheiro eletricista: O "Modelo do corpo humano." CIs são testados e qualificados em tensões de 1 kV, 2,5 kV, ou mais. A tabela lista os valores de energia limitada estimados para os circuitos da Figura 12.21. Veja também a Seção 3.5.4H.

que tem de tolerar uma corrente transiente de um ampere ou mais. Essa corrente é limitada aos trilhos de alimentação, mas a resistência interna do limitador permite que o pino de entrada chegue a dezenas de volts além do trilho (ou abaixo do terra, para um transiente negativo), fornecendo uma energia calculável para uma área muito pequena sobre a pastilha de semicondutor.

CIs são especificados para lidar com isso. Mas muitos dos chips danificados testemunham a prudência de adicionar proteção externa, especialmente se houver razão para esperar exposição a níveis transientes elevados. Ou usuários inexperientes. Olhe novamente a Figura 12.21. O circuito B é simples e efetivo. Diodos comuns e muito usados como o 1N4148 têm mais área de junção do que limitadores internos aos chips, portanto, melhor ação de limitação; o resistor a montante limita a corrente do diodo, e o resistor a jusante, alimentado a partir da tensão limitada, limita a corrente de

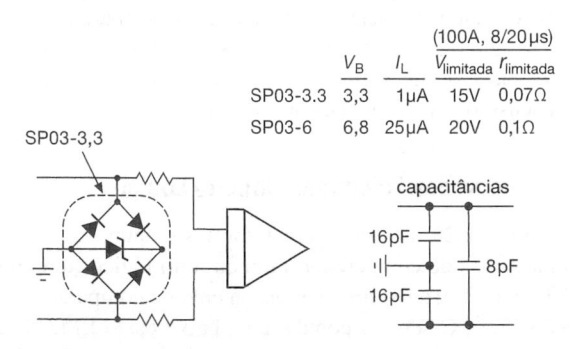

	V_B	I_L	(100A, 8/20µs) $V_{limitada}$	$r_{limitada}$
SP03-3.3	3,3	1µA	15V	0,07Ω
SP03-6	6,8	25µA	20V	0,1Ω

FIGURA 12.23 Matrizes de diodos de proteção, como esta da Littelfuse, lhe permite limitar entradas de terminação simples ou diferencial, com impedância de limitação muito baixa. O zener interno define a tensão de limitação. Você pode fazer uso de matrizes de proteção de baixa corrente com capacitância muito baixa, por exemplo, o CTLTVS5-4 de 5 volts da Central Semiconductor: ela tem um máximo de 0,8 pF para o terra (e 0,4 pF de linha para linha) em zero volt, uma especificação de corrente de pico de 2,5 A e inclui duas pontes de proteção em um único encapsulamento SMT.

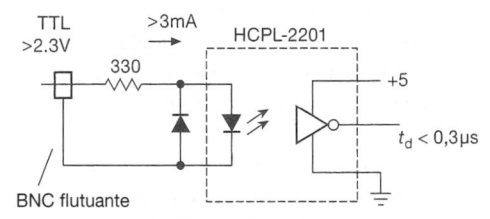

FIGURA 12.24 A última palavra em isolamento: um acoplador óptico. Este é mais caro do que uma matriz de diodos de limitação, mas ele garante manter as "coisas ruins" fora.

entrada do chip. Você pode obter matrizes de diodos de limitação; estes, por vezes, incluem um zener, como na Figura 12.23, para proteção de lógica diferencial como LVDS ou RS485.

O circuito C utiliza um filtro RC transitório para reduzir o pico de corrente de entrada. Para ser eficaz, a resistência total deve ser de pelo menos 1,5 kΩ e a constante de tempo deve ser pelo menos comparável à escala de tempo transiente do HBM, digamos, aproximadamente, 100 ns (e com uma resistência de entrada pelo menos comparável ao valor de HBM, que é 1,5 kΩ), e, portanto, deve ser seguida por uma entrada *Schmitt-trigger*. O circuito D tem uma abordagem diferente: ele combina uma terminação casada por cabo coaxial de 50 Ω (ver Anexo H, e Seção 12.10) com um resistor em série maior, formando um "divisor de corrente." Isso divide a corrente de entrada transiente do chip por um fator de 4 (para os valores mostrados), que é uma redução de 16x da energia transiente; e há mais redução, de 2x a 5x, devido à energia diluída ser compartilhada entre o resistor de 150 Ω e a resistência dinâmica do chip durante a sobretensão. Na Figura 12.22 estimamos a energia transitória entregue para cada um desses métodos, em comparação com o valor estimado de 15 µJ para um HBM de 2,5 kV sem proteção.

Finalmente, para o máximo em proteção, use um isolador lógico optoacoplador, como na Figura 12.24. Não há nenhuma conexão galvânica (note o conector BNC flutuante), e estes dispositivos podem proteger de potenciais de muitos quilovolts (vamos vê-los mais tarde neste capítulo, na Seção 12.7). Observe o resistor limitador de corrente e o diodo de proteção reverso; este último é muitas vezes omitido indevidamente.

12.1.6 Alguns Comentários Sobre Entradas Lógicas

A. *Pull-ups* e *Pull-Downs*

A lógica digital mais contemporânea é a CMOS, com essencialmente zero de corrente de entrada. Assim, mesmo um *pull-up* fraco (ou *pull-down*) de corrente é suficiente para levar a entrada totalmente para V_+ (ou para o terra).[11] Cuidado, porém, com o acoplamento de transientes capacitivos para tal entrada, por exemplo, de uma chave de painel com fiação que passa próximo das linhas que transportam sinal. Nesse caso, é uma boa ideia adicionar um pequeno capacitor de desvio ($\sim$1 nF) próximo da entrada lógica de alta impedância. No caso dos CIs complexos digitais (microcontroladores, FPGAs e outros produtos padrão específicos de aplicações) é comum ver *pull-ups* internos para as entradas que podem vir de chaves, então não é necessário nenhum resistor *pull-up* ou *pull-down* (embora você possa querer adicionar um pequeno capacitor de desvio para suprimir transientes acoplados).

B. Sobrecarga de Entrada

Entradas de lógica digital incluem proteção contra sobretensão, geralmente sob a forma de um diodo de limitação para o terra, e também um diodo limitador para V_+ ou um limitador do tipo zener (para dispositivos com entradas tolerantes a valores maiores do que sua tensão de alimentação). As especificações nas folhas de dados de "Máximos Absolutos" informam os limites que podemos alcançar (por exemplo, dispositivos 74LVC especificam $-0,5\,V < V_{in} < 5,5\,V$, independentemente da tensão de alimentação: eles são "tolerantes a 5 V"). No entanto, é muitas vezes a *corrente* de entrada que faz o dano, que é devidamente anotada na mesma tabela: "As especificações de tensão negativa de entrada e saída podem ser ultrapassadas se as especificações de corrente de entrada e saída forem observadas." E esta última (corrente de limitação de entrada, corrente de limitação de saída) é especificada, neste caso, como -50 mA, no máximo. Embora seja um gesto agradável manter suas tensões de acionamento de entrada dentro dos limites especificados, não há problema em ir além se você tem alguma impedância em série para limitar a corrente, como já mostrado na Figura 12.29.

C. Entradas não Utilizadas

Entradas não utilizadas que afetam o estado lógico de um chip (por exemplo, uma entrada de reset de um flip-flop) deve, naturalmente, ser conectada em nível ALTO ou BAIXO, conforme o caso. Talvez menos óbvio, até mesmo entradas que não têm efeito (por exemplo, entradas de seções de porta não utilizadas no mesmo encapsulamento) devem ser conectadas em nível ALTO ou BAIXO (a sua escolha), já que uma entrada aberta para um dispositivo CMOS pode flutuar até o limiar da lógica, fazendo com que a saída vá para metade da tensão de alimentação, conduzida pelos dois transistores de saída MOS, e consumindo assim uma corrente classe A considerável. Isso pode resultar em corrente de alimentação excessiva, e pode até mesmo levar à falha em dispositivos com estágios de saída robustos. Também pode provocar oscilação.

12.1.7 Acionamento de Lógica Digital a Partir de Comparadores ou AOPs

Comparadores (e às vezes AOPs), juntamente com conversores analógico-digitais, são os dispositivos de entrada comuns pelos quais os sinais analógicos podem interagir com circuitos digitais (lembre-se da Seção 4.3.2). Se o circuito tem um microcontrolador ("μC," Capítulo 15), você pode tirar vantagem de ADCs ou comparadores internos ao chip, que são características comuns da maioria dos μCs. Mas às vezes você quer ir da saída de um comparador (ou AOP) diretamente para uma lógica digital. Isso não é muito difícil – mas você tem que respeitar a faixa de tensão de entrada permitida da lógica acionada. Vejamos alguns exemplos (para os quais pode ser útil olhar mais à frente a Tabela 12.1, na página 812, e a Tabela 12.2, na página 813, para facilitar a compreensão da discussão pormenorizada que se segue).

A. Comparador Acionando Circuito Lógico

A Figura 12.25 mostra algumas formas comuns de se conectar saídas de comparador a um circuito lógico (teremos muito mais a dizer sobre interfaceamento de comparador na Seção 12.3). O sempre popular e de baixo custo LM311 (e versões melhoradas como o LT1011) tem um estágio de saída de coletor aberto flexível com um pino de "terra" que define o estado BAIXO (que pode ser em qualquer ponto entre V_+ e V_-); o resistor *pull-up*, é claro, estabelece o estado ALTO, como mostrado. Estes são designados como tipo de saída "FL" (saída *npn* flutuante) nas tabelas. Alguns comparadores, como o AD790, usam *pull-up* ativo interno, mas você deve definir o estado da saída ALTO em um pino de tensão lógica V_L. Muitos comparadores de alta velocidade que operam a partir de fontes de baixa tensão simplesmente usam a

---

[11] Entretanto, esteja ciente de que os dispositivos TTL bipolar não são tão amigáveis: suas entradas fornecem uma corrente significativa (até um miliampere) no estado BAIXO, e absorvem uma pequena corrente (mas diferente de zero) até algumas dezenas de microamperes no estado ALTO. Devido a esta assimetria, os sinais digitais externos utilizados como entradas, portanto, quase sempre têm um resistor *pull-up* e puxarão para o nível BAIXO (absorvendo corrente) quando ativos, um arranjo conveniente, já que as chaves, etc., podem usar um retorno de terra comum. Isso também leva a uma maior imunidade ao ruído, uma vez que uma linha mantida próxima de V+ do bipolar de +5 V tem 3 V de imunidade ao ruído, em comparação com o $\sim$0,8 V de imunidade ao ruído de uma linha mantida próxima do terra.

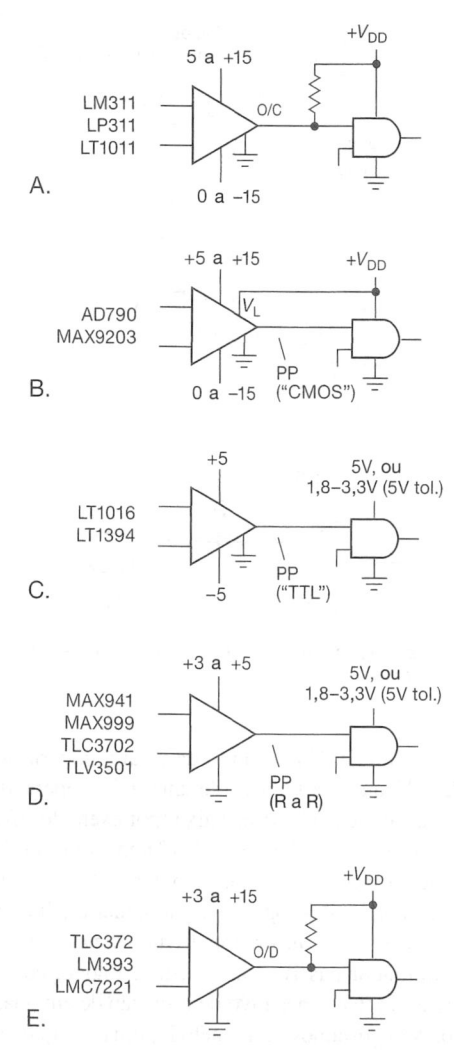

FIGURA 12.25 Acionamento de lógica digital a partir de comparadores.

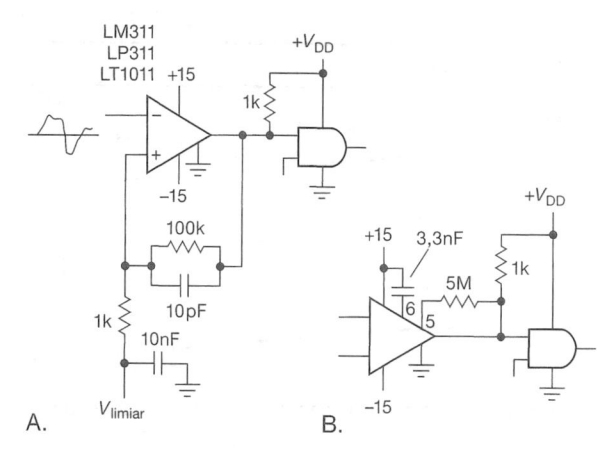

FIGURA 12.26 Detector de limiar com histerese. A. circuito convencional, para utilização com qualquer comparador. B. Método alternativo para o tipo 311.

tensão V_+ para a sua saída de nível ALTO, enquanto continuam a fornecer um pino de "terra" – o LT1016 (mostrado) é um exemplo; gostamos dele porque seu projeto faz com que seja particularmente resistente a múltiplas transições e oscilações. Note que este dispositivo tem níveis de saída "TTL", isto é, terra e aproximadamente +3,5 V (embora seja garantido apenas para $\geq$2,4V e $\leq$5), por isso não pode ser conectado à lógica intolerante a 5 V. Em seguida está uma grande classe de comparadores de "fonte simples" de baixa tensão (indicados por "CM para trilho neg" nas tabelas; por exemplo, o TLC3702) que simplesmente variam suas saídas entre o terra e V_+. Finalmente, comparadores de fontes simples que podem operar a partir de tensões mais elevadas e que não estejam indo para uma velocidade vertiginosa (por exemplo, o clássico LM393) são normalmente configurados com saídas de coletor aberto (ou dreno aberto), com resistor *pull-up* externo como mostrado; estes são indicados como tipo de saída "OC" ou "OD" nas tabelas.

Na Figura 12.25, ignoramos sutilezas de configuração de circuito como a histerese, que vimos na Seção 4.3.2B. Vale lembrar: a Figura 12.26 mostra o detector de limiar *Schmitt-trigger* clássico, configurado com uma quantidade de histerese igual a 1% de V_{DD} e um pequeno capacitor *speed-up*. Neste circuito, V_{limiar} deve ser fornecida a partir de uma fonte de baixa impedância ($\ll$1k). Isso pode ser uma séria desvantagem (embora para V_{limiar} lento ou estático você sempre possa usar um *buffer* AOP), e neste caso o circuito alternativo mostrado pode ser justamente o que você quer. Ele tira proveito dos terminais de entrada de ajuste de *offset* do LM311 (pinos 5 e 6) para produzir tanto histerese (através do resistor de 5M) quanto velocidade (via capacitor de 3,3 nF).[12] A Figura 12.27 mostra as formas de onda medidas para um LM311 configurado sem e com 10% de histerese.

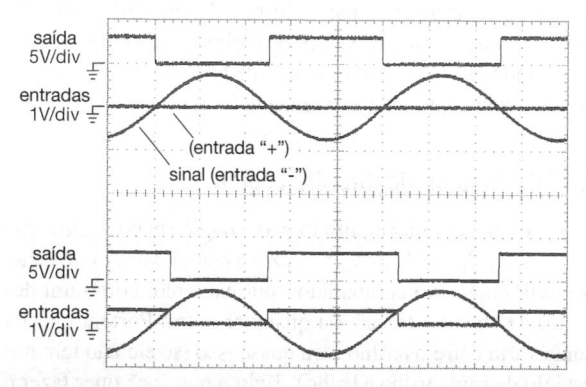

FIGURA 12.27 Comparadores LM311 acionados com uma onda senoidal de 1,5 V_{PP} e 1 kHz, com *pull-up* de saída para 3,3 V. Superior: sem histerese; inferior: 10% de histerese (realimentação de 100k, 11k para o terra). Horizontal: 200 μs/div.

---

[12] Este truque, e variações dele, estão bem descritos na folha de dados do LT1011; há alguma discussão, também, na extensa folha de dados do LM311 da National.

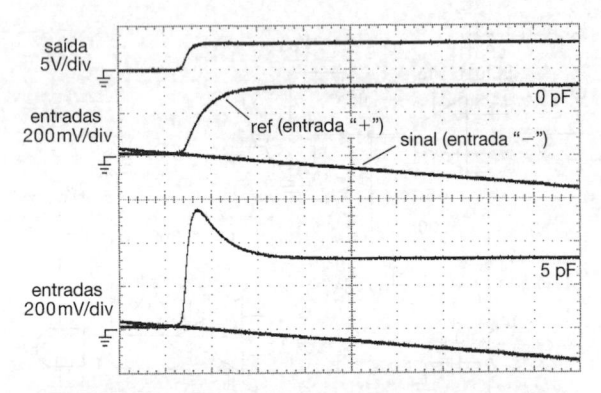

FIGURA 12.28 Um pequeno capacitor *speed-up* (par de forma de onda inferior) compensa a desaceleração (par de formas de onda mediana) causadas pela capacitância de entrada do *Schmitt-trigger*. O mesmo circuito da Figura 12.27, mas com escalas horizontais e verticais expandidas (para mostrar detalhes de comutação), e com entrada de onda senoidal de 10kHz (assim você pode ver a inclinação do sinal de entrada). Horizontal: 400 ns/div.

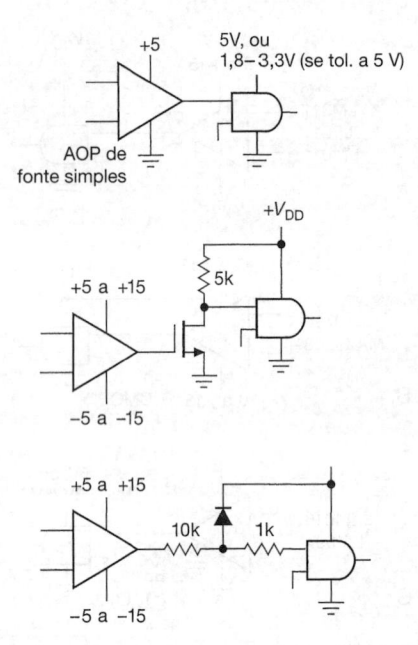

FIGURA 12.29 Acionamento de uma lógica digital a partir da saída de um AOP.

Note, neste último caso, os pontos de disparo assimétricos (e a temporização da forma de onda de saída). Embora não seja visível nas formas de onda capturadas, você está pedindo para ter problemas quando envia formas de onda de entrada lentas a um comparador sem histerese (confie em nós, falamos com conhecimento de causa!).

Finalmente, a Figura 12.28 mostra em detalhe o efeito de um pequeno capacitor *speed-up* (aumento de velocidade) no caminho da realimentação do *Schmitt-trigger*. Sem ele, a realimentação positiva para a entrada não inversora é retardada pela entrada e pela capacitância da fiação, de modo que um sinal de entrada com algum ruído rápido de baixo nível pode produzir múltiplas transições de saída, enquanto a realimentação positiva varia lentamente junto. A adição de muito pouca capacitância de realimentação (aqui apenas 5 pF) corrige o problema (par de formas de onda inferior). Não exagere, porém – um capacitor de realimentação grande gera um grande *overshoot* (sobressinal) de histerese, com um tempo de recuperação indesejavelmente longo.

B. AOP Acionando Circuito Lógico

AOP acionando um circuito lógico – *o que em nome de Deus você está falando*?! Bem, às vezes você já usou uma seção de AOP como um comparador, por exemplo, como um detector de "bateria fraca", ou qualquer outro. Portanto, a sua saída varia entre os trilhos, ou quase isso (se ele não tem um estágio de saída trilho a trilho). Tudo o que você quer fazer é obter esse estado de saída em alguma lógica digital. Tal como acontece com os comparadores, a única tarefa é garantir o respeito às regras de tensão de entrada do circuito lógico.

A Figura 12.29 mostra algumas situações comuns. Se o AOP está operando com uma única alimentação de baixa tensão (caso em que ele provavelmente tem um estágio de saída trilho a trilho), você pode simplesmente conectá-lo diretamente à lógica que opera na mesma tensão V_+, ou cuja entrada seja tolerante a isto. No exemplo da figura, poderia ser uma lógica de 5 V, ou uma lógica tolerante a 5 V operando com uma fonte de alimentação mais baixa (por exemplo, LV, LVC, ou LVX: veja a Figura 12.3). Se o AOP tem variações de saída maiores, ou variações de ambas as polaridades, você precisa restringi-las aos limites lógicos. Uma maneira é interpor um inversor nMOS, como mostrado; alternativamente, você pode usar um limitador passivo para o trilho lógico, combinado com o diodo limitador negativo de proteção de entrada, como mostrado. Não gostamos deste método, uma vez que leva três componentes (e degrada a velocidade de comutação também), mas ele funciona. Faça o que fizer, lembre-se de que as transições de saída do AOP (analógicas e limitadas pela taxa de variação) serão muito mais lentas do que as transições normais da lógica digital. Ou seja, não espere uma comutação lógica "limpa"; essas interfaces são apenas uma maneira de obter o estado do AOP em alguma lógica digital.

C. Entradas de Clock: Histerese

Um comentário geral sobre o acionamento de uma lógica digital a partir de AOPs: não tente acionar entradas de *clock* a partir dessas interfaces de AOPs – os tempos de transição são muito longos, e você pode obter *glitches* conforme o sinal de entrada passa pela tensão de limiar lógica. Se você pretende acionar entradas de clock (de flip-flops, registradores de deslocamento, contadores, monoestáveis, etc.), o melhor é usar um comparador com histerese (por exemplo, a Figura 12.26), ou utilizar um *buffer* de entrada, com uma porta (ou outro dispositivo lógico) com entrada *Schmitt-trigger* (por exemplo, um inversor *Schmitt-trigger* '14). A mesma observação vale para sinais derivados a partir de um circuito analógico de transistor.

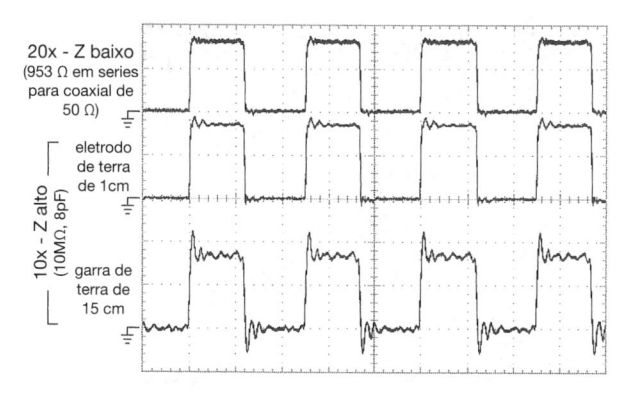

FIGURA 12.30 Forma de onda lógica em 10 MHz de um inversor 74AC14 operando a 3,3 V, como visto no osciloscópio TDS3044B da Tektronix quando medida de três maneiras diferentes. Vertical: 2 V/div; Horizontal: 40 ns/div.

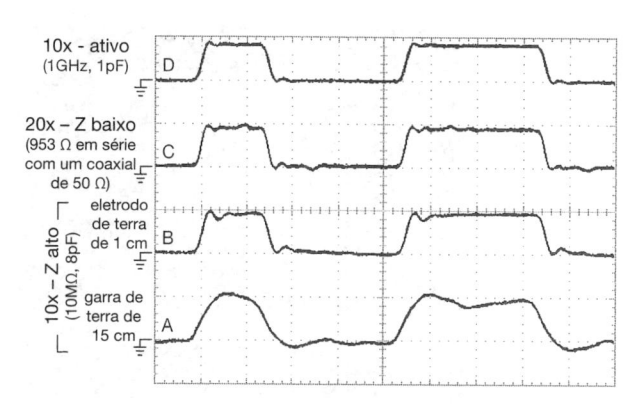

FIGURA 12.31 Formas de onda digitais com um clock de 6 ns a partir de um inversor 74AUC1G04 operando em 1,8 V, como visto no osciloscópio TDS3044B da Tektronix, usando quatro diferentes pontas de prova. As identificações de A a D coincidem com aquelas da Figura 12.32. Vertical: 2 V/div; Horizontal: 4 ns/div.

12.2 UM APARTE: SONDAGEM DE SINAIS DIGITAIS

Recebemos sondagens invejosas ("Como vocês obtêm tais formas de onda precisas? Como vocês "limpam" as formas de onda?") sobre as formas de onda digitais limpas de osciloscópios deste livro:[13] é muito fácil, uma vez que você percebe que não pode ir longe com as mesmas técnicas que funcionam bem em baixas frequências. Em particular, as bordas rápidas sobre sinais digitais produzem artefatos (do tipo oscilações e bordas suaves) quando você tenta usar uma ponta de prova passiva 10x padrão de osciloscópio com sua garra aterrada de 15 cm. A Figura 12.30 mostra como a mesma forma de onda lógica parece quando medida de três maneiras diferentes.

Este é um sinal de clock de 10 MHz na saída de um inversor 74AC14, conectado a uma placa de "prototipagem sem solda"[14] (uma prática duvidosa; mas que quase sempre funciona). Tomamos a precaução de utilizar um soquete de CI com um capacitor SMD de desvio integrante, para termos a melhor condição. A forma de onda inferior é a habitual, com uma garra aterrada de 15 cm e ponta de prova passiva 10x P6139A (500 MHz). Ela apresenta muito overshoot e oscilação – isso pode ser real, ou é um artefato do caminho de terra indutivo da ponta de prova? É consideravelmente melhor remover a garra de terra, retirando as luvas plásticas e usando uma "ponta de contato aterrada" flexível. A forma de onda do meio mostra o resultado: ahá! A maioria das oscilações desapareceu. Melhor ainda, deixe completamente de lado a sonda passiva 10x (ela não se aplica a velocidades superiores a 500 MHz, de qualquer maneira) e faça a sua própria conectando um resistor em série (gostamos de usar 950 Ω) para um comprimento de cabo coaxial de 50 Ω (gostamos do RG-178); solde temporariamente a blindagem do cabo coaxial a um terra nas proximidades, conecte a outra extremidade no osciloscópio (ajuste para 50 Ω entrada) e aí está – uma ponta de prova 20x de alta velocidade![15]

A forma de onda superior é a mais "limpa" que você poderia obter, especialmente com dispositivos PTH (DIP de 14 pinos) em um protoboard.

O truque caseiro que utiliza um cabo coaxial de 50 Ω tem a vantagem do baixo custo, de modo que você pode fazer quatro traços facilmente; utilizamos esse recurso em quase todas as medições com osciloscópio digital neste livro. Mas devido à sua baixa resistência de entrada, ele não é útil para ponta de prova de um circuito generalizado.

O que acontece com a configuração mais comum de componentes SMD em uma placa de circuito impresso, e com sinais lógicos muito mais rápidos? A Figura 12.31 mostra o que você vê com quatro métodos de medição com ponta de prova olhando para a saída de um inversor 74AUC1G04, desta vez em 4 ns/div (a Figura 12.32 mostra em fotos como são as pontas de prova).

Aqui a ponta de prova passiva com garra aterrada produz uma forma de onda (parte inferior) com *overshoot* moderado, ajudada consideravelmente pelo uso de uma ponta curta aterrada (próxima forma de onda). A ponta 20x, um truque de baixo custo, parece ainda melhor. Mas a melhor de todas (se você tem dinheiro) é uma "sonda ativa" (um seguidor FET), com capacitância de entrada típica menor do que 1 pF e com velocidades bem altas na escala de gigahertz (e preços a combinar). A forma de onda superior foi feita com

---

[13] Dê uma olhada em alguns exemplos deste capítulo, como as Figuras 12.18 (lenta) ou 12.108 (rápida).

[14] Por exemplo, o tipo UBS-100 da Global Specialties, ou o tipo 9232523M da 3M.

[15] Você pode obtê-la como um produto comercial, o "Kit de Ponta de Prova Divisor Passivo de 6 GHz" 54006A da Keysight (Aglent). Ele inclui resistores para 10:1 e 20:1, e tem uma capacitância de ponta de prova de apenas 0,25 pF (tão pouco quanto 0,1 pF, se você ajustar a ponta). Você pode criar relações maiores (portanto, maior resistência de carga), substituindo por outros valores de resistores do tipo MG710 da Caddock.

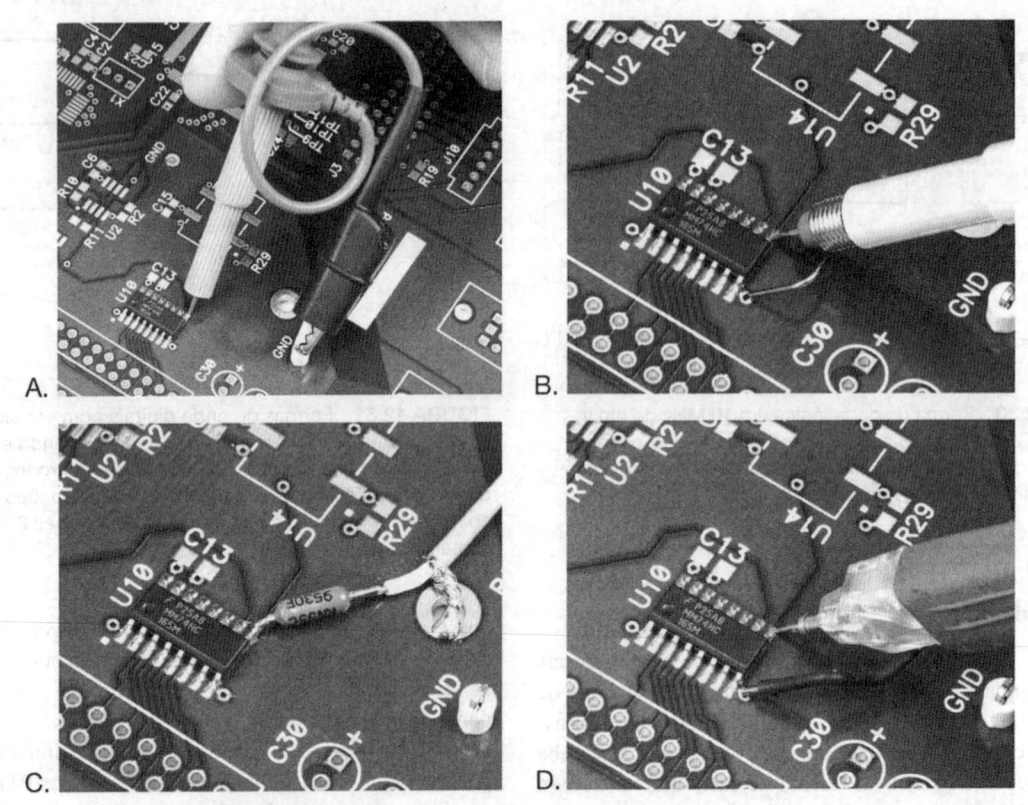

FIGURA 12.32 Medições de sinais digitais com ponta de prova: A. ponta de prova passiva 10x convencional (P6139A da Tektronix) com garra de terra de 15 cm; B. sonda passiva 10x de ponta de contato com terra curto (Tek 016-1077-00). C. "ponta de prova" 20x simples para entrada de osciloscópio de 50 Ω: resistor em série de 953 Ω para o cabo coaxial. D. ponta de prova ativa (Tek P6243) com terra curto. Ao medir CIs com pequeno distanciamento entre pinos, é uma boa ideia usar um guia de plástico (por exemplo, adaptadores Tek "SureFoot") na ponta de prova (não mostrado), de modo que você não coloque em curto contatos adjacentes. O CI aqui é um SOIC-16, com 1,25 milímetro de espaçamento entre pinos.

uma sonda P6243 ativa (largura de banda de 1GHz, e menos – mas não muito menos – de mil dólares).

12.3 COMPARADORES

Comparadores fornecem uma interface importante entre os sinais de entrada (linear) analógicos e do mundo digital, como observamos no início deste capítulo (Seção 12.1.7A). Nesta seção, gostaríamos de olhar para comparadores com algum detalhe, com ênfase em suas propriedades de saída, sua flexibilidade em relação às tensões de alimentação e o cuidado e a alimentação de estágios de entrada.

Os comparadores foram introduzidos brevemente na Seção 4.3.2A para ilustrar o uso de realimentação positiva (*Schmitt-trigger*) e para mostrar que CIs comparadores de propósito especial apresentam desempenho consideravelmente melhor do que os AOPs de uso geral usados como comparadores. Estas melhorias (tempos de atraso curtos, taxa de variação de saída elevada e imunidade relativa à sobrecarga grande) vêm à custa das propriedades que tornam os AOPs úteis (em especial o controle cuidadoso do deslocamento de fase em função da frequência). Comparadores não são compensados em frequência (Seção 4.9) e não podem ser usados como amplificadores lineares.

12.3.1 Saídas

Estamos acostumados a AOPs, onde a saída pode variar de trilho a trilho (ou quase isso), mas onde normalmente trabalhamos na região linear, deliberadamente evitando a saturação nos extremos da variação de saída. Quando a saída satura, estamos em apuros!

Mas comparadores são diferentes. Embora as entradas sejam analógicas, a saída é digital: ela *vive* nos extremos. O que importa é o estado da saída, BAIXO ou ALTO. Como vimos, a saída pode acionar uma lógica digital diretamente (Figura 12.25), caso em que precisamos limitar suas variações para as da lógica acionada. Ou podemos querer acionar uma carga ON/OFF, por exemplo um relé (mecânico, ou de estado sólido) ou um LED brilhante, que exige muita corrente de saída e, talvez, seja alimentada a partir de uma fonte CC externa.

Figura 12.25D). E o *pull-up* ativo tem a vantagem da velocidade. Mas você pode querer acomodar entradas que variam dos dois lados do terra ("bipolaridade") durante o acionamento da lógica digital (com a sua fonte positiva simples), caso em que você precisa ter V_- abaixo do terra; e assim a escolha certa é um comparador com a saída de flutuação ("FL" nas tabelas) com *pull-up* resistivo (tal como na Figura 12.25A), ou um comparador com os pinos GND e VL (tensão lógica) separados ("RR-G" e "TTL" nas tabelas), como mostrado na Figura 12.25B.

Finalmente, se você estiver interessado em uma operação de fonte simples, com sinais de entrada apenas entre o terra e uma fonte positiva V_+, pode usar (a) tipos de saídas lógicas com *pull-up* ativo para uma tensão lógica V_L ("RR-G" ou "TTL" nas tabelas); ou (b) se V_+ já for uma tensão lógica baixa, você pode usar um comparador trilho a trilho com V_- conectado ao terra (como mencionado acima); ou (c) você pode usar um comparador com saída de dreno aberto ou coletor aberto ("OD" ou "OC" nas tabelas), com *pull-up* para uma fonte de circuito lógico (como mostrado na Figura 12.25E). O estilo de coletor aberto é bom para o acionamento de cargas de potência, ou cargas conectadas a uma tensão de saída alta (por exemplo, o clássico LM311 pode absorver até 100 mA, e sua saída pode ser conectada via *pull-up* até +40 V); mas um *pull-up* passivo é lento (em comparação com um *pull-up* ativo), de modo que você estará numa melhor situação com um tipo de saída lógica ao acionar uma lógica digital, a menos que você não se importe com velocidade.

B. Corrente de Saída

Comparadores variam muito em sua capacidade de corrente de saída. Isso não importa muito para o acionamento de lógi-

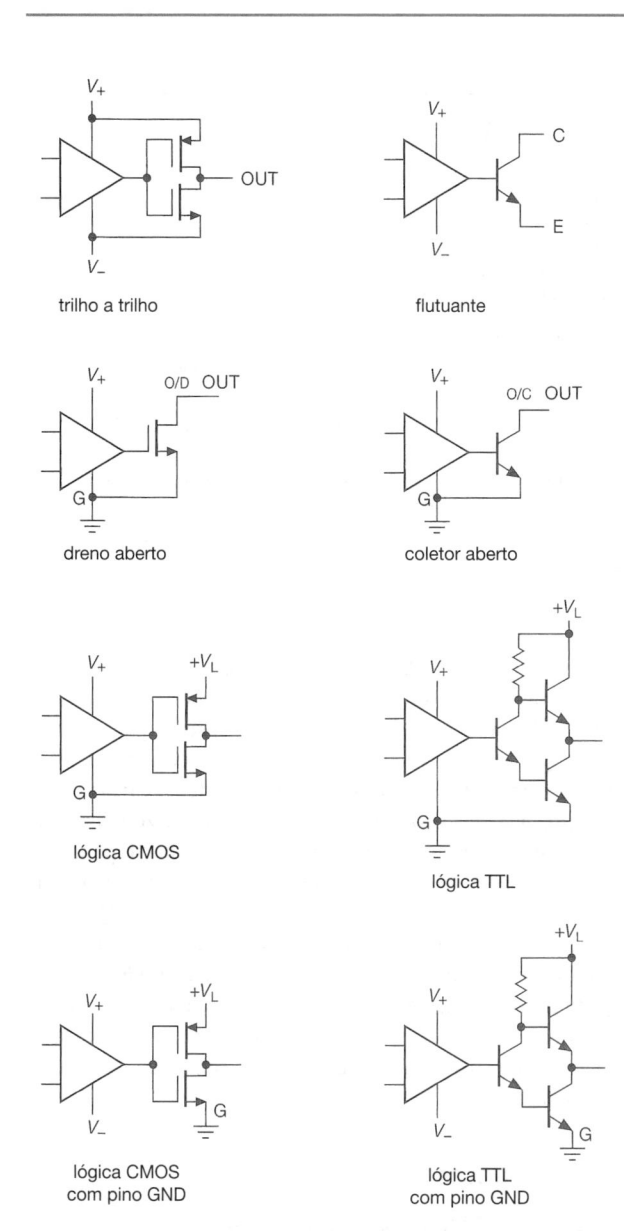

FIGURA 12.33 Não deixe os comparadores confundi-lo: use estes desenhos de estágios de saída simplificados, juntamente com a listagem nas Tabelas 12.1 e 12.2.

A. Variação da Saída

A Figura 12.33 mostra as opções que você tem para atender a essas diversas demandas. Em cada caso os circuitos analógicos do comparador são alimentados a partir de um par de fontes, V_+ e V_- (embora para comparadores de "fonte simples", análogos aos AOPs de fonte simples, a tensão de alimentação negativa V_- seja aterrada). Teremos mais a dizer em breve sobre o estágio de entrada. O que é interessante aqui são os estágios de saída: uma variedade de comparadores simplesmente varia a sua saída até o trilho ("RR" nas Tabelas 12.1 e 12.2), o que é bom se isso funciona para a sua aplicação (por exemplo, se V_+ for +5 V, V_- for terra e a saída acionar lógica de 5 V, ou lógica tolerante a 5 V; veja a

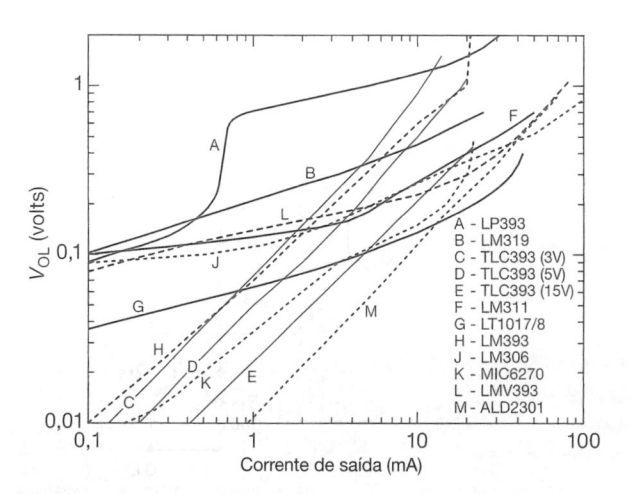

FIGURA 12.34 Tensão de saída de nível BAIXO saturada em função da absorção de corrente, para uma seleção de comparadores de coletor aberto e dreno aberto. A série popular TLC372 é semelhante à TLC393. Os dados são compilados a partir de gráficos de folha de dados, exceto para a curva L e a extremidade de baixa corrente das curvas B e J, que foram medidas.

TABELA 12.1 Comparadores Representativos[a]

Tipo	t_d típico (ns)	V_{OS} máx (mV)	Corrente de entrada típico (nA)	CM para o trilho neg?	CM para o trilho pos?	Tensão de alimentação				Cor alimentação (mA)	Tipo de saída[b]	Observações
						V_+ máx (V)	V_- máx (V)	Total mín (V)	Total máx (V)			
LM393	600	5	25	•	-	36	-	2	36	0,4	OC	comum duplo
TLC372	650	5	0,005	•	-	18	-	3	18	0,15	OD	cmos duplo; quádruplo=374
TLC3702	2500	5	0,005	•	-	16	-	3	16	0,02	RR	cmos duplo; quádruplo=3704
LM311	200	3	60	-	-	30	−30	4,5	36	5	FL	habilitação, popular; duplo=2311
LT1016	10	3	5000	-	-	7	−7	5	14	25	TTL	rápido; estável
AD8561	7	7	3000	•	-	7	−7	3,5	14	5,6	TTL	1016 melhorado; quádruplo=8564
TLV3501	4,5	6,5	0,002	•	•	5,5	-	2,7	5,5	3,2	RR	rápido; duplo=3502

Notas: (a) Veja também a lista mais extensa na Tabela 12.2. (b) Consulte "Comparadores, Saídas" no texto; FL = saída *npn* flutuante, pinos de saída de coletor e emissor; OC = coletor aberto; OD = dreno aberto; RR = trilho a trilho; TTL=variação lógica, pino V_L separado.

ca digital, mas é importante quando se aciona altas correntes de carga, como relés ou LEDs. A Figura 12.34 mostra como isso funciona para a maioria dos comparadores de coletor aberto e dreno aberto na Tabela 12.1. Você pode ver algumas tendências interessantes aqui: (a) comparadores com saídas MOSFET (por exemplo, o TLC393) se comportam de forma resistiva (R_{on}) em baixas tensões, tendendo para baixo para a esquerda com inclinação unitária; (b) comparadores com estágios de saída bipolar *npn* (por exemplo, o LT1017/8) tendem para uma tensão de saturação finita; e então temos (c), o LP393, que tem um estágio de saída bipolar que se comporta como um Darlington em correntes mais altas (com saturação em torno de um V_{BE}, ou ~0,6 V), mas se torna uma chave de emissor aterrado simples em baixas correntes, o que explica a curva girando de forma estranha.

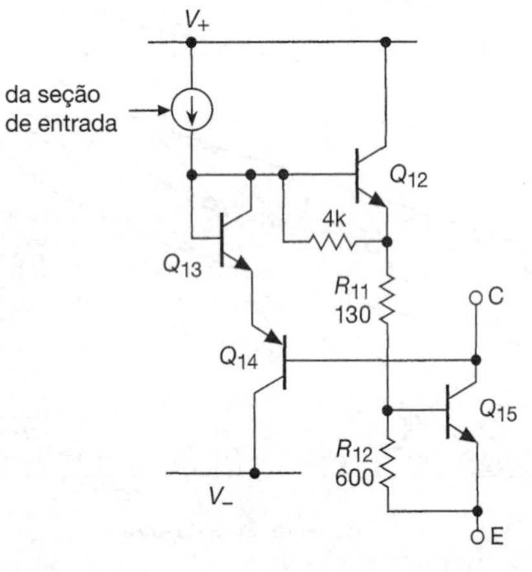

A curva do LM311 vale um comentário adicional. Os projetistas usaram um bom circuito de "contra saturação" no estágio de saída (Figura 12.35): as quedas de V_{BE} em série de Q_{13} e Q_{14} estão posicionadas para desviar corrente de base do acionador Q_{12} se a tensão no coletor de Q_{15} ficar muito próxima da tensão no seu emissor. Se R_{11} fosse zero, isso iria acontecer apenas quando Q_{15} saturasse (descubra o porquê!). Mas a adição de R_{11} faz com que essa ação de limitação ocorra quando há ainda cerca de 20% de um V_{BE} em Q_{15}. Isso impede a saturação profunda, que tem duas vantagens: (a) elimina um atraso excessivo de desativação causado pela carga de base armazenada no transistor de saída; e (b) reduz o consumo de potência, sem acionar mais do que o necessário a base de Q_{15} para deixa-lo próximo da saturação, para qualquer carga que estiver acionando.

12.3.2 Entradas

A. Faixa de Modo Comum de Entrada

Assim como com AOPs, você tem que manter a tensão de entrada dentro da faixa de modo comum de operação. Comparadores projetados para operar com fonte simples de baixa tensão (na faixa de 3 a 5 V; veja a Tabela 12.1) permitem que as entradas cheguem até o terra (ou mesmo alguns décimos de um volt abaixo), e alguns também funcionam até o trilho positivo (inputs "trilho a trilho"). Exemplos disso são o TLC372/3702 e o LMC7221/7211, respectivamente (com versões OD e RR listadas em cada par). Mas estes não funcionam com sinais de ambas as polaridades (a não ser, é claro, que você conecte o pino "terra" a uma tensão de alimentação negativa, caso em que pode ser infeliz com uma saída que varia até a fonte negativa). Em vez disso, você deve usar um comparador de fonte dupla (por exemplo, LM311, LT1016), muitos dos quais não operam com entradas nos trilhos ou próximas a eles. As Tabelas 12.1 e 12.2 incluem

FIGURA 12.35 O estágio de saída do comparador LM311 incorpora um circuito contra saturação inteligente que limita a corrente de acionamento da base quando o transistor de saída está próximo da saturação (V_{CE}≈100mV). Omitimos aqui o circuito de limitação de corrente do estágio de saída. Cortesia da Texas Instruments.

TABELA 12.2 Comparadores[a]

Tipo	Quant por encap[h]	t_d typ (ns)	V_{os} máx (mV)	Corrente de entrada máx (µA)	CM para trilho neg?	CM para trilho pos?	Custo qty25 ($US)	V_{dif} máx (V)	Positiva min (V)	Positiva máx (V)	Negativa min (V)	Negativa máx (V)	Total min (V)	Total máx (V)	Corrente da fonte[e] (mA)	Ganho typ	Histerese (mV)	Sinal bipolar	Ajuste de offset	Saídas Q & Q'	Deslig	Latch?	V_{oh} (máx, V)	Tipo de saída[g]	DIP	SOIC	SOT-23	Menor
TLV3701	1,2,4	37000	5	250pA	•	•	1,39	rails	2,5	16	–	–	2,5	16	0,6µA	1000k	–	–	–	–	–	–	40	RR	14	8	5	–	TLV3441 para dreno aberto
LT1017	2	20000	1	0,015	•	–	2,92	40	1,1	40	–	–	1,1	40	0,03	500k	–	–	–	–	–	–	40	OC	8	8	–	–	micropotência
LP339	4	10000	5	0,025	•	–	0,45	36	2	36	–	–	2	36	0,06	500k	–	–	–	–	–	–	30	OC	14	14	–	14	'339 de baixa potência
TLV3491	1,2,4	6500	15	10pA	•	•	0,97	rails	1,8	5,5	–	–	1,8	5,5	0,9µA	–	–	–	–	–	–	–	40	RR	8	8	5	8	nanopotência mais rápido
LT1018	2	6000	1	0,075	•	–	2,79	40	1,1	40	–	–	1,1	40	0,11	2M	–	–	–	–	–	–	40	OC	8	8	–	–	baixa potência
LM393	2	600	5	0,25	•	–	0,36	36	2	36	–	–	2	36	0,4	200k	–	–	–	–	–	–	30	OC	8	8	–	8	comum duplo
LM339	4	600	5	0,25	•	–	0,36	36	2	36	–	–	2	36	0,8	200k	–	–	–	–	–	–	30	OC	14	14	–	14	comum quádruplo
MIC6270	1	600	5	0,25	•	–	0,69	36	2	36	–	–	2	36	0,3	200k	–	–	–	–	–	–	36	OC	8	8	5	–	baixo custo
LM311	1,2	200	3	0,1	–	–	0,77	30	5	30	0	–30	4,5	36	5	200k	–	–	•	•	•	•	40	FL	8	8	–	–	habilitação, popular; duplo=2311
LP311	1	2000	7,5	0,1	–	–	0,95	30	3	30	0	–30	3	36	0,15	200k	–	–	•	•	•	•	40	FL	8	8	–	–	habilitação, '311 de baixa potência
LT1011	1	150	0,5	0,025	–	–	2,13	36	3	36	0	–36	3	36	3,0	500k	–	–	•	•	•	•	50	FL	8	8	–	–	strobe, improved '311
LM319	2	80	4	0,5	–	–	0,99	5[b]	5	30	0	–30	4,5	36	6,6	40k	–	–	–	–	–	–	40	FL-G	14	14	–	–	habilitação, absorve corrente de 0,1 A
LM306	1	28	6,5	5	–	–	1,04	5[b]	10	15	–3	–15	–	30	6,6	40k	–	–	–	–	–	–	24	TTL,OC	8	8	–	–	habilitação, maturação, mais rápido em 30 V
AD790	1	45	0,25	5	–	–	6,61	16,5	4,5	15	0	–15	4,5	36	10	3k	0,4	–	–	–	–	•	–	RR-G	8	8	–	–	baixa pot; RR=7211, duplo=6772
LM361	1	14	5	30	–	–	2,21	5[b]	5	15	–6	–15	11	30	4,5	100k	–	–	–	•	–	•	7	TTL-G	14	14	5	–	cmos 339; duplo=393
LMC7221	1,2	4000	5	40fA[t]	•	•	1,15	rails	2,7	15	–	–	2,5	16	7µA	–	–	–	–	–	–	–	16	OD	5	5	5	–	cmos; quádruplo=3704
TLC339	4,2	2500	5	5pA[t]	•	–	1,02	18	3	16	–	–	3	16	0,04	–	–	–	–	–	–	–	18	OD	14	14	–	14	cmos; quádruplo=374
TLC3702	2,4	2500	5	5pA[t]	•	•	0,72	18	3	18	–	–	3	18	0,20	–	–	–	–	–	–	–	18	RR	8	8	–	8	baixa potência, baixa tensão
TLC372	2,4	650	5	5pA[t]	•	–	0,67	18	3	18	–	–	3	18	0,15	200k	–	–	–	–	–	–	18	OD	8	8	–	8	absorve 50 mA
TLC352	2,4	650	5	10pA[t]	•	–	1,00	18	1,4	18	–	–	1,4	18	0,07	–	–	–	–	–	–	–	18	OD	8	8	–	8	µPot; dual=862, quad=64
ALD2301A	1	300	2	1pA[t]	•	•	4,04	rails	3	12	–	–	3	13,2	0,11	150k	–	–	–	–	–	–	13	RR	8	8	–	–	pino Vdd; dual=862, quad=64
TS861A	1,2,4	500	7	1pA[t]	•	•	1,19	rails	2,7	10	–	–	2,7	12	7µA	–	–	–	–	–	–	–	–	RR-G	8	5	8	–	rápido, estável em +5 V
MAX9203	1	7	4	5	–	–	1,88	5,5	4,75	12	–6	–	4,75	12	1,3	3k	–	–	–	–	•	–	7	TTL	8	8	–	–	substitui o LT1016
LT1016	1	10	3	10	–	–	4,08	5	4,5	7	0	–7	5	14	25	–	–	–	•	–	•	•	5	TTL	14	14	–	–	LT1016 melhorado
TL3016	1	7,6	3	10	–	–	1,76	5	4,5	7	0	–7	5	14	11	–	–	–	–	–	–	–	5	TTL	8	8	–	–	1016 muito rápido; dual=8612
LT1394	1	7	2,5	4,5	–	–	3,42	12	4,4	8	0	–8	4,4	12	6	1600	–	–	–	–	–	–	8	TTL	8	8	–	–	µPwr; dual=42, quad=44
AD8611	1	4	7	4	–	–	4,34	4	3	5,5	–3,5[c]	–	3	7	6	–	3,3	–	–	–	•	–	–	RR	8	8	–	5	dual=393, simples=331
MCP6541	1	4000	7	1pA[t]	•	•	0,40	rails	1,6	5,5	–	–	1,6	7	0,6µA	50k	–	–	–	–	–	–	–	RR	8	8	5	–	rápido; dual=3502
LMV339	4,2,1	400	7	0,25	•	–	0,94	5,5	2,7	5,5	–	–	2,7	5,5	0,14	50k	6	–	–	–	–	–	5,5	OC	8	8,14	5	8,14	baixa pot; ref=356, OC(22V)=370
TLV3501	1,2	4,5	6,5	2pA[t]	•	•	2,97	rails	2,7	5,5	–	–	2,7	5,5	3,2	–	1	–	–	–	–	–	–	RR	8	8	6	5	baixa tensão, baixo custo
ADCMP371	1,2	2000	9	0,05	•	•	0,60	22	2,25	5,5	–	–	2	6	4µA	–	–	–	–	–	–	–	–	RR	8	8	–	5	baixo custo
MAX941	1,2,4	80	2	0,3	•	–	2,60	rails[d]	2,7	6	–	–	2,5	6,5	0,43	–	–	–	–	•	•	–	–	RR	8	8	–	5	dual=963, quad=964
TS3021	1	38	6	0,16	•	•	0,92	5	1,8	5	–	–	1,8	5,5	0,07	–	–	–	–	–	–	–	–	RR	–	8	5	–	deslig=997
LMV7219	1	7	6	0,95	–	–	2,06	rails	2,7	5,5	–	–	2,7	5,5	1,1	–	7,5	–	–	–	–	–	–	RR	–	8	5	6,8	ajuste hist=601, shut=602
MAX961	1	4,5	1,5	15	–	–	5,00	1,5[f]	2,7	5,5	–	–	2,7	6	7,2	–	3,5	–	–	•	•	–	–	RR	–	8	–	–	dual=AD96687
MAX999	1	4,5	1,5	15	–	–	5,64	1,5[f]	2,7	5,5	–	–	2,7	5,5	5	–	3,5	–	–	–	–	–	–	RR	–	8	5	–	hist+deslig+latch=605
ADCMP600	1	3,5	5	5	–	–	3,09	6	2,7	5,5	–	–	2,7	6	3,5	20k	2	–	–	–	–	–	–	RR	–	–	5	6,8	largura de banda de ent 5GHz
AD96685	1,2	2,5	2	10	–	–	4,77	5,5	4,8	5,2	–5	–6	10	13	15	20k	15	–	–	–	–	–	–	ECL	–	16	–	6	dual=551, 552, hyst=552
ADCMP604	1	1,6	5	5	–	–	3,92	5,5	2,5	5,5	–	–	2,5	5,5	15	2k	–	–	–	–	–	–	–	LVDS	–	–	5	20	recep LVDS; term int=LVDT34
ADCMP565	1	0,3	6	40	–	–	7,97	7	4,8	5,2	–5	–5,4	10	10,4	70	1k	adj	–	–	–	–	–	–	ECL	–	–	–	–	recep LVDS
ADCMP553	1	0,5	10	5	–	–	3,69	3	3,2	5,5	–	–	3	6	35	1k	–	–	–	–	–	–	–	PECL	–	8	–	8	receptor LVDS
65LVDS34	2	4	–	20	–	–	1,84	rails	3	3,6	–	–	3	3,6	16	–	50	–	–	–	–	–	–	RR	–	8	5	–	receptor LVDS
65LVDS2	1	1,8	–	4	–	–	0,97	1,5[f]	2,4	3,6	–	–	2,4	3,6	5,5	–	•	–	–	–	–	–	–	RR	–	8	5	–	receptor LVDS
FIN1018	1	1,5	–	20	–	–	0,93	rails	2,4	3,6	–	–	2,4	3,6	5	–	1	–	–	–	–	–	–	RR	–	8	–	8	com clock, BW de 10 GHz
HMC874LC	1	0,1	5[t]	15[t]	–	–	50,00	1,8	3,3[n]	–	–3,3[n]	–	6,6[n]	–	50	–	–	–	–	–	–	–	–	PECL	–	–	–	16	

Notas: (a) ordenados por grupos de tensão de alimentação, em seguida, pela velocidade. (b) note $V_{dif(máx)} \ll V_{fonte}$. (c) limitado à tensão de alimentação analógica de 7 V. (d) OK para os trilhos, mas 8,2 kΩ para $V_{dif} > 1$ V, (e) total, para o número de identif da lista. (f) 2 pares de diodos de limitação em antiparalelo com resistor em série de 200 Ω. (g) ver "comparadores, saídas" no texto. (h) o primeiro número corresponde ao dispositivo listado. (n) nominal. (t) típico.

a faixa de operação em modo comum para os dispositivos listados.

B. Tensão de *Offset* e Ajuste

Tal como acontece com AOPs, comparadores comuns têm tensões de *offset* na faixa de milivolts. Você pode se sair com um dos comparadores de "precisão", de empresas como a Analog Devices, a Linear Technology e a Maxim; veja as Tabelas 12.1 e 12.2. Alguns comparadores incluem terminais externos de ajuste; mas, como acontece com AOPs, um comparador ajustado de baixo custo (por exemplo, um LM311) terá um coeficiente de temperatura muito maior de V_{os} do que um dispositivo intrinsecamente preciso. Por exemplo, o LT1011A, um "LM311 melhorado," especifica um coeficiente de temperatura de V_{os} de 4 μV/°C, típico (15 μV/°C máx), enquanto que para o genérico LM311 nenhum dos poucos fabricantes sequer se preocupa em especificá-lo. Em aplicações onde você se preocupa com limiares de entrada precisos, é sempre melhor evitar cargas de alto consumo na saída do comparador.

Aqui está uma informação interessante sobre tensão *offset*: gradientes térmicos configurados no chip a partir da dissipação no estágio de saída podem degradar as especificações de tensão de offset de entrada. Em particular, é possível ter "*motorboating*" (uma oscilação lenta do estado de saída) ocorrendo para sinais de entrada perto de zero volt (diferenciais), porque o calor dependente do estado gerado na saída pode fazer com que a entrada comute.

C. Corrente de Entrada

Aqui, também, a familiaridade com AOPs pode levar a problemas se você considerar (incorretamente) que as entradas apresentam essencialmente impedância infinita e não consumam nenhuma corrente. Uma característica importante das entradas do comparador é a corrente de polarização nos terminais de entrada e a forma como ela muda com a tensão de entrada diferencial. Como um alerta, veja a Figura 12.36, um gráfico da corrente medida nas duas entradas do LM311, cada vez mais popular.[16] *Ela não é zero*!

O que está acontecendo aqui? Muitos comparadores usam transistores bipolares para os seus estágios de entrada, com as correntes de polarização de entrada variando de dezenas de nanoamperes a dezenas de microamperes. Devido ao estágio de entrada ser apenas um amplificador diferencial de alto ganho, a corrente de polarização varia conforme o sinal de entrada leva o comparador através de seu limiar. Além disso, o circuito de proteção interna pode causar uma variação

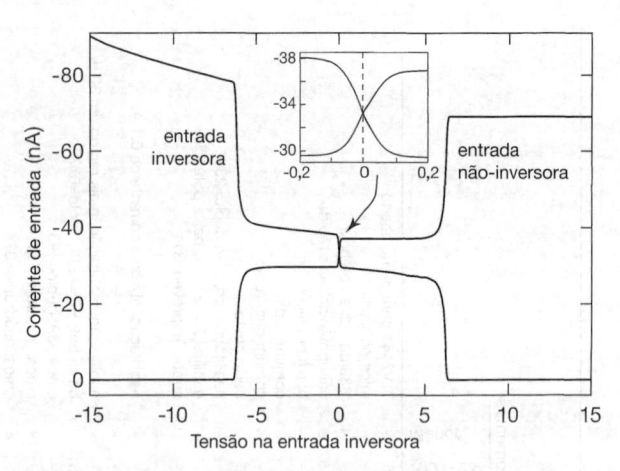

FIGURA 12.36 Corrente de entrada medida de um tipo de LM311N (NSC, com código de data P134), com a entrada não inversora aterrada. A folha de dados especifica uma corrente de entrada de 60 nA (típico), 100 nA (máx).

maior na corrente de polarização a alguns volts de distância do limiar.

Para ver como isso funciona em detalhes, olhe para o circuito de entrada do LM311, que desenhamos em forma simplificada na Figura 12.37. O estágio de entrada é composto por seguidores *pnp* polarizados por corrente que acionam um amplificador diferencial *npn*; os seguidores têm um impressionante $\beta \approx 2000$, mas mesmo com isso você ainda tem -35 nA de corrente de entrada quando as entradas são balanceadas. Ainda mais importante, as correntes nas duas entradas variam cerca de 10% em direções opostas quando as entradas se tornam desbalanceadas. Isso acontece porque o segundo estágio do amplificador diferencial transfere a sua corrente de operação ao longo de um lado ou do outro, desbalanceando a corrente de base que exerce carga no primeiro estágio. (O "degrau" de corrente em zero volt diferencial é realmente uma transição suave que ocorre ao longo de apro-

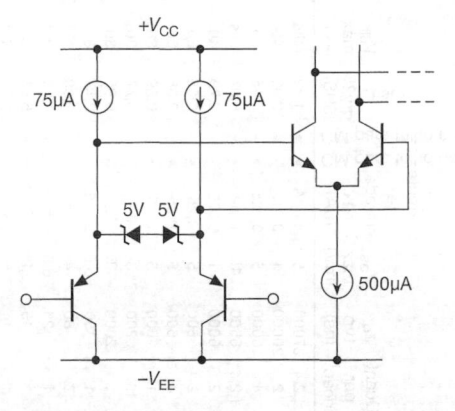

FIGURA 12.37 Estágio de entrada simplificado do clássico comparador analógico bipolar LM311. Não se assuste com os zeners de 5 V – a entrada diferencial máxima permitida é ±30 V.

---

[16] Este é realmente um dispositivo comum! Numa rápida busca na Internet encontra-se pelo menos uma centena de variantes do 311 de uma meia dúzia de fabricantes (Fairchild, NJR, National, ONsemi, ST e TI), sem sequer incluir 311 "melhorados".

ximadamente 100 mV, como pode ser visto no gráfico de inserção expandido, e representa a variação de tensão necessária para mudar completamente o estágio do amplificador diferencial de entrada de um estado a outro). Então, ao contrário de um AOP (onde a realimentação mantém as entradas balanceadas), a corrente de entrada de um comparador bipolar se desloca na transição da entrada, o que pode causar problemas se o sinal que a aciona não for proveniente de uma impedância de fonte baixa.

Por exemplo, imagine que você deseja gerar um degrau de saída quando um sinal de entrada (de resistência de fonte finita) que sobe lentamente passa por zero volts. Isso é fácil – você conecta esse sinal na entrada inversora, e aterra a entrada não inversora. Faça isso, e a saída provavelmente irá apresentar várias transições rápidas conforme o sinal de entrada passa por zero. O problema é que a queda na corrente de entrada (negativa) em zero volts faz com que a tensão de entrada inverta a sua elevação, causando uma transição adicional; isso continua várias vezes, até que o sinal de entrada tenha aumentado acima da zona de perigo. Uma histerese (talvez com um pequeno capacitor *speed-up*) geralmente resolve esse comportamento, mas é útil entender a sua causa.

O gráfico da Figura 12.36 tem mais algumas surpresas: a variação abrupta das correntes de entrada quando a tensão de entrada diferencial chega a 6 V. Isto é causado pelo limitador zener simétrico,[17] incluídos no CI para evitar a ruptura reversa base-emissor no par *npn* do segundo estágio. Variações de entrada diferencial grandes o suficiente para levar limitação na condução faz com que o transistor de entrada *pnp* com a tensão de entrada mais negativa monopolize toda a corrente de emissor; portanto, a sua corrente de base dobra, e a do seu par cai a zero. O gráfico preciso da Figura 12.36 mostra um recurso que você não vai encontrar em qualquer uma das folhas de dados oficiais do LM311: o aumento gradual da corrente de entrada em grandes tensões de entrada negativas, o que se deve, evidentemente, à diminuição do beta do transistor de entrada para V_{CE} reduzido. E um quebra-cabeça para o leitor: porque esta forma não é espelhada na curva da entrada não inversora?

Para aplicações de comparadores onde é necessária corrente de entrada extremamente baixa, há uma abundância de comparadores com entrada MOSFET disponíveis, por exemplo, o TLC372, o TLC3702, o TLC393 e o LMC7221. No entanto, estes são geralmente limitados a uma tensão de alimentação máxima total de 16 V (em comparação com 36 V para comparadores bipolares de "alta tensão"); e, como ocorre com AOPs CMOS, eles têm precisão pior (V_{OS}) do que os comparadores bipolares de precisão. Em situações em que as propriedades de um comparador particular são necessárias, mas com baixa corrente de entrada, uma solução é adicionar um seguidor FET de par casado na entrada.

D. Tensão de Entrada Diferencial Máxima

Atente para isto! Alguns comparadores têm uma faixa de tensão de entrada diferencial surpreendentemente limitada, tão pouco quanto 5 V, em alguns casos (por exemplo, o AD790, LM306 e LT1016), embora eles possam operar a partir de uma tensão de alimentação total ($V_+ - V_-$) tão elevada quanto 36 V. Pode ser necessária a utilização de diodos limitadores para proteger as entradas, porque a tensão de entrada diferencial excessiva irá degradar o beta, causar erros de offset de entrada permanentes e até mesmo destruir as junções base-emissor do estágio de entrada. Comparadores de uso geral que podem operar a partir de tensões de alimentação total de até 36 V são geralmente melhores a este respeito, com faixas de tensão diferencial de entrada típicas de ± 30 V (por exemplo, o LM311, LM393, LT1011, etc.[18]).

E. Histerese Interna

Um pouco de histerese é geralmente uma coisa boa. E alguns comparadores (especialmente os destinados à operação com fonte simples de baixa tensão) têm alguns milivolts de histerese interna (ver Tabelas 12.1 e 12.2). Alguns comparadores (por exemplo, os membros das séries ADCMP5xx e 6xx da Analog Devices) permitem o ajuste da quantidade de histerese interna.

12.3.3 Outros parâmetros

A. Tensão de Alimentação

Já vimos isso, porque as entradas têm de permanecer na "faixa de operação de modo comum", que, no máximo, se estende um pouco além dos trilhos. Em linhas gerais, existem três faixas de tensão: (a) comparadores bipolares tradicionais, como o LM311 e o LM393, podem aceitar tensões de alimentação total de até 36 V, e agora são chamados comparadores de "alta tensão"; (b) um número de comparadores CMOS e de alta velocidade, por exemplo, os dispositivos bipolares LT1016 e CMOS TLC/LMC, se encontram em uma região média, operando em tensões de alimentação total de até 10 a 15 V; e (c) houve uma enorme proliferação de comparadores CMOS de fonte simples de "baixa tensão" como o LMV, o TLV e a série ADCMP600, que operam apenas até a tensão total de 6 V. Nesta última categoria, existem alguns comparadores perversamente rápidos (ADCMP572: 0,15 ns), e alguns comparadores de micropotência (MCP6541: 0,6

---

[17] Implementado como um par de transistores em antisérie conectados como diodos.

[18] Estes usam transistores de entrada *pnp* integrados, que tendem a ter altas tensões de ruptura emissor-base reversa, muitas vezes mais de 36 V (em comparação com rupturas *npn* típicas em torno de 6 V).

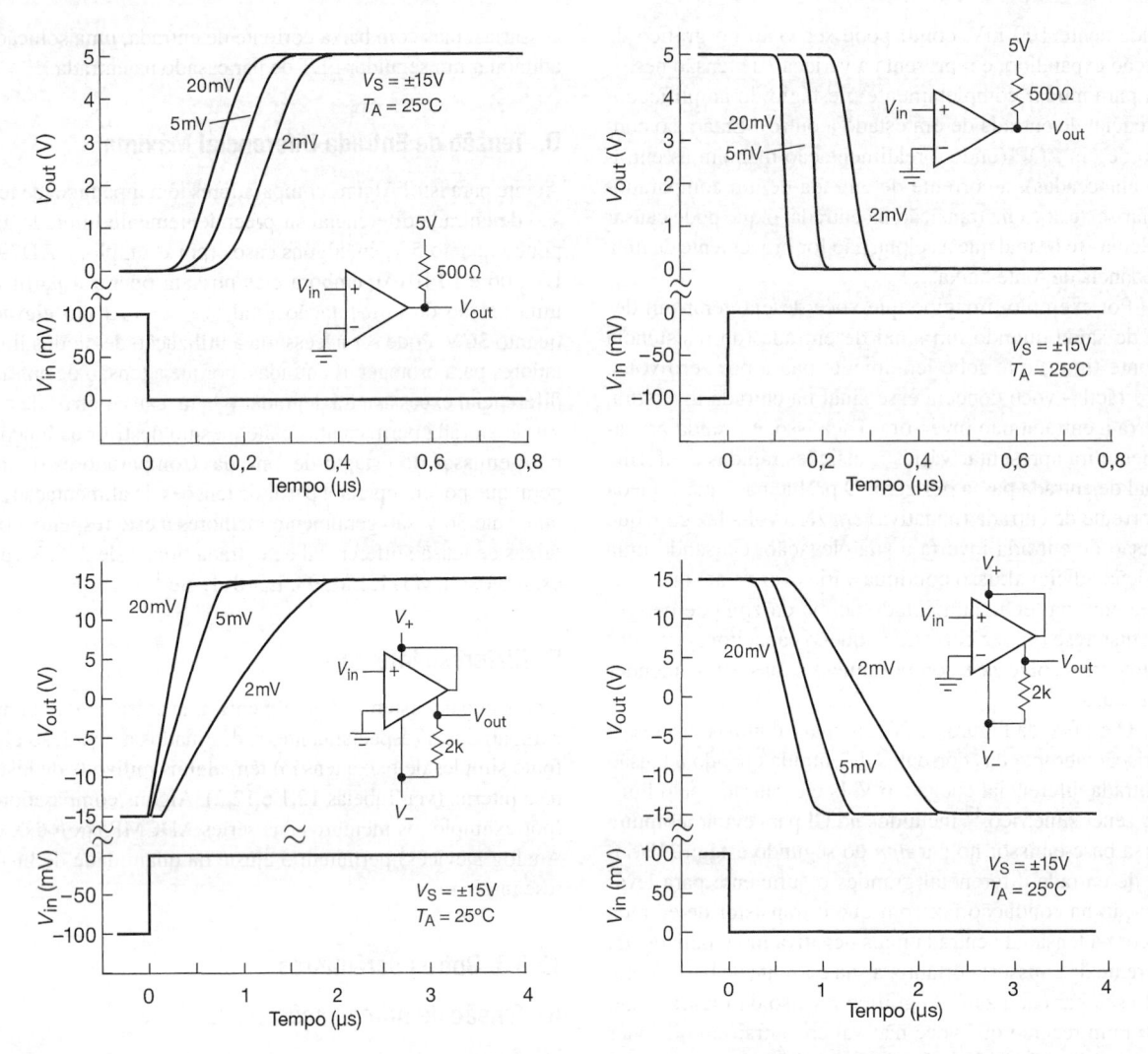

FIGURA 12.38 Tempos de resposta do comparador LM311 para várias sobrecargas de entrada. A maioria dos comparadores requerem considerável sobrecarga, 20 mV ou mais, para uma resposta rápida. (Adaptado da National Semiconductor Corp.)

µA típico; ISL28197: 0,8 µA típico). E existe praticamente de tudo entre eles.

B. Velocidade

É conveniente pensar em um comparador como um circuito de comutação ideal para o qual qualquer reversão na tensão de entrada diferencial, ainda que pequena, resulta em uma mudança repentina na saída. Na realidade, um comparador se comporta como um amplificador para sinais de entrada pequenos, e o desempenho de comutação depende das propriedades de ganho nas frequências altas. Como resultado, uma "sobrecarga" de entrada menor (ou seja, um sinal mais do que suficiente para causar a saturação em CC) provoca um maior atraso de propagação e (frequentemente) uma subida ou tempo de queda mais lento na saída. Especificações de comparadores geralmente incluem um gráfico de "tempo de resposta para várias sobrecargas de entrada." A Figura 12.38 mostra alguns para o LM311. Note particularmente o desempenho reduzido na configuração em que o transistor de saída é usado como um seguidor, ou seja, com menos ganho. O aumento do acionamento de entrada acelera as coisas devido ao ganho reduzido do amplificador em altas frequências ser superado por um sinal maior. Além disso, as correntes maiores do amplificador interno fazem as capacitâncias internas carregarem mais rápido.

Os comparadores nas Tabelas 12.1 e 12.2 abrangem uma faixa de velocidades (tempo de resposta) de 0,3 ns a 300 µs – uma relação de uma em um milhão! A pressa é inimiga da perfeição – você paga o preço em dissipação de energia (embora dispositivos de baixa tensão façam muito melhor) e em suscetibilidade às oscilações.

12.3.4 Outros Cuidados

Existem alguns cuidados gerais relativos aos circuitos de entrada dos comparadores. A histerese (Seção 4.3.2A) deve ser utilizada sempre que possível, porque, caso contrário, a comutação irregular pode ocorrer. Para ver o porquê, imagine um comparador sem histerese em que a tensão diferencial de entrada acabou de passar por zero volts, variando de forma relativamente lenta, visto ser uma forma de onda analógica. Uma mera entrada diferencial de 2 mV faz com que a saída mude de estado, com tempos de comutação de 50 ns ou menos. De repente você tem transições lógicas digitais rápidas de 3.000 mV em seu sistema, com pulsos de corrente impressos sobre as tensões de alimentação, etc. Seria um milagre se algumas dessas formas de onda rápidas não se acoplassem ao sinal de entrada, pelo menos até ao ponto de alguns milivolts, superando o diferencial de entrada de 2 mV e, portanto, provocando várias transições e oscilações. É por isso que quantidades generosas de histerese (incluindo um pequeno capacitor no resistor de realimentação), combinadas com leiaute e desvio cuidadosos, são geralmente necessários para fazer com que os circuitos de comparadores sensíveis funcionem bem. É geralmente uma boa ideia evitar o acionamento das entradas do comparador diretamente a partir de sinais de alta impedância; em vez disso, use uma saída de AOP. Também é uma boa ideia evitar os comparadores de alta velocidade, que só agravam estes problemas, se a velocidade não for necessária. Então, também, alguns comparadores são mais problemáticos a este respeito que outros; temos tido muita dor de cabeça usando o LM311, admirável em outros aspectos.

12.4 ACIONANDO CARGAS DIGITAIS EXTERNAS A PARTIR DE NÍVEIS LÓGICOS

Não é difícil de usar um sinal de saída de nível lógico (que vem de algo tão simples como uma porta ou um flip-flop, ou a partir de um dispositivo mais sofisticado como um FPGA ou microcontrolador) para controlar dispositivos ON/OFF como lâmpadas (LEDs), relés, displays, e até mesmo cargas CA. Em algumas situações, você pode acionar esse tipo de carga diretamente a partir do sinal de nível lógico; mas, com mais frequência, você tem que adicionar alguns componentes para que ele funcione. Um exemplo clássico desta última pode ser a comutação de uma carga que retorna para uma tensão de alimentação *negativa*.

12.4.1 Cargas Positivas: Acionamento Direto

As cargas que não requerem muita corrente e que retornam a uma fonte positiva de baixa tensão podem muitas vezes ser acionadas diretamente a partir de uma saída lógica. A Figura 12.39 mostra alguns métodos. O circuito A mostra o método padrão de acionamento de LED indicador a partir de um circuito lógico que opera a partir de uma fonte de 3 a 5 V. Você escolhe o resistor limitador de corrente para definir a corrente do LED: os LEDs se comportam como um diodo com uma queda direta de 1,5 a 3,5 V (dependendo do material semicondutor e da cor emitida; ver Figura 2.8). LEDs de alta eficiência contemporâneos parecem muito brilhantes com apenas alguns miliamperes, o que os torna fáceis de trabalhar para todas as saídas de famílias lógicas (bem como chips digitais mais complexos, como FPGAs e microcontroladores); assim, a saída lógica permanece válida mesmo durante o acionamento de uma carga LED (consulte os valores de V_{OL} listados). Um cuidado aqui: a queda direta de ~3,5 V de LEDs baseados em GaN (azul, branco e "verde brilhante") requer uma lógica de 5 V, enquanto LEDs de baixa tensão podem ser acionados por lógica de 3,3 V ou 5 V.

Por razões históricas relacionadas com as propriedades de saída altamente assimétricas das primeiras famílias lógicas bipolar e nMOS, os projetistas tendem a preferir a conexão com *absorção* de corrente mostrada na Figura 12.39A; mas para as famílias lógicas CMOS contemporâneas podemos conectar um LED na configuração de fornecimento de corrente, mostrada na Figura 12.39B. O fornecimento de corrente pela saída representa um esforço um pouco menor do que a absorção de corrente (consulte o V_{OH} listado), mas é bom o suficiente para o trabalho.

Alguns LEDs montados em painel vêm com resistores limitadores de corrente embutidos, destinados a fontes de tensão contínua de 5 V. Isso economiza um resistor, mas a seleção é limitada, e você pode não ficar feliz com a escolha do fabricante para a corrente de funcionamento (por exemplo, 10 a 12 mA para a série CML 5100H-LC, ou a série Dialight 558).

Você pode acionar pequenos relés mecânicos de uma maneira similar, desde que sua tensão de operação da bobina seja baixa (há uma abundância de unidades CC de 5 V da Coto, Omron, Panasonic, TycoP&B, entre outros fornecedores; e você pode obter relés que operam com apenas 1,5 V, por exemplo, a série TXS2 da Panasonic), e sua corrente de operação é suficientemente baixa (ou seja, resistência de bobina alta). As Figuras 12.39C-F mostram vários exemplos. Relés de "sinal," como a série TXS2, se destinam à comutação de baixa tensão e corrente e têm contatos banhados a ouro para "comutação seca"; sua corrente de bobina de 10 a 20 mA pode ser absorvida pelas famílias lógicas mostradas (e outras também). Você também pode obter relés de acionamento lógico que podem lidar com comutação de potência, por exemplo, relés de bobina de 5 V das séries G5 e G6 mostradas na figura. Estes podem lidar com até 5 A ao comutar tensões de 115 V CA (ou até 240 V CA).

Para relés (e outras cargas) que exigem tensões ou correntes de acionamento um pouco mais altas, você pode usar dispositivos lógicos com saídas de coletor aberto (OC) destinados a esse tipo de trabalho (Figuras 12.39G, H). O venerável 74LS07 é um CI de seis inversores de coletor aberto, bom

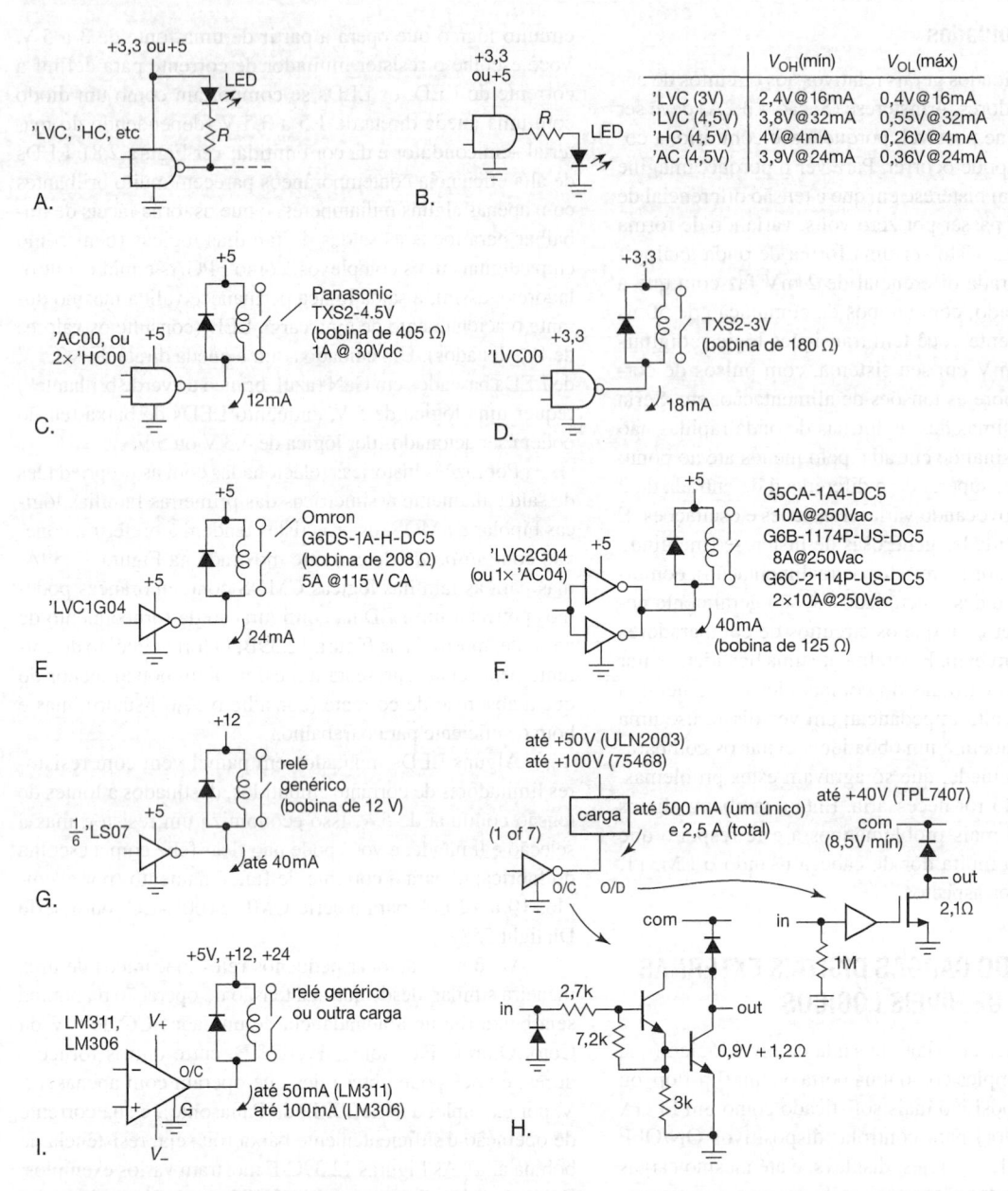

FIGURA 12.39 Acionamento de cargas diretamente de saídas lógicas. Bobinas de relé podem exigir muita corrente de acionamento; certifique-se do que o CI de sua escolha pode entregar.

	V_{OH}(mín)	V_{OL}(máx)
'LVC (3V)	2,4V@16mA	0,4V@16mA
'LVC (4,5V)	3,8V@32mA	0,55V@32mA
'HC (4,5V)	4V@4mA	0,26V@4mA
'AC (4,5V)	3,9V@24mA	0,36V@24mA

para variações de saída até +30 V e correntes de carga (no estado BAIXO, absorção) de 40 mA. O igualmente rústico (e popular) ULN2003 é um Darlington de emissor aterrado de 7 seções, com resistores de entrada (ou seja, um inversor lógico com coletor aberto) que pode variar até +50 V e absorver até 350 mA; seu similar também em capacidade (o 75468) pode variar até 100 V.[19] E se você quiser acionar esses tipos de cargas com um comparador, o antigo LM311 ou LM306 pode lidar com esses tipos de correntes, embora a variação da saída de coletor aberto esteja limitada a 40 V acima da fonte negativa e a +24 V acima do terra, respectivamente.

Ao acionar relés e outras cargas de potência a partir de um microcontrolador (capítulo 15), vale a pena saber sobre uma classe de registradores de potência de entrada serial. Estes são refinamentos do registrador de deslocamento lógico de entrada serial e saída paralela de 8 bits, mas com saídas de dreno aberto capazes de absorver correntes substanciais e com especificações de tensão de até 50 V. A Tabela 12.3 lista uma boa seleção deles, e a Figura 12.40 mostra o que há dentro desses dispositivos de saída, juntamente com o seu par registrador de entrada '597 (ou seja, entrada paralela, saída serial). Estes são particularmente úteis quando você tem um microcontrolador com apenas alguns pinos de I/O

---

[19] Em uma escala mais modesta você pode usar as portas de coletor aberto do duplo 75451-4 (AND, NAND, OR e NOR, respectivamente) em encapsulamentos de 8 pinos para cargas de 30 V e 300 mA.

A. 'C595, '596

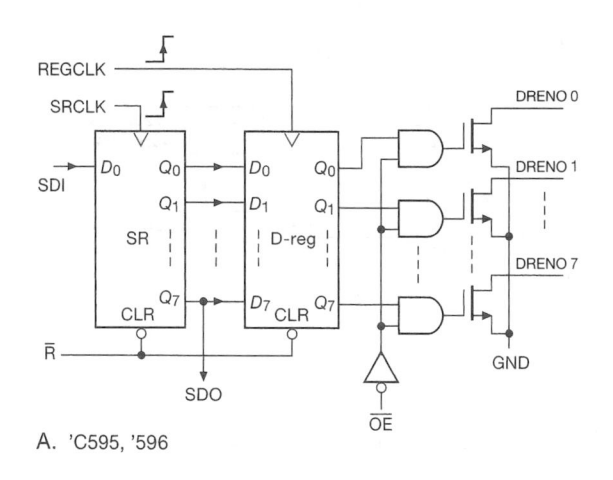

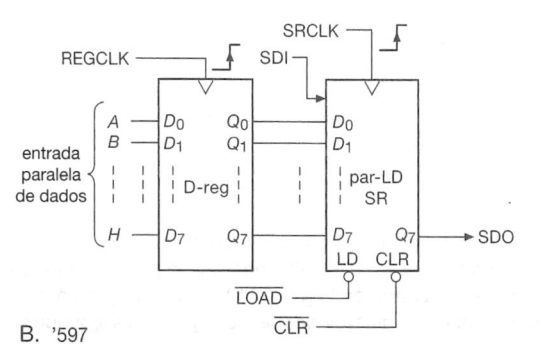

B. '597

FIGURA 12.40 Os registradores de potência '595 e '596 de entrada serial aceitam uma entrada serial de bit de níveis lógicos, com clock em um registrador de deslocamento interno; o conteúdo pode ser memorizado em um registrador de saída tipo D com capacidade de acionamento substancial. O '597 funciona no sentido inverso, mas aceita somente entradas de nível lógico. Veja a Tabela 12.3 para mais detalhes.

disponíveis porque você pode acionar várias saídas de potência (por exemplo, relés); e você pode expandir para além das oito saídas mediante encadeamento dos SDO (saída serial de dados) a partir de um registrador para o SDI (entrada serial de dados) do próximo. A Figura 12.41 mostra a ideia básica.

Alguns pontos sobre os relés em geral, e, em particular, sobre os pequenos relés de montagem em PCB fáceis de acionar.

- Note que você normalmente não usa um resistor em série, devido à resistência da bobina definir a corrente de operação para a tensão de operação especificada; contudo, adicione um resistor em série se você estiver operando a partir de uma tensão de alimentação mais alta (por exemplo, um relé de 12 V operando a partir de uma fonte de 15 V). Em qualquer caso, certifique-se de incluir o diodo para ceifar o pico indutivo.[20]

[20] Alguns dispositivos acionadores incluem um diodo, enquanto outros exclusivamente lhe dão uma especificação de avalanche do MOSFET de saída (com o qual absorve o pico de retorno da bobina do relé). Por exemplo, os dispositivos '6B595 especificam cada saída em 33 V e 30 mJ (alguns outros permitem 75 mJ), o suficiente para lidar com a energia indutiva $E=LI^2/2$ armazenada em uma grande bobina. Leia sempre a folha de dados cuidadosamente.

TABELA 12.3 Registradores lógicos de potência

Tipo[c]	Bits	Comunic dados[a]	V_O máx (V)	I_O máx (mA)	R_{DS} típico (Ω)	Cost quant 25 ($US)	Reset	Corrente programável	Habilitação da saída?[b]	Tipo de saída	Encapsul.[d] DIP	SOIC
STP08CL596	8	SR	16	90	-	1,37	-	●	●	CS	(●)	●
STP08C596	16	SR	16	120	-	2,05	-	●	●	CS	(●)	●
TPIC6B259	8	AL	50	150	5	1,70	●	-	-	OD	●	●
74HC595	8	SR	V_{CC}	25	30	0,16	e	-	●	RR	●	●
TPIC6595	8	SR	45	250	1,3	2,50	e	-	●	OD	●	●
TPIC6B595	8	SR	50	150	5	1,41	e	-	●	OD	●	●
TPIC6C595	8	SR	33	100	7	1,09	●	-	●	OD	●	●
TPIC6C596	8	SR	33	100	7	0,98	●	-	●	OD	●	●
TPIC2810	8	I²C	40	210	5	2,15	f	-	●	OD	●	●
TPIC6B273	8	par	50	150	5	1,83	-	-	●	OD	(●)	●
TPIC6273	8	par	45	250	1,3	2,70	-	-	●	OD	●	●

Notas: (a) SR = registrador de deslocamento, AL = latch endereçável. (b) CS = absorção de corrente, ajustável via resistor ext, faixa de 15 a 90 mA; OD = dreno aberto; RR = trilho a trilho. (c) os tipos '596 têm saída de dados com registrador. (d) "(●)" = distribuidor sem estoque. (e) SR com reset, mas não memoriza a saída. (f) reset de SR ao energizar e *latch* de saída.

- Relés estão sempre disponíveis na configuração normal de "um único estado estável" (também conhecido como *sem memória*), na qual os contatos são mantidos na posição energizada somente enquanto a alimentação da bobina estiver sendo aplicada. Mas você também pode obter relés "com memória" (biestáveis), que per-

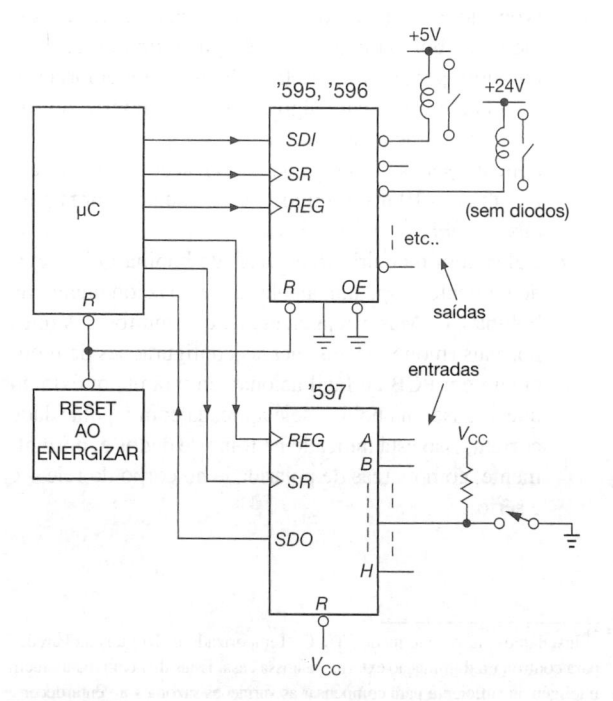

FIGURA 12.41 Acionamento de relés e outras cargas de potência com um registrador de potência serial.

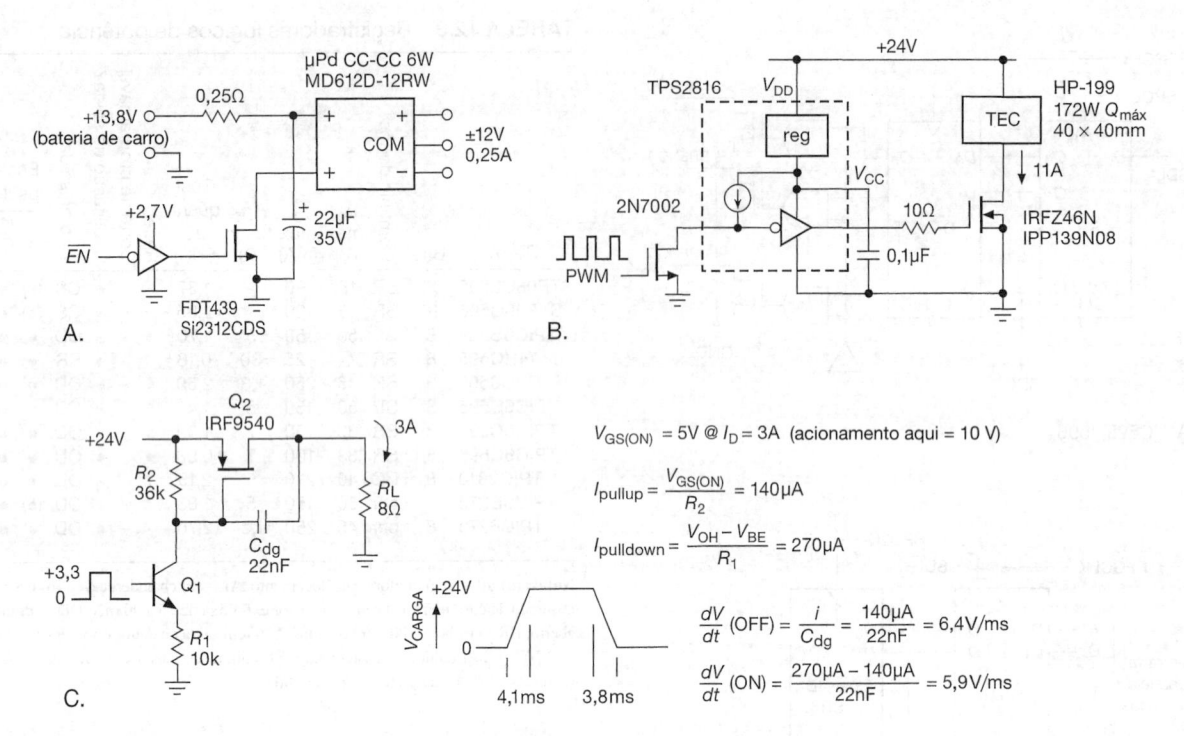

FIGURA 12.42 Alguns exemplos de comutação de MOSFET: A. carga com alta corrente de energização (conversor CC-CC); B. comutação rápida (modulação por largura de pulso) do módulo termoelétrico de alta corrente (o 2N7002 é necessário porque o *pull-up* interno do TPS2816 gera uma variação lógica de entrada de 12 V quando alimentado a partir de $V_{DD} = 24$ V); C. comutação para a fonte com taxa de variação controlada; o MOSFET Q_2 tem um acionamento de porta total de 10 V depois de alguns milissegundos.

manecem em qualquer estado no qual foram colocados após o acionamento da bobina ser removido. Existem duas variedades de relés com memória: "bobina dupla" (você aciona uma ou o outra, para setar e resetar o estado), e "bobina única" (você aplica uma polaridade ou outra, para setar e resetar). Relés com memória são uma boa escolha para algo como um temporizador de lâmpada alimentado por bateria, porque você precisa aplicar apenas um pulso de energização curto (tipicamente de ~10 ms mínimo) para comutar a carga para ON ou OFF.[21]

- Relés com memória (biestável) de bobina única, evidentemente, respeitam a polaridade do acionamento da bobina CC. Mas esteja ciente de que muitos dos relés normais (monoestáveis) nessas configurações de montagem em PCB de fácil acionamento também exigem que a tensão na bobina seja aplicada com a polaridade correta; isso está indicado na folha de dados e, normalmente, com marcas de polaridade no corpo do relé – e é sério!

12.4.2 Cargas Positivas: Auxiliadas por Transistor

Com um MOSFET externo ou transistor bipolar você pode acionar qualquer coisa. Volte à Seção 3.5.3 (Figura 3.96) para ver alguns circuitos de acionamento MOSFET bons para cargas de até centenas de volts e dezenas de amperes. MOSFETs (ou transistores bipolares de portas isoladas, IGBTs, veja a Seção 3.5.7) são os transistores escolhidos para tais aplicações robustas. Eles também são úteis para a comutação para a fonte (*high side*), como vimos na Seção 3.5.6 (Figura 3.106).

A Figura 12.42 mostra algumas configurações adicionais. O desafio no primeiro circuito é lidar com a corrente de energização relativamente grande na partida do conversor CC-CC (pico de 5 A em comparação com 0,8 A ao operar em potência máxima). O poderoso FTD439, no seu pequeno encapsulamento SOT-223, garante um R_{ON} máximo de 0,08 Ω em $V_{GS} = 2,5$ V (onde a sua corrente de dreno de saturação é de cerca de 20 A; veja a Tabela 3.4a). Então ele lida com a corrente de energização com facilidade. O pequeno resistor de entrada e o capacitor de desvio a jusante foram incluídos para filtrar o ruído de comutação e isolar o transiente ao energizar, para minimizar a perturbação de outros sistemas eletrônicos que funcionam a partir da bateria do carro.

O desafio no circuito B é fazer a comutação rápida de uma carga de alta potência (um módulo de refrigeração termoelétrico), controlada ajustando o ciclo de trabalho de seus pulsos ON (PWM, modulação por largura de pulso). Aqui

---

[21] Instalamos vários Intermatic ST01C "Temporizadores Digitais na Parede" para controlar a iluminação externa da nossa casa. Estes dispositivos incluem inteligência suficiente para compensar as variações sazonais no entardecer e amanhecer, e comutam com folga cargas de 15 A/120 V CA, usando apenas uma única bateria de lítio CR2.

precisávamos de um MOSFET de potência robusto, e abundância de acionamento da porta para comutar a capacitância da porta rapidamente através de seu limiar (para minimizar as perdas de comutação). O TPS2816 é um bom acionador de porta (veja a Tabela 3.8), com tensão de saída de nível ALTO de +10 V (e capacidade de corrente de pico de ±2 A) e com um regulador embutido para operação com tensões de alimentação até +40 V. Os MOSFETs de potência mostrados são bons para corrente de dreno de 30 A, e vêm em encapsulamentos de montagem em superfície de potência (D2PAK, TO-252, TO-262).

Finalmente, o circuito C mostra uma comutação para a fonte com taxa de variação controlada, para minimizar a produção de transientes. Está certo comutar potência em escalas de tempo de milissegundos, contanto que você não tente fazê-lo em uma taxa elevada (como em PWM), e desde que a chave possa lidar com o pulso térmico transiente.[22] A taxa de variação é definida pela corrente de carga e descarga do acionamento da porta de um "capacitor Miller," C_{dg}, aqui configurado para correntes de carga e descarga líquida aproximadamente iguais. Os cálculos na figura dizem tudo (cinco equações valem por mil palavras).

Em uma escala mais modesta você pode usar transistores bipolares (BJTs) para essas mesmas tarefas, por exemplo, como mostrado na Figura 12.43. Algo como um 2N4401[23] comum (cerca de 6 centavos de dólar em quantidades de 100) é bom para até 40 V e 500 mA; mas cuidado – o beta mínimo cai para 40 nesta corrente, de forma que você precisa redimensionar o resistor em série para fornecer aumento de 10 mA de acionamento de base no V_{BE} do transistor. E, mesmo assim, a tensão de saturação não é impressionante: V_{CE} (sat) = 0,75 V (máx) a 500 mA com 15 mA de acionamento de base (portanto, uma dissipação do transistor de 0,25 W). A melhor escolha para tais correntes é algo como o ZTX851 da Zetex, que vem em uma variante TO-92 que eles chamam de "E-line." É bom para 60 V e 5 A, beta mínimo de 100 em 2 A, e V_{CE}(sat) = 0,15 V (máx) em 2 A, com 50 mA de acionamento de base. Isso é aproximadamente a mesma dissipação que o 2N4401, mas quatro vezes a corrente de carga. Para obter o acionamento da base você usaria um acionador seguidor de emissor, como na Figura 12.43B.

Você pode facilmente conectar um BJT como uma chave de comutação para a fonte usando um absorvedor de corrente *npn* comutado por lógica para polarizar diretamente uma chave *pnp* de comutação para a fonte (Figura 12.43C). Aqui usamos um Darlington da excelente série E-line de BJTs da Zetex, que necessita apenas de um miliampere de acionamento de base para comutar até um ampere de corrente de carga (onde V_{CE}(sat)≤0,75 V).

Nestes exemplos não nos preocupamos em proteger as chaves de condições de falha, como uma carga em curto-circuito. Isto não deve ser ignorado; e não vamos ignorá-lo – veja a Seção 12.4.4, que está bem próxima.

12.4.3 Cargas Negativas ou CA

A Figura 12.44 mostra alguns métodos pelos quais uma entrada lógica pode controlar cargas que retornam a um trilho de alimentação negativa; também é mostrada uma interface comum do circuito lógico para uma carga de potência CA. Nos circuitos A e B, um estado de saída ALTO liga a chave de transistor *pnp*, puxando o coletor para a saturação em uma queda de diodo acima do terra. No circuito A, o resistor (ou limite de corrente de saída da porta) define a corrente de emissor e, portanto, a corrente de coletor (carga) máxima, enquanto que, no circuito B de maior potência, um seguidor *npn* é usado como um *buffer*, e um diodo em série com a saída mantém a carga a partir de uma variação acima do ter-

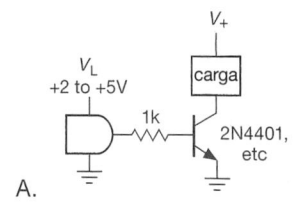

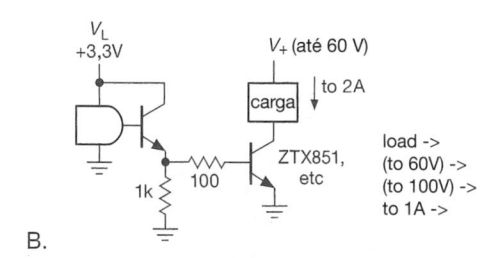

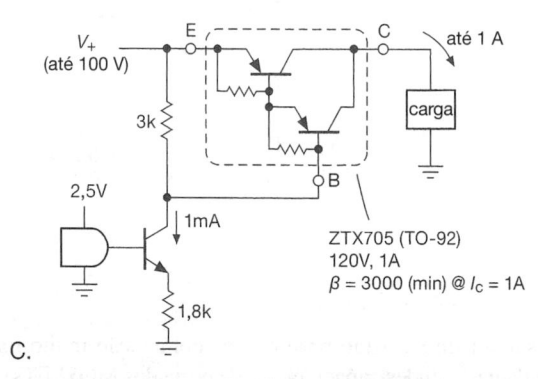

FIGURA 12.43 Transistores bipolares estendem a capacidade de acionamento de tensão e corrente. O mesmo vale para MOSFETs de potência – veja as Figuras 3.96 e 12.42.

---

[22] As folhas de dados especificam uma "impedância térmica transitória" da junção para a carcaça, que para esses transistores é de cerca de 0,5°C/W numa escala de tempo de milissegundos, boa para a dissipação de 18 W (máximo) durante a comutação.

[23] O prefixo 2N é para o encapsulamento PTH TO-92. Para montagem em superfície, o número de identificação base se torna MMBT4401, com sufixos loucos para os diferentes encapsulamentos SMD (SOT-23, SOT-323/SC70, SOT-523, SOT-723).

A. $R < \dfrac{V_{OH} - V_{BE}}{I_L}$

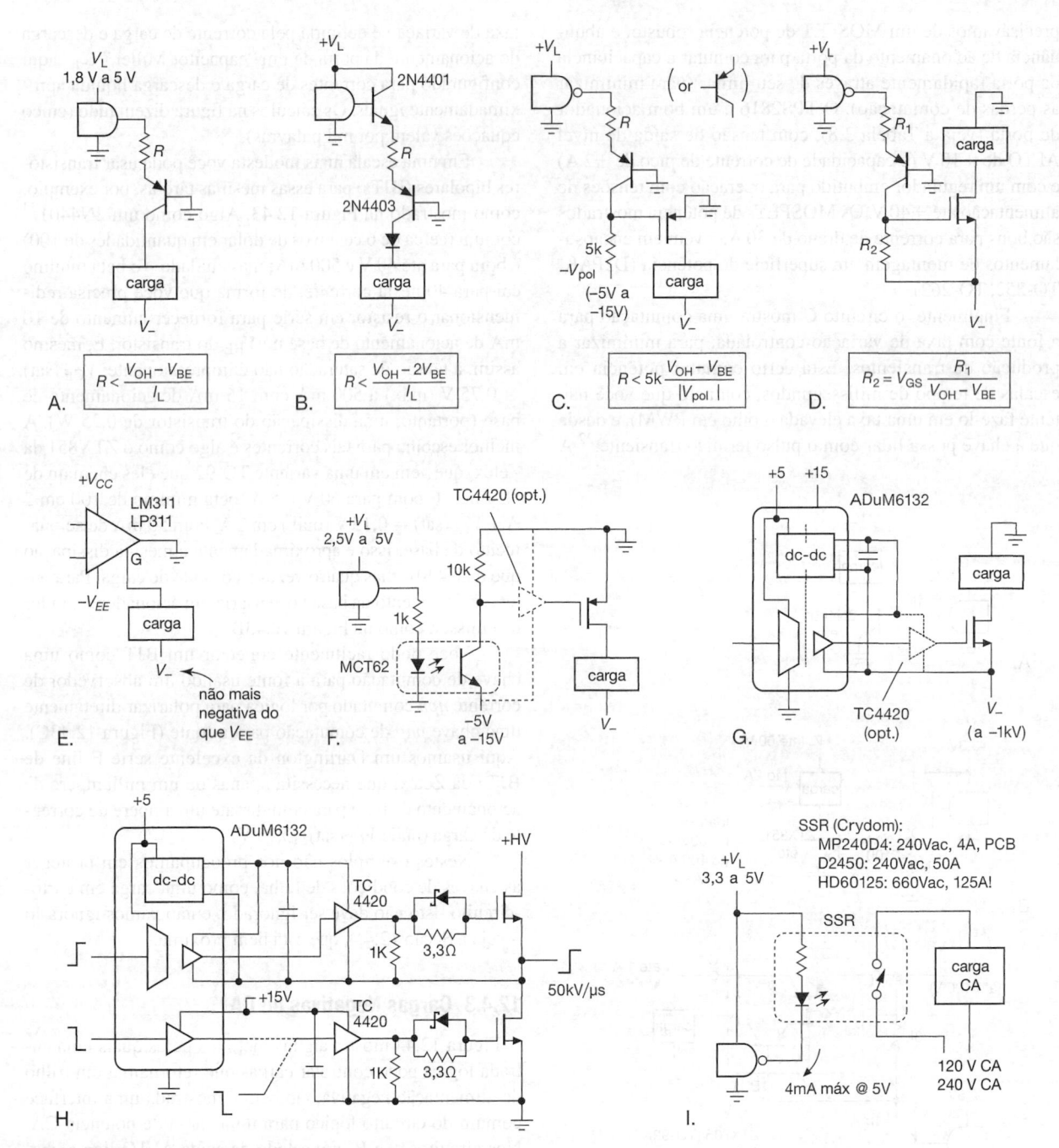

B. $R < \dfrac{V_{OH} - 2V_{BE}}{I_L}$

C. $R < 5k \dfrac{V_{OH} - V_{BE}}{|V_{pol}|}$

D. $R_2 = V_{GS} \dfrac{R_1}{V_{OH} - V_{BE}}$

FIGURA 12.44 Acionamento de cargas negativas e CA.

ra. Em ambos os casos, a corrente de carga máxima é igual à corrente de acionamento para o emissor do transistor *pnp*. O circuito C requer uma tensão de alimentação de polarização negativa de baixa tensão ($-V_{pol}$), mas tem a vantagem de saturar de forma limpa para o terra; e, com um MOSFET de potência, pode lidar com grandes tensões e correntes de carga, mesmo quando acionado pela lógica de baixa tensão de corrente de acionamento de saída mínima (mas você pode querer adicionar um CI acionador de porta de MOSFET, como nos circuitos de F a H: sua alta capacidade de corrente de saída trilho a trilho produz uma comutação muito mais rápida nas grandes capacitâncias de porta dos MOSFETs). O circuito D mostra como acionar uma carga que retorna para o terra a partir de uma tensão negativa; isso tem a agradável propriedade de não necessitar de uma fonte negativa de baixa tensão separada. Circuitos como este não fornecem proteção contra falhas de carga; não se esqueça de ler a Seção 12.4.4, que lida com essa importante questão.

Comparadores com uma saída flutuante (LM311 e similares) podem acionar modestas cargas com referências negativas, como no circuito E; mas o retorno negativo não pode ser mais negativo do que o trilho negativo do comparador, e a corrente é limitada a 50 mA. O circuito F mostra como usar um acoplador óptico (veja a Seção 12.7) para converter uma saída lógica positiva para um nível negativo em curso que pode acionar diretamente a porta de um MOSFET de potência canal p (ou através de um acionador de porta de MOSFET, para comutação mais rápida; veja a Figura 3.97). Devido aos MOSFETs de canal n terem melhores desempenhos (R_{ON} menor e disponíveis até a especificação de 1.000 V, em comparação com −300 V para pMOS), é bom ser capaz de usá-los sempre que puder. O circuito G faz isso por meio da geração de um sinal de acionamento de porta até o trilho V_-, usando o interessante circuito isolador lógico ADuM6132 da Analog Devices. Este último utiliza transformadores minúsculos internos para gerar uma tensão de alimentação CC isolada (flutuante) e, também, para acoplar o sinal lógico de entrada para uma saída semelhante isolada. Mais uma vez, você pode interpor um acionador de porta de MOSFET, alimentado pela mesma tensão isolada.

Como um aparte, o circuito H mostra como usar o mesmo ADuM6132 para gerar um acionamento de porta de uma chave que *comuta para a fonte*, de modo que você possa usar MOSFETs de potência canal n para ambas as chaves em um estágio de saída *push-pull* de alta tensão. Este chip isolador é notável por sua capacidade de funcionar adequadamente, mesmo quando a saída isolada está circulando em torno de taxas de variação de até 50 kV/μs. Note que o MOSFET que comuta para a fonte, embora pareça um seguidor, é na verdade uma chave, porque a sua porta ou está na mesma tensão que a sua fonte (quando OFF), ou está 15 V acima da fonte (quando ON).

Finalmente, para o acionamento de cargas CA, o método mais fácil é usar um "relé de estado sólido", como no circuito I. Estes são triacs, SCRs ou IGBTs opticamente acoplados, com entrada lógica compatível e de 1 a 50 A (ou mais!) de capacidade de corrente de carga quando comuta uma carga de 115 V CA (ou mais!) de carga. As variedades de baixa corrente estão disponíveis em encapsulamentos SMT e DIP (por exemplo, a série photoMOS da NAiS Aromat, os relés MOSFET da Omron e a série PV de "chaves fotovoltaicas" da International Rectifier; veja a Seção 12.7.5 e 12.7.6 para mais opções), enquanto as mais robustas vêm como um bloco retangular de aproximadamente 2 polegadas quadradas (1858 cm^2) montado em chassi.[24]

Alternativamente, você pode comutar cargas CA com um relé comum, energizado a partir da lógica. No entanto, certifique-se de verificar as especificações, porque a maioria dos pequenos relés acionados por lógica não pode acionar cargas CA pesadas, e você pode ter que usar um MOSFET ou um relé de lógica para acionar um segundo relé maior. A maioria dos relés de estado sólido usa comutação de "cruzamento zero" (ou "tensão zero"), que é na verdade uma combinação de ligar com tensão zero e desligar com corrente zero; é uma característica desejável que impede que picos e ruído sejam transferidos para a linha de alimentação. Grande parte do "lixo" na rede elétrica CA vem de controladores de triacs que não comutam no cruzamento zero, por exemplo, dimmers de controle de fase utilizados em lâmpadas, banhos termostáticos, motores, etc. Como uma alternativa para o acoplamento óptico usado internamente no circuito I, às vezes você vê um transformador de pulso usado para acoplar pulso de disparo para um triac ou um SCR.

12.4.4 Proteção de Chaves de Potência

Nestes exemplos de chaves evitamos um tema importante: ao acionar cargas de potência, você deve se preocupar com qualquer um das diversas "condições de falha" possíveis, como, por exemplo, uma carga em curto-circuito. Isso pode acontecer mais facilmente do que você poderia esperar, especialmente com cargas externas fixadas por meio de conectores e cabos. Sem alguns circuitos de proteção, o MOSFET é facilmente (e rapidamente) destruído, talvez levando consigo alguns circuitos adicionais. Vamos dar uma olhada mais de perto nesse assunto.

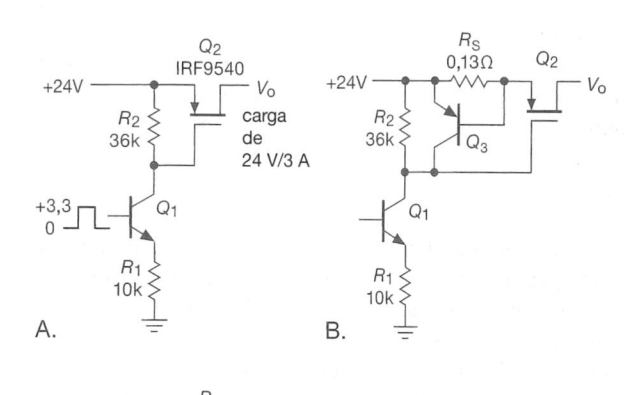

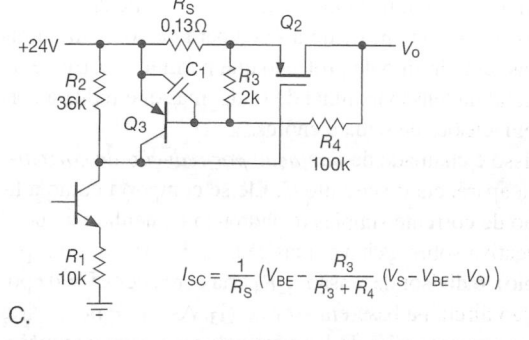

$$I_{SC} = \frac{1}{R_S}\left(V_{BE} - \frac{R_3}{R_3 + R_4}(V_S - V_{BE} - V_O)\right)$$

FIGURA 12.45 Limitação de corrente da chave de comutação para a fonte: A. nenhuma proteção; B. limite de corrente fixa de 5 A; C. limitação por redução de corrente.

---

[24] Com o SSRs de alta corrente, a queda de tensão diferente de zero pode produzir muita dissipação de potência, exigindo dissipadores de calor substanciais. Por exemplo, o HD60125 de 125 A, com a sua queda de 1,7 V, dissipa um pouco mais de 200 W com carga total! Isto é preocupante: apesar do apelo dos SSRs de não ter partes móveis, você pode concluir que relés mecânicos não são tão ruins, afinal.

A Figura 12.45 mostra três versões de uma chave de potência pMOS que comuta para a fonte, que se destina a uma carga com retorno ao terra que consome 3 A quando alimentada pela sua tensão especificada de +24 V. Em todos os três circuitos, o transistor *npn* Q_1 converte a entrada de nível lógico de +3,3 V em uma corrente de absorção de 0,27 mA, o que gera um acionamento de porta de curso negativo de ~10 V para o MOSFET canal *p* de potência Q_2. O IRF9540 tem um R_{ON} máximo de 0,2 Ω neste acionamento de porta, de modo que há, no máximo, uma queda de 0,6 V em plena carga, ou uma dissipação de 1,8 W. Você dificilmente precisará de um dissipador de calor.

O que acontece se a saída entra em curto? No circuito A não há proteção, portanto, a corrente é limitada ou pela capacidade da fonte de +24 V, ou pela corrente de saturação de dreno de Q_2, o que for menor. Para este último, a folha de dados apresenta ~50 A (em $V_{GS} = -10$ V e $V_{DS} = 24$ V). Para esta aplicação de 3 A, é provável que a fonte de 24 V seja menos capaz do que isso – talvez seja capaz de fornecer de 5 a 10 A. Tomando o valor mais alto, e extraindo da folha de dados que $R_{ON} = 200$ mΩ a 25°C, temos I^2R_{ON}=20W de dissipação em Q2 (subindo para 30W a 100°C); uma situação nada satisfatória para um transistor que geralmente dissipa menos de 2W.

Então você diz, OK, vamos adicionar *limitação de corrente* (circuito B). Este é o circuito tradicional, com um resistor de detecção de corrente R_S dimensionado para gerar uma queda V_{BE} na limitação de corrente, colocando assim Q_3 em condução, reduzindo o acionamento de porta e impedindo que a corrente aumente ainda mais. É melhor definir o limite de corrente acima o suficiente da carga máxima normal, de modo que as variações no V_{BE} com temperatura não causem limitação prematura. Aqui o limite de corrente está ajustado em ~5 A. A boa notícia: temos uma limitação de corrente. A má notícia: isso torna as coisas piores para Q_2, cuja dissipação sobe para $I_{lim}V_{in}$=120W.

Então, você diz, OK, OK, o problema com uma limitação de corrente simples é que ela permite uma corrente de falha pelo menos igual à corrente máxima normal de carga, e isso com a plena queda de 24 V sobre o transistor chave. Em outras palavras, você sempre terá pelo menos 72 W de dissipação (24 V vezes 3 A) em um curto. Então, vamos implementar um circuito melhor, que *reduz* o limite de corrente quando vê a carga "puxando a saída para baixo"; em outras palavras, um circuito de proteção que permite a corrente de carga total na tensão nominal de saída, mas que reduz a corrente em tensões de saída menores.

Isso é chamado de *limitação por redução de corrente*, e tem a aparência do circuito C. Ele se comporta como a limitação de corrente simples quando não há nenhuma queda significativa sobre a chave; mas se a saída for aterrada (por exemplo), o divisor de tensão R_3R_4 cria cerca de 0,5 V de polarização direta na base-emissor de Q_3. Assim, é necessário apenas um pouco mais de 1 A para colocar Q_3 em condução, o que limita a corrente em um valor mais baixo e a dissipação

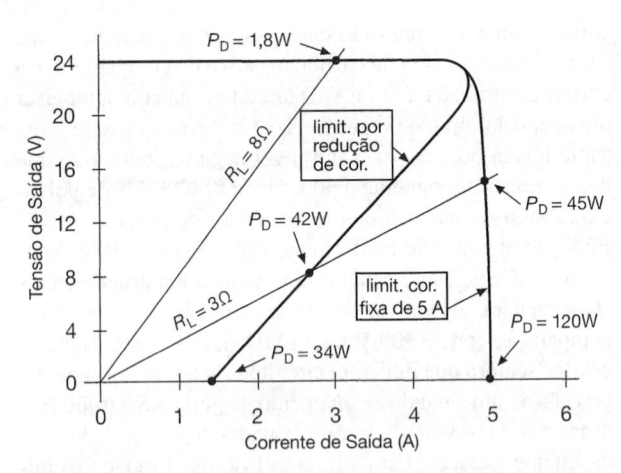

FIGURA 12.46 A limitação por redução de corrente diminui a dissipação da chave com a saída em curto por mais de um fator de 3 em comparação com a limitação de corrente simples.

para cerca de 30 W. É comum definir o limite de corrente de curto-circuito em algum ponto na faixa de 25 a 35% da corrente em plena carga. O capacitor C_1 fornece algum atraso antes de iniciar a limitação, ou redução, da corrente; uma constante de tempo de ~1 ms protege contra o retrocesso por excesso de zelo, mantendo a proteção.

A Figura 12.46 mostra a situação graficamente. Entre outras coisas, você pode ver que o pior caso de condição de falha (em termos de dissipação do transistor) ocorre para uma carga que tem uma pequena resistência (em vez de zero ohm). Isso porque o aumento da corrente de carga permitida mais do que compensa a diminuição da queda de tensão na chave. Mesmo com este esquema de redução de corrente, estamos mais uma vez confrontados com um enorme salto na dissipação da chave: de 1,8 W (máx) para uma carga normal, aumentando para 34 W em um curto e 42 W em uma condição de falha de carga de 3 Ω. E o circuito de redução de corrente tem suas desvantagens: se for feito suficientemente agressivo, pode impedir a inicialização em uma carga capacitiva grande ou outras cargas (como motores ou conversores CC-CC) que têm uma corrente de energização grande.

A. Uma Maneira Mais Fácil: Chaves Protegidas

O que fazer? Os circuitos de redução de corrente podem ser mais precisos,[25] por exemplo, substituindo Q_3 por um amplificador diferencial. E você pode moldar o contorno do limitador por redução de corrente, incluindo um zener no caminho da realimentação. Em seguida, use um dissipador de calor robusto, combinado com um sensor de temperatura para des-

---

[25] Nosso circuito sofre de incertezas em V_{BE}, o que é importante: a corrente de curto-circuito é definida pela *diferença* entre o V_{BE} real e os 470 mV que o divisor R_3R_4 cria durante a saída em curto-circuito.

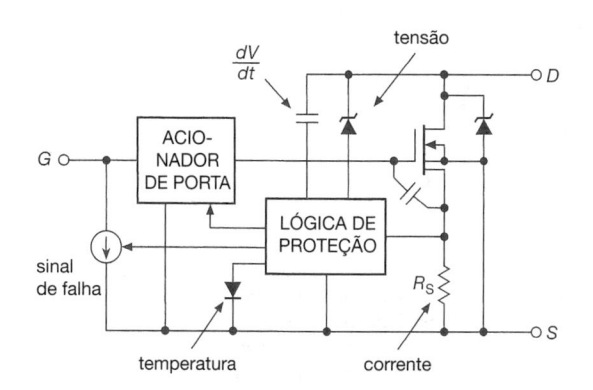

FIGURA 12.47 Um MOSFET protegido age como um transistor comum, mas inclui detecção de falha interna e circuito de desligamento.

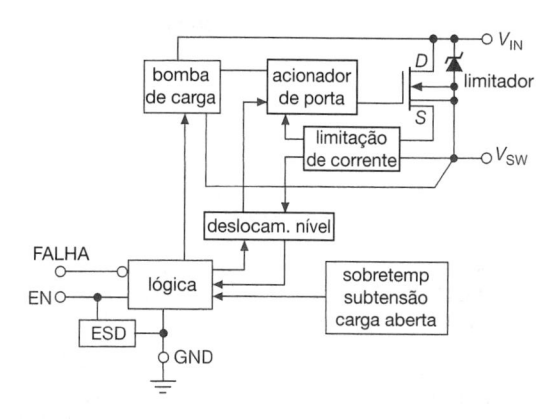

FIGURA 12.48 Chaves inteligentes de comutação para a fonte têm uma bomba de carga e circuitos de deslocamento de nível para acionar a porta canal *n* além da tensão de entrada do dreno; elas monitoram condições de falha protegendo contra sobretensão, sobrecarga e sobretemperatura.

ligar a alimentação quando houver aquecimento excessivo, e você pode fazê-lo funcionar de forma confiável.

Mas há uma maneira melhor, sob a forma de chaves protegidas "inteligentes". Uma variedade consiste em MOSFETs de canal *n*, associados com circuitos internos que detectam sobretensão, sobrecarga e superaquecimento, desligando o acionamento da porta por consequência (e fornecendo uma indicação na forma de resistência de entrada de porta reduzida). Estes dispositivos vêm em encapsulamentos de transistores de 3 terminais padrão, mas internamente eles têm um circuito integrado vigiando o MOSFET de potência (Figura 12.47). A Tabela 12.4 lista uma amostragem de dispositivos típicos.

Eles são adequados para qualquer aplicação em que você usaria um MOSFET de potência canal *n* de tensão relativamente baixa. Por exemplo, eles seriam bons para comutação para o terra de uma carga que retorna para uma alimentação positiva, como nas Figuras 12.42A, B; ou você poderia usar um para comutação de uma tensão negativa para uma carga com retorno para o terra, como na Figura 12.44D.

Entretanto, para uma aplicação de comutação como a nossa, você iria precisar de um MOSFET *canal p* protegido, um tipo que parece não existir. Para esta aplicação há outra variedade de chaves protegidas, destinadas especificamente para a comutação para a fonte: estas usam um MOSFET de potência canal *n*, adequadamente protegido, com uma bomba de carga interna e circuitos de deslocamento de nível para acionar a porta em ~10 V além da alimentação positiva – veja a Figura 12.48. Mais uma vez há detecção e proteção contra falhas de tensão, corrente e temperatura, às vezes respondendo também à subtensão, inversão de polaridade e perda do terra. Portanto, a nossa problemática do circuito de comutação de 3 A @ 24 V tem como solução o circuito mostrado na Figura 12.49: simples, barato e confiável.

A Tabela 12.5 lista as características de chaves protegidas de comutação para a fonte selecionadas.[26] Dentre elas, existem dois estilos de entrada lógica (Figura 12.50): uma versão aceita níveis lógicos digitais, em relação a um pino de terra; a outra não tem pino de terra, exigindo então que você extraia um pino de fornecimento de corrente para o terra com uma pequena chave externa. Este último modelo fornece um indicador da corrente de carga sob a forma de um pino de

TABELA 12.4 Alguns MOSFETs Protegidos[a]

Tipo	V_{DS} máx (V)	I_D máx (A)	R_{DS} máx (mΩ)	Q_g típico (nC)	Custo quant. 25 ($US)	TO-220	TO-252	SOIC	SOT-223
BTS3207	42	0,6	500	-	0,60	-	-	-	●
VNN1VN04	40	1,7	250	5	0,62	-	3	●	●
VNN3VN04	40	3,5	120	8,5	1,08	-	3	●	●
IPS1041	36	4,5	100	-	1,92	-	3	d	●
BTS117	60	7	100	s	1,97	3	-	-	-
VNN7VN04	40	9	60	18	0,90	-	3	●	●
VNP10N07	70	10	100	30	1,36	3	-	-	-
VND14NV04	40	12	35	37	1,89	3	3	●	-
BTS133	60	21	50	s	1,27	3	-	-	-
BTS141	60	25	28	s	4,81	3	-	-	-
VNP35NV04	40	30	13	118	4,67	3	-	-	-

Notas: (a) Todos são do tipo canal *n*, com limites de corrente e sobretemperatura ativos; todos exigem 5 V mín de acionamento de porta, e condições de falhas de sinal com excesso de corrente de porta; os tipos BTS têm *dV/dt* lento, enquanto que os tipos VN são mais rápidos, mas têm *dI/dt* controlado. (d) duplo. (s) taxa de variação limite de 1V/μs.

---

[26] Mas *cuidado*: o cenário das chaves inteligentes de comutação para a fonte é repleto de dispositivos descontinuados. É um segmento de mercado (pense em automóveis) saudável (mas competitivo), e novos dispositivos com melhor desempenho (e preços) são introduzidos constantemente. A Tabela 12.5 apresenta uma lista atual, e uma percepção de preço e desempenho que está disponível, mas você pode ter que procurar dispositivos equivalentes uma vez que estes se tornam obsoletos e são descontinuados.

TABELA 12.5 Chaves de comutação para a fonte selecionadas[a]

Tipo	Chaves	V_{in} (V)	V_{in} (V)	I_O máx (A)	R_{DS} típico (mΩ)	I_S típico (mA)	V_L mín (V)	t_{ON} típico (ms)	Custo quant. 25 ($US)	Entrada lógica?	Falha de saída	Limitador ativo?	Encapsu-lamento	Observações
FDG6323L	1	2,5	8	0,6	550	b	1,5	0,01	0,35	●	●	-	SC-70-6	acionador nMOS + pMOS na comutação para a fonte[b]
TPS22960	2	1,8	6	0,5	435	0,00	1,6	0,08	0,95	●	-	-	SOT-23-8	chave canal p
FPF2110	1	1,8	8	0,4	160	0,08	1,8	0,03	0,99	●	-	-	SOT-23-5	chave canal p
FPF2123[g]	1	1,8	8	1,5[c]	160	0,08	1,8	0,03	1,05	●	-	-	SOT-23-5	chave canal p
MIC2514	1	3	14	1,5	900[d]	0,08	2,3	0,01	1,90	●	-	-	SOT-23-5	chave canal p
STMPS2151	1	2,7	6	0,5	90	0,04	2,2	1	0,81	●	●	-	SOT-23-5	
AP2156	2	2,7	5,5	0,8	100	0,09	2,2	0,6	0,85	●	2	-	SOP-8	alimenta porta USB
TPS2041	1	2,7	5,5	0,7	80	0,08	2,2	2,5	2,59	●	●	-	DIP-8	
BTS452	1	6	62	1,8	150	0,8	2,5	0,08	1,97	●	●	●	TO-252-4	
BTS410	1	4,7	65	2,7	190	1,0	2,5	0,10	3,15	●	●	●	TO-220-5	veja também o BTS462T
BTS611	2	5	43	2,3	200	4	4	0,20	3,17	●	1	●	TO-220-7	
IPS511	1	6	32	5	135	0,7	3,3	0,05	1,76	●	●	●	TO-220-5	
FPF2702	1	2,8	36	2[h]	88	0,09	0,8	2,7	2,10	●	●	-	SO-8	limite de corrente ajustável
IPS6031	1	6	32	16	60	2,2	3,6	0,04	2,52	●	●	●	TO-220-5	
BUK202-50Y	1	5	50	20	28	2,2	3,3	0,14	4,16	●	●	●	TO-220-5	
BTS432	1	4,5	63	35	30	1,1	2,7	0,16	4,85	●	●	●	TO-220-5	
BTS6142	1	5,5	45	25	12	1,4	n	0,25	2,65	n	e	●	TO-252-5	$I_S = I_L$ / 10k (±20% em 30A)
BTS6133	1	5,5	38	33	10	1,4	n	0,25	3,97	n	e	●	TO-252-5	$I_S = I_L$ / 9,7k (±10% em 30A)
VN920	1	5,5	36	30	16	5e	3,6	0,10	3,10	●	●	●	TO-220-5	
BTS442	1	4,5	63	70	15	1,1	2,7	0,35[f]	5,37	●	●	●	TO-220-5	
IPS6011	1	6	35	60	14	2,2	3,3	0,07	4,40	●	●	●	TO-220-5	
BTS6144	1	5,5	30	37	9	2,2	n	0,30	4,77	n	e	●	TO-220-7	$I_S = I_L$ / 12,5k
BTS555	1	5,0	44	165	1,9	0,8	n	0,6[f]	5,80	n	e	●	TO-218-5	surto de até 480 A, $I_S = I_L$ / 30,2k

Notas: (a) todas são chaves canal n, com bombas de carga, a não ser quando identificada; todas têm proteção contra sobrecorrente e sobretemperatura. (b) par transistor, não inteligentes, adicione seus próprios resistores de fonte e porta. (c) ajustável de 0,15 a 1,5A. (d) em 12 V. (e) um pino sinaliza corrente de carga e falhas. (f) máx. (g) desliga após 10ms, tenta a cada 160ms depois disso. (h) ajustável de 0,4 a 2A. (n) Requer fechamento por MOSFET para GND, que absorve I_S.

"detecção de saída" que origina uma corrente aproximadamente proporcional à corrente de carga.

12.4.5 Interfaceamento LSI nMOS

A maioria dos circuitos LSI e VLSI têm acionadores de saída CMOS verdadeiros, com variações completas de trilho a trilho e com praticamente as mesmas propriedades de interface como as portas lógicas CMOS que acabamos de discutir. Isto é invariavelmente verdadeiro para CIs que operam a partir de

FIGURA 12.49 Problema resolvido! Uma chave integrada de comutação para a fonte inteligente oferece uma solução simples e confiável.

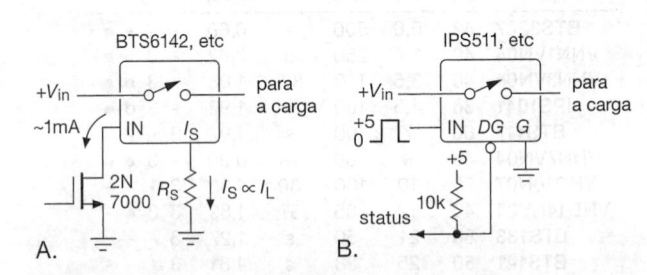

FIGURA 12.50 Dois esquemas de controle para chaves inteligentes de comutação para a fonte. A. Sem pino de "terra": habilita ao puxar a entrada para o terra; a corrente de saída é informada via pino I_S que fornece corrente proporcional. B. acionamento por tensão de nível lógico com relação ao pino terra; saída de status ativa em nível BAIXO informa condição de falha. Esta é a configuração mostrada na Figura 12.48.

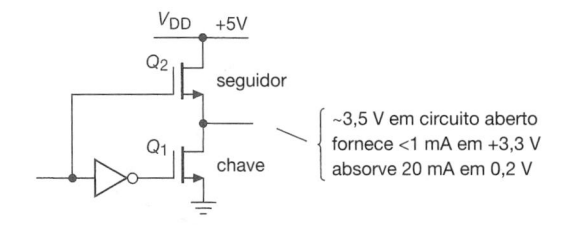

FIGURA 12.51 Lógica NMOS com circuito de saída na configuração *totem pole*. A tensão de saída de estado alto V_{OH} é de cerca de 3,5 V, com pouca capacidade de fornecimento de corrente.

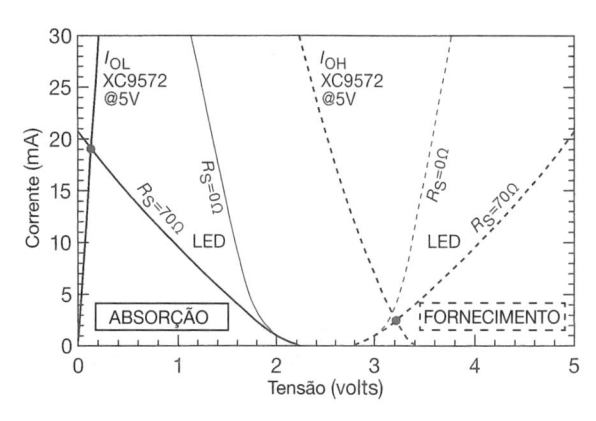

FIGURA 12.52 Acionamento de um LED branco com uma saída nMOS. A série de cPLDs de 5 V XC9500 proporciona de qualquer modo uma boa absorção para o terra, mas com um fornecimento de corrente mais fraco, e isso apenas em ~3 V. Aqui usamos linhas de carga (ver Apêndice F) para estimar a corrente do LED para as configurações de absorção e fornecimento (indesejável), em cada caso, com e sem um resistor limitador de corrente em série. (Veja a Figura 2.8.)

tensões de alimentação de +3,3 V ou menos. No entanto, ainda existem CIs úteis projetados para operação com fonte de 5 V que usam um estágio de saída "*totem-pole*" com MOSFET canal *n* (seguidor nMOS no topo de uma chave nMOS; veja a Figura 12.51), produzindo assim uma tensão de saída de nível ALTO de apenas ~3,5 V, mesmo que com quase nenhuma capacidade de fornecimento de corrente; você precisa saber sobre esse comportamento peculiar. (O mesmo vale para as saídas TTL bipolar, construídas com transistores *npn* no mesmo tipo de configuração *totem pole*.) Enquanto estamos no assunto, vamos dar uma olhada também em um estágio de *entrada* nMOS típico, ainda amplamente utilizado em CIs que podem operar em uma faixa de tensões de alimentação, mantendo um limiar lógico de entrada que atende às especificações TTL canônicas (isto é: nada menos do que +0,8 V é interpretado como nível BAIXO; qualquer coisa acima de +2,0 V é nível ALTO).

A. Saídas nMOS e TTL

O problema com uma saída nMOS ou TTL é que sua saída de nível ALTO, estando em ~3,5 V, é inadequada para acionar cargas como LEDs ou relés; e nem mesmo pode acionar legalmente uma entrada de dispositivo lógico HC em 5 V (com seu limiar em meados da fonte). Tomando o exemplo da família XC95xx de cPLD da Xilinx tentando acionar um LED branco brilhante, a Figura 12.52 mostra graficamente o problema: as curvas tracejadas mostram a situação da saída em nível ALTO, onde a corrente fornecida pelo cPLD, em função da queda de tensão, cai a zero em torno de 3,4 V. Podemos descobrir o que vai acontecer se usarmos essa saída para acionar um LED branco cujo catodo (terminal "−") é aterrado, plotando no mesmo gráfico a "linha de carga" do LED; fizemos isso para um resistor em série de 70 Ω, e para a situação sem resistor. De qualquer maneira temos sorte de obter 4 mA de corrente no LED, e sem qualquer confiança no resultado. Contraste isso com a configuração de *absorção* (a saída da cPLD conectada no catodo do LED e o anodo em +5 V através de um resistor em série), onde a saturação limpa da saída em nível lógico BAIXO produz um robusto e previsível ~20 mA de acionamento com o resistor em série (nem sequer *pense* em omitir

o resistor!). Os resultados com uma estrutura de saída TTL bipolar são análogos (embora com uma corrente fornecida consideravelmente menor).

A lição é clara: ao acionar cargas exigentes diretamente a partir de saídas nMOS ou TTL, configure as coisas de modo que a saída no estado BAIXO faça o trabalho pesado.

Se você insistir em acionar uma carga que retorna ao terra a partir de uma dessas saídas fracas, você tem várias opções. O caminho *errado* é dizer "hum, eu vou adicionar um seguidor de emissor para aumentar a corrente" (Figura 12.53). Boa tentativa, mas a queda V_{BE} adicional só piora as coisas. A Figura 12.54 mostra várias maneiras que funcionam. No circuito A, o nível BAIXO da saída nMOS absorve 2 mA, que aciona o transistor *pnp* colocando-o em condução intensa; você pode usar um resistor discreto além do transistor, ou uma combinação "transistor digital" (também conhecida como "transistor pré-polarizado" ou "transistor polarizado por resistor") como o DDTA123, bom para corrente de carga de até 100 mA.[27] O circuito B substitui um MOSFET canal *p* de baixo limiar (R_{ON} < 100 mΩ em $V_{GS} = -2,5$ V), com um resistor *pull-up* moderado para assegurar que a saída em nível ALTO mantém o transistor OFF. O circuito C engana um pouco, com a interposição de um inversor CMOS (ou *buffer* não-inversor) com níveis de entrada compatíveis com TTL (portanto compatíveis com nMOS). A saída pode facilmente acionar uma carga de 5 V, fornecendo (ou absorvendo) dezenas de miliamperes de corrente (veja a Figura 12.7). Para obter mais capacidade, você pode substituir por um acionador de porta de MOSFET como a série muito usada TC4420 (circuito D), que também permite aumentar a va-

---
[27] Ou as mais de 300 alternativas em estoque na DigiKey, de sete fabricantes.

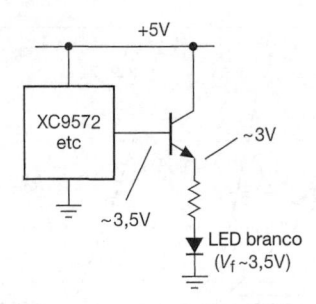

FIGURA 12.53 Não faça isso! A baixa tensão de saída de nível ALTO de um dispositivo nMOS ou TTL é reduzida ainda mais pelo seguidor *pnp* – teremos um LED *preto* (apagado).

riação de saída até +18 V; esses dispositivos trabalham com folga fornecendo ou absorvendo centenas de miliamperes (veja a Figura 12.7 novamente).

B. Saídas CMOS Fracas

Problemas de acionamentos semelhantes podem surgir mesmo com verdadeiras saídas trilho a trilho CMOS. Por exemplo, olhe para a curva de fornecimento de corrente do PIC16F (saída em nível ALTO) na Figura 12.8. Podemos usar a técnica gráfica de reta de carga similar para ver como uma saída se comporta quando aciona uma carga como uma chave *npn* com resistor de base em série (Figura 12.55), que você pode usar para ligar uma bobina de relé de 3 V (por exemplo, o TXS2-3V da Panasonic, que exige 16,7 mA). As retas de carga são desenhadas para várias opções de resistor de base, o que nos permite estimar a corrente de base resultante da interseção com a curva de saída de nível ALTO do popular microcontrolador PIC10F. Aqui um

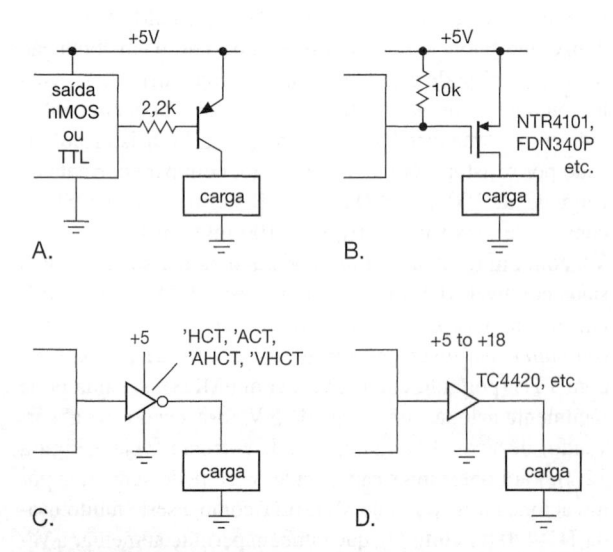

FIGURA 12.54 Estas saídas lógicas nMOS estão acionando cargas que retornam ao terra.

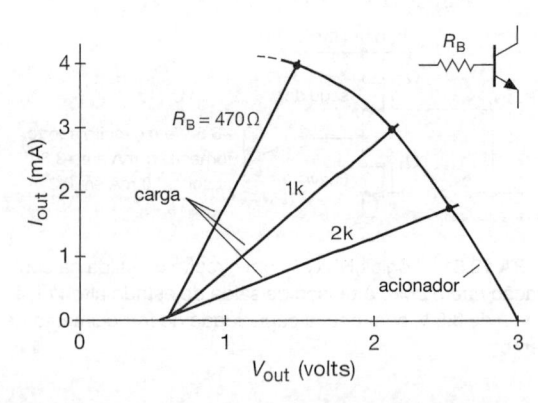

FIGURA 12.55 Uma saída CMOS fraca (aqui um microcontrolador PIC10F, V_{DD} = 3 V) pode comutar um transistor "acionador de relé" como o DRDNB16W (que inclui um resistor de base em série de 1k e um diodo limitador). Ou você pode usar o DRDN005, que não tem resistor, com um resistor de base externo. Considere também um "transistor digital" de 3 pinos de baixo custo que inclui um resistor de base integrado.

resistor em série de 2 kΩ produz cerca de 1,7 mA de acionamento de base, que (de acordo com a folha de dados do transistor) faz com que o coletor sature a menos de 50 mV com a bobina do relé como carga. Isso é ótimo – menos de um miliwatt de dissipação do transistor. Mas se você quisesse acionar um relé mais robusto, por exemplo, o G6RL-1A-3VDC da Omron, que tem contatos especificados para 8 A/250 V CA, você teria que lidar com a resistência de 41 Ω da bobina de 3 V CC, ou uma corrente de bobina de 73 mA. Agora um resistor de base de 1 kΩ (ou menor) seria melhor: um acionamento de base > 3 mA produz uma tensão de saturação do coletor de ∼100 mV, ou 10 mW de dissipação do transistor.

C. Entradas nMOS

Você poderia pensar que o nMOS está morto, nas mãos dos vitoriosos CMOS. Mas você estaria errado: muitos CIs digitais que precisam operar em uma ampla faixa de tensões de alimentação usam o circuito de entrada simples da Figura 12.56. Q_1 é um inversor, e Q_2 é um seguidor de fonte de geometria pequena que fornece uma corrente *pull-up* (resistores ocupam muito espaço, portanto, MOSFETs são universal-

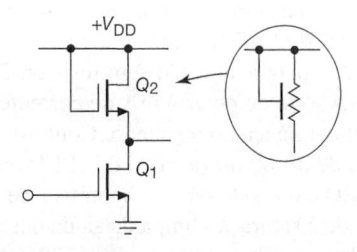

FIGURA 12.56 Circuito lógico de entrada NMOS.

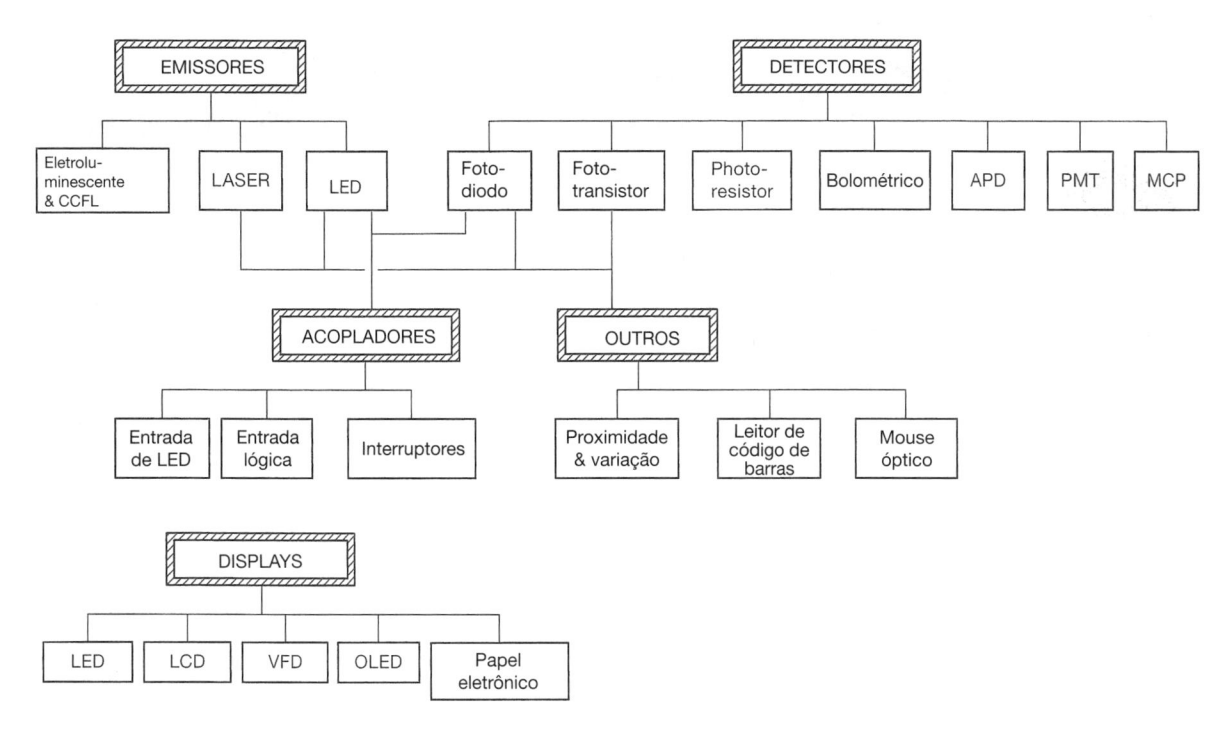

FIGURA 12.57 Classificação de Optoeletrônicos.

mente usados como cargas de dreno); o símbolo alternativo mostrado para Q_2 é amplamente usado. A tensão de limiar do transistor de entrada está na faixa de 1 a 1,5 V, totalmente compatível com a especificação de longa data dos "níveis de entrada TTL". Um exemplo clássico de um CI que funciona dessa forma é um acionador de porta de MOSFET como o TC4420 (e seus muitos similares), que opera a partir de uma fonte simples positiva $+V_{DD}$ na faixa de 4,5 a 18 V. Felizmente, essa entrada aceita praticamente qualquer nível lógico ALTO que você colocar nela (incluindo até a fonte positiva elevada) enquanto consome essencialmente uma corrente de entrada zero.

12.5 OPTOELETRÔNICOS: EMISSORES

Nos três capítulos anteriores, temos utilizado os indicadores LED e displays numéricos de LED em vários contextos de circuito conforme precisávamos deles. Os LEDs pertencem ao domínio geral da *optoeletrônica*, que inclui também displays baseados em outras tecnologias, especialmente cristais líquidos ("LCD") e de descarga de gás. Ela também inclui produtos eletrônicos ópticos utilizados para fins diferentes de indicadores e displays: detectores (fotodiodos e fototransistores), fotomultiplicadores, detectores de matriz, tais como "dispositivos de carga acoplada" (CCDs), isoladores acoplados de luz ("optoisoladores"), relés de estado sólido, sensores de posição e proximidade ("interruptores" e "sensores reflexivos"), diodos lasers, intensificadores de imagem e uma variedade de componentes utilizados em fibra óptica.

Embora continuaremos a evocar diversos dispositivos mágicos conforme precisarmos deles, este parece ser um bom momento para abordar a área da optoeletrônica, uma vez que ela está relacionada com os problemas de interface lógica que acabamos de discutir.

Para definir o cenário, apresentamos uma breve classificação da optoeletrônica na Figura 12.57 e nos tópicos a seguir. Tentamos ser abrangentes, para oferecer uma perspectiva e orientação. Uma família precisa de um *retrato*, então juntamos uma coleção de dispositivos optoeletrônicos de nosso laboratório para as Figuras 12.58, 12.71, 12.80, 12.84 e 12.95. Nas seções a seguir, vamos olhar para um subconjunto desses dispositivos, focando nos dispositivos e técnicas que são mais importantes para os circuitos do dia a dia e projetos de instrumentos.

12.5.1 Indicadores e LEDs

Instrumentos eletrônicos são mais bonitos e mais divertidos de usar se tiverem pequenas luzes coloridas sobre eles. LEDs têm substituído todas as tecnologias anteriores (especialmente as lâmpadas incandescentes) para esta finalidade. Você pode obter indicadores vermelhos, amarelos, verdes, azuis e brancos, em vários encapsulamentos, cujos mais úteis são (a) as luzes de montagem de painéis e (b) os tipos de montagem em PCBs. Os catálogos apresentam uma desconcertante

FIGURA 12.58 Optoeletrônicos: emissores e displays. No centro e na frente estão os LEDs indicadores visíveis, nos tamanhos populares de 3 mm (T-1) e 5 mm (T-1 $\frac{3}{4}$). Os tamanhos do painel de montagem (alguns com suporte plástico de montagem), juntamente com matrizes e isolados para montagem em PCB. À esquerda estão três lasers vermelhos (sem revestimento, em encapsulamentos de metal de 3 pinos, e com acionador-regulador, em invólucro cilíndrico), alguns emissores de IR (infravermelho), um transmissor estilo ST de fibra óptica, e um LED branco de alta intensidade sobre um dissipador de calor de alumínio. À direita estão seis indicadores antigos incandescentes e uma lâmpada de néon NE-51. Ao longo da parte posterior estão os displays: 7 segmentos, gráfico de barras, matriz de pontos 5x7, matriz de pontos de 4 caracteres e hexadecimal com latch-descodificador-acionador.

variedade deles, diferindo principalmente no tamanho, cor, eficiência e ângulo de iluminação. Este último merece alguma explicação: um LED "transbordante" (ou "difuso") tem algumas coisas de difusão misturadas, então a lâmpada parece uniformemente brilhante sobre uma faixa de ângulos de visão; que normalmente é melhor, mas você paga um preço em brilho.

Se a especificação do "ângulo de meia intensidade" da folha de dados (ou "ângulo de visão") for, pelo menos, 90° (pode-se dizer "±45°") e, idealmente, 120° ou mais, vai parecer muito bom fora do eixo. A Figura 12.59 mostra uma comparação em um gráfico polar para LEDs com ângulos de visão de 30°, 60 ° e 120°. Ele mostra a intensidade relativa em função do ângulo de visão, normalizados para a intensidade unitária no eixo (isto é, 0°). Sem essa normalização, os gráficos para os LEDs de 60° e 120° iriam ficar dramaticamente menores, como mostrado no gráfico não normalizado da Figura 12.60.

Um LED parece eletricamente como um diodo, com uma queda direta passando de cerca de 1,5 V (vermelho) a 3,5 V (azul ou branco); eles utilizam semicondutores com uma banda proibida maior, e, consequentemente, uma queda direta maior do que o silício – veja a Figura 2.8 na página 76.[28] LEDs

de painel de montagem vêm principalmente com diâmetros de 3 mm e 5 mm (chamados T1 e T-1$\frac{3}{4}$, respectivamente), por vezes, com um suporte de montagem (veja a Figura 12.58). Indicadores de LED difusos do tipo painel típicos têm bom aspecto na corrente direta de 4 a 10 mA; em uma placa dentro de um instrumento geralmente você pode começar com 1 mA.

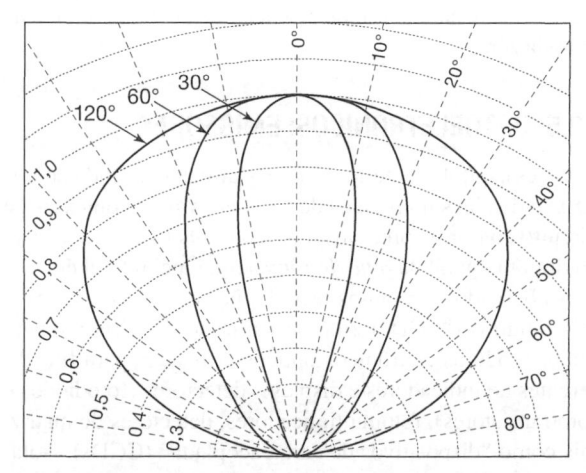

FIGURA 12.59 Intensidade em função do ângulo para três LEDs de painel com "ângulos de visão" especificados (de largura total a meia intensidade) de 30°, 60° e 120°, "normalizado" em cada caso para intensidade unitária no eixo. (*Conforme as folhas de dados da série TLHx460, 520, e 640 da Vishay*)

---

[28] Como um exemplo, para os LEDs de painel cujos padrões de iluminação são representados graficamente na Figura 12.59, a dependência da tensão direta V_F no comprimento de onda é dada aproximadamente por $V_F(\text{volts}) \approx 1000/\lambda + 0{,}02 I_F$, onde o comprimento de onda λ é em nanômetros, e a corrente direta IF está em miliamperes. O último termo representa uma resistência em série efetiva de 20 Ω.

FAMÍLIA DE OPTOELETRÔNICOS

I. EMISSORES

LEDs. Diodos emissores de luz (*Light-Emitting Diodes*) visíveis (vermelho, amarelo, verde, azul, branco) e de infravermelho (IR – *infrared*); diodo polarizado diretamente com V_F variando de $\sim$1 a 3,5 V, dependendo da cor; para montagem em painel e PCB; muitas configurações; disponível como displays.

Diodos laser. IR, vermelho e azul; transmissores de fibra óptica, ponteiros laser, equipamentos de CD/DVD/Blu-ray, leitores de código de barras.

Eletroluminescente. Luzes noturnas, *backlight* (luz posterior) de baixa potência "Indiglo"^{TM}.

II. DISPLAYS

Baseados em LED. 7 segmentos (numérico), matricial (caractere) e "inteligente" (com decodificador-latch); organizado como caracteres individuais ou como matrizes ("barra").

Baseados em LCD. (Display de Cristal Líquido). Apenas o LCD (padrão ou personalizado), ou "inteligente" baseado em LCD (decodificado com memória; paralelo e/ou com interface serial); apenas de caractere, de caractere mais gráfico configurável, ou totalmente gráfico; *backlight* transmissivo, ou "transflectivo"; qualidade variável (ângulo de visão e contraste).

À base de VFD. (display de vácuo-fluorescente). Emulação de LCD Inteligente, com a legibilidade superior; configurações personalizadas para usuários de alto volume.

OLED. (LED orgânico). Alternativa barata para LEDs semicondutores; gráficos, telas de telefone celular, etc.; tamanhos maiores para TV de tela plana melhor.

Papel eletrônico. Por exemplo, a tecnologia de microcápsula E-Ink® usada em e-books; retenção de imagem em potência zero, exceto durante o apagamento-reescrita.

III. DETECTORES

Fotodiodo. Diodo de junção *pn* (ou PIN, positivo-intrínseco-negativo); fotocorrente autogerada em um circuito curto (modo "fotovoltaico"), ou quando polarizado reverso (modo "fotocondutivo"); receptores de fibra óptica (velocidades até gigabits/s); as células solares são fotodiodos de grande área.

Matrizes. Linear (faixa); quádruplo; leitura proporcional; matriz de imagem completa (CCD; CMOS)

Integrado. Light $\rightarrow$ lógica; luz $\rightarrow$ tensão; luz $\rightarrow$ corrente; luz $\rightarrow$ frequência; par de detecção síncrona.

Fototransistor. Transistor com fotodiodo base-emissor; maior corrente (fator de β), porém mais lento; Fotodarlington, mais ainda.

Fotoresistor. Material linear-resistivo e sensível à luz (por exemplo, sulfeto de cádmio); resposta lenta.

Bolométrica. Material "piroelétrico" que apresenta variação de resistência grande com temperatura; detectores de movimento ("PIR", infravermelho passivo).

APD. (fotodiodo de avalanche) alta polarização reversa ($\sim$100 V) multiplica a carga coletada por fóton; pode operar de modo linear, ou na saturação ("modo Geiger").

PMT. (Fotomultiplicador.) Dispositivo de tubo de vácuo com um fotocatodo e matriz de "dinodos" de multiplicação de elétrons (ganho $\sim 10^6$); opera em $\sim$1 kV.

HAPD. (APD híbrido). Dispositivo de tubo de vácuo, combinação de fotocatodo e APD; opera em tensão $>$ 5 kV.

PMT pixelizado. PMT multi-anodo para imagem grosseira; matriz 4x4, 8x8.

Placa de microcanais. Dispositivo de tubo de vácuo, uma combinação de fotocatodo e matriz capilar de multiplicação de elétrons; um "PMT de imagem."

IV. ACOPLADORES

Entrada de LED. LED $\rightarrow$ fotodiodo; LED $\rightarrow$ fototransistor; LED $\rightarrow$ foto-Darlington; LED $\rightarrow$ FET (via pilha PV, "PV" = fotovoltaica); LED $\rightarrow$ fotoresistor; LED $\rightarrow$ SCR/triac (via pilha PV): um "relé de estado sólido"; LED $\rightarrow$ saída lógica (*pull-up* ativo, ou coletor aberto)

Entrada lógica. Entrada lógica $\rightarrow$ saída lógica

Interruptores. Com fenda, ou reflexivo.

V. OUTROS

Proximidade e variação. Emissor mais detector de posição ou intensidade: torneiras, dispensadores de papel toalha, desativação de monitor LCD... e seu iPhone (ele precisa saber que seu rosto não está tentando controlar o *touch-screen*).

Leitor de código de barras

Mouse óptico. LED ou emissor laser, além de detector inteligente.

A Figura 12.61 mostra maneiras simples de acionar indicadores de LED pequenos. Basicamente, você só precisa fornecer alguns miliamperes de corrente de operação através de sua queda de tensão direta (V_F). Isso é geralmente apenas um resistor em série de limitação de corrente de valor $R = (V_+ - V_F)/I_{LED}$, tipicamente de algumas centenas de ohms até alguns kΩ. Alguns indicadores de LED vêm com resistores limitadores de corrente internos (ou mesmo circuitos de corrente constante internos) – com estes você omite o resistor externo. Para correntes mais elevadas (grandes LEDs) utilize uma chave transistorizada, como nas Figuras 12.61 C-F.

Listamos alguns dos nossos indicadores de LED de painel favoritos na Tabela 12.6. Você pode vê-los na primeira fila da Figura 12.58.

Com a tendência para a lógica de tensão mais baixa, juntamente com a tensão direta mais elevada dos LEDs do tipo nitreto de gálio (usado em LEDs azuis, brancos e verde brilhantes – veja a Figura 2.8), você às vezes precisa de uma tensão de alimentação superior. Por exemplo, +3,3 V é uma tensão de alimentação popular, mas insuficiente para acionar

TABELA 12.6 LEDs para montagem em painel selecionados[a]

| | Apenas o LED (terminais sem isolação) | | Montagem integrada, entrada frontal[b] | | | |
| | | | terminais sem isolação curtos | | Fios soltos[c] | |
Cor	3mm (T-1)	5mm (T-1 3/4)	3mm	5mm	3mm	5mm
VERMELHO	TLHR4605	LX5093SRD/D	5111F1	5101H1	5110F1	5100H1
AMARELO	TLHY4405	LX5093LYD	5111F7	5101H7	5110F7	5100H7
VERDE	TLHG4605	TLHG6405	5111F5	5101H5	5110F5	5100H5
AZUL	LX3044USBD	LX5093USBD				

Notas: (a) todos são difusos, sem resistor interno. Fabricantes: 51xx = CML; TLHxxx = Vishay; LXxxx = Lumex, com prefixo SSL-. (b) Montagem frontal: T-1 tamanho do furo 5/32" (4,0 mm), T-1 3/4 tamanho do furo 1/4" (6,4 mm). (c) Isolado, bitola 24 AWG (0,2 mm²), 15 cm de comprimento.

um LED tipo GaN. Se você tem uma tensão de alimentação mais alta (por exemplo, +5 V) disponível, use uma chave de transistor com *pull-up* para essa tensão (Figuras 12.61E e F). Se você não fizer isso, vai precisar gerar a tensão necessária de alimentação do LED. A Figura 12.62 mostra alguns métodos.

Uma técnica preferida, particularmente para o acionamento de vários LEDs de uma só vez (por exemplo, uma sequência de quatro ou seis LEDs brancos para um *backlight*) a partir de uma tensão de alimentação baixa, é um conversor *boost* (elevador) de comutação não-isolada, com realimentação obtida de um resistor de detecção de corrente na parte inferior da sequência de LEDs (Figura 12.62A). Existem dezenas de escolhas a partir de muitos fabricantes; listamos alguns na figura. Esses dispositivos operam em tensões tão baixas quanto +1 V (ou seja, uma única célula), colocando para fora dezenas de miliamperes em 20 V ou mais, conforme o necessário para fornecer a corrente de operação dos LEDs, $I_{LED} = V_{ref}/R_{CS}$; e eles são muito eficientes, tipicamente 80% ou mais. Algumas variações incluem detecção do lado da fonte, detecção de corrente interna (Figura 12.62B), controle de intensidade linear, diodos Schottky internos e limitador zener interno.[29] Observe bem esse último: um limitador zener (D_Z na figura) é obrigatório se existe uma maneira da carga LED poder ser desconectada; caso contrário, a tensão de saída foge do controle e destrói o CI.

Você pode obter minúsculos LEDs individuais e matrizes de LEDs – barras de 2, 4 ou 10 LEDs em uma fileira – projetados para montagem PCB. Estes últimos são realmente destinados para leituras lineares em "*bar-graph*". Eles vêm em montagem vertical ou em ângulo de 90°. Você também pode obter indicadores de montagem em painel com vários LEDs coloridos em um encapsulamento transparente: vermelho/verde é barato e comum; você também pode obter um vermelho/azul/verde e amarelo/azul/verde.[30] Estes tornam o painel impressionante, com luzes mudando de cor para indicar condições boas ou ruins. Quando você liga mais de um LED, obtém uma "cor a mais," assim, por exemplo, pode-se gerar *amarelo* com vermelho mais verde, ou *branco* ativando vermelho mais azul mais verde. Você pode fazer isso comutando a cor do LED totalmente ON ou OFF; ou pode produzir níveis intermediários de acionamento para cada LED variando o ciclo de trabalho (percentagem de tempo ON) de uma forma de onda de comutação (PWM). LEDs multicoloridos vêm nas configurações de catodo comum (o terminal −) e anodo co-

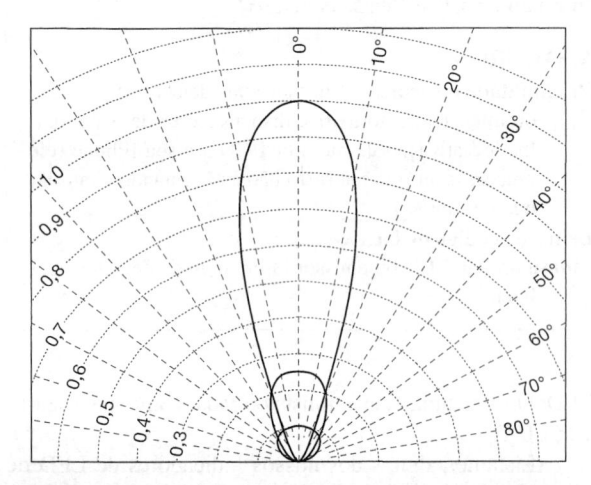

FIGURA 12.60 Há um preço a pagar na troca da agradável aparência de um LED difuso, com o seu ângulo de visão amplo. Aqui temos plotado a intensidade em função do ângulo (em relação à unidade de 30°) para os mesmos LEDs de painel tal como na Figura 12.59, usando valores de folha de dados. No entanto, ele não é tão ruim quanto parece, devido à sensibilidade logarítmica do olho.

---

[29] Além desses conversores *boost* (elevadores), você pode obter conversores *buck* (abaixadores) para o acionamento de LEDs a partir de uma fonte de tensão mais elevada; você pode obter conversores *buck-boost* que funcionam com tensão de alimentação maior ou menor que a tensão de saída que aciona a carga de LED. Apenas no site do DigiKey você já encontrará mais de mil variedades.

[30] LEDs Multicoloridos que incluem o azul custam significativamente mais e requerem tensões diretas de 3,5 V características dos LEDs do tipo GaN.

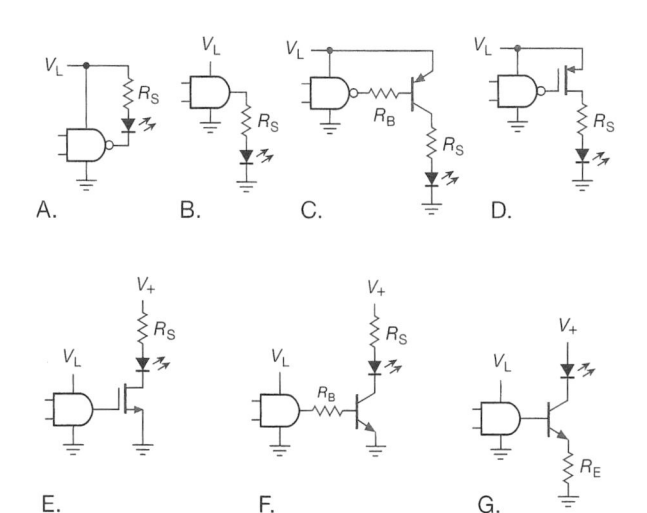

FIGURA 12.61 Acionamento de indicadores LED a partir de lógica – I: para LEDs com tensão direta V_F menor do que a tensão de alimentação lógica V_L, você pode utilizar as conexões simples nos circuitos A e B para fornecer alguns miliamperes. Para correntes mais elevadas, utilize uma chave de transistor, como nos circuitos de C a F (com V_+ conectada a V_L). Se você não tem uma tensão maior disponível (por exemplo, +5 V) pode usar os circuitos de E a G para acionar LEDs cuja tensão direta é maior do que a fonte do circuito lógico (por exemplo, acionar um LED branco a partir de uma lógica de +2,5 V). O circuito G fornece corrente de LED constante, desde que $V_+ \geq V_L + V_F$.

mum (o terminal +); LEDs de duas cores também vêm como diodos em antissérie em um encapsulamento de 2 pinos.

A. Exemplo: "Superlâmpada"

Graças à capacidade de inovação de Shuji Nakamura na tecnologia de GaN, os LEDs brancos alcançaram intensidades e eficiências impressionantes, e eles estão se tornando as alternativas preferenciais para lâmpadas incandescentes e fluorescentes para aplicações de iluminação. Tivemos uma sobra de dissipador de calor de CPU Intel e pensamos, "Hum, onde podemos aplicá-lo?". Em agradáveis LEDs brancos brilhantes, é claro!

A Figura 12.63 mostra o circuito: um oscilador 555 CMOS operando em 28 kHz (escolhido para estar acima da frequência audível) e configurado para um ciclo de trabalho de 0 a 100% (veja a Seção 7.1.3B) é usado para comutar um MOSFET de potência, gerando uma onda retangular de 12 V. Isso aciona quatro cordões de três LEDs brancos cada (Philips Lumileds "Luxeon Star", montado em cima de três dissipadores de calor de metal hexagonais) com resistores de 2 Ω para limitação de corrente, gerando uma corrente ON de ~700 mA por cordão. Um par de detalhes do projeto. (a) A frequência do oscilador é alta o suficiente para gerar uma quantidade modesta de "perda de comutação" durante os intervalos quando o MOSFET está transitando entre os estados

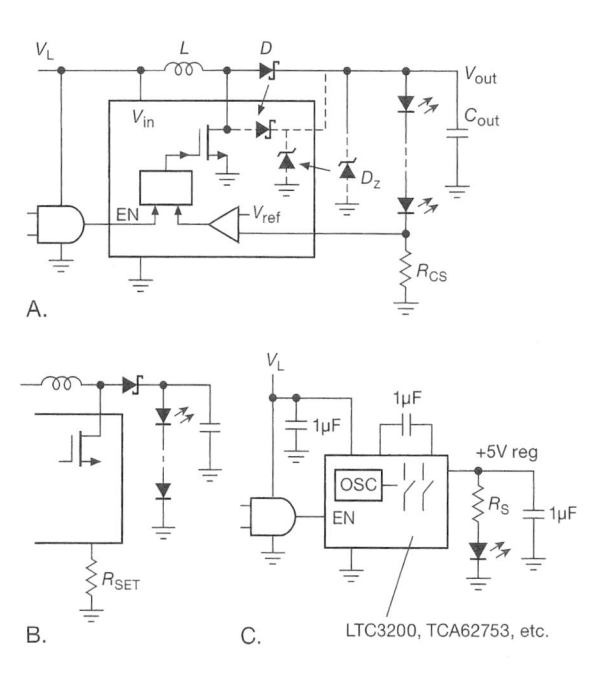

Nº identif.	V_{in}^a (V)	I_{out}^b max (mA)	C_{IN}/C_{OUT} min (µF)	V_{ref} (V)	D_Z max (V)	D	$ea (25pc)	Notas
FAN5331	2,7–5,5	35	4,7^c/1,6	1,22	20	ext	0,67	
TPS61041	1,8–6	30	4,7^c/1	1,22	24	ext	1,10	
LT1937	2,5–10	20	1/0,22	0,095	24	ext	2,70	
LT3465	2,7–16	20	1/0,22	0,20	30^d	int	3,00	controle lin.
LT3491	2,5–12	20	1/1	0,20^e	27^d	int	2,70	controle lin.
LT1932	1–10	30	2,2/1	int	32	ext	3,72	R_{set}

(a) V_{in} deve ser menos do que Vout. (b) em Vin (min). (c) típico. (d) interno. (e) R_s no lado da fonte, LED(s) retorna(m) para GND.

FIGURA 12.62 Acionamento de indicadores LED a partir de circuito lógico – II: há dezenas (talvez centenas) de conversores *boost* de comutação projetados especificamente para o acionamento de corrente constante de cordões de LEDs a partir de tensão de alimentação baixas, como nos circuitos A e B. Para um único LED você pode usar um regulador sem indutor (bomba de carga) dobrador (circuito C).

totalmente ON e totalmente OFF; a adição de um *buffer* de porta MOSFET (como o TC4420) reduz o tempo de comutação e, portanto, a perda, se isso fosse um problema sério (o que não é). (b) A utilização de uma resistência em série de limitação de corrente (em vez de uma fonte de corrente) em cada cordão de LED tem um efeito secundário interessante – cancela (aproximadamente) a redução de emissão de luz conforme o LED se aquece (se alguém se importa); isso é devido à tensão direta menor do LED (em altas temperaturas) provocar mais quedas sobre os resistores e, consequentemente, um aumento que compensa a corrente do LED. A compensação é quase perfeita para os valores mostrados.

Os visitantes se divertem com esta "luminária" fora do comum. Um deles salientou que nossa criação (Figura

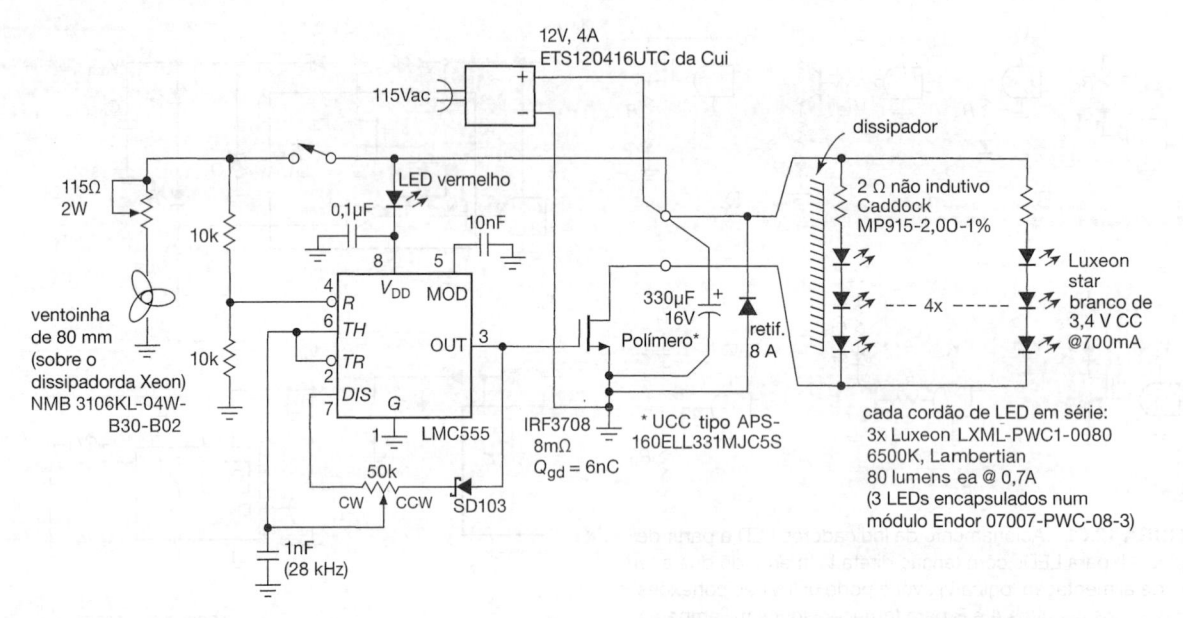

FIGURA 12.63 O nosso velho amigo, o 555, é o cerne desta luminária com controle luminoso PWM de 0 a 100%.

12.64), embora fascinante, está completamente ultrapassada pela brilhante "máquina de luz" da Enfis Limited; eles fazem matrizes de LED densas (por exemplo, o "quattro mini") que fornece tanto quanto 5.000 lumens de luz branca a partir de 144 LEDs de potência encapsulados em uma matriz de 2 cm x 2 cm (e suas outras cores fornecem tanto quanto 24 *watts* de luz a partir da mesma área[31]). Somos fiéis ao nosso dissipador de calor readequado. E os ~30 W de potência dissipada é brincadeira de criança para este dissipador de calor da Xeon, que foi projetado a lidar com quatro vezes mais potência; substituímos por um ventilador muito mais lento, e diminuímos a velocidade até quase não ouvi-lo.

B. Acionador Rápido de LED de Alta Corrente

Você pode acionar um LED com breves pulsos de corrente muito altos (muito acima de sua especificação contínua), por exemplo, em um aplicação que substitui uma lâmpada de flash, explorando a massa térmica do LED para absorver a energia. Para esta finalidade, você pode usar um resistor em série para definir a corrente (Figuras 12.62 e 12.63), mas um regulador de corrente ativo é melhor. Um exemplo é o LT3743 da LTC, que mostra suas proezas na Figura 12.65, onde ele está sendo instruído a dar saltos para 2 A e para 20 A. Mesmo

que o PWM esteja operando a 500 kHz, ele é capaz de comutar a corrente do LED em apenas 2 μs. Incrível... confira.

12.5.2 Diodos Laser

Faremos agora uma breve divagação sobre lasers de diodo semicondutor. Estes são o coração dos triviais apontadores laser de mão, objetos que já foram exóticos e caros, mas agora são comuns e ridiculamente baratos (5 dólares ou menos para um apontador laser vermelho). Eles também são muito comuns em dispositivos de armazenamento ópticos, como aparelhos de reprodução e gravação de CD, DVD e Blu-ray, bem como em transmissores de fibra óptica. Lasers vermelhos de baixa potência vêm como pequenos módulos com circuitos para operarem de 3 a 5 V (por exemplo, o VLM-650-03-LPA da Quarton); ou, para os mais aventureiros, pode-se obter apenas o diodo laser em um encapsulamento metálico de transistor de 3 terminais (veja a Figura 12.58). Estes incluem um fotodiodo monitor integral, que é utilizado como realimentação para regular a saída de luz através da corrente de excitação aplicada. A corrente de limiar na qual a ação do laser começa é um pouco variável, geralmente na faixa de 20 a 40 mA; acima desse limiar a saída de luz sobe rapidamente. Este comportamento é representado na Figura 12.66, um traço de osciloscópio da intensidade emitida em função da rampa linear de corrente do diodo laser. O feixe de saída emerge diretamente de um ponto minúsculo no chip semicondutor emissor de luz (GaAlAs para infravermelho), divergindo com um ângulo de cerca de 10 a 20°; ele pode ser colimado com uma lente para formar um feixe paralelo ou um pequeno ponto focal.

---

[31] Em aplicações mais próximas a nós, os LEDs brancos de alta intensidade são a substituição de lâmpadas incandescentes, refletores e luzes embutidas residenciais, oferecendo iluminação comparável a 1/5 da potência da tomada de parede CA e tempo de vida útil de 25.000+ horas; muitas destas lâmpadas estão sendo vendidas por aproximadamente 10 dólares. E a indústria automotiva tem tomado conhecimento disso, usando LEDs até para faróis (veja a série Lumileds Altilon).

FIGURA 12.64 Dissipador de calor de uma CPU de computador utilizada para resfriar uma luminária. Diminuímos a corrente para que você pudesse ver os quatro conjuntos de LED triplos, juntamente com os resistores de montagem em superfície de limitação de corrente. Em pleno brilho (1.000 lumens), você não consegue olhar para essa coisa! O circuito controlador de comutação da Figura 12.63 está alojado na caixa na parte inferior.

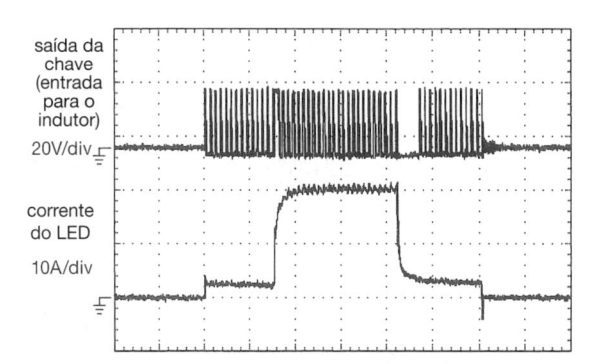

FIGURA 12.65 O acionador de LED de alta corrente LTC3743 usa a inteligência para permitir comutação de 2 μs ao longo de uma faixa de 3000:1 de controle de intensidade. Horizontal: 20 μs/div. (adaptado da folha de dados do LT3743).

(substituindo R_3, R_4 e Q_3). Aqui, a corrente de programação I_{prog} é uma onda triangular de 200 kHz com uma relação de 4:1 da corrente do pico para o vale; a saída do laser é precisamente proporcional. Note que a corrente de acionamento do laser tem um grande *offset* (todas as três formas de onda são posicionados em relação ao mesmo terra).

Este circuito é um exemplo simples, e não destinado a um alto desempenho. Os desafios reais vêm quando você está tentando modular um laser em centenas de megabits por segundo ou mais. Para isso, é melhor usar um CI projetado para uma modulação de laser rápida;[32] melhor ainda, basta comprar o módulo de laser+acionador como uma unidade completa (veja a Seção 12.8 sobre fibra óptica para alguns exemplos).

A Figura 12.69 mostra uma alternativa simples, se tudo que você quer é modulação de intensidade de uma fonte de luz laser em alguma frequência alta e não se importa muito

É fácil montar um circuito acionador decente, sem sequer recorrer à AOPs ou circuitos acionadores especiais. Basta comparar a corrente do fotodiodo monitor com um limiar, e ajustar a corrente de acionamento em conformidade. É uma boa ideia incluir um limite de corrente, para que você não queime o diodo; e você vai precisar disso para compensar a malha de realimentação para torná-lo estável. A Figura 12.67 mostra um circuito de acionamento "suficientemente bom": ele converte a corrente do monitor para uma tensão proporcional (comutável entre dois níveis por Q_3), em comparação com a tensão de referência de 1,2 V de um diodo compensado. Q_5 aciona o laser, com limitação de corrente através de Q_4. C_C e R_C compensam a malha, com valores finais "experimentados", como mostrado. Este circuito simples funciona muito bem a partir de 1 Mb/s.

Para tal controle ON/OFF você quase não precisa de toda a atividade da malha. Mas será necessário se você quiser um controle *linear* verdadeiro da intensidade do laser. A Figura 12.68 mostra as formas de onda para este mesmo circuito, com um coletor de corrente *npn* ligado no ponto X

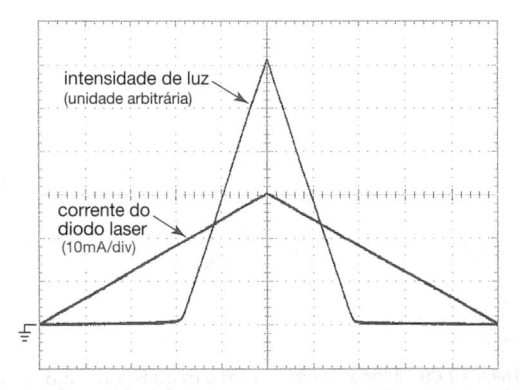

FIGURA 12.66 Saída do diodo laser a partir de um acionamento triangular de 0 a 30 mA. Horizontal: 100 μs/div.

---

[32] Por exemplo, a série MAX3735 da Maxim, a SY88722 da Micrel, ou a série ADN2870 da ADI. A série MAX3975 e a série 3930-32 alcançam 10 Gb/s; adquira o seu *Guia de Projeto de Fibra* (*Fiber Design Guide*) em www.maxim-ic.com/design_guides/.

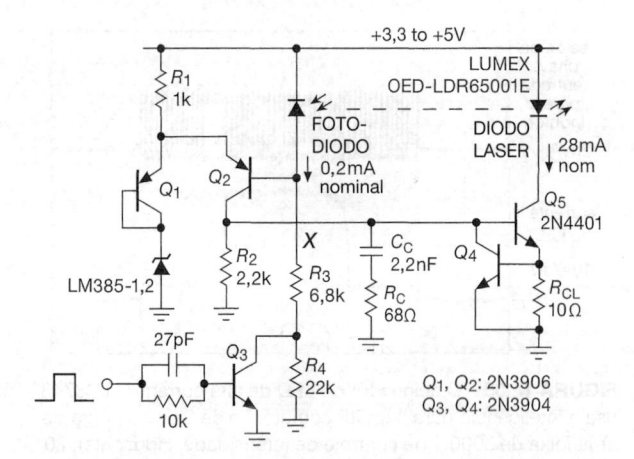

FIGURA 12.67 Circuito de acionamento de laser simples com realimentação do monitor de fotodiodo e controle de nível lógico.

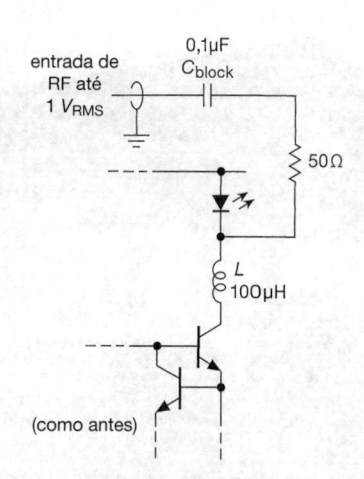

FIGURA 12.69 A adição de um capacitor de bloqueio, resistor em série de 50 Ω e indutor de isolação RF ao circuito de acionamento do laser da Figura 12.67 fornece uma entrada de modulação simples. Usamos este circuito com sucesso com frequências de modulação até ∼1 GHz.

com a linearidade ou com a resposta cair para CC. O sinal de entrada, bloqueado por C_{block}, sobrepõe uma variação de corrente de alta frequência no diodo de laser, polarizado em CC pelo circuito de realimentação da Figura 12.67. Escolha o capacitor de bloqueio para a frequência de modulação mínima (o valor mostrado é bom até ∼100 kHz), e não deixe de fazer um desvio efetivo da linha de alimentação. O indutor L isola a capacitância *shunt* do transistor, e deve ter uma reatância maior do que 50 Ω em todas as frequências de modulação. Para um bom desempenho, o indutor deve ser construído a partir de várias seções em série, inteligentemente projetado (na forma de uma "polarização em T," Figura 12.70), de modo que a autorressonância não produza uma impedância mínima baixa ao longo da faixa de frequência de interesse.[33]

12.5.3 Displays

Um *display* é um dispositivo optoeletrônico que pode mostrar um ou mais números (display "numérico"); ou o conjunto de dígitos hexadecimais (0-9 e a a f, "display hexadecimal"); ou qualquer combinação de letras, números e sinais de pontuação ("display alfanumérico"); ou, mais geralmente, qualquer gráfico que pode ser representado por uma matriz de pontos ("display gráfico").

As tecnologias de display dominantes (em tamanhos relevantes para instrumentos eletrônicos) são LEDs, LCDs, VFDs (displays fluorescentes de vácuo) e OLEDs (LEDs orgânicos). As Figuras 12.58 e 12.71 incluem exemplos de todos, exceto OLED.

Displays de LED são brilhantes, coloridos e disponíveis em grandes tamanhos; mas eles consomem muito e não

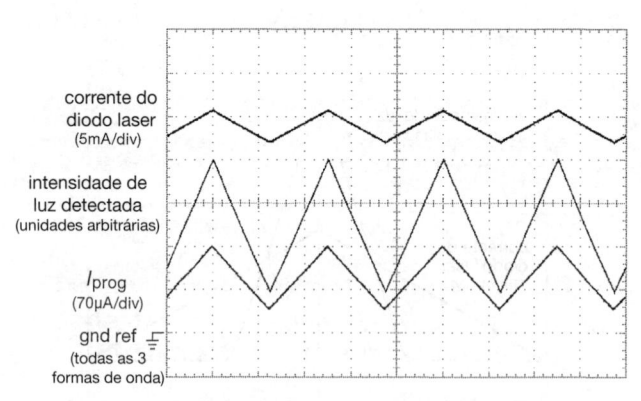

FIGURA 12.68 Linearização do circuito da Figura 12.67, substituindo os componentes abaixo "⊗", por um coletor de corrente *npn*: aqui uma corrente de programação triangular de 200 kHz com uma relação de 4:1 de pico para vale faz com que a corrente do laser desloque o necessário para produzir uma intensidade de saída proporcional de precisão. Horizontal: 2μs/div.

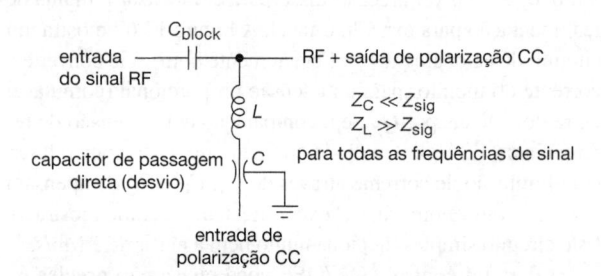

FIGURA 12.70 Uma "polarização em T" permite que você coloque uma polarização CC em um sinal (geralmente em radiofrequências) que é acoplado da entrada para a saída. As polarizações em T de prateleira são geralmente destinadas às impedâncias de linha de 50 Ω ou 75 Ω e elas usam um cuidadoso projeto de indutor para o bom desempenho ao longo de uma ampla faixa de frequências (0,2 MHz a 12 GHz para o ZX85-12G da Minicircuits, por exemplo).

---

[33] Em vez de suprimir ressonâncias dividindo tal indutor em várias seções, você pode enrolá-lo em uma geometria *cônica*: veja, por exemplo, a série GL de "Ultra Indutores de Banda Larga" da AVX. Estes têm um excelente desempenho de 1 MHz a 40 GHz.

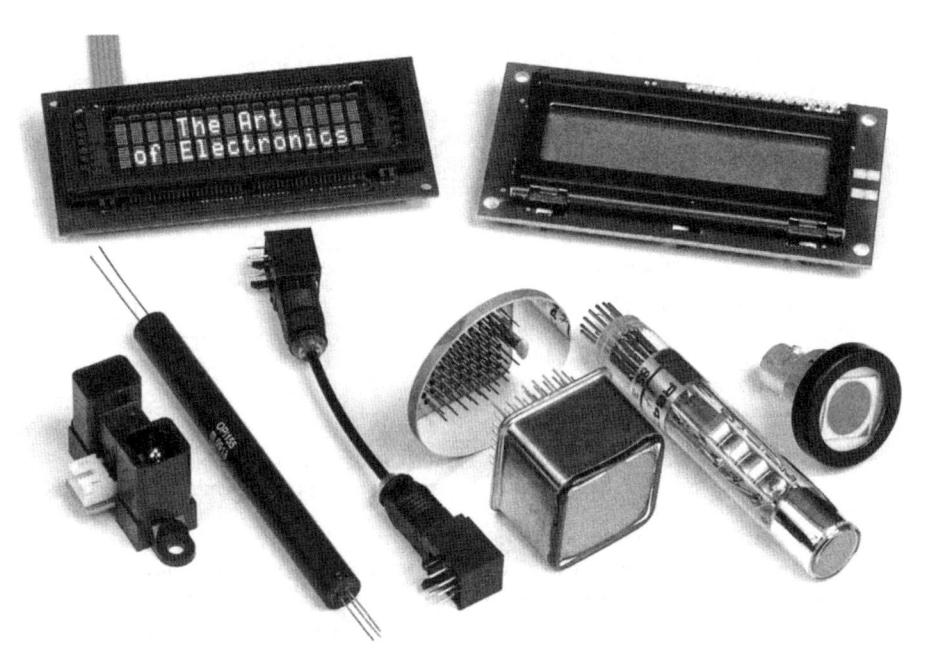

FIGURA 12.71 Uma coleção de dispositivos optoeletrônicos muito grande para caber nas Figuras 12.58, 12.80 e 12,84. Na parte de trás estão os displays inteligentes VFD e LCD (M0216SD-162SDARC-1 da Newhaven e DMC16207 da Optrex), o primeiro com uma interface serial de 3 fios. Na frente, da esquerda para a direita, estão um detector de proximidade/variação (a GP2Y0D02YK0F da Sharp), um optoisolador de saída lógica de 50 kV. (OPI155 da Optek), um isolador TOSLINK caseiro (TOTX/TORX177PL da Toshiba), um fotomultiplicador 8x8 multianodo (R5900-00-M64 da Hamamatsu), um PMT de 13 mm nas extremidades (R647 da Hamamatsu) e um detector de diodo PIN de 10 mm (PIN-10D da OSI/UDT).

são apropriados para gráficos. Displays LCD são bastante populares – eles são retangulares, monocromáticos com *backlight* (iluminação de fundo) que dão uma aparência amarelada ou azulada que comumente mostram uma ou duas linhas de 16 ou 20 caracteres cada. Dependendo da tecnologia, LCDs com *backlight* podem ser bastante legíveis no exterior ou em condições de iluminação ambiente alta ("transflectivo"), ou podem parecer simplesmente terríveis. LCDs destinados para uso sem iluminação traseira (reflexivos) parecem muito bons. A clareza e legibilidade fora do eixo dependem consideravelmente também da tecnologia de cristal líquido (matriz ativa *versus* matriz passiva; "nemático torcido" *versus* "nemático super torcido", e assim por diante). Além do *backlight*, displays de LCD podem operar com potências extremamente baixas (pense em um relógio de pulso digital); e você pode mandar fazê-los em formas e símbolos personalizados. Displays VFD são similares a seus primos LCD (e imitam sua interface), mas eles têm iluminação própria; achamos eles formidáveis.[34] Os preços de displays VFD estão agradavelmente caindo – por exemplo, o display alfanumérico "inteligente" de 2 linhas x 16 caracteres da Figura 12.71 custa 30 dólares em quantidades individuais; um de 1 única linha de 20 caracteres custa 7 dólares em quantidades individuais. OLEDs estão avançando, particularmente em tamanhos pequenos.[35] Eles provavelmente serão a tecnologia de display de tela grande do futuro (atualmente dominada por LCD e plasma), quando os custos de produção declinarem o suficiente para torná-los competitivos.

A. Displays de LED

A Figura 12.72 mostra as opções que você tem em displays de LED de um único caractere (e os mesmos leiautes são usados em displays de vários caracteres integrados). O display original de 7 segmentos é o mais simples e pode exibir os dígitos de 0 a 9 e a extensão hex (A a F), embora um pouco grosseiramente (as letras hexadecimais são apresentadas como "AbcdEF"). Você pode obter displays de 7 segmentos de um único caractere em várias cores e tamanhos, e em "barras" contendo 2, 3, 4, ou 8 caracteres (geralmente destinados a ser "multiplexados" – os caracteres são exibidos um de cada vez numa sequência rápida). Displays de um único caractere trazem terminais para os 7 segmentos e o eletrodo comum; os dois tipos são, portanto, "catodo comum" e "anodo comum."

---

[34] Alguns engenheiros se queixaram de que eles geram interferência de RF, e os evitam nas proximidades de circuitos sensíveis.

[35] Estamos particularmente impressionados com a incrível clareza dos pequenos módulos gráficos de OLED brancos (∼1", ou 2,54 cm) (disponíveis em fornecedores de artigos de passa tempo como a Adafruit, bem como de distribuidores padrão como DigiKey, Mouser e Newark.); eles podem ser operados a partir de uma única alimentação de +3,3 V, consumindo cerca de 20 mA, e se comunicam através de barramentos seriais SPI ou I^{2}C. Custam menos de 20 dólares em quantidades unitárias.

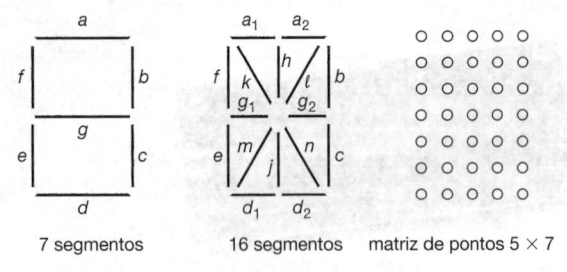

FIGURA 12.72 Leiautes de displays de LED.

Barras de caracteres múltiplos trazem um eletrodo comum de cada caractere, mas conecta os segmentos correspondentes juntos, que é o que você quer para a multiplexação. No entanto, se você quiser displays de vários caracteres, é geralmente melhor escolher um display denominado "inteligente": estes aceitam códigos de entrada para caracteres (ou símbolos gráficos), e eles fazem a sua decodificação, multiplexação e exibição internamente. Vamos chegar a eles em breve, na Seção 12.5.3A.

Displays "burros"

A Figura 12.73 mostra como acionar um display de LED catodo comum de 7 segmentos de um dígito. O 'HC4511 é um acionador-decodificador-latch de BCD para 7 segmentos" capaz de fornecer cerca de 10 mA, mantendo suas saídas ativas em +4,5 volts quando alimentado a partir de +5 V. Os resistores em série limitam a corrente de acionamento do segmento (para 2 mA ou 4,7 mA, respectivamente, com fonte de 3 V ou 5 V, considerando uma queda de LED típica de 1,5 V). Não tente ser esperto enfiando apenas um resistor no catodo comum (e por que não?). Você pode obter matrizes de resistores de valores iguais em convenientes encapsulamentos de uma única linha de pinos (SIPs – *single in-line packages*), nos tipos PTH ou SMD.

Você só precisa de um único chip acionador-decodificador, mesmo se você estiver exibindo vários dígitos, enquanto você multiplexa o display, ou seja, ilumina apenas um dígito exibido de cada vez. Você faz isso através da ligação da saída do acionador de segmento para todos os dígitos, aterrando então o catodo de cada dígito, por sua vez, informando simultaneamente o valor a ser exibido nas entradas do decodificador, D_0 a D_3. Retorne à Figura 10.90 (Seção 10.6.2) para ver como é feito em detalhes.

As Figuras 12.74 e 12.75 mostram como acionar displays de LED de um único caractere em configurações de 16 segmentos ou 5x7, respectivamente. Acionadores para estes displays geralmente consideram que você tem um microcontrolador em seu circuito em algum lugar, de modo que usam protocolos de entrada serial, tais como SPI (interface de periféricos seriais; veja a Seção 14.7.1). Eles incluem registradores de dados internos e acionadores de fonte de corrente

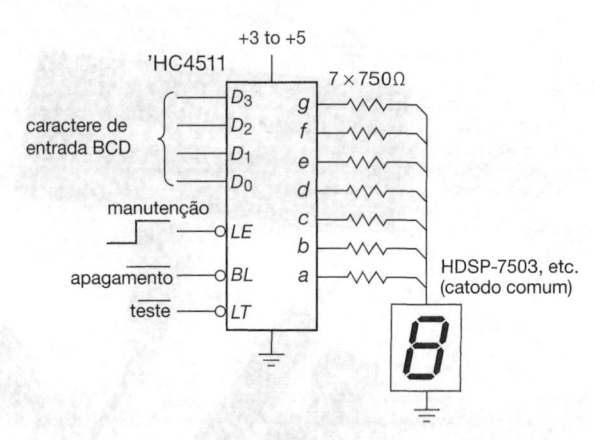

FIGURA 12.73 Acionamento de um único display de LED de 7 segmentos a partir de uma entrada lógica BCD (0 a 9).

programados por um único resistor externo. Observe que o acionador de 16 segmentos na Figura 12.74 não tem decodificador interno – ele apenas aciona os segmentos que você diz para ele. Portanto, o seu microcontrolador tem que descobrir quais segmentos acionar; o que não é grande coisa para estes dispositivos inteligentes, apenas esteja ciente. O acionador 5 x7 (mais inteligente) na Figura 12.75 não inclui um decodificador interno com memória de caractere predefinida.

Displays "Inteligentes"

Exceto em aplicações de alto volume, que são sensíveis ao custo, normalmente é uma ideia melhor escolher um display que integra um conjunto de caracteres (ou gráficos), com os decodificadores e acionadores incluídos. Estes vêm com LEDs, LCDs, VFDs ou OLEDs como display ativo.

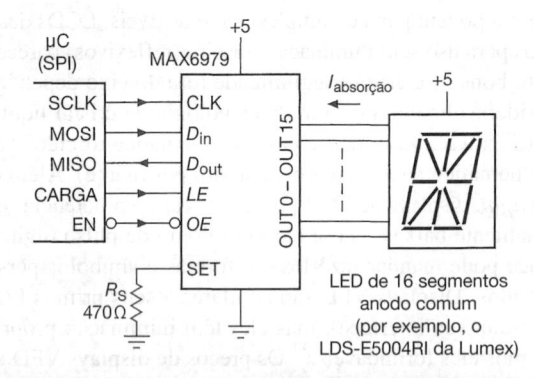

FIGURA 12.74 Acionamento de um único display de LED de 16 segmentos a partir de uma entrada de dados serial (SPI). Não há nenhuma tabela de caracteres pré-armazenados neste chip acionador particular; em vez disso, você começa a fazer seus próprios símbolos, enviando um nível ALTO ou BAIXO para cada segmento.

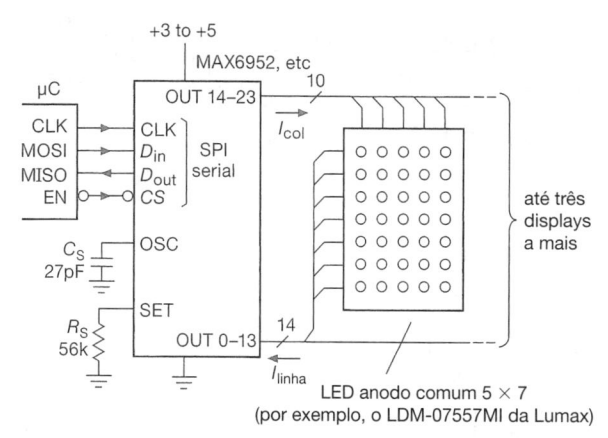

FIGURA 12.75 Acionamento de até quatro displays de LED matricial 5x7 a partir de uma entrada de dados em série (que também pode controlar o brilho e intermitência). Este acionador tem 104 caracteres pré-definidos armazenados internamente e permite que você crie mais 24.

LED de um único caractere. O primeiro dispositivo de display inteligente foi provavelmente o display de LED de matriz de pontos 5×7 que nos divertiu na década de 1970: você apresentava a ele um código de 4 bits e *via* (e armazenava) o resultado (Figura 12.76). Estes foram feitos pela HP e TI, e gostamos tanto que os incorporamos ao nosso curso de laboratório de circuitos eletrônicos, confiantes de que o seu preço de 15 dólares em quantidade unitária diminuiria satisfatoriamente ao longo do tempo. Isso não aconteceu, e esses dispositivos (ainda fabricados pela Avago Technologies, uma subsidiária de optoeletrônicos da HP) agora custam o dobro do preço em quantidades individuais.

LED de vários caracteres. Normalmente você deseja exibir pelo menos alguns caracteres: por isso existem barras de display inteligentes de quatro caracteres (nas cores de LEDs usuais) que são tão fáceis de usar quanto um display de um único caractere. A Figura 12.77 mostra uma destas, originária da HP (agora Avago), que está disponível por cerca de 15 dólares. Elas exibem um conjunto completo de

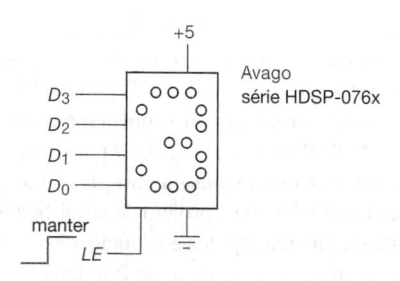

FIGURA 12.76 Display hexadecimal de LED com acionador-decodificador-*latch* integral. São bonitos e coloridos, mas caros.

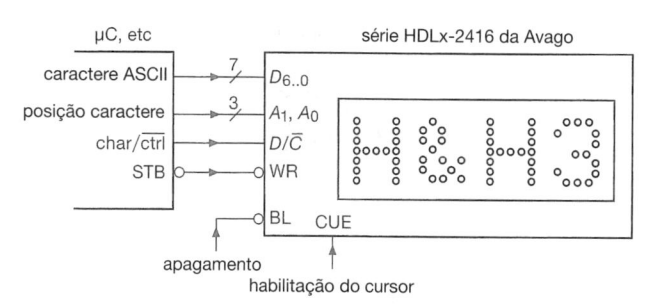

FIGURA 12.77 Por metade do preço daquele da Figura 12.76 você consegue uma "barra" de display de LED inteligente de quatro caracteres. E você pode exibir 128 caracteres ASCII com sua ROM de fontes interna.

caracteres (ASCII de 7 bits: alfabeto maiúsculo e minúsculo, números e símbolos), memorizado (*latch*) com um pulso WR' e enviado para a posição do caractere dada por um endereço de 2 bits (uma forma simplificada de "interface de barramento paralelo" que vamos aprender nos Capítulos 14 e 15). Existem funções adicionais de controle (cursor e escurecimento), escritas ao manter um nível BAIXO na entrada D/C' (que a folha de dados estranhamente chama CU', para "seleção" do cursor).

LCD/VFD/OLED de muitos caracteres. Como observamos anteriormente, a melhor maneira de mostrar uma ou várias linhas de texto é usar um módulo de "caractere" LCD, VFD ou OLED inteligente (mais inteligente) (Figura 12.78). Há muita concorrência,[36] com preços que começam em 10 dólares ou menos (para um LCD com *backlight* de 16×2 caracteres). Eles vêm em configurações padrão de 1, 2 ou 4 linhas, com 16, 20 ou 40 caracteres por linha. Eles incluem conjuntos de caracteres internos e muitos deles permitem que você os complemente com alguns caracteres personalizados (geralmente oito). Alternativamente, você pode escolher uma versão gráfica completa, que consiste em uma matriz de pontos (por exemplo, 64 × 260), que você programa como um bitmap. Isso pode ser uma tarefa árdua se você deseja exibir principalmente texto, por isso há combinações de unidades de texto-mais-gráfico que incluem um conjunto de caracteres pré-armazenados além da capacidade gráfica completa. Exemplos destes, escolhidos a partir de ofertas de uma empresa (Matrix Orbital, veja a Figura 12.79), são o LK162-12 (texto pré-armazenado, além de oito símbolos definidos pelo usuário), o GLK24064-25SM (gráficos completos, não há fontes internas) e o GLK12232-25-SM (escolha do texto

---

[36] Aqui está uma lista alfabética dos nossos fornecedores favoritos (Digikey, Mouser, Newark): Sistemas de 4D, Adafruit, AND Displays, Batron, Displaytech, Electronic Assembly, Everbouquet, Hantronix, Lumex, Matrix Orbital, Microtips, Newhaven Display, Optrex, Powertip, Trident, Varitronix, e Vishay/Dale.

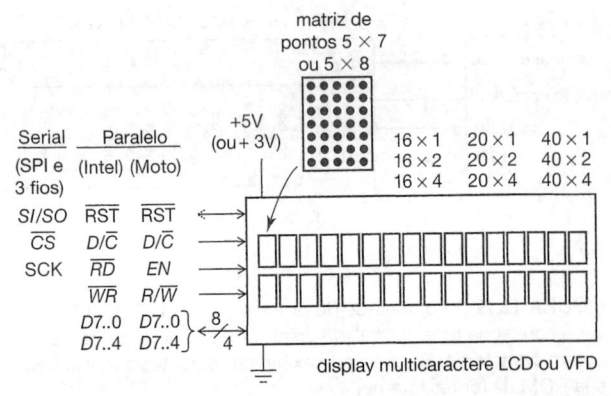

FIGURA 12.78 Melhor ainda, aproveite a onda popular com um display de barra de LCD ou VFD inteligente. Os arranjos de caracteres mostrados são padrão. E alguns (como aqui) têm as duas interfaces, serial e paralela.

FIGURA 12.79 Os códigos do display para um LCD alfanumérico "display inteligente" (série LK da Matrix Orbital) com um caractere padrão estabelecido além de oito caracteres configuráveis pelo usuário (CG RAM). Reproduzido com a permissão da Matrix Orbital.

pré-armazenado ou conjunto completo de símbolos definidos pelo usuário, além de gráficos completos).

Para apreciar plenamente o que estes módulos oferecem, é importante compreender que LCDs devem ser acionados por uma forma de onda CA; caso contrário, seu líquido interno é arruinado. Então chips acionadores de LCD normalmente têm alguma forma de gerar um acionamento de segmento por onda quadrada, sincronizada com a forma de onda do *backplane* (plano posterior) do LCD. Um exemplo é o 'HC4543, o similar ao acionador-decodificador-latch de LED de 7 segmentos 'HC4511. Outra complicação, é claro, é a necessidade de acionar continuamente a grande matriz de pontos com o padrão a ser exibido. Acrescente a isso a necessidade de uma interface que lhe permita alterar individualmente caracteres exibidos conforme o comando, ou para rolar a tela, ou avançar um cursor, e assim por diante, e você pode entender como as coisas podem ficar complicadas. Felizmente, os fabricantes entenderam isso, e, portanto, fornecem displays completos que são mais do que inteligentes; eles estão com certeza no nível de gênio.

Estes mostradores são invariavelmente usados em conjunto com um microcontrolador, o qual comunica através de uma interface simples. As barras de display LCD inteligentes originais usam uma interface paralela simples, com 8 bits de dados (tanto o caractere quanto as informações de controle dependem da linha data/control': D/C' na figura, mas tradicionalmente chamados de "RS") e algumas linhas de controle.[37] A maioria já oferece uma alternativa de barramento serial de 3 fios ou 4 fios, ou fornece as duas opções (selecionáveis por *jumper*) no mesmo display, como na Figura 12.78 (que ainda oferece uma escolha de protocolo paralelo "Intel" ou "Motorola", Seção 14.3).

Gostamos bastante desses displays; você pode ver ambos, LCD e VFD, na fotografia (Figura 12.71), este último apresentando uma alegria fluorescente na conclusão deste livro volumoso.

12.6 OPTOELETRÔNICOS: DETECTORES

A Figura 12.80 mostra uma seleção de detectores, a maioria dos quais são variações sobre um *fotodiodo* ou *fototransistor*. Vimos estes antes, no capítulo de AOP (Seção 4.3.1C), onde mostramos como usar um circuito conversor corrente-tensão simples com AOP ("transimpedância") para converter a fotocorrente para uma tensão de saída proporcional. Na Seção 8.11, trataremos em detalhe o projeto de amplificadores fotodiodo excepcionalmente rápidos e silenciosos.

Logo veremos o uso comum de fotodetectores no contexto de optoacopladores (também chamados de optoisoladores); e um pouco mais tarde vamos vê-los novamente em conexão com fibra óptica. Aqui simplesmente resumimos

---

[37] Eles permitem um modo de "*nybble*", em que os dados de 8 bits são enviados como duas quantidades sucessivas de 4 bits.

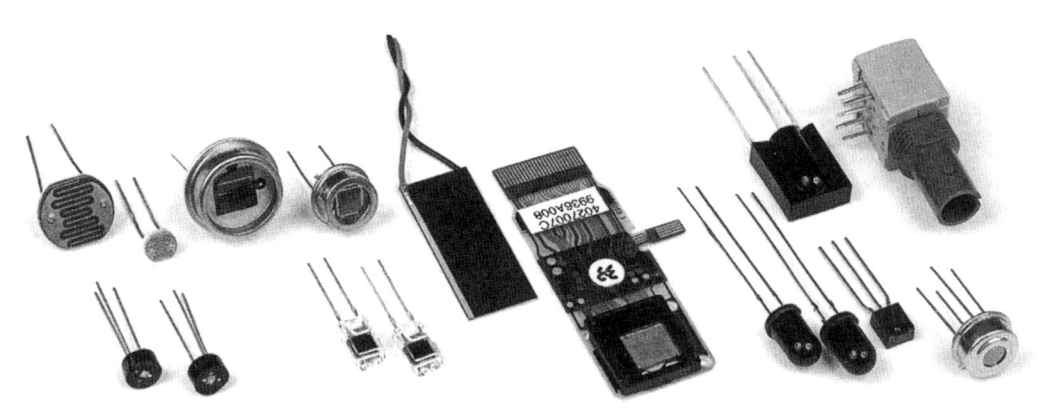

FIGURA 12.80 Optoeletrônica: detectores. Atrás e à esquerda estão um par de sensores fotoresistivos de sulfeto de cádmio, e um par de fotodiodos (GaAs, silício) em encapsulamentos de metal hermeticamente fechados. Abaixo deles estão fotodiodos de encapsulamento plástico (sensíveis à luz incidente no topo ou na lateral), e à sua direita está um fotodiodo exposto e um sensor de imagem CMOS pequeno (com conector de circuito flexível em anexo) do tipo usado em webcams e telefones celulares. Os quatro objetos negros opacos à direita são detectores IR (filtrados para eliminar a interferência de luz visível); o pequeno de formato quadrado gera uma saída de nível lógico, e o quadrado maior é usado como um receptor "clicker" de frequência seletiva (30 a 56 kHz) em equipamento de consumo de áudio/vídeo. No canto superior direito está um receptor de fibra óptica do tipo ST, e abaixo está um sensor térmico IR piroelétrico usado em detectores de movimento PIR (infravermelho passivo).

os circuitos anteriores de fotodiodo e fototransistor (Figura 12.81), junto com algumas partes boas que você pode obter integrando um fotodiodo com circuitos adicionais para produzir tanto uma saída digital de lógica, quanto uma saída proporcional na forma de uma tensão, uma corrente, ou uma frequência.

Este é um bom lugar para dizer alguma coisa também sobre *fotomultiplicadores*: esses detectores de luz sensíveis e rápidos (dois são mostrados na Figura 12.71) usam uma conexão em cascata de eletrodos de multiplicação (dinodos) para converter um único fotoelétron (liberado com cerca de 20% de probabilidade, quando um fóton de luz atinge o fotocatodo sensível) num pulso rápido (~ns) de 10^5 a 10^6 elétrons. O pulso de corrente resultante foi, assim, amplificado suficientemente antes de chegar a qualquer circuito, para que o ruído do amplificador não fosse um problema: um milhão de elétrons em um nanosegundo é quase 0,2 mA!

12.6.1 Fotodiodos e Fototransistores

A Figura 12.81 revê as formas padronizadas que fotodiodos e fototransistores são usados. No circuito A, um fotodiodo opera em *modo fotovoltaico*; isto é, gerando uma fotocorrente em um curto-circuito. O amplificador de transimpedância gera uma tensão de saída positiva ($V_{out} = R_f I_p$), de modo que você pode operar a partir de uma fonte positiva simples. Você pode pensar que o AOP é desnecessário – afinal de contas, a lei de Ohm lhe dá a mesma resposta – mas você pode estar errado! Primeiro, a fotocorrente auto gerada do diodo cai para zero se habilitada a desenvolver uma queda de diodo de tensão direta, de modo que você teria que usar uma pequena carga resistiva tal que a tensão máxima de saída (com entrada de luz máxima) fosse inferior a ~0,5 V; e, em segundo lugar, o circuito seria mais lento, definido pela constante de tempo da capacitância e da resistência de carga do diodo.

No circuito B, o fotodiodo é polarizado reversamente (modo *fotocondutor*), o que aumenta a velocidade pela redução da capacitância do diodo e pelo fornecimento de um campo elétrico para varrer a carga. Portanto, este circuito é mais rápido, mas também é mais ruidoso, e a corrente de fuga do diodo limita o desempenho com um nível de luz baixo. A capacitância pode ser um verdadeiro problema nestes circuitos, especialmente quando o fotodiodo é posicionado na extremidade de um cabo coaxial (Seção 8.11).

O circuito C usa um fototransistor, efetivamente aumentando a corrente do fotodiodo pelo beta do transistor (a junção base-coletor polarizada reversamente funciona como um fotodiodo, cuja fotocorrente é multiplicada por beta). Então, um pequeno fototransistor sob iluminação de um ambiente comum normalmente fornece correntes na faixa de ~100 μA, em comparação com 1 μA para fotodiodos.[38] Esta configuração é a mais lenta de todas, mas ela pode ser

---

[38] Dados experimentais: colocamos um fototransistor FPT110 (parte inferior esquerda na Figura 12.80) na nossa bancada do laboratório e medimos a corrente do fotodiodo como $I_{CB} = 0,4$ μA, em comparação com a sua corrente do fototransistor (com polarização de 10 V) de $I_{CE} = 60$ μA. À luz do sol nebuloso (um dia de agosto em Boston) a corrente do fotodiodo foi 250 vezes maior (100 μA). Embora a folha de dados para este dispositivo não lhe diga a área ativa, a medimos como 0,7 mm². Isso resultaria em uma eficiência de cerca de 5%, se você fosse usar o fotodiodo como uma célula solar.

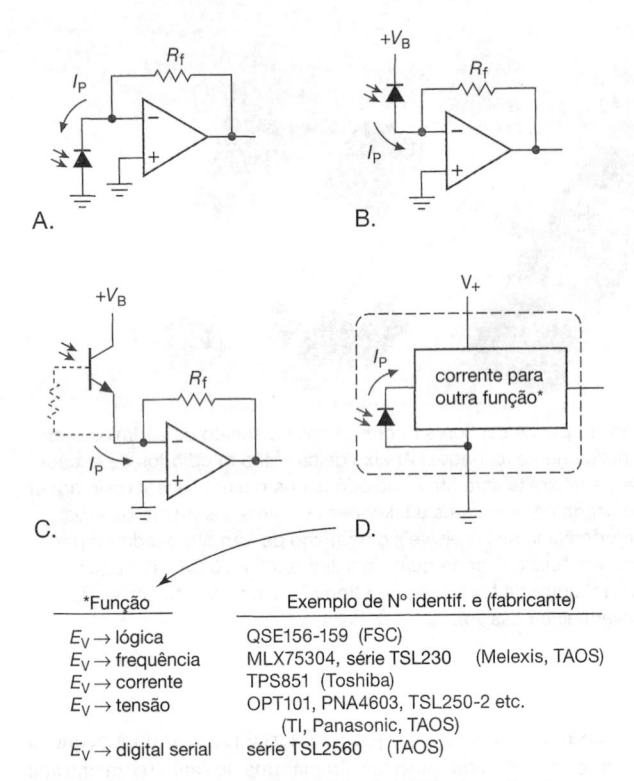

*Função	Exemplo de Nº identif. e (fabricante)
$E_V \rightarrow$ lógica	QSE156-159 (FSC)
$E_V \rightarrow$ frequência	MLX75304, série TSL230 (Melexis, TAOS)
$E_V \rightarrow$ corrente	TPS851 (Toshiba)
$E_V \rightarrow$ tensão	OPT101, PNA4603, TSL250-2 etc. (TI, Panasonic, TAOS)
$E_V \rightarrow$ digital serial	série TSL2560 (TAOS)

FIGURA 12.81 Circuitos de fotodiodo e fototransistor. A. Modo fotovoltaico. B. Modo fotocondutor. C. Fototransistor. D. Módulo integrado de conversão de luz para outra grandeza.

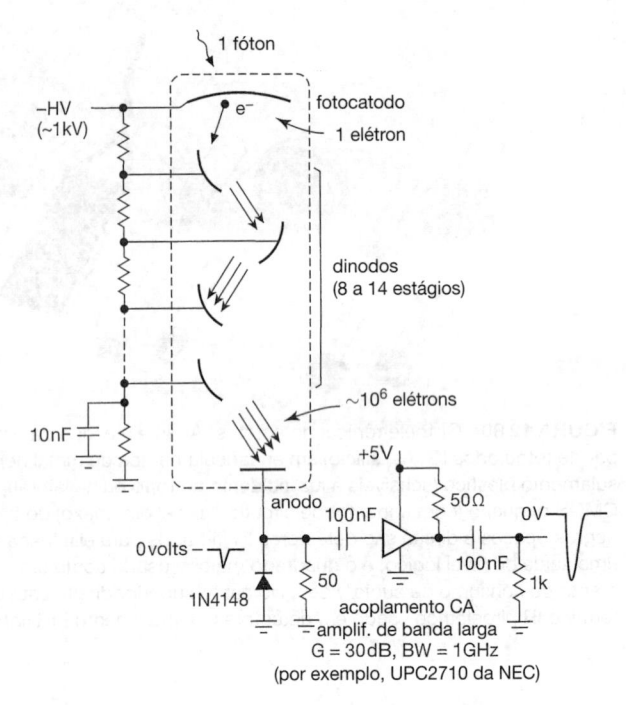

FIGURA 12.82 Circuito de "contagem de pulsos" do fotomultiplicador. A cascata de dinodos de multiplicação de elétrons produz um pulso de ~ns de ~10^6 elétrons para cada fóton de luz detectada, que desenvolve um pulso negativo de ~ mV em 50 Ω.

acelerada pela adição de um resistor de base. No entanto, isso produz um limiar, já que a corrente de fotodiodo deve desenvolver uma queda de diodo no resistor da base, a fim de obter o fator de amplificação de corrente de beta. Extrapolando essa ideia, você pode obter detectores de foto--Darlington: ganho muito maior, mas muito mais lento. Finalmente, a Figura 12.81D mostra algumas possibilidades integradas, baratas e bem projetadas para poupar tempo e dor de cabeça.

12.6.2 Fotomultiplicadores

Fotomultiplicadores são detectores favoritos para aplicações de contagem de fótons, detecção de baixo nível de luz e de integração, e detecção de raios X ou raios gama (através de um cintilador, que converte o fóton energético em um pulso de luz visível). Há uma ampla sofisticação, se você quiser ficar realmente conhecedor dessas coisas; mas as configurações básicas são mostradas nas Figuras 12.82 e 12.83.

Mais simples é a configuração de "contagem de fótons" (figura 12.82), em que o pulso de corrente no anodo gera um pulso rápido (negativo) no resistor de carga de 50 Ω, amplificado por um amplificador de banda larga do tipo usado em aplicações de RF (o UPC2710 custa cerca de 1 dólar e funciona muito bem: temos mil deles funcionando agora).

Se você quer em vez disso detectar com precisão os níveis de luz muito baixos, e não precisa de velocidade de nanosegundos, provavelmente vai querer um amplificador de "integração" de largura de banda limitada como mostra a Figura 12.83.[39] Aqui o excelente (e quase único) AOP (JFET) de baixo I_B e banda larga OPA656 converte a corrente de anodo em uma forma de onda de tensão. Ainda que estejamos buscando apenas alguns megahertz de largura de banda, precisamos de um AOP rápido, como explicado na Seção 8.11. Por razões de largura de banda e ruído, é especialmente importante manter a capacitância de entrada a um mínimo e escolher cuidadosamente a capacitância de realimentação de estabilização C_F.

O restante do circuito é bastante simples: o resistor de entrada em série e os diodos limitadores protegem o AOP de picos de entrada, causados, por exemplo, por ruptura PMT (ele usa uma fonte de quilovolts). O segundo estágio é um *boost* opcional de ganho x20, para o qual usamos um AOP de

---

[39] Isto é semelhante ao amplificador projetado pela nossa colega Lene Hau e que foi utilizado na sua experiência pioneira de "luz lenta" em 1999: 17 m/s (38 mph), mais lento do que uma bicicleta em alta velocidade!

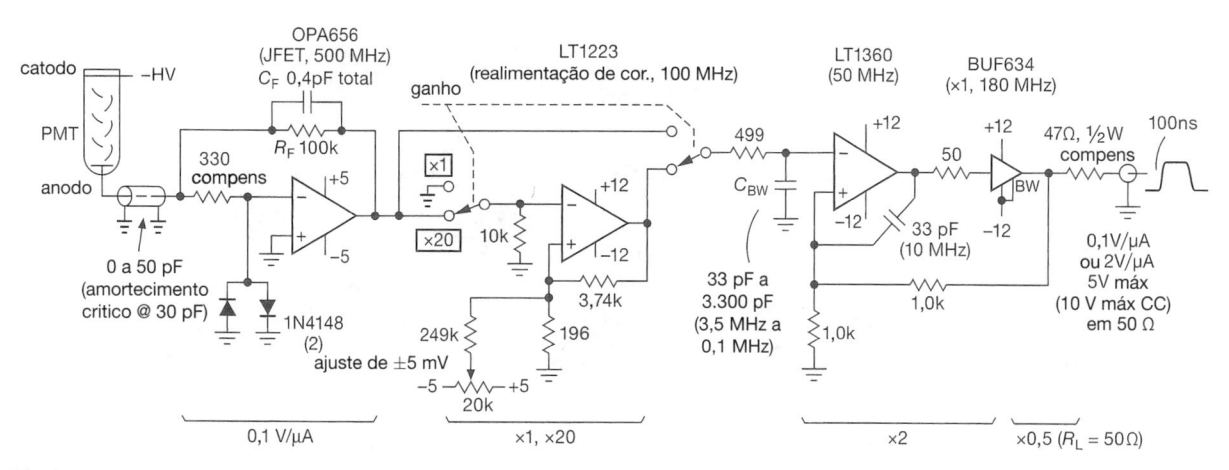

FIGURA 12.83 Amplificador fotomultiplicador de baixo ruído, com largura de banda de 3,5 MHz e ganho de 2V/µA. Veja também a discussão na Seção 8.11.

modo corrente. Estes têm a propriedade interessante de a sua largura de banda de malha fechada ser bastante independente do ganho em malha fechada: a relação dos resistores define o ganho (como com o familiar AOP de "modo de tensão"), mas a largura de banda é determinada pelo valor do resistor de realimentação sozinho. Por exemplo, este AOP em particular tem largura de banda de 100 MHz com um resistor de realimentação de 1k e $G_{CL} = 1$, deixando cair modestamente a 60 MHz para $G_{CL} = 30$; Em contraste, o ganho do AOP de realimentação de tensão diminuiria inversamente com a largura de banda de malha fechada. Aqui escolhemos um resistor de realimentação maior (3,74k), limitando deliberadamente a largura de banda para cerca de 15 MHz, porque isso é tudo o que precisamos (e largura de banda extra apenas atrai problemas).

Este AOP especifica tensão de *offset* de ±3 mV (máx), que, quando combinada com o *offset* de ±2 mV (máx) do estágio de entrada, poderia produzir até 100 mV de *offset* de saída; então adicionamos um ajuste de *offset*. Há um passa-baixas de limitação de largura de banda *RC* simples no caminho para o terceiro estágio; este poderia ser elaborado em um conjunto alternado de pontos de corte de 3 dB, se desejado. Contudo, note que a largura de banda máxima de ∼3,5 MHz é limitada pela atenuação do estágio de entrada: BW=$(1/2\pi)R_F C_F$. Finalmente, o estágio de saída consiste de um *buffer* de potência de ganho unitário de banda larga (bom para ±250 mA) delimitado dentro de um estágio de realimentação não-inversor de ganho 2. Você precisa do AOP, porque o *buffer* por si só não tem realimentação interna para disciplinar a sua saída: seu *offset* é especificado como ±100 mV (máx). Mas você tem que admirar o bruto – é rápido, e é poderoso.

12.7 OPTOACOPLADORES E RELÉS

Um emissor LED, combinado com um fotodetector bem próximo, forma um objeto muito útil conhecido também como *acoplador óptico*, *optoisolador* ou *fotoacoplador* (Figura 12.84). Em poucas palavras, optoacopladores permitem enviar sinais digitais (e às vezes analógicos) entre circuitos com terras distintas. Esta "isolação galvânica" é uma boa maneira de evitar *laços de terra* no equipamento que aciona uma carga remota. É essencial em circuitos que interagem com as principais fontes CA. Por exemplo, você pode querer ligar e desligar um aquecedor a partir de um sinal digital fornecido por um microprocessador; neste caso, é provável que utilize um relé de estado sólido, que consiste num LED acoplado a um triac ou SCR de corrente elevada. A maioria das fontes de comutação que operam em CA (por exemplo, as utilizadas em computadores, telecomunicações e instrumentação) usa optoacopladores no percurso de realimentação isolado (veja, por exemplo, a Figura 9.83 na Seção 9.8). Da mesma forma, os projetistas de fontes de alimentação de alta tensão, por vezes, usam optoacopladores para obter um sinal de um circuito de alta tensão flutuante.

Mesmo em situações menos exóticas, você pode tirar vantagem de optoisoladores. Por exemplo, um opto-FET permite comutar sinais analógicos essencialmente sem injeção de carga (exceto pelos efeitos de capacitância de isolação fracionária de pF); o mesmo vale para circuitos de amostragem e retenção e para integradores. Optoisoladores podem mantê-lo longe de problemas ao acionar circuitos de corrente industriais, acionadores de martelo, etc. Por fim, a isolação galvânica de optoisoladores vem a calhar em circuitos de alta precisão ou de baixo nível: por exemplo, é difícil aproveitar ao máximo um conversor de 16 bits analógico-digital, porque os sinais de saída digitais (e ruído no terra digital no qual você conecta a saída do conversor) voltam para a seção de

FIGURA 12.84 Optoeletrônicos: acopladores e interruptores. Os cinco CIs à esquerda são optoacopladores, com pares de LED-fotodiodo e (em alguns casos) entradas e saídas lógicas. Eles são bons para vários quilovolts de isolamento, enquanto que o objeto cilíndrico adjacente com "bigodes" é especificado para 10 kV (e a versão mais comprida na Figura 12.71 é boa para 50 kV). O encapsulamento oval (e a capsula de metal acima dele) são acopladores LED-fotoresistor, que utilizam um sensor resistivo CdS como aqueles no canto superior esquerdo na Figura 12.80. O CI comprido no centro (ISO150) é também um isolador digital, mas que utiliza um acoplador capacitivo; que não pertence a este assunto, mas é interessante demais para ser omitido! Os três objetos com fendas à sua direita são opto-interruptores, e o objeto quadrado sem fenda é um sensor reflexivo (assim como o leitor de código de barras em invólucro de metal na parte superior). O dispositivo de controle de montagem em painel no centro superior é um *encoder* incremental óptico, gerando 120 ciclos em quadratura por volta.

entrada analógica. Você pode se desvincular de "qualquer ruído" com isolamento óptico da metade do circuito digital. Optoacopladores normalmente fornecem 2.500 volts (RMS) de isolamento, resistência de isolamento de 10^{12} Ω e menos do que o acoplamento de um picofarad entre entrada e saída.

Existem muitas variedades de acopladores ópticos, e a escolha depende da aplicação pretendida – por exemplo, o acoplamento de sinais analógicos, ou sinais de lógica digital, ou chaveamento de potência CA. Nas seções abaixo, classificamos esses dispositivos em sete categorias, ilustradas com exemplos de alguns dos mais populares (ou mais interessantes) atualmente no mercado. A escolha de categorias é um tanto arbitrária, mas faz sentido para nós. Os optoacopladores apresentados são (em ordem de aparição): 1. Saída de fototransistor; II. Saída lógica; III. Saída de acionador de porta; IV. Orientado para analógico; V. Relé de estado sólido com saída de transistor; VI. Relé de estado sólido com saída triac/SCR; e VII. Entrada CA.

12.7.1 I: Optoacopladores de Saída de Fototransistor

A Figura 12.85 mostra uma variedade de optoacopladores com saída de transistor bipolar. Estes se destinam principalmente para acoplamento de nível lógico digital (embora seja possível explorar a configuração na Figura 12.85C para fazer um acoplador aproximadamente linear; veja as Figuras 12.88 e 12.89). O primeiro (e mais simples) é representado pelo 4N35, um par LED-fototransistor com relação de transferência de corrente (CRT) de 40% (mín) como um fototransistor, e tempo de desligamento (t_{OFF}) lento de 5 μs para uma carga de 100 Ω. O circuito A mostra como usá-lo: a saída da porta e o resistor de pull-up geram um acionamento de corrente limitada de 8 mA e um resistor de coletor de saída relativamente grande garante comutação saturada entre os níveis lógicos. Observe o uso de um inversor *Schmitt-trigger*, uma boa ideia aqui, devido aos longos tempos de comutação. Você pode obter pares LED-fototransistor com CTRs de 100% ou mais (por exemplo, o popular CNY17-4 com CTR = 160% mín), e pode obter LED-foto-Darlingtons, como mostrado; eles são ainda mais lentos do que fototransistores! Para obter maior velocidade, os fabricantes usam às vezes fotodiodo e transistor separados, como mostrado nos optotransistor e optoDarlingtons 6N136 e 6N139. Com optoacopladores que fornecem acesso à base, você pode adicionar um resistor da base para o emissor para melhorar a velocidade (configurações B e F); no entanto, isto produz um efeito limiar (como é mostrado ao lado do circuito F), porque o fototransistor não começa a conduzir até que a corrente do fotodiodo seja suficientemente grande para produzir um V_{BE} no resistor de base externa. Em aplicações digitais o limiar pode ser útil, mas em aplicações analógicas é uma não linearidade indesejável.

12.7.2 II: Optoacopladores de Saída Lógica

Estes optoacopladores anteriores são bons, mas um pouco chatos de usar, porque você tem que usar componentes dis-

A. Fototransistor

	CTR	$US
TLP521	50%	0,30
IL217AT	100%	0,87
TLP521-2, -4:	duplo, quádruplo	

B. Fototransistor com base

	CTR	$US
4N35	40%	0,24
CNY17-3	100%	0,32
CNY17-4	160%	0,32
TLP137	100%	0,56

C. Fotodiodo e transistor

	CTR	$US
6N136	15%	0,80
HCPL-2502	15%	1,20
HCPL-2503	12%	1,36

D. Foto-Darlington

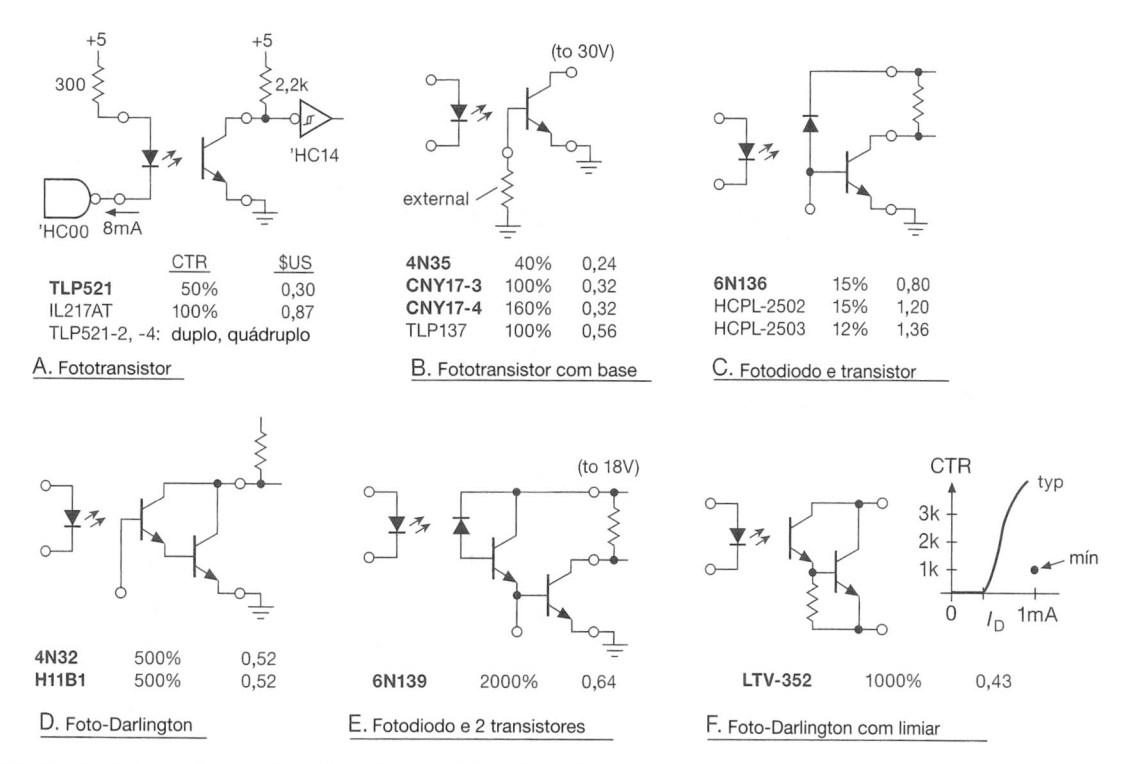

	CTR	$US
4N32	500%	0,52
H11B1	500%	0,52

E. Fotodiodo e 2 transistores

	CTR	$US
6N139	2000%	0,64

F. Foto-Darlington com limiar

	CTR	$US
LTV-352	1000%	0,43

FIGURA 12.85 Optoacopladores-I: saída de fototransistor. Dispositivos em **negrito** são comuns – baratos e muito utilizados, embora não necessariamente tenham os melhores desempenhos.

cretos na entrada e na saída. Além disso, a corrente necessária para acionar o LED pode exceder a capacidade de algumas famílias lógicas; e *o pull-up* passivo no lado da saída sofre de comutação lenta e imunidade a ruído medíocre. Para sanar essas deficiências, os magos do silício nos trazem os optoacopladores de "lógica" (Figura 12.86). O 6N137 e similares (configurações A e B) estão a meio caminho, com apenas um LED na entrada, mas com buffer na lógica de saída. Você ainda precisa de muita corrente de entrada (para o 6N137 é especificado como 6,3 mA, mín, para garantir a comutação da saída), mas você obtém uma variação lógica "limpa" na saída (embora de coletor aberto) e velocidades de até 10 Mb/s. Note que você deve fornecer 5 volts ao circuito lógico de saída interno. Acopladores lógicos com acionamento reduzido estão listados, mas observe a desvantagem do custo.

Enquanto você tem circuitos lógicos internos na saída, por que não fornecer um *pull-up* ativo honesto? Por que não, de fato? Essa é a configuração B, mais uma vez mostrando alguns clássicos (por exemplo, o curiosamente chamado H11L1, um descendente dos pioneiros da optoeletrônica da General Electric, alegremente desfrutando de grande popularidade após seu 30° aniversário). Há versões melhoradas, algumas mais rápidas, algumas com impressionantes taxas de variação de isolamento, e algumas com saídas de três estados; mas note os preços "aperfeiçoados"!

Os optoacopladores na configuração C nos levam para a "terra prometida" (onde, no entanto, os valores imobiliários são um pouco elevados): estes aceitam entradas de nível de lógica, e produzem saídas de nível lógico com *pull-up* ativo. Devido ao circuito lógico interno na entrada e na saída, ambos os lados do chip exigem tensões de alimentação para o circuito lógico. Algumas variedades (por exemplo, o ACPL-772L) operam bem com fontes de 3 V ou 5 V em ambas as extremidades, em qualquer combinação. Estes acopladores são muito rápidos, até 50 Mb/s.

Listamos também três acopladores de lógica de isolamento com desempenho de forma semelhante, mas esses usam técnicas de isolamento capacitiva ou a base de transformador em vez da luz. Eles são mais rápidos, mas note uma complicação: os seus métodos de isolamento são todos acoplados, usando pulsos curtos para transferir as mudanças de estado através da barreira de isolamento. Isto é, eles não são intrinsecamente CC, e podem apresentar características como tempo de atraso de inclinação, ou requerer um sinal de inicialização para forçar a saída para um estado conhecido.

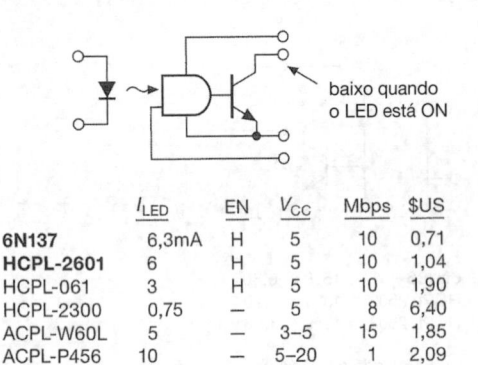

	I_{LED}	EN	V_{CC}	Mbps	$US
6N137	6,3mA	H	5	10	0,71
HCPL-2601	6	H	5	10	1,04
HCPL-061	3	H	5	10	1,90
HCPL-2300	0,75	—	5	8	6,40
ACPL-W60L	5	—	3–5	15	1,85
ACPL-P456	10	—	5–20	1	2,09
H11L1	2	—	3–15	1	0,58
H11N1	3	—	4–16	5	4,02

A. LED para lógica (coletor aberto)

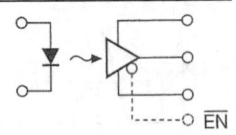

	I_{LED}	EN	V_{out} (LED ON)	V_{CC}	Mbps	$US
HCPL2200 FOD2200 TLP2200	2,2mA	L	H	5–20	2,5	2,62
HCPL-2201	2	—	H	5–20	5	2,00
HCPL-2400	4	L	L	5	40	3,92
ACPL-4800 (30kV/μs!)	6	—	H	5–20	3	1,85

B. LED para lógica (pull-up ativo)

	EN	V_{CC}	Mbps	$US	acoplamento
HCPL-0721 FOD0721	—	5	25	4,07 / 2,67	opto
PC412S	—	5	25	2,31	opto
ACPL-772L	—	3–5	25	2,68	opto
HCPL-7723	—	5	50	7,00	opto
HCPL-0900	L	3–5	100	5,30	xfmr
ISO721,722	–, L	3–5	150	2,80	cap
IL710	L	3–5	150	3,30	GMR

C. lógica-lógica (pull-up ativo)

FIGURA 12.86 Optoacopladores II: saída lógica.

12.7.3 III: Optoacopladores Acionadores de Porta

O acoplamento óptico isolado permite flutuar a saída, em relação à entrada, em tensões que vão até a especificação de isolamento de alguns quilovolts (limitadas também por uma especificação de variação máxima, denominada "imunidade transitória de modo comum," tipicamente alguns quilovolts por microssegundo). Sabemos o que você está pensando agora – o que pode ser tal carga móvel rápida e de alta-tensão?! Bem, uma aplicação importante que necessita de isolamento e variações rápidas é o "acionamento de comutação para a fonte" de MOSFETs ou IGBTs (este último favorecido pela comutação de potência de alta tensão, consulte a Seção 3.5.7), onde você tem um par *push-pull* que vai do terra a um trilho positivo de alta tensão (veja as Figuras 9.73C e D). O que você precisa é de um isolador que pode entregar um acionamento de porta total de +10 V ou mais, relacionado à fonte do MOSFET (ou emissor do IGBT) do transistor de comutação para a fonte, que se comporta como um seguidor nMOS. Devido a ele ser um seguidor, em vez de uma chave, este último está "flutuando" juntamente com a saída.

A Figura 12.87 mostra o optoacoplador acionador de porta básico. A forma do diagrama em blocos pode confundi-lo com um acoplador lógico simples; mas o seu estágio de saída consiste de um robusto acionador *push-pull* que pode fornecer e absorver correntes de um amplificador ou mais, e opera a partir de um trilho de alimentação de saída de até ∼30 V. Quando a saída do acoplador vai para nível ALTO, ele liga o IGBT, que prontamente "voa" até o trilho positivo de alta tensão em um quilovolt ou mais, carregando a saída do acionador de porta com ele. É por isso que você precisa tanto de isolamento de alta tensão quanto tolerância transitória de modo comum.

É claro, a alimentação de ∼20 V no lado da saída do isolador tem que flutuar também! Soa como um problema sério – mas há uma solução terrivelmente inteligente, que explora o fato da saída estar comutando entre terra e +HV (alta tensão): se você conectar um diodo de alta tensão ao V_{CC} do acoplador a partir de uma fonte simples de 20 V (em relação ao terra do circuito), como mostrado na Figura 12.87A, ele irá conduzir durante períodos em que a saída for nível BAIXO, carregando o capacitor de desvio. Basta fazer este último grande o suficiente para manter a saída do acoplador alimentada durante os estados de nível ALTO periódicos, e você terminou; isso é muito fácil, porque a corrente quiescente do estágio de saída do acoplador é de apenas alguns miliamperes. Isto é basicamente uma "bomba de carga" do lado de comutação para a fonte, chamada às vezes de "fonte *bootstrap*." Você pode usar um destes acopladores para acionar também o lado de comutação para o terra; nesse caso, basta alimentá-lo diretamente a partir do +20 V, omitindo o diodo.

A comutação de alta tensão é muito perigosa e não é uma atividade recomendada para os fracos de coração: um curto de saída momentâneo pode aniquilar as coisas rapidamente. Você precisa se proteger contra essas "falhas", por exemplo, com circuitos de limitação de corrente. Mas mesmo assim você pode destruir os IGBTs ou MOSFETS, porque uma carga em curto coloca toda a tensão de alimentação sobre o IGBT do lado de comutação para a fonte enquanto indicação de falha de volta através da fenda de isolamento, como mostrado.

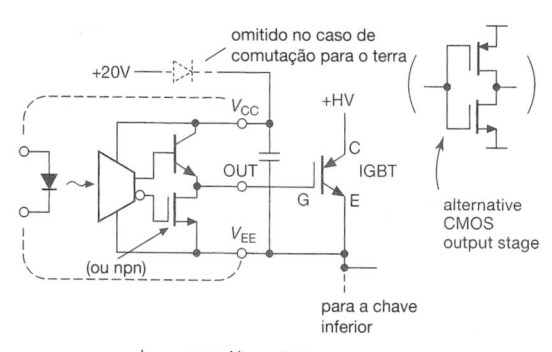

12.7.4 IV: Optoacopladores Orientados para Analógico

Até agora, vimos apenas aplicações de *chaveamento* de optoacopladores, onde a linearidade é de pouco interesse. Mas às vezes você precisa isolar circuitos *analógicos*. Um método, é claro, é a utilização de um par de conversores, que converte a grandeza do analógico para uma sequência de bits digitais, faz o acoplamento por meio de optoacopladores lógicos e, em seguida, converte-a de volta para analógico. Mas existem optoacopladores orientados para analógico que fazem o trabalho diretamente.

A Figura 12.88 mostra a maioria destes. O clássico H11F1 (outro vencedor dos pioneiros na GE, lançado em 1979) é um opto-FET, no qual a corrente de acionamento do LED afeta o FET da mesma forma que uma tensão de acionamento de porta faria (não estamos exatamente certos do que há dentro deste dispositivo). Assim, os níveis de acionamento do LED aumentam a corrente de saturação (isto é, a corrente do canal em tensões de canal maiores do que alguns décimos de um volt ou menos), atingindo cerca de 1 mA para um acionador de LED de 25 mA. Observe que a saída é completamente simétrica, e funciona até ± 30 V nos terminais de saída. E, assim como com FETs comuns, os terminais de saída parecem aproximadamente resistivos para as pequenas tensões no canal; aqui, no entanto, o valor de R_{ON} é definido pela corrente de acionamento do LED, e varia de >300 MΩ (sem acionamento do LED) até cerca de 100 Ω (com 16 mA de acionamento do LED). Mais uma vez, essa propriedade é simétrica em ambos os lados do zero volt, mas não é particularmente linear além de cerca de ± 50 mV, como se vê no gráfico da Figura 12.88A.

Para uma linearidade realmente boa você pode usar um optofotorresistor (configuração B), que é um LED que ilumina um fotorresistor CdS. Os sensores são lentos, e exibem efeitos de memória; mas os terminais de saída se comportam como resistores muito lineares, com linearidades de ~0,01% para variações de tensão até ± 1 V.[41] Isto faria um excelente limitador de amplitude para um oscilador em Ponte Wien de baixa distorção, como o da Figura 7.22.

FIGURA 12.87 Optoacopladores III: Saída do acionador de porta.

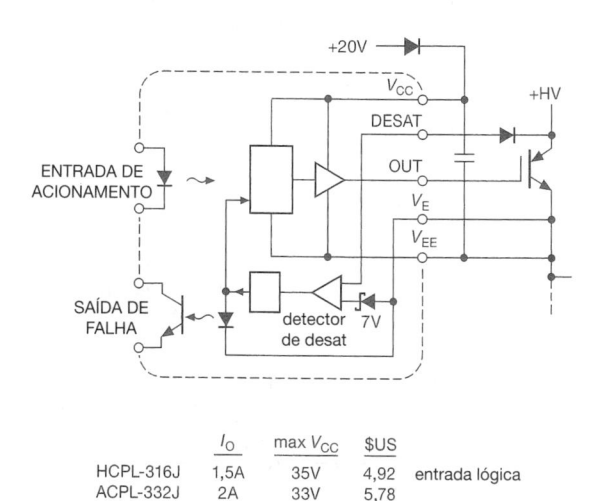

ele está operando nesse limite de corrente. O que você precisa fazer é detectar quando a porta do IGBT está a sendo acionada, mas sua saída não está prontamente na tensão de saturação. Felizmente, há optoacopladores acionadores de porta melhorados com detecção de falhas de "dessaturação", como na Figura 12.87B: o circuito interno monitora a queda no IGBT acionado e desliga o seu acionamento de porta durante uma falha de não saturação.[40] Ele também envia uma

---

[40] Há tempo para fazer isso: a massa térmica de um IGBT proporciona cerca de 10 μs em sua corrente máxima de condução, com plena tensão nominal sobre ele, antes de ocorrer danos.

[41] Infelizmente, a disponibilidade contínua destes dispositivos interessantes está ameaçada por restrições de legislação sobre substâncias perigosas (RoHS): cádmio não é um material bom para a saúde, e preocupações com a sua toxicidade o coloca na lista do "não". Ironicamente, enquanto os miligramas de cádmio em uma fotocélula CdS são alvo da legislação RoHS, tal exposição potencial (ingestão) é ofuscada pela exposição da população em geral ao cádmio via queima de combustíveis fósseis e tabagismo. E, já que estamos nos lamentando, qual o valor da vasta quantidade de chumbo que é permitida em baterias de automóveis? Elas pesam 22,7 Kg ou mais, a maior parte disso é chumbo, e cerca de 100 milhões são fabricadas anualmente: isso é mais do que uma megatonelada de chumbo!

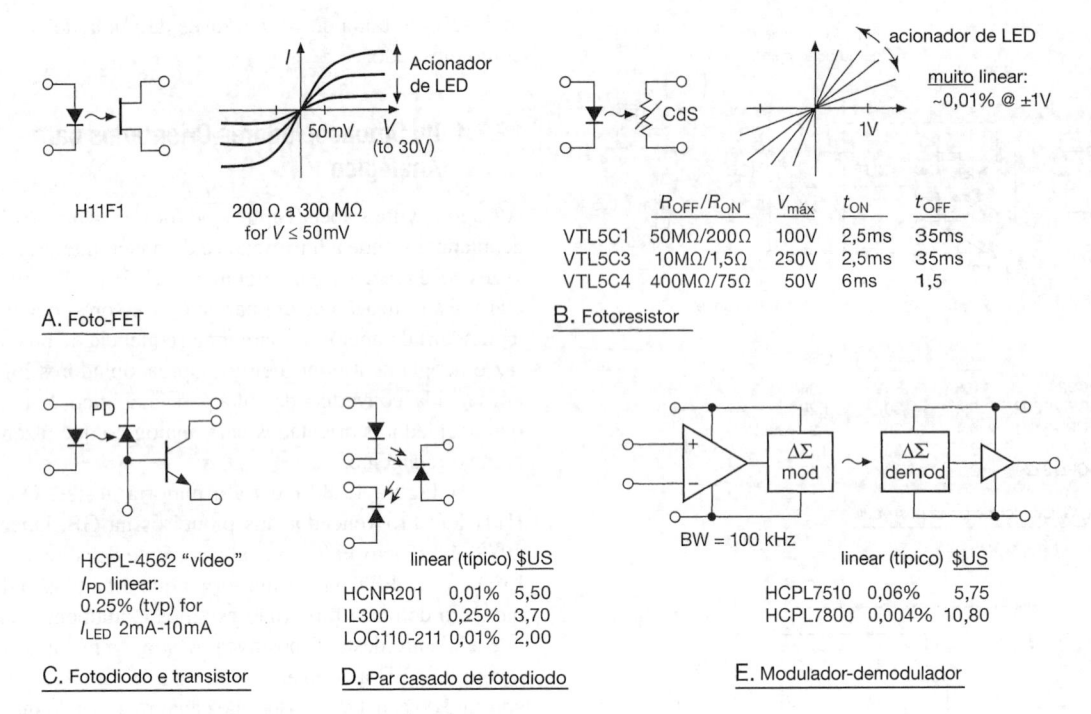

FIGURA 12.88 Optoacopladores IV: saída orientada para analógico.

A. Foto-FET — H11F1, 200 Ω a 300 MΩ for $V \leq 50\,\text{mV}$

B. Fotoresistor

	R_{OFF}/R_{ON}	$V_{máx}$	t_{ON}	t_{OFF}
VTL5C1	50MΩ/200Ω	100V	2,5ms	35ms
VTL5C3	10MΩ/1,5Ω	250V	2,5ms	35ms
VTL5C4	400MΩ/75Ω	50V	6ms	1,5

muito linear: ~0,01% @ ±1V

C. Fotodiodo e transistor — HCPL-4562 "vídeo", I_{PD} linear: 0.25% (typ) for I_{LED} 2mA-10mA

D. Par casado de fotodiodo

	linear (típico)	$US
HCNR201	0,01%	5,50
IL300	0,25%	3,70
LOC110-211	0,01%	2,00

E. Modulador-demodulador — BW = 100 kHz

	linear (típico)	$US
HCPL7510	0,06%	5,75
HCPL7800	0,004%	10,80

Há uma pequena classe de "optoacopladores de vídeo", que contam com a linearidade inerente da intensidade do LED em função da corrente de acionamento (exceto em baixas correntes), e a boa linearidade da corrente do fotodiodo em função da iluminação. A Figura 12.88C mostra um exemplo, com uma largura de banda declarada de 17 MHz quando utilizado no circuito da Figura 12.89. Outra maneira de conseguir linearidade razoável é encapsular um par combinado de fotodiodos com um LED (Figura 12.88D), em seguida, use um deles para fornecer realimentação no lado do acionamento (Figura 12.90); o fotodiodo do lado mais distante, então, exibe linearidade limitada apenas pelo grau de casamento. Os dispositivos listados na Figura 12.88D atingem linearidades melhores do que 1% em tal configuração.

Finalmente, há uma classe interessante de optoacopladores lineares que integram um conversor A/D e um conversor D/A, com acoplamento digital. Estes usam conversão "delta-sigma" (às vezes chamado de conversão de "1 bit"), que discutiremos mais tarde, na Seção 13.9. A Figura 12.88E mostra o esquema. Estes são muito lineares, mas o processo delta-sigma leva a um ruído de saída significativo (~30 mV RMS, em comparação com a saída de fundo de escada de 3 V), e algum atraso de sinal (~5 μs). Estes dispositivos têm encontrado uso generalizado em acionamento de frequência variável trifásico de meia ponte de sistemas de motor de potência, onde eles medem a corrente em cada fase. Como resultado, eles têm, geralmente, variações de fundo de escala de apenas 300 mV.

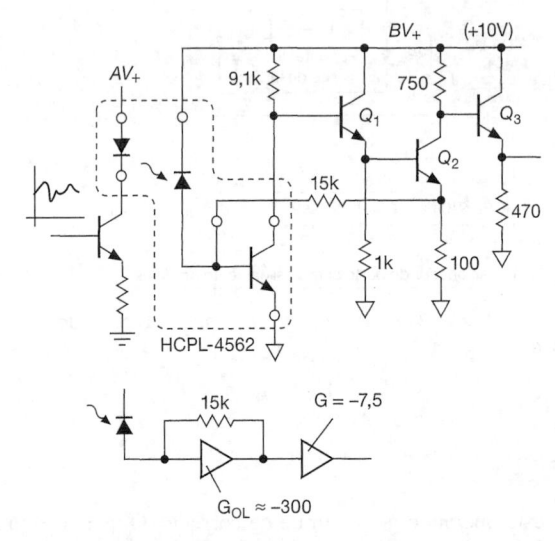

FIGURA 12.89 Usando o "acoplador de vídeo" HCPL-4562 na configuração de transresistência recomendada na folha de dados (~17 MHz de largura de banda em −3 dB).

12.7.5 V: Relés de Estado Sólido (Saída de Transistor)

Voltando-se novamente para acopladores cuja saída é uma chave, temos a classe de "relés de estado sólido" (SSRs – *solid-state relays*; Figuras 12.91 e 12.92). Estes são caracterizados por saídas de dois terminais isoladas que são ou abertas (não condutoras) ou fechadas (condutoras), dependendo do estado de acionamento do LED de entrada, e, portanto,

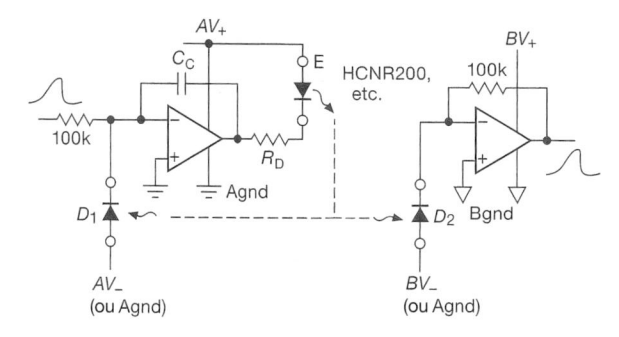

FIGURA 12.90 Linearização de um optoacoplador com um par de fotodiodos casados.

podem ser pensados como substitutos para relés eletromecânicos. Eles não necessitam de nenhuma fonte externa de tensão de alimentação no lado de saída – eles são "apenas uma chave." Uma classe de SSRs utiliza *tiristores* (SCR e triacs) como a chave de saída; estes dispositivos, uma vez disparados para a condução, permanecem em condução até que a corrente seja removida e, assim, são apropriados apenas para cargas de CA (em que a corrente passa pelo zero, duas vezes por ciclo). Tratamos deles a seguir, depois de analisarmos SSRs com MOSFETs como chaves de saída, que é a classe de SSRs que é adequada para cargas CC (e, como veremos, estes também podem comutar cargas CA quando configurados como um par em série de MOSFETs).

Para colocar o(s) transistor(es) de saída em condução, SSRs de saída MOSFET usam uma sequência em série de uma dúzia ou mais de fotodiodos para gerar a tensão de porta necessária. Esta "pilha fotovoltaica" é iluminada pelo LED, gerando de 5 a 10 V de polarização de porta. Ela pode fornecer apenas alguns microampères para a porta, cuja capacitância faz com que os tempos para ligar e para desligar estejam tipicamente na faixa de 0,1 a 5 ms. Entretanto, você não tem de quebrar um SSR aberto para usar esta parte do relé, porque pode comprá-lo *à la carte* (Figura 12.91A). As folhas de dados para estes dispositivos não dizem muito sobre o que está dentro; mas é evidente a partir das especificações de t_{OFF} mais rápido que a maioria deles usa uma parte auxiliar do circuito para descarregar a porta para um desligamento rápido. Isto poderia ser um transistor *pnp* que é levado à condução quando cessa a corrente de saída da pilha fotovoltaica (PV), talvez com o auxílio de um SCR (indicado por linhas tracejadas).

A maioria dos SSRs de MOSFET usa um par de FETs canal *n* conectados em série, como mostrado na Figura 12.91D, acionado por um pilha fotovoltaica.[42] Para uma carga CA você usa os dois terminais de dreno, superior e inferior. Quando o relé está OFF, um transistor ou outro está agindo como chave aberta, dependendo da polaridade; você precisa do par em série, porque senão o diodo (corpo) reverso conduziria. Quando o relé está ON, ambos os transistores funcionam como chaves, caracterizados por um R_{ON}.[43]

Podemos, naturalmente, utilizar esta mesma conexão para uma carga CC, mas seria melhor usar os transistores em paralelo (conectando os drenos juntos como mostrado), o que reduz R_{ON} por um fator de 4 (com o custo de uma maior capacitância de saída, se isso importa para você). Note que os MOSFETs de modo enriquecimento lhe dão um relé "normalmente OFF" (forma A), enquanto MOSFETs de modo depleção (com as portas conectadas ao terminal negativo da pilha PV) proporcionam um relé "normalmente ON" (forma B).

Tenha em mente que estes "relés" vêm em uma enorme faixa de capacidades de correntes e que os pequenos podem ser usados efetivamente para comutações de baixo nível: dispositivos como o AQY221N3 ou NEC/CEL PS7801-1A, por exemplo, têm um R_{ON} de 10 Ω ou menos enquanto apresentam um mero picofarad da capacitância de saída. Ao contrário de chaves analógicas CMOS (Seção 3.4.1A), eles têm injeção de carga *zero* (com exceção da capacitância de isolamento, de cerca de 1 pF para a maioria dos dispositivos, mas um mero ~0,3 pF para o PS7801A) – você pode querer usá-los mesmo quando não precisa do isolamento. Por exemplo, você pode usar um desses em um circuito de amostragem e retenção ou integrador.

Há um par de relés FET esquisitos listados nas Figuras 12.91B e C: o H11F1 (apresentado anteriormente como "orientado para analógico") é rápido (~15 μs) e simétrico (bom para ±30 V quando OFF, ±100 mA quando ON). Não temos certeza de como é feito. E o LH1514 tem uma configuração interessante, destinado a sinais CA balanceados: ele usa um arranjo de "chave T", com um par de chaves em série normalmente abertas em cada linha, em ponte sobre uma chave normalmente fechada (um MOSFET de modo depleção, acionado a partir da mesma pilha PV). Isso resulta em boa atenuação do sinal quando OFF, mesmo para os sinais em radiofrequências (65 dB a 1 MHz).

12.7.6 VI: Relés de Estado Sólido (Saída Triac/SCR)

Para comutação da rede elétrica CA, é comum o uso de um relé de estado sólido com um triac ou um par de SCRs (coletivamente denominados *tiristores*) como dispositivo de comutação. Os SSRs de baixa corrente mostrados nas Figuras 12.92A e B são utilizados principalmente como dispositivos de disparo para ativar um tiristor de alta corrente, como mostrado na Figura 12.93. Mas o assunto que não se pode ignorar é o SSR integrado, que inclui o acoplador e (geralmente) um circuito de disparo de comutação de tensão zero (ZVS – *zero-*

---

[42] Alguns SSRS, destinados apenas para cargas de corrente contínua, usam apenas um único MOSFET; exemplos são as séries AQV100 e AQZ100 da Panasonic.

[43] Na Seção 3.5.6B sugerimos uma versão de construção própria para fins gerais deste circuito SSR (Figura 3.107). A vantagem de usar seus próprios MOSFETs é que você pode selecionar dispositivos de baixa resistência e alta corrente (para mais de 1 kA pulsada, 100 A contínua), ou dispositivos de baixo custo comuns, como um IRF640 (200 V, 12 A, 0,25 Ω), ou dispositivos incríveis de alta tensão (de 4,5 kV); uma tabela útil é fornecida lá.

A. Saída com pilha fotovoltaica

típico, @10mA

	V_{OC}	I_{SC}	t_{ON}	t_{OFF}	$US
PVI5033	8,5V	5µA	6ms	0,4ms	5,05 duplo
TLP190	8	20	0,2	1	1,53
APV1122	8,7	14	0,4	0,1	2,00
ASSR-V622	7	20	0,3	0,03	3,00
TLP3924	40	6	—	—	—

B. Saída FET

	V_{OFF}	I_{ON}	C_{OUT}	$US
H11F1	±30V	±100mA	15pF	1,50
	R_{ON} ≤200Ω @ I_L = 16mA			
	R_{ON} ≥300M @ I_L = 0			

C. Chave T balanceada (depletion-mode)

	V_{OFF}	I_{ON}	I_{LED}	C_{OUT}
LH1514	±15V	±100mA	3mA	20pF
	Isolação OFF (com R_L = 50 Ω)			
	65dB @ 1 MHz			
	30dB @ 50 MHz			

D. Relé de estado sólido – saída MOSFET

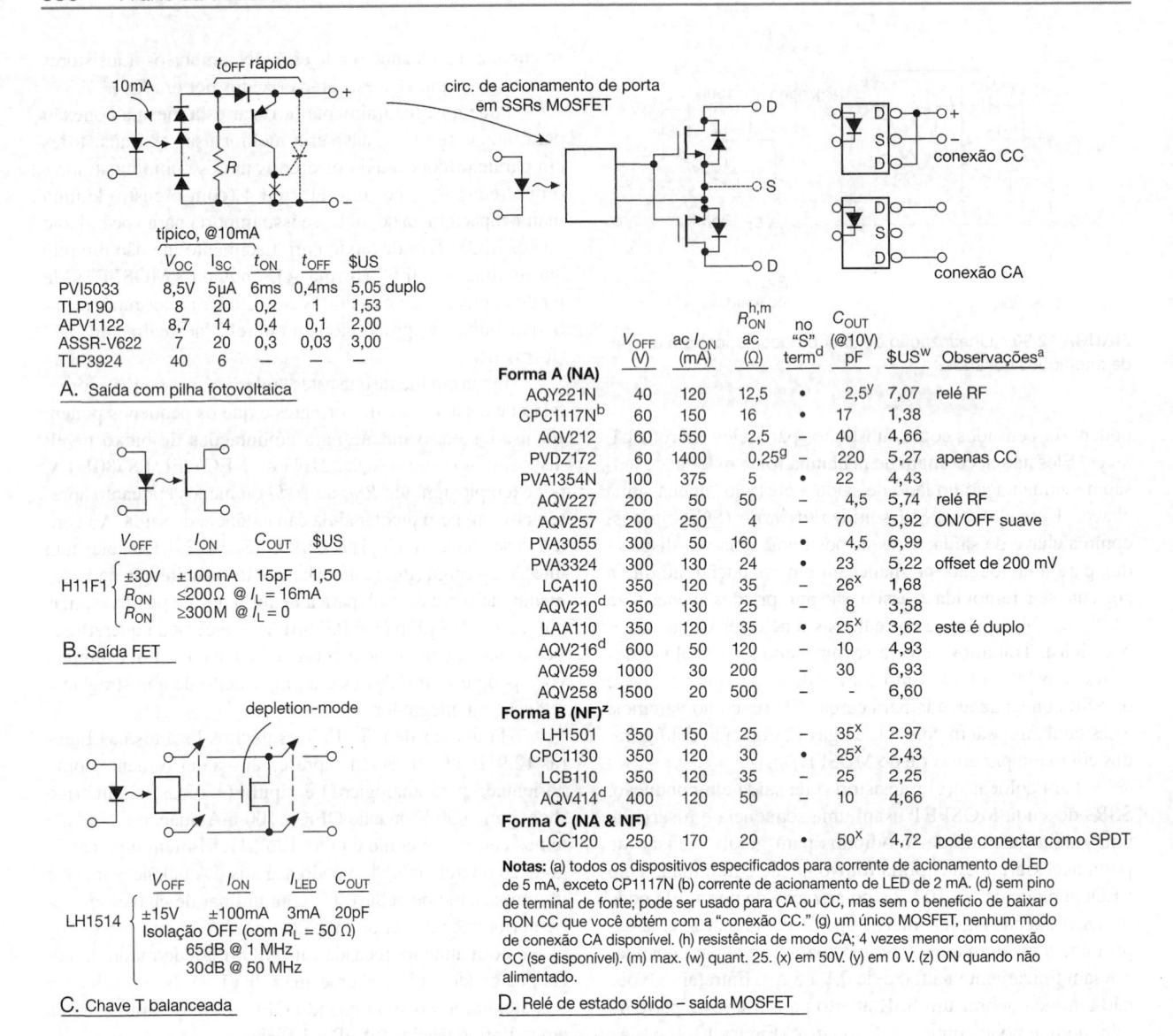

conexão CC / conexão CA

circ. de acionamento de porta em SSRs MOSFET

	V_{OFF} (V)	ac I_{ON} (mA)	$R_{ON}^{h,m}$ ac (Ω)	no "S" term[d]	C_{OUT} (@10V) pF	$US[w]	Observações[a]
Forma A (NA)							
AQY221N	40	120	12,5	•	2,5[y]	7,07	relé RF
CPC1117N[b]	60	150	16	•	17	1,38	
AQV212	60	550	2,5	–	40	4,66	
PVDZ172	60	1400	0,25[g]	–	220	5,27	apenas CC
PVA1354N	100	375	5	–	22	4,43	
AQV227	200	50	50	–	4,5	5,74	relé RF
AQV257	200	250	4	–	70	5,92	ON/OFF suave
PVA3055	300	50	160	•	4,5	6,99	
PVA3324	300	130	24	•	23	5,22	offset de 200 mV
LCA110	350	120	35	–	26[x]	1,68	
AQV210[d]	350	130	25	–	8	3,58	
LAA110	350	120	35	•	25[x]	3,62	este é duplo
AQV216[d]	600	50	120	–	10	4,93	
AQV259	1000	30	200	–	30	6,93	
AQV258	1500	20	500	–	-	6,60	
Forma B (NF)[z]							
LH1501	350	150	25	–	35[x]	2,97	
CPC1130	350	120	30	•	25[x]	2,43	
LCB110	350	120	35	–	25	2,25	
AQV414[d]	400	120	50	–	10	4,66	
Forma C (NA & NF)							
LCC120	250	170	20	•	50[x]	4,72	pode conectar como SPDT

Notas: (a) todos os dispositivos especificados para corrente de acionamento de LED de 5 mA, exceto CP1117N (b) corrente de acionamento de LED de 2 mA. (d) sem pino de terminal de fonte; pode ser usado para CA ou CC, mas sem o benefício de baixar o RON CC que você obtém com a "conexão CC." (g) um único MOSFET, nenhum modo de conexão CA disponível. (h) resistência de modo CA; 4 vezes menor com conexão CC (se disponível). (m) max. (w) quant. 25. (x) em 50V. (y) em 0 V. (z) ON quando não alimentado.

FIGURA 12.91 Optoacopladores V: "relé de estado sólido CC" (saída de transistor).

-*voltage-swiching*), juntamente com um triac de saída substancial ou par de SCRs. Isso é bom: ao acionar cargas CA, é melhor ligar a carga durante uma passagem da forma de onda CA por zero, para evitar inserir picos na rede elétrica; e o triac ou SCR inerentemente desliga-se na corrente zero.[44] Então temos "ZVS/ZCS."

A Figura 12.92C lista apenas algumas das centenas de tipos disponíveis. SSRs de alta corrente não são baratos, mas eles são agradavelmente fáceis de usar. Os maiores (10 A ou mais) vêm em encapsulamentos do tipo "tijolo" [cerca de 1,75"x2,25"/1" (4,44 cm x 5,72 cm x 2,54 cm), destinado a dissipador de calor] para montagem em painel, ao passo que os mais pequenos vêm em diversos tamanhos para montagem em PCB em encapsulamentos de uma "única linha de pinos" (SIPs – *single in-line packages*).[45]

---

[44] Uma exceção é quando se comuta a rede elétrica CA através do primário do transformador: ali o ZVS é o *pior* caso, porque a tensão aplicada do semiciclo unipolar completo leva o núcleo para mais próximo da saturação (ou para ela), com correntes de pico enormes. Idealmente, você gostaria de comutar o CA próximo de sua tensão de *pico*. Encontramos este efeito em nosso laboratório, ao ligar um Variac de 20 A (Seção 1.9.5D) – cerca de metade das vezes em que ligamos, o disjuntor de 20 A na parede desarmou (apesar do Variac ter sido descarregado); tínhamos que ter sorte e pegar a forma de onda próxima de um pico para ter êxito ao ligar.

[45] Mas veja a nossa nota de advertência na Seção 12.4.3 sobre dissipadores de calor. Não se esqueça de consultar a folha de dados sobre a queda de tensão ON ao projetar um SSR em um sistema.

	I_D	V_{AK}	I_o	$US
TLP541	7mA	400V	0,1A	0,75
	apenas disparo			

A. Foto-SCR

	I_D	V_{AK}	I_o	$US
MOC3023	5mA	400V	0,1A	0,48
	apenas disparo			

B. Foto-triac

	I_D	V_{AK}	I_o	$US	R_{in}	R_{out}	encapsulamento
MOC3043	5mA	400V	0,1A	0,91	—	—	DIP
AQG22105	10	240	2A	5,82	300Ω	✓	SIP
G3M-203P	10	240	3A	12,65	300Ω	—	SIP
MP240D4	3	240	4A	21,00	1,5k	—	SIP
CWD2450S	10	240	50A	42,00	1k	✓	tipo "tijolo"
PRGD24150	15	240	150A	~100	200Ω	✓	tipo "tijolo"

C. Relé de Estado Sólido (ZVS)

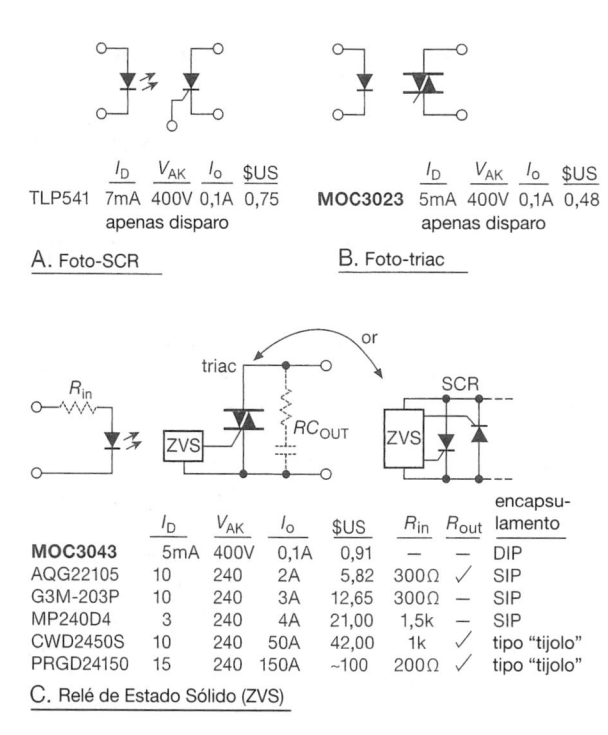

FIGURA 12.92 Optoacopladores VI: "relé de estado sólido CA" (triac/SCR de saída).

12.7.7 VII: Optoacopladores de Entrada CA

Finalmente, há uma classe de optoacopladores destinada ao acionamento de entrada CA (Figura 12.94). Alguns usam um par de LEDs em antiparalelo, acoplado a um fototransistor ou foto-Darlington. O fototransistor de saída conduz de acordo com a amplitude da corrente do LED, com relações de transferência de corrente típicas de 20 a 100%; isto é útil para a detecção de cruzamentos zero da rede elétrica CA.

Módulos de entrada-saída

Há uma categoria de "módulos de entrada-saída" com isolamento óptico utilizado em ambientes industriais: Os módulos de *entrada* monitoram um sinal CA ou CC (com uma seleção de especificações de tensão, até a tensão da rede elétrica), produzindo uma saída lógica de coletor aberto de baixa tensão isolada que vai para um computador ou outro controlador industrial; os módulos de *saída* utilizam um sinal lógico de baixa tensão a partir de um computador ou controlador para comutar uma carga CA ou CC, normalmente nas tensões da rede elétrica. Em outras palavras, os módulos de saída são SSRs com saídas de tiristores ou transistores (CA e CC, respectivamente), e os módulos de entrada são optoacopladores de entrada CA com saídas de coletor aberto. Estes últimos, por conseguinte, são uma maneira fácil de usar uma entrada de rede elétrica CA para criar uma variação de nível lógico isolada (ou maior, devido à saída

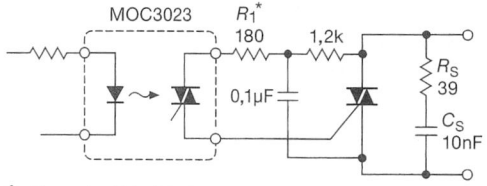

A. Fase aleatória (triac)

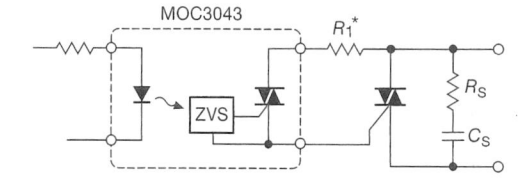

B. Cruzamento zero (triac)

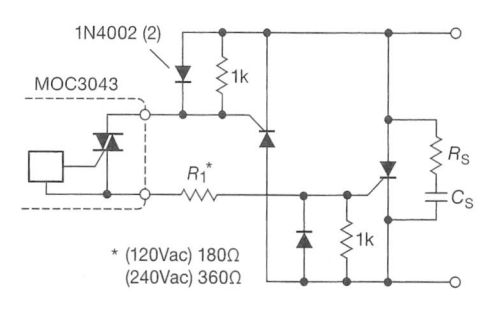

C. Cruzamento zero (2 × SCR)

FIGURA 12.93 Um pequeno opto-triac dispara uma grande triac ou par de SCRs. Escolha resistor R_1 de acordo com a tensão da rede CA.

de coletor aberto poder ser tipicamente de +30 V), como mostrado na figura. Note que estes dispositivos incluem um filtro *RC* interno, de modo que o resultado indica a presença ou ausência de uma forma de onda CA, mas não captura os ciclos individuais. Módulos de entrada e saída vêm em vários tamanhos padrão de encapsulamentos [por exemplo, 1,7″ × 1,25″ × 0,6″ (4,32 cm × 3,18 cm × 1,52 cm) e 1,7″ × 1″ × 0,4″ (4,32 cm × 2,54 cm × 1,02 cm)], com um arranjo de parafuso de fixação e, muitas vezes, um indicador LED na parte superior.

12.7.8 Interruptores

Você pode usar um par LED-fototransistor para detectar proximidade ou movimento. Um "interruptor óptico" é composto por um LED acoplado a um fototransistor através de uma fenda aberta. Pode detectar a presença de uma fita opaca, por exemplo, ou a rotação de um disco com ranhuras. Uma forma alternativa tem o LED e o fotodetector posicionados na mesma direção, e detecta a presença de um objeto refletor nas proximidades (na maioria das vezes, de qualquer modo!). Tal como acontece com optoacopladores, você pode obter

	CTR	$US	
LTV-814	20%	0,26	
ILD252	100%	3,00	duplo
ACPL-824	20%	0,46	duplo
ACPL-844	20%	0,93	quádruplo
IL252	100%	1,28	sem base
MOC256	20%	0,77	sem base

A. CA para fototransistor

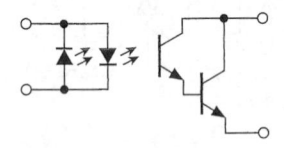

LTV-8141	600%	$0.47

B. CA para Darlington

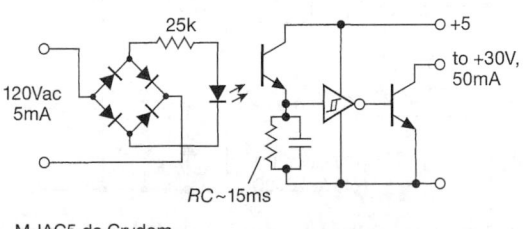

M-IAC5 da Crydom
G3TC-IAC5 da Omron
Tyco IAC-5

C. "módulo de entrada" CA

FIGURA 12.94 Optoacopladores VII: entrada CA.

estes com um fototransistor simples no lado da recepção, ou pode obtê-los com saídas de nível lógico (ou coletor aberto, ou *pull-up* ativo). Você pode ver alguns exemplos na Figura 12.84. Interruptores ópticos são utilizados em dispositivos mecânicos, tais como impressoras, para detectar o fim do curso do cabeçote móvel. Interruptores ópticos podem ter problemas quando os níveis de luz ambiente são elevados. Um truque bom em tais situações é usar *detecção síncrona* (Seção 8.14.1), tornando o detector seletivamente sensível à frequência com que o emissor é acionado. A Hamamatsu oferece uma boa seleção (as séries S4282/89, S6809/46/86 e S7136) de detectores com pré-amplificador interno e circuitos eletrônicos de processamento de sinais. Você pode obter "encoders rotativos" ópticos que geram um trem de pulso em quadratura (duas saídas, 90° fora de fase) conforme o eixo é girado; há exemplos de uns na Figura 12.84. Estes fornecem uma boa alternativa aos controles de painel resistivos (potenciômetros) – veja a Seção 15.5.

Em qualquer aplicação em que você está considerando um interruptor óptico ou sensor reflexivo, dê uma olhada em sensores de efeito Hall (não mostrados) como alternativa; eles usam sensores do campo magnético de estado sólido para indicar proximidade. São comumente usados em aplicações como sistemas de ignição de automóveis (como uma alternativa aos platinados mecânicos), freios antitravamento (detecção de rotação da roda) e motores CC sem escovas.

12.8 OPTOELETRÔNICOS: ENLACES DIGITAIS DE FIBRA ÓPTICA

A transmissão por fibra óptica de sinais digitais proporciona uma conveniente isolação galvânica no enlace (*link*), capaz de transportar comunicações digitais em taxas até 10 Gb/s, em distâncias de até 10 km,[46] sem qualquer susceptibilidade a interferências, mesmo nos ambientes mais ruidosos eletromagneticamente (chão de fábrica, automóvel, observatório em montanha). Embora o usuário sofisticado possa querer projetar Ethernet de 10 Gb em circuitos de fibra ótica, estamos mais interessados aqui em objetivos bem mais humildes, por exemplo, simplesmente ligando alguns instrumentos em conjunto ao longo de distâncias de 10 m (ou talvez 1 km), com taxas de dados de megabits por segundo (ou talvez com Ethernet rápida, a 100 Mb/s). Vamos ver quais componentes disponíveis podem fazer o trabalho.

12.8.1 TOSLINK

Um enlace digital muito simples e barato de curto alcance de fibra óptica é fornecido pela família TOSLINK^{TM} de pares transmissor/receptor (conhecido genericamente como "EIAJ óptico", "JIS F05", "ADAT óptico", ou "Cabo Óptico Digital de Áudio"), veja a Figura 12.95. O padrão TOSLINK foi originado pela Toshiba,[47] e é amplamente utilizado para interconexões digitais de áudio, por exemplo entre os componentes de áudio e vídeo. Ele é uma das duas tomadas "digitais de áudio" que você vê na parte traseira de aparelhos de DVD e Blu-ray, às vezes denominado "digital óptico" (a outra é uma tomada de áudio elétrica coaxial que é fisicamente idêntica à tomada "RCA" comum, geralmente colocada ao lado do conector TOSLINK, e que transporta, eletricamente, o mesmo fluxo digital que a porta óptica). TOSLINK usa LEDs vermelhos visíveis, operando a 650 nm; é fácil de ver quando

---

[46] O recorde de velocidade no momento da publicação é 1 petabit/s (10^{15} b/s) ao longo de um comprimento de 50 km de cabo de fibra óptica, alcançados por uma colaboração da NTT (Japão), Fujikara Ltd., Universidade de Hokkaido e da Technical University da Dinamarca. O "cabo" é um feixe de 12 núcleos, cada fibra transportando 84,5 Tb/s por multiplexação em 222 comprimentos de onda separados a uma taxa de sinal de 380 Gb/s por comprimento de onda (este último alcançado através da modulação de oito transportadoras separadas, cada uma com polarização multiplexada de 32QAM).

[47] **Cuidado:** encontramos disponibilidade em grande parte através de fornecedores licenciados como Comoss, Sys Concept e FiberFin; os dispositivos utilizados para os exemplos desta seção parecem não estar disponíveis a partir de distribuidores e podem ter sido descontinuados pela Toshiba.

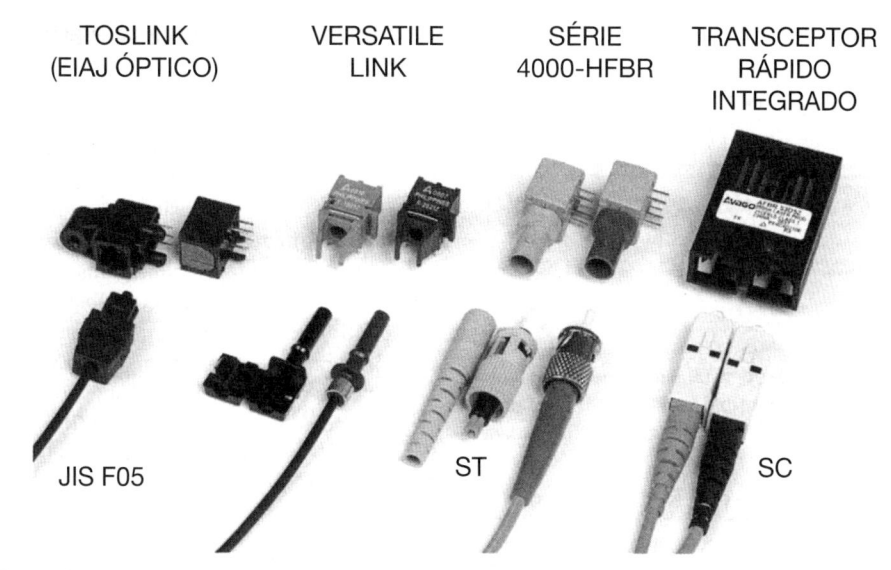

FIGURA 12.95 Alguns formatos de fibra óptica populares. Os dispositivos TOSLINK, amplamente utilizados em áudio de consumo, são mostrados aqui em uma versão com obturador para instalação em PC (à direita), e uma versão sem obturador de montagem em painel (à esquerda). Os outros formatos de conectores podem ser terminados no campo (conectores sozinhos são mostrados para ST e Versatile Link), mas é mais fácil de comprar cabos de fibra pré-determinados.

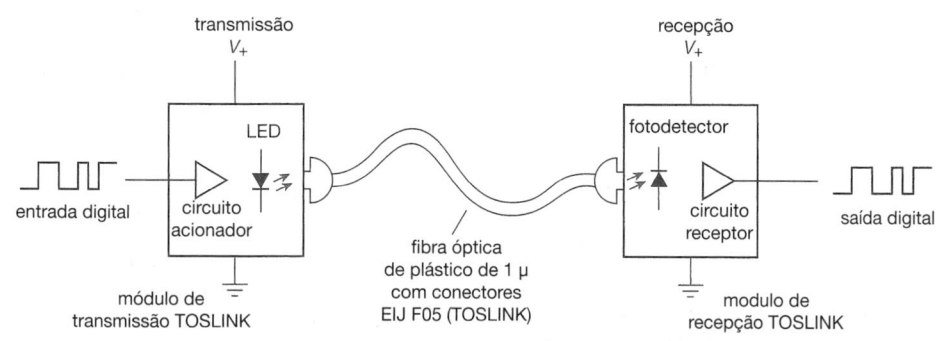

FIGURA 12.96 Módulos de fibra óptica de estilo TOSLINK de baixo custo de instalação em PC incluem toda a eletrônica de transmissão e recepção. Eles aceitam e reconstroem os níveis lógicos padrão, com taxas de 15 Mb/s ao longo de distâncias de até 10m.

ele está trabalhando, e qual das extremidades é o transmissor (ao contrário do caso com módulos de fibra infravermelhos invisíveis).

O encanto do TOSLINK é sua simplicidade e baixo custo: os TOTX147 e TORX147 da Toshiba são um par de transmissor-receptor típico, que custa cerca de 1 dólar em cada extremidade (em pequenas quantidades). Eles funcionam com uma fonte lógica de 2,7 a 3,6 V, com o transmissor aceitando entradas de nível de lógico e o receptor replicando os níveis lógicos na sua saída. Ou seja, todos os circuitos de interface lógica são internos; tudo o que você precisa fazer é conectá-los (Figura 12.96). Eles são destinados para enlaces de curto alcance, operando até 15 Mb/s ao longo de uma distância de 5 metros ou menos. Pode-se usar uma fibra plástica de 1 mm barata (APF, para uma fibra totalmente de plástico, ou POF, para fibra óptica de plástico), que você pode obter como um cabo revestido de 2,2 milímetros (ou mais grosso) com conectores TOSLINK em cada extremidade; encontramos tais *"patchcords"* (por exemplo, na Amazon.com) por tão pouco quanto um dólar ou menos, e são equipamentos padrão em lojas de materiais de áudio e vídeo. A Figura 12.97 mostra a entrada e saída lógica de um par TOSLINK operando a 3,3 V, acionado por um fluxo de dados de 15 Mb/s e conectado com um *patchcord* de fibra de 2,44 m (8 pés). Você pode obter versões de 5 V também, por exemplo, os números de identificação TOTX/TORX177 da Toshiba (análogos aos números de identificação da Sharp que são GP1FA351TZ/RZ e GP1FA551TZ/RZ, para pares transmissor-receptor de 3 V e 5 V).

Uma desvantagem destes componentes de áudio digital TOSLINK é que a largura de banda do receptor não se estende até CC, e é especificada para operar adequadamente

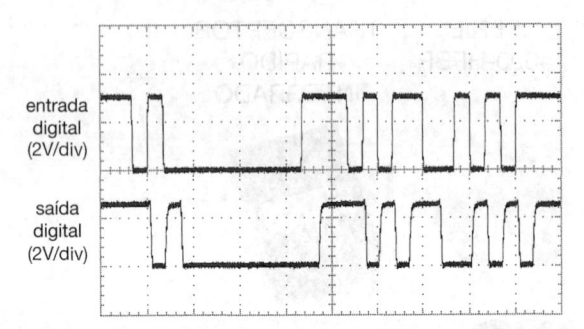

FIGURA 12.97 Dados transmitidos e recebidos, enviados através de fibra plástica de 1 mm de 2,44 m (8 pés) em 15 Mb/s com componentes de áudio digital TOSLINK (TOTX141FPT da Toshiba, GP1FA352RZ da Sharp). Escala horizontal: 200 ns/div.

somente com uma taxa mínima de dados de 0,1 Mb/s.[48] Note que a extremidade do transmissor é acoplada em CC; o problema está na extremidade do receptor, onde a comutação de amplitude do sinal óptico é utilizada para estabelecer o limiar do receptor. Isto é feito para minimizar a distorção de largura de pulso: Se fosse usado um limiar *fixo* (como é comum com outros protocolos de fibras, por exemplo, os dispositivos Versatile Link a seguir), a saída do receptor iria mostrar um alargamento ou estreitamento dos bits de dados reconstruídos, de acordo com a amplitude do sinal óptico recebido (isto é, dependente do comprimento da fibra e outras perdas).

Se você precisar de resposta até CC, pode obter verdadeiros receptores de acoplamento CC estilo TOSLINK, geralmente com melhor desempenho: por exemplo, o par TOTX197 e TORX198 de módulos de "uso geral" (em contraste com o "áudio digital") opera a partir de CC até 6 Mb/s ao longo de uma distância de 40 metros ou menos, usando o mesmo cabo de fibra plástica e conector. A série TOTX/TORX1350 especifica as taxas de dados de CC até 10 Mb/s em distâncias de 100 metros, novamente com uma fibra toda de plástico (APF). E, usando fibra de vidro revestida de plástico (PCF, com um diâmetro de fibra de 0,2 mm) de perda inferior, a faixa é estendida para um 1 km, por exemplo, com o par TOTX/TORX196. Tal como na vida em geral, há vantagens e desvantagens: esses dispositivos apresentam uma maior distorção de largura de pulso (tipicamente ±55 ns, em comparação com ±15 ns para dispositivos[49] de estilo de áudio com o seu circuito de limiar adaptativo); você também paga cerca de vinte vezes mais por eles (20 a 25 dólares, em pequenas quantidades).

A. Componentes de Fibra de Plástico sem Conectores

Se você não gosta de conectores, pode obter transmissores e receptores de fibra sem conectores da Industrial Fiber Optics, Inc. Estes aceitam fibra de plástico de um milímetro, que encaixa em um dispositivo com uma porca de bloqueio montado em uma PCB; você apenas corta a fibra, a insere e torce a porca. Eles fazem uma gama de potências e graus de velocidade, até 155 Mbps; cores bonitas (vermelho, verde, azul e infravermelho) também! Enquanto você está comprando, pode também escolher um dos seus estilosos "cartões de Detecção de infravermelho" (dispositivo nº IF-850052), com o qual você pode dizer se um LED IR (ou laser) está funcionando. Você o mantém na frente do emissor e vê um mancha laranja-amarela em sua área alvo.[50]

12.8.2 Versatile Link

A série *Versatile Link* (VL) de módulos de transmissão e recepção de fibra óptica foi introduzida pela Hewlett-Packard (depois desmembrada como Agilent, e finalmente Avago) por volta de 1990 e continua em larga utilização. Ela opera através da mesma fibra plástica de 1 mm como a TOSLINK, mas com um formato de conector um pouco diferente, ou seja, um conector cilíndrico de encaixe que envolve um par de pinças de plástico (veja a foto na Figura 12.95). Estes módulos usam um comprimento de onda vermelha visível semelhante (660 nm), e vêm em vários modelos, um par de acoplamento CC de 5 Mb/s (HFBR-1521Z/2521Z), que opera até 20 m de distância, e um par de acoplamento CC de 40 kb/s (HFBR-1523Z/2523Z) que é bom até 100 m. O receptor fornece uma saída de nível lógico (usando um resistor *pull-up* externo ou interno); mas o transmissor é apenas um LED, então você tem que fornecer um resistor limitador de corrente e uma chave saturada para o terra, ou o equivalente (Figura 12.98). Isso proporciona certa flexibilidade no nível óptico transmitido, mas exige componentes extras. Os módulos de transmissão e recepção custam menos de 10 dólares em pequenas quantidades. Você pode obter o cabo óptico com conectores instalados; ou pode instalar o seu próprio, o que acaba por ser simples e rápido, usando a série de conectores HFBR-4531Z "sem grimpagem" (ou seja, sem ferramental necessário); eles custam cerca de 50 centavos de dólar cada, em pequenas quantidades.

Para enlaces de velocidades maiores, você pode obter os módulos mais rápidos HFBR-1527Z/2526Z, que usam a mesma fibra e geometria de conector, e que permitem taxas de sinal até 125 Mb/s (mas sem acoplamento CC). Estes e os dispositivos análogos (por exemplo, o TODX2402 ou TOTX/RX1701 na série TOSLINK; ou o HFBR-1424/2426 nos dis-

---

[48] Não é necessário que o fluxo de dados tenha quantidades balanceadas de 1s e 0s; basta que haja transições em intervalos frequentes o suficiente.

[49] Registaram-se alguns descontentamentos na comunidade de audiófilos sobre *jitter* nesta tecnologia de interconexão. Embora isto possa ser abordado com regeneração de clock PLL ou conversão de taxa de amostragem, é uma questão que não surge com a interconexão elétrica (coaxial) de dispositivos de áudio digital.

[50] Quebra-cabeça para o leitor: a conversão de um fóton de baixa energia em um de energia mais elevada parece violar a conservação de energia. Descubra!

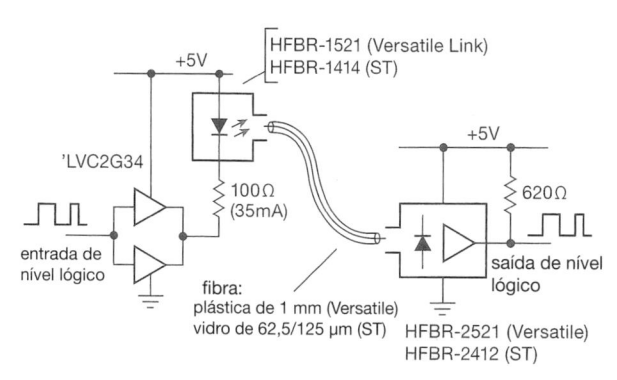

FIGURA 12.98 Circuito de transmissão e recepção típico para o "Versatile Link" de 5 Mb/s de acoplamento CC e a série de fibras ópticas com conectores ST da Avago. Para níveis lógicos de 3,3 V use 50 Ω e +3,3 V do lado do transmissor, e *pull-up* para +3,3 V no lado do receptor. As correntes de operação mostradas aqui são adequadas para comprimentos até 10 m (Versatile Link: fibra de plástico) ou 1 km (ST: fibra de vidro); eles podem ser alterados, dependendo do comprimento do enlace e da taxa máxima de dados (ver as folhas de dados da Avago e a Nota de Aplicação 1035).

positivos de conector ST/SC de 820 nm da Avago, que usam fibra de sílica de índice gradual; veja abaixo) são populares como enlaces seriais rápidos à base de fibras, por exemplo, para transmitir a sinalização Ethernet, ou dados serializados entre um par SERDES (serializador-deserializador).

12.8.3 Módulos de Fibra de Vidro ST/SC

Por muitos anos temos usado a série HFBR-14xx/24xx de transmissores e receptores de fibra da Avago. Estes são mais caros (cerca de 15 dólares em pequenas quantidades) do que os dispositivos de fibra de plástico anteriores, mas usando fibra de sílica revestida de sílica de índice gradual (às vezes chamado de "ASF", fibra toda de sílica, ou "AGF", fibra toda de vidro) a 820 nm de comprimento de onda, elas funcionam bem mesmo por um quilômetro ou mais de fibra. Uma vantagem adicional é a robustez dos cabos de fibra, que, com o seu núcleo/revestimento muito fino (62,5 μm/125 μm, na variedade mais comum) e invólucro resistente, podem suportar uma abundância de flexão e tração sem danos.

Usamos o estilo de conector ST, o qual é uma trava de baioneta (ver Figura 12.95). Você pode comprar cordões de fibra pré-determinados como simplex (uma fibra, terminação ST em cada extremidade) ou duplex (também chamado de multifibra ou "*zip-cord*"; um par de fibras, cada um com o seu próprio conector ST em cada extremidade), de empresas como a Tyco/AMP, 3M, e Amphenol, por alguns dólares por metro. Se você estiver disposto a gastar algumas centenas de dólares em um kit de terminação, e a sofrer um pouco, você mesmo pode colocar os conectores nos cabos; adquira conectores e ferramentas de empresas como a Tyco/AMP e 3M.

Tal como acontece com os componentes da Versatile Link, você pode obter receptores de baixa velocidade de acoplamento CC, por exemplo, o HFBR-2412Z, que vai até 5 Mb/s em distâncias de até 2 km. Sua saída de coletor aberto requer apenas um resistor *pull-up* para gerar os níveis lógicos digitais reconstruídos. Para altas velocidades, em vez disso, use o HFBR-2416Z, que é bom para 155 Mb/s em distâncias de até 0,6 km. Este último fornece uma saída "analógica" de alta largura de banda a partir de seu detector a diodo PIN e pré-amplificador internos, que você acopla em CA ao circuito comparador-amplificador externo para gerar a sequência de bits rápida reconstruída LVDS ou ECL. Para qualquer receptor você usaria o transmissor HFBR-1414Z, que, como o componente da Versatile Link análogo, parece eletricamente com um simples LED; você tem que fornecer o acionamento necessário, seja com uma chave a transistor e resistor, ou com uma porta lógica robusta como um 'LVC2Q34 (veja a Nota de Aplicação 1123 e o Boletim de Aplicação 78 da Avago).

12.8.4 Módulos Transceptores de Fibra de Alta Velocidade Totalmente Integrado

Por que não integrar *todo* o interfaceamento de nível lógico dentro do próprio módulo de fibra óptica? De fato. Com a utilização generalizada de fibra duplex para transportar dados seriais rápidos – por exemplo, como Ethernet óptica rápida (125 Mb/s), ou firewire (taxas de até 250 Mb/s), ou simplesmente entre um par de chips serial-paralelo SERDES (*SERializer DESerializer*) –, há agora abundância de módulos transceptores de fibra óptica ("FOT") fáceis de usar. Estes dispositivos têm módulos ópticos de transmissor e receptor e conectores (normalmente em formato duplex SC ou ST, para fibra de vidro; ou como o conector duplex "SMI" para fibras de plástico), juntamente com os circuitos acionador e receptor usando sinalização diferencial rápida (geralmente 5 V ou 3,3 V PECL); veja a Figura 12.99 (e a foto na Figura 12.95).

Exemplos contemporâneos são a série AFBR-5xxx da Avago, que vem nos estilos de conectores duplex SC ou ST, e que pode lidar com taxas de dados de 100 Mb/s para Ethernet rápida (100Base-FX) ou para modo de transferência assíncrona (ATM – *asynchronous transfer mode*); você conecta as portas PECL do transceptor diretamente nas entradas ou saídas correspondentes em uma Ethernet, FireWire ou ATM "PHY" (CI da camada física). Um membro típico desta família, o AFBR-5803, bom para 125 Mb/s, custa atualmente cerca de 30 dólares; o AFBR-53D5 mais rápido pode lidar com gigabit Ethernet e custa cerca de 60 dólares. Você pode usar um transceptor de fibra rápido para se conectar a um SERDES como o CY7C924 ou o HDMP-1636 da Cypress, para interligar um par de portas paralelas bastante separadas, com taxas de 20 a 100 Mbytes/s de dados.

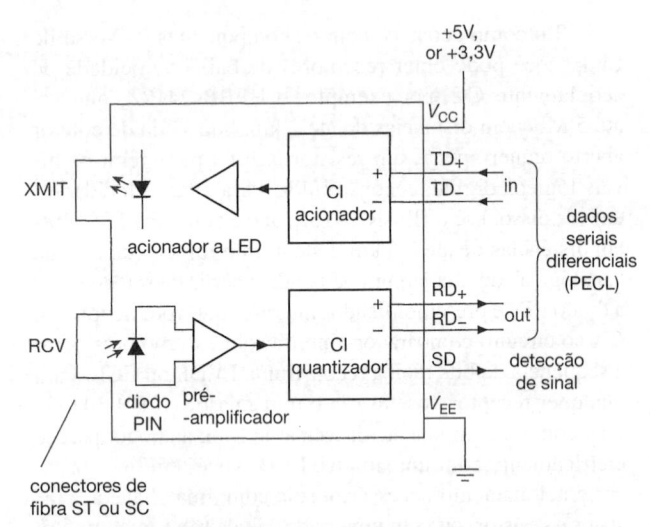

FIGURA 12.99 Transceptores de fibra óptica integrados de alta velocidade, como a série AFBR-5xxx da Avago, no padrão industrial de encapsulamento SIP 1 x 9, incluem todo o circuito de acionador e receptor, para fazer a interface diretamente via série PECL diferencial de 3 V ou 5 V.

Para enlaces curtos, transceptores rápidos que fazem par com fibra de plástico estão disponíveis, por exemplo, o TODX2402 da Toshiba (entrada-saída PECL, duplex SMI, taxas de 250 MB/s; cerca de 25 dólares em pequena quantidade).

12.9 SINAIS DIGITAIS E FIOS LONGOS

Problemas especiais surgem quando você tenta enviar sinais digitais através de cabos ou entre instrumentos. Efeitos como carga capacitiva dos sinais rápidos, captação de interferência de modo comum e os efeitos de "linha de transmissão" (reflexões a partir de descasamento de impedância; veja o Apêndice H) tornam-se importantes, e técnicas especiais e CIs de interface são muitas vezes necessárias para garantir a transmissão confiável de sinais digitais. Alguns desses problemas surgem mesmo em uma única placa de circuito, por isso o conhecimento de técnicas de transmissão digital é geralmente útil. Começamos por considerar problemas no cartão. Em seguida, passamos a considerar os problemas que surgem quando os sinais são enviados entre os cartões, em barramentos de dados e, finalmente, entre os instrumentos através de par trançado ou cabos coaxiais.

12.9.1 Interconexões na Placa

A. Transitório de Corrente do Estágio de Saída

O circuito de saída *push-pull* para CIs de lógica consiste em um par de transistores que vão de V_+ para o terra. Como observamos anteriormente (Seções 3.4.4B e 10.8.3B), quando a saída muda de estado, existe um breve intervalo durante o qual os dois transistores estão ON; durante esse tempo, um estreito pulso de corrente flui de V_+ para o terra, colocando um curto pico negativo na linha V_+ e um pico positivo curto na linha do terra. A situação é mostrada na Figura 12.100. Suponha que a CI_1 faça uma transição, com uma grande corrente momentânea a partir de $+5$ V para o terra ao longo dos caminhos indicados; com os circuitos 74Fxx ou 74AC(T)xx a corrente pode chegar a 100 mA. Esta corrente, em combinação com a indutância das conexões de terra e V_+, provoca curto picos de tensão em relação ao ponto de referência, como mostrado. Esses picos podem ser de apenas 5 ns a 20 ns, mas eles podem causar muitos problemas: suponhamos que o CI_2, um espectador inocente localizado perto do chip ofensivo, tem uma saída em estado BAIXO que aciona o CI_3 situado a alguma distância. O pico positivo na linha de terra do CI_2 aparece também na sua saída, e, se for grande o suficiente, ele será interpretado pelo CI_3 como um curto pico de nível ALTO. Assim, no CI_3, a alguma distância do problemático CI_1, aparecerá na saída um pulso lógico de boa-fé de amplitude completa, pronto para estragar um circuito de outra forma bem-comportado. Não demora muito para alternar ou resetar um flip-flop, e este tipo de pico de corrente de terra pode fazer o trabalho facilmente.

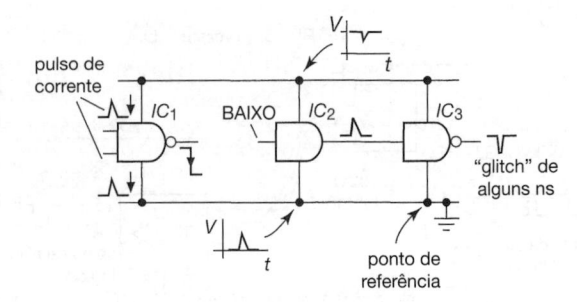

FIGURA 12.100 Ruído de corrente de terra, também conhecido como *repique de terra*.

A melhor solução para esta situação consiste em (a) utilizar linhas de terra espessas ao longo do circuito, ou de preferência um "plano de terra" (um lado de uma placa de circuito impresso de dupla face) ou uma camada interna de uma PCB multicamadas e (b) utilizar capacitores de desvio livremente em todo o circuito. As espessas linhas de terra significam picos menores de corrente induzida (menor indutância e resistência), e capacitores de desvio a partir de V_+ para o terra espalhados por todo o circuito significam que picos de corrente percorrem apenas caminhos curtos, com a indutância reduzida resultando em picos muito menores (o capacitor atua como uma fonte de tensão local, uma vez que a sua tensão não se altera significativamente durante os breves picos de corrente). É melhor usar um capacitor de 0,1 μF de cerâmica perto de cada CI, embora um capacitor para cada dois ou três CIs pode ser suficiente. Além disso, alguns capacitores eletrolíticos maiores (~ 10 μF ou mais) espalhados por todo o circuito para o armazenamento de energia e atenuação de ressonância[51] são uma boa ideia. Mal conseguimos enfatizar o suficiente a importância de capacitores de desvio de linhas de alimentação para o terra em qualquer circuito, digital ou linear. Eles ajudam a tornar as linhas de alimentação em fontes de tensão de baixa impedância em altas frequências, e evitam acoplamento de sinal entre os circuitos via fonte de alimentação. As linhas de alimentação sem desvio podem causar comportamentos peculiares do circuito, oscilações e dores de cabeça. *Não faça isso*!

B. Picos Causados Pelo Acionamento de Cargas Capacitivas

Mesmo com os capacitores de desvio nas fontes, seus problemas não acabaram, conforme mencionamos anteriormente na Seção 10.8.3A. A Figura 12.101 mostra por quê. A saída digital vê a capacitância parasita de fiação e a capacitância de entrada do chip que ela aciona (5 a 10 pF, tipicamente) como parte de sua carga total. Para fazer uma transição rápida entre os estados, deve-se absorver ou fornecer uma grande corrente em tal carga, de acordo com $I = C(dV/dt)$. Por exemplo, considere um chip 74LVCxx em um sistema lógico de $+3,3$ V, que aciona uma capacitância total de carga de 25 pF (equivalente a três ou quatro cargas lógicas de conexões curtas). Com os tempos de subida e queda de saída típicos de ~ 2 ns, a corrente durante a transição lógica é 40 mA. Esta corrente retorna através do terra (transição de ALTO para BAIXO) ou da linha de $+3,3$ V (transição de BAIXO para ALTO), produzindo esses pequenos picos na recepção, como antes. Para se ter uma ideia dos efeitos de tais transientes de corrente, considere o fato de que a indutância da fiação é de aproximadamente 5 nH/cm. Cerca de 2,5 cm de fio terra transportando esta corrente de transição lógica teria um pico de $V = L(dI/dt) = 0,2$ V. E se o chip for um *buffer* octal, com transições simultâneas em uma meia dúzia de saídas, o ponto de aterramento seria mais de um volt; retorne à Figura 10.99. Um ponto de aterramento semelhante (embora geralmente menor) é gerado perto do chip acionado, onde os picos de corrente retornam para o terra através da capacitância de entrada do dispositivo acionado.

Num sistema síncrono, com um número de dispositivos que fazem transições de saída simultâneas, a situação de ruído de pico pode tornar-se tão grave que o circuito não vai funcionar de forma confiável. Isto é especialmente verdadeiro em um grande cartão de placa de circuito, com interligações longas. O circuito pode falhar esporadicamente, quando acontecer lamentavelmente de todo um grupo de linhas de dados fazer uma transcrição simultânea de ALTO para BAIXO, gerando uma momentânea corrente de terra muito grande.

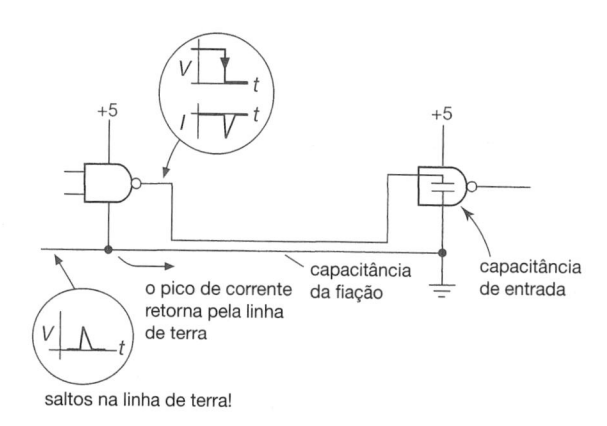

FIGURA 12.101 Ruído de corrente de terra da capacitância de carga.

Esse tipo de sensibilidade padrão é característico de erro de ruído induzido e é uma boa razão para a execução de testes de memória extensivos em sistemas de microprocessadores (onde você normalmente tem 16 ou 32 linhas de dados e 32 linhas de endereço que repicam em padrões loucos).

A melhor abordagem de projeto é usar uma camada de plano de terra interna em uma placa de circuito de multicamadas, ou pelo menos um arranjo perpendicular "em grade" do terra em ambos os lados de uma placa de dupla face simples. O uso abundante de capacitores de desvio é obrigatório. Estes problemas têm sido consideravelmente atenuados por medidas tais como (a) encapsulamento de dispositivos de montagem em superfície (SMDs) de baixa indutância para dispositivos lógicos discretos, (b) utilização de vários pinos de terra em dispositivos de lógica complexa,[52] (c) adoção quase universal de placas de circuito de multicamadas com planos de alimentação e terra dedicados e com o uso extravagante de capacitores de desvio de chips SMDs e (d) projetos de chips de taxa de borda controlados (por exemplo, 74ACQ, 74ACTQ, ou GTL (*Gunning Transceiver Logic*)[53]) e pinos de terra centrais redundantes para situações em que chips lógicos rápidos serão usados com leiautes menos favoráveis (ou seja, encapsulamentos PTH, PCB de duas camadas, etc.).

Devido a estes problemas de ruído, geralmente é melhor não usar uma família lógica mais rápida do que você precisa.[54] É por isso que usamos a lógica 74HC(T), ao invés de 74AC(T), para uso de propósito geral no nosso curso de

---

[51] Um circuito com múltiplos capacitores de cerâmica de desvio de $0,1\mu F$, conectados por fiação de alimentação de barramento indutivo, é suscetível ao zumbido e até mesmo oscilação, devido às múltiplas ressonâncias de alto Q; estas estão muitas vezes na faixa de 5 a 20 MHz. Elas podem ser eficazmente amortecidas por resistência em série equivalente (ESR) de um ou mais capacitores eletrolíticos em paralelo.

[52] Por exemplo, o FPGA "Virtex-5" que estamos usando em nosso laboratório tem 197 pinos de aterramento redundantes; a versão maior de "encapsulamento FF1760" tem 322!

[53] Leia a Nota de Aplicação AN-1072 da Fairchild para ver como ele funciona. GTL é uma família lógica de acionamento com barramento de terminação simples com variação reduzida (< 1 V) e taxas de borda controladas.

[54] Esse conselho vale para circuitos analógicos, também: não use um AOP de 100 MHz, ou um comparador 2 ns, quando você não precisa de velocidade.

eletrônica (onde os alunos interconectam os seus circuitos utilizando um "protoboard."

12.9.2 Conexões Entre Cartões

Com sinais lógicos correndo entre placas de circuito, as oportunidades para os problemas se multiplicam rapidamente. Há uma maior capacitância de fiação, bem como caminhos de terra mais longos por meio de cabos, conectores, extensores de cartão, etc., de modo que os picos de terra induzidos por correntes de acionamento durante as transições lógicas são geralmente maiores e mais problemáticos. É melhor evitar o envio de sinais de clock com grande *fan-out* entre as placas, se possível, e as conexões de aterramento para os cartões individuais devem ser robustas. Para sinais rápidos (tempos característicos da ordem de alguns nanosegundos, ou menos), as interconexões devem ser tratadas como *linhas de transmissão* de impedância constante (veja a Seção 12.10.1 e o Apêndice H), que podem ser de terminação simples (cabo coaxial) ou diferencial (par trançado). Teremos muito mais a dizer sobre isso em breve (Seção 12.10).

Se os sinais de clock são enviados entre as placas, é importante o uso de uma porta (para sinais de terminação simples) ou um receptor diferencial (para sinais diferenciais, como LVDS) como um *buffer* de entrada em cada placa. Em alguns casos, pode ser melhor usar chips acionadores e receptores de linha, como veremos em breve. De qualquer forma, o melhor é tentar manter circuitos críticos juntos em um cartão, onde você pode controlar a indutância dos caminhos de terra e manter a capacitância da fiação no mínimo. Sinais rápidos (tempos de borda da ordem de 1 ns ou menos), e especialmente os sinais de clock, que vão entre os circuitos no mesmo cartão, muitas vezes são encaminhados como linhas de transmissão "*stripline*" ou "*microstrip*".[55] Isto pode tomar a forma de uma trilha de terminação simples acima de um plano de terra (*microstrip*) ou entre planos de terra (*stripline*); ou pode ser um par diferencial, com duas trilhas lado a lado ou empilhadas verticalmente. Tais rotas de impedância constante serão terminadas em sua impedância característica, comumente 50 Ω (terminação simples) ou 100 Ω (diferencial), quer com "terminação de retorno" no ponto de acionamento, ou com terminação na recepção, ou em ambos. Os problemas que você vai encontrar ao enviar sinais rápidos entre vários cartões não devem ser subestimados; eles podem vir a ser a principal dor de cabeça de um projeto inteiro!

12.10 ACIONAMENTO DE CABOS

Você não pode trabalhar com sinais digitais de um instrumento para outro apenas conectando um condutor simples entre eles, porque tal arranjo é propenso à captação de interferência (assim como a geração de interferência própria), e também à grave degradação dos próprios sinais digitais. Em vez disso, os sinais digitais são geralmente canalizados através de cabos coaxiais, pares trançados, cabos de fita (às vezes com plano de terra ou blindagem), cabos multi-fios agrupados e, cada vez mais, cabos de fibra óptica.[56] Vejamos então alguns dos métodos usados para enviar sinais digitais entre equipamentos eletrônicos, uma vez que estes métodos constituem uma parte importante da interface digital. Na maioria dos casos, há chips acionador-receptor de propósito especial disponíveis para facilitar o seu trabalho.

12.10.1 Cabo Coaxial

Se você nunca lidou com sinais rápidos passando por cabos, você irá se surpreender.

A. O Caminho Errado

Aqui está um erro típico que vemos repetidamente: você tem alguns sinais digitais que saem de uma placa de interface de "I/O Digital", por exemplo, a PCI-6509 da série popular de produtos de aquisição de dados feita pela National Instruments. Estas placas se conectam a um slot PCI da placa-mãe do computador, e lhe dá 96 bits de I/O digital bidirecional, agrupados em 12 bytes, cada qual podendo ser configurado como entrada ou saída. Como uma saída, cada bit gera variação completa de 5 V nos níveis lógicos CMOS (ou seja, 0 V e +5 V), com abundância de capacidade de acionamento (absorção ou fornecimento de 24 mA), o suficiente para acionar facilmente cargas como relés de estado sólido, pequenos relés mecânicos, LEDs brilhantes, e similares.[57]

O erro é conectar esta saída digital a um comprimento de cabo coaxial, e esperar que ela chegue com segurança na extremidade distante, como na Figura 12.102A. O pensamento é assim: nós temos, pelo menos, ±24 mA de acionamento, que deve ser capaz de acionar os ∼200 pF de um cabo coaxial de comprimento 2 metros ($C = 100$ pF/m) muito bem; afinal, $I = C\, dv/dt$ prevê um tempo de subida de ∼ 20 ns considerando uma corrente de saída de comutação típica de ∼40 mA na carga capacitiva. Então, qual é o problema?

O problema é que temos que lidar com um cabo coaxial como uma linha de transmissão, em vez de como a aproximação de baixa frequência de uma capacitância concentrada, quando se lida com sinais que estão mudando em uma escala de tempo comparável (ou menor) com o tempo de atraso do cabo. Se você tentar usar a saída lógica para acionar o cabo diretamente, terá uma forma de onda confusa na ponta, com *overshoots* e inversões de polaridade, produzindo recuperação incorreta da forma de onda (e até mesmo destruição do portão na recepção). Mas você pode magicamente corrigir o problema com a simples adição de um resistor em série de

---

[55] Isto é obrigatório, por exemplo, com as famílias lógicas rápidas conhecidas como ECL-100K, ECL-100E, ECL-100EL, e ECL-100EP.

[56] Cabos coaxiais (ou apenas coaxiais) e pares trançados são exemplos de *linhas de transmissão*, discutidos em detalhe no Apêndice H.

[57] Procure o 74LVC4245A, se você quiser ver as especificações sobre o conversor de tensão (3 V ↔ 5 V) de transceptores octais usados neste produto.

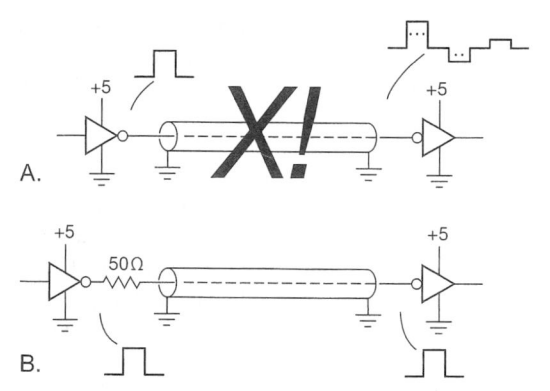

FIGURA 12.102 A. Acionamento de um comprimento de cabo com uma saída lógica produzindo uma forma de onda mutilada de overshoots e inversões de polaridade. B. Adicionando-se uma série resistor de ~50 Ω, tem-se um efeito de solução mágica.

50 Ω no ponto de acionamento (Figura 12.102B): a forma de onda no ponto de recepção se torna uma boa réplica da forma de onda no ponto de acionamento.

Vamos olhar para esta situação com mais detalhes, começando com a forma "errada", em seguida, progredindo através de três configurações que resolvem o problema, cada uma das quais tem vantagens e desvantagens. Vamos terminar com a correção mágica da Figura 12.102B, conhecida como "terminação em série", que é bem adequada para sinais de lógica digital.[58]

Para ilustrar o problema, montamos o circuito da Figura 12.103 e colocamos um padrão de pulso através dele. Você pode ver os resultados medidos nas Figuras 12.104 a 12.106. Na Figura 12.104, a extremidade da recepção foi deixada desligada: a primeira transição atinge a extremidade distante 12 ns depois, onde é rebatida pela terminação aberta (com polaridade inalterada), produzindo uma tensão de saída de quase o dobro do tamanho do degrau; as coisas ficam confusas conforme os sinais vão para trás e para a frente, invertendo a polaridade a cada ricochete na extremidade da fonte, e decaindo lentamente a cada ressalto, mas sempre adicionando as novas transições do sinal da fonte. O sinal na

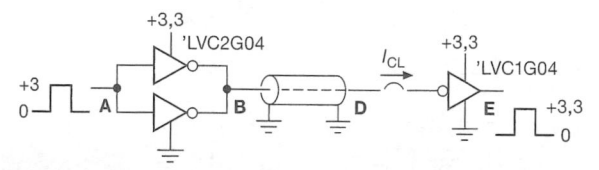

FIGURA 12.103 Circuito de teste que tenta enviar sinais de lógica digital diretamente através de um comprimento de cabo cujo extremo "não tem terminação". Os resultados desastrosos podem ser vistos nas Figuras 12.104 a 12.106. *Não faça isso!*

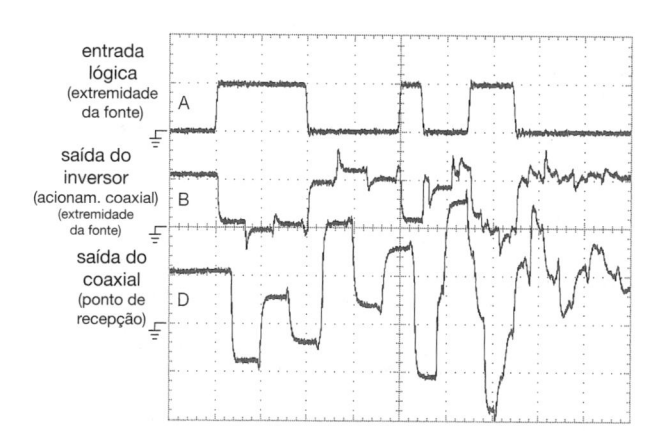

FIGURA 12.104 Formas de onda observadas no circuito da Figura 12.103, quando acionadas com um padrão de pulso com clock de 20 ns e com o ponto de recepção a 2,4 m em um cabo coaxial RG-58 desconectado. O nível lógico de 3,3 V que aciona o cabo produz variações na extremidade receptora de quase 15 V de pico a pico! Horizontal: 40 ns/div; Vertical: 3 V/div.

extremidade receptora parece terrível – e varia até +8 V e −6 V, mesmo que estejamos acionando o cabo com apenas 0 V e +3,3 V. Imagine o que vai acontecer quando conectarmos um inversor lógico na extremidade!

Você não precisa imaginar. Na Figura 12.105 temos anexado o inversor externo, operando também a partir de +3,3 V. Seus diodos de proteção de entrada limitam a forma de onda renegada, limitando variações negativas para cerca de uma queda de diodo, mas permitindo oscilações positivas ocasionais para + 8 V (o "LVC1G04 tem entradas compatíveis 5 V, independentemente da tensão de alimentação). É uma situação horrível, e não nos surpreende que a saída lógica recuperada tenha algumas transições falsas.

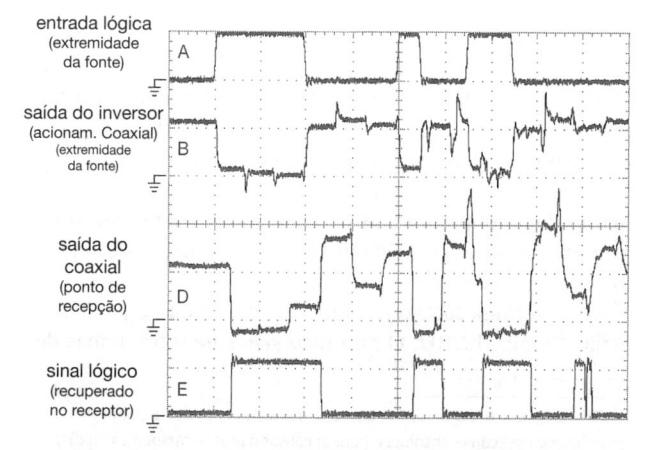

FIGURA 12.105 A mesma Figura 12.104, mas com o inversor LVC1G04 conectado no receptor. O efeito de limitação dos diodos de proteção de entrada do inversor reduz a variação na saída coaxial. Essa situação inadequada produz algumas falsas transições na saída; isso também pode destruir o inversor de saída.

---

[58] Mas não para *todo* tipo de sinal: no mundo da RF e vídeo, o método de "terminação dupla" é usado universalmente.

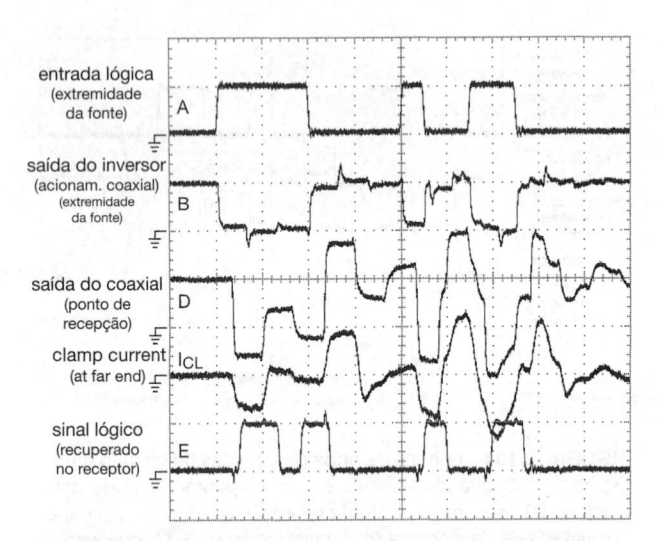

FIGURA 12.106 A mesma Figura 12.105, mas com lógica de 5 V (acionadores LVC2G04, 'HCT04 no receptor). Observe as correntes de limitação substanciais, bem como a recuperação do sinal propenso a erros. Horizontal: 40 ns/div; vertical: 5 V/div e 20 mA/div.

Passando agora para o cenário original – um cabo de 2 m conectando uma placa de I/O digital para algum instrumento – o sinal de acionamento vem de uma saudável saída lógica de 5 V, e o receptor (dentro de algum instrumento comercial) é provável que seja algo como um 'HCT04 (lógica de 5 V, com limiar TTL de $\sim$1,4 V). A Figura 12.106 mostra o que acontece. Não é uma imagem bonita: mais uma vez o sinal no receptor está parcialmente ceifado, mas atinge picos de $+10$ V e -5 V, com as correntes de limitação correspondentes de ± 25 mA. Isso excede à especificação de corrente de limitação de entrada "absoluta máxima" de ± 20 mA.[59] E a saída recuperada é uma bagunça. Está bastante claro que você simplesmente não pode conectar as coisas desta forma.

12.10.2 Solução I: Terminação no Receptor

A solução é *terminar* o cabo em sua *impedância característica* Z_0 (ver Apêndice H), o que para a maioria dos cabos coaxiais é 50 Ω (resistivo).[60] Há três maneiras diferentes nas quais isso pode ser arranjado: terminação no receptor, terminação dupla (em ambas as extremidades), e terminação no transmissor ("terminação em série", "terminação de fonte" ou "terminação de retorno").

A terminação no receptor é a mais fácil de entender; veja a Figura 12.107. O *fato surpreendente* sobre linhas de transmissão (explicado no Apêndice H) é que a adição de um simples resistor de valor $R = Z_0$ na extremidade do receptor suprime todas as reflexões e, além disso, faz com que a entrada do cabo pareça uma resistência pura igual a R. Surpreendente, porque *toda a capacitância desaparece*.

A boa notícia é que isso resolve o problema. A má notícia é que Z_0 é desconfortavelmente baixa, geralmente 50 Ω, o que exige correntes de saída do acionador bastante elevadas (20 mA por volt de acionamento). Mas você pode fazê-lo, com chips lógicos robustos, geralmente muitos em paralelo, operando com tensões de alimentação lógica modesta (por exemplo, 3,3 V ou menos).[61]

A Figura 12.107 mostra uma maneira de fazer isso, usando algumas seções de 'LVC04 ou 'AC04 em paralelo para acionar a extremidade do transmissor de um comprimento de coaxial de 50 Ω que é terminado com um resistor de 50 Ω no receptor. O 'LVC2G04 está totalmente especificado para corrente de saída de ± 24 mA e alimentação de 3 V; o valor correspondente para o 'AC04 é ± 12 mA. Então, estamos empurrando as coisas um pouco aqui, exigindo 60 mA de corrente de fonte. (Não se preocupe, no entanto, se substituirmos a terminação simples de 50 Ω por um divisor de 100 Ω-100 Ω no receptor. Isso exigiria ± 30 mA de acionamento, para o qual poderíamos provavelmente começar com um único 'LVC1G04.)

Mas ele funciona: as Figuras 12.108 e 12.109 mostram as formas de onda agradáveis que você obtém, neste caso com um comprimento de 10 m, operando com a mesma taxa de clock de 20 ns. Observe as formas de onda limpas em todo o circuito (com um pouco de oscilação momentânea evidente com o acionador AC04, provavelmente causada por indutores maiores nas conexões de alimentação e terra de seu encapsulamento DIP 14, em comparação com o encapsulamento SMD compacto SOT23-6 o LVC2G04).

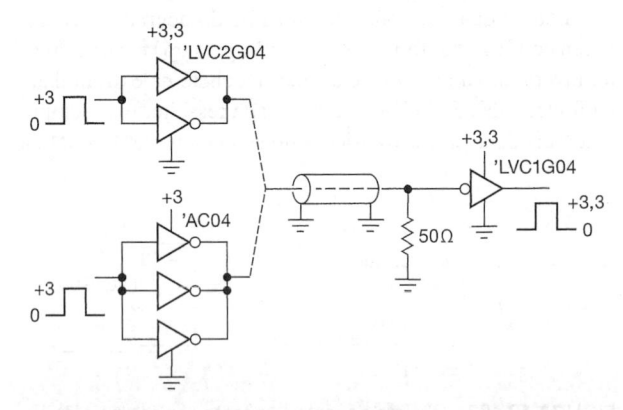

FIGURA 12.107 Níveis lógicos digitais de acionamento de coaxial terminado em 50 Ω. Além de perdas, os sinais recebidos são réplicas de variação total do sinal de acionamento.

---

[59] Para o qual a folha de dados adverte "Estresse além dos listados em 'especificações máximas absolutas' podem causar danos permanentes ao dispositivo. Essas são apenas especificações de estresse; a operação funcional do dispositivo para essas ou quaisquer outras condições além daquelas indicadas no âmbito de 'condições operacionais recomendadas' não está implícita."

[60] A grande exceção é a comunidade de vídeo, que escolheu 75 Ω (exemplificado pelo cabo coaxial RG-59); em circuitos de pulso você ocasionalmente vê 93 Ω (RG-62).

[61] Um bom truque que reduz a corrente de excitação necessária por um fator de 2 é a utilização de um par de resistores de 100 Ω na outra extremidade, configurado como um divisor entre a alimentação e o terra.

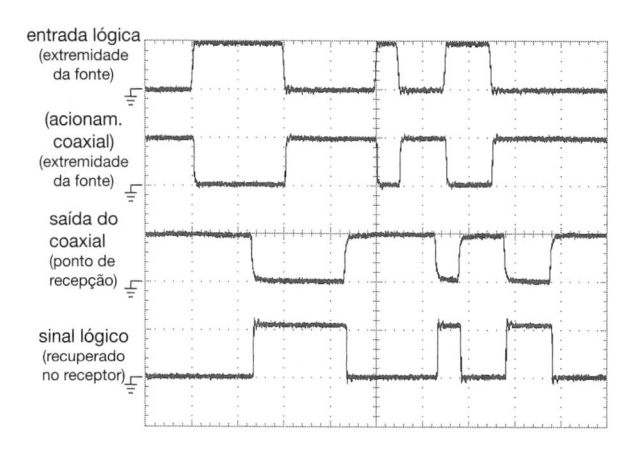

FIGURA 12.108 Formas de onda a partir do circuito da Figura 12.107 (acionador 'LVC2G04), com o mesmo padrão de pulso de clock de 20 ns como nas Figuras 12.104 a 12.106, mas com um comprimento de 10 m de cabo coaxial. Horizontal: 40 ns/div; vertical: 3 V/div.

Se você está preocupado com a necessidade de acionamento de corrente substancial para suportar as variações completas de nível lógico de trilho a trilho em uma carga de 50 Ω, e se você não estiver operando em velocidades de lógica máxima, pode substituir um CI "MOSFET acionador de comutação para o terra" pelos inversores lógicos em paralelo que utilizamos. Por exemplo, a venerável série TC4420 de controladores MOSFET aceita entradas de nível lógico e gera uma variação de saída trilho a trilho robusta entre o terra e a tensão de alimentação, que pode variar de +4,5 V a +18 V. A corrente de pico a pico de saída varia de 1,5 A a 9 A nesta série – nenhum problema no acionamento de 50 Ω! Estes são acionadores duplos, disponíveis em muitos estilos de encapsulamentos (incluindo DIP) e nos tipos inversor e não-inversor; eles custam cerca de um dólar em pequena quantidade (veja a Tabela 3.8 na página 218). Há literalmente centenas de chips acionadores MOSFET disponíveis. Com algumas opções muito interessantes de empresas como a Fairchild, IXYS, Microchip, ST e TI, entre outras; eles funcionam bem a partir de fontes de 5 V (onde eles têm capacidade de acionamento reduzida, mas ainda são bastante robustos: o IXDD609 de 9 A, por exemplo, pode fornecer ou absorver 2 A quando alimentado por uma fonte de 5 V). Não desanime pelas especificações de velocidade bastante relaxadas nas folhas de dados (por exemplo, os tempos de subida e descida de 20 ns ou mais), porque estes são geralmente especificados nas cargas capacitivas altas (1.000 a 10.000 pF, ajudadas e instigadas pelo efeito Miller) de comutação de MOSFETs de potência. Você vai fazer muito melhor quando acionar um cabo coaxial terminado no receptor com 50 Ω, que se mostra uma carga resistiva pura para o acionador. Por exemplo, o acionador não inversor IXDD509 da IXYS de 9 A especifica tempos de subida e descida de ~25 ns, mas isso é em 10.000 pF! A partir das curvas mais adiante na folha de dados, no entanto, você vai descobrir tempos de subida e descida de 4 ns ou menos para tensões de alimentação em qualquer ponto entre 5 V e 30 V.[62]

A. Solução II:Terminação Dupla

As altas correntes necessárias para acionar um cabo coaxial terminado em 50 Ω podem ser remediadas um pouco, adicionando uma resistência em série na entrada do cabo, de valor igual ao valor de sua impedância característica (ou seja, 50 Ω; veja a Figura 12.110). Então, o acionador vê uma carga de 100 Ω (o resistor em série mais o de 50 Ω visto na entrada do cabo.) Isso ás vezes é denominado "terminação dupla." Ela tem uma vantagem adicional: todos os sinais refletidos a partir da extremidade são absorvidos pela resistência de entrada, que atua efetivamente como uma terminação para sinais que se deslocam para trás.

Ela funciona, mas agora a amplitude de saída do sinal é metade da do acionador, porque a resistência de entrada do cabo forma um divisor de tensão com a resistência em série na entrada. É por isso que usamos lógica de 5 V na entrada, combinada com inversores na saída cujos limites estão na faixa de 1,2 a 1,4 V: ou o 'ACT04 de limiar TTL (veja a Figura 12.111), ou a lógica que opera a partir de uma fonte menor de +3 V (veja a Figura 12.112). O 'ACT04 especifica níveis lógicos de entrada de < 0,8 V e > 2,0 V; os valores correspondentes para o 'LVC1G04 (alimentado a partir de + 3.0V) são < 0,8 V e > 1,7 V.

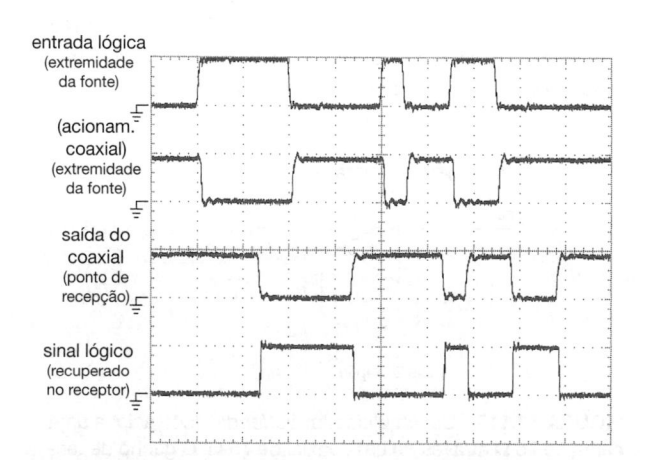

FIGURA 12.109 A mesma Figura 12.108, mas com o acionador AC04.

---
[62] Apesar dos bons tempos de subida e descida, tempos de atraso substanciais tendem a existir, independentemente da capacidade de carga, em baixas tensões de alimentação; para este dispositivo IXYS, os tempos de atraso são da ordem de 30 ns com uma alimentação de +5 V, caindo para a metade disso em $V_S = 10$ V. De um ponto de vista prático, isso limita a operação a velocidades de alguns megahertz. Um problema mais sério em altas frequências é o aumento da corrente de alimentação de trilho a trilho, e a consequente dissipação de potência, em frequências acima de um megahertz, devido à alta capacitância interna dos grandes dispositivos de saída MOS. Alguns dispositivos mostram gráficos da corrente de alimentação sem carga em função da frequência em suas folhas de dados.

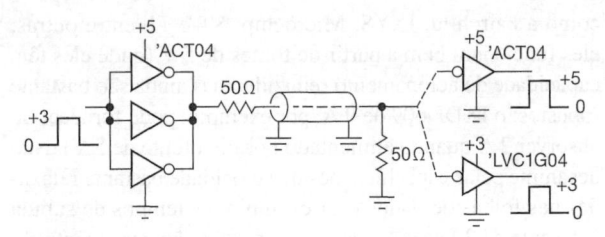

FIGURA 12.110 Lógica digital acionando terminação dupla de coaxial de 50 Ω. A amplitude do sinal recebido é metade da saída lógica do acionador, portanto aproximadamente ∼2,5 V no presente exemplo.

O método de escolha, para RF e vídeo. Como a terminação dupla resulta em um sinal recebido que é a metade da amplitude do acionador sem carga, não é adequado para aplicações de *lógica digital* como esta. É melhor usar terminação série (próxima seção). Para não deixar a impressão errada, no entanto, nota-se que o uso de terminação dupla é *universal* no mundo do RF e vídeo: todas essas fontes de sinal são construídas com uma impedância de saída igual à da impedância do cabo (50 Ω para RF, 75 Ω para vídeo), e a outra extremidadede cada cabo, o lado do receptor, é terminada nessa mesma resistência. A redução da amplitude por um fator de dois é obtida definindo a amplitude de circuito aberto de cada fonte de sinal como sendo exatamente o dobro do que em última análise é necessário no receptor (devidamente terminado). Você vê isso em geradores de funções e sinal – a amplitude de saída, medida com uma ponta de prova de osciloscópio, é o dobro do que você configurou (porque ele considera que você tenha conectado um resistor de carga de 50 Ω, ou um cabo com terminação no receptor de 50 Ω). E no mundo do vídeo você vai encontrar muitos "amplificadores de buffer de vídeo" que proporcionam um ganho de exatamente x2, para compensar a perda correspondente ao acionar um cabo terminado. A Figura 12.113 mostra um exemplo da

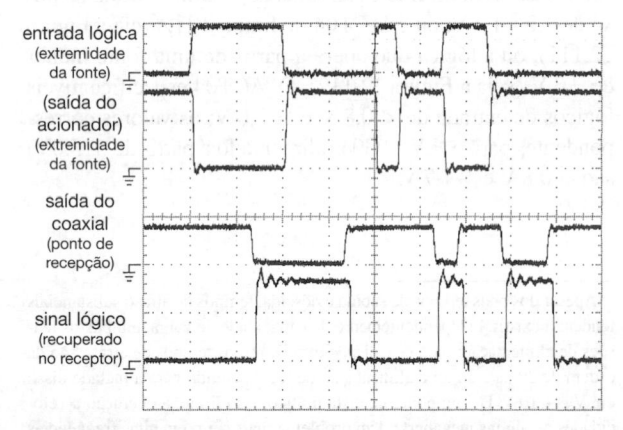

FIGURA 12.111 Formas de onda do circuito da Figura 12.110 (receptor 'ACT04), com o mesmo padrão de pulsos de clock de 20 ns como nas Figuras 12.104 a 12.109, e com um comprimento de 10 m de cabo coaxial. Horizontal: 40 ns/div; vertical: 3 V/div.

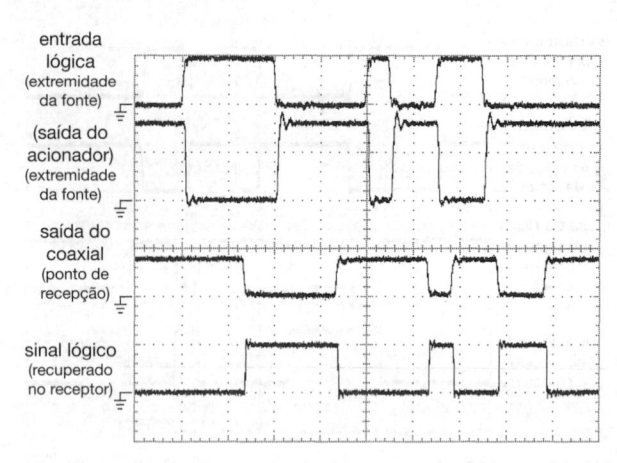

FIGURA 12.112 A mesma Figura 12.111, mas com receptor 'LVC1G04.

LTC: seu LT6553 é um *buffer* de vídeo triplo (três amplificadores independentes, para lidar com vídeo analógico em cores), com um ganho ajustado internamente de 2, destinado a acionar o cabo de vídeo de 75 Ω, como mostrado. Ele tem largura de banda impressionante (650 MHz) e taxa de variação (2.500 V/μs) e pode acionar uma variação de ±3,5 V para uma carga de 150 Ω que ele vê neste circuito, quando alimentado a partir de ±5 V. Seu similar, o LT6554, tem as mesmas especificações, mas com ganho unitário.

B. Solução III: Terminação em Série

Para resumir os métodos anteriores: a terminação com acionamento direto requer muita corrente de acionamento, mas entrega o sinal do acionador completo na extremidade do receptor. A terminação dupla reduz a corrente de acionamento, mas atenua o acionador de sinal de amplitude por um fator de 2.

Há uma terceira solução, que reúne o melhor de cada uma: usa um resistor em série no transmissor e *nenhuma* terminação no receptor. Isso às vezes é chamado de "terminação em série" ou "terminação de retorno" (Figura 12.114). Essa solução explora um estabelecimento de linhas de transmissão em aberto, ou seja, existe uma reflexão completa de amplitude a partir da extremidade distante, do mesmo sinal que o

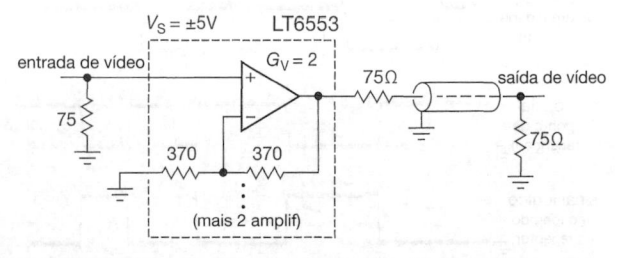

FIGURA 12.113 Um amplificador *buffer* de vídeo aciona uma carga de 75 Ω através de um coaxial de 75 Ω. O ganho de tensão de $G_V = 2$ compensa a atenuação x2 do sinal causada pelo resistor em série com a saída do amplificador.

FIGURA 12.114 A terminação em série apresenta uma carga de duas vezes a impedância característica do cabo (portanto, 100 Ω), enquanto entrega a amplitude total do acionador no receptor. Recomendamos esse método para saídas lógicas em painéis de instrumentos.

sinal incidente, produzindo assim uma amplitude de duas vezes a amplitude de saída incidente. Mas, devido à amplitude incidente ser metade da saída do acionador (devido ao divisor de tensão ser formado pela resistência em série e a impedância de entrada do cabo), o resultado é uma saída quase igual à do acionador. Eis aí – variação de saída completa, sem a necessidade de acionar a baixa impedância do cabo. E não temos a situação inadequada de sinais indo e voltando (como nas Figuras 12.105 e 12.106), porque o resistor em série atua como uma terminação adequada para os sinais que voltam. Em vez disso, você obtém uma reflexão do lado do receptor, que é absorvida no lado da fonte, com a produção de algumas formas de onda em degraus no transmissor (Figura 12.115).

A terminação em série é o método de escolha para sinais lógicos que trafegam em cabo. Esta técnica tem as propriedades agradáveis de (a) apresentar uma impedância de carga (menos grave) igual a duas vezes a impedância característica do cabo e (b) *não* requerer corrente de acionamento contínua depois de uma mudança de nível lógico ter propagado para frente e para trás. Para expandir sobre este último ponto: imediatamente após um degrau de variação, a corrente flui a partir da porta de acionamento, $I = V_{CC}/2Z_0$, ou 50 mA para a lógica de 5 volts, acionando um cabo de 50 Ω; mas esta cessa após um atraso de propagação. Temos +50 mA para os degraus de baixo para alto e −50 mA para os degraus de alto para baixo. Muitas vezes, estimaremos o ROUT da porta de acionamento e reduziremos, em concordância, o valor do resistor de fonte acrescentado. Mas se a resistência total da fonte for muito baixa (inferior a 50 Ω), o eco de retorno vai ultrapassar V_{CC} (para degraus de baixo para alto) ou cair abaixo do terra (para degraus de alto para baixo) durante um tempo igual a um atraso de propagação. Se o sobressinal for suficientemente elevado (isto é, mais de 10% para uma alimentação de 5 V), fará com que a corrente flua no diodo de limitação da saída da porta.

A família lógica conhecida como "*AUC Little Logic*" (uma das famílias lógicas de baixa tensão da TI, uma ou duas portas em encapsulamentos SMD de 5 ou 6 pinos) tem uma estrutura de saída incomum que é bem adequada para o acionamento de trilhas de PCB ou de cabo coaxial. Sua impedância de saída é uma aproximação razoável para uma terminação em série, de modo que pode acionar uma linha de transmissão de 50 Ω diretamente a partir da saída da porta lógica, sem qualquer resistor em série. A família é otimizada para uma tensão de alimentação de +1,8 V. Tal como descrito no Relatório de Aplicação,[63] o estágio de saída consiste de três inversores em paralelo, de tal modo que a impedância de acionamento muda durante uma transição lógica: começa baixa (para a corrente de acionamento de nível alto), então torna-se um valor aproximado que casa com a linha de transmissão, suprimindo oscilações momentâneas ou reflexões. Além disso, não há diodo de limitação a partir da saída para a alimentação positiva, então a saída é "tolerante a 3,6 V" e não é danificada por reflexões para trás a partir da linha de transmissão em aberto.

Embora eles sugiram comprimentos de cabo ou trilha de apenas cerca de 15 cm, descobrimos que esses dispositivos funcionam bem para cabos substancialmente mais longos. A Figura 12.116 mostra os sinais ao acionar um cabo de 50 Ω de 30 cm de comprimento (um coaxial "fino" RG-316) com dados NRZ[64] de 100 MHz (o dobro da taxa utilizada nas Figuras 12.104 a 12.112 e 12.115). Quão longe você pode ir com esse acionador, e nestas velocidades? A Figura 12.117 mostra o padrão de entrada lógica, e a saída do coaxial (em aberto) (pontos "A" e "D" na Figura 12.114), quando aciona coaxiais de 50 Ω[65] de comprimentos até 5 m. Parece muito bom, para nós!

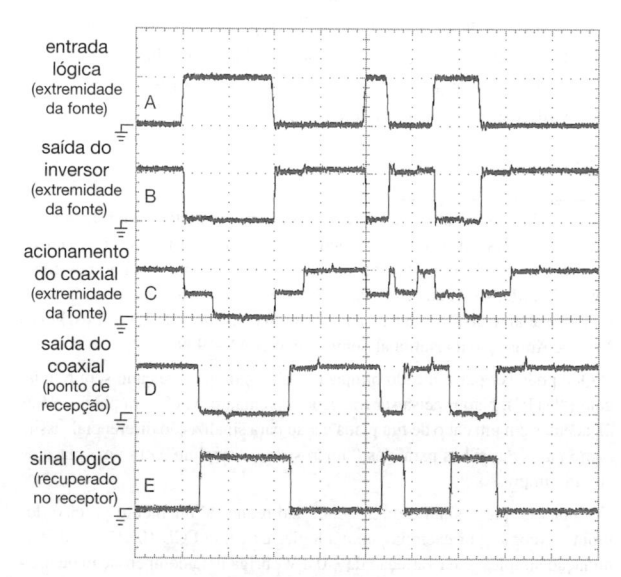

FIGURA 12.115 Formas de onda a partir do circuito da Figura 12.114, com o mesmo padrão de pulso de clock de 20 ns como nas Figuras 12.104 a 12.112, e com um comprimento de 2,4 m de cabo coaxial. Horizontal: 40 ns/div; vertical: 3 V/div.

---

[63] *Application of the Texas Instruments AUC Sub-1-V Little Logic Devices*, SCEA027A (setembro de 2002).

[64] "Sem retorno a zero," um nome fantasia para apenas enviar cada valor de bit, como um nível lógico, por um período de clock.

[65] RG-141 para 500 centímetros, RG-316 para o restante.

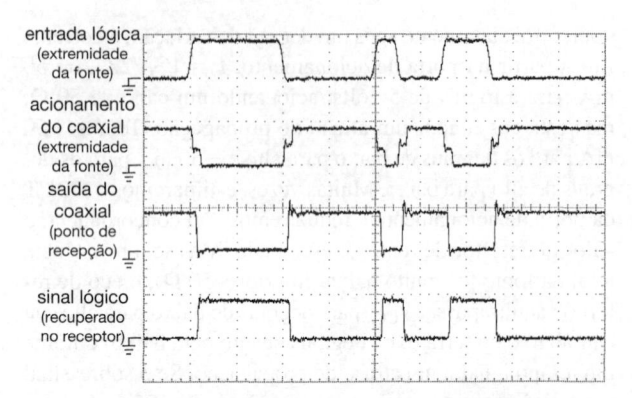

FIGURA 12.116 Formas de onda de um inversor 74AUC1G04 operacionais em 1,8 V e acionando diretamente um cabo coaxial de comprimento 30 centímetros, com o mesmo padrão de pulso como antes, mas com uma taxa de clock de 10 ns. Os quatro traços (de cima para baixo) correspondem aos pontos A, C, D e E na Figura 12.114, mas sem resistor. O meio degrau aproximado na entrada do coaxial confirma uma impedância de acionamento próxima de 50 Ω. Horizontal: 20 ns/div; verticais: 2 V/div.

C. Pré-Ênfase do Acionador e Equalização do Receptor

As formas de onda medidas acima parecem muito boas. Mas nós não estamos realmente empurrando os limites com essas taxas de dados NRZ de 50 a 100 Mbps. As coisas ficam muito confusas quando você tenta enviar acima de algumas centenas de megabits por segundo, porque o cabo coaxial em si passa a apresentar perdas e atenuar frequências mais altas (veja o Apêndice H). Por exemplo, o popular RG-58A (usado para todos os *patchcords* BNC) atenua cerca de 10 dB por 30 m para 500 MHz. Você pode fazer melhor, é claro, com cabos de menor perda (por exemplo, RG-8 atenua cerca de 5 dB por 30 m). Mas estes são mais volumosos – o cabo RG-8 é de 10 mm de diâmetro, o dobro do RG-58.

Aqui está o que você pode fazer em vez disso: no ponto de acionamento ou de recepção (ou em ambos) você pode compensar a perda do cabo (e deslocar a fase) em frequências mais altas. Isto é chamado de *pré-ênfase* e *equalização*, respectivamente. As Figuras 12.130 a 12.132 no final do capítulo mostram como ocorre, no caso de um cabo de par trançado diferencial ou uma *stripline* diferencial em placa de circuito. Para uma linha coaxial (terminação simples), você pode usar um *chip set* como o DS15BA101 e o DS15EA101 da NSC; este último é um receptor com equalizador adaptativo, que pode aplicar até 35 dB de reforço em 750 MHz.[66] Você pode pensar nesse truque como análogo ao "destacando os agudos," em um sistema de áudio, embora aqui seja preciso se preocupar com a fase também. Ele funciona muito bem, devido à relação sinal-ruído muito boa destas grandes variações de sinais que funcionam através de linhas de transmissão blindadas (ou de par trançado). Vamos ver isso a seguir, em conexão com sinalização LVDS em pares diferenciais.

12.10.3 Cabo de Par Diferencial

Há outra maneira de transmitir sinais digitais em cabos, a utilização de sinalização diferencial, na maioria das vezes por meio de um cabo de par trançado[67] Um exemplo comum deste último é o cabo Ethernet "CAT-5" (ou Cat-6), que é um cabo não blindado contendo quatro pares trançados independentes, com impedâncias características de 100 Ω. Algumas vantagens da sinalização diferencial é a supressão de interferências de modo comum e ruído de fundo, a capacidade de utilizar menores variações de sinal (por conseguinte, menores correntes de acionamento)[68] e a grande redução do ruído irradiado e das flutuações de corrente de terra da taxa de sinal (a partir das variações diferenciais balanceadas, bem como as amplitudes menores). Dois padrões diferenciais de sina-

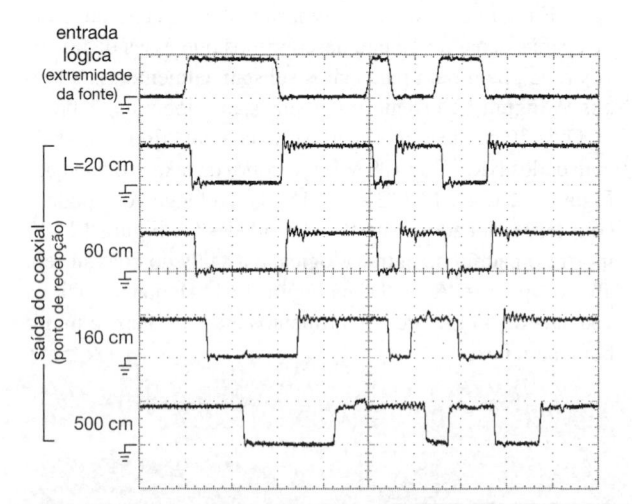

FIGURA 12.117 Mesma configuração da Figura 12.116, mostrando a forma de onda recebida no lado do receptor dos cabos coaxiais com os comprimentos indicados. Horizontal: 20 ns/div; verticais: 2 V/div.

---

[66] Este chip, como outros equalizadores de cabo adaptativos que são amplamente utilizados em sistemas de vídeo digital (em conformidade com padrões de interface de vídeo digitais seriais em coaxiais de 75 Ω com nomes como 259M, 292M, 344M, ou 424M da SMTE), destina-se a acoplamento CA e só funciona abaixo de alguma frequência mínima da ordem de 150 Mbps. Veja a Nota de Aplicação da National Semiconductor AN-1909.

[67] Que pode ser par trançado blindado ("STP") ou par trançado sem blindagem ("UTP"). Não precisa ser trançado, no entanto: você verá pares de fios adjacentes em um cabo de fita plana usado para sinalização diferencial, assim como pares de trilhas paralelas ("microstrip", "stripline") em uma placa de circuito impresso.

[68] Uma vez que o sinal é diferencial, não requer alinhamento preciso dos limiares (como, por exemplo, com a lógica exigente ECL 10K/100K de terminação simples, cuja variação de ~0,8 V obriga uma compensação de temperatura cuidadosa); o par de sinal diferencial precisa ficar apenas na faixa de modo comum do receptor, por exemplo, 0 V a +2,4 V para LVDS, com sua variação diferencial de ~0,35 V.

lização populares temos RS-422 e LVDS. Eles diferem de várias maneiras. De um modo geral, o RS-422 é usado para taxas de dados de até alguns megabits por segundo, e o cabo funciona até um quilômetro. Ele usa acionamento de *tensão* diferencial, e é comum em aplicações de controle industrial. Por outro lado, o LVDS é usado para taxas de dados para alguns gigabits por segundo, em distâncias de alguns metros. Ele usa o acionamento de *corrente* diferencial, e é comum em aplicações de alta taxa e de curto alcance, tais como *backplanes* (por exemplo, PCIe[69]) e transmissão de dados seriais (por exemplo, SATA, Firewire). Ambos são conexões ponto a ponto, mas fornecem variantes multiponto (RS-422 → RS-485; LVDS → M-LVDS).

A. RS-422 e RS-485

Estes compreendem um barramento de dados industrial popular, melhorando o padrão de enlace de dados do venerável RS-232 (veja a discussão nas Seções 12.10.4 e 14.7.8) e se estendendo substancialmente às capacidades deste último; veja a Figura 12.134. Os padrões RS-422 e RS-485[70] especificam as propriedades de sinais usados em um sistema diferencial de acionamento de tensão como o mostrado na Figura 12.118. As saídas diferenciais normalmente variam na maior parte do caminho entre o terra e o trilho de +5 V, embora a especificação permita variações da saída diferencial tão pequenas quanto ±2 V ou tão grandes quanto ±10 V. O receptor deve responder às entradas diferenciais tão pequenas quanto ±0,2 V, em uma faixa de modo comum de −7 V a +7 V (−7 V a +12 V para RS-485). A impedância característica de cabos par trançado diferenciais é tipicamente 100 a 120 Ω, então você tem que terminar a extremidade do receptor com esse valor de resistor. Muitas vezes você vê ambas as extremidades terminadas (como na Figura 12.118), que não é necessária (ou desejável) com RS-422 unidirecional, mas necessária com a variante bidirecional (ou multiponto) (RS-485).

A Figura 12.119 mostra sinais medidos atravessando um dos quatro pares trançados em um cabo Ethernet de Cat-6 de comprimento 140 m, com um, por ora, padrão de bits familiar com clock de 10 MHz (ou seja, uma taxa de NRZ de 10 Mbps). Embora este seja dez vezes mais rápido do que o permitido pela especificação RS-422 (Figura 12.134), a natureza diferencial do sinal recebido permite, no entanto, uma recuperação lógica limpa; observe o atraso de propagação de ∼700 ns (causado principalmente pela velocidade do sinal no cabo de 4,7 ns/m).

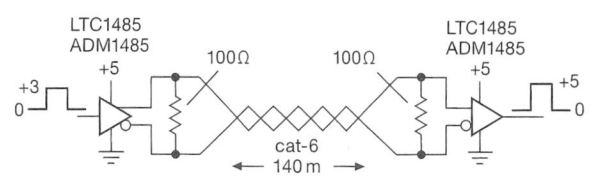

FIGURA 12.118 Sinalização de tensão diferencial com RS-422/485 ao longo de um comprimento de cabo de par trançado, usando chips transceptores com saídas de 3 estados (cada chip tem uma habilitação de Tx e Rx separadamente, compartilhando um par diferencial comum).

A sinalização diferencial oferece impressionante imunidade à interferência de modo comum. Esta última pode surgir a partir de fios próximos transportando sinal ou a partir de sinais irradiados (a partir de emissores intencionais como rádio/TV, redes sem fios, etc.); também é comum ver uma diferença nos potenciais de terra entre os equipamentos que estão conectados em diferentes tomadas de energia. Temos visto tanto quanto um volt ou dois de 60 Hz CA entre instrumentos na mesma sala!

Montamos o circuito na Figura 12.120 para ilustrar a rejeição de modo comum na sinalização RS-422. O gerador de ruído pseudoaleatório acrescenta uma tensão de ruído de ∼15 Vpp no terra (flutuante) da fonte de sinal, como visto a partir da extremidade no receptor. Os resultados são apresentados na Figura 12.121: tanto o sinal lógico de 5 V quanto os sinais de par diferencial RS-485 são irremediavelmente ruidosos, atingindo níveis máximos de −7 V e +12 V (faixa especificada de modo comum do receptor) como visto a partir do destino final. Mas a magia da rejeição de modo comum recupera a lógica original intacta. Note que o ruído está muito "na banda", com oscilações na escala de tempo dos dados digitais. Embora a figura capte uma rajada única de dados, o resultado é robusto – testamos muitas vezes, sem nenhum erro.

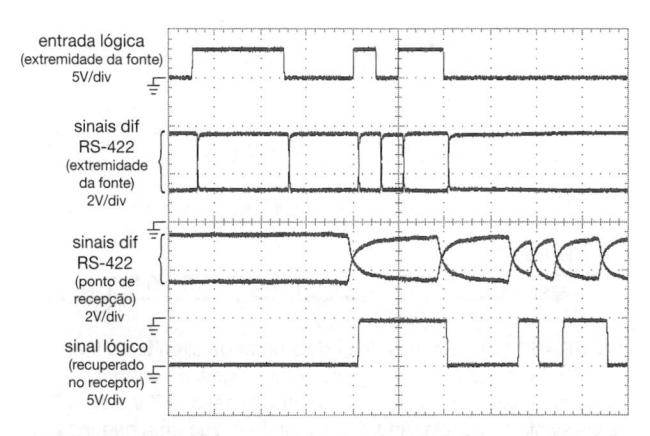

FIGURA 12.119 Formas de onda a partir do circuito da Figura 12.118, com um padrão de pulso com clock de 100 ns e um cabo de rede de Cat-6 de comprimento 140 m. Horizontal: 200 ns/div.

---

[69] Abreviação para "PCI Express", que por sua vez é uma abreviação de "interconexão de componentes periféricos Express".

[70] Oficialmente conhecidos como ANSI TIA/EIA-422 e TIA/EIA-485; no entanto, a maioria dos engenheiros continua a utilizar as designações originais "RS-422" e "RS-485", ou, mais vagamente, apenas "422" ou "485." No contexto fica claro o que querem dizer.

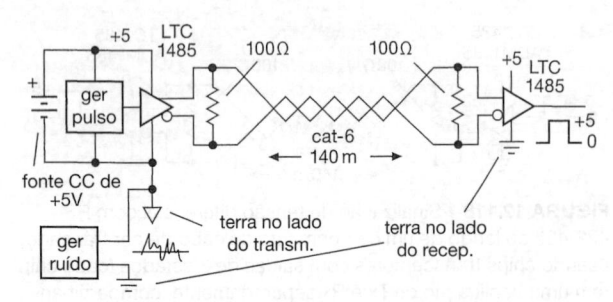

FIGURA 12.120 Teste de estresse para rejeição de ruído em modo comum do RS-422. Flutuamos o circuito do lado do acionador, e acionamos o seu "terra" com um ruído de banda limitada de ~15 Vpp de amplitude, em relação ao terra no lado do receptor.

Limitação da taxa de variação. Se você não precisa de velocidade, é aconselhável escolher CIs acionadores de menor taxa de variação, porque você pode ter menos acoplamento de sinais em pares adjacentes. Acionadores RS-422 e RS-485 estão disponíveis com uma seleção de taxas de variação, como por exemplo a série MAX3293-95, da Maxim, com taxas especificadas de 250 kbps, 2,5 Mbps ou 20 Mbps. Outros exemplos incluem as séries MAX481-489 e 1481-1487, a série LTC2856-2858 e o 65ALS176 versus o 75ALS176B.

RS-422 versus RS-485. O RS-485 é basicamente o RS-422 com algumas adições que tornam possível ter vários acionadores compartilhando um único par de sinalização: isto requer que os acionadores tenham uma entrada de habilitação (ENABLE), para que possam ser colocados no estado de alta impedância (sem interferência), análogo ao uso

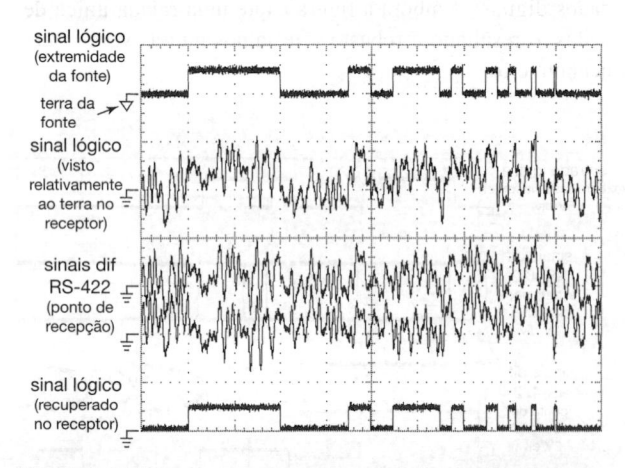

FIGURA 12.121 Formas de onda a partir do circuito da Figura 12.120. Como visto a partir do receptor, o sinal de entrada lógica está imerso no ruído, que se estende desde –7 V até +12 V. Os sinais diferenciais individuais também são uma bagunça, mas a saída lógica recuperada está livre de erros. O padrão de sinal inclui pulsos com larguras de 200 μs até 5 μs. Horizontal: 100 μs/div; verticais: 10 V/div.

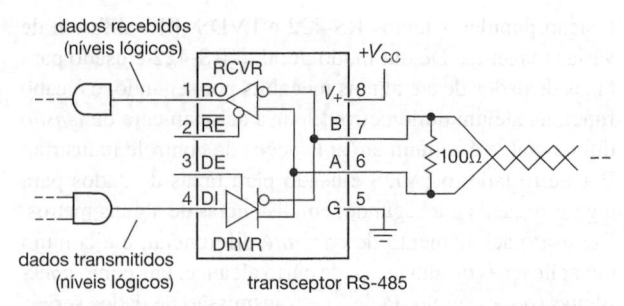

FIGURA 12.122 Um transceptor RS-485 combina acionador e receptor em um encapsulamento, compartilhando um único par trançado. Pinos de habilitação (ENABLE) separados (normalmente interconectados) permitem operação em qualquer sentido. A numeração de pino mostrada é um padrão da indústria.

de acionadores de três estados em uma linha de barramento de dados compartilhada (terminação simples).[71] Os chips de interface RS-485 (por exemplo, o clássico 75ALS176 ou LTC1485) costumam combinar um par transmissor-receptor, compartilhando as mesmas linhas de sinal diferencial ("half-duplex")[72] Com pinos de habilitação complementares (denominados DE e RE'); tal chip *transceptor* parece com a Figura 12.122.

Junto com o recurso ENABLE que é necessário para vários acionadores (denominado "multiponto"), as especificações do RS-485 reforçam algumas outras especificações do RS-422: (a) expande a faixa de entrada de modo comum do receptor (–7 V a +12 V), permitindo assim variações simétricas de modo comum (até ±7 V) em torno da fonte de alimentação tradicional e níveis de sinalização de 0 V e +5 V; (b) reduz a resistência de carga mínima (para 54 Ω), que é necessário porque um acionador em cada extremidade requer terminação na outra extremidade (portanto, 100 a 120 Ω em *ambas* as extremidades). A especificação RS-485 também (c) expande a faixa de modo comum permissível que pode ser aplicada a uma *saída* do acionador (no estado desabilitado), a partir de uma queda de diodo para além dos trilhos (RS-422) para a faixa completa de –7 V a +12 V de uma entrada RS-485. Isto é necessário, é claro, porque o acionador e o receptor estão ambos conectados permanentemente nas linhas de sinal de uma configuração bidirecional (ou multiponto) típica; se a saída do acionador limitasse para o terra ou para o trilho positivo, ela derrotaria a faixa de modo comum mais ampla do receptor.

A maioria dos transceptores RS-485 satisfazem também as mais estreitas especificações RS-422, de modo que você pode muito bem usar uma das centenas de chips de interface RS-485 disponíveis (de fabricantes como Analog

---

[71] Boas referências: AN-960 e AN-727 da Analog Devices, AN-759 da National Semiconductor, AN-3776 da Maxim e SLLA112 da TI.

[72] Um chip de interface que traz pares de acionadores e receptores RS-485 em separado é denominado *"full duplex"*.

Devices, Intersil, LTC, Maxim ou TI), mesmo se você estiver enviando dados em apenas um sentido; simplesmente habilite o que você está usando em cada extremidade. Algumas escolhas comuns são o "ALS176 (e seus muitos imitadores – 65LBC176, 65HVD1176, etc.), os clássicos 75176 e 75ALS180, o LTC1480/5 e o ADM1485.

RS-422/485 Isolado. Cenário: um "chão de fábrica", com uma série de máquinas-ferramentas automatizadas e com os produtos em movimento ao longo de correias transportadoras. Sensores enviam informações digitais através de cabos aéreos e acabam em uma central de controle computadorizado; os mesmos cabos, ou outros diferentes, enviam comandos de volta para os atuadores. Esta rede controlada centralmente coordena as atividades da fábrica, em última análise, voltadas para o objetivo prático (e rentável) de... fazer coisas. É comum ver esses sinais canalizados como RS-485 diferencial ou uma variante como o *Process Field Bus* (PROFIBUS®), que utiliza um sinal de "camada física" semelhante.[73]

Essas atividades podem ser espalhadas ao longo de distâncias de centenas de metros, e podem ocorrer entre os edifícios. Vamos admitir: com todas essas máquinas pesadas batendo juntas, é provável que você veja transientes de modo comum que ultrapassam até mesmo as especificações "generosas" da RS-485.[74] A solução aqui é usar chips de interface *isolados*, em que os sinais RS-485 têm seu próprio terra independente, galvanicamente isolado do terra dos sinais lógicos. Isto requer uma segunda fonte de alimentação CC, é claro, que flutua em relação ao terra dos sinais lógicos.

Há muitos chips de interface RS-485 isolados para escolher. Os projetistas inteligentes usam vários truques para fazer sinais digitais rápidos atravessarem uma fenda que pode suportar um quilovolt ou mais. Por exemplo, o LTC1535 (ou MXL1535) "Transceptor RS485 isolado" usa pequenos capacitores para acoplar os sinais digitais (modulados) (Figura 12.123). Isso também prestativamente inclui um oscilador de alta frequência (~420 kHz), cuja saída você pode usar com um transformador para isolar e retificar para tornar o CC isolado para o lado do sinal do RS-485. O ISO15/35 da TI é uma alternativa menos dispendiosa, que omite o oscilador; você tem que fornecer CC isolado de partir do zero (ou a partir de um conversor CC-CC isolado, ou uma fonte CC alimentada pela rede elétrica CA).[75]

Outra abordagem é acoplar com pequenos transformadores (em escala SMD). Esta técnica é usada na série ADM2485 de transceptor isolado da Analog Devices, que também proporciona uma saída de oscilador que pode ser utilizada para gerar CC isolado (como o LTC1535). Ou, você pode adicionar os populares chips MAX845 ou MAX253, que geram um par de saídas complementares de onda quadrada em ~0,75 MHz, adequados para acionar diretamente um pequeno transformador de potência de isolamento, bom para cerca de meio-watt de CC isolado. A indústria eletrônica faz com que este dispositivo seja fácil de usar: grandes empresas de transformadores até mesmo oferecem "transformadores MAX845."

Uma técnica interessante é utilizada no IL3485 da NVE Corp, ou seja, o "efeito magnetoresistivo gigante" (GMR, amplamente utilizado em unidades de disco rígido para detectar os bits armazenados magneticamente sobre os discos girantes). Em vez de acoplamento por transformador convencional, onde o fluxo detectado no secundário *varia*, o dispositivo NVE usa GMR para sentir diretamente o campo.

Finalmente, transceptores isolados como o MAX1480/90 usam optoacopladores para os sinais digitais. E, para tornar a sua vida muito simples, incluem um transformador interno para gerar alimentação CC isolada. Esses CIs híbridos incluem também diodos e capacitor para completar o circuito da fonte, portanto, tudo o que você precisa fornecer é uma fonte no lado lógico de +5 V. Essa é a boa notícia; a má notícia é que estes dispositivos lhe custarão vinte dólares (em pequenas quantidades), em comparação com 5 a 8 dólares para os chips com acoplamento por capacitor transformador.

Ethernet PHY. Ao pensar sobre a movimentação de dados digitais através das barreiras de isolamento, não se esqueça dos acopladores ópticos e fibras vistos anteriormente neste capítulo, e também sobre o isolamento através de transformadores de pulso, como usado, por exemplo, em redes locais tais como Ethernet. A Figura 12.124 mostra a camada física ("PHY") de uma ligação Ethernet, com transformadores de isolamento de pulso (que todo mundo chama de "magnetismo."). Eles fornecem uma excelente rejeição de interferência de modo comum (e, claro, de diferenças de potencial nas extremidades), usando um transformador e um

---

[73] Transceptores PROFIBUS têm taxas de dados máximas mais elevadas, tipicamente 30 Mbps ou 40 Mbps, e geralmente atendem às especificações (menos rigorosas) do RS-422 e RS-485; confira dispositivos como o 65ALS1176, ADM1486, ISO1176 ou ISL4486. Alguns outros barramentos industriais que utilizam sinalização RS-485 incluem BITBUS, Data Highway (DH-485), INTERBUS-S, Measurement Bus (DIN66348), Optomux, P-NET e a série 90 (SNP).

[74] Como eloquentemente expressa a folha de dados MAX1480, "O padrão RS-422/485 é especificado para cabos de comprimentos de até ±1.220 m. Quando se aproxima ou excede o comprimento do cabo máximo especificado, uma diferença de potencial de terra de várias dezenas de volts pode ocorrer facilmente. Essa diferença pode ser CC, CA, na frequência da rede elétrica, ou qualquer ruído imaginável ou forma de onda de pulso. É uma impedância tipicamente muito baixa de modo que, se uma conexão entre os dois terras for tentada, muitas correntes grandes podem fluir. Estas correntes são, por sua natureza, instáveis e imprevisíveis. Além disso, podem causar ruídos que podem ser injetados em instrumentação sensível e, em casos graves, podem na verdade causar danos físicos a tal equipamento".

[75] Às vezes você vê conexões RS-485 industriais com barramento CC (+24 V ou +48 V "telecom CC") agrupadas no mesmo cabo, com o(s) par(es) de sinal(is) RS-485; conecte um conversor CC-CC isolado neste, em cada nó do transceptor, para alimentar o lado do sinal do RS-485 de um transceptor como o ISO15/35.

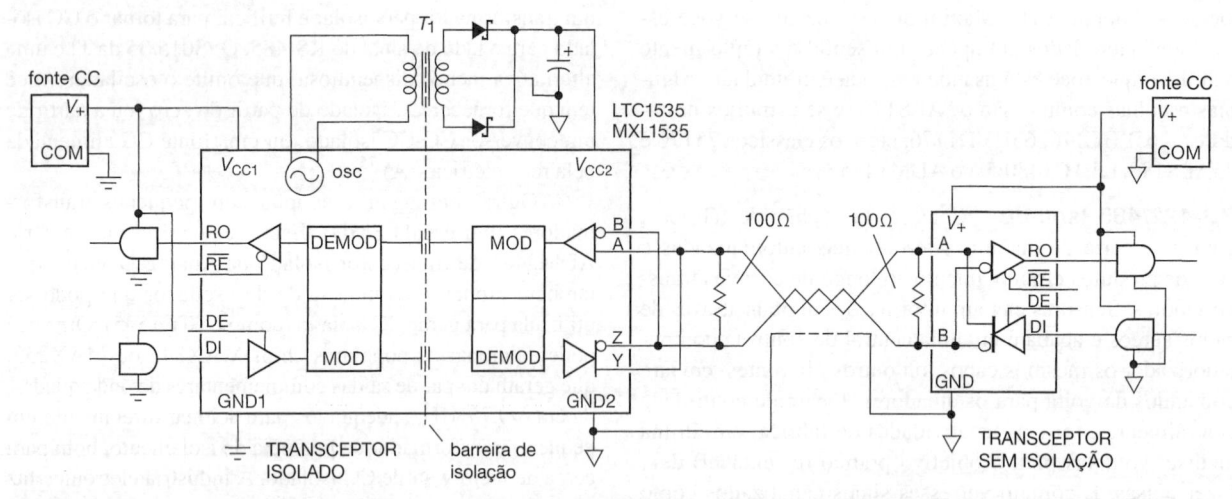

FIGURA 12.123 Um transceptor "isolado" RS-485 separa galvanicamente o circuito conectado ao par de cabo a partir do circuito de lógica de nível. O terra no lado do receptor ("GND2": símbolo triangular) é levado de volta para o transceptor isolado, mas nunca é conectado ao terra local ("GND1," símbolo normal). Tal arranjo evita laços de terra, e pode acomodar modo comum e deslocamentos de potenciais de terra de centenas de volts. Transceptores isolados adicionais podem ser conectados ("*multidrop*") ao longo da faixa, referenciados ao mesmo GND2, cada um com sua própria fonte de alimentação do lado do RS-485 isolado; tais "tocos" de faixa intermediária devem ser mantidos curtos no comprimento, e sem resistores de terminação de 100 Ω.

choque em modo comum, como mostrado.[76] Se você já tem um microprocessador no seu sistema, por que inventar o seu próprio hardware de isolamento, quando a Ethernet funciona muito bem? E, se você precisa enviar dados em distâncias maiores, pode usar um conversor de mídia para transportar sinais Ethernet sobre fibra. Confira a ofertas de fabricantes como a Allied Telesis.

B. LVDS

Em contraste com o RS-422, que se destina a taxas de dados modestas (10 Mbps e abaixo) através de cabos relativamente longos (até 1 km), o padrão LVDS (sinal diferencial de baixa tensão, também conhecido como RS-644) se destina a taxas muito mais elevadas de dados (até 1 Gbps e acima) através de cabos mais curtos (até ~10 m) ou ainda trilhas de placas de circuito impresso que são ainda mais curtas. Ao invés de acionar o par de fios com um entrecruzamento de *tensões* de alguns volts de amplitude, o LVDS comuta *correntes*: um acionador LVDS absorve ou fornece 3,5 mA (nominal) em um par de fios que é terminado na extremidade do receptor em sua impedância característica (geralmente 100 Ω). Isso produz uma tensão diferencial na extremidade do receptor de ±350 mV. O acionador é obrigado a manter uma tensão de modo comum, nominalmente +1,2 V; de modo que o re-

ceptor vê tensões de cruzamento de aproximadamente +1,0 V e +1,4 V. A tensão de modo comum relativamente baixa foi escolhida deliberadamente para acomodar o acionador e os chips do receptor que operam a baixas tensões de alimentação. Isso é importante porque os chips digitais estão, de forma constante, sendo projetados para tensões mais baixas,

FIGURA 12.124 A Ethernet utiliza transformador de acoplamento e choques de modo comum para isolamento robusto de sua sinalização diferencial. Mais próximo da fiação está a camada física ("PHY"), seguida pela camada de controle de acesso ao meio ("MAC", como em "endereço MAC").

---

[76] Você ganha robustez adicional adicionando componentes de proteção contra surtos, especialmente o *Transient Blocking Units* (TBUT™) da Bourns. Estes são pequenos elementos de dois terminais que vão em série com as conexões do sinal a partir do transformador: eles agem como uma baixa resistência até uma corrente crítica, ponto no qual vão para um estado de alta resistência.

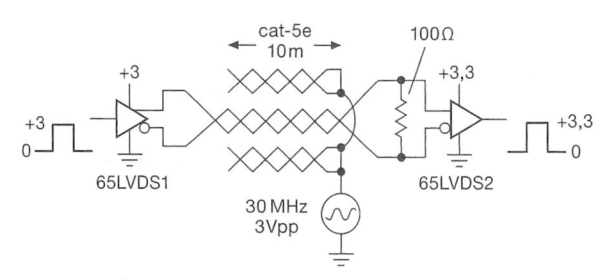

FIGURA 12.125 Teste de estresse de rejeição de interferência de modo comum para LVDS. Foi aplicado um sinal de ~30 MHz em dois pares não usados na extremidade de um comprimento de 10 m de cabo de rede Cat-5e, durante a transmissão de uma sequência de pulsos (clock de 20 ns) através de um par diferente.

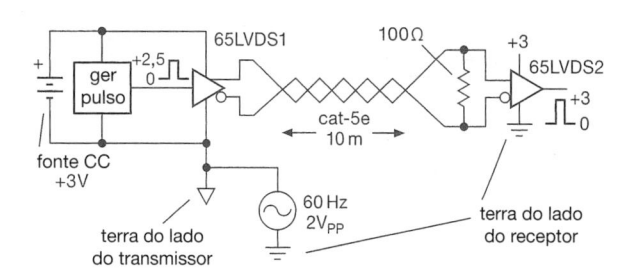

FIGURA 12.127 Configuração de teste de modo comum da rede elétrica, usando uma fonte de sinal LVDS flutuante (completa com gerador padrão de pulso e fonte de alimentação).

e a Interface LVDS geralmente é incorporada em um chip complexo que quer operar com baixas tensões.

Montamos o circuito na Figura 12.125 (análogo aos das Figuras 12.120 e 12.121) para ilustrar a rejeição de interferência de modo comum de LVDS. Injetamos uma forma de onda trapezoidal, em ~30 MHz nos pares não utilizados de um cabo de rede, e dobramos a amplitude até que o sinal recebido atingisse os limites do receptor de modo comum especificados de 0 V e 2,4 V. Os resultados são mostrados na Figura 12.126: Você pode ver as duas tensões de sinal recebidas passando ativamente uma pela outra, sob o comando do sinal de entrada (atrasado pelo incômodo da velocidade da luz, é claro), recuperadas de modo limpo pelo receptor LVDS.

Para ilustrar o problema de transmitir sinais digitais entre instrumentos cujos terras diferem por uma pequena quantidade de 60 Hz CA, montamos o circuito da Figura 12.127. Fizemos "flutuar" o terra do dispositivo da fonte, análogo à configuração anterior com RS-422 (Figura 12.120), e, em seguida, o acionamos com uma senoide de 2 Vpp. Os resultados são apresentados na Figura 12.128, onde reduzimos o clock da taxa de dados para que você possa ver a frequência da rede elétrica. Note que o LVDS permite apenas 2 Vpp de sinal de modo comum somado, em comparação com 14 Vpp para o RS-422/485; mas com o LVDS você obtém bastante velocidade e compatibilidade com a lógica de tensão baixa.[77]

O protocolo LVDS é amplamente utilizado em enlaces *serializer-deserializer* (veja também as Seções 12.8.4, 12.10.5 e 14.7), em que um enlace serial rápido conecta um par de registradores paralelos separados. Em cada extremidade você pensa que está falando a uma porta paralela (e você está!), mas entre elas os bits de dados trafegam de forma serial. A largura de dados comum é de 10 bits, o que permite enviar um byte além de dois bits extras que podem ter o significado que quiser (um novo byte, ou o início de um novo "quadro" de bytes). A Figura 12.129 mostra como isso funciona, neste caso com um par de SERDES com uma especifi-

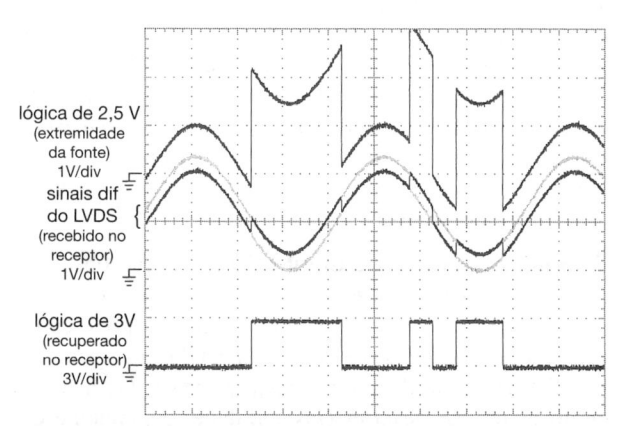

FIGURA 12.128 Formas de onda a partir do circuito da Figura 12.127. O sinal diferencial de ~400 mV é sobreposto à onda senoidal acrescentada de 2 Vpp e 60 Hz, atingindo os limites de modo comum do receptor especificados de 0 V e +2,4 V. Horizontal: 4 ms/div.

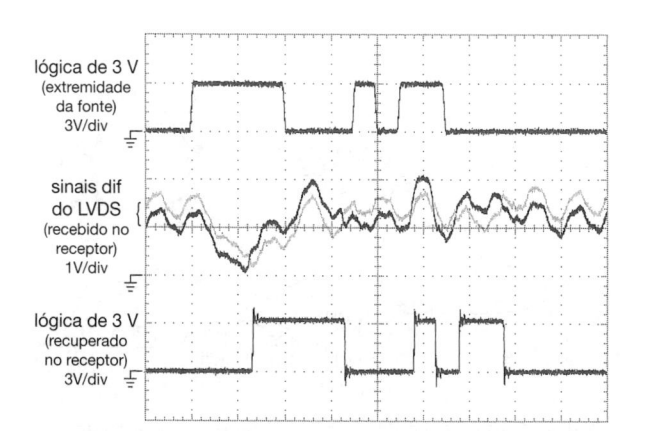

FIGURA 12.126 Formas de onda a partir do circuito da Figura 12.125. O sinal injetado acrescenta até ±1 V de interferência de modo comum ao sinal diferencial recebido de ~400 mV e 50 Mbps. Horizontal: 40 ns/div.

---

[77] Você pode obter receptores de LVDS com capacidade de modo comum estendida, como por exemplo o 65LVDS34, que especifica a faixa de modo comum de operação de −4 V a +5 V (eles fazem isso com um divisor de entrada resistivo, por isso, $R_{in} = 250$ kΩ).

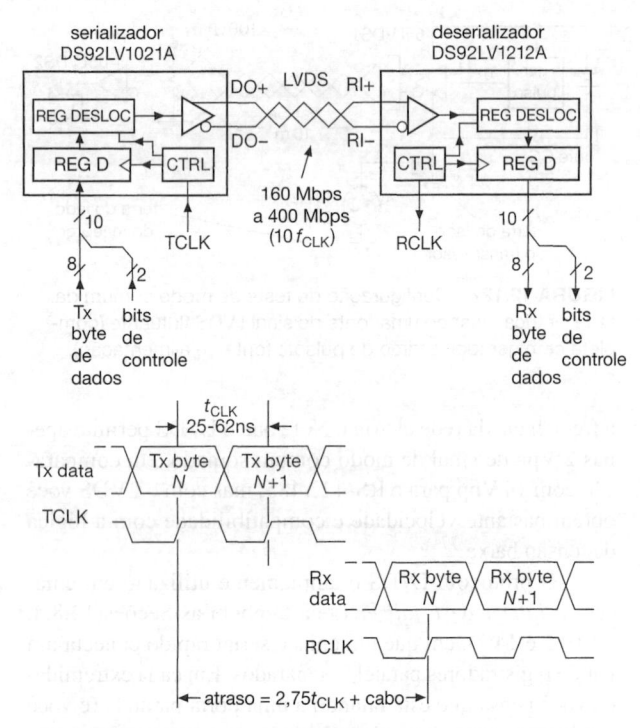

FIGURA 12.129 Um par de SERDES permite clock de dados em paralelo para um registrador no lado do transmissor; eles aparecem, como que magicamente, como dados em paralelo no lado do receptor. Existem alguns ciclos de clock de atraso, mas nada do que nós possamos nos orgulhar.

ção de velocidade relativamente relaxada: o clock de transmissão, que temporiza a entrada de símbolos de dados de 10 bits, pode estar na faixa de 16 a 40 MHz. Os bits de dados serializados que passam ao longo do enlace LVDS estão em dez vezes essa taxa, ou seja, até 400 Mbps.[78] Você precisa de apenas um par diferencial de LVDS, porque o deserializador realiza a "recuperação de clock" a partir da sequência de bits transmitida. Na figura omitimos alguns detalhes adicionais que têm a ver com modos e sincronização.

Condicionamento de sinal LVDS.
Como observamos anteriormente (Seção 12.10.2C), o uso de pré-ênfase na transmissão e de equalização na recepção pode compensar a perda dependente da frequência do cabo de conexão. Estas técnicas de *condicionamento de sinal* reduziram muito os efeitos de *jitter* (instabilidade) dependente de dados, que também é conhecido como *interferência intersimbólica*, ou ISI.

Este efeito ISI vale algumas palavras de explicação: por causa do efeito de filtragem passa-baixas das perdas em cabos ou trilhas de circuito impresso, em especial quando operarem a altas taxas de bit (gigabit por segundo), a tensão do sinal inicial recebida no começo de cada célula de bits depende do bit anterior (ou bits), e assim o momento de cruzar o limiar irá variar um pouco, dependendo do(s) bit(s) anterior(es). A interferência intersimbólica assola a comunicação de alta velocidade em todas as formas. Você pode ver este efeito em formas de onda LVDS recuperadas de 1,5 Gbps na Figura 12.132, em que as formas de onda de osciloscópio, disparadas por um sinal de clock limpo, mostram a dispersão dos níveis de sinal na linha de dados que transporta um padrão de dados pseudoaleatórios. Isso é chamado de "diagrama do olho;" é uma ferramenta padrão para visualização de ruído e *jitter* para avaliar a qualidade do sinal em uma sequência de dados com clock.

O uso de pré-ênfase e equalização pode prolongar significativamente as taxas de bits e distâncias de transmissão, como se observou no início da Seção 12.10.2C em conexão com cabos coaxiais. A Figura 12.130 mostra o esquema e a Figura 12.131 mostra como a pré-ênfase aumenta os níveis de tensão após cada transição; e quando combinada com equalização no receptor (reforço da alta frequência), o resultado é uma réplica limpa do sinal de entrada original. Tal condicionamento de sinal é usado em vários CIs acionador e receptor, por exemplo a série DS25BR100/200/400 e a DS-25CP102 da NSC; veja a sua Nota de Aplicação AN-1957 para obter mais informações e formas de onda ilustrativas.

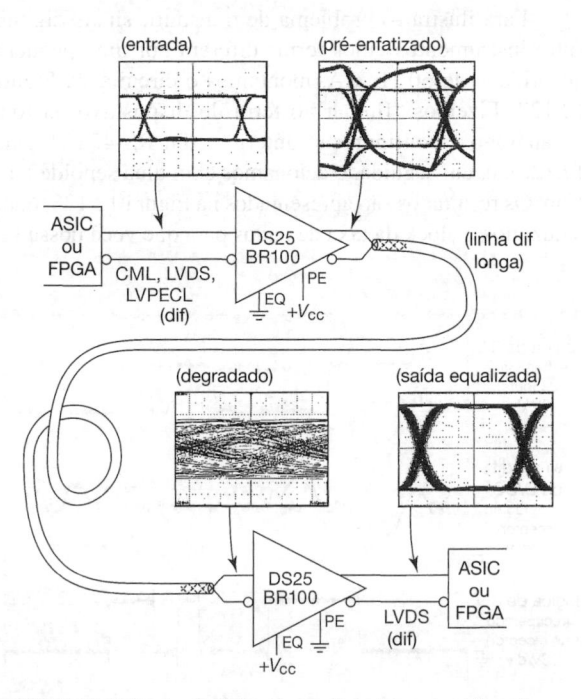

FIGURA 12.130 A pré-ênfase no acionador, a equalização no receptor, ou ambos, podem compensar as perdas de cabo durante a transmissão de dados em altas taxas sobre os meios com perdas.

---

[78] A taxa de bits serial é na verdade 12 vezes a velocidade do clock, devido ao serializador adicionar dois bits com clock.

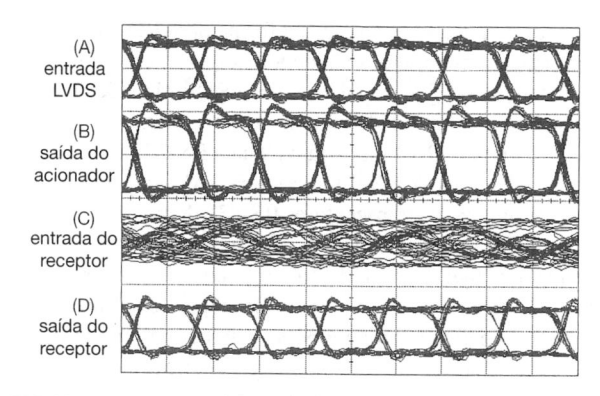

FIGURA 12.131 Formas de onda de um sinal LVDS pseudoaleatório de 1,5 Gbps atravessando uma stripline diferencial de 2,5 m de comprimento em uma placa de circuito impresso. A. Entrada do acionador DS25BR120; B. saída do acionador, com pré-ênfase: C. Entrada do DS25BR110 no receptor; D. Saída do receptor, com pré-ênfase e equalização. Vertical: 500 mV/div; horizontal: 500 ps/div.

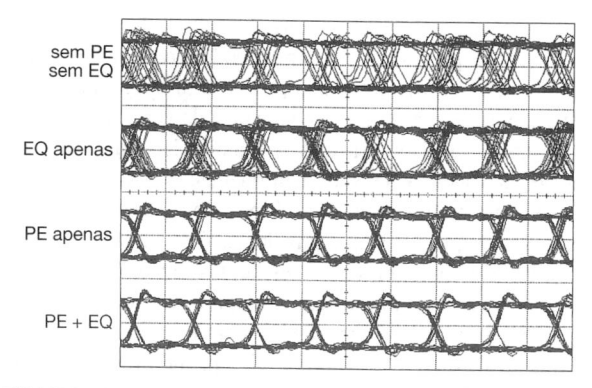

FIGURA 12.132 Formas de onda de saída do receptor ("diagramas do olho") a partir da mesma configuração que a Figura 12.131, que mostra o efeito de quantidades variáveis de pré--ênfase no acionador e equalização no receptor. A forma de onda inferior representa PE = + 9 dB e EQ = +8 dB em 1,5 GHz. Vertical: 500 mV/div; horizontal: 500 ps/div.

12.10.4 RS-232

Este é um formato de sinalização que remonta à década de 1960, destinado originalmente para enlaces seriais de baixa velocidade (< 19,2 kbps) entre os terminais alfanuméricos (por exemplo, o lendário DECVT-100) e computadores. O RS-232 foi revisto várias vezes e agora é conhecido oficialmente como EIA232; embora as portas RS-232 ainda sejam vistas em alguns computadores e instrumentos, o padrão é considerado antiquado, e, possivelmente, entrará em desuso. No entanto, ainda está com a gente (e talvez sempre estará[79]). Embora não faça parte do padrão, os dados são normalmente enviados como bytes seriais assíncronos de 8 bits, com um bit de início (START bit) e um ou dois bits de fim (STOP bits) (esses bits extras permitem ao receptor sincronizar novamente depois de cada byte; veja a Seção 14.7.8). As taxas de bits habituais (também não especificadas no próprio padrão RS-232) são potências de 2 múltiplas de 300 bps (assim 300, 600, 1200, 2400, 4800, 9600, e 19.200 bps, complementados com um conjunto entrelaçado consistindo de 14,4 kbps, 28,8 kbps, 57,6 kbps e 115,2 kbps). Assim, por exemplo, quando você configurar uma porta serial para "9600 8N1", você está enviando grupos de 8 bits, com um bit de início, um bit de fim e sem paridade, em 9600 bits/s. Observe que os bits de sincronização (START e STOP) estão incluídos na medida global da taxa de bits; para este exemplo, então, você está enviando uma carga útil de 960 bytes/s.

O que a norma não especifica são as tensões de sinalização, resistência de carga, capacitância e taxas de variação, juntamente com o esquema de pinos do conector. Vamos ver o RS-232 novamente, no contexto das comunicações por computador, no Capítulo 14. Mas aqui nos atemos ao uso de RS-232 no nível físico (daí o termo "PHY"), como uma forma de acionar cabos de dados digitais. Os níveis de tensão RS-232 são de bipolaridade, com tensões legais de saída de acionador de −5 V a −15 V (lógica 1, também conhecido como "MARCA"), ou +5 V a +15 V (lógica 0, também conhecido como "ESPAÇO"). Acionadores e receptores RS-232 são invertidos, de modo que a MARCA corresponde ao nível lógico ALTO na entrada de um acionador ou na saída de um receptor (veja a Figura 12.135). Tal como indicado na figura, RS-232 é terminação simples; e, por causa das taxas de sinalização relativamente baixas, o cabo não é terminado. Isso, normalmente, é uma coisa terrível de se fazer, porque sinais variando rapidamente (ou seja, em uma escala de tempo mais curto do que o tempo de ida e volta do sinal) refletem a partir da extremidade aberta, como já vimos. O RS-232 contorna esse problema, especificando uma taxa de variação máxima (30 V/μs), que é lenta o suficiente para a operação típica de cabos de quinze metros (a máxima especificação original, posteriormente substituída por uma capacitância de carga máxima) ou menos. Para estar em conformidade com as normas, a capacitância de carga deve ser 2.500 pF ou menos;[80] e a resistência de carga é um 5 kΩ nominal ($\pm$2 kΩ). Acionadores RS-232 devem resistir a um curto contínuo para o terra ou para qualquer tensão CC na faixa de $\pm$25 V.

---

[79] É difícil descartar completamente o RS-232, quando tantos instrumentos de teste trabalham bem com ele, como uma das suas várias interfaces escolhidas. O movimento em direção a USB está sendo roubado por Ethernet (ou outros substitutos), tornando o conector RS-232 a "porta de fácil implementação." Ao contrário das interfaces seriais mais avançadas, como USB e Firewire, o RS-232 não requer qualquer "dificuldade" – não há nenhuma negociação ou inicialização necessária. Em parte por esta razão, a maioria dos microcontroladores incluem um controlador de porta serial fácil de usar. Para conexão a computadores portáteis contemporâneos e afins, você pode conseguir módulos adaptadores de USB para RS-232, como por exemplo os da FTDI.

[80] Que corresponde a 50 m de par trançado Cat-5 (50 pF/m), ou 25 m de coaxial de 50 Ω (100pF/m).

Então, o RS-232 tem feito "barulho", lentamente. A boa notícia é que o sinal pode andar ao longo de um cabo não blindado de multifios, que não precisa agir como uma linha de transmissão bem-comportada; a taxa de variação limitada minimiza *crosstalk* e reflexões. A má notícia é que o acionador precisa das duas tensões de alimentação positiva e negativa de, pelo menos, ±5 V. Os chips acionador-receptor originais (1488/1489, e seus equivalentes CMOS DS14C88/89 e MC145406) exigem tais fontes duplas (±9 V, nominal), o que é pedir muito em um sistema digital (como uma placa-mãe de computador) que opera apenas com tensões de alimentação positivas. A Maxim foi a primeira a introduzir acionadores RS-232 com um dobrador de tensão de bomba de carga interna ao chip (capacitor flutuante) e inversor de tensão, para gerar ±10 V a partir de uma fonte simples de +5 V; eles o nomearam (naturalmente) de MAX232. Existem hoje dezenas de tais chips (alguns com os capacitores incluídos no encapsulamento, por exemplo, o MAX203 ou o LT1039), abrangendo uma faixa de velocidade máxima, consumo de energia, tensão de alimentação, número de condutores e receptores em um encapsulamento, e assim por diante. Como exemplo, o MAX3232E é um transceptor duplo (dois acionadores, dois receptores) que funciona a partir de uma fonte simples de +3 V a +5,5 V, requer quatro capacitores externos de 0,1 μF e garante atender às especificações do RS-232 para 120 kbps; ele vem em cinco encapsulamentos diferentes (SMD e DIP). O sufixo E designa robustez aprimorada para descarga eletrostática, ou seja, proteção ESD de ±15 kV, especificado com o modelo do corpo humano (HBM, lembre-se da Seção 12.1.5) de um capacitor de 100 pF carregado em série com um resistor de 1,5 kΩ.

A especificação da interface RS-232 inclui certo número de sinais de controle adicionais, destinados ao "controle de fluxo" do hardware quando um terminal é conectado a um computador (veja a Seção 14.7.8); estes têm nomes como terminal de dados pronto (DTR – *Data Terminal Ready*), conjunto de dados pronto (DSR – *Data Set Ready*), solicitação para envio (RTS – *Request to Send*) e pronto para receber dados (CTS – *Clear to Send*). Você pode ignorar tudo isso se simplesmente quiser usar um par de chips de interface RS-232 para enviar dados digitais de baixa velocidade através de uma conexão de fio. Na verdade, eles são frequentemente ignorados, mesmo em portas seriais do computador: você pode simplesmente usar as linhas de dados de transmissão (TD) e dados de recepção (RD) mais terra e fazer o controle de fluxo com software (mais sobre isso no Capítulo 14). Note, no entanto, a curiosa (e confusa) nomenclatura oficial das linhas de sinal reais TD e RD: você esperaria que TD fosse a saída de um acionador, que deve ser conectado ao RD do receptor (distante). Não é assim! Na nomenclatura RS-232, um dispositivo é um Equipamento de Comunicação de Dados (DCE – *Data Communications Equipment*) ou um equipamento terminal de dados (DTE – *Data Terminal Equipment*); o sinal enviado por este último é chamado de TD em *ambas as extremidades do enlace*! (e da mesma forma para RD). Vai saber. Na prática, a maioria dos engenheiros ignora essa confusão; eles chamam de TD o sinal de saída e RD o sinal de entrada, em qualquer extremidade que está acontecendo.

A Figura 12.133 mostra os sinais RS-232 recebidos e os dados digitais de nível lógico de 3,3 V recuperados. Foi utilizado um par de transceptores RS-232 duplo MAX3232E, alimentado a partir de +3 V, e acionado por um gerador aleatório de byte[81] emitindo dados seriais padrão formatado em 115,2 kbaud. A captura do osciloscópio, sincronizada na transição a partir do bit de FIM, negativo, ao bit de INÍCIO, positivo, mostra muitos desses bytes sobrepostos, de modo que os bits de dados alcançam ambos os valores. O sinal lógico recuperado é limpo depois de 10 m de par trançado (aproximadamente seu limite especificado), mas depois de 140 m existe um espalhamento significativo na temporização das bordas dos dados recuperados, causado por interferência intersimbólica (Seção 12.10.3B) nos sinais de transições lentas do RS-232. Neste caso, o tempo de transição lenta é comparável com o tempo de um bit (1 "UI", ou intervalo unitário), fazendo com que o instante do cruzamento do limiar 0 V varie um pouco, de acordo com os valores de bits anteriores. Você pode ver este efeito nos dados de cabo longo na Figura 12.133, em que o sinal de cabo recebido fica aquém

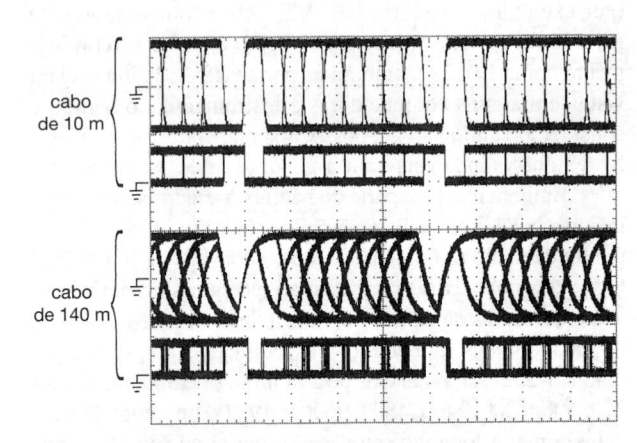

FIGURA 12.133 A sinalização RS-232 utiliza um acionador de tensão de terminação simples, alternando entre níveis positivos e negativos de tensão. Estas formas de onda de osciloscópio mostram os bytes aleatórios recebidos ("8N1") em 115 kbaud (forma de onda superior de cada par), após a transmissão através de dois comprimentos de cabo de rede Cat-5e/6; os acionadores e receptores são inversores, como pode ser visto no sinal lógico recuperado (forma de onda inferior de cada par). O desempenho marginal com o cabo mais longo já não é consistente com o limite da Figura 12.134 de ~10 kbaud para este comprimento de cabo. Acionador/receptor: MAX3232E em +3 V. Horizontal: 20 μs/div; vertical: 5V/div.

---

[81] O único usado para gerar os ~250 MB de bytes aleatórios no CD-ROM *Numerical Recipes*.

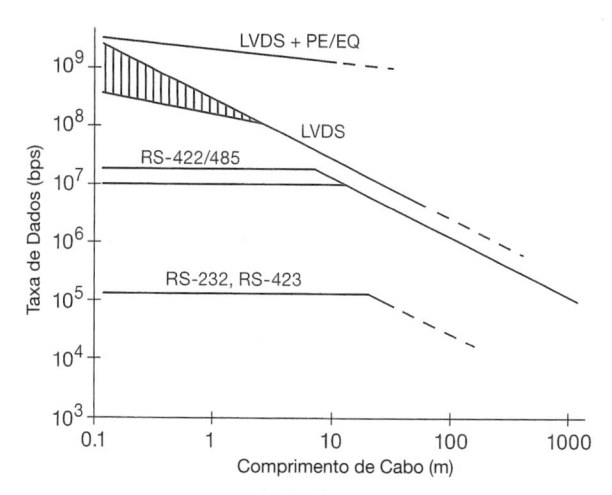

FIGURA 12.134 Limites de taxa de dados aproximados em função do comprimento do cabo, para alguns protocolos de sinalização. Sua metragem real pode variar, dependendo da qualidade do cabo e interferência do ambiente. Observe a melhoria de velocidade adquirida com pré-ênfase e equalização ("PE/EQ", veja as Figuras 12.130 a 12.132).

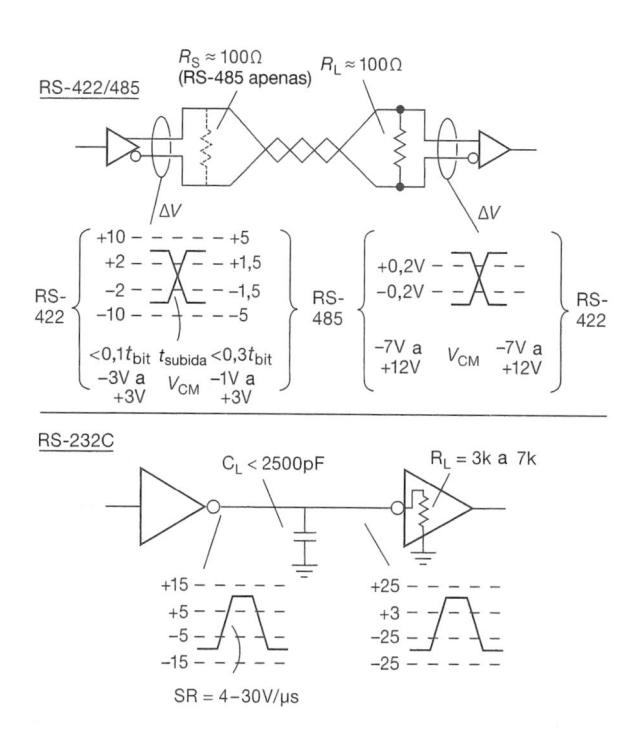

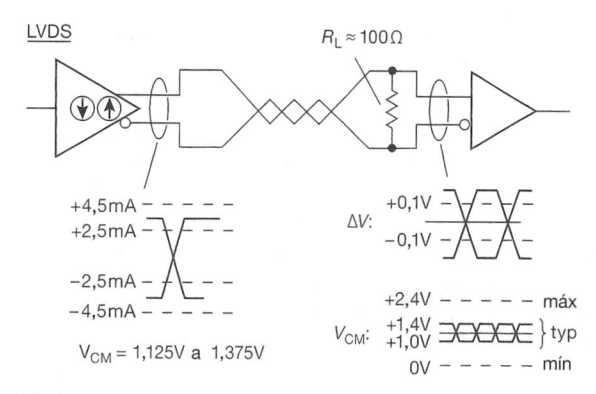

FIGURA 12.135 Níveis de sinal de acionador e receptor permitidos para sinalização de LVDS, RS-422/485 e RS-232. Exceto para a bipolaridade (e terminação simples) do RS-232, as tensões de saída dos acionadores são apenas de polaridade positiva. Saídas LVDS são acionadas em *modo de corrente* (que são convertidas para sinal de tensão diferencial na resistência de terminação do cabo), a uma tensão de modo comum de 1,25 V; os outros são saídas em *modo de tensão*. Todos os receptores respondem a tensões, quer de terminação simples (RS-232) ou diferencial (LVDS, RS-422/485).

dos seus níveis assimptóticos de tensão (cerca de $\pm 4,5$ V) por tanto quanto um volt.[82]

Ao enviar sinais digitais em fios em distâncias substanciais, ou em ambientes com ruídos elétricos, existem sempre os problemas de corrente de terra e de ruído injetado. A isolação galvânica é a melhor solução. Embora RS-232 não receba tanta atenção quanto RS-422/485, há pelo menos um bom acionador isolado, ou seja, o ADM3251E da Analog Devices. Ele usa transformador de acoplamento interno (com um par de modulador-demodulador) para a transmissão e recepção de dados, e um transformador adicional (mais retificador e regulador), para gerar a tensão CC isolada; os únicos componentes externos são cinco capacitores de 0,1 μF para as bombas de carga (internas).

Um comentário final: temos falado principalmente sobre a *camada física* RS-232 (as tensões reais no cabo), com sua sinalização de bipolaridade estranha, como uma ferramenta simples para a transmissão direta de dados digitais. No mundo real, RS-232 é normalmente usado em conjunto com fontes de dados seriais assíncronas, por exemplo, entre a "porta serial" de um computador hospedeiro e um dispositivo, como um modem ou módulo de programação. Nesse papel, você precisa usar chips de interface de acionador e receptor (como o MAX3232) em cada extremidade, para traduzir entre os sinais de nível lógico e os sinais RS-232. Embora estejamos pouco entusiasmados com sinais RS-232, acreditamos que o uso do protocolo de dados serial assíncrono simples *sem conversão* para níveis de tensão RS-232 continuará a ser útil. Isso porque ele é o último dos padrões de interface serial sem complicações – protocolos seriais posteriores, como USB, Firewire e SATA exigem inteligência substancial para negociar e operar o enlace. A maioria dos microcontroladores inclui uma ou mais portas seriais (chamadas UARTs, ou portas COM), que são fáceis de usar, e que

---

[82] Usuários do RS-232 usam frequentemente taxas de dados mais lentas, a mais popular das quais é 9600 baud, velocidade em que estes efeitos são insignificantes.

pode se comunicar com qualquer computador através de um conversor de serial-USB, tais como o popular TTL-232R-3V3 da FTDI. Este prático dispositivo se conecta a um *host* (hospedeiro) USB em uma ponta, e lhe dá uma porta serial com níveis lógicos de +3,3 V (para conexão direta com um microcontrolador, ou qualquer outro) na outra extremidade.

12.10.5 Conclusão

Na prática contemporânea, o LVDS é bastante popular, devido à sua combinação de alta velocidade (até 3 Gbps e além), baixa emissão de interferência, baixa potência e compatibilidade em todas as famílias lógicas de baixa tensão.[83] É amplamente utilizado para o transporte de sinal de alta velocidade e distribuição em placas de circuitos e *backplanes*, bem como através de trajetos curtos ($\lesssim$10 m). Você pode obter acionadores e receptores discretos em pequenos encapsulamentos (por exemplo, 65LVDS1/2), e muitos CIs complexos incluem acionadores/receptores LVDS para dados serializados, por exemplo, um par SERDES como o DS92LV1023/1224, ou um FPGA complexo como o Spartan-3 da Xilinx ou a série Stratix da Altera.

O RS-422/485 é usado para trajetos mais longos, muitas vezes em ambientes industriais, onde as taxas de dados são mais baixas (até 10 Mbps), mas o ruído de modo comum é maior. E o RS-232 sobrevive, apesar das previsões frequentes do seu desaparecimento, para as ligações de dados simples a preços baixos. Para aplicações onde o sinal deve ser isolado de interferências (tanto de entrada, quanto de saída), você verá cabos blindados, seja como pares trançados blindados para sinalização diferencial, seja como cabos coaxiais para sinalização de terminação simples (ou analógico). Também é comum ver chips de interface RS-485 galvanicamente isolados, empregando técnicas eletrostática (via capacitores), magnética (via transformadores, ou GMR), ou óptica (via LEDs) para levar os dados através de uma barreira de isolamento de vários quilovolts. Finalmente, a fibra óptica (Seção 12.8) proporciona um enlace digital totalmente imune

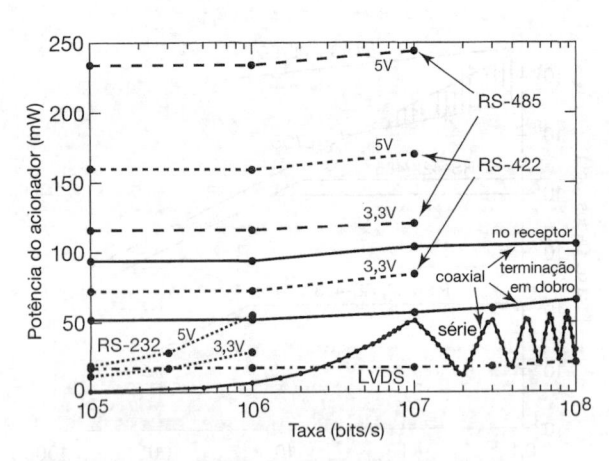

FIGURA 12.136 Potência do acionador medida em função da taxa de bits, para algumas configurações de acionamento de cabos de terminação simples (coaxial) e diferencial (par trançado). Todos os testes utilizaram um cabo coaxial RG-S8A ou cabo de rede Cat-5e de comprimento 10 m, acionado com a alternância de 1s e 0s (ou seja, uma onda quadrada, cuja frequência é metade da taxa de bits). A resistência de terminação no receptor foi de 50 Ω para coaxial (exceto circuito aberto para terminação em "série"), e 100 Ω para par trançado (exceto 5 kΩ para RS-232), com mais 100 Ω na extremidade da fonte para RS-485. Observe o efeito das reflexões a partir da terminação descasada (5 kΩ) com RS-232, particularmente evidente aqui devido ao acionamento de onda quadrada de frequência única.

a ruído e isolado galvanicamente, capaz de taxas de dados muito altas e trajetos longos, em troca de maiores custos nos componentes do acionador-receptor.

A Figura 12.134 é um guia para velocidades e comprimentos de sinalização de LVDS, RS-422/485 e RS-232. A Figura 12.135 resume as características do sinal destes padrões de enlace. E a Figura 12.136 compara seus requisitos de potência do acionador (ou seja, a tensão de alimentação do chip acionador vezes a corrente), juntamente com o coaxial de 50 Ω.[84]

---

[83] Existem vários protocolos estreitamente relacionados, isto é, PECL (lógica por acoplamento de emissor positiva), LVPECL (PECL de baixa tensão) e CML (lógica de modo de corrente). Este último é usado, por exemplo, nos enlaces de vídeo digital, como DVI e HDMI.

[84] Os CIs de acionadores que usamos para estas medições de potência foram: coaxial – 74LVC2G04 (ambas as secções em paralelo); LVDS – 65LVDS1; RS-232 – MAX3232E; RS-422/485 – LTC1485 (5 V) ou LTC1480 (3,3 V).

REVISÃO DO CAPÍTULO 12

Um resumo de A a S do que aprendemos no Capítulo 12. Este resumo revê princípios básicos, fatos e informações sobre aplicações no Capítulo 12.

¶ A. Interconexões Lógicas.

O tema deste capítulo é a interconexão de sinais lógicos digitais e dispositivos lógicos para... *tudo*, onde "tudo" inclui (a) dispositivos de outra lógica, (b) as fontes de entrada (chaves, optoeletrônicos, cabos), e (c) dispositivos de saída (de cargas de potência CC e CA, optoeletrônicos, cabos). Portanto, é um longo capítulo, rico em vários temas. Aqui tentamos organizar esses temas diversos em parágrafos gerenciáveis.

¶ B. Famílias Lógicas.

Seção 12.1.1. A lógica digital contemporânea é propriedade da CMOS, com a pequena exceção de algumas famílias lógicas por acoplamento de emissor (ECL, PECL e LVPECL) e alguns BiCMOS (ABT, BCT). Entradas CMOS não absorvem nenhuma corrente, e seus limiares lógicos estão geralmente próximos de metade da alimentação, exceto para os tipos de sufixo T (HCT, ACT, AHCT, VHCT) onde os limiares estão em conformidade com o antigo TTL bipolar ($\sim 1,4$ V); veja a Figura 12.5.

A lógica 74HC[T] é boa para prototipagem fácil e uso geral, e está disponível em DIP ou SOIC; ela é substituída pela 74AC[T], ou 74LV, em aplicações que necessitam de maior velocidade. Para aplicações de baixa tensão em velocidades moderadas, use 74LVC ou 74VCX (disponível apenas em encapsulamentos SOIC e mini-logic). Para a operação em até 15 V você pode usar a lógica 4000B, mas essa série é *lenta*. Finalmente, para sinais diferenciais, use acionadores e receptores LVDS (ou LVPECL, se especificado). Veja as Figuras 12.2 e 12.3 para uma comparação da velocidade em função da potência de famílias lógicas e, também, da velocidade em função da tensão de alimentação.

¶ C. Características de Entrada e Saída.

Seções 12.1.2A e 12.1.2B. *Entradas* CMOS não consomem nenhuma corrente quando $0V \leq V_{in} \leq V_{DD}$ (e até mesmo para as entradas de alguns décimos de um volt além desses limites). Para a maioria das famílias lógicas, os diodos de proteção de entrada limitam para o terra e V_{DD}, causando, assim, corrente de entrada substancial para tensões de entrada, tanto quanto um volt além de V_{DD} ou abaixo de GND; isso pode causar SCR *latchup*. No entanto, algumas famílias usam limitação do tipo zener, permitindo variações de entrada bem além do trilho (e mesmo quando não energizado); exemplos incluem tolerância de 5 V para 74LVC e 3,3 V para 74AUP. Veja a Figura 12.4.

Saídas CMOS variam até os trilhos, parecendo resistivas para pequenas correntes de carga (Figura 12.7). A capacidade de corrente de saída varia amplamente entre as famílias; dentro de uma família, ela aumenta com o aumento da tensão de alimentação. Veja a Figura 12.6 para um resumo dos limiares e faixas de tensão de entrada e saída válidas. Note que as saídas da lógica TTL bipolar (essencialmente obsoleta), e também de CIs digitais com saídas nMOS, não saturam para o trilho de alimentação; veja a Seção 12.4.5A.

¶ D. Interfaceamento Entre Famílias Lógicas.

Você pode misturar tipos de lógica, contanto que você respeite os requisitos de entrada de nível lógico. No nível básico, isso significa que (a) você sempre pode fazer uma conexão direta entre lógicas que operam na mesma tensão; (b) a lógica que opera a partir de uma tensão mais elevada (por exemplo, +5 V) pode acionar uma lógica de menor tensão, se a entrada desta última for "tolerante"; e (c) uma lógica de baixa tensão pode acionar uma lógica de maior tensão se esta tiver "limiares TTL" e a primeira for alimentada a partir de, pelo menos, 2,5 V. Com dezenas de famílias lógicas, a maioria capaz de operar em uma faixa de tensões de alimentação, você tem um monte de possibilidades. A maioria é tratada na Seção 12.1.3 e apresentada graficamente na Figura 12.9.

¶ E. Acionamento de Entradas Lógicas Digitais.

Seção 12.1.4. Uma chave mecânica com *pull-up* (Seção 12.1.4A) gera os níveis lógicos certos, mas com *repique*. Isso pode não importar para algumas aplicações; mas para bordas limpas você precisa de um anti-repique, ilustrado em meia dúzia de variações na Seção 12.1.4B. A entrada lógica pode vir então de um comparador (um assunto resumido em ¶G a seguir, e tratada em detalhe na Seção 12.3), cuja saída pode ter *pull-up* ativo para o mesmo V_{DD} que a lógica acionada, ou pode vir de um terminal de "dreno aberto" (ou coletor aberto); neste último caso, você precisa de um *pull-up* externo para V_{DD}. A Figura 12.25 mostra configurações de circuito representativas.

Ao acionar entradas lógicas a partir de sinais de qualquer tipo, tenha cuidado para não sobrecarregar a entrada (seja a partir de uma fonte de sinal de maior variação, ou dos efeitos de linha de transmissão – veja o exemplo notório nas Figuras 12.103 e 12.104); e não deixe entradas lógicas não utilizadas flutuando.

Os dispositivos lógicos contemporâneos são projetados para resistirem a surtos substanciais de eletricidade estática (definido em termos do modelo do corpo humano, HBM [*human-body model*], de 100 pF em série com 1,5 kΩ, Seção 12.1.5), mas é melhor não abusar da sorte; tenha o cuidado de descarregar-se, use materiais antiestáticos, etc. Veja também a discussão no início da Seção 3.5.4H.

¶ F. Acionamento de Cargas Externas a Partir de Saídas Lógicas.

Seção 12.4. Você pode acionar pequenas cargas (LEDs, SSRs, pequenos relés mecânicos) diretamente de saídas lógicas (Seção 12.4.1 e Figura 12.39), tendo o cuidado de respeitar a capacidade de acionamento de saída (variação de tensão, corrente) e, para um relé mecânico, a adição de um diodo de limitação em sua bobina. Como mostrado na figura, você pode usar um acionador de coletor aberto (ULN2003, 75468) para acomodar tensões e correntes tão elevadas quanto 100 V e 350 mA, respectivamente. Há acionadores análogos para uso com dados seriais (de um microcontrolador), veja as Figuras 12.40 e 12.41, e a listagem na Tabela 12.3 na página 819.

Para o acionamento de cargas mais pesadas você pode acrescentar um transistor externo ou módulo de acionamento de potência. Para o acionamento de cargas positivas, veja a Seção 12.4.2, e as Figuras 12.4.2 e 12.4.3. Para o acionamento de cargas *negativas* ou *CA*, veja a Seção 12.4.3 e Figura 12.44. A comutação de grandes potências requer *proteção contra falha*, consulte a Seção 12.4.4 e Figuras 12.45 a 12.48.

¶ G. Comparadores.

Um comparador é um amplificador diferencial não compensado de alto ganho, utilizado para sinalizar qual das duas entradas de tensão analógica é maior. É uma interface importante entre os sinais analógicos e o mundo digital. Comparadores foram introduzidos na Seção 4.3.2, e tratados em detalhe na Seção 12.3 (com listagens nas Tabelas 12.1 na página 812 e 12.2 na página 813).

Tal como acontece com AOPs, comparadores vêm em uma variedade de velocidades (< 1 ns a dezenas de μs), tensões de alimentação (tensões totais de alimentação desde 1,1 V a 40 V), tensões de offset de entrada (0,25 mV a 10mV), correntes de polarização de entrada (1 pA a > 10 μA), faixas de tensão de entrada de modo comum (para ambos os trilhos, um trilho, ou nenhum), e correntes quiescentes (< 1 μA a dezenas de mA). Mas, ao contrário de um AOP, que opera normalmente na região linear, em que a tensão de saída (analógica) evita a saturação, a saída do comparador é digital; ele vive nos extremos. Ele pode ser usado para acionar circuitos lógicos, ou pode acionar uma carga ON/OFF como um relé ou um LED. Para acomodar várias cargas, o estágio de saída do comparador vem em uma meia dúzia de variações (Figura 12.33), incluindo (a) trilho a trilho (como um AOP); (b) dreno aberto ou coletor aberto; (c) nível lógico com tensão de trilho conforme pino V_L; (d) nível lógico com os pinos V_L e GND; e (e) estágio de saída de transistor flutuante.

Variedade de comparadores: comparadores são normalmente configurados com alguma histerese (*Schmitt--trigger*) para evitar múltiplas transições e oscilação. Alguns comparadores têm muitas faixas de tensão de entrada diferenciais limitadas (tão pouco quanto alguns volts). Para comparadores com estágios de entrada BJT, as correntes de entrada podem ser submetidas a um degrau abrupto em tensão diferencial zero (por exemplo, a Figura 12.36). O tempo de atraso e comutação de um comparador depende da sobrecarga da entrada (Figura 12.38).

¶ H. Optoelectrônicos.

Seção 12.5. Continuando o tema de "lógica-para-tudo", devemos incluir neste último os *seres humanos*, com os sentidos que encantam em apresentações visuais. Há muita riqueza aqui, incluindo emissores, indicadores, displays, detectores e acopladores, como ilustrado nas fotos nas Figuras 12.58 (página 830), 12.71 (página 837), 12.80 (página 841), 12.84 (página 844) e 12.95 (página 853). Para lembrá-lo da abrangência da optoeletrônica, aqui está uma lista resumida de dispositivos (expandidas em ¶I-L a seguir) numa classificação:
Emissores: LED; Diodo laser; Eletroluminescência.
Displays: baseado em LED; baseado em LCD; Baseado em VFD; OLED; E-ink® (papel eletrônico)
Detectores: fotodiodo; Fototransistor; Fotoresistor; Bolômetro; APD; PMT; HAPD; Placa de microcanal.
Acopladores: Entrada LED ou entrada lógica, com transistor, tiristor, ou saída lógica.
Outros: Opto-interruptor, proximidade e variação; Leitor de código de barras; Mouse óptico.

¶ I. Indicadores LED.

Estes têm curvas *I-V* como diodos, mas com quedas de tensão direta (dependente de cor) maiores (Figura 2.8). Eles vêm em vários formatos (montagem de painel, montagem em PCB, matrizes, displays de 7 segmentos), tamanhos, ângulos de visão e cores (Seção 12.5.1). Você pode acioná-los a partir de um sinal lógico de variação adequada, com um resistor limitador de corrente em série (lembrando que LEDs azul, verde brilhante e branco têm quedas diretas de 3 V ou mais), ou você pode adicionar um transistor externo para maior tensão ou corrente (veja a Figura 12.61). Para fins de iluminação crítica é melhor você usar um conversor chaveado CC-CC com detecção de corrente (Figura 12.62). Por outro lado, para acionar *diodos laser* você usa realimentação a partir do monitor do fotodiodo integrado para definir a corrente de acionamento (veja a Figura 12.67 e o texto associado).

¶ J. Displays.

Um dispositivo popular para dados numéricos ou hexadecimal é um *display* de 7 segmentos (ou 16 segmentos) (Seção 12.5.3A), disponível em barras de multi-caracteres nas variedades "burro" e "inteligente" (ver Figuras 10.90 e 12.77, respectivamente). Uma vez que você comprou a ideia de um dispositivo de visualização de vários caracteres, deve considerar o display inteligente LCD multi-caracteres (e de várias linhas) (Figura 12.78) e o display VFD de melhor aparência (e compatível), visto nas Figuras 12.71 e 15.25.

¶ K. Detectores.

Na arena do detector, *fotodiodos* convertem a luz para uma fotocorrente proporcional, e podem ser operados em qualquer dos dois modos – *fotovoltaico* (auto-geração, em um curto-circuito ou terra virtual); ou *fotocondutivo* (polarizado reversamente); veja a Figura 12.81. Este último é mais rápido, mas sofre de corrente de fuga e aumento de ruído. Um *fototransistor*, que opera apenas no modo fotocondutivo, combina um fotodiodo e transistor, para maior ganho, mas com velocidade reduzida; da mesma forma (e mais ainda) para uma *foto-Darlington*. O fotodiodo de avalanche explora o fenômeno da multiplicação da avalanche em um fotodiodo polarizado próximo da ruptura; cada fóton detectado provoca múltiplos elétrons a serem coletados, proporcionando assim maior ganho (em operação linear), ou (se ainda mais polarizado) um pulso de "modo Geiser" de tamanho completo para cada fóton detectado. Uma classe diferente de detector é o sensor *fotoresistivo* de sulfureto de cádmio, que se comporta como uma resistência linear ($I \propto V$) que depende da iluminação; sensores CdS são lentos e estão se tornando uma raridade devido às regulamentações RoHS (cádmio não é bom para você), mas eles são úteis em aplicações onde você quer uma resistência linear controlada por luz (veja, por exemplo, a Figura 7.21). Finalmente, um ainda popular fotodetector da velha escola é o tubo *fotomultiplicador* (PMT, Seção 12.6.2), no qual um fotoelétron é acelerado e colide com sucessivos dinodos de multiplicação de elétrons para produzir uma cascata de alguns 10^6 elétrons em um anodo coletor (Figuras 12.82 e 12.83).

¶ L. Optoacopladores e Relés de Estado Sólido.
Os acopladores ópticos (também conhecidos como optoisoladores, ou fotoacopladores) consistem de um opto-emissor combinado com um detector num encapsulamento opaco (Seção 12.7). Eles são usados para transmitir sinais digitais (e por vezes analógicos) entre circuitos com terras separados; tal *isolação galvânica* impede laços de terra em circuitos sensíveis, permite uma comutação segura de circuitos CA através da rede elétrica e permite comunicação e controle para circuitos que operam em alta tensão.

Todos os optoacopladores usam um LED no *lado da entrada*, na maioria dos casos, simplesmente fornecendo os terminais de anodo (+) e catodo (−) (portanto, você tem que limitar a corrente de acionamento com um resistor externo, consulte a Figura 12.85A); alguns optoacopladores incluem limitações de corrente (por exemplo, SSRs, Figura 12.92C), enquanto outros (por exemplo, acopladores lógica-lógica de alta velocidade, Figura 12.86C) aceitam um sinal de entrada de nível lógico. No *lado da saída* há muitas configurações: transistor ou Darlington (Figura 12.85), lógica digital com coletor aberto ou *pull-up* ativo (Figura 12.86), acionador MOSFET de *pull-up* ativo (Figura 12.87), SSR de saída CA (Figura 12.92) e SSR de saída CC em muitas variações (Figura 12.91). Há também optoacopladores de saída orientada para analógico (Figuras 12,88, 12,89 e 12,90), optoacopladores de entrada CA (Figura 12.94) e toda uma gama de *módulos entrada/saída* industriais (Seção 12.7.7).

¶ M. Interruptores Ópticos, Sensores de Proximidade e Codificadores de Ângulo.
Um interruptor óptico é um par LED-detector com uma fenda aberta (Figura 12.84), amplamente usado para detectar fim de curso em dispositivos mecânicos. Um *sensor de proximidade* óptico tem o seu feixe interrompido por um objeto externo; o *sensor de medição de distância* é uma variante que incorpora um detector sensível à posição que usa paralaxe (triangulação) para medir a distância do objeto (até aproximadamente 1 m). *Codificadores de ângulo de eixo* ópticos medem a posição do eixo; eles vêm em versões incremental (onda quadrada em quadratura) e absoluta, com resolução de 32 a 128 contagens por rotação (para controle de painel), até 30.000 ou mais para codificadores de eixo de alta resolução.

¶ N. Fibra Óptica.
A luz viaja tranquila, e sem entraves, através de vidro ou fibra de plástico. Para comunicações de longa distância e alta taxa de dados você usa fibra de vidro monomodo (com taxas de até 100 Gbps ou mais por fibra); mas para comunicações de dados mais modestas você pode usar fibras de multimodo, que vão desde a mais simples fibra de plástico de 1 mm da TOSLINK até a bem popular fibra de vidro de índice gradual de 62,5/125 μm. Módulos de transmissores e receptores estão amplamente disponíveis (Seções de 12.8.1 a 12.8.3), bem como os módulos de transceptor de alta velocidade que incluem toda a eletrônica de acionador/receptor necessária (Seção 12.8.4).

¶ O. Sinais Digitais e Fios Longos.
Vinte e cinco por cento do capítulo (Seção 12.9) é dedicado ao problema do envio de sinais digitais para outro lugar, lugar este que pode ser na mesma PCB, ou através de um *backplane*, ou através de um cabo para um dispositivo eletrônico remoto. Tão simples como isso possa parecer, inúmeras armadilhas aguardam os desavisados: por exemplo, fomos surpreendidos (mas não deveríamos ser) ao encontrar erros durante o envio de dados digitais paralelos de velocidade modesta (lógica HC) através de um cabo plano de apenas 10 cm. Leia os seguintes parágrafos, a fim de evitar a filiação no clube dos desavisados.

¶ P. Enlaces Curtos.
Para os *enlaces curtos* que ficam em uma PCB, a carga capacitiva distribuída e, consequentemente, os picos de corrente de terra, causam *gliches* lógicos (Seção 12.9.1A), exigindo um desvio liberal da fonte de alimentação (que é sempre salutar) e leiautes de planos de terra de baixa indutância. O problema é menos grave em sistemas síncronos; porém é mais grave com lógica rápida, onde as interconexões podem exigir leiautes de linhas de transmissão de impedância constante. Estes problemas são mais acentuados para os sinais que se

deslocam entre as placas de circuito ou ao longo de *backplanes*, onde você pode precisar usar CIs acionadores e receptores de linha, talvez em combinação com trilhas de impedância controlada que são devidamente terminadas; esta última é a prática padrão com sinalização LVDS (diferencial), como visto, por exemplo, na Figura 12.127.

¶ Q. Trajetos de cabo.

Trajetos de sinais mais longos requerem *cabo* (Seção 12.10), geralmente *coaxial* (por exemplo, os sempre usados *patchcords* RG58 BNC), *fita* multivias, *par trançado* (por exemplo, os cabos de rede muito usados, comparativamente, cat-5 ou cat-6), ou *fibra óptica* (geralmente reconhecíveis pelo seu perfil esbelto brilhantemente colorido). Com a exceção de formas de onda "lentas,"[85] os cabos de sinal devem ser tratados como *linhas de transmissão* (Apêndice H), com a sua *impedância característica*[86] Z_0. Para coaxial, Z_0 é geralmente 50 Ω (porém, 75 Ω para vídeo), enquanto que o par trançado é geralmente 100 Ω. O significado de Z_0 é que *um sinal aplicado a um cabo, terminado com uma resistência de carga igual à sua impedância característica, é completamente absorvido pela carga*; não reflete. Para nenhuma outra impedância de carga pode-se fazer essa afirmação.

---

[85] Aquelas cujos tempos de transição são muito mais longos do que o tempo de deslocamento de ida e volta, $t=2L\sqrt{\varepsilon}/c$,, onde o fator $\sqrt{\varepsilon}$ leva em conta que o "fator de velocidade" de propagação da onda no cabo é mais lento do que a luz.

[86] que deve realmente ser chamado de *resistência* característica.

¶ R. Terminação de Coaxial Digital.

Assim, você pode (a) colocar um resistor de 50 Ω na extremidade de uma linha coaxial (uma "linha terminada", ou "linha casada") e acioná-la com o seu sinal digital (que vê uma carga resistiva pura de 50 Ω – a capacitância desaparece!), como na Figura 12.107; ou (b) acionar uma tal linha terminada com um sinal de mesma impedância, como na Figura 12.110, notando que a amplitude do sinal de saída é reduzida por x2; ou (c) manter o resistor de fonte casado, mas omitir o resistor de carga, como na Figura 12.107, para preservar a amplitude de saída completa. Neste último caso, *há* uma reflexão da amplitude substancial que, no entanto, é hospitaleiramente absorvida pelo resistor de fonte – veja as formas de onda altamente educacionais na Figura 12.115. Consulte a Seção 12.10.1 para ver interessantes figuras abundantes em detalhes.

¶ S. Cabo Diferencial.

Sinais diferenciais são tratados da mesma forma, com uma terminação conectada no par. Para longos trajetos (até ~1 km) e velocidades modestas (10 kbps a 10 Mbps) o protocolo RS-422/485 é popular, enquanto que o protocolo LVDS é usado para taxas de dados mais altas (10 Mbps a 10 Gbps) em distâncias mais curtas; veja os contornos de limite de velocidade na Figura 12.134. Para alcançar as mais altas taxas de dados em comprimentos significativos de cabo geralmente se usa *pré-ênfase* no acionamento e *equalização* na recepção; veja as Figuras 12.130 a 12.132 e discussão associada.

Integração entre analógico e digital 13

Aqui vamos falar do principal tópico dentro do tema da conversão entre sinais analógicos e digitais – conversores analógico-digital (ADC) e digital-analógico (DAC) – bem como do importante circuito de malha de fase sincronizada (PLL) de "sinal misturado". E não podemos deixar de falar do fascinante assunto de geração de ruído pseudoaleatório.

Vivemos em um mundo em grande parte analógico (contínuo) – de sons, imagens, distâncias, tempos, tensões e correntes, e assim por diante – o que parece direcionar para circuitos analógicos (osciladores, amplificadores, filtros, combinadores, etc.). Mas também vivemos em um mundo em parte digital (discreto) – de números e aritmética, de texto e símbolos, e assim por diante – o que leva para circuitos digitais (lógico, aritmético, armazenamento, etc.). E assim foi por muitos anos: amplificadores e filtros para áudio e vídeo analógicos; osciladores analógicos, circuitos sintonizados e misturadores para rádio e televisão; e até mesmo *computadores analógicos*, para resolver equações diferenciais ou para controle em tempo real de voo ou armamento. Enquanto isso, as técnicas digitais (inicialmente com mecanismos e relés, em seguida, com tubos de vácuo, seguido de transistores discretos, CIs de pequena escala de integração e, finalmente, os grandes e rápidos microprocessadores com um bilhão, ou mais, de transistores) foram usadas para tarefas computacionais como manter o controle de dinheiro e de palavras.

Mas a crescimento vertiginoso nas velocidades e densidades dos circuitos eletrônicos puramente digitais têm produzido uma grande mudança de paradigma, que é: o uso de condicionamento e processamento digitais para quase todas as grandezas "analógicas". Por exemplo, engenheiros de áudio agora digitalizam os sinais de microfone individuais no momento da gravação, e executam toda a mistura e condicionamento subsequentes (por exemplo, a adição de reverberação) como aritmética sobre esses números; o mesmo vale para vídeo digital. E no nível cotidiano, técnicas digitais invadiram nossas vidas: as balanças de banheiro dos autores indicam diferenças 50 g (por vezes, para nosso pesar) que é uma resolução[1] de uma parte por mil; nossa luz da varanda é ligada e desligada por um interruptor de parede digital que segue a variação sazonal do anoitecer e amanhecer; e nossos automóveis dependem de um barramento digital, ao qual estão conectados cerca de 50 ou mais controladores digitais embutidos para funções como controle do motor e diagnósticos, freios, *airbags*, entretenimento, temperatura, e assim por diante.

A conclusão é que as técnicas de conversão A/D e D/A se tornaram fundamentais para todos os aspectos de medição e controle analógico. Isso é algo importante, e é o assunto principal deste capítulo. Vamos abordá-lo então.

Nosso tratamento das diversas técnicas de conversão não visa ao desenvolvimento de habilidade em si para o projeto do conversor. Em vez disso, tentamos apontar as vantagens e desvantagens de cada método, porque na maioria dos casos, a coisa sensata a fazer é comprar chips ou módulos disponíveis no mercado, em vez de construir um conversor a partir do zero. Uma compreensão de técnicas de conversão e particularidades irá guiá-lo na escolha dentre os milhares de unidades disponíveis.

13.1 ALGUMAS PRELIMINARES
13.1.1 Os Parâmetros Básicos de Desempenho

Antes de entrar em muitos detalhes, vamos resumir os parâmetros de desempenho que você deve considerar ao escolher ADCs e DACs. Saber o que você precisa torna muito mais fácil encontrar o que você quer.

Conversores digital-analógico
- **Resolução:** número de bits.
- **Precisão:** monotonicidade; linearidade; estabilidade CC.
- **Referência:** interna ou externa; DAC multiplicador (MDAC)?
- **Tipo de saída:** saída de tensão ou de corrente.
- **Escala de saída:** unipolaridade ou bipolaridade; variações de V_{out}; compliance de I_{out}.
- **Velocidade:** tempo de estabilização; taxa de atualização.
- **Quantidade:** simples ou múltiplos DACs/encapsulamento.
- **Formato da entrada digital:** serial (I^2C, SPI, ou uma variante) ou paralelo.

---
[1] É diferente de *precisão* – lembre-se da discussão na Seção 5.1.1. Embora a balança de banheiro indique medidas com uma *resolução* de 50 g, sua precisão não é tão boa [talvez ± 500 g], com alguma deriva ao longo do tempo e da temperatura.

Encapsulamento: módulo, PTH, ou vários encapsulamentos de montagem em superfície.

Outros: energia do *glitch*; estado ao energizar; dimensionamento interno digital programável.

Conversores Analógico-Digital

Resolução: número de bits.

Precisão: monotonicidade; linearidade; estabilidade CC.

Referência: interna ou externa.

Escala de entrada: unipolaridade ou bipolaridade; faixa de tensão.

Velocidade: tempo de conversão e latência.

Quantidade: simples ou múltiplos ADCs/encapsulamento.

Formato da saída digital: serial (I^2C, SPI, ou uma variante) ou paralela.

Encapsulamento: módulo, PTH, ou vários encapsulamentos de montagem em superfície.

Outros: amplificador de ganho programável internamente (PGA); faixa dinâmica livre de espúrios (SFDR).

13.1.2 Códigos

Neste ponto, você deve rever a Seção 10.1.3 sobre os vários códigos numéricos usados para representar números sinalizados. *Offset* binário e complemento de 2 são comumente usados em esquemas de conversão A/D, com os códigos sinal-magnitude e Gray também aparecendo de vez em quando. Aqui está um lembrete:

	Offset binário	*Complemento de 2*
+Fundo de escala	11111111	01111111
+Fundo de escala −1	11111110	01111110
↓	↓	↓
0+1 LSB	10000001	00000001
0	10000000	00000000
0−1 LSB	01111111	11111111
↓	↓	↓
−Fundo de escala +1	00000001	10000001
−Fundo de escala	00000000	10000000

13.1.3 Erros do Conversor

O assunto de erros de ADC e DAC é complicado: livros inteiros poderiam ser escritos a respeito. De acordo com Bernie Gordon, da Analogic, se você acha que um sistema conversor de alta precisão atende às especificações declaradas, provavelmente não o examinou bem de perto. Não vamos entrar em cenários de aplicações necessários para apoiar as declarações de Bernie, mas vale a pena dar uma olhada nos quatro tipos mais comuns de erros de conversão: erro de offset, erro de escala, não linearidade, e não monotonicidade, bem ilustrados na Figura 13.1 autoexplicativa. No entanto, em lugar de aborrecê-lo com uma discussão prolixa, vamos diretamente para uma descrição das técnicas e capacidades de um conversor D/A. Posteriormente, voltaremos ao assunto sobre erros do conversor (Seção 13.4), o que proporcionará muito mais sentido ao contexto.

13.1.4 Sozinho *Versus* Integrado

Às vezes, um ADC ou DAC (ou ambos) é integrado em um CI mais sofisticado. O exemplo mais comum é o microcontrolador (Capítulo 15), onde você costuma ver os dois ADCs e DACs integrados no mesmo chip que o processador e seus outros periféricos de I/O. Tanto quanto podemos dizer, o mais barato ADC sozinho custa significativamente mais do que o mais barato microcontrolador *com* ADC.[2] Microcontroladores gostam de integrar muitos periféricos úteis, juntamente com a memória de programa e de dados, de modo a oferecer um "sistema em um chip". Esteja ciente, porém, que estes conversores que vêm junto com microcontroladores baratos não alcançam o excelente desempenho de um bom conversor independente: você pode obter desempenho de 8 bits ou mesmo 10 bits; mas você não vai conseguir 16 bits, e nada se aproxima do desempenho de 24 bits de um ADC de áudio de alta qualidade.[3]

Para algumas classes de CI, no entanto, um conversor integrado proporciona um desempenho excelente. Um exemplo é um chip de síntese digital direta (DDS – *direct digital synthesis*) (Seção 7.1.8), onde contadores de fase e uma tabela de pesquisa de valores de seno internos criam valores digitais de uma saída senoidal sintetizada; estes dispositivos podem operar com clocks a uma velocidade de 1 GHz ou mais, com um DAC de 14 bits interno (por exemplo) que gera o sinal de saída analógico. Outro exemplo vem do mundo do vídeo, onde é comum ver as funções de processamento e conversão de vídeo digital combinadas em um único CI de alto desempenho. E no negócio de áudio você vê dispositivos como a série CS470xx da Cirrus (seu sistema de áudio em um único CI), que inclui vários ADCs e DACs de 24-bit com faixa dinâmica de 105 dB, integrado em um chip que tem um DSP de 32 bits (com 32 kB de RAM), codecs (codificador-decodificador) de áudio e conversores de taxa de amostra-

---

[2] A saber: o ADC de 8-bits ADC0831 da National custa 1,85 dólar, enquanto o PIC10F da Microchip com o seu ADC de 8 bits e multiplexador de 2 entradas custa 48 centavos de dólar (ambos em quantidade de 25).

[3] Uma exceção brilhante é série de microcontroladores analógicos da Analog Devices, com desempenho honesto de 16 ou 24 bits. Você pode pensar neles como um núcleo conversor de alta qualidade, com um microcontrolador embutido.

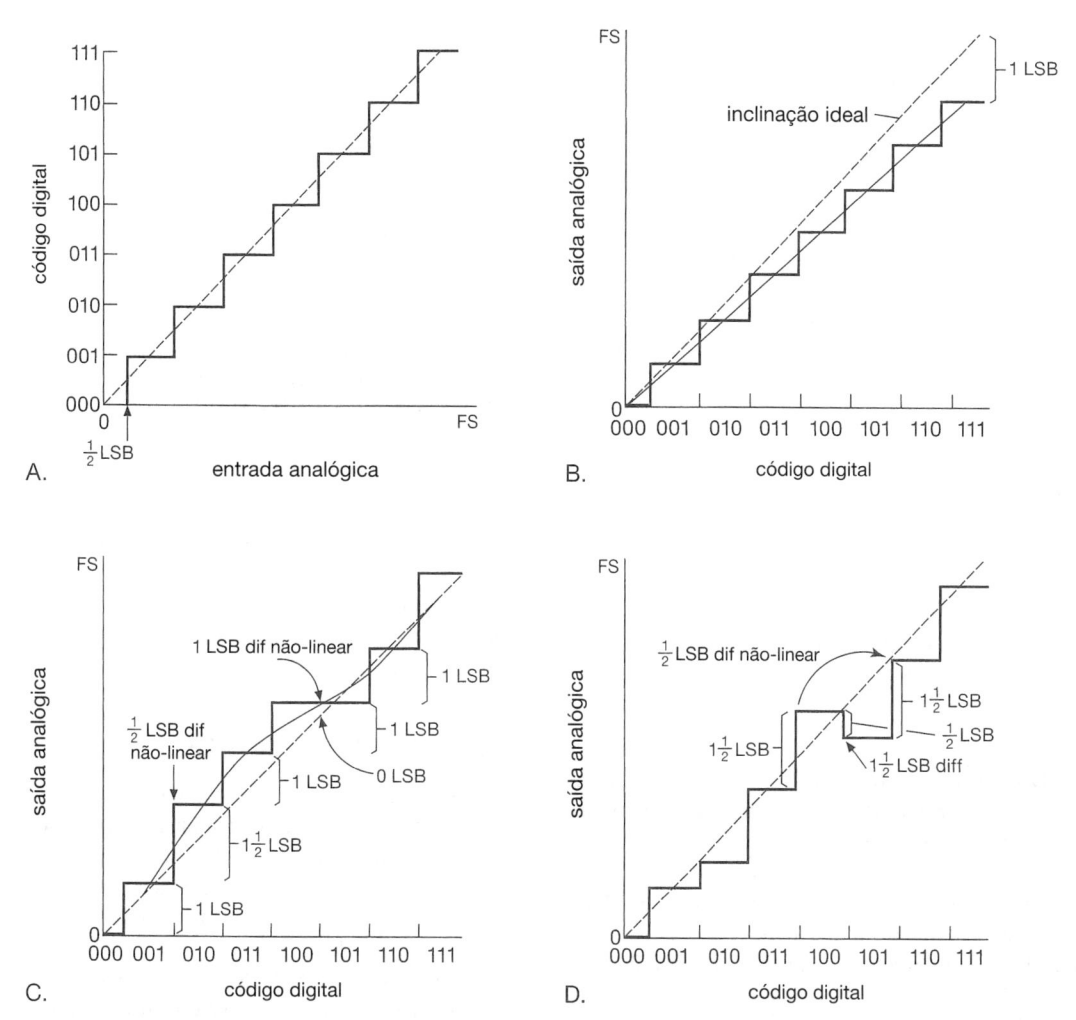

FIGURA 13.1 Gráficos ilustrando as definições dos quatro erros comuns de conversão digital, por um conversor de 3 bits sobre os seus 8 níveis de 0 ao fundo de escala (FS). A. curva de transferência do ADC, *offset* de ½ LSB em zero. B. Linear, erro de escala de 1 LSB. C. não linearidade de ±½ LSB (implica um possível erro de 1 LSB); não linearidade diferencial de 1 LSB (implica monotonicidade). D. não monotônico (deve ser > ± ½ não-linear). Usado com permissão da Texas Instruments Inc.

gem, portas de áudio digital (SPDIF) e uma porta de controle SPI/I²C.

Conversores sozinhos são dominantes, no entanto, em aplicações de alta precisão e alta linearidade (voltímetros; equipamentos de áudio de qualidade). Eles também fornecem uma faixa enorme de seleção, em termos dos muitos parâmetros ora listados, em comparação com a seleção bastante limitada de conversores internos que você encontra em microcontroladores.

13.2 CONVERSORES DIGITAL-ANALÓGICO

O objetivo é converter uma quantidade determinada como um número binário (ou BCD de mais de um dígito, veja a Seção 10.1.3B) para uma tensão, ou a uma corrente, proporcional ao valor de entrada digital. Há vários métodos populares: (a) cadeia de resistores com chaves MOS; (b) rede *R-2R*; (c) fontes de corrente de escala binária; e (d) conversores delta-sigma (e outros de média de pulso). Vamos abordá-los um por vez.

13.2.1 DACs de Sequência de Resistores

Este método é bastante simples de implementar. Uma sequência de 2^n resistores de mesmo valor é conectada entre uma referência de tensão estável e o terra, criando um divisor de tensão muito alto; e um conjunto de chaves analógicas MOSFET é usado para rotear a tensão da derivação selecionada para um *buffer* de tensão de saída (Figura 13.2). A figura mostra a configuração do impressionante DAC8564

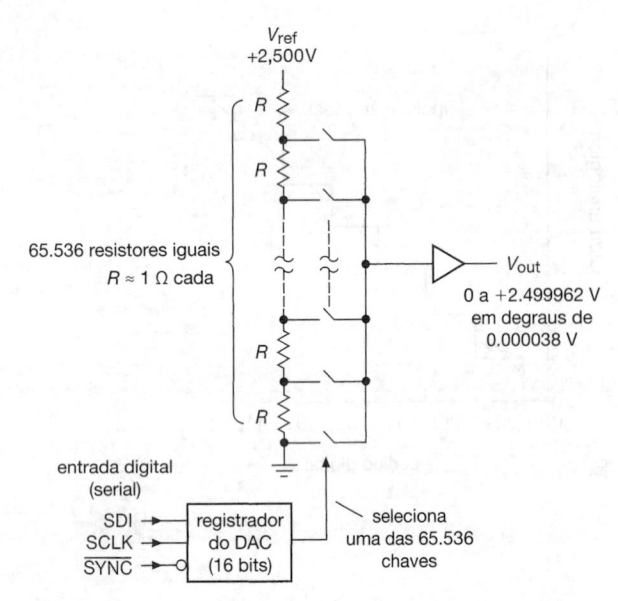

FIGURA 13.2 Um DAC fácil de entender: a entrada digital seleciona a correspondente derivação via uma chave MOSFET correspondente em um divisor de tensão gigante. TI colocou quatro deles em seu DAC8564.

da TI, um DAC quádruplo (quatro DACs independentes em um único encapsulamento) de 16 bits, cada seção tem uma sequência de 2^{16} (65.536) resistores conectados entre uma referência de 2,5 V interna de precisão e o terra. Citando a descrição concisa na folha de dados, "o código carregado no registrador DAC determina em que nó na sequência a tensão é selecionada para ser levada ao amplificador de saída ao fechar uma das chaves que conecta a sequência de resistores ao amplificador."[4]

Este método tem a virtude de monotonicidade garantida. Como a folha de dados explica (de forma ainda mais sucinta), "ele é monotônico porque é uma sequência de resistores." E esse DAC especial apresenta outras qualidades, especificamente *glitches de baixa energia* (picos que aparecem na saída durante as transições de código), excelente precisão e estabilidade (valores de pior caso de precisão inicial de ±0,02% e coeficiente de temperatura de 5 ppm/°C), saída trilho a trilho ("RRO") com uma única alimentação positiva (de +2,7 a 5,5 V) e baixa potência (1 mA, típico). Este dispositivo custa aproximadamente 12 dólares. O mesmo método é usado em DACs de desempenho mais modesto, por exemplo, o DAC121 da National: 12 bits, saída de tensão, fonte simples de micropotência (150 μA) com entrada e saída trilho a trilho (RRIO). Este último é um DAC simples sem referência interna (o fundo de escala é alimentação positiva) e, é claro, tem "apenas" 4.096 resistores em sua sequência série; que custa abaixo de 2 dólares. Ambos (e a maioria dos outros conversores atuais) usam uma entrada digital serial, que para estes conversores particulares é o SPI de 3 fios simples (veja a Seção 14.7). Veja também a discussão de potenciômetros digitais na Seção 3.4.3E.

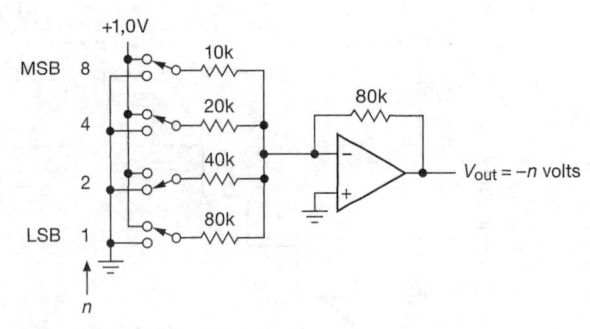

FIGURA 13.3 Somando correntes escalonadas para criar um simples DAC. Simples de entender, mas nunca utilizado na prática: uma rede *R-2R* é usada em seu lugar.

13.2.2 DACs de Escada *R-2R*

Uma sequência de 2^{16} resistores e chaves casados é uma peça bastante impressionante de engenharia. Mas o número exponencial de componentes, eventualmente supera a sutileza da engenharia. Uma alternativa interessante é a escada *R-2R*, que reduz o requisito para uma matriz de apenas $2n$ resistores casados (em vez de 2^n) para um DAC de *n* bits.

Para começar, considere o esquema nocional simples mostrado na Figura 13.3: os valores dos resistores estão em uma sequência binária, assim, suas correntes ponderadas binárias no ponto de soma produzem uma saída de tensão ponderada binária. Simples, mas não muito prático com não do que alguns bits, porque os valores de resistores devem abranger uma vasta faixa, e com precisão cada vez maior para os valores de resistores inferiores; mais preocupante ainda é a necessidade de chaves com RON muito baixo correspondente a baixos valores de resistência.[5]

Exercício 13.1 Projete um DAC BCD de 2 dígitos. Suponha que as entradas sejam 0 ou +1 volt; a saída deve ir de 0 a 9,9 volts.

Em vez disso, usamos o esquema mostrado na Figura 13.4. É fácil se convencer que este arranjo inteligente produz uma corrente binária ponderada na junção de soma do AOP, portanto, uma tensão de saída correspondente. E apenas dois

---
[4] Esses caras parecem não gostar de vírgulas. Fomos tentados a adicionar algumas, para regular o ritmo da respiração ao ler a sentença. Mas, uma citação é uma citação, certo?

[5] Este método tem a flexibilidade, no entanto, de permitir pesos de bit arbitrários.

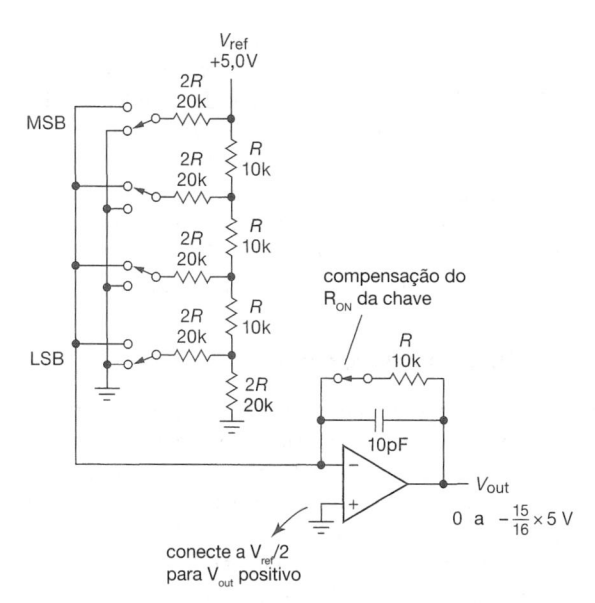

FIGURA 13.4 Uma rede de escada R-$2R$ gera uma corrente de saída escalonada binária na junção de soma do AOP, produzindo uma tensão de saída do DAC.

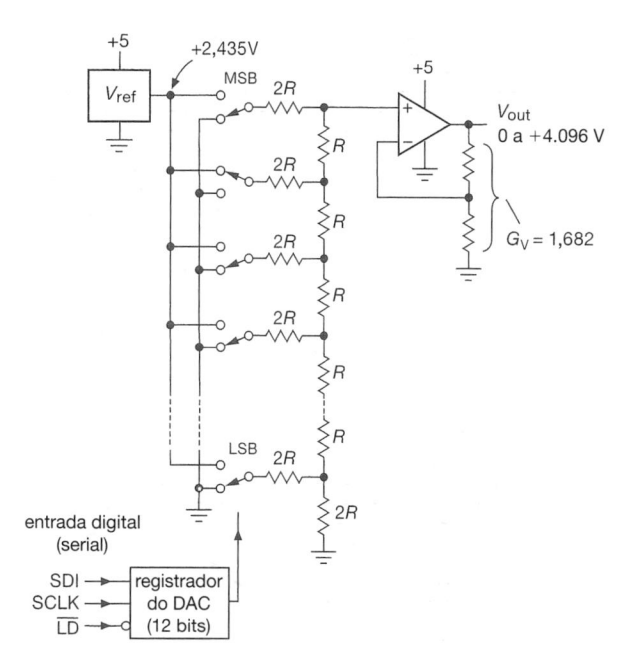

FIGURA 13.5 DAC R-$2R$ de saída de tensão, na configuração de combinação de tensão mais comum.

valores de resistor são necessários (R e $2R$, o que, no entanto, devem ser replicados com precisão numa proporção de 2:1), independentemente do número de bits.

Existem muitos DACs R-$2R$ excelentes. Por exemplo, o DAC9881 da TI é um DAC de saída de tensão de 18 bits com uma entrada serial SPI; ele é garantidamente monotônico,[6] com linearidade integral até ± 2 LSB. Ele pede uma referência de tensão externa (V_{ref}), que define a tensão de fundo de escala (a entrada não inversora é polarizada em $V_{ref}/2$, para a polaridade de saída positiva. É excelente em precisão e baixo nível de ruído, e custa cerca de 30 dólares.

Exercício 13.2 Prove que o que precede a escada R-$2R$ funciona como informado.

Na prática, a maioria dos DACs R-$2R$ utiliza a configuração alternativa da Figura 13.5, na qual a saída da rede R-$2R$ é por si só uma tensão. Por exemplo, o DAC7611 da TI é um DAC de tensão de saída de 12 bits (saída de fundo de escala de +4,095 V, popular para DACs que operam a partir de +5 V) com uma entrada serial SPI e uma referência de tensão interna; ele é linear e monotônico para os seus 12 bits plenos, vem em um encapsulamento de 8 pinos e custa cerca de 4 dólares.

13.2.3 DACs de Direcionamento de Corrente

Os conversores anteriores geram saídas de *tensão*. Isso é muitas vezes mais conveniente, mas o AOP tende a ser a parte mais lenta do circuito conversor. Em situações onde você pode usar um conversor com saída de *corrente*, obterá melhores velocidades e, normalmente, a preço mais baixo. Algumas vantagens adicionais de DACs de saída de corrente são: (a) escolha flexível de um AOP corrente-tensão, por exemplo, para minimizar o ruído, ou para produzir uma variação de tensão de saída maior; (b) a capacidade de combinar várias saídas DAC diretamente; e (c) a disponibilidade de *DACs de multiplicação* (ver próxima seção), em que a cor-

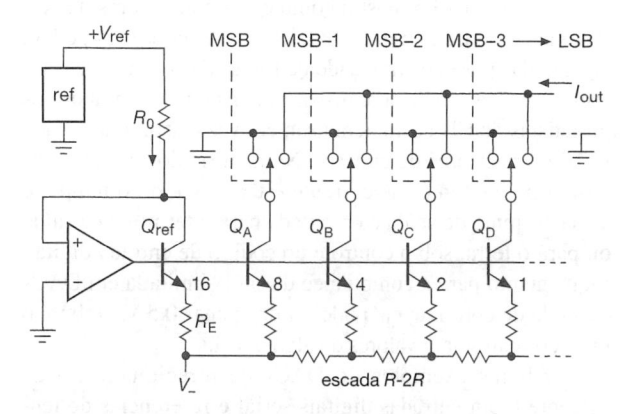

FIGURA 13.6 DAC de comutação de corrente clássico.

---
[6] Note que, ao contrário de um DAC com uma sequência de resistores, um DAC R-$2R$ não é *garantidamente* monotônico quando as tolerâncias dos resistores são levadas em conta. A indústria de semicondutores faz um bom trabalho, no entanto, e a maioria dos DACs R-$2R$ são monotônicos para 1 LSB.

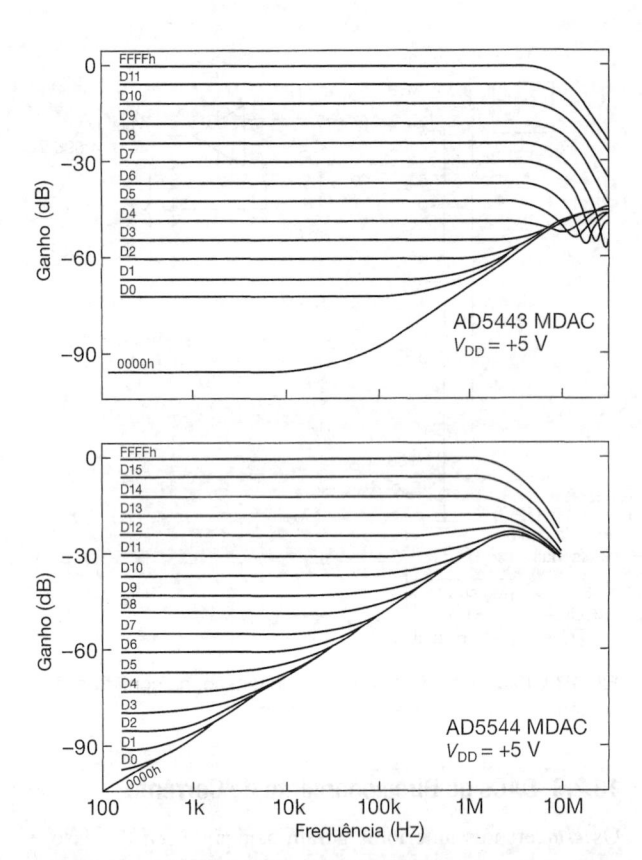

FIGURA 13.7 A "largura de banda da multiplicação da referência" analógica de um MDAC, listado na folha de dados, é normalmente especificada apenas pelo código máximo de entrada digital; para estes MDACs da Analog Devices, esses valores são de 2 MHz e 10 MHz. Estes gráficos, encontrados mais tarde nas folhas de dados, contam toda a história. Embora o AD5544 e AD5443 sejam projetos semelhantes com números de identificação similares, este último tem consideravelmente melhor capacidade na região de 0 dB a –40 dB para 10 MHz.

rente de saída é o produto do código de entrada digital por um sinal analógico aplicado à entrada V_{ref}.

A Figura 13.6 mostra como esses conversores de "direcionamento de corrente" funcionam. As correntes podem ser geradas por uma variedade de fontes de corrente de transistor com resistores de emissor dimensionados, embora os projetistas de CIs costumem usar, em vez disso, uma escada R-$2R$ de resistores de emissor. Na maioria dos conversores deste tipo, as fontes de corrente estão ON todo o tempo, e a sua corrente de saída é comutada para o terminal de saída ou para o terra, sob o controle do código de entrada digital. Fique atento para a compliance de saída limitada em DACs de saída de corrente; ela pode ser de apenas 0,5 V, embora o mais comum sejam valores de alguns volts.

Alguns exemplos de DACs de direcionamento de corrente (com entradas digitais serial e referências de tensão internas) são o LTC1668 (16 bits, tempo e estabilização de 20 ns para uma carga de 50 Ω como "saída de tensão," compliance de saída de até ±1 V, cerca de 20 dólares) e o DAC5682 da TI (duplo, 16 bits, tempo de estabilização de 10 ns, compliance de saída de até V_+ ±0,5 V, cerca de 45 dólares). Para velocidade *real*, existe o AD9739 (14 bits, 2500 Msps!). Em uma escala mais modesta, há o padrão da indústria DAC/LTC8043 (entrada de referência de tensão externa, 12 bits, tempo de estabilização de 0,25 μs em 100 Ω, cerca de 6 dólares) e o similar AD/LTC7541 de entrada paralela.

13.2.4 DACs Multiplicadores

Note que estes dois últimos conversores exigem uma referência de tensão externa, uma aparente desvantagem que pode ser transformada em uma vantagem: eles aceitam um intervalo contínuo de tensões de entrada V_{ref}, *de uma ou outra polaridade*. Em outras palavras, a saída (de corrente) é proporcional ao produto da entrada digital pela tensão de referência analógica: é um "DAC multiplicador" (MDAC). Além disso, o produto pode ser positivo ou negativo; assim, seu nome completo é "DAC multiplicador de quatro quadrantes." Exemplos de MDACs de maior resolução e quatro quadrantes são o DAC8814 de 16 bits (entrada serial) e o DAC8820 (entrada paralelo) muito semelhante. DACs multiplicadores especificam tanto a sua precisão de conversão (linearidade, monotonicidade) quanto a largura de banda de entrada de multiplicação analógica (isto é, V_{ref}); para estes dois conversores as "larguras de banda de multiplicação de referência" são 10 MHz e 8 MHz, respectivamente, com preços entre 25 e 15 dólares.

Note que nem todos os DACs são otimizados para uso desta forma, por isso é melhor verificar as folhas de dados dos conversores que você está considerando para mais detalhes. Um DAC com boas propriedades de multiplicação (faixa de entrada analógica ampla, alta velocidade, etc.) será geralmente chamado de "DAC multiplicador" bem no topo da folha de dados. A Tabela 13.3 lista os DACs multiplicadores selecionados.

Um cuidado: a largura de banda especificada pode enganar, em razão dos efeitos de *feedthrough* capacitivo. A Figura 13.7 mostra este comportamento, como ilustrado nas respectivas folhas de dados desses dois MDACs.

DACs Multiplicadores (e o ADC equivalente) abrem a possibilidade de medições *ratiométricas* e conversões. Se um sensor de algum tipo (por exemplo, um transdutor de resistência variável como um termistor) for energizado pela mesma tensão que alimenta a referência do ADC, então as variações da tensão de referência não irão afetar a medição. Esse conceito é muito poderoso, uma vez que permite medição e controle mais precisos do que a estabilidade de referências de tensão ou fontes de alimentação; por outro lado, ele reduz os requisitos de estabilidade e precisão da fonte. O princípio da ratiometria é usado na sua forma mais simples no circuito

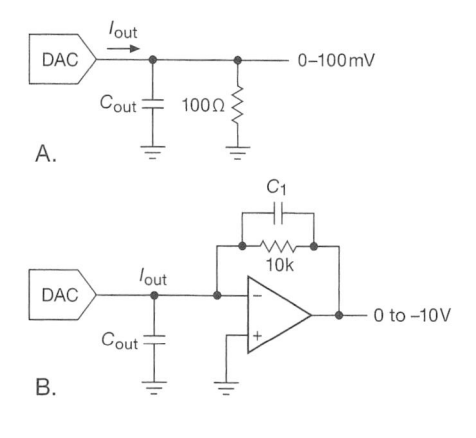

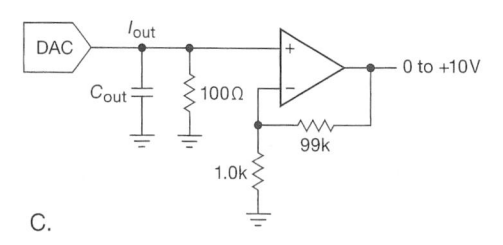

FIGURA 13.8 Geração de tensões a partir de DACs de saída de corrente.

em *ponte* clássico, no qual duas relações são ajustadas para a igualdade pelo cancelamento do sinal diferencial tomado entre as duas saídas do divisor de tensão. Os dispositivos como o 555 (veja a Seção 7.1.3) conseguem uma boa estabilidade da frequência de saída com grandes variações de tensão de alimentação, utilizando, essencialmente, um esquema ratiométrico: a tensão do capacitor, gerada por uma rede RC a partir da fonte, é comparada com uma fração fixa da tensão de alimentação ($\frac{1}{3}V_{CC}$ e $\frac{2}{3}V_{CC}$), gerando uma frequência de saída que depende apenas da constante de tempo RC.[7] Teremos mais a dizer sobre esse importante tema em conexão com ADCs mais adiante neste capítulo.

13.2.5 Gerando uma Saída de Tensão

Se você tiver escolhido um DAC de saída de tensão, você está bem! Mas, com um DAC de saída de corrente você tem que usar um dos vários esquemas para gerar uma tensão de saída. A Figura 13.8 mostra algumas ideias. Se a capacitância de carga for baixa e não forem necessárias grandes variações de tensão, um resistor simples para o terra vai cumprir a função (mas veja o aviso a seguir). Geralmente, isso é feito em DACs de vídeo. Por exemplo, o DAC de vídeo de 10 bits triplo THS8133 gera correntes de saída de fundo de escala de 26,7 mA, que produz um sinal de vídeo analógico padrão de 1,0 V ao acionar duplamente um coaxial terminado em 75 Ω. Esse método funciona bem também para aplicações gerais: com a usual corrente de saída de fundo de escala de 1 mA, um resistor de carga de 50 Ω dará uma saída de fundo de escala de 50 mV com impedância de saída 50 Ω. Se a capacitância de saída do DAC combinada com a capacitância de carga não exceder 100 pF, você obterá um tempo de estabilização de 50 ns no exemplo anterior, supondo que o DAC seja rápido. Quando se preocupar com o efeito das constantes de tempo RC na resposta de saída do DAC, não se esqueça de que é preciso bem pouca constante de tempo RC para a saída estabilizar dentro de ½ LSB da tensão final. Leva 7,6RC constantes de tempo, por exemplo, para estabilizar dentro de uma parte em 2048, que é o que você quer para uma saída do conversor de 10 bits.

Para gerar grandes variações, ou para usar um *buffer* em pequenas resistências de carga ou grandes capacitâncias de carga, um AOP pode ser usado na configuração de transresistência (amplificador corrente-tensão), como mostrado. O capacitor sobre o resistor de realimentação pode ser necessário para a estabilidade, porque a capacitância de saída do DAC, em combinação com a resistência de realimentação, introduz um deslocamento de fase em atraso; infelizmente, isso compromete a velocidade do amplificador. É uma ironia que, no caso desse circuito, um AOP de alta velocidade (rápida estabilização) relativamente caro seja eventualmente necessário para manter a alta velocidade inclusive de um DAC barato.[8] Na prática, o último circuito pode ter um melhor desempenho de alta velocidade, uma vez que não é necessário nenhum capacitor de compensação. Cuidado com os erros de tensão de *offset*, porque a tensão de *offset* de entrada do AOP é amplificada pelo ganho de tensão (aqui um fator de 100).

Um Aviso Importante: ao usar DACs de saída de corrente, note que tanto a precisão inicial (por exemplo, I_{out} de fundo de escala) quanto a estabilidade de saída da corrente pode ser muito pobres em relação à resolução dos DACs. Não é raro ver um espalhamento de até 2:1(!) na corrente de fundo de escala. O que fazer? A maioria dos DACs de saída de corrente inclui um resistor de realimentação interno, estreitamente casado com os resistores R-$2R$, destinados a serem usados com um AOP externo (Figura 13.9). Se você não usá-lo, poderá ter erros de ganho de ±25% ou mais; e mesmo que você ajuste esse erro de ganho, haverá *deriva* de ganho residual (geralmente não especificado em folhas de dados)

---

[7] Mostramos esquemas ratiométricos análogos nas seções 4.3.5, 4.6.4, 7.1.30 e 10.4.5A.

[8] Alguns DACs de saída de corrente têm capacitância de saída surpreendentemente alta, C_{out}, por exemplo, até 200 pF para o MDAC de 12 bits LTC7541. Então, você precisa de um capacitor C1 de estabilização, de valor $C_1 > \sqrt{C_{out}/2\pi f_T R_f}$ como discutido antes; veja, por exemplo, a Seção 8.11.6. Escolha um AOP, então, com um f_T alto o suficiente para que C_1 seja pequeno o suficiente para a velocidade desejada. Alguns DACs de saída de corrente rápidos tomam cuidado para manter C_{out} tão pequeno quanto 5pF.

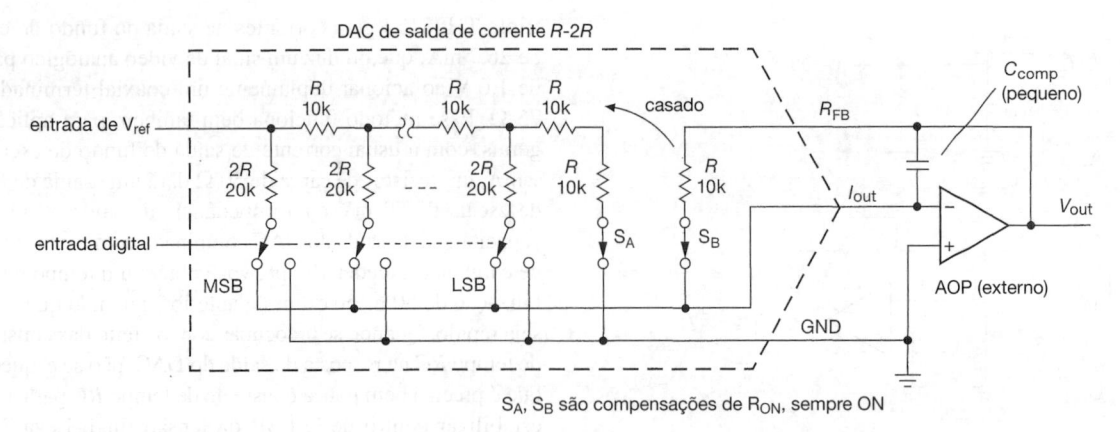

FIGURA 13.9 DAC R-2R de saída de corrente com resistor de realimentação interno casado com os resistores da rede de precisão, tanto na resistência inicial quanto no coeficiente de temperatura. Ignore R_{FB} por sua conta e risco!

que, normalmente, será 100 vezes maior que o obtido com o resistor interno.

Para dar um exemplo, o LTC8043 é uma versão melhorada do padrão da indústria, o DAC8043 multiplicador de 12 bits. No melhor grau (sufixo E), ele especifica um erro de ganho de $\pm 1\%$ (máx), e um coeficiente de temperatura de ganho de 5 ppm/°C (máx). (Ele também garante não linearidades integral e diferencial máximas de $\pm 0,5\%$; veja a discussão na Seção 13.4.) Especificações impressionantes. Note, no entanto, que o estado das especificações de ganho "Usa o resistor de realimentação interno." E se você não fizer isso? A folha de dados não diz! Mas você pode adiantar a resposta a partir do que ela diz, ou seja, que a resistência de entrada da rede R-$2R$ (vista na entrada V_{ref}) é de 11 kΩ (nominal), com limites de 7 kΩ (mín) e 15 kΩ (máx). Ou seja, esse DAC, que garante uma precisão de ganho admirável de $\pm 0,024\%$, quando o resistor de realimentação interno casado é usado em conjunto com um AOP externo, iria entregar míseros[9] $\pm 35\%$ de erro de ganho absoluto como um dispositivo de saída de corrente (ou, equivalentemente, com um resistor de realimentação externo e um AOP, para saída de tensão.)[10]

Resumindo: se um DAC de saída de corrente oferece um resistor de realimentação interno, você precisa pensar muito antes de decidir não usá-lo.

Outra conclusão: se você quiser uma faixa de tensão de saída de bipolaridade, pode ser tentado a absorver uma corrente da referência (derivada de V_{ref}) a partir da junção de soma na Figura 13.9. *Não faça isso!* Em vez disso, conecte um amplificador de diferença para V_{out}, usando um *offset* de $V_{ref}/2$ para a outra entrada.

---

[9] Estou chocado por descobrir que imprecisão e deriva do ganho aqui ocorrem!

[10] Você poderia perguntar por que um fabricante de CI, cujos chips oferecem excelente precisão, têm dificuldade em fazer "bons" resistores de precisão absoluta. Boa pergunta. Acontece que o processo é otimizado para melhor *rastreamento*, e o dimensionamento de resistor tem importância secundária.

13.2.6 Seis DACs

Para ampliar a noção do que existe por aí, vamos olhar para alguns exemplos de DACs relativamente simples e de desempenho modesto. Por "modesto" queremos dizer que estes conversores não chegam perto dos limites de velocidade ou precisão; mas são baratos, compactos e fáceis de usar. Você pode colocá-los em uma placa de circuito, e pronto. Mais tarde, na Seção 13.3, veremos algumas aplicações que exigem DACs de maior desempenho; nessas situações você precisará, no entorno, de circuitos cuidadosamente projetados para explorar plenamente as capacidades avançadas do conversor.

Dê uma olhada na Figura 13.10 e considere também a Tabela 13.1. Esses foram escolhidos arbitrariamente entre muitos milhares (sem brincadeira!) de DACs disponíveis, embora tenhamos feito um esforço para selecionar dispositivos de múltiplos fabricantes. Elas variam de 8 a 14 bits, com tempos de estabilização de 4 a 10 μs. Exceto para E, todos são dispositivos de saída de tensão.

Começando a partir do topo da Figura 13.10: de A a C são dispositivos de baixa tensão, alimentação simples e com interfaces seriais, de forma a caber em um minúsculo SOT23 ou encapsulamentos (ainda menores) SC70. O par em A utiliza a tensão de alimentação como referência, com a tensão de saída de fundo de escala V_{FS} igual à fonte V_{DD}: um usa uma interface SPI (com a habitual seleção de chip), enquanto o outro utiliza uma interface I²C (com o pino de entrada A_0 selecionando entre os endereços de barramento, predefinidos de fábrica 76 ou 77 decimal)[11] Se você quer uma tensão de referência fixa e estável, em vez de usar V_{DD}, um conversor como o LTC2630 em B é uma boa escolha. A sua referência interna tem estabilidade adequada para um conversor desta precisão (± 10 ppm/°C, típico), embora sua precisão absoluta seja apenas modesta (erro de fundo de escala de $\pm 0,2\%$ típi-

---

[11] O DAC7512 do mesmo fabricante substitui o SPI por I²C; e os AD5601/11/21 são versões de 8 a 12 bits menos caras 8 do que o AD5641 de 14-bits.

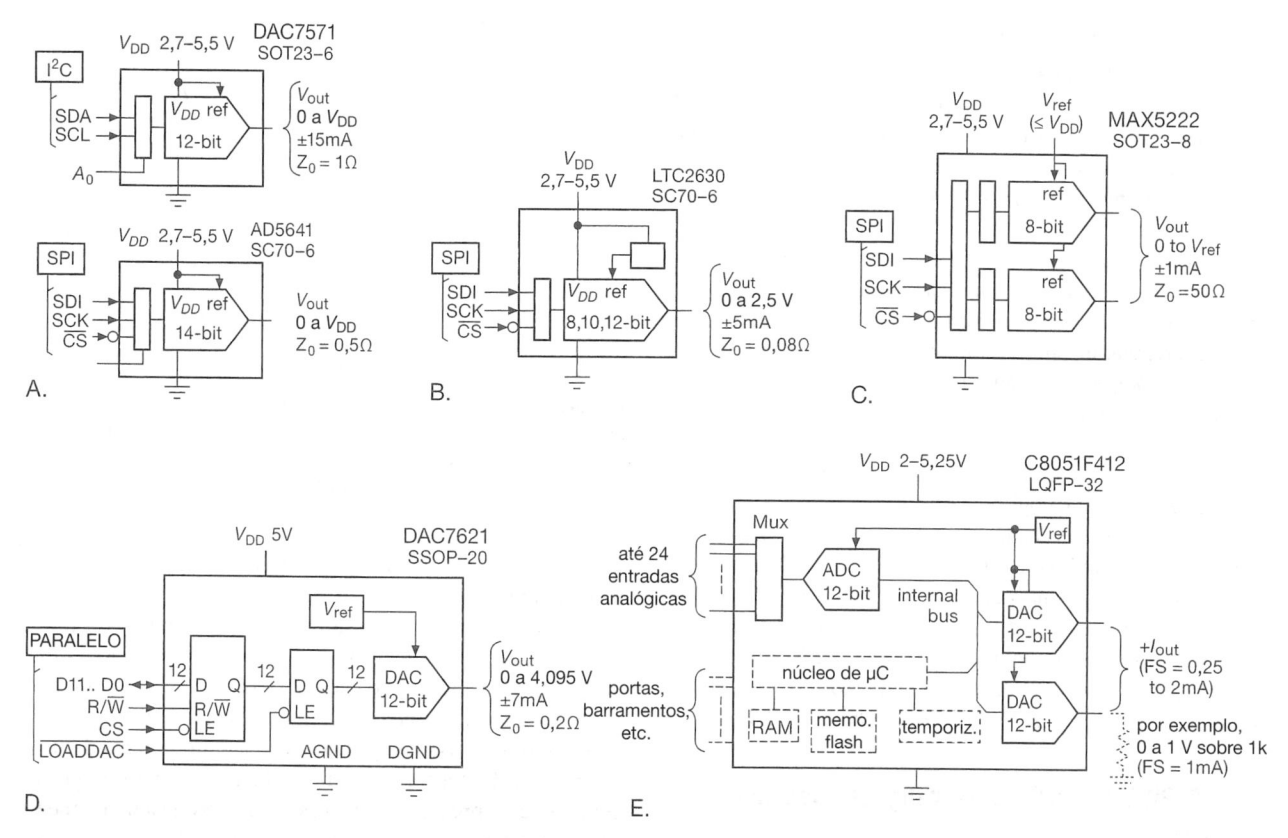

FIGURA 13.10 Seis DACs cujas especificações são listadas na Tabela 13.1. O DAC7571, o LTC2630 e o MAX5222 são conversores de entrada serial típicos de baixo custo em encapsulamentos pequenos (veja a Seção 14.7 para discussão sobre as interfaces seriais SPI e I^{2}C). O DAC7621 usa uma entrada de dados paralela tradicional; e o C8051 é um microcontrolador de uso geral que inclui um par de DACs de saída de corrente entre os seus muitos benefícios internos.

co, ±0,8% no pior caso). A família LTC2630 inclui uma variante de "alta tensão" com uma referência interna de 4,096 V (portanto, 1,0 mV/LSB), para o qual a faixa de V_{DD} é reduzida para 4,5 a 5,5 V (5 V nominal); ele também inclui variantes de 8 e 10 bits.

Embora você *possa* pensar em comprimir dois conversores em um encapsulamento de 6 pinos (por exemplo, com uma interface I^{2}C de 2 fios e sem escolha de endereço), o conversor em C adota a escolha racional de adição de dois pinos, que tanto acomoda a porta SPI (três fios, incluindo CS') quanto permite uma referência externa.[12] Ao reduzir a distância entre terminais (de 0,95 mm para 0,65 mm), este dispositivo de 8 pinos se encaixa no mesmo tamanho global da encapsulamento (1,6x2,9 mm) que o SOT23-6 de 6 pinos.

A linha inferior ilustra um conversor com uma porta de entrada paralela, uma interface que perdeu espaço, com a exceção dos conversores que operam em velocidades mais elevadas (por exemplo, o AD9739 de 2.500 Msps na Seção 13.2.3). Mas existem aplicações para as quais esta é útil, mesmo em velocidades modestas, por exemplo, se você quiser usar a saída do bit *n* de um contador diretamente: sem microcontrolador, sem programação... apenas fios.

Finalmente, o último "conversor", E, é na verdade uma espécie de microcontrolador portátil de diversas funções, completo, com memória de programa interna (ROM *flash*), SRAM, temporizadores, portas (paralela, SPI, UART), oscilador de precisão e até mesmo um ADC de 200 ksps de 12 bits de 24 canais (multiplexados). Os DACs duplos usam uma referência interna e produzem uma saída de fonte de corrente (com faixas de fundo de escala programáveis de 0,25 a 2 mA, por fatores de 2) com compliance até 1,2 V abaixo do trilho de alimentação (que opera ao longo de uma ampla faixa de 2,0 a 5,25 V). Ah, mencionamos que esse dispositivo inclui um núcleo computacional que executa 50 milhões de instruções por segundo? Ou que inclui depuração interna no próprio sistema de velocidade máxima? Ou que você pode obtê-lo também em um diminuto encapsulamento de 5 milímetros quadrados QFN-28? Um bom desempenho!

---

[12] Um pequeno detalhe aqui é a falta de *buffer* duplo, juntamente com uma carga de dados de 8 bits; assim, os dois canais não podem ser atualizados para valores diferentes simultaneamente.

13.2.7 DACs Delta-sigma

A técnica DAC final é um pouco estranha, e não tão facilmente entendida em toda a sua riqueza. (Veja a tabela 13.11 na página 939). Vamos descrevê-la mais adiante neste capítulo (Seção 13.9). Em termos muito gerais, a técnica consiste em gerar um trem de pulsos com amplitude fixa, em uma alta taxa de clock e em uma única linha de saída. Esses pulsos são todos da mesma largura, e podem estar presentes ou ausentes em cada intervalo de clock, de acordo com o código de entrada digital. (Você poderia imaginar simplesmente gerar um trem regular de pulsos, com um ciclo de trabalho proporcional ao código de entrada; mas o processo delta-sigma é consideravelmente mais sofisticado, como explicado na Seção 13.9). Este trem de pulsos é então filtrado em um passa-baixas, com um corte bem abaixo da frequência do clock, para gerar a saída analógica.

Isso às vezes é chamado de "DAC de 1 bit." Esse é um nome que pode induzir a erro porque esse tipo de conversor na verdade entrega sinais de saída incrivelmente lineares de alta resolução. Eles são amplamente utilizados em áudio profissional. Um bom exemplo é o duplo ADC ADI AD1955 (estéreo), que oferece saída de áudio analógico de 20 bits (faixa dinâmica de 120 dB) quando utiliza clock de 12 MHz.[13]

13.2.8 PWM como Conversor Digital-Analógico

Um último método de acionamento de um sistema analógico a partir de uma quantidade digital é a *modulação por largura de pulso* (PWM – *pulse-width modulation*). Isto é qualitativamente diferente dos DACs verdadeiros aqui descritos, porque não gera uma saída analógica diretamente; mas é amplamente utilizado para cargas de potência, como um aquecedor. A ideia é executar um ciclo de repetição de N ciclos de clock, durante o qual a carga é ligada por um número menor de ciclos de clock k, e desligada no restante, com a fração k/N (ciclo de trabalho) proporcional à entrada digital (Figura 13.11). Isso é facilmente feito com um contador, um comparador de magnitude e um clock de alta frequência (veja o Exercício 13.3). A carga que responde lentamente faz a média ao longo do ciclo completo. Isto é mais eficiente do que o acionamento da carga com um sinal analógico adequadamente suavizado, porque o acionador é uma chave, com muito pouca dissipação; uma chave também é mais simples do que um amplificador linear. Essa técnica é muito comum em amplificadores de potência de áudio "classe D" (Seção 2.4.1C) e em outras aplicações de controle de potência, tais como motores de passo e servomotores CC (Seção 9.9). Muitos microcontroladores são configurados com modos de temporizador PWM interno; se você não tiver um, poderá programá-lo no software.

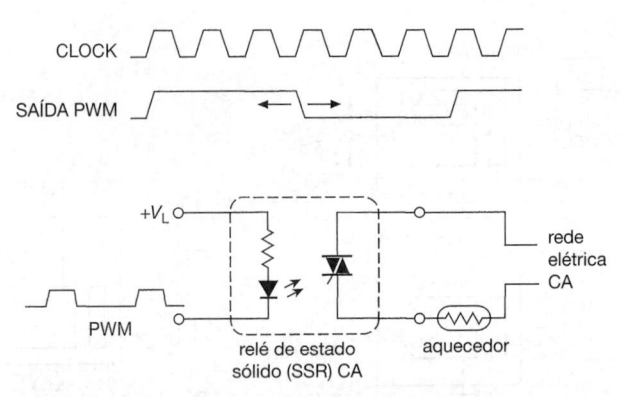

FIGURA 13.11 Modulador de largura de pulso (PWM), como DAC de média de tempo, para cargas de potência lentas. Para uma carga de alimentação CA (como mostrado) o clock deve ser sincronizado com a rede elétrica.

Embora um filtro passa-baixas simples possa ser utilizado para gerar uma tensão de saída proporcional ao tempo médio de permanência no estado ALTO (ou seja, proporcional ao código de entrada digital), moduladores de largura de pulsos são mais usados quando a carga é um sistema de resposta lenta. Desta forma, o modulador de largura de pulso gera parcelas precisas de energia, em que o sistema conectado como carga calcula a média. Por exemplo, a carga pode ser capacitiva (como em um regulador chaveado, consulte o Capítulo 9), térmica (uma banheira com aquecedor e termostato), mecânica (um servo de velocidade de fita, motor de velocidade variável ou motor de passo) ou eletromagnética (um controlador de um grande eletroímã).

Saídas PWM são atraentes tanto pela sua simplicidade quanto pelo seu casamento natural com dispositivos digitais, como contadores e chaves de acionamento de potência (MOSFETs); mas existem alguns *tradeoffs* importantes. Por exemplo, para obter uma resolução de PWM alta para a fração k/N, precisamos de um N grande. Mas o temporizador tem uma taxa de clock máxima f_{clk}, que define uma taxa de ciclo menor $f_c = f_{clk}/N$. Para um PWM que está dentro de uma malha de realimentação (como na discussão de PWM na Seção 15.6), isso significa largura de banda de malha e ganho reduzidos.

Na prática, você provavelmente vai encontrar hardware PWM digital num microcontrolador. Às vezes você pode escolher um μC específico em virtude das suas capacidades de PWM, mas muitas vezes isso não é possível. Por exemplo, mais adiante, na Seção 13.9.11B escolhemos o MSP430F2101 da TI porque ele tem um comparador analógico. Então, que tipo de PWM obtemos na família MSP430x2xx? Esta informação não está na página 52 ou 58 da folha de dados; tivemos de consultar a página 693 do "Guia do Usuário

---

[13] Ele engana ao gerar várias sequências de 1 bit em paralelo internamente; é um ADC delta-sigma "multibit". Mais sobre isso, e outros entretenimentos delta-sigma, na Seção 13.9.

TABELA 13.1 Seis Conversores Digital-Analógico.

	Bits	Canais	Canais	$t_{estabiliz}$ (μs)	V total mín (V)	V total máx (V)	I_S (μA)	barramento/ Mbps	Referência tipo	Referência erro[m]	Saída Z_{out} (Ω)	Saída I_{out} (mA)	encap.	pinos	Custo quant 1 $US
DAC7571	12	1	V	10	2,7	5,5	140	I²C / 4,8	V_{DD}	0,2%	1	±15	SOT23	6	4,65
AD5641	14	1	V	6	2,7	5,5	75	SPI / 30	V_{DD}	0,04%	0,5	±5	SC70	6	5,40
LTC2630	12[a]	1	V	4,4	2,7	5,5	180	SPI / 50	2,5[c]	0,8%	0,08	±15	SC70	6	3,70
MAX5222	8	2	V	10	2,7	5,5	380	SPI / 25	ext	10mV	50	±1	SOT23	8	3,00
DAC7621	12	1	V	7	4,7	5,3	500	paralelo[d]	4,096	0,4%	0,2	±7	SSOP	20	7,00
C8051F412	12	2	I	10	2	5,3	I_{out}	μC interno	2mA[e]	2%	CS	NA	LQFP	32	7,80

Notas: (a) disponível em 10 bits e 8 bits, 2,63 dólares. (b) lógica de 5 V OK. (c) escolha de V_{DD} ou V_{ref}, 2,5 V ou 4,096 V disponível. (d) duplo *buffer*. (e) o software seleciona de 0,25 mA a 2 mA, por fatores de 2. (f) compliance até $V_{CC} - 1{,}2$ V. (m) máx.

da Família MSP430x2xx", onde 40 páginas abordam os Temporizadores A e B.

A Figura 13.12 mostra o microcontrolador membro desta família MSP430F2002 (que tem um ADC de 10 bits, em vez de um comparador) acionando um motor de torque CC. Conectamos quatro transistores MOSFET com um acionador em ponte H e o sinal PWM do controlador para definir a corrente. Ingenuamente, você imaginaria que um ciclo de trabalho de 50% corresponderia a uma corrente zero no motor; mas isso é verdade apenas quando o motor está parado, porque a "EMF contrária" do motor perturba este conceito simples. Aqui usamos dois resistores sensores para medir as correntes direta e reversa, com um par de amplificadores de instrumentação de G = 80 (Seção 5.15) para informar ao ADC do μC que ele pode controlar o PWM para definir a corrente do motor e o torque desejado.[14] Os amplificadores podem funcionar a partir de uma fonte simples se o seu pino de referência de saída for pelo menos +0,8 V (consulte a Tabela 5.8 na página 363); aqui usamos uma referência na forma de CI do tipo zener de 1,25 V.

O microcontrolador tem um par de temporizadores de 16 bits com seletores de entrada e divisores programáveis. Eles podem chegar a 16 MHz, o que resulta em uma frequência de ciclo de $f_c = 244$ Hz, se usarmos a resolução completa de 16 bits. Você pode programar o comprimento N para menos de 2^{16}, mas lembre-se que outros usuários do temporizador terão que viver com sua escolha. O temporizador A tem dois registradores de captura/comparação (CCR1 e CCR2), que podem ser utilizados no modo de comparação para gerar duas saídas PWM (CCR0 já é usada para definir N). Por exemplo, digamos que precisamos de uma taxa de ciclo mais rápida do que $f_c = 10$ kHz, e ajustamos o máximo clock de 16 MHz. Definimos o módulo do contador em $N = f_{clk}/f_c = 1600$ contagens, e a resolução do nosso PWM será limitada a... cerca de 10 bits. Meu Deus, apenas 10 bits?[15]

Este exemplo mostra que uma alternativa favorável para PWM pode envolver a vinculação de alguns DACs externos a um microcontrolador. Outra possibilidade é acionar chaves MOSFET com a sequência de bits internos (se fornecida em um pino externo) de um DAC delta-sigma, com o seu compromisso de largura de banda-resolução melhorado (em comparação com $f_c = f_{clk}/N$ para o PWM simples).[16]

Exercício 13.3 Projete um circuito para gerar um trem de pulsos de 10 kHz de largura proporcional a um código binário de entrada de 8 bits. Use contadores e comparadores de magnitude (adequadamente expandidos).

A. Um DAC PWM Incomum

Fechamos a discussão do PWM mencionando um DAC incomum da Linear Technology. Seus conversores PWM-DAC (DAC com uma entrada PWM digital) são o LTC2644 (dual) e o 2645 (quádruplo). Cada canal mede o ciclo de trabalho (fração do tempo em nível ALTO) a cada ciclo PWM de entrada, e imediatamente apresenta *e mantém* a tensão de saída correta correspondente. Estes dispositivos específicos estão disponíveis em versões de resolução de 8, 10 ou 12 bits, com referência de tensão interna de 10 ppm/°C e saída de tensão monotônica de trilho a trilho. Eles são uma grande melhoria

---
[14] Você poderia passar a usar um amplificador diferencial entre os dois resistores detectores, com um único canal ADC que digitaliza o sinal de bipolaridade resultante.

[15] Em aplicações de acionamento de motor muitas vezes é desejável manter a frequência de acionamento acima da audibilidade, para que você não perturbe o ouvido das pessoas. Neste exemplo, teria que usar um módulo N = 800 ou menos, jogando fora um pouco da resolução do controle.

[16] Há famílias de CIs, concebidas para estágios de saída de potência de áudio para acionamento de alto-falante, que aceitam uma sequência de entrada digital num formato de áudio padrão (como o I²S), e criam como saída uma forma de onda chaveada como ΔΣ para acionar uma ponte H de MOSFETs. Algumas delas incluem os MOSFETs no próprio chip – uma solução PCM para autofalante de único chip.

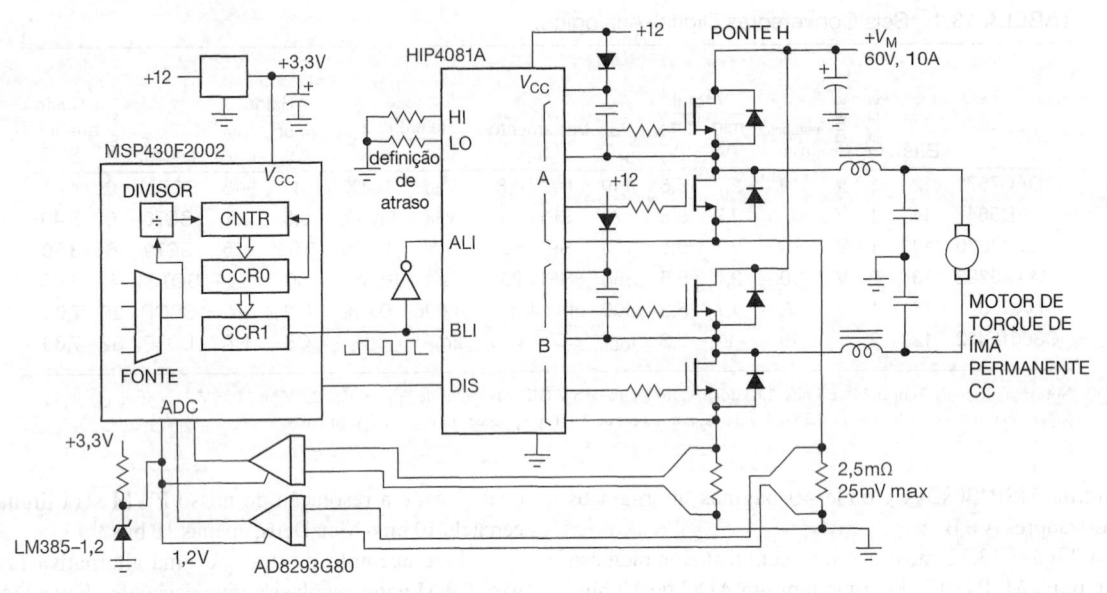

FIGURA 13.12 Controle de um motor de torque com modulação por largura de pulso.

em relação à clássica técnica de filtragem passa-baixas de uma entrada PWM. As possibilidades são inimagináveis!

13.2.9 Conversores Frequência-Tensão

Em aplicações de conversão, a entrada "digital" pode ser um trem de pulsos ou outra forma de onda de alguma frequência; nesse caso, a conversão direta de uma tensão às vezes é mais conveniente do que a alternativa de contagem de tempo pré-determinado, e, em seguida, de conversão da contagem binária como nos métodos anteriores. Na conversão F/V direta, um padrão de pulso é gerado para cada ciclo de entrada; ele pode ser um pulso de tensão ou um pulso de corrente (ou seja, uma quantidade de carga fixa).

Um filtro passa-baixa RC ou integrador, em seguida, calcula a média do trem de pulso, dando uma tensão de saída proporcional à frequência de entrada média. Claro, a saída apresenta alguma ondulação, e o filtro passa-baixas necessário para manter essa ondulação menor do que a precisão do D/A (por exemplo, ½ LSB) irá, em geral, provocar uma resposta de saída lenta. Para assegurar ondulação de saída inferior a ½ LSB, a constante de tempo τ de um filtro RC passa-baixas simples deve ser pelo menos $\tau \geq 0{,}69(n+1)T_0$, onde T_0 é o período de saída do conversor F/V de n bits correspondente à frequência máxima de entrada. A saída dessa rede RC vai estabilizar em ½ LSB, na sequência de uma variação de fundo de escala na entrada, nas constantes de tempo de 0,69 $(n+1)$ do filtro. Em outras palavras, o tempo para estabilização de saída para ½ LSB será de aproximadamente $t = 0{,}5(n+1)^2 T_0$. Um conversor F/V de 10 bits com frequência máxima de entrada de 100 kHz, suavizado com um filtro RC, terá um tempo de estabilização da tensão de saída de 0,6 ms. Com filtros passa-baixas mais complicados (corte acentuado) você pode obter desempenho melhorado. No entanto, antes de se empolgar com o projeto de um filtro extravagante, lembre-se de que as técnicas F/V são mais frequentemente utilizadas quando uma tensão de saída não é o que se necessita. Para entender melhor, veja a discussão anterior sobre cargas intrinsecamente lentas em conexão com modulação por largura de pulso (Seção 13.2.8).

13.2.10 Multiplicador de Taxa

Este é um método um tanto escasso, de utilidade ocasional (muito ocasional!). Um "multiplicador da taxa" é um pouco de lógica síncrona com clock que aceita uma quantidade de entrada digital multibit (binário ou BCD), e que passa (ou bloqueia) pulsos de clock para a sua única linha de saída com uma taxa *média* proporcional à quantidade digital. Você pode obtê-lo como lógica padrão (CD4089, CD4527, ou SN7497), ou pode fazer o seu próprio. Então, um cálculo de média simples, como no conversor F/V anterior, pode ser utilizado para gerar uma saída CC proporcional ao código de entrada digital. Porém, neste caso, a constante de tempo de saída resultante pode ser intoleravelmente longa, já que a média da saída do multiplicador de taxa deverá ser calculada para um tempo igual ao período de saída mais longo que ele pode gerar (isto é, $2^n/f_{\text{clk}}$ para um multiplicador de taxa com uma entrada de ajuste de taxa de n bits). Tal como acontece com o PWM, os multiplicadores de taxa são mais úteis quando a média da saída é intrinsecamente calculada pelas características de resposta mais lenta da própria carga.

Uma aplicação para a qual essa técnica é adequada é o controle de temperatura digital, onde os ciclos completos de potência CA são comutados no aquecedor para cada pulso de saída do multiplicador de taxa. Nesta aplicação, o multiplicador de taxa está configurado de modo que a sua frequência de saída seja um submúltiplo inteiro de 120 Hz, e um relé de estado sólido (ou triac) é usado para comutar a potência CA (nos cruzamentos zero de sua forma de onda) a partir de sinais lógicos.

Note que as últimas quatro técnicas de conversão envolvem algum cálculo de média no tempo, enquanto que os métodos de escada de resistor e fonte de corrente são "instantâneos", uma distinção que também existe nos vários métodos de conversão analógico-digital. Se um conversor calcula a média do sinal de entrada ou converte uma amostra instantânea dele, pode fazer uma diferença importante, como veremos em breve em alguns exemplos.

13.2.11 Escolha de um DAC

Para orientá-lo na escolha de um DAC para uma determinada aplicação, montamos nas Tabelas 13.2 e 13.3 uma seleção representativa de DACs de várias precisões e velocidades. Essa lista está longe de ser completa, mas inclui muitos dos conversores mais populares e algumas inserções mais recentes que foram planejadas como substituições melhoradas.

Ao procurar um DAC para alguma aplicação, eis algumas questões a considerar:

1. Resolução;
2. Velocidade (tempo de estabilização, taxa de atualização);
3. Precisão (linearidade, monotonicidade; ajuste externo exigido?);
4. Estrutura de entrada (paralelo ou serial? Com *latch*? Compatível com CMOS/TTL/ECL?);
5. Referência (fornecida interna ou externamente? Se externo, MDAC?);
6. Estrutura da saída (saída de corrente? Compliance? Saída de tensão? Faixa?);
7. Tensões de alimentação e dissipação de potência exigidas;
8. DACs simples ou múltiplos por encapsulamento;
9. Estilo de encapsulamento;
10. Preço.

13.3 ALGUNS EXEMPLOS DE APLICAÇÃO DE DACS

É sempre útil desenvolver uma análise orientada sobre um exemplo de aplicação no mundo real, para ter uma noção dos detalhes da parte mais difícil. É extremamente fácil montar um circuito que não chega nem perto do desempenho de que seu conversor é capaz. Os quatro exemplos nesta seção ilustram algumas das coisas com que você tem que se preocupar quando utiliza um DAC.

13.3.1 Fonte de Laboratório de Uso Geral

Em nossos laboratórios de pesquisa é comum controlar parâmetros experimentais com tensões analógicas de baixo ruído, que precisam ser altamente estáveis ao longo do tempo e temperatura. Por exemplo, armadilhas eletromagnéticas para íons e moléculas requerem tensões precisas aplicadas em pares de placas eletrostáticas e correntes precisas através de bobinas. Dada a diversidade de aplicações, a faixa de saída deve ser selecionável em polaridade e alcance.

A Figura 13.13 mostra o módulo de saída de um produto popular (o "BabyDAC"[17]) do Laboratório de Projeto de Instrumentos Eletrônicos (EIDL) da nossa universidade. O núcleo é o AD5544, um DAC multiplicador quádruplo de 16 canais que aceita uma tensão de referência externa e produz um conjunto de quatro correntes em um nó externo mantido no terra. Você gera uma saída de tensão com um AOP externo, usando o resistor de realimentação interno casado. A estrutura interna de cada canal é uma escada R-$2R$ acionada por V_{ref} e um conjunto de chaves que conectam cada ramo $2R$, ou para a saída I_o, ou para o terra. A tensão de referência externa pode ser de uma ou outra polaridade, na faixa de ± 10 V. Na verdade, ela pode ser um *sinal* cuja tensão instantânea é multiplicada pelo código de entrada digital para produzir um sinal de saída (por conseguinte, um "DAC multiplicador"); em tal aplicação, ele tem uma largura de banda de sinal para frequências de áudio e além.[18]

Para esta aplicação, o projetista utilizou um V_{ref} estático, derivado da série ADR440 de baixo nível de ruído de referência de tensão (Seção 9.10.3) baseada em um JFET análogo à referência de barreira de potencial BJT padrão. O circuito externo é configurado para proporcionar faixas de tensão de saída, tanto de unipolaridade quanto de bipolaridade, selecionáveis por jumpers; assim, J_1 seleciona uma tensão de referência de $+5$ V ou $+10$ V. O Jumper J_3 seleciona um ganho de -2 para o amplificador de saída, duplicando o alcance da saída de U_{1a}; e o jumper J_2 desloca a saída pelo valor selecionado de V_{ref}. Com esses três jumpers, você pode selecionar qualquer uma das seis faixas de V_{out} listadas na figura.

Esse é o circuito básico. Com componentes ideais a saída seria precisa, silenciosa e sem deriva. Porém, vivemos em um mundo real, em que temos de escolher entre os componentes disponíveis para fornecer o melhor equilíbrio de compromissos necessários. Para os tipos de aplicações de laboratório que temos em mente, estabilidade e baixo nível de ruído são fundamentais. No departamento do ruído, a tensão

---

[17] Uma das centenas de circuitos e instrumentos interessantes do sempre prolífico Jim Macarthur, guru de projetos do EIDL.

[18] Cuidado aqui: a folha de dados enumera uma "largura de banda de multiplicação de referência" de 2 MHz, mas que é medida no código digital de fundo de escala. A largura de banda se parece mais com 20 kHz se você quiser controle digital de 0 a −50 dB. Veja a Seção 13.2.4.

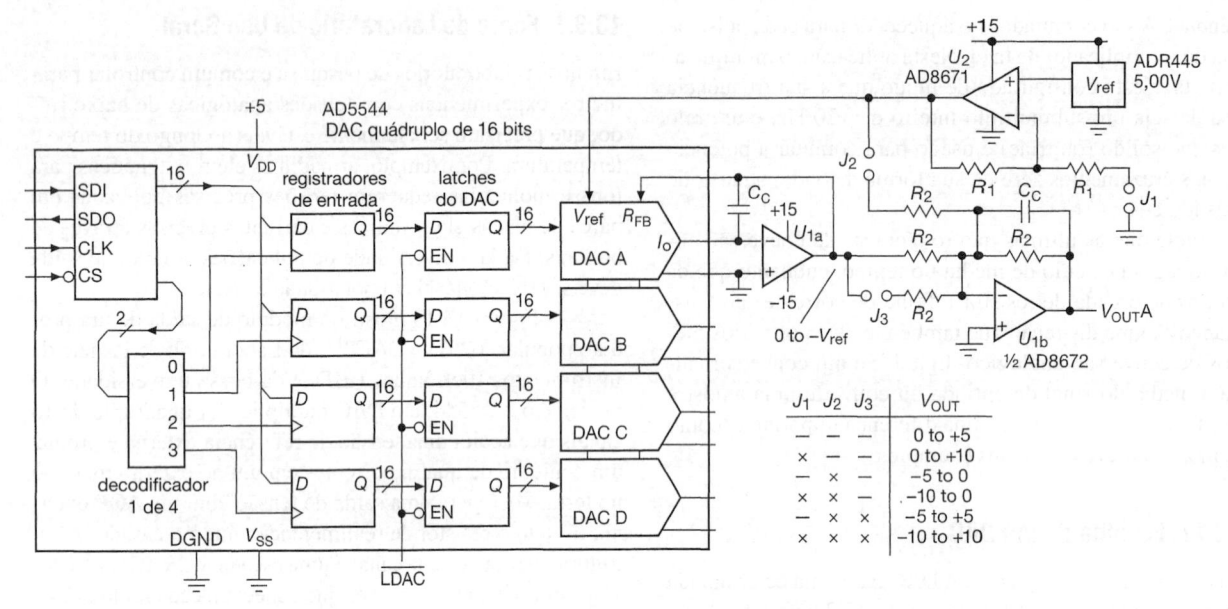

FIGURA 13.13 Fonte de laboratório programável de propósito geral, projetada com o DAC5544 de quatro canais para baixo ruído e boa estabilidade. Utilize um isolador para os sinais do enlace digital SPI para minimizar o ruído digital acoplado.

C_C: 10nF (~1kHz); R_1, R_2: matriz de 10,0k de precisão, por exemplo, Vishay tipo PRA100I4

de referência é geralmente a maior causadora de problemas, daí a escolha do ADR445 de "ruído ultrabaixo", que está entre os mais silenciosos com os seus ~2 μVpp – típicos de ruído de baixa frequência (0,1 a 10 Hz). Sua especificação de deriva também é muito boa (1 ppm/°C típico, 3 ppm/°C máximo).[19] O ruído de referência pode ser reduzido por meio de filtragem RC (veja a Figura 13.19 na página 898 para obter um exemplo), ou, se você estiver desesperado, por meio da conexão em paralelo das saídas de várias referências (com pequenos resistores de limitação de corrente para assegurar o compartilhamento da corrente). Os AOPs são silenciosos por comparação: ruído de baixa frequência de 0,1 μV (máx); do mesmo modo, o ruído contribuído pelo DAC é desprezível.

Neste circuito, os ganhos do AOP caem em torno de 1 kHz para minimizar o ruído de alta frequência na saída (originários na referência e nos glitches de mudança de código do DAC). Essa largura de banda foi escolhida arbitrariamente, no pressuposto de que as saídas não vão mudar subitamente. A largura de banda de saída pode ser estendida por mais uma década se o DAC for programado próximo de sua taxa máxima. Para uma aplicação basicamente quase estática, podemos limitar a largura de banda ainda mais.

Para a *estabilidade* da saída é comum procurar as especificações de deriva com a temperatura e com o tempo. Os coeficientes de temperatura típicos de tensão aqui são 1 ppm/°C para a referência e para o DAC (daí o ganho: o coeficiente de temperatura de fundo de escala correspondente é 5 μV/°C ou 10 μV/°C) e 0,3 μV/°C para os AOPs (que dimensiona a saída de acordo com o jumper de ganho, x1 ou x2). Com AOPs de entrada BJT você tem que se preocupar com a corrente de polarização de entrada e o seu coeficiente de temperatura. Para estes AOPs, a corrente de polarização é de 3 nA (típico), sem coeficientes de temperatura tabulados; no entanto, há um gráfico insatisfatório de I_B em função da temperatura que sugere um coeficiente de temperatura na faixa de 5 pA/°C. Com impedância do circuito de 5k (ou menos) vista nas entradas do AOP, isso equivale a uma deriva de 25 nV/°C, totalmente insignificante em comparação com tudo o que está acontecendo.

Os fabricantes tendem a ser tímidos sobre a especificação de deriva ao longo do tempo. Para os componentes vistos aqui, não há nenhuma especificação de deriva de longo prazo para o DAC ou os AOPs. A referência de tensão ADR445 especifica uma deriva típica de 50 ppm ao longo de 1.000 horas, mas com uma nota de rodapé interessante: "A especificação de estabilidade de longo prazo é não-cumulativa. A deriva no período subsequente de 1.000 horas é significativamente menor do que no primeiro período de 1.000 horas."[20]

---

[19] Você obteria baixa deriva com o destaque MAX6350, em 1 ppm/°C máx, mas com um pouco mais de ruído: 3 μVpp.

[20] Curiosamente, alguns fabricantes preferem especificar a deriva de longo prazo pela *raiz quadrada* do tempo, sugestivo de uma deriva que diminui com o envelhecimento do dispositivo, ou talvez ao acaso. Um exemplo é o surpreendente LTZ1000 com zener acondicionado em forno, com uma deriva de longo prazo especificada de 2 μV/$\sqrt{\text{kHr}}$ (típico), e um coeficiente de temperatura típico declarado de 0,05 ppm/°C.

Capítulo 13 Integração entre analógico e digital

TABELA 13.2 Conversores D/A Selecionados[a]

Nº identif	Bits	Estabili-zação[t] (μs)	Canais	Saída[b]	Custo quant. 25 ($US)	Aliment. Total mín (V)	Aliment. Total máx (V)	Fonte simples[c]	Fornec. corrente (mA)	Interface[d]	Sinal bipolar	Latch	Ref interna[e]	Ref externa[g]	Saída trilho a trilho	Modo de Espera	Multiplicador	Entrada de 5 V OK?	Encap., Pinos DIP	SOIC	TTSOP	SOT-23	Menor	Monotônico	Observações
AD5300	8	6	1	V	2,28	2,7	5,5	•	0,14	S	-	•	-	V_S	•	•	-	-	-	-	8	6	-	•	A,J
MCP4706	8	6	1	V	0,60	2,7	5,5	•	0,21	I	-	•	•	•	•	•	-	-	-	-	-	6	6	•	M,Z6
AD8801	8	0,6	8	V	6,20	3	5,5	•	0,001	S	-	•	-	•	•	•	-	-	16	16	-	-	-	•	B,D
DAC0808	8	0,15	1	I	1,30	7	36	-	2,6	P	•	-	-	-	-	-	•	•	16	16	-	-	-	•	E
DAC08	8	0,085	1	I	1,61	9	36	-	3,6	P	•	-	-	-	-	-	•	•	16	16	-	-	-	•	E,F
LTC1663	10	30	1	V	3,70	2,7	5,5	•	0,06	2	-	•	1,25	•	•	•	-	-	-	8	-	5	-	•	A,G
LTC1669	10	30	1	V	2,39	2,7	5,5	•	0,06	I	-	•	1,25	•	•	•	-	•	-	8	-	5	-	•	A,G
AD5620	12	10	1	V	3,81	4,5	5,5	•	0,55	S	-	•	2,5	-	•	•	-	-	-	-	-	8	-	•	C,H
DAC121	12	8	1	V	2,07	2,7	5,5	•	0,20	S	-	•	-	V_S	•	•	-	-	-	-	8	6	-	•	A
DAC7611	12	7	1	V	6,05	4,75	5,25	•	0,50	S	-	•	4	-	-	-	-	•	8	8	-	-	-	•	K,L
MCP4725	12	6	1	V	0,80	2,7	5,5	•	0,20	I	-	•	-	V_S	•	•	-	-	-	-	-	6	-	•	M
AD7845	12	5	1	V	10,00	28	32	-	4,6	P	•	-	-	•	-	-	•	-	-	-	-	-	-	•	N
MCP4921	12	4,5	1,2	V	1,64	2,7	5,5	•	0,20	S	-	•	-	•	•	•	-	-	8	8	8	-	-	•	O,P
TLV5638	12	1	2	V	10,56	2,7	5,5	•	4,3	S	-	•	2	•	•	•	-	-	-	8	20	-	-	•	Q
TLV5630	12	1	8	V	14,87	2,7	5,5	•	16	S	-	•	2	•	•	•	-	-	-	20	20	-	-	•	A,G,Q,R
DAC5672	14	0,020	2	I	22,42	3,3[n]		•	100	P	•	•	1,2	•	•	•	-	-	-	-	48	-	-	-	S
AD9739	14	0,013	1	I	56,00	1,8 e 3,3[n]		-	400,70	L	-	•	1,2	•	•	•	-	-	-	-	-	-	160	-	T
AD5660	16	10	1	V	5,90	4,5	5,5	•	0,6	S	-	•	2,5	•	•	•	-	-	-	-	-	8	-	•	C,U
DAC8564	16	10	4	V	11,91	2,7	5,5	•	1,0	S	-	•	2,5	•	•	•	-	-	-	-	16	-	-	•	A,V
LTC2656	16	8,9	8	V	29,50	2,7	5,5	•	3,0	S	-	•	2,5	•	•	•	-	-	-	-	20	-	20	•	C,W
AD5686R	16	5	4	V	9,90	2,7	5,5	•	1,1	S	-	•	2,5	o	•	•	-	-	-	-	16	-	16	•	C,X
AD5541A	16	1	1	V	15,39	2,7	5,5	•	0,13	S	-	•	-	•	-	-	•	-	-	-	10	-	8	•	A,Y
LTC1668	16	0,020	1	I	18,81	+5 e -5[n]		-	3,33	P	•	2,5	•	•	•	•	-	-	-	-	28	-	-	-	Z
DAC5682	16	0,010	2	I	45,14	1,8 e 3,3[n]		-	500,133	L	-	•	1,2	•	•	•	-	-	-	-	-	-	64	-	Z2
AD5780	18	2,5	1	V	32,23	5	33	-	10,10	S	•	•	-	•	-	-	-	-	-	-	-	-	24	•	A,Z3
DAC9881	18	5	1	V	28,98	2,7	5,5	•	0,85	S	-	•	2,5	•	-	-	-	-	-	-	-	-	24	•	C,Z4
AD5791	20	1	1	V	53,53	10	33	-	4,2	S	•	•	-	•	-	-	-	-	-	-	20	-	-	•	Z5

Notas: (a) veja também a Tabela 13.3 de MDACs; listados pelo aumento da resolução, em seguida pela velocidade. (b) V-tensão; I-corrente. (c) opera a partir de uma fonte positiva simples. (d) 2 – serial de 2 fios; I – I²C; L – LVDS paralelo; P – paralelo; S – SPI. (e) 2 = 2,048; 4 = 4,096. (g) pode utilizar ref externa. (n) nominal. (0) versão sem R. (t) típica.

Observações: A: ao energizar para 0 V. **B:** ao energizar para escala média. **C:** power-on para 0 V ou escala média. **D:** Ajuste DAC, substituição pot, Z_{out} = 5 kΩ. **E:** multiplicação, para ~1MHz. **F:** compliance até –10 V e +18 V +. **G:** duplo com *buffer* para atualização simultânea. **H:** 14 bits = AD5640, 16 bits = AD5660; 0,2%, 5ppm/°C ref. **J:** ganhos digitais e ajuste de *offset*. **K:** DAC8512 licenciado para outros fabricantes. **L:** ao energizar para 0 V mais um pino CLR. **M:** estado ao energizar da EEPROM no chip. **N:** multiplicação, para 600 kHz. **O:** multiplicação, para 450 kHz; 14 pinos, duplo = 4922. **P:** ao energizar para alto Z. **Q:** tempo de estabilização programável. **R:** 10 bits = TLV5631; 8 bits = TLV5632. **S:** 275 Msps; 1,5ns até 90%; DAC2904, AD9767 licenciado para outros fabricantes. **T:** síntese de RF, 2,5 Gsps. **U:** versão ref ext = 5662; 0,2%, 5 ppm/°C ref. **V:** 14 bits = DAC8164; 12 bits = DAC7564; *glitch* baixo; 0,004%, 2 ppm/°C ref. **W:** 0,2%, 2 ppm/°C ref; também 4.096 vref e versões de 12 bits. **X:** 2 ppm/°C ref. **Y:** multiplicação, até ~1MHz; glitch baixo; 0,1 ppm/°C; 12nV/√Hz; saída sem *buffer*. **Z:** glitch baixo; 50 Msps; Versões de 12 bits e 14 bits. **Z2:** 1 Gsps; FIFO; clock PLL; filtros digitais no chip. **Z3:** 8nV/√Hz; 0,02 ppm/°C; 3 fontes de alimentação; "sistema pronto." **Z4:** 0,3 ppm/°C; 24nV/√Hz; **Z5:** 0,05 ppm/°C; 7,5nV/√Hz; **Z6:** 10 bits = MCP4716; 12 bits = MCP4726.

Como observamos no início, para a aplicação pretendida é o ruído e a deriva que são mais importantes. Por outro lado, a precisão absoluta não é particularmente impressionante: as especificações de pior caso são ±200 ppm para a referência de tensão, ±75 μV para os AOPs e erro de ganho de fundo de escala de ±3 mV para o DAC. Convertido para unidades de degraus LSB de 16 bits, considerando a faixa de saída como ±10 V (para o qual um LSB é de 0,3 mV), estas correspondem a ±13 LSB, ±0,5 LSB e ±20 LSB.

13.3.2 Fonte de Oito Canais

Se a sua aplicação não necessita da flexibilidade de polaridades de saída e fatores de escala do último exemplo, e se você pode tolerar um pouco mais de ruído e deriva, pode se sair muito bem com um DAC de saída de tensão de múltiplas seções totalmente integrado, por exemplo, o LTC2656 da Figura 13.14. Esse CI particular inclui uma referência de tensão interna de boa estabilidade (±2 ppm/°C típica, ±10 ppm/°C máx), com um coeficiente de temperatura de fundo de escala

TABELA 13.3 Conversores D/A multiplicadores[a]

Nº identif	Bits	$t_{Estabiliz.}$ típico (µs)	Canais	Tipo de Saída	Custo quant. 25 ($US)	Fontes de Aliment. Positiva mín (V)	Fontes de Aliment. Positiva máx (V)	Fontes de Aliment. Negativa mín (V)	Fontes de Aliment. Negativa máx (V)	Faixa de V_{in} (V)	Faixa de V_{out} (V)	I_{fonte} típico (µA)	Interface[c]	Distorção (1kHz) típico @V_{pp} (dB)	Distorção (1kHz) típico @V_{pp} (V)	Ruído (nV/√Hz em1kHz)	Largura de banda típico @V_{pp} (MHz)	Largura de banda típico @V_{pp} (V)	Feedthrough[b] (MHz)	Encap., Pinos DIP	Encap., Pinos SOIC	Encap., Pinos TTSOP	Encap., Pinos Menor	Observações
AD8842	8	2,9	8	V	13,71	4,75	5,25	4,75	5,25	±3	±3	10	S	-80	4	78	1,5	0,1	0,25	24	24	-	-	A
TLC7528	8	0,1	2	I	3,47	4,75	15	-	-	±25	±25	2000	P	-85	6	-	-	-	-	20	20	20	-	B
MCP4921	12	4,5	1	V	1,64	2,7	5,5	-	-	0 to V_S	0 to V_S	200	S	-73	0,4	-	0,45	0,4	-	8	8	8	-	C
AD/LTC7541	12	0,6	1	I	6,00	5	16	-	-	±10	±0,5	100	P	-	-	-	-	-	-	18	18	-	20	D
AD7943,5,8	12	0,6	1	I	7,78	3	5,5	-	-	±10	±0,3	0,005	S,P	-83	17	35	-	-	2	16	20	20	-	E
LTC8043	12	0,25	1	I	8,10	4,75	5,25	-	-	±10	±0,5	100[m]	S	-108	17	17[m]	-	-	1	8	8	8	-	F
AD5443	12	0,06	1	I	4,87	3	5,5	-	-	±10	±0,3	0,6[m]	S	-81	3,5	25	10	7	10[e]	-	-	10	-	G
DAC7821	12	0,05	1	I	6,38	2,5	5,5	-	-	±15	±0,3	0,8	P	-105	-	18	10	7	0,8	-	-	20	-	H
AD5544	16	0,9	4	I	27,43	2,7	5,5	0	5,5	±15	±0,3	5[m]	S	-98	5	7	5	5	-	-	-	28	32	I,J
DAC8814	16	0,5	4	I	29,06	2,7	5,5	-	-	±15	±0,3	2	S	-105	5	12	10	0,3	2	-	-	28	-	J
DAC8820	16	0,5	1	I	16,98	2,7	5,5	-	-	±15	±0,3	5[m]	P	-105	17	10	8	5	0,15	-	-	28	-	K
LTC2757	18	2,1	1	I	57,43	2,7	5,5	-	-	±15	±0,3	0,5	P	-110	5	13	-	-	1[e]	-	-	-	48	L

Notas: (a) listados pelo aumento de precisão e velocidade; todos são monotônicos e têm latches, exceto o AD/LTC7541; ver também a Tabela 13.2 de DACs. (b) o acoplamento capacitivo provoca aumento da saída de 6 dB/oitava (a partir do valor digital desejado de atenuação) em altas frequências; o valor indicado é a frequência na qual existe um aumento de +3 dB em relação a uma atenuação programada de –40 dB (ou seja, uma atenuação real de –37 dB). (c) 2 – serial a 2 fios; I – I²C; P – paralelo; S – SPI; L – LVDS em paralelo. (d) *feedthrough* de 65 dB em 100 kHz. (e) perda de 3 dB, em vez de *feedthrough*. (m) mín ou máx. (n) nominal. (t) típica.
Comentários: A: transportador de corrente, $V_{out}=V_{in} \times (D/128 - 1)$. **B:** licenciamento para outra empresa para o AD7528. **C:** MCP4922 = duplo. **D:** *feedthrough* de 80dB @ 10kHz e variação plena. **E:** AD7543 melhorado, -45 e -48; AD7545 e -48 são interfaces paralelas. **F:** também o DAC8043. **G:** = 10 bits = AD5432, 8 bits = AD5426. **H:** leitura bidirecional paralela. **I:** 14 bits = AD5554. **J:** reset para zero ou metade da escala. **K:** reset para zero. **L:** buffer duplo, leitura bidirecional, reset para zero.

típico de 1 ppm/°C para as saídas do DAC. O ruído de saída de baixa frequência (0,1 a 10 Hz) do DAC é de 8 µVpp típico. Isso é quatro vezes a tensão de ruído do exemplo anterior; levando em conta a margem de saída mais limitada (0 a 2,5 V), isso representa uma contribuição de ruído relativo maior ainda. A boa notícia é a relativa simplicidade deste dispositivo: não há referência ou amplificadores externos, e ele opera a partir de uma fonte positiva simples.

A interface digital SPI é simples e limpa: cada transferência é de 24 bits, com 4 bits para especificar o número do canal (com opção para carregar todos os canais com o mesmo valor), 4 bits para especificar a operação e 16 bits para transportar o valor digital. Cada canal tem *buffer* duplo, assim você pode carregar o próximo valor em cada buffer de entrada do canal, e então transferi-los simultaneamente para o registrador do DAC para que todas as saídas mudem para seus novos valores ao mesmo tempo.

13.3.3 Fonte de Corrente de Nanoamperes de Bipolaridade e Ampla Compliance

Aqui está uma aplicação incomum e uma implementação de circuito de considerável sutileza, usando um DAC de saída de corrente de alimentação dupla: suponha que você precisa de uma fonte de corrente programável que pode operar em uma ampla faixa de tensão (digamos ±10 V), enquanto fornece (ou absorve) correntes muito pequenas (na faixa de nanoamperes, por exemplo). Você pode precisar disso para medir a característica V-I de um semicondutor na extremidade inferior de sua faixa de corrente, ou talvez para uma aplicação de pesquisa, tal como as propriedades elétricas de nanofibras. Outra aplicação pode ser para cancelar a corrente de fuga de entrada de um dispositivo de medição de alta impedância, por exemplo, um multímetro digital de 8 dígitos com uma interface de entrada JFET (um par de JFETs discretos casados ou um AOP de entrada JFET de precisão), na qual a corrente de fuga aumenta rapidamente (mas previsivelmente) com a temperatura.[21] Tal instrumento pode armazenar uma tabela de fuga em função da temperatura, medida durante a calibração inicial, para ser usada em conjunto com um sensor de temperatura para programar a corrente de cancelamento durante a operação normal. DACs de saída de corrente não operam com sucesso nessas correntes baixas e, além disso, eles geralmente não viabilizam saídas que podem tanto fornecer quanto absorver corrente sob o controle de um código de entrada digital.

---

[21] Foi um circuito análogo no multímetro 34420A da Agilent (veja a Seção 5.12.5) que inspirou este exemplo. (Seu circuito usou uma referência de tensão no lugar de R_3, permitindo a utilização de uma única saída de DAC. Eles também usaram um R_s menor, de modo que o intervalo de saída foi de ±2 nA).

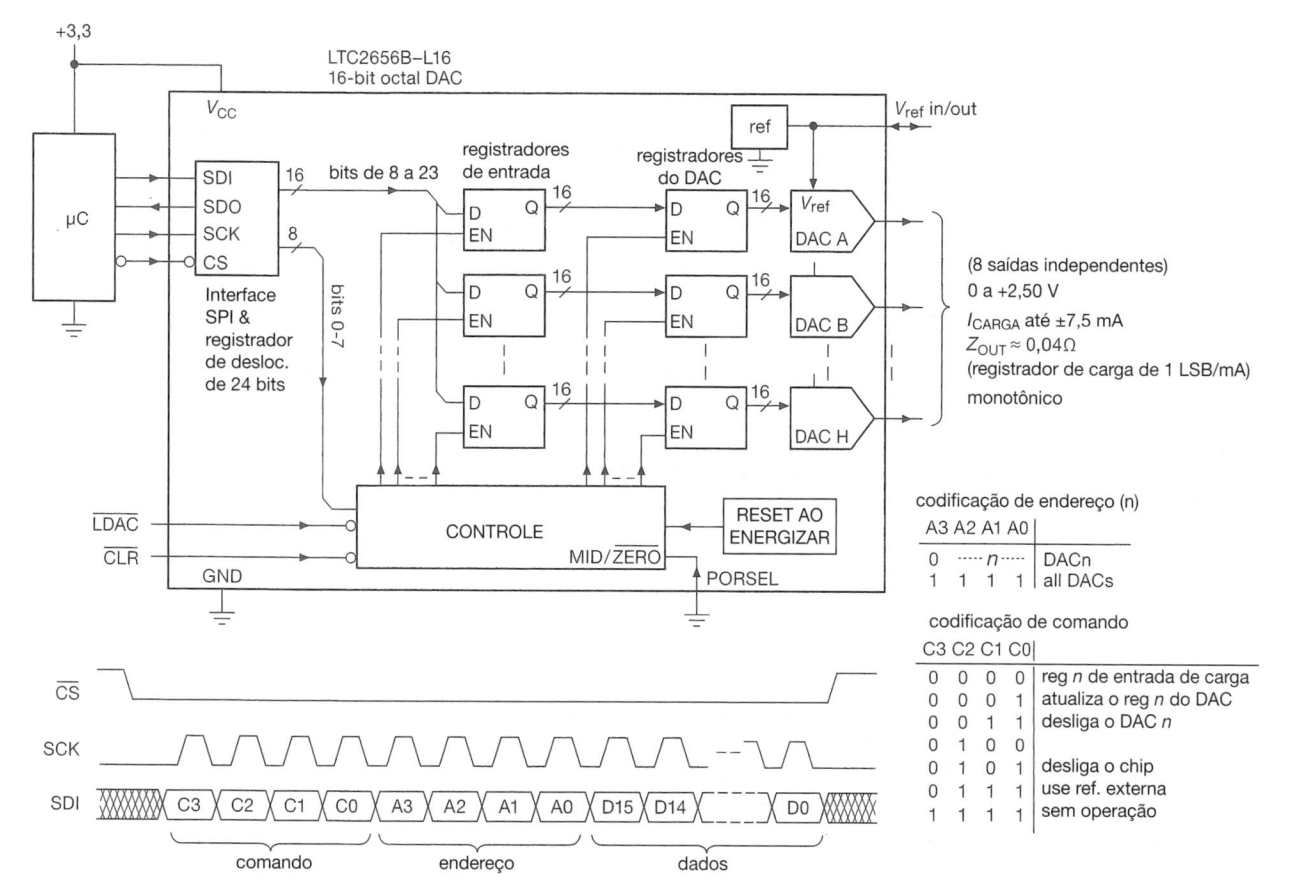

FIGURA 13.14 DAC de saída de tensão de oito canais.

Este circuito (Figura 13.15) é complicado e seriamente confuso no início. Trabalhe conosco, aqui, e você vai entendê-lo (eventualmente). Um componente essencial é o circuito de fonte de corrente flutuante simples (Figura 13.16), no qual um seguidor AOP com uma tensão adicionada V_0 na saída faz o *bootstrap* no resistor de realimentação R para criar uma corrente V_0/R. Essa tensão pode ser criada polarizando uma referência do tipo zener, conforme mostrado; ou pode surgir a partir de uma corrente que flui através de um resistor que retorna para a saída do AOP.

Agora, vamos ao circuito completo da Figura 13.15. O DAC08 é um clássico (por volta de 1984), com um par de saídas de absorção de corrente em rampas opostas que se soma a uma corrente constante I_{ref} (definida pela corrente fornecida através de R_1, aqui igual a 5 V/39,2 kΩ) Um código de entrada offset binário de 8 bits define as correntes de saída individuais. Por exemplo, o código mínimo (00h) faz com que I'_0 absorva 128 μA e I_o absorva 0; para um código de um quarto da escala (20h, ou 32 decimal) as correntes correspondentes são 96 μA e 32 μA; e assim por diante. Com fontes de +18 e –15 V, a compliance de saída se estende desde –12 V até +18 V.

No circuito externo funciona a verdadeira magia, (a) convertendo esse par de corrente de absorção unipolar para uma corrente de saída (de fornecimento ou absorção) de bipolaridade e (b) reduzindo simultaneamente a corrente por um fator de 10.000, para gerar um terminal de saída que fornece ou absorve correntes de fornecimento ou de absorção de forma programada com uma faixa de fundo de escala de ±12,8 nA, em degraus LSB de 0,1 nA.

Para entender primeiro o dimensionamento da corrente, desconecte U_{2b} e analise somente o AOP superior: a corrente absorvida pelo DAC gera uma pequena tensão sobre R_s, aproximadamente $I_o R_s$ (para $R_o \gg R_s$). Esse é o V_o da fonte de corrente flutuante da Figura 13.16, aqui absorvendo uma corrente $I_o R_s/R_o$ a partir da carga; ou seja, a corrente é reduzida por um fator de 5.000. Isto é realmente apenas um "divisor de corrente" numa roupagem chique. (Para o circuito completo a proporção é de 10.000:1, porque R_4 está em paralelo com R_s).

Agora reconecte o AOP inferior e, por ora, ignore a saída superior do DAC, I'_o. A corrente absorvida pelo DAC coloca a saída de U_{2b} acima de suas entradas por $I_o R_3$, que

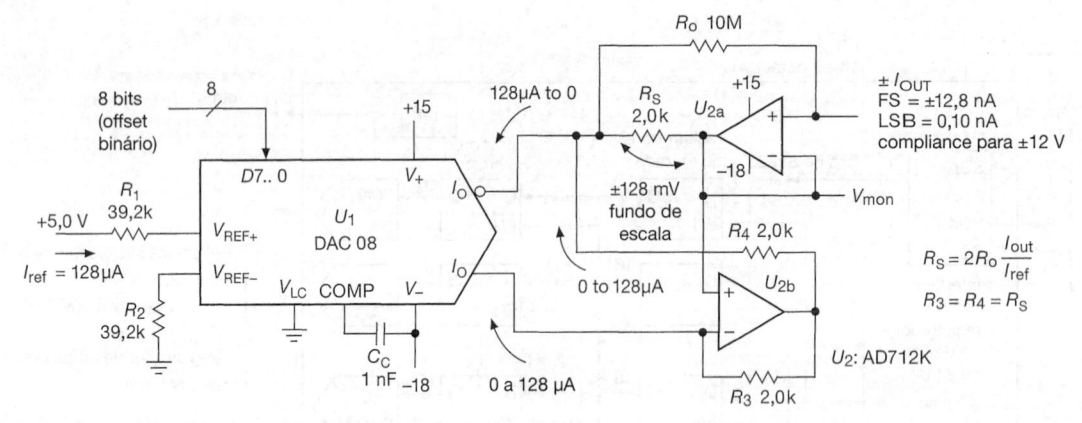

FIGURA 13.15 Corrente de fornecimento/absorção de nanoamperes programável de ampla compliance. A tensão de saída passa por um buffer em U_{2a} para aplicações de "medição-fornecimento" (isto é, fornecer uma corrente e medir a tensão correspondente). Para uma faixa de 2 nA, defina $R_s = R_3 = R_4 = 316\Omega$ (ou aumente R_o).

fornece uma corrente através do par em série R_4 e R_s.[22] Assim, com tudo reconectado, a corrente líquida fornecida no lado esquerdo de R é a corrente (positiva) igual à magnitude da saída I_O do DAC, menos a corrente (negativa) igual à magnitude da saída I'_O do DAC. Assim, a corrente líquida vai de -128 μA (pelo código de entrada mínimo, 00h) a $+128$ μA (pelo código de entrada máximo, FFh). Essa corrente é dividida por um fator de 10.000 ($R_o/[R_s \| R_4]$) para gerar a corrente de saída líquida, com a sua faixa de fundo de escala de ± 128 μA.

Se necessitar de mais precisão, substitua pelo DAC10 de 10 bits similar. Ele difere por ter uma compliance negativa um pouco menor e por fornecer uma corrente de absorção de saída de fundo de escala igual a *duas vezes* a corrente de referência.

Uma observação final: há outras maneiras de fornecer uma corrente de nanoamperes de ampla compliance; veja, por exemplo, o desenho relativamente simples da Figura 5.69A.

A. Variações Sobre a Fonte de Corrente Flutuante

Voltando ao circuito da fonte de corrente simples flutuante da Figura 13.16, existem diversas variações úteis que permitem controle por meio de uma tensão de entrada CC (em relação ao terra), ou por um código digital. A Figura 13.17 mostra como usar a saída flutuante de um amplificador de diferença (Seção 5.14) no lugar do zener polarizado da Figura 13.16B. Aqui, o amplificador de diferença de $G = 0,1$ converte a tensão de programação, na faixa de ± 10 V em relação ao terra, para uma saída de ± 1 V referenciada à saída do amplificador operacional, portanto, uma corrente de saída de $I = V_{prog}/10R$.

---
[22] Esta configuração de AOP é, de fato, um espelho de corrente, que fornece para o nó na sua entrada não inversora uma corrente proporcional à corrente absorvida a partir da sua entrada inversora, na razão da resistência de saída para R_3.

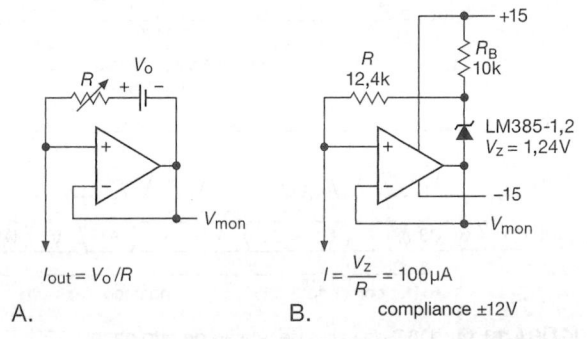

FIGURA 13.16 Um seguidor com uma tensão aplicada em série com um resistor cria uma fonte de corrente flutuante simples, e o pino de saída do AOP fornece um "monitor de tensão." A. O esquema básico. B. Implementação com uma referência de tensão de barreira de potencial.

Alguns instrumentos comerciais são capazes de fornecer correntes programáveis ao longo de uma faixa de tensão muito grande (digamos ± 200 V). Isso eles fazem (Figura 13.18) alimentando o AOP com uma fonte CC flutuante (digamos ± 5 V), com um DAC (alimentado a partir da mesma fonte) substituindo o amplificador de diferença da Figura 13.17. Tanto o AOP quanto o DAC percorrem a ampla faixa de compliance, com os dados de entrada digital do DAC alimentados via opto-isoladores. Nesse esquema, a saída do AOP passa por um buffer e faz *bootstrap* da fonte CC comum, mantendo assim as entradas do AOP próximas da metade da alimentação; o bootstrap atua também para evitar correntes dinâmicas causadas pela capacitância da fonte para a sua fonte de alimentação primária. Essas fontes de corrente programáveis com saídas de monitoramento de tensão são exemplos do que é chamado de "unidade de fonte-medição" (SMU – *source-measure unit*), caracterizada por unidades da Keithley (sua série 2400) ou Keysight (sua série B2900).

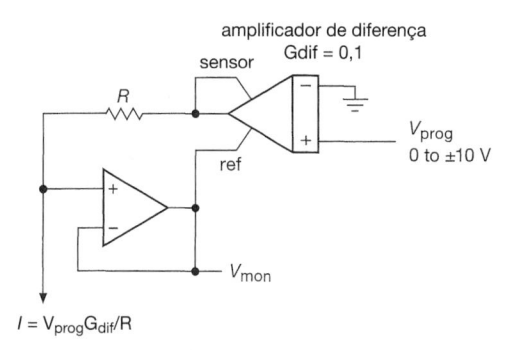

FIGURA 13.17 Fonte de corrente flutuante análoga à Figura 13.16, programada com um amplificador de diferença. Veja também a Figura 5.69.

13.3.4 Acionamento de Bobina de Precisão

Aqui está uma aplicação que empurra os limites de resolução e estabilidade de um DAC: um acionador de fornecimento de corrente proporciona uma corrente configurável e estável (de qualquer polaridade) através de um par de bobinas que ajusta o campo magnético em um aparelho de ressonância magnética. Esse tipo de aplicação pode exigir resolução e estabilidade em partes por milhão (ppm). É um exemplo instrucional digno de uma discussão detalhada.

A. DAC e Referência de Tensão

A Figura 13.19 mostra uma implementação com o notável DAC de 20 bits em seu núcleo, o AD5791. Olhando primeiro para o circuito em torno do DAC, escolhemos novamente a referência ADR445 (no grau B de melhor desempenho) pelo seu baixo nível de ruído e excelente estabilidade (uma alternativa é o MAX6350, com o capacitor recomendado a partir de seu pino de redução de ruído para a terra). Adicionamos filtro passa-baixas RC de 10 Hz para suprimir o ruído de banda larga: de acordo com a folha de dados, o ruído do ADR445 na banda de 0,1 a 10 Hz é de cerca de 2,3 μVpp, aumentando para 66 μV quando essa banda é estendida para 10 kHz.

Quando você está trabalhando em níveis de erro ppm, tem que se preocupar com tudo! Por exemplo, apenas 1,5 nA de corrente de fuga no capacitor de filtro de 10 μF (C_3) provocaria quase 1 ppm de erro na referência de 5,0 V que aciona o DAC (a partir da queda de IR sobre R_{10}). O filtro de ruído mostrado explora um agradável truque[23] para eliminar esse erro: o terminal inferior ($R_{11}C_4$) faz o *bootstrap* na parte inferior de C_3, de modo que não há essencialmente nenhuma tensão sobre ele, portanto não há fuga de corrente, o que é análogo à técnica de um eletrodo de *guarda*, que é usado para eliminar as correntes de fuga nas medições de baixa corrente sensitiva (ou eliminar os efeitos de capacitância *shunt* onde os sinais estão presentes).

---
[23] Originado por Walter Jung, pelo que sabemos.

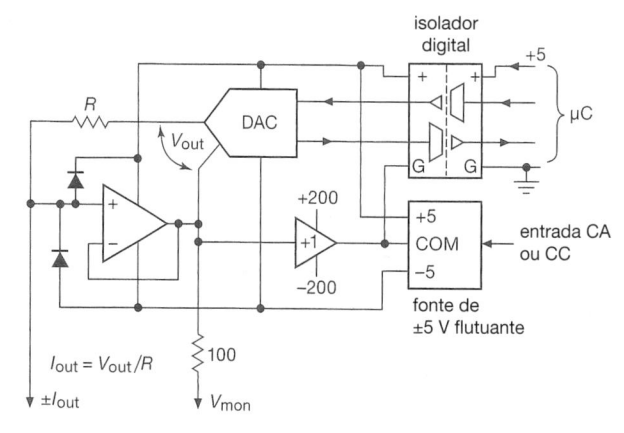

FIGURA 13.18 Esquema de fonte de corrente de alta tensão utilizada em instrumentos "fonte-medição". O *buffer* de alta tensão de ganho unitário pode ser um simples seguidor *push-pull*, já que o seu trabalho é apenas fazer o *bootstrap* da fonte de ± 5 V flutuante. Adicionar um divisor e *buffer* à saída V_{mon} produz uma réplica de baixa tensão.

O AD5791 pode operar com uma referência positiva simples, ou com ambas as referências, positiva e negativa. Para a nossa aplicação queremos uma faixa de saída de ± 5 V, mas podemos explorar o par de resistores casados internos de precisão do DAC (que retorna à referência positiva), de modo que é necessária apenas uma referência positiva. O DAC fornece uma "detecção" de saída a partir dos dois nós de referência internos, usados com realimentação, como mostrado, para eliminar erros de IR. Observe as resistências de entrada casadas nas entradas de U_2, para tirar proveito do casamento da corrente de entrada ($\Delta I_B < 1$ nA); o coeficiente de temperatura da corrente de entrada, estimado a partir de gráficos na folha de dados, é inferior a 10 pA/°C. A tensão de offset do AOP é 12 μV típico (50 μV máx) e o coeficiente de temperatura da tensão de offset é 0,6 μV/°C máx (0,2 μV/°C típico).

Na escala da referência de 5,0 V que o AOP está armazenando em buffer, esses valores traduzem-se em 0,7 ppm, 0,007 ppm/°C, 2,4 ppm, e 0,12 ppm/°C, respectivamente. Em outras palavras, os erros de tensão de offset e corrente de polarização somam cerca de 3 ppm, ou 3 bits LSBs; mas as derivas são apenas 0,13 ppm/°C (máx), ou um LSB para uma variação de 8°C na temperatura. Estamos felizes com essa estabilidade, que é o que realmente importa nessa aplicação. O erro de escala de ~3 ppm não é importante, porque, na prática, a corrente será ajustada até que a corrente da bobina esteja fazendo a coisa certa. Por último, temos de considerar o erro e deriva de contribuição do próprio DAC, que são comparáveis: os erros de fundo de escala e zero são cada um ± 2 ppm (2 LSB) máx, e seu coeficiente de temperatura de saída (em zero, no meio da escala, ou no fundo de escala) é $\pm 0,05$ ppm/°C típico, $\pm 0,5$ ppm/°C máx. Seu ruído de saída de baixa frequência típico é 0,6 μVpp em meados da escala, cerca de metade da contribuição da referência.

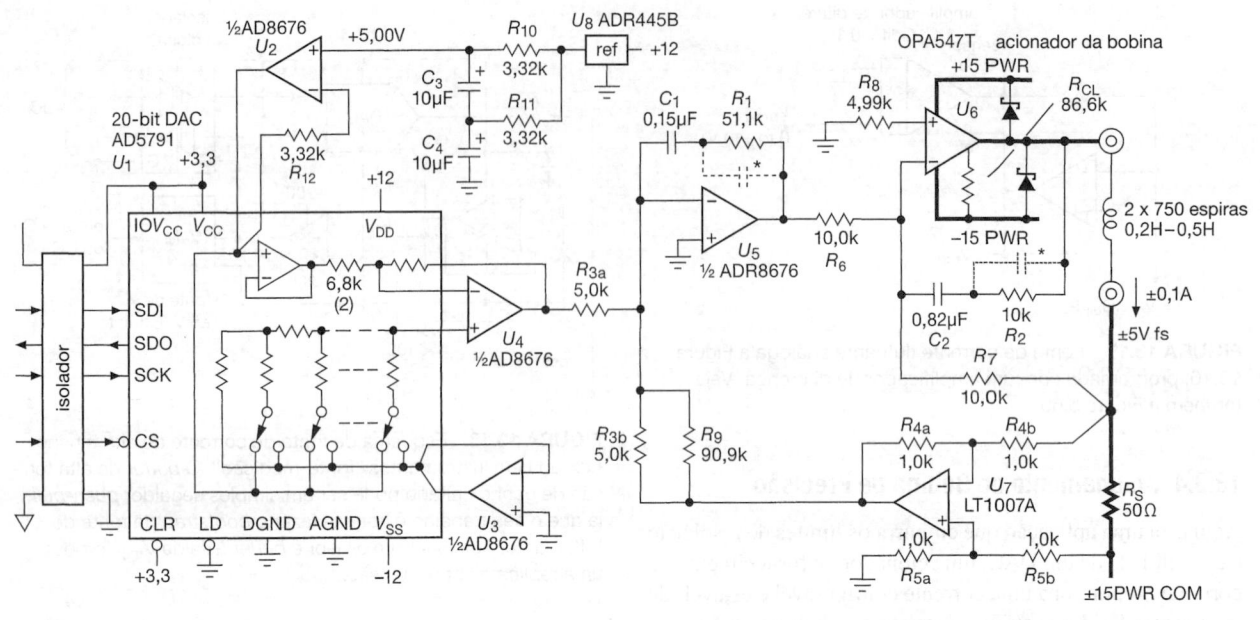

FIGURA 13.19 Apresentação do acionador de bobina de Helmholtz de precisão programável, com o DAC de 20 bits AD5791. O percurso de corrente alta é indicado com linhas grossas. Os resistores R_3 a R_5 são pares casados MPM da Vishay (coeficiente de temperatura de 2 ppm/°C), e o R_s é um VPR221 da Vishay (Y0926), um resistor de potência de tecnologia de folha e corpo metálico (coeficiente de temperatura de 2 ppm/°C) com dissipador de calor.

B. Malha do Amplificador

O trabalho aqui é a utilização da tensão de saída estável do DAC para controlar a corrente da bobina[24] ao longo de uma faixa de ±0,1 A enquanto se preserva a estabilidade CC e o ruído de parte por milhão. Existe também *outro* tipo de estabilidade – a liberdade a partir da oscilação.

Ignorando por ora esta última (ou seja, desconsiderando todos os capacitores do circuito), no nível mais alto o circuito do amplificador funciona assim: um resistor de detecção de corrente de temperatura estável Rs = 50 Ω gera uma tensão de fundo de escala de ±5 V, uma réplica do que é subtraído a partir da saída do DAC pelo par de resistores casados R_{3ab}. O amplificador de erro U_5 nos fornece o ganho da malha, aplicando o erro amplificado no acionador de bobina U_6, que opera como um inversor de ganho unitário. As fases estão corretas: muita corrente através de R_s aciona a saída de U_7 para baixo, U_5 para cima e U_6 para baixo.

No próximo nível, temos a precisão CC e a deriva para nos preocuparmos. Mais uma vez escolhemos AOPs BJT de precisão, o agora familiar AD8676 para o amplificador de erro, e o clássico LT1007A para o amplificador de diferença de ganho unitário. Este último tem ruído e tensão de *offset* mais baixos, à custa de uma maior corrente de entrada; contornamos esse último problema reduzindo a resistência vista nas entradas, o que é possível por causa da baixa impedância de fonte (50 Ω). O AOP de potência U_6 não precisa ser preciso, porque ele está dentro de uma malha de realimentação global cujo ganho aumenta em baixas frequências conforme $1/f$.

O resistor sensor R_s é um resistor de potência de precisão de "corpo de folha metálica" da Vishay de 4 fios (ligação Kelvin) em um encapsulamento TO-220, especificado para dissipação de 8 W; o melhor grau é uma precisão de ±0,01%, com um coeficiente de temperatura típico de 2 ppm/°C. Os pares de resistores de R_3 a R_5 são duplos casados de precisão em convenientes encapsulamentos SOT23, com casamento de 0,05% e rastreamento de 2 ppm/°C (típico). O resistor *shunt* R_{3b} compensa a redução da resistência efetiva de R_s, que se deve à carga por R_7 e R_{4b}.

Assumindo que há uma abundância de ganho de malha (e há, veja o próximo parágrafo), a estabilidade CC em escala ppm da saída do DAC é razoavelmente bem preservada com esses AOPs, ajudados pelos resistores dessa estabilidade e rastreamento.

Finalmente, existe a séria questão da estabilidade em oposição às oscilações, que é complicada aqui pela carga indutiva. Esta última sozinha faz iniciar um decaimento de 6 dB/oitava na frequência em que a reatância indutiva é igual à resistência de detecção, cerca de 20 Hz para um par de bobinas de 400 mH nominal. Já abordamos a questão, fazendo do amplificador de erro um integrador em frequências mais baixas (para abundância de ganho CC), achatando a um ganho de x10 a 20 Hz.[25] Isso impede que a curva de ganho de

---

[24] Tomamos como um projeto de referência um par de bobinas, cada uma de 30 cm de diâmetro com 500 espiras, axialmente separadas por 15 cm na chamada configuração de "Helmholtz." Com bitola de fio n° 20 (0,5 mm²), a resistência CC total é 30 Ω, a indutância é de cerca de 400 mH e uma corrente de 0,1 A produz um campo central de 3 Gauss (cerca de seis vezes o campo da Terra).

[25] Em linguagem extravagante, um polo em CC e um zero em 20 Hz.

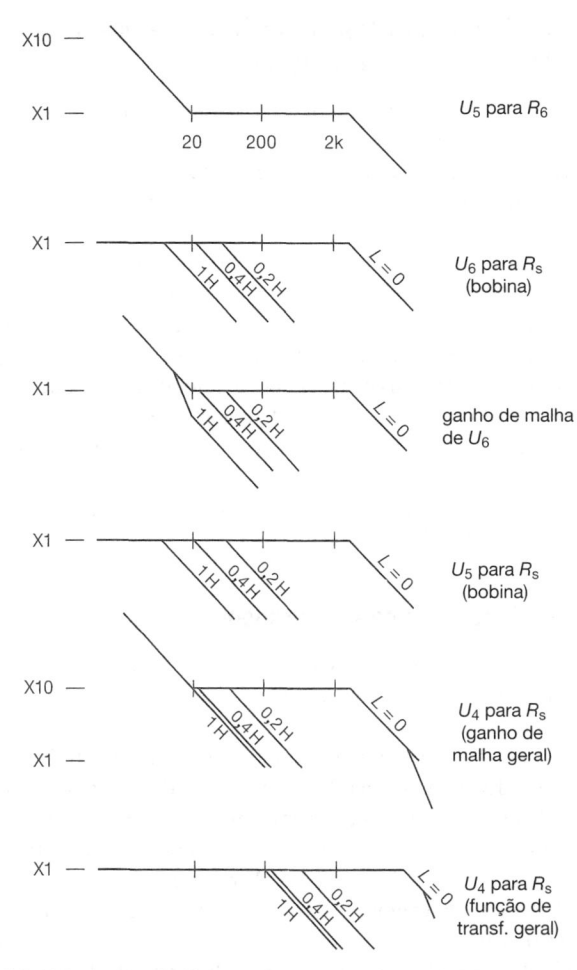

FIGURA 13.20 Gráficos de Bode para o amplificador acionador da bobina na Figura 13.19, mostrado com vários valores de indutância de carga.

malha geral em função da frequência caia mais de 6 dB/oitava, pelo menos até bem além da frequência de ganho unitário. O amplificador de saída U_6 recebe o mesmo tratamento. Um pequeno capacitor adicional sobre R_1 (e da mesma forma sobre R_2) faz decair o ganho local em frequências ainda mais altas, para estabilizar contra oscilações de alta frequência. Os valores adequados são 150 pF e 4,7 nF (caindo em 20 kHz e 3 kHz, respectivamente).

Ao invés de falar sobre isso, apresentamos os gráficos de Bode intuitivos da Figura 13.20. Os leitores que são susceptíveis de encontrar situações como esta podem se beneficiar do pensamento lá apresentado.

13.4 LINEARIDADE DO CONVERSOR – UM OLHAR MAIS ATENTO

Na Seção 13.1.3 mencionamos, brevemente, os tipos de erros que afligem DACs (e também ADCs). O caso dos *erros de linearidade* merece mais discussão.

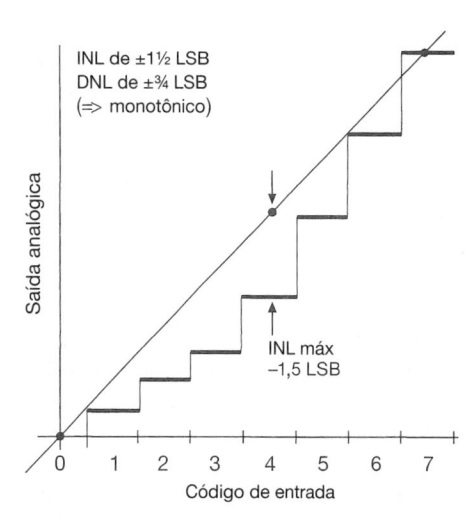

FIGURA 13.21 Um DAC pode exibir tanto monotonicidade (DNL < 1 LSB) quanto uma relativamente grande não linearidade integral (aqui INL = 1,5 LSB).

Dê uma olhada nas Figuras 13.21 e 13.22. Os dois DACs de 3 bits sofrem de erros de linearidade. Mas há algumas sutilizas aqui. Precisamos de um par de definições: não linearidade *integral* (INL) é o desvio máximo da linha reta ideal de saída analógica em função da entrada digital, ao longo de toda a faixa de conversão;[26] ao passo que a não linearidade *diferencial* (DNL) é o erro máximo em qualquer degrau digital (ou seja, a partir de $n = 2$ a $n = 3$ neste exemplo) a partir do seu tamanho adequado de degrau de 1 LSB.

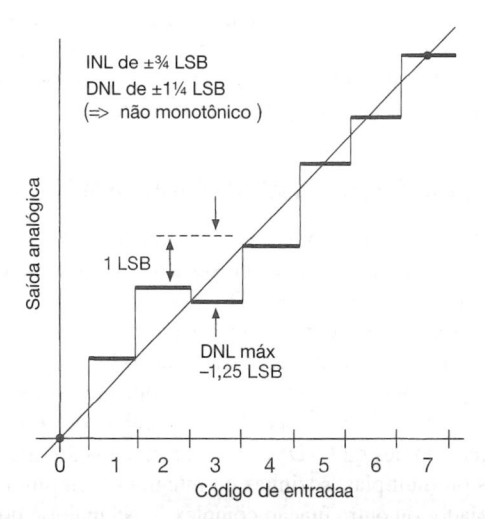

FIGURA 13.22 Este conversor tem menos INL (0,75 LSB) do que na Figura 13.21, mas o seu DNL maior (1.25 LSB) permite não monotonicidade. O que é mais importante dependendo da aplicação.

---

[26] Há um pouco de espaço de manobra aqui, porque você pode definir a linha como passando através das extremidades ("linearidade de extremidades", como utilizado aqui), ou você pode fazer as coisas parecerem um pouco melhores, usando a linha reta de melhor ajuste.

Quando você se preocupa com INL em função de DNL? Se você precisar de um DAC para atingir uma tensão desejada com erro mínimo, o INL e termos de erro de ganho dominarão, e você não se preocupará com monotonicidade. Se, no entanto, você estiver fechando uma malha de controle, é exatamente o oposto: a ação de controle servo da malha irá remover o INL, mas um DNL grande poderia causar zonas escondidas de instabilidade, que são particularmente difíceis de depurar.

A arquitetura do DAC influencia a mistura de INL/DNL. Considere dois bons DACs de 16 bits, o DAC8564 e o AD5544. O primeiro usa uma sequência de resistores, de modo que você tem que trabalhar muito duro para acabar com um DNL maior do que 1 LSB. E você terá monotonicidade *garantida*. No entanto, nada está controlando o INL, exceto a distribuição estatística dos valores de resistor, por isso não é de se estranhar que o INL seja de ±8 LSBs, e isso é para um dispositivo caro. É de 12 LSBs para os mais baratos.

Em contraste, na arquitetura *R-2R*, um grande INL muitas vezes traduz-se em um grande DNL; o mesmo processo que mantém o DNL sob controle também mantém o INL baixo, em certa medida, de modo que a especificação do INL do AD5544 é de ±4 LSBs, com um DNL de 1,5 LSB. Assim, se todas as outras especificações forem iguais (o que não são), pode-se escolher o AD5544 para tensões de ajuste de precisão, e o DAC8564 para utilização em malhas de controle.

Já que estamos emitindo avisos, cuidado, *CUIDADO* ao usar DACs de áudio em aplicações que não são de áudio. Se um DAC não fornece uma especificação DNL, é porque é embaraçosamente grande. Isso é muitas vezes aceitável em áudio, mas não para uso em malha de controle ou ajuste de tensão. Do mesmo modo, especificações de deriva de ganho para os DACs de áudio são muitas vezes demasiado grandes para utilização em aplicações de ajuste de tensão.

13.5 CONVERSORES ANALÓGICO-DIGITAL

Retorne à seção anterior sobre "Preliminares" (Seção 13.1) para relembrar algumas das coisas a serem observadas ao escolher um conversor (seja DAC ou ADC). Em primeiro lugar, você está preocupado bem menos com os detalhes de como a coisa realmente faz a sua conversão, e muito mais com as grandes questões de (a) desempenho (velocidade, precisão, etc.), (b) interface digital (paralela ou serial; terminação simples ou LVDS; etc.) e (c) integração (unidades únicas ou múltiplas; sozinhas ou integradas em um microcontrolador ou outra função complexa). Na maioria dos casos você vai usar um chip ADC comercial ou módulo em vez de construir o seu próprio. Mas é importante saber sobre o funcionamento interno dos vários métodos de conversão A/D, a fim de não ser pego de surpresa pelas suas características individuais.

13.5.1 Digitalização: Aliasing, Taxa de Amostragem e Profundidade da Amostragem

Vamos entrar no cerne da questão da conversão analógico-digital em breve, mas primeiro faremos uma abordagem curta sobre a questão da *amostragem*, que vai aparecer algumas vezes conforme passarmos pelos vários métodos ADC.

Quando você converter um sinal analógico (por exemplo, uma forma de onda de áudio) para uma série de quantidades digitais (ou seja, os números correspondentes à tensão instantânea em momentos sucessivos no tempo), você precisa escolher tanto a precisão das medições de tensão (a *profundidade* da amostragem) quanto a velocidade em que tais amostras são colhidas (a *taxa* de amostragem). Vimos isso brevemente no Capítulo 6, em conexão com filtros passa-baixas anti-aliasing (Seção 6.3.7A); vamos olhar um pouco mais profundamente aqui, no contexto da amostragem ADC de formas de onda analógicas.

A. Profundidade da Amostragem

Vamos observar primeiro os efeitos de profundidade de bits (porque é o mais fácil de entender): a amostragem de n bits igualmente espaçados quantifica as amostras de forma de onda para 2^n níveis, limitando efetivamente a faixa dinâmica para $6n$ dB. Uma forma de onda amostrada assim, quando devidamente dimensionada para explorar a faixa de conversão completa, também vai apresentar distorção de quantização, da ordem de 2^{-n} (isto é, $100/2^n$ por cento).

Como um exemplo, 16 bits de quantização de áudio (o padrão utilizado em CDs de áudio) tem uma faixa dinâmica limitada a 96 dB, e um mínimo de distorção de 0,0015%. Naturalmente, o próprio sinal está tipicamente limitado em ambos, faixa dinâmica e distorção; um sistema de digitalização bem projetado deverá ter profundidade de bits o suficiente (e taxa de amostragem) para que não degrade a qualidade do sinal.

Num nível mais profundo, há mais para a história do que mera profundidade de bits: não linearidade (até mesmo não monotonicidade!), ruído, picos, etc., todos contribuem para a fidelidade do sinal digitalizado. Uma métrica comum que captura muito disso é o número de bits efetivos (ENOB – *effective number of bits*); veremos mais sobre isso mais tarde (veja, por exemplo, a Figura 13.56).

B. Taxa de Amostragem e Filtragem

A história aqui é mais sutil (e mais interessante). Contrariamente à intuição, uma forma de onda que é perfeitamente amostrada a uma taxa de pelo menos duas vezes a do componente de frequência mais alta presente *não sofre nenhuma perda de informação*. Nada é perdido na porção sem amostragem da forma de onda entre as amostras; este é o teorema da amostragem de Nyquist (que tem seu quadro de incrédulos, que juram que o áudio digital remove a própria alma da música).[27]

Os leitores que têm desconfiança da autoridade podem se perguntar o que acontece se alguém viola o estatuto fazendo uma *sub*amostragem. Fácil o suficiente para tentar: observe a Figura 13.23, onde temos amostrada uma onda senoidal de 100 Hz (que exige $f_s \geq 200$ sps) em 90 sps, numa violação grave à regra de Nyquist. Os pontos amostrados traçam um sinal falso, neste caso, de 10 Hz. Isso é chamado de "*Alias*", e na maioria das vezes é algo que você não quer.[28] Simplificando: para uma dada taxa de amostragem f_s, o sinal de entrada analógico deve ser filtrado por um passa-baixas (com um "filtro *anti-alias*") de tal modo que nenhum sinal significativo permanece acima de $f_s/2$. Por outro lado, para um sinal analógico que se estende a uma frequência máxima $f_{máx}$, a taxa mínima de amostragem é $2f_{max}$. (Você pode, é claro, amostrar mais rapidamente do que o limite de Nyquist $f_s > 2f_{máx}$, e de fato é sábio fazer um grau modesto de "sobreamostragem", pois isso permite a filtragem passa-baixas mais relaxada do sinal analógico, como veremos em breve.)

É útil analisar a questão do *aliasing* no domínio da *frequência*. Na Figura 13.24A, anexamos filtros *RC* de 2 seções fracos para um sinal de banda larga, colocando o ponto de −3 dB de cada seção no limite de Nyquist ($f_s/2$). Componentes de frequência na região proibida são falsamente digitalizadas, como mostrado,[29] contaminando a banda do sinal que se destina; eles não podem ser removidos mais tarde por fil-

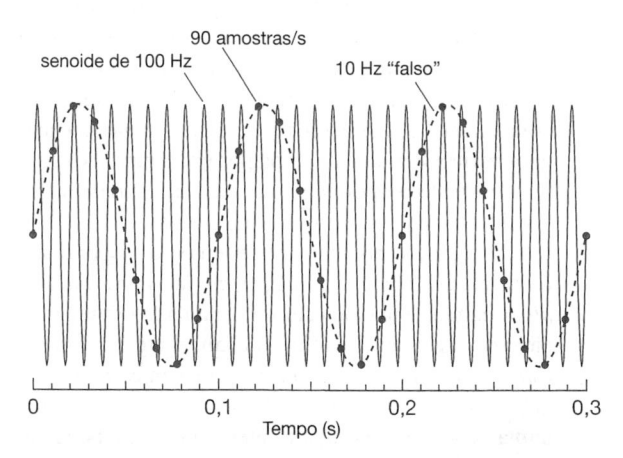

FIGURA 13.23 Digitalização com taxas menores do que a de Nyquist produz "aliases". Uma onda senoidal de 100 Hz (linha contínua) amostrada em 90 sps (muito abaixo da taxa de Nyquist de 200 sps) produz um alias de 10Hz (pontos ligados por uma linha tracejada).

---

[27] Pode ser demonstrado matematicamente que o sinal original (excluindo um conjunto de formas de onda patológicas) é perfeitamente recuperado: $v(t) = \sum v_i \, \text{sinc} \, \pi(f_s t - i)$, onde f_s é a taxa de amostragem e v_i é a amplitude da amostra de ordem i.

[28] Veja a Seção 13.6.3 para uma exceção importante.

[29] Para desenhar esses "esboços de elevação", basta espelhar os contornos vistos passado os múltiplos da frequência Nyquist.

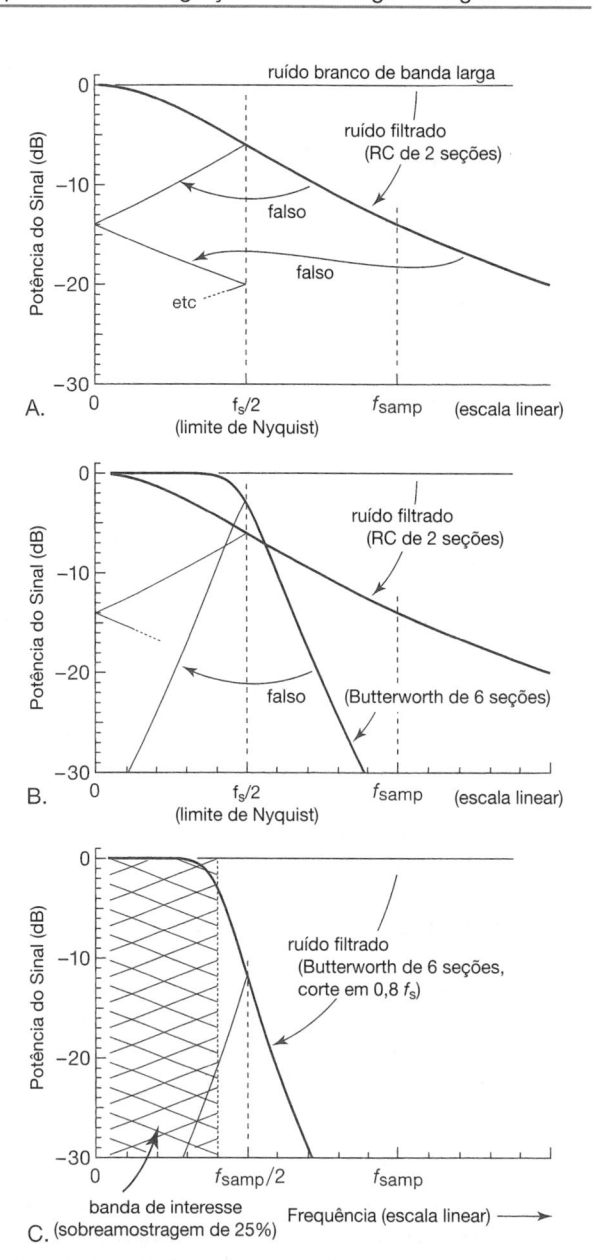

FIGURA 13.24 Subamostragem, Sobreamostragem e *aliasing*. A. A amostragem de um sinal com componentes de frequência acima do limite de Nyquist ($f_s/2$) produz versões falsas digitalizadas que se enquadram dentro do sinal devidamente amostrado; aqui 2 seções RC de decaimento suave permitem que a energia do sinal fora da banda tenha *aliasing* significativo para contaminar o sinal pretendido. B. Um filtro mais íngreme é mais eficaz; mas o *aliasing* ainda contamina o limite de banda de Nyquist. C. Sobreamostragem (ajuste da frequência de Nyquist acima da banda de interesse, aqui em 25%) dá ao filtro *anti-aliasing* uma banda de guarda em que o decaimento reduz grandemente o *aliasing*.

tragem – na saída digitalizada, eles estão agora "dentro da banda".

Um filtro *anti-aliasing* mais íngreme faz um trabalho melhor, como visto na Figura 13.24B, onde incluímos um

Butterworth de 6 polos cujo ponto de –3 dB é definido em $f_s/2$. Mas a situação ainda está longe de ser a ideal, com uma abundância de sinal com *aliasing* presente, especialmente no final de alta frequência.

O que você faz, então, é executar o clock de amostragem um pouco mais rápido do que o mínimo de Nyquist, como visto na Figura 13.24C, ilustrando 25% de sobreamostragem em relação à banda de sinal com a qual nos preocupamos. Isso dá ao filtro *anti-aliasing* uma banda de guarda na transição de banda passante para banda de corte. Note que criamos o ponto de –3 dB do filtro na borda da banda, não na frequência de Nyquist.

É assim que é feito nas aplicações onde a pureza do sinal é importante. Usando novamente o exemplo do CD de áudio, a banda de áudio de 20 kHz, se for limitada por um filtro passa-baixas ideal a 20 kHz, poderia ser amostrada no limite Nyquist de f_s = 40 ksps; mas o padrão de CD define a taxa em 44,1 ksps (10% de sobreamostragem), permitindo uma banda de guarda do filtro de 20%.[30] Mais tarde, na Figura 13.60, usaremos uma visão no domínio da frequência do *aliasing* para entender alguns benefícios da conversão delta-sigma.

Note que existem compromissos envolvidos no projeto do filtro *anti-aliasing*. Por exemplo, um filtro de várias seções analógico com a transição mais íngreme para o corte (por exemplo, um filtro de Chebyshev) exibe um desempenho mais fraco no domínio do tempo (*overshoot* e oscilação, características de fase pobres, sensibilidade para valores de componentes, etc.) – veja as Figuras 6.25 e 6.26. Para saber muito mais sobre os tipos de filtros e características, veja a extensa discussão no Capítulo 6 (particularmente a Seção 6.2.5). E, enquanto você está folheando capítulos anteriores em busca de sabedoria, esteja atento sempre aos efeitos degradantes do ruído (Capítulo 8).

13.5.2 Tecnologias de ADC

Há meia dúzia de técnicas básicas de conversão A/D, cada uma com suas vantagens e limitações peculiares. Nas seções seguintes, vamos abordar uma de cada vez, juntamente com alguns exemplos de aplicação. Aqui, na forma de tópicos, está um resumo compacto dessas técnicas.

Flash, ou "paralelo" (Seção 13.6). A tensão de entrada analógica é comparada com um conjunto de tensões de referência fixas, mais simplesmente acionando uma matriz de 2^n comparadores analógicos para gerar um resultado de *n* bits. Variações sobre este tema incluem arquiteturas *pipeline* ou dobradas, em que a conversão é feita em vários passos, cada um dos quais converte o "resíduo" da conversão de baixa resolução anterior.

Aproximação sucessiva (Seção 13.7). A lógica interna gera códigos de testes sucessivos, que são convertidos para tensões pelo DAC interno e comparadas com a tensão de entrada analógica. Ela exige apenas *n* etapas para fazer uma conversão de *n* bits. O DAC interno pode ser implementado como uma escada de resistor *R-2R* de *n* estágios convencional ou, curiosamente, como um conjunto de 2^n capacitores dimensionados de forma binária; este último método é conhecido como um DAC de *redistribuição de carga*.

Tensão-frequência (Seção 13.8.1). A saída é um trem de pulsos (ou outra forma de onda), cuja frequência é exatamente proporcional à tensão de entrada analógica. Em um V/F *assíncrono*, o oscilador é interno e opera livremente. Em contraste, um V/F *síncrono* requer uma fonte externa de pulsos de clock, tomando uma fração deles de tal modo que a frequência *média* de saída é proporcional à entrada analógica.

Integração de rampas simples (Seção 13.8.2). O tempo requerido para uma rampa de analógico gerada internamente (capacitor carregado por uma fonte de corrente) para ir de zero volt para a tensão de entrada analógica é proporcional ao valor da entrada analógica. Esse tempo é convertido em um número de saída conforme se permite a passagem de um clock de frequência fixa rápida, e contando o número de pulsos de clock. Note que a modulação por largura de pulso emprega o mesmo esquema de rampa-comparador conforme a integração de rampa simples gera o tempo ON de cada ciclo.

Integração de dupla rampa e múltipla rampa (Seções 13.8.3-13.8.4,13.8.6). Estas são variações sobre a integração de rampa simples, eliminando efetivamente erros de *offsets* do comparador e de estabilidade do componente. Na *integração de dupla rampa,* o capacitor varia a tensão em rampa por um tempo fixo com uma corrente proporcional ao sinal de entrada e, em seguida, a rampa passa a ser decrescente com uma corrente fixa; o último intervalo de tempo é proporcional à entrada analógica. Na *integração de rampa quádrupla,* a entrada é mantida em zero enquanto um segundo ciclo de "auto zero" é feito. A chamada técnica *multirampa* é um pouco diferente, com uma única conversão que consiste numa sucessão de ciclos rápidos de rampa dupla (em que a entrada é integrada continuamente, combinada com ciclos de corrente fixa subtrativos) e com uma correção baseada no resíduo de ciclos parciais em ambas as extremidades. Em alguns aspectos, é uma técnica próxima do delta-sigma.

Delta-Sigma (Seção 13.9). São duas partes: um *modulador* converte a tensão de entrada analógica para uma *sequência de bits* serial; em seguida, um filtro passa-baixas digital aceita como entrada essa sequência de bits, produzindo a saída digital final de *n* bits. De forma mais simples (nunca é muito simples...), o modulador é constituído por um integrador que atua sobre a diferença entre a tensão de entrada analógica e o valor de

---

[30] Uma sobreamostragem muito maior – *muitas* vezes na taxa de Nyquist – é explorada na técnica de conversão delta-sigma, veja a Seção 13.9.

saída do bit 1 da sequência de bits serial para determinar o próximo bit de saída. Variações incluem moduladores de ordem mais elevada (uma sucessão de integradores ponderados), ou sequências de bits de vários bits de largura (uma "sequência de palavras?"), ou ambos. Conversores Delta-sigma são populares e confusos, e merecem uma seção extensa no final do capítulo.

13.6 ADCS I: CODIFICADOR PARALELO (*FLASH*)

Este é provavelmente o conceito de ADC mais simples; é também o mais rápido (veja a Tabela 13.4). Neste método, a tensão do sinal de entrada é introduzida simultaneamente em uma entrada de cada um dos *n* comparadores; as demais entradas são conectadas a *n* tensões de referência igualmente espaçadas. Os níveis dos *n* comparadores de saída formam um "código de termômetro," que é convertido (em um *codificador de prioridade*) para uma saída binária ($\log_2 n$) correspondente ao maior comparador ativado pela tensão de entrada. A Figura 13.25 mostra a ideia teoricamente – aqui desajeitadamente implementada com comparadores discretos e lógica padrão. Você não faria isso, é claro; é muito melhor trabalhar com um dispositivo integrado. Neste esquema simples (de estágio único) o tempo de atraso da entrada à saída é a soma dos atrasos do comparador, do codificador, e do latch de saída (se disponível). Um exemplo de um codificador *flash* comercial usando este esquema é o MAX1003: faz conversões 6 bits em ambos os canais de entrada, com taxas de amostragem a 90 Msps, resultado digitalizado e memorizado disponível em um ciclo de clock após a amostragem.

13.6.1 Codificadores *Flash* Modificados

Na prática, o esquema do *flash* simples foi largamente suplantado por variantes de *flash* modificados denominados "*half-flash*", "*flash sub-ranging*", "arquitetura de *folding/interpolating*" ou "*flash pipeline*." Estes geralmente envolvem estágios sucessivos de conversão parcial, para que haja alguma quantidade de atraso (ou *latência*) a partir do momento da amostragem de entrada para saída digital válida. Isso não significa necessariamente reduzir a taxa máxima de amostragem. Na verdade, muito pelo contrário: subdividindo a conversão em uma sucessão de quantizações mais grosseiras, esses conversores podem alcançar taxas de amostragem muito elevadas, com os "resíduos" analógicos quantizados parcialmente que se propagam ao longo de um *pipeline* à base de capacitor conforme as amostras mais recentes começam a sua conversão. Num tal conversor uma conversão grosseira inicial (digamos para uma resolução de 2 bits) é seguida por estágios sucessivos que operam sobre o resíduo (a diferença entre a entrada analógica e a estimativa grosseira). Um exemplo é o ADC10D1500, um ADC duplo de 10 bits e 1,5 Gsps (as duas seções podem ser intercaladas, para conseguir 3 Gsps); ele tem uma latência de 35 ciclos de clock.

Talvez a mais simples das arquiteturas de conversor é o *half-flash*, um processo de dois passos em que a entrada é

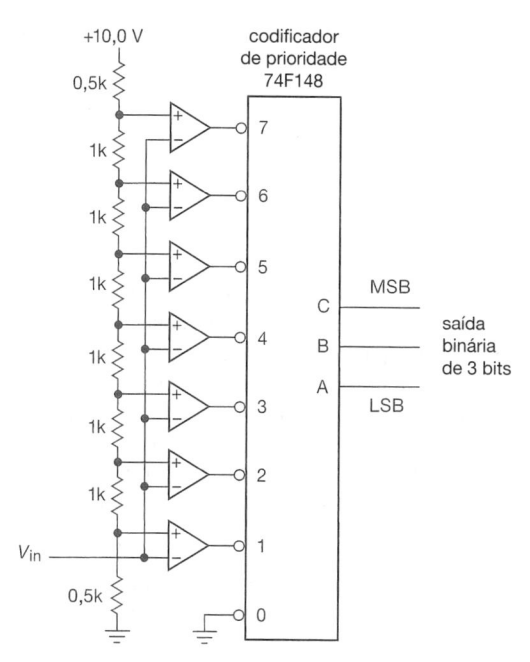

FIGURA 13.25 ADC paralelo codificado ("*flash*").

convertida por um *flash* para metade da precisão final; um DAC interno converte essa aproximação digital de volta para analógico, onde a diferença, "erro", entre ela e a entrada é *flash*-convertida para obter os bits menos significativos (Figura 13.26). Esta técnica produz conversores de baixo custo que operam em potência relativamente baixa. Exemplos são o TLC0820 da TI, AD7820 da ADI e TLC5540 de TI, que são ADCs baratos de 8 bits com latências de dois ou três ciclos de clock, e velocidades de conversão modestas (40 Msps para o último).

Como observado antes, as arquiteturas ADC mais sofisticadas realizam a conversão com vários esquemas *pipeline* em que os resíduos analógicos são transportados ao longo de uma sucessão de quantizadores relativamente grosseiros. Um exemplo é o AD9244 da ADI, que utiliza um *pipeline* de 10 estágios para atingir conversões de 14 bits em 65 Msps, com uma latência de oito ciclos de clock. Sua AD9626 ab-

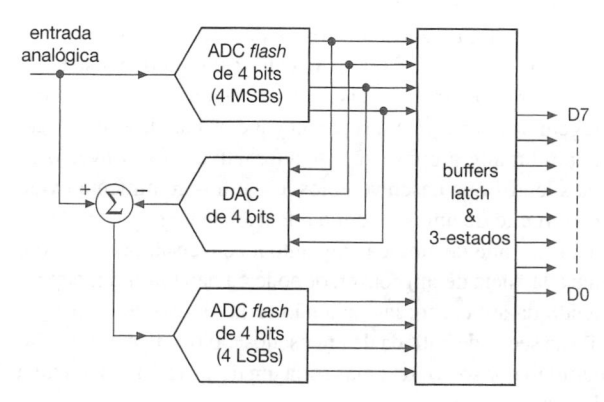

FIGURA 13.26 ADC *half-flash*.

dica de alguma precisão a favor da velocidade: 12 bits e 250 Msps, com seis clocks de latência. Sua folha de dados diz tudo:

> A arquitetura *pipeline* (arquitetura de multipassos de processamento concorrencial) permite que o primeiro estágio opere com uma nova amostra de entrada, enquanto que os estágios restantes operam sobre amostras anteriores. Cada estágio do *pipeline*, excluindo o último, consiste em um ADC *flash* de baixa resolução conectado a um DAC de capacitor chaveado e a um amplificador de resíduo inter-estágio (MDAC). O amplificador de resíduo aumenta a diferença entre a saída do DAC reconstruída e a entrada *flash* para o próximo estágio do *pipilene*... A última etapa consiste simplesmente de um ADC *flash*.

Tecnologia semelhante é oferecida pelo ADS5547 da TI, um ADC *pipeline* de 14 estágios que atinge conversões de 14 bits em 210 Msps, com uma latência de 14 clocks. Seus ADCs mais rápidos de alta resolução no momento da escrita são de 14 bits e 400 Msps (ADS5474) e de 16 bits e 370 Msps (ADC16DX370).

A arquitetura *"folding"* (geralmente implementada como um esquema *folding/interpolating*) alcança um objetivo similar (criando a conversão final através de quantizações grosseiras e finas), mas por um método inteligente que não envolve um *pipeline* ou aproximações sucessivas. Em vez disso, a entrada analógica passa por um circuito *folding* analógico (feito a partir de uma sequência de pares diferenciais de conexão cruzada) que mapeia a faixa de tensão de entrada completa para uma saída que consiste em um conjunto de dobras repetitivas. Essa saída é convertida por um *flash* para produzir os bits de ordem inferior, enquanto uma conversão *flash* grosseira da faixa total do sinal de entrada determina simultaneamente em que dobra o sinal se encontra (ou seja, bits da ordem superior); veja a Figura 13.27. A família "Ultra High Speed ADC" da National Semiconductor utiliza essas técnicas, com os dispositivos atuais chegando a velocidades de 3,6 Gsps em resolução de 12-bit (ADC12D1800). Existem muitos truques envolvidos no bom desenvolvimento desse trabalho, mas estão além do escopo deste livro.

Vale a pena considerar os codificadores *flash* em aplicações de digitalização de forma de onda, mesmo quando a taxa de conversão é relativamente lenta, porque a sua alta velocidade (ou, mais precisamente, o seu intervalo de amostragem de *abertura* curta) garante que o sinal de entrada não mude durante a conversão. A alternativa – os conversores mais lentos que descreveremos a seguir – geralmente exige um circuito de amostragem e retenção analógico para "congelar" a onda de entrada enquanto a conversão ocorre. Note que a latência de um conversor pode ou não importar, dependendo da aplicação: latência não seria motivo de preocupação na seção de entrada de um osciloscópio, ou em um "rádio definido por software"; mas seria um desastre em uma malha de controle digital rápida.

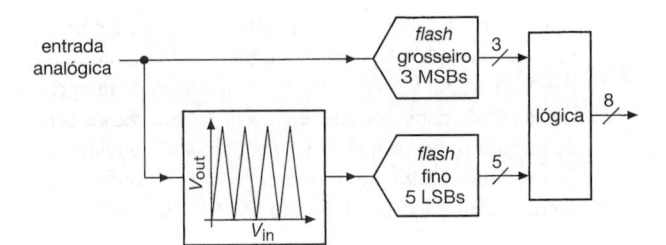

FIGURA 13.27 ADC *flash* com arquitetura *"folding"*.

13.6.2 Acionando ADCs *flash*, *folding* e RF

Os ADCs de hoje não são os conversores simples de gerações anteriores. É verdade que eles são muito mais capazes do que conversores de gerações anteriores, mas eles são "mal-humorados", não observam a regra de falar somente quando solicitados e podem ser muito exigentes em recursos, especialmente potência e ativos digitais. Isto é especialmente verdadeiro para os conversores de baixa tensão e alta velocidade com entradas diferenciais. Não se pode mais simplesmente tomar um AOP e conectá-lo ao seu ADC.

Para ilustrar com um exemplo, a Figura 13.28 mostra um ADC *flash* de 16 bits e dois canais capaz de trabalhar até em frequências de RF baixas, ideal para a digitalização de sinais I e Q para rádios definidos por software. Ele emprega o CI amplificador diferencial discutido na Seção 5.17, executando as tarefas mostradas nas Figuras 5.102 e 5.103. Conforme examinamos estes circuitos, à primeira vista, podem parecer iguais, mas nos vemos perdendo tempo com detalhes, procurando regras de folha de dados e sugestões, considerando dispositivos alternativos com novas regras e aprimorando o projeto.

O conversor AD9269[31] é um tipo *flash*, porém, mais adiante neste capítulo vamos encontrar os mesmos problemas com os outros tipos de ADCs primários. Por exemplo, alguns conversores de registradores de aproximação sucessiva (SAR) (e muitos dos conversores delta-sigma, também) vão exigir uma configuração distinta: dois resistores mais capacitor em suas entradas. Muitos tipos de SARs vão mais longe, com exigências em relação a valores de R e C autorizados a alcançar o determinado desempenho.

Um conversor de 80 Msps tem um limite de Nyquist de 40 MHz, definido aproximadamente com nosso filtro de entrada diferencial passa-baixas $2R+C$. Os dispositivos R e C do filtro cumprem dois outros papéis: o ADC responde ao ruído (branco e outro) de qualquer modo até a sua largura de banda de entrada de 700 MHz, de modo que precisamos silenciar a saída do amplificador de forma agressiva acima de 40 MHz; e o capacitor comutado de entrada (S/H) do ADC precisa pegar alguma carga de um capacitor de entrada para funcionar corretamente. Os dois Rs servem também para iso-

---
[31] O AD9269 (listado na Tabela 13.4) é um ADC duplo com saídas lógicas convencionais CMOS, mas ADCs com taxas de dados ligeiramente mais rápidas em geral, atualizam para saídas LVDS diferenciais, ou 32 linhas por canal de ADC de 16 bits.

Capítulo 13   Integração entre analógico e digital   **905**

TABELA 13.4 Conversores A/D rápidos selecionados[a]

Nº identif	Fabricante	ADC por encapsulamento	Bits	Taxa de conversão (Msps) máx	Taxa de conversão (Msps) máx	Jitter da abertura (ps, típico)	BW analógico (MHz, típico)	Latência (clocks)	SFDR (dB, typ)	SNR (dB, typ)	MHz @	ENOB, typ	MHz @	DNL (LSBs, max)	INL (LSBs, max)	Entrada Modo Comum para os trilhos?	Vref interna?	Vref externa OK?	Gain Erro (%, max)	Gain Deriva (ppm/°C, típico)	Tensões de Aliment. analógica (+V)	Tensões de Aliment. digital (+V)	Pdiss typ (mW)	Saída	Pkg	Preço quant.1 (US$)	Observações
ADC14L020	TI	1	14	20	5	0,7	150	7	93	74	10	12	10	1	3,8	–	●	●	3,3	2,5	3,3	2,5–Vana	150	C	32LQFP	20	–
AD9225	ADI	1	12	25	0	1	105	3	83	70	10	11,3	10	1	2,5	B	●	●	1,7	0,4	5	3–5	280	C	28SO	25	–
ADC12040	NSC	1	12	40	0,1	1,2	100	6	84	69	10	11	10	1	1,8	N	–	●	2,1	–	5	2,5–Vana	340	C	32LQFP	17	–
ADC14L040	TI	1	14	40	5	0,7	150	7	90	73	20	11,9	20	1	3,8	–	●	●	3,3	2,5	3,3	2,5–Vana	235	C	32LQFP	20	–
TLC5540	TI	1	8	40	5	30	75	3	42	47	3	7,5	6	1	3,8	B	–	–	3,5	–	5	5	85	C	24SO	7	S
LTC2192	LTC	2	16	65	5	0,07	550	7	90	77	70	–	–	0,9	0,75	–	●	●	–	–	1,8	1,8	200	G	52QFN	140	–
AD9244	ADI	1	14	65	0,5	0,3	750	8	86	72	70	11,5	100	1	6	–	●	●	1,7	10	5	3–5	550	C	48LQFP	33	–
AD9269	ADI	2	16	80	3	0,1	700	9	90	76	70	12,3	70	1,7	4	–	●	●	2	2,3	1,8	1,8–3,3	225	G	48LQFP	77	–
ADS5562	TI	1	16	80	1	0,09	300	16	80	83	30	13,1	10	3	6,5	–	●	●	2[t]	2	1,8	1,8–3,3	865	C,L	64LFCSP	76	–
AD9283	ADI	1	8	100	1	5	475	4	–	47	40	7,3	40	1,25	8,5	–	–	●	2,5	100	3,3	3,3	90	C,L	48VQFN	10	A
AD9650	ADI	2	16	105	10	0,075	500	12	82	50	30	13	70	1,3	1,25	–	●	●	6	80	3,3	3,3	328	C,L	20SOP	170	P
AD9268	ADI	2	16	125	10	0,07	650	12	88	78	70	12	200	1,2	5,5	–	●	●	1,3	15	1,8	1,8	750	C,L	64LFCSP	130	P
ADS6245	TI	2	14	125	5	0,25	500	12	86	72	100	11,7	50	2,5	5	–	●	●	2,5	15	1,8	1,8	1W	O	48VQFN	100	P
LTC2165	LTC	1	16	125	1	0,07	550	6	84	76	140	–	–	0,9	6	–	●	●	1	50	3,3	3,3	194	C,D	48QFN	125	P
ADC1610	NXP	1	16	125	100	–	650	13,5	84	70	170	11,4	170	0,95	4[t]	–	●	●	1,3	10	1,8	1,2–1,8	630	C,D	40QFN	40	P
ADS5485	TI	1	16	200	10	0,08	730	5	82	75	150	12,1	10	1	6	–	●	●	0,5[ty]	–	3	1,8–3,3	2,8W	D	64VQFN	130	A
ADC08200	NSC	1	8	200	20	2	500	6	54	44	100	7,3	50	0,95	10	B	–	●	6	100	V1	3,3	1/Msps	C	24SO	14	R,S
ADS5547	TI	1	14	210	1	0,15	800	14	70	68	400	11,8	70	2,5	1,9	–	●	●	3	–	3	2,5–Vana	1,2W	C,D	48QFN	120	P
ADS6149	TI	1	14	250	1	0,17	700	18	76	68	300	11,2	170	2	5	–	●	●	2	100	3,3	3,3	687	C,D	48VQFN	140	P
AD9626	ADI	1	12	250	40	0,2	700	6	80	64	70	10,5	70	0,6	1,7	–	●	●	0,2[t]	10	1,8	1,8	364	C	56LFCSP	230	P
AD9467	ADI	1	16	250	50	0,06	900	16	80	74	300	12	300	1,3	12	–	●	●	1,4[t]	210	1,8	1,8	1,3W	L	72LFCSP	170	P
ISLA216P25	ISL	1	16	250	40	0,075	700	10	67	69	600	10,7	600	0,99	10[t]	–	●	●	3,5[y]	360[y]	V2	1,8	770	C,D	72QFN	210	P
AD9211	ADI	1	10	300	40	0,2	700	7	80	59	170	9,6	170	0,5	0,7	–	●	●	6[y]	180[y]	1,8	1,8	420	L	56LFCSP	64	P
ADS5474	TI	1	14	400	20	0,1	1,4G	3,5	80	70	230	10,9	230	1,5	3	–	●	●	4,3[y]	180[y]	V1	3,3	2,5W	L	80TQFP	190	–
ISLA112P50	ISL	1	12	500	80	0,09	1,15G	17	71	65	500	10,3	500	0,8	2	–	●	●	5[y]	200[y]	1,8	1,8	475	C,L	72QFN	215	P
ADS5400	TI	1	12	1000	100	0,125	2,1G	7	66	58	1,2G	9,3	850	2	4,5	–	●	●	2[ty]	325[y]	V1	3,3	2,2W	L	100TQFP	930	A
ADC08D1520	NSC	2	8	1500	200	0,4	2G	13	55	47	750	7,4	750	0,6	0,9	–	–	●	3,3	–	1,9	1,8–Vana	2W	L	128LQFP	830	I
ADC10D1500	NSC	2	10	1500	200	0,2	3,1G	13	65	55	750	8,8	750	0,55	1,4	–	–	●	3,3	–	1,9	1,8–Vana	3,6W	L	292BGA	1k	I
ADC12D1800	NSC	2	12	1800	300	0,2	2,8G	34	66	57	500	9	500	0,4[t]	2,5[t]	–	–	●	3,3	–	1,9	1,8–Vana	4,4W	L	292BGA	–	I
HMCAD5831	ADI	1	3	26G	–	–	20G	2	27	57	19G	2,9	12G	0,2[t]	0,2[t]	–	–	–	–	–	–5	–3,3	4,2W	L	64QFN	–	J
Fujitsu 'Robin'	FUJ	2	8	56G	–	0,1	15G	–	–	36	17G	–	–	0,5	1	–	–	–	–	–	±1,2	3,3	4W	F	flip-chip	–	K

Notas: (a) listados em ordem crescente de taxa de amostragem, para o membro mais rápido de uma família; salvo indicação em contrário, as entradas são diferenciais, com capacitores de amostragem nas entradas introduzindo transientes de comutação que exigem baixa impedância de acionamento e redes de entrada RC; todos garantidos contra códigos faltantes. (m) mín ou máx. (t) típica. (y) inclui ref interna.
Observações: A: buffer de entrada, isola os transientes de amostragem. **B:** ambos. **C:** CMOS em paralelo de n linhas. **D:** N/2-pista DDR LVDS/canal. **F:** LVDS de 1024 pistas em 440 MHz/canal. **G:** 1,2, ou 4 pistas de LVDS/canal. **I:** intercalado por taxa de amostragem 2x. **J:** não intercalado. **K:** ADC mais rápido; 320 SARs intercalados de 175 Msps. **L:** n-pista LVDS/canal. **N:** Apenas negativo. **O:** uma pista LVDS. **P:** parâmetros operacionais programáveis, normalmente via SPI. **R:** escada de resistor e comparadores. **S:** entrada de terminação simples. **V1:** 3,3 V e 5 V. **V2:** 1,8 V e 3,3 V.

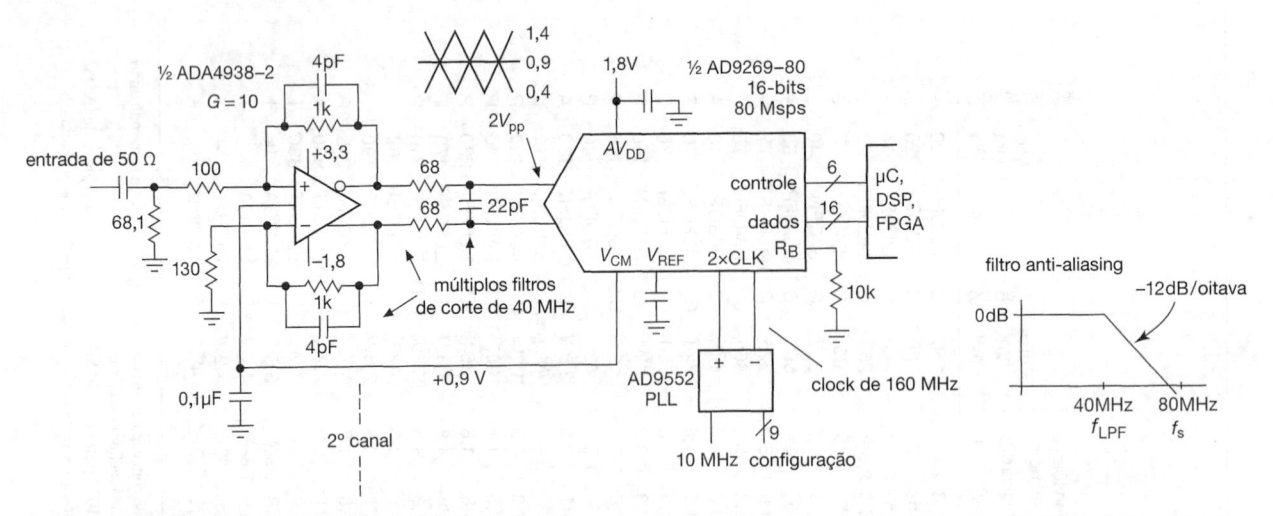

FIGURA 13.28 Os ADCs rápidos são normalmente acionados diferencialmente, tal como no digitalizador de RF de dois canais de 16 bits e 80 Msps (40 MHz). Aplicações de radiofrequência como esta exige uma fonte de clock precisa e estável em algum múltiplo da taxa de conversão, aqui fornecido por um circuito PLL (Seção 13.13).

lar o capacitor do AOP, importante porque AOPs de 1.000 MHz não toleram gentilmente cargas capacitivas diretas. Portanto, temos três motivações para estes dispositivos novos, não vistos nos bons velhos tempos.

Por que usar um amplificador de *saída* diferencial? Geralmente, quando se aciona um dispositivo que apresenta uma entrada diferencial, temos a opção de aterrar um lado e alimentar o outro. Mas fazer isso com ADCs de hoje custa uma distorção substancial, e metade da faixa de entrada de findo de escala também. Mas na escolha do CI amplificador diferencial estávamos sem saída: procurando na região de 500 a 1500 MHz da Tabela 5.10 na página 375, não foi possível encontrar um dispositivo com "$Z_{in(dif)}$" alto. Queríamos uma filtragem anti-aliasing de 40 MHz adicional, o que excluía dispositivos atraentes com resistores de ajuste de ganho internos porque as junções de soma não estão expostas. E queríamos um ganho de pelo menos 10, ou 20 dB. Portanto, escolhemos, finalmente, o ADA4938 da Analog Devices com uma largura de banda especificada de 1.000 MHz.[32] Olhando para seus gráficos de resposta de frequência, vemos GBW = 800 MHz, assim, f_{-3dB}=GBW/G=80 MHz para G = 10, de modo que temos algum ganho de malha à esquerda em 40 MHz.

Amplificadores de configuração D como este (Figura 5.96) têm impedâncias de entrada bastante baixas, especialmente para ganhos elevados, porque Z_{in}=2R_g e $R_g = R_f/G$. Tendo jogado a toalha em impedâncias de entrada altas, optamos por casar a impedância de fonte muito comum de 50 Ω de sinais de banda larga. Se escolhermos R_g=100 Ω, o ruído Johnson[33] e dois deles será de 1,8 nV/√Hz, ou bem abaixo do valor e_n=2,6 nV/√Hz especificado do amplificador.

Temos de fornecer uma carga de 50 Ω para a entrada, e reconhecendo que Z_{in} não é exatamente R_g,[34] nos voltamos para a fórmula prevista na folha de dados, $Z_{in} = R_g/(1 - R_f/2[R_g + R_f])$, para determinar que precisamos de um resistor de carga de 68 Ω; em seguida, casamos a impedância que aciona a entrada de não inversora, utilizando um resistor de 130 Ω para o terra na entrada inversora. Essa resistência acrescentada perturba a relação habitual $R_f = GR_g$, e somos obrigados a aumentar R_f em 11% para manter $G = 10$, conforme detalhado na Seção 5.17.4. Finalmente, avaliamos a conversão de terminação simples para diferencial examinando as especificações de V_{ocm} da folha de dados. A especificação V_{ocm} −3dB é de 230 MHz, o que significa que com a nossa atenuação de realimentação o acionamento do ADC totalmente diferencial diminuirá 3 dB em 24MHz.[35]

Nosso ADC AD9269 precisa de um clock de amostragem, para o qual escolhemos o capaz AD9552, um conversor ascendente PLL (veja a Seção 13.13.6H e Tabela 13.13). Nos pareceu uma boa ideia tirar proveito da opção interna do ADC de divisão por dois, para ajudar a garantir um ciclo de trabalho interno de 50%, por isso vamos precisar de um clock de 160 MHz para uma amostragem de 80 Msps; assim, se usarmos uma referência de 10 MHz, definimos o PLL para uma multiplicação por 16. Se quisermos outras taxas de amostragem, podemos empregar as capacidades de síntese fracional de frequência do poderoso modulador delta-sigma

---

[32] Poderíamos também ter escolhido um LMH6552 ou LMH6553 da TI.

[33] Veja as Seções 8.1 e 8.2.

[34] Uma fracção da tensão diferencial de saída aparece nas entradas como um sinal de modo comum, fazendo o bootstrap parcial da tensão no resistor de entrada R_g.

[35] Se isto não for aceitável, precisamos reduzir nosso ganho do amplificador pela metade ou procurar um CI amplificador mais rápido, como um ADA4937, com uma especificação de V_{OCM} de 440 MHz.

do AD9552, e também podemos escolher outras relações de divisão do ADC.

A preocupação final (se você já não tinha o suficiente) é o *jitter do clock*. Gráficos da folha de dados do AD9269 mostram que, para obter a melhor relação sinal-ruído (SNR) desejável de 75 a 78 dB, o *jitter* do clock deve ser (surpresa!) não mais do que 0,2 ps (cerca de 15 ppm do período de amostragem). Nossa folha de dados do PLL AD9552 especifica o *jitter* (para uma entrada de referência de 4 a 80 MHz) como sendo de 0,11 ps, por isso, estamos próximos do limite deste parâmetro (mas sem muito a perder).

13.6.3 Exemplo de Conversor *Flash* Subamostrado

A Figura 13.29 mostra, de forma um tanto simplificada, uma aplicação de "conversor subamostrado", no qual um sinal de entrada centrado em alguma frequência bastante alta (digamos, 500 MHz) é digitalizado em uma taxa muito menor (digamos, 200 Msps) do que parece necessário a partir do critério de Nyquist. Isso funciona com êxito se duas condições forem satisfeitas: (a) a *largura de banda* do sinal deve satisfazer o critério de amostragem de Nyquist, ou seja, a taxa de amostragem deve ser, pelo menos, duas vezes a largura de banda ocupada pelo sinal; e (b) o espectro completo do sinal (incluindo a frequência portadora alta) deve estar dentro da largura de banda de entrada analógica do ADC.

A primeira condição exige que o sinal de entrada seja estritamente limitado na largura de banda, geralmente com um filtro passa-banda. A segunda condição implica que o ADC foi projetado para uma aplicação de subamostragem. O ADC08200 na figura, por exemplo, especifica uma largura de banda de potência total de 500 MHz, embora a sua taxa máxima de amostragem seja 2200 Msps (que, normalmente, seria adequada para apenas sinais até 100 MHz). Você pode pensar nisso como a exploração do espectro *aliasing* produzido por subamostragem; tudo bem, contanto que não existam outros componentes espectrais que competem com esse pedaço de "banda base" do espectro (veja a Figura 13.30).[36]

No circuito de exemplo, usei um dispositivo da família da National Semiconductor de conversores *flash* relativamente lento. Este dispositivo opera a partir de uma fonte simples de +3 V, converte a taxas de até 200 Msps com saída de largura de um byte através de uma porta de saída paralela simples, e custa abaixo de 15 dólares em quantidades individuais.[37] Você começa a fornecer a parte superior e inferior do intervalo de conversão (aqui, terra e +1,25 V), e a folha de dados severamente aconselha a conectar um capacitor de desvio no ponto médio da cadeia de resistores

---

[36] Às vezes chamada de "operação super-Nyquist." Veja, por exemplo, a Nota de Aplicação AN-939 da Analog Devices.

[37] O dispositivo relacionado, o ADC08B200, inclui um buffer de saída 1024 bytes, o que é útil se você quer amostrar em rajadas e precisa ler a sequência de saída em menos do que a velocidade máxima.

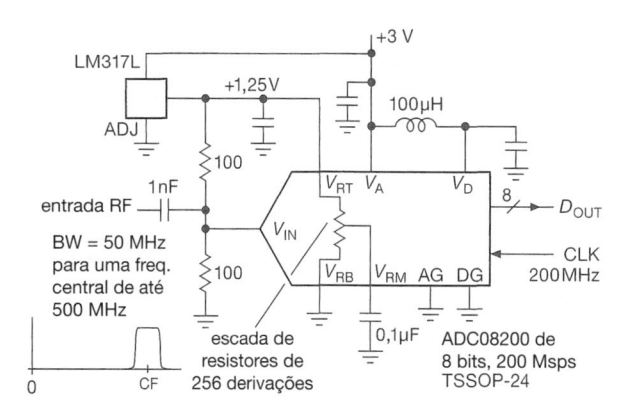

FIGURA 13.29 Um ADC *flash* de baixo custo digitaliza um sinal limitado em banda bem acima da frequência de corte de Nyquist, um trabalho que tradicionalmente apela para uma conversão de frequência para baixo com um oscilador local ("LO") e misturador.

de 256 derivações. O choque de 100.μH desacopla o pino analógico do pino de alimentação digital ruidoso V_D. Com a faixa de conversão somente positiva é necessário polarizar o sinal de entrada na metade da faixa de conversão, tal como mostrado; o par de resistores de 100 Ω dá a terminalidade na entrada do sinal com o habitual 50 Ω esperado pelos sinais de RF.

13.7 ADCS II: APROXIMAÇÃO SUCESSIVA

Na clássica técnica de aproximação sucessiva (às vezes chamada de "SAR") tenta-se vários códigos de saída, alimentan-

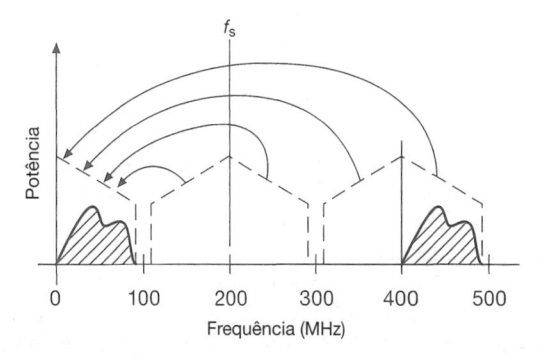

FIGURA 13.30 Fazendo uso do *aliasing*: uma taxa de amostragem de 200 Msps amostra corretamente sinais na "banda base" que se estendem a 100 MHz; mas cria *aliasing* de sucessivas bandas de 100 MHz. Você pode usar isso a seu favor, filtrando todos os sinais de entrada, exceto aqueles na faixa de 400 a 500 MHz (por exemplo); esta banda é então digitalizada corretamente, e aparece como um fluxo de sinal de 0 a 100 MHz.

do-os em um DAC e comparando o resultado com a entrada analógica presente em um comparador de entrada (Figura

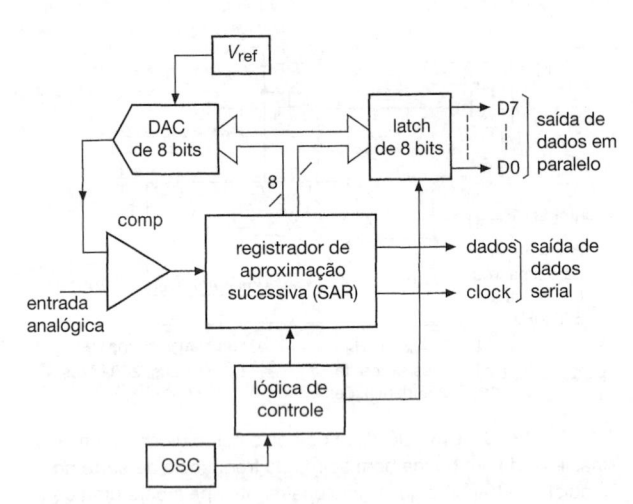

FIGURA 13.31 ADC de aproximação sucessiva.

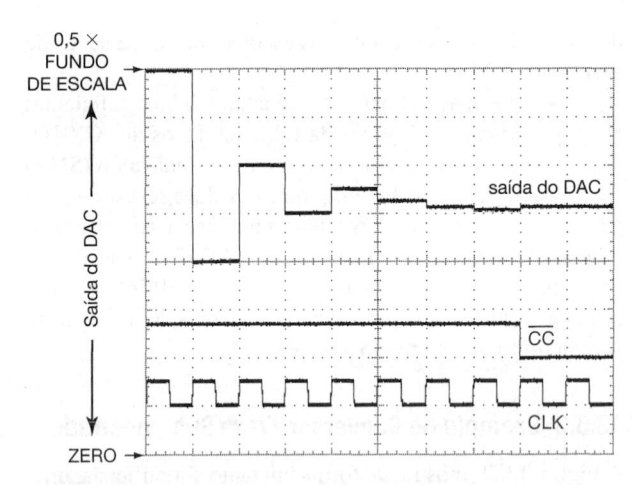

FIGURA 13.32 Forma de onda de um osciloscópio da saída analógica de um DAC de aproximação sucessiva convergindo para o valor final. É uma busca binária, com primeiro palpite igual a metade do fundo de escala. Note a forma de onda do clock e o sinalizador de conversão concluída.

13.31). Isso é feito definindo todos os bits inicialmente em 0. Então, começando com o bit mais significativo, um bit por vez, é definido provisoriamente como 1. Se a saída do D/A não exceder a tensão do sinal de entrada, o bit é mantido como 1; caso contrário, ele volta para 0. Para um ADC de n bits, n passos como esse são necessários. Isso é denominado *pesquisa binária*, na linguagem da ciência da computação.[38] Um ADC de aproximação sucessiva tem uma entrada INÍCIO DE CONVERSÃO (BEGIN CONVERSION) e uma saída FIM DE CONVERSÃO (CONVERSION DONE). A saída digital pode ser proporcionada em formato paralelo (todos os bits de uma vez, em n linhas de saída separadas), em formato serial (n bits de saída sucessivos, o MSB em primeiro lugar, numa única linha de saída), ou ambos.

Em nosso curso de eletrônica os alunos constroem um ADC de aproximação sucessiva completo com DAC, comparador e lógica de controle. A Figura 13.32 mostra as saídas sucessivas a partir do DAC, juntamente com os oito pulsos de clock, à medida que a saída analógica experimental converge para a tensão de entrada. E A Figura 13.33 mostra a "árvore" de 8 bits completa, uma imagem bonita que você pode gerar assistindo a saída do DAC enquanto aciona sua entrada com uma rampa lenta que se desloca ao longo da faixa de entrada analógica completa.

Os ADCs de aproximação sucessiva são intermediários em velocidade e precisão (em comparação com os conversores mais rápidos *flash*, ou as técnicas mais precisas, porém mais lentas usadas em conversores "delta-sigma" e de integração multirampa); veja as Tabelas 13.5 e 13.6. Elas exigem n tempos de estabilização para o DAC de precisão de n bits. Tempos de conversão típicos estão nas proximidades de 1 μs, com precisões de 8 a 18 bits comumente disponíveis. Este tipo de conversor opera sobre uma breve amostra da tensão de entrada, e se a entrada for alterada durante a conversão, o erro não é maior do que a variação durante esse tempo; no entanto, picos na entrada são desastrosos. Embora geralmente bastante precisos, estes conversores exigem redes de resistores bem ajustados, e eles podem ter estranhas não linearidades e "códigos ausentes." Uma maneira de evitar os códigos ausentes é a utilização de uma cadeia de 2^n resistores e chaves analógicas para gerar as tensões analógicas de testes, à maneira dos DACs de sequência de resistores da Seção 13.2.1; esta técnica foi utilizada na série ADC0800 de ADCs de 8 bits da NSC.

Em ADCs de aproximação sucessiva contemporâneos, o DAC resistivo convencional (R-$2R$ ou sequência de resistores, utilizado internamente para gerar as tensões analógi-

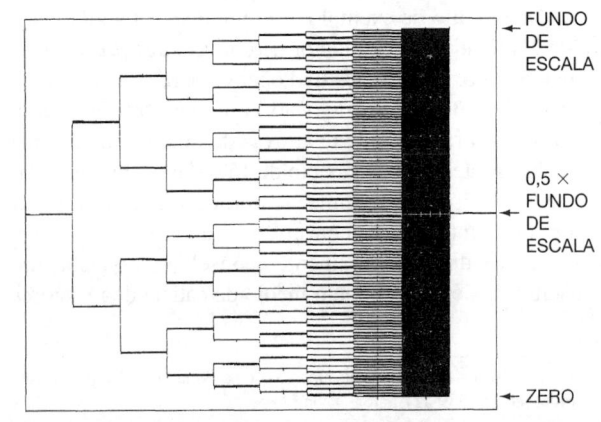

FIGURA 13.33 Forma de onda acumulada de um osciloscópio da "árvore" completa de um SAR.

---
[38] Historicamente, isso surgiu muito antes: em 1556 um matemático pelo nome de Tartaglia propôs o uso de um conjunto de pesos (1 lb, 2 lb, 4 lb... 32 lb) apenas como uma maneira de determinar a massa de um objeto em um número mínimo de ensaios de comparação.

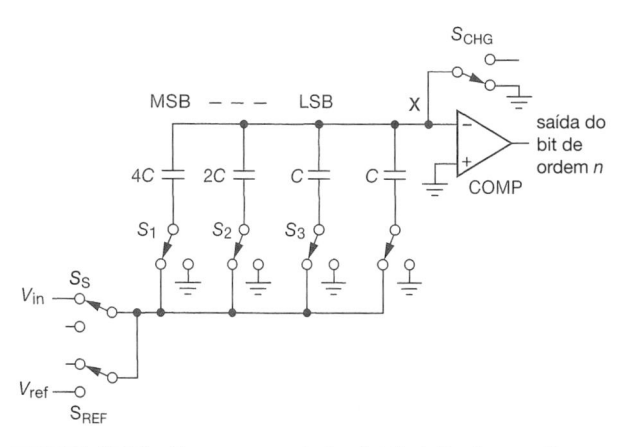

FIGURA 13.34 Um esquema de "redistribuição de carga" baseado em capacitor substitui a escada de resistores R-2R em muitos ADCs de aproximação sucessiva. O capacitor além do LSB não é utilizado no teste de bit, mas é necessário para manter as relações fracionais exatas.

cas para os códigos de testes) é normalmente substituído por uma arquitetura de DAC de *redistribuição de carga* (Figura 13.34).[39] Este sistema exige um conjunto de *capacitores* com pesos binários, que hoje em dia é bastante fácil de fabricar e ajustar no chip. (Então, um conversor de 18 bits como o AD7641 contém, curiosamente, um conjunto[40] de 18 capacitores em escala binária que vão desde C_0, $2C_0$,... até um último de $131.072C_0$; esses capacitores são muito pequenos, com a capacitância de C_0 medida em *femto*farads – fF, ou 0,001 pF.)

Para entender como isso funciona, olhe para a operação do conversor de 3 bits simplificado na figura.

1. As chaves são mostradas na parte de *amostragem* do ciclo, durante o qual a tensão através de cada um dos capacitores segue (ou *rastreia*) o sinal de entrada.
2. A chave S_{SAMP} é aberta, e todos os capacitores retêm a tensão de entrada amostrada.
3. A chave S_{CHG} é então aberta, de modo que a entrada para o comparador pode se mover ao redor enquanto os códigos de teste são aplicados para as chaves dos bits, S_1 a S_3; por exemplo, se as chaves dos bits estiverem todas aterradas, a entrada X do comparador seria uma tensão $-V_{in}$.
4. Agora, para medir o valor retido de V_{in}, as chaves dos bits são acionadas por sua vez: primeiro a chave MSB S_1 é comutada para $+V_{ref}$ (a faixa de fundo de escala do ADC), enquanto S_2, S_3 e S_4 são comutadas para o terra; isso adiciona um *offset* de $V_{ref}/2$ para esse $-V_{in}$ (é

um divisor de tensão capacitivo: chame-o de "redistribuição de carga" se você preferir).
5. A saída do comparador agora indica o MSB: nível ALTO se $V_{in} > V_{ref}/2$, nível baixo caso contrário.
6. Tal como acontece com o clássico procedimento de aproximação sucessiva, essa chave pode retornar para o terra ou para a esquerda em V_{ref}, consequentemente; o valor do próximo bit inferior é então testado de forma semelhante, com o processo contínuo em n passos (aqui $n = 3$) para determinar o valor completo da conversão de n bits.

13.7.1 Um Exemplo Simples de SAR

ADCs de aproximação sucessiva podem ser extremamente fáceis de usar, como ilustrado pelo circuito na Figura 13.35. A interface serial SPI é a própria simplicidade: a ativação de CS' começa a conversão, com os bits sucessivos definidos pelos clocks em SCK (visto que cada pulso de clock dispara a conversão do SAR de um novo bit). A temporização nos permite manter as duas linhas seriais silenciosas antes da ativação de CS', como mostrado, para minimizar o ruído digital acoplado. Esta família de conversores de velocidade relativamente baixa integra no chip o rastreamento e retenção, e inclui três graus de velocidade, três resoluções (8, 10 e 12 bits) e quatro opções de encapsulamentos (simples, duplo, quádruplo e octal): 36 opções! (A figura mostra como construir os números de identificação.) As unidades simples, como o modelo de 12 bits e 1 Msps na figura, vêm em pequenos encapsulamentos SOT23-6, com os preços (em quantidades individuais) variando de 2 dólares (8 bits, 200 ksps) até 4,50 dólares (12 bits, 1 Msps).

A entrada de um ADC é em geral menos benigna do que algo como um AOP, onde esperamos uma alta impedância (muito baixa corrente de entrada), e baixa capacitância. A Figura 13.36 mostra o circuito equivalente a este conversor de entrada, com seu capacitor de amostragem de 26 pF que o sinal de entrada deve acionar. Esta não é uma carga muito grande para as frequências relativamente baixas aqui; mas é algo a considerar, por exemplo, no circuito da Figura 13.37, de resolução muito mais alta (18 bits) e velocidades um pouco mais altas.

13.7.2 Variações no Método de Aproximação Sucessiva

Uma variação conhecida como um "ADC de rastreamento" utiliza um contador crescente-decrescente para gerar códigos de testes sucessivos; é lento na resposta a saltos no sinal de entrada, mas segue variações suaves um pouco mais rapidamente do que um conversor de aproximação sucessiva. Para grandes variações sua taxa de variação é proporcional à sua taxa de clock interno. A sucessão de bits para cima para baixo é em si serial, uma forma simples de *modulação delta*.

---
[39] Existem também modelos híbridos, em que um DAC de redistribuição de carga é usado para subdividir os degraus de um DAC de sequência de resistores grosseiro.

[40] Na verdade, dois desses conjuntos, porque a sua entrada é diferencial.

TABELA 13.5 Conversores A/D de aproximação sucessiva selecionados[a]

Nº identif	ADC por encapsulamento	Bits	Taxa de conversão máx (Msps)	BW analógico −3dB (MHz)	Canal/ADC	Terminação simples	Diferencial	Ref interna	Interface[k]	Potência típico (mW)	Potência para sps, V_S	V_{in} mín (V)	V_{in} máx (V)	$I_{pol.}$ máx (µA)	V_S mín (V)	V_S máx (V)	I_{PD}[h] (µA)	SOIC	TTSOP	SOT-23	Menor	Custo quant. 25 ($US)	Observações
AD7927	1	12	0,2	8,2	8	•	-	-	S	3,6[m]	200k, 3	0	V_{ref}^e	1	2,7	5,25	0,5[m]	-	20	-	-	5,33	A
ADS7866	1	12	0,2	8	1	•	-	-	S	0,4	200k, 1,6	0	V_S	1	1,2	3,6	0,3[m]	-	-	6	-	3,69	B
ADC121S	1	12	1	11	1	•	-	-	S	2	1M, 3	0	V_S	1	2,7	5,25	1[t]	-	-	6	6	3,17	C
ADS7881	1	12	4	50	1	•	p	-	P	95	4M, 5	0	V_{ref}	0,5[t]	4,75	5,25	2,5[m]	-	48	-	48	14,52	D
MAX11131	1	12	3	50	16	•	•	-	S	15	3M	0	V_{ref}	1,5	2,4	3,6	6[m]	-	28	-	28	12,24	E,Q
ADS7945[b]	1	14	2	15	2	-	•	-	S	20	2M, 5	0	V_{ref}	0,002	2,7	5,25	2,5[m]	-	-	-	16	7,50	F
MAX1300[d]	1	16	0,11	0,7	8	•	•	•	S	17[m]	100k, 5	−16	16	1250	4,75	5,25	0,5[t]	-	24	-	-	11,00	M
LTC1609	1	16	0,2	1	1	•	•	-	S	65[c]	200k, 5	−10	10	-	4,75	5,25	10[t]	20	28	-	-	20,42	N
AD7685	1	16	0,25	2	1	-	•	-	S	2,7[c]	200k, 2,5	0	V_{ref}	0,001[t]	2,3	5,5	0,05[m]	-	10	-	-	11,31	N
MAX11046	8	16	0,25	4	1	•	-	•	P	240	250k, 5	−5	5	1	4,75	5,25	10[m]	-	64	-	56	19,48	O
MAX11166	1	16	0,5	6	1	-	•	•	S	26	500k, 5	−5	5	10	4,75	5,25	10[m]	-	-	-	12	35,20	G,P
ADS8326	1	16	0,2	0,5	1	-	•	-	S	3,8[c]	200k, 2,7	0	V_{ref}	0,05[t]	2,7	3,6[g]	0,1[t]	-	8	-	-	9,88	N
AD7699	1	16	0,5	14	8	•	•	•	S	5,2	100k, 5	0	V_{ref}	0,001[t]	4,5	5,5	0,05[t]	-	-	-	20	12,00	H,N
ADS8319	1	16	0,5	15	1	-	•	-	S	18[c]	500k, 5	0	V_{ref}	0,001[t]	4,5	5,5	0,3[m]	-	-	-	10	11,86	N,L
AD7985	1	16	2,5	19	1	-	•	-	S	28	2,5M, 5	0	V_{ref}	0,25[t]	4,75	5,25	1[t]	-	-	-	20	28,18	J,R
AD7690	1	18	0,4	9	1	-	•	-	S	4,3[c]	100k, 5	0	V_{ref}	0,001[t]	4,75	5,25	0,05[m]	-	10	-	9	30,19	N,U
AD7982	1	18	1	9,0	1	-	•	-	S	7[c]	1M, 2,7	0	V_{ref}	0,2[t]	2,38	2,63	0,35[t]	-	10	-	-	33,52	N
ADS8881	1	18	1	30	1	-	•	-	S	5,5[c]	1M, 3	0	V_{ref}	0,005[t]	2,7	3,6	100[m]	-	10	-	10	36,54	N,V
LTC2379-18	1	18	1,6	34	1	-	•	-	S	18[c]	1,6M	0	V_{ref}	1	2,38	2,63	100[m]	-	16	-	16	42,79	K,N
AD7641	1	18	2	50	1	-	•	•	P,S	75[c]	2M, 2,5	0	V_{ref}	18[t]	2,37	2,62	0,6[t]	-	48	-	48	43,56	N
AD7767-2	1	24	0,032	-	1	-	•	-	S	8,5	1M	0	V_{ref}	-	2,38	2,63	1[t]	-	16	-	-	14,32	S
AD7767	1	24	0,128	-	1	-	•	-	S	15	1M	0	V_{ref}	-	2,38	2,63	1[t]	-	16	-	-	14,32	T

Notas: (a) listado por precisão e velocidade; "sem códigos ausentes" é característica de todos; todos permitem entrada externa Vref. (b) o ADS7946 é o mesmo, sem entrada diferencial. (c) a potência varia linearmente com taxa de amostragem. (d) MAX1301 tem a metade do número de entradas, em TSSOP de 20 pinos. (e) ou para 2Vref, veja a folha de dados. (f) com referência externa. (g) ou 4,5 a 5,5 V. (h) corrente de alimentação durante o desligamento, desligamento da alimentação, ou quiescente. (k) S = serial, P = paralelo. (p) pseudo-diferencial.

Comentários: A: sequenciador; AD7928 = 1 Msps. **B:** 10 bits = '67, 8 bits = '68, $1,80; 280 ksps em V_S > 1,6 V; desligado, 8 nA típico, potência após cada conversão, 0,4 µW em 100 por segundo, 44 µW em 20ksps e V_S = 1,2 V. **C:** ADC121S051 = 500 ksps, AOC121S021 = 200 ksps. **D:** fonte I/O digital de 2,7 V a 5,25 V. **E:** fonte I/O digital de 1,5 V a 3,6 V. **F:** fonte I/O digital de 1,65 V a V_S. **G:** fonte I/O digital de 2,3 V a 5,25 V. **H:** fonte I/O digital de 1,8 V a V_S. **J:** fonte digital de 2,4 V a 2,6 V; fonte I/O digital de 1,8 V a 2,7 V. **K:** fonte I/O digital de 1,7 V a 5,3 V. **L:** fonte I/O digital de 2,4 V a 5,5 V. **M:** PGA, 7 opções de ganho; 8 terminações simples ou 4 entradas diferenciais; V_{in} até ±3Vref ou 6Vref, ou até ±16 V com V_S = 5 V. **N:** SAR de redistribuição de charge (capacitivo); a potência varia linearmente com a taxa de amostragem. **O:** 8 ADCs independentes, amostragem simultânea; 6 canais = MAX11045, 4 canais = MAX11044. **P:** "Além dos Trilhos" verdadeiro sem divisores de entrada, ± 5 V com V_S = +5 V simples; Vref interno de 17ppm/°C máx. **Q:** FIFO; média; sequenciador de 1,2,4,.. 32 canais. **R:** ref interna de 10ppm/°C típico; fonte digital de 2,4 a 2.6 V oferta digital. **S:** sobreamostragem de 32x, filtro FIR interno ao chip. **T:** sobreamostragem de 8x, filtro FIR interno ao chip. **U:** SNR de 100 dB mín, THD de 125 dB típico. **V:** fonte I/O digital de 1,65 a 3,6 V; ADS886x são versões de terminação simples e diferencial de 16 bits; a família inclui versões mais lentas, até 100ksps.

Outra variação é a modulação delta de inclinação continuamente variável (*CVSD – continuously variable-slope delta modulation*), um esquema simples que às vezes é usado para codificação serial de 1 bit de voz, por exemplo, em telefones celulares. Com a modulação CVSD os 1s e os 0s representam degraus (para acima ou para baixo) da forma de onda de entrada, mas com o tamanho do degrau variando de forma adaptativa de acordo com a história passada da onda. Por exemplo, o tamanho do degrau correspondente a 1 aumenta se os últimos poucos bits foram todos 1s, de acordo com uma regra predefinida. O decodificador sabe a regra, para que ele possa recriar uma réplica aproximada (quantizada) da de entrada analógico original. No passado, você poderia obter chips CVSD, mas hoje este é implementado em software em um chip microcontrolador ou DSP.

13.7.3 Exemplo de Conversão A/D

Antes de seguir para as importantes técnicas de conversão "de integração" (V/F, multirampa e delta-sigma), vamos olhar para um exemplo de aplicação exigente usando um ADC de aproximação sucessiva: conversor de 18 bits de baixo ruído, alta estabilidade e taxa de conversão de 2 Msps.

A Figura 13.37 mostra um ADC de alto desempenho típico, neste caso de um conversor AD7641 de 18 bits e 2 Msps da série PulSAR da Analog Devices. O AD7641 usa

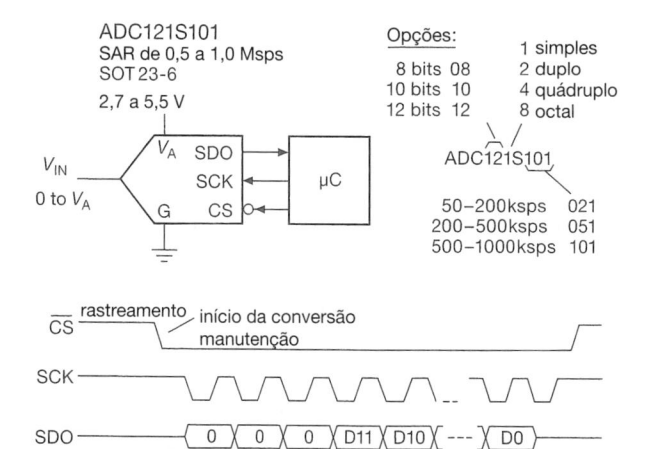

FIGURA 13.35 Família ADC08/10/12S da National Semiconductor de ADC de aproximação sucessiva simples de usar com saída serial SPI.

três fontes de alimentação positivas,[41] com a boa característica de poder ser ligado e desligado em qualquer sequência.

O AD7641 tem uma faixa de fundo de escala de $\pm V_{ref}$, comum nos ADCs de baixa tensão. Para manter conversões silenciosas é desejável usar referência de tensão e faixas tensão de sinal grandes. A fonte AV_{DD} é de 2,5 V, de modo que as entradas analógicas (diferenciais) são limitadas em 0 V a 2,5 V. Se usarmos a referência de 2,5 V máxima permitida, conseguimos até $\pm 2,5$ V (diferencial) de fundo de escala: conforme $+IN$ vai de 0 V para 2,5 V, $-IN$ terá que ir de 2,5 V para 0 V (caso contrário teríamos apenas um conversor de 17 bits). Para um conversor de 18 bits isto corresponde a um degrau LSB diferencial de apenas 19 μV.

Você tem que tomar muito cuidado com esses pequenos sinais, especialmente quando a taxa de amostragem do conversor é de 2 MHz, e a largura de banda de –3 dB, correspondente ao seu tempo de abertura, é de 50 MHz – há muito

de ruído analógico nestas larguras de banda,[42] acrescido do ruído digital acoplado a partir das ocorrências na extremidade da saída.

As entradas de sinal e referência de tensão experimentam pulsos de injeção de carga a partir do processo de conversão de redistribuição de carga, por isso usamos capacitores consideráveis (2,7 nF, recomendado da folha de dados) nesses pinos para manter uma tensão silenciosa.[43] AOPs não gostam de cargas capacitivas diretos, porque elas causam oscilação em combinação com a impedância de saída em malha fechada indutiva (veja a Seção 4.6.2), por isso os resistores de 15 Ω. Este RC também atua como um filtro passa-baixas de 4 MHz para reduzir o ruído fora da banda; nesta largura de banda um LSB corresponde a uma densidade de ruído mais relaxada de 9,6 nV/$\sqrt{Hz}$. Note que o resistor em série no caminho V_{ref} é maior (120 Ω) porque precisamos limitar a corrente de pico durante a energização, e a referência CC não precisa da largura de banda dos caminhos do sinal.

O circuito mostra uma configuração de amplificador otimizado para operação de banda larga com uma entrada de terminação simples na faixa de 0 V a +1,25 V. O AD8021 é um AOP de baixo ruído de banda larga que é sugerido na folha de dados do ADC. Este pode não ser o melhor dispositivo a usar,[44] mas vamos continuar a nossa narrativa com o AOP sugerido pelo fabricante. O par de amplificadores gera uma saída diferencial precisa a partir da entrada de terminação simples de unipolaridade: o estágio superior tem um ganho de tensão não inversor de +2, e o estágio inversor inferior um ganho de –2. Observe os valores baixos de resistor para manter a largura de banda e também reduzir o ruído Johnson. Para ajudar a assegurar atrasos de tempo iguais, percursos de sinal separados são usados, em vez da alternativa de amplificadores em cascata. Note como o AOP inversor é polarizado em $V_{ref}/3$ para criar o sinal desejado de +2,5 V a 0 V. As duas vias de AOPs têm diferentes ganhos de ruído, mas o AD8021 nos permite adicionar um capacitor de 10 pF para seu nó de compensação para atenuar a resposta para alcançar larguras de banda aproximadamente iguais. Para lidar com a alta corrente de polarização de entrada de 7,5 μA do AOP, montamos resistências CC iguais vistas nas entradas inversora e não-inversora: isto é eficaz aqui, porque a corrente de *offset* típica (0,1 μA) é 75 vezes menor do que a própria corrente de polarização.

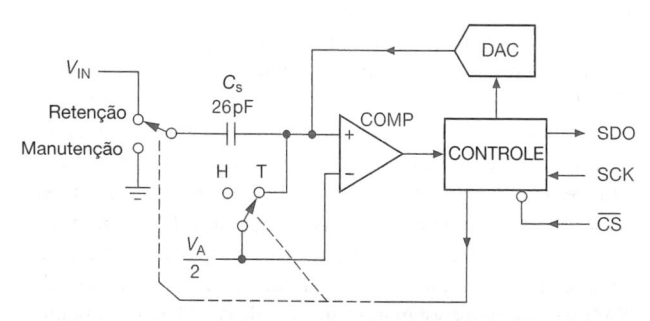

FIGURA 13.36 Diagrama em blocos do ADC da Figura 13.35. O sinal de entrada aciona o capacitor de rastreamento-retenção C_s durante a aquisição.

---

[41] Pinos separados de +2,5 V para as seções analógica e digital, e um pino de I/O digital que aceita de +2,3 V a +3,6 V. CIs de baixa tensão muitas vezes precisam de várias tensões de alimentação, exigindo reguladores separados.

[42] Em uma largura de banda de 50 MHz, 19 μV RMS de ruído corresponde a uma densidade de ruído e_n de apenas 2,7 nV/$\sqrt{Hz}$.

[43] Considere o que está acontecendo dentro deste ADC de aproximação sucessiva, quando operando em sua plena velocidade de "modo *warp*" de 2 Msps: seu comparador tem de fazer uma nova decisão de 19 μV a cada $\sim$20 ns. Agitado!

[44] A escolha é um pouco curiosa, porque este AOP não é de "precisão" – sua tensão de *offset* máxima é um inexpressivo 1 mV, e sua corrente de polarização de entrada é um pouco alta, 7,5 μA – evidentemente deve-se projetar compensações necessárias para alcançar muito mais velocidade do que é necessário aqui (largura de banda de 100 MHz, tempo de estabilização de 20 ns).

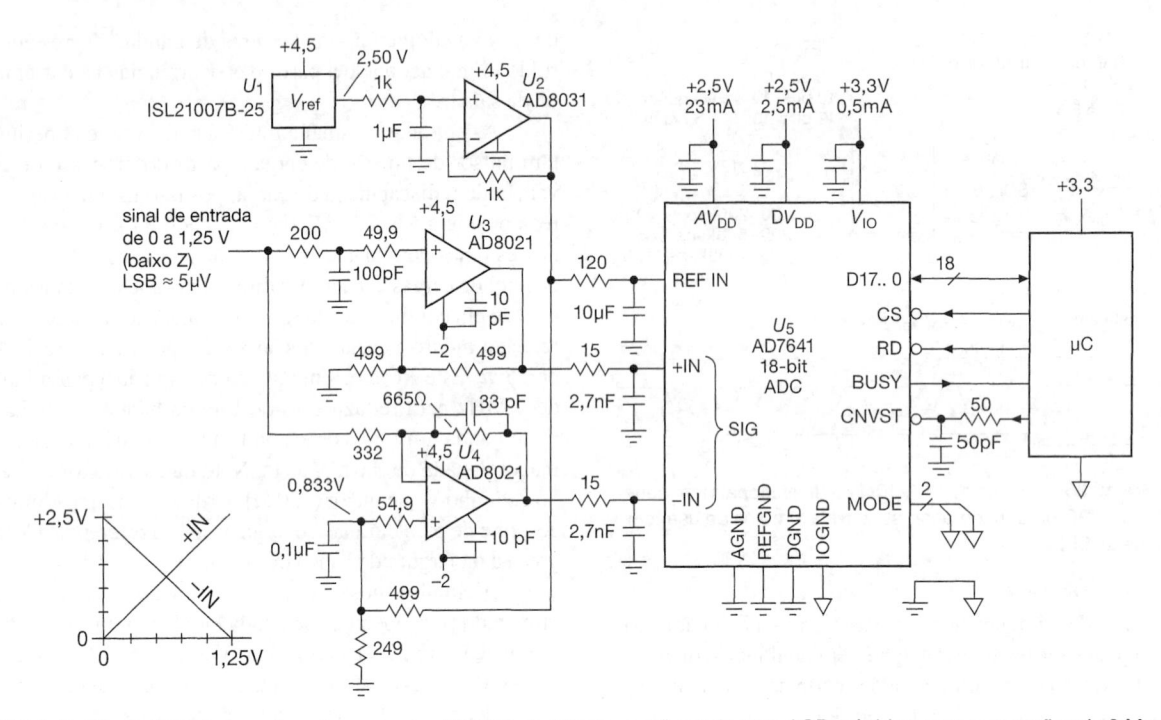

FIGURA 13.37 O ADC de aproximação sucessiva AD7641 de 18 bits, configurado com AOPs rápidos para conversões de 2 Msps.

A referência de tensão ISL21007/9BFB825 da Intersil (Tabela 9.8 na página 678) explora a tecnologia de porta flutuante (isto é, um capacitor carregado de subsuperfície, Seção 9.10.4) para alcançar consideravelmente baixa deriva ao longo do tempo (<10 ppm/$\sqrt{kHr}$). Ele tem excelente precisão inicial (0,02%) e baixo coeficiente de temperatura (3 ppm/°C). Adicionamos um filtro de silenciamento de ruído e um AOP é usado como *buffer* para a corrente de carga de 3,3 mA para minimizar a dissipação de potência no CI de referência. Os amplificadores operacionais são alimentados a partir de 4,5 V e -2,0 V, derivada a partir da mesma fonte de ±5 V, que fornece a tensão CC regulada para o ADC (figura 13.38), de modo que os AOPs são energizados ao mesmo tempo que o ADC, minimizando, assim, as correntes de limitação nos diodos de entrada do conversor na inicialização. Outra maneira de evitar a sobrecarga na entrada do ADC é a utilização de um AOP de limitação como o AD8036, mas este dispositivo tem erros CC maiores ainda do que o AD8021. Mas há uma solução boa aqui, ou seja, para limitar o pino C_{COMP} do AOP AD8021 com um par de diodos Schottky SD101 de baixa capacitância (2 pF), um para o terra e outro para a fonte de alimentação de 2,5 V do ADC, como mostrado na Figura 13.39.[45]

O conversor AD7641 é mostrado no seu modo de dados em paralelo de 18 bits, selecionando por conexão ao terra dos dois pinos de MODO.[46] O sinal de início de conversão CNVST' é filtrado por *RC* (2,5 ns) para diminuir o seu tempo de queda e ajudar a prevenir *undershoot* (subsinal), etc., como sugerido pela Analog Devices. O sinal CNVST' não deve retornar ao estado ALTO até que a conversão seja concluída, cerca de 400 ns em seu modo de alta velocidade "*warp*".

13.8 ADCS III: INTEGRAÇÃO

13.8.1 Conversão Tensão-Frequência

Continuamos o nosso passeio nas técnicas de conversão A/D com o conversor V/F. Neste método, a tensão de entrada analógica é convertida para um trem de pulsos de saída, cuja frequência é proporcional ao nível de entrada. Isto pode ser feito simplesmente carregando um capacitor com uma corrente proporcional ao nível de entrada e descarregando-o quando a rampa atinge um limiar pré-ajustado. Para maior precisão, um método de realimentação é geralmente utilizado. Em uma técnica você compara a saída de um circuito F/V com o nível de entrada analógica e gera pulsos a uma taxa suficiente para levar as entradas do comparador para o mesmo nível. Em métodos mais populares, uma técnica de "balanceamento de carga" é utilizada, tal como será descrito em mais detalhes

---

[45] A folha de dados do AD8021 não informa sobre este truque. Mas isso mostra um esquema simplificado, a partir do qual você pode ver que o sinal no pino C_{COMP} é a saída (alta impedância) dos estágios de ganho no seu caminho para os seguidores de emissor complementar de *offset* zero que formam o estágio de saída (Figura 13.39): ou seja, é uma réplica de alto Z limitável do sinal de saída.

[46] As outras opções são de 16 bits em paralelo (dois ciclos de leitura), de 8 bits em paralelo (três ciclos de leitura), ou SPI (leitura ao longo de 18 ciclos de clock).

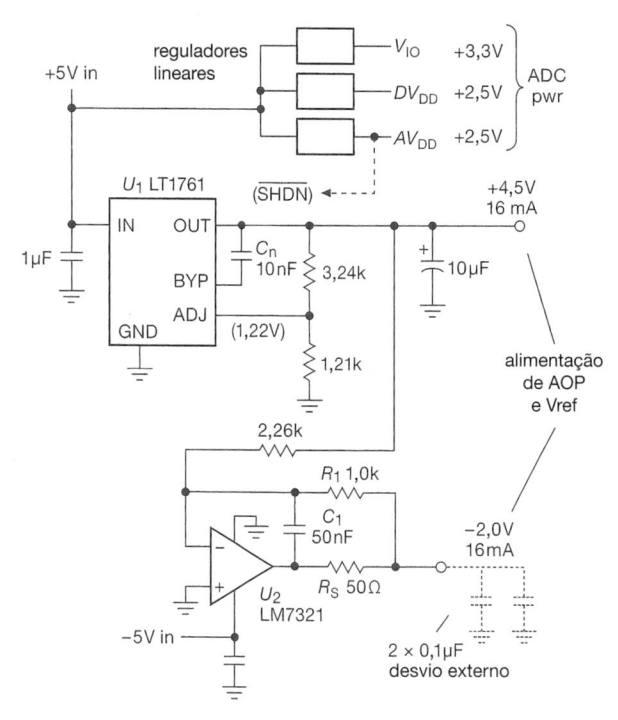

FIGURA 13.38 Reguladores lineares fornecem tensão CC de baixo ruído para os AOPs e o ADC. O LM7321 é um AOP de alta corrente, bom para 50 mA de corrente de saída. O caminho de realimentação dividida (cruzamento em ~3 kHz) mantém estável a carga capacitiva dos capacitores de desvio dos AOPs enquanto mantém a precisão CC.

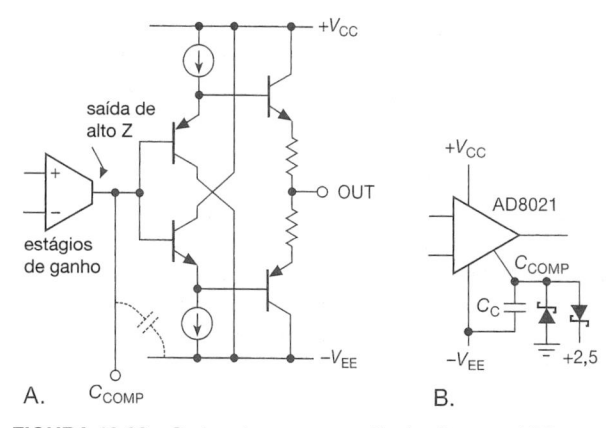

FIGURA 13.39 O pino de compensação de algumas AOPs pode ser utilizado para limitar o sinal de saída. A. O estágio de saída do AD8021 é um arranjo push-pull de seguidores complementares de "offset zero", com o pino C_{COMP} conectado na saída de alta impedância dos estágios de transcondutância de alto ganho. B. Limitando esse nó com diodos Schottky, a saída varia até as tensões de referência, aqui definidas como a faixa de conversão do ADC.

logo adiante (em particular, o método de "distribuição de carga armazenada em capacitor").

As frequências de saída de um V/F típico estão na faixa de 10 kHz a 1 MHz para a tensão de entrada de fundo de escala. Conversores V/F comerciais estão disponíveis com a resolução equivalente de 13 bits (precisão de 0,01%); são exemplos de osciladores controlados por tensão de alta qualidade (Seção 7.1.4D). Por exemplo, o excelente AD650 da Analog Devices tem uma não linearidade típica de 0,002% ao operar entre 0 e 10 kHz. Eles são baratos e são úteis quando a saída deve ser transmitida digitalmente através de cabos ou quando uma frequência de saída (em vez de código digital) é desejada. Se a velocidade não for importante, você pode obter uma contagem digital proporcional para o nível de entrada média, contando a frequência de saída para um intervalo de tempo fixo. Esta técnica é muito popular em precisões moderadas (3 dígitos) de medidores de painel digitais.

Um VCO como o AD650 é um conversor V/F *assíncrono*: A sua oscilação é livre e gerada internamente e não tem nenhuma entrada de clock. Mas você pode fazer coisas de forma diferente, ou seja, com uma entrada de clock que recebe pulsos tais que a *taxa média* que sai seja proporcional a uma tensão de entrada analógica. Para tal conversor V/F *síncrono*, os pulsos de saída, quando presentes, são coincidentes com o clock de entrada; os pulsos se fazem presentes ou ausentes segundo a necessidade de manter a sua taxa média proporcional a V_{in}. Em geral, os pulsos não são igualmente espaçados (embora os seus espaçamentos sejam múltiplos exatos do período do clock de entrada); ou seja, não temos uma única frequência de saída. O trem de pulsos tem "*jitter*". Isso é bom para algumas aplicações, particularmente aquelas que, inerentemente, produzem uma média da saída; um exemplo é um elemento de aquecimento resistivo, talvez dentro de uma malha de temperatura controlada com um sensor de temperatura analógico.

Montamos um conversor V/F síncrono AD7741, com clock de 5 MHz e medimos sua frequência de saída (média ao longo de alguns segundos) em função da tensão de entrada. Ficou muito bom (Figura 13.40).

O conversor V/F síncrono é um exemplo simples de um ADC de "1 bit". Há outras formas de gerar um fluxo contínuo de dados cujo valor médio represente a conversão de um sinal de entrada analógica. Os chamados conversores *delta-sigma*, por exemplo, fazem um trabalho muito melhor. Mas é um pouco difícil de entender o método. Vamos chegar lá em breve, na Seção 13.9, onde vamos fazer um esforço (talvez sem sucesso) de esclarecer o seu funcionamento.

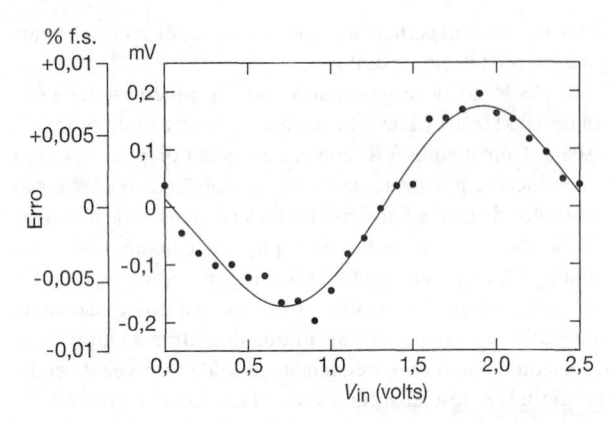

FIGURA 13.40 Medição da não linearidade de um conversor V/F síncrono AD7741 como uma função da tensão de entrada. A linearidade especificada é ±0,015%.

13.8.2 Integração de Rampa Simples

Nesta técnica, um gerador de rampa interna (fonte de corrente + capacitor) é acionado para dar início à conversão e, ao mesmo tempo, um contador é ativado para contar os pulsos a partir de um clock estável. Quando a tensão da rampa é igual ao nível de entrada, um comparador para o contador; a contagem é proporcional ao nível de entrada, ou seja, é a saída digital. A Figura 13.41 mostra a ideia.

No final da conversão o circuito descarrega o capacitor e reseta o contador, e o conversor está pronto para outro ciclo. Integração de rampa simples é fácil de entender, mas não é usada quando uma alta precisão é necessária por ser muito exigente no que diz respeito à estabilidade e precisão do capacitor e do comparador. O método de "integração de dupla rampa" elimina esse problema (e vários outros) e é geralmente utilizado quando é necessária precisão.

A integração de rampa simples está viva e bem, especialmente em aplicações que não necessitam de precisão absoluta, mas de uma conversão com boa resolução e espaçamento uniforme dos níveis adjacentes. Um bom exemplo é a análise da altura do pulso, em que a amplitude de um pulso é retida (detector de pico) e convertida para um endereço. A igualdade da largura do canal é essencial para esta aplicação, para a qual um conversor de aproximação sucessiva seria totalmente inadequado. A técnica de integração de rampa simples é também usada na conversão tempo-amplitude (TAC).

13.8.3 Conversores de Integração

Várias técnicas têm em comum a utilização de um capacitor para controlar a proporção de um nível de sinal de entrada para uma referência. Todos estes métodos calculam a média (integram) do sinal de entrada durante um intervalo de tempo fixo para uma única medição. Há duas vantagens importantes.

1. Uma vez que estes métodos utilizam o mesmo capacitor para o sinal e a referência, eles são relativamente tolerantes à estabilidade e à precisão do capacitor. Estes métodos também fazem menos exigências no comparador. O resultado é uma melhor precisão para componentes de qualidade equivalente, ou precisão equivalente a um custo reduzido.
2. A saída é proporcional à tensão de entrada *média* ao longo do tempo de integração (fixo). Ao escolher esse intervalo de tempo para ser um múltiplo do período da onda da rede elétrica, o conversor se torna insensível ao "zumbido" de 60 Hz da rede elétrica (e aos seus harmônicos) sobre o sinal de entrada (Figura 13.42).

Este cancelamento de interferência de 60 Hz requer controle preciso do tempo de integração, uma vez que mesmo um erro de uma fração de 1% no tempo de clock resultará no cancelamento incompleto do zumbido. Uma possibilidade é a utilização de um oscilador a cristal. Uma alternativa elegante é a utilização de uma *malha de fase sincronizada* (PLL) (Seção 13.13) para sincronizar o funcionamento de um conversor de integração para um múltiplo da frequência de rede elétrica, tornando a rejeição perfeita.

Essas técnicas de integração têm a desvantagem da velocidade lenta, em comparação com uma aproximação sucessiva, mas elas se destacam em precisão, particularmente nos tipos de dupla rampa ou múltiplas rampas, ou como sofisticados conversores delta-sigma (Seção 13.9).

13.8.4 Integração de Dupla Rampa

Esta técnica elegante e muito popular elimina a maioria dos problemas de capacitores e comparadores inerentes à integração de rampa simples. A Figura 13.43 mostra a ideia. Em primeiro lugar, uma corrente de precisão proporcional ao nível de entrada carrega um capacitor num intervalo de tempo fixo; em seguida, o capacitor é descarregado por uma corrente constante até que a tensão de novo atinge o zero. O tempo para descarregar o capacitor é proporcional ao nível de entrada e é utilizado para permitir que um contador acionado

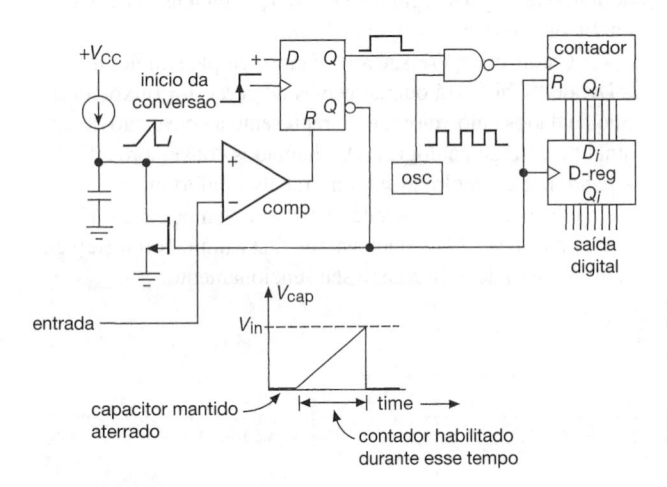

FIGURA 13.41 ADC de rampa simples.

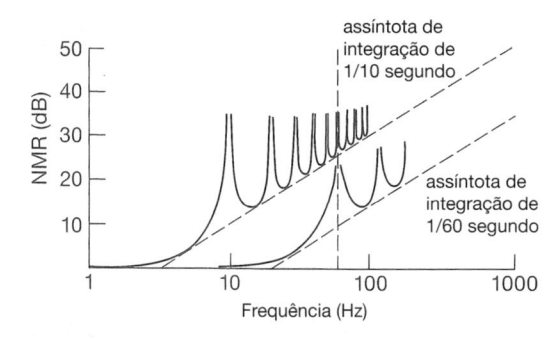

FIGURA 13.42 Rejeição de modo normal, com conversores A/D de integração.

a partir de um clock opere a uma frequência fixa. A contagem final é proporcional ao nível de entrada, ou seja, é a saída digital.

A integração de dupla rampa consegue precisão muito boa, sem colocar exigências extremas sobre a estabilidade do componente. Em particular, o valor do capacitor não tem de ser particularmente estável, porque o ciclo de carga e o ciclo de descarga ocorrem a uma taxa inversamente proporcional à C. Do mesmo modo, derivas ou erros de escala no comparador são anulados começando e terminando cada ciclo de conversão à mesma tensão e, em alguns casos, na mesma inclinação. Nos conversores mais precisos, o ciclo de conversão é precedido por um ciclo de auto-zero, no qual a entrada é mantida em zero. Devido ao mesmo integrador e comparador serem utilizados durante essa fase, a subtração da saída "erro zero" resultante a partir das medições subsequentes resulta no cancelamento efetivo de erros associados com as medições próximas de zero; no entanto, ele não corrige erros na escala global.

Note que mesmo a frequência de clock não tem de ser de alta estabilidade na conversão de dupla rampa, porque o tempo de integração fixo durante a primeira fase de medição é gerado pela subdivisão do mesmo clock usado para incrementar o contador. Se o clock diminuir 10%, a rampa inicial será 10% maior do que o normal, exigindo 10% mais tempo de desaceleração. Desde que seja medido em um clock 10% mais lento que o normal, a contagem final será a mesma! Apenas a corrente de descarga tem de ser de alta estabilidade em um conversor de dupla rampa com auto-zero interno. Tensão e correntes de referências precisas são relativamente fáceis de produzir, e a corrente de referência (ajustável) define o fator de escala nesse tipo de conversor.

Ao escolher componentes para conversão de dupla rampa, certifique-se de usar um capacitor de alta qualidade com absorção dielétrica mínima (efeito "memória"; veja a Seção 5.6.2) – capacitores de polipropileno, poliestireno ou Teflon funcionam melhor. Embora esses capacitores não sejam polarizados, você deve conectar a folha exterior (indicada com uma banda) no ponto de baixa impedância (a saída do integrador AOP). Para minimizar os erros, escolha os valores de R e C do integrador para usar aproximadamente a faixa analógica completa do integrador. Uma frequência de clock alta melhora a resolução, embora você ganhe pouco, uma vez que o período de clock se torna mais curto do que o tempo de resposta do comparador.

Ao usar conversores de precisão de dupla rampa (e, na verdade, qualquer tipo de conversor de precisão) é essencial manter o ruído digital fora do caminho do sinal analógico. Conversores geralmente fornecem pinos separados de "terra analógico" e "terra digital" para esta finalidade. Muitas vezes, é aconselhável colocar um *buffer* nas saídas digitais (digamos, um acionador octal de três estados '541, ativado apenas na leitura da saída) para desacoplar o conversor do ruído digital de um barramento de microprocessador (veja os Capítulos 14 e 15). Em casos extremos você pode usar opto-acopladores (Seção 12.7) para colocar em quarentena o ruído de um barramento particularmente "sujo". Certifique-se de usar capacitores de desvio da fonte de alimentação diretamente no chip conversor. E tenha cuidado para não introduzir ruído durante o ponto final crítico da integração, quando a rampa atinge o ponto de desarme do comparador. Por exemplo, alguns conversores permitem que você verifique o fim de conversão por meio da leitura da palavra de saída: *não faça isso!*[47] Em vez disso, use a linha separada BUSY (ocupado), adequadamente isolada.

A integração de dupla rampa é usada extensivamente nos multímetros digitais de precisão. Ela oferece boa precisão e alta estabilidade a baixo custo, combinado com uma excelente rejeição de interferência da rede elétrica (e outras), para aplicações onde a velocidade não é importante. Os códigos digitais de saída são estritamente monotônicos com o aumento da entrada.

A alternativa para precisão mais alta é o conversor delta-sigma. Há um monte de confusão em torno desta técnica elegante. Em uma seção posterior (Seção 13.9) pretendemos abordar esse método e fornecer alguma intuição sobre o seu funcionamento. Primeiro, porém, dê uma olhada no que podemos dizer ser o máximo em conversores de integração – a chamada técnica de "múltipla rampa" elaborada pela Hewlett-Packard (posteriormente Agilent, agora Keysight) e co-

---
[47] OK, se você insistir, vá em frente e verifique-o – mas só depois que você tiver certeza de que terminou.

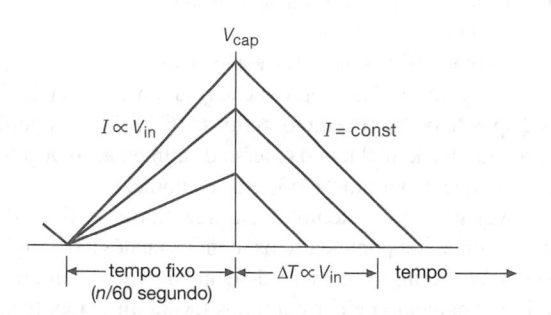

FIGURA 13.43 Ciclo de conversão de dupla rampa.

TABELA 13.6 Conversores A/D de micropotência selecionados[a]

Nº identif	Bits	Taxa de Conv máx (ksps)	Canais	Delta-Sigma	Aprox Sucessiva[b]	Diferencial	Ganhos Prog	Corrente da Fonte[c], I_S para V_S (V)	típico@veloc (µA)	@veloc máx (sps)	típico (µA)	Potência em 10 sps[g] (µW)	Auto Desativ(uA)	Interface[d]	Ref interna	Ref externa	Osc interno	Ext osc	Custo[f] qty 100 (US$)	Encap[h]	Observações
MCP3021	10	22	1	-	•	-	-	2,7	17	5k	175	0,092	0,01	I	-	V_S	-	I²C	0,81	SOT23-5	-
ADS7866	12	200	1	-	•	-	-	1,8	6,3	5k	275	0,023	0,01	S	-	V_S	-	SPI	2,75	SOT23-6	-
ADS7466	12	200	1	-	•	-	-	1,6	3,8	5k	150	0,012	0,01	S	-	V_S	-	SPI	4,80	SOT23-6	-
ADC121S	12	1000	1	-	•	-	-	2,7	15	5k	600	0,081	0,5	S	-	V_S	-	SPI	2,30	SOT23-6	-
AD7091R	12	1000	1	-	•	-	-	3,0	57	20k	350	0,086	0,26	S	1%	•	•	-	4,10	MSOP-10	-
ADS1100	16	0,128	1	•	-	•	1-8	3,0	70	128	70	16,4	0,05	I	-	V_S	-	-	4,37	SOT23-6	-
MCP3425	16	0,24	1	•	-	•	1-8	3,0	0,6	1[e]	145	18	0,1	I	0,05%	-	36%	-	1,65	SOT23-6	w
ADS8326	16	250	1	•	•	-	-	2,7	150	20k	1850	0,20	0,1	S	-	•	-	SPI	9,10	MSOP-8	-
AD7685	16	250	1	•	•	-	-	2,5	0,6	100	1350	0,15	0,01	S	-	•	•	-	8,20	MSOP-10	-
LTC2379-18	18	1600	1	•	•	-	-	2,5	25	5k	7200	0,13	0,9	S	-	•	•	-	36,37	MSOP-16	x
MCP3551	22	0,014	1	•	-	•	-	2,7	100	14	100	190	10	S	-	•	1%	-	3,01	SOIC-8	-
LTC2412	24	0,008	2	•	-	•	-	2,7	170	8	170	570	1,5	S	-	•	2%	SPI	5,05	SSOP-16	y
MAX11210	24	0,48	1	•	-	•	1-16	3,6	235	480	235	18	0,4	S	-	dif	•	•	3,29	QSOP-16	z

Notas: (a) classificado por resolução e velocidade máxima. (b) todos os tipos de SAR têm S/H ou T/H, e nenhum atraso *pipeline*. (c) a maioria dos tipos de SAR tem potência proporcional à taxa de amostragem. (d) I = I²C, S = SPI. (e) no modo de 12 bits (10 µA para 16 bits). (f) grau mais barato. (g) considerar linearidade e no mesmo Vs como listado para I_S. (h) outros encapsulamentos podem estar disponíveis, consultar a folha de dados. (w) = MCP3422 = 18 bits. (x) tem compressão de ganho digital, consulte a folha de dados. (y) sem latência, seleção de canal pingue-pongue. (z) quatro bits de I/O, pode usar para MUX externo.

mercializado em sua classe mundial de multímetros de 8½ dígitos – precedidas por um desvio relevante na utilização de chaves analógicas em aplicações de conversão.

13.8.5 Chaves Analógicas em Aplicações de Conversão (um Desvio)

Chaves analógicas, vistas na Seção 3.4.1, são importantes em aplicações de conversão, tanto como componentes do próprio conversor (veja, por exemplo, as Figuras 13.2, 13.9, 13.34 e 13.36), quanto como auxiliares externas. Em sua função primordial, elas são uma parte essencial do conversor de precisão de múltipla rampa (Seção 13.8.6) e do conversor delta-sigma (Seção 13.9). Aqui, vamos explorar brevemente algumas aplicações de conversores nas quais uma chave analógica discreta da família lógica CMOS é particularmente útil.

A. Chaves Analógicas de Família Lógica

As chaves analógicas amplamente disponíveis '4051 a '4053 da família CMOS são particularmente úteis para aplicações analógicas, porque esses dispositivos têm uma fonte V_{EE} negativa para as chaves, juntamente com deslocadores de níveis lógicos internos; então, as chaves funcionam ao longo de uma faixa analógica de $-V_{EE}$ a $+V_{DD}$, e até mesmo com um adicional de aproximadamente 0,25 V além destes trilhos de alimentação. A Tabela 13.7 mostra as famílias lógicas em que essas opções estão disponíveis. Há três dispositivos na família: o '4053 é especialmente atraente, com suas três chaves SPDT controladas de forma independente; há também o '4052 com um par de chaves de 4 para 1 linha, e o 4051 com uma único chave de 8 para 1. Embora essas opções sejam atraentes porque são baratas (menos de 50 centavos de dólar) e disponíveis em meia dúzia de empresas, elas são ainda mais atraentes para projetistas, por serem muito rápidas e terem baixa capacitância.

Por exemplo, o 74HC4053 normalmente tem 40 Ω de resistência ON, comuta em 20 ns e tem 8 pF de capacitância para o terra. Comparado com CIs oficialmente destinados à comutação e multiplexação analógica, um '4053 tem uma oscilação de tensão mais limitada, e nenhuma proteção de descarga eletrostática (ESD). Quando comparado com chaves de potência CMOS, ele tem maior resistência ON, mas não sofre de sua alta capacitância. Ele está em um ponto idealmente adequado para comutação de sinais entre os circuitos na mesma placa de circuito.

Versões SPDT simples estão disponíveis no espaço econômico do SOT23 e outros encapsulamentos SMD. Esses dispositivos, por exemplo os tipos '1G3157 (1G significa porta única), não incluem o recurso de alimentação negativa, de modo que não usam "4053" em seu nome.

Vejamos dois exemplos em que chaves estilo '4053 formam uma boa ponte entre os mundos analógico e digital. O segundo exemplo (geração de dente de serra com chaves de direcionamento de corrente) nos levará diretamente para os conversores de múltipla rampa e delta-sigma.

TABELA 13.7 Chaves SPDT estilho 4053.

	Fonte[m]		TTL in?[a]	$t_{d(on)}$[f]	R_{ON}	ΔR_{ON}	@	Cap	fuga		Q_{inj}	disponível em DIP?
	V_{CC} (V)	V_{tot}[c] (V)		típico (ns)	típico (Ω)	típico (Ω)	V_{tot}[c] (V)	typ[b] (pF)	típico (pA)	máx[e] (nA)	(pC)	
triplo de 16 pinos												
CD4053	3-15	20	-	120	120	10	10	8	10	50		•
74HC4053	2-7,5	15	•	18	40	8	9	5[d]		100		•
74VHC4053	2-7,5	15	-	18	20	10	9	30[d]		500		•
74VHC4053[o]	2-7	14	-	49	120	10[m]	9	45[d]		100		•
DG4053A	2-7	14	•	31	66	3	10	4	20	1	0,25	-
MAX4053A	3-17	17	•	50	60	6[m]	10	2	2	0,1	2	•
ISL84053	2-15	15	•	75	60	6[m]	10	9	2	0,1	2	-
ADG633	2-6	13	•	70	52	0,8	9	7	5	0,2	2	-
MAX4583	2-12	13	•	90	80	4[m]	10	6		1	0,5	•
74LV4053	2-7	14	-	4,6	35	1,3	9	8[d]		100		•
74LVX4053	2-7	7	-	23[m]	26	10[m]	6	10		100	9	-
NLAS4053	1,7-7	7	-	23[m]	26	10[m]	6	10		0,1	9	-
MAX4693[g]	2-11	11	•	55	25	2,5	10	20		2	1,8	-
MAX4619	2-6	na	•	7	10	1	5	8,5	2	1	8	•
MAX4783	1,6-4,6	na	•	17	1	0,2	3	75	2	2	20	-
SMT, simples												
ISL84544	2-15	na	•	35	30	0,8	5	8	10	0,1	1	•
74LVC2G53	1,7-6	na	-	2	13	3[m]	3	10		100	na	
74AUC2G53	0,8-3,6	na	•	1,1	15	1[m]	2,3	4,5		100	na	
74LVC1G3157	1,7-6	na	-	3,6	9	0,1	3	6[f]		2μA	4	na
NX3L1G3157	1,4-4,6	na	•	14	0,5	0,02	2,7	35		10	9	na

Notas: (a) níveis lógicos TTL ou TTL disponível. (b) OFF, nó comum para GND. (c) $V_{tot}=V_{cc}-V_{EE}$. (d) depende do fabricante. (e) a 25°C, se mostrados, reflete a capacidade de ATE (equipamento de teste automático). (f) o tempo de atraso da entrada lógica até a chave ON, em V_{tot}: $t_{d(OFF)}$ é ligeiramente menor. (g) encapsulamento QFN de 16 pinos; quádruplo também está disponível. (m) no máximo. (na) nenhum pino V_{EE}. (0) ON Semi.

B. Gerador de Pulsos de Alta Tensão Programável

É bom ser capaz de gerar um pulso que é bloqueado por um sinal de lógica, mas cuja amplitude é definida separadamente. Para este último, você pode usar um DAC sob controle do computador, ou talvez apenas um botão no painel.[48] O circuito simples na Figura 13.44 faz o trabalho, neste caso, permitindo amplitudes de saída até +100 V.

A chave analógica tipo '4053 aplica o nível selecionado pela chave do painel S1 para o AOP de alta tensão OPA454, aqui configurado para um ganho não inversor de 20. Esse AOP não é muito rápido (~10 μs, nos tempos de comutação), mas é muito barato (5 dólares), e pode fornecer saídas pulsadas de 100 mA para carregar cargas capacitivas. Você pode substituí-lo por um AOP mais rápido para explorar a capacidade de comutação rápida (~20 ns) da chave analógica.[49] A chave S2 de três posições (off no centro) no painel lhe permite ligar ou desligar os pulsos, ou permite a condução da chave de forma contínua para a leitura e configuração do nível de alta tensão (HV) com um DMM, etc. Gostamos de instrumentos de fácil utilização que combinam controles do painel com comutação de sinais CMOS.

C. Gerador de Dente de Serra de Direcionamento de Corrente

Aqui está um circuito (Figura 13.45) que explora as características de comutação agradáveis das chaves analógicas tipo

---
[48] No capítulo 5 mostramos uma maneira de gerar formas de onda de alta tensão programáveis (Figura 5.47), porém sem o recurso de porta de bloqueio.

[49] Por exemplo, o PA85 da Cirrus/Apex tem taxa de variação de 1000 V/μs (com ganho de malha fechada de 100), e pode operar a partir de uma fonte total de 450 V. Aqui você pode ligá-lo a partir de trilhos de +400 V e −15 V. Porém, esteja preparado para desembolsar um bom dinheiro: este dispositivos custam aproximadamente 300 dólares. (Veja a seleção de AOPs de alta tensão na Tabela 4.2b). Uma solução mais econômica é construir o seu próprio amplificador de alta tensão, como o da Figura 3.111.

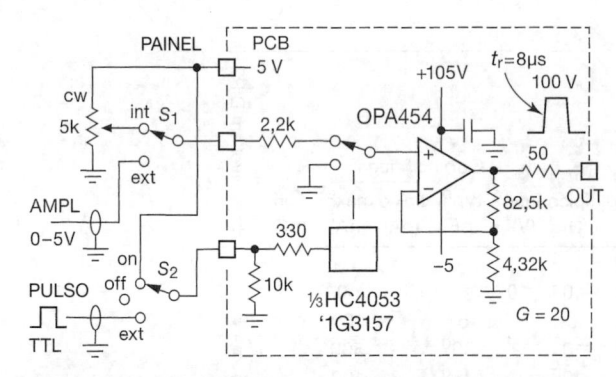

FIGURA 13.44 Simples gerador de pulso de alta tensão, com amplitude de pulso e forma de onda programáveis. A chave '4053 inclui um pino $-V_{EE}$ para comutação de sinais de bipolaridade (para ±5 V), enquanto que o '3157 de seção simples opera com polaridade positiva apenas.

'4053, no mesmo arranjo de direcionamento de corrente que é usado no conversor notável de múltipla rampa que vamos ver na próxima seção. O AOP U_1 é um integrador, com sua junção de soma polarizada na metade da tensão de alimentação (para operação com fonte simples de +5 V). As chaves S_1 e S_2 são seções de um 'HC4053, operando com o mesmo +5 V; eles programam individualmente as taxas de subida e descida de rampa, definidas pelos resistores R_1 e R_2. Fechando S_1 fornece-se uma corrente $V_{cc}/2R_1$, fazendo com que o integrador faça uma rampa descendente de acordo com $dV_{rampa}/dt = I/C$; S_2 provoca uma rampa ascendente análoga. O comparador tem limiares em 1/3 e 2/3 de V_{CC}, girando a rampa após ela passar por $\Delta V = V_{cc}/3$. É fácil ver que os intervalos de rampa resultantes são dados por ($t_{ascend} = \frac{2}{3}R_2C$ e $t_{descend} = \frac{2}{3}R_1C$), e $f = 1,5/C(R_1+R_2)$.

Exercício 13.4 Vá em frente, mostre-o!

As chaves e o comparador são rápidos, permitindo a operação até, pelo menos, alguns megahertz, para os quais os valores apropriados podem ser resistores de alguns milhares de ohms, e C na faixa de 100 a 500 pF. Com um pequeno capacitor de integração como este, você tem que se preocupar com os efeitos da capacitância C_{sw} da chave, tipicamente na faixa de 5 a 10 pF. Considere, por exemplo, a chave S_1, na posição mostrada na figura: sua capacitância é carregada até +5 V, e assim ela transfere uma carga $\Delta Q = C_{sw}\Delta V$ (onde $\Delta V = V_{cc}/2$) para a junção de soma quando a chave se move para o terminal inferior. Essa transferência de carga provoca um degrau na saída do integrador, tal como na Figura 13.46. A solução aqui (e no ADC de múltipla rampa que veremos a seguir) é manter o outro terminal da chave com a mesma tensão da junção de soma (o circuito pontilhado).

13.8.6 Projetos de Mestres: Conversores de "Múltipla Rampa" de Classe Mundia da Agilent

Com essas aplicações de chaves analógicas em mente, estamos prontos para entender as técnicas de "múltipla rampa"

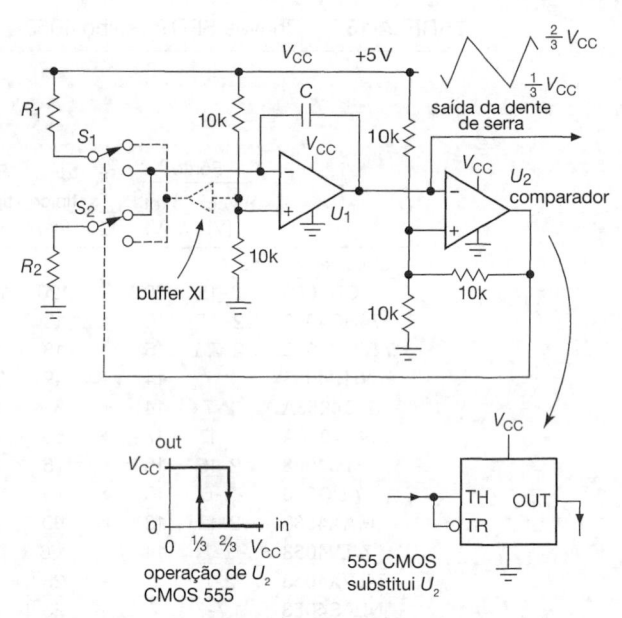

FIGURA 13.45 Geração de dente de serra com chaves de direcionamento de corrente. O comparador U_2 está configurado como um *Schmitt-trigger* com limiares em $V_{CC}/3$ e $2V_{CC}/3$, para o qual um dispositivo adequado (com saídas ativas trilho a trilho) seria o rápido TLV3501 (t_p = 4,5 ns); um 555 CMOS poderia ser o substituto, embora não seja tão rápido (t_p = 100 ns).

utilizadas em instrumentos como os multímetros 34420, de 7½ dígitos, e 3458A[50], de 8½ dígitos, da Keysight[51] Estes foram instrumentos topo de linha da Agilent por mais de vinte anos, com um preço atual (2015) de 9,5k dólares. Uma variante simplificada ("Multislope III") é utilizada em séries de DMMs de alta performance contemporâneos da Keysight (o 34420A, um medidor de nanovolts e micro-ohm de 7,5 dígitos, o 34401A, um DMM de bancada de padrão industrial e 6,5 dígitos, e o sistema de aquisição de dados 34970A de 6,5 dígitos). Vamos ver em detalhes como funciona o *Multislope III*, e revelar um pouco do funcionamento da próxima geração, o Multislope IV (introduzida em 2006).

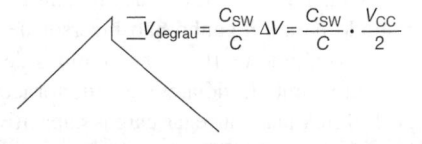

$$V_{degrau} = \frac{C_{SW}}{C}\Delta V = \frac{C_{SW}}{C} \cdot \frac{V_{CC}}{2}$$

FIGURA 13.46 Injeção de carga produz uma variação em degrau na saída do integrador, quando um nó de circuito (de capacitância C_{SW}) com uma tensão diferente é ligado.

---

[50] Este último descrito em seu site como "Reconhecido no mundo inteiro como o padrão em DMMs de alto desempenho."

[51] Anteriormente Agilent, de 1999 a 2014, e antes Hewlett-Packard ou "HP", de 1939 a 1999.

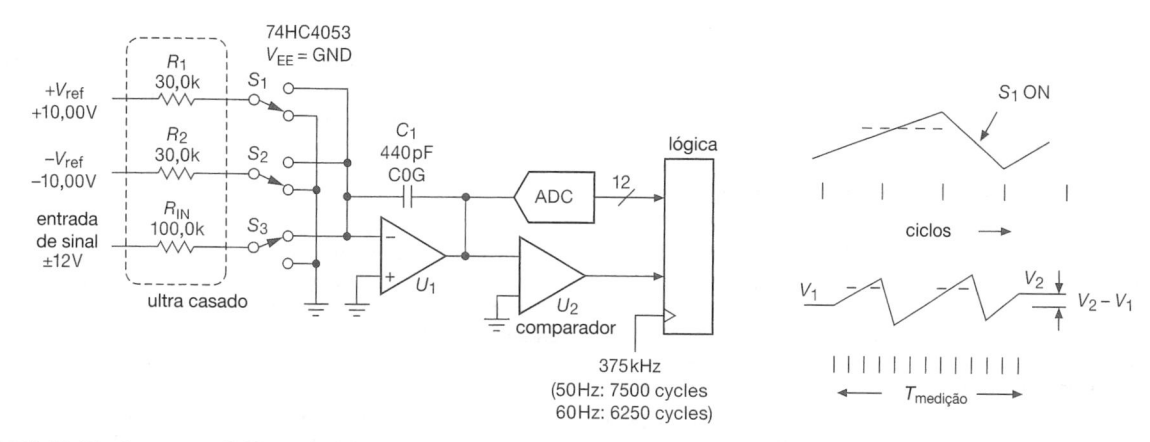

FIGURA 13.47 Conversor "Multislope III" da Keysight, um integrador de balanceamento de carga com clock com correção de ponto final por meio de um ADC de baixa precisão.

A. A Técnica Básica

Para colocar em perspectiva, a técnica de múltipla rampa é uma evolução do integrador de dupla rampa, explorando um esquema de integração de balanceamento de carga de multiciclo que é mais tolerante a imperfeições de capacitores, e que leva em conta o resíduo remanescente após o ciclo final de integração. Ela combina aspectos de conversão de dupla rampa e delta-sigma, e é um trampolim natural para este último.

O circuito básico é extremamente simples (Figura 13.47) e usa principalmente dispositivos de baixo custo (exceto para as referências de tensão e resistores de precisão). Há um integrador U_1, um "mecanismo lógico" que mantém o controle da saída do integrador (via comparador U_2) em cada pulso de clock de 375 kHz, e um par de chaves (S_1 e S_2) que são operadas de forma síncrona pela lógica para manter o integrador aproximadamente balanceado (absorvendo ou fornecendo uma corrente precisa para o integrador). Há também um ADC de precisão modesta (12 bits) que é usado para ler a tensão de saída do integrador no início e no fim de uma medição multiciclo.

Eis como ele funciona, em um nível básico: para iniciar uma medição, a chave S3 é fechada,[52] fazendo com que o integrador gere uma rampa ascendente ou descendente (de acordo com $dV/dt = -I_{in}/C_1 = -V_{in}/R_{in}C_1$). Para cada clock sucessivo, o mecanismo lógico faz S_1 ou S_2 fechar (dependendo da polaridade de saída do integrador), dessa forma somando ou subtraindo a corrente de referência correspondente (± 10 V/30 kΩ) para forçar o integrador a voltar em direção ao terra. Isto continua por muitos ciclos de clock (para a máxima rejeição de captação da rede elétrica é desejável a utilização de um tempo de medida correspondente a um número inteiro de ciclos da rede eléctrica, por exemplo, 6250 clocks que é igual a 1/60 de um segundo), após o que a lógica contabiliza o número de ciclos positivos (n_+) e negativos (n_-). Isto fornece uma estimativa de *primeira ordem* da tensão de entrada média durante o tempo de medição:

$$V_{\text{sinal}}(1) \approx V_{\text{ref}} \frac{n_- - n_+}{N_{\text{ciclos}}} \frac{R_{\text{in}}}{R_1} = V_{\text{ref}} \frac{n_- - n_+}{6250} \frac{100\text{k}}{30\text{k}}.$$

Isso não é muito preciso: a entrada de fundo de escala de ± 12 V produz uma contagem líquida ($n_- - n_+$) de ± 2250 (descubra por que), então a resolução é de cerca de 12 bits. Agora, para um bom truque: devido à medição ser cronometrada por um número inteiro de ciclos de clock (em vez de por um cruzamento zero, como no método da dupla rampa), o nível do integrador residual contém informação adicional. Ele nos permite de forma efetiva realizar uma subdivisão do tipo vernier de um ciclo de clock. Essa é a razão do ADC na Figura 13.47, que é usado para medir a tensão do integrador no início e no fim do ciclo de medição. Para o ADC de 12 bits na figura, este fornece cerca de 512 níveis de subdivisão do LSB de primeira ordem, acrescentando 9 bits à estimativa de primeira ordem de ~ 12 bits, para um resultado final de ~ 21 bit resolução.[53]

Mais precisamente, a resposta de segunda ordem (e final!) é dada por

$$V_{\text{sinal}}(2) = V_{\text{sinal}}(1) + \frac{R_{\text{in}}C_1}{T_{\text{Medição}}}(V_f - V_i) = V_{\text{sinal}}(1) + \\ + 0{,}00264(V_f - V_i),$$

em que o coeficiente do termo "vernier" ΔV representa a contribuição de decréscimo da correção de extremidade com o aumento do tempo de medição. Mais especificamente, é fácil verificar que o termo ΔV por si só produz a tensão de entrada de correção para uma medição cuja duração é igual a um único ciclo de clock (isto é, $T_{\text{medição}} = 1/f_{\text{clk}}$).

---

[52] Usamos o termo "fechado", para significar que uma determinada chave está conectada à junção de soma.

[53] A faixa de conversão do ADC casa com a do integrador, mas ambos são $\sim 8\times$ maior do que a rampa do integrador durante um clock quando o sinal de entrada está em $\pm$fundo de escala. É por isso que o ADC perde efetivamente 3 bits de resolução quando digitaliza o resíduo ($V_f - V_i$).

Exercício 13.5 Aceite o desafio: mostre que isso está correto.

B. Detalhes, Detalhes...

Essa é a visão geral da técnica de conversão de múltipla rampa. Há muito mais a dizer – os problemas estão nos detalhes; e existem muitos refinamentos possíveis para conseguir o máximo desempenho dessa ideia central. Aqui nos contivemos, restringindo nosso comentário a um resumo conciso dos aspectos mais interessantes e instrutivos.

Componentes não críticos. Para S_1-S_3, a Agilent usa o arranjo de chaves padrão 74HC4053 (da NXP), e para C_1 um cômodo capacitor cerâmico SMD da variedade NP0/C0G (da AVX). Esse tipo de capacitor, incrivelmente barato,[54] exibe um coeficiente de temperatura baixa (±30 ppm/°C) e absorção dielétrica desprezível ("memória", veja a Figura 5.4 na Seção 5.6.2), não mensurável na escala de tempo de comutação aqui. Da mesma forma, não é necessário grande precisão ou estabilidade para o comparador ou o ADC de quantização de extremidade.

Componentes críticos. As referências de tensão definem a escala de medição, e devem ser altamente estáveis. Na prática, esses instrumentos utilizam uma única referência tipo zener de 7,0 V e um par de AOPs de precisão para produzir as tensões de referência[55] de $\pm10,0$ V. Essa tensão de 10,0 V não necessita ser precisa para a exatidão final do instrumento, o qual é submetido a uma calibração de fábrica; ele precisa ser *estável*, é claro, para manter essa exatidão calibrada.[56] Dois outros componentes críticos são as matrizes de resistores casados (R_1 a R_3, e os resistores de definição do ganho nas referências de tensão) e o AOP integrador. Este último é, de fato, um amplificador composto (um OP27 + AD711), alcançando alta taxa de variação e alto ganho de malha juntamente com uma tensão de *offset* muito baixa (Figura 13.48). Os resistores são matrizes especialmente encapsuladas para um casamento e rastreamento estreitos. O que importa aqui é a deriva (ao longo do tempo e temperatura) das relações de resistores, porque descasamentos menores nas relações de resistores iniciais são tratados na calibração de fábrica.

Não mostrado, mas igualmente crítico, é o amplificador de entrada de ganho selecionável. Ele deve ter ganhos precisos e estáveis, e os meios para realizar calibrações e correções; veja a Seção 5.12.

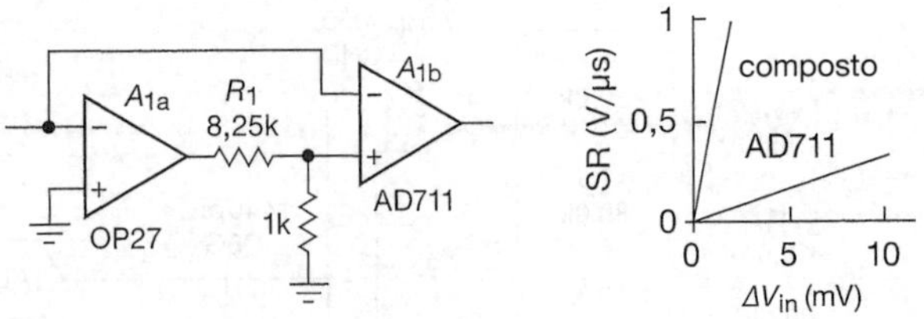

FIGURA 13.48 Um "amplificador composto" aumenta consideravelmente a taxa de variação. O valor de 8,25k (nominal) do atenuador entre estágios é escolhido alto o suficiente para garantir a estabilidade de U_1.

As chaves. A chave 74HC4053 é usada em um esquema de direcionamento de corrente como o da Figura 13.45, disposta de modo que as tensões sobre todos os pinos do '4053 permanecem sempre próximas de zero volt. As chaves só servem para guiar as correntes, adicionando ou subtraindo um taxa de variação à saída do integrador que está numa relação precisa para a taxa de variação produzida por uma tensão de entrada. A resistência ON das chaves, é claro, tem a ver com o valor dessas correntes. Mas, enquanto o R_{on} das chaves está bem casado, estável e pequeno em comparação com R_1 a R_3, o efeito é corrigido pelo ciclo de calibração que o instrumento executa automaticamente antes de cada medição (veja o próximo parágrafo). Para o 'HC4053 da NXP usado nos instrumentos Keysight, por exemplo, Ron é tipicamente 85 Ω, casado a 8 Ω. É importante que essas chaves operem como "abre antes de fechar" (BBM), de modo que seus pares de terminais de saída não estejam momentaneamente em curto-circuito (o que iria conectar a junção de soma do integrador ao terra, agindo como um sinal de entrada diferencial igual à tensão de offset do AOP). Alguns fabricantes incluem tal especificação, outros não. Por exemplo, a mesma folha de dados da NXP especifica os tempos para ligar e desligar, cuja diferença representa um intervalo de 4 ns de abrir antes de fechar; mas não especifica esse intervalo diretamente, enquanto que a folha de dados do DG4053 da Siliconix enumera um "atraso de tempo de abrir antes de fechar," t_D, de 6 ns típico (2 ns mín).

Calibração A topologia de entrada de comutação de corrente simples é bem adequada para a calibração, e eliminação, dos efeitos de descasamento da relação de resistor, descasamento da referência de tensão, offsets do AOP, atrasos de comutação e similares. Por exemplo, quando S_3 estiver desligada (isto é, nenhum sinal de entrada) e S_1 e S_2 estiverem alternadas por algum número de ciclos sucessivos, o ponto de extremidade de ΔV é uma medida da descasamento das correntes de referência positiva e negativa. Da mesma forma, pelo encaminhamento V_{ref} para a entrada de sinal e a

---

[54] Seis centavos de dólar em quantidades de 100 peças, cerca de 50.000 em estoque no DigiKey esta manhã.

[55] Nos foi dito por fontes confiáveis que a Keysight usa o espetacular LTZ1000; consulte a Seção 9.10.1B.

[56] Para o DMM padrão de bancada 34401ª, por exemplo, a precisão CC calibrada inicialmente de fábrica está dentro de $\sim$2 ppm; ele é especificado para deriva não maior do que $\pm0,0015$% ao longo de 24 horas, mas $\pm0,0035$% depois de um ano.

realização de uma medição de tensão, você tem uma medida do descasamento das correntes de sinal e de referência. Os instrumentos Keysight executam um conjunto de tais calibrações antes de cada medição em suas configurações de maior resolução (onde ele faz a diferença). Claro, não há nenhuma maneira de ele poder determinar a deriva da sua referência de tensão primária; para isso você precisa de uma fonte externa de tensão conhecida. Este é o modelo de negócio de laboratórios de calibração.

Intervalo de medição. Utilizamos o exemplo de um tempo de medição $T_{\text{medição}}$ igual ao período de um ciclo da rede elétrica (PLC – *power-line cycle*), neste caso 6250 ciclos de 375 kHz, ou 1/60 de um segundo. Um tempo de medição que é um número inteiro de PLCs ("NPLCs") rejeita fortemente a interferência acoplada, e os tempos de medição mais longos melhoram a precisão final; consulte a Tabela 13.8. Mas, como mostra a tabela, você pode fazer medições mais rápidas, às custas de rejeição da rede elétrica e de precisão.[57] Também é possível fazer medições *contínuas*, em que a chave de sinal S3 está sempre ligada (nesse modo, a extremidade do ADC deve obter amostras temporizadas com precisão).

"Multi-multipla rampa." Voltando para o inovador DMM de 8,5 dígitos HP3458A, ele usa um truque um pouco divertido: tem quatro conjuntos de resistores de entrada e chaves que possibilitam reduzir a taxa de variação do integrador drasticamente (por um fator de ~600), conforme se aproxima da extremidade.[58] Estranhamente, ele não mede o resíduo da extremidade; ele gera uma rampa para 0 V em vez disso, perdendo um artifício muito poderoso.

Variedade. Existe uma grande quantidade de detalhes na implementação final dessa técnica de conversão, conforme descrito nos manuais de serviço e artigos do *HP Journal*, bem como nas patentes relevantes.[59] Por exemplo, só é necessário evitar a saturação do integrador; assim você pode usar mais do que um comparador, e ligar as chaves de corrente de referência (S_1 e S_2) somente quando necessário para manter o integrador na faixa. Isso minimiza o número de ciclos de comutação e os erros que o acompanham. Há também algumas peculiaridades curiosas do circuito; por exemplo, existem anéis de ferrite com perdas nas saídas analógicas do '4053, e há um capacitor da junção de soma do integrador ao terra. Vai saber...

TABELA 13.8 ADCs Multislope-III da Keysight[a]

duração da medição			dígitos[d]	leit dígito por segundo[c]	rejeição de 50/60 Hz[e] (dB)
(PLC[b])	(ms[c])	(clocks[c])			
0,024	0,4	150	4,5	1000	–
0,2	3	1500	5,5	300	–
1	16,7	6250	5,5	60	60
10	167	62,5k	6,5	6	95
100	1,67s	625k	6,5[f]	0,6	105
200[g]	3,33s	1,25M	7,5	0,3	110

Notas: (a) DMM 34401A, MicroVolt 34420A, DAQ 34970A. (b) ciclos da rede elétrica; 50/60Hz selecionável via menu de configuração. (c) quando definido para 60Hz; a taxa de clock é 375kHz. (d) informado. (e) rejeição de modo normal, para a frequência da rede elétrica selecionada. (f) 7,5 dígitos para o 34420A. (g), apenas 34420A.

Evolução da técnica. Em 2006, a Agilent apresentou versões "Multislope IV" mais rápidas,[60] o 34410A, o 34411A e o 34972A, todos com conexões de dados USB e Ethernet; eles custam mais e os clássicos 34401A e 34970A tiveram os preços reduzidos. Posteriormente, foram introduzidos os modelos 34460A e 34461A, com recursos adicionais, como processamento de sinal no display do painel e interfaces de sensores (o 34461A tem as mesmas velocidades de medição e capacidades do 34401A, listadas na Tabela 13.8). O 34420A permaneceu como o único medidor de 7,5 dígitos (20 ppm) na linha de produtos, e não foi atualizado.

C. De Múltipla Rampa para Delta-Sigma

O conversor múltipla rampa nos leva naturalmente para a técnica de conversão delta-sigma popular, com a qual tem muito em comum. No nível mais básico, ambas são métodos de integração em que um *offset* discreto é aplicado à entrada em intervalos periódicos, com base no nível de saída do integrador. Como veremos, no entanto, a técnica delta-sigma tem vários truques sutis na manga, permitindo oferecer um desempenho surpreendente.

---

[57] Melhorando a técnica básica de múltipla rampa, os recentes DMMs de bancada 34411A da Keysight fazem melhor: 1.000 leituras/s para uma resolução de 6,5 dígitos, e 50.000 leituras/s para uma resolução de 4,5 dígitos.

[58] Esse conjunto de rampas pode ser a origem do "multi" em múltipla rampa. Eles criaram o nome "Multislope III" para o esquema subsequente (e mais simples) descrito anteriormente.

[59] *HP Journal*, Abril de 1989; Patentes norte-americanas 4.357.600 e 4.559.521.

[60] Olhando para formas de onda do Multislope IV com um osciloscópio, você vê algo muito diferente. O A_{1b} foi substituído por um AOP AD829 mais rápido (120 MHz, 230 V/μs), com o capacitor de integração C_1 reduzido em 5x. Um mecanismo de hardware força o integrador de erro para produzir rampas de 10Vpp consistentes com um período de 2 μs, usando dados grosseiros de um conversor AD9283 de 80 MHz que digitaliza a rampa de 10 V em intervalos de 14 ns, e penaliza os dados de um conversor AD9200 de 10 bits com uma faixa limitada de 2 V, com clock em intervalos de 75 ns próximos a zero volt. As alterações na inclinação e o registro do contador são feitos em intervalos de 75 ns, e o AD9200 faz leituras inicial e final com resolução de 0,02%. Como resultado, um conversor Multislope IV pode medir 4,5 dígitos em 20 μs (0,001 PLC), ou 20x mais rápido do que o Multislope III.

13.9 ADCS IV: DELTA-SIGMA

Agora, finalmente, uma seção estendida sobre a que se tornou a técnica de conversão A/D (e às vezes D/A) favorita: o conversor "delta-sigma". Esses conversores são confusos, mas vale a pena algum esforço sério para entendê-los, porque eles oferecem um desempenho de alto nível em resolução e precisão (por exemplo, monotônico para 31 bits ou mais) desde "voltímetros" passando por velocidades de áudio e além. Sua arquitetura de "sobreamostragem" simplifica muito o filtro passa-baixas anti-*aliasing* de entrada e executa alguma magia no deslocamento do espectro de ruído para fora da banda passante. E eles fornecem esse desempenho num custo surpreendentemente baixo. Nas próximas seções, apresentamos a ideia básica; em seguida, vamos dar uma séria olhada em como esses conversores oferecem um desempenho muito melhor do que parece possível. Concluímos com alguns exemplos de aplicação.

13.9.1 Um Delta-Sigma Simples para o Nosso Monitor de Bronzeamento

Para começar, vamos revisitar a saga de nosso monitor de bronzeamento (veja a Seção 4.8.4; a ser revisitada ainda mais uma vez, e, finalmente, descansar em paz, na Seção 15.2), desta vez implementado com o mais simples integrador digital delta-sigma. A Figura 13.49 mostra a implementação, utilizando um integrador de distribuição de carga com clock que opera do mesmo modo que o integrador de múltipla rampa. De fato, é mais simples, uma vez que não se preocupa com a correção de extremidade de ciclo fracional: simplesmente acumula a dose de luz solar integrada, por meio da contagem do número de ciclos de clock, durante o qual ela é obrigada a injetar uma corrente de referência (aqui V_{CC}/R) para equilibrar a corrente I_{PD} do fotodiodo de saída. Não mostramos aqui o circuito para soar um alarme quando a contagem predefinida for alcançada: o leitor que chegou até aqui sabe bem como fazer isso!

Este é o mais simples integrador delta-sigma: ele acumula (sigma) a diferença (delta) entre a entrada analógica e a corrente medida que é combinada na junção de soma. Pode *tornar-se* um *conversor* analógico-digital completo (mais do que um mero *integrador*), se adicionar alguns circuitos para (a) limpar o contador para iniciar uma conversão, e (b) ler o valor do contador após um intervalo de tempo fixo, que é muito mais longo do que o período de clock. Na verdade, esse esquema funcionaria como um ADC. Mas, na prática você obtém um desempenho muito melhor, substituindo o contador por um filtro digital, e melhora as coisas ainda mais conectando em cascata vários estágios de amplificador de diferença mais integrador.

Vamos chegar a tudo isso em breve. Primeiro, porém, vamos dar um tempo para entender este exemplo mais simples.

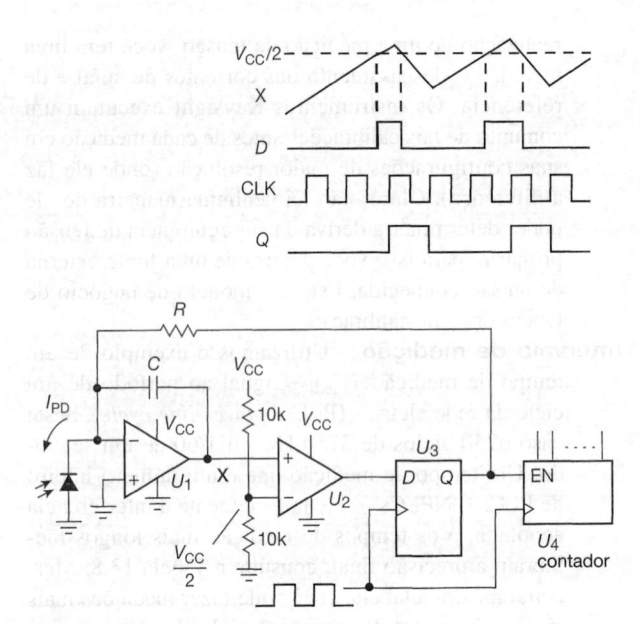

FIGURA 13.49 Monitor de bronzeamento de integração de fotocorrente delta-sigma discreto.

Neste circuito, U_1 é um AOP de fonte simples que opera com entradas para o trilho negativo (e um pouco além), e U_2 é um comparador com *pull-up* ativo. Para uma aplicação de baixa velocidade como esta você poderia usar um duplo AOP RRIO como o nosso LMC6482 favorito, operando com a mesma fonte de 3,3 V ou 5 V que a lógica digital. O integrador gera rampa crescente (com inclinação proporcional à corrente I_{PD} do fotodiodo) até a próxima borda de subida do clock em que sua saída é maior que $V_{CC}/2$, ponto no qual a rampa decresce com inclinação proporcional à corrente líquida na junção de soma, $V_{CC}/R - I_{PD}$. O resultado é que o ciclo de trabalho D (fração de tempo em que a saída Q de U_3 é nível ALTO), o cálculo da média ao longo de muitos ciclos, é $D = I_{PD}R/V_{CC}$, assim, $I_{PD} = DV_{CC}/R$. O ciclo de trabalho D é obtido a partir da contagem N em U_4 durante intervalo de tempo T por $D = N/f_{clk}T$; note que este resultado não depende da tensão de comparação $V_{CC}/2$ (ou da tensão no ponto X).

O projeto é assim:

(a) Escolha um período de clock que é muito mais curto do que o tempo esperado de bronzeamento, por exemplo, f_{clk} = 10 Hz; mais rápido é melhor, porém você precisará de um contador maior.

(b) Escolha R para fornecer mais corrente do que a entrada de fundo de escala antecipada; para I_{FS} = 1 μA e V_{CC} = 5 V, R deve ser inferior a 5 MΩ.

(c) Escolha C para manter a excursão máxima do integrador de forma segura inferior a $V_{CC}/2$ durante um ciclo de clock.

Aqui podemos escolher $f_{clk} = 10$ Hz, $R = 3,3$ MΩ e $C = 100$ nF. O integrador gera rampa de, no máximo, 1,5 V por período de clock (para I_{PD} mínimo), por isso não pode saturar. A taxa de contagem de pico é igual à frequência de clock (e a taxa de contagem média é um pouco menor, nesse caso $0,6f_{clk}$), de modo que um contador de 16 bits é conservadoramente adequado para definições de bronzeamento de até 2 horas equivalentes de pleno sol.

Alguns pontos importantes.

(a) A calibração global depende da tensão da fonte V_{CC}, que consideramos ser um $+5$ V estável; e nos aproveitamos da saturação limpa para os trilhos da lógica CMOS.

(b) Note que a forma de onda do integrador não é exatamente periódica; suas excursões acima e abaixo do limiar em $V_{CC}/2$ varia um pouco, a garantia de que ele apenas vai ser revertido no próximo clock na sequência de um cruzamento de limiar. No entanto, isto não significa degradar a sua precisão geral, a partir da média ao longo de muitos ciclos: a natureza da integração do sistema delta-sigma mantém corretamente o controle dos déficits e superávits; o integrador recebe crédito por sua "quilometragem extra."

(c) A faixa dinâmica do conversor é limitada pela tensão de *offset* do AOP, o que provoca um erro de corrente de entrada equivalente de V_{os}/R; para este projeto que é de cerca de 0,2 nA (pior caso) para o grau A, portanto, uma faixa dinâmica de 5 x 10^3. A corrente de polarização do AOP é insignificante em comparação (4 pA, máx, ao longo da temperatura).

(d) A faixa dinâmica seria muito prolongada se R fosse substituído por uma fonte de corrente comutada, considerando, evidentemente, que o sinal de entrada continua a ser sob a forma de uma corrente.

(e) Nesse circuito o comparador U_2 não precisa ser preciso; na verdade, ele pode ser omitido por completo, com o limite de lógica do flip-flop tomando seu lugar. Do mesmo modo, a operação não exige uma tensão de limiar de comparação rigorosa; escolhemos $V_{CC}/2$ por conveniência.

Vamos ver alguns exemplos adicionais de conversão delta-sigma na Seção 13.9.11. O leitor impaciente pode desconsiderar as seções seguintes, nas quais exploramos mais profundamente o funcionamento e o desempenho da técnica delta-sigma, muitas vezes confusa.

13.9.2 Desmistificando o Conversor Delta-Sigma

Como vimos, o integrador delta-sigma torna-se um conversor de cálculo de média da tensão de entrada analógica, se você obter a contagem acumulada ao longo de um tempo de medição $T_{medição}$ fixo. O tempo de medição deve ser muito maior do que o período de clock, é claro, para alcançar resolução decente, porque a contagem máxima é apenas $T_{medição}/T_{clk}$. Assim, por exemplo, se você fosse projetar um ADC para converter em 100 ksps, poderia usar um clock de 10 MHz, zerado no início de cada conversão, e lido 10 μs mais tarde. A contagem de fundo de escala seria de 100, o que você poderia descrever como uma conversão de 7 bits (quase). Para atingir 16 bits, você precisa operar o clock em $2^{16} \times 100$ kHz, ou 6,5536 GHz!

Isso não soa promissor. Parece apenas uma má ideia para projetar um conversor de "1 bit" – que é o que você tem na sequência de bits que aciona o contador em seu projeto. Então, é surpreendente saber que o impossível *pode* ser feito: há uma abundância de ADCs delta-sigma de 16 bits que convertem em taxas de áudio (por exemplo, 96 ksps) e, de fato, há alguns que atingem 20 bits ou mais de resolução nessa velocidade (veja a Seção 13.10.1 e as Tabelas 13.9 e 13.10). Como pode ser isso?! Continue a leitura...

Em algum momento na década de 1990, os materiais promocionais para aparelhos de CD de áudio começaram a tocar trombeta quanto ao uso de "conversores digital-analógico de 1 bit", como se houvesse algo de bom sobre a *redução* da resolução a partir do já alardeado 16 bits.[61] Isso parecia intrigante para muitos de nós; mas não podemos reclamar porque, bem, o som dos aparelhos soava muito bem.

13.9.3 ADC e DAC $\Delta\Sigma$

Como veremos, a conversão $\Delta\Sigma$ (também conhecida como $\Sigma\Delta$) pode ser tanto D/A quanto A/D. Na prática contemporânea, DACs $\Delta\Sigma$ são usados principalmente para aplicações de áudio, onde se destacam na linearidade, monotonicidade e baixo custo. Um DAC $\Delta\Sigma$ de áudio típico pode integrar seis conversores de 192 Ksps de 24 bits, com faixa dinâmica efetiva de 114 dB, por cerca de 10 dólares.[62] Em contraste, ADCs $\Delta\Sigma$ cobrem uma ampla faixa de aplicações, que vão desde conversores lentos de exatidão CC de precisão (24 bits), até conversores de taxa de áudio de alta resolução (por exemplo, 24-bit, 96 ksps), e até mesmo ADCs rápidos com mais precisão do que você pode imaginar (por exemplo, 16 bits, 20 Msps).

Na discussão que se segue, trataremos principalmente sobre ADCs $\Delta\Sigma$, tanto devido à sua importância como também devido à sua arquitetura explorar as características ideais de filtragem digital.

---

[61] Toques de trombeta ainda ecoam. Aqui está um exemplo contemporâneo: "Não há praticamente nenhum ruído ou degradação do som durante o processo de transmissão e amplificação do sinal quando sinais de 1 bit são digitais." Como se os sinais de n bits *não* fossem digitais?!

[62] Para aplicações de áudio, o desempenho dc é irrelevante e, em geral, nem mesmo é especificado. Uma exceção é o excelente DAC $\Delta\Sigma$ DAC1220 de 20 bits da Texas Instruments.

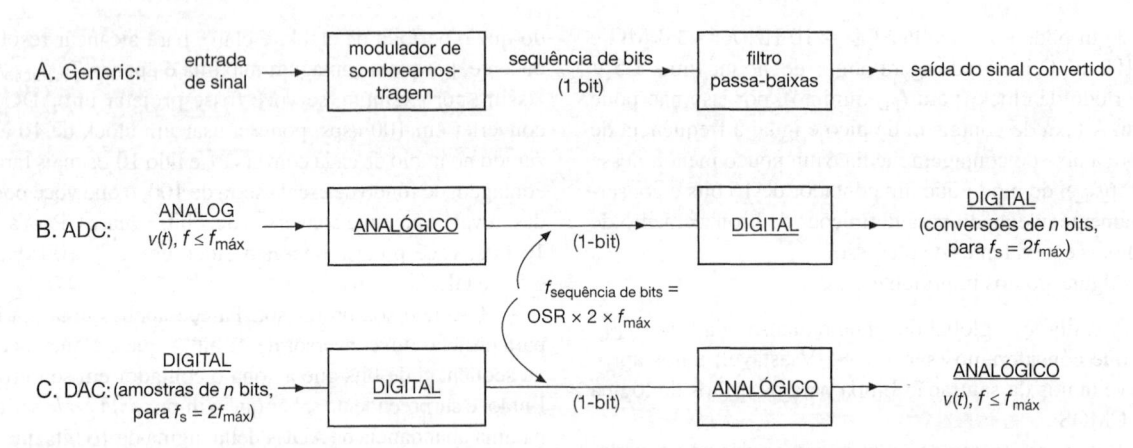

FIGURA 13.50 Um conversor sigma-delta, seja A/D ou D/A, consiste em duas partes: um modulador de sobreamostragem, que produz uma sequência de bits intermediária, seguida por um filtro passa-baixas, que recupera a saída convertida.

Ao longo do caminho, vamos tentar chegar ao fundo do que, para nós, parecia um *grande mistério*: *Como pode ser que conversões de 1 bit, em alguma taxa de "sobreamostragem" modesta (digamos 64 vezes a usual taxa de Nyquist de $2f_{máx}$), pode produzir amostras de saída digitalizadas de grande precisão (digamos 16 bits)?* Para reformular o mistério: ingenuamente se poderia esperar que as conversões de 1 bit em taxas de sobreamostragem de 64 vezes pudessem nos permitir recuperar uma saída digital final com resolução 6 bit (porque $2^6 = 64$), mas não mais do que isso.[63] Veremos, no entanto, que é possível (e obrigatório, para aplicações de áudio!) obter mais do que isso.[64]

13.9.4 O Processo ΔΣ

A Figura 13.50 mostra o processo de ΔΣ básico. Um sinal de entrada, limitado em largura de banda em alguma frequência máxima $f_{máx}$ (geralmente por um filtro *anti-aliasing*[65]), é convertido para uma sequência de bits[66] por um *modulador*. Este último recebe clock em algum múltiplo da taxa de amostragem de Nyquist mínima $2f_{máx}$, gerando uma sequência de bits de velocidade $f_{bit}=OSR \times 2f_{máx}$, onde OSR é denominado *taxa de sobreamostragem*. Essa sequência de bits é a etapa intermediária no conversor geral: para obter a saída convertida, a sequência de bits tem que ser filtrada por um passa-baixas.

Observe que tanto o modulador quanto o filtro passa-baixas podem ser cada um analógico ou digital, dependendo do tipo de conversor: um ADC delta-sigma é composto por um modulador analógico seguido por um filtro digital, enquanto que um DAC delta-sigma consiste em um modulador digital seguido por uma filtro analógico.[67] No que se segue, vamos lidar principalmente com a parte modulador do conversor global.

A. O modulador

Em ambos os casos, o filtro passa-baixas é "apenas um filtro", que simplesmente limita a largura de banda à sequência de bits de entrada.[68] A ação interessante (e a *magia*) acontece no modulador. A Figura 13.51 mostra um diagrama em blocos de um modulador de sobreamostragem de "primeira ordem," que aceita tensões de entrada analógica entre −1 V

---

[63] Isto é, de fato, o caso com PWM filtrado, como usado, por exemplo, para controle de motor ou dimerização de LED: aqui se pode dividir o período de Nyquist em 64 intervalos de tempo, definindo os primeiros como 1s e o restante com 0s. Delta-sigma é mais sutil, e melhor, com 0s e 1s espalhados através do período de Nyquist de modo a produzir uma saída filtrada de alta precisão.

[64] Maior desmancha-prazeres, para os impacientes: pensando no domínio do tempo, que é uma conspiração propensa entre um filtro passa-baixas de saída que vê um longo trecho de sequência de bits, e um modulador construindo uma sequência de bits muito inteligente cuja saída filtrada representa uma conversão precisa. Uma compreensão melhor (e quantitativa) vem no domínio da frequência, em que o modulador de sobreamostragem age para reduzir o ruído de quantização na banda, o "moldando" para frequências mais elevadas (*out-of-band*).

[65] O que, como veremos mais tarde, não precisa cortar acentuadamente, graças aos efeitos benéficos da sobreamostragem; veja a Figura 13.60.

[66] Aqui mostrado como uma largura de 1 bit, para simplificar, embora na prática possa ser de vários bits de largura (isto é, mais de 2 níveis).

[67] Uma terceira possibilidade interessante (analógico/analógico) é exemplificada pelo opto-isolador analógico HCPL-7800A da Avago: um modulador de entrada interno cria uma sequência de bits que é opticamente acoplada a um demodulador de saída analógica interno, para fornecer uma réplica analógica de precisão (não-linearidade de 0,004%, típica) de alta estabilidade (variação de ganho de 3 ppm/°C, típica), isolamento no nível de quilovolt e largura de banda de 100 kHz. Outro exemplo de delta-sigma de "A a A" é o Super Áudio CD (SACD), um formato de armazenamento de áudio como no CD em que a própria sequência de bits (criptografados) de 2,8 Mbps intermediários é gravada e distribuída para o usuário, com filtragem passa-baixas aplicada na reprodução.

[68] A sequência de bits pode ser considerada como digital (1s e 0s), a qual é, em seguida, filtrada por um filtro digital (se este for um ADC), ou como uma *forma de onda analógica* que comuta entre dois níveis de tensão fixos (se este for um DAC). Note também que a frase "apenas um filtro" não significa que o projeto do filtro é simples, ou trivial. Em particular, o projeto de filtro *digital* é uma arte sofisticada, com questões de funções de janela, nulos na resposta, e assim por diante. Veja a Seção 6.3.7.

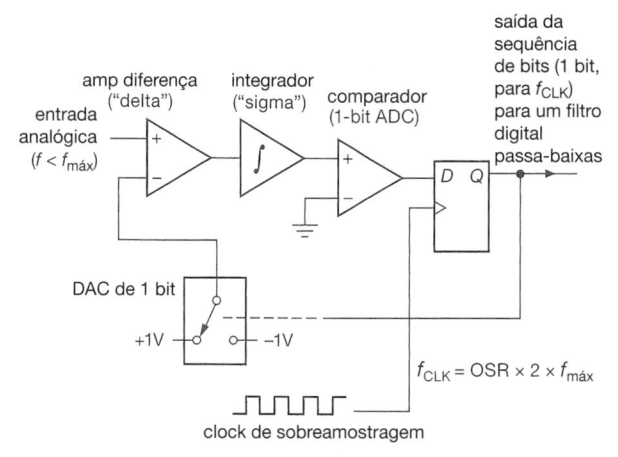

FIGURA 13.51 Um modulador analógico delta-sigma de primeira ordem.

e + 1 V, limitado em banda para uma frequência máxima de $f_{máx}$, e produz uma sequência de bits de saída de 1 bit com uma taxa de tempo OSR maior do que a crítica taxa de amostragem de Nyquist $2f_{máx}$.

Em cada ciclo de clock, o valor atual da sequência de bits, convertido para uma tensão analógica (neste caso ±1 V), é subtraído da entrada analógica, o sinal de diferença a ser integrado (em um AOP integrador analógico padrão, aqui considerado como sendo não inversor) e apresentado a um comparador com *latch*. O ganho do integrador é tal que uma entrada analógica de fundo de escala para o integrador (ou seja, +1 V) produz uma variação de fundo de escala (+1 V) na saída do integrador após um período de clock. Ou seja, você pode pensar no integrador como um "acumulador analógico": para uma tensão de entrada V (fixa), sua tensão de saída aumenta de V durante um período de clock.

O resultado é uma sequência rápida de 1s e 0s (em, digamos, 64 vezes a taxa de amostragem usual de $2f_{máx}$), respondendo às variações relativamente lentas (64 vezes mais lentas, por exemplo) do sinal de entrada. Pensando nesses bits como ±1 V, o modulador produz uma sequência cujo *valor médio* corresponde ao sinal de entrada. Podemos entender isso pensando no circuito modulador como uma malha de realimentação negativa que se esforça para minimizar o erro de média (ou seja, integrado) entre o sinal de entrada e a sequência de saída (que foi convertida novamente em analógico por um "DAC de 1 bit"). Olhando mais de perto, no entanto, podemos ver que ele está fazendo um *trabalho terrível*: amostra por amostra, sua sequência de bits de saída simplesmente salta entre os extremos. Como Bob Adams escreveu[69] de forma significativa, "conversores de sobreamostragem alcançam uma maior resolução não diminuindo o erro entre a entrada analógica e a saída digital, mas fazendo o erro ocorrer com mais frequência".

B. A Faixa Dinâmica do ADC (Resolução)

O filtro digital passa-baixas de saída (tipicamente um filtro digital FIR – veja a Figura 13.52 – neste caso, um registrador de deslocamento de 1 bit com a marcha de valores de bits 1 e 0, liga ou desliga um conjunto de coeficientes digitais[70] fixos que são adicionados digitalmente para criar as amostras de saída multibit) cria os números digitais de *n* bits que são a saída do conversor. Como eles emergem a partir do filtro a uma taxa de sobreamostragem completa, eles são submetidos a uma operação de "decimação", mais simplesmente, descartando saídas supérfluas e produzindo apenas uma saída convertida para cada ciclo de clock OSR.[71]

Ingenuamente, então, obtemos uma maior resolução por termos uma abundância de amostras de 1 bit para calcular a média, para cada semiciclo da maior frequência na forma de onda de entrada. Uma vez que o valor médio da sequência de bits segue o sinal de entrada, entendemos a afirmação de Bob Adams, e tudo está bem.

Será? Considere um exemplo: suponha que estamos digitalizando áudio, com um $f_{máx}$ de 20 kHz. Um ADC convencional (digamos, um conversor de aproximação sucessiva) pode amostrar em 48 ksps, confortavelmente acima dos 40 kHz mínimo crítico. Imagine que em vez disso conectamos um ADC ΔΣ, com uma taxa de sobreamostragem típica de 64; ou seja, operamos o modulador em 3,072 Msps (64 x 48 kHz), criando a sequência de bits (1 bit) a essa taxa. Agora filtramos essa sequência de bits, por exemplo, tomando uma média contínua,[72] digitalmente, que capta 64 bits sucessivos de cada vez. O que a saída se parece? Bem, quando você toma o valor médio de 64 bits, há apenas 64 valores possíveis. Então, inventamos um insignificante ADC de 6 bits.

Seguindo essa lógica, tínhamos a necessidade de sobreamostrar por 2^{16} (ou seja, 64 K) para conseguir a conversão de 16 bits. Isso exigiria uma taxa de amostragem de cerca de 3 *giga*hertz! A conversão Delta-sigma não parece boa.

C. Então, o Que Está Acontecendo? (Intuição no Domínio do Tempo)

A resposta a esse paradoxo pode ser expressa de maneiras diferentes. Na literatura, a abordagem mais comum é dizer

---

[69] "*Design and implementation of an audio 18-bit analog-to-digital converter using oversampling techniques*" (Projeto e implementação de um conversor analógico-digital de 18 bits de áudio utilizando técnicas de sobreamostragem), J.Audio Eng. Soc. **34**,153-166 (1986).

[70] Para uma primeira aproximação, os coeficientes de séries temporais são uma função sinc (sinalizada), a transformada de Fourier de uma função passa-baixas ideal do tipo "parede de tijolos". Veja a Seção 6.3.7, em filtros digitais.

[71] Em implementações práticas, a filtragem e decimação são combinadas usando um "filtro de decimação multitaxa."

[72] Em vez da média ponderada da função sinc mais complicada, que é necessária para a implementação de um passa-baixas ideal do tipo "parede de tijolos"; veja a Seção 6.3.7.

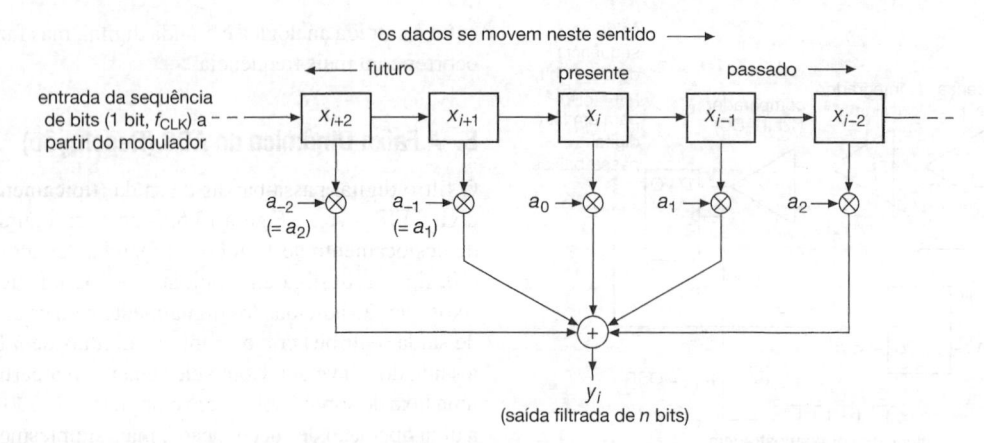

FIGURA 13.52 Um filtro digital usa memória digital e elementos aritméticos para gerar uma sequência de saída digital que representa uma versão filtrada de uma sequência de entrada digital (veja a Seção 6.3.7). Aqui um registrador de deslocamento, multiplicadores digitais e um somador formam um filtro não recursivo simétrico (resposta finita ao impulso, FIR), apropriado como o filtro de saída passa-baixas em um ADC delta-sigma de 1 bit.

que o funcionamento do digitalizador de 1 bit consiste de uma conversão perfeita, mas com adição de "ruído" de banda larga (que consiste na diferença entre a forma de onda analógica real e as amostras quantizadas de 1 bit). Esse "ruído de quantização injetado" tem um amplo espectro (por causa da frequência de clock de sobreamostragem), se estendendo até a frequência de clock e além. De maior importância, o "ruído de quantização de saída" resultante (o que permanece na saída) é menor em baixas frequências, sendo "moldado" pelo processo de modulação de modo que a maior parte do ruído de quantização de saída está bem acima de $f_{máx}$. Devido à denominada "modelação do ruído," o filtro passa-baixas final age seletivamente para eliminar a maior parte do ruído de quantização da sequência de bits, preservando ao mesmo tempo o sinal convertido. Eis então resolução e faixa dinâmica muito melhores do que nossa estimativa ingênua anterior.

Isso tudo está correto, mas, para nós, insatisfatório (ainda assim, vamos dar uma breve olhada nessa abordagem na Seção 13.9.5). Queríamos entender o segredo da faixa dinâmica do ADC *no domínio do tempo*, sem recorrer ao domínio da frequência. Temos tentado resistir, lendo apresentações com títulos como "Desmistificando ADCs Sigma-Delta" e "ADCs Delta-Sigma em poucas palavras." Não ajuda muito – todos eles chegar ao ponto crítico, e então dão um pontapé ("... conversores sigma-delta superam essa limitação com a técnica de modelação do ruído..." e "... você pode ver como o modulador modela o ruído para frequências mais elevadas, facilitando a produção de um resultado de resolução maior," trechos desses dois artigos, respectivamente).

Veja como pensar isso no domínio do tempo:[73] Primeiro, o filtro passa-baixas simplesmente não toma uma média contínua da sequência de bits. Em vez disso, pondera as amostras individuais de 1 bit com coeficientes cuidadosamente adequados para produzir uma característica melhor de filtro passa-baixas (veja a Seção 6.3.7D). Devido aos bits individuais serem ponderados de forma diferente, há muito mais de 64 resultados possíveis (tomando o exemplo acima). Além disso, um filtro digital FIR típico irá ponderar e somar muito mais bits, dispersos no tempo (amostras) muito mais do que a taxa de sobreamostragem (ou seja, estendendo-se para além do que poderíamos chamar de um único "intervalo de Nyquist", pelo qual nos referimos ao intervalo de tempo igual a meio período de $f_{máx}$). Para um ADC de sobreamostragem de 64x, o filtro passa-baixas digital pode usar da ordem de mil "derivações" (amostras ao longo da sequência de bits) cada uma com seu coeficiente de multiplicação, e abrangendo talvez dez a vinte intervalos de Nyquist, para gerar cada número final de saída (decimado). Por isso, é pelo menos *plausível* que você poderia obter uma resolução muito maior do que a possível com média simples.

Continuando nesse sentido, é importante notar que cada bit na sequência contribui para vários números de saída de *n* bits finais (após decimação). Então, em um sentido conspiratório, é plausível que um modulador inteligentemente inventado pode gerar uma sequência de bits que, após a filtragem passa-baixas, poderia produzir uma saída digitalizada de *n* bits com uma faixa dinâmica consideravelmente melhorada. Pensando desta forma, não seria errado concluir que "a magia está no modulador." A questão se torna, então:

---

[73] Somos gratos a Bob Adams da Analog Devices por discussões úteis e pelo extermínio de "teias de aranha mentais". Ele não é responsável, no entanto, por quaisquer erros flagrantes (ou não) aqui cometidos.

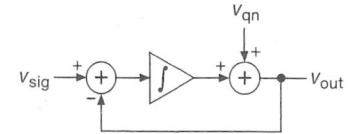

FIGURA 13.53 A modelação do ruído em um ADC delta-sigma de primeira ordem: um modelo totalmente analógico, com quantizador substituído por uma fonte de ruído aditivo de quantização.

"Como é que um dispositivo tão simples (Figura 13.51) se comporta de forma tão inteligente?"

13.9.5 Um aparte: "Modelamento do Ruído"

Como observamos, a descrição usual de conversores delta-sigma fala sobre o *modelamento do ruído* no domínio da frequência: o "ruído de quantização" de espectro plano introduzido no quantizador (o comparador da Figura 13.51) é "empurrado" para altas frequências, principalmente acima da taxa de amostragem de saída. E menos ruído na banda equivale a uma precisão maior – fim da argumentação.

Para muitos engenheiros esta é uma explicação satisfatória. Mas mesmo se você não estiver particularmente convencido por este argumento, vale a pena entendê-lo. Para entender melhor como isso funciona, veja a Figura 13.53, em que o modulador é construído com um integrador *analógico* e converte a entrada analógica (contínua) para uma saída analógica de 2 estados (±1 V). Nesse modelo analógico equivalente, substituímos o quantizador de 1 bit (comparador) por uma tensão de ruído de quantização aditiva v_{qn}, cujo espectro plano se estende para a frequência de clock de sobreamostragem (e além).[74] Você pode pensar do integrador como estando no caminho direto da malha para o sinal de entrada (assim, passa-baixas), mas no caminho da realimentação para a entrada de ruído (assim passa-altas).[75] A partir desta malha analógica simples, podemos facilmente calcular as respostas de frequência para o sinal de entrada e para o sinal de ruído de quantização. Há apenas um parâmetro de ganho, ou seja, o do integrador, cujo ganho escrevemos como $\mathbf{G} = \omega_0/j\omega$; isto é, o ganho do integrador (proporcional à $1/\omega$) é tal que o seu módulo é unitário em ω_0. A partir de nossa discussão anterior, $\omega_0 \approx 1/2\pi f_{\text{sobreclock}}$, a frequência de clock de entrada de sobreamostragem do conversor.

Vamos calcular os ganhos, para os quais temos que fazer adequadamente as operações de números complexos

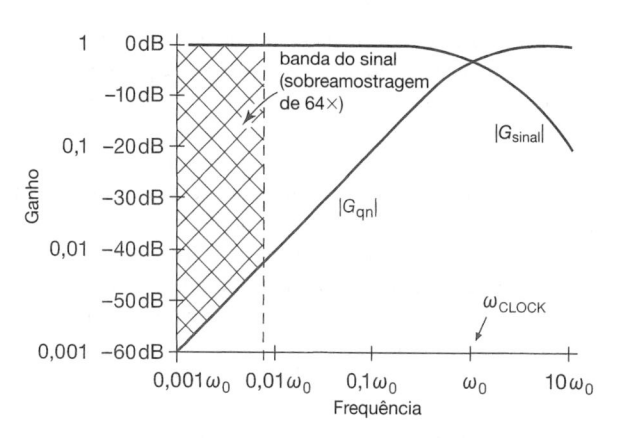

FIGURA 13.54 Ganho de sinal e ganho de ruído de quantização em função da frequência para um ADC delta-sigma de primeira ordem. A frequência de clock $\omega_{\text{clk}} = \omega_0 = 2 \cdot \text{OSR} \cdot \omega_{\text{max}}$ aqui é igual a 128 vezes ω_{max}.

completas. Para obter o ganho de sinal de entrada G_{sinal}, fazemos $v_{qn} = 0$; assim,

$$v_{\text{out}} = \frac{\omega_0}{j\omega}(v_{\text{sinal}} - v_{\text{out}}),$$

assim, $\quad \dfrac{v_{\text{out}}}{v_{\text{sinal}}} = \dfrac{\omega_0/j\omega}{1 + \omega_0/j\omega},$

e $\quad |\mathbf{G}_{\text{sinal}}| \equiv \left|\dfrac{v_{\text{out}}}{v_{\text{sinal}}}\right| = \dfrac{1}{\sqrt{1 + (\omega/\omega_0)^2}}.$

Isso é um filtro passa-baixas, com corte em $\omega = 2\pi f = \omega_0$ (Figura 13.54).[76]

Da mesma forma, para o aumento de ruído de quantização $\mathbf{G}_{qn}$, definimos $v_{\text{sig}} = 0$; então,

$$v_{\text{out}} = v_{qn} - \frac{\omega_0}{j\omega}v_{\text{out}},$$

assim, $\quad \dfrac{v_{\text{out}}}{v_{qn}} = \dfrac{1}{1 + \omega_0/j\omega}$

e $\quad |\mathbf{G}_{qn}| \equiv \left|\dfrac{v_{\text{out}}}{v_{qn}}\right| = \dfrac{\omega/\omega_0}{\sqrt{1 + (\omega/\omega_0)^2}}.$

E isso é um filtro passa-altas, com o mesmo corte.[77]

---

[74] Você pensa geralmente em "ruído" aditivo como sendo pequeno em comparação com o sinal que ele é culpado de degradar. Aqui, o ruído de quantização (a diferença entre o sinal analógico e a tensão de saída de nível 2 v_{out}) é realmente maior do que o próprio sinal.

[75] Explicado muito bem por Ewe Beis, em seu site http:/ www.beis.de/Elektronik/Electronics.html.

[76] Um pouco de intuição pode ser útil aqui: em *baixas* frequências (muito abaixo de ω_0) o integrador tem muito ganho, de modo que a malha é fechada com abundância de ganho de malha, criando uma saída de ganho unitário (apesar do integrador dentro). Na verdade, a combinação de somador de entrada e integrador não é diferente de um AOP padrão com seu decaimento $1/f$ (compensação). Mas em altas frequências não há nenhum ganho em malha, assim, você obtém o decaimento do integrador de $\sim 1/f$.

[77] Intuição novamente: desta vez o "sinal" (ou seja, o ruído de quantização v_{qn}) age como uma perturbação de saída aditiva ao amplificador de ganho unitário de malha fechada. Assim, ela é *removida* pelo ganho de malha, o qual é elevado em baixas frequências (o seu módulo é ω_0/ω), mas ineficaz acima de ω_0.

Então, nesse ADC delta-sigma de menor ordem, o ruído de quantização é atenuado em baixas frequências e seu espectro inclina para cima linearmente até a frequência de clock de sobreamostragem. Mas este é um ADC de *sobre*clock, de modo que a faixa de frequências do sinal de entrada de interesse situa-se na extremidade baixa desse espectro (pela relação de sobreamostragem). Em outras palavras, o ruído de quantização está principalmente fora da banda do sinal. E, para moduladores de ordem mais elevada, o efeito é mais pronunciado: a curva de ruído é quadrática para um modulador de segunda ordem, cúbica para um de terceira ordem, e assim por diante. Daí a conclusão que você normalmente vê: um conversor delta-sigma alcança sua precisão "modelando o ruído para as frequências mais altas."[78] Talvez você não fique particularmente impressionado com este pouco de aritmética. Mas pelo menos você viu como é feito, simples e explicitamente.

13.9.6 O Ponto Principal

A partir dos argumentos de plausibilidade no domínio do tempo e de cálculo explícito no domínio da frequência, parece que o circuito modulador detém a chave para o desempenho do ADC sigma-delta; isto é, a sua capacidade para quantizar um sinal de entrada analógico com uma resolução consideravelmente maior do que a relação de sobreamostragem. Além disso, essa figura de mérito ($N_{ef}/\log_2 OSR$, onde N_{ef} é o número efetivo de bits na saída digital quantizada) cresce com a complexidade do modulador: ADCs contemporâneos empregam moduladores "de ordem superior", o que significa que o amplificador de diferença simples e integrador são substituídos por vários estágios em cascata de amplificador de diferença mais integrador, cada um acionado a partir da sequência de bits comum (veja a Figura 13.55).[79] Moduladores de ordem superior são amplamente utilizados, porque eles estendem a faixa dinâmica sem ter de aumentar a taxa de sobreamostragem (veja a seguir); Eles também suprimem em grande parte os *tons inativos* (veja as Seções 13.9.9 e 13.9.10) que afligem os moduladores de primeira ordem.

Embora nossas reflexões no domínio do tempo possam ser úteis (mesmo que apenas para tornar plausíveis as excelentes faixas dinâmicas que são declaradas), qualquer análise profunda deve usar a abordagem no domínio da frequência. Esta última mostra que um modulador de ordem superior (construído com m integradores) modifica o ruído modelando-o, de modo que o ruído de quantização dentro da banda (ou seja, CC a $f_{máx}$) seja suprimido conforme $OSR^{m+0,5}$, onde m é a ordem do modulador ($m = 1$ para a Figura 13.51). Dito de outra forma, cada duplicação da relação de sobreamostragem suprime o ruído de quantização, de modo a aumentar a faixa dinâmica em $m + ½$ bits; ou, para indicá-lo em termos de ordem do modulador, o número efetivo de bits (ENOB) é o log2 da relação de sobreamostragem (por exemplo, 6 para OSR = 64) multiplicado por $m + ½$ (assim, por exemplo, ENOB ≈ 15 para um modulador de segunda ordem com relação de sobreamostragem de 64). O gráfico da Figura 13.56 mostra a faixa dinâmica máxima teórica de um ADC delta-sigma como uma função da relação de sobreamostragem e da ordem do modulador.[80]

Outra técnica para alargar a faixa dinâmica, a velocidade ou ambas, é o projeto de um modulador, que gera um "fluxo de palavra" modulado que é mais do que um bit de largura. Na figura 13.51, por exemplo, o ADC de 1 bit, o DAC de 1 bit e o registrador de 1 bit seriam substituídos por componentes análogos de 2 bits (nível 4). Há vários truques inteligentes para resolver imperfeições nos conversores multibit dentro do modulador (por exemplo, ciclicamente trocando posições de bits para ratear as não linearidades causadas por *offsets*); eles estão bem além do escopo deste livro.

13.9.7 Uma Simulação

Queríamos ver por nós mesmos como exatamente os sinais se movem através de um ADC delta-sigma – particularmente uma sequência de bits produzida por algum sinal de entrada analógico de aparência aleatória e, claro, os números de saída resultante (plotados como pontos discretos ao lado da forma de onda de entrada analógica). Também queríamos ver a aparência no domínio da frequência, onde o modelamento do ruído deve estar evidente.

A simulação foi codificada[81] no software Mathematica®, com as seguintes instruções:

(a) uma forma de onda de pseudoaleatória espectralmente plana com distribuição Gaussiana da amplitude foi gerada, avaliada em 8192 etapas sucessivas no tempo;
(b) essa forma de onda foi filtrada com um passa-baixas aproximadamente ideal, com ponto de corte em 1/8 da frequência máxima; foi então normalizada de modo que a sua amplitude foi delimitada por ±1, gerando a "o sinal de entrada analógico"; a frequência máxima presente neste sinal foi definida como a frequência de Nyquist, f_{nyq};

---

[78] Às vezes dito como "empurrando o ruído para cima em frequências mais altas." Em nosso modelo *linear* aqui, nada é *empurrado*; só fica atenuado no final de baixa frequência e passa não atenuado na parte alta. Contudo, um modelo de ruído de quantização inteiramente preciso deve levar em conta o fato de que a sequência de bits de 2 estados tem amplitude unitária (sempre ±1), com a consequência de a redução da potência do ruído de quantização na extremidade de baixa-frequência fazer com que ela suba na extremidade alta.

[79] Uma simples conexão em cascata de integradores pode ser usada até segunda ordem, mas não além (porque seu deslocamento de fase acumulado produz instabilidade); uma soma ponderada das saídas de integradores em cascata é usada em seu lugar, em um modulador de ordem superior. ADCs ΔΣ de áudio contemporâneos normalmente usam moduladores de quinta ordem e sobreamostragem de 64x para alcançar uma faixa dinâmica eficaz de 20-bit.

[80] Note, no entanto, que os moduladores práticos de ordem superior a 2 utilizam uma estrutura modificada (soma ponderada das saídas do integrador), para a qual a fórmula não é estritamente correta.

[81] Feito pelo sempre talentoso Jason Gallicchio, a quem estamos em débito.

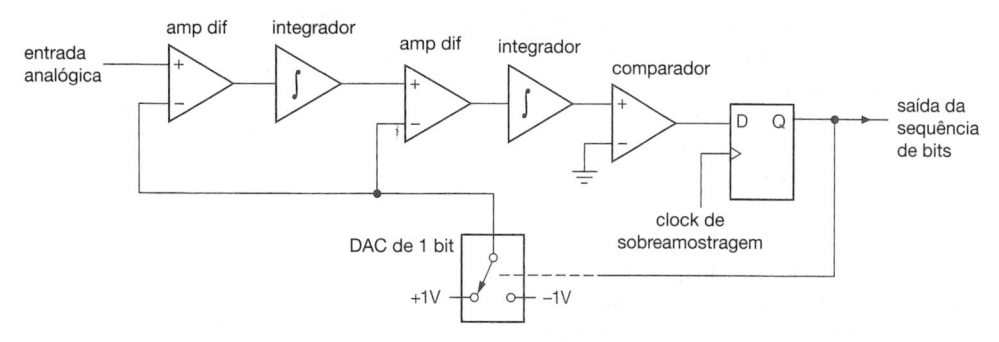

FIGURA 13.55 Um modulador analógico delta-sigma de segunda ordem. Filtros passa-baixas podem substituir um ou mais integradores.

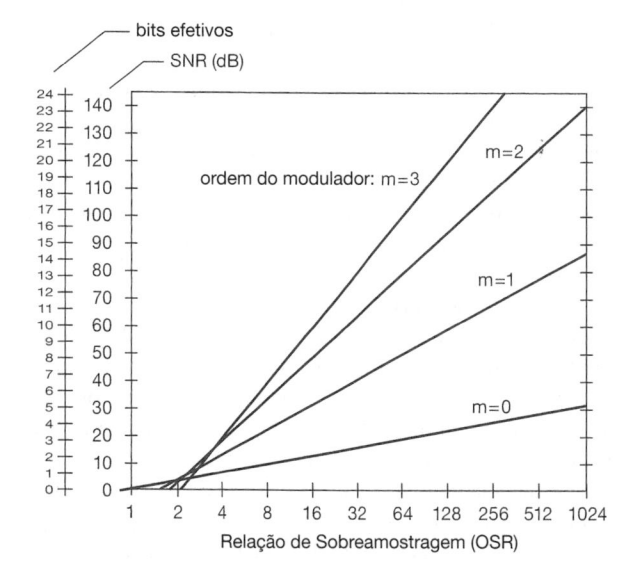

FIGURA 13.56 Faixa dinâmica (SNR) e número efetivo de bits (ENOB), em função da relação de sobreamostragem (OSR) e da ordem do modulador (*m*), para um ADC de sobreamostragem de 1 bit. (Para um modulador de 2 bits as inclinações são dobradas.)

(c) este sinal é utilizado para gerar uma sequência de bits com valores de ±1, simulando numericamente um modulador sigma-delta de sobreamostragem de primeira ordem (na qual o integrador é implementado como um acumulador digital discreto); a relação de sobreamostragem é de 8x e, portanto, a frequência de clock $f_{clk} = 16 f_{nyq}$ (lembrar que a amostragem crítica "1x" requer $f_{clk} = 2 f_{nyq}$); finalmente,

(d) a sequência de bits, considerada como uma forma de onda analógica em si, foi filtrada por um passa-baixas com a mesma função de filtro como no passo (b), para produzir as amostras de saída; estes surgem em uma taxa de sobreamostragem completa de 8x e, normalmente, seria decimada (por exemplo, através da preservação somente de cada oitavo ponto) para produzir uma saída digitalizada do ADC à taxa "1x"

(duas vezes a frequência mais alta presente na forma de onda de entrada).

A Figura 13.57 traça uma porção típica da simulação (longa), mostrando o que está acontecendo no domínio do tempo. As marcas de escala no eixo do tempo correspondem à amostragem de 1x (Nyquist crítico), com pontos individuais traçados na taxa de amostragem de 8x. O sinal de entrada é a linha contínua, estreitamente aproximada pelos pontos discretos que são os números de saída digitalizados (plotados em sua taxa total de 8x). Você pode ver a forma de onda da sequência de bits, na mesma escala de amplitude, como pontos em ±1. Finalmente, o erro (isto é, a saída digitalizada menos a entrada analógica, em cada ponto de sobreamostragem) é a forma de onda pontilhada de pequena amplitude. A partir desses gráficos você pode fazer uma estimativa visual da precisão do conversor; para nós, elas parece exibir algo como erro de amplitude de pico a pico de ±6%, o que se traduz para um SNR de amplitude de 16:1 (24 dB), em boa concordância com o gráfico da Figura 13.56.

A partir dessa mesma simulação, também representamos graficamente os espectros de frequência do sinal de entrada, a "forma de onda" de saída digitalizada e a diferença (um

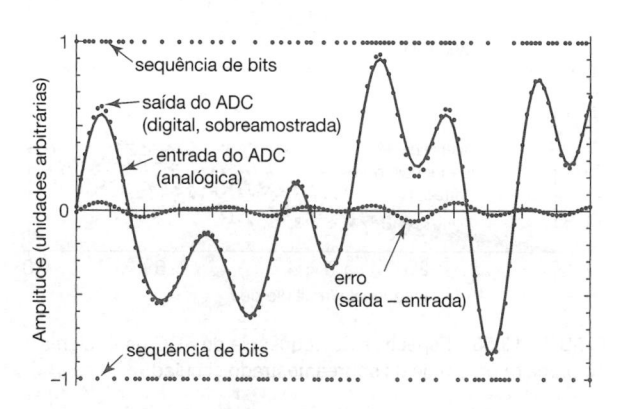

FIGURA 13.57 Simulação numérica de um DAC delta-sigma de primeira ordem de sobreamostragem de 8x.

"sinal de erro"); veja a Figura 13.58. Os espectros[82] se estendem a metade da frequência de clock de sobreamostragem, o que corresponde a 8 vezes a maior frequência de entrada. O gráfico de cima mostra o espectro de entrada plano, cortando drasticamente (quase ideal) na frequência unitária. O gráfico do meio mostra o espectro da própria sequência de bits em estado natural, considerado como uma "forma de onda", onde seria de se esperar uma réplica aproximada da entrada, além do "ruído" adicional que se estende até a frequência de clock de sobreamostragem. Na verdade, vemos justamente isso – quase o mesmo espectro de entrada até a frequência unitária, com um ruído de quantização adicional que aumenta aproximadamente proporcional à frequência. Ao tomar a diferença destes dois espectros, é possível extrair aproximadamente o espectro do ruído adicionado introduzido pela quantização (gráfico inferior), mostrando um crescimento aproximadamente linear de zero até pelo menos a metade da frequência de clock de sobreamostragem. O ruído de quantização acima da frequência unitária é, obviamente, removido pelo filtro passa-baixas digital que aceita a sequência de bits como entrada e que completa o circuito do conversor (Figura 13.50).

A forma linear do espectro de ruído de quantização, para esse modulador de primeira ordem, seria substituída por uma forma quadrática para um modulador de segunda ordem, e assim por diante para ordens mais elevadas. Esse modelamento do ruído de ordem superior corresponde a uma precisão melhorada (ou SNR, ou o número efetivo de bits), como é mostrado graficamente na Figura 13.56.

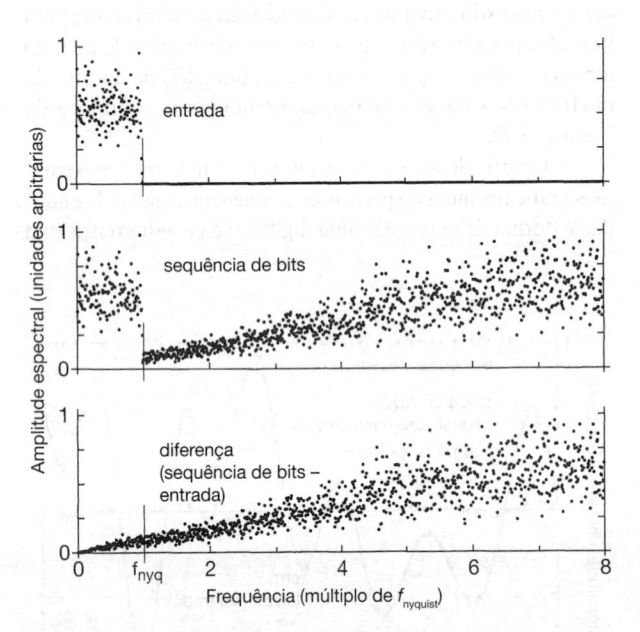

FIGURA 13.58 Espectros de frequência do ADC delta-sigma de primeira ordem de 8x sobreamostrado simulado.

13.9.8 E os DACs?

Como indicamos no início, o mesmo esquema de filtragem passa-baixas da sequência de bits produzida por um modulador a montante é utilizado para fazer conversores *digital-analógico* $\Delta\Sigma$. Observe a Figura 13.59. Ao desempenhar esse papel, o modulador aceita amostras de entrada digital de n bits que representam o sinal de entrada. Em comparação com o modulador usado para o ADC (Figura 13.51), o amplificador de diferença é substituído por um subtrator digital e o integrador é substituído por um acumulador digital com clock. (A cada clock o acumulador substitui seu atual valor armazenado pela soma desse valor com o valor de entrada). O comparador analógico é substituído por um comparador digital, mais simplesmente encaminhando apenas o bit de sinal (ou o MSB, para offset binário não sinalizado) para criar a sequência de bits de 1 bit, dependendo de o valor do acumulador estar acima ou abaixo do ponto médio. E, finalmente, o DAC de 1 bit é substituído por um "ADC de n bits" que gera apenas uma ou outra das quantidades de n bits de fundo de escala, em resposta à sequência de bits de saída de 1 bit. Para um binário não sinalizado (*offset*) de 16 bits, por exemplo, estes valores seriam 0000h e FFFFh (todos os bits em nível BAIXO e todos os bits em nível ALTO).[83]

Tal como acontece com o modulador analógico utilizado em ADCs $\Delta\Sigma$, o modulador digital para um DAC pode ser de ordem superior, com alguns estágios de subtrator e acumulador (ou filtro passa-baixas digital); da mesma forma, o modulador digital não está limitado a um sequência de bits de saída de 1 bit. Pode-se gerar (e muitas vezes acontece) uma sequência de bits de vários bits, caso em que os vários bits mais significativos formam a sequência de palavras de saída e a realimentação digital. Tomando o exemplo de um modulador de 2 bits (4 níveis), a sequência de bits de saída de 2 bits seria tanto (a) convertida para uma tensão analógica de 4 níveis com uma escada de resistores, em seguida, filtrada por um passa-baixas analógico para formar o sinal de saída (analógico), quanto (b) mapeada simultaneamente para um dos quatro códigos de n bits abrangendo a faixa completa de entrada (por exemplo, 0000h, 5555h, AAAAh, e FFFFh), em seguida, utilizados como entrada para o subtrator digital de n bits na entrada.

O estágio de saída de um DAC $\Delta\Sigma$ é, como com o ADC, um filtro passa-baixas. Aqui, no entanto, é um filtro *analógico*, que nega os benefícios da filtragem digital sofisticada. O resultado é algum compromisso em características do filtro, incluindo clock *feedthrough* de passagem direta, e (com um filtro analógico "contínuo no tempo") sensibilidade ao jitter de temporização de clock.[84]

---

[82] As amplitudes espectrais foram finalmente reunidas em grupos de quatro, para gerar uma figura mais dispersa e, portanto, mais facilmente plotada.

[83] Para quantidades de 16 bits em complemento de 2, os valores correspondentes são 8000h e 7FFFh (correspondente a 32768 e 32767, os valores mínimo e máximo).

[84] O filtro passa-baixas pode, alternativamente, ser implementado como um filtro de capacitor comutado (ou "discreto no tempo"), o que, partilhando o mesmo sinal de clock, efetivamente suprime o *jitter* do clock.

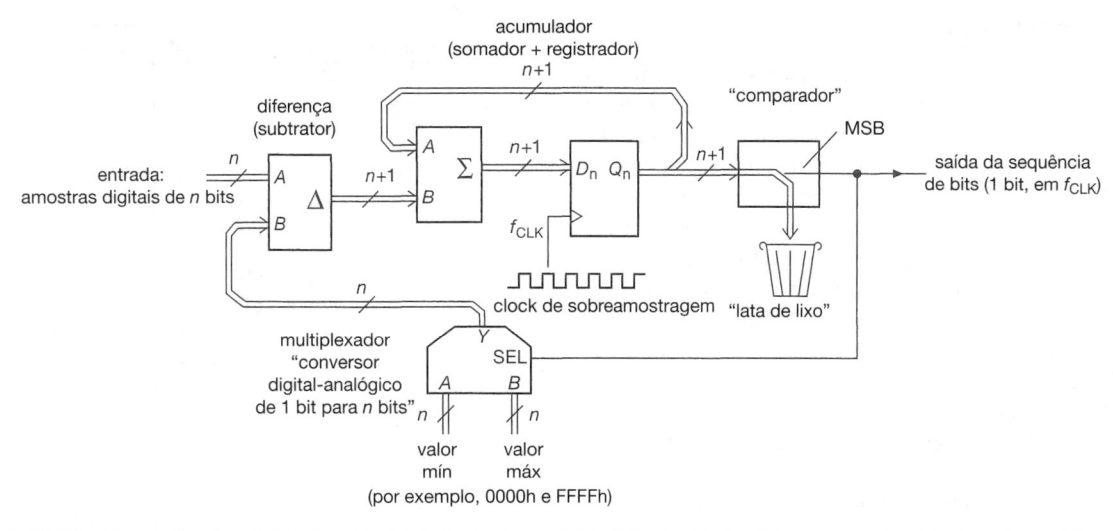

FIGURA 13.59 Um modulador digital de primeira ordem em um DAC delta-sigma. A saída do somador é deslocada um bit para evitar o aumento da palavra.

13.9.9 Prós e Contras de Conversores de Sobreamostragem ΔΣ

A. Vantagens

Linear, monotônico, preciso. Conversores delta-sigma de 1 bit são seguramente monotônicos; são inerentemente lineares, e podem alcançar resolução de 24 bits em taxas de áudio e abaixo.

Barato. ADCs delta-sigma usam filtros passa-baixa *digitais* de baixo custo (e precisos) e (por causa de sobreamostragem) requerem apenas um filtro *anti-aliasing* analógico de baixa ordem na entrada (veja a Figura 13.60).

B. Desvantagens

Largura de banda limitada. Até ~10 a 00 Msps no máximo (limitado pelo clock de sobreamostragem em escala de gigahertz).

Atraso de tempo. O filtro digital pós-conversão construído dentro do ADC alcança cortes quase ideais usando muitas derivações, resultando em atraso significativo (ou "latência", tipicamente dezenas de tempos da amostra de saída, deste modo, ~milisegundo para ADCs de áudio).[85]

Ruído do DAC. DACs delta-sigma usam um filtro passa-baixas de pós-conversão analógico, que permite algum *feedthrough* de comutação digital (em contraste, um DAC *R-2R* é completamente "silencioso").

Tons inativos. Um ADC com modulador de primeira ordem pode produzir "tons inativos" (ver a seguir), quando apresentados com uma entrada estática que faz com que a saída do integrador execute o ciclo com um período suficientemente longo para estar dentro da banda (causando apoplexia entre os aficionados de áudio); moduladores de ordem superior suprimem esse artefato, mesmo se estiver presente no quantizador, devido ao ganho de malha superior dentro da banda.

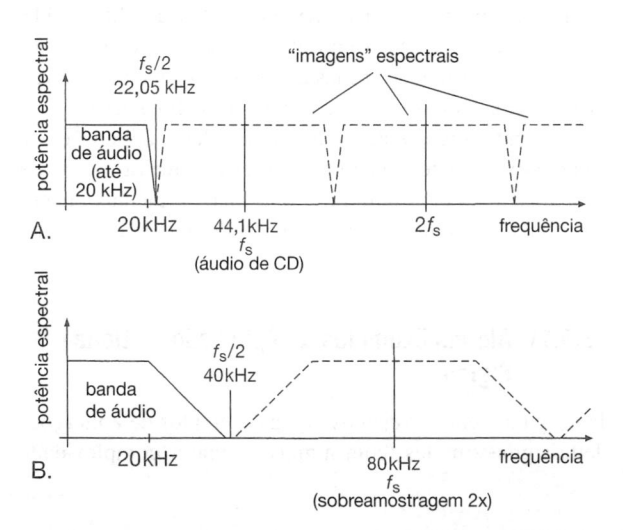

FIGURA 13.60 O espectro de um sinal analógico que foi digitalizado ("amostrado") periodicamente com uma frequência de amostragem f_s inclui cópias espelhadas ("Imagens") centradas em múltiplos de f_s. O sinal analógico deve ser filtrado por um passa-baixas, antes da amostragem, para eliminar componentes acima de $f_s/2$ (a "frequência de Nyquist"); caso contrário, as bandas espelhadas criam "*aliases*" (sinais falsos) dentro da banda que não podem ser subsequentemente removidos. A sobreamostragem relaxa a inclinação necessária de um tal "FPB *anti-aliasing*," como pode ser visto aqui para amostragem tradicional do CD de áudio (A, ≈10% de sobreamostragem) em comparação com sobreamostragem 2x (B).

---

[85] No entanto, note que o atraso de tempo é o mesmo que seria produzido por um filtro *anti-aliasing* de entrada acentuado (de características de corte semelhante aos filtros digitais de pós-conversão do delta-sigma) seguido por um ADC convencional (latência zero).

13.9.10 Tons Inativos

A particularidade distintiva de conversores delta-sigma é a possibilidade de produzir um "tom inativo" – um sinal de saída não provocado de baixo nível (assim esperado) periódico dentro da banda. Essa característica indesejável aflige particularmente moduladores de primeira ordem, que por esse motivo não são utilizados para aplicações importantes de áudio. Você pode obter dentro da banda tons inativos (isto é, na banda passante do filtro passa-baixas de saída) para valores particulares de entrada estática (CC); estes são geralmente suprimidos quando não há atividade de sinal na entrada, daí o termo "inativo".

Para ver como isso funciona, considere o modulador de primeira ordem da Figura 13.51, que tem uma faixa de entrada de fundo de escala de ±1 V. Se você aplicar uma entrada CC fixa de valor 0,625 V, e observar o que acontece com ciclos de relógio sucessivos, obterá os estados apresentados na Figura 13.61. O modulador (e, portanto, a sequência de bits de saída) passa periodicamente através de um ciclo de 16 clocks de comprimento. Tal padrão de repetição pode ser um período suficientemente longo para produzir um sinal na saída final filtrada por um passa-baixas: se, neste exemplo, a razão de sobreamostragem fosse 4x, o tom inativo cairia na frequência do ponto médio da banda de saída.

Isto pode ser visto na Figura 13.62, onde calculamos[86] e representamos graficamente dois ciclos completos deste tom inativo. Note particularmente a saída filtrada por um passa-baixas do tipo "parede de tijolos," em que o tom senoidal inativo pode ser claramente visto. Sua amplitude (118 mV pp) é de cerca de 6% do fundo de escala; isso é uma supressão insuficiente de apenas 25 dB, totalmente inaceitável, mesmo para dispositivos de consumo de áudio baratos.

Conversores Delta-Sigma destinados a aplicações de áudio normalmente usam moduladores de terceira ordem (ou superior), tanto para suprimir[87] tons inativos quanto aumentar a faixa dinâmica (número efetivo de bits de conversão, ENOB).

13.9.11 Alguns Exemplos de Aplicação de Delta-Sigma

Já chega de teoria! Vejamos alguns exemplos de aplicações delta-sigma simples (com alguns de maior complexidade

---

[86] Jason, novamente.

[87] Moduladores de ordem superior não *eliminam* tons inativos, eles simplesmente os suprime o suficiente para torná-los quase inofensivos. Como o guru delta-sigma Bob Adams coloca, "moduladores de ordem superior são menos propensos a cair em um padrão de repetição simples, mas ainda é possível. O benefício real de moduladores de ordem superior é que eles têm excelente supressão de ruído de quantização (porque o ganho de malha em baixas frequências é extremamente alto), de modo que, mesmo que o quantizador decida cair em um padrão de produção de tons inativos, será suprimido em grande intensidade de tal modo que ficará imerso no ruído térmico."

Entrada	Delta	Sigma	Bit	Realimentação
5/8	0	0	0	-1
5/8	13/8	13/8	1	1
5/8	-3/8	10/8	1	1
5/8	-3/8	7/8	1	1
5/8	-3/8	4/8	1	1
5/8	-3/8	1/8	1	1
5/8	-3/8	-2/8	0	-1
5/8	13/8	11/8	1	1
5/8	-3/8	8/8	1	1
5/8	-3/8	5/8	1	1
5/8	-3/8	2/8	1	1
5/8	-3/8	-1/8	0	-1
5/8	13/8	12/8	1	1
5/8	-3/8	9/8	1	1
5/8	-3/8	6/8	1	1
5/8	-3/8	3/8	1	1
5/8	-3/8	0/8	0	-1
5/8	13/8	13/8	1	1
5/8	-3/8	10/8	1	1
5/8	-3/8	7/8	1	1

(ciclo de 16)

FIGURA 13.61 Sequência de estados do modulador delta-sigma de primeira ordem (Figura 13.51), com uma entrada CC fixa de 625 mV. "Delta" e "Sigma" são a entrada e a saída, respectivamente, do integrador, "Bit" é a saída da sequência de bits, e "Realimentação" é a tensão de saída de realimentação do DAC.

nas Seções 13.11 e 13.12). Instamos o leitor a ter cópias das folhas de dados relevantes em mãos durante a leitura destes exemplos (obtenha-as a partir de sites dos fabricantes ou, às vezes mais rapidamente, por meio dos links nos sites de distribuidores como digikey, Mouser ou Newark).

A. Um ADC Delta-Sigma Ainda Mais Simples

Na Seção 13.9.1 apresentamos "o delta-sigma mais simples" na forma do monitor de bronzeamento de integração de distribuição de carga. Com a sofisticação das seções anteriores, agora podemos reformular esse exemplo como um modulador delta-sigma de primeira ordem com acumulação simples da sequência de bits de 1 bit. Se é isso que você precisa, pode implementá-lo ainda mais simples, com um microcontrolador.

Esses dispositivos (Capítulo 15) são a estrutura flexível da eletrônica, e um deles pode facilmente substituir a parte lógica do exemplo anterior, tal como na Figura 13.63. Aqui o pino indicado por Q é uma porta de saída de bit que varia de forma "limpa" de trilho a trilho, e A_{in} é uma entrada que define o limiar, análogo ao U_2 na Figura 13.49. Pode ser um comparador interno, previsto em muitos microcontroladores (veja, por exemplo, a Figura 13.64); ou poderia ser um ADC de baixa resolução interna para o microcontrolador (também bastante comum); ou, ao nível mais grosseiro, poderia ser uma entrada lógica, cuja tensão de limiar (imprecisa) substitui um comparador respeitável.

A implementação com microcontrolador como esta permite que você faça mais: ao nível mais simples você po-

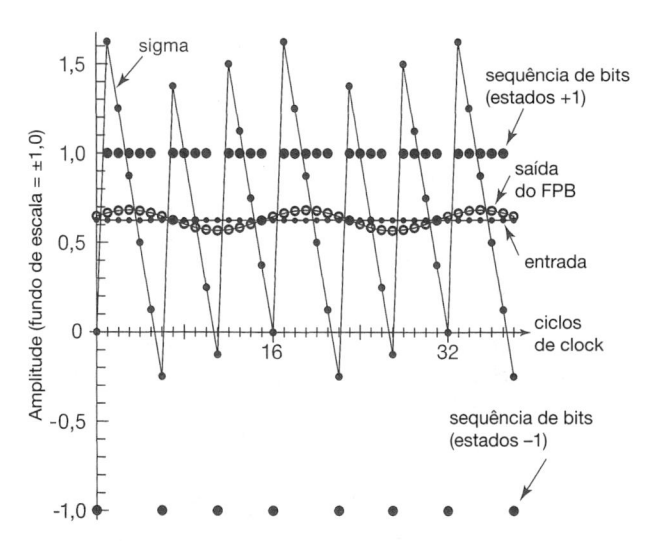

FIGURA 13.62 Sinais do modulador, juntamente com forma de onda de saída filtrada alinhada no tempo, para o exemplo do tom inativo da Figura 13.61. O tom está ~25 dB abaixo, em relação ao fundo de escala, e cairia na metade da banda (metade da frequência de Nyquist) para sobreamostragem 4x.

deria escrever um software que implementa o contador e outras lógicas necessárias para completar o monitor de bronzeamento (incluindo características tais como um display para mostrar o progresso do bronzeamento, o tempo restante, a hora e a data, o seu próximo compromisso, e assim por diante...). Em um nível mais sofisticado, você poderia implementar um filtro digital para criar uma sequência de valores convertidos, na forma de um ADC delta-sigma totalmente integrado. Você poderia, mas provavelmente não deveria, porque muitos projetistas altamente qualificados estão se voltando para excelentes ADCs delta-sigma, uma amostra do que vamos visitar em breve. E existe o perigo de sequestro de um microcontrolador para controlar os ciclos de carga do integrador, ou seja, a precisão da integração sigma-delta depende do tempo ON da chave estável; e a estabilidade de um conversor depende também de uma frequência de clock de amostragem estável. Você deve garantir que o controlador lhe dará o controle sobre esse tempo; e, mesmo assim, você pode

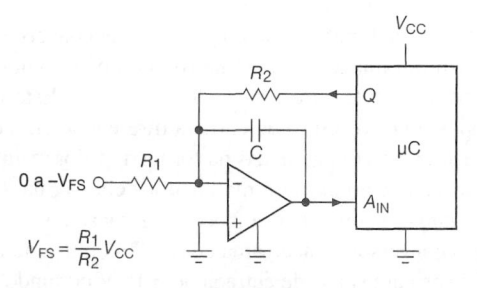

FIGURA 13.63 Um microcontrolador pode substituir uma parte de um ADC delta-sigma discreto.

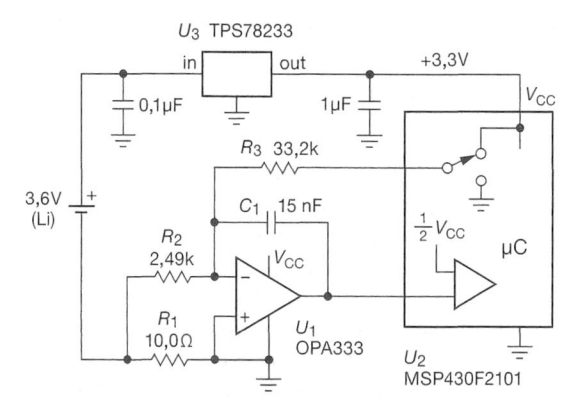

FIGURA 13.64 Manutenção do controle de capacidade da bateria com um discreto integrador de carga delta-sigma.

achar que a codificação do firmware se torna inconvenientemente restrita. Esses exemplos destinam-se meramente a ilustrar o tipo mais simples de circuito delta-sigma. Se o que você quer é um conversor de alta qualidade, você deve escolher um das muitas centenas que estão disponíveis, que são fáceis de usar, e que são muito baratas; vários destes estão ilustrados a seguir.

B. Contador de Coulombs

Aqui está um exemplo de um conversor assistido por microcontrolador com baixa corrente quiescente e uma ampla faixa dinâmica. Com toda a franqueza, uma confissão: projetamos o conversor primeiro, em seguida, buscamos uma aplicação plausível. A Figura 13.64 mostra o que propomos – um "medidor de gás" com detecção da bateria no lado do terra para acompanhar o estado de descarga de uma célula de lítio que alimenta um instrumento portátil.

Eis como funciona: usamos um pequeno resistor sensor de corrente (10 Ω), para limitar o fardo da tensão em 0,25 V na corrente de carga máxima prevista de 25 mA (causada, por exemplo, por cargas comutadas, como um *strain-gauge* de 350 Ω). Então optamos por um AOP *shopper* de fonte simples (tensão de *offset* máxima de 10 μV) para minimizar o erro em baixas correntes; aqui, a tensão de *offset* corresponde a um erro de corrente detectada de 1 μA (máx), ou uma faixa dinâmica de 25.000:1. A tensão desenvolvida sobre o resistor de detecção aciona o integrador através de R_2, com uma corrente de entrada de fundo de escala de 100 μA. (Você pode pensar em R_1R_2 como um "divisor de corrente," se você gosta desse conceito.)

Em seguida, escolhemos R_3 para definir a corrente de entrada de fundo de escala do conversor ($I_{FS} = V_{CC}/R_3$), ou seja, a fonte da corrente de fundo de escala na junção de soma quando a chave está ON. Por último, tendo uma frequência de clock de 10 kHz, escolhemos o valor do capacitor de integração C_1 de tal forma que o integrador geraria uma rampa não mais do que $V_{CC}/5$ em um ciclo de clock. É fácil perceber que essa condição faz com que $C = 5/fR_3$, ou 15 nF.

Exercício 13.6 Certifique-se de que entendeu esse projeto calculando a corrente de carga máxima, a faixa dinâmica e os componentes do integrador, R_2, R_3 e C_1.

A MSP430 é uma série de microcontroladores de baixo consumo da TI. Esta variante particular inclui convenientemente um comparador cuja entrada de referência pode ser polarizada em $V_{CC}/2$, que usamos em conjunto com um bit de saída digital que comutamos entre terra e V_{CC}.[88] Com uma frequência de clock de 1 MHz, o microcontrolador consome 0,3 mA quando ativo, e 25 μA quando opera em "modo de baixo consumo 2"; pense neste último como um modo de "espera" (*sleep mode*), durante o qual um temporizador interno continua operando e a partir do qual o processador pode "acordar" para o estado de alerta total em um ciclo de clock. Isso é importante, porque é comum colocar equipamentos portáteis em um modo de baixo consumo de energia para conservar a carga da bateria.

Note que este "medidor de coulomb" mantém o controle de *todas* as cargas, incluindo a corrente quiescente do regulador, a corrente de operação do microcontrolador, cargas adicionais alimentadas a partir da linha V_{CC} regulada, e até mesmo a corrente necessária para operar o próprio integrador AOP do delta-sigma. Exclusiva de cargas adicionais, a estimativa de potência é dominada pelo processador, seguida pelo AOP *chopper* (17 μA, típico) e o regulador (1,3 μA, no máximo); isso equivale a um tempo de vida da bateria de vários meses (com processador ativo) para uma célula típica de íon de lítio recarregável de 1 Ah. As cargas periféricas provavelmente reduziriam consideravelmente a duração da bateria, e normalmente seria comutada pelo processador.[89]

Observe que o erro zero de 1 μA (a partir do *offset* de pior caso do AOP) é completamente insignificante em comparação com a corrente do sistema, mesmo em modo de espera. A faixa dinâmica de 25.000:1 é extravagante para esta aplicação.

C. Três ADCs Delta-Sigma Totalmente Integrados

Concluímos estes exemplos de ADCs delta-sigma com três elegantes integrados de três fabricantes diferentes. Para mais dispositivos a considerar, consulte a Tabela 13.9.

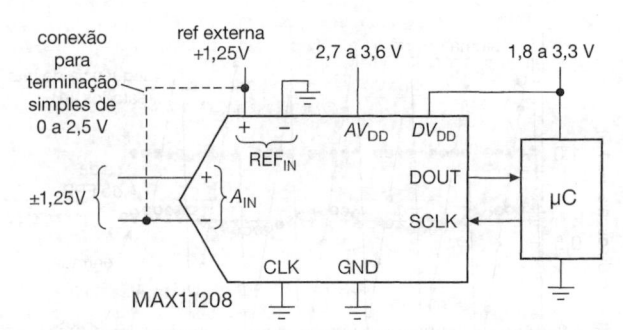

FIGURA 13.65 ADC de baixo ruído de 20 bits MAX11208B da Maxim com clock interno. A entrada diferencial pode ser reconfigurada para terminação simples de 0 a +2V_{ref} conectando a entrada A_{IN} à referência, conforme mostrado.

MAX11208B da Maxim: ADC de 20 bits de baixo custo

A Maxim fornece este conversor compacto (10 pinos) (Figura 13.65), de baixo custo (3,75 dólares em quantidades unitárias) e silencioso (ruído de 0,7 μV_{RMS}). Ele oferece resolução verdadeira de 20 bits em um vagaroso 13,75 sps, e tem rejeição de 80 dB para as frequências de 50 Hz e 60 Hz da rede elétrica com seu sistema de clock interno preciso (ativado ao aterrar o pino CLK).[90] A faixa de conversão de fundo de escala da entrada diferencial é $\pm V_{ref}$, ao longo da faixa de modo comum de 0 a + AV_{DD}. Ele desempenha um ganho e calibração de *offset* ao energizar e, também, mediante pedido através de um comando digital interessante (dois SCLKs extras acrescentados no fim da leitura serial normal). Em comum com a maioria dos conversores, ele tem um pino de alimentação digital separado para compatibilidade com lógica digital de baixa tensão.

AD7734 da Analog Devices: ADC de 24 bits versátil

A Analog Devices oferece este conversor de 4 canais multiplexado de 24 bits (Figura 13.66), com uma estrutura de entrada incomum de resistores ajustados que fornece uma faixa de entrada completa de ± 10 V (enquanto opera a partir de uma fonte simples de +5 V) e, de fato, com um bit acima da faixa que estende a faixa de conversão para 11,6 V, permitindo assim a calibração precisa de ganho para a entrada de fundo de escala. Ele é extremamente tolerante à sobrecarga de entrada: até $\pm 16,5$ V sem afetar a precisão das outras entradas, e até ± 50 V sem danos.

Há muita flexibilidade no processo de conversão, com seleção programável de parâmetros como o comprimento do filtro, o auto-zero e o modo "*shopper*". Este último é composto por reversão de entrada diferencial em conversões sucessivas, com as saídas na forma de valor médio para cancelar *offsets* no *buffer* e modulador delta-sigma. Com o modo *shopper* habilitado e com a configuração de filtro mais longo, o conversor fornece uma conversão efetiva de 21 bits em 372 sps para sinais de entrada de ± 10 V de fundo de es-

---

[88] Esse processador fornece vários "registradores de controle de captura" pelos quais podemos garantir que esses pulsos são de duração precisa e estável, uma condição necessária para a integração delta-sigma.

[89] Com uma bateria muito menor, pode-se colocar o processador em modo de espera também, acordando muitas vezes só o suficiente para garantir que a corrente do sistema durante a espera não faça a rampa do integrador saturar entre repousos. Para este sistema, a corrente quiescente de espera total de ~45 μA exigiria medições a cada 80 ms para limitar a amplitude da rampa não observada até 1 V. Este microcontrolador pode fazer isso facilmente, porque tem a boa propriedade de "acordar" em um único ciclo de clock de 1 μs.

[90] A versão de sufixo A opera em 120 sps, com uma rejeição ruim de frequências da rede eléctrica, mas profunda rejeição a 120 Hz e seus harmônicos.

Capítulo 13 Integração entre analógico e digital **935**

TABELA 13.9 Conversores A/D delta-sigma selecionados[a]

Nº identif	ADCs por encaps	Bits	Taxa de conv máx (ksps)	Canais por ADC	Single-ended	Interface[q]	Pwr typ mW	PGA Gains	DC Errors Offset[b] típica (µV)	drift,typ (µV/°C)	Gain típica (ppm)	drift, typ (ppm/°C)	Fonte Aliment mín (V)	máx (V)	Ref Interna	Ref Externa	Sequenciador	Osc int	Pkgs, Pins DIP	SOIC	TTSOP	SOT-23	Menor	Custo quant 25 ($US)	Observações
ADS1158	1	16	125	16	f	S	42	-	25	1[t]	10000	2	2,7	5,25[o1]	-	•	•	g,h	-	-	-	-	48	11,77	A
ADS1100	1	16	0,128	1	•	I	0,2	1-8	2500	1,5	1000	2	2,7	5,5	-	-	-	•	-	-	-	6	-	4,80	B
ADS1115	1	16	0,86	4	•	I	0,5[e]	1-16	50	0,4	100	5	2	5,5	-	-	-	•	-	-	10	-	10	5,53	C
AD73360	6	16	4	1	•	S	86[e]	1-80	20000	-	10000	-	2,7	5,5	•	-	-	-	-	28	44	-	-	9,24	-
MAX11208B	1	20	0,12	1	?	S	0,8	-	3	0,05	3[c]	0,05	2,7	3,6	-	•	-	-	-	-	10	-	-	2,18	-
CS5513	1	20	0,33	1	?	S	1,9	-	120	0,06	-	1	0	6[o3]	-	•	-	•	-	8	-	-	-	4,96	D
MCP3551	1	22	0,014	1	?	S	0,3[e]	-	3	0,1	2	0,028	2,7	5,5	-	•	-	•	-	8	8	-	-	3,31	E
LTC2412	1	24	0,008	2	?	S	0,2	-	0,5	0,01	2,5	0,03	2,7	5,5	-	•	•	•,h	-	-	16	-	-	6,34	F
AD7730	1	24	0,2	2	?	S	65[m]	quatro	2[c]	0,5	100[c]	2	4,75	5,25	-	-	-	g,h	24	24	24	-	-	16,10	G
AD7794	1	24	0,47	6	•	S	1[z]	INA	1[c,k]	0,01[k]	2[c]	1	2,7	5,25	•	-	-	•,h	-	-	24	-	-	10,80	H
MAX11210	1	24	0,48	1	•	S	0,25	1-16	30[m,c]	0,05	20[m,c]	0,05	2.7	3,6	-	•	-	•,h	-	-	16	-	-	3,32	J
ADS1246	1	24	2	1	?	S	1,4[e]	1-128	15[m,c]	0,05[b]	50	1	2,7	5,25[o1]	-	•	-	•,h	-	-	16	-	-	8,38	K
CS5532-BS	1	24	3,84	2	?	S	70	1-64	6	0,64[b]	16	2	0	5,5[o2]	-	•	-	g,h	-	-	20	-	-	12,80	L
AD7190	1	24	4,8	4	p	S	1[b]	1-128	0,5[k]	0,005	50[m]	1	4,75	5,25	-	•	•	•,g,h	-	-	24	-	-	10,89	M
ADS1259	1	24	14	1	d	S	13	-	40	0,05	500[y]	0,5	4,75	5,25[o1]	•	•	-	•,g,h	-	-	20	-	-	12,15	N
AD7734	1	24	15	4	f	S	85	-	13000[m,x]	2,5	4500[m,x]	3,2[m]	4,75	5,25	•	•	-	g,h	-	-	28	-	-	15,84	O
ADS1210	1	24	19,5	1	?	S	26	1-16	0,15[c]	1	0,06[c]	0,15	4,75	5,25	•	•	-	g,h	18	18	-	-	-	22,84	P
ADS1258	1	24	23,7	16	w	S	42	-	0,2	0,02	50	2	4,75	5,25[o1]	•	•	-	g,h	-	-	-	-	48	18,80	Q
ADS1298	8	24	32	1	d	S	10	1-12	500	2	2000	5	2,7	5,25	•	•	-	•	-	-	-	64	-	64	40,40	R
ADS1278	8	24	144	1	d	S	530	-	250	0,8	1000	1,3	v	v	-	•	-	•	-	-	-	-	64	39,57	S
AD7764	1	24	312	1	-	S	300	-	240	0,6	180	0,5	u	u	-	•	-	-	-	-	28	-	-	16,94	T
ADS1672	1	24	625	1	-	LC	350	-	2000[m]	2	10000	2	4,75	5,25	-	•	-	-	-	-	-	-	64	22,06	-
AD7760	1	24	2500	1	-	P	960	-	400	0,3	160	2	r	r	-	•	-	-	-	-	-	-	64	42,49	U
ADS1675	1	24	4000	1	-	LC	575	-	5000[m]	4	10000[m]	4	4,75	5,25	-	•	-	•	-	-	-	-	64	35,88	V
ADS1281	1	32	4	1	d	S	12	-	1[c]	0,06[t]	2[c]	0,4	4,75	5,25[o1]	-	•	-	-	-	-	24	-	-	49,68	W

Notas: (a) classificados por precisão e velocidade; todos, exceto AD7734, tem entradas diferenciais; sem códigos ausentes, exceto quando indicado. (b) para ganho programável mínimo. (c) após a calibração. (d) entradas não utilizadas polarizadas na metade da alimentação. (e) para V_S = 3,3 V. (f) pseudo-diferencial. (g) apenas xtal externo. (h) entrada osc externo opcional. (k) em modo *chopper*. (m) mín ou máx. (n) 0,1 a V_- – 0,1 com buffers habilitados. (o1) tem fonte negativa, 0 a –2,6 V, com fonte total de 5,25 V máx. (o2) tem fonte negativa, 0 a –3,5 V, com fonte total de 5,5 V máx. (o3) tem fonte negativa, 0 a –6 V, com fonte total de 6 V máx. (p) 2 diferenciais, 4 pseudo-diferenciais com retorno comum simples. (q) S = SPI, P = paralelo, LC = LVDS ou CMOS serial. (r) cinco fontes: +5 ±5%, 2,5 ±5%, 3,15 e +5,25 (2x), e +1,67 a +2,7. (s) para decimação máxima. (u): quatro fontes: +5 ±5% (3x), +2,5 ±5%. (v) 4,75 a 5,25 V e 1,65 a 2,2 V. (w) 8 diferenciais, 16 de terminação simples (pseudo-diferenciais); (x) antes de calibrar. (y) 2 ppm após calibrar. (z) 0,4 mW sem *buffer*.

Comentários: A: 16 de terminação simples (pseudo-diferencial) ou 8 diferenciais; pinos de saída do MUX e de entrada do ADC. **B:** clk interno; auto-calibração. **C:** 4 de terminação simples (não pseudo-diferencial) ou 2 diferenciais; desligamento automático no modo de pulso único. **D:** CS5512 tem osc externo; CS5510/11 = 16 bits. **E:** baixo ruído, 2,5 μV_{RMS}; desligamento automático no modo de conversão simples. **F:** nenhuma latência; ruído de 0,8 μV_{RMS}; um favorito. **G:** subsistema em ponte com *offset* DAC e saída de excitação CA. **H:** de baixo ruído; buffer de entrada opcional para alto Z; INA programável; inclui 2 fontes de corrente; modo *chopper*; desligamento automático no modo de conversão simples; referência interna de 4ppm/°C; AD7793 tem menos canais; um favorito. **J:** buffer de entrada opcional para alto Z. **K:** baixo nível de ruído; ADS1247 de 20 pinos tem 2 canais, ADS1248 de 28 pinos tem 4 canais, ambos têm referência interna de 10ppm/°C. **L:** CS5534 de 3 canais diferenciais; utilizado em muitas aplicações industriais; 6nV/√Hz. **M:** baixo nível de ruído. **N:** Detectores fora da escala. **O:** tem o modo chopper; AD7732 possui duas entradas diferenciais. **P:** ADS1211 tem MUX de 4 canais diferenciais; taxa de amostragem reforçada para 312 ksps; sem códigos ausentes para 22 bits. **Q:** baixo nível de ruído; pinos para saída diferencial do MUX e entrada do ADC. **R:** Medições biopotenciais (EKG, EEG, etc.); ADS1294 = quádruplo. **S:** ADS1274 = quádruplo. **T:** buffer de entrada diferencial; AD7765 para 156ksps. **U:** buffer de entrada diferencial. **V:** programado por pino (não há registradores); Saída serial LVDS ou CMOS. **W:** sem códigos ausentes para 31 bits.

cala; esse valor vem de uma consideração de nível de ruído do conversor, que é de 9,6 μV_{RMS} sob essas condições (21 bits é a relação de uma extensão de ±10 V a ~10 μV). A folha de dados especifica a resolução alternativamente como "resolução de pico a pico em bits", que para essas mesmas condições está listada como 18,1 bits. Esta acaba por ser a especificação mais conservadora, que é explicada como "a representação de valores [bit] para os quais não haverá código *flicker* dentro de um limite de 6 sigma". Em outras palavras, você pode confiar em qualquer conversão simples como sen-

do de precisão de 18 bits, levando em conta o fato de que as excursões de pico ocasionais de um sinal de tensão de ruído RMS dado são substancialmente maiores do que V_{RMS}.[91] Se você conhece a tensão de ruído RMS, V_{RMS}, pode calcular a

---

[91] A folha de dados para o CS5532 da Cirrus explica desta forma: "'Resolução livre de ruído' não é o mesmo que 'resolução efetiva'. A resolução efetiva baseia-se no valor do ruído RMS, enquanto resolução livre de ruído está baseada em um valor de ruído de pico a pico especificado como 6,6 vezes o valor do ruído RMS."

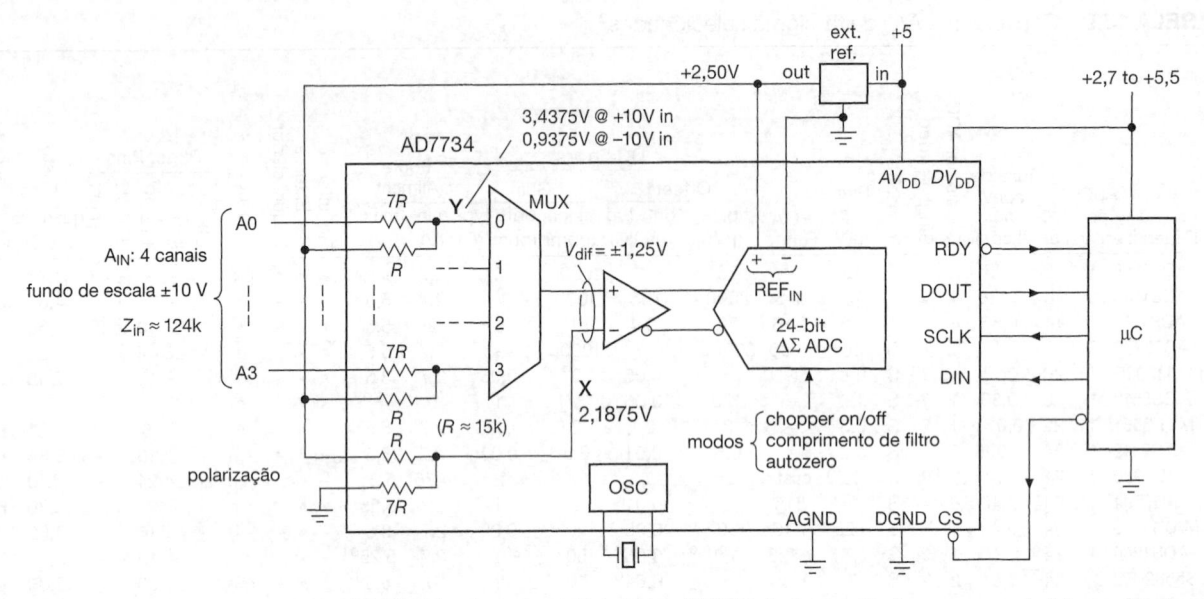

FIGURA 13.66 Conversor de 24 bits (21 ENOB) e 4 canais multiplexados AD7734 da Analog Devices com ampla faixa de tensão de entrada e tolerância robusta a sobrecarga, cortesia da Analog Devices, Inc.

resolução efetiva limitada de ruído como ENOB = $\log_2(V_{\text{span}}/V_{\text{rms}}) = 1{,}44\log_e(V_{\text{span}}/V_{\text{rms}})$; a partir da qual você obtém a resolução de pico a pico, subtraindo 2,7 bits.

Este conversor pode ser operado a taxas de conversão de 12 ksps, com resolução correspondentemente degradada. Ele tem offset máximo e derivas de ganho de $\pm 2{,}5$ μV/°C e $\pm 3{,}2$ μV/°C, respectivamente. Ele vem em um encapsulamento de 28 pinos e atualmente custa cerca de 15 dólares em quantidades individuais.

ADC "industrial" de alto desempenho CS5532 da Cirrus

Da Cirrus Logic (anteriormente Crystal Semiconductor) vem o conversor delta-sigma de 24 bits CS5532 de longa vida (cerca de 1999) (veja a Figura 13.67), com ganhos programáveis (de 2, 4, 8, 16, 32, e 64) e com características de ruído, deriva e linearidade particularmente boas: $e_n = 6{,}4\,\text{nV}/\sqrt{\text{Hz}}$ (típico) para 0,1 Hz com $G = 64$,[92] $i_n = 1\,\text{pA}/\sqrt{\text{Hz}}$, $\Delta V_{\text{os}} = 15\,\text{nV/°C}$ (típico) com $G = 64$, deriva de fundo de escala de 2 ppm/°C (típico) e não-linearidade de $\pm 0{,}0015\%$ (máx). Ele pode converter a taxas de 6,25 sps até 3,8 ksps. Com as taxas mais lentas ele proporciona uma resolução livre de ruído variando de 20 bits (para $G = 64$) até 23 bits ($G \leq 8$); ou, se preferir, correspondendo a "resoluções eficazes" (ENOBs) de 23 e 24 bits, respectivamente.

Com o seu baixo nível de ruído, alto ganho programável e capacidade de operar a partir de fontes simétricas de ± 3 V,[93] este conversor tem o que é preciso para processar os sinais de baixo nível a partir de um termopar ($\sim$40 μV/°C) ou um *strain gauge* ($\Delta V \approx \pm 2$ mV por volt ou excitação em ponte). Com um ganho programável de 64, o alcance do fundo de escala é $\pm 2{,}5$ V/64, ou ± 40 mV e um LSB (para resolução de 20 bits) corresponde a 80 nV que é 500x menor do que a variação da tensão térmica correspondente a uma variação de temperatura de 1°C. Da mesma forma, neste ganho um LSB de 20 bits corresponde a 0,0008% do fundo de escala do *strain gauge*. Neste ganho, as entradas de fundo de escala destes sensores permanecem dentro da faixa de conversão. Evidentemente, não há necessidade de estágios de ganho externos na seção de entrada ou similares. Este conversor custa cerca de 16 dólares a unidade.

No nosso circuito balanceamos os sinais de termopares em relação ao terra para minimizar os efeitos de captação em modo comum nos fios condutores, que são muitas vezes blindados. E para ambos os sensores adicionamos um simples filtro *RC* (constante de tempo 0,1 ms) para suprimir picos e proteger as entradas. Escolhemos o ADR441 porque precisávamos de uma referência de baixa queda de tensão mínima (LDO) que operasse com 500 mV de diferença entrada-saída.

D. ADCs de Áudio Profissional

Conversores Delta-sigma são usados pela comunidade de áudio profissional pela combinação de resolução, *anti-aliasing* inerente, modelamento de ruído e monotonicidade. (Veja a Tabela 13.10.). Em praticamente todos os equipa-

---

[92] O AD7190 da Analog Devices chega perto, em 8,5 nV/$\sqrt{\text{Hz}}$.

[93] Outros conversores delta-sigma de alta resolução que permitem fontes e sinais de entrada bipolar incluem (a) o ADS1281 de 32 bits, com fontes analógicas e sinais de entrada de $\pm$ 2,5 V para esses mesmos limites (mas infelizmente não para ± 3 V, com o seu limite total de alimentação de 5,25 V) e (b) três conversores de 24 bits: o ADS1258 de 16 canais, o ADS1259 com a sua referência de tensão de 2 ppm e a família ADS1246 com PGA interno.

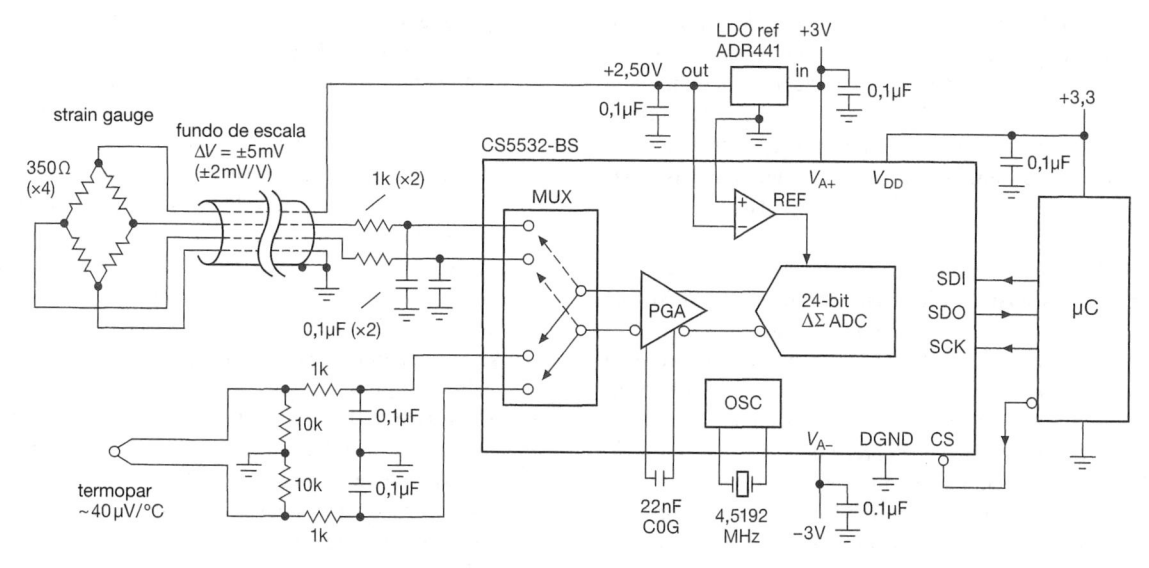

FIGURA 13.67 Conversor de precisão de 24-bit de baixo ruído CS5532-BS da Cirrus. O PGA permite ganhos de 1,2,4,..., 64. Este circuito omite a compensação de junta fria. O MAX31855 da Maxim inclui esta importante compensação para sete tipos de termopares; vide item 44 na Seção 15.8.2 e valores que o acompanha.

mentos de áudio de alta qualidade você encontrará um circuito baseado em um ADC delta-sigma de sobreamostragem de 128x, 192 ksps e cerca de 24 bits; e é provável que seja um dispositivo da Cirrus (por exemplo, o CS5381) ou da AKM (por exemplo, o AK5394A). Esses dispositivos parecem ter "pernas longas" – eles são usados há muitos anos e têm uma boa relação custo-benefício.

Os ADCs de áudio usam a tecnologia delta-sigma, mas diferem muito dos ADCs industriais equivalentes na tabela de delta-sigma. Eles geralmente têm precisão de ganho ruim (5% a 10%) e *offset* CC ($\sim$25 mV), em parte porque estes não têm importância no campo de áudio. Por outro lado, eles oferecem *casamento* de ganho de canal estéreo de 0,1 dB ou 1%. Eles são geralmente conectados com acoplamento CA, e também têm um filtro passa-altas digital interno (tipicamente de $\sim$1 Hz).[94] São destinados a operar em taxas de dados de áudio específicas e empregam interfaces de saída de dados

---
[94] Você vai descobrir isso se desviar os capacitores de acoplamento. No entanto, muitos destes conversores oferecem um modo CC e alguns (como o CS5381 e AK5394A) fornecem uma função de auto-zero CC disparada por uma lógica, o que é conveniente para aplicações muito lentas ou CC.

TABELA 13.10 ADCs Delta-Sigma de Áudio Selecionados

	Canais	Bits	f_s máx (kHz)	SNR[k] (dB[a])	THD+N[k] (dB[b])	Fonte V_{CC} (V)	P_{diss} (mW)	entradas, outros
PCM1870A	2	16	50	90	-81	3	13	pré-amp microfone
CS43432	4[c]	24	96	105	-98	5	600	dif ou term simples
PCM2906[h]	2[d]	16	48	89	-80	5	280	term simples, codec, USB
AK5384	2	24	96	107[e]	-94	5	275	diferencial
AK5388	4	24	192	120	-107	5	590	diferencial
AK5394A	2	24	192	123	-94[f]	5	705	dif; popular
CS5381	2	24	192	120	-110	5	260	dif; preferido
AD1974	4	24	192	105	-96	3,3	430	dif; com PLL
PCM4204	4	24	216	117	-103	4	615	dif
PCM4222[g]	2	24	216	123	-108	4	340	dif; configurável

Notas: (a) filtro de ponderação A. (b) para taxa de amostragem máx. (c) codec: 4 entradas + 6 saídas. (d) codec: 2 entradas + 6 saídas. (e) em 48kHz. (f) -110 dB em 96kHz. (g) considerar também o PCM4420. (h) codec estéreo (ADC + DAC) com S/PDIF para USB in/out. (k) SNR e THD + N é em relação ao fundo de escala; SNR é tipicamente medico com um sinal de entrada de −60dB, processado com um filtro de ponderação A; THD é tipicamente medido em 1 kHz, com um sinal de −1 dB.

PCM (I²S, TDM, etc.) de áudio especializado. Comparado com ADCs industriais, eles têm latências altas (atrasos na saída de dados) de 12 a 63 intervalos de amostragem, anda que tenham anunciado "latência baixa" (isto é, pequeno em comparação com, digamos, um milésimo de segundo de atraso de tempo). Eles têm especificações de áudio únicas, SNR ponderado A e especificações de distorção THD+N derivada de análise espectral.

A Figura 13.68 mostra um circuito de condicionamento de sinal simples, adaptado da placa de avaliação da AKM, não muito diferente do circuito interno de muitos digitalizadores de áudio comerciais. O AOP 5534 é o o eterno favorito (tem sido assim há pelo menos três décadas), barato e "bom o suficiente". Embora você possa conseguir resultados melhores em termos de distorção, o que parece importar mais para audiófilos é a faixa dinâmica (definida pela resolução do ADC e o nível de ruído); a distorção harmônica de 0,001% é inaudível. No entanto, nós preferimos circuitos de condicionamento de sinal totalmente diferenciais para ADCs de áudio de alto desempenho, como amplamente descrito no Capítulo 5 (veja as Figuras 5.70 e 5.102).[95] Veja a Seção 5.14.2E para mais informações sobre os níveis de sinal de áudio profissional.

13.10 ADCS: ESCOLHAS E COMPENSAÇÕES

A boa notícia é que o mundo de ADCs é um mundo de riqueza, com muitas opções. A má notícia é, bem, que o mundo de ADCs é um mundo de riqueza, com muitas opções. Nas seções a seguir, oferecemos algumas orientações para ajudar a navegar o emaranhado de opções.

13.10.1 Delta-Sigma e a Competição
A. Conversores analógico-digitais

Conversores sigma-delta são uma das várias tecnologias de conversão ADC, que (como já vimos) incluem também (a) conversores de integração de dupla rampa quádrupla rampa, (b) conversores de aproximação sucessiva, (c) conversores *flash* e (d) conversores *flash pipeline*.

Velocidade baixa. Para a conversão de "velocidade de voltímetro" (por exemplo, 10/s) e conversores de integração de múltipla rampa são os favoritos, mas o seu domínio está ameaçado pelos excelentes ΔΣs da LTC (por exemplo, o LTC2412: 24 bit) e da ADI (por exemplo, o AD7732: 24 bits, faixa de ±10 V), entre outros.

Velocidade média. (de ~100 s de ksps) CIs de conversão delta-sigma dominam em resoluções acima de 16 bits, com bons produtos de empresas como Cirrus e AKM (por exemplo, o AK5384: 24 bit, 96 ksps, 4 canais, ou os conversores na Figura 13.68). Há muitos bons ADCs delta-sigma de áudio, mas as suas características CC tendem a ser ruins (vários por cento) ou inexistentes. Para resoluções de 16 bits ou menos, considere os conversores de aproximação sucessiva bastante utilizados.

Velocidade média-alta. (até algumas Msps). Aqui há uma batalha feroz entre ADCs ΔΣ e de aproximação sucessiva usando ADC de redistribuição de carga de capacitor chaveado: precisão comparável, mas os SARs são mais rápidos (por exemplo, o ADI AD7690: 18 bit, 400 ksps; um membro da series PulSAR™ AD76xx/79xx). Veja a "disputa" a seguir.

Velocidade alta. (para 100s de Msps). Para estas velocidades você escolhe um conversor *flash* em *pipeline* (anteriormente conhecida como "*half-flash*"), com sucessivos estágios de conversão *flash* de baixa resolução que operam sobre o resíduo analógico dos estágios anteriores, ou com a arquitetura "*folding-amplifier*" (Figura 13.27). *Pipeline* resulta em elevado *throughput*, mas com a latência de tipicamente 10 intervalos de amostragem. Exemplos disso são o ADI AD9626 (12 bit, 250 Msps) e o ADS6149 (14 bit, 250 Msps) da TI.

Velocidade alucinante. (> 250 Msps). Variantes do *flash* básico (tais como *folding/interpolating*) é que mandam aqui, mas a contrapartida é modesta resolução (6 a 10 bits). A National tem alguns interessantes, por exemplo, o ADC08D1520 (8 bits, 3.000 Msps) e o ADC10D1500 (idem, 10 bits) e o ADC12D1800 (12 bits, 3600 Msps). Esses tipos de conversores são muito utilizados nas seções de entrada de osciloscópios,[96] e em rádio digital. O máximo (e não temos certeza de como eles fazem isso) é a Fujitsu, que fabrica um conversor de 8 bits de 56.000 Mbps (!).[97]

B. Conversores digital-analógico

As tecnologias DAC concorrentes são (a) escada *R-2R*, (b) escada de resistor linear com matriz de chaves e (c) matriz de chaves com direcionamento de corrente.

Linearidade mais alta. DACs delta-sigma são os melhores, com precisão e linearidade de até 20 bits em velocidades de áudio, e às vezes também com excelentes características DC (por exemplo, o DAC1220 da TI de 20 bits de velocidade de milissegundo); no entanto, cuidado com a banda larga e o ruído do clock (o DAC1220 tem ~1000 nV/$\sqrt{Hz}$ at 1 kHz em 1 kHz em comparação com ~10 nV/$\sqrt{Hz}$ para conversores de escada de resistor).

---

[95] Curiosamente, a AKM e a Cirrus utilizam este esquema simples e os amplificadores '5534 baratos, nos seus kits de avaliação de ADC. Contudo, o kit de "projeto de referência" da Cirrus "design de referência" substitui o AOP LTI128 de menor ruído. Por outro lado, a TI utiliza um amplificador diferencial verdadeiro (o OPA1632) no kit de avaliação para o seu conversor delta-sigma de áudio PCM4222 comparável.

[96] Os osciloscópios digitais atualmente disponíveis atingem largura de banda analógica de 32 GHz com taxas de amostragem de 80 Gsps (por exemplo, a série 90000X da Agilent), que certamente vão aumentar com o tempo.

[97] Evidentemente, eles estão tão animados com isso que esqueceram até aqui, de atribuir um número de identificação a esse conversor.

TABELA 13.11 Conversores D/A de áudio selecionados[a]

N° ident	Bits	N° de Canais	f_s máx (ksps)	THD+N típico (dB)	SNR típico (dB)	Tecnologia[c]	Saída[f]	Controle de Volume	Amp de potência?	Filtro Digital Ondulação máx (±dB)	Corte[n] mín (dB)	Fonte Aliment. Tensão analógico (V)	Potência digital (V)	típico (mW)	Interface de Controle[b]	Encap	Preço quant 25 ($US)	Observações
AK4386	24	2	96	84[d]	100	mbDS	Vse	-	-	0,01	64	2,2-3,6	-	20	H	TSSOP-16	1,00	A,J
CS4334/5/8/9	24	2	96	88[d]	88[d]	DS	Vse	-	-	0,2	50	5	-	75	-	SOIC-8	1,63	B,J
PCM1753	24	2	192	94	106	mbDS	Vse	-	-	0,5	50	5	-	150	S	SSOP-16	1,65	C
TLV320DAC3100	24	2	192	82[e]	95	mbDS	SP/HP	•	p	-	-	3,3	1,8	-	I	QFN-32	3,03	D
PCM1789	24	2	192	94	113	C-seg	Vdif	-	-	0,0018	75	5	3,3	168	H,I,S	TSSOP-24	4,38	E
LM49450	24	2	192	64g	88	DS	SP/HP	•	q	-	-	2,7-5,5	1,8-4,5	50[h]	I	WQFN-32	5,15[k]	F
AK4358	24	8	192	92[d]	112	mbDS	Vdif	•	-	0,02	54	5	5	560	I,S	LQFP-48	5,22	G,J,N
PCM1690	24	8	192	94	113	DS	Vdif	•	-	0,0018	75	5	3,3	620	H,I,S	HTSSOP-48	5,23	G
PCM4104	24	4	216	100[d]	118	DS	Vdif	•	-	0,002	75	5	3,3	236	H,S	PQFP-48	7,74	H
CS4398	24	2	192	107	120	mbDS	Vdif	•	-	0,01	102	5	1,8-5	192	H,I	TSSOP-28	8,86	N
PCM1794A	24	2	192	102[d]	127	AS	Idiff	-	-	0,00001	130	5	3,3	335	H	SSOP-28	10,83	L
ADAU1966	24	16	192	98	118	DS	Vdif	•	-	0,01	68	5	2,5	521[m]	I,S	LQFP-80	11,71	J,M
AD1955	24	2	192	110	120	DS	Idiff	•	-	0,0002	110	5	5	210	S	SSOP-28	12,35	J,N
AK4399	32	2	192	102[d]	123	DS	Vdif	•	-	0,005	95	5	5	530	S	LQFP-44	15,00	P
PCM1704K	24	1	96	102[d]	120	R-2R	Ise	-	-	-	-	±5	-	175[d]	-	SOIC-20	68,20	Q

Notas: (a) em ordem crescente de preço. (b) H = "hardware", ou seja, programável por pino; I = I^{2}C; S = SPI. (c) AS=TI "Segmento avançado"; C-seg; corrente do segmento; DS = delta-sigma; mbDS = delta-sigma multibit; R-2R = escada. (d) em 96 ksps. (e) áudio de 48 ksps. (f) Idif = corrente diferencial; Ise = corrente de terminação simples; SP/HP = alto-falante ou fone de ouvido; Vdif = tensão diferencial; Vse = tensão de terminação simples. (g) 0,6 W em 8 Ω, com V_S = 5 V. (h), apenas fonte analógica; amplificador classe D tem 80% de eficiência. (k) Quant 100. (m) em 48 kHz. (n) atenuação da banda de corte, no modo de decaimento acentuado, para f/f_S = 0,546. (o) em 192 ksps. (p) mono de 2,5 W. (q) estéreo de 1,9 W, THD de 1% em 4 Ω com V_S = 5V. (t) típica.

Comentários: A: baixo consumo de energia. **B:** 8 pinos, "nível de entrada"; escolha p/n para formato de dados. **C:** PCM1754 = interface H/W. **D:** acionadores de fone de ouvido estéreo, e amplificador de alto-falante mono classe D, 2,7 a 5,5 V. **E:** áudio/vídeo de consumo de alta desempenho. **F:** áudio de consumo portátil; SNR de 10 0dB na saída de fone de ouvido. **G:** áudio/vídeo de consumo multicanal, octal. **H:** quádruplo, áudio de alta qualidade profissional, alto desempenho. **J:** baixo *jitter*. **L:** *premium*; DSD1794A = IIC/SPI. **M:** 16 canais; automotivo, etc. **N:** suporta saída SACD. **P:** *premium*. **Q:** lendário, o melhor do legado de DACs de áudio R-2R; precisa de filtro externo.

Velocidade média, precisão alta. Excelentes DACs R-2R e escada linear competem, por exemplo:

- DAC8552 da TI (duplo de 16 bit, entrada serial, saída de tensão, ref externa, glitch muito baixo, estabilização de 10 μs; DAC8560/4/5 similar, com ref interna).
- AD5544 da ADI ou DAC8814 da TI (MDAC de 16 bits quádruplo, entrada serial, saída de corrente, AOP I-V externo com estabilização de 0,5 a 2 μs.)
- LTC1668 (16 bits, entrada paralela, saída de corrente diferencial, 20 ns de estabilização em 50 Ω como "saída de tensão".)
- DAC9881 da TI (entrada serial de 18 bits, saída de tensão trilho a trilho, ref externa, baixo ruído, estabilização de 5 μs.)

Velocidade mais elevada. Aqui você não consegue superar os conversores de direcionamento de corrente, por exemplo DAC5681/2 da TI (16 bits, 1 Gsps) ou o AD9739 da ADI (14 bits, 2,5 Gsps.)

C. Intervalo: Disputa na Terra do ADC

Para ilustrar diferenças de desempenho importantes entre ADCs delta-sigma e de aproximação sucessiva, convidamos dois oponentes capazes a se arriscarem no mesmo campo de treinamento (Analog Devices). Eles se apresentaram com as suas respectivas (e respeitáveis) especificações, que se parecem com isto:

	SAR AD7641	ΔΣ AD7760	unidades
Introdução	2006	2006	Ano (era comum)
Preço (dólar)	$47	$53	Dólares americanos
Taxa de conversão	2,0	2,5	Msps
Freq amostragem	2	40	MHz
Falseamento, acima de	1	20	MHz
Resolução	18	24	bits
Erro zero	60	200	ppm máx
Coef temperatura	0,5	0,1	ppm/°C típico
Erro de ganho	0,25%	0,016%	máx/típico
Coef temperatura	1	2	ppm/°C típico
SNR	93	100	dB típico
THD	−101	−103	dB típico
INL	±7,6	±7,6	ppm típico
Atraso de dados	0,5	12	μs
Referência	int	ext	
Fontes	1	3	
Potência	75	960	mW

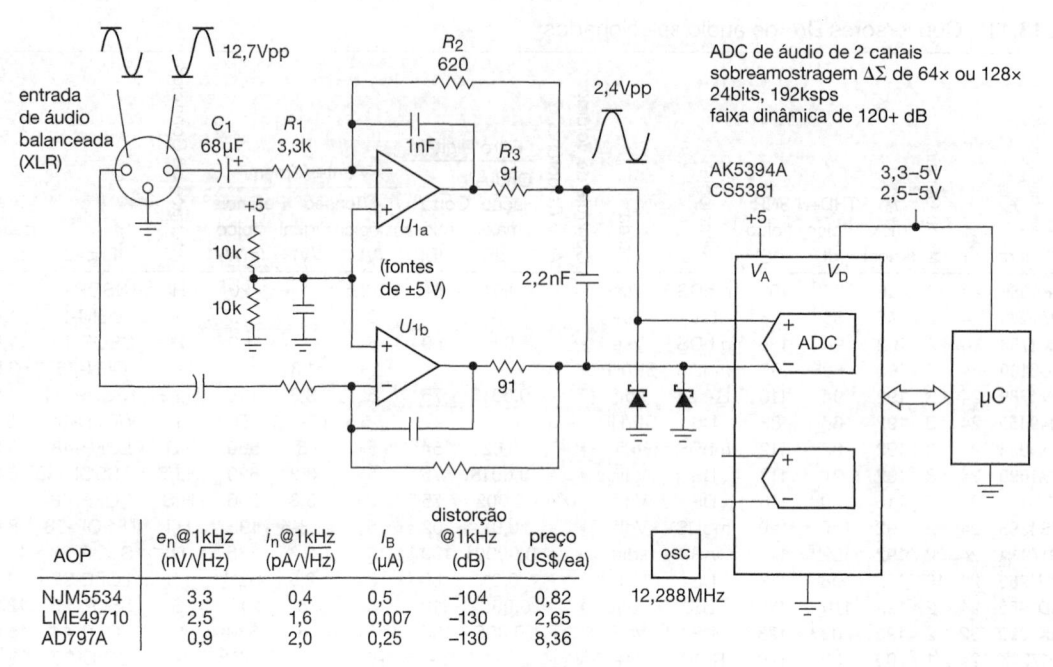

FIGURA 13.68 Os ADCs delta-sigma da AKM e Cirrus são muito utilizados em digitalizadores profissionais de áudio. Eles são frequentemente implementados com uma seção de entrada analógica simples como esta, embora fosse melhor explorar um amplificador diferencial verdadeiro (Seção 5.17). Reproduzido com permissão da Asahi Kasei Microdevices, Tóquio, Japão.

AOP	e_n@1kHz (nV/$\sqrt{Hz}$)	i_n@1kHz (pA/$\sqrt{Hz}$)	I_B (µA)	distorção @1kHz (dB)	preço (US$/ea)
NJM5534	3,3	0,4	0,5	–104	0,82
LME49710	2,5	1,6	0,007	–130	2,65
AD797A	0,9	2,0	0,25	–130	8,36

O candidato delta-sigma encaixa bons golpes, com sua resolução superior e a facilidade para projetar um filtro passa-baixas de entrada (*anti-aliasing*) de limitação de largura de banda (devido à sua relação de sobreamostragem de 8x). O SAR responde que o número de bits não é grande coisa, o que conta é a *linearidade* (em que ambos são iguais). E, a propósito, o SAR produz bits de saída 25 vezes mais rápido, com a sua baixa latência superior. O sigma-delta dá um contragolpe com SNR supostamente superior, ao qual o SAR defende com desaprovação da necessidade do $\Delta\Sigma$ de pelo menos duas fontes de alimentação e uma referência externa, e o desperdício indecente de 13x maior potência. O sigma-delta, embora um pouco castigado, se recuperou com uma alegação de erro de ganho 15 vezes menor, que o SAR contestou acusando delta-sigma de trapacear, pois contou com um registrador de correção ganho para fazer a calibração "inteligente". Isto prepara o delta-sigma para o golpe final, ou seja, que o SAR não foi ainda suficientemente inteligente para enganar. Ambos os candidatos reivindicam vitória (enquanto cambaleiam de volta para seus respectivos cantos), mas os espectadores consideram a disputa empatada, com bons golpes de ambos os lados.

13.10.2 Amostragem versus Cálculo da Média em ADCs: Ruído

Conversores Delta-sigma são inerentemente de *integração*; isto é, uma medida leva em conta o sinal que varia ao longo do tempo de conversão; você pode pensar nisso como uma média simples. Com um conversor de SAR, ao contrário, a tensão instantânea do sinal de entrada é captada num circuito de rastreamento e retenção (durante o chamado tempo de *abertura*) quando o conversor é disparado. Esta distinção tem algumas consequências importantes, entre elas a capacidade de conversores SAR operarem com um consumo médio de potência excepcionalmente baixo no momento da amostragem a uma taxa lenta (veja a seção a seguir).

Outra consequência de importância é a largura de banda efetiva em que o sinal de entrada é amostrado. Uma pequena abertura corresponde a uma largura de banda grande, e vice-versa. A intuição serve bem aqui: altas frequências são descartadas durante um intervalo longo de cálculo de média, enquanto uma amostra rápida pode gravar a amplitude do sinal, uma vez que gira rapidamente. Em outras palavras: calcular a média de um sinal ao longo de um intervalo de tempo τ funciona como um filtro passa-baixas, cuja largura de banda é maios ou menos da ordem de $1/\tau$; matematicamente falando, eles estão relacionados pela transformada de Fourier.[98]

Para fazer estas afirmações de forma quantitativa, veja a Figura 13.69, que ilustra a função de filtro passa-baixas de uma janela de cálculo de média do tempo de duração T. Baixas frequências passam, mas frequências mais altas sofrem com o cálculo de média; um sinal de frequência $f = 1/T$ conclui um ciclo completo durante o tempo T de duração da ja-

---

[98] E em particular, pelo teorema de convolução, em que o intervalo de amostragem é representado por uma janela retangular de amplitude unitária no tempo. Sua transformada de Fourier é a função seno, $(\sin t)/t$, com um primeiro zero em $f = 1/\tau$.

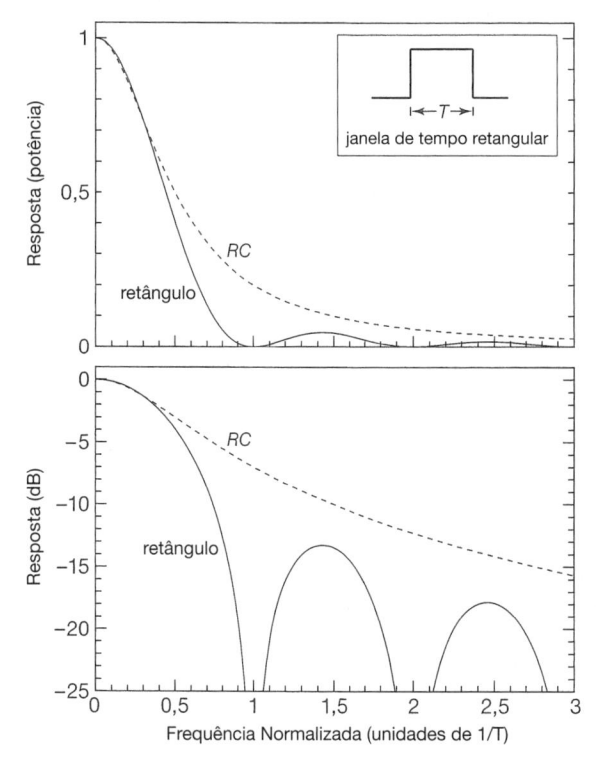

FIGURA 13.69 Espectro de um pulso retangular $\Pi(t)$ de comprimento T. Um sinal de entrada, controlado por uma porta (que é limitado por uma janela, ou é multiplicado) por $\Pi(t)$, é filtrado por um passa-baixas de forma eficaz pelo espectro de potência indicada. Um filtro passa-baixas RC com decaimento de 3 dB em $f=1/2T$ é mostrado para comparação.

nela, assim, as médias se aproxima de zero. Zeros adicionais ocorrem em múltiplos de $1/T$, em que um sinal de frequência correspondente completa um número inteiro de ciclos.[99]

Assim, uma janela curta admite um ruído de banda larga, degradando a precisão de um sinal intrinsecamente lento que se beneficiaria do cálculo da média. Tenha isso em mente ao projetar um circuito de conversão, especialmente um que opere em amostras intermitentes de um sinal que varia lentamente (por exemplo, um sensor de temperatura ou *strain gauge*). Você pode usar um ADC de aproximação sucessiva de amostragem rápida, desde que você esteja disposto a adicionar um filtro passa-baixas na entrada. Com um conversor de média (delta-sigma, dupla rampa ou múltipla rampa) você tem isso de graça.

---

[99] É essa rejeição completa de frequências de sinal em $1/T$ e todos os seus harmônicos que permitem fazer medições em DMM de bancada sem se preocupar com a captação da rede elétrica: o intervalo de integração do DMM é escolhido para ser um número inteiro de ciclos da rede elétrica; lembre-se da Seção 13.8.3 e, especialmente, da Figura 13.42.

13.10.3 Conversores A/D de Micropotência

Pequenos dispositivos alimentados por bateria muitas vezes precisam de algumas informações sobre o mundo real, que podem obter a partir do sinal de um sensor e um ADC de baixa potência. Frequentemente um simples ADC de 8 ou 10 bits incluído em um CI microcontrolador faz isso, mas para aqueles que necessitam de um melhor desempenho, oferecemos uma seleção de ADCs de micropotência na Tabela 13.6 na página 916. A tabela lista tanto conversores SAR quanto $\Delta\Sigma$, e as indicações se repetem nas Tabelas 13.5 ou 13.9. Vamos dar uma olhada em uma comparação destes tipos de conversores para uma aplicação típica de micropotência.

Alguns tipos de SAR são conhecidos pela velocidade de conversão rápida, o que aumenta o consumo de energia. ADCs SAR capturam uma amostra do sinal quando eles são acionados, permitindo que você desligue imediatamente o sensor; isso poupa energia em algo como uma ponte *strain-gauge* de consumo relativo alto. Conversores SAR rápidos consomem mais corrente, mas eles também terminam mais rapidamente e vão "dormir". Por exemplo, o AD7685 consome 2,7 mW durante conversões de 16 bits contínuas em 200 ksps (seu máximo, quando operando em 3 V); mas, em uma aplicação de sensor podemos fazer medições muito menos frequentes, digamos, 100 amostras por segundo, onde a dissipação de potência média é apenas 1,4 μW (2000x menor). Como observado na tabela, para a maioria dos tipos de SAR a dissipação de potência é proporcional à taxa de amostragem, então há uma abundância de outros candidatos de baixa potência para ser escolhido na Tabela 13.5.

Como observado antes, conversores delta-sigma são integradores por natureza, e eles levam mais tempo para realizar uma conversão. Além disso, uma conversão de 16 bits pode levar 16 vezes mais tempo do que uma conversão de 12 bits. Mas ADCs $\Delta\Sigma$ geralmente consomem menos potência em operação do que SARs comparáveis. O delta-sigma MCP3425 dissipa 0,44 mW ao operar continuamente em seu máximo de 15 amostras/segundo (para conversões de 16 bits), seis vezes menos do que o SAR citado funcionando no seu máximo 200 ksps. Nesta fase você pode concluir que o delta-sigma é o de menor potência. Mas a comparação é desigual, porque as taxas de amostragem diferem em um fator superior a 10.000. A propósito, note que estes requisitos de potência são muito maiores do que os promissores números que você encontrará na folha de dados onde, por exemplo, o MCP3425 declara capacidade de operação em níveis de potência média de 1,8 μW; mas há uma pegadinha, porque esse número otimista se aplica à operação em modo de 12 bits, e em apenas uma amostra por segundo.

Disputa de ADCs por Baixa Potência. Para comparar esses dois conversores de modo justo, vamos supor que queremos fazer 10 medições por segundo em resolução de 16 bits, e queremos escolher o conversor que minimiza a dissipação de potência. Nesse ritmo o conversor delta-sigma exige 290 μW de potência média contra 0,14.μW. exigido

TABELA 13.12 Especialidades de conversores A/D[a]

Nº especif	Bits	Taxa de Conv máx (ksps)	Canais	ADCs	SAR	Integração	Observações
AMC1203	1	10M	1	1	-	•	Modulador ΔΣ, corrente de motor CA
AD7873	12	125	6	1	•	-	tela de toque X,Y resistiva
AD7490	12	1000	16	1	•	-	sequenciador flexível
AFE5401	12	25M	4	4	•	-	radar automotivo AFEe
AFE5804	12	40M	8	8	•	-	ultrassom de 8 canais, 0,9nV/$\sqrt{Hz}$
AD6620	12	67M	2	1	•	-	filtro FIR + RAM prog, para FPGA
AD9869	12	80M	1	1	•	-	transceptor, DAC de 2.000 Msps
AD6655	14	150M	2	2	-	•	receptor de diversidade de FI, NCO de 32 bits
LMP90080	16	0,21	8	1	•	-	sensor AFEe, muitas interfaces
ADE7753	16	14[c]	2	2	-	•	monitoramento de fonte CA, monofásica
DDC316	16	100	16	16	-	•	16 entradas de corrente, 3 a 12 pF
AD7147	16	250	13	1	•	-	13 entradas de capacitância, de toque
AD7609	18	200[f]	8[f]	1	•	-	amostragem simultânea, dif
DDC232	20	6	32	32	-	•	32 entradas de corrente, 3 a 12 pF
78M6631	22	2,5	6	1	-	•	alimentação trifásica, sem a CPU 8051
AD7746	24	0,09	2	1	-	•	capacitância precisa, ±4 pF de fundo de escala
ISL26102	24	4	2	1	-	•	silencioso, 7nV/$\sqrt{Hz}$, linearidade de 2 ppm
LDC1000	24[b]	d	2	2	•	•	indutância, resistência de perda
ADS1298	24	32	8	8	-	•	ECG de 12 terminais padrão
TPA5050	24	192	2	2	-	•	áudio, atraso de sincronia labial de 120 ms

Notas: (a) em que encontramos indutância, capacitância, ultrassonografia, ECG, seções de entradas analógicas de sensores poderosos, comunicações RF e etc. (b) 24 bits para L (indutância), 16 bits para Rp (resistência em paralelo equivalente). (c) largura de banda RMS de 14 kHz. (d) resposta mais rápida = 192 ciclos de *LC*, por exemplo, 10 ksps para 2MHz. (e) seção de entrada analógica de sensores. (f) amostragem simultânea, todos os canais de 200 kHz.

pelo SAR. O SAR ganha disparado do ΔΣ – ele está usando apenas 1/2.000 da potência! Nesse quesito é um "gol de placa".[100] Mas há mais a considerar. A conversão por integração delta-sigma leva 66 ms, o que resulta em uma medição mais silenciosa do que em um ADC SAR amostrando o sinal numa fração de um microssegundo, como descrito na Seção 13.10.2.[101] Compare com o SAR AD7685 mencionado acima, que pode realizar 2.000 medições com a mesma potência total de uma medição ΔΣ – mas você pode precisar calcular a média de todas elas para reduzir o ruído.

Sugerimos sempre um estudo cuidadoso da folha de dados de qualquer dispositivo candidato. Ao avaliar ADCs de micropotência, verifique se incluem um amplificador de entrada, referência de tensão interna e oscilador de conversão no chip. Essas funções podem exigir potência externa adicional. Alguns ADCs usam a fonte como a referência de tensão, o que é bem adequado para um sensor ratiométrico como um termistor ou *strain-gauge*. Em outros sensores você talvez tenha operar todo o ADC a partir de uma referência de tensão externa. Alguns ADCs usam a interface de deslocamento de dados como o clock de conversão, o que pode forçar o controlador a perder tempo e energia criando uma taxa de clock de dados lenta. Note também que alguns conversores de clock externo exigem frequências bastante elevadas, por exemplo, o ADC SAR AD7091R precisa de um clock de 50 MHz para operar em sua velocidade máxima de 1 Msps; requisitos como esse podem ter um sério impacto sobre o consumo de potência.[102] Ao considerar conversores para aplicações que devem ser alimentadas de forma intermitente, lembre-se também que alguns conversores têm um considerável atraso na inicialização a partir do modo de espera.

Uma última consideração é a tensão de alimentação. A maioria dos dispositivos da Tabela 13.6 exigem uma tensão de alimentação mínima moderadamente alta, como 2,7 V. Mas ADCs capazes de operar em tensões mais baixas podem eco-

---

[100] E, claro, há também economia de potência se o sensor externo tiver a alimentação comutada.

[101] Lembre-se que a largura de banda está inversamente relacionada à largura do pulso, como BW ≈ $1/\tau$, e que a potência desse ruído cresce com a largura de banda ($P_n = e_n \cdot$BW para o ruído branco). Assim, uma medição mais lenta corresponde à largura de banda reduzida; ela calcula a média do ruído de alta frequência.

[102] Tomando o AD7091R como exemplo, o acionador de SCLK consome $P = CV^2 f$ tomando C = 5 pF, que equivale a 2,25 mW para uma variação lógica de 3 V em 50 MHz, o que é significativamente maior do que a própria dissipação de potência especificada de 1 mW do conversor. Felizmente, o clock de 50 MHz no pino SCLK é necessário apenas durante os 12 ou 13 deslocamentos de dados da saída, reduzindo assim a potência média de SCLK para 0,6 mW (por exemplo, um fator de 13/50): muito melhor, mas ainda uma contribuição significativa para a potência total.

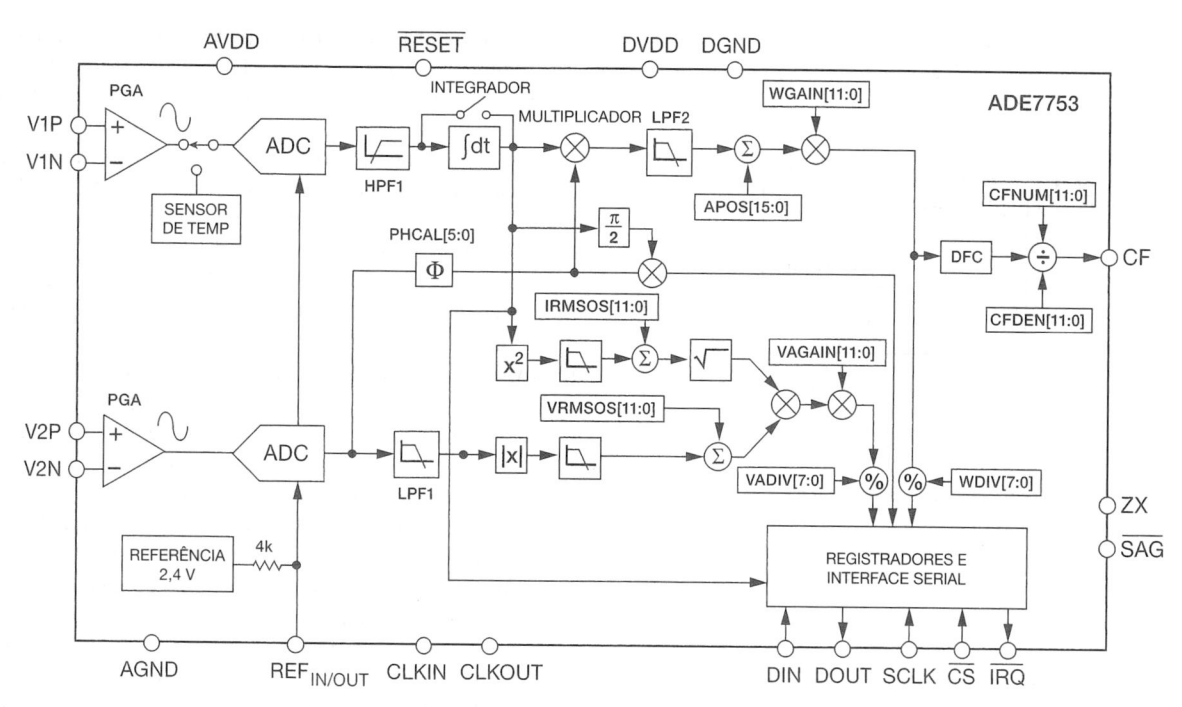

FIGURA 13.70 O ADE7753 da Analog Devices: um interessante CI monitor de fonte CA, cortesia da Analog Devices, Inc.

nomizar uma energia considerável. Por exemplo, o AD7466 consome 620.μW em 100 ksps quando funciona com uma fonte de 3,0 V, mas utiliza apenas 120.μW em 1,6 V.[103] Este ADC tem desempenho modesto em 1,6 V, mas o problema maior pode ser projetar circuitos analógicos para operar em uma tensão tão baixa. Olhando pelo lado positivo, você pode ser recompensado com um arranjo de baterias simplificado.

13.11 ALGUNS CONVERSORES A/D E D/A INCOMUNS

Aqui estão alguns CIs conversores interessantes, instrutivos e úteis, que não podemos resistir de mostrar. Todos estes são da Analog Devices, um líder tradicional em CIs de conversão e outros produtos análogos de alto desempenho. (Veja também os ADCs de baixa potência na Tabela 13.6, e os conversores "de especialidade" incomuns na Tabela 13.12.)

13.11.1 CI de Medição de Potência CA Multifunções ADE7753

Em ambientes industriais (e, cada vez mais, também no contexto residencial de consumo consciente de energia) é importante manter o controle do uso de energia elétrica, na forma do medidor de energia tradicional com o disco em rotação e os indicadores de watt-hora acumulados. Tão importante, ou até mais importante, é a necessidade de monitorar e minimizar potência *reativa*; isto é, compensar as cargas reativas (como motores), a fim de manter o fator de potência (Seção 1.7.6) próximo da unidade. A concessionária de energia elétrica se preocupa com potência reativa, e de fato transmite esse cuidado na forma de sobretaxas para os usuários industriais, porque produz perdas I^2R em suas linhas e transformadores, embora não entregue nenhuma potência de aquecimento útil para a carga. É bom também ser capaz de controlar a potência instantânea (real e reativa) e, já que estamos falando no assunto, a presença de quedas de tensão ou picos (surtos).

O elegante ADE7753 da Analog Devices[104] (Figura 13.70) é um bom exemplo de conversão A/D, adaptado especificamente para essa aplicação. Ele é normalmente acompanhado de um microcontrolador, tal como mostrado na Figura 13.71 (e na Figura 15.21). Aqui nós vamos simplesmente admirar suas variadas características de projeto.

Visão geral. A partir de um par de sinais de entrada analógica que fornece uma amostra da tensão e da corrente de linha, este chip usa técnicas puramente digitais (após os amplificadores na seção de entrada) para calcular continuamente os valores de potência real ("ativa"), potência reativa e o produto volt-ampere ("potência aparente"). Ele também acumula potência ativa e aparente e detecta quedas de tensão e picos. É altamente configurável por meio de um sim-

---

[103] A relação de potência de 5,2x é mais do que o quadrado da relação de tensão de alimentação de 1,9x, revelando que a corrente de operação cai mais rápido do que a linearidade em função da tensão de alimentação. Isso não deveria ser uma surpresa, considerando o efeito de classe-A da corrente de "disparo" na lógica CMOS, consulte a Figura 10.101.

[104] Escolhemos um dispositivo monofásico por simplicidade; o similar ADE7758 lida com alimentação trifásica.

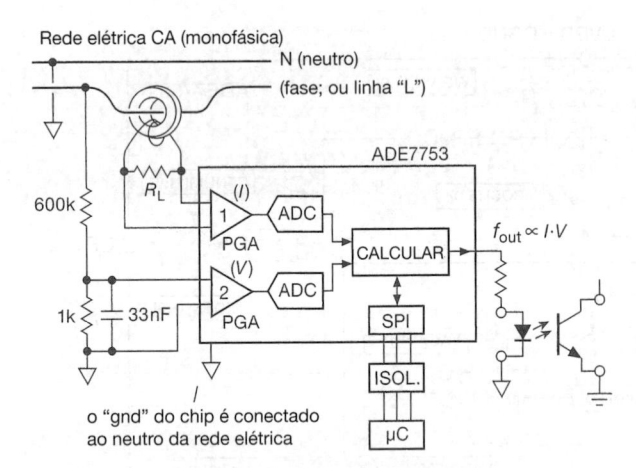

FIGURA 13.71 Conexões básicas na rede elétrica, com transformador de corrente (TC) que detecta a corrente de linha CA. O trem de pulsos f_{out} fornece uma contagem do uso da energia elétrica, na forma dos medidores de energia tradicionais com disco de rotação.

ples barramento SPI de 3 fios (Seção 14.7), que é como um microcontrolador embutido comunica com 64 registradores internos do chip, que são utilizados tanto para configurar os modos de operação quanto para informar os valores medidos. Ele também fornece uma saída de trem de pulso cuja taxa é proporcional à potência ativa (o disco de rotação de um medidor de energia mecânico); assim, uma vez calibrado, ele pode ser usado em modo autônomo (sem microcontrolador) se tudo o que você quer é uma contagem do consumo de energia acumulada.

Detalhes, detalhes. Um par de amplificadores de diferença de ganho programável aceitam entradas de sinal de baixo nível ($\pm 0{,}5$ V) a partir da tensão da rede e amostras de corrente. Existem três maneiras de obter o segundo (Figura 13.72): (a) um pequeno resistor em série (um "*shunt*") com a linha de 4 fios calibrado; (b) um transformador de corrente toroidal (como na Figura 13.71) com carga resistiva; ou (c) uma "bobina de Rogowski." Esta última produz um sinal de tensão proporcional a dI/dt, em comparação com o $\propto I$ para os outros dois, exigindo assim uma integração adicional. Em troca dessa complicação ele tem as vantagens da linearidade (sem núcleo magnético) e fácil instalação[105] (não há necessidade de interromper a alimentação). Os amplificadores têm *offsets* digitalmente ajustáveis; suas saídas são digitalizadas com um par de ADCs $\Delta\Sigma$ de segunda ordem de 16 bits, produzindo uma sequência de bits digitalizados a ~ 28 ksps amostradas de V e I.

Agora vem a diversão. O caminho superior através do diagrama em blocos da Figura 13.70 é o cálculo da potência ativa (real): o canal 1 é o sinal de corrente de linha, com CC removido, alimentando um integrador opcional (para Rogowski), que é multiplicada pela forma de onda de tensão do canal 2, com um ajuste de fase de 0,05° (PHCAL) para garantir multiplicações em fase precisas. O resultado – a potência ativa instantânea – tem ajustes de *offset* e ganho, e depois gera uma frequência de saída proporcional (no pino CF) por meio de um conversor de frequência digital (DFC); ele também vai para o banco de registradores, no qual pode ser lido (e o seu valor acumulado também).

O caminho do meio é o cálculo de potência reativa: é semelhante, mas com um deslocamento de fase de 90° fase no caminho da corrente. Finalmente, o caminho inferior é o cálculo do produto volt-ampère (potência aparente), feito como o produto da magnitude da tensão pela corrente eficaz, com os habituais ajustes de *offset* e configuração de ganho.

O bloco rotulado "registradores e interface serial" timidamente esconde sua inteligência considerável. Ele realmente está no comando aqui, com todos aqueles ajustes e configurações de ganho, configurações de modo para coisas como detectores de queda e pico, o integrador opcional e o dimensionamento da frequência na saída CF. Neste bloco estão também os acumuladores da quantidade de energia (potência x tempo) (real e aparente) e os registradores que

---

[105] É ainda melhor do que a figura sugere, porque, na prática, um fio é envolvido pela bobina de modo que os dois terminais da bobina saem na mesma extremidade. Consulte as folhas de dados para o RoCoil da DENT Instruments ou o RopeCT da Magnelab.

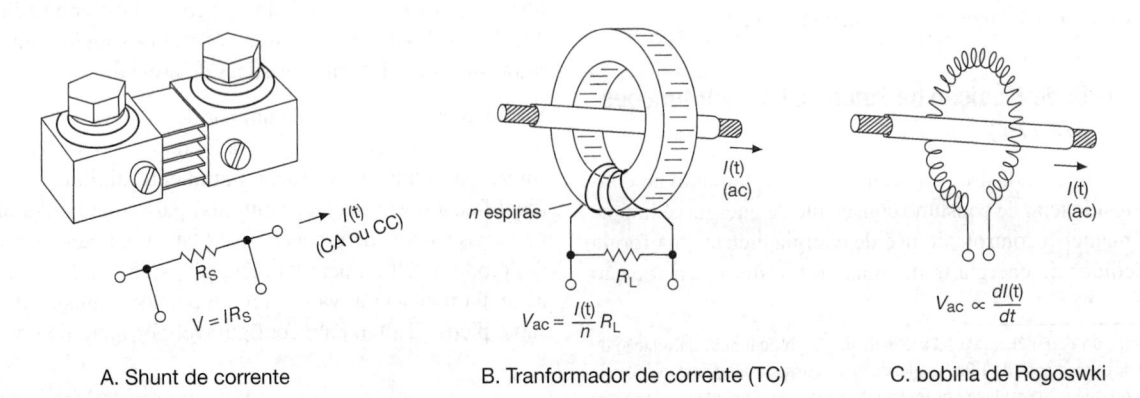

FIGURA 13.72 Técnicas de detecção de corrente. O shunt resistivo de 4 fios (A) funciona com CA ou CC, mas não fornece nenhum isolamento. Os métodos que utilizam o transformador de corrente (B) e a bobina de Rogowski (C) funcionam apenas com CA.

armazenam os dados sobre quedas e picos. Ele pode ser configurado para gerar um pedido de *interrupção* para o processador (Seção 14.3.7) quando coisas ruins acontecem.

No geral, um desempenho bastante impressionante para um dispositivo que custa cerca de 4 dólares em pequenas quantidades.

13.11.2 Digitalizador de *Touchscreen* AD7873

Uma "*touchscreen*" (tela de toque) é a combinação familiar de um dispositivo display (geralmente um LCD em cores retroiluminado), na superfície do qual tem um revestimento que é sensível à pressão de contato (do dedo ou ponta apropriada). Elas são usadas em smartphones, PDAs, PCs tablet, caixa eletrônico, terminais de ponto-de-venda e similares, para permitir a manipulação digital simples (o que é um trocadilho, entendeu?) de objetos exibidos. Um tipo simples e eficaz, denominado *touchscreen resistivo*, consiste em duas folhas finas de material transparente, cada um com um revestimento condutor, que são pressionadas simultaneamente pela força de contato do dedo.

Como você pode ver onde isso acontece? Fácil: há um eletrodo de fita metálica ao longo de duas arestas opostas de cada folha; por isso, se você aplicar uma tensão CC através de tal folha, ela age como um divisor de tensão resistivo, com um aumento linear de tensão de uma borda à outra. O sanduíche *touchscreen* é um par empilhado, uma folha orientada na direção *x*, a outra na direção *y*. Para ler a posição de contato, primeiro você energiza uma folha (digamos a folha *x*) com uma tensão CC, e lê a tensão que o ponto de contato transfere para a outra folha (*y*) não acionada, o que lhe dá a coordenada *x* da localização pressionada. Então você inverte os papéis, energizando a folha *y* e lendo a tensão transferida para a folha *x*.

O AD7873 (Figura 13.73) faz tudo o que você precisa e muito mais. Ele fala com o processador embutido usual (Capítulo 15) através de uma porta serial SPI de 3 fios (Seção 14.7 e Seção 15.8.2), tanto para a configuração quanto para a leitura. Ele inclui chaves MOSFET internas para energizar alternadamente as folhas *x* e *y*; uma referência de tensão interna; um sensor de temperatura interno e um ADC SAR de 12 bits com multiplexador de entrada para selecionar e digitalizar entre (a) a folha não acionada, (b) a tensão de acionamento, para fazer a medição ratiométrica, (c) a tensão da bateria, (d) a temperatura e (e) uma entrada analógica independente de sua escolha. Esse dispositivo opera com uma fonte de alimentação simples (2,2 V a 5,25 V), com consumo de energia de alguns miliwatts e um preço de cerca de 2 dólares em quantidades modestas de produção (1.000 peças).

Uma técnica *touchscreen* alternativa substitui a resistência por uma *capacitância*, com vários esquemas de determinação do ponto de proximidade. Você pode obter conversores de capacitância completos, com referência interna ao chip, excitação, conversor delta-sigma e interface serial, por exemplo, o AD7140/50 e a série AD7740 da Analog Devices. Estes vêm em variedades de canais, simples e múltiplos, com resoluções de 16 a 24 bits. Eles não são rápidos (~100 sps), mas são muito baratos (um duplo conversor de 200 sps e 12-bits ou um de 45 sps, 16 bits e 8 canais custa cerca de 2 dólares em quantidades de 25).

13.11.3 ADC AD7927 com Sequenciador

Muitos ADCs incluem um multiplexador analógico interno ao chip, para que possa amostrar e converter uma sucessão de entradas analógicas. O AD7927 (Figura 13.74) permite que você faça isso; mas acrescenta um modo de sequenciador programável, de modo que você possa designar um subconjunto (na verdade, dois subconjuntos) de canais de entrada a serem convertidos em sequência, mais e mais. Amostragem e conversão são disparadas pelo pino *chip select* (CS), sem os atrasos *pipeline* característicos de conversores delta-sigma. Ele usa uma porta serial SPI tanto para o controle/programação quanto para a leitura de dados; ela é descrita neste contexto na Seção 14.7.1.

13.11.4 Subsistema de Medição em Ponte de Precisão AD7730

Aqui está um bom chip (Figura 13.75), que tem como objetivo o mercado de balanças onde transdutores resistivos em

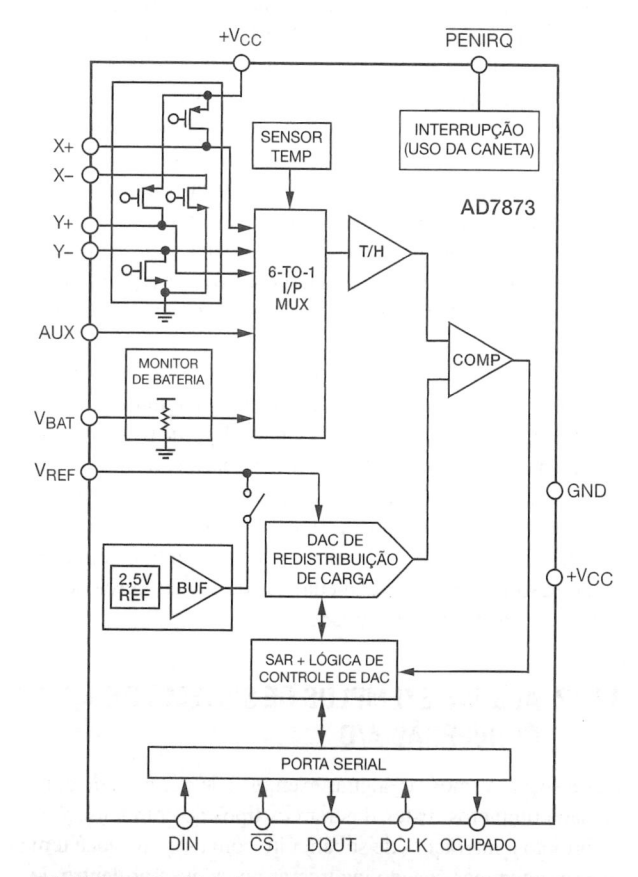

FIGURA 13.73 Digitalizador *touchscreen* resistivo AD7873. A posição *x* e *y* da ponta do dedo é determinada em duas etapas, energizando cada plano sucessivamente e lendo a saída do divisor de tensão a partir do outro plano, cortesia da Analog Devices, Inc.

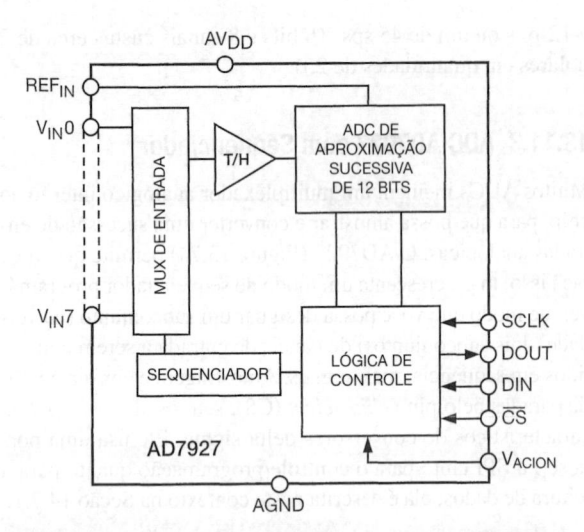

FIGURA 13.74 ADC de aproximação sucessiva multiplexado AD7927, com os modos do "sequenciador" programados de forma flexível, cortesia da Analog Devices, Inc.

ponte (*strain gauges*) são utilizados. Sua folha de dados bem organizada faz com que seja fácil acompanhar suas funcionalidades inteligentes. Ele tem amplificadores diferenciais de ganho programável na seção de entrada com ganho adequado para entradas de fundo de escala de 10 mV e uma entrada de referência diferencial para medições totalmente ratiométricas. Ele pode ser operado em um modo *chopper*, para minimizar os erros de tensão *offset* e deriva; e tem os modos de calibração interna para corrigir erros de escala. Assim, você pode conectar os terminais do *strain gauge* diretamente nesse chip, sem quaisquer pré-amplificadores externos.

Particularmente interessante é o sinal de "excitação CA" interno, que pode ser usado para inverter a polaridade do acionamento da ponte em medições sucessivas, cancelando assim *offsets* residuais – incluindo os *offsets externos* causados, por exemplo, por tensões termelétricas nas junções de metais diferentes. A manchete da primeira página é "Deriva de *Offset*: 5 nV/°C, Deriva de Ganho: 2 ppm/°C." No lado digital, há muita flexibilidade de programação no controle de seu conversor delta-sigma de 24 bits e filtro digital, por meio da porta serial SPI (Seção 14.7). Esse dispositivo opera com uma fonte simples de +5 V; ele está disponível tanto em DIP quanto estilos de encapsulamentos SMD e custa cerca de 15 dólares em pequenas quantidades.

13.12 ALGUNS EXEMPLOS DE SISTEMA DE CONVERSÃO A/D

Nesta seção, vamos ver alguns exemplos de *sistemas* de conversão completos. Estes ilustram os tipos de compensações de projeto e interações de subcircuito com os quais você tem que se preocupar quando incorporar um conversor dentro de um sistema maior, que inclua amplificadores na seção de entrada, referências de tensão e interfaces digitais.

13.12.1 Sistema de Aquisição de Dados de 16 Canais Multiplexado

Este exemplo de aplicação utiliza um ADC de aproximação sucessiva para criar um sistema de aquisição de dados (DAQ) de 16 canais multiplexado. A Figura 13.76 mostra a configuração do circuito, que permite digitalizar qualquer combinação de 16 entradas analógicas diferenciais (ou 32 entradas de terminação simples), sob o controle flexível de um microcontrolador embutido (este último é o assunto do Capítulo 15). Por exemplo, os vários canais de entrada podem ser configurados em tempo real como terminação simples ou diferencial e com diferentes ganhos de seção de entrada (definidos pelo amplificador de ganho programável PGA), juntamente com a data e hora para cada medida; e os canais podem ser amostrados (ou ignorados) em qualquer ordem, com intervalos de amostragem programáveis. Um subsistema como esse poderia formar a "seção de entrada" de um experimento de aquisição de dados controlado por microprocessador, no qual uma varredura rápida de uma dúzia de tensões está programada para ocorrer, com varreduras sucessivas tomadas em intervalos de 100 ms ou menos.

Embora pareça bastante simples de início, um circuito acabado como este é geralmente o resultado de muito "malabarismo" de recursos e compromissos, enquanto você luta para encontrar componentes com as propriedades certas. Este exemplo não é uma exceção. Vamos analisar um "projeto passo a passo", para ver as várias escolhas que fizemos e o desempenho resultante.

Multiplexador de entrada. Multiplexadores analógicos são abundantes (a Digikey lista quase mil); mas são poucas as variedades que podem lidar com uma faixa completa de entrada analógica de ±10 V. E são menos ainda os dispositivos que permitam variações além dos trilhos de alimentação de ±15 V, ou que não limitem a entrada quando não energizados. O MPC506[106] de longa vida da TI (originalmente Burr-Brown, líder em CIs analógicos) é excelente a esse respeito, embora à custa de uma resistência ON relativamente alta (1,5 kΩ). Seu processo CMOS dieletricamente isolado permite que a entrada varie 20 V além dos trilhos, sem "SCR *latchup*" ou *crosstalk* entre as entradas; e suas chaves são do tipo "fechar antes de abrir," o que significa que os vários canais de entrada não se encontram em curto durante as mudanças de endereço no MUX. Atente para as considerações desse tipo quando comprar chaves lineares. Elas às vezes envolvem um compromisso. Por exemplo, "fechar antes de abrir" resulta em uma especificação de tempo de comutação mais lento (aqui 0,3 μs típico) porque o "fechar" deve ser atrasado (por 80 ns aqui) para permitir que a chave abra.

---
[106] Ou o HI-506A original da Intersil, que é frequentemente listado com um número de identificação como HI3-0506A-5Z. Normalmente chaves de ±15 V sem capacidade de ir além dos trilhos têm números de identificação como DG506, HI-506 ou ADG1206.

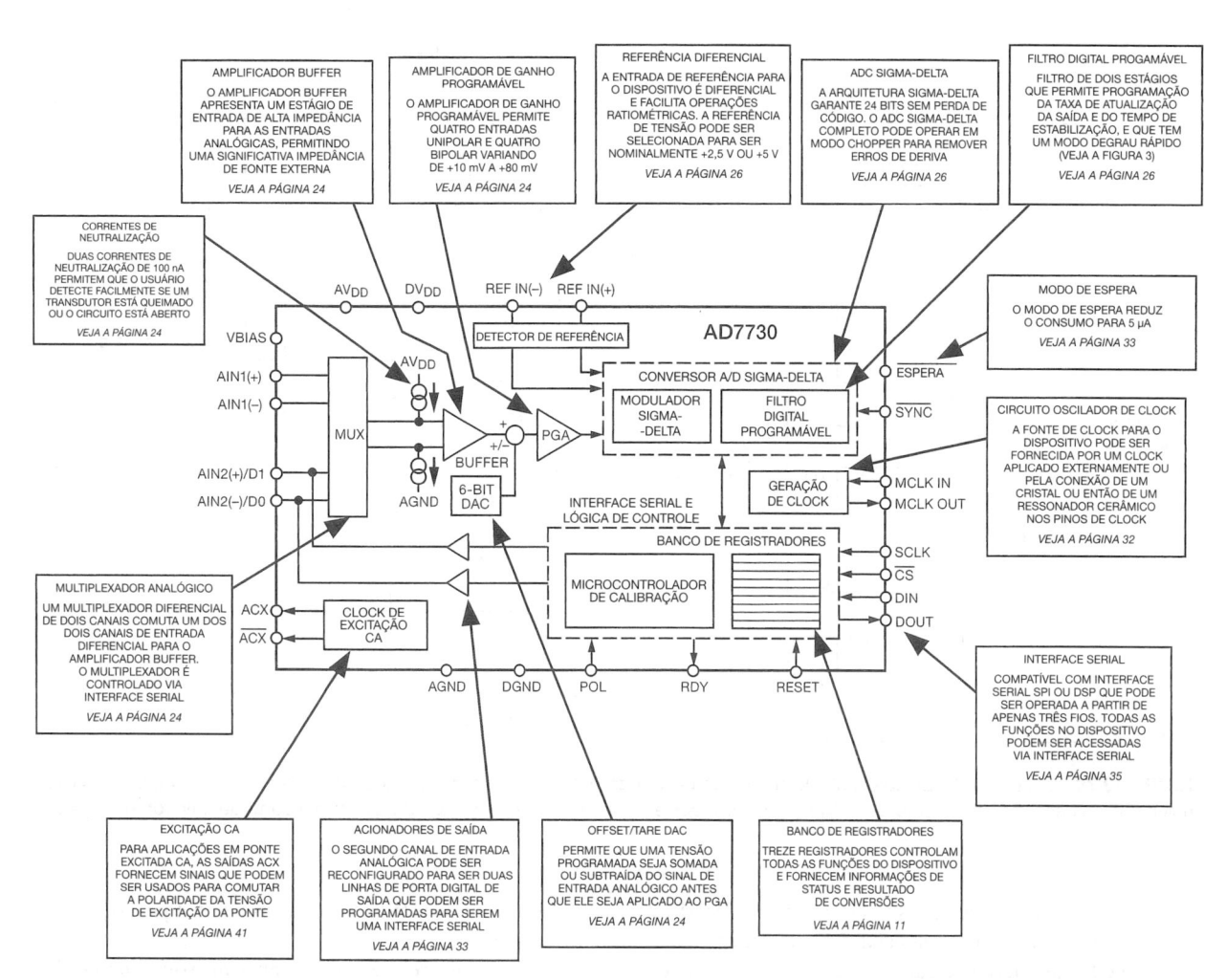

FIGURA 13.75 Subsistema de interface analógica sob medida para transdutores do tipo ponte, como *strain gauge*, balanças e transdutores de pressão. A folha de dados do AD7730, a partir do qual este valor é retirado, é um modelo de clareza e uma delícia de ler, cortesia da Analog Devices, Inc.

Uma observação: o que acontece se uma entrada analógica varia mais de 20 V além dos trilhos de alimentação do MUX? Haverá alguma corrente de entrada, começando em cerca de 15 V além dos trilhos, e aumentando para cerca de 20 mA quando você está 40 V além dos trilhos. Além disso, existe o risco de danificar o dispositivo. Se você está esperando sobretensões de entrada graves e quer uma proteção *real*, você pode incluir um circuito de limitação de corrente de entrada como o da Figura 13.77: os MOSFETs de modo depleção conectados de forma consecutiva, em convenientes encapsulamentos TO-92 ou SOT-23, podem proteger até 500 V e limitar a corrente em ∼1 mA.[107] Veja a Seção 5.15.5, a Figura 5.81 e a discussão associada para obter mais detalhes.

Chave seletora de terminação simples/diferencial. Chaves analógicas duplas SPDT, sob controle digital, roteiam as saídas dos multiplexadores: em modo diferencial de 16 canais, S_1 e S_2 sempre se conectam a U_1 e U_2; no modo de terminação simples (SE) de 32 canais, S_2 se conecta a um sinal comum, enquanto S_1 se conecta a U_1 ou U_2 para os canais de 1 a 16 ou de 17 a 32, respectivamente. (Isso é muitas vezes denominado entrada *pseudo-diferencial*, porque o terminal comum é compartilhado por todos os canais de terminação simples.) A comutação de canal e modo pode ser feita com base em canal por canal (explicado a seguir). Note a ausência de um filtro *anti-aliasing*, que limitaria a velocidade de multiplexação: consideramos que os sinais de entrada são adequadamente limitados em banda a montante dos multiplexadores.

---

[107] Sob condições normais, a resistência em série é $2R_{on} + R_s$, ou cerca de 2,7 kΩ. O 1 kΩ a mais de resistência em série não é exatamente um compromisso; você poderia omitir o resistor e a saturação IDSS ≈ 2 mA ainda iria proteger o MUX, mas o limite de dissipação dos transistores significa que você precisaria limitar as sobretensões de entrada para sustentáveis 100 V, aproximadamente.

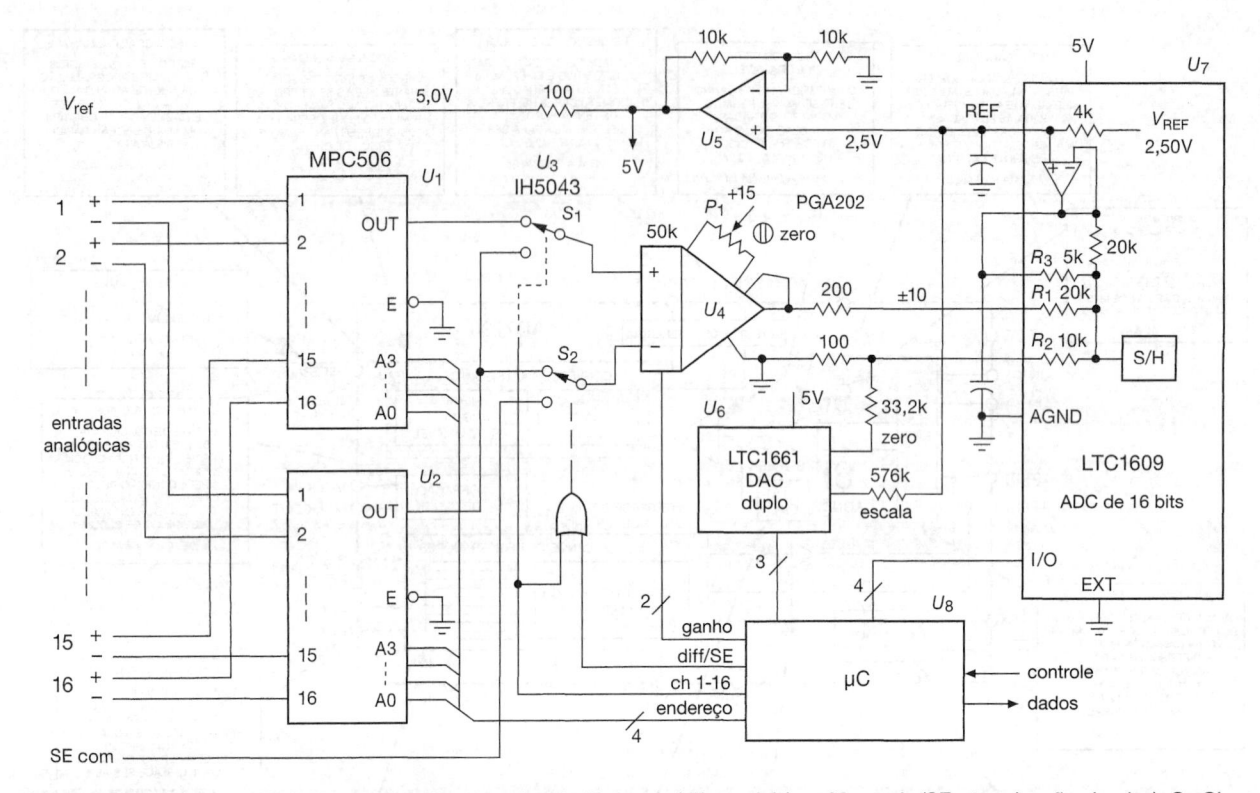

FIGURA 13.76 Sistema ADC de aproximação sucessiva de 16 canais (diferenciais) ou 32 canais (SE – terminação simples). Os CIs analógicos no caminho do sinal (de U_1 a U_5) são alimentados a partir de ±15 V; os outros CIs operam a partir de uma fonte simples de +5 V.

As chaves analógicas SPDT S_1 e S_2 do IH5043[108] foram escolhidas por sua baixa fuga, baixa capacitância e baixa injeção de carga. Estes vêm à custa de um R_{on} relativamente elevado (80 Ω máx). (Você pode conseguir uma abundância de chaves analógicas com um R_{on} muito baixo, até 0,5 Ω ou menos; mas você não precisa disso aqui, e pagaria o preço em fuga, capacitância e injeção de carga.[109])

Amplificador de instrumentação. Idealmente queremos um amplificador de instrumentação (veja a Seção 5.15 e a Tabela 5.9) com ganho digitalmente programável (um PGA), que possa acomodar uma faixa de sinal analógico completa de ±10 V e que tem tempo de estabilização rápido, ganho estável, baixa tensão de *offset*, baixo ruído e baixa corrente de polarização. É bom assinalar uma longa lista de características desejáveis – mas o quão bom cada um deles precisa ser? O que importa, em última análise, é que as limitações do amplificador não degradem o desempenho geral do sistema.

Com relação ao sistema de som *surround*, o PGA202 da TI (Burr-Brown) é uma boa escolha aqui: ele tem ganhos programáveis de 1, 10, 100 e 1.000 (definido por um par de pinos de entrada de nível lógico), com um tempo de estabilização (a 0,01%) de 2 μs (para todos, mas G_V = 1.000), adequados para a taxa de conversão de 200 ksps de ADC a jusante. Os três ajustes de ganho mais baixos correspondem a faixas de entrada de fundo de escala de ±10 V, ±1 V e ±0,1 V. Sua alta impedância de entrada e baixa corrente de entrada (10 GΩ, 50 pA) não degradam as características combinadas do multiplexador a montante e chave (o MUX especifica uma corrente de fuga típica de 2 nA).

Finalmente, o que dizer da tensão de *offset* do amplificador e do ruído? Escolhemos um amplificador de instrumentação com entrada JFET para sua entrada de alto Z; mas, olhando para amplificadores comparáveis na Tabela 5.9, vemos que temos pagado um preço alto em termos de tensão de *offset* e de ruído, em comparação com o PGA204 de entrada bipolar. Precisamos comparar esses efeitos com a resolução (tamanho do degrau LSB) do ADC a jusante, que olha para a saída do amplificador. Mas o offset e o ruído do amplificador são sempre especificados na *entrada* ("RTI", re-

---

[108] Números de identificação alternativos são HI5043 e DG403.

[109] Por exemplo, a chave analógica ADG884 tem um R_{on} = 0,4 Ω (máx) muito baixo; mas sua capacitância *shunt* C_S (on) é de 295 pF, em comparação com 22 pF para o nosso IH5043 escolhido. É também um dispositivo de baixa tensão, com uma variação analógica máxima de 5 Vpp. O ADG1413 opera sobre a faixa completa de ±15 V, com um R_{on} baixo de apenas 1,5 Ω, mas a sua injeção de carga (± 300 pC) é de cinco a dez vezes maior do que a do '5043/DG403.

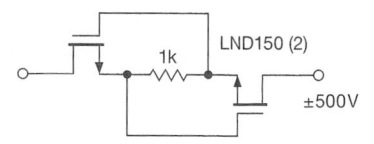

FIGURA 13.77 Circuito limitador de corrente de entrada, bom para sobrecarga de ±500 V.

ferenciado à entrada); por isso precisamos descobrir o tamanho do degrau RTI do conversor, que depende do ganho do amplificador. Isso é fácil: a faixa de entrada do conversor de ±10 V dividida por seus 2^{16} degraus, equivale a um tamanho de degrau LSB de 0,3 mV. Assim, o tamanho do degrau, que se refere à entrada do amplificador, é 300 μV, 30 μV e 3 μV, para obter ganhos de 1, 10 e 100, respectivamente.

Estamos seriamente desafiados aqui, porque o amplificador especifica uma tensão de *offset* RTI típica de (0,5 + 5/G) mV; ou seja, 0,5 mV na seção de entrada do amplificador, combinado com 5 mV em seu estágio de saída interno. Sem alguns truques adicionais, estamos enfrentando erros de *offset* típicos de 5,5 mV, 1 mV e 0,55 mV para ganhos de 1, 10 e 100; que é 18, 33 e 180 vezes o tamanho do degrau do conversor, respectivamente. Claramente precisamos ajustar manualmente seu *offset*, e também incluir alguns circuitos eletrônico de cancelamento;[110] e, mesmo com isso, seremos limitados, em última instância, pelo coeficiente de temperatura e pela deriva do amplificador.

Em nosso projeto temos o ajuste manual recomendado (definido uma vez, no ganho máximo), e um DAC de 10 bits para zerar o *offset*; este último tem uma saída de 0 a 5 V, para uma faixa de ajuste de ±7,5 mV na saída do amplificador ("RTO"). Sua resolução de 10 bits dá um tamanho de degrau de 15 μV, muito melhor do que o necessário, dado o tamanho de degrau LSB de 300 μV do conversor.

Assim, para usar esse sistema para medições de precisão total, zeramos o erro de *offset* (via ADC) no início de um conjunto de medidas, e esperamos que a deriva do *offset* de curto prazo seja pequena. Será que estamos em terra firme? Bem, a deriva de *offset* típica do amplificador especificada é 3+50/G) μV/°C, 50 μV/mês e (10+250/G)μV/V(fonte). Usamos fontes reguladas e estamos preocupados apenas com as derivas de curto prazo; por isso, estamos geralmente bem, com as derivas térmicas sendo um problema potencial apenas com ganho mais elevado (G = 100), onde uma variação de 1°C provoca um erro de 1 LSB. Há também uma preocupação com a deriva do *ganho* do amplificador com a temperatura. Este é aqui 3 ppm/°C (típico) para G = 1 ou 10, e 40 ppm/°C para G = 100. Um LSB corresponde a 30 ppm em ±fundo de escala, de modo que outra vez estamos em boa forma, exceto no ganho mais elevado (G = 100), onde o coeficiente de temperatura do ganho do amplificador provoca um erro de 1 LSB para uma variação de temperatura de 1°C.

Finalmente, o que dizer da tensão de ruído do amplificador? Os valores RTI especificados são 1,7 μVpp (típico) para uma banda inferior problemática de 1/f de 0,1 a 10 Hz, e uma densidade e_n=12 nV/$\sqrt{Hz}$ (típica) em 10 kHz (o corte 1/f é de aproximadamente 100 Hz). Assim, uma banda que se estende a partir de 0,1 Hz a ~10 kHz tem uma tensão de ruído RTI de cerca de 3 μV, comparável com o tamanho do degrau RTI em G = 100; é insignificante em ganhos menores.

Conversor analógico-digital. Precisamos de um conversor para lidar com a faixa de sinal completa de ±10 V, com velocidade suficiente para varreduras a taxas de 100 kHz ou mais. (Existem ADCs de varredura, com multiplexadores de entrada e sequenciador de lógica, como o AD7699 de 500 ksps, 8 canais e 16 bits, mas eles o forçam a viver com a sua faixa de entrada limitada, por exemplo 0 a 5 V ou ±2,5 V, em vez dos ±10 V que temos aqui.) O LTC1609 faz o trabalho e opera com uma fonte simples de +5 V, que podemos regular e filtrar individualmente para mantê-lo silencioso. Ele converte até 200 ksps, com tempo de aquisição (estabilização de entrada) de 2 μs e uma interface serial com múltiplos modos (com clock interno ou externo dos dados seriais, etc.; veja a Seção 15.9.2 para os detalhes de interfaceamento e programação). Seus erros de *offset* zero (±10 mV) e ganho (±1,5%) de pior caso têm de ser eliminados por calibração (feito aqui com o DAC duplo, U_6), após o que ele tem derivas de ganho e *offset* aceitavelmente baixos de ±2 ppm/°C e ±7 ppm/°C, típicos, respectivamente. (Lembre-se que um LSB no fundo de escala é de 30 ppm).

Referência de tensão. Boa parte do erro de ganho e deriva é devido à referência de 2,5 V interna, com a sua precisão de ±1% (pior caso) e coeficiente de temperatura típico de ±5 ppm/°C. Esta é de fato uma boa especificação de deriva para um ADC de referência interna. Mas se você quiser um melhor desempenho, use uma referência externa de precisão (ver Tabelas 9.7 e 9.8); as melhoesr têm precisão de ±0,02% (pior caso) e ±1 ppm/°C ou coeficientes de temperatura típicos melhores. O pino REF do LTC1609 convida uma referência externa, que simplesmente sobreaciona a fonte interna de 4 kΩ. Com tal referência de tensão externa, o erro de ganho não ajustado é reduzido para ±0,5% (que podemos ajustar com o DAC), e a deriva de ganho é reduzida para ±2 ppm/°C (típico). Estes desvios de ganho são comparáveis aos do amplificador a montante, exceto no mais alto ganho (G = 100), onde a deriva do amplificador é uma ordem de magnitude maior e torna-se problemática.

---

[110] Ou a subtração de *offset* por software: poderíamos dedicar um canal (curto) para uma medição de erro zero. E poderíamos usar outro para medir a tensão de referência para a calibração de fundo de escala. Correções de erros de *offset* zero são muitas vezes armazenados como parâmetros que foram medidos durante a calibração.

Programação e Operação. Com sistemas que incluem microcontroladores, ainda há muito trabalho a fazer! Nesse ponto, executa-se um ajuste de calibração, armazenando os ajustes do ADC na memória do microcontrolador não volátil. Em seguida, na inicialização, programa-se o DAC, bem como as faixas do ADC e modos de comunicação. Primeiro consulte a Seção 15.9.2 e o diagrama de temporização na Figura 15.23 para ver como uma única conversão ADC é tratada. Mas há muito mais envolvido no controle de um sistema de aquisição de dados completo como esse: você precisa configurar detalhes avançados, como os canais de entrada ativos e suas sequências, se cada canal é de terminação simples ou diferencial, o seu ganho, etc. Isso geralmente é feito com uma tabela de pesquisa, acessada em tempo de execução. Você também precisa especificar a taxa de varredura, os modos de interrupção, quais dados devem ser armazenados em tempo de execução (número do canal, o modo, ganho, data e hora, e assim por diante), juntamente com a informação de cabeçalho que vai para o arquivo de dados (como o ID da máquina, tipo de experiência, data, operador, configuração do sensor, e assim por diante). Poderíamos divagar... mas você já entendeu: há uma abundância de organização e programação de acompanhamento para fazer tudo funcionar. Para essas tarefas, descobrimos que é bom ter estudantes de graduação dedicados, que têm tempo e muitas habilidades para fazer tudo funcionar.

13.12.2 Sistema de Aquisição de Dados de Aproximação Sucessiva de Multicanais em Paralelo

O exemplo anterior é *multiplexado*, com um único ADC digitalizando os canais de entrada sucessivamente em uma sequência programada. Isso é adequado em muitas aplicações; mas às vezes é importante capturar *simultaneamente* os níveis de entrada em múltiplas entradas analógicas. Uma maneira de fazer isso é capturar cada entrada analógica em seu próprio circuito de amostragem e retenção (ou rastreamento e retenção), e então multiplexar essas tensões analógicas estáveis em um único ADC. Mas ADCs são baratos, por isso muitas vezes é melhor (e sempre mais rápido) usar um conjunto deles para digitalizar as entradas simultaneamente. Neste exemplo, vamos ilustrar isto com ADCs de aproximação sucessiva e, na Seção 13.12.3, vamos fazê-lo com conversores delta-sigma.

A Figura 13.78 mostra uma implementação, usando um conjunto de chips da Analog Devices que trabalham bem juntos nessa aplicação. Vamos explorá-la.

Amplificador de entrada. Problema: você quer aceitar sinais de entrada de bipolaridade, digamos que ao longo de um intervalo de ± 10 V – mas você tem um ADC operando a partir de uma fonte positiva simples, que aceita apenas sinais positivos. Solução: use um estágio de entrada AOP para deslocar o sinal e reduzir a sua variação. Você pode fazer isso, mas vai precisar de resistores casados de alta precisão, a fim de não comprometer a precisão dos ADCs.

Aqui aproveitamos o acionador de ADC de tradução de nível AD8275, que faz o que você quer: é basicamente um amplificador de diferença de fonte simples com G = 0,2 e com um terminal de deslocamento de entrada. Como configurado aqui, ele converte uma faixa de entrada de bipolaridade ($\pm 10,24$ V) para uma saída somente positiva centrada na metade da tensão de referência, ou seja, 0 a 4,096 V. Tem muita largura de banda (0,45 μs de estabilização para 0,001%, o que é menos de uma LSB), saída trilho a trilho (para que ele possa operar a partir dos mesmos +5 V do conversor, protegendo contra sobrecarga do ADC), ganho preciso e estável ($G = 0,2 \pm 0,024\%$, coeficiente de temperatura de 1 ppm/°C máx) e *offset* e deriva aceitavelmente baixos ($V_{os} < 0,5$ mV máx, coeficiente de temperatura de 7 μV/°C máx).

Dois pontos importantes. (a) As especificações de *offset* e deriva são *referenciadas à saída* (RTO – *referred to the output*), não à entrada (RTI). Em outras palavras, o *offset* de entrada é cinco vezes maior, ou $\pm 2,5$ mV (máximo), e do mesmo modo para a deriva. Esse montante de *offset* não é insignificante: o LSB do conversor de 16 bits, que se refere à entrada do amplificador (RTI), corresponde a $2 \times 10,24$ V$/2^{16}$, ou 0,31 mV; assim, o offset de pior caso do amplificador é de cerca de 8 LSBs. A deriva, em comparação, é insignificante: seria necessária uma variação de 45°C na temperatura, para se deslocar por 1 LSB. Assim, os canais devem ser calibrados para entrada zero (e também para entrada de fundo de escala). (b) A tensão de referência sem arredondamento (4,096 V) é popular porque produz um ganho de conversão de número redondo, ou seja, degraus de 10,0 mV precisos no nível de 11 bits (que você pode pensar em como subdividido por 2^5 numa resolução total de 16 bits). Além disso, devido ao intervalo de fundo de escala se estender até $\pm 10,24$ V, você pode calibrar o sistema usando uma referência de 10,0 V sem acioná-lo acima da faixa.

ADC. O AD7685 é um conversor de aproximação sucessiva de 16 bits e fonte simples com uma saída serial SPI rápida o suficiente para lidar com a sua velocidade de conversão máxima de 250 ksps. A interface SPI permite o encadeamento com conversores adicionais, como mostrado; e a interface serial permite o uso de um encapsulamento pequeno de 10 pinos. Ele tem boas propriedades de linearidade e precisão: sem códigos ausentes, não linearidade integral de ± 3 LSB (máx), deriva de ganho de $\pm 0,3°$ ppm/°C (típico).[111]

---

[111] Este é um ADC de redistribuição de carga, para o qual muitas vezes é aconselhável colocar um capacitor na entrada analógica, isolado do amplificador de acionamento com um pequeno resistor, como na Figura 13.37; uma escolha adequada aqui seria 2,7 nF e 33 Ω.

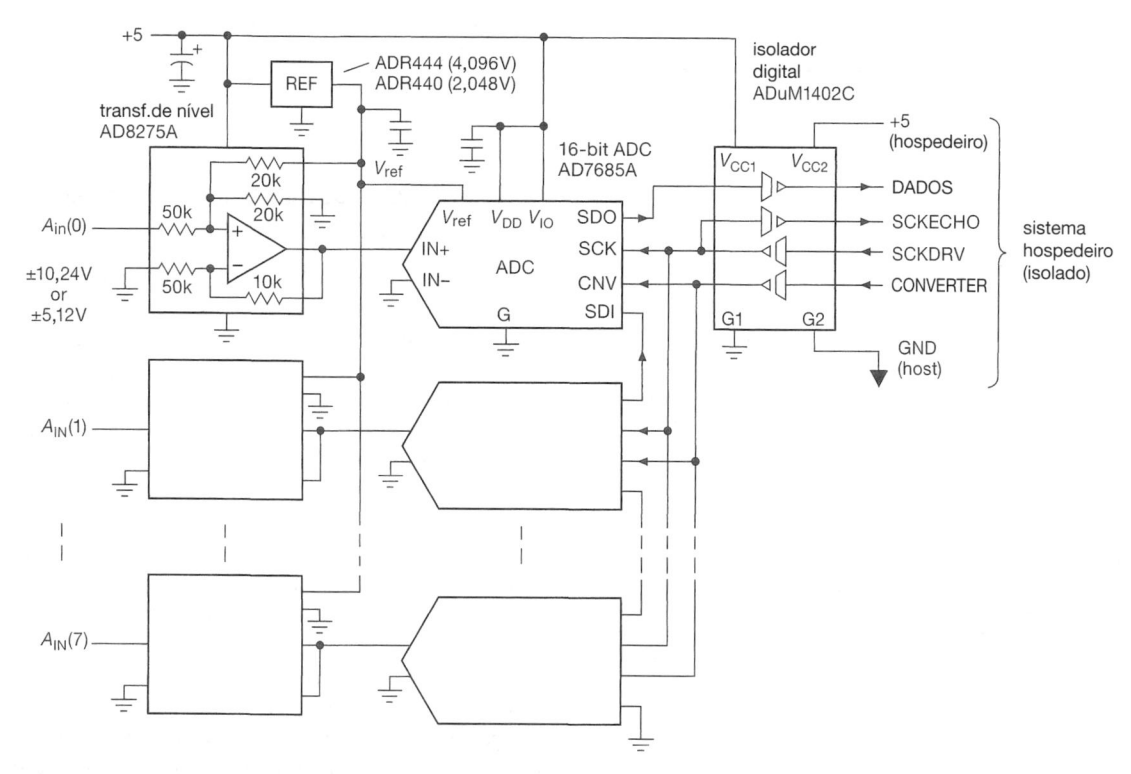

FIGURA 13.78 ADC de aproximação sucessiva de multicanal paralelo com porta de saída serial SPI isolada.

Referência. O ADC requer uma referência externa, o que define a faixa de fundo de escala positiva. A série ADR440 de referências de tensão "XFET" (Seção 9.10.3) explora a tensão de constrição (*pinchoff*) de um par de JFETs, em uma configuração inteligente que consegue baixo ruído e baixa deriva: 1,8 μVpp (típico) e 3 ppm/°C (máx).

Isolador de porta serial. Sistemas silenciosos adquirem ruído se você permitir que as correntes de *hash* e de terra digitais entrem na parte analógica. Com uma interface de 3 fios é fácil adicionar isolação galvânica total, neste caso com o isolador de 4 canais ADuM1402C. Esse dispositivo usa acoplamento por transformador interno ao chip, e é bom até 90 Mbps. Observe a leitura bidirecional do sinal de clock do SPI: isso é necessário, pois o atraso do sinal através do isolador (27 ns típico) é comparável com o período da taxa de clock bidirecional máxima (~50 Mbps); ecoando o SCK recebido pelo ADC, o sistema *host* (hospedeiro) vê os dados de saída precisamente sincronizados com o clock em eco. Este é impreciso apenas na medida em que o tempo de atraso do isolador varia entre canais (disforme), o que para esse isolador são impressionantes 2 ns (no máximo).

Custo do componente. Os blocos do amplificador e do ADC, que são replicados para cada canal, não são caros: cerca de 3 e 10 dólares, respectivamente (em quantidades de 25). Adicionando 5 dólares para a referência e 9 dólares para o isolador, temos cerca de 118 dólares para um sistema de 8 canais.

A. Uma solução SAR multicanal integrado em paralelo

Por que construí-lo, quando você pode comprá-lo? Quando isso acontece, as pessoas inteligentes na Maxim têm integrado em um chip um sistema ADC de aproximação sucessiva de 8 canais e 16 bits simultâneo, com desempenho comparável ao da seção anterior: 250 ksps, fonte simples de +5 V, faixa de conversão de bipolaridade (± 5 V), e boa precisão e linearidade (offset máximo de $\pm 0,01\%$, coeficiente de temperatura de offset típico de $\pm 2,4$ μV/°C, sem códigos ausentes, não linearidade integral máxima de ± 2 LSB). O MAX11046 utiliza uma interface de dados paralela, com um pino de alimentação digital separado para compatibilidade com microcontrolador de baixa tensão. A Figura 13.79 mostra o esquema.

Esse dispositivo é incomum ao acomodar uma faixa de tensão de entrada de bipolaridade enquanto opera a partir de fonte positiva simples.[112] Um único pulso CONV começa a conversão, simultânea em todos os canais; os sinais são amostrados na borda de subida de CONV, com uma variação de tempo típica de 0,1 ns (!). As conversões estão completas 3 μs mais tarde, e são lidas como palavras em paralelo de 16 bits, um canal por impulso RD', como mostrado.

---

[112] A folha de dados não diz como isso é feito, mas é provável que seja por meio de um gerador de fonte negativa de bomba de carga interna ao chip. A impedância de entrada muito alta exclui algo como o esquema de conversão de tensão anterior.

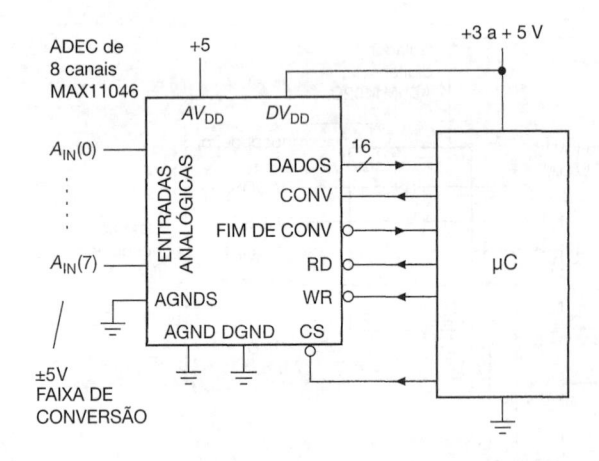

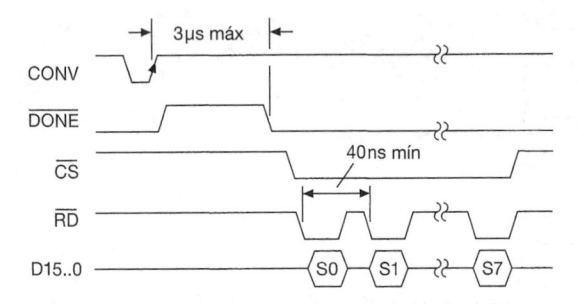

FIGURA 13.79 O MAX11046 integra um ADC de aproximação sucessiva paralelo de 8 canais em um único chip.

A Figura 13.80 mostra com mais detalhes o que está incluído no chip. As entradas analógicas são fixadas em cerca de 0,3 V para além da faixa de conversão (isto é, ±5,3 V), mas você tem que incluir resistores em série de limitação de corrente para limitar a corrente em 20 mA. Um conjunto de circuitos de rastreamento e retenção rápidos (BW = 4 MHz) captura os sinais de entrada, seguidos pela matriz de ADCs com latches e o multiplexador de saída. A porta digital permite alguma configuração, através das quatro linhas de dados bidirecionais de ordem inferior: referência interna ou externa, *offset* binário ou complemento de 2 simples ou modo de conversão contínuo. Você poderia pensar sobre a adição de isolação galvânica para as linhas digitais – mas você teria que usar 21 canais de isolamento, e teria que organizar uma sinalização bidirecional nas quatro linhas de dados de ordem inferior $D_3...D_0$ (com o sentido definido por WR'). Como a comunicação serial é elegante!

Comparado com o nosso projeto à la carte da seção anterior, esse sistema é uma pechincha: cerca de 42 dólares (preço de peça única) para o sistema de conversor de 8 canais completo. Como se poderia esperar no mundo competitivo do silício, a Maxim não está sozinha na integração de um ADC multicanal de amostragem simultânea. O AD7608 da Analog Devices fornece oito canais de T/H (abrangendo uma faixa de ±10 V completo) multiplexados em um ADC de 18 bits capazes de 200 ksps em todos os canais, com um filtro digital interno ao chip e formatos de saída, tanto paralelo quanto serial. Note a abordagem diferente: este último dispositivo utiliza um único ADC rápido para converter os níveis capturados nos oito T/Hs, enquanto que o dispositivo da Maxim usa oito ADCs.

13.12.3 Sistema de Aquisição de Dados Multicanal Paralelo Delta-Sigma

Aqui está outro exemplo de um sistema multicanal de amostragem simultânea, desta vez explorando as vantagens da conversão delta-sigma: alta precisão, baixo custo e requisitos bem menos rígidos para o filtro *anti-aliasing* (cujo decaimento é definido pela frequência de amostragem muito maior). ADCs delta-sigma com PGA integral e saída serial (I^2C ou SPI) estão disponíveis em encapsulamentos de poucos pinos como o SOT23-6, com preços de apenas alguns dólares, e com resoluções de conversão de 16 a 22 bits. Um sistema de aquisição de dados multicanal não multiplexado é facilmente montado reunindo um bando destes CIs interessantes (Figuras 13.81 e 13.82), neste caso, tendo por objetivo um sistema relativamente lento, mas preciso como um "voltímetro".

O projeto de circuito envolve a arte do compromisso, trocando as várias vantagens e desvantagens envolvidas na seleção de componentes, na escolha da topologia do circuito e complexidade, e no seu impacto sobre o custo do sistema. As escolhas que enfrentamos, conforme trabalhamos neste exemplo, ilustram o processo muito bem. Vamos pensar nisso em etapas.

A. Primeira Tentativa

Começamos com a noção de uma matriz I^2C com barramento de ADCs (Figura 13.81), o que minimiza o número de pinos necessários do microcontrolador (em comparação com uma interface SPI), porque não há necessidade de linhas de chip select (CS') individuais. O conversor ADS1100 da TI (4,50 dólares em quantidade unitária) parecia bom: descrevendo a si mesmo como um "ADC de 16 bits de auto-calibração," esse é um "sistema de aquisição de dados completo em um pequeno encapsulamento SOT23-6." Ele contém um PGA de entrada diferencial (ganhos de 1, 2, 4 ou 8), opera com uma fonte simples de +2,7 V a +5,5 V (a 90 μA), inclui um clock interno e garante conversões de 16 bits sem ausência de códigos em sua menor taxa de conversão de 8 amostras/s. Ele tem uma não linearidade integral máxima (INL) de 0,013% e um erro de ganho típico de 0,01% (a fonte positiva V_{DD} é a referência, com fundo de escala de $\pm V_{DD}/G$).

Essa é a boa notícia. Eis a má notícia: o protocolo I^2C (Seção 14.7.2) exige que cada dispositivo do barramento tenha um endereço exclusivo (dos 128 possíveis); esse é o preço que você paga por um barramento de 2 fios sem linhas de seleção do chip (CS) individuais. Isso geralmente é realizado dedicando alguns pinos do dispositivo para definir o endereço (por exemplo, três pinos para selecionar 1 de 8 endereços dentro de um subconjunto do total de 128 ende-

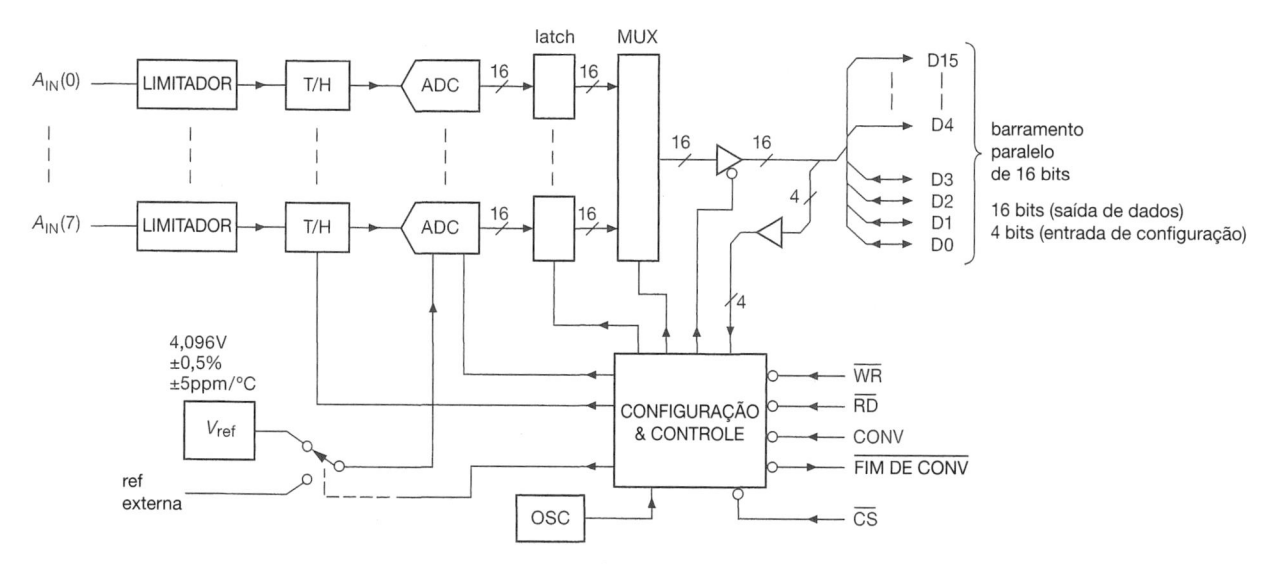

FIGURA 13.80 Diagrama em blocos interno do MAX11046.

reços possíveis). Mas um dispositivo com apenas seis pinos não pode pagar esse luxo: faça as contas – entrada diferencial (2 pinos), alimentação e terra (2 pinos), barramento I^{2}C (2 pinos) – não restou nem um pino!

O ADS1100 resolve este problema pré-atribuindo os endereços, com um número de identificação diferente para cada um dos oito endereços possíveis (decimal 72 a 79). Para um sistema de oito canais, então, você tem que comprar oito dispositivos diferentes (se você puder encontrá-los em estoque: no momento da escrita deste livro, a Digikey tem os endereços 72 e 74; a Mouser tem os endereços de 75 a 79; e a Newark tem os endereços de 72 a 74), e com menos possibilidade para preços de quantidades.

Há mais uma má notícia: o ADS1100 possui um clock interno de precisão grosseira ($\pm 20\%$), sem opção para um clock externo (sem pinos restantes!). Então você não pode alcançar a elevada rejeição de frequências da rede elétrica (60 Hz ou 50 Hz) que vem com uma taxa de amostragem que é um número inteiro de ciclos através da rede elétrica (por exemplo, exatamente 10 conversões/s). Você acaba com uma rejeição medíocre de $\sim$30 dB do sinal em modo normal em 50 Hz ou 60 Hz.

B. Segunda Tentativa

O ADS1115 é um dispositivo relacionado do mesmo fabricante, com preços em torno de 5 dólares (em quantidades de 25), desta vez em um encapsulamento de 10 pinos, com um dos pinos adicionais permitindo algum grau de seleção de endereço. Isso é feito de forma inteligente: um único pino define um de *quatro* endereços (decimais 72 a 75), conforme esteja conectado ao nível ALTO, ao nível BAIXO ou a uma das duas linhas da interface serial I^{2}C (Figura 13.81). Esta é uma melhoria sobre o ADS1100 de 6 pinos, mas com apenas quatro endereços possíveis de I^{2}C, você teria que usar um segundo canal I^{2}C para obter oito canais de entrada.

Há um segundo canal de entrada, que poderia ser utilizado para conversão multiplexada. Mas queremos conversões simultâneas em todos os canais, por isso usamos o segundo canal para a calibração zero, como mostrado, que você faria entre conversões ativas. Algumas outras características interessantes deste chip são a sua operação de +2,0 a 5,5 V, uma ampla faixa de ganhos PGA (0,66x e 1x a 16x, por fatores de dois), uma ampla faixa de taxas de conversão (8 a 860 sps com resolução de 16 bits completa), e um clock e tensão de referência internos.

Por enquanto, tudo bem. Mas ainda há problemas no paraíso. Assim como ocorre com o ADS1100, o clock interno é de precisão grosseira ($\pm 10\%$), de modo a obter apenas cerca de 30 dB de rejeição da rede elétrica.[113] Do mesmo modo, a referência de tensão interna não é de grande precisão, e não existe nenhuma opção para uma referência externa: isso é especificado como *erro de ganho*, que para este dispositivo é de 0,01% (típico), 0,15% (no máximo). Para lhe dar perspectiva, um LSB (para resolução de 16 bits) é de 0,0015% (15 ppm); de modo que o erro de fundo de escala de pior caso corresponde a 100 degraus LSB. Além disso, o desvio de ganho (coeficiente de temperatura) é especificado como 40 ppm/°C (no máximo), o que corresponde a 3 LSBs/°C.

C. Terceira Tentativa

Não satisfeito com essas escolhas, exploramos em seguida conversores com uma interface digital SPI. Em vez de endereços de barramento de I^{2}Cs, você precisa fornecer uma linha de seleção de chip separada para cada conversor (Figu-

---

[113] Você precisa ler a folha de dados com cuidado nesse ponto: ela lista uma rejeição de modo comum típica de 105 dB para 50 Hz e 60 Hz, mas nenhum valor listado para sinais da rede elétrica de modo normal (ou seja, diferenciais). Posteriormente, há um gráfico que mostra o valor de $\sim$30 dB.

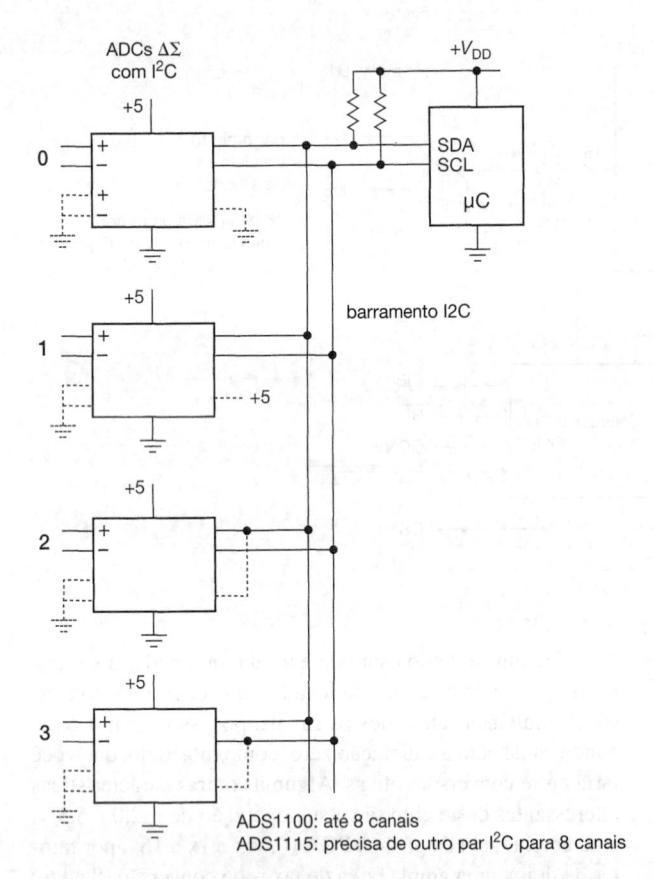

FIGURA 13.81 ADC ΔΣ paralelo de multicanal com porta de saída I²C. As linhas tracejadas mostram conexões para o conversor ADS1115 apenas.

ra 13.82). Essa é a má notícia. A boa notícia é que existem alguns conversores fantásticos lá fora.

Olhamos muitos candidatos; o primeiro a reunir os requisitos foi o CS5512 da Cirrus Logic. Este é um conversor delta-sigma de 20 bits de fonte simples (+5 V) em um SOIC de 8 pinos, com preços de cerca de 4,25 dólares (em quantidades de 25). Uma fonte externa de clock (32,768 kHz nominal) temporiza as conversões, e também o clock SPI. A frequência de clock precisa ser explorada para a verdadeira rejeição da rede elétrica em *modo normal*: o filtro digital do chip está configurado com um amplo *notch* de 80 dB (mínimo) que se estende desde 47Hz a 63 Hz, com ~90 dB de rejeição simultânea tanto para 50 Hz quanto 60 Hz.

Esse chip também se destaca em linearidade (± 0,0015% do fundo de escala, no máximo), e oferece uma resolução de 20 bits sem códigos ausentes. As suas tensões de *offset* típicas e derivas de ganho são 0,06 μV/°C e 1 ppm/°C, respectivamente. Este é um chip conversor interessante!

Agora, veja algo não muito animador: este chip requer uma referência de tensão externa, que é normalmente um bom recurso (porque você pode usar uma referência de alta qualidade, cuja tensão também define a escala analógica).

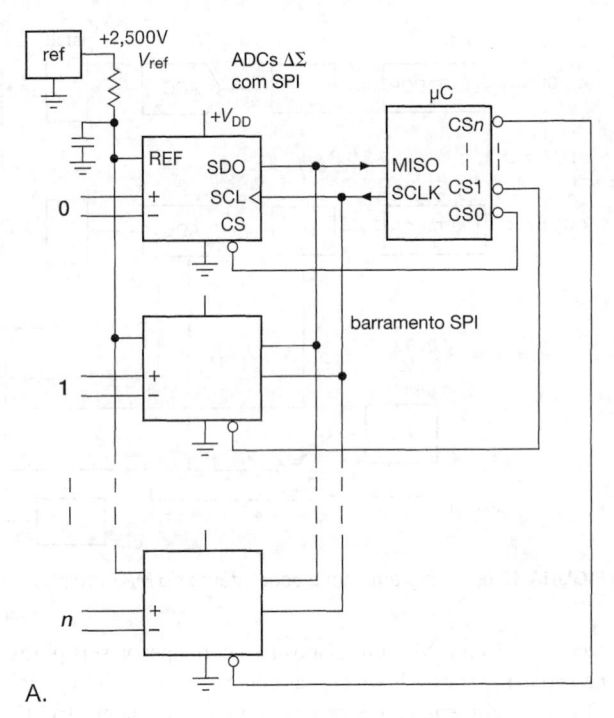

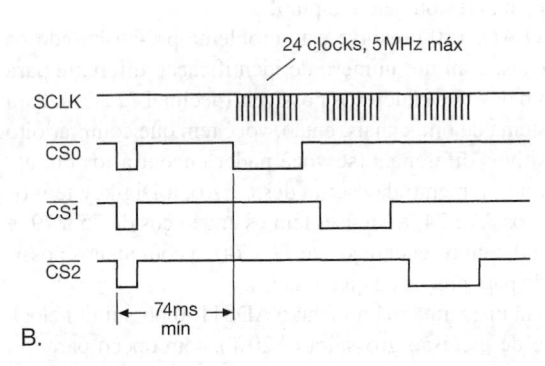

FIGURA 13.82 ADC ΔΣ paralelo de multicanal com porta de saída SPI (por exemplo, um CS5512 ou um MPC3551). O diagrama de temporização se aplica à família MCP3551, para o qual a primeira ativação de CS' inicia a conversão (simultânea em todos os canais), com posterior leitura serial de dados (dos canais individuais) com clock por meio de SCLK durante a ativação do CS'.

Imaginem a nossa surpresa, então, quando lemos a especificação da folha de dados da faixa de entrada analógica de fundo de escala: PV = $0{,}8V_{REF}$, ±10%. Em outras palavras, este é um conversor altamente linear e estável, mas com um ganho de conversão que é incerto em ±10%.

D. Quarta Tentativa

Da Microchip (uma empresa tradicionalmente conhecida por seus microcontroladores) vem o candidato vencedor. Seu MCP3551 é um conversor delta-sigma de 22 bits em um SOIC de 8 pinos (ou MSOP menor), com preços de cerca de

3,25 dólares (em quantidades de 25), com um clock interno de precisão (±0,5%) que oferece excelente rejeição à rede elétrica. Ele opera a partir de uma fonte simples de +2,7 V a +5,5 V, consumindo cerca de 0,1 mA. Ele requer uma referência de tensão externa, que (ao contrário do conversor anterior) define com precisão o fator de escala analógica, e permite entradas de 12% acima e abaixo da faixa, sinalizada com dois bits de dados adicionais. Ele executa conversões de único ciclo sem tempo de estabilização do filtro digital, durante as quais ele também realiza uma calibração de *offset* e ganho.[114] O diagrama de temporização da Figura 13.82 mostra o esquema para a conversão de multicanal simultânea, seguido de leitura de dados sequencial.

As especificações são impressionantes: resolução de 22 bits sem códigos ausentes; V_{os} de ±12 μV (máx), erro de fundo de escala de ±10 ppm (máx), INL de 6 ppm (máx), e rejeição da rede elétrica em modo normal de 85 dB (típico) tanto em 50 Hz quanto 60 Hz (Figura 13.83)[115] O *offset* típico e a deriva de ganho são 0,04 ppm/°C e 0,028 ppm/°C, respectivamente. O que há para não gostar neste conversor? A única coisa que podemos realmente reclamar é a ausência de um PGA: a falta disso leva à necessidade da capacidade total de 22 bits do conversor para atingir uma resolução de 1,2 μV, a mesma que você iria conseguir com um conversor de 16 bits tendo um PGA embutido com ganho 64x.

Totalizando o custo de um sistema de conversão simultânea delta-sigma de 8 canais, temos 34 dólares para os ADCs e cerca de 4 dólares para a referência ADR441A, ou um valor muito econômico de 38 dólares.

E. Um Integrado de Solução $\Delta\Sigma$ Multicanal Paralelo

Nunca subestime o que pode ser feito em um único dispositivo de silício. Aqui, novamente, os magos do Silicon Valley vieram com vários ADCs multicanal interessantes caracterizando uma conversão simultânea em todos os canais.

Para a conversão de velocidade relativamente baixa, há o AD73360, que abriga seis conversores delta-sigma de 64

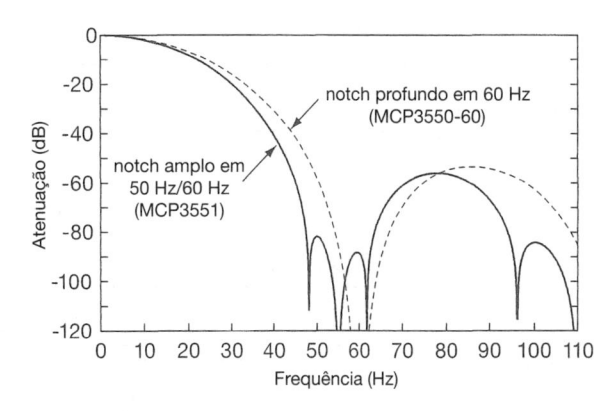

FIGURA 13.83 O filtro digital do MCP3551 está configurado para criar um *notch* (entalhe) amplo que abrange as frequências de 50 Hz e 60 Hz da rede elétrica, e um pouco mais. Em contraste, o MCP3550-60 (ou 50) está configurado para um único *notch* (entalhe) profundo.

ksps e 16 bits, cada um com o seu próprio amplificador de ganho programável (0 a 38 dB). Ele vem em um conveniente SOIC de 28 pinos e custa cerca de 8 dólares (em quantidades de 25). Tem um clock de amostragem programável e uma porta de saída serial otimizada para a transferência de dados automaticamente para um chip DSP a jusante (de até oito conversores em cascata). Seus seis canais são ideais para medições de tensão e corrente em um acionador de motor trifásico, ou para monitoramento de alimentação industrial. Ele requer calibração no sistema (precisão de ganho de ±10%), e é geralmente usado com acoplamento CA (offset CC de pior caso de ∼10% do fundo de escala).

E sobre a conversão delta-sigma multicanal *muito* rápida? Nosso projeto opera a uma taxa de conversão de apenas 15 amostras por segundo (o AD73360 melhora isso em três ordens de magnitude, mas com menor resolução e precisão degradada). A tarefa analógica se torna extraordinariamente difícil se você fosse aumentar este por um fator de aproximadamente um milhão. Difícil, mas evidentemente não impossível: o impressionante ADC12EU050 da National Semiconductor (Figura 13.84) encapsula oito ADCs delta-sigma simultâneos de entrada diferencial e 12 bits que operam em 50 Msps(!). Isso cria uma "mangueira de incêndio" de saída digital, para a qual dedica um par de LVDS para cada canal de saída; que consome cerca de 0,4 W em plena função, e custa cerca de 100 dólares.

13.13 MALHAS DE FASE SINCRONIZADAS

13.13.1 Introdução à Malha de Fase Sincronizada (PLL)

A malha de fase sincronizada (PLL – *phase-locked loop*) é um bloco construtivo interessante e útil, disponível tanto como um único circuito integrado autônomo, e muitas ve-

---

[114] Nas palavras da folha de dados, "Uma auto-calibração de offset e ganho ocorre no início de cada conversão. Os dados de conversão disponíveis na saída do dispositivo são sempre calibrados para *offset* e ganho nesse processo. Essa auto-calibração de *offset* e ganho é executada internamente e não tem impacto sobre a velocidade do conversor, porque o *offset* e erros de ganho são calibrados em tempo real durante a conversão. Os esquemas de calibração de offset e ganho em tempo real não afetam o processo de conversão."

[115] Como eles alcançam rejeição simultânea em ambas as frequências? De acordo com a folha de dados, "O filtro SINC de decimação digital foi modificado a fim de oferecer zeros escalonados em sua função de transferência. Essa alteração se destina a alargar o *notch* principal, a fim de ser menos sensível ao desvio do oscilador ou deriva da frequência de linha. O filtro MCP3551 tem zeros escalonados distribuídos para rejeitar ao mesmo tempo tanto as frequências de 50 Hz quanto de 60 Hz da rede elétrica." Para rejeição máxima em uma *única* frequência da rede elétrica, utilize o MCP3550-50 ou 60, que oferecem rejeição de modo normal de 120 dB (típico) na frequência correspondente, mais uma vez com o clock interno.

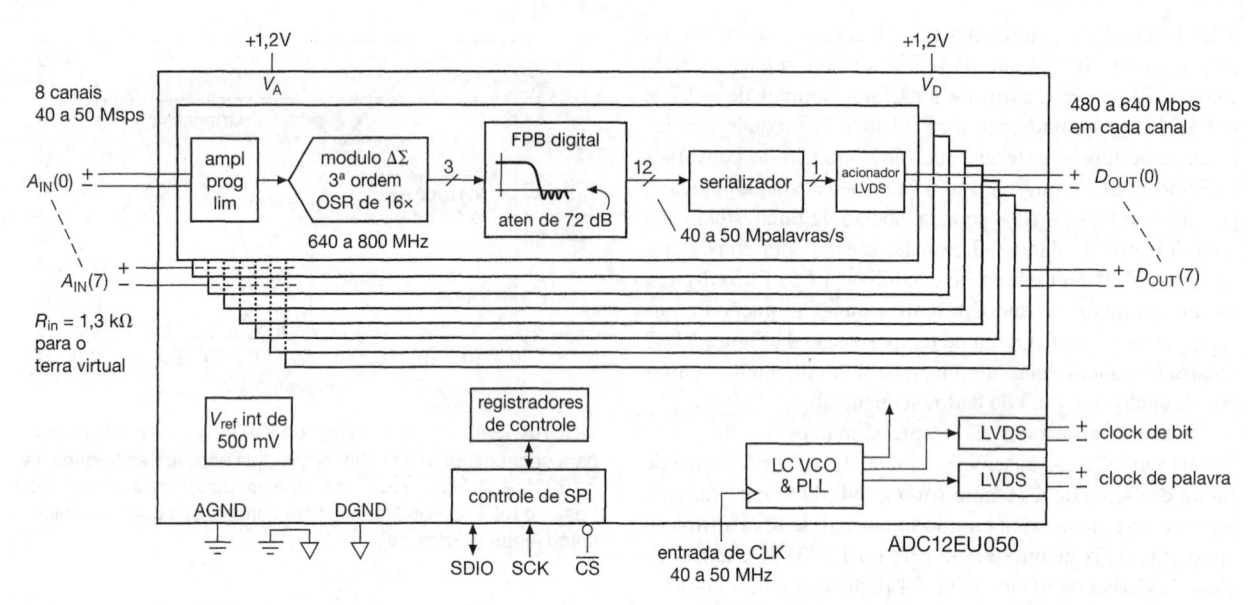

FIGURA 13.84 O ADC12EU050 é um conversor delta-sigma de 8 canais rápido com uma sequência de palavras de 3 bits geradas por moduladores de terceira ordem. Seu PLL inclui um VCO *LC* interno ao chip para gerar o clock de sobreamostragem de 16x a partir da entrada de clock da taxa de amostragem de 40 a 50 MHz.

zes também incorporado dentro de CIs mais complexos. Um PLL contém um detector de fase, amplificador e oscilador controlado por tensão (VCO – *voltage-controlled oscillator*), e representa uma mistura de técnicas digitais e analógicas. Algumas das suas aplicações, que discutiremos em breve, são multiplicação e síntese de frequência, geração e recuperação de clock, decodificação de tom e demodulação de AM, FM e sinais modulados digitalmente.

No passado, havia alguma relutância em usar PLLs, em parte devido à complexidade dos circuitos PLL discretos e em parte por causa de um sentimento de que não se poderia contar com eles para trabalhar de forma confiável. Com PLLs baratos e fáceis de usar agora amplamente disponíveis, a primeira barreira para a sua aceitação desapareceu. E com um projeto apropriado e aplicação conservadora, o PLL é um elemento de circuito tão confiável quanto um AOP ou flip-flop.

A Figura 13.85 mostra a configuração clássica do PLL. O detector de fase é um dispositivo que compara duas frequências de entrada, gerando uma saída que é uma medida da sua diferença de fase (se, por exemplo, elas diferem na frequência, ele dá uma saída periódica na frequência de diferença). Se f_{in} não é igual a f_{VCO}, o sinal de erro de fase, depois de ser filtrado e amplificado, faz com que a frequência do VCO desvie no sentido de f_{in}. Se as condições forem certas (veremos mais sobre isso em breve), o VCO rapidamente "trava" em f_{in}, mantendo uma relação de fase fixa com o sinal de entrada.

Nesse ponto, a saída filtrada do detector de fase é um sinal CC, e a entrada de controle para o VCO é uma medida da frequência de entrada, com aplicações óbvias para decodificação de tom (por vezes utilizado em linhas telefônicas) e demodulação FM. A saída VCO é uma frequência gerada localmente igual a f_{in}, proporcionando assim uma réplica limpa de f_{in}, que pode ela própria ser ruidosa. Como a saída do VCO pode ser uma onda triangular, senoidal, ou o que quer que seja, isso proporciona um bom método para gerar uma onda senoidal, digamos, sincronizada a um trem de pulsos de entrada.

Em uma das aplicações mais comuns de PLLs, um contador de módulo *n* está conectado entre a saída do VCO e o detector de fase, gerando, assim, um múltiplo da frequência de referência de entrada f_{in}. Este é um método ideal para a geração de pulsos de clock em um múltiplo da frequência da rede elétrica para ADCs de integração (dupla rampa, balanceamento de carga), a fim de ter rejeição infinita de interferência na frequência da rede elétrica e seus harmônicos. Ele também fornece a técnica básica de sintetizadores de frequência.

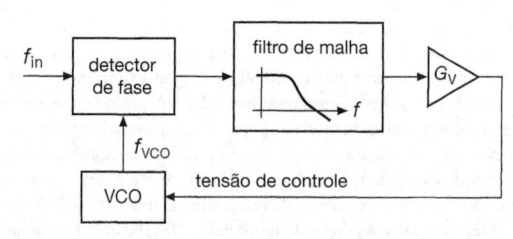

FIGURA 13.85 Malha de fase sincronizada.

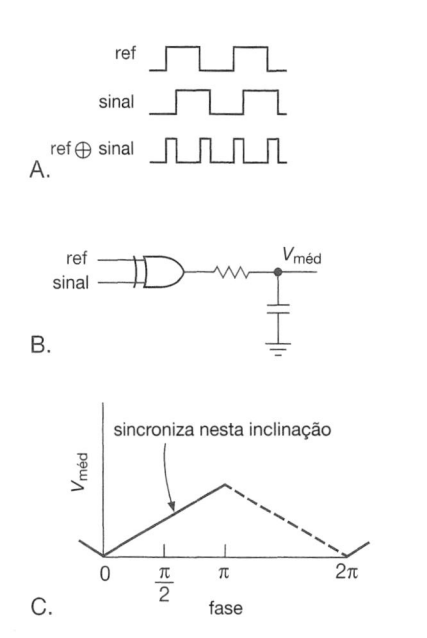

FIGURA 13.86 Detector de fase de porta EX-OR (Tipo I).

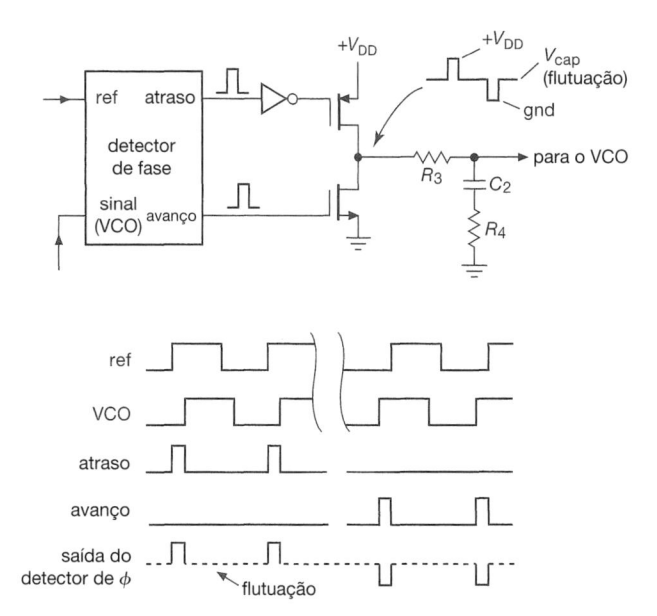

FIGURA 13.87 Detector de fase de avanço-atraso sensível à borda (tipo II).

13.13.2 Componentes do PLL

A. O Detector de Fase

Vamos começar com um olhar para o detector de fase (PD – *phase detector*). Existem dois tipos básicos, por vezes denominados tipo I e tipo II.

O **detector de fase do tipo I** é aplicável a quaisquer sinais de entrada, analógico ou digital, e realiza uma simples multiplicação das entradas. Para sinais digitais esta é apenas uma porta EX-OR (Figura 13.86). Com a filtragem passa-baixas, o gráfico da tensão de saída em função da diferença de fase é uma rampa, como mostrado, para entrada de ondas quadradas de ciclo de trabalho de 50%. Para sinais *analógicos* o detector de fase "linear" do tipo I é um verdadeiro multiplicador analógico (denominado "multiplicador de quatro quadrantes" ou "misturador balanceado"), com características semelhantes de tensão de saída em função da fase como com o detector de fase EX-OR digital. Os detectores de fase altamente lineares desse tipo são essenciais para a detecção síncrona (também conhecida como *detecção de bloqueio*).

O **detector de fase do tipo II,** por outro lado, é um circuito puramente digital, acionado por transições digitais (bordas). É sensível apenas à temporização relativa das *bordas* entre as entradas do sinal e do VCO, como mostrado na Figura 13.87. O circuito comparador de fase gera os pulsos de saída de *avanço* ou *atraso*, dependendo de se as transições de saída do VCO ocorrem antes ou após as transições do sinal de referência, respectivamente. A largura desses pulsos é igual ao tempo entre as respectivas bordas, como mostrado. O circuito de saída, então, absorve ou fornece corrente (respectivamente) durante esses pulsos e é de outra maneira em circuito aberto, gerando uma tensão de saída média em função da diferença de fase de saída como a da Figura 13.88. Isto é completamente independente do ciclo de trabalho dos sinais de entrada, ao contrário da situação com o detector de fase do tipo I.

Outra característica interessante deste detector de fase é o fato de que os pulsos de saída desaparecem completamente quando os dois sinais estão em sincronismo. Isto significa que não existe qualquer "ondulação" presente na saída para gerar modulação de fase periódica na malha, como existe com o detector de fase do tipo I. E enquanto estamos derramando elogios sobre o tipo II, vamos apontar que ele tem a propriedade agradável de produzir uma média de saída CC que é indicativa do *sinal* do erro de frequência (Figuras 13.89 a 13.91). Por essa razão, é denominado às vezes de "detector de fase-frequência" (PFD – *phase-frequency detector*). Vamos ver como que se garante o aviso de sincronismo em um PLL.

O clássico PLL 74HC4046 (que inclui tanto oscilador quanto detector de fase) lhe dá uma escolha (ele contém ambos os tipos de detector de fase). Aqui está uma comparação das propriedades dos dois tipos básicos de detector de fase:

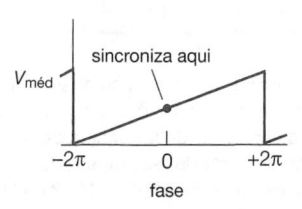

FIGURA 13.88 Saída do detector de fase do tipo II.

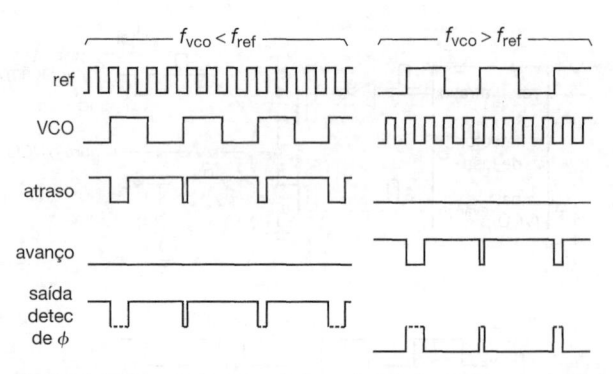

FIGURA 13.89 O detector de fase do tipo II produz uma saída CC média que indica o *sinal* do erro de frequência.

Parâmetro	Tipo I EX-OR	Tipo II disparado por borda ("bomba de carga")
ciclo de trabalho de entrada	ótimo em 50%	irrelevante
Sincronismo no harmônico?	Sim	Não
Rejeição de ruído	Boa	Ruim
Ondulação residual em $2f_{IN}$	Alta	Baixa
Faixa de sincronismo (L)	Faixa do VCO completa	Faixa do VCO completa
Faixa de captura	$fL(f<1)$	L
Frequência de saída quando fora de sincronismo	f_{centro}	$f_{mín}$

Há um ponto adicional da diferença entre os dois tipos de detectores de fase. O detector do tipo I está sempre geran-

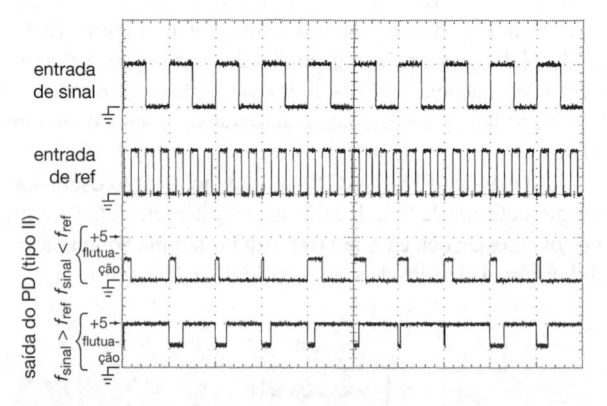

FIGURA 13.90 Formas de onda medidas de um detector de fase do tipo II acionado com frequências muito descasadas. O sinal de 1 kHz e as entradas de referência de π kHz mostradas produz a saída do detector de fase mostrada no terceiro traço ao acionar um divisor resistivo de 10k-10k que flutua para +2,5 V. O traço inferior mostra o que acontece quando as entradas são intercambiadas. Horizontal: 1 ms/div.

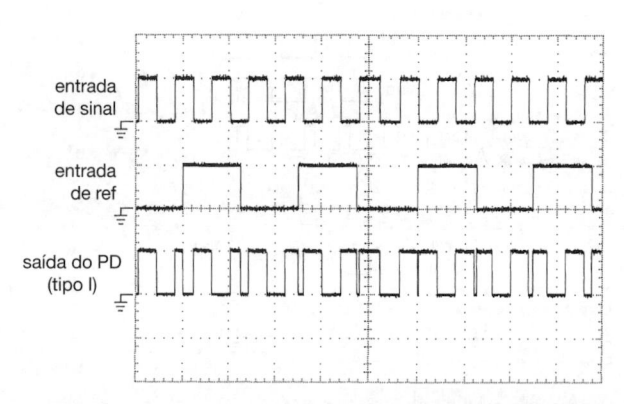

FIGURA 13.91 Por outro lado, o detector de fase do tipo I (EX-OR), apresentado com as frequências do sinal e de referência da figura 13.90, produz uma saída trilho a trilho frenética cuja média CC é $V_{DD}/2$. Horizontal: 0,4 ms/div.

do uma onda de saída, que deve então ser filtrada pelo filtro de malha (veremos muito mais sobre isso depois). Assim, em um PLL com detector de fase do tipo I, o filtro de malha atua como um filtro passa-baixas, suavizando este sinal lógico de saída de variação completa. Sempre haverá ondulação residual e as consequentes variações de fase periódicas dentro de uma malha. Em circuitos onde PLLs são utilizados para a multiplicação ou síntese de frequência, estes acrescentam " bandas laterais de modulação de fase" ao sinal de saída.

Por outro lado, o detector de fase do tipo II gera pulsos de saída apenas quando existe um erro de fase entre o sinal de referência e do VCO. Como a saída do detector de fase se parece com um circuito aberto, o capacitor do filtro de malha atua como um dispositivo de armazenamento de tensão, mantendo a tensão que dá a frequência do VCO correta. Se o sinal de referência se afasta em frequência, o detector de fase gera um trem de pulsos curtos, carregando (ou descarregando) o capacitor com a tensão necessária para colocar o VCO de volta ao sincronismo. Ele é um integrador de erro de fase.

"Zona Morta" e "Folga"

Um problema persistente nos primeiros PLLs usando detectores de fase do tipo II foi a presença de uma *zona morta*: os pulsos de fase se tornavam muito pequenos com erro de fase quase zero, de modo que a malha tendia a "caçar" (saltar para trás e para a frente), produzindo modulação de fase e *jitter*. E isso era agravado pelos efeitos da carga capacitiva na saída do detector de fase. Em aplicações que necessitam de um sinal limpo (por exemplo, o oscilador sintetizado de um telefone celular, um receptor de comunicações ou um sintetizador de frequência RF) este era (e é) um problema sério. A solução, agora quase universalmente adotada, é introduzir alguma sobreposição intencional do fornecimento e absorção dos pulsos de saída; para fazer isso é necessário reconfigurar o detector de fase para produzir pulsos de *corrente* (em vez de pulsos de tensão).

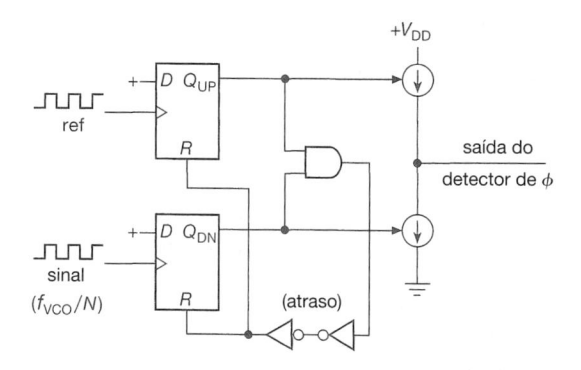

FIGURA 13.92 Detector de fase do tipo II melhorado (a versão '9046 é mostrada aqui) substitui as chaves por fontes de corrente e impede uma zona morta e folga ao criar sobreposição intencional de pulsos de fase.

A Figura 13.92 mostra como isso é feito: a corrente fornecida ou absorvida é ativada pela primeira borda de subida do sinal a ser comparado (ou sinal de referência, respectivamente), mas ele só é desligado depois de um pequeno intervalo após a fonte de corrente complementar ser ligada. Este circuito "anti-folga" garante que os pulsos de saída nunca mais desapareçam. Quando os dois sinais estão exatamente em fase (a malha é *sincronizada*), os pulsos de corrente são de curta duração (~15 ns para o 74HCT9046, uma versão melhorada do clássico '4046) e de sinal oposto, cancelando-se assim (Figura 13.93). Afastando-se do sincronismo, uma pequena diferença de fase produz um par desbalanceado de pulsos de corrente. Este comportamento linear em torno da fase zero resolve a questão; e a carga capacitiva não causa problemas, porque ele se comporta como um integrador perfeito.

Uma solução barata para a folga, se você precisar dela, é colocar um grande resistor sobre o capacitor de filtro de malha (C_2 na Figura 13.87), que polariza a malha fora da zona morta. A desvantagem é que você introduz um desvio de fase diferente de zero, que não é bem definido; mas pelo menos você se livrou do *jitter*.

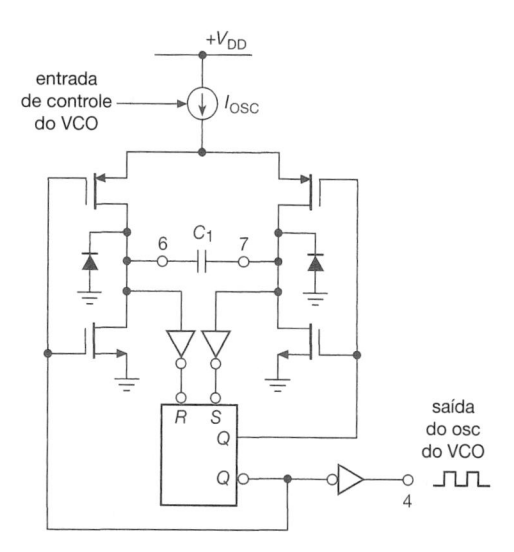

FIGURA 13.94 Oscilador *RC* controlado por tensão usado no clássico PLL '4046. A frequência de saída é aproximadamente proporcional à corrente controlada I_{osc} perder, que carrega o capacitor C_1 externo, alternadamente através das chaves PMOS.

B. O VCO

Um componente essencial de um PLL é um oscilador cuja frequência pode ser controlada pela saída do detector de fase. Discutimos VCOs no Capítulo 7 (Seções 7.1.4D e 7.1.5D), e vamos vê-los novamente em breve, em um exemplo de projeto PLL. Por enquanto, vamos apenas olhar para o simples oscilador controlado por tensão *RC* usado no '4046 e seus sucessores (Figura 13.94).

A operação é simples: a saída do flip-flop mantém um lado do capacitor de temporização externo C_1 no terra (através de uma chave nMOS), enquanto acopla a corrente de carga I_{OSC} no outro lado (através de uma chave pMOS). O ciclo inverte quando a tensão crescente atinge o limiar do inversor, aproximadamente +1,1 V. A Figura 13.95 mostra formas de onda medidas para um 'HC4046 alimentado a partir de 3,3 V, com C_1 = 10 nF e I_{osc} = 0,85 mA. Note que cada

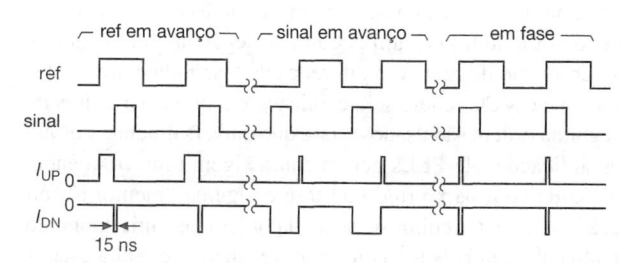

FIGURA 13.93 Pulsos de corrente (fornecendo e absorvendo) para o detector de fase da Figura 13.92. Os pulsos de 15 ns são criados pelo circuito anti-folga.

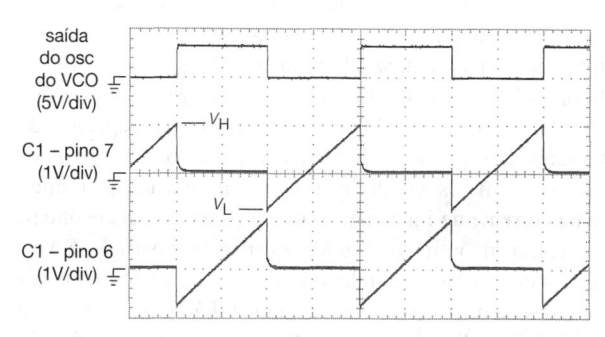

FIGURA 13.95 Formas de onda observadas de um oscilador 74HC4046, com V_{CC} = 3,3 V; com uma alimentação de 5 V, a rampa começa na mesma tensão, mas termina 0,2 V maior. Horizontal: 10 μs/div.

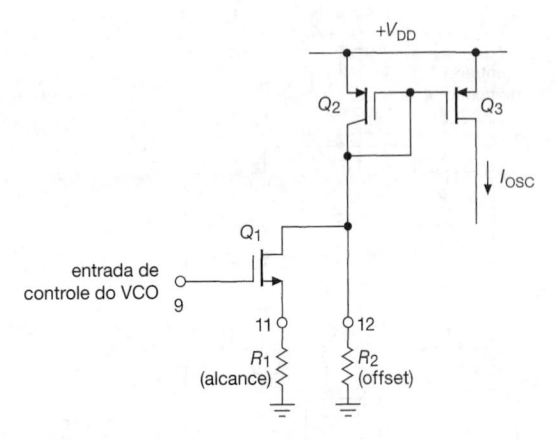

FIGURA 13.96 Resistores externos definem o alcance e *offset* da tensão de programação referenciada ao terra no clássico VCO CD4046 de tensão alta. Os tipos 74HC4046 usam AOPs para controlar mais rigidamente as correntes de R_1 e R_2.

ciclo começa aproximadamente em –0,7 V, limitado em uma queda de diodo abaixo do terra quando o lado da fonte estiver comutado para o terra.

Em um PLL muitas vezes você deseja restringir a faixa de sintonia do oscilador, para abranger uma faixa modesta de frequência centrada na frequência de saída desejada. Por exemplo, o PLL em um rádio FM precisa abranger ±10 MHz em torno de uma frequência central de ∼100 MHz; e vamos ver exemplos mais adiante em que esta faixa pode ser tão estreita quanto ±0,01% (um " oscilador a cristal controlado por tensão", VCXO). O oscilador no '4046 acomoda isso de forma bem simples (Figura 13.96), permitindo que você use um par de resistores: R_1 define o alcance ($f_{máx}-f_{mín}$), e R_2 define a frequência mínima. Neste circuito Q_1 é um coletor de corrente programável, que ricocheteia um espelho de corrente pMOS para criar a corrente de carga I_{osc}.

Em breve vamos ver outros PLLs, com e sem osciladores integrados no chip. Primeiro, porém, queremos ter algum divertimento com um projeto PLL, usando o nosso novo amigo, o '4046. Tenha em mente, porém, que PLLs (e seus VCOs) não têm que ser limitados a velocidades máximas de dezenas de megahertz. Na verdade, provavelmente é correto dizer que a maioria dos PLLs no mundo ganha a vida em frequências nas centenas de milhares de megahertz. Nessas frequências você não utiliza temporização *RC* – em vez disso, utiliza circuitos *LC* (sintonizados com um capacitor de tensão variável, conhecido como *varactor*), ou um *oscilador em anel* (uma cadeia de inversores) sintonizado pelo ajuste da corrente de funcionamento, ou técnicas mais exóticas, tais como um oscilador de onda acústica de superfície (SAW) oscilador de atraso de linha ou um ressonador feito a partir de um sistema microeletromecânico (MEMS) de silício. Um VCO para utilização numa malha de fase sincronizada não tem de ser particularmente linear na sua característica de frequência *versus* tensão de controle, mas se for altamente não linear, o ganho de malha (ver a seguir) varia de acordo com a frequência do sinal, comprometendo a estabilidade da malha.

13.13.3 Projeto com PLL

A. Fechando a Malha

O detector de fase nos dá um sinal de erro relacionado com a diferença de fase entre as entradas de sinal e de referência. O VCO permite controlar a frequência com uma entrada de tensão. Parece fácil tratar este como qualquer outro amplificador de realimentação, fechando a malha com algum ganho, assim como fizemos com circuitos AOP.

No entanto, há uma diferença essencial. Anteriormente, a quantidade ajustada pela realimentação era a mesma quantidade medida para gerar o sinal de erro, ou, pelo menos, uma quantidade proporcional. Por exemplo, em um amplificador de tensão medimos a tensão de saída e ajustamos a tensão de entrada de acordo com essa medida. Mas em um PLL há uma integração; medimos *fase*, mas ajustamos *frequência*, com a fase sendo a integral da frequência. Isto introduz um deslocamento de fase em atraso de 90° no circuito.

Este integrador incluído na malha de realimentação tem consequências importantes, uma vez que um deslocamento de fase em atraso de 90° adicional numa frequência onde o ganho da malha é unitário pode produzir oscilações. Uma solução simples é evitar quaisquer componentes que gerem mais atrasos dentro da malha, pelo menos em frequências onde o ganho da malha é próximo da unidade. Afinal, AOPs ter um deslocamento de fase em atraso de 90° ao longo da maior parte de sua faixa de frequência, e eles trabalham muito bem. Esta é uma das abordagens, e produz o que é conhecido como um "circuito de primeira ordem". Ele se parece com o diagrama em blocos do PLL mostrado anteriormente, com o filtro passa-baixas omitido.

Embora eles sejam úteis em muitas circunstâncias, circuitos de primeira ordem não têm a propriedade desejável de atuar como um "volante", permitindo que o VCO suavize as flutuações ou ruído no sinal de entrada. Além disso, um circuito de primeira ordem não manterá uma relação fixa de fase entre os sinais de referência e do VCO porque a saída do detector de fase aciona o VCO diretamente. Um "circuito de segunda ordem" tem filtragem passa-baixas adicional dentro da malha de realimentação (como desenhado anteriormente), cuidadosamente projetado para evitar instabilidades. Isso proporciona ação volante e também reduz a "faixa de captura" e aumenta o tempo de captura. Além disso, com detectores de fase do tipo II, um circuito de segunda ordem garante sincronismo de fase com diferença de fase nula entre a referência e o VCO, como será explicado em breve. Circuitos de segunda ordem são usados quase que universalmente, porque as aplicações de PLLs geralmente exigem uma frequência de saída com baixo ruído de fase e alguma "memória", ou ação volante. Circuitos de segunda ordem permitir ganho de malha alto em baixas frequências, resultando em alta estabilidade (em analogia com as virtudes de alto ganho de malha em amplificadores de realimentação). Vamos direto ao assunto, ilustrando o uso de malhas de fase sincronizadas com um projeto exemplo.

13.13.4 Projeto Exemplo: Multiplicador de Frequência

A geração de um múltiplo fixo de uma frequência de entrada é uma das aplicações de PLLs mais comuns. Isto é feito em sintetizadores de frequência, em que um múltiplo inteiro n de um sinal de referência de baixa frequência estável (1 Hz, por exemplo) é gerado como uma saída; n é configurável digitalmente, dando a você uma fonte de sinal flexível, facilmente controlado por meio de uma interface digital. Em aplicações mais mundanas, você pode usar um PLL para gerar uma frequência de clock sincronizada a alguma outra frequência de referência já disponível no instrumento. Por exemplo, suponha que queremos gerar um sinal de clock de 61,440 kHz para uma ADC de dupla rampa. Essa escolha particular de frequência permite 7,5 ciclos de medição por segundo, 4096 períodos de clock para o aumento da rampa (lembre-se que a conversão de dupla rampa usa um intervalo de tempo constante) e 4096 contagens de fundo de escala para a rampa decrescente de corrente constante. A única virtude de um esquema de PLL é que o clock de 61,440 kHz pode ser sincronizado aos 60 Hz da rede elétrica ($61,440 = 60 \times 1024$), dando rejeição infinito ao sinal de 60 Hz captado em qualquer sinal de entrada para o conversor, conforme discutido na Seção 13.8.4.

Começamos com o esquema de PLL padrão, com um contador divisor por n adicionado entre a saída do VCO e o detector de fase (Figura 13.97). Neste diagrama indicamos as unidades de ganho para cada função no circuito. Isso será importante em nossos cálculos de estabilidade. Note especialmente que o detector de fase converte fase para tensão e que o VCO converte tensão para a derivada no tempo da fase (isto é, a frequência). Isto tem como consequência importante que o VCO é, na verdade, um integrador, com a fase representando a variável na parte inferior do diagrama; um erro de tensão de entrada fixo produz um erro de fase crescente de forma linear na saída do VCO. O filtro passa-baixas e o contador divisor por n têm ganho sem unidade.

A. Estabilidade e Deslocamentos de Fase

O truque para um PLL de segunda ordem estável é mostrado nos gráficos de Bode de ganho de malha na Figura 13.98.

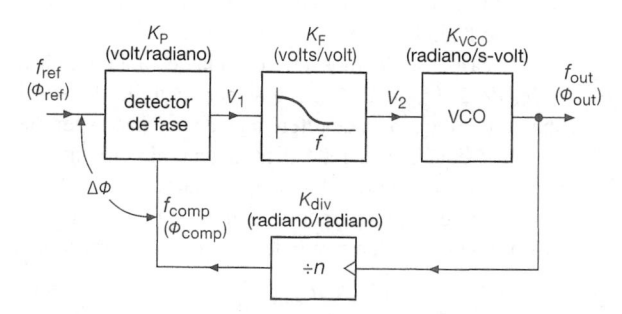

FIGURA 13.97 diagrama em blocos do multiplicador de frequência.

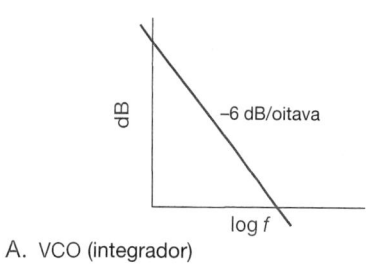

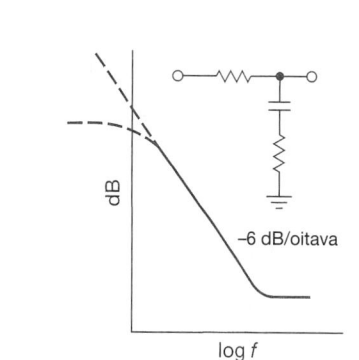

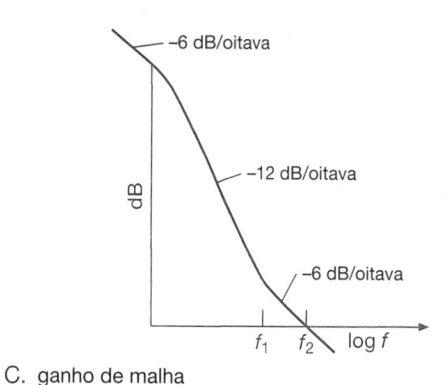

FIGURA 13.98 Gráficos de Bode do PLL.

O VCO age como um integrador, com resposta $1/f$ e 90° de deslocamento de fase em atraso (isto é, a sua resposta é proporcional a $1/j\omega$, uma fonte de corrente acionando um capacitor). A fim de ter uma margem de fase respeitável (a diferença entre 180° e o deslocamento de fase em torno da malha na frequência do ganho de malha unitário), o filtro passa-baixas tem um resistor adicional em série com o capacitor para parar o decaimento em alguma frequência (nome fantasia: um "zero"). A combinação dessas duas respostas produz o ganho de malha mostrado. Contanto que o ganho de malha decaia 6 dB/oitava nas proximidades do ganho de malha unitário, a malha será estável. O filtro passa-baixas de "avanço-atraso" faz o truque, se você escolher suas propriedades corretamente (isso é o mesmo que a compensação de avanço-atraso em AOPs). A seguir, vamos ver como isso é feito.

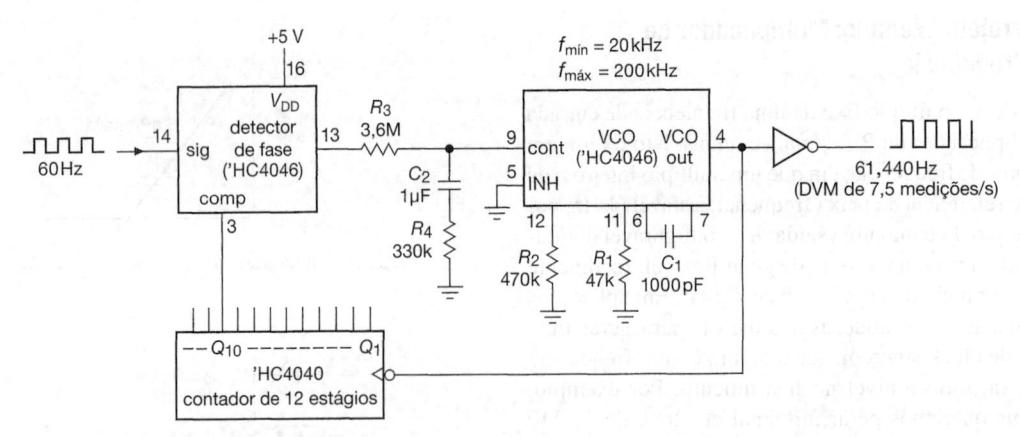

FIGURA 13.99 Usando um multiplicador PLL para gerar um clock sincronizado à frequência CA de 60 Hz da rede elétrica. Os valores dos componentes são para o CD74HC4046A de TI.

B. Cálculos de Ganho de Malha

A Figura 13.99 mostra o esquema do sintetizador PLL de 61,440 kHz. Tanto o detector de fase quanto o VCO são partes de um PLL CMOS 'HC4046. Utilizamos o detector de fase (tipo II) disparado por borda neste circuito (lembre-se que o 4046 contém os dois tipos). Sua saída vem a partir de um par de transístores CMOS que geram pulsos saturados para V_{DD} ou terra. É realmente uma saída de três estados, como explicado anteriormente, uma vez que se encontra no estado de alta impedância, exceto durante pulsos reais de erro de fase.

O VCO permite que você defina as frequências mínima e máxima correspondentes para controlar tensões de zero e V_{DD}, respectivamente, escolhendo R_1, R_2 e C_1 de acordo com alguns gráficos de projeto. Fizemos as opções apresentadas, com base em um projeto inicial da folha de dados, validado (e ajustado!) por algumas medições de bancada – veja o comentário do "mundo real" que se segue, na Seção 13.13.4E. *Nota*: o 4046 tem um problema grave de sensibilidade à fonte; verifique os gráficos na folha de dados. O restante do circuito é um procedimento padrão de PLL.

Tendo configurado a faixa do VCO, a tarefa restante é o projeto do filtro passa-baixas. Esta parte é crucial. Começamos por escrever o ganho da malha, como no retângulo "cálculo de ganho do PLL", considerando cada componente (consulte a Figura 13.97). Tome especial cuidado aqui para manter suas unidades consistentes; não mude de f para ω ou (pior) de hertz para quilohertz. Tendo escolhido os componentes do oscilador, a relação do divisor e as tensões de alimentação, precisamos determinar o termo ganho restante (a do filtro de malha), K_F. Fazemos isso escrevendo o ganho de malha geral, lembrando que o VCO é um integrador:

$$\phi_{out} = \int V_2 K_{VCO} dt.$$

O ganho de malha é, portanto, dado por

$$\text{Ganho de malha} = K_P K_F \frac{K_{VCO}}{j\omega} K_{div}$$

$$= 0{,}40 \times \frac{1 + j\omega R_4 C_2}{1 + j\omega(R_3 C_2 + R_4 C_2)} \times \frac{3{,}77 \times 10^5}{j\omega} \times \frac{1}{1024}.$$

Agora vem a escolha da frequência na qual o ganho da malha deve passar pela unidade. A ideia é escolher uma frequência de ganho unitário alta o suficiente para que a malha possa acompanhar as variações da frequência de entrada que você deseja seguir, mas baixa o suficiente para fornecer a ação volante para suavizar o ruído e saltar na frequência de entrada. Por exemplo, um PLL projetado para demodular um sinal de entrada de FM, ou para decodificar uma sequência rápida de tons de entrada, precisa de ter uma resposta rápida (para o sinal de entrada de FM, a malha deve ter tanta largura de banda quanto o sinal de entrada, isto é, a resposta até a frequência máxima de modulação; enquanto que para decodificar os tons de entrada, o tempo de resposta deve ser curto em comparação com o tempo de duração dos tons). Por outro lado, um circuito como este, projetado para gerar um múltiplo fixo da frequência de entrada de variação lenta e estável, deve ter uma frequência de ganho unitário baixa. Isso irá reduzir o ruído de fase na saída e tornar o PLL insensível ao ruído e *gliches* na entrada. Dificilmente será sequer notado uma pequena perda temporária do sinal de entrada, porque a tensão mantida no capacitor de filtro irá instruir o VCO a continuar produzindo a mesma frequência de saída.

Neste caso, escolhemos a frequência de ganho unitário f_2 para ser de 2 Hz, ou 12,6 radianos por segundo. Isto está bem abaixo da frequência de referência, e você não esperaria variações de frequência da rede elétrica genuínas em uma escala menor do que essa (lembre-se que a alimentação de 60 Hz é gerada por enormes geradores com muita inércia mecânica). Como regra geral, o ponto de corte do filtro passa-bai-

CÁLCULO DO GANHO DO PLL

Componente	Função	Ganho	Cálculo do ganho ($V_{DD} = +10V$)
Detector de fase	$V_i = K_P \Delta\phi$	K_P	$K_P = \dfrac{V_{DD}}{4\pi}$ (0 to V_{DD} ↔ $-360°$ to $+360°$)
Filtro passa-baixas	$V_2 = K_F V_1$	K_F	$K_F = \dfrac{1 + j\omega R_4 C_2}{1 + j\omega(R_3 C_2 + R_4 C_2)}$ volts/volt
VCO	$\dfrac{d\phi_{out}}{dt} = K_{VCO} V_2$	K_{VCO}	20kHz ($V_2 = 0$) to 200kHz ($V_2 = 5V$) $\to K_{VCO} = 60$kHz/volt $= 3{,}77 \times 10^5$ radianos/segundo-volt
Divisor por n	$\phi_{comp} = \dfrac{1}{n}\phi_{out}$	K_{div}	$K_{div} = \dfrac{1}{n} = \dfrac{1}{1024}$

xas (um "zero") deve ser inferior por um fator de pelo menos 3 a 5, para uma confortável margem de fase. Lembre-se que o deslocamento de fase de um *RC* simples vai de 0° a 90° ao longo de uma faixa de frequência de cerca de 0,1 a 10 vezes a frequência de –3 dB (seu "polo"), com um deslocamento de fase de 45° na frequência de –3 dB. Neste caso, colocamos a frequência do zero, f_1, em 0,5 Hz, ou 3,1 radianos por segundo (Figura 13.100). O ponto de corte f_1 determina a constante de tempo $R_4 C_2$: $= 1/2\pi f_1$. Provisoriamente, considere $C_2 = 1\,\mu F$ e $R_4 = 330k$. Agora, tudo o que fazemos é escolher R_3 de modo que o módulo do ganho da malha seja igual a 1 em f_2. Neste caso, funciona para $R_3 = 3,6M$.

Exercício 13.7 Mostre que essas escolhas dos componentes do filtro, na verdade, dão um ganho da malha de módulo 1,0 em $f_2 = 2,0$ Hz.

Às vezes, os valores de filtro são inconvenientes, então você tem que reajustá-los, ou mover a frequência de ganho unitário um pouco. Com um PLL CMOS estes valores são aceitáveis (o terminal de entrada do VCO tem uma impedância de entrada típica de $10^{12}\,\Omega$). Para VCOs com baixa impedância de entrada, você pode querer usar um *buffer* AOP externo.

Utilizamos, neste exemplo, um detector de fase (tipo II) disparado por transição em razão do seu filtro de malha simplificado. Na prática, pode não ser a melhor escolha para um PLL sincronizado à frequência de 60 Hz de rede elétrica pelo nível relativamente alto de ruído presente no sinal de 60 Hz: muitos engenheiros têm tropeçado neste ponto, com um sinal de referência ruidoso causando disparo falso no tipo II. Com um projeto cuidadoso do circuito de entrada analógico (por exemplo, um filtro passa-baixas, seguido por um *Schmitt trigger*), o detector de fase do tipo II provavelmente terá desempenho satisfatório; se isso não ocorrer, um detector de fase EX-OR (tipo I) deve ser usado.

C. "Tentativa e Erro"

Para algumas pessoas, a arte da eletrônica consiste de mexer com os valores do componente de filtro até que o circuito "funcione". Se você é um desses,[116] vamos obrigá-lo a olhar de outra forma. Apresentamos estes cálculos de malha em detalhe porque suspeitamos que grande parte da má reputação do PLL é o resultado de muitas pessoas "pensarem de uma outra forma." No entanto, não podemos deixar de fornecer uma dica quente para tentativa e erro viciados: $R_3 C_2$

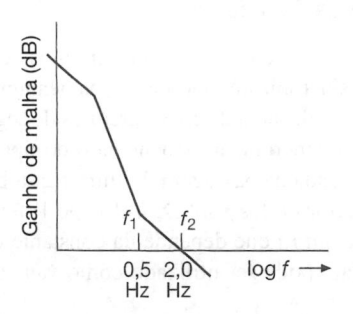

FIGURA 13.100 Estabilização de um PLL de segunda ordem: decaimento de –6 dB/oitava do ganho de malha em torno da frequência de ganho unitário.

---
[116] Você pode derivar algum conforto (e talvez até mesmo mantenha sua cabeça erguida) a partir de algumas observações na nota de aplicação da TI (referindo-se ao projeto loop-filtro) "Otimização por tentativa e erro deve ser considerado em todos os casos."

define o tempo de suavização (resposta) da malha, e R_4/R_3 determina o amortecimento, ou seja, ausência de *overshoot* (sobresinal) para variações em degrau na frequência. Você pode começar com um valor de R4 em algum ponto na faixa de 10% a 20% de R_3.

D. Malha de Amortecimento e *Jitter*

Um efeito colateral do resistor de "amortecimento" não nulo R_4 é a criação de um *jitter* na saída do PLL. Uma maneira fácil de ver isso é perceber que mesmo em altas frequências o filtro de malha permite uma fração $R_4/(R_3 + R_4)$ da saída do detector de fase natural para alcançar o VCO. Para proporções típicas, $R_3 \approx 10R_4$, este pode adicionar *jitter* substancial à saída do VCO. A solução usual é a adicionar um pequeno capacitor ($\sim C_2/20$) a partir da entrada de controle do VCO para o terra, de preferência próximo do pino do VCO para filtrar bem qualquer outro ruído de alta frequência.

E. Projeto do Mundo Real com PLL

Percorremos este exemplo de projeto na expectativa de que as informações nas folhas de dados para o CI que escolhemos (o popular 'HC4046) sejam confiáveis. Essa esperança talvez seja otimista demais. Para entender a razão de tanta cautela, aqui vai a história (a versão curta) das nossas escolhas de componentes do oscilador da Figura 13.99:

Queríamos uma margem de segurança de 3x para a nossa frequência central de 61 kHz, por isso, definimos $f_{mín}$ = 20 kHz e $f_{máx}$ = 200 kHz. Escolhemos o CD74HC4046A da TI, pois foi um projeto comprovado original da RCA. Com base em gráficos da folha de dados, um bom valor para o capacitor de temporização C_1 seria de 1.000 pF. Para os resistores de temporização um de nós começou com os gráficos de R_1 e veio com 30k e 300k para R_1 e R_2, e editamos a figura em conformidade. O outro autor começou com o gráfico de R_2 (como sugerido por dois fabricantes) e veio com 40k e 410k. Preocupado com essas e outras inconsistências (por exemplo, uma especificação na folha de dados da TI dá f_{osc} = 400 kHz, típico, para C_1 = 1 nF e R_2 = 220k, enquanto que a sua Figura 27 sugere que deveria ser mais próximo de 33 kHz), fomos para a bancada e encontramos valores reais de 45k e 482k para a faixa de frequência desejada. Os valores que escolhemos inicialmente teriam funcionado, apesar do fator de desvio de 1,5 da realidade, mas eles teriam usado metade de nossa margem de segurança de 3x.[117]

Então, o que está acontecendo aqui? Cada um dos fabricantes do 'HC4046 utiliza um circuito diferente para o seu projeto de VCO.[118] apesar da intenção de ser previsível e linear, na prática, o controle do VCO é não linear, e seus parâmetros variam com a corrente de controle, tensão de alimentação e frequência de operação, especialmente acima de 10 MHz. Embora você possa encontrar expressões analíticas para a frequência do VCO (nota da aplicação AN1410 da ON Semi), o método recomendado ainda é começar com os valores dos componentes de temporização (R_1, R_2 e C_1) a partir dos gráficos da folha de dados; em seguida, o projetista está severamente admoestado para ajustar e validar esses valores com medições de bancada cuidadosas antes de arriscar a fabricação.

Este tipo de variabilidade e falta de previsibilidade nos leva a dar este conselho:

(1) escolha um fabricante para o seu projeto de produção e não permita suplentes;
(2) escolha uma ampla margem de segurança para $f_{mín}$ e $f_{máx}$, como o fator de 3x em nossa Figura 13.99;
(3) substitua seus cálculos iniciais pelos valores medidos de bancada para a produção.

A regra (1) se aplica a qualquer funcionalidade linear num CI lógico, por exemplo, funções de sinais mistos, como comparadores de fase, osciladores, VCOs, misturadores, *Schmitt triggers*, monoestáveis ou comparadores.

13.13.5 Captura e Sincronismo do PLL

Uma vez sincronizado, é evidente que um PLL vai ficar sincronizado desde que a frequência de entrada não varie fora da faixa do sinal de realimentação e não varie mais rapidamente do que a largura de banda do circuito pode controlar. É interessante perguntar como PLLs entra em sincronismo no início. Afinal de contas, um erro de frequência inicial resulta em uma saída periódica a partir do detector de fase na frequência diferença. Depois da filtragem pelo passa-baixas, ele é reduzido a pequenas variações de amplitude ao invés de a um sinal de erro CC agradavelmente "limpo".

A. Captura de Transiente

A resposta é um pouco complicada. Circuitos de primeira ordem sempre sincronizam, porque não há nenhuma atenuação do passa-baixas do sinal de erro. Circuitos de segunda ordem podem ou não sincronizar, dependendo do tipo de detector de fase e da banda de passagem do filtro passa-baixas. Além disso, o detector de fase de EX-OR (tipo I) tem uma faixa limitada de *captura* que depende da constante de tempo do filtro (este fato pode ser utilizado como vantagem se você

---

[117] Fizemos medições adicionais de bancada nos dispositivos 74HC4046A novos e antigos da TI, NXP, ON Semi, e Fairchild. Encontramos uma boa autoconsistência nos dispositivos de fabricantes individuais; as variações de amplitude e frequência zero dentro de um lote e ao longo de um período de 15 anos foram, em geral abaixo de 5%. As frequências medidas para os dispositivos da NXP, ON Semi, e Fairchild desviaram de +5%, +160% e −60%, respectivamente, a partir dos dispositivos da TI, quando configurados com os valores de componentes de temporização mostrado na Figura 13.99.

[118] Por exemplo, a TI polariza R_2 a partir de V_{DD} − 0,7 V, enquanto a ON Semi o polariza a partir de $V_{DD}/3$. Seus espelhos de corrente têm ganhos nominais de 7,5 e 25, respectivamente. Achamos que o 74HCT9046 da NXP é indiscutivelmente o melhor dispositivo '4046 disponível, e as folhas de dados da NXP têm gráficos melhores.

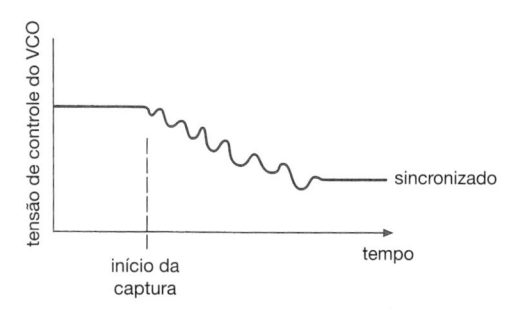

FIGURA 13.101 Transiente de captura do PLL.

quiser um PLL que irá sincronizar com sinais apenas dentro de uma determinada faixa de frequência).

Para um detector de fase do tipo I você pode se perguntar como a malha pode sincronizar, porque, com a saída do detector de fase sendo periódica na frequência diferença, a frequência do VCO deve apenas mexer para frente e para trás eternamente. Mas olhando mais de perto, o transitório de captura ocorre assim: conforme o sinal de erro (fase) traz a frequência do VCO mais perto da frequência de referência, a forma de onda do sinal de erro varia mais lentamente, e vice-versa. Assim, o sinal de erro é assimétrico, variando muito mais lentamente durante a parte do ciclo na qual f_{VCO} está mais próxima de f_{ref}. O resultado líquido é uma média diferente de zero, ou seja, um componente CC que traz o PLL para o sincronismo.[119] Se você olhar atentamente para a tensão de controle do VCO durante este *transiente de captura*, você verá algo parecido com o que é mostrado na Figura 13.101. Esse *overshoot* final tem uma causa interessante. Mesmo quando a *frequência* VCO atinge o seu valor correto (como indicado pela correta tensão de controle do VCO), a malha não está, necessariamente, em sincronismo, dado que a *fase* pode estar errada. Por isso, pode ocorrer *overshoot*. Tal como acontece com flocos de neve, cada transiente de captura é individual – parece um pouco diferente de cada vez.

Para um PLL com um detector de fase do tipo II, a situação é mais simples: como este tipo de detector produz um componente CC que indica o sentido do erro de frequência (lembre-se que é um "detector de fase-frequência"), a frequência do VCO é direcionada rapidamente no sentido certo.

B. Faixa de Captura e Sincronismo

Para o detector de fase de EX-OR (tipo I), a faixa de captura é limitada pela constante de tempo do filtro passa-baixas. Isso faz sentido, porque se você começar a uma distância suficientemente grande em frequência, o sinal de erro será bastante atenuado pelo filtro que a malha nunca irá sincro-

nizar. Deve ser evidente que uma maior constante de tempo de filtro resulta numa faixa de captura mais estreita, como se reduziu o ganho de circuito. O detector de fase disparado por borda não tem esta limitação, porque atua como um verdadeiro integrador dos pulsos de carga do erro de fase. Ambos os tipos têm uma faixa de sincronismo que se estende para os limites do VCO, dada a tensão de entrada de controle disponível.

C. Tempo de Captura

PLLs com detectores de fase DO tipo II (integração) sempre irão sincronizar (considerando que o VCO tem faixa de sintonia suficiente, é claro), com uma característica de constante de tempo da largura de banda da malha.

Um detector de fase do tipo I (multiplicador ou misturador), se for seguido por um filtro de malha de integrando, também irá sincronizar -- mas pode levar um tempo muito longo, se a largura de banda da malha for estreita. Podemos ver que o tempo de sincronismo é mais ou menos $(\Delta f)^2/BW^3$, onde Δf é o erro de frequência inicial e BW é a largura de banda da malha. Assim, um PLL com largura de banda de malha de 100 Hz e frequência de comparação de 100 kHz pode demorar um minuto para sincronizar se a frequência inicial do VCO for de 10% de distância do ponto de sincronismo.

Nesses casos, às vezes você vê um truque interessante: um lento dente de serra de faixa completa é aplicado à entrada de tensão de controle do VCO, até que o sincronismo ocorra. Por exemplo, eu tenho na minha mão (eu estou escrevendo com uma só mão) um padrão de frequência de rubídio (FRS) modelo Efratom, que usa a fraca, mas extremamente estável, ressonância atômica em uma célula de vapor de bombeamento óptico como uma referência para que um oscilador a cristal de alta qualidade seja sincronizado em fase. Um oscilador a cristal (XO) com forno de 20 MHz é controlado por tensão (um VCXO), com uma faixa de sintonia estreita (da ordem de ±1 kHz); é o volante em um PLL de baixa largura de banda (o integrador de malha tem $R = 2M$, $C = 1\ \mu F$).

Sem alguma ajuda, essa coisa iria demorar uma eternidade para sincronizar. O útil "Manual de Operação" explica como eles fazem isso: "Quando nenhum sinal de sincronismo estiver presente.. [há] uma varredura lenta da tensão de controle do cristal de cerca de 250 mV por segundo. Ocorre uma varredura contínua até sincronizar. O sincronismo então desabilita os pinos 13 e 14 de U_3 [chave analógica] e conecta os pinos 12 e 14 de U_3. Essa comutação coloca o integrador sob o controle da malha fundamental."

Esses truques não são necessários com detectores de fase do tipo II, como observamos antes, graças à sua indicação de fase e diferença de frequência (do sinal). Mas detectores de fase do tipo misturador passivo (portanto, tipo I) são prevalentes em sistemas de comunicações em frequências muito altas de rádio, onde o detector de fase-frequência digital é impraticável.

---

[119] Outra maneira de olhar é perceber que o sinal de erro modula fracamente o VCO na frequência diferença $\Delta f = |f_{ref} - f_{VCO}|$. Essa modulação de frequência coloca fracas bandas laterais simétricas em f_{VCO}, espaçadas por Δf. Uma delas está exatamente em f_{VCO}, produzindo uma componente de saída CC média a partir do detector de fase, que o filtro de malha integra (tipo II) para levar o sistema ao sincronismo.

13.13.6 Algumas aplicações de PLL

Já falamos do uso comum de malhas de fase sincronizada na multiplicação de frequência. A última aplicação, como no exemplo anterior, é tão simples que não deve haver hesitação sobre como usar essas PLLs misteriosas. Em aplicações de multiplicação de frequência simples (por exemplo, a geração de frequências de clock mais altas em um sistema digital), nem sequer existe qualquer problema do ruído no sinal de referência, e um circuito de primeira ordem pode ser suficiente.

Como ficará evidente, o mais importante em um PLL depende da aplicação: há um compromisso entre uma faixa de ajuste ampla *versus* a alta qualidade (baixo ruído de fase, baixo *jitter*, baixos componentes de frequência espúrios) *versus* o tamanho do degrau de frequência *versus* a largura de banda da malha (e velocidade de comutação) *versus* a baixa contagem de componentes externos. Por exemplo, para uma aplicação de microprocessador ou memória com clock, você não precisa de formas de onda de alta qualidade, precisa apenas de degraus de sintonia grosseiros; para um sintetizador de telemóvel, você pretende um baixo ruído de fase e de picos, com faixa de sintonia e tamanho de degrau casado com a banda do celular e a atribuição de canal; para um sintetizador senoidal de propósito geral você deseja baixo ruído de fase e picos, pequenos degraus de sintonia e ampla faixa de sintonia; para enlaces seriais de alta velocidade, você se preocupa com o *jitter*, como você faz quando envia clocks para ADCs de alta qualidade (onde o *jitter* se converte em distorção); e para um gerador de clock da placa-mãe, você gostaria de uma solução de chip único que gera um conjunto de clocks padrão (para o processador, memória, vídeo, barramentos internos como o PCIe e SATA, as portas seriais externas, como USB e Ethernet, e assim por diante) sem grande preocupação com a qualidade do sinal.

Gostaríamos agora de descrever duas variações importantes (conhecido como síntese "*n/m*" e "*n*-fracionário") sobre esse esquema básico de multiplicação de frequência; vamos continuar com algumas outras aplicações interessantes de técnicas de fase sincronizada, para dar uma ideia da diversidade de uso de PLLs. Finalmente, vamos concluir a discussão de malhas de fase sincronizadas com exemplos de CIs PLL contemporâneos, que usam uma variedade de truques inteligentes para criar osciladores internos ao chip com um desempenho admirável.

A. Síntese *n*-Fracionário

O esquema de multiplicação de frequência da Figura 13.97 gera uma frequência de saída que está limitada a um múltiplo inteiro da entrada de referência: $f_{out}=nf_{ref}$. Isso é bom para uma aplicação como a da Figura 13.99, mas não é de muita utilidade para algo como um sintetizador de propósito geral de onda senoidal, onde você deseja gerar qualquer frequência de saída antiga, talvez configurável até 1 Hz, ou até 0,001 Hz.

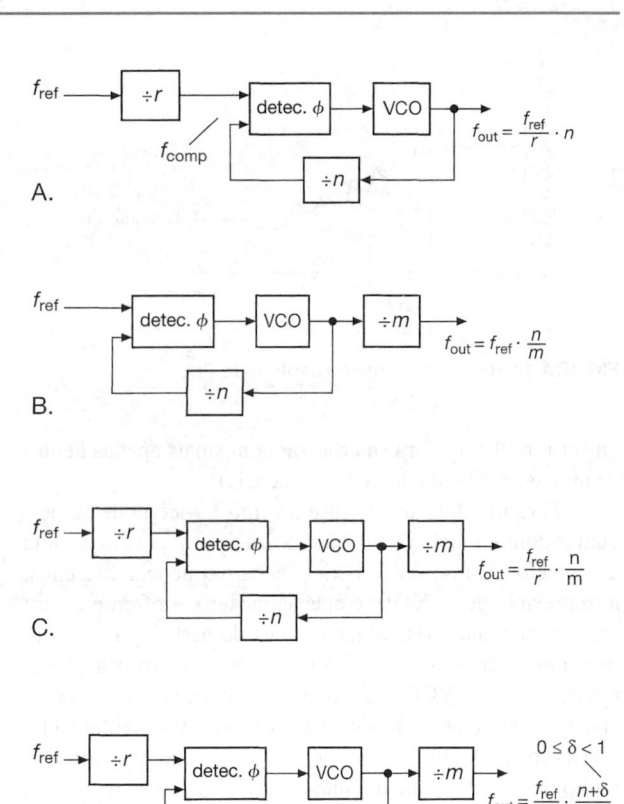

FIGURA 13.102 Obtendo um *n*-fracionário. A-C. Inteiro *n* com divisor de entrada, divisor de saída e ambos. D. "*n*-Fracionário" permite que o divisor de realimentação aceite efetivamente valores não inteiros. Para simplificar, o filtro de malha entre o detector de fase e o VCO foi omitido.

Divisor de Entrada

Analisando por etapas (veja a Figura 13.102A), a primeira coisa que você pode fazer é reduzir a frequência de referência para o tamanho do degrau de resolução, digamos 1 Hz. Isto pode ser feito pela "divisão" da frequência de referência de entrada com um contador de módulo *r*: *r* é um número inteiro, escolhido de modo que $f_{comp}=f_{ref}/r$ se iguale ao tamanho do degrau desejado; por exemplo, se temos uma referência de entrada de 10 MHz (um padrão comum) e queremos uma capacidade de definição de 1 Hz, escolheríamos $r = 10^7$. A frequência de saída é, então, $f_{out}=n \cdot f_{ref}/r$.

OK, isso funcionaria. Mas o detector de fase está agora trabalhando em um par de sinais de 1 Hz, o que requer uma constante de tempo de malha muito longa (vários segundos). Isso não é bom: é preciso um longo tempo para sincronizar em uma nova configuração de frequência; e há mais ruído de fase, devido às instabilidades intrínsecas do VCO não serem corrigidas em escalas de tempo curto (sem ganho de malha nessas frequências). E (se você precisa ser convencido) pulsos de correção do detector de fase para o VCO estão em baixa frequência, produzindo bandas laterais parasitas de modulação ("picos") que estão próximos da frequência de saída desejada (para ser mais preciso, eles estão afastados por f_{comp}, indo para cima e para baixo a partir de f_{out}).

Divisor de saída

A próxima coisa que você pode tentar é manter uma frequência de referência alta, mas dividir a frequência de *saída* como alternativa (Figura 13.102B). A frequência de saída é agora $f_{out}=f_{ref} \cdot n/m$. Isso parece bom: podemos manter a abundância de largura de banda da malha (devido ao detector de fase estar operando em alta frequência f_{ref}), e obtemos um tamanho de degrau tão pequeno quanto queremos, escolhendo um módulo m divisor de saída grande.

Isso funciona bem, desde que você fique satisfeito com frequências de saída baixas. O problema é que o VCO agora tem de operar em uma frequência m vezes maior para gerar um determinado f_{out}. Por exemplo, com uma entrada de referência de 10 MHz e com $m = 10^7$ (para um tamanho de degrau de 1 Hz), o VCO teria que operar em 1 GHz apenas para gerar uma frequência de saída de 100 Hz ($n = 100$). Este é claramente um fracasso.

Divisores de entrada e saída

A solução está no meio-termo: o uso de divisores de frequência inteiros na entrada *e* saída (Figura 13.102C). Dessa forma, podemos definir a frequência de comparação do detector de fase em algum lugar entre o tamanho do degrau de saída (muito pequeno) e a frequência de referência de entrada (maior do que a necessária). A frequência de saída é agora $f_{out}=(f_{ref}/r) \cdot (n/m)$. Esta é a configuração padrão de uma malha de fase sincronizada de "inteiro n" (porque todos os três divisores de frequência operam com uma relação de divisão inteira).

Tomando o nosso exemplo padrão com referência de 10 MHz, poderíamos escolher $r = 10^4$ (assim $f_{comp} = 1$ kHz) e $m = 10^3$. O tamanho do degrau de saída é 1 Hz, a frequência de saída é n Hz e podemos gerar frequências de saída para 100 kHz (com resolução de 1 Hz) com um VCO que vai até 100 MHz.

Absolutamente tudo: "*n*-fracionário"

Temos um acordo entre os fatores concorrentes de tamanho do degrau, largura de banda da malha, frequência de saída máxima e frequência do VCO máxima. No exemplo anterior, podemos chegar a uma frequência de saída mais elevada com o mesmo tamanho de degrau de 1 Hz e frequência de entrada de 10 MHz, (ou seja, mantendo o produto $m.r$ constante), mas só com uma largura de banda de malha menor (m menor, r maior) ou frequência de saída máxima reduzida (m maior, r menor).

Podemos fazer melhor? A resposta é sim, se é que podemos de alguma forma enganar um dos divisores (digamos o divisor n) em uma relação de divisão não inteira "intermediária". Podemos fazer isso *na média* com um número divisor n inteiro, se organizarmos as coisas para mudar o módulo para que ele gasta um pouco do seu tempo conforme n, e o restante do tempo conforme $n + 1$.[120] Esta é a síntese de *n*-fracionário (Figura 13.102D). A frequência de saída ainda é $f_{out}=(f_{ref}/r) \cdot (n/m)$, mas com n agora autorizado a assumir um valor fracionário. Com a síntese de *n*-fracionário você tem (principalmente) o melhor dos dois mundos: faixa de frequência de saída ampla com alta resolução (tamanho de degrau pequeno), mantendo f_{comp} alto (que permite muita largura de banda de malha e, portanto, sincronismo e rastreamento rápidos, juntamente com picos amplamente compensados a partir da frequência sintetizada).

O *n*-fracionário requer alguns contadores e lógica adicionais para descobrir com que frequência alternar entre n e $n + 1$. Há uma situação cotidiana análoga: é benéfico manter o calendário anual (o tipo que você pendura na parede) sincronizado com o movimento da Terra em torno do sol. O problema é que não há um número inteiro de dias em um ano. A solução do calendário gregoriano (anos bissextos) é *n*-fracionário: alternar entre os módulos 365 e 366, com uma relação de 3:1, para obter o valor correto (aproximado) de 365,25.[121,122]

Detalhes, detalhes...

A síntese *n*-fracionário[123] é uma boa técnica, mas tem seus próprios problemas. Por exemplo, o detector de fase é periodicamente apresentado com uma descontinuidade de fase (isto é, cada vez que o módulo é alternado), o que cria modulação de fase periódica na saída, se não for corrigida ou filtrada. Existem vários truques para corrigir este problema, envolvendo injeção de pulsos de carga de compensação na saída da bomba de carga do detector de fase, ou (provavelmente melhor) uma correção pré-calculada para a forma de onda de saída para criar ciclos de saída equidistantes (veremos mais tarde). Talvez a melhor técnica, no entanto, seja a utilização da modulação delta-sigma do módulo: em vez da simples alternância entre os dois módulos que rodeiam o módulo desejado (fracionário), o módulo do divisor é distribuí-

---

[120] Às vezes você ouve o termo visualmente gráfico "engolindo pulsos" usado para este subcircuito.

[121] Astrônomos e outros leitores exigentes se queixam que o número de rotações da Terra em um ano é na verdade uma a mais (366,25) e que a Terra faz um giro não em 24 horas, mas em 23h 56 mm 4s (aproximadamente). É claro que eles estão certos. Mas todo mundo odeia um sabe-tudo.

[122] Isso leva a calendário próximo, mas não perfeito: há 365,242374 dias solares em um ano. Daí a correção de próxima ordem: anos bissextos são omitidos nos anos que são divisíveis por 100 (ou seja, a virada de cada século, que, sendo divisível por 4, normalmente seria um ano bissexto, a menos que eles também sejam divisíveis por 400; tivemos um ano bissexto em 2000, mas nós (mais propriamente, os nossos descendentes; até lá este livro e seus autores estarão esgotados) não iremos desfrutar de um em 2100, ou 2200, ou 2300. Isto irá manter o calendário no caminho certo por cerca de 8.000 anos.

[123] Alguns PLLs fazem a operação *n*-fracionário no divisor da referência de entrada (r); eles ainda são chamados de "*n*-fracionário".

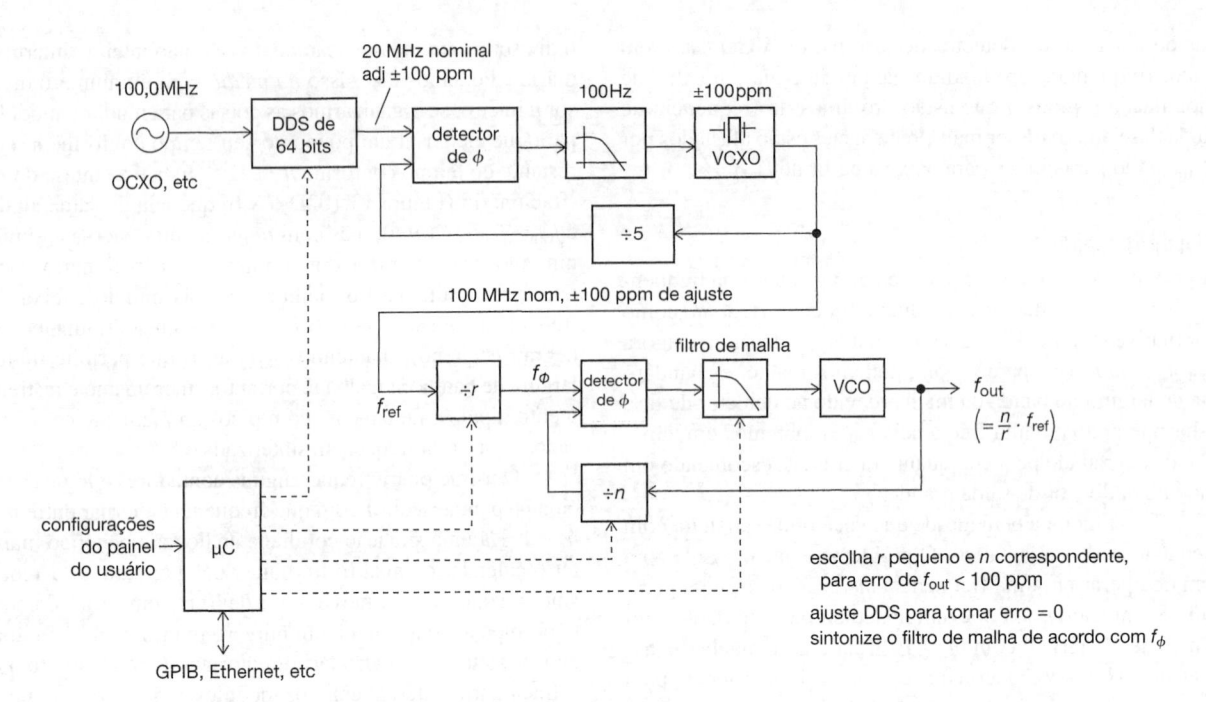

FIGURA 13.103 Ao fazer pequenos ajustes de frequência para seu clock de referência de oscilador de cristal limpo, o método de "síntese frequência de aproximação racional" usado nos sintetizadores SRS alcança resolução de microhertz ao operar o detector de fase do PLL em frequências de megahertz. A saída resultante tem excelente pureza, com ruído de fase muito baixo e ausência de "picos" espectrais.

do entre um conjunto maior, de tal maneira que a produção de bandas laterais de modulação é moldada para as frequências mais elevadas, e a produção de picos discretos é minimizada. Tal como acontece com os moduladores delta-sigma que vimos no início do capítulo, malhas de ordem maior com alguma aleatoriedade ("*dithering*") podem ser empregadas para reduzir picos próximos (análogo ao seu uso para suprimir tons inativos). Este é um negócio complicado, e é melhor deixar para verdadeiros profissionais.[124] Resumindo: deixe o projeto do conversor para os outros; mas esteja ciente dos benefícios e armadilhas, e examine bem as folhas de dados das coisas que você gosta em sua aplicação.

B. Síntese de Aproximação Racional

Com uma variação engenhosa na síntese n-inteiro, o sempre criativo John Willison, da Stanford Research Systems, desenvolveu um sintetizador que combina o melhor dos dois mundos: ele opera com um valor r inteiro e pequeno (assim uma frequência de referência relativamente alta entra no detector de fase, para uma largura de banda de malha do VCO ampla e, portanto, bandas laterais de baixo ruído e *jitter*), juntamente com o número inteiro n (evitando modulação de fase do VCO); mas, com um pouco de magia, permite resolução de frequência essencialmente infinita (configuração de frequência de *micro*hertz), apesar da entrada de referência do detector de fase estar tipicamente na região de megahertz.

Como isso acontece? O truque é escolher um pequeno número inteiro r (e o n correspondente) tal que a frequência sintetizada esteja *próxima* da frequência alvo (digamos, dentro de $\pm$ 100 ppm); você, então, ajusta o oscilador de referência mestre de modo correspondente, para levar a frequência de saída sintetizada, conforme o inteiro r, até o alvo. Essa técnica, que eles chamam de "síntese frequência de aproximação racional" (RAFS), foi introduzida na série SG380 de geradores de sinais RF da SRS, que inclui atualmente os modelos que oferecem saídas de CC a 6 GHz, configuráveis com resolução de microhertz. A utilização de síntese de PLL, de múltiplo inteiro, com uma malha de largura de banda ampla produz excelente pureza de saída, vista, por exemplo, na especificação do ruído de fase de −116 dBc (em relação à "portadora", ou seja, a amplitude do sinal) com um deslocamento de 20 kHz, a partir de um sinal de saída a 1 GHz; e a utilização de um oscilador de referência de baixo ruído (o OCXO) mantém o ruído de fase próximo em impressionantes −80 dBc em um deslocamento de apenas 10 Hz a partir de uma saída de 1 GHz.

A Figura 13.103 mostra o esquema restrito aos elementos básicos. Um microcontrolador controla o sistema, começando pela escolha[125] de r e n para chegar próximo do f_{out}

---

[124] Dê uma olhada na Nota de Aplicação 1879 da National Semiconductor, se você quiser avançar mais nos estudos.

[125] Curiosamente, nenhuma forma fechada foi encontrada para calcular r e n; de modo que o microcontrolador apenas segmenta, tentando sucessivos pares de inteiros pequenos até ter sucesso. Isso leva cerca de um milésimo de segundo.

desejado. O microcontrolador também sintoniza o filtro de malha de acordo com a frequência de entrada detector de fase resultante (aqui chamado de f_ϕ). Finalmente, faz a sintonia fina do clock mestre, sobre a faixa necessária de ±100 ppm, por meio de um sintetizador digital direto de 64 bits (portanto, resolução efetivamente infinita) a partir de um clock de entrada frequência fixa limpa. A saída do DDS não é tão pura como a sua entrada de referência (devido aos saltos de fase irregulares inerentes ao processo de DDS), portanto, a sua saída é limpa pelo sincronismo de fase de um oscilador a cristal de alta qualidade, cuja frequência pode ser eletricamente "alterada" ao longo de uma faixa de ±100 ppm através de um varactor (portanto, um "VCXO" – oscilador a cristal controlado por tensão). Em retrospectiva, podemos ver que é a faixa de sintonia do VCXO que restringe a seleção inicial de r e n.

Para ilustrar com um exemplo, suponha que desejamos sintetizar uma saída em 1.234,56789 MHz. Você pode digitar em uma calculadora de bolso (alguém com menos de 50 usa isso?), valores inteiros de r sucessivos, até encontrar que $r = 26$ lhe dá um "n-fracionário" (320,9876514) que está dentro de 100 ppm de um inteiro ($n = 321$). Então escolhemos [r, n] = [26, 321] e deslocamos o clock mestre em −38,469 ppm (para 99,9961531 MHz) para obter o que queremos. Com essa escolha a frequência de referência do detector de fase f_ϕ é agradavelmente alta (~3,85 MHz), permitindo muita largura de banda malha (assim, baixo ruído de banda lateral e ausência de picos próximos que seriam causados por um f_ϕ baixo) na sintetização PLL.

Na prática, há uma série de detalhes (como com qualquer sistema sofisticado e bem projetado) não visto nessa descrição simplificada. Por exemplo, (a) a saída do sintetizador sintoniza apenas ao longo de uma oitava (faixa de frequência 2:1), acionando um conjunto de divisores binários e filtros passa-baixas para gerar a saída final; (b) os instrumentos de produção reais usam vários VCXOs de sintonia fina escalonados, relaxando bastante as restrições sobre r e n (e resultando em valores de f_ϕ tipicamente superiores a 10 MHz, com um pior caso de 2,4 MHz); (c) há DDSs e PLLs adicionais no sistema, utilizados, entre outras coisas, para criar frequências de clock favoráveis (que geralmente são escolhidas para não serem os tipos de frequências de "número redondo" mostrados aqui, para evitar artefatos de colisão de clock); (d) o DDS de 64 bits é submetido a *dithering* para reduzir bandas laterais parasitas de frequência fixa ("picos"); e (e) há subcircuitos adicionais para fornecer modulação,

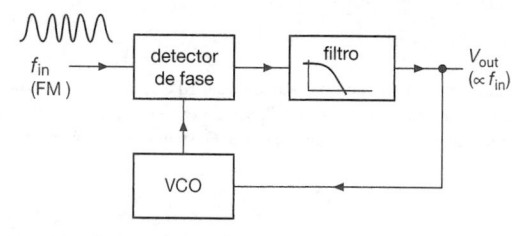

FIGURA 13.104 Discriminador de FM PLL.

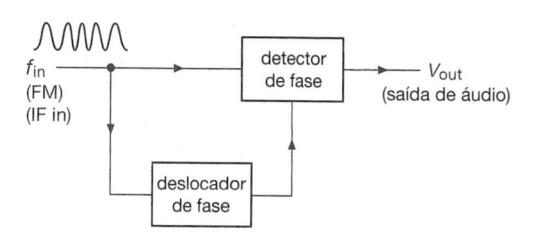

FIGURA 13.105 Detecção de FM em quadratura.

controle de amplitude, e similares. Estes são os tipos de questões do mundo real que desafiam o projetista de instrumento, que sente uma grande satisfação quando encontra uma boa solução.

C. Detecção de FM

Na modulação de frequência, a informação é codificada em um sinal de "portadora", variando sua frequência proporcional à forma de onda da informação. Existem dois métodos de recuperar a informação modulante com detectores de fase ou PLLs. A palavra *detecção* é utilizada para denominar uma técnica de demodulação.

No método mais simples, um PLL é sincronizado ao sinal de entrada. A tensão de controle da frequência do VCO é proporcional à frequência de entrada e é, por conseguinte, o sinal modulante desejado (Figura 13.104). Em tal sistema você escolheria a largura de banda do filtro para ser grande o suficiente para passar o sinal modulante, isto é, o tempo de resposta do PLL tem de ser curto comparado com a escala de tempo das variações do sinal a ser recovertido.[126] Um elevado grau de linearidade no VCO é desejável neste método de detecção de FM, para minimizar a distorção na saída de áudio.

O segundo método de detecção de FM envolve um detector de fase, embora não seja em um PLL. A Figura 13.105 mostra a ideia. Tanto o sinal de entrada quanto uma versão de fase deslocada do sinal são aplicados a um detector de fase, gerando uma tensão de saída. A rede de deslocamento de fase é estrategicamente disposta para ter um deslocamento de fase que varia linearmente com frequência na região da frequência de entrada (isso geralmente é feito com redes *LC* ressonantes), gerando uma tensão de saída com dependência linear da frequência de entrada. Essa é a saída demodulada. Esse método é chamado de detecção de FM em quadratura duplamente balanceada, e que é utilizado em alguns CIs amplificador/detector de FI.

Antes que você fique com uma impressão errada, temos que acrescentar que você pode demodular FM sem a ajuda de PLLs. As técnicas clássicas exploram a amplitude íngreme em função da frequência característica dos circuitos

---

[126] O sinal aplicado ao PLL não tem de estar na radiofrequência enviada pelo transmissor distante; ele pode ser uma "frequência intermédia" (FI) gerado no sistema receptor, através do processo de *mistura*. Esta técnica *super-heteródino* foi inventada por Edwin H. Armstrong, que também inventou o FM.

sintonizados *LC*. Na sua forma mais simples (um "detector de inclinação"), o sinal de FM é aplicado a um circuito ressonante *LC* sintonizado para um lado, por isso, tem uma curva ascendente de resposta em função da frequência; a amplitude de saída varia, então, aproximadamente de forma linear com a frequência, transformando FM em FM + AM. Um detector de envoltória AM completa o trabalho de converter a AM para áudio. Na prática, um arranjo ligeiramente mais complicado (chamado um detector de relação, ou detector de Foster-Seeley) é usado. Outra técnica (e mais simples) utiliza a média de um trem de pulsos idênticos na frequência intermediária.

D. Detecção de AM

Procura-se: uma técnica para dar um sinal de saída proporcional à *amplitude* instantânea de um sinal de alta frequência. O método usual envolve a retificação (Figura 13.106). A Figura 13.107 apresenta um método interessante ("detecção homódina," ou "detecção síncrona") usando PLLs. O PLL gera uma onda quadrada com a mesma frequência que a portadora modulada. Ao multiplicar o sinal de entrada por essa onda quadrada temos um sinal retificado de onda completa que só precisa de um pouco de filtragem passa-baixas para remover os restos da frequência da portadora, deixando a *envoltória* da modulação. Se você utilizar o detector de fase do tipo EX-OR no PLL, a saída é deslocada de 90° relativamente ao sinal de referência, de modo que um deslocamento de fase de 90° teria de ser inserido no trajeto do sinal para o multiplicador.

E. Demodulação Digital

Um PLL é um componente essencial na recuperação ("demodulação") de dados a partir de uma portadora que foi modulada com um sinal *digital*. Numa forma simples de modulação digital ("codificação por deslocamento de fase binário" ou BPSK), cada bit a ser transmitido inverte, ou não, a fase de uma portadora de amplitude constante (Figura 13.108). Esses bits codificados são recuperados na recepção através da multiplicação da portadora modulada BPSK recebida por um sinal na mesma frequência da portadora. Seu primeiro pensamento poderia ser o de usar um PLL para recuperar uma réplica da portadora. Mas isso não funciona, porque o espectro

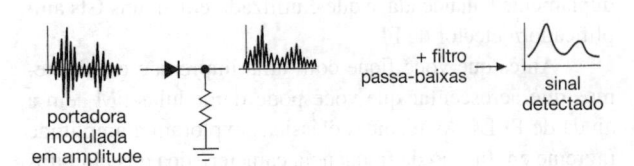

FIGURA 13.106 Detecção de AM.

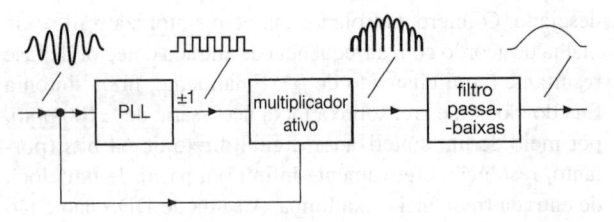

FIGURA 13.107 Detecção homódina.

BPSK modulado não tem nenhum componente na frequência portadora.

Uma bela solução[127] é notar que o *quadrado* do sinal transmitido ignora as reversões de fase, gerando um sinal com o dobro da frequência da portadora. Prosseguindo essa ideia, você obtém o método de "malha em quadratura" da Figura 13.108. O primeiro misturador M1 (um misturador é um multiplicador) gera o dobro da frequência da portadora, $2f_c$, que é limpo com um filtro passa-faixa e utilizado para sincronizar um PLL, com o VCO agindo como um volante (largura de banda de malha baixa); uma divisão por 2, em seguida, cria a réplica da portadora em f_c, com um ajuste de fase para levá-la ao alinhamento com a portadora subjacente (suprimida) recebida. Finalmente, o multiplicador M3 recupera de forma síncrona os bits de modulação, com um filtro passa-baixas final para remover a ondulação $2f_c$.

Se as rajadas em fase de ciclos são consideradas como *símbolos*, a BPSK codifica um bit por símbolo. Esquemas de modulação digital usado comumente geralmente codificam alguns bits por símbolo. Por exemplo, é possível codificar símbolos de 2 bits cada, enviando rajadas de ciclos de portadora, cada uma com fase de 0°, 90°, 180°, ou 270°, de acordo com o símbolo de 2 bits. Isso é chamado de chaveamento por deslocamento de fase em quadratura (QPSK), também conhecido como 4 QAM ("modulação de amplitude em quadratura,"). Mais comumente, você pode criar uma "constelação" de símbolos, cada rajada com certa amplitude e fase. Por exemplo, a televisão a cabo é normalmente fornecida como 256 QAM, cada símbolo transportando 8 bits de informação. Para todos esses esquemas de modulação você ainda precisa recuperar um sinal na frequência da portadora (ou sua réplica de frequência deslocada, uma "frequência intermediária"), para a qual um PLL é essencial. Um truque que é por vezes utilizado é a de transmitir um sinal "piloto" fraco na frequência da portadora, para que esquemas como o da malha em quadratura não sejam necessários. Este é utilizado, por exemplo, na transmissão de televisão digital nos Estados Unidos, onde símbolos de 3 bits são codificados como mo-

---

[127] Ha um método mais sutil de demodulação BPSK, novamente usando um PLL, conhecido como "*Costas Loop*". Seu desempenho é comparável, mas é mais difícil de entender como ele funciona. Gostamos de simplicidade.

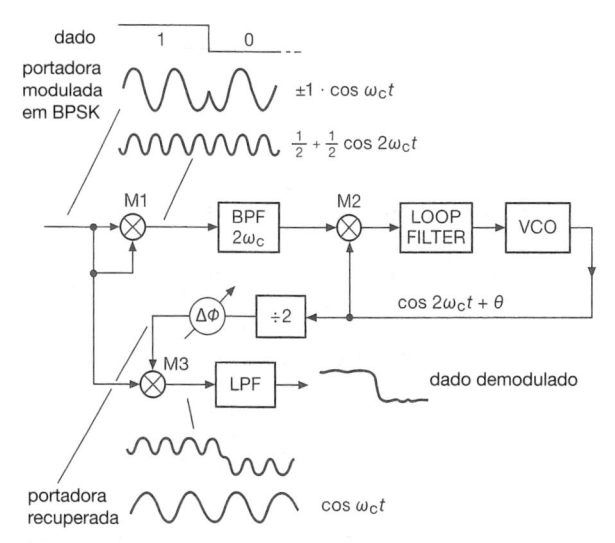

FIGURA 13.108 Demodulação de malha em quadratura do sinal digital BPSK.

dulação de amplitude (quatro níveis de amplitude, em 0° ou 180°), com um ligeiro *offset* CC para criar o piloto no qual o PLL do receptor pode sincronizar.

F. Outras Aplicações de Comunicações

Como sugerimos anteriormente, PLLs desempenham um papel essencial em muitos aspectos das comunicações. Transmissores estruturados em canais (pense celulares) devem manter os seus sinais em frequências definidas, com pureza de sinal suficiente para impedir a interferência externa ao canal. E receptores (celulares de novo; ou rádios FM, televisores, receptores de satélite) usam um *oscilador local* (LO) para determinar a sua frequência de recepção (que é a técnica do super-heteródino de Armstrong, quase um século de idade). Impurezas do sinal (*jitter*, picos) no LO causa degradação do sinal recebido, da mesma maneira que ele faria se fosse o transmissor. Para aplicações como estas, o sinal de qualidade é fundamental e requer melhores VCOs do que se consegue com circuitos de carga capacitivos como os do '4046.

Para esse tipo de aplicação é possível obter chips PLL que são projetados para uso com VCOs externos e não incluem um oscilador no chip; exemplos são as séries LMX2300 da NSC, ou o compatível ADF4116-18 da ADI. Essas famílias incluem membros com detectores de fase que podem operar em 6 GHz e além. Com esses chips PLL você pode usar qualquer VCO comercial; ou pode fazer o seu próprio (por exemplo, um oscilador *LC* JFET, eletricamente sintonizado com um varactor, Seção 1.9.5B). Um exemplo desse último é o oscilador JFET associado a um PLL da Figura 7.29, com um espectro de ruído, como o mostrado na Figura 7.30.

Tem havido um esforço considerável recentemente com vista à integração de VCOs de alta qualidade diretamente no chip PLL, para que você não tenha que conectar um oscilador separado. Alguns deles precisam de um indutor externo (a parte mais difícil de se integrar com a indutância necessária, e com fator de qualidade, Q, suficiente), por exemplo, o ADF4360-8. Outros incluem todos os componentes internos ao chip, por exemplo, o LMX2531 ou ADF4360-3; esses últimos são destinados para uso em telefones celulares e têm faixas de sintonia do oscilador VCO relativamente estreitas, da ordem de 5%. Outras tecnologias utilizadas para osciladores internos ao chip incluem ressonadores microeletromecânicos (MEMS) de silício (por exemplo, as séries SiT3700, 8100 e 9100 da SiTime), e ressonadores de onda acústica de superfície (SAW) (por exemplo, a série M680 da IDT). Estes têm faixas de sintonia de VCO muito estreitas (~ 100 ppm), mas você consegue ruído de fase e *jitter* muito baixos, da mesma forma que o faz com a tecnologia competitiva de osciladores a cristal com uma similar estreita faixa de sintonia de tensão (um VCXO, usado, por exemplo, dentro do PLL 810252 da IDT).

G. Sincronização de Pulso e Regeneração de Sinal Limpo

Na transmissão de sinais digitais, uma sequência de bits que contêm a informação é enviada através de um canal de comunicação. A informação pode ser intrinsecamente digital ou pode ser composta de sinais analógicos digitalizados, como na "modulação por codificação de pulso" (PCM). Uma situação intimamente relacionada é a decodificação de informações digitais a partir de uma fita ou disco magnético, ou armazenamento em disco óptico. Em tais casos, pode haver ruído ou variações na taxa de pulso (por exemplo, a partir de estiramento da fita), e é desejável dispor de um sinal de clock limpo na mesma taxa em que você tenta ler os bits. PLLs funcionam muito bem aqui. O filtro passa-baixas do PLL seria projetado para acompanhar as variações de taxa inerentes ao fluxo de dados (por exemplo, variações na velocidade da fita ou disco), ao mesmo tempo eliminando *jitter* e ruído ciclo a ciclo decorrentes de uma qualidade de sinal clock menor que a ideal. Esta aplicação generalizada é muitas vezes denominada " recuperação de clock e dados" (CDR). Um exemplo no mundo de áudio é o Receptor de Interface de Áudio Digital DIR9001 da Burr-Brown (TI), que inclui um baixo *jitter* no subsistema de recuperação de clock do PLL/VCO interno ao chip, juntamente com a demodulação de dados. Pode ser programada para lidar com uma ampla faixa de taxas de dados (28 a 108 ksps) e formatos digitais (com nomes como S/PDIF, AES3, IEC60958, e CPR-1205).

TABELA 13.13 PLLs selecionados[a]

N° identif	VCO[b]	Freq de saída mín (MHz)	Freq de saída máx (MHz)	Freq do VCO mín (MHz)	Freq do VCO máx (MHz)	Freq de entrada de ref mín (MHz)	Freq de entrada de ref máx (MHz)	@V_S (V)	PD type	Síntese n-Fracionário	Regen/Distrib de clock	XTAL ext de ref	Fonte Tensão mín (V)	Fonte Tensão máx (V)	Corrente típica (mA)	Modo redução de potência	Preço qty25	DIP	SOIC	TSSOP	Menor	Observações
LMC568	iRC	0	f	0	1	0	0,5	5	-	-	-	-	2	9	0,75	-	1,25	-	8	-	-	A
CD4046	iRC	0	0,6[m]	0	0,6[m]	0	0,6[m]	10	1,2	-	-	-	3	18	0,09[g]	q	0,48	16	16	16	-	B
74HC4046	iRC	0	12[m]	0	12[m]	0	12[m]	4,5	1,2,3	-	-	-	3	6	-	q	0,48	16	16	16	-	C
74HCT9046	iRC	0	11[m]	0	11[m]	0	11[m]	4,5	1,2	-	-	-	4,5	5,5	-	q	2,23	16	16	16	-	D
74LV4046	iRC	0	24	0	24	0	24	3,3	1,2,3	-	-	-	3	5,5	-	q	1,00	16	16	16	-	E
74HC7046	iRC	0	38	0	38	0	38	4,5	1,2	-	-	-	2	6	-	q	1,28	16	16	-	-	F
74ACT297	eV	0	55	-	-	0	55	5	1	-	-	-	4,5	5,5	-	-	1,53	-	16	-	-	G
TLC2932	iR	11	50	22	50	-	40	5	2	-	-	-	4,7	5,3	5	•	3,29	-	14	-	-	H
TLC2933	iR	64	96	64	96	-	50	5	2	-	-	-	4,7	5,3	5,7	•	2,88	-	-	14	-	I,K
TLC2934	iR	10	130	10	130	-	50	3,3	2	-	-	-	3,1	3,5	10	•	3,00	-	-	14	-	I
CY22800	int	1	200	-	-	0,5	100	3,3	-	-	•	•	3,1	3,5	-	-	2,45	-	8	-	-	J
ICS673	int	0,25	120	2	240	0,001	8	5	2	-	-	-	4,5	5,5	15	•	4,29	-	16	-	-	L
ADF4360-8	iL	65	400	65	400	10	250	3,3	2	-	-	-	3,0	3,6	25	•	6,02	-	-	-	24	M,S
ADF4110	eV	-	55[o]	50	550	5	104	3	2	•	-	-	2,7	5,5	4,5	•	4,72	-	-	16	20	N,S
IDS810252	iX	25[d]	312,5[d]	625	625	0,008	155	3,3	2	-	-	•	3,1	3,5	225[m]	-	29,00	-	-	-	32	O
SY89421	int/eV	20	1120	480	1120	30	560	5	2	-	-	-	4,7	5,3	28	-	16,00	-	20	-	-	P
LMX2316	eV	-	10[o]	100	1200	-	100	3	2	-	-	-	2,3	5,5	2,5	•	7,00	-	-	16	16	Q,S
CDCE72010	eVX	0	800	<1	1500	-	500	3,3	2	-	•	•	3,0	3,6	to 880	•	17,96	-	-	-	64	R
AD9510	eVX	0	1200	0	1600	0	250	3,3	2	-	•	•	3,1	3,5	170	•	14,31	-	-	-	64	T
MPC9230	int	50	800	800	1800	10	20	3,3	-	-	•	•	3,1	3,5	110[m]	-	5,84	-	28[p]	32	-	S,U
CDCM61001	int	62	625	1750	2050	21,9	28,5	3,3	2	-	•	•	3,0	3,6	95	•	5,74	-	-	-	32	V
LMX2531	int	553	3132	1106	3132	5	80	3	2	-	-	-	2,8	3,2	38	•	10,44	-	-	-	36	S,W
AD9552	int	50	900	3350	4050	6,6	112	3,3	2	-	-	•	3,1	3,5	149	•	9,40	-	-	-	32	X
ADF4350	int	137	4400	2200	4400	10	105	3,3	2	•	-	-	3,0	3,6	120	•	9,03	-	-	-	36	S,Y
ADF4106	eV	-	100[o]	500	6000	20	300	3	2	-	-	-	2,7	3,3	10	•	4,59	-	-	18	20	Z
ADF41020	eV	-	100[o]	4000	18000	10	400	3	2	•	-	-	2,8	3,2	27	•	15,00	-	-	-	20	S

Notas: (a) classificados aproximadamente pelo aumento de $f_{máx}$ do VCO. (b) eV – VCO externo; EVX – VCO ou VCXO externo; int/eV – VCO interno ou externo; iL – VCO interno com indutor externo; int – VCO interno, sem componentes externos; iR – VCO interno com resistor externo; iRC – VCO interno com R e C externos; iX – VCO interno com xtal sozinho externo. (d) 25,125,156,25 e 312,5 MHz apenas. (f) demodulação FM e FSK, largura de banda de áudio. (g) em 10 kHz e 10 V. (m) mín ou máx. (o) detector de fase multiplexado para a saída. (p) PLCC. (q) sem modo de redução de potência, mas corrente quiescente < 1 µA.

Observações: A: aplicações de demodulação FM e FSK. **B:** CMOS clássico 4000B ("HV"). **C:** HCMOS clássico. **D:** 4046 melhorado, nenhuma zona morta. **E:** LVCMOS. **F:** 74HCT também estão disponíveis. **G:** PLL 1ª ordem digital. **H:** pode operar em 3 V, 14 a 21 MHz. **I:** oscilador em anel interno. **J:** f_{ref} = 8 a 30 MHz com xtal sozinho; ref pode ser VCXO; pode gerar espalhamento espectral. **K:** pode correr em 3 V, 38 a 55 MHz. **L:** pode operar em 3,3 V, 0,25 a 100 MHz; ICS663 (SOIC-8) não tem redução de potência e habilitação de saída. **M:** OSC local sem fio com sintetizador PLL; versões com outras faixas de frequência. **N:** oscilador local sem fio com sintetizador PLL n-inteiro; versões de 1,2 GHz, 3GHz e 4 GHz. **O:** PLL de 2 estágios (PLL VCXO aciona o PLL multiplicador, com divisores de entrada e saída, para Ethernet Gigabit e 10 Gigabit. **P:** Pode operar em 3,3 V; saídas PECL complementares; oscilador externo até 2 GHz **Q:** oscilador local sem fio com sintetizador PLL; versões de 0,55 GHz e 2,8 GHz. **R:** oito divisores individuais, distribuição de clock de saída, várias referências, altamente complexo. **S:** Interface SPI **T:** oito saídas LVDS, jitter de 0,2 ps, atraso ajustável. **U:** oscilador local sem fio com sintetizador PLL; PECL diferencial; interface paralela e SPI; substitui o MC12430. **V:** gerador de clock Ethernet, etc.; quatro saídas; jitter < 1 os. **W:** oscilador local sem fio com sintetizador PLL; estável de baixo ruído; p/n seleciona banda frequência de ±5%. **X:** delta-sigma n-fracionário; jitter de 0,5 ps; inclui oscilador xtal. **Y:** oscilador local sem fio com sintetizador PLL; jitter de 0,5 ps **Z:** ADF4107 = 7 GHz, ADF4108 = 8 GHz.

H. Geradores de Clock

Como observamos anteriormente, há uma abundância de aplicativos clamando por um conjunto de frequências de clock padrão, sintetizado a partir de uma entrada de oscilador simples, no qual as sutilezas de baixo ruído de fase, picos, etc., são menos preocupantes do que a contagem mínima de dispositivos e a capacidade de programar entre algumas frequências padrão. Veja a Tabela 13.13. Um exemplo é o 8430S010i da IDT: ele é um PLL de único chip com várias saídas sintetizadas destinadas a aplicações de processador embutido. Você conecta um único cristal de 25 MHz, e dele obtém (a) opção de duas frequências de clock do processador, (b) opção de quatro frequências de clock PCI ou PCIe, (c) opção de quatro frequências de clock DDR DRAM, (d) clock MAC gigabit Ethernet e clock PHY e (e) opção de três frequências de enlace SPl4.2.

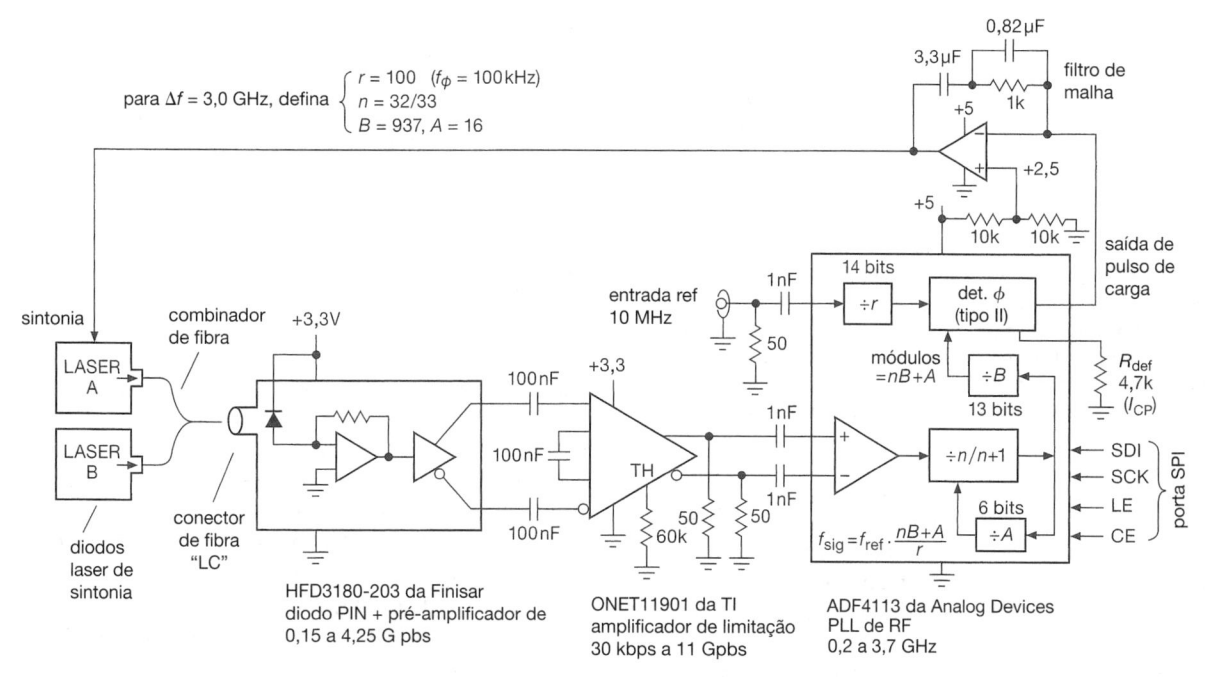

FIGURA 13.109 Controle de um diodo laser para manter uma diferença de frequência óptica desejada em relação a um laser de referência. Os componentes deste circuito custam menos de 40 dólares, com exceção dos lasers; estes estão em outra esfera, de mais ou menos "40 dB$."

Dispositivos como este podem utilizar um simples protocolo de programação serial interno ao chip como o SPI ou podem fazer uso de straps nos pinos (como este faz). Ou, podem permitir ambos, como por exemplo, o venerável NBC/MC12430 (ou o MPC9230 equivalente), um simples PLL *n*-inteiro com um contador *n* de 9 bits e um counter *m* de 3 bits, programável de 50 a 800 MHz. O VCO interno ao chip sintoniza de 400 a 800 MHz, e provavelmente usa um oscilador de uma sequência de inversores em anel de consumo relativamente alto (a folha de dados não menciona). Usamos estes como uma fonte de clock em um peculiar instrumento de aquisição de dados de um terasample/segundo que construímos para detectar sinais de laser pulsados intencionais de possíveis civilizações extraterrestres (não estamos brincando).

I. Sincronização do Deslocamento Laser

Em algumas aplicações científicas é útil ser capaz de controlar um laser sintonizável, de tal modo que a sua frequência de emissão óptica seja deslocada por uma diferença de frequência específica a partir desse laser de "referência". Como um exemplo específico, uma técnica preferida no negócio de "arrefecimento a laser" é submeter um feixe de átomos para convergir feixes de luz laser em uma frequência ligeiramente inferior à de uma ressonância natural do átomo. O efeito Doppler faz com que um átomo que se move no sentido de um desses lasers veja a luz deslocada para cima em frequência, portanto, mais fortemente absorvida pelo átomo, que é retardado pela quantidade de movimento transferida.[128]

Um PLL é perfeito para este *deslocamento síncrono*. A Figura 13.109 mostra como isto funciona, conforme implementado no laboratório[129] de um colega. Uma parte da luz a partir do par de lasers de diodo sintonizável é combinada e enviada para um módulo de banda larga detector de diodo PIN / amplificador. O que acontece lá é interessante; vamos analisar em duas etapas. (a) Num processo completamente linear, os dois feixes de laser combinados criam uma forma de onda constituída por uma onda sinusoidal com a frequência de laser média, modulada (multiplicada) por uma onda sinusoidal a metade da frequência de diferença (Figura 13.110). (b) O detector não pode seguir as ondas ópticas, cuja frequência é $\sim 10^{14}$ Hz. Ela responde somente à intensidade da luz, proporcional ao quadrado da "envoltória" mostrada na Figura 13.110. E o quadrado de uma onda senoidal é apenas uma onda senoidal com o dobro da frequência, além de uma compensação para que ele se posicione sobre o eixo horizontal como mostrado.

Em outras palavras, na saída do módulo detector você obtém o sinal na frequência de diferença dos lasers (também denominada *frequência de batimento*): $f_{PDout} = |f_2 - f_1| \equiv \Delta f$. A função do restante do circuito é

---

[128] Isto é conhecido pelo colorido termo "*optical molasses.*" Adicione alguns campos magnéticos, e mais alguns truques, e você tem uma armadilha magneto-óptica.

[129] O sempre capaz Dr. Andrew Speck, a quem somos gratos por esta e outras sugestões excelentes.

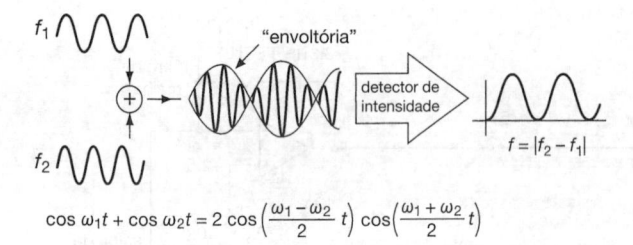

FIGURA 13.110 Uma combinação linear de duas ondas senoidais produz uma onda na frequência média com uma "envoltória" de amplitude senoidal. Um fotodetector não pode ele próprio captar as frequências ópticas ($\sim 10^{14}$ Hz); ele responde à intensidade (o quadrado da envoltória), produzindo uma saída "frequência batida" igual à frequência diferença dos lasers.

$$\cos \omega_1 t + \cos \omega_2 t = 2 \cos\left(\frac{\omega_1 - \omega_2}{2} t\right) \cos\left(\frac{\omega_1 + \omega_2}{2} t\right)$$

simplesmente realimentar um sinal de controle para o laser A para que a frequência diferença Δf seja igual ao deslocamento desejado. Isso é feito com um PLL n-fracionário, aqui precedido por um amplificador limitador, que cria um sinal de 0,6 Vpp saturado limpo a partir de uma saída de detector em qualquer ponto entre 10 mV e 1 V.

Para a aplicação de aprisionamento/arrefecimento a laser, o deslocamento de frequência Δf está na faixa de 10 MHz ou mais, em relação à frequência de ressonância óptica muito mais elevada!; para átomos de rubídio esta última é $3,85 \times 10^{14}$ Hz, correspondendo a um comprimento de onda de 780,24 nm.[130] Como costuma acontecer, há muito mais a amar (e odiar) nesse negócio: verifica-se que há uma "divisão hiperfina" do estado fundamental de ^{85}Rb, então você precisa expulsar (o termo educado é "bombear opticamente") os átomos que acabam caindo no fundo com um pouco de luz laser que é deslocada por essa diferença de energia. Isso é cerca de 3 GHz,[131] que é motivo para este circuito ter sido projetado para deslocamentos na faixa de gigahertz, como indicado pelas notações na figura.

13.13.7 Conclusão: Rejeição a Ruído e *Jitter* em PLLs

Vimos aplicações em que a referência é o sinal de alta qualidade (por exemplo, múltiplos sinais de clock derivados de um único cristal de referência estável), e aplicações em que o oposto é verdadeiro, ou seja, que o sinal gerado do PLL é mais limpo do que a referência (por exemplo, recuperação de clock em um canal ruidoso, onde a ação "volante" do VCO limpa a saída).

É útil, quando se pensa sobre esses tipos de problemas de larguras de banda, enquanto se define as larguras de banda de malha e similares, para se compreender como o ruído ou *jitter* que se origina em pontos diferentes (entrada de referência, detector de fase, ou VCO) é filtrado através da ação do PLL. Você pode escrever um monte de equações neste momento. Mas não é difícil de obter uma compreensão intuitiva simplesmente observando o diagrama da malha (Figura 13.85): (a) o *jitter* na entrada de referência é filtrado por um *passa-baixas* pois as variações dentro da largura de banda da malha do PLL são rastreadas pelo VCO, enquanto as variações rápidas são ignoradas pelo volante do VCO; (b) *jitter* intrínseco no próprio VCO é filtrado por um *passa-altas*, porque as variações dentro da largura de banda da malha são detectadas e removidas pela malha; e (c) o *jitter* que é introduzido pelo detector de fase é filtrado por um *passa-faixa*, porque as variações lentas (dentro da largura de banda da malha) são detectadas e removidas, e as variações rápidas são reprimidas pelo filtro de malha (passa-baixas) e pela ação de integração ($f \to \phi$) do VCO.

Assim, por exemplo, um PLL com entrada de referência limpa se beneficia a partir de uma largura de banda de malha ampla, enquanto que um PLL apresentado com uma referência intrinsecamente estável que adquiriu ruído aditivo na transmissão irá se beneficiar de uma largura de banda de malha estreita (e um VCO intrinsecamente limpo). O "ruído" pode ser mais sutil: o sinal do VCO dividido visto pelo detector de fase em um PLL n-fracionário tem *jitter* (introduzido pelas alterações deliberadas de módulo); uma largura de banda de malha estreita suaviza essa fonte de jitter também.

É claro que, se a saída do PLL necessita de agilidade (como com a descodificação de tom, ou a demodulação de FM), então, a largura de banda do circuito tem de ser adaptada em conformidade, bastante independente dos compromissos de ruído e *jitter*.

13.14 SEQUÊNCIAS DE BITS PSEUDOALEATÓRIOS E GERAÇÃO DE RUÍDO

13.14.1 Geração de Ruído Digital

Uma interessante mistura de técnicas digitais e analógicas está incorporada no assunto de sequências de bits pseudoaleatórios (PRBSs).[132] Acaba por ser extremamente fácil de gerar sequências de bits (ou palavras) que tenham boas propriedades aleatórias, ou seja, uma sequência que tenha o mesmo tipo de probabilidade e correlação de propriedades de uma máquina de cara ou coroa ideal. Como essas sequências são geradas por elementos de lógica determinística padrão (registradores de deslocamento, para sermos exatos), as sequências de bits geradas são, de fato, previsíveis e repetitivas, embora qualquer parte de tais sequências pareça muito com uma sequência aleatória de 0s e 1s.

---

[130] Esse é o comprimento de onda usado em gravadores de discos compactos (CDs); assim, o sistema da Figura 13.109 foi implementado economicamente usando um par desses diodos laser de uso comum, que podem produzir 100 mW (cuidado, definitivamente *não* é seguro para os olhos!). Para sintonizá-los, você anexa uma grade externa piezo-inclinável, ajustando a corrente do diodo em conjunto para manter o seu comprimento de onda rastreando o da cavidade externa. Almas menos inventivas podem colocar dinheiro no problema: você pode comprar lasers de diodo sintonizável de empresas como a New Foco, ThorLabs e Toptica.

[131] Na verdade, 3,035732439 GHz, se você realmente precisa saber.

[132] Este é o exemplo que usamos no capítulo 11 para ilustrar a lógica programável, onde contrastamos implementações PRBS na lógica discreta, na lógica programável e em um microcontrolador. Veja também seu uso como um gerador de ruído analógico na Seção 8.12.4A.

Com apenas alguns chips você pode gerar sequências que duram literalmente séculos sem repetir, tornando esta uma técnica muito acessível e atraente para a geração de sequências de bits digitais ou formas de ondas de ruído analógicas. Ao gerar diagramas de olho (por exemplo, as Figuras 12.132 e 14.33), ou testar enlaces seriais para as taxas de erro bit (BERs – *bit error rates*), é comum o uso de uma fonte PRBS. PRBSs são usadas também para "embaralhar" (deterministicamente) os dados seriais em comunicações Ethernet gigabit, a fim de gerar um padrão de bit ativo para um enlace físico de acoplamento CA (transformador); o embaralhamento é desfeito na recepção, por meio de uma EX-OR com um PRBS sincronizado executando a mesma sequência.

A. Ruído Analógico

A filtragem simples passa-baixas do padrão de bits de saída de um PRBS gera ruído gaussiano branco de banda limitada, ou seja, uma tensão de ruído com um espectro de potência plano até alguma frequência de corte (ver Capítulo 8 para mais informações sobre o ruído). Como alternativa, uma soma ponderada dos conteúdos do registrador de deslocamento (através de um conjunto de resistores) realiza a *filtragem digital*, com o mesmo resultado. Espectros de ruído planos para vários megahertz podem facilmente ser feitos desta forma. Como você verá mais tarde, essas fontes de ruído analógico digitalmente sintetizadas têm muitas vantagens sobre técnicas puramente analógicas, como diodos ou resistores de ruído.

B. Outras Aplicações

Além de suas aplicações óbvias como fontes de ruído analógicas ou digitais, sequências de bits pseudoaleatórios são úteis em uma série de aplicações que não têm nada a ver com o ruído. Como já mencionado, elas são utilizadas para a geração de padrões em testes de enlaces seriais (diagramas de olho, taxa de erro de bit), e para embaralhamento de bits (em oposição à criptografia real) em protocolos de rede serial, como Ethernet. Eles são utilizados em comunicações digitais de espalhamento espectral de "sequência direta" (em que cada bit a ser transmitido é enviado como uma sequência pré-determinada de "chips" mais curtos; tal técnica é utilizada, por exemplo, em sistemas de telefone celulares de acesso múltiplo por divisão de código (CDMA – *code division multiple-access*) e em código de privacidade de conexão aérea do padrão celular GSM. Eles também são usados na transmissão de TV digital. Essas sequências são utilizadas extensivamente em códigos de detecção e correção de erros, porque permitem a transcrição de blocos de dados de tal forma que as mensagens válidas são separadas pela maior "distância Hamming" (medida pelo número de erros de bits). Suas boas propriedades de autocorrelação as tornam ideais para códigos de alcance de radar, em que o eco devolvido é comparado (correlacionado de forma cruzada, para ser exato) com a sequência de bits transmitidos. Podem ainda ser utilizadas como divisores de módulo n compactos.

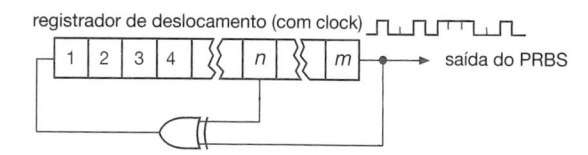

FIGURA 13.111 Gerador de sequência de bits pseudoaleatórios.

13.14.2 Sequências de Registradores de Deslocamento Realimentados

O mais popular (e mais simples) gerador PRBS é o registrador de deslocamento linear realimentado (LFSR, Figura 13.111). Um registrador de deslocamento de comprimento m bits tem clock em alguma taxa fixa, f_0. Uma porta EX-OR gera o sinal de entrada serial a partir da combinação via EX-OR do bit de ordem n e o último bit (de ordem m) do registrador de deslocamento. Tal circuito passa por um conjunto de estados (definido pelo conjunto de bits no registrador depois de cada pulso de clock), no final se repetindo após K pulsos de clock; ou seja, é cíclico com período K.

O número máximo de estados possíveis de um registrador de m bits é $K = 2^m$, ou seja, o número de combinações binárias de m bits. No entanto, o estado de todos os 0s ficaria "preso" nesse circuito, porque a EX-OR iria regenerar um 0 na entrada. Assim, a sequência de comprimento máximo que você pode eventualmente gerar com esse esquema é $2^m - 1$. Acontece que você pode fazer tais "sequências de registrador de deslocamento de comprimento máximo" se m e n forem escolhidos corretamente, e a sequência de bits resultante seja pseudoaleatória.[133] Como um exemplo, considere o registrador de deslocamento realimentado de 4 bits na Figura 13.112. Começando com o estado 1111 (que poderia começar em qualquer ponto exceto 0000), podemos escrever os estados que ele atravessa:

1111
0111
0011
0001
1000
0100
0010
1001
1100
0110
1011
0101
1010
1101
1110

---

[133] O critério para o comprimento máximo é que o polinômio $1 + x^n + x^m$ seja irredutível e primordial sobre o campo de Galois GF(2).

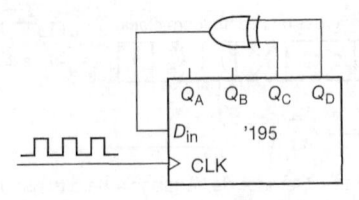

FIGURA 13.112 Registrador de deslocamento realimentado linear de 4 bits ($m = 4$, $n = 3$; 15 estados).

Escrevemos os estados como números de 4 bits $Q_A Q_B Q_C Q_D$. Existem 15 estados distintos ($2^4 - 1$), que, ao final, começam de novo; portanto, é um registrador de comprimento máximo.

Exercício 13.8 Demonstre que um registrador de 4 bits com derivações de realimentação no segundo e quarto bits não é de comprimento máximo. Quantas sequências distintas existem? Quantos estados dentro de cada sequência?

A. Derivações de Realimentação

Registradores de deslocamento de comprimento máximo podem ser feitos com realimentação via EX-OR a partir de mais de duas derivações (nesses casos, você usa várias portas EX-OR na configuração de árvore de paridade padrão, ou seja, adição de módulo 2 de vários bits). Na verdade, para alguns valores de m, um registrador de comprimento máximo pode ser feito somente com mais de duas derivações. A Tabela 13.14 é uma listagem de todos os valores de m até 167 para os quais os registradores de comprimento máximo podem ser feitos com apenas duas derivações, ou seja, realimentação dos bits de ordem n e m (último) bit, como anteriormente. Um valor é dado para n e para o comprimento de ciclo K, em ciclos clock. Em alguns casos, há mais de uma possibilidade para n, e em cada caso o valor $m-n$ pode ser utilizado em vez de n; assim, o exemplo anterior de 4 bits poderia ter usado derivações em $n = 1$ e $m = 4$. Visto que os comprimentos dos registradores de deslocamento múltiplos de 8 são comuns, você pode querer usar um desses comprimentos. Nesse caso, são necessárias mais do que duas derivações. A Tabela 13.15 fornece os números mágicos.

Raramente é necessário o uso de um registrador mais longo do que 32 bits: quando recebe clock de 1 MHz, o tempo de repetição é de cerca de uma hora. Passe para 64 bits e você pode ter clock de 1 GHz por seis séculos antes que venha a se repetir.

B. Propriedades das Sequências de Registradores de Deslocamento de Comprimento Máximo

Geramos uma sequência de bits pseudoaleatórios a partir de um destes registradores com clock e observando os sucessivos bits de saída. A saída pode ser obtida a partir de qualquer posição do registrador; é convencional utilizar o último bit (de ordem m) como saída. Sequências de registradores de deslocamento de comprimento máximo têm as seguintes propriedades:

1. Em um ciclo completo (K ciclos de clock), o número de 1s é maior do que o número de 0s. O adicional de 1 acontece por causa do estado excluído em que todos são 0s. Isto nos diz que cabeças e caudas são igualmente prováveis (o adicional de 1 é totalmente insignificante para qualquer registrador de comprimento razoável; um registrador de 17 bits irá produzir 65.536 1s e 65.535 0s em um de seus ciclos).
2. Em um ciclo completo (K ciclos de clock), metade das séries de 1s consecutivos tem comprimento 1, um quarto das séries tem comprimento 2, um oitavo tem

TABELA 13.14 LFSRs de derivação simples

m	n	comprimento	m	n	comprimento	m	n	comprimento
3	2	7	49	40	5,6e14	108	77	3,2e32
4	3	15	52	49	4,5e15	111	101	2,6e33
5	3	31	55	31	3,6e16	113	104	1,0e34
6	5	63	57	50	1,4e17	118	85	3,3e35
7	6	127	58	39	2,9e17	119	111	6,6e35
9	5	511	60	59	1,2e18	121	103	2,7e36
10	7	1023	63	62	9,2e18	123	121	1,1e37
11	9	2047	65	47	3,7e19	124	87	2,1e37
15	14	32767	68	59	3,0e20	127	126	1,7e38
17	14	1,3e5	71	65	2,4e21	129	124	6,8e38
18	11	2,6e5	73	48	9,4e21	130	127	1,4e39
20	17	1,0e6	79	70	6,0e23	132	103	5,4e39
21	19	2,1e6	81	77	2,4e24	134	77	2,2e40
22	21	4,2e6	84	71	1,9e25	135	124	4,4e40
23	18	8,4e6	87	74	1,5e26	137	116	1,7e41
25	22	3,4e7	89	51	6,2e26	140	111	1,4e42
28	25	2,7e8	93	91	9,9e27	142	121	5,6e42
29	27	5,3e8	94	73	2,0e28	145	93	4,5e43
31	28	2,1e9	95	84	4,0e28	148	121	3,6e44
33	20	8,6e9	97	91	1,6e29	150	97	1,4e45
35	33	3,4e10	98	87	3,2e29	151	148	2,9e45
36	25	6,9e10	100	63	1,3e30	153	152	1,1e46
39	35	5,5e11	103	94	1,0e31	159	128	7,3e47
41	38	2,2e12	105	89	4,1e31	161	143	2,9e48
47	42	1,4e14	106	91	8,1e31	167	161	1,9e50

TABELA 13.15 LFSRs múltiplos de 8

m	derivações	comprimento	m	derivações	comprimento
8	4, 5, 6	255	96	47, 49, 94	7,9e28
16	4, 13, 15	64K	104	93, 94, 103	2,0e31
24	17, 22, 23	16M	112	67, 69, 110	5,2e33
32	1, 2, 22	4G	120	2, 9, 113	1,3e36
40	19, 21, 38	1,1e12	128	99, 101, 126	3,4e38
48	20, 21, 47	2,8e14	136	10, 11, 135	8,7e40
56	34, 35, 55	7,2e16	144	74, 75, 143	2,2e43
64	60, 61, 63	1,8e19	152	86, 87, 151	5,7e45
72	19, 25, 66	4,7e21	160	141, 142, 159	1,5e48
80	42, 43, 79	1,2e24	168	151, 153, 166	3,7e50
88	16, 17, 87	3,1e26			

comprimento 3, etc. Existem os mesmos números de séries de 0s quanto de 1s, novamente com a exceção da falta de um 0. Isso diz que a probabilidade de cabeças e caudas não depende do resultado de ciclos anteriores, e, portanto, a chance de terminar uma série de 1s e 0s sucessivos no próximo ciclo é 1/2 (ao contrário do entendimento comum da "lei das médias").

3. Se um ciclo completo (K ciclos de clock) de 1s e 0s é comparado com a mesma sequência deslocada ciclicamente por qualquer número de bits n (em que n não é 0 ou um múltiplo de K), o número de discordâncias será um maior que o número de concordâncias. Em linguagem sofisticada, a função de autocorrelação é um delta de Kronecker em atraso zero, e $-1/K$ em qualquer outro ponto. Essa ausência de "lóbulos laterais" na função de autocorrelação é o que torna PRBSs tão úteis para radar.

Exercício 13.9 Mostre que a sequência do registrador de deslocamento de 4 bits listado anteriormente (derivações com $n = 3$, $m = 4$) satisfaz essas propriedades, considerando o bit Q_A como a "saída": 100010011010111.

13.14.3 Geração de Ruído Analógico a Partir de Sequências de Comprimento Máximo

A. Vantagens do Ruído Gerado Digitalmente

Como observamos anteriormente, a saída digital de um registrador de deslocamento realimentado de comprimento máximo pode ser convertida em ruído branco de banda limitada com um filtro passa-baixas, cuja frequência de corte está bem abaixo da frequência de clock do registrador. Antes de entrar nos detalhes, destacamos algumas das vantagens do ruído analógico gerado digitalmente. Entre outras coisas, ele permite que você gere ruído de espectro e amplitude conhecidos (veja o exemplo de circuito na Seção 8.12.4A), com largura de banda ajustável (através de ajuste de frequência de clock), usando circuitos digitais confiáveis e de fácil manutenção. Não há nenhuma variabilidade em geradores de ruído de diodo, nem há problemas de interferência e captação que afligem os circuitos analógicos de baixo nível sensíveis utilizados com geradores de ruído de diodo ou resistor. Finalmente, ele gera "ruído" repetível e, quando filtradas com um filtro digital ponderado (mais sobre isso mais tarde), as formas de onda do ruído repetitivo independem da taxa de clock (largura de banda de ruído de saída).

13.14.4 Espectro de Potência de Sequências de Registradores de Deslocamento

O espectro de saída gerado por registradores de deslocamento de comprimento máximo consiste de ruído que se estende a partir da frequência de repetição de toda a sequência, f_{clock}/K, até a frequência de clock e além. Ele é plano dentro de $\pm 0{,}1$ dB até 12% da frequência do clock (f_{clock}), caindo bastante rapidamente para além do seu ponto de -3 dB de 44% de f_{clock}. Assim, um filtro passa-baixas com um corte de 5% a 10% da frequência de clock irá converter a saída do registrador de deslocamento não filtrada para uma tensão de ruído analógico limitado em banda. Até mesmo um simples filtro RC será suficiente, embora possa ser desejável a utilização de filtros ativos com características de corte íngreme (veja o Capítulo 6) se for necessário uma banda de frequência precisa de ruído.

Para fazer essas afirmações com mais precisão, vamos analisar a saída do registrador de deslocamento e seu espectro de potência. Geralmente é desejável eliminar a característica de *offset* CC dos níveis lógicos digitais, gerando uma saída de bipolaridade com 1 correspondendo a $+a$ volts e 0 correspondendo a $-a$ volts (Figura 13.113). Isso pode ser feito de várias maneiras, por exemplo, com relação à Figura 13.114, (A) com uma chave CMOS linear 'HC4053, operando a partir de fontes duplas e com um par de entradas conectadas a $\pm a$ volts; (B) com um AOP rápido com corrente de *offset* em uma junção de soma; (C) com um comparador trilho a trilho rápido que opera entre $\pm a$ volts em fonte simétrica; (D) com uma porta lógica CMOS, alimentada a partir de fontes de $\pm a$ volts, acionada por uma variação lógica corretamente deslocada e dimensionada; ou (E) com a mesma porta lógica, acionada por uma variação lógica com diodo limitador (e corrente limitada). Esse último método é um pouco estranho, e funciona apenas se a tensão de alimentação total ($V_{total} = 2a$) estiver na faixa de uma família lógica padrão (por exemplo 1 a 5 V); mas supera em velocidade. Não é acoplada em CC, por isso requer uma entrada lógica que está ocupada; isso está OK aqui – um PRBS é algo que está em movimento, e não pode descansar por mais tempo do que m períodos de clock.[134]

Como observamos anteriormente, a sequência de bits de saída tem um único pico em sua autocorrelação. Se os estados de saída representam +1 e −1, a autocorrelação digital (a soma do produto de bits correspondentes, quando a sequência de bits é comparada com uma versão deslocada por si só) é como mostra a Figura 13.115.

Não confunda isso com uma função de auto-correlação *contínua*, o que vamos considerar mais tarde. Este gráfico é definido apenas para deslocamentos correspondentes a um número inteiro de ciclos de clock. Para todos os deslocamentos que

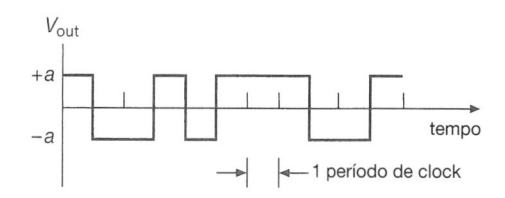

FIGURA 13.113 Uma forma de onda PRBS simétrica elimina a componente CC.

---

[134] Parafraseando Woody Allen, "A entrada lógica acoplada em CA é como um tubarão: tem de se manter em movimento, ou ela morre."

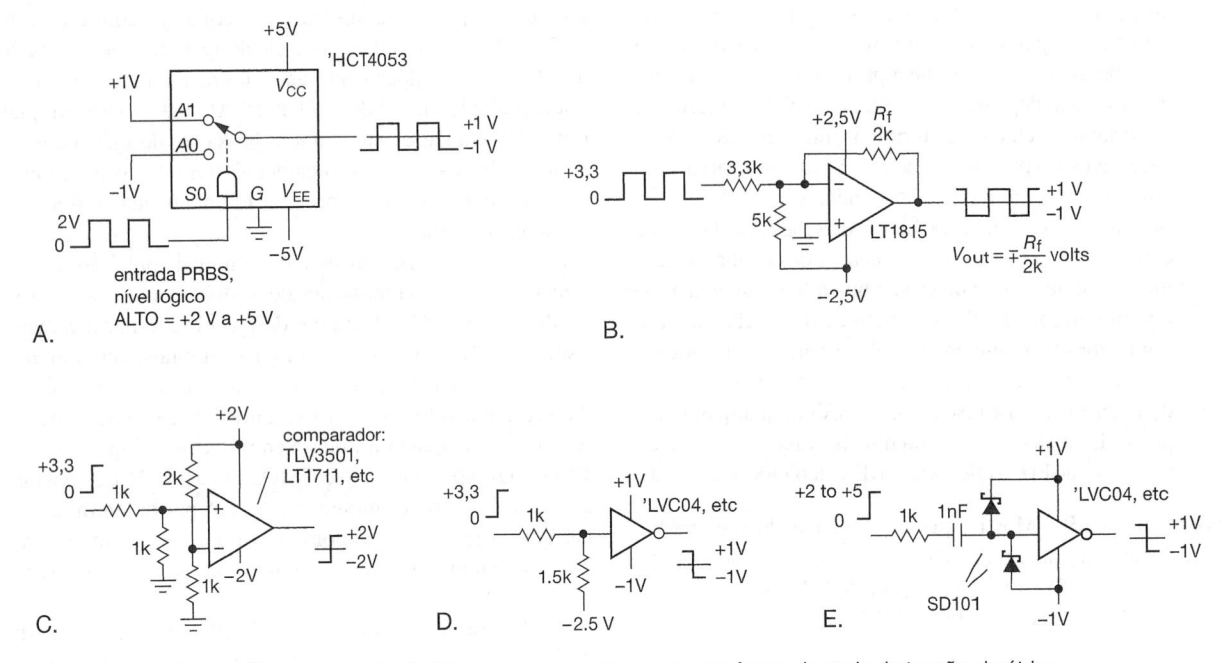

FIGURA 13.114 Conversão de uma variação lógica apenas positiva para uma forma de onda de tensão simétrica.

não são zero ou um múltiplo do período global K, a função de autocorrelação tem um valor constante de -1 (porque existe um 1 extra na sequência), insignificante quando comparado com o valor de auto-correlação de offset zero de K. Da mesma forma, se considerarmos a saída do registrador de deslocamento não filtrada como um sinal *analógico* (cuja forma de onda passa a assumir apenas valores de $+a$ e $-a$ volts), a autocorrelação normalizada torna-se uma função contínua, como mostrado na Figura 13.116. Em outras palavras, a forma de onda é completamente não correlacionada com ela mesma quando deslocada mais do que um período de clock para frente ou para trás.

O espectro de potência da saída digital não filtrada pode ser obtido a partir da autocorrelação por técnicas matemáticas padrão. O resultado é um conjunto de séries de picos igualmente espaçados (funções delta), começando na frequência em que toda a sequência se repete, f_{clock}/K, e subindo em frequência por intervalos iguais a f_{clock}/K. O fato de que o espectro é constituído por um conjunto de linhas espectrais discretas reflete o fato de que a sequência de registrador de deslocamento eventualmente (e periodicamente) se repete. Não se assuste com esse espectro engraçado; ele irá parecer contínuo, para qualquer medida ou aplicação que leva menos tempo do que o tempo de ciclo do registrador. A envoltória do espectro de saída não filtrada é mostrada na Figura 13.117. A envoltória é proporcional ao quadrado de (sen x)/x. Note a propriedade peculiar de que *não* há potência de ruído na frequência de clock ou nos seus harmônicos.

A. Tensão de Ruído

Claro que, para a geração de ruído analógico, utiliza-se apenas uma parte da extremidade do espectro de baixa frequência. Acaba sendo fácil calcular a potência de ruído por hertz em termos da meia amplitude (a volts) e a frequência de clock (f_{clock}). Expressa como uma *tensão* de ruído RMS, a resposta é

$$v_{\text{rms}} = a \left(\frac{2}{f_{\text{clock}}} \right)^{1/2} \quad \text{V}/\sqrt{\text{Hz}}, \qquad (f \leq 0{,}2 f_{\text{clock}}).$$

Esta é para a extremidade inferior do espectro, a parte que você costuma utilizar (você pode utilizar a função de envoltória para encontrar a densidade de potência em outro ponto).

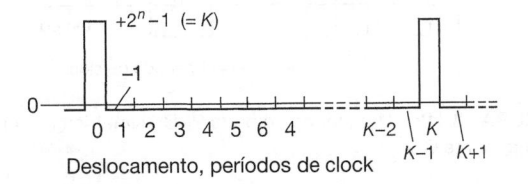

FIGURA 13.115 Ciclo completo de autocorrelação discreta para uma sequência de registrador de deslocamento de comprimento máximo.

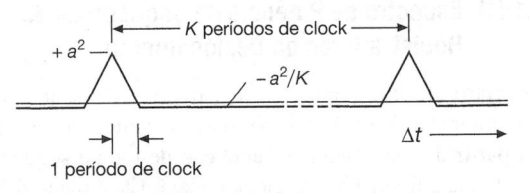

FIGURA 13.116 Autocorrelação contínua do ciclo completo para uma sequência de registrador de deslocamento de comprimento máximo.

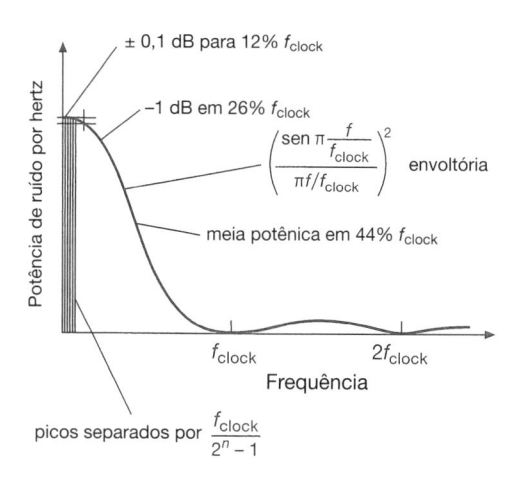

FIGURA 13.117 Espectro de potência do sinal de saída do registrador de deslocamento digital não filtrado.

Por exemplo, suponha que estamos operando um registo de deslocamento de comprimento máximo em 1,0 MHz e o configuramos de modo que as variações da tensão de saída estejam entre +10,0 e −10,0 volts. A saída é passada através de um filtro passa-baixas RC simples com o ponto de 3 dB em 1 kHz (Figura 13.118). Podemos calcular exatamente a tensão de ruído RMS na saída. Sabemos a partir da equação anterior que a saída do deslocador de nível tem uma tensão de ruído RMS de 14,14 mV por raiz de hertz. Da Seção 8.13, sabemos que a largura de banda do ruído do filtro passa-baixas é $(\pi/2)(1{,}0\text{kHz})$, ou 1,57 kHz. Assim, a tensão de ruído de saída é

$$V_{RMS} = 0{,}01414 \cdot (1570)^{1/2} = 560\text{mV}$$

com o espectro de um filtro passa-baixas RC de uma única seção.

13.14.5 Filtragem Passa-Baixas

A. Filtragem Analógica

O espectro de ruído útil a partir de um gerador de sequências pseudoaleatório se estende desde o limite do período de repetição recíproca (f_{clock}/K) até um limite de alta frequência de talvez 20% da frequência de clock (frequência na qual a potência de ruído por hertz é baixa em 0,6 dB). A filtragem passa-baixas simples com seções RC, como ilustrado no exemplo anterior, é adequada, desde que o seu ponto de 3 dB seja definido bem abaixo da frequência de clock (por exemplo, inferior a 1% de f_{clock}). Para usar o espectro mais perto da frequência do clock, é aconselhável a utilização de um filtro com corte íngreme, por exemplo, um Butterworth ou Chebyshev. Nesse caso, a propriedade plana do espectro resultante depende das características do filtro, que devem ser medidas, uma vez que variações dos componentes podem produzir ondulações no ganho da banda passante. Da mesma forma, o ganho de tensão real do filtro deve ser medido se o valor preciso da tensão do ruído por raiz hertz for importante.

B. Filtragem Digital

Uma desvantagem da filtragem analógica é a necessidade de reajustar o corte do filtro, se a frequência do clock for alterada por grandes fatores. Em situações em que você deseja alterar a frequência de clock, uma solução interessante é fornecida pela filtragem digital de tempo discreto, nesse caso realizada tomando uma soma ponderada analógica de sucessivos bits de saída (filtragem digital não recursiva). Dessa forma, a frequência de corte do filtro efetiva varia para combinar com as variações na frequência de clock. Além disso, a filtragem digital permite que você vá para frequências de corte extremamente baixas (frações de um hertz), onde a filtragem analógica se torna incômoda.

Para realizar uma soma ponderada de sucessivos bits de saída simultaneamente, você pode simplesmente olhar para as várias saídas paralelas de sucessivos bits do registrador de deslocamento, usando resistores de vários valores em uma junção de soma de AOP. Para um filtro passa-baixas os pesos devem ser proporcionais ao (sen x)/x; note que alguns níveis terão que ser invertidos uma vez que os pesos são de ambos os sinais. Por não serem usados capacitores nesse esquema, a forma de onda de saída consiste em um conjunto de tensões de saída discretas.

A aproximação ao ruído Gaussiano é melhorada pela utilização de uma função de ponderação ao longo de muitos bits da sequência. Além disso, a saída analógica torna-se, então, essencialmente uma forma de onda contínua. Por essa razão, é desejável usar tantos estágios de registrador de deslocamento quanto possível, acrescentando estágios de registrador de deslocamento adicionais fora da realimentação da EX-OR, se necessário. Como antes, *pull-ups* ou chaves MOS devem ser usados para definir os níveis de tensão digitais estáveis (a lógica CMOS é ideal para esta aplicação, porque as saídas saturam de forma "limpa" em V_{DD} e terra).

O circuito na Figura 13.119 gera ruído analógico pseudoaleatório, com largura de banda selecionável em uma faixa enorme, usando esta técnica. Um cristal oscilador de 2,0 MHz aciona um divisor programável de 24 estágios 14536, gerando frequências de clock selecionáveis que vão de 1,0 MHz até 0,12 Hz em fatores de 2. Um registrador de deslocamento de 32 bits está conectado com realimentação a partir dos estágios 31 e 18, gerando uma sequência de comprimento máximo com 2 bilhões de estados (na frequência

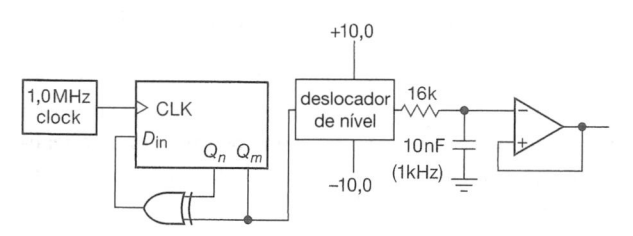

FIGURA 13.118 Fonte de ruído pseudoaleatório simples.

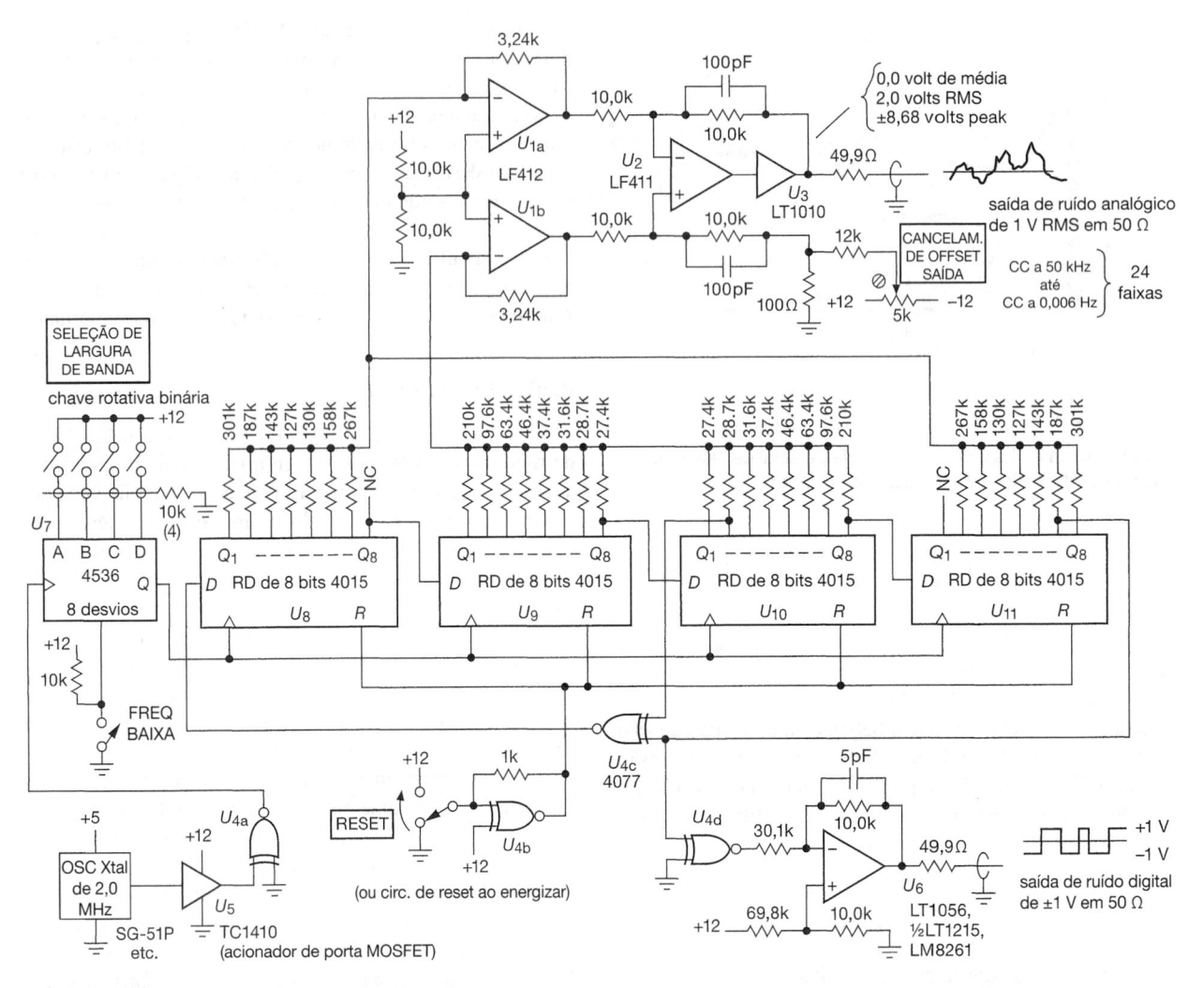

FIGURA 13.119 Fonte de ruído pseudoaleatório de laboratório de faixa de frequência ampla, inspirada no gerador de ruído Modelo 3722A da Hewlett Packard ("Um instrumento de precisão digital", na linguagem de seu tempo, 1967). Se você quiser ficar com a lógica discreta, mas precisar de maior largura de banda, pode substituir o registrador de deslocamento (RD) de 8 bits 74LV164A (com garantia de clock até 125 MHz com uma alimentação de 5 V), com as alterações correspondentes em todo o circuito. Ou você pode usar um CPLD ou FPGA rápido (Seção 11.3.3) – mas, tendo ido tão longe, você pode também implementar o filtro passa-baixas digital em um chip DSP (processador de sinais digitais). Levando essa discussão um passo adiante, você pode simplesmente codificar a coisa toda em um microcontrolador rápido (Seção 11.3.5 e Capítulo 15), e usar o seu conversor D/A interno para gerar a saída de ruído analógico de banda limitada.

máxima de clock o registrador completa um ciclo em meia hora). Neste caso, usamos uma soma ponderada $(\sin x)/x$ ao longo de 32 valores sucessivos da sequência. Os AOPs U_{1a} e U_{1b} amplificam os termos inversor e não inversor, respectivamente, acionando o amplificador diferença U_2. Os ganhos são escolhidos para gerar uma saída de 1,0 V RMS sem *offset* CC em uma impedância de carga de 50 Ω (circuito aberto de 2,0 V RMS). Note que essa amplitude do ruído é independente da taxa de clock, isto é, a largura de banda total. Esse filtro digital tem um ponto de corte em cerca de $0,05 f_{clock}$, dando um espectro de saída de ruído branco que se estende desde CC a 50 kHz (na frequência máxima) até CC a 0,006 Hz (à frequência de clock mínima), em 24 passos de largura de banda. O circuito também fornece uma forma de onda de saída não filtrada, indo entre $+1,0$ V e $-1,0$ V.

Há alguns pontos interessantes sobre esse circuito. Note que uma porta EX-NOR é utilizada para a realimentação de modo que o registrador pode ser inicializado simplesmente levando-o para o estado de todos os bits em zero. Esse truque de inverter o sinal de entrada de serial transforma o estado excluído no estado em que todos os bits são 1s (em vez de todos os bits serem 0s, como ocorre com uma realimentação comum que usa uma EX-OR), mas deixa todas as outras propriedades afetadas.

Uma soma ponderada de um número finito de bits não pode nunca produzir ruído verdadeiramente gaussiano, uma vez que a amplitude de pico é limitada. Nesse caso, pode ser calculado que a amplitude de pico de saída (em 50 Ω) é ±4,34 V, que dá um "fator de crista" de 4,34. Esse cálculo é importante, a propósito, porque você deve manter os ganhos de U_1 e U_2 baixos o suficiente para evitar ceifamento. Observe atentamente os métodos utilizados para gerar uma saída de *offset* CC zero a partir de níveis CMOS de valor médio +6,0 V (BAIXO = 0 V, ALTO = 12,0 V).

13.14.6 Conclusão

Eis alguns comentários sobre as sequências do registrador de deslocamento como fontes de ruído analógico.[135] Você pode ser tentado a concluir a partir das três propriedades dos registradores de deslocamento de comprimento máximo listadas anteriormente que a saída é "muito aleatória," no sentido de ter exatamente o número certo de séries de um determinado comprimento, etc. Um máquina de cara ou coroa aleatória genuína não geraria exatamente uma cabeça a mais do que uma cauda, nem a autocorrelação seria absolutamente plana para uma sequência finita. Dito de outra forma, se você usou os 1s e os 0s que emergiram do registrador de deslocamento para controlar um "passeio aleatório", avançando um degrau para um 1 e voltando um degrau para um 0, você acabaria exatamente um degrau distante de seu ponto de início após o registrador ter passado por todo o seu ciclo, um resultado que não é nada "aleatório".

No entanto, as propriedades do registrador de deslocamento mencionadas anteriormente se aplicam somente para a sequência de $2^n - 1$ bits inteira, *tomada em conjunto*. Se você usar apenas uma seção de toda a sequência de bits, as propriedades aleatórias se aproximam das de um lançamento de moeda aleatório. Para fazer uma analogia, é como se você estivesse retirando bolas vermelhas e azuis aleatoriamente de uma urna contendo inicialmente K bolas no total, metade azul e metade vermelha. Se você fizer isso *sem substituí-las*, esperaria encontrar estatísticas aproximadamente aleatórias no início. Conforme a urna se esgota, as estatísticas são modificadas pelo requisito de que o número total de bolas vermelhas e azuis deve ser o mesmo.

Você pode ter uma ideia de como isso funciona pensando novamente sobre o passeio aleatório. Se assumirmos que a única propriedade não aleatória da sequência de mudança é a igualdade exata de 1s e 0s (ignorando o único 1 em excesso), pode-se mostrar que o passeio aleatório, conforme descrito, deve chegar a uma distância média do ponto de partida de

$$X = [r(K-r)/(K-1)]^{1/2}$$

após r retiradas a partir de uma população total de $K/2$ 1s e $K/2$ 0s. Porque numa caminhada completamente aleatória, X é igual à raiz quadrada de r, e o fator $(K - r)/(K - 1)$ expressa o efeito de conteúdo finito da urna. Enquanto $r \ll K$, a aleatoriedade da caminhada é apenas ligeiramente reduzida a partir do caso completamente aleatório (conteúdo da urna infinito), e o gerador de sequências pseudoaleatório é indistinguível da coisa real. Testamos isso com alguns milhares de passeios aleatórios do PRBS, cada um de alguns milhares de degraus de comprimento, e descobrimos que a aleatoriedade foi essencialmente perfeita, tal como medida por este critério simples.

Naturalmente, o fato de os geradores PRBS passarem nesse teste simples não garante que eles satisfaçam alguns dos ensaios mais sofisticados de aleatoriedade, por exemplo, como medido pela correlação de ordem superior. Tais correlações também afetam as propriedades de ruído analógico gerado a partir de tal sequência por filtragem. Embora a distribuição de amplitude do ruído seja gaussiana, podem haver correlações de amplitude de ordem superior não características do verdadeiro ruído aleatório. Diz-se que o uso de muitas derivações (de preferência cerca de $m/2$) de realimentação (utilizando uma operação de árvore de paridade EX-OR para gerar a entrada serial) gera "melhor" ruído a esse respeito.

Construtores de geradores de ruído devem ter conhecimento do registrador de deslocamento de comprimento variável CMOS 4557 (seis pinos de entrada definem o seu comprimento, qualquer número de 1 a 64 estágios); você deve usá-lo em combinação com um registrador de saída paralela (tal como o '4015 ou '164), a fim de obter a derivação n; outro chip útil é o HC(T)7731, um registrador de deslocamento quádruplo de 64 bits (256 bits no total) que opera até 30 MHz (mín). Construtores de geradores de ruído devem ser ainda mais conscientes da facilidade com que os dispositivos lógicos programáveis (CPLDs ou FPGAs) podem ser persuadidos em uma função PRBS, como ilustramos no capítulo 11. Microcontroladores também farão o trabalho, mas uma solução PLD será mais rápida.[136]

Quando se busca a velocidade máxima absoluta, porém, pode-se desejar voltar à velha e boa lógica discreta: como um exemplo admirável, o "Gerador de Clock Sintetizado" CG635 do *Stanford Research Systems*[137] pode fornecer um PRBS de 7 estágios (ou seja, $2^7 - 1$ estados), para taxas de até 1,55 GHz.[138] Eles fazem isso com alguns truques interessantes: (a) eles usam o dispositivo lógico diferencial de emissor acoplado MC100EP em uma matriz de flip-flops com clock individuais; esse dispositivo é *rápido* – os flip-

---

[135] Estamos em dívida com o nosso falecido colega Ed Purcell por essas ideias.

[136] E um chip totalmente personalizado, mais rápido de todos... se você pode pagar 50k dólares.

[137] Que gentilmente forneceu os diagramas esquemáticos completos e listas de componentes para o instrumento.

[138] Outros comprimentos de sequência utilizados para o teste de erro de bits são $2^{23} - 1$ e $2^{31} - 1$.

-flops (FFs) D (MC100EP52D) têm um tempo de *setup* de 0,05 ns, tempo de *hold* zero e tempo de propagação de 0,33 ns (típico); (b) eles usam clock e linhas de dados diferenciais (silencioso e rápido); (c) o gargalo de velocidade é o tempo de propagação da EX-OR (0,3 ns), por isso eles fazem um truque, ou seja, (d) organizam os FFs em um círculo, com os dados indo no sentido horário e o clock no sentido anti-horário. Isto tem o efeito de atrasar o clock para o primeiro estágio, em relação ao clock dos dois últimos estágios, por cerca de 0,25 ns, permitindo assim que a saída da EX-OR (atrasada) cumpra a exigência do tempo de *setup* do primeiro FF. A atraente geometria faz com que os clocks dos FFs sucessivos avancem por cerca de 0,05 ns cada, distribuindo assim efetivamente o "problema" uniformemente em torno da matriz. A Figura 13.120 mostra como essas pessoas inteligentes projetaram a placa de circuito impresso para fazer tudo isso acontecer.

13.14.7 "True" Geradores de Ruído Aleatório

Comentamos no início que o "ruído" gerado por algoritmos não pode ser verdadeiramente aleatório – afinal, você pode *prever* exatamente o que vai acontecer se você sabe o algoritmo. Livros foram escritos sobre isso.[139] Se você quiser ruído *genuíno*, você tem que procurar em outro lugar.

Um bom lugar para começar é algum processo *físico* (como o decaimento radioativo) que seja aleatório *em princípio*, e, claro, imprevisível. Projetistas de circuitos não incluem normalmente radioisótopos em seus kits de ferramentas; mas existem outros processos físicos que funcionam muito bem. Por exemplo, a tensão de ruído gerada durante a condução de avalanche em uma junção bipolar. Usamos isso em um circuito responsável pela coleta byte aleatório que é enviado com o CDROM do *Numerical Recipes*, e está disponível na Amazon. A Figura 13.121 mostra o circuito. Aqui está a descrição imortalizada no CD-ROM, onde também são encontrados ~250 MB do que o autor William Press modestamente se refere como "ainda os melhores bits 'aleatórios' em qualquer lugar."

O professor Paul Horowitz, da Universidade de Harvard, gentilmente construiu para nós uma fonte eletrônica de aleatoriedade física. A fonte de ruído analógico é um transístor de junção que é polarizado para funcionar como um diodo de avalanche. Fisicamente, a corrente de ruído a partir desta junção é gerada pela criação aleatória de pares elétron-lacuna na junção, devido ao ruído térmico (e, em última instância, processos mecânicos quânticos). Experimentalmente, a saída do dispositivo, vista com um analisador de espectro, é plana desde próximo a CC até 50 MHz.

O circuito "Hororan" [Figura 13.121] amostra a tensão analógica amplificada a partir da junção de ruído a uma taxa que é 8 vezes a taxa de transmissão desejada para a saída (essa última tipicamente 38,4 kbps ou 115,2 kbps). A duração da amostra ("abertura") é muito curta, cerca de 2 nanosegundos para o comparador com *latch* LT1016, para que haja abundância de *aliasing* (falseamento) das frequências mais elevadas disponíveis no valor amostrado. Se a tensão da amostra for positiva, um bit digital "1" é gerado; se for negativa, um bit digital "0" é gerado. Os bits recolhidos passam continuamente através de uma EX-OR para um registrador. Após cada oito bits coletados, o estado do registrador é emitido como um bit no arquivo bruto. Após cada oito bits de saída, os próximos dois bits de saída são descartados durante a formatação dos bits de fim e início do RS-232 necessário. A EX-OR digital e as funções de formatação dos bits de início/fim são desempenhadas por um PAL 26V12, cuja programação é incluída aqui.

É intencional que não façamos qualquer processamento digital mais complicado (mistura, embaralhamento, criptografia, etc.) dentro da caixa de Hororan, porque queremos ser capazes de medir, e caracterizar, o grau de aleatoriedade que sai da caixa. A caixa de fato tem uma não aleatoriedade mensurável em sua estatística de 1 ponto. Ou seja, os números de saída 1s e 0s não são exatamente iguais, mas diferem por, normalmente, algumas partes em 10^4. (Na verdade, a caixa tem um ajuste de compensação para minimizar essa não aleatoriedade.) Note que ele necessita várias vezes 10^8 bits recolhidos mesmo para medir essa polarização de forma convincente – mas temos nos convencido de que está presente. A polarização deriva lentamente com o tempo, presumivelmente em resposta a alterações ambientais térmicas, entre outras.

Somos incapazes de encontrar, em experimento numérico, qualquer traço de não aleatoriedade nas estatísticas de elevado número de pontos dos bits brutos recolhidos. Em particular, não temos sido capazes de encontrar (em várias vezes 10^9 bits recolhidos) qualquer não aleatoriedade de 2 pontos, seja na autocorrelação em pequenos atrasos, ou no espectro de potência em prováveis frequências como 60 Hz ou seus primeiros harmônicos. Com base da construção física da caixa de Hororan, acreditamos que as estatísticas de M pontos com M > 2 (com a exceção de estatísticas de elevado número de pontos que são o resultado de deriva lenta na polarização de 1 ponto) deve diminuir fortemente com M. A razão é, essencialmente, que a junção do transistor não tem "memória" e tem uma escala de tempo interno na ordem do inverso da sua largura de banda de 50 MHz.

---

[139] Por exemplo, o Volume 2 do clássico completo de Donald Knuth, *The Art of Computer Programming*.

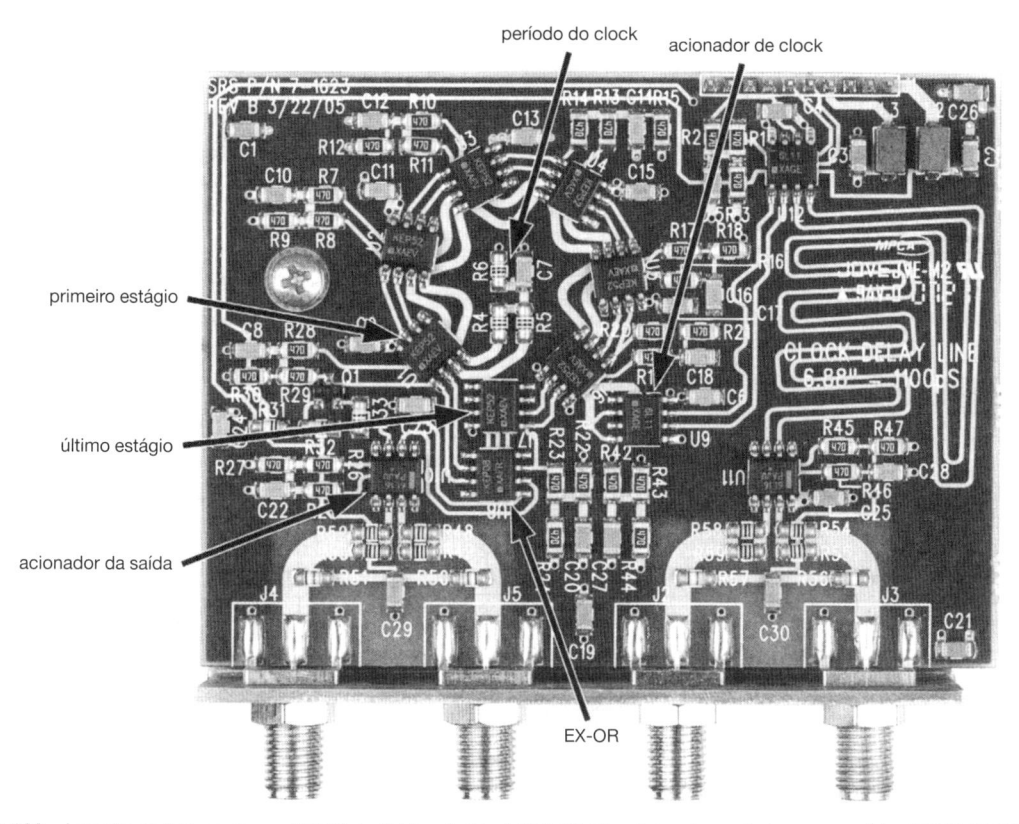

FIGURA 13.120 Leiaute de trilhas de um PRBS de 7 bits rápido (até 1,55 Gbps), implementado com a série 100EP LVPECL de flip-flops e portas discretos. Os dados vão no sentido horário, o clock no sentido anti-horário e tudo funciona!

Assim, enquanto a saída da caixa de Hororan é comprovadamente não aleatória, acreditamos que a sua verdadeira "entropia por bit" é convincentemente delimitada como sendo próxima de 1 (o valor da aleatoriedade plena). Se $1 - e$ denota a entropia por bit em um grande arquivo de N bits (uma definição mais detalhada é dada a seguir), então pensamos que, com um elevado grau de certeza experimental (não há nenhuma maneira de "provar" isso matematicamente), temos $e < 0,01$. Aliás, a saída bruta da caixa de Hororan passa facilmente todos os testes da "bateria de testes *Diehard*" de Marsaglia.

Retornando ao CD-ROM: a saída deste hardware foi apenas o ponto de partida (a "fase de coleta") para uma complexa sequência de operações no caminho para os bytes finais publicados: a "fase de perfeição" consiste de múltiplos passos e embaralhamento através de criptografia DES tripla, fazendo a EX-OR com bytes recém-coletados entre cada passagem e, novamente, no fim. Uma descrição completa pode ser encontrada no próprio CD-ROM, em uma pasta chamada "Museu".

13.14.8 Um "Filtro Digital Híbrido"

O exemplo da Figura 13.119 relembra o tema interessante de *filtragem digital*, discutido anteriormente na Seção 6.3.7. O que temos aqui é simplesmente um filtro de resposta finita ao impulso (FIR) passa-baixas de 32 amostras, neste caso implementado em forma híbrida – as amostras são *digitais* (níveis lógicos ALTO ou BAIXO, nas 32 saídas de flip-flop do registrador de deslocamento U_8 a U_{11}), mas a soma ponderada é realizada como uma soma analógica de correntes num par de junções de soma de AOP (U_{1ab}). No caso mais geral, um filtro digital opera sobre dados que representam uma forma de onda analógica amostrada, com cada amostra representada como uma quantidade multi-bit (por exemplo, 16 bits para cada canal, no caso de CD de áudio estéreo), amostrada a uma taxa suficiente para manter a faixa de frequências de entrada total de interesse (para CD de áudio f_s = 44,1 kHz, cerca de 10% acima da taxa crítica mínima de $2xf_{max}$). E a ponderação e soma seriam puramente digitais (isto é, numericamente) em multiplicadores e somadores. Note, no entanto, que o processamento digital de alta qua-

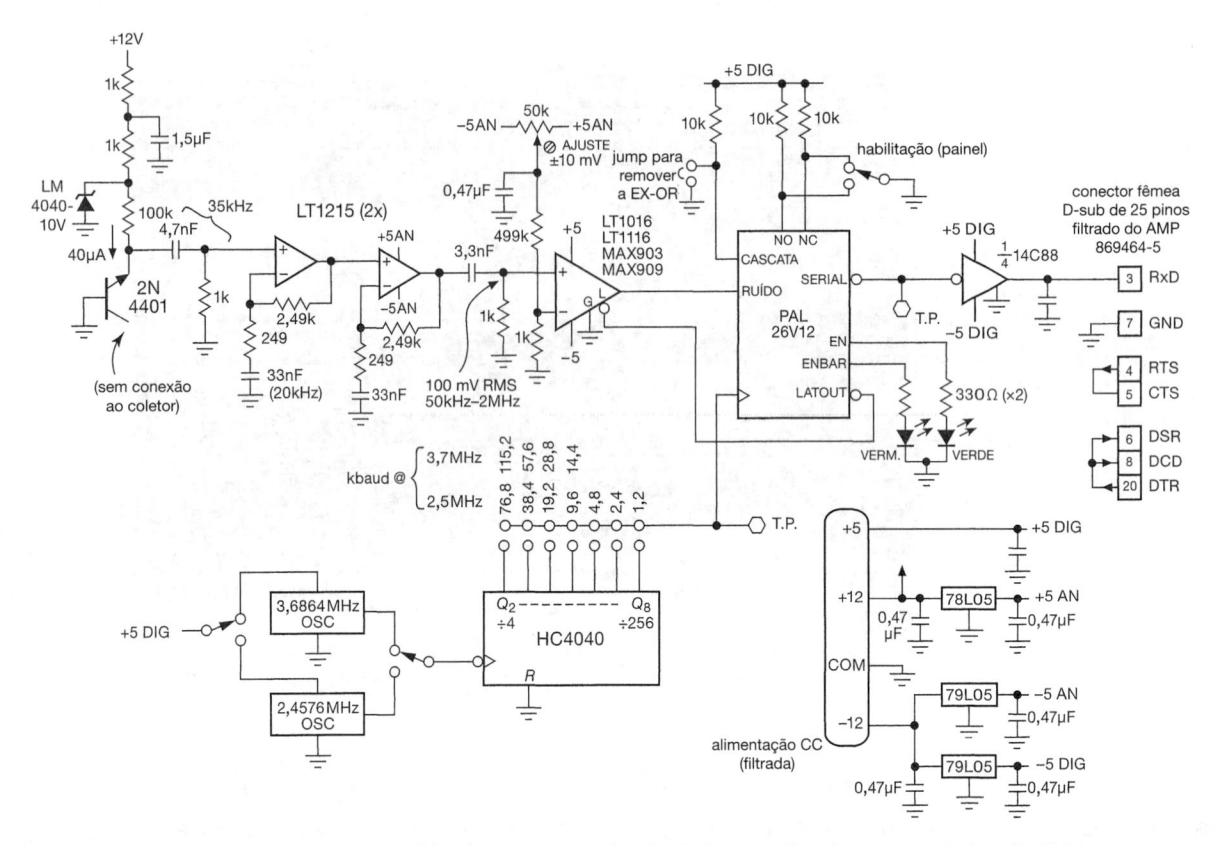

FIGURA 13.121 Utilização de um processo físico (ruptura por avalanche de base-emissor) para gerar bytes aleatórios.

lidade não *exige* que a amostragem analógico-digital inicial produza grandes tamanhos de palavra: a discussão anterior da conversão delta-sigma neste Capitulo (Seção13.9) é uma bela ilustração de um fluxo de dados digitalizado de "1 bit", em que os filtros digitais podem fazer a sua magia.

EXERCÍCIOS ADICIONAIS PARA O CAPÍTULO 13

Exercício 13.10 Por que não se consegue usar dois DACs de n bits para fazer um DAC de 2n bits apenas somando as suas saídas proporcionalmente ($OUT_1 + OUT_2/2^n$)?

Exercício 13.11 Verifique se a saída de pico do gerador de ruído pseudoaleatório (Figura 9.94) é $\pm\, 8{,}68$ V.

REVISÃO DO CAPÍTULO 13

Um resumo de A a I do que aprendemos neste capítulo. Este resumo revê princípios básicos, fatos e conselhos de aplicações do Capítulo 13.

¶ A. DACs e ADCs – Parâmetros de Desempenho.

O tema da conversão entre sinais analógicos e digitais dominou o capítulo, com extensa descrição da parte interna dos ADCs e DACs, o seu desempenho, e exemplos de aplicações. Parâmetros de desempenho essenciais de ADC incluem resolução (número de bits), precisão (linearidade, monotonicidade, estabilidade, ENOB,[140] e faixa dinâmica livre de picos), velocidade (tempo de conversão e latência), faixa de entrada, formato de saída (I^2C ou SPI seriais; ou paralela), referência (interna ou externa), encapsulamento e recursos adicionais, como amplificador de ganho programável interno. Os parâmetros essenciais de desempenho do DAC são semelhantes, mas incluem o tipo de saída (tensão ou corrente), a potência de gliches e variantes, como DAC multiplicador (MDAC) ou dimensionamento interno digital programável.

¶ B. Tipos de DAC.

A escolha do conversor para uma aplicação em particular deve ser baseada principalmente em seus parâmetros de desempenho (¶A), em vez do método de conversão. Mas é importante saber sobre o funcionamento interno de um conversor para que você não seja pego de surpresa por suas particularidades.

DAC de sequência de resistores. Esta técnica simples (Seção 13.2.1) é composta por uma série de 2^n resistores de mesmo valor; polarizada por uma referência de tensão estável, com chaves MOS controladas digitalmente que selecionam a tensão CC na derivação escolhida conforme selecionada pelo código de entrada binário de n bits. Estes DACs de baixo custo variam de 8 a 16 bits de resolução; a saída é estritamente monotônica (uma característica desejável para uma malha de controle digital).

DAC de escada R-2R. Esta técnica popular (Seção 13.2.2) explora a propriedade da ponderação binária de uma escada *R-2R* (Figura 13.5), exigindo apenas $2n$ (em vez de 2^n) resistores e chaves para criar um DAC de n bits. Esses conversores são baratos, mas não inerentemente monotônicos (embora haja muitos que garantem a monotonicidade). A sua não linearidade integral (INL) é geralmente superior aos DACs de sequência de resistores, tornando-os melhores para aplicações de configuração de tensão de precisão.

DAC de direcionamento de corrente. Em contraste com esses conversores de saída de tensão (os tipos sequência de resistores e de escada), o DAC de direcionamento de corrente (Seção 13.2.3) supera em velocidade e também permite fácil combinação de saídas. Ele usa uma matriz de n chaves para direcionar um conjunto de correntes binárias ponderadas (Figura 13.6). Estes DACs são muito rápidos, mas sua saída de corrente é limitada em compliance; se você inventar um amplificador de transresistencia para criar uma saída de tensão, ele irá limitar o desempenho dinâmico (velocidade e tempo de estabilização). Melhor acionar uma carga que quer uma entrada de corrente, ou simplesmente acionar um resistor de carga de 50 Ω (75 Ω para vídeo), apropriado para aplicações de RF e de alta velocidade. *Um cuidado*: a estabilidade e a precisão inicial de DACs de saída de corrente podem ser muito pobres, se você for tolo o suficiente para ignorar o resistor de realimentação interno alinhado; veja o aviso na Seção13.2.5 e o uso correto da realimentação mostrada na Figura 13.9.

DAC delta-sigma. Esta técnica (Seções 13.9 e 13.9.8), por vezes chamada de "DAC de 1 bit," é um processo de duas etapas em que um fluxo contínuo de dados é produzido primeiro em um modulador digital de integração, em seguida, filtrado por um passa-baixas para produzir a tensão de saída analógica; veja o diagrama em blocos na Figura 13.50. É popular em áudio profissional, onde pode fornecer sinais de saída surpreendentemente lineares de alta resolução, por exemplo, em áudio duplo (estéreo) de resolução de 20 bits a 192 ksps. A técnica delta-sigma é popular também para ADCs; na arena do áudio profissional, por exemplo, um dispositivo popular é o CS5381, um conversor duplo de 24 bits a 192 ksps (Seção 13.9.11D).

DAC Multiplicador. Um MDAC (Seção 13.2.4) aceita uma entrada Vref que varia, especificando uma faixa de tensão (geralmente de bipolaridade, por exemplo, –15 V a +15 V) e uma largura de banda de multiplicação de referência (normalmente um megahertz ou mais). Um MDAC permite o controle digital de sinais de amplitude dentro de sua largura de banda, e permite que você faça medições ratiométricas com uma tensão de referência imprecisa. Um cuidado: *feedthrough* capacitivo limita severamente a largura de banda quando operado com códigos digitais de pequeno valor; veja a Figura 13.7.

Modulação por largura de pulso e conversão de F/V. Ao acionar uma carga que é inerentemente lenta (por exemplo, um aquecedor), uma forma simples e eficaz de conversão D/A é o PWM (Seção 13.2.8). Técnicas relacionadas são os conversores F/V e multiplicadores de taxa (Seções 13.2.9 e 13.2.10).

¶ C. Exemplos de Aplicação de DACs.

Em aplicações de conversão, o problema está nos detalhes. Neste capítulo, exploramos quatro aplicações do mundo real, revelando suas complicações.

---

[140] Sempre que o "número efetivo de bits" ENOB=1,44LOG_e($V_{alcance}$/$V_{n(RMS)}$). Como bem explicado em detalhes no tutorial MT-003 da Analog Devices ("Compreendendo SINAD, ENOB, SNR, THD, THD+N e SFDR para que você não se perca no ruído de fundo"), ENOB está relacionado com SINAD (sinal-ruído+distorção) pela relação ENOB = (SINAD–1.76 dB)/6,02), onde SINAD (em dB) é dado, em termos de quantidades RMS para o sinal, ruído e distorção, por SINAD = $20\log_{10} S_{RMS}/(N+D)$.

(1) Uma fonte de laboratório de propósito geral de quatro canais (Seção 13.3.1) cujo projeto de baixo ruído tem a sua precisão e estabilidade bem descritas; existe também um circuito externo de conversão corrente-tensão que fornece faixas de saída flexíveis.

(2) uma fonte de tensão de oito canais simples (Seção 13.3.2) é facilmente projetada com um DAC de saída de tensão totalmente integrado (LTC2656); falta-lhe a capacidade de faixa de saída flexível do exemplo anterior, juntamente com alguma degradação em termos de ruído e estabilidade.

(3) Uma fonte de corrente de nanoamperes de bipolaridade e ampla compliance (Seção 13.3.3) é um circuito de considerável sutileza, oferecendo baixo ruído e baixa deriva enquanto fornece ou absorve nanoamperes ao longo de uma faixa de ± 10 V. Há um ensinamento adicional aqui, sobre o tema de fontes de corrente flutuante em geral.

(4) Um acionador de bobina de bipolaridade de precisão (Seção 13.3.4) ilustra uma aplicação DAC que empurra os limites de resolução (20 bits, ou seja, partes por milhão), com controle de ruído e estabilidade correspondente. Este exemplo inclui uma abundância de discussão do amplificador necessário, escolhas de referência e de compensação e estabilidade de malha.

¶ D. Opções de DAC.

Para mais alta linearidade, DACs delta-sigma são os melhores, com precisão e linearidade de 20 bits em velocidades de áudio, e às vezes com excelentes características CC também (por exemplo, o DAC1220 de 20 bits e velocidade de milissegundo da TI); no entanto, atente para a banda larga e o ruído de clock (o DAC1220 tem $\sim 1000\,\text{nV}/\sqrt{\text{Hz}}$ em 1 kHz, em comparação com $\sim 10\,\text{nV}/\sqrt{\text{Hz}}$ para conversores de escada de resistor).

Para aplicações de alta precisão em velocidade média, há muitos DACs excelentes de escada linear e R-$2R$, por exemplo, o DAC8552 da TI (dual, 16 bits, entrada serial, saída de tensão, referência externa, *glich* muito baixo, estabilização de 10 μs; similar ao DAC8560/4/5, com referência interna); ou AD5544 da ADI ou DAC8814 da TI (MDAC quádruplo de 16 bits, entrada serial, saída de corrente, estabilização de 0,5 a 2 μs com AOP externo de conversão I-V); ou LTC1668 da LTC (16-bit, em paralelo, saída de corrente diferencial, estabilização de 20 ns em 50 Ω em "saída de tensão"); ou DAC9881 da TI (18 bits, entrada serial, saída de tensão trilho a trilho, referência externa, baixo ruído, estabilização de 5 μs.)

Em termos de maior velocidade, não se consegue superar os conversores de direcionamento de corrente, por exemplo, o DAC5681/2 da TI (16-bit, 1 Gsps) ou o AD9739 da ADI (14 bits, 2,5 Gsps).

¶ E. Tipos de ADC.

Tal como acontece com os DACs, a escolha do conversor para uma aplicação em particular deve ser baseada principalmente em seus parâmetros de desempenho (¶A), em vez do método de conversão. Tal como acontece com DACs, porém, é importante saber sobre o funcionamento interno de um conversor para que você não seja pego de surpresa por suas características individuais.

Flash, ou "paralelo". Nesta técnica mais simples (Seção 13.6), a tensão de entrada analógica é comparada com um conjunto de tensões de referência fixas, mais simplesmente acionando uma série de 2^n comparadores analógicos, para gerar um resultado de n bits, com resoluções para $n =$ 8 bits e velocidades de 20 Gsps (não no mesmo dispositivo). Variações sobre este tema incluem arquiteturas *pipeline* ou *folded*, em que a conversão é feita em várias etapas, cada uma das quais converte o "resíduo" de conversão de baixa resolução anterior. Esses conversores atingem resolução de 16 bits e velocidades de vários Gsps (não no mesmo dispositivo); a arquitetura *pipeline* cria latência, que pode ser tanto quanto 20 ciclos de clock.

Aproximação sucessiva. Nesta técnica (Seção 13.7) sucessivos testes de códigos (gerados pela lógica interna) são convertidos para tensões através de um DAC interno e comparados com a tensão de entrada analógica. Essa técnica exige apenas n dessas etapas para fazer uma conversão de n bits. O DAC interno pode ser implementado como uma escada de resistor R-$2R$ convencional de n estágios, ou, de forma interessante, como um conjunto de 2^n capacitores de escala binária; este último método é conhecido como um DAC de *redistribuição de carga*. Os conversores do tipo SAR são intermediários em velocidade e precisão (conversores *flash* são mais rápidos; conversores delta-sigma são mais precisos) A entrada deve ser estável durante a conversão (exigindo alguma forma de entrada de rastreamento e retenção); conversores SAR podem ter códigos perdidos.

Tensão-frequência (V/F). Esta técnica (Seção 13.8.1) produz um trem de pulsos de saída (ou outra forma de onda), cuja frequência é precisamente proporcional à tensão de entrada analógica. Em um conversor V/F *assíncrono* o oscilador é interno e funciona livremente; um conversor V/F *síncrono* requer uma fonte externa de pulsos de clock, acoplando uma fração deles de tal modo que a frequência média de saída seja proporcional à entrada analógica. Conversores V/F podem ser utilizados para o simples controle de média de cargas (como um aquecedor); mas eles quase não merecem ser listados como um ADC, e são melhores vistos como uma aproximação primitiva do conversor delta-sigma superior (veja a seguir).

Integração de rampa simples. Nesta técnica (Seção 13.8.2), uma rampa analógica gerada internamente (capacitor carregado por uma fonte de corrente) vai de zero volts até a tensão de entrada analógica, temporizada por meio da contagem de pulsos a partir de um clock de frequência fixa rápido; a contagem é proporcional ao valor da entrada analógica. A integração de rampa simples não é particularmente precisa, dando origem a integração de dupla e múltiplas rampas (veja a seguir). Mas é utilizada em aplicações tais como a análise de altura de pulso, onde é necessário velocidade e uniformidade de códigos adjacentes; também é utilizada para a conversão de tempo-amplitude (TAC – *time-to-amplitude conversion*).

Integração de dupla rampa e múltipla rampa. Estas técnicas (Seções 13.8.3, 13.8.4 e 13.8.6) são variações da integração de rampa simples, eliminando efetivamente erros a partir de *offsets* do comparador e da estabilidade de componentes. Na integração de *dupla rampa*, o capacitor é carregado em forma de rampa por um tempo fixo com uma corrente proporcional ao sinal de entrada, com a rampa de descida ocorrendo com uma corrente fixa; este último intervalo de tempo é proporcional à entrada analógica. Em integração de *quádrupla rampa*, a entrada é mantida em zero enquanto um segundo ciclo de "auto-zero" é realizado. A técnica denominada *múltipla rampa* é um pouco diferente, com uma única conversão consistindo numa sucessão de ciclos de inclinação dupla rápidos (em que a entrada é integrada continuamente, combinada com ciclos correntes fixa subtrativos), e com uma correção com base no resíduo de ciclo parcial em ambas as extremidades. Em alguns aspectos, é um tipo similar ao método delta-sigma (a seguir). Estes métodos de ADC de integração são ideais para medições de estilo de voltímetro com baixa velocidade (milisegundos) e alta resolução (20 a 28 bits).

ADCs delta-sigma. Nesta técnica (Seção 13.9), um *modulador* converte a tensão de entrada analógica sobreamostrada a uma *sequência* de bits seriais; em seguida, um filtro passa-baixas digital aceita essa sequência de bits como entrada, produzindo a saída digital final de *n* bits. Na sua forma mais simples, o modulador é constituído por um integrador que atua sobre a diferença entre a tensão de entrada analógica e o valor da sequência serial de saída de 1 bit, para determinar o próximo bit de saída. Variações incluem moduladores de ordem mais alta (uma sucessão de integradores ponderados), ou uma sequência de bits de vários bits de largura, ou ambos. Conversores delta-sigma entregam excelente resolução (até 24 bits) e taxas de conversão de alguns *megasamples* por segundo. Eles são muito populares em áudio profissional.

¶ F Exemplos de Aplicações de ADC.

Neste capítulo, ilustramos vários exemplos de aplicações.
(1) Um ADC *flash* rápido (Seção 13.6.2), acionado diferencialmente, ilustrou a filtragem de entrada e geração de clock de baixo *jitter*.
(2) Um conversor de aproximação sucessiva de 18 bits de baixo nível de ruído e de alta estabilidade com uma taxa de conversão de 2 Msps (Seção 13.7.3) ilustrou o condicionamento de entrada cuidadoso para alcançar baixo ruído e baixa deriva.
(3) Três aplicações de conversores delta-sigma (Figuras 13.66, 13.67 e 13.68) ilustraram um conversor multiplexado de faixa ampla (±10 V) com boa precisão (18 bits ou melhor); um conversor ΔΣ de 24 bits padrão da indústria com boas especificações de nível de ruído, deriva e linearidade, e com amplificador de ganho programável estabilizado por *chopper* para medições precisas de sinais de baixo nível; e uma aplicação de conversão de áudio profissional, onde a precisão CC e latência são em grande parte irrelevantes, em vez disso apresentando excelente casamento de canal e formatos de saída do tipo áudio.

Neste capítulo, ilustramos mais exemplos de conversão, incluindo alguns ADCs e DACs incomuns (Seção 13.11), e alguns exemplos de *sistemas* de conversão (Seção 13.12). Este último incluiu um sistema multiplexado de 16 canais de aquisição de dados (Seção 13.12.1), um sistema de aquisição de dados multicanal paralelo de aproximação sucessiva (Seção 13.12.2), e um sistema analógico de aquisição de dados multicanal paralelo delta-sigma (Seção 13.12.3). Os dois últimos exemplos incluíram soluções multicanal externo e integrado, em narrativa tutorial.

¶ G. Opções de ADC.

Para aplicações de baixa velocidade (até quilosamples/s) e alta precisão (até 24 bits ou mais), as integrações de conversores (dupla rampa, múltipla rampa) são as melhores; há também alguns excelentes conversores delta-sigma (que podem ser considerados como conversores de integração).

Para aplicações de velocidade moderada (até alguns Msps), tanto os conversores delta-sigma quanto os de aproximação sucessiva são competitivos, com resolução de 20 bits ou mais; conversores delta-sigma têm uma latência significativamente mais longa.

Para alta velocidade (100 s de Msps), escolha conversores *flash pipeline*, consciente de sua alta latência. E para as mais altas taxas de conversão (> 250 Msps) alguma variante do *flash folding* leva você para 8 a 12 bits e 3 Gsps. *Flash* simples é o mais rápido, mas você paga o preço em resolução (por exemplo, o HMCAD5831 da Analog Devices: conversão de 3 bits a 20 Gsps).

¶ H. Malhas de Fase Sincronizada.

O capítulo continuou com o importante assunto de sinal misto de PLLs (Seção 13.13), circuitos em que a realimentação força um sinal derivado de um oscilador controlado por tensão a coincidir com a frequência de um sinal de entrada. Aplicações de PLL incluem multiplicação de frequência e síntese de frequência, a geração e recuperação de clock e demodulação de AM, FM e os sinais modulados digitalmente. Além de um oscilador controlado por tensão (VCO), os componentes essenciais de um PLL (Figura 13.85) são: (a) o detector de fase e (b) o filtro de malha.

O *detector de fase* (PD – *phase detector*) compara as fases do sinal de entrada e do sinal derivado do VCO, gerando um sinal de saída representativo da sua fase relativa. O detector de fase simples (tipo I) multiplica os sinais de entrada. É aplicável a sinais de entrada analógicos ou digitais; para este último é apenas uma porta EX-OR (Figura 13.86). O outro detector de fase comum (tipo II) gera pulsos de saída de acordo com a temporização relativa de transições nas suas duas entradas (Figura 13.87). Ele só funciona com sinais digitais. Os detectores de fase tipo II têm o benefício de sincronizar com zero de diferença de fase, e de não introduzir ondulação na frequência de detecção de fase; no entanto, eles são mais sensíveis ao jitter do sinal de entrada do que aos detectores de fase do tipo I.

O *filtro de malha* suaviza a saída do PD, com uma constante de tempo que define a resposta do circuito; esta última deve ser longa diante da frequência de comparação, mas rápida o suficiente para acompanhar as variações na frequência de entrada, conforme exigido pela aplicação do PLL. Para esclarecer este último ponto, você vai querer uma constante de tempo longa se o PLL tiver um VCO de baixo nível de ruído e for usado para gerar um clock estável limpo a partir de uma referência de entrada ruidosa de frequência fixa; mas se você quiser que o PLL siga uma oscilação de frequência de entrada (por exemplo, recuperação de clock a partir de uma unidade de fita ou disco), você vai preferir fazer a malha rápida o suficiente para responder à variação na frequência de entrada. *Um cuidado*: existe um deslocamento de fase de 90° em atraso inerente no PLL: uma medição de fase é utilizada para ajustar a frequência, mas a fase é a integral da frequência. Assim, um simples filtro passa-baixas (que introduz um deslocamento de fase em atraso adicional, assintótico a 90°) cria uma malha marginalmente estável. A solução é retardar o decaimento na região de ganho de malha unitário (um "zero", na linguagem da análise do plano s), como visto na Figura 13.98.

O procedimento para projetar o filtro de malha é ilustrado na Seção 13.13.3. O uso de PLLs para as aplicações importantes de síntese de frequência, demodulação analógica e digital, sincronização de pulso e sincronismo de offset de laser é discutido em algum detalhe na Seção 13.13.6.

¶ I.Ruído Digital Pseudoaleatório.

O capítulo conclui com o tema fascinante da geração de sequências de bits pseudoaleatórias determinística (PRBSs) a partir de registradores de deslocamento com realimentação linear (LFSRs). Estes encontram aplicação em testes de canal de comunicação (diagramas do olho; veja, por exemplo, a Figura 12.131) e em aplicações de espalhamento espectral em comunicações digitais (por exemplo, os sinais transmitidos a partir de navegação GPS). E eles são muito divertidos. A técnica básica (descrita com algum pormenor, também no Capítulo 11, na Seção 11.3) é um registrador de deslocamento com clock cuja entrada é derivada de uma combinação feita por EX-OR de dois (ou mais) bits cuidadosamente escolhidos do registrador (Figura 13.111).

Como demonstrado no Capítulo 11, geradores PRBS são facilmente feitos com um pouco de lógica PLD, ou algum código de microcontrolador, ou mesmo apenas alguns chips de lógica (por exemplo, um 74HC7731, 74HC164 e 74HC86, com clock de 25 MHz, faz um PRBS cuja duração do ciclo é mais de 10^{62} anos, que é 10^{52} vezes a idade do universo). A sequência de saída pode ser filtrada por um passa-baixas para gerar uma fonte de ruído de largura de banda analógica ajustável; veja a fonte de ruído colorido filtrada analogicamente no Capítulo 8 (Figura 8.93) e a fonte de ruído branco híbrida filtrada digitalmente da Figura 13.119.

Ruído pseudoaleatório não é verdadeiramente aleatório, apesar de suas propriedades estatísticas poderem imitar aleatoriedade verdadeira medida por vários testes (veja a Seção 13.14.6), tornando-o adequado para algumas aplicações. Para gerar sequências de bits aleatórios honestas, você precisa explorar as propriedades aleatórias de algum processo físico, como o decaimento β em isótopos instáveis. Mais conveniente para o projetista de circuitos é algo como o ruído térmico em resistores, ou ruído de avalanche em junções de semicondutores; este último é ilustrado na Seção 13.14.7.

Computadores, controladores e enlaces de dados

14

Neste capítulo e no próximo vamos tratar de computadores e controladores (também chamados de *microcomputadores* e *microcontroladores*). São assuntos muito extensos, e não faremos uma abordagem completa. Em vez disso, nossos principais interesses, no contexto de projeto de circuitos eletrônicos, serão (a) como interfacear o sistema eletrônico externo a um computador e (b) como usar um microcontrolador como um componente da eletrônica "incorporado" dentro de um dispositivo eletrônico ou instrumento personalizado.

Neste capítulo, então, olhamos para computadores e *barramentos* de dados (o mecanismo para interfaceamento de dados), para entender como eles funcionam e como criar uma interface de dados. Ao longo desse estudo revemos, brevemente, algumas noções básicas de computadores – arquitetura, processador, hardware de memória, temporização de barramento e conjunto de instruções – e ilustramos o interfaceamento com hardware e código para simples "portas" de entrada e saída conectadas a um barramento de dados em paralelo clássico.[1] Terminamos com uma revisão dos populares barramentos de dados seriais: FireWire, USB, CANbus, Ethernet e sem fio (Wi-Fi, Bluetooth, Zigbee).

No capítulo 15, vamos falar de microcontroladores embutidos, os maravilhosos chips de baixo custo que permitem colocar a inteligência de um computador em praticamente qualquer coisa eletrônica.

ALGUMA TERMINOLOGIA

Mainframes, CPUs, minicomputadores, microcomputadores, microprocessadores, microcontroladores – o que são todos esses nomes, afinal? A história é parcialmente responsável por essa proliferação de termos confusos, porque nomes como "microcomputador" foram criados (com entusiasmo compreensível) para descrever um computador em que o processador central (unidade central de processamento, CPU) foi integrada em um único chip (o "microprocessador"), em vez de construído a partir de uma placa cheia de chips lógicos menores (como foi em um "minicomputador" ou "*mainframes*" da época).

Isto já não importa, pois a distinção maior é entre *computadores*, usados principalmente para o processamento computacional de dados, *versus controladores* embutidos, incorporados dentro de outros dispositivos eletrônicos que não são propriamente computadores. Os exemplos do primeiro são PCs, laptops e notebooks, e os computadores maiores, os "*mainframes*". Exemplos de controladores são os chips que controlam sua escova de dentes elétrica, balança de banheiro, televisão, aparelho de som e similares.[2] Em geral, os microprocessadores usados em computadores, que são otimizados para desempenho computacional, são caros e exigem complexo apoio de "*chipsets*" para funcionar. Em contrapartida, os microcontroladores projetados como dispositivos embutidos trocam o desempenho computacional por autonomia, com muitas funções periféricas integradas no mesmo chip; eles tendem a ser baratos, de baixa potência e completamente autossuficientes. A Figura 14.1 ilustra o progresso significativo na miniaturização de processadores de computador para aplicações embarcadas.[3]

De um modo geral, no caso dos computadores de que falamos neste capítulo, o projeto do próprio computador (incluindo a integração de memória, discos, e I/O, bem como a programação do sistema e desenvolvimento do programa utilitário é atribuição do fabricante (e fornecedores de hardware e software compatíveis). O usuário precisa se preocupar apenas com as interfaces de propósito específico e o trabalho de programação do usuário. Por outro lado, em uma aplicação de controlador embutido, o projeto de circuito e escolha de hardware, juntamente com a programação, são feitas pelo projetista. Os fabricantes de computadores estão geralmente empenhados em fornecer sistema e software utilitário como parte de um sistema de computação completo (muitas vezes incluindo periféricos), enquanto que os fabricantes de microcontroladores (empresas de semicondutores) em geral, veem o projeto e a comercialização de chips mais novos e melhores como as suas tarefas principais.

14.1 ARQUITETURA DE COMPUTADOR: CPU E BARRAMENTO DE DADOS

Apesar da rápida mudança no campo dos computadores e microprocessadores, existem ideias básicas importantes, muitas das quais levam à eletrônica digital. Isso fica mais fácil de

---

[1] Escolhemos o barramento PC104/ISA, por causa da sua simplicidade e sua estabilidade como um padrão embutido no computador de placa única PC 104.

[2] Às vezes, a linha é um pouco obscura: o processador dentro de um conversor (*set-top box*) de uma televisão a cabo ou aparelho de Blu-ray™, por exemplo, faz o processamento pesado de vídeo digital (decodificação, descompressão, conversão de formato), no entanto, esse aparelho não é um "computador."

[3] E uma década mais tarde, com os mesmos 5 dólares, adquire-se um microcontrolador ARM de 100 MHz com 1 MBytes de memória flash, 80 Kbytes de SRAM, 47 portas de I/O paralelas, 11 canais de ADC de 10 bits, um DAC de 10 bits, seis temporizadores de 16 bits, três portas seriais I²C e quatro SPI, quatro controladores PWM, quatro UARTs, e três USARTs.

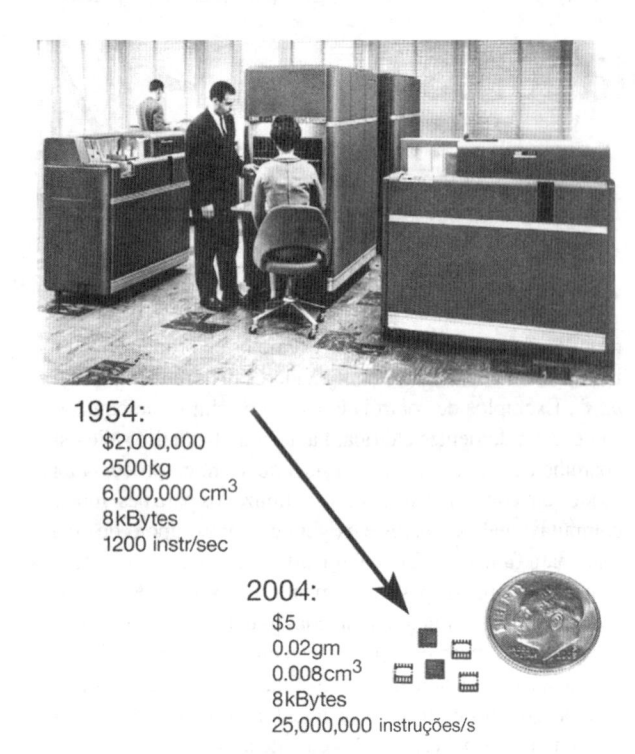

1954:
$2,000,000
2500kg
6,000,000 cm³
8kBytes
1200 instr/sec

2004:
$5
0.02gm
0.008cm³
8kBytes
25,000,000 instruções/s

FIGURA 14.1 Do *mainframe* ao microcontrolador: 50 anos de progresso do computador (foto de um *mainframe*, cortesia IBM Corporation).

entender a partir de uma olhada em uma arquitetura tradicional orientada a barramento, mostrada no diagrama em blocos da Figura 14.2.

A *ideia* é ligar todos os dispositivos usando um conjunto compartilhado de linhas – um "barramento" (*bus*) de dados – em vez de um emaranhado de conexões diretas. Ele usa menos fios; e, como a CPU era, tradicionalmente, responsável pela maior parte das transações, não era necessário ter caminhos de dados separados para obter um bom desempenho.[4] Assim, por exemplo, se a CPU quisesse armazenar um byte em algum endereço em uma memória de acesso aleatório (RAM), colocaria o endereço e os dados em conjuntos de linhas de barramentos [denominados ADR (endereço) e DATA (dados)], em seguida ativaria o sinal de estrita (WRITE); a RAM reconheceria o endereço e aceitaria o byte. Se a CPU, em vez disso, quisesse buscar um byte, colocaria apenas o endereço, ativaria o sinal de leitura (READ); a RAM, ao reconhecer o pedido de um dos seus endereços, responderia colocando o byte correspondente nas linhas de dados. O mesmo ocorre com as transferências entre outros dispositivos conectados por barramentos (cada um dos quais atende à sua faixa de endereço atribuída).

Para entender o que está acontecendo, vamos rever os componentes na Figura 14.2, percorrendo-a da esquerda para a direita.

14.1.1 CPU

A unidade central de processamento, ou CPU, é o coração da máquina. Computadores fazem seus cálculos na CPU em blocos de dados organizados como *palavras* de computador. O tamanho da palavra pode variar de 4 bits até 64 bits ou mais, com tamanhos de palavra de 32 e de 64 bits sendo os mais comuns em computadores contemporâneos. Um byte são 8 bits (meio byte, ou 4 bits, é às vezes chamado de "*nybble*"). Uma parte da CPU chamada de *decodificador de instrução* interpreta as instruções sucessivas (buscadas a partir da memória), descobrindo o que deve ser feito em cada caso. A CPU tem uma *unidade lógica e aritmética*, ou ALU, que pode realizar as operações instruídas, como soma, complemento, comparação, deslocamento, movimentação, etc., sobre as quantidades que constam nos *registradores* (e às vezes na *memória*). O *contador de programa* mantém o controle da localização atual do programa em execução. Ele normalmente é incrementado após cada instrução, mas pode assumir um novo valor depois de uma instrução de "salto" (*jump*) ou desvio. O *circuito de controle de barramento* manipula a comunicação com a memória e I/O. A maioria dos computadores também tem um *registrador ponteiro de pilha* (*stack pointer*) (mais sobre isso mais tarde) e alguns *sinalizadores* (*flags*) (*carry*, zero, sinal) que são testados para desvios condicionais. Todos os processadores de alto desempenho também incluem memória *cache*, que detém valores (dados e instruções) recentemente buscados da memória, para acesso mais rápido.

Microcomputadores contemporâneos de alta performance exploram o "processamento paralelo", em que várias CPUs interconectadas (cada uma com vários caminhos de ALU) alcançam maior poder computacional e chips de alta densidade integram isso em uma arquitetura de "*multicore*". No entanto, para manter a nossa conversa simples, e reconhecendo o nosso interesse no *interfaceamento* com um computador (e não no projeto de um), consideramos apenas máquinas de CPU única executando instruções serialmente: é um mundo incansável de operações "leia, execute, escreva".

---
[4] Este tipo de barramento paralelo simples "*multidrop*" (multiponto) foi amplamente utilizado em toda a era dos minicomputadores (por exemplo, o DEC "Unibus") e também na era dos microcomputadores (sob a forma de "arquitetura padrão da indústria" da IBM, ou o ISA (*industry standard architecture*), que ainda é usado no padrão PC104). Mas os barramentos evoluíram, se tornando mais complexos, e os PCs contemporâneos têm vários barramentos e pontes de conexão, com nomes como "Front Side Bus", PCI e PCIe", Northbridge" e "Southbridge," projetados para otimizar a comunicação de alta velocidade (tais como transferências de memória) sem ser retardado por comunicação de baixa velocidade (como periféricos). Além disso, como veremos mais tarde, apesar da elegância e economia de linhas compartilhadas, um esquema de conexão "ponto a ponto" (ninho de rato) é realmente muito melhor do que um barramento multiponto compartilhado para comunicação de alta velocidade.

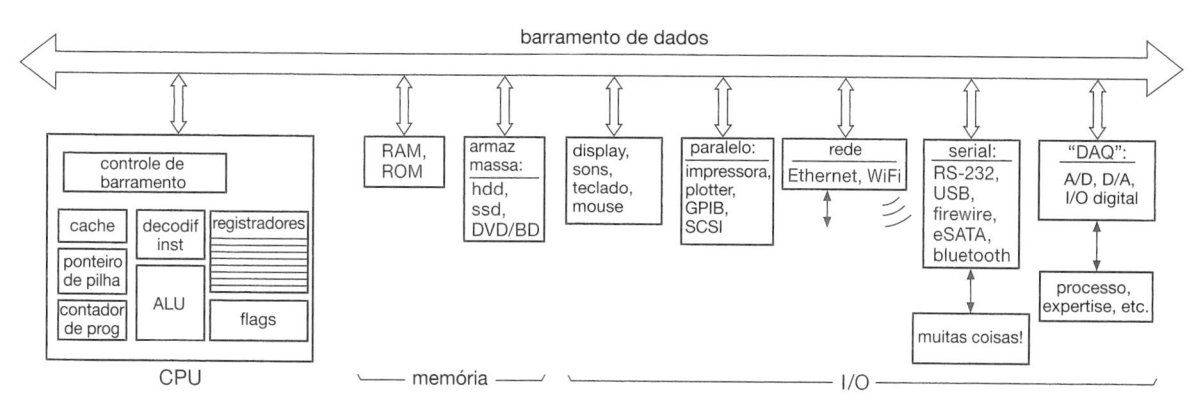

FIGURA 14.2 Computador tradicional orientado para barramentos.

14.1.2 Memória

Todos os computadores têm alguma memória de "acesso aleatório" rápida,[5] denominada RAM (que costumava ser chamada de "núcleo", porque pequenos núcleos magnéticos mantinham os dados, um bit por núcleo). Em um computador barato essa quantidade é normalmente de vários gigabytes; já um microcontrolador embarcado tem muito menos, entre 4K e 64K.[6] Esta memória pode normalmente ser lida e escrita em cerca de 100 ns. Os módulos de memória RAM de alta densidade normalmente utilizados em computadores (chamados DRAM[7]) são *voláteis*, o que significa que a sua informação "evapora" (apaga) quando a alimentação é removida. Assim, os computadores incluem alguma memória não volátil, geralmente uma "ROM flash" (memória somente de leitura), para iniciar o computador, ou seja, colocá-lo em operação a partir de um estado de amnésia total, quando a alimentação é ligada pela primeira vez. (Essa memória não volátil também mantém o programa, no caso de um controlador embarcado.) Muito mais sobre memórias na Seção 14.4.

Para obter ou armazenar informação na memória, a CPU "endereça" a palavra desejada. A maioria dos computadores endereçam memória por bytes, iniciando no byte 0 e indo sequencialmente até o último byte na memória. Como a maioria das palavras de computador tem vários bytes de comprimento, geralmente você está armazenando ou buscando um grupo de bytes de cada vez; isso é mais rápido com um barramento de dados de vários bytes de largura.

Ambos, programas e dados, são mantidos na memória durante a execução do programa. A CPU busca instruções na memória, descobre o que elas significam e segue a sua interpretação, muitas vezes buscando dados armazenados em outro lugar na memória. Computadores de uso geral normalmente armazenam programas e dados na mesma memória ("arquitetura de von Neumann"), e, de fato, o computador ainda não sabe distinguir uma coisa da outra. (Coisas divertidas começam a acontecer se um programa vai mal e a CPU começa a "executar" dados!). Controladores embarcados, por outro lado, muitas vezes usam uma "arquitetura de Harvard", com memória de dados e programa separadas, sendo que esta última (normalmente flash ou EEPROM) conta com armazenamento não volátil, por razões óbvias.

Os programas de computador gastam a maior parte do seu tempo de ciclo em sequências relativamente curtas de instruções. Mas você pode melhorar o desempenho com um pequeno, mas rápido, *cache* de memória, em que poderá armazenar cópias das localizações de memória mais recentemente utilizadas. A CPU verifica o *cache* local em primeiro lugar, antes de buscar na memória principal (mais lenta); ao fazer um *loop* em território conhecido é possível ter um *cache* com taxa de "êxito" de 95% ou mais, melhorando bastante a velocidade de execução.

14.1.3 Memória de Massa

Computadores destinados ao desenvolvimento de programas ou de cálculos avançados, ao contrário de controladores embarcados, utilizam dispositivos de armazenamento em massa não voláteis, como discos rígidos (HDDs ou unidades de disco rígido: magnético), discos de estado sólido (SSDs ou unidades de estado sólido: memória "flash" de semicondutor, que é não volátil) e discos ópticos removíveis (CD, DVD, Blu-ray); este último vem nas formas de somente leitura e regraváveis, enquanto que HDDs e SSDs são sempre regraváveis. Aprendemos em edições anteriores deste livro que o

---

[5] Assim chamado porque você pode acessar dados em qualquer endereço em tempo igual, em distinção a algo como um registrador de deslocamento ou FIFO.

[6] Quando utilizado para descrever tamanhos de memória, K não significa 1000, mas 1024, ou 2^{10}; assim, 16K bytes (16 KB) é, na verdade 16.384 bytes. Empregamos a letra minúscula k para significar 1000.

[7] Para RAM *dinâmica*: uma forma de memória em que bits de dados são armazenados, brevemente, como um estado de tensão em pequenos capacitores internos ao chip, cujas cargas devem ser periodicamente "revigoradas" (repostas numa operação de *refresh*). Por outro lado, a RAM estática ("SRAM") mantém cada bit como o estado de um flip-flop, sem necessidade de atualização. A DRAM é mais compacta, exigindo um transistor por bit ("1T"), versus 6T para SRAM. Tanto SRAM quanto DRAM são voláteis, em contraste com a ROM *flash* ou EEPROM (ou E²PROM).

desempenho impressionante de eletrônicos "modernos" invariavelmente parece nada alguns anos depois.[8] Por isso vamos apenas registrar para a história que estamos na era dos discos rígidos de terabyte, ROMs *flash* de 16 GB e chips de 1 GB de RAM (fatores de 10^3 a 10^4 maiores do que o existente em nossa edição anterior).

14.1.4 Displays, Redes e Portas Paralelas e Seriais

Estes são itens padrão na maioria dos computadores, necessários para a comunicação com o usuário, com a rede e com hardware externo. Presumimos que o leitor esteja familiarizado com eles. Vale notar, no entanto, é a tendência de distanciamento de interfaces paralelas (como IDE e SCSI internas, e portas de impressora "LPT" externas), em favor de interfaces seriais rápidas (SATA, USB, FireWire, Ethernet), esta última oferecendo desempenho comparável (ou melhor), juntamente com a fiação simplificada e reduzido ruído elétrico. Vamos falar sobre comunicação de portas paralela e serial mais adiante, a partir da Seção 14.5.

14.1.5 I/O em Tempo Real

Para o experimento ou controle de processos e registro de dados, ou para aplicações exóticas, como sintetização de voz ou música, você precisa de dispositivos A/D e D/A que possam se comunicar com o computador em "tempo real", ou seja, enquanto as coisas estão acontecendo. As possibilidades são quase infinitas aqui, embora um conjunto de conversores A/D (ADCs) multiplexados de propósito geral, alguns conversores D/A (DACs) rápidos e algumas "portas" digitais (em série ou em paralelo) para a troca de dados digitais permitam muitas aplicações interessantes.[9] Tais periféricos de uso geral estão disponíveis comercialmente para a maioria dos barramentos de computador, internos (por exemplo, PCI e PCIe) e externos (USB, FireWire, Ethernet).

Há cada vez mais o uso de portas externas, que oferecem simplicidade, flexibilidade (no caso de computadores portáteis e smartphones, sem acesso aos barramentos internos) e reduzida contaminação de ruído digital. Se você quiser algo mais sofisticado, como desempenho melhorado (velocidade mais elevada, mais canais) ou funções com fins especiais (geração de tons, a síntese de frequência, geração de intervalo de tempo, etc.), pode ter que construir. Este é o lugar onde o conhecimento de técnicas de interfaceamento de barramento e de programação, sempre útil, torna-se essencial.

14.1.6 Barramento de Dados

A comunicação entre a CPU e a memória ou periféricos ocorre em um *barramento*, um conjunto de linhas compartilhadas para troca de palavras digitais. A utilização de um barramento compartilhado simplifica imensamente as interconexões; caso contrário, você iria precisar de cabos de múltiplos conectando cada par de dispositivos de comunicação.[10] Com um pouco de cuidado no projeto e implementação de barramentos, tudo funciona bem.

Os barramentos têm evoluído ao longo do tempo, chegando a tais níveis de velocidade e complexidade que o interfaceamento exige agora uma experiência considerável. Por esta razão, vamos adotar um barramento mais antigo e mais simples, chamado PC104/ISA, o que facilita o interfaceamento. O barramento ISA foi originado no IBM PC, e como o barramento PC104 ele está vivo e bem, apoiado por mais de 75 fabricantes.

Em geral, um barramento de dados contém um conjunto de linhas de DADOS (geralmente o mesmo número que os bits de uma palavra – 8 para os pequenos processadores e controladores, de 16 a 64 para microcomputadores mais sofisticados), algumas linhas de ENDEREÇO para determinar quem deve "falar" ou "escutar" na linha, e um monte de linhas de controle que especificam qual ação está acontecendo (dados indo para a CPU ou vindo dela, manipulação de interrupção, as transferências de acesso direto à memória, etc.). Todas as linhas de DADOS, bem como uma série de outras, são *bidirecionais* – elas são acionadas por dispositivos de três estados, ou, em alguns casos, por portas de coletor aberto com resistores *pull-ups* em algum lugar (geralmente no final do barramento, onde eles também servem como terminadores para minimizar as reflexões, veja a Seção 12.10.1 e o Anexo H); *pull-ups* podem ser necessários com acionadores de três estados também, se o barramento for fisicamente longo.

Dispositivos de três estados ou de coletor aberto são usados para que os dispositivos conectados ao barramento possam desativar seus acionadores de barramento, porque em funcionamento normal apenas um dispositivo é habilitado a colocar dados no barramento a qualquer momento. Cada computador tem um protocolo bem definido para determinar quem tem permissão de colocar os dados, e quando. Se isso não acontece, o caos se instala, com todos "gritando" ao mesmo tempo.

---

[8] Em nossa primeira edição (1980) estávamos animados com discos rígidos de vários megabytes, EPROMs de 2 KB, RAMs de 8 KB; uma década mais tarde estávamos ainda mais animados com discos rígidos de várias centenas de megabytes, EPROMs de 128 KB e RAMs de 512 KB de memória.

[9] E não se esqueçam das humildes "placas de som" (muitas vezes integradas na placa-mãe), para utilização em aplicações de laboratório de taxa de áudio não críticas, onde o acoplamento CC não é necessário. A melhor delas pode fazer 192 kb/s de amostragem de múltiplos canais com resolução de 16 bits.

[10] Esta ideia é repetida dentro da própria CPU, onde os barramentos de dados internos são utilizados para comunicação entre as unidades lógicas e aritméticas (ALUs) e os registradores (por exemplo). E, no caso de um microcontrolador, onde "periféricos", como conversores A/D e portas USB são integrados no mesmo chip, o trabalho de um barramento externo é realizado com barramentos internos ao chip.

Vamos voltar para a abordagem do barramento em detalhes, com exemplos de interface PC104 de 8 bits. Primeiro, porém, precisamos de olhar para o conjunto de instruções da CPU.

14.2 UM CONJUNTO DE INSTRUÇÕES DE COMPUTADOR

14.2.1 Linguagem *Assembly* e Linguagem de Máquina

Para entender os sinais de barramento e interface de computador, você tem que entender o que a CPU faz quando ela executa várias instruções. Neste ponto, portanto, gostaríamos de introduzir o conjunto de instruções dos processadores da família x86 da Intel usados em computadores PC104. Infelizmente, os conjuntos de instruções da maioria dos microprocessadores do mundo real tendem a ser ricos com complexidades e recursos extras, e a série x86 da Intel não é exceção. No entanto, uma vez que o nosso objetivo é apenas ilustrar os sinais de barramento e interface (e não a programação sofisticada), vamos pegar um atalho, estabelecendo um subconjunto de instruções do x86. Deixando de fora as instruções "extra," vamos acabar com um conjunto compacto de instruções que é compreensível e completo o suficiente para fazer a maior parte qualquer tarefa de programação. Vamos então usá-lo para mostrar alguns exemplos de interface e programação. Estes exemplos vão ajudar a transmitir a ideia de programação no nível da "linguagem de máquina", algo muito diferente de programação em uma linguagem de alto nível como C ou C++.

Em primeiro lugar, uma palavra sobre "linguagem de máquina" e "linguagem *assembly*". Como mencionamos anteriormente, a CPU do computador foi projetada para interpretar certas palavras como instruções e realizar tarefas. Esta "linguagem de máquina" é composta por um conjunto de instruções binárias, cada uma das quais podem ocupar um ou mais bytes. O incremento (aumento de um) do conteúdo de um registrador da CPU seria uma instrução de byte único, por exemplo, enquanto o carregamento de um registrador com o conteúdo de uma localização de memória normalmente exigiria pelo menos dois bytes, talvez até cinco (o primeiro deve especificar a operação e o registrador destino, e mais quatro seriam necessários para especificar um local de memória arbitrário em uma máquina grande). Infelizmente, diferentes computadores têm diferentes linguagens de máquina, e não existe um padrão absoluto.

A programação diretamente em linguagem de máquina é extremamente entediante, porque você acaba lidando com colunas de números binários, e cada bit tem que ser um bit perfeito, por assim dizer. Em vez disso, você pode representar cada instrução na sua forma legível em texto de *linguagem assembly*, usando mnemônicos facilmente lembrados pelas instruções e nomes simbólicos de sua própria escolha para posições de memória e variáveis. Este programa em linguagem *assembly* consiste em um arquivo de texto simples em seguida convertido por um programa chamado *assembler* (montador) para produzir como sua saída um programa acabado em *código objeto* de linguagem de máquina que o computador pode executar. Cada linha de código *assembly* corresponde a uma instrução em linguagem de máquina, que se traduz em uma linguagem de máquina alguns bytes (1 a 6 bytes, para o x86). O computador não pode executar as instruções da linguagem *assembly* (texto) diretamente. Para tornar essas ideias concretas, vamos olhar para o nosso subconjunto da linguagem *assembly* do x86 e fazer alguns exemplos.

14.2.2 Conjunto de Instruções Simplificado do "x86"

Os processadores da família x86 (Intel, AMD, VIA) têm um conjunto de instruções rico e peculiar; parte de sua complexidade decorre do objetivo dos projetistas para manter a compatibilidade com o processador original 8080 de 8 bits. Processadores posteriores e mais sofisticados na família x86 (por exemplo, Pentium, Core 2, i3/i5/i7, Xeon) têm muitas instruções adicionais, mas ainda podem executar o conjunto de instruções x86 original. Passamos por essas instruções com um facão, mantendo apenas 10 operações aritméticas e 11 outras (Tabela 14.1).

A. Uma Passagem Rápida

Algumas explicações: as primeiras seis operações aritméticas da Tabela 14.1 operam em pares de números "(instruções de "2 operandos"), que abreviamos como b,a, e que pode ser qualquer um dos cinco pares listados nas notas da tabela; *m* significa o conteúdo de uma localização de memória, *r* significa o conteúdo de um registrador da CPU (existem 8 no 8086 original), e *imm* significa um argumento *imediato*, que é um número armazenado nos próximos 1 a 4 bytes de memória seguinte à instrução. Assim, por exemplo, as instruções têm argumentos da forma *m,r*, *m,imm* e *r,imm*, respectivamente. A primeira copia o conteúdo do registrador CX para um local da memória que chamamos "*count*"; a segunda soma 2 ao conteúdo de um outro local da memória denominado "*small*"; a terceira limpa os 9 bits superiores do registrador de 16 bits AX preservando ao mesmo tempo os 7 bits inferiores que não se alteram (assim denominada operação de *mascaramento*). Note a convenção de argumentos da Intel: o primeiro argumento é substituído ou modificado pelo segundo argumento.

```
MOV   count,CX
ADD   small,02H
AND   AX,007FH
```

TABELA 14.1 Conjunto de instruções simplificado do x86

instrução		Operação	O que ela faz
Aritmética			
MOV	b,a	movimentação	a → b; a não altera
ADD	b,a	soma	a + b → b; a não altera
SUB	b,a	subtração	a − b → b; a não altera
AND	b,a	and	a AND b → b bit a bit; a não altera
OR	b,a	or	a OR b → b bit a bit; a não altera
CMP	b,a	comparação	define os flags para b − a; a,b não alteram
INC	r,m	incremento	rm + → rm
DEC	r,m	decremento	rm − → rm
NOT	r,m	inversão	complemento de 1 de rm
NEG	r,m	negação	negação (complemento de 2) de rm
pilha			
PUSH	r,m	leva para a pilha	leva rm para a pilha (2 bytes)
POP	r,m	traz da pilha	traz 2 bytes da pilha para rm
controle			
JMP	rótulo	salto	salto para o rótulo da instrução
J$_{CC}$	rótulo	salto condicional	salto para o rótulo da instrução se cc verdadeiro
CALL	rótulo	chama subrotina	leva para pilha o próximo endereço, salta para o rótulo da instrução
RET		volta da subrotina	traz da pilha, salta para esse endereço
IRET		volta da interrupção	traz da pilha, restaura os flags, retorna
STI		seta a interrupção	habilita a interrupção
CLI		limpa a interrupção	desabilita a interrupção
entrada/saída			
IN	A,X porta	entrada	porta → AX (ou AL)
OUT	porta, AX	saída	AX (ou AL) → porta

Notas: *b,a*: qualquer um de *m,r r,m r,r m,imm r,mm*
rm: registrador ou memória, via vários modos de endereçamento
cc: qualquer um de **Z NZ G GE LE L C NC**
rótulo: via vários modos de endereçamento
port: byte (via *imm*) ou palavra (via DX)

As últimas quatro operações aritméticas na tabela precisam de apenas um operando, que pode ser o conteúdo de um registrador ou da memória. Aqui estão dois exemplos:

```
INC   count
NEG   AL
```

O primeiro adiciona 1 ao conteúdo da localização de memória "count", e a segunda altera o sinal do conteúdo de registrador AL.

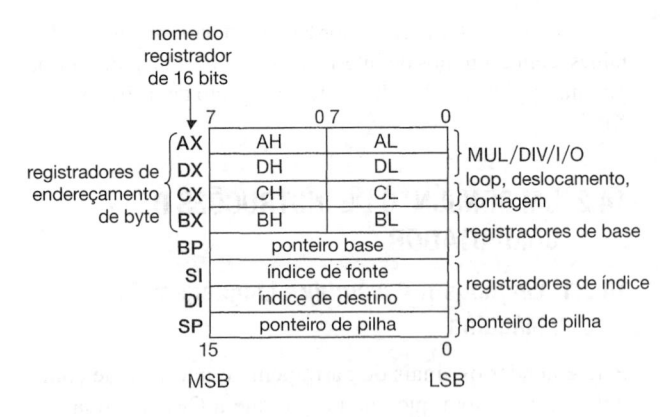

FIGURA 14.3 Registradores de uso geral do 8086.

B. Um Desvio: Endereçamento

Antes de continuar, uma palavra sobre registradores e endereçamento de memória. O original 8086 declarou ter oito registradores de "propósito geral"; mas, depois de ler as letras miúdas, você vai perceber que a maioria deles também têm registradores de usos especiais (Figura 14.3). Quatro deles (A a D) podem ser usados como simples registradores de 16 bits (por exemplo, AX; pense em "X" como "estendido") ou como um par de registradores de byte (AH, AL; metades "alta" e "baixa").[11] Os registradores BX e BP podem conter endereços, como o podem os registradores SI e DI, e tendem a ser usados para endereçamento (veja a seguir). Instruções de *loop* especiais (que omitimos da nossa curta lista) usam o registrador C e as instruções de multiplicação/divisão e I/O fazem uso análogo ao dos registradores A e D.

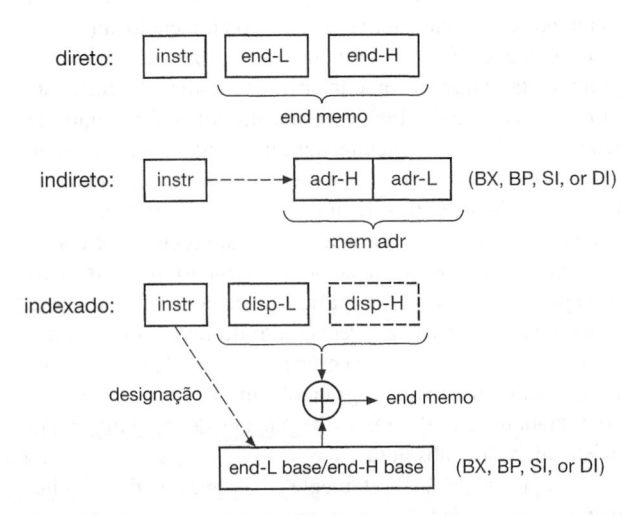

FIGURA 14.4 Alguns modos de endereçamento.

---
[11] Mais tarde as CPUs x86 estenderam estes para registradores de 32 bits e 64 bits adicionais.

Os dados utilizados nas instruções podem ser constantes imediatas, valores mantidos num registrador ou valores na memória. Você especifica as imediatas por valor, e registradores por nome, como nos exemplos anteriores. Para lidar com a memória, o x86 oferece seis modos de endereçamento, três dos quais são descritos pelos diagramas na Figura 14.4. Em linguagem *assembly* você pode apenas nomear a variável *diretamente*, e seu endereço fica montado como um par de bytes imediatamente após a instrução; você pode colocar o endereço da variável num registrador de endereçamento (BX, BP, S1 ou DI), em seguida, use uma instrução que especifica o endereçamento *indiretamente* através do registrador; ou você pode combinar essas ações, adicionando um *deslocamento* imediato ao valor em um registrador de endereçamento designado para obter o endereço da variável. O modo indireto é mais rápido (considerando que o endereço já foi carregado em um registrador de endereçamento) e muito melhor se você quiser fazer alguma coisa para todo um conjunto de números (uma *string* ou *array*). Aqui estão alguns exemplos de endereçamento:

```
MOV    count,100H       (direct,immediate)
MOV    [BX],100H        (indirect,immediate)
MOV    [BX+1000H],AX    (indexed,register)
```

as duas últimas consideram que você já colocou um endereço em BX. A última instrução copia o conteúdo de AX para um local de memória 4K (1000 hex) maior do que onde BX aponta na memória; vamos dar um exemplo em breve, mostrando como você poderia usar esta para copiar um *array*.

Há uma outra complexidade do endereçamento de memória do x86 que varremos para debaixo do tapete: o "endereço" gerado por qualquer um destes modos de endereçamento não é realmente o endereço final, como deveria ser óbvio a partir do fato de que o registrador de endereço BX tem apenas 16 bits (que pode endereçar apenas 64 k bytes de memória). Na verdade, ele é denominado de *offset*; para obter um endereço real, você adiciona ao offset uma *base* de 20 bits formada pelo deslocamento à esquerda de 4 bits do conteúdo de um *registrador de segmento* de 16 bits (há quatro desses registradores). Em outras palavras, o x86 permite acessar grupos de 64K bytes de memória de cada vez, com a localização desses "segmentos" dentro de um tamanho total de memória de 1MB definido pelos conteúdos dos registradores de segmento. O uso de endereçamento de 16 bits no 8086 foi basicamente um grande erro, herdado de gerações anteriores de microprocessadores. Processadores mais novos (80386 em diante, e projetos recentes em outras famílias de CPU) são feitas corretamente, com endereçamento completo de 32-bit ou 64-bit.[12] Em vez de complicar os nossos exemplos, vamos simplesmente ignorar inteiramente segmentos; na vida real, é claro, você tem que se preocupar com eles.

C. Passeio pelo Conjunto de Instruções (Continuação)

As instruções de *pilha* PUSH e POP vêm em seguida. Uma pilha é uma parte da memória, organizada de uma maneira especial: quando você colocar os dados na pilha (um PUSH), ele vai para o próximo local disponível ("topo" da pilha); e quando você recuperar dados (um POP), este é retirado do topo, ou seja, é o último item colocado na pilha. Assim, uma pilha é uma lista consecutiva de dados, armazenados de forma que o último que entra é o primeiro que sai (LIFO – *last-in, first-out*). Penso em como funciona um dispensador de moedas ou um dispensador de bandejas em um refeitório.

A Figura 14.5 mostra como ela funciona. A pilha está na RAM comum, com ponteiro de pilha (SP – *stack pointer*) da CPU mantendo o controle da localização do atual "topo"

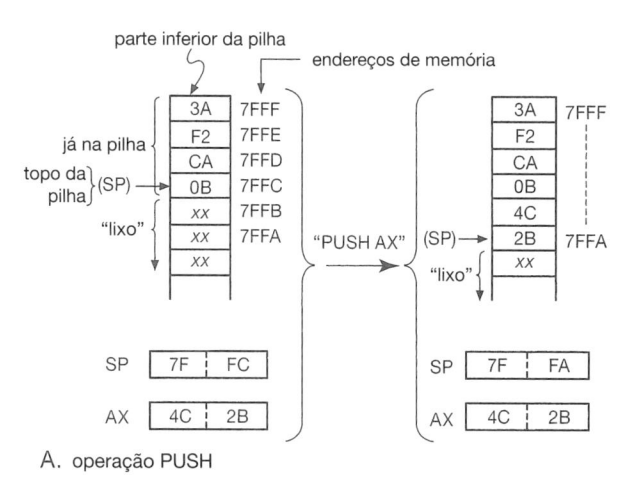

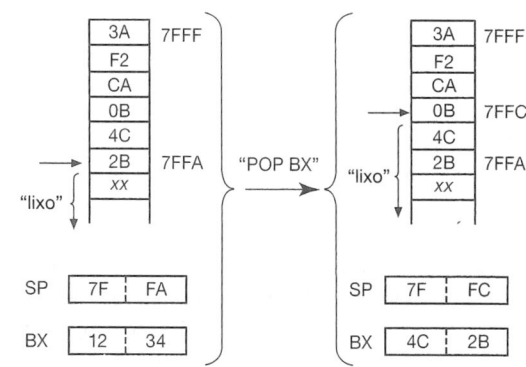

FIGURA 14.5 Operação da pilha: A. efeito do PUSH (ilustrado com registrador AX); B. efeito do POP (ilustrado com registrador BX.)

---
[12] E com um nível adicional de falta de direção (memória virtual implementada com tabelas de páginas) no caminho para a memória física real. Mas você realmente não quer saber sobre isso, certo?

Programa de 14.1

	MOV	BX,1000H	;coloca o endereço da matriz em BX
	MOV	CL,100	;inicializa o Contador de loop
LOOP:	MOV	AX,[BX]	;copia o element da matriz para AX
	MOV	[BX+400H],AX	;incrementa o ponteiro da matriz
	ADD	BX,2	;decrementa o contador
	DEC	CL	;vai para loop se o contador não for zero
	JNZ	LOOP	(próxima instrução)
NEXT:	(next statement)		;sai aqui quando termina

da pilha. A pilha do 8086 contém palavras de 16 bits e cresce para *baixo* na memória à medida que você envia dados para ela. O SP é automaticamente decrementado em 2 unidades antes de cada PUSH, e incrementado em 2 após cada POP. Assim, no exemplo, os dados de 16 bits no registador AX são copiados para o topo da pilha pela instrução PUSH AX; o SP é deixado apontando para o último byte colocado na pilha. A instrução POP inverte o processo, como mostrado. Como veremos, a pilha desempenha um papel central em chamadas de sub-rotinas e interrupções.

JMP faz com que a CPU mude a rotina de executar instruções em ordem sequencial, desviando para a instrução que você definiu no salto. Saltos condicionais (há oito possibilidades, indicado genericamente como JCC) testam o registrador de *flag* (que está na CPU e cujos bits são definidos de acordo com o resultado da operação aritmética mais recente), em seguida, salta (se a condição for verdadeira) ou executa a próxima instrução em sequência (se a condição não for verdadeira). O Programa de 14.1 mostra um exemplo. Ele copia 100 palavras a partir da matriz que começa em 1000 hex para uma nova matriz que começa em 1 kB (400H) acima.

Observe o carregamento explícito do ponteiro (para o registrador de endereço BX) e o contador de *loop* (para CL). A matriz real de palavras tinha que passar por um registrador (escolhemos AX), pois o 8086 não permite operações de memória para memória (consulte as notas do conjunto de instruções). No final da passagem 100 através do *loop*, CZ = 0, e a instrução *jump nonzero* (JNZ) não mais salta. Este exemplo vai funcionar, mas, na prática, você provavelmente usaria instruções *move string* mais rápidas do x86. Além disso, é boa prática de programação usar nomes simbólicos para tamanhos e matrizes, em vez de constantes como 400H e 1000H.

A instrução CALL é uma chamada de sub-rotina (ou "processo" ou "função"). É como um salto, exceto que o endereço de retorno (o endereço da instrução que teria vindo a seguir, exceto para CALL interveniente) é levado para a pilha. No término da sub-rotina você executa uma instrução RET, que recupera na pilha o endereço do programa que estava executando antes do desvio (Figura 14.6). As três declarações STI, CLI e IRET têm a ver com as interrupções, que vamos ilustrar com um exemplo de circuito no final do capítulo. Finalmente, as instruções de I/O, IN e OUT, movem uma palavra ou byte entre o registrador A e a porta endereçada; mais sobre isso em breve.

14.2.3 Um Exemplo de Programação

Como o exemplo de cópia de matriz sugere, a linguagem *assembly* tende a ser mais extensa, com um monte de pequenos passos necessários para fazer uma coisa basicamente simples. Aqui está outro exemplo. Suponha que você deseja incrementar um número, *N*, se ele for igual a outro número, *M*. Este será tipicamente um pequeno passo em um programa maior, e em linguagens de alto nível será uma única instrução:

```
if (n==m) n++;          (C, C++, Java)
if n==m:                (Python)
  n+=1
IF (N.EQ.M) N=N+1       (FORTRAN)
if n=m then n:=n+1;     (Pascal), etc
```

Em linguagem *assembly* do x86, parece com o Programa de 14.2. O programa montador irá converter este conjunto de mnemônicos para linguagem de máquina, geralmente traduzindo cada linha do *código fonte* em uma instrução do *código objeto* (ocupando vários bytes de linguagem de máquina), e o código de linguagem de máquina resultante será carregado em locais sucessivos na memória antes de ser executado. Note que é necessário dizer ao montador (*assembler*) para atribuir algum espaço de armazenamento para as variáveis. Isso você faz com a *pseudo-op* "DW" (definir palavra) do montador (chamada de *pseudo-op* porque não produz nenhum código executável). Rótulos simbólicos únicos (por exemplo, NEXT) podem ser usados para marcar instruções; isto é geralmente feito apenas se há um salto para esse local (JNZ NEXT). Atribuir nomes compreensíveis (para você!) em alguns locais e adicionar comentários (separados por ponto e vírgula) facilita o trabalho de programação; isso também significa que você tem uma chance de entender o que escreveu, algumas semanas mais tarde.

Programar em linguagem *assembly* pode ser meio chato, mas ainda assim pode ser melhor escrever rotinas curtas, que podem ser chamadas a partir de uma linguagem de alto nível, que codificar *loops* justos ou lidar com um I/O incomum. Programas em linguagem *assembly* muitas vezes executam mais rápido que programas compilados a partir de uma linguagem de alto nível, de modo que são usados quando a velocidade é fundamental (por exemplo, o *loop* mais interno de um longo cálculo numérico). O desenvolvimento

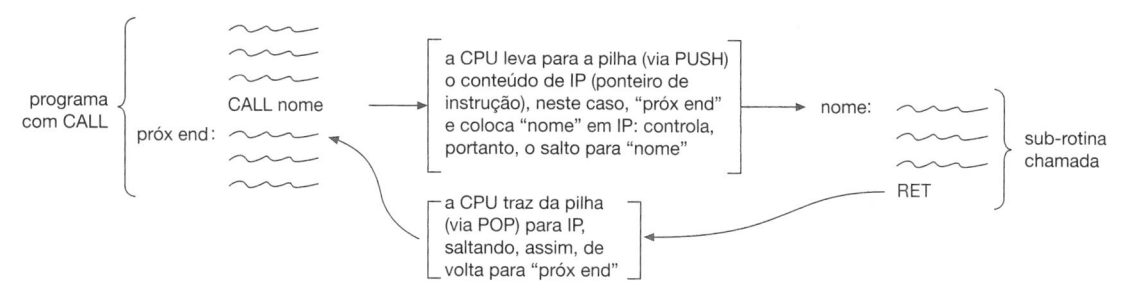

FIGURA 14.6 Operação da instrução CALL.

das linguagens de programação poderosas como C e C++ reduziu a necessidade de uso de código *assembly*. De qualquer forma, você não pode realmente entender a interface computadorizada sem compreender a natureza da linguagem *assembly* de I/O. A correspondência entre linguagem *assembly* de mnemônicos e a linguagem de máquina executável é mais explorada no manual do estudante[13] no contexto da programação de microcontroladores.

14.3 SINAIS DE BARRAMENTO E INTERFACE

Um típico barramento de dados de microcomputador tem de 50 a 100 linhas de sinal, dedicadas à transferência de dados, endereços e sinais de controle. O barramento PC104/ISA é típico de uma máquina pequena, com 53 linhas de sinais e 8 linhas de alimentação e terra. Em vez de jogar todas essas linhas de uma vez em cima de você, vamos abordar o assunto construindo os barramentos, começando com as linhas necessárias para o tipo mais simples de intercâmbio de dados (I/O programado) e acrescentando as linhas de sinal adicionais que se tornarem necessárias. Vamos dar alguns exemplos de interfaces úteis à medida que avançamos, para manter as coisas compreensíveis e interessantes.

Os sinais do barramento PC104 são transportados de placa para placa em um conector de 64 pinos (2 fileiras de 32 pinos cada): é um soquete na parte de cima, e um plugue na parte inferior. A Figura 14.7 mostra um par de PC104 empilhados, com CPU acima de uma placa de periférico ADC rápido de alta resolução.

14.3.1 Sinais de Barramentos Fundamentais: Dados, Endereço e *Strobe*

Para mover dados em um barramento compartilhado (linhas compartilhadas), você tem que ser capaz de especificar os dados, o destino, bem como o momento em que os dados são válidos. Assim, um barramento mínimo deve ter linhas de DADOS (para os dados que serão transferidos), linhas de ENDEREÇO (para identificar o dispositivo de I/O ou endereço de memória), e algumas linhas de STROBE (que infor-

FIGURA 14.7 A placa-mãe da CPU no PC104 (parte superior), com ADC rápido conectado (parte inferior). A CPU da Diamond Systems inclui I/O serial e paralelo, USB, vídeo, teclado, mouse, interfaces de disco rígido e disquetes e portas de rede; os periféricos da Chase Scientific inclui um par de ADCs de 14 bits e 10 Msps, juntamente com portas digitais e memória. O barramento com conexão por empilhamento de placas do PC104 pode ser visto ao longo da borda sudeste: 2 x 32 pinos para o barramento de 8 bits, mais 2 x 20 pinos para a extensão de 16 bits – eis aí, 104 pinos ao todo.

mam quando os dados estão sendo transferidos). Normalmente existem tantas linhas de dados quanto bits na palavra do computador, de modo que uma palavra inteira pode ser transferida de uma só vez. No entanto, no PC104 de 8 bits,[14] há apenas oito linhas de DADOS (D0 a D7); você pode mover um byte em uma transferência, mas para mover uma palavra de 16 bits você tem que fazer duas transferências. O número de linhas de ENDEREÇO determina o número de dispositivos endereçáveis: se o barramento for utilizado tanto para I/O quanto para memória (a situação normal) haverá de 16 a 32 linhas de ENDEREÇO (que corresponde a um espaço de 64 KB a 4 GB de endereço); um barramento usado para I/O pode ter apenas 8 a 16 bits de endereço (256 a 64K de dispositivos de I/O). O PC104/ISA "conversa" com a memória e I/O cm seu barramento e tem 20 linhas de

---

[13] Hayes e Horowitz: *Learning the Art of Electronics – a Hands-On Course*, Cambridge University Press, 2015.

[14] A especificação PC104/ISA permite ambos os barramentos, de 8 bits e de 16 bits; vamos usar a versão 8-bit, para simplificar.

Programa de 14.2
```
n    DW  0        ;definição de n ("uma palavra"), e
m    DW  0        ; m, ambas inicializadas com 0

     MOV  AX,n    ;obter n
     CMP  AX,m    ;comparar
     JNZ  NEXT    ;se diferente, não faça nada
     INC  m       ;se igual, incremente m
NEXT: (próxima instrução)
        o
        o
        o
```

ENDEREÇO (A0 a A19), correspondendo a um espaço de endereço de 1 MB.

Finalmente, a própria transferência de dados é sincronizada por pulsos em linhas de barramento de "*strobe*" adicionais. Há duas maneiras de fazer isso: tendo linhas de leitura (READ) e escrita (WRITE) separadas, com um pulso em uma ou outra sincronizando a transferência de dados; ou tendo uma linha DATA STROBE (DS) e uma linha READ/WRITE' (R/W'), com um pulso em DS sincronizando a transferência de dados em um sentido especificado pelo nível na linha READ/WRITE'. O PC104/ISA usa o primeiro esquema,[15] com as linhas READ/WRITE' (ativa em nível BAIXO) denominadas IOR', IOW', MEMR' e MEMW'. São quatro porque o PC faz distinção entre os endereços de memória e de I/O, com pares individuais de *strobes* de READ/WRITE' para cada um.

Estes sinais de barramento – DADOS, ENDEREÇO e os quatro strobes – normalmente seriam tudo o que você precisa para fazer o tipo mais simples de transferências de dados. No entanto, no barramento PC104 você precisa de mais um, denominado HABILITAR ENDEREÇO (AEN – *address enable*), para distinguir as transferências normais de I/O a partir do que é chamado de "acesso direto à memória" (DMA – *direct memory access*). Estudaremos DMA na Seção 14.3.10; por agora, tudo o que você precisa saber é que AEN é nível BAIXO para I/O normal e nível ALTO para DMA. Temos agora 33 sinais de barramento: D0 a D7, A0 a A19, IOR', IOW', MEMR', MEMW' e AEN. Vamos ver como eles funcionam.

14.3.2 I/O Programado: Saída de Dados

O método mais simples de troca de dados em um barramento de computador é conhecido como "I/O" programado, o que significa que os dados são transferidos através de uma instrução IN ou OUT no programa (o sentido para IN e OUT estão entre as poucas coisas em que todos os fabricantes de computadores concordam: IN sempre significa entrando na CPU e OUT sempre significa saindo da CPU). Todo o processo de saída (OUT) de dados (e escrita na memória) é extremamente simples e lógico (Figura 14.8). O ENDEREÇO do destinatário e os DADOS a serem enviados são colocados nas respectivas linhas de barramento pela CPU. Um strobe de escrita (IOW') é ativado (nível BAIXO) pela CPU para sinalizar o destinatário de que os dados são bons (podem ser lidos). No barramento de 8 bits PC104/ISA, o endereço é válido começando ~100 ns antes de IOW' e os dados são válidos ~500 ns antes do final de IOW' (e por mais 25 ns depois disso). Para esta operação, o periférico olha para as linhas de ENDEREÇO e de DADOS. Quando ele vê seu próprio endereço, faz o *latch* da informação nas linhas de dados, usando a borda posterior do pulso IOW' como um sinal de clock. Isso é tudo que existe para ele.

A. Exemplo: Registrador da Largura de um Byte

A Figura 14.9 mostra essa lógica simples: o bloco "decodificador de end" produz uma saída "end identificado" de nível ALTO quando as linhas de endereço A15..0 contiverem o endereço atribuído do periférico; isso habilita a porta a produzir IOW' de nível BAIXO (sinalizando uma escrita no periférico), a borda posterior ativa o clock fazendo os dados de saída serem armazenados no registrador D de largura um byte. Você

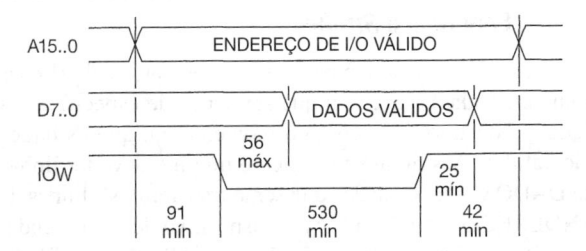

FIGURA 14.8 Ciclo de escrita de I/O. O tempo está em unidades de nanossegundos. Note que diagramas de temporização como estes raramente são desenhados em escala.

---
[15] Porque historicamente os processadores Intel usam esse esquema; a Motorola escolheu R/W' e DS.

pode resumir isso dizendo que "os dados são armazenados no registrador D mediante um clock do pulso de escrita, qualificado pelo endereço decodificado." Note que usamos a borda *posterior* de IOW' como clock do registrador D: isso é porque os dados ainda não são válidos na borda anterior, mas são garantidamente válidos na borda posterior – na verdade, os dados têm um generoso tempo de *setup* $\geq$474 ns (e um tempo de *hold* $\geq$25 ns) em relação a essa borda. Mostramos também o par de sinais de barramento de direção e temporização do dispositivo alternativo análogo da "Motorola" (R/W' e DS'), que substitui o par IOR' e IOW' da "Intel".

O código *assembly* para essa interface é absurdamente simples. Se queremos enviar o byte que já está no registrador AL, isso é tudo o que preciso:

```
OUT 3F8h, AL    ;(envia para a porta de end 5 3F8
hex)
```

O processador salta para a ação, com a resposta de hardware do barramento prescrita da Figura 14.8: primeiro coloca o endereço específico 3F8 (hex) nas linhas de endereço A9...0, em seguida, ativa IOW' e coloca o byte de AL nas linhas de dados D7...0, e, finalmente, desativa IOW' e, em seguida, os dados e endereço. Em seguida, ele obedientemente busca e executa a próxima instrução.

B. Exemplo: Display de Desenho Vetorial XY de 16 bits

Um exemplo mais completo (e interessante) é mostrado na Figura 14.10, onde interfaceamos um par de conversores D/A

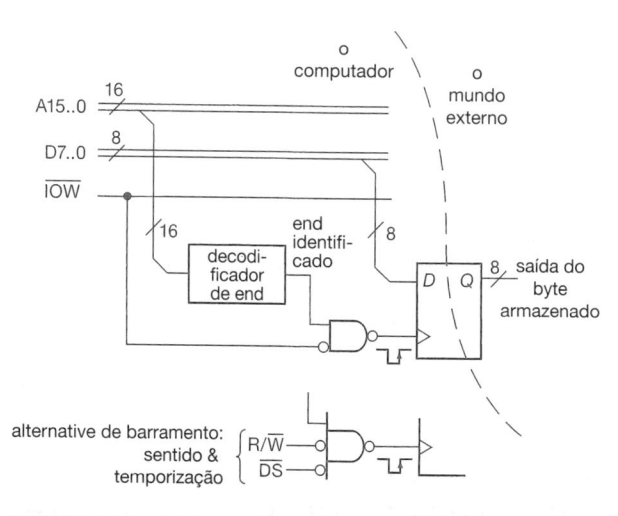

FIGURA 14.9 Saída de dados programados: um byte enviado pela CPU para as linhas de dados é armazenado num dispositivo externo mediante um clock do pulso de escrita, se as linhas de endereço mantiverem o endereço atribuído ao periférico. Para simplificar, ignoramos o sinal AEN peculiar do PC104 (veja a Figura 14.10).

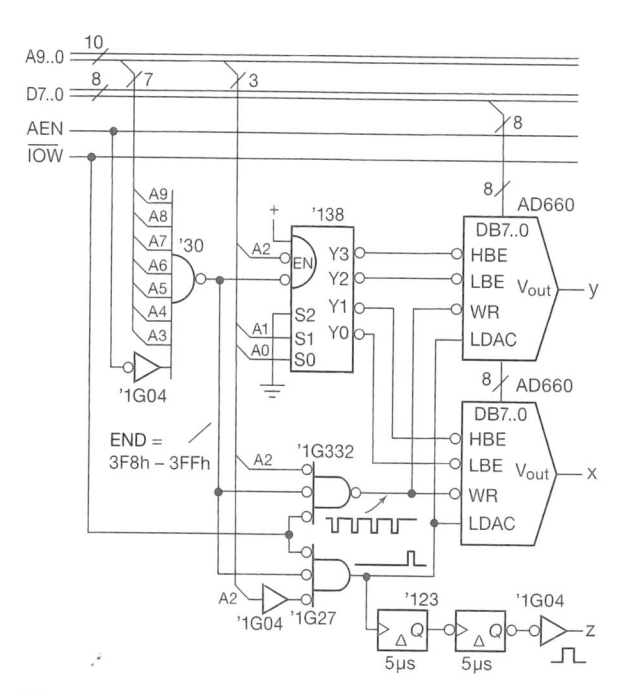

FIGURA 14.10 Interface de um DAC de 16 bits e dois canais no barramento de 8 bits do PC104.

de alta resolução (16 bits) para o barramento de 8 bits do PC104, por exemplo, para acionar uma tela de desenho vetorial de alta resolução. Isto pode ser utilizado em conjunto com um dispositivo de display oscilográfico XY de alta resolução (até 64k x 64k!) que aceita tensões de entrada analógica *x* e *y* e que traça o ponto correspondente sem o apagamento do traço em cada ponto quando um nível lógico na entrada z é ativado.

Os DACs AD660 da Analog Devices têm um par de registradores de 8 bits internos que você carrega ativando uma habilitação (HBE' e LBE' para os bytes alto e baixo), enquanto aciona o clock na linha WR'; após o que você transfere o par para o registrador de 16 bits interno que mantém o valor a ser convertida numa tensão de saída (Figura 14.11). Este esquema evita saídas falsas: ele permite que você transfira valores de 16 bits, um byte após o outro, e depois os transfira, simultaneamente, para o DAC efetivo converter. Ele, no entanto, adicionar um pouco de complexidade, quando comparado com a porta de saída com o simples registrador de largura um byte da Figura 14.9.

Para esta interface usamos 8 bytes sucessivos (endereços 3F8h a 3FFh, ou binário 11 1111 1xxx), escolhendo o "endereço de base" 3F8h (binário 11 1111 1000). A NAND de 8 entradas detecta este intervalo de endereços, qualificada pelo sinal de barramento AEN ativo em nível BAIXO.[16] Sua

---
[16] AEN é ativo em nível ALTO para sinalizar uma *transferência* DMA (Seção 14.3.10); assim, para uma I/O programada comum, ele deve ser baixo.

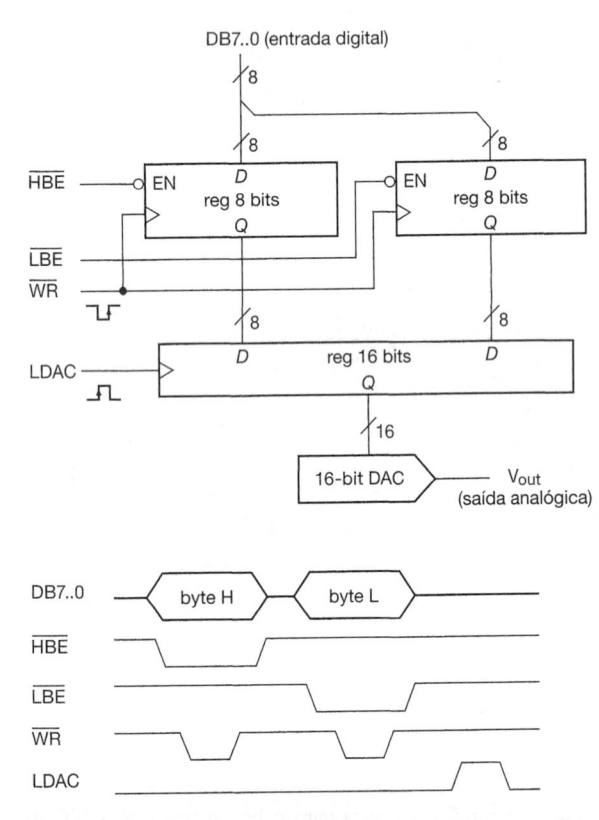

FIGURA 14.11 Diagrama em blocos e sequência temporal do ADC de 16 bits de duplo *buffer* AD660 com entrada de dados paralelos e largura de um byte.

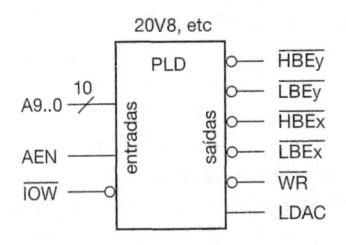

```
DACSEL = a9 & a8 & a7 & a6 & a5 & a4 & a3 & !aen;
wr_bar = DACSEL & iow_bar & !a2;
ldac = DACSEL & iow_bar & a2;
lbex_bar = DACSEL & !a2 & !a1 & !a0;
hbex_bar = DACSEL & !a2 & !a1 & a0;
lbey_bar = DACSEL & !a2 & a1 & !a0;
hbey_bar = DACSEL & !a2 & a1 & a0;
```

FIGURA 14.12 A lógica da Figura 14.10 encaixa facilmente em um PLD da Lilliputian como o 20V8. O código é escrito com declaração lógica, considerando que as polaridades ativo BAIXO são assim definidas no arquivo de cabeçalho HDL.

14.3.3 Programação do Desenho Vetorial XY

A programação para operar esta interface é simples. O Programa 14.3 mostra o que você faz. Os endereços do primeiro x e y, e o número de pontos que devem ser representados graficamente, tem que estar disponível para o programa. O programa de visualização será, provavelmente, uma sub-rotina, com esses parâmetros passados como argumentos na chamada da sub-rotina. O programa coloca os endereços das matrizes x e y (ou seja, o endereço do primeiro x e y) nos registradores ponteiro endereço SI e DI, e o número de pontos a serem plotados em CX. Em seguida, entra em um loop no qual sucessivos pares x, y são enviados para portas I/O 3F8h e 3FAh. Os ponteiros de 2 bytes x e y são avançados a cada vez, e o contador é decrementado e testado para saber se é zero, o que indica que o último ponto foi exibido; os ponteiros e contador são, então, reinicializados e o processo começa novamente. Os valores x e y são cada um inteiro de 2 byte (16 bits); o código busca cada um com um único MOV (implícito no uso do registrador AX interno de 16 bits), e envia cada um como duas sucessivas transferências em ciclo de escrita no barramento de 8 bits. O processador x86 armazena quantidades de múltiplos bytes em locais de memória sucessivos na ordem de bytes do menor para o maior,[18] começando sempre em um byte de número par. É por isso que atribuímos o par de endereços LBE e HBE como mostrado.

saída habilita o decodificador 1 de 8 '138 (Seção 10.3.3D), que responde a duas linhas de endereços de baixa ordem (A1 e A0) para habilitar sucessivamente HBE e LBE durante as escritas de largura de um byte nos endereços 3F8h, 3F9h, 3FAh e 3FBh. Após o carregamento, esses bytes são transferidos para o destino final, o DAC, por meio de uma escrita no endereço 3FCh, o que faz com que a porta inferior gere um pulso LDAC (carga do DAC) quando vê o IOW'. Note que esta última "escrita" não precisa de dados; o circuito ignora D7...0, e apenas utiliza a linha IOW', qualificada pelo endereço 3FCh.[17] O pulso LDAC também gera um pulso de apagamento atrasado "eixo z", proporcionando tempo para os DACs e a exibição da tela de desenho vetorial estabilizar antes de exibir cada ponto x, y.

Na prática, você provavelmente combina toda a lógica, incluindo a descodificação de endereços, em um dispositivo lógico programável (PLD, Capítulo 11), como na Figura 14.12; você pode incluir adicionalmente jumpers para definir o endereço de base.

Um par de pontos importantes: uma vez iniciado, este programa exibe a matriz x e y sempre. Na vida real, o programa provavelmente verifica o teclado para ver se o operador quer encerrar o gráfico. Alternativamente, a exibição

---

[17] Na verdade, qualificado por qualquer endereço na faixa 3FCh a 3FFh, porque a porta de 3 entradas ignora A1 e A0, no que chamamos de "decodificação de endereço incompleta (parcial)".

[18] Conhecido como "byte menos significativo", para ser distinguido do esquema alternativo de "byte mais significativo", cuja ordem de bytes é do maior para o menor em locais de memória sucessivos; veja a Seção 14.8.

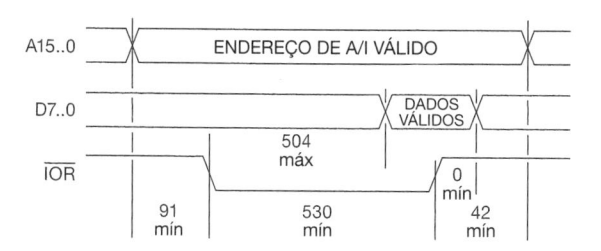

FIGURA 14.13 Ciclo de leitura de I/O. O tempo é em unidades de nanosegundos.

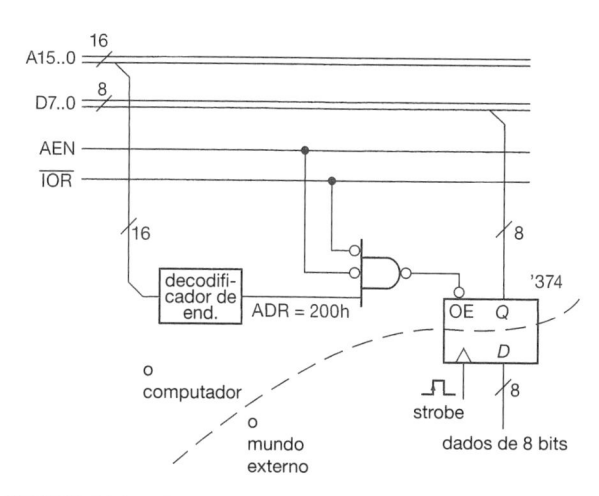

FIGURA 14.14 Entrada de dados programados: um dispositivo externo coloca os seus dados nas linhas de dados durante o pulso IOR' se nas linhas de ENDEREÇO for mantido o endereço atribuído ao periférico. O '374 é uma registrador D octal com saídas de três estados.

poderia ser encerrada após um determinado tempo decorrido, ou por uma "interrupção", que discutiremos em breve. Com este tipo de exibição *renovada* geralmente não há tempo para fazer muito cálculo durante a exibição. Um dispositivo de exibição renovado a partir de sua própria memória leva essa carga para fora do computador, e este é geralmente um método melhor. No entanto, se o objetivo for fazer um gráfico de precisão para cópia em papel fotográfico, este programa e interface fariam o trabalho.[19]

14.3.4 I/O Programado: Entrada de Dados

O outro sentido (*entrada* de dados) de I/O programado é semelhante. A interface olha para as linhas de ENDEREÇO, como antes. Se ela vê seu próprio endereço (e AEN estiver BAIXO), ela coloca os dados nas linhas de dados coincidentes com o pulso IOR' (Figura 14.13). A Figura 14.14 mostra o hardware correspondentemente simples. Essa interface permite que o processador leia um byte armazenado no registrador tipo D '374, que, convenientemente, tem saídas de três estados.[20] Devido a entrada de clock e entradas de dados do registrador serem acessíveis a um dispositivo externo, o registrador poderia manter quase qualquer tipo de informação digital (a saída de um instrumento digital, um conversor A/D, etc.). A linha identificada por "ADR = 200h" vem de um decodificador de endereço (por exemplo, um PLD, ou portas discretas, que produzem um nível ALTO quando A9..0 contiver o binário 01 0000 0000); a partir de agora vamos omitir esses detalhes de implementação menores.

Quando uma instrução "IN AL, 200H" é executada, a CPU coloca 200H (hexadecimal 200, por vezes escrito como 0x200) em A9..0, espera um tempo, em seguida, ativa IOR' por 530 ns. A CPU faz o *latch* (armazena) o que vê nas linhas de dados (D7..0) na borda posterior de IOR', em seguida altera A9..0. A responsabilidade do periférico é colocar os dados em D7..0 pelo menos 26 ns antes da final de IOR'; que é um tempo suficiente, uma vez que ele tem conhecimento de que os dados estão sendo solicitados há pelo menos 504 ns. Com tempos de propagação de porta-lógicas típicos de 10 ns, 500 ns parece sempre uma eternidade!

A. Sinais de Barramentos: Bidirecional *Versus* Unidirecional

Dos dois exemplos que fizemos até agora, você pode ver que algumas linhas de barramento são *bidirecionais*, por exemplo, as linhas de dados: são ativadas pela CPU durante a escrita, mas ativadas pelo periférico durante a leitura. Tanto a CPU quanto o periférico usam acionadores de três estados para estas linhas. Outras, como IOW', IOR', e as linhas de endereço, são sempre acionadas pela CPU com chips acionadores de dois estados padrão (*pull-up* ativo). É típico de barramentos de dados ter ambos os tipos de linhas, utilizando linhas bidirecionais de dados que trafegam nos dois sentidos e as linhas unidirecionais para sinais que são sempre gerados pela CPU (ou, mais precisamente, gerado pela lógica de controle de barramento associada). Há sempre um protocolo preciso, como as nossas regras para ativação ou leitura de acordo com IOW', IOR' e ENDEREÇO, para evitar "contenção de barramento" nestas linhas compartilhadas.

Dos sinais do barramento PC104, até agora, apenas as linhas de dados são bidirecionais; as linhas de ENDEREÇO, AEN, e READ/WRITE são unidirecionais definidas pela CPU. (Para não deixarmos a impressão errada, deve-

---
[19] Em uma implementação mais sofisticada você pode gerar pulsos no *eixo z via software*: você deve atribuir um endereço de porta (digamos 3FDh) com um flip-flop para o qual você escreveria um bit de nível ALTO em seguida, depois de um atraso programado, por um bit de nível BAIXO; a largura e o atraso do pulso poderia ser criado com temporizadores da CPU. Alternativamente, você pode acrescentar ao nosso circuito um gerador de pulsos do eixo z via hardware programável, usando um endereço de porta com um registrador de largura de um byte de modo que o software poderia instruir o hardware para definir o atraso e a largura.

[20] É por esta mesma razão – este uso comum de linhas de dados (endereçadas) compartilhados – que muitos chips incluem saídas de três estados, controladas por um pino de habilitação de saída (OE').

Programa de 14.3

```
        ;rotina para acionar a porta do DAC xy de 16 bits
INIT:   MOV   SI,xpoint    ;inicializa o ponteiro x
        MOV   DI,ypoint    ;inicializa o ponteiro y
        MOV   CX,npoint    ;inicializa o contador

RASTER: MOV   AX,[SI]      ;obtém a palavra x (2 bytes)
        OUT   3F8H,AX      ;envia para periférico (transfere 2 bytes)
        ADD   SI,2         ;avança o ponteiro da palavra x
        MOV   AX,[DI]      ;obtém a palavra y (2 bytes)
        OUT   3FAH,AX      ;envia para periférico (transfere 2 bytes)
        ADD   DI,2         ;avança o ponteiro da palavra y
        OUT   3FCH,AL      ;carrega x e y no DAC
        DEC   CX           ;decrementa o contador
        JNZ   RASTER       ;incompleto, envia mais
        JMP   INIT         ;finalizado, recomeçar}
```

mos salientar que mais sistemas de computador complexos permitem que outros dispositivos no barramento se tornem "mestres". Obviamente, em tal sistema quase todos os sinais de barramento devem ser compartilhados e bidirecionais. O barramento PC104/ISA é extraordinariamente simples.)

14.3.5 I/O Programado: Registrador de Status

Em nosso último exemplo, o computador pode ler um byte a partir da interface em qualquer momento que desejar. Isso é bom, mas como ele sabe quando há algo que vale a pena ler? Em algumas situações, você pode querer que o computador leia dados em intervalos igualmente espaçados, conforme determinado pelo seu "clock de tempo real." Talvez o computador instrua um ADC para começar conversões em intervalos regulares (através de um comando OUT), em seguida, lê o resultado alguns microssegundos depois (por um comando IN). Isso pode ser suficiente em uma aplicação de registro de dados. No entanto, é frequente que o dispositivo externo tenha uma "mente" própria, e seria bom que pudesse comunicar imediatamente ao computador o que está acontecendo.

Um exemplo clássico é um teclado alfanumérico de entrada. Você não quer que caracteres sejam perdidos; o computador tem de obter todos os caracteres, e sem muita demora. Com um dispositivo rápido como uma interface serial de disco ou de alta velocidade, a situação é ainda mais grave; dados devem ser movidos a taxas de até muitos megabytes por segundo sem atraso. Na verdade, existem três maneiras de lidar com este problema: registrador de status, interrupções e acesso direto à memória. Vamos começar com o método mais simples – registrador de status – ilustrado pela interface do teclado na Figura 14.15.

Neste exemplo, o "teclado ASCII" é um dispositivo simples. Quando uma tecla é pressionada, ele coloca o byte correspondente em suas linhas de dados de saída (KB7..0)

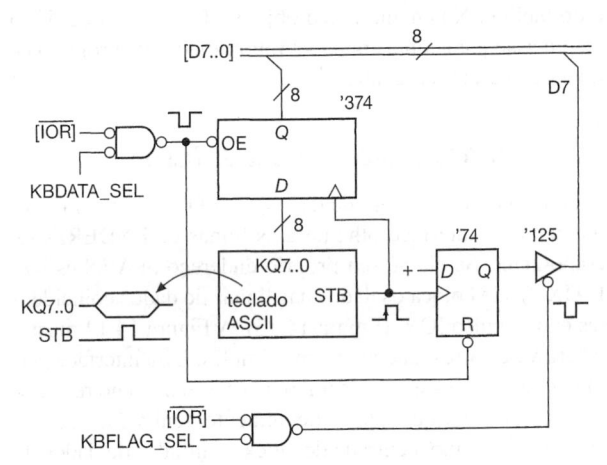

FIGURA 14.15 Interface do teclado com bit de status. Os parênteses indicam sinais do barramento PC104.

e gera um curto pulso de saída em STB, como mostrado.[21] Usamos o STB (para "strobe") como clock para o código de caracteres de largura de um byte em um registrador octal do tipo D. Montamos o circuito de entrada de dados padrão programado, conforme mostrado, utilizando as saídas de três estados do registrador octal D para acionar as linhas de dados diretamente. A entrada identificada por KBDATA_SEL' vem do circuito de decodificação de endereço habitual do tipo usado nos exemplos anteriores, e ele vai para nível BAIXO quando o endereço particular escolhido para essa interface aparece na linha de ENDEREÇO do barramento (em combinação com AEN desativado em nível BAIXO.)

---

[21] Este teclado não tem a inteligência de unidades atuais, que geralmente incluem um processador integrado para converter os códigos binários de chave para um formato serial, tipicamente fornecidos através da interface de hardware USB. É muito falta de inteligência, mas permite que mostremos a nossa.

O que há de novo neste exemplo é o *flip-flop*, que é setado quando um caractere é acionado, e "limpo" quando um caractere é lido pelo computador. É um registrador de *status* de 1 bit: nível ALTO se há um novo caractere disponível; nível BAIXO, em caso contrário. O computador pode consultar o bit de status fazendo uma entrada de dados (*data IN*) a partir de outro endereço deste dispositivo, descodificado como KBFLAG_SEL' (com portas, decodificadores, ou qualquer outro circuito). Você só precisa de um bit para transmitir a informação de status, de modo que a interface aciona apenas o bit mais significativo (MSB) no barramento (D7), neste caso com um *buffer* de três estados, '125. (*Nunca acione uma linha bidirecional com uma saída pull-up ativo (de dois estados)! Nunca!*) A linha que entra do lado do símbolo do *buffer* habilita a saída de três estados, ativada quando em nível BAIXO, conforme indicado pelo pequeno círculo de negação.

Este circuito pode ser implementado com lógica padrão, tal como indicado. Como alternativa, ele (e a lógica de decodificação endereço) caberia facilmente em um pequeno PLD (por exemplo, um XC2C32, XC9536, ATF2500, Mach4032, ou mesmo um simples 22V10).

A. Programa Exemplo: Terminal de Teclado

O computador tem agora uma maneira de descobrir quando novos dados estão prontos. O Programa 14.4 mostra como. Esta é uma rotina para obter caracteres a partir do teclado, cujo endereço da porta de dados é KBDATA (é um bom estilo de programação para definir os endereços numéricos de porta reais – que correspondem ao que o hardware decodifica como KBDATA_SEL, etc. – em algumas declarações no início do programa, tal como mostrado); cada caractere "ecoa" no dispositivo de *display* do computador (endereço de porta = OUTBYTE). Feito em uma linha inteira, ele transfere o controle para uma rotina de tratamento de linha, que pode fazer praticamente qualquer coisa, com base no que a linha diz. Quando ele está pronto para uma outra linha, digita um asterisco "prompt". Este tipo de protocolo deve fazer sentido para você, se você já teve alguma experiência com computadores.

O programa começa inicializando o ponteiro do *buffer* de caracteres (BP), movendo o *endereço* do buffer que ora alocamos para o registrador de endereço BP. Note que não podemos apenas dizer "MOV BP, charbuf" porque isso seria carregar o *conteúdo* de charbuf, não o seu endereço; em linguagem *assembly* do x86 você usa a palavra "offset" na frente de um rótulo de memória para significar o seu endereço. O programa, em seguida, lê o bit de status do teclado através de uma instrução IN, faz a AND dele com 80h para manter apenas o bit de status (isso é denominado "mascarar"), e testa para saber se é zero. Zero significa que o bit não está setado (em 1), então o programa fica em *loop*. Quando um bit de status diferente de zero for detectado, ele lê a porta de dados do teclado (que limpa o *flip-flop* do *flag* de status), armazena consecutivamente no *buffer* de linha, incrementa o ponteiro (BP) e chama a rotina que ecoa o caractere para a tela. Finalmente, verifica se a linha foi terminada por um "retorno do carro" (CR): se não foi, volta e faz o *loop* novamente no *flag* de status do teclado; se for um CR, ele transfere o controle para o processador de linha, após o que se imprime um asterisco e começa de novo todo o processo.

Uma sub-rotina é usada para exibir um caractere, já que até uma operação simples exige alguns testes de *flag* e máscara. A rotina primeiro salva o byte em AH; em seguida, lê e mascara o *flag* de ocupado da tela. Um resultado diferente de zero significa que a tela está ocupada, por isso mantém a verificação; caso contrário, restaura o caractere para AL, o envia para a porta de dados da tela, e retorna.

Algumas notas sobre o programa. (a) Poderíamos ter omitido o passo de mascaramento do *flag* do teclado, porque o MSB (onde colocamos o bit de *flag* em nosso hardware) é o bit de sinal; assim, poderíamos ter usado a instrução JPL KFCHK. No entanto, o truque só funciona para testar o MSB e, portanto, é um pouco especializado. (b) De acordo com as boas práticas de programação, o símbolo de retorno de carro (0Dh) e asterisco provavelmente deverão ser constantes definidas, semelhantes a KBMASK. (c) O manipulador de linha deve ser provavelmente uma sub-rotina, também. (d) Os caracteres serão perdidos se o manipulador de linha levar muito tempo; isso nos leva a uma abordagem mais elegante de *interrupções*, que vamos ver em breve. (e) Teclado e manipuladores de terminais são utilizados com tanta frequência que os sistemas operacionais de microprocessador fornecem manipuladores embutidos, acessados por "interrupções de software" (veremos mais tarde); portanto, nosso programa pode não ser mesmo necessário.

B. Bits de Status Generalizado

Este exemplo de teclado ilustra o protocolo de bit de estado; mas é tão simples que você pode sair com a ideia errada. Em uma interface periférica real de alguma complexidade, normalmente haverá diversos *flags* para sinalizar várias condições. Por exemplo, em uma interface Ethernet normalmente você vai ter bits de status individuais indicando uma transmissão de pacotes bem-sucedida, ou (se você não tiver sorte) um dos vários problemas que podem ter ocorrido. Por exemplo, o CI controlador Ethernet ENC28J60 da Microchip tem um registrador de status de transmissão de 56 bits; o bit 20 indica um "Erro de Transmissão CRC", descrito como "O CRC anexado no pacote não coincide com o CRC gerado internamente."[22]

---

[22] Estas coisas podem ficar comicamente misteriosas: o bit 27 ("Atraso Excessivo da Transmissão") significa "o pacote teve um excesso de atraso de 24.287 tempos de bits."

Programa de 14.4

```
            ;manipulador de teclado - - usa flags
KBDATA   equ ***H      ;define aqui o endereço da porta de dados kbd
KBFLAG   equ ***H      ;uma porta diferente para flag kbd
KBMASK   equ 80H       ;mascara de flag kbd
OUTBYTE  equ ***H      ;define aqui o endereço da porta do display
OUTFLAG  equ ***H      ;outro para flag da porta do display
OUTMASK  equ ***H      ;mascara de ocupado da porta do display

charbuf  DB 100 dup(0) ;aloca espaço de armazenamento de 100 bytes

INIT:    MOV  BP,offset charbuf  ;inicia o ponteiro do buffer (espaço de armazenamento) de caracteres
KFCHK:   IN   AL,KBFLAG   ;lê flag kbd
         AND  AL,KBMASK   ;mascara bits não usados
         JZ   KFCHK       ;flag não setado - sem novo byte
         IN   AL,KBDATA   ;flag setado - obtém novo byte de kbd
         MOV  [BP],AL     ;o armazena na linha do buffer
         INC  BP          ;e incrementa o ponteiro
         CALL TYPEIT      ;ecoa o último caractere no display
         CMP  AL,0DH      ;foi o CR (retorno do carro - 0Dh)?
         JNZ  KFCHK       ;se não foi, obtém o próximo caractere
LINE:    o                ;se foi, faça algo com a linha
         o                ;mantenha
         o                ;não sair agora
         o                ;feita por último!
         MOV  AL,'*'
         CALL TYPEIT      ;tecle um "prompt" - asterisco
         JMP  INIT        ;obtém nova linha

                          ;rotina para digitação de caractere
                          ;digita e preserva AL
TYPEIT:  MOV  AH,AL       ;salva o caractere em AH
PCHK:    IN   AL,OUTFLAG  ;impressora ocupada?
         AND  AL,OUTMASK  ;máscara de flag da impressora
         JNZ  PCHK        ;se ocupada, verifica novamente
         MOV  AL,AH       ;restaura o caractere para AL
         OUT  OUTBYTE,AL  ;digite
         RET              ;e retorna.
```

Para periféricos de pouca complexidade, o procedimento habitual é colocar todos os bits de status em um byte ou palavra, de modo que um comando IN de entrada de dados a partir do registrador de status obtenha todos os bits de uma vez. Normalmente você teria um bit indicando qualquer um de erro como o MSB da palavra de status, assim que uma simples verificação de sinal informar que há *algum* erro; se houver, você testará bits específicos da palavra (fazendo a AND com máscaras) para descobrir o que está errado. Além disso, em uma interface complexa você provavelmente não tem os bits de status resetados "automaticamente", como fizemos com o nosso único bit; em vez disso, uma instrução de saída de dados (data OUT) pode ser utilizada, e cada bit limpa um *flag* específico.

Exercício 14.1 Com a nossa interface de teclado não há maneira de o computador saber se ele perdeu um caractere. Modifique o circuito de modo que haja dois bits de status: CHAR_READY (que é o que nós já temos) e LOST_DATA (perda de dado). O *flag* LOST_DATA deve ser posicionado em D6 na mesma porta de status como CHAR_READY; ele é 1 se uma tecla foi acionada antes do caractere anterior ser buscado pelo computador, caso contrário, é 0.

Exercício 14.2 Acrescente uma seção de código ao Programar 14.4 para verificar se há perda de dados. Ele deve chamar uma sub-rotina denominada LOST se detectar perda de dados; caso contrário, o programa deve funcionar como antes.

14.3.6 I/O Programado: Registradores de Comando

Para resumir, um bit de status (ou um conjunto de bits: um registrador de status) relata uma condição para a CPU (quando solicitado). Indo na direção oposta, a CPU pode enviar um bit (ou conjunto de bits) para um periférico, para dizer que faça alguma coisa. Isso é denominado de bit de *comando* (ou registro de comando). Um exemplo simples pode ser um bit que informa um estágio de posicionamento *xy* para se deslocar para as coordenadas que foram depositados em um par de registradores de dados do periférico por um par de instruções OUT programadas anteriormente. Ou, tomando o exemplo de nosso controlador Ethernet, a CPU deposita no par de registradores no CI os endereços inicial e final do pacote de dados a ser transmitido; em seguida, define um bit especial de comando (bit 3, para ser exato) no registrador "ECON1" do chip, que abre as comportas comandando o chip para enviar o pacote na porta Ethernet. O chip faz como orientado (neste caso, usando DMA para uma velocidade mais alta; ver Seção 14.3.10), e informa de volta à CPU (quando solicitado; ou de forma mais agressiva, usando uma *interrupção*; ver próxima seção) através de registradores de status.

14.3.7 Interrupções

O uso de *flags* (sinalizadores) de status ora ilustrado é uma das três maneiras de um dispositivo periférico "dizer" ao computador que alguma ação é necessária. Embora seja suficiente em situações simples, ele tem o inconveniente de não conseguir avisar que alguma ação precisa ser tomada – tem que esperar a pergunta da CPU, pelo comando de entrada de dados (data IN) a partir de seu registrador de status. Os dispositivos que necessitam de uma ação rápida (como discos ou I/O de tempo real sensíveis à latência) teriam que ter seus *flags* de status consultados frequentemente e, com vários destes dispositivos em um sistema de computador, a CPU em breve passaria a maior parte do seu tempo verificando *flags* de status, como no último exemplo.

Além disso, mesmo com a contínua verificação de *flag* de status, você ainda pode ficar em apuros: no último exemplo, por exemplo, a CPU não terá problemas para acompanhar alguém digitando no teclado quando ela estiver no *loop* principal (verificando *flags*). Mas o que ocorre caso ela gaste 1/10 de segundo na manipulação de linha? E se o dispositivo de interface for lento, fazendo com que o programa espere o *flag* de ocupado zerar?

É necessário um mecanismo para um periférico *interromper* a ação normal da CPU quando algo precisa ser feito. A CPU pode, então, verificar o registrador de status para descobrir qual é o problema, cuidar do que precisa ser feito e voltar para a sua atividade normal.

Para adicionar capacidade de interrupção a um computador, é necessário adicionar alguns sinais de barramento novos: pelo menos uma linha compartilhada para os periféricos sinalizarem uma interrupção, e (geralmente) um par de linhas pelas quais a CPU pode determinar quem interrompeu. Por sorte, o PC104/ISA não é um exemplo muito instrutivo, porque não implementa uma capacidade completa de interrupção. O que lhe falta em capacidade, porém, mais do que compensa em simplicidade; a implementação de interrupções de hardware em uma interface periférica PC104 é uma barbada!

Eis como funciona: o barramento do PC104 tem um conjunto de seis linhas de *solicitação de interrupção*, denominadas IRQ3 a IRQ7 e IRQ9. Elas são entradas ativas em nível ALTO para circuitos de suporte da CPU. Para fazer uma interrupção, você simplesmente leva uma das linhas para o nível ALTO. Se as interrupções estiverem habilitadas (e o IRQ necessário estiver ativo), a CPU interrompe após a sua próxima instrução, em seguida (depois de salvar seus *flags* e a atual localização na pilha) salta para um programa de "tratamento de interrupção", em algum lugar da memória. Você escreve o que deseja que seja feito (por exemplo, obter dados do teclado) e pode colocar a rotina de tratamento da interrupção em qualquer lugar que você quiser, porque a CPU descobre para onde saltar procurando pelo endereço de 4 bytes da rotina de tratamento em uma localização especial ("vetor") na memória baixa. Essa localização depende de qual IRQ você ativou; para o x86 é dado em hexadecimal por $20+4n$, onde n é o nível da interrupção. Por exemplo, a CPU responderia a uma interrupção em IRQ2 saltando para o endereço (4 bytes) armazenado nas localizações 28h a 2Bh (é como um endereçamento indireto, exceto pelo fato que o endereço é encontrado na memória, em vez de em um registrador); é claro, você teria habilmente direcionado para o endereço inicial da sua rotina de tratamento da interrupção. No final desta rotina, você insere uma instrução IRET, o que faz com que a CPU restaure o registrador de *flags* anterior ao desvio e salte de volta para onde estava quando a interrupção ocorreu.

A. Exemplo: Interface de Teclado com Interrupções

Vamos ilustrar adicionando interrupções (Figura 14.16) ao nosso circuito de interface de teclado da Figura 14.15. Mantivemos o bit de flag ("caractere pronto") e o circuito de I/O programado essencialmente como antes. Mudamos apenas ao fazer uma OR do *flag clear* com uma nova linha de barramento, RESET, um sinal de barramento que é momentaneamente ativado em nível ALTO quando o computador é energizado. Este sinal é geralmente usado para forçar seus *flip-flops* e outra lógica sequencial em um estado conhecido ao energizar. Obviamente ele deve resetar um *flag* que indica que um byte válido está pronto para ser solicitado (e que, em nossa nova interface, irá causar mais uma interrupção).

O novo circuito de interrupção consiste em um acionador de três estados para ativar IRQ3 quando um caractere está pronto. Isso é tudo que você precisa do novo hardware. Embora não seja estritamente necessário, adicionamos a capacidade de desativar o *buffer* acionador de interrupção enviando um byte de dados com D0 em nível BAIXO para o

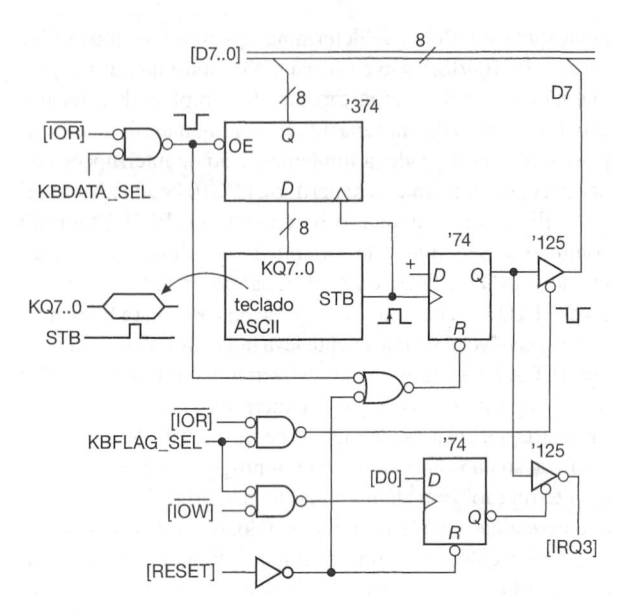

FIGURA 14.16 Interface de teclado com bit de status e interrupção.

endereço de porta `KBFLAG`. Isto seria usado se você quisesse conectar outro periférico com interrupções no mesmo nível de IRQ, permitindo apenas um periférico usar suas interrupções em determinado momento (mais tarde teremos mais explicações sobre este ponto estranho).

14.3.8 Tratamento de Interrupção

Os sinais de barramento do PC 104, derivadas do IBM PC original, fazem uma manipulação de interrupção particularmente fácil, embora limitados em termos de flexibilidade em comparação com o método geral (e mais sofisticado) descrito a seguir (Seção 14.3.9). Os sinais de barramento exigem, além da própria CPU, alguns circuitos de controle de interrupção na placa-mãe.[23] "Estes "chips de suporte" fazem a maioria do trabalho difícil, que consiste em priorizar, mascar e ativar vetores (vamos descrevê-los depois de terminar o exemplo). A CPU, por sua vez, reconhece a interrupção e responde salvando o ponteiro de instrução e registrador de *flags*, desabilitando interrupções adicionais e, em seguida, fazendo um salto para o endereço correspondente armazenado na área vetor de memória baixa. Seu programa de tratamento de interrupção faz o resto, a saber: (a) salva (via PUSH) quaisquer registradores com informação que você usará (lembre-se que o programa interrompido não pode se preparar para a interrupção, uma vez que pode acontecer em qualquer ponto do programa em execução – é algo que surge do nada); (b) descobre o que precisa ser feito, pela leitura registros de status, se necessário; (c) o faz, (d) restaura os registradores salvos da pilha; (e) informa o circuito de controle de interrupção que você concluiu (enviando um byte 20h, "fim de interrupção," ao seu registrador no endereço de I/O 20h); e, finalmente, (f) executa a instrução de retorno de interrupção `IRET`; isso faz com que a CPU restaure o registrador de *flags* antigo que salvou na pilha ao saltar (via o antigo ponteiro de instrução salvo na pilha) de volta para o programa que foi interrompido. Em algum lugar no programa, você deve ter (g) carregado o endereço da rotina de tratamento de interrupção no local do vector correspondente ao nível de IRQ usado pelo hardware e disse ao hardware de controle de interrupção para permitir as interrupções neste nível.

O programa 14.5 mostra o código para o teclado com interrupção. Aqui está o esquema geral: o programa principal define as coisas, então entra em *loop* com a verificação de um *flag* (na memória, não no hardware) que define a rotina de tratamento de interrupção quando reconhece um retorno de carro (CR); quando o programa principal vê o *flag* setado, ele sai e faz alguma coisa com a linha, em seguida, retorna para o loop de verificação do *flag*. A rotina de tratamento de interrupção, realizada a cada interrupção, coloca um caractere no *buffer* de linha, seta o *flag* se ocorreu um retorno de carro, em seguida, retorna.

Vamos olhar para o programa detalhadamente. Depois de definir os endereços de porta e todos os locais críticos do vector para `IRQ3`, ele aloca 100 bytes (inicialmente preenchidos com zeros) para o armazenamento (*buffer*) de caracteres. A execução do programa propriamente dito começa colocando o endereço do *buffer* no registrador de endereço SI, zera o *flag* de fim de linha e coloca o endereço da rotina de tratamento de interrupção (que começa com `KBINT`) no local 2Ch. Para habilitar a interrupção de nível 3 no controlador de interrupção, zeramos o bit 2 da sua máscara existente (`IN`, `AND`, `OUT`); então habilitamos as interrupções da CPU e enviamos um 1 para `KBFLAG`, que habilita o acionador de três estados. Agora nós estamos em execução. O programa, em seguida, entra em *loop*, com interrupções secretamente acontecendo bem debaixo do nariz do programa principal, até que ela misteriosamente encontra o "buflg" setado. Ela reseta o ponteiro e o *flag* imediatamente (no caso de outra interrupção ocorrer em breve), em seguida, lê toda a linha. Seria aconselhável mover ou copiar rapidamente a linha para outro *buffer*, uma vez que outra interrupção (com um novo byte a ser colocado no buffer) poderia vir em poucos milissegundos; nesse tempo você pode executar algumas centenas de milhares instruções, de qualquer maneira, mais do que suficiente para copiar a linha.

A rotina de tratamento da interrupção é um pequeno pedaço de código separado, sem entrada a partir do programa principal. A CPU a executa mediante uma interrupção de nível 3, através do seu endereço que é inicialmente carregado em 2Ch. Ela sabe exatamente o que tem que fazer, e faz sem reclamar: ela salva `AX` (porque ela planeja usá-lo), lê o caractere a partir da porta de dados do teclado, o coloca no buffer, incrementa o ponteiro, copia o caractere para a tela, seta o *flag* se foi um retorno de carro, envia um fim de interrupção para o controlador de interrupção, restaura `AX` e retorna.

---
[23] que foi feito por um CI controlador de interrupção 8259 em uma placa-mãe de um PC original.

Programa 14.5

```
            ;rotina de teclado — usa interrupção

KBVECT equ word pntr 002CH    ;vetor INT3
KBDATA equ ***H          ;coloca aqui o endereço da porta de dados kbd
KBFLAG equ ***H          ;coloca aqui o endereço do flag de dados kbd
buflg  DB   0            ;aloca o flag "fim de linha"
bufpos DW   0            ;aloca o ponteiro do buffer
charbuf DB 100 dup(0)    ;aloca buffer de caracteres de 100 bytes

        CLI ;dasabilita interrupções
        MOV  bufpos,offset charbuf  ;inicializa o ponteiro do buffer
        MOV  buflg,0   ;limpa o flag de fim de linha
        MOV  KBVECT,offset KBINT ;endereço da rotina -> área de vetor
        STI            ;habilita interrupções
        MOV  AL,1
        OUT  KBFLAG,AL ;habilita acionador de 3 estados (hardware)

PROMPT: MOV AL,'*'
        CALL TYPE       ;digita prompt "*"
        IN   AL,21H     ;máscara de inter de controle de int existente
        AND  AL,0F7H    ;limpa bit 3 para habilitar INT3
        OUT  21H,AL     ;e envia de volta para controle de int OCW1

LNCHK:  MOV  AL,buflg
        OR   AL,AL      ;necessário para zerar o flag
        JZ   LNCHK      ;em loop até setar flag de fim de linha

LINE:   MOV  bufpos,offset charbuf   ;reseta ponteiro
        MOV  buflg,0    ;limpa flag de linha
        o               ;faz algo com a linha
        o
        o
        JMP  PROMPT     ;e espera por outra linha

; *** término do programa principal***
; ***o código a seguir é completamente independente***


        ;rotina de interrupção do teclado
        ;uma INT3 traz você aqui, via vetor que carregamos
KBINT: STI             ;a habilitação é interrompida
     PUSH AX           ;salva registrador AX, usado aqui
     PUSH SI           ;salva SI, outros usuários possíveis
     MOV SI,bufpos     ;e copia o ponteiro do buffer lá
     IN  AL,KBDATA     ;obtém byte de dados do teclado
     MOV (SI),AL       ;coloca-o no buffer de linha
     INC SI            ;e avança o ponteiro
     MOV bufpos, SI    ;e copia para bufpos
     CALL TYPE         ;copia para a tela
     CMP AL,0DH        ;verifica o retorno do carro (CR)
     JNZ HOME          ;sem CR -- retorna
     MOV buflog,0FFH   ;CR -- seta flag de fim de linha
     IN  AL,21H        ;máscara de controlador interno existente
     OR  AL,08H        ;configura o bit 3 para desabilitar INT3
     OUT 21H,AL        ;e manda de volta para controlador interno OCW1
HOME   MOV AL,20H
       OUT 20H,AL      ;sinal de fim de int para controlador de int
       POP SI          ;recupera SI
       POP AX          ;recupera AX anterior
       IRET            ;e retorna
```

Se você olhar para trás em nossa lista de tarefas da rotina de interrupção, verá que omitimos apenas um passo, ou seja, a leitura do *flag* de status para descobrir qual das várias ações necessita ser feita. No entanto, isso é desnecessário aqui devido a existência de uma só razão para interromper, ou seja, que um novo caractere do teclado precisa ser lido. (O programador tem obviamente que entender em que condições o hardware promove uma interrupção e que é necessário atender à interrupção.)

Algumas notas sobre este programa: em primeiro lugar, mesmo usando as interrupções, o programa parece tão simples quanto antes – ele faz um *loop* continuamente no *flag* de fim de linha. No entanto, ele poderia estar fazendo outras coisas, se houvesse coisas para fazer. Na verdade, ele faz exatamente isso começando na declaração LINE, onde se processa a linha terminada; durante esse tempo, as interrupções garantem que novos caracteres são colocados no buffer, enquanto que eles teriam sido perdidos em nosso exemplo anterior sem interrupções.

Isso traz um segundo ponto: mesmo com interrupções, ainda estamos em apuros se o programa estiver trabalhando com a linha anterior quando a próxima linha tiver sido completamente inserida. É claro que, *em geral*, o programa simplesmente acompanha a entrada do teclado; mas você pode ter uma situação em que o usuário de linha de vez em quando gasta muito tempo, e você precisa colocar no *buffer* mais de uma linha temporariamente. Uma solução para isso é fazer uma cópia para um segundo *buffer* ou para alternar entre dois *buffers*. Uma alternativa elegante é organizar uma fila, implementada como um "buffer de anel" (ou "buffer circular"), em que um par de ponteiros mantém o controle de onde o próximo caractere de entrada vai, e de onde o próximo caractere é removido. A rotina de interrupção avança o ponteiro de entrada, e o usuário da linha avança o ponteiro de saída. Tal *buffer* de anel pode ser tipicamente de 256 bytes de comprimento, permitindo ao manipulador de linha ficar atrás por algumas linhas.

Um terceiro ponto diz respeito à própria rotina de interrupção. É melhor mantê-la curta e simples, talvez definindo *flags* para sinalizar a necessidade de operações complicadas no programa principal. Se a rotina se tornar longa demais, há o risco de perder dados de outros dispositivos de interrupção, porque as interrupções estão desabilitadas (nesse nível e abaixo) quando o CPU salta para a rotina de interrupção. A solução neste caso é habilitar novamente as interrupções *dentro* dessa rotina com uma instrução STI, depois de fazer as operações importantes que têm de ser feitas. Então, se ocorrer uma interrupção, a sua própria rotina de interrupção será interrompida. Como os *flags* e os endereços de retorno são armazenados na pilha, o programa irá encontrar o seu caminho de volta, primeiro para a rotina de interrupção e, finalmente, para o programa principal.

14.3.9 Interrupções em Geral

Nosso exemplo do teclado ilustra a essência de interrupções – um pedido espontâneo do hardware para atender um periférico, produzindo um salto de programa para uma rotina de tratamento específica (geralmente resultando em alguns I/O programados), seguido por um retorno ao código que foi interrompido. Outros exemplos de dispositivos de interrupção são os relógios de tempo real, em que uma interrupção periódica (geralmente 10 por segundo, mas 18,2 por segundo no PC original a partir do qual o barramento PC104 derivou) sinaliza uma rotina de tempo para avançar a hora atual. Outro exemplo é uma porta de impressora, que interrompe a cada vez que está pronta para um novo caractere. Usando interrupções, estes periféricos deixam o computador intercalar outras tarefas simultaneamente; é por isso que você pode estar digitando enquanto o seu PC está imprimindo um arquivo (e, claro, mantendo um tempo adequado ao longo das tarefas).

O barramento PC104/ISA não ilustra, contudo, a generalidade plena de interrupções. Como se viu, ele tem um conjunto de seis linhas de IRQ no barramento de 8 bits (não há mais de cinco sobre a extensão de 16 bits), cada uma das quais pode ser usada somente para um único dispositivo de interrupção. As linhas de IRQ são numeradas de acordo com a prioridade; no caso de várias interrupções, a interrupção de número mais baixo é servida primeiro. E várias das linhas de IRQ são pré-atribuídas a periféricos essenciais, deixando poucas disponíveis. Além disso, a interrupção é *disparada por borda*, o que frustra qualquer possibilidade razoável de usar a lógica *wired-OR* (OR com fios) para combinar vários periféricos em uma única linha de IRQ. Evidentemente, os projetistas do IBM PC original, não antecipando a necessidade de interrupções compartilhadas, projetaram um esquema de interrupção longe do ideal.

A. Linhas de Interrupção Compartilhadas

O protocolo de interrupção de costume, implementado em muitos microcomputadores, contorna essas limitações. Observe a Figura 14.17. Há várias linhas do tipo IRQ (priorizadas); estas são entradas ativas em nível BAIXO para a CPU (ou seu circuito de suporte imediato). Para solicitar uma interrupção, você puxa uma das linhas IRQ' para o nível BAIXO,

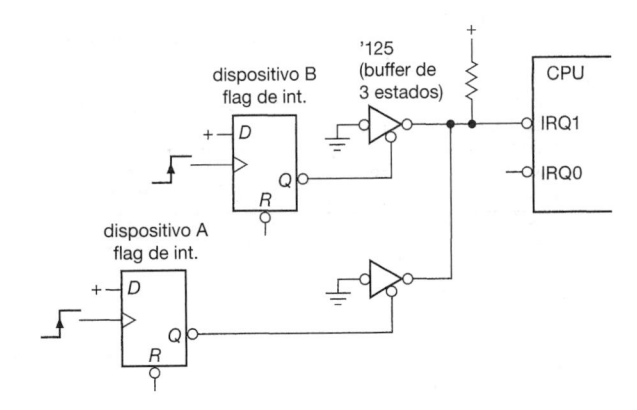

FIGURA 14.17 Compartilhando uma linha de interrupção sensível ao nível via lógica *wired-OR*.

utilizando uma porta de coletor aberto (ou três estados), como mostrado (note o truque para usar uma porta de três estados para imitar uma porta de coletor aberto). As linhas IRQ' são compartilhadas, com um único *pull-up* resistivo, assim você pode colocar muitos dispositivos em cada linha IRQ' como deseja; no nosso exemplo, duas portas compartilham IRQ1. Você geralmente conectaria um dispositivo sensível à latência (rápido) em uma linha IRQ' de maior prioridade.

Como as linhas IRQ' são compartilhadas, sempre pode haver outro dispositivo solicitando interrupção na mesma linha ao mesmo tempo. A CPU precisa saber quem interrompeu para que possa ir para a rotina adequada. Há uma maneira simples, e uma maneira complicada, de fazer isso. A maneira mais simples é denominada consulta autovetorada e é usada quase universalmente (embora não no barramento PC104). Vamos ver como ela funciona.

Consulta Autovetorada

Alguns circuitos na placa da CPU instruem o microprocessador que está usando autovetoramento, que funciona exatamente como o PC104 – cada nível de interrupção força um salto através de uma correspondente localização vetorada na memória baixa. Você coloca os endereços das rotinas de interrupção nesses locais, assim como em nosso exemplo anterior.

Uma vez na rotina de interrupção, você sabe qual o nível de interrupção que está atendendo; só não sabe qual dispositivo causou a interrupção. Para descobrir isso, você simplesmente verifica os registros de status de cada um dos dispositivos conectados a esse nível de interrupção (um dispositivo nunca solicita uma interrupção sem também indicar sua necessidade setando um ou mais bits de status que podem ser lidos). Se um bit for setado, indicando que algo precisa ser feito, você faz, incluindo o que for preciso que o dispositivo desative sua IRQ': alguns dispositivos (como o nosso teclado) limpam a sua interrupção quando lido, enquanto outros podem precisar de um byte especial enviado para algum endereço I/O da porta.

Se o dispositivo atendido foi o único a interromper nesse nível, esse IRQ' agora será nível ALTO ao retornar para o programa interrompido, e a execução continuará. No entanto, se tivesse havido um segundo dispositivo de interrupção no mesmo nível, essa linha de IRQ' ainda seria mantida em nível BAIXO (pela ação da lógica *wired-OR* da linha IRQ' compartilhada) no retorno da rotina de serviço, de modo que a CPU seria imediatamente autovetorada de volta para a mesma sub-rotina. Desta vez, a operação de *polling* encontraria outro dispositivo solicitando interrupção, faria o atendimento e retornaria. Note que a ordem em que você lê os registros de status (*polling*) configura efetivamente uma "prioridade por software", além da prioridade de hardware dos múltiplos níveis IRQ'.

Reconhecimento de interrupção

Não devemos deixar o assunto de interrupções sem mencionar um procedimento mais sofisticado para identificar quem interrompeu – *reconhecimento de interrupção*. Neste método, a CPU não precisa consultar os registros de status de possíveis interruptores porque o dispositivo que solicita a interrupção *informa* para a CPU o seu "nome", quando solicitado. O interruptor faz isso colocando um "vetor de interrupção" (normalmente uma quantidade de 8-bits única) nas linhas de dados em resposta a um sinal de "reconhecimento de interrupção" que a CPU gera durante o processamento de interrupção.

Quase todos os microprocessadores geram os sinais necessários. A sequência de eventos é a seguinte.

(a) A CPU percebe uma interrupção pendente.
(b) A CPU termina a instrução atual e, em seguida, ativa: (i) os sinais de barramento que anunciam uma interrupção; (ii) o nível de interrupção em atendimento (nas linhas de endereços de baixa ordem); e (iii) um strobe de leitura que convida o dispositivo de interrupção a se identificar.
(c) O dispositivo de interrupção responde a esta ativação do barramento colocando a sua identidade (vetor de interrupção) nas linhas de dados.
(d) A CPU lê o vector e salta para a sub-rotina que lida com o dispositivo de interrupção.
(e) O software da sub-rotina de interrupção, como em nosso último exemplo, lê *flags*, recebe e envia dados, etc., conforme necessário; Entre suas outras funções, ele deve certificar-se que o dispositivo que solicitou a interrupção desative sua interrupção.
(f) Por último, a sub-rotina de interrupção retorna o controle para o programa que foi interrompido.

Leitores atentos podem ter notado uma falha nesse procedimento. Deve haver um protocolo para garantir que apenas um dispositivo envie o seu vetor, uma vez que vários dispositivos podem provocar interrupções simultâneas no mesmo nível IRQ. A maneira usual de lidar com isso é ter um sinal de barramento (denominado INTP, "prioridade de interrupção") que não costuma ser compartilhado por dispositivos no barramento, mas é repassado *através* do circuito de interface de cada dispositivo, começando como um nível ALTO no dispositivo mais próximo da CPU e encadeando ao longo de cada interface. Isso é denominado "*encadeamento*" na linguagem típica da eletrônica. A regra para a lógica de hardware INTP é a seguinte: se você não solicitou uma interrupção em reconhecimento, passa INTP para o próximo dispositivo inalterado; se você *interrompeu* nesse nível, mantenha sua saída INTP em nível BAIXO. A regra para envio do vetor é a seguinte: colocar o número do vetor no barramento de dados quando solicitado pela CPU somente se (a) o dispositivo tem uma interrupção pendente no nível que está sendo reconhecido, e (b) a sua entrada INTP for nível ALTO. Isso garante que apenas um dispositivo envia seu vetor; além disso, cria uma cadeia de "prioridade serial" dentro de cada nível de IRQ, com os dispositivos eletricamente mais próximos à CPU sendo atendidos primeiro.

Existe uma boa alternativa ao método de encadeamento serial de reconhecimento de interrupção: em vez de encadear uma linha através de cada interruptor possível, você leva linhas individuais de volta para um codificador de prioridade (Seção 10.3.3E) que, por sua vez, reconhece a interrupção pela identidade do dispositivo de interrupção de prioridade mais elevada. Este esquema evita o incômodo de *jumpers* de encadeamento.

Na maioria dos sistemas de microcomputador não vale a pena implementar o reconhecimento de interrupção que acabamos de descrever. Afinal, com 8 níveis de autovetoramento você pode lidar com até oito dispositivos de interrupção sem *polling*, e várias vezes esse número, com *polling*. Apenas em grandes sistemas de computador, em que são necessárias respostas rápidas a dezenas de dispositivos de interrupção presentes, você pode sucumbir à complexidade do protocolo de interrupção-reconhecimento. No entanto, é importante perceber que mesmo os computadores simples podem usar reconhecimento de interrupção vetorizado *internamente*. Por exemplo, o esquema simples de 6 níveis de interrupção com autovetor do PC104 é gerado por um chip de suporte controlador de interrupção que opera junto à CPU e gera a sequência de reconhecimento de interrupção adequada ora descrito (veja a seguir).

B. Máscaras de Interrupção

Colocamos um *flip-flop* no nosso exemplo simples de teclado para que suas interrupções pudessem ser desativadas, mesmo que o próprio chip controlador de interrupção lhe permita desligar ("mascarar") cada nível de interrupção individualmente. Fizemos isso para que algum outro dispositivo pudesse então usar IRQ3. Para um barramento com linhas IRQ' compartilhadas (sensíveis a *nível*), é especialmente importante fazer com que cada fonte de interrupção seja mascarável, usando um bit de porta de saída I/O. Por exemplo, uma porta de impressora normalmente interrompe cada vez que seu *buffer* de saída está vazio ("me dê mais dados"); quando tiver terminado a impressão, porém, você não se importa. A solução óbvia é desligar interrupções de impressora. Desde que possa haver outros dispositivos ligados ao mesmo nível de interrupção, você não deve mascarar esse nível; em vez disso, você apenas envia um bit para a porta da impressora para desativar suas interrupções.

C. Como as interrupções do PC104 ISA ficaram do jeito que são

O barramento ISA foi criado pelos projetistas do IBM PC e adotado sem alterações (mas com um conector diferente) pelo consórcio PC104. O microprocessador 8086/8 usado no IBM PC original realmente implementou o protocolo completo de reconhecimento de interrupção vetorada. Para manter as coisas simples, no entanto, os projetistas do PC utilizaram um CI controlador de interrupção 8259 na placa mãe. No PC ele tinha um conjunto de entradas IRQ a partir dos *slots* para cartões de barramento I/O (onde são feitos os pedidos de interrupção), e conectado às linhas do barramento de dados do microprocessador. Quando ele recebe um pedido em uma linha IRQ a partir de um periférico, descobre a prioridade e busca o vetor correspondente no barramento de dados. Ele tem um registro da máscara (acessível como porta de I/O 21h) que permite desabilitar qualquer grupo específico de interrupções.

O 8259 permite que a seleção (pelo software) de interrupções disparadas por *nível* ou *borda* em suas linhas de entrada IRQ, de acordo com um byte enviado para um registrador de controle (porta de I/O 20h). Infelizmente, os projetistas do PC decidiram usar disparo por borda, provavelmente porque que isso tornava a implementação de interrupções mais fácil (por exemplo, você pode simplesmente ligar a saída de onda quadrada do clock de tempo real diretamente em IRQ0). Se, em lugar disso, eles tivessem selecionado interrupções sensíveis a níveis, você seria capaz de conectar vários dispositivos de interrupção em cada linha IRQ', com *polling* por software como descrito acima.

Há uma solução parcial para este problema. Enquanto houver uma linha IRQ disponível, você *pode* combinar vários dispositivos de interrupção em uma única placa de PC, e poderá gerar interrupções borda-desencadeadas nessa única linha IRQ. Mas, como os dispositivos de interrupção têm que saber um sobre o outro, você não pode usar este esquema para conectar periféricos independentes. Além disso, você ainda usa uma linha IRQ por cartão, por isso, em um sistema complicado não haverá saídas suficientes.

D. Interrupções por Software

A série x86 de CPUs Intel tem uma instrução ("INT n," onde n é 0 a 255) que permite produzir o mesmo tipo de salto vetorado como uma interrupção de hardware real. De fato, entre os seus 256 possíveis vetores de salto são duplicados dos oito níveis de interrupções de hardware IRQ solicitados (INT 8 a INT 15, para ser exato). Assim, você pode fazer uma "interrupção por software" a partir de uma instrução do programa.

Não confunda isso com a interrupção de hardware disparada externamente que temos abordado. Interrupção por software vem a ser uma maneira prática de implementar saltos vetorados a partir do código do usuário no software do sistema. Mas elas não são interrupções reais, no sentido de uma chamada via hardware para atenção a partir de um dispositivo autônomo externo. Pelo contrário, você constrói isto em seu software e sabe quando elas acontecem (é por isso que você pode passar argumentos por registradores), e eles são apenas a resposta da CPU (embora idêntico ao que se segue uma verdadeira interrupção) ao seu próprio código. Você pode pensar nas interrupções via software como uma maneira inteligente de estender o conjunto de instruções.

14.3.10 Acesso Direto à Memória

Existem situações em que os dados devem ser deslocados muito rapidamente para um dispositivo ou a partir dele. Os exemplos clássicos são dispositivos de armazenamento em massa rápidos, como discos rígidos magnéticos e ópticos, e conexões de rede. O processamento programado com início por interrupção das transferências de dados nestes exemplos seria inadequado e, pior, muito lento. Por exemplo, os dados vêm de uma unidade de disco magnético típica a taxas sustentadas de até 500MB por segundo. Com o processamento envolvido na manipulação de uma interrupção, a situação seria impossível, mesmo se o disco fosse o único dispositivo de interrupção no sistema. Dispositivos como discos e fitas (para não mencionar sinais e dados em tempo real) não podem parar no meio do caminho; portanto, deve haver uma forma de garantir uma resposta rápida confiável e elevadas taxas globais de transferência de byte. Mesmo com periféricos com taxas de transferência de dados médias baixas, às vezes há necessidade de uma *latência* curta (latência sendo o tempo decorrido entre a solicitação inicial e o movimento real de dados.

A solução para estes problemas é o acesso direto à memória (DMA), um método para a comunicação direta entre o periférico e a memória. Em alguns microcomputadores a comunicação é realmente tratada pelo hardware da CPU, mas isso realmente não importa. O ponto importante é que nenhuma programação está envolvida na transferência real de dados; bytes são movidos entre memória e periféricos via barramento, sem a intervenção do programa. O único efeito sobre o programa em execução é alguma desaceleração do tempo de execução, porque a atividade DMA "rouba" ciclos de barramento que seriam usados para acessar a memória para a execução do programa. DMA geralmente envolve mais complexidade do hardware na interface em si, e não é geralmente usado, a menos que necessário. No entanto, é útil saber o que pode ser feito, por isso, descrevemos brevemente o que você precisa para fazer uma interface DMA. Tal como acontece com as interrupções, o barramento PC104/ISA usa um protocolo DMA racionalizado, com um chip "controlador DMA" na placa mãe que faz o trabalho pesado, tornando assim uma interface DMA relativamente simples. Primeiro, explicamos o método mais usual de DMA, o "barramento *mastership*", em seguida, o protocolo DMA simplificada do PC104.

A. Um Protocolo DMA Típico

Em transferências DMA, os periféricos requisitam acesso ao barramento via linhas especiais de "requisição de barramento" (prioritárias como as linhas de IRQ) que fazem parte do barramento. A CPU dá permissão e libera o controle de linhas de endereço, dados e strobe. O periférico, em seguida, coloca os endereços de memória no barramento e envia ou recebe dados, um byte de cada vez, de acordo com os strobes que ativa; em outras palavras, controla o barramento (torna-se "mestre do barramento") e atua como uma CPU, direcionando as transferências de dados. O mestre de barramento DMA é responsável pela geração de endereços (normalmente um bloco de endereços sucessivos, gerados com um contador binário) e acompanha o número de bytes movido. A maneira usual de fazer isso é ter um contador de bytes e um contador de endereço na interface. Estes são inicialmente carregadas a partir da CPU, via I/O programado, para configurar a transferência DMA desejada. Sob o comando da CPU (através de um bit de comando, escrito com I/O programado), a interface faz o seu pedido de DMA e começa a mover os seus dados. Ele pode liberar o barramento entre cada byte (permitindo que a CPU busque algumas instruções), ou pode ter uma abordagem mais "antissocial" de manter o controle do barramento durante um bloco de transferências. Quando todas as transferências estão completas, ele libera o barramento pela última vez e notifica o programa que ele concluiu, setando um bit de status e solicitando uma interrupção, após o que a CPU pode decidir o que fazer a seguir.

A obtenção de dados ou programas de armazenamento em disco é um exemplo comum de transferência DMA: o programa em execução solicita algum "arquivo" pelo nome; o software do sistema operacional traduz isso em um conjunto de comandos de saída de dados (data OUT) programados para o registrador de controle (ou "comando") da interface de disco, registrador de contagem de bytes e registrador de endereço (especificando onde ir no disco, quantos bytes ler e onde colocá-los na memória). Em seguida, a interface de disco encontra o lugar certo no disco, faz uma solicitação de DMA, e começa a mover blocos de dados para o local especificado na memória. Quando finaliza, ele seta os bits em seu registrador de status para indicar a conclusão e, em seguida, faz uma interrupção. A CPU, que está executando outras instruções (ou possivelmente apenas à espera de dados a partir do disco), responde à interrupção, descobre a partir do registrador de status da interface de disco que os dados estão agora na memória e, então, passa para a próxima tarefa. Assim, o I/O programado para a interface (o tipo mais simples de I/O) foi usado para configurar a transferência DMA, destinada a uma transferência rápida de dados ("roubando" ciclos de barramento da CPU) e uma interrupção foi usada para deixar o computador ciente de que a tarefa foi feita. Este tipo de hierarquia de I/O é extremamente comum, especialmente com dispositivos de armazenamento em massa; você pode esperar taxas de transferência máximas de DMA de centenas de megabytes por segundo em um barramento de microcomputador contemporâneo como o PCI *express* (PCIe).

B. DMA no Barramento PC104/ISA

O barramento PC104/ISA, descendente de uma época anterior (e mais simples), tem um protocolo DMA mais simples. Um chip de suporte que acompanha o microprocessador inclui um controlador de DMA (um 8237 no PC original da IBM), com contadores de endereço e byte embutidos, juntamente com a lógica para desativar a CPU e assumir o controle do barramento. Um periférico que quer fazer DMA, portanto, não tem que gerar endereços e acionar o barramento. Em vez disso, ele sinaliza o controlador (por uma das três linhas de "requisição de DMA", DRQ1 a DRQ3), que por sua vez responde retornando o correspondente DACK0 a DCK3 ("reconhecimento de DMA"). O controlador então controla as transferências, acionando as linhas de endereço e de *strobe*, com o periférico enviando dados para a memória ou recebendo da mesma. Em todo este processo, a memória não vê nada de incomum acontecendo, já que os endereços e *strobes* de memória (MEMW' ou MEMR'), normalmente fornecidos pela CPU, são fornecidos pelo controlador de DMA, e se é do DMA *para* a memória, os dados são fornecidos pelo periférico. O periférico, por outro lado, sabe que algo especial está acontecendo porque ele solicitou o acesso DMA (e recebeu a confirmação via DACK'); por isso, quando o controlador DMA ativa IOR' (ou IOW'), o periférico fornece (ou aceita) sucessivos bytes. Você pode se perguntar se algum espectador periférico inocente pode gerar conflito no processo de DMA, uma vez que os *strobes* de I/O e endereços estão ativados, já que os endereços são de fato endereços de *memória* que vão com os *strobes* MEMW' e MEMR' da memória ativados pelo controlador; eles não têm nada a ver com endereços de portas de I/O. O segredo é o nosso velho amigo AEN, especificamente acrescentado ao barramento só para resolver este problema. AEN é ativado no nível ALTO durante as transferências de DMA, e todas as portas de I/O devem ser qualificados pela operação AND com AEN em nível BAIXO para evitar respostas espúrias para endereços de memória DMA.

Mesmo com o uso de um chip controlador separado, você ainda tem que configurar o endereço inicial, contador de bytes e o sentido da iminente transferência DMA. Estes dados vão para o controlador de DMA, que é prestativo, tendo um conjunto de registradores que você escreve (via I/O programado) a partir da CPU. É tudo muito simples, com exceção de alguma complexidade criada por uma proliferação de "modos" (transferência simples, transferência em bloco, etc.). O barramento PC104/ISA tem uma capacidade de DMA bastante modesta, cerca de 2 μs por byte transferido; e, como acontece com as interrupções, o barramento PC104 é escasso em canais DMA.

14.3.11 Resumo dos Sinais de Barramento de 8 Bits do PC104/ISA

Nossos exemplos – I/O programado, interrupção e DMA – mostram que a maioria dos sinais de barramento do PC104 fazem uma excursão "multiponto" pelos periféricos empilhados (Figura 14.18). A Tabela 14.2 lista o barramento completo, com as conexões de pinos. Vamos resumi-los aqui, começando com os que já conhecemos.

A19 a A0: linhas de endereço. Dois estados, saída apenas, ativo em nível ALTO. Todas as 20 linhas são usadas para endereços de memória (com MEMR' e MEMW' como *strobes*, análogo ao IOR' e IOW'), mas apenas as 16 linhas menos significativas são usadas durante o acesso de I/O (64K endereços de porta); Dispositivos I/O devem qualificar o endereço com AEN em nível BAIXO.

D0 a D7: linhas de dados. Três estados, bidirecionais, ativas em nível ALTO. Acionadas pela CPU durante a operação de escrita na memória ou I/O; acionadas pela memória durante a leitura da memória ou DMA a partir da memória; acionadas pela porta I/O durante a leitura de I/O ou DMA para a memória.

IOR', IOW', MEMR', MEMW': strobes de dados. Dois estados, apenas saídas, ativas em nível BAIXO. Acionada pela CPU durante a leitura ou escrita. Em *escritas*, o *latch* dos dados deve ser feito na borda posterior (subida), qualificado pelo endereço; em *leituras*, os dados devem ser colocados durante o *strobe* (e prontos antes da borda posterior), qualificado pelo endereço.

AEN: habilitação de endereço. Dois estados, apenas saída, ativa em nível ALTO. Acionada pela CPU durante os ciclos de DMA. Portas I/O não deve responder com a decodificação de endereço normal para IOR' e IOW'; em vez disso, a porta I/O que recebeu DACK' olha para IOR' ou IOW' para enviar os bytes de dados de DMA para as linhas de dados ou receber a partir delas.

IRQ2 a IRQ7: solicitação de interrupção. Dois estados, apenas entrada, disparadas pela borda de subida. Acionadas pelo dispositivo de interrupção. Priorizadas, com IRQ2 sendo a mais alta e IRQ7 a mais baixa. Mascarável no controlador de interrupção, via escrita da CPU para a porta 21h. Cada nível de IRQ pode ser utilizado por apenas um dispositivo de cada vez.

RESET: acionador de reset. Dois estados, apenas saída, ativa em nível ALTO. Acionada pela CPU durante a energização. Usado para inicializar dispositivos de I/O para o estado de inicialização conhecido.

DRQ1 a DRQ3: pedido de DMA. Dois estados, apenas entrada, ativa em nível ALTO. Acionada pelo dispositivo I/O que solicita canal de DMA. Priorizadas, com DRQ1 a maior e DRQ3 a menor. Reconhecido por DACK1' a DACK3'.

DACK0' a DACK3': reconhecimento de DMA. Dois estados, apenas saída, ativa em nível BAIXO. Acionada pela CPU (controlador de DMA) para indicar permissão ao correspondente pedido de DMA.

ALE: habilitação do latch de endereço. Dois estados, apenas saída, ativa em nível ALTO. O 8088 usa um barramento de dados/endereço multiplexado e este sinal corresponde ao sinal de *strobe* do 8088, usado por *latches* na placa mãe para guardar o endereço. Pode ser usado para sinalizar o início de um ciclo da CPU; geralmente ignorado no projeto de I/O.

CLK: Clock. Dois estados, apenas saída. Este é o sinal de clock da CPU; é assimétrico, 1/3 em nível ALTO e 2/3 em nível BAIXO. O PC original usou um clock de 4,77 MHz, mas velocidades mais altas são comuns. CLK é usado para sincronizar as solicitações de estado de espera (via IOCHRDY), de modo a estender um ciclo de I/O para dispositivos lentos.

TABELA 14.2 Sinais do barramento PC104 /ISA

Sinal	Quant.	Ativo	Tipo[a]	Sentido CPU↔I/O	N° do pino	Função
A[19..0]	20	H	2S	→	A12..21	endereço (A15..0 para I/O)
D[7..0]	8	H	3S	↔	A2..9	dados
IOR#	1	L	2S	→	B14	strobe de leitura de I/O
IOW#	1	L	2S	→	B13	strobe de escrita de I/O
MEMR#	1	L	2S	→	B12	strobe de leitura na memória
MEMW#	1	L	2S	→	B11	strobe de escrita na memória
AEN	1	H	2S	→	A11	sinal de endereço de DMA
IRQ[7..2]	6	↑	2S	←	B21..25, B4	requisição de interrupção
RESET	1	H	2S	→	B2	Power-on reset -> reset ao energizar
DRQ[3..1]	3	H	2S	←	B16,6,18	DMA request -> requisição de DMA
DACK[3..0]#	4	L	2S	→	B15,26,17,19	DMA acknowledge -> reconhecimento de DMA
ALE	1	H	2S	→	B28	"habilitação do latch de endereço"
CLK	1	–	2S	→	B20	clock da CPU
IOCHCK#	1	L	OC	←	A1	erro de I/O – gera NMI
IOCHRDY	1	H	OC	←	A10	coloca em nível BAIXO para estados de espera
OSC	1	–	2S	→	B30	
TC	1	H	2S	→	B27	contagem final de DMA
GND	4		PS		A32;B1,31,32	sinal & gnd da fonte
+5V	2		PS		B3,29	fonte de +5 V
+12V	1		PS		B9	fonte de +12 V
–5V	1		PS		B5	fonte de -5 V
–12V	1		PS		B7	fonte de -12 V

Notas: (a) OC = coletor aberto; PS = fonte de alimentação; 2S = 2 estados (*pull-up* ativo); 3S = 3 estados.

OSC: oscilador. Dois estados, apenas saída. Esta é uma onda quadrada 14,31818 MHz, que pode ser utilizada (quando dividida por 4) como um oscilador *colorburst* para display a cores.

TC: contagem final. Dois estados, apenas saída, ativa em nível ALTO. Informa à porta I/O que uma transferência de dados em bloco DMA está concluída. Um dispositivo DMA deve qualificá-lo com DACK' para o canal em uso, já que TC é acionado quando qualquer um dos canais de DMA termina uma transferência em bloco.

IOCHK': verificação de canal I/O. Coletor aberto, apenas entrada, ativa em nível BAIXO. Gera interrupção de prioridade mais alta (NMI, "interrupção não mascarável"); usado para sinalizar a condição de erro a partir de algum periférico. A CPU descobre quem está em apuros fazendo *polling* nos dispositivos (Seção 14.3.9A); cada periférico que pode acionar IOCHCK' deve, portanto, ter um bit de status que pode ser lido pela CPU.

IOCHRDY: canal I/O pronto. Coletor aberto, apenas entrada, ativa em nível ALTO. O processador gera "estados de espera" se for solicitado por um periférico lento (que o coloca em nível BAIXO) antes da segunda borda de subida de CLK de um ciclo do processador (normalmente, quatro CLKs). Usados para estender ciclo de barramento para I/O lento ou memória.

GND, +5V CC, –5V CC, +12V CC, –12V CC: terra e fontes CC. Tensões CC reguladas que constituem um barramento para uso por placas de interface de periféricos. Verifique as especificações do processador *host* para limitações de potência, que são dependentes da máquina. De um modo geral, deve haver potência suficiente para alimentar qualquer circuito que você pode conectar no barramento PC104.

14.3.12 O PC104 Como um Computador de Placa Única Embarcado

O barramento padronizado PC104 foi implementado em vários computadores de placa única (SBCs – *single-board computers*), com uma impressionante variedade de placas de periféricos compatíveis; estas são produzidas por mais de 100 fabricantes. Estas placas pequenas muitas vezes acabam como *sistemas embarcados*, ou seja, como parte de um projeto de instrumentos inteligentes. A Figura 14.19 mostra um sistema de detector óptico complexo em um telescópio astronômico: há um SBC PC104 executando Linux embarcado a partir do seu "disco" de memória flash sobreposto. Esta SBC particular (da Diamond Systems) inclui Ethernet e portas seriais (e outras coisas não usadas aqui). A caixa à esquerda é um conversor de mídia Ethernet que permite usar fibra óptica de volta para a sala de controle; isso é uma boa *ideia* quando seu observatório está no topo de uma montanha (que é onde as pessoas os constroem).

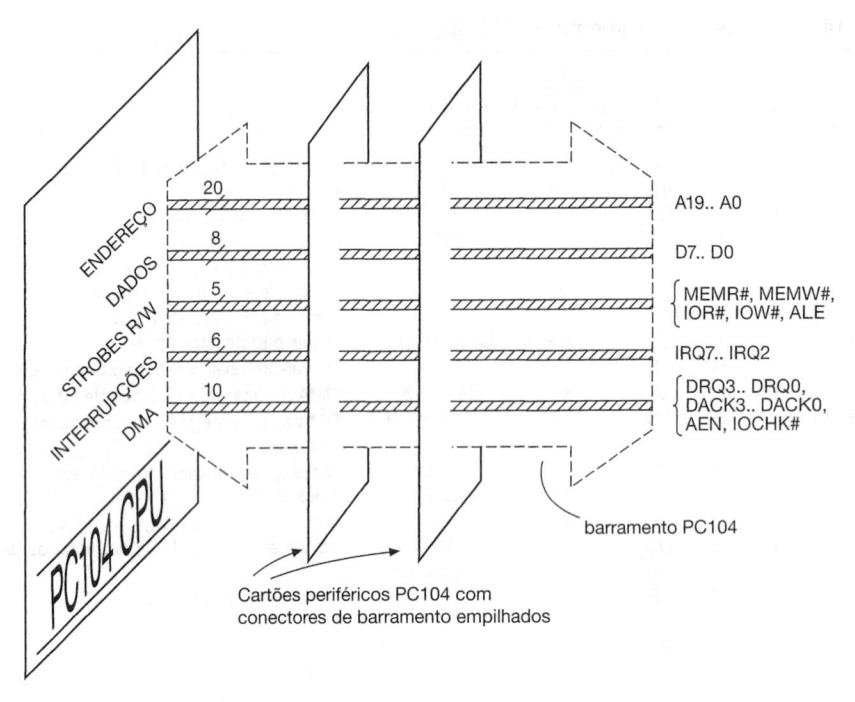

FIGURA 14.18 O barramento paralelo multiponto PC104.

14.4 TIPOS DE MEMÓRIA

Como observamos antes na Seção 14.1.2, os computadores precisam de memória rápida "de acesso aleatório" (ou seja, a memória na qual você pode obter todos os dados diretamente, em comparação com o acesso sequencial de dados armazenados em fita magnética), que normalmente leva a forma de *módulos de RAM dinâmica*. Estas são as placas de circuito estreitas que se conectam em soquetes de memória na placa mãe do computador, com tipicamente 240 contatos ao longo da borda de encaixe. A variedade mais comum atualmente é o módulo de memória *dual-in-line* de perfil baixo, 3 x 13,3 cm ("SODIMM" – *small-outline dual-in-line memory module*), em que está montado um conjunto de chips DRAM individuais, com capacidades de módulos até vários gigabytes (organizado como um caminho de dados em paralelo de largura 64 ou 72 bits). Estes são o que você deseja, se sua tarefa for simplesmente preencher uma placa mãe comercial – apenas certifique-se que você escolheu módulos de memória compatíveis a partir de uma variedade desconcertante[24] (verifique as especificações da placa mãe do computador e/ou o localizador de produtos *on-line* a partir de fabricantes como a Corsair, Crucial ou Kingston).

Mas há muito mais para saber se você quer entender o que está acontecendo e quer projetar seus próprios sistemas que precisam de memória. Nesta seção capítulo vamos discutir os vários tipos de memória: RAM estática, RAM dinâmica e tipos de memória não volátil como "flash RAM."

14.4.1 Memória Volátil e Não Volátil

Em muitas aplicações, não é necessário manter o conteúdo da memória quando a alimentação é desligada. Um computador, por exemplo, carrega seu sistema operacional, aplicativos e dados na memória de trabalho durante o processo de inicialização; ou seja, memória volátil não é problema. Esses programas e dados devem, evidentemente, ser retidos em algum lugar quando o computador está desligado, e essa é a função da memória de massa não volátil, geralmente sob a forma de um disco rígido (armazenamento magnético rotativo) ou um "disco de estado sólido" (termo impróprio: é um conjunto de chips de memória flash, encapsulado em um invólucro como o de um disco para compatibilidade).[25] Ao aceitar a memória volátil você ganha em velocidade, densidade, resistência (número de ciclos de apagamento/escrita antes de esgotar) e preço, em comparação com tecnologias não voláteis dis-

---

[24] Caracterizado por parâmetros *demais*: fator de forma (por exemplo, SIMM, RDIMM, SODIMM), contagem de pinos (por exemplo, 200, 204 ou 240 pinos), densidade e largura de dados, com ou sem ECC, com ou sem buffer, geração de SDRAM (SDR, DDR, DDR2, DDR3, DDR4, DRDRAM), velocidade do clock (por exemplo, PC3-10600) e taxa de dados (por exemplo, 1333 MT/s), latência de CAS (por exemplo, CL = 4), tensão (por exemplo, 1,5 V), classificação simples ou dupla, com ou sem registrador e com ou sem paridade. Há literalmente centenas de opções, a maioria das quais não funciona em uma determinada placa mãe. Como um exemplo específico, esta nota de rodapé está sendo escrita em alguma parte de quatro bancos de SDRAM, sem registrador e sem buffer, DDR2 PC2-6400 de densidade 1 GB, largura de 64 bits, CL = 4 (5-5-5-15-2T), 1,9 V sem paridade e sem ECC, em SODIMMs de 240 pinos.

[25] Em um sistema pequeno, com o do processador embarcado que veremos no próximo capítulo, a "memória de massa" mais vezes toma a forma de um único chip de memória flash, ou (melhor) alguma memória flash incluída no próprio chip microprocessador ("*microcontrolador*").

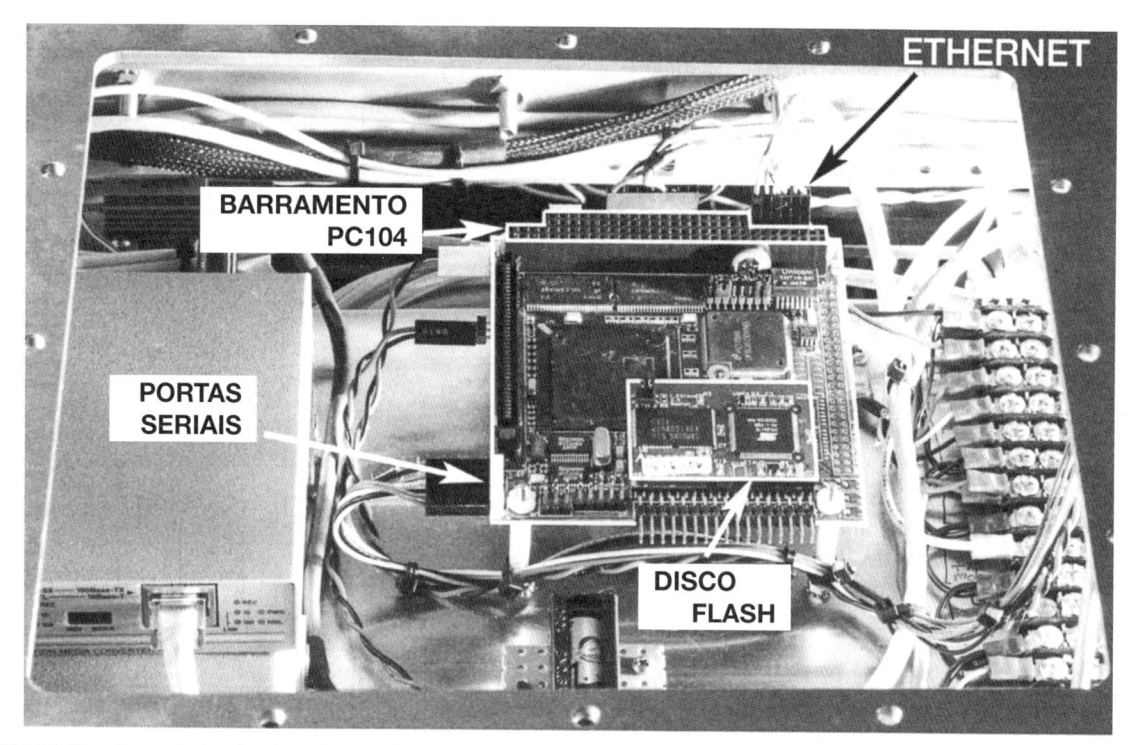

FIGURA 14.19 Computador de placa única PC104 embutido um instrumento astronômico.

poníveis atualmente. Ambos RAM estática (SRAM) e RAM dinâmica (DRAM) são voláteis,[26] ao passo que RAM flash e EEPROM (junto com algumas novas tecnologias interessantes) são não voláteis.

14.4.2 RAM Estática *Versus* Dinâmica

A RAM estática armazena bits em uma matriz de flip-flops, enquanto que a RAM dinâmica armazena bits em capacitores que podem estar carregados ou descarregados, conforme o valor do bit. Uma vez escrito um bit em uma SRAM, ele permanece lá até uma reescrita ou até que a alimentação seja desligada. Em uma DRAM os dados desaparecem normalmente em menos de um segundo, a menos que sejam "renovados" (*refresh*). Em outras palavras, uma DRAM está sempre ocupada esquecendo dados, e é salva por um clock periódico pelas "linhas" do padrão bidimensional de bits no chip. Por exemplo, você tem que acessar cada um dos 8192 endereços de linha em uma DRAM de 1 Gb a cada 64 ms (uma taxa média de uma linha a cada 7,8 μs).

Você pode se perguntar porque alguém iria escolher uma DRAM: ao não usar flip-flops, a DRAM economiza espaço, oferecendo mais por chip a um décimo do custo.

Agora você pode se perguntar por que alguém escolheria RAM *estática* (inconstante, não é?). A principal virtude da SRAM é a sua simplicidade, sem clocks de renovação (*refresh*) ou complexidade de tempo para se preocupar (o ciclo de atualização compete com ciclos normais de acesso à memória e deve ser devidamente sincronizado). Assim, para um sistema pequeno com apenas alguns chips de memória, a escolha natural é SRAM. Além disso, a corrente quiescente zero da SRAM (em comparação com a corrente de "marcha lenta" significativa na DRAM padrão) torna-a desejável para dispositivos alimentados por bateria. Na verdade, a RAM estática CMOS, auxiliada por uma bateria de *backup* quando a alimentação principal estiver desligada, constitui uma memória não volátil alternativa (com vantagens em velocidade e resistência). Uma outra vantagem da SRAM é a sua disponibilidade em versões de alta velocidade (tempo de acesso de 8 ns ou menos em versões assíncronas; taxas de clock de 400 MHz ou mais em versões síncronas). Finalmente, como veremos, há uma classe de memória conhecido como RAM pseudoestática (PSRAM), que combina o baixo custo e alta densidade de DRAM com o baixo consumo de energia e interface simples de SRAM; ela poderia muito bem ser descrito como "um DRAM em pele de SRAM." Vamos dar uma olhada em ambos SRAM e DRAM.

14.4.3 RAM Estática

A RAM estática armazena cada bit numa célula flip-flop (Figura 14.20): o flip-flop em si consiste de um par de inversores em conexão cruzada (cada um feito a partir de um par complementar de chaves pMOS e nMOS), com duas portas de transmissão nMOS adicionais para acoplá-lo para o exterior. Estas últimas são ligadas para transmitir o estado do flip-flop para um par de *linhas de bit* complementares

---

[26] As memórias voláteis não têm mecanismo de desgaste.

(que acionam um *amplificador sensor* com *latch* diferencial) durante uma LEITURA (READ), e para acionar (sobrescrever) o estado do flip-flop (de acordo com os níveis presentes nas linhas de bit) durante uma ESCRITA (WRITE). Isto é conhecido como uma célula SRAM "6T" (seis transistores).

Tal como acontece com a maioria das variedades de memória, células de bit SRAM em um único chip são organizadas em "palavras" de múltiplos bit que são lidas ou gravadas como um grupo. As larguras comuns variam de 8 bits a 32 bits, muitas vezes acompanhadas de bits de paridade adicionais (assim, larguras de 9, 18 ou 36 bits). Estas palavras são ainda organizadas logicamente em uma matriz de linhas e colunas, como mostrado na Figura 14.21, de tal modo que células de bits da palavra selecionada são acopladas aos respectivos pares de linha de bits (e amplificadores sensores) de acordo com o endereço de múltiplos bits da palavra. A figura representa uma SRAM de 4 Mb (512 k palavras de 8 bits[27]), organizada como oito planos (um para cada bit) de 1024 linhas e 512 colunas.

A. Temporização de SRAM Assíncrona

A SRAM tradicional é assíncrona, o que significa que não há entrada de clock; em vez disso, você aplica endereço, dados e sinais de controle com temporização adequada, e os dados saem (ciclo de LEITURA) ou são escritos (ciclo de ESCRITA) em conformidade. Usar SRAM assíncrona é muito fácil: para a LEITURA de uma palavra, você ativa o endereço, a habilitação do chip (CE) e a habilitação de saída (OE); os dados solicitados aparecem gentilmente nas linhas de dados de três estados num tempo máximo de t_{AA} (tempo de acesso ao endereço). Para escrever uma palavra, você ativa o endereço, os dados e CE', então, (após um período mínimo de um tempo de configuração de endereço, t_{AS}) segue com um pulso de habilitação de escrita (WE'); os dados válidos são armazenados na memória no final do pulso WE'. As Figuras 14.22 e 14.23 mostram as restrições de tempo real para uma RAM estática rápida ($t_{AA} = 8$ ns, $t_{AS} = 0$ ns), do tipo que você pode usar em um *switch* ou roteador, ou como uma memória cache externa. A "velocidade" da memória é definida a partir do tempo de ativação do endereço válido até obter dados válidos (para LEITURA) ou a conclusão do ciclo de escrita (para ESCRITA), desde que os outros sinais (CS' WE', e OE') sejam ativados quando necessário.

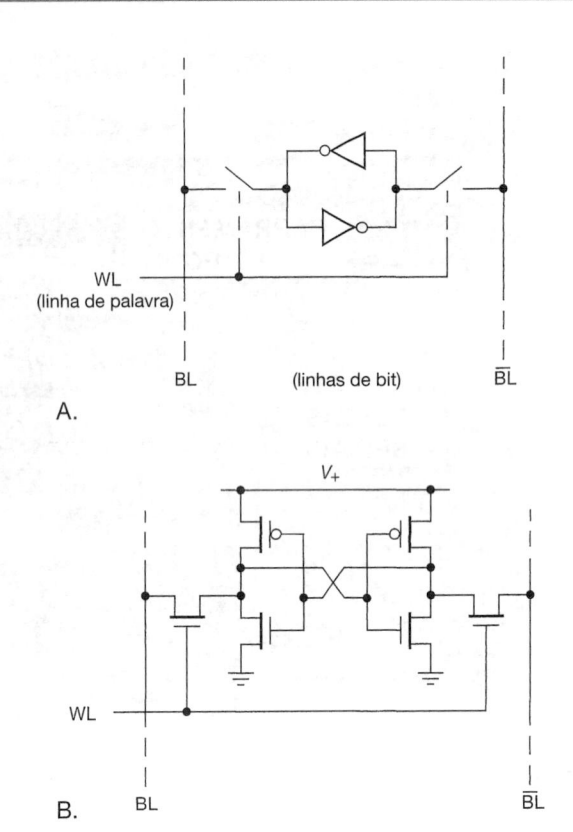

FIGURA 14.20 RAM estática mantém cada bit em um flip-flop CMOS de quatro transistores, lido ou escrito por um par de portas de transmissão de um transistor. WL, linha de palavra; BL, linha de bit.

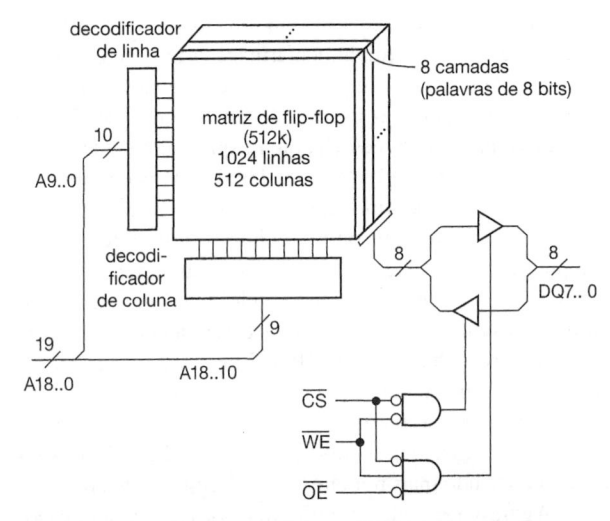

FIGURA 14.21 Arquitetura de uma SRAM assíncrona: uma matriz de células de bits 6T com um endereço paralelo de *n* bits, e controle simples por WE', CS' e OE'. Largura de palavra de 8 bits e 16 bits são mais comuns.

---

[27] Seguimos o uso comum aqui, com "Mb" (megabits) significando 2^{20} bits, cerca de 5% a mais do que um milhão decimal (10^6). Os puristas preferem usar o prefixo "Mi" (contração de "*mega-binary*") para significar 2^{20}, para manter pura a essência de mega como um bom antiquado milhão. Eles diriam que esta memória é de 4 Mib, ou metade de um mebibyte.

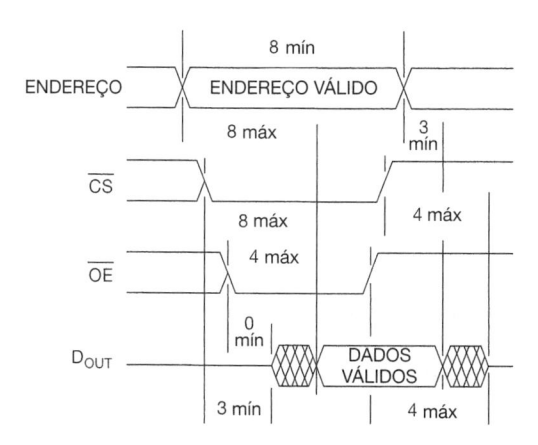

FIGURA 14.22 Ciclo de leitura de uma SRAM assíncrona (durante o qual WE' é mantido em nível ALTO). Os números mostrados são as temporizações de pior caso, em nanossegundos, para esta SRAM (Samsung K6R4008V1D-08) de 512 kB rápida (8 ns).

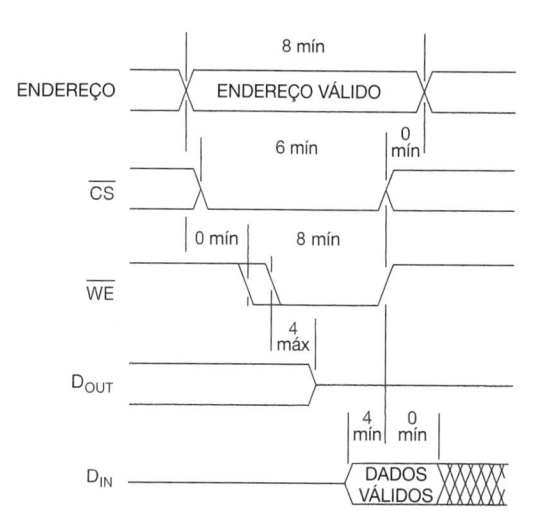

FIGURA 14.23 Temporização do ciclo de escrita para a mesma memória que a da Figura 14.22.

A RAM estática está disponível atualmente em capacidades de até 16 Mb, com larguras de palavra de 1 a 32 bits. Variações incluem memórias com pinos de entrada/saída separados, memórias com corrente de dreno muito baixa ($\sim 1\mu A$ em espera, ~ 1 mA quando em operação a 1 MHz), e memórias com acesso de porta dupla (linhas de endereço, dados e controle independentes que partilham a mesma memória armazenada, com "semáforos" para *handshaking* de software entre portas).

Para o que quer que valha a pena, note que você não tem que conectar as linhas de dados da SRAM para as correspondentes linhas de dados numeradas de um processador (ou qualquer outro dispositivo que precisar de memória) – você pode embaralhá-los da maneira que quiser, desde que faça a operação inversa quando ler de volta o que escreveu.

B. RAM Pseudo-Estática

A RAM estática tem as vantagens de uma interface de controle simples e de muito baixo consumo de energia. Mas a sua célula de seis transistores usa mais área do que a célula análoga de DRAM de um transistor/um capacitor (discutido a seguir), por isso custa mais por bit e você não pode colocar mais memória em um chip de um determinado tamanho. No entanto, a DRAM mais densa e mais barata requer renovação de dados periódica e, junto com seu esquema de endereço multiplexado, apresenta uma interface mais complicada.

A RAM pseudoestática combina suas melhores características: ela combina um núcleo DRAM com a lógica de renovação de dados escondida, e envolve a combinação de uma interface que imita a simplicidade de uma SRAM assíncrona (Figura 14.24). É um "DRAM em pele de SRAM." Atualmente você pode obter PSRAMs em densidades de até 128 Mb; algumas são mesmo substitutas compatíveis de SRAMs assíncronas (isto é, pinagem e funções idênticas). Elas têm velocidades de acesso de ~ 50 ns, mais rápidas (~ 20 ns) em acessos de "modo de página" sequenciais. (O circuito de renovação de dados fica escondido, e é rápido o suficiente para não interferir na velocidade ou temporização no acesso como em uma SRAM assíncrona. É completamente "invisível".) Por causa da atividade de renovação de dados oculta, a corrente de espera (*standby*) é da ordem de ~ 100 μA. Há também um modo de "redução de consumo profundo" (*deep power-down*), em que a corrente pode ser tão baixa quanto

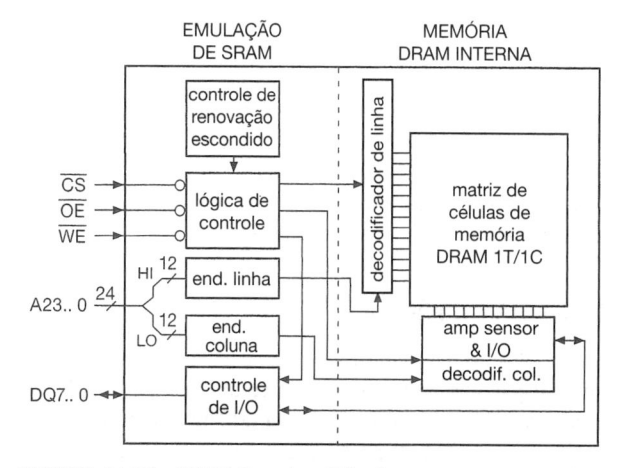

FIGURA 14.24 "RAM Pseudoestática" parece para o mundo externo como uma SRAM assíncrona clássica. Mas sua interface externa simples esconde a verdade: um eficiente núcleo de DRAM 1T/1C, envolto em uma camada de emulação SRAM de lógica (com renovação de dados oculta).

alguns microampères; a má notícia é que é tão baixa que você perde a renovação e, portanto, os dados armazenados.

Embora a corrente de modo de espera da PSRAM seja significativamente maior do que o melhor que você pode obter em micropotência em uma SRAM convencional, é muito boa para aplicações móveis como celulares, com a sua capacidade típica de bateria de ~1.000 mAh. O resultado é que a RAM pseudoestática tem substituído a SRAM assíncrona convencional, exceto em aplicações como *caches* de memória que exigem uma incrível velocidade (≤10 ns) da SRAM rápida.

C. SRAM Síncrona

Em capítulos anteriores, cantamos os louvores à lógica síncrona, por seus benefícios em termos de ruído, desempenho previsível, arquiteturas pipeline, a falta de metaestabilidade e assim por diante. Então, por que é que a SRAM é *assíncrona*?

Ela não tem que ser. Você pode envolver uma máquina de estado síncrona completa com seus dados em uma matriz de memória assíncrona intrinsecamente. Então você tem uma SRAM *síncrona*.[28] Por ela ter clock, a velocidade da SRAM síncrona é dada como uma *frequência* máxima; atualmente os dispositivos disponíveis têm velocidades na faixa de 100 a 400 MHz e contêm de 1 Mb a 72 Mb em um único chip, com larguras de palavras em fatores de 2 múltiplos de 9 bits (isto é, 9, 18, 36 e 72 bits, que incluem um bit de paridade em cada byte).

SRAM síncrona (e, mais ainda, DRAM síncrona, como veremos) é mais complicada do que sua similar assíncrona simples: estes dispositivos têm modos complexos, como transferências em taxa de dados dupla (usando ambas as bordas do clock, veja a Figura 14.25) e métodos sofisticados de rajada e intercalação de dados; então você tem que se preocupar com bits de modo e afins. E, claro, você tem um clock muito rápido (diferencial), com dados que entram e saem em intervalos de apenas alguns nanossegundos. Dito de outra forma, a SRAM síncrona foi projetada para maior velocidade e taxa de transferência, de modo que a bênção da operação síncrona é misturada com a maldição de clocks rápidos e margens de tempo apertadas.

14.4.4 RAM Dinâmica

Como observamos anteriormente, você pode economizar muito espaço no chip usando uma célula de memória de um transistor (com o estado lógico mantido em um pequeno capacitor), se estiver disposto a fazer uma recarga periódica do capacitor. Isso é a RAM dinâmica, com a sua célula de memória "1T1C" (Figura 14.26). Este é o carro-chefe das memórias hoje, com capacidades de vários gigabits por chip, normalmente fornecidos como módulos de memória de encaixe com capacidades de até 16 GB (128 Gb).

Tal como acontece com SRAM, a memória DRAM tradicional era *assíncrona*, com temporização um pouco mais complicada do que a SRAM simples, especialmente quando a renovação de dados foi acrescentada à "mistura". E, tal como com SRAM, uma variante síncrona (SDRAM), foi criada envolvendo uma máquina de estado síncrona com clock em torno da matriz intrinsecamente assíncrona de células de memória DRAM. Pode-se dizer que "uma SDRAM é uma DRAM assíncrona em pele síncrona." DRAM assíncrona já é história. Mas vale a pena analisá-la brevemente para entender o que está acontecendo dentro da DRAM síncrona hoje dominante.

A. DRAM Assíncrona

A Figura 14.27 mostra, de forma simplificada, uma DRAM assíncrona de 16 palavras de 1 bit, ridiculamente pequena para qualquer padrão do mundo real, mas na medida certa para explicarmos como funciona. Cada transistor nMOS tem um pequeno capacitor (da ordem de 30 femtofarads) a partir do canal (vamos chamá-lo de dreno) para o terra, e estão dispostos como quatro linhas e quatro colunas. Os acionadores de linha usam os bits de linha memorizados (metade superior do endereço) para levar ao nível ALTO os terminais de porta nMOS correspondentes, ligando esses transistores e, portanto, conectando seus capacitores às linhas de coluna, que por sua vez se conectam a um conjunto de amplificadores sensores com *latch* (SAs). A saída de um dos amplificadores sensores é selecionada pelos bits de coluna memorizados (metade inferior do endereço), que passa através do multiplexador bidirecional para o buffer de saída/entrada. (A memória dinâmica multiplexa os bits de endereço, reduzindo pela metade o número de linhas de endereço.)

Vamos ver como ela funciona. Vamos analisar um ciclo de leitura em primeiro lugar, considerando que os vários capacitores (um por bit) foram previamente escritos, portanto, carregados positivamente (para ~1 V) ou descarregados. Observe a Figura 14.28, onde mostramos ciclos de LEITURA e ESCRITA básicos (endereço único) para DRAM assíncrona de 70 ns padrão.[29] As linhas de endereço são multiplexadas, com os dois bits de endereço de ordem superior (endereço de linha) acionados em primeiro lugar, juntamente com uma linha de *strobe* de endereço de linha (RAS'). Esses bits são memorizados, fazendo com que as portas da linha selecionada sejam nível ALTO, ligando as portas de transmissão de MOSFET e, assim, acoplando os respectivos capacitores aos

---

[28] E a coisa análoga é feita com RAM dinâmica, como veremos, criando a SDRAM em seus muitos tipos: SDR (taxa de dados simples), DDR (taxa de dados dupla), DDR3, DDR4, etc.

[29] Há modos adicionais, com nomes como "modo de página" e "saída de dados estendida," para acesso mais eficiente aos dados de diversos endereços consecutivos.

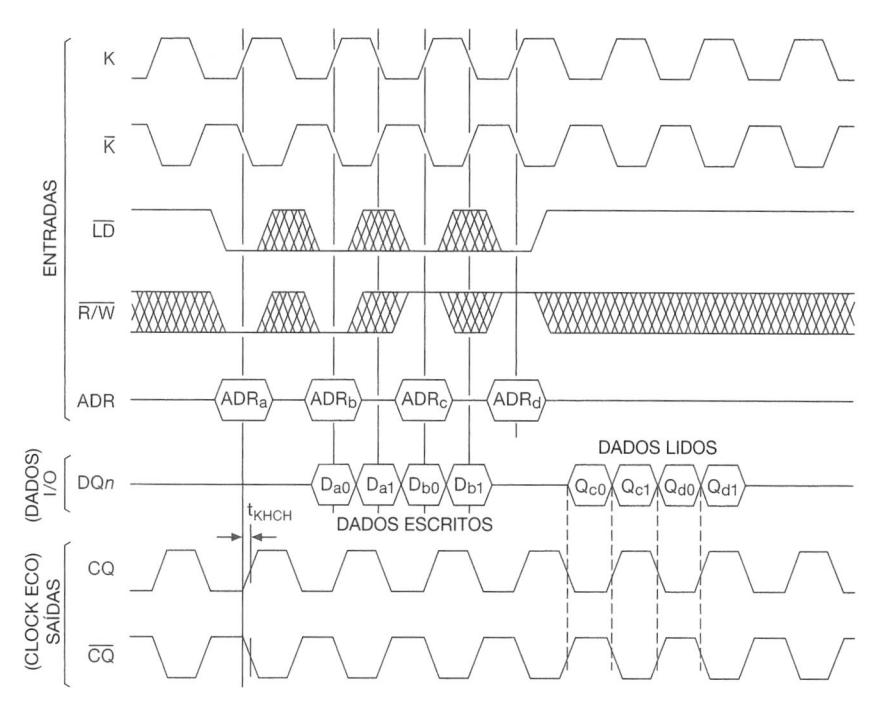

FIGURA 14.25 Temporização de SRAM síncrona com dupla taxa de dados (DDR-2) com clock durante a LEITURA e a ESCRITA. Os dados são transferidos em duas rajadas de palavras (endereços sucessivos): para o ciclo de ESCRITA os dados de entrada devem estar presentes nas duas bordas do clock de entrada $K/\overline{K}$, um ciclo após o endereço ser carregado; para ciclos de LEITURA os dados emergem 1,5 ciclo de clock após o carregamento de endereço, em ambas as bordas do "clock eco" $CQ/\overline{CQ}$ (que regenera o clock de entrada $K/\overline{K}$, com um ligeiro atraso t_{KHCH}).

amplificadores sensores (SA) da coluna. Os amplificadores sensores são dispositivos com *latch*, aqui desenhados ficticiamente como amplificadores não inversores com realimentação. (Na prática eles são implementados como flip-flops que começam o ciclo em um estado balanceado e se tornam desbalanceados pela carga do capacitor do bit que é comutada entre eles.[30]) Durante esta parte do ciclo da DRAM os amplificadores sensores em cada coluna fazem dois coisas: eles memorizam o estado dos bits que foram mantidos nas células da linha selecionada e "renovam" essas células, acionando seus níveis memorizados antes nos respectivos capacitores da célula.

Na segunda metade do ciclo da DRAM as linhas de endereço transportam os dois bits de ordem inferior do ende-

FIGURA 14.26 -Célula de um bit de uma RAM dinâmica "1T1C". Cada bit é mantido como um capacitor carregado (~1 V) ou descarregado (0 V), cujo estado é lido, escrito, ou renovado pela linha de bit (BL) quando acionado por uma linha de palavra de controle (WL). Normalmente $C \approx 30$ femtofarads (1 fF=10^{-15} F).

reço (coluna), memorizados (*latch*) pelo strobe do endereço da coluna (CAS). Esse endereço memorizado faz com que o multiplexador de coluna selecione a saída a partir do amplificador sensor selecionado, que (por WR' está desativado) é ativado nas linhas de dados bidirecionais (entrada/saída) (o DQ0 único aqui, nesta memória de largura 1 bit; a maioria das DRAM são mais largas, com tamanhos de palavra de 4, 8 ou 16 bits). A memória é *assíncrona*, o que significa (como com a SRAM assíncrona) que os dados válidos aparecem nas

---

[30] Na vida real, as coisas são um pouco mais complicadas: os amplificadores sensores são *diferenciais*, e a matriz DRAM normalmente é construída em um arranjo de "bit dobrado" de modo que uma linha ativa apenas as células pares ou ímpares; a linha de bit inativo (neutro) flutua no nível de "pré-carga" ($V_{DD}/2$) e atua como uma tensão de referência pela qual o amplificador sensor balanceado compara a "colisão" para cima ou para baixo de ΔV a partir da carga do capacitor na respectiva célula de bit. O ΔV é um pouco menos do que $\pm 0,5$ V que você poderia esperar, devido a carga capacitiva adicional de ~ 200 fF da linha de bit e amplificador sensor: na prática, os projetistas de memória estabelecem como alvo $\Delta V \geq 100$ mV, para uma leitura limpa de 0 ou 1 pelo amplificador sensor.

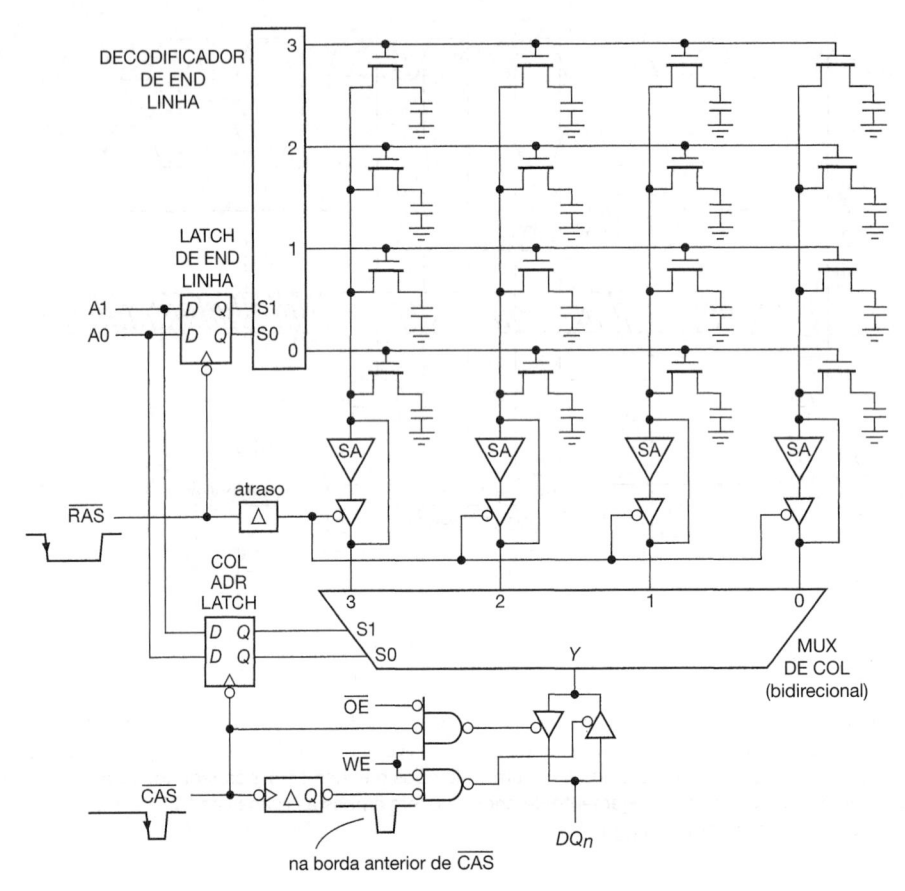

FIGURA 14.27 Arquitetura de uma DRAM assíncrona, aqui ilustrada com uma pequena matriz 4x4 de "palavras" de 1 bit. As linhas de endereço são multiplexadas, com endereços de linha e coluna registrados internamente. Os amplificadores sensores (SAs) com *latch* leem e (renovam) o estado das linhas de bit endereçadas durante um ciclo de LEITURA. Durante um ciclo de ESCRITA eles são então sobrecarregados pelos dados de entrada na mesma linha de dados de entrada/saída compartilhada DQ0.

linhas de dados com atraso máximo previsto que se segue à ativação dos vários endereços e strobes. Em contraste com a DRAM *síncrona*, agora universal, (próxima seção), não há clock mestre.

O ciclo de ESCRITA é semelhante, mas tem os dados de entrada e WE' acionados próximos da borda anterior de CAS'; a linha WE' faz com que a linha de dados DQ0 se torne uma entrada, após o que os níveis de dados ativados forçam (sobrepõem-se ao) o amplificador sensor selecionado no estado da entrada de dados. Esse estado memorizado, em seguida, carrega (ou descarrega) o respectivo capacitor da célula de bit.

Observe a Figura 14.27 novamente. Uma vez que uma linha foi ativada (na parte RAS do ciclo) e uma coluna foi selecionada para leitura (ou escrita), não há razão para repetir o mesmo endereço de linha se você quiser ler (ou escrever) outras colunas dentro dessa mesma linha. Essa é a ideia por trás do "modo de página" e dos ciclos de "saída de dados estendida"; e é de grande utilidade prática, porque o acesso da memória do computador geralmente envolve rajadas de vários endereços sucessivos (para instruções sequenciais, matrizes de dados, e assim por diante).

B. DRAM Sícrona

Como já vimos, todas as DRAMs em uso comum são da variedade síncrona ("SDRAM"), em que um sinal de clock fornecido externamente[31] controla uma máquina de estado síncrona que envolve o núcleo intrinsecamente assíncrono da memória DRAM. A SDRAM original com taxa de dados simples (SDR) evoluiu por várias gerações, com nomes como DDR (taxa de dados duplicada, ou seja, o clock dos dados ocorre nas duas bordas do sinal de clock), DDR2, DDR3 e DDR4. As transições do clock são utilizadas para coisas óbvias: carregar os endereços de linha e coluna e entrada de dados com clock (ESCRITA) ou saída de dados (LEITURA). Uma

---
[31] Nessas altas velocidades ele é invariavelmente configurado como diferencial de baixa tensão: CK e $\overline{CK}$.

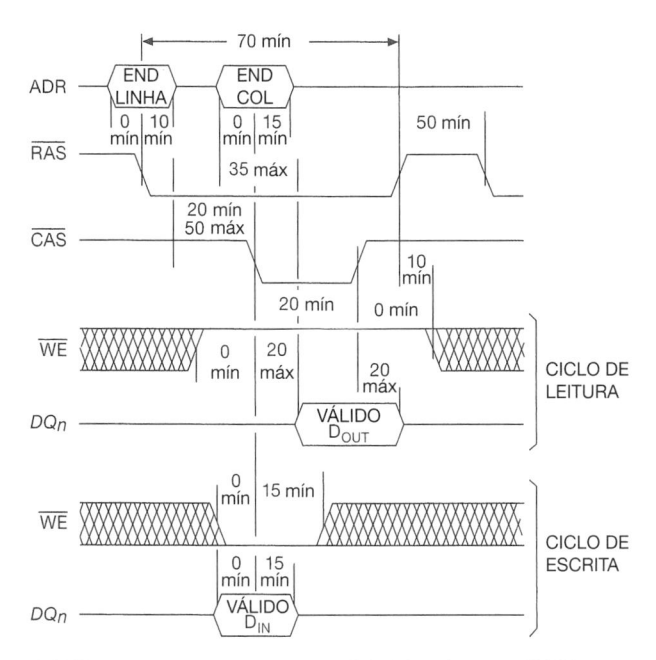

FIGURA 14.28 Temporização de DRAM assíncrona. RAS' e CAS' são os strobes de endereço de linha e coluna para o endereço multiplexado. Tal como acontece com SRAM assíncrona, os dados de entrada/saída não estão vinculados a uma borda de clock; em vez disso, eles obedecem a especificações de temporização de pior caso (aqui mostradas para o padrão de memória de 70 ns).

DRAM síncrona normalmente é operada em "modo rajada", com saída de várias palavras de dados de endereços de coluna consecutivos em sequência (veja a descrição de MODO, a seguir).

Ao contrário da DRAM assíncrona, a SDRAM é um circuito complicado, com um conjunto de "comandos" (também com clock) que determina o que está acontecendo. Estes comandos são definidos por três bits, que curiosamente usa os nomes dos antigos sinais RAS', CAS' e WE' que se originou com a DRAM assíncrona. Aqui, no entanto, estes bits de sinais de três entradas, criados antes da próxima borda de clock, determinam o que acontece nessa transição de clock. Observe a Figura 14.29, onde listamos cinco comandos básicos. "Linha Ativada" carrega um endereço de linha, com os subsequentes comandos de "LEITURA" e "ESCRITA" carregando um endereço de coluna e dando início à transferência de dados correspondente. Durante essas transferências (que podem ser de 4, 8, ou 16 bits de largura, de acordo com a arquitetura do chip em particular), os dados se movem para fora ou para dentro segundo a taxa de clock (SDR, como na Figura 14.29), ou com o dobro da taxa do clock (DDR), como temporizado pelo clock.

No entanto, note particularmente a temporização de uma LEITURA: embora os dados se movam para fora, à taxa de clock completa, há um atraso (*latência*) de alguns ciclos de clock a partir da ativação do endereço de coluna para os dados correspondentes. Isto é a "latência de CAS," ilustrado na Figura 14.29 para o caso de CL = 3. Um dado chip de memória irá especificar (através do seu número da identificação) a latência de CAS mínima para uma frequência de clock especificada (por exemplo, um MT47H128M8HQ-25E é uma SDRAM DDR2 de 128 MB e 8 bits de largura em um encapsulamento FBGA de 60 pontos de conexão esféricos com CL = 5 em t_{clk} = 2,5 ns). Como o restante do sistema precisa saber (e concordar com) a latência de CAS real, você informa ao chip que latência CAS de usar, enviando um comando de "MODO DE CARGA" (ou seja, um ciclo de clock, durante o qual RAS', CAS' e WE' são todos mantidos em nível BAIXO), com o modo definido pelos bits acionados nas linhas de endereço. O modo inclui não só a latência de CAS, mas também bits que definem se é o acesso de endereço simples ou modo rajada (para este último, uma escolha de dois, quatro ou oito palavras consecutivas), e algumas outras opções de controle que você realmente não deseja ouvir falar. Com um pouco mais de complicação, algumas variedades de SDRAM (por exemplo, DDR2) têm uma latência de clock durante ciclos de escrita; logicamente, é chamado de "latência de escrita" (WL), que você respeita ao colocar os dados atrasados por WL clocks após o endereço da coluna ser inserido por um clock.

Por usar clock, a velocidade da DRAM síncrona é dada em termos de *frequência*, com rótulos como "DDR3-1600." Isso descreveria uma SDRAM de taxa de dados dupla, em conformidade com o padrão DDR3, com movimentação de dados mediante clock em ambas as bordas de um clock de 800 MHz. Os dispositivos hoje existentes têm taxas de dados na faixa de 400 a 1600 MT/s (megatransferências por segundo), e contêm de 1 a 4 Gb em um único chip, com larguras de palavras de 4, 8 ou 16 bits. A próxima geração (DDR4) aumenta a taxa de transferência para 1600 a 3200 MT/s, e aumenta a densidade por chip para 16 Gb ou mais.

14.4.5 Memória Não Volátil

A memória não volátil (NVM) – armazenamento de dados que é mantido na ausência de alimentação CC – é essencial em muitas aplicações cotidianas, como (a) código de inicialização ("*boot*") e várias configurações em um computador de uso geral; (b) firmware residente para qualquer dispositivo que usa um processador embutido; ou (c) de armazenamento temporário de documentos, imagens ou outros arquivos em um "*pen drive*" USB. As memórias de semicondutores que vimos anteriormente são inadequadas, porque perdem os seus dados armazenados quando a alimentação CC é removida.

Uma solução para o problema é contar com uma bateria, de modo que a alimentação nunca seja perdida. Isso é

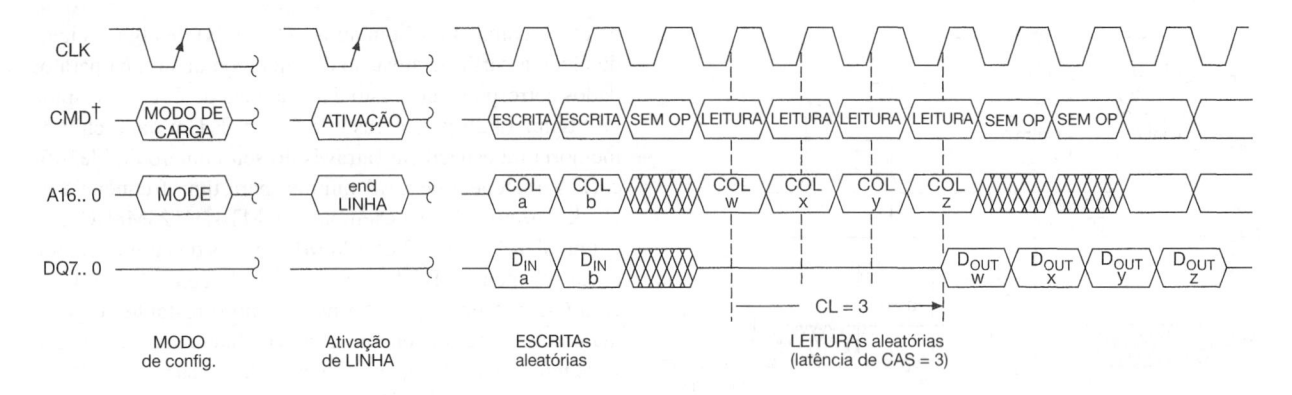

FIGURA 14.29 DRAM síncrona usa uma interface externa cujas operações são sincronizadas por um clock aplicado externamente. A mais simples SDRAM, de "taxa de dados simples" (SDR) sequestra o RAS', CAS' e WE' para o uso como um comando de 3 bits. O mostrado aqui são escritas e leituras aleatórias (em oposição a *rajada*) para SDRAM SDR. A operação de modo rajada é muito mais comum, com dados a partir de diversos endereços de coluna consecutivos a serem movidos mediante clocks em sucessivas bordas de clock (ou em *ambas* as bordas, no caso da popular SDRAM DDR ("taxa de dados dupla")).

†CMD é dado por $\overline{RAS}$, $\overline{CAS}$, e $\overline{WE}$:

	$\overline{RAS}$	$\overline{CAS}$	$\overline{WE}$	linhas de END
ATIVAÇÃO DE LINHA	L	H	H	endereço de linha
LEITURA	H	L	H	endereço de coluna
ESCRITA	H	L	L	endereço de coluna
SEM OP	H	H	H	—
MODO DE CARGA	L	L	L	bits de modo

memória com "bateria de *backup*" (que é comumente usada para armazenar as configurações do computador, onde é chamado às vezes, simplesmente, "a CMOS"). A boa notícia é que você pode usar qualquer tipo de memória com um modo de espera de retenção de dados de micropotência (geralmente uma RAM estática ou pseudoestática), o que significa que você não precisa se preocupar com limitações que afligem muitas formas de memória não volátil, como as lentas operações de programação e apagamento (escala de ~ms), ou a resistência (número limitado de ciclos de escrita, tipicamente $\sim 10^5$ a 10^6). A má notícia é que você tem que contar com uma bateria e garantir que esteja sempre carregada.[32]

A outra solução é dispor de alguma forma de armazenamento verdadeiramente não volátil (NV). Esta é uma área ativa no desenvolvimento de semicondutores, e a maioria dos dispositivos atuais usa alguma forma de armazenamento de carga em "porta flutuante" de um MOSFET (por exemplo, a popular "memória flash" em pendrives USB, em todos os tipos de eletrônicos de consumo, e em discos de estado sólido de computadores conhecidos como SSDs).

Esta é uma tecnologia impressionante, com capacidades de armazenamento por chip atualmente de até 1 TB, retenção de dados de, pelo menos, 10 anos, e os preços de varejo de 50 centavos de dólar ou menos por gigabyte. Mas, como veremos, o armazenamento de porta flutuante (FG – *floating gate*) tem algumas desvantagens, entre elas um número finito de ciclos de apagamento/escrita (resistência) e um tempo de acesso de escrita (e apagamento) relativamente lento (~milisegundos); por outro lado, SRAM e DRAM padrão têm resistência ilimitada e velocidades de leitura e escrita igualmente rápidas (~dezenas de nanosegundos). Algumas tecnologias de NV em desenvolvimento podem corrigir estas lacunas; elas atendem por nomes como RAM ferroelétrica (FRAM), RAM magnetoresistiva (MRAM) e RAM de mudança de fase (PRAM).

Nas próximas seções vamos descrever brevemente alguns dos precursores da atua tecnologia de memória não volátil; em seguida, vamos abordar o peso-pesado da área: a memória flash de porta flutuante.

A. Legado da Memória Não Volátil

ROM de Máscara

Primeiro veio a "ROM de máscara", que consiste em portas com um padrão de conexão com fio, feito durante o processo de criação do chip, que não pode ser alterado. É uma tabela de referência fixa. Ela é "apenas de leitura" (daí o "ROM"). Este ainda é um método útil para colocar uma tabela de con-

---

[32] Não é algo trivial: compramos quatro placas mãe de um grande fabricante, e todas perdem suas configurações CMOS se a alimentação CA de entrada ficar indisponível por mais do que algumas horas. Isto é um grande inconveniente (há cerca de 25 configurações que devem ser restauradas), provavelmente causado por um lote de chips com corrente de fuga ou tensão mínima de retenção fora da especificação.

versão, por exemplo, em um CI personalizado. É certamente não volátil; mas não é realmente o que imaginamos como armazenamento NV útil.

PROM

Em seguida veio a memória somente leitura programável (PROM), que você pode programar, uma vez, no campo. É também chamada "ROM de fusível," porque usa uma matriz de minúsculos fusíveis no chip (metálico ou de semicondutor), que são queimados seletivamente para deixar o padrão de memória fixa desejado. O desenvolvimento posterior de memória NV reprogramável (apagável) tornou a PROM obsoleta.

EPROM

A memória programável e apagável veio logo em seguida. Aqui, o padrão de bits é mantido em minúsculos capacitores, sob a forma de "portas flutuantes" de subsuperfície que alteram a tensão de limiar dos MOSFETs associados (Figura 14.30); esta é a mesma tecnologia usada na memória flash contemporânea. A "porta de controle" é então usada para a leitura do bit armazenado: quando a porta flutuante está carregada (negativamente) com elétrons, a tensão de limiar é de alguns volts positivos, ao passo que uma porta flutuante sem carga produz uma tensão de limiar negativa (portanto, conduz com a porta de controle em 0 V). Como não há nenhuma conexão com a porta flutuante, você pode usar truques para escrever e apagar: ao escrever, uma carga negativa é colocada na porta por um processo denominado "injeção de elétrons quentes do canal" (CHE), que envolve a corrente de dreno de operação com tensão de dreno elevada (12 a 20 V); ao apagar, expomos o chip à luz UV durante alguns minutos, apagando todo o chip de uma só vez. O processo de apagamento precisa de uma janela de quartzo transparente para deixar a luz UV entrar (daí o nome alternativo, UV EPROM); o encapsulamento de cerâmica hermeticamente fechado associado torna esses CIs caros e grandes. E eles devem ser removidos do circuito para o apagamento e reprogramação. Eles ficaram obsoletos pela memória não volátil apagável *eletricamente* no próprio circuito.

EPROM OTP

Esse é um nome verdadeiramente contraditório: "Memória de Leitura e Escrita Programável e Apagável Programável Apenas uma Vez" (. Os engenheiros *têm* um senso de humor meio torto). A EPROM OTP era a resposta para o desafio do custo do encapsulamento da EPROM (ou seja, de colocar uma EPROM apagável por UV em um encapsulamento plástico de baixo custo). O único (!) inconveniente é que o encapsulamento é opaco, e assim você não consegue apagá-la. O que fazíamos, naquela época, era comprar uma ou duas das UV EPROMs caras, usá-las para desenvolver e testar o

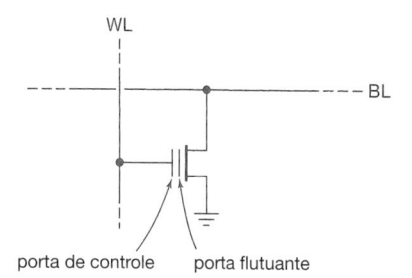

FIGURA 14.30 Célula de bit de "porta flutuante" usada em memórias não voláteis, tais como EEPROM e ROM flash. Os dados são gravados na porta flutuante por tunelamento ou injeção de elétrons quentes; sua carga altera a tensão de limiar à medida que passa pela leitura da porta de controle e linha de bit. As correntes de fuga para fora da porta flutuante são tão baixas que os dados são conservados durante pelo menos dez anos, sem necessidade de alimentação ou renovação (*refresh*).

programa, em seguida programar os CIs de plástico com o código totalmente depurado. Estes dispositivos também se tornaram obsoletos com o desenvolvimento da memória não volátil apagável eletricamente.

B. Memória Não Volátil Apagável Eletricamente

EEPROM

A era moderna na memória não volátil foi anunciada com a memória apenas de leitura programável e apagável eletricamente[33] (EEPROM, ou "E²PROM"). É o fim dos banhos de sol UV. Não é mais necessário remover e substituir CIs – estes dispositivos são reprogramáveis no *próprio circuito*! O truque aqui é usar tensões elevadas para descarregar a porta flutuante, por meio de um fenômeno da mecânica quântica conhecido como *tunelamento* (no qual uma partícula, aqui um elétron, com energia suficiente para superar a barreira de potencial do isolante da porta pode, sob as circunstâncias corretas, apenas magicamente aparecer do outro lado[34]). Isso é oficialmente chamado de tunelamento de Fowler-Nordheim, geralmente abreviado por F-N. EEPROMs incluem bombas de carga no chip para gerar as tensões elevadas necessárias para programar como UV EPROMs e para apagar via tunelamento F-N. *Voilà!* – programação (ou seja, escrita) e apagamento no *próprio circuito*.

EEPROMs usam uma configuração de célula de memória (por exemplo, uma célula de bit com dois transistores)

---

[33] Outro nome é EAROM – memória apenas de leitura alterável eletricamente.

[34] A analogia macroscópica: você precisa conseguir levar o seu carro de bois ao longo da Passagem de Khyber, mas, por mau planejamento, falta um boi. Esperando por um milagre, você dá um empurrão no carro. Existe, de acordo com a mecânica quântica, uma probabilidade finita de que o carro desapareça de suas mãos e reapareça no outro lado da passagem. Para carros de bois a probabilidade é muito pequena (!!!!); mas funciona muito bem para os elétrons na esperança de encontrar o caminho para a porta de subsuperfície.

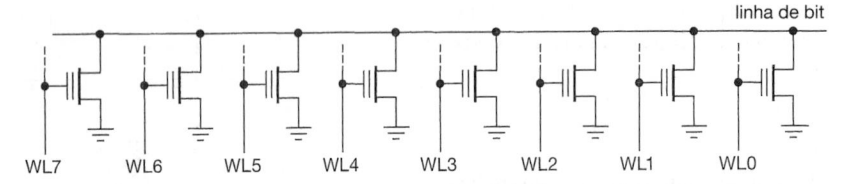

FIGURA 14.31 Memória flash NOR, com seu arranjo de células de bit em paralelo.

que permite que bits ou palavras sejam apagadas e reprogramadas individualmente. É com contar com essa flexibilidade, mas os circuitos que a permitem ocupam um espaço que poderia ser utilizado para armazenamento adicional. O desenvolvimento posterior da memória *flash* explorou uma célula de bit de um transistor, com densidade mais elevada (ver memória flash, a seguir); o preço disso é o apagamento em *blocos* muito maiores por meio do contato com o substrato.

Assim como a memória flash, EEPROMs têm uma resistência limitada, normalmente na faixa de 10^5 a 10^6 ciclos de apagamento/escrita. O apagamento e a escrita são lentos (∼10 ms), em comparação com a leitura (∼100 ns). Elas têm sido largamente ultrapassadas pela memória flash. No entanto, a flexibilidade de regravação de byte único (ou mesmo um único bit) torna as EEPROMs bem adequadas para manter pequenas quantidades de dados, por exemplo, parâmetros de calibração (pense em um *strain gauge* de uma balança de banheiro), configurações (nossa balança, mais uma vez: libras ou kg), ou tabelas de pesquisa (ainda pensando em nossa balança... que precisa de correção para a temperatura ambiente). EEPROM para esses tipos de aplicações é geralmente incluída no mesmo chip como o próprio microcontrolador (veja o Capítulo 15). Você pode obter EEPROMs autônomas, também; estas geralmente utilizam um protocolo serial (SPI, I²C, UNI/O, Microwire), para que eles se encaixem em um encapsulamento minúsculo (SC-70, DFN, etc.). Há uma boa seleção a partir de empresas como a Atmel e Microchip, com densidades de 128 bits a 1 Mb. Elas são baratas, também – uma EEPROM I²C de 1 kb pode custar 17 centavos de dólar, dependendo da quantidade, e o dobro, no caso de um dispositivo de 64 kb.

A flexibilidade intrínseca da EEPROM (apagar/escrever bits individuais ou bytes) requer mais silício do que a memória flash mais densa, com seu amplo *setor* de apagamento/escrita. Vamos dar uma olhada.

C. Memória Flash

A memória flash descarta a capacidade de escrita de um bit ou byte da EEPROM fazendo, em vez disso, apagamento em bloco. A boa notícia é que é mais rápida (ela apaga "num flash", daí o nome), se você quiser apagar muitos bytes. A má notícia é que você não consegue modificar quantidades pequenas de dados (embora uma lógica externa, com alguma SRAM, passe uma impressão de que pode, mas você não sabe o que está acontecendo lá dentro). A grande notícia é que o chip é mais denso, particularmente na forma conhecida como flash NAND, de modo a obter uma grande quantidade de memória em um único CI (até 1 *tera*bit, atualmente; embora internamente não sejam "chips" genuínos, mas uma "pilha" de chips menores). As memórias flash disponíveis atualmente vêm em dois tipos, chamados de NOR e NAND.

Flash NOR

A Figura 14.31 é uma visão simplificada do arranjo de células de bit utilizado na memória flash NOR, que era a arquitetura flash original. Por estarem os transistores de armazenamento em paralelo, você consegue lê-la ao excluir tudo, exceto o transistor selecionado. As células de porta flutuante são programadas pela injeção de elétrons quentes no canal (da mesma forma que o EPROM). No entanto, como acontece com todas as variedades de memória flash, o apagamento deve ser feito um bloco (ou "setor") de cada vez, com a tensão elevada de substrato do bloco causando tunelamento F-N a partir das portas flutuantes. Os tamanhos de blocos típicos são de 4 a 64 kB, muitas vezes configurado de forma flexível com vários tamanhos de blocos diferentes em um único chip. A Flash NOR usa uma interface do tipo SRAM em paralelo simples (às vezes oferecendo uma escolha de modos síncronos ou assíncronos), e pode ser usada diretamente para manter o código executável. Note, contudo, que a resistência limitada, bem como o apagamento por setor, significa que o código executável deve tratar a memória como apenas de leitura. Atualmente os dispositivos de flash NOR disponíveis vêm em densidades de cerca de 1 Mb a 1 Gb.

Flash NAND

Em contraste com a NOR, os projetistas de Flash NAND a conceberam como um denso dispositivo de armazenamento em massa, mais parecido com um disco rígido magnético. É a memória usada em pendrives USB, cartões flash compacto (CF), cartões digitais seguros (SD), unidades de estado sólido (SSD), e a memória de código interna ao chip utilizada em microcontroladores (μC; ver Capítulo 15). O nome NAND deriva da ligação em série de células de bits (Figura 14.32), que são lidas mantendo todas as portas em nível ALTO, exceto o transistor selecionado; o transistor selecionado determina o acionamento da sequência em série, de acordo com a carga em sua porta flutuante. Ambos apagam e escrevem usando tunelamento; o apagamento é feito em setores. O que não é óbvio é a maior densidade que você consegue com uma conexão em série: nenhum contato de fonte ou dreno monopolizando o espaço é necessário, exceto nas extremidades de cada sequência. Para manter o pino de contagem decrescente, a NAND usa uma interface de comando serial; e, como a flash NOR, ele apaga em setores. Note, no entanto, que um dispositivo como um pendrive USB inclui um controlador de memória, de modo que os detalhes elétricos e de temporização do apagamento e da leitura/escrita são invisíveis para a interface externa. Da mesma forma, a especificação para cartões flash SD exigem que eles incluam não só o protocolo da interface SD nativo, mas também o protocolo padrão SPI (interface de periférico serial) que está incluído na maioria dos microcontroladores conteporâneos.[35] Controladores de memória usados para dispositivos de armazenamento flash fazem mais do que simplesmente obedecer as regras: eles usam truques como "*wear leveling*" (distribuição de uso: operações cíclicas através de diferentes blocos de armazenamento para minimizar a reutilização) para contornar os efeitos que limitam a resistência de danos no isolamento causados por tunelamento; e eles detectam células ruins e degradadas, cujos endereços escrevem em locais no setor 0 do chip de memória de forma que os acessos de memória futuros sejam desviadas para células de reposição.

Em uma manobra ousada para multiplicar a densidade de memória, os fabricantes de flash de NAND estão usando o que é educadamente chamado de "célula multinível" (MLC) ou "célula de nível triplo" (TLC) de armazenamento. Dito de forma simples, isso significa colocar níveis parciais de carga na porta flutuante, lidos posteriormente pela medição da tensão de limiar aproximada. As implementações atuais usam quatro (MLC) ou oito (TLC) níveis, portanto 2 ou 3 bits por transistor. (Será que devemos chamar isso de célula "$\frac{1}{2}$T" ou "$\frac{1}{3}$T"?!) Isto é meio assustador – seus preciosos dados são armazenados em pequenos capacitores de porta flutuante parcialmente carregadas, cujo nível de carga não deve mudar muito durante alguns anos. Para ter uma noção da escala, a capacitância de cerca de 0,3 femtofarad não deve perder (ou adquirir) mais de ~3.000 elétrons em, digamos, 3×10^8 s (dez anos). Isso é um elétron por dia! É um milagre a coisa funcionar dessa maneira.[36]

Flash NANDs vêm hoje em densidades de até 1 Tb por CI; para obter essas densidades, os fabricantes usam armazenamento MLC de 2 bits e múltiplos chips empilhados dentro de um encapsulamento de CI. Para nós, é surpreendente que um único CI possa conter o equivalente a 16 bytes de informação para cada pessoa na Terra.[37]

D. Futuro das Memórias Não Voláteis

A memória flash é uma grande coisa. Mas tem durabilidade finita, e o processo de apagamento/escrita é lento. Uma memória não volátil ideal seria uma "SRAM sem a volatilidade." Ou seja, ela teria acesso de leitura e escrita aleatório em velocidade plena, durabilidade ilimitada e retenção longa.

Existem várias tecnologias em estudo; as seguintes parecem ser as mais promissoras.

RAM ferroelétrica (FRAM, FeRAM, ou F-RAM)

Um material ferroelétrico é o análogo elétrico de um material ferromagnético; ou seja, ele mantém o estado de polarização elétrica. A ideia é fazer uma célula de bit DRAM do tipo 1T1C, sendo o capacitor substituído por uma fina película de material ferroelétrico (por exemplo, algumas camadas de átomos de titanato de estrôncio e bismuto). Você escreve um bit como em uma DRAM, aplicando um campo através do filme. A leitura é diferente: você lê "destrutivamente", detectando se uma escrita mudou o estado (produzindo um pulso de corrente); em seguida, você restaura o estado.[38] A FRAM tem potencial de proporcionar velocidades de leitura e escrita aleatórias de < 50 ns, retenção de muitos anos e durabilidade muito alta. Empresas como a Fujitsu e Cypress fabricam

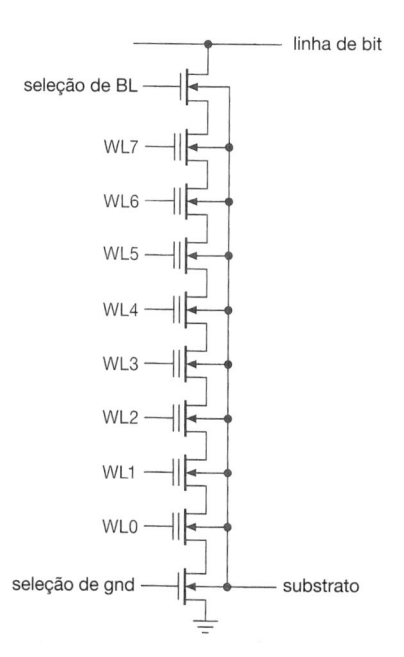

FIGURA 14.32 Memória flash NAND, com seu arranjo em série de células de bit.

---

[35] O protocolo real usado na interface SPI do cartão SD não é trivial, porque tem de suportar operações de memória, tais como leitura, escrita, apagamento, verificação de status e assim por diante. Mas é simples, e você pode obter bibliotecas para microcontroladores populares, como AVR e ARM (ver Capítulo 15).

[36] Mas ela *funciona*! Os vários gigabytes de figuras e textos da edição deste livro fez muitas viagens entre escritório e casa, sob a forma de bits de femtofarad parcialmente carregadas.

[37] Quando vocês estiver lendo este livro os bytes/CI terão aumentado muito mais do que a população da Terra.

[38] Similar ao método usado com a memória de ferrite no passado, em que o estado do núcleo era lido forçando-o a um estado conhecido, detectando se houve uma mudança de estado e, em seguida, restaurando (se necessário) o estado original.

FRAM, oferecendo dispositivos de interface serial (SPI e I^{2}C) até 2 Mb com durabilidade declarada de 10^4 ciclos e dispositivos paralelos (emulação de SRAM assíncrona) até 4 Mb. Um exemplo deste último é o MB85RE4M2T, com ciclos de leitura e escrita aleatórios especificados de 150ns, retenção de dez anos a 85°C e durabilidade de 10^{13} ciclos de leitura e escrita (que é 300 anos, a 1.000 leitura/escrita por segundo.

RAM Magnetorresistiva (MRAM)

Magnetorresistência é a variação da condutividade elétrica de um material sob um campo magnético aplicado. Variações do efeito ("magnetorresistência gigante", "magnetorresistência colossal", "túnel magnético") são usadas em cabeças de leitura de disco magnético, uma melhoria em relação à leitura tradicional à base de bobina (que gera uma tensão proporcional à *alteração* no fluxo, em vez do fluxo em si) que levou a uma explosão de capacidade de disco rígido. É possível fabricar pequenas células magnetorresistivas internas ao chip (completadas com algum material ferromagnético), escrito por um pulso de corrente e lida pela sua magnetorresistência.

MRAM esteve "em desenvolvimento" durante muitos anos, com alguns dispositivos de produção recentes. Por exemplo, a Everspin (subsidiária da Freescale) oferece uma MRAM com tamanhos de palavra de 8 e 16 bits, com densidades de até 16Mb. A sua MR2A16A, por exemplo, é uma MRAM não volátil de 4 Mb e 16 bits de largura, com uma interface paralela SRAM assíncrona padrão. A empresa especificou tempos de ciclos de leitura e escrita de 35 ns, retenção de 20 anos e uma durabilidade declarada como "ilimitada"; custa 20 dólares a unidade. Entre as empresas envolvidas com a produção de MRAM se incluem também Hitachi, Hynix, IBM/TDK, Infineon, Samsung e Toshiba/NEC (onde há rumores de uma MRAM de 1 Gb). MRAM ainda não compete em custo com flash; ela ainda está na linha de partida – mas vale a pena ficar de olho.

RAM de Mudança de Fase (PRAM ou PCM)

Certas ligas metálicas ("vidros calcogenetos") apresentam uma grande diferença de resistência elétrica entre os estados cristalino e amorfo (como vidro). Isto pode ser explorado para fazer células de memória, no qual a liga de mudança de fase é aquecida de forma controlada para converter entre os dois estados. O aquecimento pode parecer um processo lento e difuso, mas em pequenas escalas (dezenas de nanômetros) as coisas aconteçam localmente, e em dezenas de nanossegundos. A memória de mudança de fase é perseguida por empresas como a Samsung, Micron, IBM e STMicroelectronics, e algumas amostras de protótipos foram expedidas (por exemplo, uma PRAM de 128 Mb e 90 nm da Numonyx). Não há reivindicação de durabilidade ilimitada, ainda; mas a PRAM potencialmente oferece uma memória não volátil de alta densidade com tempos de ciclos de leitura e escrita rápidos.

14.4.6 Conclusões Sobre Memórias

Condensando toda a descrição anterior, podemos resumir assim o estado atual e o uso das memórias.

- A maior parte do tempo o problema foi resolvido para você.
    - Microcontroladores (Capítulo 15) incluem a memória internamente ao chip, tanto flash (para armazenamento não volátil de programas), quanto SRAM (para memória de trabalho), e, muitas vezes, EEPROM (para os parâmetros, tabelas, etc.).
    - Placas mãe de computador são configuradas para usar SDRAM rápida, como módulos de encaixe SODIMM (ou outro fator de forma); basta seguir as instruções e você vai se dar bem.
    - Arranjos de portas programáveis em campo (FPGA) sem flash interna no chip são configuradas para aceitar um código de configuração a partir de uma memória flash serial conectada, bem especificado em suas folhas de dados.
- A memória volátil mais simples é a SRAM assíncrona, ou sua sósia, a popular RAM pseudoestática. As velocidades de SRAM e PSRAM padrão são de $\sim$50 ns, com velocidades de SRAM "rápidas" de cerca de 10 ns; esta última são memórias boas para cache externo, enquanto as primeiras ainda são usadas em aplicações de nicho, como equipamentos médicos de alta confiabilidade. SRAM de micropotência pode reter dados em correntes de espera de $\sim$ 1 μA, e, para aplicações de lazer, operam em correntes de $\sim$1 mA.
- SRAM síncrona tem uma interface mais complicada, mas opera em altas velocidades de clock (até 400 MHz, combinada com a taxa dupla de dados); boa para cache externo.
- DRAM síncrona, em suas variedades de taxa dupla de dados, é a favorita para a memória de trabalho de um computador rápido. Geralmente utilizada como módulos de encaixe, mas pode ser usado como CIs sozinhos. Por exemplo, em conjunto com um microprocessador embutido (ou FPGA com núcleo de microprocessador interno) em uma aplicação autônoma como um roteador sem fio, console de *game*, painel de display, ou conversor de TV (*set-top box*).
- A Flash NAND é a preferida hoje para o armazenamento não volátil denso, e domina em módulos (pendrives USB, Cartões CF e SD) e como uma substituição de disco rígido (SSD), bem como para aplicações internas a chips (microcontroladores, e CIs específicos) e internamente em placas (produtos eletrônicos de consumo, vídeo, rede, etc.). Uma forma particularmente fácil de usar é proporcionada pela flash de interface serial, tanto como CIs independentes, quanto sob a forma de cartão SD (que tem uma interface SPI compatível); você pode ligar essas memórias em série diretamente para a maioria dos microcontroladores, que incluem uma porta SPI de 3 fios integrada.

- A flash NOR tem a qualidade de uma interface SRAM assíncrona padrão, de modo que você pode substituí-las por SRAM e executar diretamente código somente de leitura.
- A regravação de byte da EEPROM é bem adequada para o armazenamento de tabelas de parâmetros e, especialmente, quando uma quantidade modesta de dados é envolvida.
- Há esperança de encontrar em tecnologias recentes o santo graal da memória: a memória não volátil de velocidade plena com durabilidade ilimitada. (Tivemos, meio século atrás, as memórias magnéticas do núcleo magnético. Elas eram adequadas para quem estivesse feliz com tempos de ciclos medidos em microssegundos, densidades medidas em kilobytes e preços de quilodólares. Mas nós estamos saturados pelas estonteantes velocidade, densidade e baixo custo das memórias de semicondutores, não há como voltar atrás....)

14.5 OUTROS BARRAMENTOS E ENLACES DE DADOS: VISÃO GERAL

O barramento periférico PC104/ISA que vimos em detalhes exemplifica uma arquitetura de barramento *paralelo* multiponto, com um grupo de linhas de dados, linhas de endereço e alguns sinais STROBE compartilhados que sinalizam o sentido e temporizam a transferência de dados (juntamente com linhas adicionais para interrupções e DMA). Começou a ser usado mais de 25 anos atrás, e foi substituído por barramentos paralelos mais rápidos e mais amplos, especialmente o barramento de periféricos PCI e PCIe[39] utilizados nos PCs contemporâneos.[40]

Mas a generalidade de um barramento de dados paralelo vai muito além da placa mãe do computador. Transferências de dados em paralelo, compartilhando conceitos de dados-endereço-strobe do PC104, são usados geralmente em dispositivos eletrônicos para transferência de dados entre dispositivos como displays de cristal líquido, chips de processamento de vídeo e conversores digitais-analógicos, como veremos a seguir. Estas conexões entre dispositivos de circuitos muitas vezes omitem uma abordagem complicada e são mais bem pensadas como *enlaces* de dados em paralelo. Barramentos paralelos verdadeiros, no entanto, também podem ser estendidos a periféricos que precisam de muitos dados *externos,* como fita e disco de armazenamento, instrumentação de teste e medição, na forma do SCSI ou barramentos de interface de uso geral (GPIBs).

E há também os cada vez mais populares barramentos *seriais* e enlaces de dados, que vão desde o simples (e lento) RS-232 (porta "COM") até os protocolos USB e FireWire rápidos. Enlaces seriais enviam seus bits de dados em sequência, e não como uma transferência multibit em bloco de largura de um byte (ou mais); dessa forma, eles perdem um pouco em velocidade. Ainda assim, protocolos seriais rápidos recuperam a maior parte dessa velocidade usando sinalização diferencial de baixa tensão com taxas de bits muito altas. Um bom exemplo é a evolução do enlace de disco em paralelo (um total de 40 fios, no já conhecido cabo de fita) do ATA de 16 bits (também chamado de IDE, ou PATA) em um enlace serial "SATA" com apenas dois pares em um cabo estreito. O enlace SATA é realmente o *mais rápido*: pode transferir até 6 gigabits/segundo, enquanto que o "PATA," agora obsoleto, chega até 1 gigabit/segundo.

Mais velocidade em um enlace *serial* – como pode isso? A sinalização de baixa tensão diferencial certamente ajuda, mas há dois fatores adicionais que favorecem enlaces seriais como SATA: (a) esses enlaces são "ponto a ponto" (um acionador no transmissor e um receptor na outra extremidade), em vez do que "multiponto" (um acionador em algum lugar no barramento e vários receptores ao longo do barramento); e (b) ao contrário de um barramento paralelo multifios, uma única linha serial não tem *assimetria* de temporização (a dispersão dos tempos de propagação entre as linhas de clock e as várias linhas de dados). Esses fatores são realmente importantes nas atuais taxas de dados de gigabits por segundo: (a) em tais velocidades as linhas de barramento são eletricamente "longas" (sinais elétricos viajam ~20 cm em um nanossegundo em cabos e em placas de circuito), e assim você tem que pensar nos fios do barramento como *linhas de transmissão* (Apêndice H), em que várias derivações (chamados de "*stubs*", ou "tocos") atuam como descasamentos de impedância e geram uma sequência de sinais refletidos; como contraponto, uma conexão ponto a ponto tem apenas um destinatário, permitindo um bom casamento de impedância. E, (b), a estas velocidades a inevitável assimetria de temporização estabelece um limite superior nas taxas de clock de dados (como revelado por um "diagrama de olho" – Figura 14.33) em barramentos paralelos, bem contornadas em enlaces seriais em que o clock é recuperado a partir da própria sequência dos dados. Como se vê, as vantagens de impedância controlada e falta de assimetria da temporização superam as vantagens de paralelismo.

Este movimento de paralelo (e multiponto) para serial (e ponto a ponto) é visto amplamente: em barramentos de computador (PCI → PCIe), em interfaces de disco (PATA → SATA; SCSI → SAS), em cabeamento de Ethernet (multiponto coaxial → ponto a ponto de par trançado) e em barramentos externos (por exemplo, GPIB → USB). Além dos benefícios de desempenho, estes enlaces seriais são menos caros, usando pequenos conectores e cabos.

Note que estes enlaces seriais, embora faltando linhas de endereço, podem agir de forma lógica como um barra-

---

[39] PCIe é um híbrido: comunicação serial em um conjunto de pistas em paralelo.

[40] Estes últimos são consideravelmente mais complexos; escolhemos o PC104/ISA pela sua simplicidade e também porque ele é bem suportado no PC104 contemporâneo, o que provavelmente irá garantir a sua sobrevivência muito além das vidas de seus contemporâneos esquecidos. Estes últimos tiveram nomes como Unibus, barramento STD, barramento EISA, MicroChannel, Q-bus, Multibus, VAX BI, NuBus, Futurebus e Fastbus.

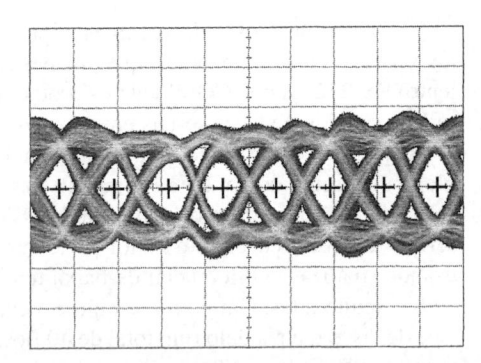

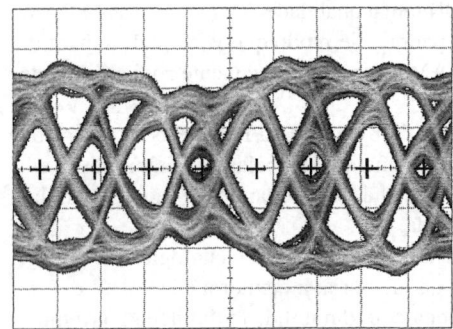

FIGURA 14.33 Um *diagrama do olho* é formado a partir da persistência na tela do osciloscópio da captura da tensão num único canal de dados, disparado pelo clock (seja recuperado pelo receptor ou transmitidos juntamente com os dados). Esta captura real do osciloscópio mostra o sinal a 60 cm da extremidade de um coaxial semirrígido de 2,16 mm, acionado por uma sequência de dados pseudoaleatória de 11,2 Gb/s(!). À esquerda: com equalização da transmissão – os "olhos" abertos indicam margem de sinal adequada nos pontos de clock igualmente espaçados (indicado com um símbolo "+"). À direita: sem equalização da transmissão – um bom exemplo de um mau olho. Horizontal: 71,4 ps/div; vertical: 125 mV/div, diferencial. A largura de banda do osciloscópio deveria ser estendida ao terceiro harmônico (ou mesmo ao quinto) da frequência do clock para exibir um diagrama de olho precisa. (Cortesia Hayun Chung.)

mento de endereços clássico, fazendo fluir os bits de endereçamento, juntamente com os dados. Exemplos são USB, FireWire, SAS (*Serial Attached* SCSI), e eSATA (*external* SATA).

Finalmente, os protocolos seriais são comumente usados para a comunicação entre CIs; estes têm nomes como SPI (*Serial Peripheral Interface*), I^{2}C (*Inter-IC*), e JTAG (*Joint Action Group Test*).

A Tabela 14.3 fornece uma organização útil (assim esperamos) e resumo das características dos barramentos de dados e enlaces comumente usados. Nesta seção vamos examinar estes barramentos e enlaces de dados, acrescentando exemplos para dar significado a essas informações.

14.6 BARRAMENTOS PARALELOS E ENLACES DE DADOS

14.6.1 Interface de Barramento de Chips em Paralelo – Um Exemplo

Os conhecidos "displays de caracteres" LCD que você vê em muitos dispositivos originou-se de um barramento paralelo simples, que se tornou padrão (eles agora vêm também em variantes de barramento serial). É muito simples: 8 linhas de dados (D7..0), uma linha de ENDEREÇO ("RS"), uma linha R/W' e um STROBE de dados ("E"). As linhas de DADOS são bidirecionais; os outros três são unidirecionais, como mostra na Figura 14.34. O RS (endereço) de 1 bit seleciona o registrador de *instruções* interno do display (end = 0) ou o seu registrador de *dados* (end = 1). Vimos estes anteriormente, no Capítulo 12 – veja, por exemplo, a Figura 12.78.

A operação é muito simples: um caractere é escrito no display definindo o seu endereço de destino para o registrador de dados (RS = 1 = ALTO), ativando R/W' em nível BAIXO, em seguida, colocando o *byte do código do*

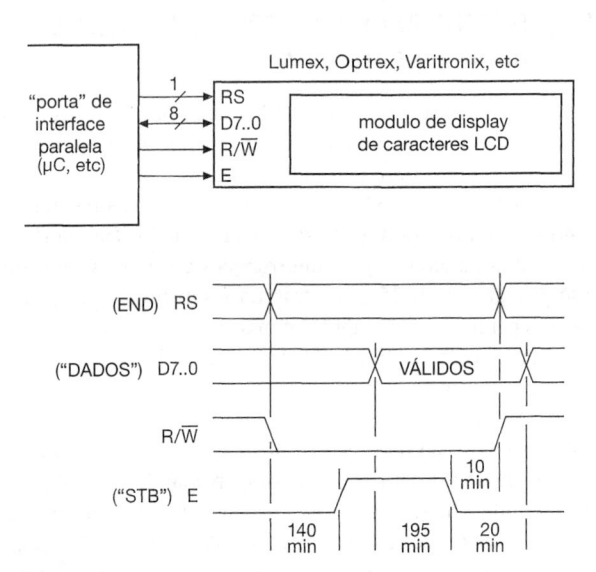

FIGURA 14.34 Módulo LCD com interface paralela, com temporizações do ciclo de ESCRITA (em ns). O ciclo de leitura é semelhante, mas com R/W' ativado em nível ALTO (e D7.. 0 ativado pelo LCD).

caractere nas linhas de DADOS e pulsando a linha de strobe E. O display fica então "ocupado" (estado que você pode identificar fazendo uma leitura no endereço 0: o flag BUSY (OCUPADO) é retornado como bit D7); você pode enviar o próximo caractere quando BUSY se torna falso.

É assim que você envia caracteres. Você também pode fazer coisas como limpar o visor, avançar o cursor, ou determinar onde os caracteres serão mostrados escrevendo *bytes de comando* para o registrador de instrução (end = 0). Por exemplo, escrever 01h limpa o display; escrever 10h move o cursor um caractere para a esquerda; e escrever 06h especifica que o caractere seguinte deve ser escrito à direita do

TABELA 14.3 Barramentos comuns e enlaces de dados

	Par/Ser	PP/MD[b]	Mb/s (máx)[d]	Dispositivos por canal	Bits de end.	Comprimento máx (m)	Troca a quente?	Usado por	Observações
interno de computador									
PC104/ISA	P8,16	MD	–	–	20, 24	–	N	cartões periféricos	IBM PC/XT (ISA) original, no format PC104
PCI	P32,64	MD	1000, 2000	–	32	–	N	cartões periféricos	obsolescente
PCIe	P1,2,4,8,16	PP	4000 por "pista"	1	–	–	N	cartões periféricos e gráficos	pistas unidirecionais seriais múltiplas
IDE/PATA	P16	MD	1000	2	2	0,45	N	disco rígido e unidades ópticas	obsolescente
SATA	S	PP	1500, 3000, 6000	1	–	1	Y	disco rígido, ssd e unidades ópticas	troca a quente; externo também: eSATA
SCSI	P8/16	MD	320, 2500	8/16	–	12	nota f	disco rígido e armazenamento em fita	ultra2/ultra-320; externo também
SAS	S	PP	3000, 6000	4	–	8	Y	unidade de disco rígido	"SCSI conectado serial"
periférico de computador (externo)									
4-20mA	S	PP	110 baud	alguns	–	10k	Y	dispositivos lentos, "legado"	"loop de corrente," robusto em ambientes de ruído
RS-232C	S	PP	0,1	1	–	~30	Y	instrumentos, porta de computador	portas COM; adaptadores USB para serial
RS-485	S	MD	0,1, 10	32	–	1000, 10k	Y	controle de processo	veja o gráfico, fim do Capítulo 12
paralelo (impressora)	P8	PP	2,5	1	–	10	Y	impressoras; obsoleto	porta de impressora original; adaptadores de USB para paralelo
GPIB	P8	MD	8	15	–	20	Y	instrum. teste/medição	cabo plano!
SCSI	P8,16	MD	320, 2500	8/16	–	12	N	disco rígido e armazenamento em fita	ultra2/ultra-320; interno também
eSATA	S	PP	3000	15	–	2	Y	disco rígido e unidades ópticas	troca a quente; SATA externo
Firewire	S	MD	480,800,(3200)	63	64	10	Y	armazenagem em disco, vídeo ao vivo	full duplex, topologia do repetidor, IEEE-1394
USB 1.1	S	PP	12	127	11	5	Y	periféricos de computador	half-duplex, conectado em topologia estrela
USB 2.0	S	PP	400	127	12	5	Y	...incluindo discos rígidos, etc.	
USB 3.0	S	PP	4800	127	–	3	Y	...incluindo unidades de estado sólido	full-duplex em pares super velozes acrescentados
Ethernet	S	PP	10, 100, 1000	1	48	100[h]	Y	rede de computador	coaxial original era multiponto
WiFi	S	PP	6 até 54, até 600[i]	1	48	180	Y	Ethernet sem fio	IEE 802.11a, g, n
Bluetooth	S	PP	1, 2, 3	8	48	10	Y	periféricos sem fio	faixa: 1 m em 1 mW até 100 m em 100 mW
Zigbee	S	MD	0,045, 0,25	240[j]	64	30	Y	dispositivos sem fio de pequena proximidade	rede de malha 15 hop, IEEE802.15.4
CAN	S	MD	1,0, 0,01	64	nota k	1k, 40	Y	automóveis, chão de fábrica, lab.	carga útil de 8 bytes por pacote
LIN	S	MD	0,02	16	nota l	40	Y	automóvel	um fio, sub-rede sob CAN
entre chips									
paralelo[c]	P4,8,16	MD	até 3000	NA	–	–	–	propósito geral, rápido	
LVDS	S	PP	até 6000	NA	–	–	–	CI para CI, backplane, rápido	
I²C / SMBus	S	MD	0,01,0,1,0,41,3,4	112	7	–	–	CI para CI, endereçável	bidirecional de 2 fios, com handshake e endereço
SPI	S	MD	>20[g]	1	–	–	–	simples de CI para CI	full duplex de 4 fios, sem hadshake, sem endereço
JTAG	S	PP	~100	vários	7	–	Y	diagnóstico, carregamento de programa	IEE 1149.1
1-wire	S	MD	0,1	vários	64	100	Y	sensores	Dallas; alimentação e dados na linha!

Notas: (a) existem outros! Estes são os mais usados, provavelmente de maior durabilidade. (b) PP = ponto a ponto, MD = multiponto. (c) genérico, sem padrões. (d) não considera nenhum *overhead*. (e) PCIe utiliza múltiplas "pistas" paralelas de enlaces seriais unidirecionais; o número de pistas está escrito "Xn": X1, X2, X4, X8, X16. Cada pista acomoda 4 ou 6 Gb/s. (f) sim para conectores SCA-2. (g) de chip dependente, sem padrão estabelecido. (h) 100BASE-Tx. (i) quatro fluxos espaciais de 64-QAM, largura do canal de 40 MHz. (j) até 65534 é possível. (k) com a camada de protocolo DeviceNet. (l) comunicação iniciada pelo mestre.

caractere anterior. Os mesmos protocolos são utilizados em uma variante de display compatível que substitui a tecnologia "fluorescente de vácuo". Veja a Seção 12.5.3; ou dê uma olhada na Seção 15.10.4 ver um exemplo simples.

14.6.2 Enlaces de Dados de Chips em Paralelo – Dois Exemplos de Alta Velocidade

O LCD quase não precisa da velocidade extra de um barramento paralelo; de fato, a sua interface permite transferências de bytes realizadas como dois sucessivos meio-byte ("*nybbles*" de 4 bits). Mas às vezes você realmente precisa de velocidade; por exemplo, com um conversor digital-analógico muito rápido, como o mostrado na Figura 14.35. O conversor DAC AD9748 de 8 bits converte a taxas de até 210 Msps (megasamples/seg), então você tem que alimentá-lo com novos bytes a cada 5 ns. O chip obriga ter uma porta de entrada da largura de 1 byte, combinada com uma entrada de clock diferencial que aceita LVDS (sinalização diferencial de baixa tensão) de alta velocidade. Ao contrário do LCD, este não é de modo algum um *barramento*, porque não há comunicação bidirecional e sem endereçamento (nem mesmo um *chip select* ou pino *enable*, como com o LCD). Observe a temporização rápida com tempos de *setup* e *hold* de 2,0 ns e 1,5 ns.

A Figura 14.36 mostra outro exemplo, com requisitos de velocidade semelhantes – um chip codificador de vídeo que pode lidar com as demandas de largura de banda completa de vídeo de alta definição – mas também com a necessidade de especificar literalmente centenas de parâmetros de vídeo associados (tais como formatos de entrada e saída de vídeo, cor e correções de contraste, os padrões de teste, e assim por diante). Então, ele tem uma porta de entrada paralela de 16 bits de largura, com os tempos de setup e hold em escala de nanossegundos. Mas ele também tem uma porta serial lenta, que pode aceitar os protocolos seriais I²C ou SPI e que dá acesso aos ~250 registradores internos de configuração de um byte de largura para configuração. Esta abordagem híbrida aproveita a flexibilidade e a compacidade de um

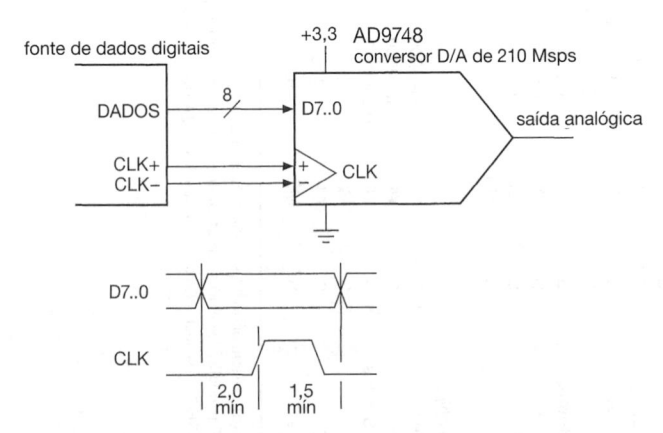

FIGURA 14.35 Enlace de dados em paralelo rápido para um DAC de 210 Msps.

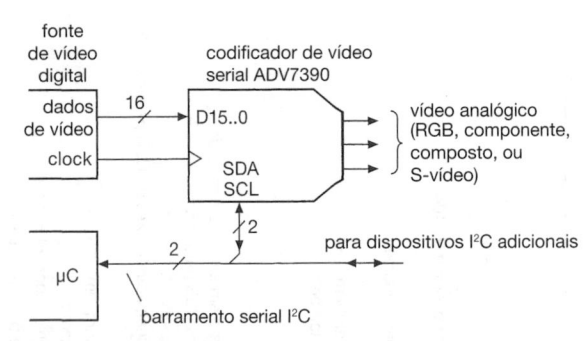

FIGURA 14.36 Codificador de vídeo com entrada rápida de dados de vídeo de 16 bits em paralelo e porta de configuração de barramento serial I²C de 2 fios.

barramento serial, ao mesmo tempo em que usa uma porta de entrada paralela dedicada a aceitar grande quantidade de dados de vídeo digitais.

Discutimos barramentos seriais e enlaces de dados na Seção 14.7, a seguir.

14.6.3 Outros Barramentos Paralelos de Computador

Como observamos acima, os barramentos de computadores usados para mover dados para periféricos e memória evoluíram, e continuam a evoluir. Barramentos contemporâneos, como PCI e PCIe, movem dados rapidamente (1 Gb/s para 32 Gb/s), com larguras de 16 a 64 bits. PCIe ("PCI express") é na verdade um híbrido paralelo/serial, e sinaliza uma mudança em direção a comunicação de dados *seriais*: o PCI que ele substitui utilizou um caminho de dados paralelos convencional bidirecional multiponto (32 ou 64 bits de largura, com 32 bits de endereço), ao passo que o PCIe, mais recente, usa de 1 a 16 "pistas" de pares de enlaces seriais ponto a ponto unidirecionais, cada um dos quais opera com velocidades de 2,5 Gb/s (PCIe v.1), 5 Gb/s (v.2) ou 8 Gb/s (PCIe v.3). A temporização é transportada com os dados, em cada enlace serial, pela codificação dos dados para que o destinatário possa realizar "recuperação de clock" sem separar os sinais de clock ou *strobe*.[41] Isso é necessário para comunicação de alta taxa de bits; caso contrário, a *assimetria* da temporização (a *diferença* nos tempos de propagação do clock e as diversas linhas de dados) limita a taxa de clock de bits máxima.

Barramentos de dados paralelas existem também dentro dos chips de silício: todos os processadores contêm caminhos de dados internos para enviar dados entre os registradores e unidades aritméticas, de e para a memória cache interna ao chip, entre o processador e a memória externa, e assim por diante; você verá nomes como AMBA e Wishbone. Conforme os processadores crescem em velocidade, crescem

---

[41] PCIe usa codificação "8b/10b" com cada byte de 8 bits enviados como um símbolo de 10 bits, para gerar uma sequência de bits balanceadas em CC e "limitada em comprimento" em que nunca há mais de cinco 1s ou 0s consecutivos.

também seus barramentos externos; a configuração atual é de um barramento "*Front Side*" (FSB) rápido e largo, que exige chips de suporte para separar os barramentos de memória, periféricos rápidos (barramento PCIe) e periféricos mais lentos (SATA, PCI, USB, Ethernet).

Outra tendência nos atuais modelos de computador é a integração de mais funções e mais complexidade, dentro do próprio chip do processador. Assim, temos os incríveis e baratos micro*controladores*, com o seu espectro de "periféricos" internos ao chip, prontos para serem usados em um circuito ou instrumento quase sem pensar em barramentos ou interface. Microcontroladores embarcados são o assunto do próximo capítulo.

Uma outra abordagem dispensa o processador dedicado por completo, explorando o poder da lógica configurável (Capítulo 11) em dispositivos do tipo "sistema em um chip" (SoC) em grandes FPGAs. Estes permitem projetos de sistemas flexíveis (incluindo núcleos de processador "soft" interno ao chip, barramentos, memória e periféricos internos), com abundantes pinos de I/O de ampla largura de banda. Um exemplo é a série Virtex de FPGAs da Xilinx, chegando a vários milhões de flip-flops, dezenas de MB de RAM interna ao chip e mais de 500 portas diferenciais LVDS. Além de SoCs de configurações flexíveis, existem dispositivos padrão de aplicações específicas (ASSPs, veja a Seção 11.4.2) para muitas aplicações de consumo. Por exemplo, há o BCM7405 da Broadcom que é um "SoC de HD digital de Multiformato de Vídeo/Áudio para Satélite, IP e Cabos STBs com Picture-in-Picture (imagem na imagem", o título diz tudo[42]).

14.6.4 Barramentos Paralelos de Periféricos e Enlaces de Dados

Embora a indústria esteja se movendo de barramentos paralelos para seriais, ainda existem alguns barramentos paralelos em uso.

A. PATA (IDE)

O PATA de 16 bits de largura (ATAPI paralelo, também chamado de IDE) foi por muitos anos a conexão padrão para unidades de disco rígido e óptico (CD, DVD) internos. Os cabos de fita de 40 fios de largura e conectores são um pouco incômodos, e mesmo após a introdução de cabos de 80 fios (adição de linhas de terra intercaladas para melhorar a integridade do sinal) as taxas de dados chegaram a 133 MB/s ($\sim$1 Gb/s). PATA está obsoleto e foi substituído pelo formato SATA serial.

B. SCSI

A interface paralela de 8/16 bits de sistemas de computadores pequenos é dos anos 1980, com melhorias na velocidade e formato de sinalização (originalmente 5 V de terminação simples, com o diferencial de baixa tensão acrescentado posteriormente[43]), e foi, até recentemente, a interface preferida para discos e dispositivos de armazenamento em fita de alto desempenho. Barramentos SCSI internos usam fitas de 68 fios com soquetes *header* de dupla linha; SCSI externo utiliza cabo de múltiplos pares blindado com conectores de 68 a 80 pinos de alta densidade.[44] Embora a largura de banda do SCSI tenha melhorado a cada geração, ele foi ultrapassado em velocidade e conveniência pelos formatos seriais: SAS (*Serial-Attached* SCSI) e SATA.

C. GPIB

O barramento de interface de propósito geral IEEE-488 foi criado pela HP para controle e leitura de equipamentos de teste e medição; muitos instrumentos (por exemplo, da Agilent, Keithley, National Instruments e Stanford Research Systems) continuam dado suporte ao controle GPIB. Ele usa um conector de 24 pinos empilhável e robusto e permite comprimentos de até 20 metros. Você pode obter cartões adaptadores GPIB para os barramentos de computador PCI e PCIe; ou pode obter adaptadores, tais como Ethernet para GPIB e USB para GPIB.

D. Porta de Impressora ("*Centronics*")

Última (e menos importante) é a "porta de impressora" paralela (porta LPT), que foi padrão por duas décadas, começando com o PC original da IBM, onde seu endereço de I/O foi (e ainda é) o 378h. Ela também foi usada para modems externos e "chaves" de software. A interface paralela original era unidirecional (saída de dados, com algumas linhas de *handshake*), mas as extensões da norma (IEEE 1284: ECP, EPP) a tornou bidirecional, mais rápida e mais do tipo bar-

---

[42] Mas no caso de você querer ouvir mais, a página do produto tem isto a dizer: "O BCM7405 é uma solução de sistema em um chip (SoC) de DVR para recepção de alto desempenho e alta definição (HD) via satélite, cabo e IP. Ele combina uma tipo de CPU rápida 1100-DMIPS MIPS32/MIPS16e, processamento gráfico de alta velocidade, incluindo o dimensionamento de vídeo e movimento de desentrelaçamento adaptável, um processador de transporte de dados muito flexível, um decodificador de vídeo compatível MPEG-4/VC-1/ MPEG-2/AVS, um decodificador de áudio programável, seis DACs de vídeo, DACs de áudio estéreo de alta fidelidade, portas Fast Ethernet dupla, um com PHY integrado, USB 2.0 triplo, um PCI 2.3/Barramento de Expansão, um controlador de memória DDR2 de 400 MHz de alta velocidade e uma unidade de controle de periférico que fornece uma variedade de funções de controle de receptores de TV. Integrado na tecnologia de 65 nm, que oferece um dos mais altos níveis de desempenho do sistema de único chip disponíveis para aplicações STB."

[43] A sinalização diferencial requer o dobro de fios, mas é superior em termos de baixa distorção de interferência, excelente imunidade a ruídos e ruído de terra e fonte muito menores (devido a transições balanceadas); estas características melhoradas permitem que você use variações de tensão relativamente pequenas, com correntes de acionamento correspondentemente menores.

[44] Os conectores de alta densidade em miniatura que foram desenvolvidos para formas avançadas de SCSI paralela têm sido muito úteis em outros campos, como conectores de I/O para placas DAQ de computador para uso em laboratório pela National Instruments e outros. Estes são feitos pela HRS Hirose, Honda Connectors e outras.

ramento. Ela é totalmente obsoleta: as impressoras usam conexões USB ou Ethernet. Os computadores hoje raramente incluem uma porta paralela; se você precisa de tal conexão, pode obter adaptadores USBo.

Dito isto, no entanto, a porta paralela (emulada com um adaptador USB, por exemplo) é a maneira mais simples de manipular alguns bits a partir de um PC. Se você estiver executando alguma versão do Windows, precisará de um driver[45] que permita que você converse com o hardware (estes sistemas operacionais não permitem que você faça contato direto com as portas de hardware, como nos bons tempos do DOS). Então, você pode escrever código realmente simples, como este exemplo de Python[46] que é executado em modo de terminal:

```
>>> import parallel
>>> p = parallel.Parallel() # open LPT1
>>> p.setData(0x55)
```

Você pode usar uma linguagem compilada, em vez disso; algumas pessoas que conhecemos gostam de PowerBASIC, na qual você pode usar a linguagem assembly como parte integrante de uma subrotina BASIC para enviar um valor para uma porta endereçada. Parece com isso:

```
Sub PortOut(ByVal PortNum as word, Byval Value as byte)
    ASM MOV AL, Value
    ASM MOV DX, PortNum
    ASM OUT DX, AL
End Sub
```

14.7 BARRAMENTOS SERIAIS E ENLACES DE DADOS

Barramentos seriais e enlaces de dados têm várias vantagens importantes, duas das quais vimos anteriormente: (a) menos fios no cabo e no conector (pense em um cabo USB fino, em comparação com um grosso GPIB ou SCSI), e menos pinos nos chips acionador e receptor; (b) alta taxa de bits intrínseca, por causa da ausência de assimetria na temporização (autotemporizada via recuperação de clock) e terminação de linha perfeita (se ponto a ponto). Além disso, (c) um enlace serial de um fio é facilmente transportado por fibra óptica ou por transmissão sem fio. E, se você quiser bits em paralelo em cada extremidade, existem chips genericamente conhecidos como SERDES (*serializer-deserializer*), que converte um fluxo serial em paralelo, e vice-versa (veja também as Seções 12.8.4 e 12.10.3). Como exemplos deste último, a FTDI Ltd. oferece os populares FT245 e FT2232, que converte entre uma porta USB de velocidade relativamente baixa e uma porta paralela simples de largura um byte, com um buffer interno do tipo FIFO (primeiro a entrar é o primeiro a sair); exemplos de alta velocidade incluem o SERDES de 18 bits DS92LV (com velocidades de até 1,2 Gbps), ou os SERDES genéricos utilizados na PHY (camada física – isto é, os ICs de acionamento-recepção-comutação) de enlaces Ethernet gigabit ("1G") e 10 gigabit ("10G").

Nas seções que se seguem descrevemos a maioria dos temas importantes em enlaces seriais, com exemplos daqueles de uso comum. Tal como acontece com os barramentos paralelos, olhamos primeiro para protocolos seriais internos (chip para chip, e dentro de um instrumento), depois para os barramentos seriais externos. Dentro dessas categorias ordenamos por complexidade crescente, indo, por exemplo, do enlace mais simples (e mais lento) de 4 fios com clock (SPI) para os enlaces de recuperação de clock decodificados de 8b/10b de 1 fio utilizado no SATA e PCIe.

Veja o próximo capítulo para sugestões de chips específicos para implementar esses protocolos com um microcontrolador.

14.7.1 SPI

A interface periférica serial (SPI) foi introduzido pela Motorola, e é amplamente utilizada para a comunicação *entre* CIs (em que o outro padrão popular é o I^{2}C, discutido a seguir).[47] É organizado como um protocolo mestre-escravo (*master-slave*) (como o barramento PC104), mas usa apenas 4 fios (Figura 14.37): uma linha de clock e duas de dados (uma em cada sentido), e um *chip select*. Eles são nomeados SCLK, MOSI (saída mestre, entrada escravo), MISO (entrada mestre, saída escravo) e SS' (*slave select*; ativo em nível BAIXO).[48] Existem várias formas de conectar o circuito,

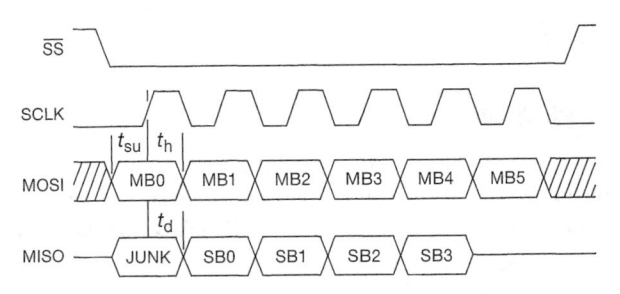

FIGURA 14.37 Um protocolo SPI típico, com bits em ambos os sentidos com clock na borda de subida de SCLK. Com SPI, a quantidade e o significado dos bits são específicos para o dispositivo escravo, que aqui aceita 6 bits de entrada do mestre (MB5..0), e produz simultaneamente 4 outros bits (SB3..0).

---

[45] Os exemplos são DirectIO.exe, ou InpOut32.dll.

[46] "SetData (value)" é uma das várias funções *bit-banging* (simulação de hardware via software) chamada na pyParallel API; a documentação a descreve como "Aplicação do byte dado aos pinos de dados da porta paralela."

[47] Você vê SPI e I^{2}C em chips como sensores, conversores, memória não volátil, chaves analógicas e potenciômetros digitais, para serem controlados a partir de um microcontrolador, microprocessador, ou outro enlace digital.

[48] Às vezes, com nomeação alternativa: SDI, DI, ou SI para entrada de dados, e da mesma forma para a saída de dados, com os nomes de sinal correspondente ao sentido dos dados *neste CI*. Por exemplo, o pino MOSI no mestre seria conectado aos pinos DI nos escravos.

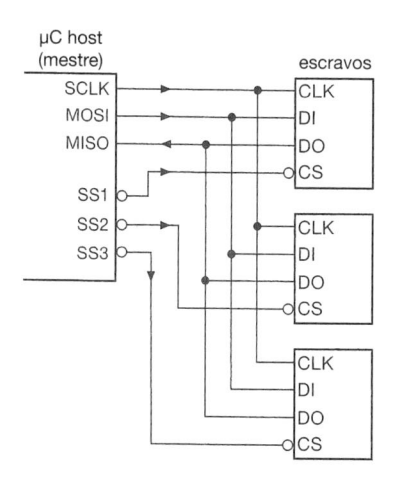

FIGURA 14.38 As conexões de barramento da configuração SPI comum: o clock e as linhas de dados são compartilhados, com linhas SS' (*slave-select*) individuais que ativam as entradas de *chip select* dos escravos correspondente.

mas geralmente o esquema da Figura 14.38 é usado: as linhas de clock e de dados formam o barramento para todos os chips escravos ("multiponto"), com uma linha de seleção dedicada separada para cada escravo.

O mestre controla todas as transferências, primeira ativando SS' para o CI escravo escolhido (com a linha SCLK em seu estado de repouso), em seguida, gerando sucessivos pulsos de clock, cada um dos quais permite uma transferência bit a bit de dados em MOSI e MISO para esse chip apenas. Não existe um protocolo fixo para o que os dados representam, quantos bits são enviados, etc. O que acontece, em vez disso, é que um chip especial especifica o significado dos bits seriais que lhe foram enviados e dos bits que simultaneamente envia de volta.

Para dar um exemplo, o AD7927 é um ADC de 12 bits de velocidade modesta (200 ksps), com um multiplexador de 8 entradas interno e com uma porta serial SPI (Figura 14.39); este último controla tanto as conversões (por exemplo, escolha do canal de entrada, faixa de tensão, codificação de saída, etc.) e também proporciona as saídas digitais convertidas. Este chip especial carrega os primeiros 12 bits de entrada (após a ativação de SS', que também inicia a conversão) em seu registrador de controle (ignorando bits posteriores), e ele envia simultaneamente de volta o resultado da conversão anterior como uma sequência de 16 bits, como mostrado na Figura 14.39.[49] Veja a Figura 15.21 para alguns exemplos de chips periféricos SPI que estão bem adaptados para aplicações de microcontroladores.

A. Alguns Comentários

O protocolo SPI é uma forma livre em conteúdo (quantos bits são enviados, e o que eles significam), como o exemplo mos-

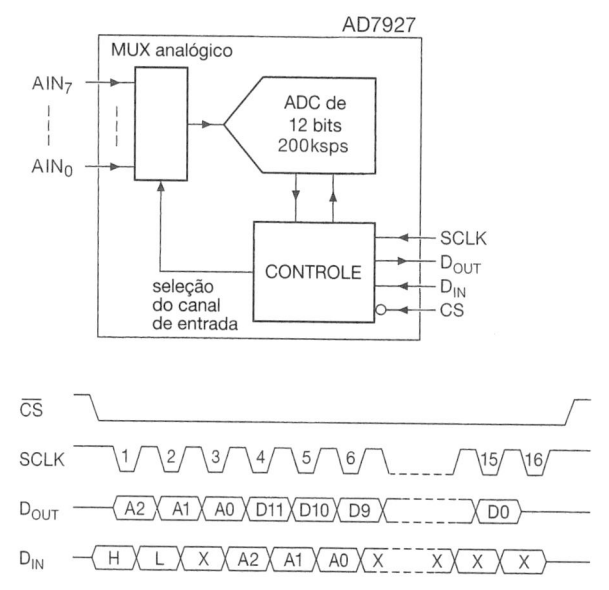

FIGURA 14.39 Um ADC de 8 canais com controle de SPI e de leitura. O protocolo mostrado é o mais simples dos vários modos permitidos: o CS' do mestre dá início a uma conversão, após as saídas do escravo enviar o endereço do canal (3 bits) e o valor convertido (12 bits); o mestre envia simultaneamente o endereço do próximo canal de entrada para ser convertido.

tra. O SPI não tem endereçamento intrínseco para designar o local dos dados dentro do chip alvo, de modo que o usual é enviar uma cadeia de bits que se desloca em posições de bits internos sequenciais, com a folha de dados definindo como eles se separam internamente (a alternativa popular I^{2}C, a seguir, tem uma abordagem diferente). Alguns chips podem ser somente de escrita (por exemplo, um LCD com entrada serial), outros somente de leitura (por exemplo, um chip conversor de termopar para digital MAX6675 da Maxim, com SCLK, MISO, e SS' apenas: você não diz a *ele* qual é a temperatura, ele diz a você). Alguns chips podem inverter a polaridade do clock, e também qual borda promove o clock dos dados (isto produz quatro possibilidades, conhecidas como *modos* SPI, o modo da ilustração acima usa o modo 2). SPI tem temporização simples e transferências de dados *full-duplex* (ou seja, em ambos os sentidos simultaneamente e de forma independente); ele não exigiu "*handshake*": um mestre pode enviar grandes quantidades de dados – a um chip inexistente!

Uma vez que SPI (e variantes do SPI) não têm um padrão bem definido, você tem que ler atentamente as especificações da folha de dados para cada chip de interface. Você irá descobrir, além dos modos de polaridade já mencionados, que as velocidades de clock máxima (e mínima!) podem variar de alguns quilohertz a muitos megahertz. O AD7927, por exemplo, especifica $f_{SCLK} = 10$ kHz (mín), 20 MHz (máx). Com vários chips SPI em um sistema, você pode ter incompatibilidades entre os que o forçam a escrever código para ativar e desativar bits da porta "à mão" (isso é chamado de *bit-banging*, ao invés de usar a interface SPI interna ao microcontrolador).

---

[49] O AD7927 pode fazer numerosos truques adicionais, tais como a conversão cíclica de uma sequência arbitrária prescrita de canais de entrada; você programa essa sequência carregando um "registrador sombra", que pode ser acessado através de dois bits do registrador de controle.

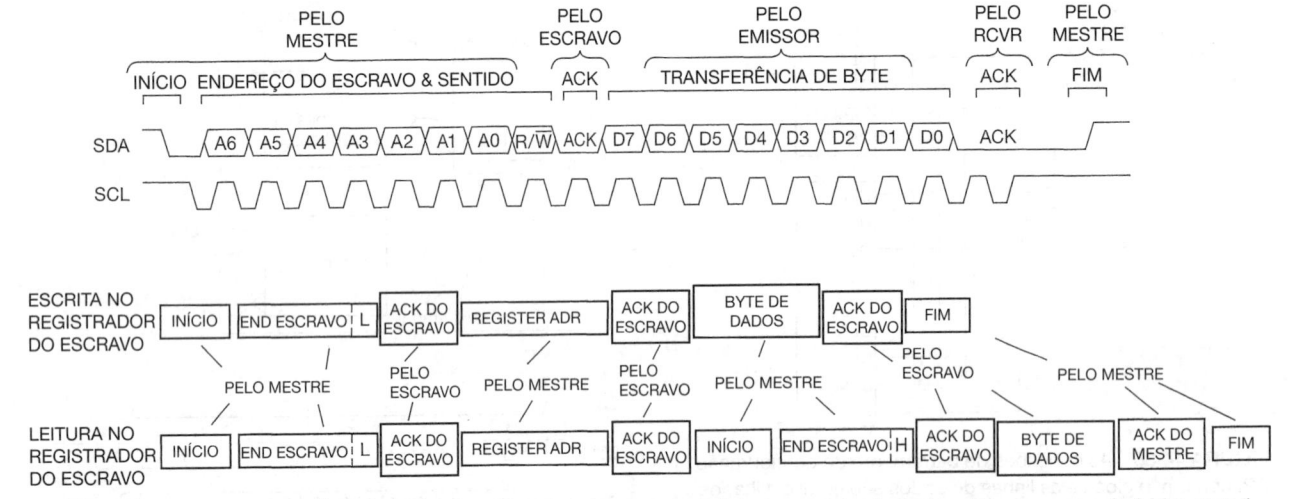

FIGURA 14.40 O protocolo I²C de 2 fios (par de formas de onda superior): todas as transferências são em grupos de 8 bits, com 1 bit de reconhecimento (ACK). O primeiro byte após INÍCIO é sempre a ativação pelo mestre do endereço do escravo (A6..0) e sentido (R/W'); os bytes subsequentes fluem do emissor ao receptor (dependendo desse primeiro R/W'), ativados pelo emissor e reconhecidos pelo receptor. O mestre pode acessar os registradores dentro de um dispositivo escravo, enviando o seu endereço interno como um byte de dados, como mostrado nos diagramas em blocos na parte de baixo da figura; tanto um WRITE quanto um READ são demonstrados, este último necessitando de um "INÍCIO repetido" para criar um READ depois de escrever o endereço do registrador na transação inicial.

Uma alternativa amplamente utilizada para SPI é a interface de periférico I²C, discutida a seguir.

14.7.2 Interface I²C de 2 fios ("TWI")

O barramento de interface serial *Inter-Integrated-Circuit* (IIC, I2C, ou I²C) foi criado pela Philips (agora NXP), para a comunicação entre chips.[50] Ele difere do SPI de várias maneiras: (a) ele usa apenas 2 fios, que constituem no barramento conectado a todos os CIs escravos (não há nenhum *chip select* separado como o SS' que é usado em SPI); (b) o endereçamento é enviado (em primeiro lugar) na mesma linha que os dados são enviados ou recebidos; (c) o barramento é "*half-duplex*" – isto é, os dados podem se mover apenas em um sentido de cada vez (o sentido é especificado por um bit seguinte ao endereço); (d) embora I²C seja uma arquitetura mestre-escravo (como SPI), qualquer dispositivo no barramento pode se tornar mestre quando o mestre atual renuncia ao controle (pelo envio do bit de fim que termina a sua sessão com um escravo particular).

A Figura 14.40 mostra o protocolo. O barramento I²C de 2 fios é composto de uma linha de clock (SCL) e uma linha de dados (SDA), ambas com *pull-ups* resistivos para V_+. SCL é ativado pelo mestre, ao passo que SOA é bidirecional: ele é ativado pelo mestre para especificar o endereço do escravo (7 bits) e o sentido da transferência (1 bit); o escravo então envia um bit de confirmação (ACK), na sequência do qual um ou mais bytes de dados são movidos do mestre para o escravo, ou a partir de escravo para o mestre (sempre temporizado pelo mestre), dependendo do bit do sentido de transferência que foi especificado inicialmente com o endereço do escravo. A sessão termina quando o mestre envia um bit de fim após o último byte transferido.[51] Os comandos INÍCIO (START) e FIM (STOP) são criados ao violar a convenção normal de que "dados só podem mudar durante o clock BAIXO".

Para dar um exemplo, o AD7294, um "Sistema de Controle e Monitor de 12 bits com ADC de múltiplos canais, DACs, Sensor de Temperatura e Sensor de Corrente" é um chip "faz tudo" para aplicações tais como automóveis, controles industriais e estações rádio base de telefonia celular (Figura 14.41). Não é o mais rápido no bloco – meras 300.000 conversões por segundo em seu ADC – mas ele percorre todos os canais e relata de volta para o sistema através de uma porta I²C. A folha de dados de 44 páginas informa como se comunicar com os seus 40 registradores internos, com nomes divertidos como "AlertRegisterA(R/W)" e "DATA$_{HIGH}$RegisterT$_{SENSE}$INT(R/W)." Veja a Figura 15.22

---

[50] O SMBus intimamente relacionado impõe normas mais rígidas, tanto no protocolo quanto na sua sinalização elétrica.

[51] Você pode pensar em todo este processo como o análogo serial de uma transferência de dados do PC104/ISA: neste último, o mestre ativa o endereço nas linhas A19..0, e o sentido nas linhas a IOW'/IOR'. Se for uma ESCRITA, o mestre coloca os dados sobre as linhas bidirecionais D7..0; se for uma LEITURA, o escravo endereçado coloca os dados sobre essas mesmas linhas. Em qualquer caso, a transferência é temporizada pelo strobe IOW'/IOR' do mestre ". Em I²C os mesmos passos acontecem, mas em sequência serial na linha de dados-endereço-sentido DAS bidirecional, com clock na linha de clock SCL unidirecional simples.

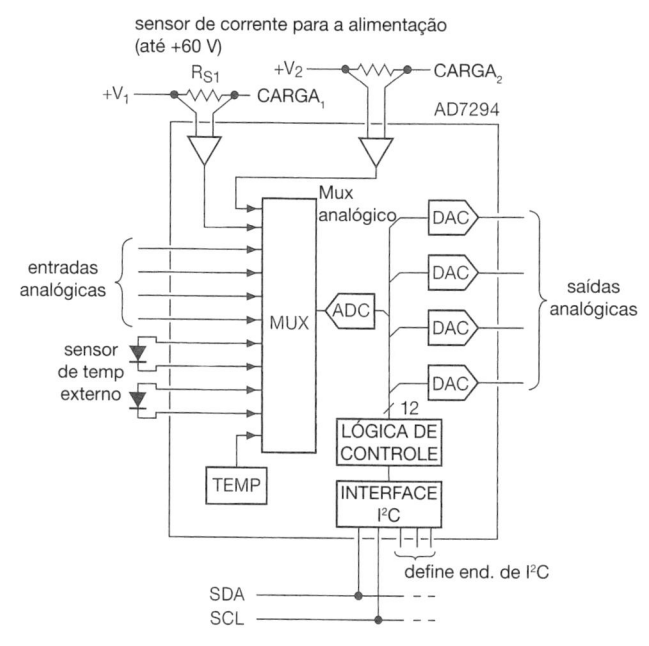

FIGURA 14.41 Um chip monitor multifuncional, rico em recursos, mas de velocidade apenas modesta, com controle I²C. O mestre pode chegar a cada um dos 40 registradores internos, enviando o endereço de registrador correspondente como o segundo byte de uma transmissão, tal como mostrado na Figura 14.40.

para alguns exemplos de chips periféricos I²C que estão bem adaptados para aplicações de microcontroladores.

A. Alguns Comentários

O protocolo I²C de 2 fios está bem definido e é econômico em termos de fiação, especialmente quando você precisa incluir muitos chips no barramento, porque os 2 fios transportam tudo: dados, endereçamento e clock. Além disso, ele permite que o escravo torne o mestre mais lento fazendo "alongamento de clock" (mantendo SCL em nível BAIXO; este é o *controle de fluxo*), e permite vários mestres de barramento. Ele é particularmente adequado para tarefas em que você quer mirar em um registro especial em um chip que é dotado de muitos; com o AD7294, por exemplo, você teria uma transação de 3 ou 4 bytes: o primeiro byte é o endereço de barramento do chip, o segundo é o endereço do registrador interno do chip, e o último byte (ou dois) é uma escrita (ou leitura) para (ou a partir de) esse registrador interno.

B. Comparação com SPI

Quando comparado com SPI, no entanto, I²C é um protocolo mais complexo, e não tão adequado para uma alta taxa de transmissão de dados. A flexibilidade da maestria do barramento múltiplo traz consigo os problemas de contenção e arbitragem. Você tem que dar endereços únicos a vários dispositivos, que é comumente tratado com a inclusão de alguns pinos dedicados para selecionar entre um conjunto integrado (por exemplo, o AD7294 tem 3 pinos, através dos quais você pode selecionar qualquer endereço de 61h a 7Bh), derrotando, assim, alguns da vantagem do baixo número de pinos. E a flexibilidade de endereçamento, dados bidirecionais e maestria de barramento complica a depuração, em comparação com o protocolo SPI muito simples.

Qual usar? A escolha é geralmente determinada pelo chip periférico, que geralmente suporta apenas um dos protocolos, enquanto a maioria dos microcontroladores incluem suporte de hardware para ambos, SPI e I2C (e se não o fizerem, você sempre pode fazer isso via software).

14.7.3 Interface Serial de "1 fio" da Dallas-Maxim

A última palavra em redução do número de fios é a interface de 1 wire™ (1 fio) (mais o terra) concebida pela Dallas (que se uniu à Maxim).[52] Um único fio transporta dados e endereços seriais e também a *alimentação*! Ele faz tudo isso é por meio do envio de dados, de forma bidirecional, como breves pulsos para o terra, com cada dispositivo escravo tendo um capacitor interno ao chip para manter a alimentação. O objetivo é a simplicidade na interconexão com dispositivos como sensores de temperatura, memória, conversores, gerenciamento de bateria, e assim por diante (Figura 14.42). Com apenas terra e dados, os dispositivos podem ser encapsulados no que a Maxim chama de *iButton*™, que se parece com uma célula de bateria na forma de uma moeda.

O protocolo é assim: múltiplos dispositivos escravos todos conectados à linha de dados comum e ao terra, controlados por um dispositivo mestre (microcontrolador ou outra interface digital). A linha é conectada por *pull-up* a +5 V, que alimenta os dispositivos escravos e permite que qualquer dispositivo ative um nível BAIXO momentâneo. O mestre começa todas as transações ativando endereços e, em seguida, enviando ou recebendo dados. Os dados são codificados como larguras de pulso: um pulso curto (< 15 μs) para 1, e um pulso longo (60 μs) para 0. Se o mestre estiver enviando, ele simplesmente ativa os bits com as larguras de pulso correspondentes; se ele estiver recebendo, envia o pulso curto correspondente a um 1, e o escravo endereçado responde ao não fazer nada (liberando a linha para +5 V, portanto, sinalizando um 1), ou mantendo a linha em nível BAIXO por 60 μs, criando um pulso longo (portanto, sinalizando um 0).

Cada dispositivo de 1 fio tem um endereço de 64 bits único, atribuído no momento da fabricação, que inclui um byte indicando o tipo de dispositivo. O mestre reseta os escravos com um pulso longo (todos os "pulsos" são de nível BAIXO, ou seja, para o terra), em seguida, consulta o barramento para conhecer os endereços anexados. O mestre pode

---

[52] A abundância de detalhes em suas Notas de Aplicações AN147, AN148, AN155, AN159, AN244, AN1796 e AN3358.

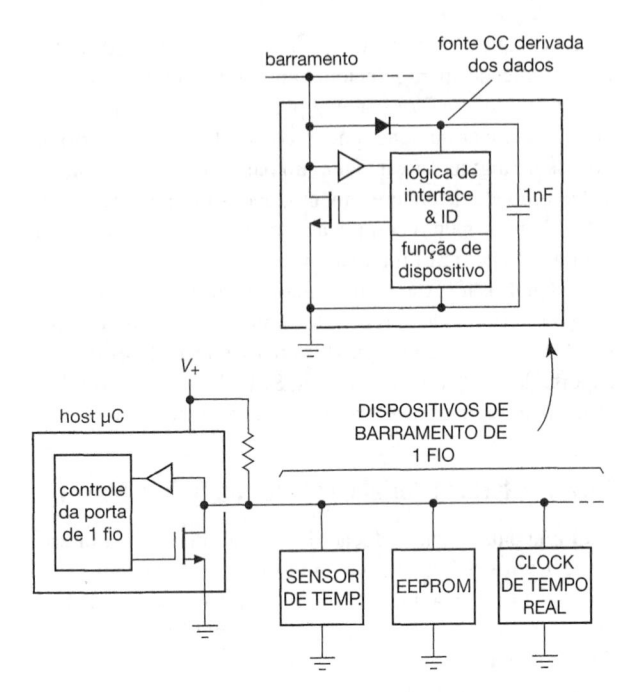

FIGURA 14.42 O barramento de dados 1-wire™ criado pela Dallas-Maxim. Um capacitor interno mantém a alimentação dos escravos durante os breves pulsos de dados de nível BAIXO. O barramento de 1 fio da Dallas-Maxim pode ser utilizado para conexões a sensores, etc., do lado de fora de um instrumento. É normalmente limitado a uma distância máxima de 30 metros de rede, mas pode funcionar até 500 metros com um acionador apropriado (ver AN244); e extensões de Ethernet são possíveis.

enviar mensagens disseminadas para todos os dispositivos conectados, ou pode realizar operações com dispositivos específicos, de acordo com os respectivos endereços únicos. Tal como acontece com o barramento I^{2}C, esse endereço é enviado (pelo mestre) na linha de dados, seguido pelos dados a serem enviados ou recebidos.

14.7.4 JTAG

Uma útil interface de chip, com uma história interessante, é o padrão JTAG (Joint Action Group Test), também conhecido como "*boundary scan*", ou IEEE 1149.1. Foi criado na década de 1980 para lidar com o espinhoso problema de testar falhas de componentes ou de conexões em placas de circuito utilizando as então novas tecnologias de montagem em superfície e multicamadas; isso tornou cada vez mais difícil obter as conexões de pinos e, ainda pior, com a parte interna dos próprios chips. Como tal, é uma maneira de olhar para os percursos dos registradores e dados dentro dos chips, utilizando um simples barramento serial de 4 fios, permitindo identificar o que está quebrado sem ter de dessoldar vários dispositivos para chegar ao problema.

JTAG acabou por ter uma utilidade adicional como interface serial de uso geral, semelhante a SPI e I^{2}C, pela forma como acomoda uma máquina de estado interna no dispositivo de destino para controlar transferências de dados. Entre outras aplicações, é agora amplamente usada para programar e depurar microcontroladores no próprio circuito (por exemplo, as séries ARM e AVR) e programar CPLDs, FPGAs e a memória não volátil (flash, EEPROM), assim como outros chips que incluem no circuito memória não voláteis (por exemplo, a DS4550 da Maxim, onde coexiste com uma porta I^{2}C).

O esquema básico está ilustrado na Figura 14.43. A linha de clock (TCK) e uma linha de seleção de modo (TMS) são levadas a todos os dispositivos; as outras duas linhas são conectadas em cascata através dos chips e são denominadas de entrada de dados (TDI) e saída de dados (TDO).[53] Os bits TDI são inseridos com clocks na borda de subida de TCLK, e os bits TDO são obtidos com clocks na borda de descida. Os bits de modo, que definem o que TDI e TODO farão, são temporizados pelo clock na borda de subida do sinal de TCLK. (Há também uma linha de reset opcional no barramento, chamado TRST.) O barramento funciona a velocidades na faixa de 1 a 100 Mb/s, de acordo com o(s) chip(s) alvo particular(es).

Muitos PLDs e microcontroladores agora usam uma porta JTAG para programação; normalmente você tem um módulo de programação que se conecta a um computador *host* via USB, e tem um soquete *header* para encaixar com um *header* de pinos a bordo do dispositivo de destino. Infelizmente, a configuração do conector *header* não foi padronizada, embora seja fácil o suficiente para fazer um adaptador. No entanto, o software que os fabricantes de chips fornecem geralmente obrigam o uso de um módulo específico ao trocar informações com seus chips. Você deve usar o software

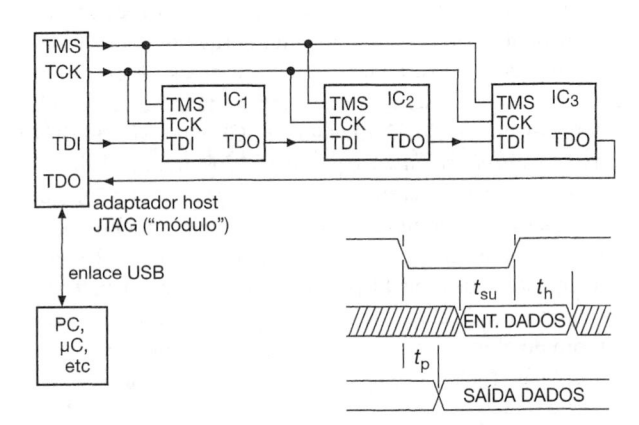

FIGURA 14.43 A interface "*boundary scan*" JTAG usa um par de linhas de barramento unidirecionais (clock: TCK; modo selecionar: TMS), e uma linha de dados seriais passando por cada escravo (TDI, TDO).

---
[53] A letra "T" que precede cada sinal significa "teste", uma indicação do que os autores tinham em mente.

do fabricante, ou software de código aberto, para carregar o código compilado para o destino e fazer a depuração em tempo real no próprio circuito, ambos através da mesma porta JTAG.

14.7.5 Clock Perdido: Clock Recuperado

Cada um dos enlaces seriais citados, SPI, I^{2}C e JTAG, usa uma linha de clock separada para temporizar os bits de dados (SCLK, SCL e TCK, respectivamente). No entanto, é possível fazer a *recuperação de clock* a partir dos dados em si, se você organizar as coisas corretamente. Isto não só reduz o número de linhas como permite taxas de dados finais mais elevadas, porque não há problema de assimetria de temporização entre clock e dados. Os enlaces seriais internos restantes (e, mais tarde, os enlaces seriais externos) empregam recuperação de clock e dados (linguagem dos engenheiros: "CDR") a partir das transições na(s) linha(s) de dados. Você encontrará nas Seções 14.7.9 a 14.7.12 informações úteis sobre a codificação é usada nesse trabalho.

14.7.6 SATA, eSATA, e SAS

SATA é serial-ATA, e SAS é *Serial-Attached* SCSI. Estes são os barramentos seriais rápidos para armazenamento interno e externo (unidades de disco, fita e ópticas); eles substituem os obsoletos ATA (retroativamente chamado PATA, ou às vezes IDE) e SCSI, respectivamente. Eles compartilham o mesmo conector (embora SAS ofereça tipos de conectores adicionais) e são conectados à quente. A taxa máxima de dados é atualmente 6 Gb/s, com caminhos de atualização para 12 Gb/s. SAS tem algumas características de desempenho não encontradas em SATA, e está voltado para aplicações de servidor (em oposição a de consumidor); ela basicamente continua o protocolo SCSI (paralelo), mas executando em uma interface de conexão serial.

Essas interfaces usam sinalização diferencial de baixa tensão, com codificação 8b/10b e recuperação de clock, e permitem troca a quente (embora este recurso necessite de suporte do sistema operacional para funcionar corretamente).

SATA externo (eSATA) é uma extensão do padrão para a conexão de dispositivos de armazenamento externos em um computador com SATA, utilizando os mesmos protocolos. Os conectores físicos são diferentes, projetados para maior robustez e integridade do sinal. Dispositivos externos conectados via eSATA atualmente exigem alimentação separada, um incômodo que pode ser remediado pela iniciativa "Power Over eSATA".

14.7.7 PCI Express

PCI Express ("PCI-E" ou "PCIe") foi introduzido em 2004, como um sucessor para o barramento PCI paralelo (e seus irmãos, PCI-X e AGP), para interface com placas de periféricos na placa mãe do computador. Ele substituiu a arquitetura paralela multiponto grande (32 ou 64 bits) por um conjunto de "pistas" ponto a ponto em série, cada pista consistindo em dois pares diferenciais LVDS (um par para comunicação serial de 1 bit em cada sentido, veja a Seção 12.10.3). Com várias pistas existe um paralelismo (nesse sentido, é um híbrido), mas a comunicação é basicamente serial, com codificação 8b/10b e recuperação de clock, etc.

PCIe tem velocidade impressionante: atualmente 4 Gb/s *por pista* (pCIe v2.0 tem o dobro da versão original 1.1), com 1 a 16 pistas. Assim você poderia ter até 64 Gb/s para um slot x16, se o hardware em ambas as extremidades puder lidar com isso.

Vamos fazer um pequeno aparte para explicar como chegamos a este esquema elaborado, dada a elegância do barramento paralelo com a sua tradicional partilha econômica de linhas de dados (como no barramento PC104/ISA). Grosso modo foi assim: no início (digamos na década de 1970) os circuitos integrados não eram densos e o encapsulamento DIP, limitado à contagem de pinos de 16 (muitas vezes) ou 40 pinos (ocasionalmente). Eles não eram muito rápidos, operando a velocidades de clock de aproximadamente 10 MHz. Estas circunstâncias favoreceram o barramento paralelo compartilhado – menos cabos, menos pinos entre acionador-receptor e, ainda assim, abundância de velocidade de barramento.

À medida que os chips se tornavam mais rápidos, e as pessoas exigiam mais velocidade, os barramentos paralelos eram reforçados, com largura maior (o barramento ISA de 8 bits foi ampliado para 16 bits e, em seguida, expandido para EISA: 32 bits), e, ao mesmo tempo, com mais velocidade. Tudo bem, até um certo ponto. O se aproximou quando o desempenho do barramento PCI paralelo (o sucessor da família ISA) cresceu de seus originais 32 bits a 33 MHz (assim, 133 MB/s) para 64 bits a 133 MHz ("PCI-X", 1064 Mb/s). Uma outra melhoria ("PCI-X 2.0") quadruplicou a velocidade, mas não foi amplamente adotado. Problemas de assimetria de temporização e de reflexões a partir dos tocos multiponto impediram maiores ganhos a partir do barramento. Nesta altura (2003) os projetistas de computadores viram uma maneira melhor, ou seja, a arquitetura serial ponto a ponto PCIe.

Claro, o PCIe tem seus desafios: considere uma placa mãe com um par de slots x16 (uma configuração comum, mesmo em computadores de baixo custo). Cada slot requer 32 pares diferenciais (64 fios), de modo que você tem que conectar 128 fios e lidar com 4 Gb/s (na verdade, 5 Gb/s sem refinamento, devido ao *overhead* de codificação) em cada um dos 64 pares. Essa função (juntamente com o barramento de memória) é levada a cabo no chip da ponte norte (um dos dois chips que constituem o chipset. O outro é a ponte sul), que tem centenas de pinos e a velocidade e a complexidade necessárias para a tarefa: ele mesmo tem o seu próprio dissipador de calor. E não se deve ignorar a tecnologia de fabricação necessária para conectar todos esses pinos: até as

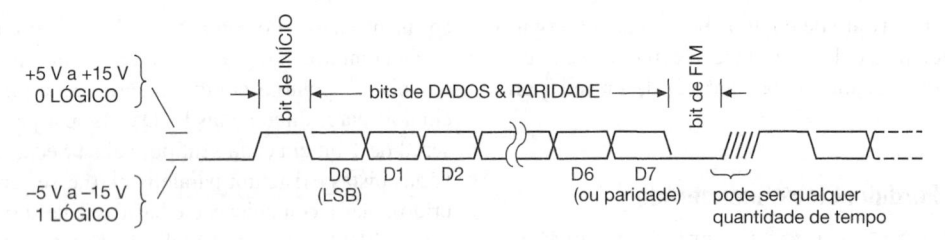

FIGURA 14.44 Protocolo Serial RS-232 de byte de dados, que utiliza os níveis de sinal de ambas as polaridades. Os dois estados são às vezes chamados de *marca* (negativo, um 1 lógico) e no *espaço* (positivo, um 0 lógico). Você às vezes ouve descrições como " primeiro o LSB " e "níveis invertidos."

placas mãe de baixo custo costumam contar com meia dúzia de camadas, com trilhas de 0,12 mm (5 mils) de largura.

Resumindo: a demanda por maior desempenho do barramento coincidiu com a capacidade de proliferar conexões ponto a ponto, levando a evolução do elegante barramento paralelo compartilhado... para os elegantes enlaces seriais ponto a ponto codificados!

Esta é claramente uma área onde os projetistas casuais não se atrevem a pisar – melhor adquirir o projeto de alguém mais inteligente!

14.7.8 Serial Assíncrono (RS-232, RS-485)

Passando agora para barramentos seriais *externos*, olhamos primeiro para o original (e de vida longa) enlace serial *assíncrono* – usado na agora obsoleta porta serial RS-232. Discutimos RS-232 (e também RS-422 e RS-485) no Capítulo 12 (Seção 12.10.3A), com destaque para a camada física (formas de onda, imunidade a ruídos, etc.). Aqui voltamos ao RS-232, no contexto da comunicação do computador. Estas portas seriais eram populares para conexão a modems externos e terminais alfanuméricos, como os lendários VT-100 (chamados com desprezo de "terminais *burros*"). Elas desapareceram, em grande parte, mas você pode obter adaptadores USB para RS-232; e pode obter cartões que se conectam ao barramento interno e criam um bando de portas RS-232. A designação RS-232, "Padrão Recomendado (*Recommended Standard*) nº 232", refere-se ao esquema de sinalização elétrica, que inconvenientemente utiliza tensões de ambas as polaridades para sinalizar 1s e 0s (Figura 14.44; ver também a Seção 12.10.4). No entanto, a ligação física não necessita de ser RS-232 – ela pode ser RS-422 ou RS-485 diferencial (e de polaridade única), ou pode ser uma fibra óptica (para obter isolamento galvânico e imunidade a transientes do ambiente), ou pode até ser um *loop de corrente* de 20 mA (mais frequentemente usado para sinalização *analógica*)[54]

Seja qual for o meio de transporte físico, a sinalização é simples: o transmissor repousa no estado de *marca* (1 lógico), e entra em ação com um bit de INÍCIO (0 lógico, ou *espaço*), seguido (geralmente) por 8 bits de dados (opcionalmente podem ser de 7 bits de dados mais um bit de paridade), seguido por um ou dois bits de FIM (1 lógico). O transmissor e o receptor devem concordar com a taxa de bits e paridade (se houver); um protocolo comum, por exemplo, é 9.600 e "8N1", o que significa 8 bits, sem paridade e 1 bit de fim, transmitidos a uma velocidade de 9.600 bits/s.[55] (Por causa do *overhead* com a inserção dos bits de INÍCIO e FIM, cada byte durante 8N1 transmissões exige 10 bits, para uma taxa de carga útil máxima líquida de um décimo da taxa de transmissão, ou 960 bytes/s.)

Com esta simples codificação serial assíncrona, o receptor (cujo clock opera em várias vezes a taxa de transmissão) é disparado pela transição no começo do bit de INÍCIO, espera por metade de um intervalo de bit para ter certeza que o pulso de INÍCIO ainda está presente, em seguida, examina o valor do bit no meio de cada intervalo de dados (utilizando o intervalo de taxa de transmissão acordado); o bit de FIM termina o caractere e o estado permanece, se não houver novos caracteres enviadas imediatamente. Ressincronizando no bit de INÍCIO de cada caractere, o receptor não necessita de um clock de alta precisão; ele necessita apenas ser suficientemente preciso e estável para o transmissor e receptor permanecerem sincronizados por uma fração de um período de bit ao longo da duração de um caractere, isto é, uma precisão de poucos pontos percentuais.

Há uma ligeira falha lógica neste esquema atraente: um receptor pode não ser capaz de sincronizar corretamente (isto é, identificar INÍCIO/FIM) em um fluxo ininterrupto de bytes de dados. A melhor prova disso é uma longa sequência de letras "U", que tem a infeliz distinção de ser codificada como 01010101 (55h): coloque essa sequência na Figura 14.44 (com a habitual configuração 8N1) e você obterá... uma *onda quadrada*! A falha mais grave é a falta de padronização no nível físico (elétrico) do RS-232: conector macho ou fêmea, os sinais de *handshaking* de hardware e tipo de dispositivo ("DCE" e "DTE"; veja a Tabela 14.4 para nomes oficiais de sinais e atribuições de pinos). Esta é uma eterna fonte de con-

---

[54] Estas alternativas permitem lançar cabos mais longos (até ~1 km) e, no caso da RS-422/485, uma topologia de barramento multiponto.

[55] O padrão assíncrono serial permite uma faixa mais ampla: 5 a 8 bits de dados, com paridade opcional; de modo que seria legal especificar 8E1, por exemplo. Na prática, você raramente vê algo além de 8N1.

TABELA 14.4 Sinais RS-232

Nome	Número do pino 25-pin	Número do pino 9-pin	Sentido (DTE ↔ DCE)	Função (como vista pelo DTE)	
TD	2	3	→	dado transmitido	} par de dados
RD	3	2	←	dado recebido	
RTS	4	7	→	solicitação de envio (=DTE pronto)	} par de handshake
CTS	5	8	←	pronto para enviar (=DCE pronto)	
DTR	20	4	→	terminal de dados pronto	} par de handshake
DSR	6	6	←	conjunto de dados pronto	
DCD	8	1	←	detecção de portadora de dados	} entrada de habilitação do D⁻
RI	22	9	←	indicador de chamada	
FG	1	-		terra de quadro (=chassi)	
SG	7	5		terra do sinal	

fusão porque, muito frequentemente, dois dispositivos RS-232 conectado juntos não funcionarão. Todos nós já lutamos com isso, e os leitores ainda reclamaram para nós (calma, não projetamos o RS-232; mas, pelo menos, fornecemos um guia para "os cabos seriais que realmente funcionam." – veja a Figura 10.17 na edição anterior deste livro). Com emuladores USB-RS232 sensíveis substituindo as portas COM que estão desaparecendo dos computadores contemporâneos, o problema só tem piorado.

A Figura 14.45 mostra algumas formas de onda de osciloscópios de RS-232: 4 bytes a partir de uma sequência aleatória de bytes e uma captura de vários bytes que mostram os bits de INÍCIO e FIM.

O uso mais comum de enlaces seriais assíncronos é para dados alfanuméricos, em código ASCII (Código Padrão Americano para Troca de Informações) de caracteres imprimíveis que é a norma para representação alfanumérica (Tabela 14.5).[56] No entanto, quaisquer dados binários podem ser tão transportados; você simplesmente não será capaz de lê-los ou imprimi-los diretamente. E a comunicação serial via RS-232 está muito viva e bem: muitos instrumentos de

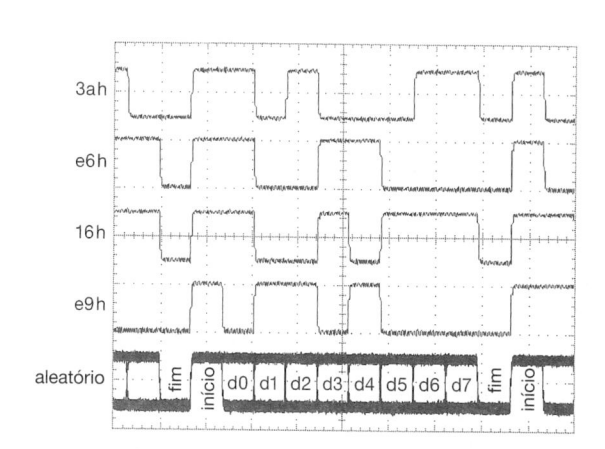

FIGURA 14.45 Formas de onda RS-232 capturadas a partir de um gerador de byte aleatório, 8N1 em 14.4 kbaud para uma carga de 2,2 nF. A forma de onda inferior é um acúmulo de vários bytes, enquanto os quatro primeiros são bytes isolados (com valores indicados). Horizontal: 100 μs/div; vertical: 10 V/div.

bancada incluem uma porta RS-232 para controle e transferência de dados; e o formato serial é uma maneira fácil de se comunicar com microcontroladores (Capítulo 15) e suas portas seriais (quase universal) internas (UARTs, transmissores-receptores assíncronos universais). Veja a Seção 12.10 para uma discussão (com formas de onda) de CIs transmissores e receptores.

14.7.9 Codificação Manchester

Você não precisa enquadrar bytes de dados com pulsos de sincronização INÍCIO e FIM, desde que organize as coisas de modo que existam transições suficientes em uma sequência de bits de dados seriais e o receptor possa recuperar o sinal de clock. Um exemplo simples (embora não muito eficiente) é a codificação Manchester (Figura 14.46).

---

[56] ASCII padrão tem 128 caracteres, incluindo os 32 caracteres "não imprimíveis" na primeira coluna da Tabela 14.5. Há o "ASCII estendido" codificação de caracteres de 8 bits que dobra o número de caracteres para incluir caracteres alfabéticos de outras línguas, como ë (código decimal 235), bem como símbolos, como ° e ± (códigos 176 e 177) e £ (código 163). Um aviso: há várias dessas extensões para acomodar diferentes grupos linguísticos (alguns estão reunidos em Std. ISO-8859, outros são proprietários); então, eles devem ser usados com cautela. A maioria dos softwares irá aceitar essas codificações, que você informa segurando a tecla alt enquanto introduz o código decimal de 3 dígitos com um zero à esquerda (assim alt-0235 para o e-trema). Você pode usar esse método também para inserir (em vez de agir sobre) qualquer dos caracteres ASCII padrão, incluindo os caracteres não imprimíveis. Assim, para inserir um CR (retorno de carro), você deverá digitar alt-0013. E bons editores de programação (como o Notepad ++, UltraEdit, ou Emacs) aceitam a inserção de caracteres de controle, além de exibir o que está lá. Experimente!

TABELA 14.5 códigos ASCII

	não imprimíveis				imprimíveis			imprimíveis			imprimíveis		
Nome	Caractere de controle	caractere	Hexa	Dec	caractere	Hexa	Dec	caractere	Hexa	Dec	caractere	Hexa	Dec
nulo	ctrl-@	NUL	00	00	SP	20	32	@	40	64	`	60	96
início de cabeçalho	ctrl-A	SOH	01	01	!	21	33	A	41	65	a	61	97
início de texto	ctrl-B	STX	02	02	"	22	34	B	42	66	b	62	98
fim de texto	ctrl-C	ETX	03	03	#	23	35	C	43	67	c	63	99
fim de transmissão	ctrl-D	EOT	04	04	$	24	36	D	44	68	d	64	100
consulta	ctrl-E	ENQ	05	05	%	25	37	E	45	69	e	65	101
confirmação	ctrl-F	ACK	06	06	&	26	38	F	46	70	f	66	102
campainha	ctrl-G	BEL	07	07	'	27	39	G	47	71	g	67	103
retorno de um caractere	ctrl-H	BS	08	08	(	28	40	H	48	72	h	68	104
tabulação horizontal	ctrl-I	HT	09	09	)	29	41	I	49	73	i	69	105
alimentação de linha	ctrl-J	LF	0A	10	*	2A	42	J	4A	74	j	6A	106
tabulação vertical	ctrl-K	VT	0B	11	+	2B	43	K	4B	75	k	6B	107
alimentação de formulário	ctrl-L	FF	0C	12	,	2C	44	L	4C	76	l	6C	108
retorno do carro	ctrl-M	CR	0D	13	-	2D	45	M	4D	77	m	6D	109
mover para fora	ctrl-N	SO	0E	14	.	2E	46	N	4E	78	n	6E	110
mover para dentro	ctrl-O	SI	0F	15	/	2F	47	O	4F	79	o	6F	111
escape do enlace de dados	ctrl-P	DLE	10	16	0	30	48	P	50	80	p	70	112
controle de dispositivo 1	ctrl-Q	DC1	11	17	1	31	49	Q	51	81	q	71	113
controle de dispositivo 2	ctrl-R	DC2	12	18	2	32	50	R	52	82	r	72	114
controle de dispositivo 3	ctrl-S	DC3	13	19	3	33	51	S	53	83	s	73	115
controle de dispositivo 4	ctrl-T	DC4	14	20	4	34	52	T	54	84	t	74	116
confirmação negativa	ctrl-U	NAK	15	21	5	35	53	U	55	85	u	75	117
estado ocioso síncrono	ctrl-V	SYN	16	22	6	36	54	V	56	86	v	76	118
bloco de fim de transmissão	ctrl-W	ETB	17	23	7	37	55	W	57	87	w	77	119
cancelar	ctrl-X	CAN	18	24	8	38	56	X	58	88	x	78	120
fim do meio	ctrl-Y	EM	19	25	9	39	57	Y	59	89	y	79	121
substituir	ctrl-Z	SUB	1A	26	:	3A	58	Z	5A	90	z	7A	122
escapar	ctrl-[	ESC	1B	27	;	3B	59	[	5B	91	{	7B	123
separador de arquivo	ctrl-\	FS	1C	28	<	3C	60	\	5C	92	|	7C	124
separador de grupo	ctrl-]	GS	1D	29	=	3D	61	]	5D	93	}	7D	125
separador de registrador	ctrl-^	RS	1E	30	>	3E	62	^	5E	94	~	7E	126
separador de unidade	ctrl-_	US	1F	31	?	3F	63	_	5F	95	DEL	7F	127

Bits sucessivos são transmitidos a uma taxa fixa, com uma transição necessária no meio de cada intervalo de bit: "1" é BAIXO para ALTO e vice-versa. Pode ou não haver uma transição no início de um intervalo de bit, tal dependendo dos dados. As transições garantidas na taxa de bits facilitam a recuperação do clock (com uma malha de fase sincronizada, ou uma malha de atraso sincronizada), e o sinal é de balanceado em CC, de modo que pode ser acoplado por transformador.

A sincronização do receptor com codificação Manchester não é trivial, visto que, por exemplo, uma sequência contínua de 1s cria uma simples onda quadrada. Se o receptor escolhe a fase errada, ele vai interpretar a sequência de bits como 0s. No entanto, a presença de 1s e 0s misturados remove a ambiguidade da recuperação do clock pois a fase errada cria violações das transições de meio de intervalo de bit necessárias.

A codificação Manchester é usada em Ethernet de baixa velocidade (10 base T), que transporta 10 Mb/s em um sentido em um par trançado categoria 5 (dois pares são usados para o full-duplex).[57]

Por ser um desperdício de largura de banda (por um fator de 2), a melhor codificação "8b/10b" (veja abaixo) é usada em vez disso em enlaces seriais com autoclock de alta performance, tais como SATA, HDMI (*High-Definition Multimedia Interface*), PCIe, e gigabit Ethernet.

---

[57] Quando padrões Ethernet mais rápidos foram criados, a codificação Manchester de largura de banda ineficiente (*overhead* de 100%, em comparação com os próprios bits da sequência de dados) foi substituída pela codificação 4b/5b (um *overhead* de largura de banda de 25%), transmitida com sinalização de tensão de 3 níveis, ainda em um par trançado simples. O próximo passo – para 1 Gb/s – exigia sinalização de 5 níveis e a utilização simultânea de quatro pares (com um acoplador "híbrido", que permita a cada par para transportar sinais simultâneos em ambos os sentidos).

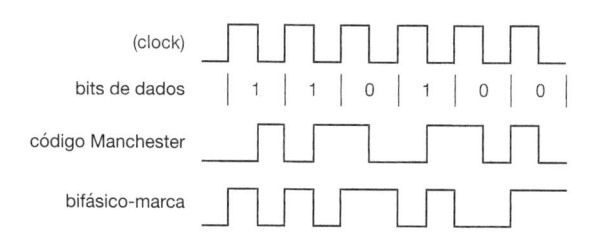

FIGURA 14.46 Codificações bifásicas. Para a codificação Manchester ("bifásico de nível"), cada intervalo de bit tem uma transição no meio, em um sentido definido pelo valor do bit; você pode pensar em código Manchester como a EX-OR de um clock (não transmitido) e os dados. Para a codificação bifásico-marca, o valor do bit é codificado como presença ou ausência de uma transição no meio do intervalo de bit, na sequência de uma transição obrigatória no início.

14.7.10 Codificação Bifásica

Manchester é um caso especial da chamada *codificação bifásica*, e é às vezes chamado *bifásico de nível*, para distingui-lo dos códigos bifásico de marca, bifásico de espaço e bifásicos diferenciais. Estes todos compartilham a característica comum de ter uma transição em cada intervalo de bit para facilitar a recuperação de clock na recepção. No entanto, os três últimos códigos, muito semelhantes entre si, têm uma vantagem importante sobre o código Manchester convencional: são insensíveis a uma inversão de polaridade (que pode ocorrer com os sinais acoplado por transformador). Vamos ver como isso funciona.

Veja o popular código bifásico-marca na Figura 14.46: existe uma transição necessária no início de cada intervalo de bit, e uma transição na metade do intervalo de bit para 1 transmitido (mas nenhuma transição para 0). É a codificação dos bits como presença ou ausência de *transições* (em vez de polaridades definidas, como na codificação Manchester) que torna o código bifásico-marca inequívoco, mesmo com uma inversão de polaridade dos níveis transmitidos.

A codificação bifásico-marca é usado em enlaces de áudio digitais como AES3, S/PDIF e Toslink, e em alguns códigos de fita magnética. Ele utiliza os nomes alternativos de codificação *Bifásica de Aiken* ou *F2F*.

14.7.11 RLL Binário: Inserção de bits

Um esquema serial simples, com largura de banda reduzida, transmite os bits de dados diretamente, adicionando bits ocasionais para garantir transições pelas quais o receptor pode sincronizar seu oscilador de clock. "O envio direto dos bits" tem a sigla NRZ (sem retorno a zero), com numerosas variantes, especialmente NRZI (sem retorno a zero invertido) em que a sequência de bits codificada muda de estado para uma entrada 0, mas permanece estável para uma entrada 1.[58]

---

[58] Estes termos carregados de história são um pouco confusos (sugerindo, por exemplo, que NRZI está relacionada com NRZ por inversão do código ou dos dados). Preferimos a terminologia utilizada por Sklar: NRZ-L ("NRZ-nível," para NRZ), e NRZ-M ("NRZ-marca", para NRZI).

O problema com qualquer um dos sistemas é que não pode haver sequências longas de dados que não causem transições no fluxo codificado: uma série de 1s (ou de 0s) para NRZ, ou uma sequência de 1s para NRZI. Isso é ruim não só para a recuperação de clock, mas também porque amplia a banda de transmissão para baixas frequências, complicando o acoplamento por transformador. A maneira de corrigir isto é modificar os dados (seja antes ou depois da codificação), a fim de limitar o comprimento dos estados de saída sucessivos sem transições. Isso é chamado de *sequência de comprimento limitado* (RLL).

Existem vários esquemas de codificação RLL em uso, entre eles a codificação 8b/10b (que veremos a seguir) em que cada sequência de dados de 8 bits é codificada em uma sequência de 10 bits bem escolhida para transmissão; ou o código ETF de 8 para 14, utilizado para discos compactos ópticos (em que o comprimento da sequência é delimitado em ambas as extremidades: $2 \leq RL \leq 10$). O esquema de RLL mais simples, porém, é provavelmente uma simples "inserção de bits", conforme usado, por exemplo, no enlace serial USB. USB utiliza NRZI com inserção de bits para limitar a sequência codificada em seis 1s ou 0s consecutivos. Isto é feito pela inserção ("*bit-stuffing*") de um 0 na sequência de dados binários originais após uma sequência de seis 1s, forçando uma transição na sequência de bits codificada NRZI. O receptor, é claro, sabe ignorar um 0 que é precedido por seis 1s na sequência de bits descodificada. Ainda, na pior das hipóteses, o *overhead* pudesse ser de 16% (para uma sequência toda de 1s), ele é, na verdade, menor do que 1% com entrada de dados aleatórios.

14.7.12 Codificação RLL: 8b/10b e Outras

Uma forma mais sofisticada de geração de uma sequência serial de comprimento limitado envolve a codificação de uma sequência de dados binários em blocos, de acordo com algoritmos relativamente complexos que unem as sequências codificadas, ao mesmo tempo em que controlam a forma espectral, às vezes adicionando robustez contra erros. Por exemplo, os discos ópticos de DVD usam um esquema chamado EFMPlus, em que os grupos de dados de 8 bits são codificados em séries de 16 bits, esta última de comprimento limitado a $2 \leq RL \leq 10$, enquanto, simultaneamente, molda o espectro.

O esquema 8b/10b é um código popular no mundo de barramentos seriais e enlaces de dados, sendo utilizado em FireWire, SATA/SAS, gigabit Ethernet, DVI e HDMI, e nas múltiplas "pistas" das versões internas PCIe (PCI Express) 1 e 2. Ele codifica os grupos de dados de entrada de 8 bits em sequências seriais de 10 bits de transmissão, usando flexibilidade (de vários códigos de 10 bits possíveis para cada grupo de entrada de 8 bits) para balancear o número de 1s e 0s: ele mantém um registro ativo de desigualdade de bit e faz então suas escolhas. A sequência serial resultante é a garantia de ter não mais que cinco 1s ou 0s sequenciais; e o número 1s e 0s em qualquer sequência de 20 ou mais bits em série é garantido não diferirem em mais de 2. Um código 4b/5b análogo é utilizado em Ethernet de 100 Mbps.

A codificação 8b/10b é usada também em alguns chipsets serializador-desserializador, como o CY7C924. No entanto, o esquema NRZ assíncrono mais simples, emoldurado pelos pulsos de INÍCIO e FIM, é usado em outros chips SERDES de alta performance, como a série DS92LV18 da TI. Ele seria superior, porque o receptor travaria com dados aleatórios, sem interromper o tráfego com padrões de treinamento PLL e sem um caminho de realimentação de perda de bloqueio do receptor para o transmissor. O legado da comunicação serial assíncrona de 9600 baud está, portanto, renascendo como um enlace serial *gigabaud*.

14.7.13 USB

O Barramento Serial Universal (USB) foi introduzido em 1995, com o objetivo de simplificar conexões entre computadores e periféricos com uma conexão serial unificada. Ele inicialmente suportava "baixa velocidade" e dispositivos de "velocidade plena" (1,5 Mb/s e 12 Mb/s, respectivamente) no USB versão 1, adequado para dispositivos como teclado e mouse, e as transferências de velocidade relativamente modestas para memória externa em dispositivos como "pendrives". A versão 2 adicionou uma categoria de "alta velocidade" (480 Mb/s), adequada para a transferência de dados seriais para discos rígidos externos, armazenamento óptico, e assim por diante. A versão 3, por sua vez, acrescentou dois pares trançados blindados de "Super Velocidade" (e um par de conectores de pino de sobrepor), fornecendo uma comunicação *full-duplex* e um fator de dez em velocidade (até 4,8 Gb/s). E a mais recente revisão – USB 3.1 – duplicou a velocidade (para 10 Gb/s), aumentou as opções de alimentação CC (para 5 V a 2 A, ou, opcionalmente, para até 5 A a 12 V ou 20 V), e promoveu um conector do "tipo C" novo e muito melhorado.

As Versões USB 1 e 2 são organizadas como *half-duplex* mestre-escravo, com conexões elétricas ponto a ponto por um cabo de 4 fios que transporta alimentação e terra, e um par diferencial de dados. O cabo é assimétrico, com uma extremidade A (*host*, ou mestre) e uma extremidade B (escravo); cada tipo (A, B) vem em versões de tamanho pleno e mínimo, este última para conexão com pequenos equipamentos, como câmeras e PDAs. Uma rede USB é uma topologia em estrela, com vários dispositivos através de hubs USB, que replicam os soquetes *host* (A), permitindo que vários escravos (até 127 dispositivo a partir de uma única porta de controlador de host); veja a Figura 14.47. A potência fornecida é bastante modesta – um máximo de +5 V em 100 mA ("baixa potência") ou 500 mA ("alta potência")[59] – e um enlace sim-

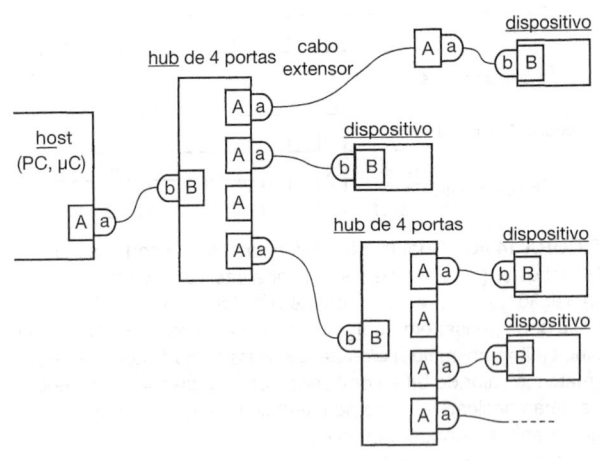

FIGURA 14.47 USB é uma interface serial mestre-escravo, disposta em uma topologia em estrela (em oposição a uma topologia de repetidor serial como FireWire), com até cinco repetidores "hubs". As conexões de cabos individuais são assimétricas, com A, na extremidade mestre e B na extremidade escravo (um par de tamanho completo é mostrada na Figura 1.123); aqui *a* e *b* representam plugues e A e B tomadas. Enlaces individuais estão limitados a 5 m de comprimento (incluindo cabos extensores passivos), mas um hub ativo reseta o "governante". Uma variante interessante (não mostrada) é a porta USB OTG (*on-the-go*), um camaleão que pode mascarar as portas A ou B.

ples não pode ser mais do que 5 m (mas pode ser estendido com hubs, para um total de 20 m). A versão 3.0 do USB introduziu o *full-duplex* (e velocidades mais altas), juntamente com uma potência CC um pouco maior (mas não o suficiente, em nossa opinião) – até 900 mA; felizmente, versão 3.1 fecha essa lacuna, permitindo tanto quanto 10 W a 5 V, e um espantoso 100 W a 20 V. Dispositivos USB são "conectáveis a quente", com as conexões de alimentação e terra estabelecidas antes das linhas de sinal.

14.7.14 FireWire

FireWire, conhecido oficialmente como IEEE 1394, foi introduzido também em 1995, e foi projetado como um barramento serial de alta velocidade para áudio, vídeo (incluindo de alta definição), e armazenamento em disco. Ele começou com uma taxa de transferência *full-duplex* de 400 Mb/s (em comparação com 12 Mb/s do half-duplex do USB), e com significativa alimentação através de seu cabo (até 45 W e 30 V, comparados com míseros 2,5 W do USB). Revisões posteriores aumentaram a taxa de dados para *full-duplex* de 800 Mb/s (FireWire 800), com um fator de quatro (para 3,2 Gb/s) prometido para a próxima revisão.

FireWire permite múltiplos hosts e comunicação ponto a ponto (*peer-to-peer*); seus cabos são simétricos e conectam dispositivos em uma configuração de barramento (repetidor). Enlaces individuais não podem ser mais do que 4,5 m (para FireWire 400), mas podem formar uma cadeia por meio de repetidores até um total de 72 m. FireWire 800 permite enla-

---

[59] Um dispositivo USB é habilitado apenas em baixa potência, quando conectado pela primeira vez, e deve negociar para o status de alta potência. Se for bem-sucedido, o controlador transforma uma fonte de alimentação em uma com capacidade 500 mA. A Tabela 12.4 lista alguns CIs populares de fontes chaveadas protegidas para esta finalidade.

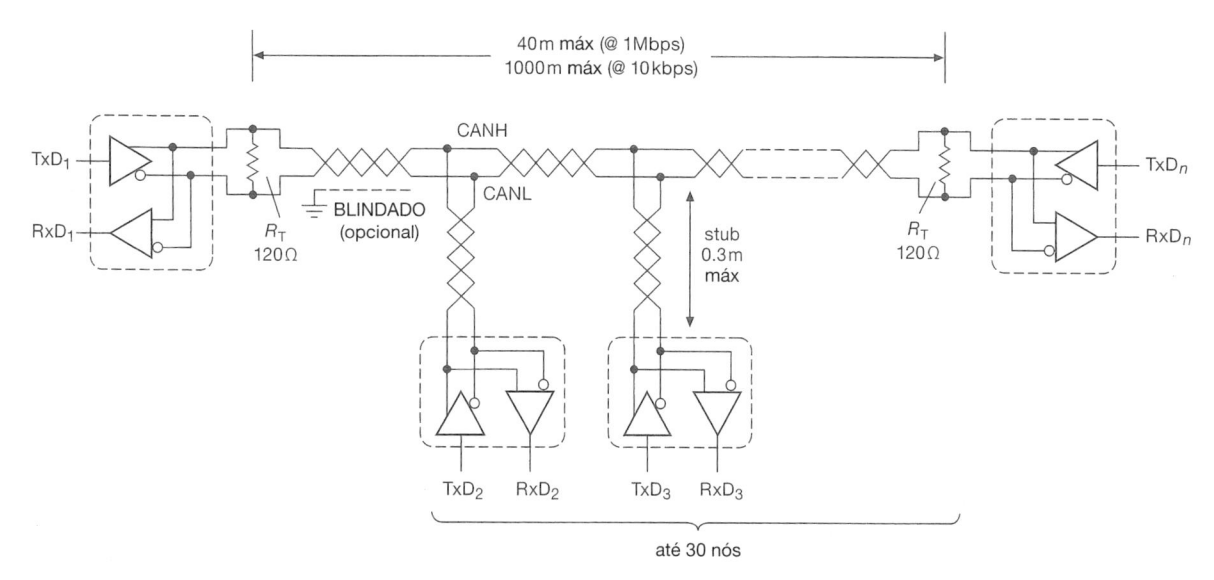

FIGURA 14.48 A rede CAN (*controller área network*) é uma arquitetura multimestre e multiponto amplamente utilizada em aplicações automotivas e de chão de fábrica. Ela é otimizada para mensagens curtas "transmissão" e funciona bem em ambientes ruidosos.

ces maiores com cobre, cabo de rede Cat-5e, ou fibra óptica. Assim como em USB, as conexões FireWire são plugadas à quente. Infelizmente, porém, FireWire ficou ultrapassada por revisões recentes do USB.

FireWire oferece muita potência CC e funciona bem com mídia de fluxo contínuo, como vídeos de alta definição. FireWire é rápido e mais estável do que USB. Ele tem um bom projeto de conector robusto[63] que pode ser plugado "às cegas", devido à sua forma assimétrica. Apesar das vantagens técnicas do FireWire, o padrão USB está se tornando dominante, provavelmente pela complexidade, custo de hardware e de royalties do FireWire.[64]

14.7.15 CAN (*Controller Area Network*)

Todo mundo sabe o que são USB e FireWire; mas quem já ouviu falar sobre o barramento *CAN*? Este barramento, às vezes chamado simplesmente de "CAN", foi criado pela Bosch na década de 1980 para uso automotivo e agora é padronizado como ISO 11898. Ele está por todo lado. Vários protocolos formaram camadas em cima da camada física CAN, especialmente DeviceNet™, de uso comum em chão de fábrica.[60]

Ao contrário dos outros barramentos neste capítulo, CAN pode operar em distâncias de até um quilômetro (útil para a aplicações de fábrica). Não é uma ligação elétrica ponto a ponto (como PCIe, Ethernet ou USB). Pelo contrário, é um barramento igualitário "multimestre", com capacidade para até 30 nós transceptores ao longo de seu comprimento;

isto é, é um barramento "multiponto" (veja a Figura 14.48). A taxa de bits máxima é de 1 Mbps para distâncias de até 40 m, caindo gradualmente para 10 kbps no comprimento máximo especificado de barramento de 1.000 m.

CAN é otimizado para transmissões curtas – limitadas a 8 bytes de dados do usuário por pacote (mais algum overhead de sinalização), direcionada a ninguém em particular. Como o site Kvaser útil (www.kvaser.com/can/) explica, uma mensagem CAN transmite o seguinte sentimento: "*Olá a todos, aqui estão alguns dados identificados como X, espero que gostem!*"[61] Isso é tudo o que você quer em certas aquisições de dados e redes de controle: por exemplo, um sensor gera um fluxo de valores de temperatura e quer contar ao mundo sobre eles, sem preocupação com quem irá escutá-lo.[62] E tem a conveniente propriedade de ser completamente silencioso eletricamente quando não há nada para enviar – em contraste com barramentos "tagarelas" como USB, FireWire e Ethernet, que gostam de "resmungar" incessantemente para eles mesmos (e para o resto do mundo).

O barramento CAN (e suas extensões para os microprocessadores no barramento) representa um "espaço de parâmetros" constante e automaticamente atualizado pelos membros do barramento. Assim, quem precisa saber a temperatura do motor (incluindo um computador que você acabou de conectar ao barramento para o diagnóstico de um problema) só olha para o valor que foi escrito em sua "caixa de correio" da temperatura do motor.

---

[60] Você vai encontrar o barramento CAN em outros locais, além de em carros e fábricas; um de nossos colegas comprou um microscópio de varredura a laser (Zeiss Duoscan), e encontrou... o barramento CAN!

[61] Esse é o sentimento; mas estas mensagens *são curtas*! – você poderia ficar sem bytes já na metade da segunda palavra.

[62] E, da mesma forma, é ineficaz para a transmissão de grandes blocos de dados (por exemplo, áudio ou vídeo digitalizados) entre dois nós. Você também não iria utilizá-lo para conectar dois processadores no mesmo sistema.

Eletricamente, você pode pensar no barramento CAN como uma versão diferencial de um barramento de coletor aberto: o par de sinais (chamado CANH e CANL) assume a forma de um par trançado (normalmente blindado – "STP"), terminado em ambas as extremidades em sua impedância característica (geralmente 120 Ω). No estado quiescente ambas as linhas repousam em ~2,5 V, e aí elas ficam, a menos que algum nó esteja "falando". Quando isso acontece, os dados são colocados no par de linhas em um esquema de sinalização assimétrica curioso (Figura 14.49): um sinal lógico "0" é ativado fazendo CANH ~1 V mais elevada (para ~3,5 V) e CANL mais baixa (para ~1,5 V), gerando um, sinal diferencial de ~2 V. Mas para ativar o sinal lógico "1", o "locutor" não inverte o sentido da corrente de acionamento, mas *libera* tal corrente, permitindo que ambas as linhas do par passem para o seu estado de repouso de ~2,5 V. Esses dois estados de sinalização são chamados *dominante* (barramento acionado, nível lógico 0) e *recessivo* (barramento liberado, nível lógico 1 ou inativo).

Este esquema curioso foi concebido para simplificar a arbitragem do barramento: não há controlador mestre responsável; em vez disso, qualquer nó pode iniciar uma transmissão, desde que tenha detectado o barramento em repouso (recessivo) por um tempo mínimo. Em seguida, ele coloca seus bits de mensagem sequencialmente, monitorando ao mesmo tempo o estado do bus (cada nó deve incluir um receptor). Claro, é possível que outro nó também tenha iniciado uma transmissão. Tal "colisão" é facilmente detectada: um dos transmissores verá um estado dominante (ativado, nível lógico 0), quando a intenção for de enviar um estado recessivo (desativado, nível lógico 1). Então, é necessário recuar e tentar uma retransmissão mais tarde.

O resultado é que, se houver uma colisão, o remetente que gera a sequência de 0s iniciais mais longa, assume o barramento. Isto prioriza os remetentes, porque os bits iniciais de qualquer mensagem contêm o identificador de mensagem de 11 ou 29 bits do remetente, com os números mais baixos tendo prioridade. E note especialmente o recurso interessante do esquema dominante-recessivo: a mensagem do remetente com prioridade não é danificada pela colisão (descubra por quê). Na linguagem repleta de acrônimos de redes, este é um protocolo "CSMA/CD + AMP".

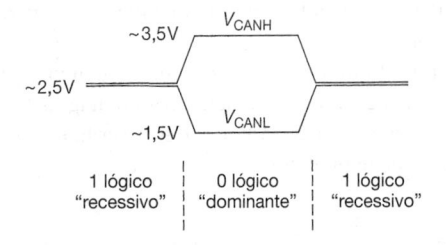

FIGURA 14.49 O barramento CAN é diferencial, com um modo de sinalização assimétrico que simplifica a arbitragem.

O padrão CAN tem boa tolerância ao ruído de modo comum, exigindo a operação correta, pelo menos de −2 V a +7 V, mas estendida por muitos CIs transceptores para faixas de −7 V a +12 V, ou −12 V a +12 V. E a ISO 7637 prescreve um teste de tortura que consiste em um trem de pulsos em escala de nanossegundos de ±150 V ao qual um transceptor deve sobreviver. Além disso, você pode usar um diodo barato e um dispositivo de proteção zener como o NUP2105 ou NUP2202 (veja a Nota de Aplicação AND8169 da ON Semi; veja também a Seção 12.1.5). No entanto, para operação com barramentos longos, é melhor fornecer isolamento galvânico verdadeiro (evitando que malhas de terra dominem; deve ser apenas um ponto de terra).

Em conformidade com o uso automotivo pretendido originalmente, o barramento CAN inclui mecanismos robustos de detecção de erros: no nível de *bit* há o monitoramento de bit (com sinalização de erro, se houver um desacordo), e detecção de um erro de "inserção de bit" (um bit oposto deve ser inserido após 5 bits consecutivos do mesmo nível). E no nível de *mensagem*, há uma CRC (verificação de redundância cíclica), juntamente com a verificação de um campo de ACK (reconhecimento) e de um conjunto de certos bits de mensagens designadas (uma "verificação de forma"), que devem ser recessivos. Por este mecanismo um transmissor pode saber se sua mensagem foi corrompida e precisa ser reenviada.

Você pode obter cartões de interface CAN conectáveis a barramentos de computador padrão, tais como PCI/PCIe, PC/104, e PCMCIA e adaptadores a partir de USB. E muitos microcontroladores (por exemplo, a série AT90CAN da Atmel) incluem um controlador de protocolo CAN interno ao chip. No nível de componente existem muitos fabricantes de chips de transceptores CAN (a maioria são alimentados a partir de uma fonte simples de +5 V, mas alguns operam em 3,3 V). Você também pode obter chips transceptores isolados galvanicamente (por exemplo, o ISO1050 da TI, Figura 14.50), uma boa *ideia* com barramentos longos ou ambientes ruidosos: você pode alimentar o lado do barramento com um fornecimento independente de +5 V, ou pode tirar proveito dos pares de alimentação que muitas vezes são incluídos no barramento (apenas para tal alimentação remota), juntamente com os pares de sinal blindados e de impedância controlada em cabos de barramento CAN (por exemplo, o 3082/84 da Belden ou 6451/52 da Alpha).

Existem duas variações de CAN simplificados em uso: o CAN de fio único, que prescinde de CANL e é limitado a 40 kbps. E o barramento LIN (rede de interconexão local) de fio único, que prescinde da fonte de 5 V regulada completamente, usando um *pull-up* para a bateria de +12 V e coletor aberto fechando para o terra; ele é limitado a 20 kbps. Essas variações de baixo custo e simplificadas são por vezes utilizadas como um sub-barrameto em um sistema CAN; ambos empregam taxa de variação limitante para a redução da suscetibilidade ao ruído.

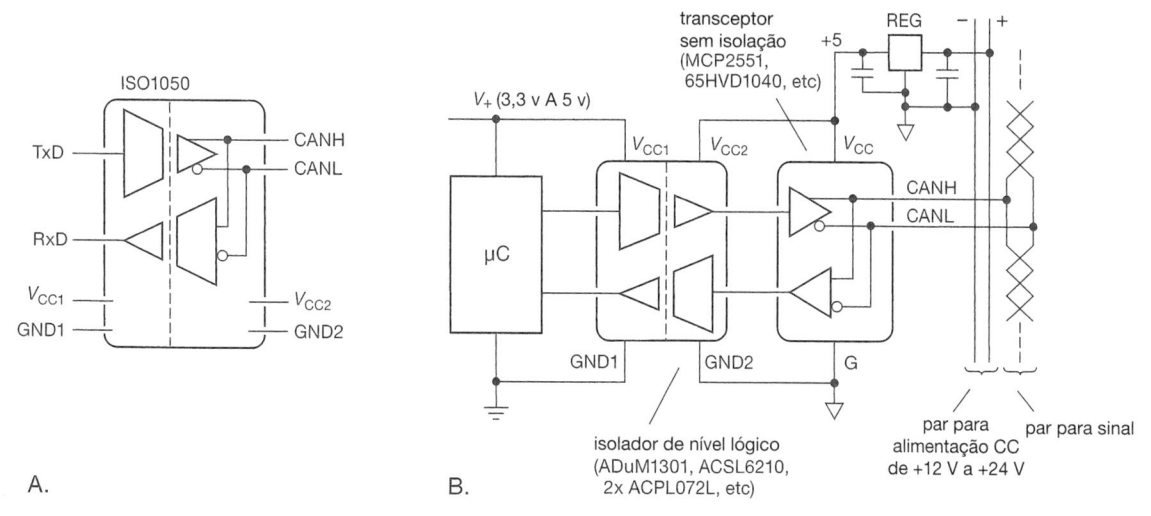

FIGURA 14.50 A. Você pode obter transceptores CAN de chip único isolados galvanicamente, como o ISO1050 da TI, uma boa *ideia* para cabos longos ou ambientes ruidosos. B. Cabos CAN padrão incluem um segundo par de fios para alimentação isolada, que você pode usar para alimentar o lado do barramento da barreira de isolamento do transceptor. Aqui usamos um isolador de nível lógico entre um microcontrolador e um transceptor CAN não isolado, este último alimentado (juntamente com o lado do barramento do isolador) a partir de +5 V regulado derivado do par de alimentação CC do barramento.

Não existe conector CAN definido, mas existem várias implementações comuns, incluindo um subminiatura D de 9 pinos, um conector *header* de 10 pinos e um conector aberto de 4 pinos.[63]

14.7.16 Ethernet

A Ethernet[64] está em todos os lugares – aqueles conectores de rede "RJ-45" semelhante aos de telefonia – já mencionamos várias vezes (por exemplo, na Seção 12.10.3B, e na Seção 14.7.9 em conexão com a codificação Manchester) e vamos mencionar novamente no próximo capítulo. Ela foi desenvolvida na década de 1970 no famoso Centro de Pesquisa de Palo Alto da Xerox ("Xerox PARC"), e sua camada física (PHY) consistia originalmente de um cabo coaxial compartilhado (primeiro com "fio grosso", chamado oficialmente de 10Base5, mais tarde com "fio fino", ou 10Base2), com terminação em ambas as extremidades, e com derivação em cada nó. Cada nó utilizava transformador de acoplamento, conectando diretamente no cabo coaxial (nenhum toco longo era permitido), e (como com o barramento CAN), houve um protocolo para a detecção de colisões e recuando antes de retransmitir. Para funcionar adequadamente diante de colisões (e destruição de dados) inevitáveis, foi estabelecido um tamanho mínimo de pacote (agora padronizado pelo padrão IEEE 802.3 como 74 bytes), e um comprimento máximo de cabo (cerca de 200 m de fio fino).

Na prática contemporânea o cabo coaxial compartilhado foi substituído por um cabo de par trançado ponto a ponto sem blindagem (UTP; Cat-5e ou Cat-6), uma extremidade conectada ao cartão de interface de rede (NIC – *network interface card*) Ethernet do computador, por exemplo, e a outra extremidade em um *switch* de múltiplas portas.[65] Este último amortece e envia pacotes válidos para a frente, sem se preocupar com os nós não comprometidos. A Ethernet, assim configurada, é livre de colisão.[66] A Ethernet contemporânea é realizada sobre par trançado ou fibra ótica; as velocidades padrão são 10 Mbps, 100 Mbps ("Ethernet rápida") e de 1 Gbps ("Gigabit Ethernet"), com evolução para 10 Gbps e 100 Gbps. E fala-se da *tera*bit Ethernet. Como observamos na Seção 14.7.9, a evolução das velocidades mais altas sobre par trançado requer alguma engenhosidade: a rede lenta (chamada 10Base-T) usa codificação Manchester e sinaliza-

---

[63] Veja www.interfacebus.com/Design_Connector_CAN.html e www.interfacebus.com/Can_Bus_Connetor_Pinout.html. Informações adicionais sobre o barramento CAN podem ser encontradas em www.kvaser.com/can/, www.can-cia.de, Nota de Aplicação SLOA101A da TI e AN-770ª da Analog Devices.

[64] O nome extravagante foi escolhido para transmitir o espírito de um meio de transporte de dados amplo, análogo ao "éter luminoso", através do qual se pensava (incorretamente) que a luz se deslocava, antes de ter sido refutado pelo famoso experimento de 1887 de Michelson e Morley. Com humor característico de nerds de computadores, os dois primeiros computadores em rede foram nomeados Michelson e Morley.

[65] Esta é uma topologia *estrela*, em comparação com a topologia de barramento da Ethernet coaxial.

[66] Antes dos switches se tornarem muito usados e baratos, as pessoas costumavam utilizar "hubs" que simplesmente retransmitem cada pacote para todos os nós conectados. Com hubs você passa a ter colisões; com switches não.

ção de 2 níveis, com um par em cada sentido. Para ir para 100 Mbps (100Base-TX), a codificação 4b/5b é utilizada, com sinalização de nível 3, novamente com um par em cada sentido. A Gigabit Ethernet (1000Base-T) utiliza codificação 8b/10b, com todos os quatro pares utilizadas em *ambos* os sentidos (por meio de um "híbrido"). Estas são as descrições da camada *física*; níveis mais altos da hierarquia de rede OSI (interconexão de sistemas abertos) de 7 camadas não sabe (e não se importa) com o que está acontecendo lá em baixo, para que você possa atualizar o hardware da forma que você quiser.

Enlaces Ethernet de par trançado são limitados em comprimento de ∼100 m devido à degradação e atenuação do sinal. A fibra óptica é muito melhor – chega a um quilômetro ou mais com fibra multimodo, e dezenas de quilômetros com fibra monomodo.[67] Você pode obter "conversores de mídia" para trocar entre cobre e fibra ou cobre e sem fio; alguns destes incorporam conversão de taxa também. Procure pelas ofertas de Ethernet da Allied Telesis, TRENDnet, StarTech ou IMC Networks; ou a grande oferta de conversores e extensores (incluindo produtos para USB e serial, além de Ethernet) na B&B Electronics. Veja também o Capítulo 15 em busca de sugestões de componentes de interface, como o chip CP2201 de 28 pinos da Lantronix XPort ou Silicon Labs (para o qual você pode simplesmente adicionar um conector RJ-45 com um transformador integrado e LEDs indicadores).

A Ethernet tem um suporte tão amplo que se tornou o meio de comunicação dominante entre computadores e dentro das redes locais (LANs). Fabricantes de instrumentos perceberam e é raro encontrar um instrumento eletrônico contemporâneo sem uma porta Ethernet, tanto para controle de instrumentos quanto para a leitura de dados. (Quase todas as formas de onda de osciloscópio deste livro foram obtidas pela LAN do nosso laboratório, a partir de um equipamento da série TDS3000 da Tektronix, apontando um navegador no endereço IP do instrumento.) E, mais do que isso, um padrão está surgindo no controle de instrumento (o padrão LXI: *eXtensions LAN for Instrumentation*), tornando a comunicação com instrumentos contemporâneos bastante simples, especialmente quando comparado com a proliferação de variedades de *drivers* USB. A Ethernet está ganhando espaço na arena industrial, com variantes que acrescentem recursos para atender às necessidades de controle em tempo real.[68]

14.8 FORMATOS DE NÚMERO

Encerramos este capítulo com uma breve abordagem de formatos de número, ou seja, a maneira que os números são representados internamente durante o cálculo, ou trocados por meio de mídias digitais ou portas de comunicações. A cena é resumida na Figura 14.51, com uma explicação nos parágrafos seguintes.

14.8.1 Inteiros

Inteiros sinalizados são sempre representados em complemento de 2, usando 1, 2, ou 4 bytes, ou ocasionalmente 8 bytes, como mostrado. O bit mais significativo (MSB) informa o sinal, embora o complemento de 2 não seja o mesmo que a representação sinal-magnitude (por exemplo, −1 é 11111111, não 10000001; veja a Seção 10.1.3). Você pode pensar em complemento de 2 como *offset* binário com MSB invertido; ou você pode pensar nisso como um inteiro com os valores de bits como mostrado na Figura 14.51. As linguagens de programação permitem que você declare variáveis como números inteiros *sem sinal*, além de inteiros sinalizados em complemento de 2. Um inteiro sem sinal de 2 bytes pode ter valores de 0 a 65535. Além do próprio formato do número, há a questão da interface de hardware: como arrumar dados inteiros em uma palavra maior de um computador? Por exemplo, o binário inteiro de saída de um ADC poderia ser justificado à direita, de modo que os números fossem de zero até o fundo de escala do conversor (0-4095, para um ADC 12 bits). Mas é melhor, sem dúvida, justificar os dados à esquerda e pensar na quantidade armazenada como uma *fração*. Isso tem um benefício extra: se a resolução do ADC for melhorada posteriormente, basta acrescentar bits adicionais fracionários de baixa ordem (em vez de aumentar o valor de fundo de escala).

14.8.2 Números de Ponto Flutuante

Números de *ponto flutuante* (às vezes chamados números *reais*) são mais comumente representados e armazenados como quantidades de 32 bits ("precisão simples") ou 64-bit

---

[67] Mas a Ethernet de par trançado tem um recurso interessante: ela permite que você envie a alimentação CC ("*Power over Ethernet*" PoE), útil na conexão com dispositivos remotos, como pontos de acesso wireless, telefones IP ou câmaras de vigilância. Ela usa os mesmos pares de sinal, aplicando o ∼48 V CC como "alimentação fantasma" de modo comum entre os dois pares, obtida entre as derivações centrais do transformador na extremidade remota. Os engenheiros de áudio utilizam o mesmo truque há muito tempo para alimentar seus microfones.

[68] Entre essas variantes, há a implementação do padrão IEEE 1588 "*Precision Time Protocol*" (PTP), que permite a sincronização de tempo até ∼100 ns via Ethernet (com hardware dedicado, por exemplo, o chip NSC DP83640 da MAC/PHY, ou incluído em microcontroladores embutidos como o Luminary Stellaris ARM Cortex M3da TI). PTP está sendo implementado pelo padrão LXI para a interoperabilidade entre instrumentos baseados em LAN, bem como por vários *Fieldbuses* baseados em Ethernet como *Profinet* e CIP (*Common Industrial Protocol*).

inteiro

int 8: 1 bit sinal (-2^7), 7 bits ($2^6 \ldots 2^0$), B$_7$ a B$_0$ — -128 to $+127$

int 16: 1 bit sinal (-2^{15}), 15 bits ($2^{14} \ldots 2^0$), B$_{15}$ a B$_0$ — $-32{,}768$ to $+32{,}767$

int 32: 1 bit sinal (-2^{31}), 31 bits ($2^{30} \ldots 2^0$), B$_{31}$ a B$_0$ — $-2{,}147{,}483{,}648$ to $+2{,}147{,}483{,}647$

int 64: 1 bit sinal (-2^{63}), 63 bits ($2^{62} \ldots 2^0$), B$_{63}$ a B$_0$ — $-1{,}7 \times 10^{38}$ to $+1{,}7 \times 10^{38}$

ponto flutuante

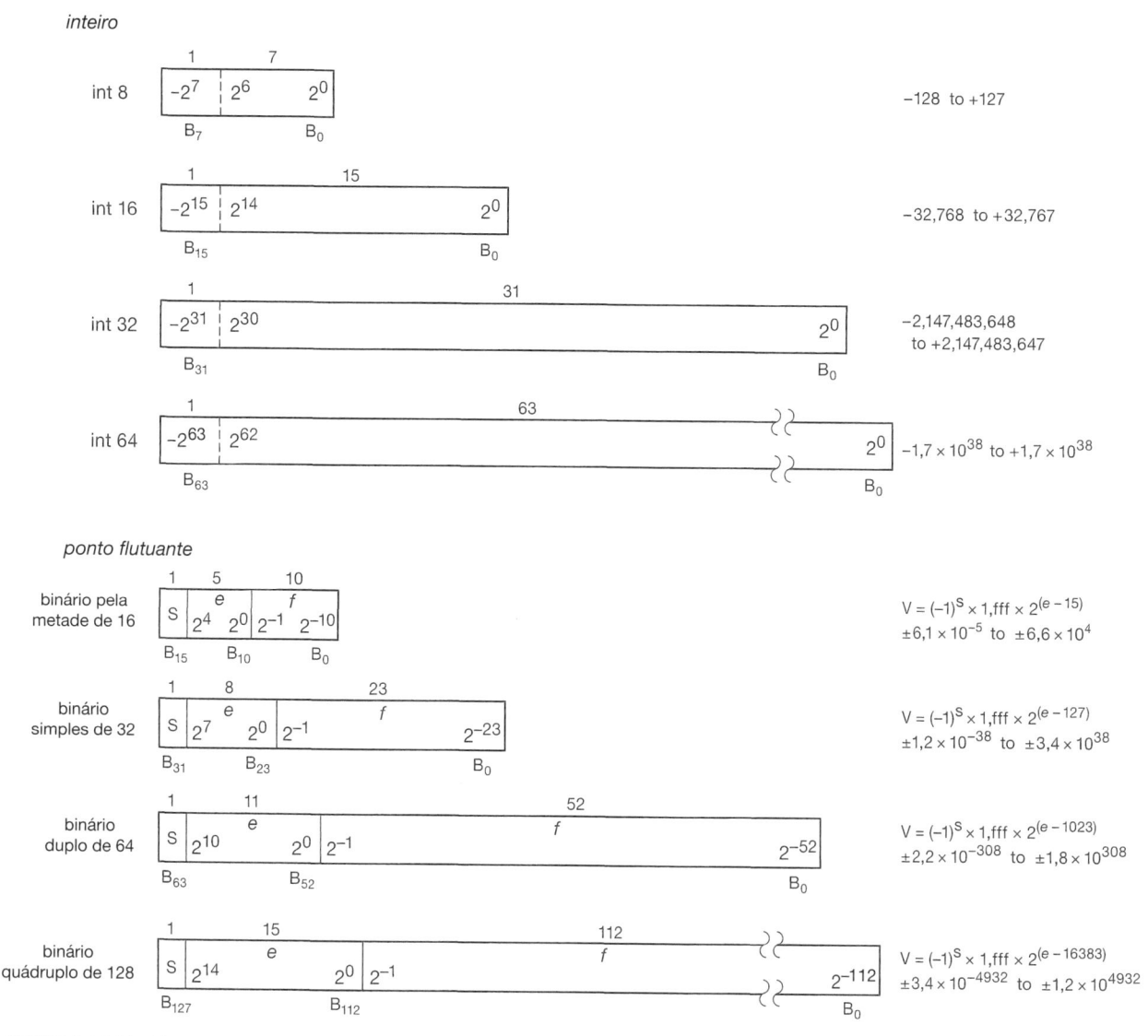

binário pela metade de 16: S | e (5 bits, $2^4 \ldots 2^0$) | f (10 bits, $2^{-1} \ldots 2^{-10}$); B$_{15}$, B$_{10}$, B$_0$

$V = (-1)^S \times 1{.}\mathrm{fff} \times 2^{(e-15)}$
$\pm 6{,}1 \times 10^{-5}$ to $\pm 6{,}6 \times 10^4$

binário simples de 32: S | e (8 bits, $2^7 \ldots 2^0$) | f (23 bits, $2^{-1} \ldots 2^{-23}$); B$_{31}$, B$_{23}$, B$_0$

$V = (-1)^S \times 1{.}\mathrm{fff} \times 2^{(e-127)}$
$\pm 1{,}2 \times 10^{-38}$ to $\pm 3{,}4 \times 10^{38}$

binário duplo de 64: S | e (11 bits, $2^{10} \ldots 2^0$) | f (52 bits, $2^{-1} \ldots 2^{-52}$); B$_{63}$, B$_{52}$, B$_0$

$V = (-1)^S \times 1{.}\mathrm{fff} \times 2^{(e-1023)}$
$\pm 2{,}2 \times 10^{-308}$ to $\pm 1{,}8 \times 10^{308}$

binário quádruplo de 128: S | e (15 bits, $2^{14} \ldots 2^0$) | f (112 bits, $2^{-1} \ldots 2^{-112}$); B$_{127}$, B$_{112}$, B$_0$

$V = (-1)^S \times 1{.}\mathrm{fff} \times 2^{(e-16383)}$
$\pm 3{,}4 \times 10^{-4932}$ to $\pm 1{,}2 \times 10^{4932}$

FIGURA 14.51 Formatos de números comumente usados. O símbolo "e" é o valor binário-inteiro sem sinal do campo expoente, usado como mostrado para determinar o valor de V dos diferentes formatos de ponto flutuante.

("precisão dupla").[69] A má notícia é que existem várias representações incompatíveis em uso. A boa notícia é que o padrão de ponto flutuante abençoado pelo IEEE (padrão 754-2008) foi implementado por quase todas as famílias de processadores e está em uso quase universal.

A Figura 14.51 mostra os formatos de ponto flutuante IEEE em detalhe. Para ver como é, olhe para o formato de precisão simples de 32 bits: ele tem 1 bit de sinal, 8 bits de expoente e 23 bits de fração. O expoente informa a potência de 2 pelo qual a fração (veja abaixo) deve ser multiplicada. O expoente é "polarizado" pela adição de 127, de modo que o campo de expoente 01111111 corresponde a um expoente de 0; expoentes, portanto, vão de -127 a $+128$. A fração em si usa um truque interessante, originado por DEC e em seu formato de ponto flutuante. Um número de ponto flutuante em binário pode sempre ser escrito no formato f.fff$\times 2^e$, forma ", onde f.fff $\times 2^e$ é a mantissa (base-2) ("significando") e e é o expoente (potência de 2). Para maximizar a precisão, você começa com um determinado número de bits de mantissa, o "normaliza" deslocando a mantissa para esquerda (e decrementando o expoente) até que o primeiro bit seja diferente de zero, assim, colocando-o assim na forma 1.fffx2^e. Agora, aqui está o truque do "bit escondido": como o significando normalizado resultante sempre ter um MSB diferente de zero, seria redundante exibi-lo; ou seja, você não armazena

---

[69] Aumentado pelo formato gigante de 128 bits ("precisão quadrupla"), e pelo diminuto de 16 bits (você adivinhou – "meia-precisão").

1fff no número, apenas o fff, com o primeiro 1 considerado. O número resultante ganha um pouco de precisão e tem uma faixa de $\pm 1,2 \times 10^{-38}$ a $\pm 3,4 \times 10^{38}$.

Exercício 14.3 Mostre que a faixa de números de ponto flutuante normalizados é tal como declarado, construindo os menores e os maiores números.

O formato IEEE de precisão dupla é semelhante, tendo a precisão do significando mais do duplicada (anexando mais 29 bits) com o expoente fortalecido por 3 bits adicionais, resultando na faixa de números mostrada na figura. Se você gosta de precisão dupla, vai adorar a faixa dinâmica adicional e precisão do enorme formato de precisão quádrupla de 128 bits, com os seus deslumbrantes 113 bits de fração apoiada em um expoente de 15 bits.

No outro extremo, um formato recentemente popular é o formato de 16 bits "meia-precisão" (que algumas pessoas chamam de "*minifloat*"). Ele aperta o sinal, o expoente e a fração em uma palavra de 2 bytes. Os maiores valores neste formato são ±65504. Isto não é muito mais do que você pode fazer com um inteiro sinalizado de 16 bits (±32767), por isso pode parecer inútil. Não é assim: o menor valor de *minifloat* IEEE é $\pm 6,1 \times 10^{-5}$. Então, você tem uma grande *faixa dinâmica*, embora sem grande precisão.[70]

Este último ponto vale mais uma explicação. O formato de ponto flutuante de meia-precisão IEEE (oficialmente chamado "binário 16") representa os números que medem nove ordens de magnitude, com um tamanho de passo fracionário aproximadamente uniforme de ~0,06%. Ao contrário de uma representação de inteiro, as alterações fracionárias não ficam mais grosseiras conforme você passa para valores pequenos (descubra por quê). E esta é uma boa característica para as quantidades percebidos de forma logarítmica, como iluminação ou intensidade de som.

O formato IEEE permite também que os números não normalizados deem alguma faixa adicional na extremidade pequena, em detrimento da precisão (estes têm todos os bits de expoente estabelecidos como zero, que muda a interpretação da fração para 0.fff). Para um flutuante de precisão simples (binário de 32), a faixa destes números "desnormalizados", então, desce para $\pm 1,4 \times 10^{-45}$; mas os passos se tornam fracionalmente maiores quando você chega no final. O padrão também define o zero (ambos e = 0 e fff = 0; assim, há dois zeros, +0 e –0), infinito (e = todos em 1, fff = 0; portanto, ambos os sinais), e uma classe curiosa de quantidades reservadas conhecidas oficialmente como NANs ("não é um número").

A. Armazenamento de Número em Memória

Projetistas de microprocessadores gostam de expressar sua individualidade armazenando números na memória em uma ordem peculiar. Processadores da Intel armazenam inteiros de vários bytes começando com o byte menos significativo no byte de memória de menor número; processadores da Motorola (Freescale) fazem o contrário.[71] Alguns processadores (por exemplo, o núcleo ARM popular) são "ambidestros" (portanto, "*bi-endian*"). E, para acrescentar um pouco mais de confusão, alguns processadores usam uma ordem de bytes para inteiros e outra para números de ponto flutuante. *Endian-ness* é mais do que interesse acadêmico; ele pode ser importante, por exemplo, ao enviar dados a um periférico via SPI ou I²C. Boa sorte!

---

[70] Características que são particularmente úteis em aplicações como imagens de vídeo. Na verdade, ele foi concebido pelo Industrial Light & Magic para apenas tais usos. O formato de meio-flutuante é suportado em chips de processadores gráficos, que estão se tornando populares para a computação em larga escala. Esses chips, com centenas de núcleos de processamento rápido, são CPUs tradicionais desafiadoras; coloque uma dúzia delas em um sistema, e você terá um impressionante supercomputador.

[71] Os engenheiros se divertem chamando esses de "*little-endian*" (primeiro o LSB) e "*big-endian*" (primeiro o MSB), respectivamente.

REVISÃO DO CAPÍTULO 14

Um resumo de A a J do que aprendemos no Capítulo 14. Este resumo revê princípios básicos, fatos e informações sobre aplicações no Capítulo 14.

¶ A. Processadores e Barramentos de Dados

O primeiro dos dois capítulos que abordam processadores tratou de arquitetura de computadores e interfaces (barramentos) sobre a qual os dados são trocados, enquanto o capítulo seguinte é dedicado ao uso de microcontroladores como componentes "embarcados" dentro de um circuito ou instrumento. Dada a onipresença dos computadores na vida contemporânea, é provável que o leitor esteja familiarizado com grande parte do material neste capítulo.

¶ B. Arquitetura de Computadores Orientada a Barramentos

Em uma arquitetura de computador clássica (Seção 14.1) a unidade de processamento (CPU ou MPU) executa instruções obtidas (ciclos de busca) a partir da memória e movimenta dados em um conjunto de linhas denominadas *barramento* (Figura 14.2). As instruções codificam o que deve ser feito e o processador executa, tal como interpretado pelo seu *decodificador de instrução*. Dentro do processador há uma *unidade lógica aritmética* (ALU), responsável por operações aritméticas e lógicas (por exemplo, ADD ou COMPARE) realizadas pelos contidos nos *registradores*; um *contador de programa* contém o endereço de memória da instrução atual; um conjunto de *flags* (sinalizadores) que são definidos (em 0 ou 1) de acordo com o resultado da última operação e são testados em desvios condicionais; um *ponteiro de pilha* que endereça a memória sequencialmente para armazenamento temporário (por exemplo, o endereço de retorno durante interrupções e chamadas de funções); e, muitas vezes, uma *memória cache* para armazenar dados e instruções recentes para acesso mais rápido.

¶ C. Periféricos.

Um microprocessador orientado para o cálculo (como usado em um computador servidor ou desktop) se comunica com os periféricos em chips distintos por meio de um ou mais barramentos, enquanto um processador destinado a aplicações embarcadas (um micro*controlador*, capítulo 15) negociam alguma sutileza computacional integrando, em vez disso, um conjunto de periféricos e memória no chip. Periféricos típicos incluem armazenamento em massa não volátil, como disco rígido (HDD) e disco de estado sólido (SSD), memória de acesso aleatório (RAM), gráficos de vídeo, interface de rede (Ethernet), aquisição de dados e controle (ADC, DAC, I/O digital) e portas seriais, tais como USB e SATA.

¶ D. Conjunto de Instruções e "Linguagem de Máquina"

Um determinado processador foi projetado para interpretar certos grupos de bytes, considerados em conjunto, como *instruções*, e levar a cabo as tarefas correspondentes (Seção 14.2). Tais instruções de *linguagem de máquina* podem ser de vários comprimentos; para os processadores Intel x86 de 32 bits, por exemplo, as instruções podem variar de um a seis bytes de comprimento. A programação diretamente em linguagem de máquina é muito entediante para os seres humanos; em vez disso cada instrução pode ser representado em uma *linguagem assembly* no formato de texto legível, com mnemônicos compreensíveis (por exemplo, ADD AX,BX, que soma o valor armazenado no registrador AX ao do registrador BX). Um programa chamado *assembler* (montador) converte, em seguida, o programa em linguagem assembly (um arquivo de texto criado pelo programador, ou por um *compilador* de um programa escrito em uma linguagem de alto nível como C) em linguagem de máquina nativa do processador.

Para ilustrar instruções do processador escolhemos o Intel x86, que exibe um conjunto reduzido de instruções (Seção 14.2.2 e Tabela 14.1). Há instruções *aritméticas* (por exemplo ADD), instruções de desvio condicional (por exemplo JNZ label, salta se não for zero), instruções de pilha (PUSH e POP) e instruções I/O (por exemplo OUT port,AX). Junto com as instruções, você tem que entender *endereçamento*, as várias maneiras designar locais na memória e nos registradores. Na linguagem do x86 as possibilidades básicas são *direto* (o endereço propriamente), *indireto* (um endereço apontando para o local na memória onde o endereço em si é mantido), *indexado* (um deslocamento numérico a partir de um endereço de base, útil para "mover o ponteiro" que acessa endereços sequenciais) e *imediato* (um valor numérico contido dentro da própria instrução de vários bytes).

¶ E. PC104/ISA: um Barramento Paralelo

A Interface de barramento pode ser um negócio complicado, com protocolos de negociação elaborados e similares. Para manter as coisas simples, escolhemos o legado barramento de 8 bit paralelo PC104/ISA (Seção 14.3), um desdobramento do barramento IBM PC original que foi adaptado para o padrão de sistema embarcado do PC104 industrial. Ele é largamente utilizado e ilustra bem os conceitos básicos de um barramento multiponto (e transferência de dados em paralelo em geral); para referência, o conjunto completo de sinais de barramento está listado no Seção 14.3.11.

Ciclo de ESCRITA. Para mover alguns dados para um periférico (um "ciclo de escrita"), o mestre de barramento (aqui a CPU) coloca os dados em um conjunto de linhas de DADOS de 3 estados (D0 a D7) e o endereço de destino nas linhas de ENDEREÇO (A0 a A15), em seguida, pulsa a linha de "escrita" (IOW'), veja a Figura 14.8. O hardware corespondente do periférico (Figura 14.9) responde armazenando os dados (em D0 a D7) por meio de um clock com IOW' se ele vê o seu endereço exclusivo (em A0 a A15). Esta operação ocorre automaticamente quando a CPU executa uma instrução OUT para o endereço do periférico.

Ciclo de LEITURA. Para buscar dados a partir de um periférico (um " ciclo de leitura"), o mestre de barramento coloca o endereço do periférico, mas não ativa as linhas de dados (tri-state); em vez disso, pulsa uma linha de "leitura" (IOR') e armazena os dados que encontra em D0 a D7 (colocados pelo periférico endereçado) no final de IOR'; veja a Figura 14.13. O hardware correspondente do periférico (Figura 14.14) responde colocando os seus dados em D0 a D7, habilitando os acionadores de 3 estados com IOR' se ele vê o seu endereço exclusivo (em A0 a A15). Esta operação ocorre automaticamente quando a CPU executa uma instrução IN a partir do endereço do periférico.

Bits de comando e status. Os "dados" que a CPU busca durante um ciclo de leitura de dados podem ser comuns (por exemplo, um byte de um ADC); mas também pode indicar um status (por exemplo, novos dados do ADC estão disponíveis para serem buscados). Tais dados de status são essenciais na maioria dos casos; veja, por exemplo, a interface de teclado simples na Figura 14.15, onde um flip-flop é setado quando um novo caractere é teclado, e é limpo quando um caractere é lido; seu status é posicionado no bit D7 de seu endereço de periférico (KBFLAG). O código do programa correspondente (Seção 14.3.5A) lê repetidamente esse byte de status, ficando no *loop* até encontrar o bit 7 setado, após o que busca um byte de dados a partir do endereço de dados do teclado (KBDATA) e o acrescenta aos dados armazenados em um buffer de texto na memória. Da mesma forma, os bits enviados *para* um periférico podem indicar uma ação a ser iniciada por esse periférico; são bits de *comando* e servem, por exemplo, para ordenar ao ADC que comece a conversão, ou dizer a uma porta serial que envie um byte de dados. Bits de status (ou comando) múltiplos podem ser agrupados em um *registrador* de status (ou comando), cada bit do qual pode ter a sua própria função.

Interrupção. O uso de bits de status permite que a CPU descubra se a ação precisa ser tomada, mas ela tem que perguntar (lendo o registrador de status). Tal *consulta* é uma forma de um periférico sinalizar à CPU; a alternativa é a *interrupção*, em que o periférico ativa uma das várias linhas de barramento específico (IRQn no barramento PC104). Isso sinaliza ao hardware da CPU, que faz uma parada na execução do programa (se as interrupções estiverem habilitadas), ponto a partir do qual é realizado um salto para a rotina de "tratamento da interrupção"; veja as Seções de 14.3.7 a 14.3.9 para exemplos de hardware e software.

Acesso direto à memória. O mais eficiente de todos para a rápida transferência de bytes múltiplos (por exemplo, a leitura de um arquivo inteiro a partir do disco) é o DMA, no qual os sucessivos endereços de barramento e pulsos de controle são gerados por hardware e, portanto, não exigem os ciclos do processador necessários para LEITURA ou ESCRITA de *I/O programado*; veja a Seção 14.3.10.

¶ F. Outros Barramentos Paralelos

O barramento de computador multiponto interno do PC104/ISA é lento (menos de 10 MB/s), e foi substituído pelo barramento multiponto **PCI** (*peripheral component interconnect*), que chegou a 2 Gb/s em sua versão de 64 bits de largura. A interface PCI é consideravelmente mais complexa do que a simples PC104 descrita em ¶E, exigindo alguma negociação com o controlador PCI, etc. O PCI agora está obsoleto, foi substituído pelo PCI serial ponto a ponto, (ver ¶H). Para conexão com discos, as interfaces paralelas legadas são **IDE** (também chamada de ATAPI ou PATA) e **SCSI**; ambas estão obsoletas e foram substituídas por barramentos seriais: SATA e SAS. A interface paralela de impressora original (um conector D de 25 pinos ou um conector de microfita "Centronics" de 36 pinos) foi substituída por barramentos seriais (USB ou Ethernet). E para conexão de instrumentos de laboratório, o **GPIB** (barramento de interface de uso geral, originado pela HP como HPIB) ainda sobrevive; é meio estranha, no entanto, com seus cabos grossos e conectores vistosos. A maioria dos instrumentos de laboratório agora suportam Ethernet e USB. Estes e outros barramentos estão listados na Tabela 14.3.

¶ G. Enlace de Dados em Paralelo

No nível mais simples de transferência de dados entre CIs em uma placa de circuito (digamos entre um microcontrolador incorporado e um ADC) o protocolo dados-endereço-strobe do barramento paralelo se torna muito simples: para uma conexão ponto a ponto (ou seja, um único chip de periférico) tudo que você precisa são dados de largura de um byte (ou 4 bits) mais sentido e strobe; veja por exemplo a Figura 14.34. Isto não chega a ser um *barramento* – é mais um enlace de dados.

Além de alguns CIs de interface deste tipo, e o amplo e rápido "barramento frontal" da CPU, quase todos os barramentos paralelos e enlaces de dados têm caído no esquecimento, dando origem à dominância de barramentos e enlaces *seriais* (¶H, ¶I); ironicamente, um único link serial é geralmente mais rápido do que um enlace paralelo da largura de um byte que o substitui, com uma fiação muito menor e permitindo um cabeamento muito mais estreito (para interfaces externas).

¶ H. Barramentos Seriais

Há muitas vantagens para uma conexão de dados *serial* (Seção 14.7): menos fios, menos pinos nos chips acionadores e receptores, terminação perfeita (em uma conexão ponto a ponto, ou seja, um único emissor e um único receptor), a falta de assimetria na temporização (autotemporizado via recuperação de clock) e a flexibilidade do uso de um canal de fibra óptica ou sem fio. Contra a intuição, enlaces seriais contemporâneos entregam taxas de transferência de dados mais elevadas do que os seus antepassados paralelos. Por exemplo, a última das interfaces de disco paralela atingiu o pico em 1 a 2 Gbps (PATA e SCSI, 16 bits de largura), ao passo que os seus sucessores seriais (SATA e SAS, um único par diferencial em cada sentido) entregam 6 Gbps.

No mundo da informática os barramentos de disco seriais *internos* comuns são o **SATA** (Serial ATA), **eSATA** (SATA externo, uma curta extensão do SATA) e **SAS** (*Serial-Attached* SCSI), e o barramento de placa-mãe **PCIe** (PCI Express) (veja as Seções 14.7.6 e 14.7.7). Este último é um híbrido de tipos – ao contrário do barramento PCI multiponto paralelo anterior, PCIe é ponto a ponto e serial (um par diferencial em cada sentido), mas ele opera com múltiplas tais "pistas" para cada *slot* de placa-mãe, marcados com "x" (geralmente x1, x4 e x16, mas também x8 e x32). Cada pista pode fornecer até 8 Gbps, com recuperação de clock separado no receptor.

Para a comunicação *externa* do computador, os barramentos seriais comuns são USB, FireWire, Ethernet e CANbus. Em sua revisão atual (3.0), o **USB** (Seção 14.7.13) é *full-duplex* (um par diferencial em cada sentido), com velocidades de até 3,2 Gbps; é uma melhora em relação à versão anterior (2.0) que é *half-duplex*, com velocidades de 400 Mbps. FireWire (IEEE 1394, Seção 14.7.14) é *full-duplex*, com versões que suportam 400 e 800 Mbps (e com taxas de até 3200 Mbps incluídos na norma).

Ethernet (Seção 14.7.16) é o barramento de escolha para redes de computadores; as versões de 10 Mbps multiponto coaxial original (10 base2, *thinnet* e 10 base5, *thicknet*) há muito tempo já foram substituídas por conexões de par trançado ponto a ponto *full-duplex* (10base-T, 100Base-TX, 1000base-T), que tanto contornam o problema das colisões quanto oferecem velocidades de transferência de dados até 1 Gbps.

CANbus (Seção 14.7.15) é um barramento multiponto e multimestre industrial usado em ambientes automotivos e de fábrica; é robusto e permite ligações até 1 km, embora em taxa de dados muito reduzidas (10 kbps contra seus 1 Mbps para enlaces menores de 40 m de comprimento).

¶ I. Enlaces de Dados Seriais

Como grandes substitutos da transferência de dados paralela entre CIs em uma placa de circuito (¶G) estão os populares enlaces de dados seriais: SPI, I^{2}C, e JTAG. **SPI** (Seção 14.7.1) são muito simples, com uma arquitetura mestre-escravo que compreende três fios compartilhados entre vários chips escravos: um fio de dados em cada sentido (MOSI, MISO) e um clock (SCLK); há uma linha separada de seleção de escravo (SS') necessária para cada dispositivo escravo; veja a Figura 14.38. Um dispositivo selecionado recebe dados (MOSI) e envia dados (MISO) em cada relógio, veja a Figura 14.37. Não há um padrão universal SPI, deve estar em conformidade com os protocolos de cada chip segundo sua folha de dados. Dê uma olhada na Figura 15.21 no próximo capítulo para ver alguns exemplos de chips periféricos SPI.

Por outro lado, **I^{2}C** (Seção 14.7.2) é um enlace serial multiponto mais sofisticado, com dois fios somente (SDA, dados; SCL, clock); há um protocolo bem definido através do qual o mestre (o microcontrolador) comunica tanto o endereço de destino quanto o sentido dos dados para os vários dispositivos escravos. A fiação mínima e flexibilidade de comunicação I^{2}C são compensados pela necessidade de dar a cada dispositivo um endereço único, e pelos problemas de contenção e arbitragem nas linhas compartilhadas. Dê uma olhada na Figura 15.22 no próximo capítulo para ver alguns exemplos de chip periféricos I^{2}C.

O barramento **JTAG** (Seção 14.7.4), originalmente destinado para testes e depuração no próprio circuito (*in-circuit*), tornou-se uma interface popular para carga e depuração de código do microcontrolador, e para a memória não volátil de programação na placa. Ele insere no barramento um clock compartilhado (TCK), linha de modo (TMS) e uma linha de dados com múltiplos dispositivos em anel (entrada TDI para cada dispositivo, saída TDO); veja a Figura 14.43. Você conecta o barramento JTAG com um módulo de programação que se conecta a uma porta USB do seu PC *host*.

E não se esqueça do bom e velho enlace de "porta serial COM" **RS-232** (Seção 14.7.8), amplamente suportado por microcontroladores. Você pode falar com ele com um PC executando um emulador de terminal, conectado com um adaptador USB-RS232 como o TTL-232R-3V3 ou TTL-232R-5V da FTDI (3,3 V e 5 V, respectivamente).

¶ J. Memória

Qualquer conversa sobre computadores fica incompleta sem uma discussão sobre *memórias* (Seção 14.4). A memória ideal teria acesso aleatório rápido, retenção persistente sem alimentação (ou seja, não volátil), e durabilidade infinita (número de ciclos de leitura e escrita); idealmente deve também ser de baixa potência, pouco dispendiosa e compacta. As memórias do mundo real ainda não atingiram esses objetivos, pelo menos em um único tipo de memória.

A atual favorita em memória *não volátil* (Seção 14.45) é a **Flash NAND** (o tipo usado em pendrives USB, cartões de memória de câmeras e unidades de estado sólido). Ela é limitada em velocidade e durabilidade, e deve ser escrita ou apagada em setores; mas é absurdamente barata (∼50 centavos de dólar por GB em quantidades individuais). Para a retenção de pequenas quantidades de dados existe a **EEPROM**, cuja célula de 2 transistores permite o apagamento de um único bit ou byte. Algumas novas tecnologias que podem entregar quase durabilidade infinita são a **FRAM** (RAM ferroelétrica), **MRAM** (RAM magnetoresistiva), e **PCM** (memória de mudança de fase, também chamada PRAM).

As memórias contemporâneas, com acesso rápido e durabilidade infinita, são todas *voláteis*: SRAM (RAM estática) e DRAM (RAM dinâmica). A SRAM básica é uma matriz de flip-flops de 6 transistores ("6T") endereçável (Figuras 14.20 e 14.21), configurada para operação assíncrona ou síncrona (ou seja, com clock); veja a Seção 14.4.3. A RAM estática tem uma interface simples, acesso rápido e corrente quiescente zero, mas a sua célula 6T ocupa muito espaço, por isso a sua densidade é consideravelmente mais baixa do que a da RAM dinâmica. Por esta razão, uma classe de memória pseudoestática (**PSRAM**) tornou-se popular: ela explora um mecanismo de atualização (*refresh*) oculto para trazer a densidade da DRAM para a interface simples da SRAM; é uma DRAM em pele de SRAM. As memórias SRAM e PSRAM são úteis em sistemas pequenos ou de baixa potência onde é necessário apenas uma pequena quantidade de memória.

O outro tipo de memória volátil é a **DRAM** (Seção 14.4.4), uma matriz de minúsculos capacitores (∼30 femto-farads) cujo estado de carga mantém um bit, endereçado com uma matriz de MOSFETs de tal forma que é apenas necessário um transistor por bit, tanto para leitura quanto para a retenção de carga ("refresh"), o que é uma "célula 1T1C" (Figuras 14.26 e 14.27). DRAMs exigem uma renovação periódica dos dados, e, tendo se originado como chips de memórias assíncronas, são agora usados em suas variedades síncronas (**SDRAM**): **SDR** (taxa de dados única) e versões evoluídas **DDR** (taxa de dados dupla) (**DDR2. DDR3** e **DDR4**). DRAM tem durabilidade infinita, acesso rápido, alta densidade e baixo custo, e é utilizada como a memória principal em PCs, laptops, e toda a variedade de eletrônicos de consumo (por exemplo, receptores a cabo e via satélite). É o tipo de memória que vem quando se compra o módulo DIMM para o computador; estes módulos custam atualmente cerca entre 5 e 10 dólares por GB.

Microcontroladores

15

15.1 INTRODUÇÃO

Como observamos no capítulo anterior, microcontroladores são, essencialmente, processadores autônomos, destinados a serem *embarcados* em algum dispositivo eletrônico que não é definitivamente um "computador"[1] Eles são baratos e fáceis de usar, e permitem que você coloque a inteligência de um computador em praticamente qualquer coisa eletrônica. Feito isso, eles negociam um pouco da velocidade aterrorizante de processadores orientados para computadores em favor de memória e periféricos no próprio chip.

Para desenvolver mais esse ponto, quase todos os microcontroladores (incluindo aqueles que custam menos de um dólar) incluem tanto a memória de dados (RAM estática) quanto a memória de programa não volátil ("flash") no chip; muitos incluem EEPROM não volátil adicional para manter dados de calibração, configurações do sistema e assim por diante.[2] Melhor ainda, você pode escolher entre "periféricos" integrados: enlaces de comunicação, como SPI I^2C, USB, Ethernet, Bluetooth e ZigBee; barramentos, como PCI e PCIe, SATA, PCMCIA, cartões de memória flash e memória externa; interfaces analógicas, como comparadores, ADCs multiplexados, DACs e sensores de vídeo e de imagem; e as interfaces para fins especiais, como moduladores de largura de pulso, acionadores de LCD, GPS, áudio digital e WiFi.

Para colocar de outra forma (Figura 15.1), um microcontrolador inclui a mesma "CPU + memória + periféricos" que exigiu barramento externo de dados e componentes separados no capítulo anterior. (Você *pode* implementar um barramento externo de dados com um microcontrolador, se você quiser, mas é melhor escolher um microcontrolador que tem o que você quer internamente no chip).

Claro que, em um sistema embarcado, você não realiza um *boot* (inicialização) a partir de um disco – você nem sequer *tem* um disco! É por isso que a memória do programa está incluída no controlador, e também por isso ela deve ser não volátil: a sua máquina deve saber o que fazer, mesmo depois de uma falha de energia. Devido aos microcontroladores serem incorporados ao dispositivo de destino (e geralmente não removível da placa de circuito), devem ser programáveis (e reprogramáveis) no *próprio circuito*. Você os programa através de uma interface de "programação serial no próprio circuito" ("ICSP", geralmente SPI ou JTAG), com um "módulo" de interface de hardware controlado por software executado em um computador *host*.

Os microcontroladores são divertidos e fáceis. Pense neles como um "componente" do circuito, como um AOP. A analogia é boa: assim como o AOP é o componente analógico universal, o microcontrolador pode ser pensado como componente digital universal.[3] E um microcontrolador junto com alguns outros componentes (por exemplo, um conector USB, o conector *header* de programação, alguns LEDs, botões e talvez um LCD alfanumérico) colocados em uma pequena placa de circuito, é um "bloco universal", cuja função é flexivelmente programada para fazer o que quiser. Os fabricantes de microcontroladores felizmente fornecem tais módulos (por vezes chamados de "kits de desenvolvimento", que muitas vezes incluem hardware e software de programação; veja a Figura 15.24, na página 1090), para incentivá-lo a adotar os seus produtos. Há também produtos de terceiros e de empresas licenciadas, tais como "Ethernut" e "Arduino"[4]. A primeira inclui uma porta Ethernet; esta última oferece portas seriais USB, SPI e I^2C, com um adaptador Ethernet empilhável opcional.

Vamos embarcar nos microcontroladores com um exemplo concreto.

---

[1] A recente publicação da Maxim Integrated Products (Nota de Aplicação 3967) começa com a frase "O coração de produtos eletrônicos avançados de hoje é um microcontrolador (μC) que se comunica com um ou mais dispositivos periféricos." Como uma alteração amigável, nós provavelmente omitiríamos a palavra "avançados".

[2] A EEPROM permite reescrita (ou apagamento) de bytes armazenados individuais, em contraste com a memória flash, na qual o apagamento (obrigatório antes de regravar) só pode ser feito em um bloco de bytes de uma vez. É por isso que a EEPROM de menor densidade é melhor para armazenar os dados do usuário, enquanto a flash de densidade maior é melhor para o código do programa raramente reescrito. Ambos os tipos de memória são não voláteis e programáveis no próprio circuito, apesar de a flash geralmente ter menos "resistência" à reescrita, por exemplo, 10.000 ciclos de apagamento-escrita para a flash, contra 100.000 para a EEPROM.

[3] Embora os usuários experientes de FPGAs possam muito bem argumentar que *seus* chips são "mais universais": você pode colocar um microcontrolador "*soft core*" em um FPGA, mas não o contrário.

[4] Aqui estão mais alguns: BeagleBoard & BeagleBoard, Odroid, Raspberry Pi e Teensy.

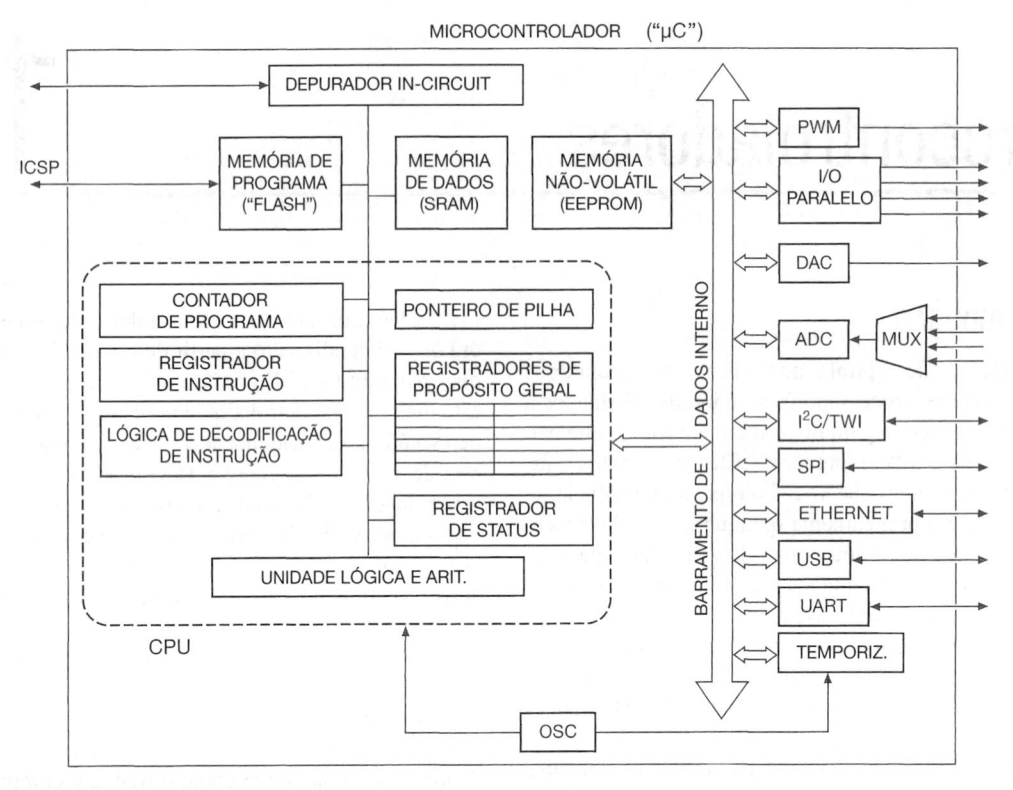

FIGURA 15.1 Um microcontrolador integra memória e "periféricos" no mesmo chip que a CPU. ICSP significa "programação serial no próprio circuito" (*in-circuit serial programming*).

15.2 PROJETO EXEMPLO 1: MONITOR DE BRONZEAMENTO (V)

Vimos este dispositivo, indispensável para um frequentador de praia, pela primeira vez no capítulo 4 (onde exploramos três implementações puramente analógicas), depois novamente no Capítulo 13 (com uma ADC de integração de fotocorrente). Esses capítulos ilustraram muito bem o uso da eletrônica analógica e digital discreta. Concluímos a nossa busca do integrador de bronzeamento perfeito neste capítulo, com (naturalmente) uma implementação com microcontrolador. Efetuamos algumas tentativas aqui, com um pouco de refinamento mais adiante neste capítulo.

Para relembrar, a tarefa é informar ao banhista o momento de virar-se (ou ir para casa), depois de ter recebido a dose acumulada desejada de luz solar, usando como entrada a corrente de um fotodiodo (que é proporcional à intensidade de bronzeamento). O frequentador de praia define a dose de FSE (*full-sunlight-equivalent*, ou equivalente ao pleno sol) desejada com um potenciômetro, em uma escala de 0 a 90 min de FSE, aciona o botão START, e começa o ciclo de bronzeamento. A campainha piezoelétrica emite um sinal sonoro quando a tarefa for concluída.

15.2.1 Implementação com um Microcontrolador

Uma forma clássica (mas trivial) de abordar essa questão é converter a corrente em tensão (com AOP e resistor de realimentação), e então usar o ADC interno do microcontrolador para gerar amostras digitalizadas, que são então integradas numericamente. Mas há uma maneira mais simples (e melhor), facilmente implementada, mesmo em um microcontrolador de 50 centavos de dólar. Observe a Figura 15.2. A ideia é usar a fotocorrente para gerar uma rampa de tensão em um capacitor e, em seguida, utilizar o comparador analógico do microcontrolador para provocar um curto pulso de descarga através de uma porta de saída digital de três estados.[5] Isso gera um dente de serra, cuja frequência é proporcional à in-

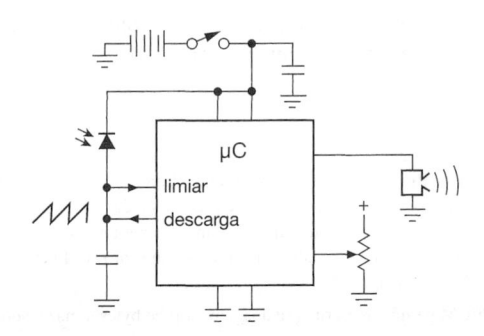

FIGURA 15.2 Monitor de bronzeamento, simplesmente implementado com um microcontrolador (*μ*C).

---
[5] Você pode organizar as coisas de forma a fazer a descarga no mesmo pino que a comparação de limiar, alterando de forma dinâmica um bit no registrador que define os modos de bit da porta.

tensidade da luz; o microcontrolador o integra simplesmente contando ciclos, soando o alarme na contagem terminal desejada, que deriva de uma medida de ajuste do potenciômetro de "dosagem". Um bit da porta de entrada digital detecta o botão START, e um bit da porta de saída ativa o alarme piezoelétrico.

Isto não só é mais simples do que o método monótono de $I{\rightarrow}V{\rightarrow}ADC$, como é melhor: a conversão de uma corrente a uma tensão proporcional requer uma boa faixa dinâmica (e, portanto, tensões de offset muito baixas) para integrar com precisão em baixas intensidades de luz, ao passo que o oscilador $I{\rightarrow}f$ preserva a precisão, gerando um dente de serra de amplitude fixa com excelente linearidade em correntes baixas. Este afastamento da abordagem usual de projeto de engenharia modular ilustra bem o tipo de criatividade "holística" que microcontroladores estimulam em seus devotos.

O circuito da Figura 15.2 é de longe o mais simples das cinco iterações de um circuito de bronzeamento, embora, é claro, exista a tarefa de escrever e baixar o código embutido (que veremos a seguir). Antes de fazermos isso, vamos abordar os detalhes do circuito em toda a sua grandeza – os valores do componente, a escolha do controlador, PINs, etc. Há muito o que aprender fazendo isso; num aspecto importante, lidar com os detalhes e os compromissos a que eles nos obrigam é a essência do projeto de circuitos eletrônicos.

A Figura 15.3 é uma implementação completa, usando dispositivos disponíveis no momento em que este livro estava sendo escrito. Vamos ver alguns detalhes.

A. Escolha do Microcontrolador

Este dispositivo não exige muito, em termos de velocidade ou periféricos, e quase todos os microcontroladores incluem um comparador e um ADC. No entanto, queremos baixo consumo de corrente, e gostaríamos de operar diretamente a partir de uma bateria, sem um regulador de tensão. Escolhemos este dispositivo porque é o menor da série "picoPower" de controladores AVR da Atmel, que tem a virtude de operação de baixo consumo de energia mesmo quando operado a partir +5V.[6] Ele opera a partir de 1,8 até 5,5 V, e consome cerca de 35 a 170 μA de corrente de alimentação (ao longo desse intervalo de tensões de alimentação) quando operado a partir de seu oscilador interno de 128 kHz.

B. Circuito de Descarga

Embora você provavelmente consiga escapar de usar uma saída de três estados para descarregar o capacitor do oscilador diretamente(Figura 15.2), as especificações de pior caso lhe negariam a satisfação de um trabalho bem feito: elas especificam uma corrente máxima de fuga de ± 1 μA, comparável à fotocorrente na luz solar. Você pode escolher uma fotocélula maior, com uma fotocorrente correspondentemente maior; mas um MOSFET de canal n externo faz o trabalho muito bem.[7] Aqui usamos um pequeno MOSFET canal n BSS123 como uma chave externa. É uma boa escolha: ele tem um limiar satisfatoriamente baixo, com corrente de dreno de ~0.5 A em 2,5 V de acionamento de porta e uma corrente de fuga de pior caso de 10 nA para V_{DS}= 20 V. Ele tem um amplo estoque, ao preço de 5 centavos de dólar em quantidade.[8]

C. Potenciômetro de Ajuste de Dosagem

O diagrama simples polariza o potenciômetro a partir do trilho de alimentação positivo. Mas um bom projeto requer que sua corrente de polarização seja grande em comparação com a especificação de fuga de entrada de 1 μA, o que acrescenta um consumo de potência significativo. Podemos fazer melhor, no entanto, ao ligar o potenciômetro apenas quando for preciso, ou seja, ao ler o seu valor. Isso é fácil – basta conectar seu lado superior a um bit de porta de saída digital; quando o software colocar esse bit em nível ALTO, o canal p interno conecta este lado do potenciômetro em $+V_{CC}$.

D. Desvio e Desacoplamento

A Figura 15.3 é ilustrada com capacitores de desacoplamento, talvez de forma um pouco conservadora. Desacoplamos o trilho de alimentação analógica (AV_{CC}) a partir do ruidoso

---

[6] Muitos controladores operam em baixa potência quando alimentados por uma tensão de alimentação baixa (por exemplo, 1,8 V), mas não em 3 a 5 V, como aqui.

[7] Você poderia, em vez disso, estar razoavelmente confiante de que a corrente de fuga típica é provavelmente inferior a 10 nA, particularmente visto que as especificações são dadas ao longo da faixa de temperatura completa de −40°C a +85°C; além disso, os fabricantes de semicondutores são notoriamente conservadores ao especificar fuga. No entanto, você não tem que se preocupar com o pino de entrada do comparador: a sua corrente de fuga especificada é de 50 nA (máx).

[8] O BSS123 é semelhante ao 2N7000 e 2N7002 (veja a Tabela 3.4a).

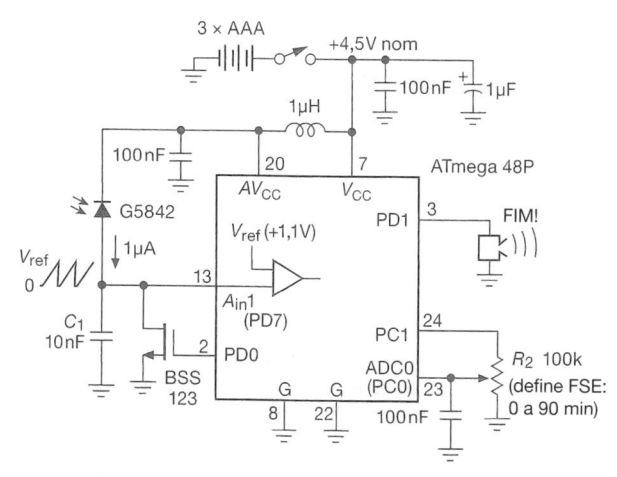

FIGURA 15.3 Circuito detalhado do monitor de bronzeamento. Veja a Figura 4.93 para obter informações sobre o fotosensor GaAsP G5842.

V_{CC} digital com o filtro LC recomendado na folha de dados. Também fizemos o desvio do terminal de leitura do potenciômetro, porque ele está polarizado a partir de uma saída digital igualmente ruidosa. Por fim, foi utilizada uma combinação em paralelo de capacitores de desvio da alimentação para manter baixa impedância para frequências (a indutância e a resistência em série dos capacitores de grandes valores reduzem a sua eficácia em altas frequências, remediada aqui pelo capacitor cerâmico de desvio menor de 100 nF). Mais uma vez, poderíamos provavelmente conseguir com menos, em particular visto que necessitamos de uma precisão muito pequena (~6 bits) a partir dos ADCs de 10 bits internos muito bons do dispositivo, para os quais foram destinadas as especificações de desvio. Mas gostamos de ser cautelosos.

E. Oscilador

Não há um único! Isso porque este controlador, como vários outros, possui opções de oscilador interno; para este chip há dois osciladores internos (8 MHz e 128 kHz) de precisão modesta ($\pm 10\%$).

15.2.2 Código do Microcontrolador ("*Firmware*")

O software embutido, chamado *firmware*, tem de fazer várias tarefas:

(a) inicializações ao energizar (configurar modos de porta I/O, de ADC e de comparador, e resetar estado de bits da porta de saída);
(b) ativar V_{CC} no potenciômetro, ler sua tensão após 25 ms (estabilização de RC) e, então, desativar;
(c) utilizar a tensão medida para calcular a contagem final dos ciclos de oscilação do oscilador de dente de serra, que corresponde à exposição à luz solar integrada definida pelo potenciômetro;
(d) usar o estado da saída do comparador para incrementar o contador de ciclo e para gerar pulsos de descarga do capacitor;
(e) quando o contador atingir a contagem final calculada, ativar a campainha piezoelétrica.

Além disso, existem algumas características de funcionamento (por exemplo, a frequência do oscilador) que não estão sob o controle do programa e que são definidas em vez disso no momento em que o código do programa é descarregado para o dispositivo. Em breve veremos mais sobre a programação desses chamados "fusíveis".

A. Pseudocódigo

Escrevemos isso um pouco mais detalhadamente no Pseudocódigo 15.1; pseudocódigo é um substituto menos formal para um *fluxograma* gráfico com texto mais legível.

Uma pequena explicação: o código começa com algumas tarefas de **configuração**. Isso ocorre porque microcontroladores contemporâneos são ricamente dotados, com periféricos integrados, modos de operação, opções de função de pinos e afins.[9] Essa flexibilidade e poder são uma bênção e uma maldição. As bênçãos são óbvias. A maldição extrai a sua vingança, ao requerer que você configure todas essas opções. Isso é feito setando ou zerando bits em uma matriz de registradores cuja função é configurar e controlar as opções do dispositivo. Este processador particular tem 256 desses registradores internos, com bits de controle e cerca de 40 bytes que valem a pena configurar. Geralmente não é preciso se preocupar com a maioria deles, porque eles têm valores razoáveis, mas você precisa configurar o intervalo e o modo do ADC e do comparador, e os sentidos dos bits das portas.

O código de programa é executado ao energizar, e é obrigado a fazer pela primeira vez esta exigente limpeza antecipada: os bits da porta do microcontrolador podem individualmente ser configurados como entradas ou saídas (sob controle do programa) que você especifica setando bits em um registrador de sentido de porta (se for uma entrada, você também pode ativar ou desativar o *pull-up* interno). O código de configuração segue em frente, inicializando o bit de saída do alarme em nível BAIXO e o pino de descarga em nível ALTO, e conclui com a escolha de tensões de referência, escala e fontes de entrada do ADC e do comparador. Existem alguns outros bits de configuração que têm de ser definidos, especificamente a fonte de clock (interna ou externa), a frequência do clock e a relação do divisor de clock. Para este microcontrolador especial, estes bits "fusível" de hardware são configurados durante a programação do dispositivo, em vez do código de programa executável.[10]

Em seguida ele **Inicializa** em nível BAIXO os dois bits da porta de saída (bip, transistor de descarga) e seta (e limpa) uma variável de registrador que irá manter a contagem acumulada a partir do oscilador de dente de serra proporcional à luz solar. Agora **Lemos** o potenciômetro que define a dosagem de sol desejada: ele seta PC1 colocando V_{CC} no potenciômetro, inicia o ADC, espera o flag de ocupado, em seguida lê o byte alto da conversão de 10 bits (nós realmente não precisamos de mais do que 0,5% neste trabalho), desliga o potenciômetro e calcula a contagem terminal correspondente. Esta assume uma dente de serra de luz solar plena de 100 Hz (fotocorrente de ~1 μA) e uma configuração de fundo de escala de 90 minutos.

Tudo isso leva uma fração de um milésimo de segundo. Agora **Contamos** os ciclos da dente de serra, cuja rampa é gerada pela fotocorrente, abruptamente descarregada através de um pulso de software (ALTO, em seguida BAIXO) para o MOSFET. Por não ter nada mais para fazer de qualquer ma-

---

[9] Por exemplo, o pino 28 deste processador é o bit 5 da porta bidirecional C de largura de um byte; ele também pode ser usado como uma entrada analógica para o ADC (através do multiplexador de 8 entradas interno), ou como o clock serial SCL, ou como uma fonte de "interrupção por mudança no estado do pino".

[10] Para microcontroladores de alto número de pinos, é comum ver alguns pinos utilizados para determinar o que acontece na inicialização, com o controle do programa responsável por esses parâmetros.

Pseudocódigo 15.1 Pseudocódigo do Monitor de bronzeamento

Configuração
    `Variáveis:` Definir os inteiros de 32 bits `count` e `termcount`
    `Baixa Potência:` Desativar periféricos não utilizados
    `Portas:` Definir como saídas PC1 (polarização do potenciômetro), PD0 (descarga do capacitor) e PD1 (sirene);
        definir como entradas analógicas PC0 (leitura do potenciômetro) e PD7 (tensão do capacitor);
        inicializar PD1 em nível BAIXO (sirene desligada), e PD0 em nível ALTO (capacitor mantido em GND)
    `Modos Analógicos:` Definir o modo do comparador & referência de barreira de potencial;
        definir a referência do ADC em Vcc, o modo do ADC para ajustado à esquerda e MUX para o canal 0

Leitura das configurações de "bronzeamento"
    Setar os bits PC1 (alimentar o potenciômetro) e ADEN (habilitar o ADC)
    Iniciar a conversão do ADC (setar o bit ADSC)
    Aguardar enquanto ADSC = 1 (ocupado), em seguida, ler o resultado de 8 bits sem sinal ("bronzear")
    Zerar os bits PC1 e ADEN, e desabilitar o ADC para economizar energia
    Calcular `termcount` = 360000 x bronzear/256

Contagem de Ciclos
    Aguardar enquanto o comparador é nível ALTO ($V_{cap} < V_{ref}$), então:
        setar o bit PD0, em seguida zerar o bit PD0 (pulso de descarga por software)
        incrementar count
        se `count < termcount`, repetir Contagem de Ciclos
        caso contrário, setar bit PD1 (sirene), zerar 10 segundos mais tarde

---

neira, usamos uma consulta (*polling*) simples do bit de saída do comparador, ao invés de uma alternativa mais elegante de uma interrupção ativada pelo contador (a configuração do modo do nosso comparador desativou sua interrupção). Quando a contagem atinge o objetivo calculado, ligamos o sinal sonoro, que permanece ativado até que seja desligado, podendo ser iniciado um novo ciclo, se assim desejarmos.

B. Código C Detalhado

O Programa 15.1 é uma listagem do código-fonte da linguagem C. Deve ser lido por programadores fluentes em C, apesar de existirem algumas características associadas aos microcontroladores. Os arquivos io.h e fuse.h contêm as definições do registrador particular, funções, etc., que lidam com peculiaridades como espaços de endereçamento fragmentados e com variáveis de bit. Manipular bits em portas e registradores é comum em aplicações de microcontroladores; isso é feito aqui por mascaramento OR e AND, recebendo as posições de bits a partir dos defines, e criando a máscara OR com "1<<n" e a máscara AND com "~1 <<n." (Por exemplo, PORTC1 tem valor 1, tal como definido no io.h; por isso a instrução do programa "#define POT (1<<PORTC1)" define POT igual a 0x02.) E uma *pegadinha* complicada: em uma aplicação como essa, em que os valores são lidos a partir de portas mapeadas na memória (como um comparador ou ADC), é essencial declarar essas variáveis como volatile para impedir que o compilador "otimize" alterando o código da recarga a partir da porta associada. Isto foi feito para você no arquivo io.h, para os locais de memória padrão predefinidos; mas você precisa fazê-lo para quaisquer variáveis personalizadas mapeadas na memória que você criar.

C. Alguns Comentários

(a) Usamos a chave de energização para iniciar o ciclo de tempo; outra maneira de lidar com isso é usar um botão que leva um pino de entrada para o terra; você poderia consultar esse bit de entrada, ou poderia usar uma interrupção sensível a nível. Esta é mais elegante e tem a vantagem de o processador poder se colocar em um estado "inativo" de micropotência (< 1 μA) quando terminar; o processador, então, acorda após uma interrupção de nível BAIXO no pino. A princípio, você poderia até omitir a chave de alimentação! Porém, aconselhamos a não fazer isso, pois a única saída para um processador travado é a remoção da bateria. Temos experimentado dispositivos eletrônicos comerciais (secretárias eletrônicas, câmeras, DVRs) que, ocasionalmente, travam, exigindo uma "reinicialização a frio", removendo a bateria ou desligando o dispositivo.

(b) Consultamos o comparador para determinar quando a dente de serra atingiu a tensão de disparo; você poderia, em vez disso, usar uma interrupção. Não há nenhum benefício aqui, no entanto, porque não há nada mais a fazer de qualquer maneira: com uma interrupção, você iria descarregar o capacitor e incrementar o contador na rotina de serviço da in-

Programa 15.1

```c
#include <avr/io.h>
#include <avr/fuse.h>
#include <util/delay.h>

#define DISCHARGE   (1<<PORTD0)
#define BUZZER      (1<<PORTD1)
#define POT         (1<<PORTC1)

int main() {
    long termcount, count;  // Contagem do temporizador total e operação do contador

    // Medições de economia de energia
    PRR = ~(1<<PRADC) & ~(1<<PRSPI); // Desliga os periféricos exceto ADC & SPI
    DIDR0 = 0x3f;  // Desabilita os buffers de entrada digitais nos pinos analógicos

    // Configuração dos pinos
    DDRD   = DISCHARGE | BUZZER;  // Configura dois pinos para saída e o restante para entrada
    DDRC   = POT;          // Configura o pino POT para saída e o restante para entrada
    DIDR0 |= (1<<ADC0D);   // Usa PC0 como ADC0 — a entrada do ADC
    DIDR1 |= (1<<AIN1D);   // Usa PD7 como AIN1 — a entrada do comparador
    PORTD = BUZZER;   // Mantém o capacitor em nível baixo e começa com a sirene desligada

    // Configuração do comparador
    ACSR = (1<<ACBG); // Define a referência para a barreira de potencial (necessita de 70 us)

    // Lê a duração da exposição desejada
    PORTC |= POT;  // Alimenta o topo do divisor resistivo
    ADMUX  = (1<<REFS0) | (1<<ADLAR); // Usa referência de Vcc; resultado ajustado à esquerda
    ADCSRA = (1<<ADEN) | (1<<ADSC);   // Habilita e inicia o ADC

    /***Espera a conversão do ADC terminar ***/
    while ( ADCSRA & (1<<ADSC) ) { }

    termcount = (360000L * ADCH) >> 8; // Converte o resultado do ADC para contagem do temporizador
    PORTC &= ~POT;   // Remove alimentação do topo do divisor resitivo
    ADCSRA &= ~(1<<ADEN); // desabilita o ADC
    PRR |= (1<<PRADC);   // Habilita a redução de potência do ADC

    /***Espera a exposição solar desejada***/
    for (count = 0; count < termcount; count++) {
        // Espera o capacitor carregar, em seguida, a saída do comparador vai para nível baixo
        while(ACSR & (1<<ACO)) { }
        PORTD |= DISCHARGE;   // Descarrega o capacitor
        PORTD &= ~DISCHARGE;  // E o libera para recarga
    }

    // Aciona a sirene por 10 segundos
    PORTD &= ~BUZZER     // Alimenta a sirene
    _delay_ms(10*1000);  // Espera 10 segundos
    PORTD &= ~BUZZER     // Desliga a sirene

    // Em loop indefinido
    while (1) { }
}
```

terrupção, enquanto o programa principal seria simplesmente um loop de teste do valor do contador.

(c) microcontroladores são *inteligentes*! Com quase nenhum trabalho podemos adicionar todos os tipos de recursos interessantes para este dispositivo: uma tela de LCD com uma "barra de progresso" para mostrar o seu estado de bronzeamento; uma leitura de intensidade da luz solar; um leitor de música MP3; um jogo de paciência ou palavras cruzadas... (exageramos: mas você entendeu).

D. Carregar o Código

A última etapa é "programar" o dispositivo (ou seja, baixar (*download*) o código compilado e definir os fusíveis). Eis o que você deve fazer:

(a) Ligue o módulo aos pinos apropriados no microcontrolador (através de um conector *header* de programação), e ao PC (através de porta serial ou USB).
(b) Energize a sua placa.
(c) Use o software no PC para verificar se o módulo detecta o dispositivo correto.
(d) Decida sobre as opções de fusíveis ajustáveis,[11] e programe-os.
(e) Selecione o local do arquivo HEX compilado no PC e o transfira para a memória flash do microcontrolador; opcionalmente, selecione um arquivo HEX com o conteúdo EEPROM e faça o download.
(f) O módulo deve reiniciar automaticamente o chip e começar a executar o seu programa. Neste ponto, você pode remover o módulo. Quando você desligar e ligar a sua placa, o seu código será executado, sem restrições.

E. Avaliação de Interface Humana

Nosso perceptivo colega Jim MacArthur ofereceu o seguinte comentário:

> Se este livro fosse sobre projeto de interface humana (HI), o exemplo de projeto N° 1 seria um caso clássico de *deriva de especificação*. A especificação não poderia ter sido mais simples: duplicar a funcionalidade da solução analógica. A avaliação de interface humana lhe dirá, sem dúvida, que essa solução difere da analógica em um aspecto importante: se você ajustar o potenciômetro no meio do ciclo de bronzeamento, a solução analógica dá atenção, ao passo que a solução digital não.[12] A avaliação de interface humana segue em frente, então, para provar que 47% dos usuários vão operar o dispositivo precisamente dessa forma – ligá-lo e, em seguida, ajustar o potenciômetro – e que 13% desses clientes devolverá a unidade sem tentar descobrir isso, podendo custar para a sua empresa milhões de dólares... e você receberá o seu bônus. As lições são: (a) Jamais enviar um produto de consumo sem o resultado da avaliação de interface humana. (E dessa maneira, eles levam a culpa.) (b) Modelos analógicos não são tão fáceis para simular no domínio digital como pode parecer à primeira vista.

F. Revisão de Projeto

Após a experiência de interface humana (HI) embaraçosa, uma revisão do projeto completo foi programada. Alguém comentou que qualquer coisa na areia ensolarada ficaria muito quente, ao que alguém respondeu: "Diga ao usuário, que está sentado em uma cadeira de praia, para colocar o monitor na sombra embaixo da cadeira." Esta sugestão recebeu (sem palavras) um fulminante olhar. Continuando, a temperatura de projeto foi fixada em 85°C. Isso é muito quente, e a corrente de fuga do BSS123 (que dobra a cada 10°C) subiria para uma inaceitável 3.2 μA (64x maior do que o típico 50 nA da folha de dados a 25°C). Ops! Curiosamente, o comparador do μCs está bem, porque a sua especificação de entrada de 50 nA se estende até 85°C; de modo similar, a corrente de escuro do fotosensor (50 pA à temperatura ambiente) aumentaria para cerca de 3 nA, o que também está bom.

Exercício 15.1 Encontre uma alternativa para a chave de reset MOSFET BSS123: uma possibilidade é a de adaptar o método da Figura 13.49 para um microcontrolador. *Dica*: Substitua U_2, U_3 e U_4 pelo processador. Lembre-se que a tensão em "X" não importa. Nesse projeto, sugerimos um AOP LMC6842, que especifica uma polarização de entrada máxima de 10 pA a 85°C; isso é bom aqui, mas a corrente de alimentação do AOP é 1 mA, dominando o consumo de bateria. Veja se você pode encontrar uma alternativa melhor.

15.3 VISÃO GERAL DE FAMÍLIAS DE MICROCONTROLADORES POPULARES

Para o monitor de bronzeamento simples, escolhemos um dos controladores da popular série AVR de 8 bits da Atmel. Gostamos deles, porque eles exemplificam uma arquitetura limpa, com abundância de registros de propósito geral e um espaço de endereço plano. Eles vêm em vários estilos de encapsulamentos, incluindo os DIP, que favorecemos devido à prototipagem rápida. Eles também têm um bom suporte em termos de ferramentas de software, incluindo compiladores de linguagem C de código aberto que não estão muito sobrecarregados com particularidades específicas do controlador.

Que outros controladores existem? Oferecemos uma lista de ofertas contemporâneas a seguir, com alguns comentários. Isto deve ser considerado um registro momentâneo no

---
[11] Para a AVR, estes incluem nível de tensão de falha de alimentação, liga/desliga de depuração interno ao chip, fonte de clock (interna, onda quadrada externa, cristal externo, etc.), habilitação do JTAG, habilitação do SPI e habilitação de temporizador *watchdog*.

[12] O software poderia, é claro, ser modificado para "dar atenção."

tempo, pois os microcontroladores constituem uma das áreas da tecnologia eletrônica que mais mudam.[13] Tenha em mente as características de um microcontrolador ideal:

- abundância de flash interna ao chip (memória de programa reprogramável) e RAM
- pequenas versões em DIP de fácil prototipagem (ou SMD com adaptador DIP)
- oscilador interno
- número de dispositivos externos mínimos para começar
- rápido, de baixo consumo de potência, ampla faixa de tensão de alimentação
- programador barato, serial ou USB
- programação no circuito
- software de programação livre
- montadores e compiladores livres
- Ambiente de Desenvolvimento Integrado (IDE) livre para conectar tudo junto
- depuração/emulação no próprio circuito através do IDE
- conjunto de ferramentas de código aberto que roda em Windows, Mac, Linux
- comunidade de usuários ativos

AVR (Atmel) 8 bits RISC[14]; arquitetura limpa, 32 registradores de propósito geral; depuração no próprio circuito; ferramentas de código aberto (Linux, GCC, Arduino) com suporte da Atmel e integradas no seu software; alguns chips incluem USB; muitos estilos de encapsulamentos (incluindo DIP); disponível como híbrido/FPGA (Atmel); baixo custo, menos do que 50 centavos de dólar; concorre com a série de 32 bits do PIC da Microchip: AVR32. Programadores: serial simples (12 dólares); depurador USB no próprio circuito AVR Dragon da Atmel (50 dólares). Placas Arduino com alimentação e programação USB vão de 20 a 30 dólares. Placa AVR Butterfly com LCD e alarme sonoro (20 dólares). *Nossa recomendação para começar a trabalhar.*

PIC (*Microchip*) 8, 16 e 32 bits; versões de alta velocidade e baixa potência; alguns com depuração no próprio circuito; muitos kits de desenvolvimento; muitos estilos de encapsulamentos (incluindo DIP); FPGA de núcleo *soft*; há muito tempo o favorito de aficionados; baixo custo, menos de 50 centavos de dólar.
8 bits: PIC10F, 12F, 16F, 18F. 16 bits: PIC24, dsPIC30, dsPIC33. 32-bit: PIC32MX.
Alguns chips incluem USB integrado ou Ethernet MAC e PHY. Amostras grátis de chips da Microchip.

As famílias de 8 bits mais antigas, especialmente a PIC16F84, costumavam ser extremamente populares (versões compatíveis mais recentes têm osciladores internos). Codificação de linguagem *assembly* pode ser complicada, devido aos bancos de memória, um único acumulador, instruções de salto condicional (em vez de jump), e uma pilha de chamadas 8 níveis em hardware (não RAM); mas a temporização de instruções e interrupções é muito previsível.
Os dispositivos 10F a 16F são parcialmente suportados por compiladores C pela Source Boost e Hi-Tech C, com preços que variam desde versões gratuitas (limitadas) até 3.000 dólares. Apenas os 18F e acima são bem adequados para a programação C, e têm suporte de compiladores C da Microchip (uma versão gratuita limitada está disponível para estudantes). Os dispositivos de 16 bits têm a pilha na RAM e nenhuma comutação de banco, e podem ser programados com uma variante do compilador C GCC. Os dispositivos de 32 bits usam um núcleo MIPS de padrão industrial (similar em funcionalidades ao ARM), com um compilador C Microchip baseado em GCC.

ARM (*múltiplos fornecedores*) RISC de 32 bit com instruções de 16 bits opcionais; ARM Cortex M3, ARM7 e série ARM9; baixo custo, cerca de 2 dólares; alta performance; depuração no próprio circuito; grande variedade de funções incluídas e I/O; C/C++ de código aberto com GCC e depurador Eclipse com GUI (interface de usuário gráfica), também software para Arduino *Due* baseado em ARM; modelo de memória plana que é fácil de programar; número de pinos ≥ 28 apenas (sem DIP). Alguns podem ser programados através de USB, mas precisam de um módulo JTAG (50 dólares) para depurar. Disponível como placas pré-construídas com conectores *header* de vários fornecedores (30 dólares), *protoboards* (60 dólares); e também Arduino Due (50 dólares), UDOO (udoo.org, 99 dólares), Raspberry Pi (30 dólares), Odroid (65 dólares), e outros.
Fabricantes: ADI, Atmel, Broadcom, Cypress, Freescale, Infineon, Microsemi, NXP, Renesas, Samsung, Silicon Labs, ST, TI, Toshiba; disponível como híbrido/FPGA (série SoC da Altera, série Xynq da Xilinx). Substituições de 8 bits para iPhones. Instruções *pipeline* e complexas fornecem muita velocidade, mas menor previsibilidade de tempo de execução. *Seria a nossa recomendação para começar a trabalhar, se a prototipagem de um projeto em sua própria placa fosse mais fácil.*

8051 (*múltiplos fornecedores*) de 8 bits; evolução dos primeiros μCs; ferramentas de desenvolvimento e kits de desenvolvimento maduros; algumas peculiaridades no código C, devido ao espaço de endereço complexo; alguma depuração no próprio circuito (Silicon Labs); instruções herdadas definem limites de memória, registradores e opções de I/O; muitos estilos de encapsulamentos (incluindo DIP); FPGA núcleo *soft*, bom

---

[13] Fique a par dando uma olhada em revistas como *Circuit Cellar*, *EDN* e *Electronic Products*, e em distribuidores como Digikey e Mouser; ou faça uma busca por "<μCname> tutorial" ou "comece com <μCname>."

[14] Computador de conjunto de instruções reduzido; o oposto é um conjunto de instruções complexo, CISC.

software de desenvolvimento livre (limitado), por exemplo, "Ride" IDE (www.raisonance.com): compilador C, montador, simulador.

Rabbit (*Rabbit*) Ênfase em Ethernet e Wi-Fi; disponíveis como módulos ou chips sozinhos; IDE em linguagem C; kits de desenvolvimento e ferramentas; popular.

MSP430 (TI) RISC de 16 bits de micropotência; popular para baixa potência, controladores de RF e LCD; muitos estilos de encapsulamentos (incluindo DIP). Programação JTAG (75 a 100 dólares); compilador MSPGCC de código aberto e versões livres de tamanho de código limitado de compiladores comerciais.

SH-4 (*Renesas, anteriormente Hitachi*) RISC de 32 bits; menor encapsulamento no QFP-208 (LQFP-48 para o SH-2); popular no controle de motor e mecanismo. Os M16CIR8C são de 16 bits, disponíveis em DIP.

Coldfire (*Freescale, anteriormente Motorola*) Arquitetura de 32 bits como a do 68000 embutida; não há encapsulamentos menores do que 64 LQFP; compilador C GNU; kits de desenvolvimento (Tower System).

ST6/7 (*STMicroelectronics*) de 8 bits, disponível em DIP; os ST9/10 são de 16 bits, com o LQFP-64 como menor encapsulamento. STR7/9/32 são ARM7/9/Cortex de 32 bits, com o VFQFN-36 ou LQFP-48 como menores encapsulamentos.

PowerPC e MIPS (*múltiplos fornecedores*) usado em sistemas embarcados de alta qualidade, tais como automóveis, redes e vídeo; por outro lado, ARM domina em telefones celulares e PDAs.

Blackfin (*Analog Devices*) RISC de 16/32 bits mais DSP; rápido e de alta qualidade, otimizado para áudio, vídeo e imagem. Mais fácil do que alguns outros controladores de alta qualidade. Compiladores GNU de código aberto, uClinux, FreeRTOS.

Propeller (*Parallax*) 8 núcleos, processadores paralelos de 32 bits; CC a 80 MHz; pequena linha de DIP de 40/44 ou SMD; filosofia de "por que ter tantos periféricos de hardware internos, como UARTs e SPI, quando você pode colocar oito processadores reais lá, dar-lhes todo o acesso para I/O, e escrever boas bibliotecas para emulação de hardware via software de tudo, desde interfaces de mouse e teclado a vídeos analógicos (VGA/NTSC)".

PSoC (*Cypress*) Microcontrolador de 8 bits com blocos analógicos configuráveis: AOP, ADC/DAC, filtro, modulador, correlacionador, detector de pico, etc.

XMOS (*XMOS Ltd.*) processadores de 32 bits orientados a eventos com vários segmentos, com eventos e processamento em hardware até 400 MIPS; programação em XC, C/C++, *assembly*; ferramentas de desenvolvimento livres.

15.3.1 Periféricos Internos ao Chip

Todas as famílias de microcontroladores incluem armazenamento de dados e programa internos ao chip, e temporizadores/contadores. Eles geralmente oferecem uma seleção de opções, tais como comparador, ADC e DAC; barramentos I^2C, SPI e CAN; UARTs, USB e Ethernet; e suporte para LCD externo, modulação por largura de pulso (PWM), vídeo e dispositivos sem fio. Aqui está uma lista de alguns suportes internos ao chip ou de baixo nível encontrados em microcontroladores contemporâneos, mais ou menos em ordem crescente de nível de complexidade:

A. Baixa Complexidade

ADC, DAC, comparador analógico
Barramento CAN
Depuração (JTAG ou interface de 1 ou 2 fios proprietária)
I^2C/SMBus/TWI ("*Two-Wire Interface*")
Interrupções, às vezes com prioridade
Varredura de matriz de teclado
Teclado (serial), mouse
LCD (sozinho)
PWM
Relógio de tempo real
Interface serial de SIM Card/Smart Card
Portas seriais síncronas (SSPs): SSI, SPI, Microwire
Temporizadores, contadores, *watchdog*
UART (RS232, RS485, IrDA), alguns com controle de modem

B. Complexidade de Nível Médio

AC97 (Áudio de 20 bits, PCM estéreo de 96 ksps da Intel)
Bluetooth sem fios
Flash compacta (cartão CF)
Ethernet
SRAM externa
GPS
I^2S (som entre CIs: CD para DAC em 2,8 Mbps)
IrDA (alta velocidade, a 4 Mbps)
Controle motor, *encoder* de eixo
PCMCIA[15] ("*PC card*")
S/PDIF (AES/EBU) de áudio (Dolby Digital ou DTS Surround)
Cartões flash SD/MMC
USB 1.1 (*Host* ou Dispositivo, a 12 Mbps)
ZigBee sem fio

C. Alta Complexidade

Sensores de câmera e de imagem (CMOS, CCD)
DRAM/SDRAM externa
Display gráfico (LCD de cor única)
MMU (Unidade de Gerenciamento de Memória) com proteção do SO
Codificação/decodificação MPEG4
Sistema operacional (Linux, Windows CE, a Palm)
PCI, PCIe

Unidades de armazenamento: ATA, IDE, SATA
USB 2.0 de alta velocidade (440 Mbps)
Vídeo (NTSC, PAL, VGA, DVI, DV)
WiFi (802.11)

Prevemos, com confiança considerável, que a lista irá expandir e que alguns itens serão rebaixados.

Passemos agora a mais quatro exemplos de projeto para ilustrar algumas formas comuns em que os microcontroladores são usados em projeto de circuitos embarcados. Estes exemplos tratam de

(a) controle de alimentação CA (em que um microcontrolador comuta a alimentação da linha, sob a orientação de um enlace serial);
(b) um sintetizador de frequência (no qual um microcontrolador troca mensagens entre um usuário e um chip de síntese direta que entende apenas comandos seriais criptografados);
(c) um controlador de temperatura de precisão;
(d) uma engenhoca pseudo-Segway™ de 2 rodas equilibrada (que seu inventor chama de "Psegué").

15.4 EXEMPLO DE PROJETO 2: CONTROLE DE POTÊNCIA CA

No nosso observatório astronômico, temos uma dúzia ou mais de dispositivos alimentados por corrente alternada que temos de controlar remotamente – coisas parecidas com cúpulas e unidades de telescópio, aquecedores de espelhos, luzes e câmeras, fontes de alimentação para detectores e processadores, e afins. Construir um circuito para fazer isso é muito fácil com um microcontrolador. E o benefício de ter certa inteligência na caixa de controle é que ele pode "lembrar" uma configuração padrão, e pode relatar informações de status (quais saídas são alimentadas, a quantidade de corrente que elas estão usando, e assim por diante).

Vamos fazer um exemplo bastante simples aqui: um controlador para alternar uma fonte de 110 V CA em duas saídas, com comprovação do estado ordenado, e com a confirmação comprovada de que a saída CA real está presente. Além do controle remoto via serial RS-232 ou USB, ele também irá permitir o controle "local" através de chaves em seu painel; alguns LEDs vão indicar quais saídas são alimentadas.[15]

15.4.1 Implementação com Microcontrolador

A Figura 15.4 mostra o circuito. Para variar escolhemos um membro modesto da popular família PIC; o dispositivo particular (PIC16F627, DIP 18, 2 dólares) inclui a necessária porta serial UART (transmissor-receptor assíncrono universal), um oscilador interno, memória de dados não volátil (EEPROM), que garante a durabilidade de um milhão de ciclos de apagamento/escrita, e abundância de pinos de porta digitais. Não precisamos de mais nada que o fabricante tenha inserido (multiplexador analógico, comparador, hardware PWM, velocidade de 20 MHz), mas o microcontrolador custa apenas 1 dólar e meio, uma pequena fração do custo total do dispositivo, por isso, não há do que reclamar.

A maneira mais fácil de comutar a alimentação AC a partir de um sinal lógico é a utilização de um *relé de estado sólido* (SSR; veja as Seções 12.7.5 e 12.7.6), que consiste de um módulo selado que contém um SCR opto-acoplado ou triac. Estes dispositivos estão disponíveis em muitos fabricantes.[16] Eles aceitam um acionamento CC de nível lógico (geralmente especificado como 3 a 15 V CC ou 3 a 32 V CC), consumindo algo na faixa de 3 a 15 mA. A saída é bem isolada (normalmente especificada como 3,5 a 5 kV), e a maioria dos SSRs implementa a ativação (ON) com tensão zero e a desativação (OFF) com corrente zero. As especificações típicas de carga são 10 A ou 20 A para 280 V CA, mas você pode obter unidades padrão de até 100 A e 660 V CA.

No nosso exemplo, usamos um bit de uma porta digital para acionar o SSR, configurado para ligar com nível lógico BAIXO; essa escolha da polaridade é boa aqui, porque os pinos da porta têm uma especificação típica de tensão de saturação de ~0,35 V quando absorve os 15 mA exigidos, *versus* ~1,3 V (abaixo do trilho positivo) quando fornece essa corrente. Um painel de LED opera em conjunto, indicando a unidade de relé.

Relés de estado sólido têm alguma corrente de fuga quando desligados, normalmente especificada na faixa de 0,1 a 10 mA; por isso temos uma ponte sobre o CA comutado com um resistor de 15k.[17] A corrente de ~8 mA através dele, quando ON, é usada para acender um LED do painel (indicando a entrega de CA para a carga), e também para acionar um opto-isolador para sinalizar ao microcontrolador que tudo está bem. Este acoplador é projetado para operação CA, com seus LEDs internos em antiparalelo; esta unidade particular tem isolação de 5 kV, taxa de transferência de corrente mínima de 50% (relação entre a corrente de saída do fototransistor e a corrente de acionamento do LED), e custa cerca de 25 centavos de dólar em quantidade moderada.

Exercício 15.2 Qual é o objetivo do resistor de 1k? Por que é necessário um diodo sobre o LED indicador?

---

[15] Se você quiser economizar tempo (e perder a oportunidade de desenvolver suas habilidades de projeto), pode, em vez disso, comprar um pronto: existem unidades muito bem projetadas para fazer este trabalho, por exemplo, da *Pulizzi Engineering* (*Eaton Corporation*), ou da APC (*Schneider Electric*). Optamos pela oportunidade educacional de projetar uma, em parte graças a uma bolsa da Fundação Shulsky.

[16] Por exemplo, Crouzet, Crydorn, Magnecraft, Omron, Opto22, P & B e Teledyne.

[17] Medimos a fuga no estado OFF para os dois SSRs e encontramos ~2 mA e ~6 μA para dois SSRs de 240 V CA da Crydom (um D2425 e um EZ240D18, especificados para 25 A e 18 A, respectivamente). Eles especificam as fugas de pior caso de 10 mA e 100 μA, respectivamente.

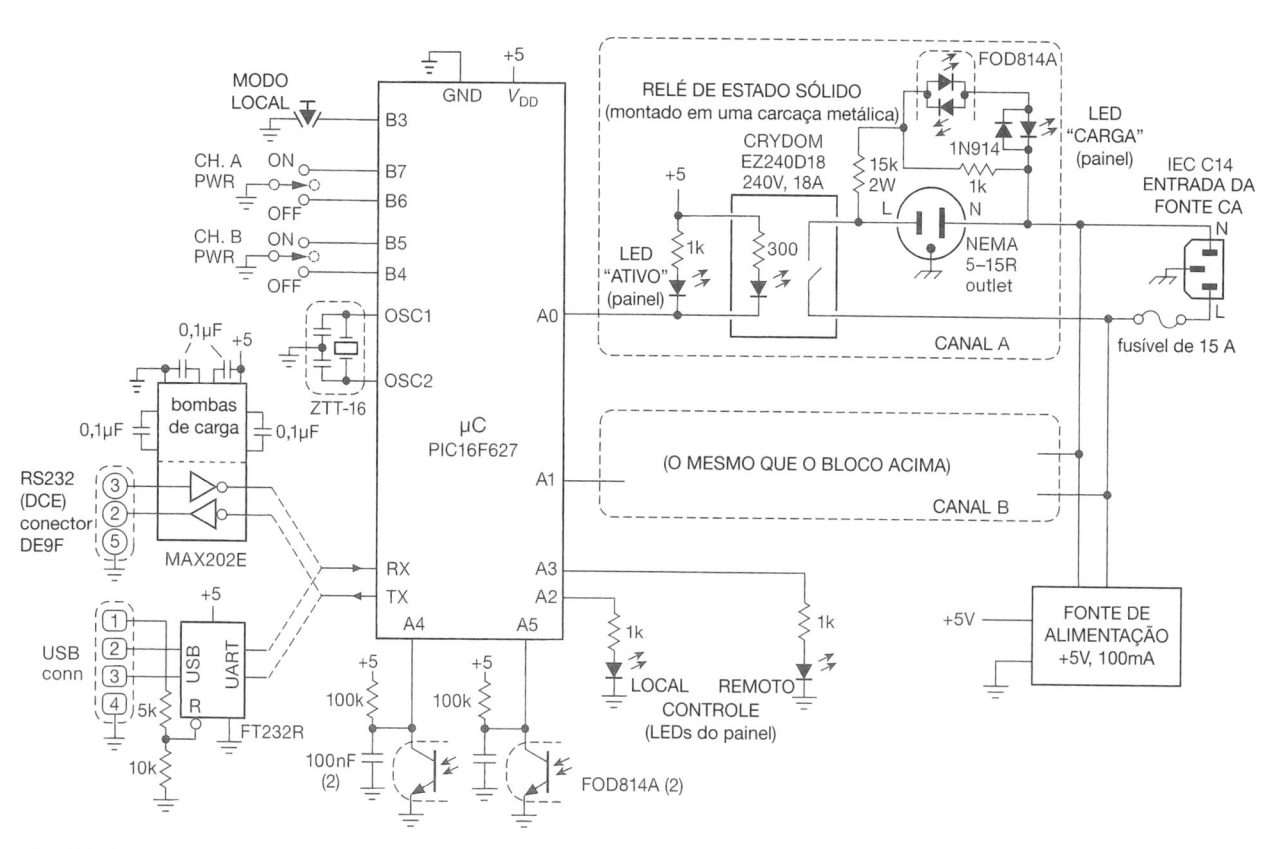

FIGURA 15.4 Sistema de controle de alimentação CA duplo, com controles remotos (serial) ou local. O SSR dissipa 10 W em uma corrente de carga de 10 A, por isso precisa de um dissipador de calor adequado. Um relé mecânico pode ser usado em vez do SSR (por exemplo, o ALE12B05 da Panasonic, especificação de contato de 277 V CA e 16 A, com abas *faston* como o Crydom SSR). Para este último você precisará de um transistor para acionar a sua bobina de 80mA; mas a boa notícia é o seu preço: 1,60 dólar em quantidades unitárias, em comparação com 35 dólares para o SSR.

Voltando ao circuito do microcontrolador, aproveitamos o "fraco pull-up" interno do modo de entrada digital (especificado como 50 a 400 μA) para as chaves de entrada: um botão de pressão de contato momentâneo (para iniciar o controle local), e um par de chaves de alavanca de contato momentâneo com retorno por mola para comandar as saídas em ON ou OFF enquanto está em controle local. Um par de LEDs do painel indicam se a unidade está sob controle local (ou seja, chaves do painel) ou no controle remoto (ou seja, a partir de um computador *host*, conectado a este dispositivo através de enlaces seriais RS-232 ou USB).

Escolhemos este controlador especial, em parte, com base em seu oscilador interno... e depois descobrimos que ele não é preciso o suficiente! A precisão especificada de $\pm 7\%$ não é boa o suficiente para comunicação serial assíncrona 8N1: como explicado na Seção 14.7.8, o dispositivo receptor tem de amostrar os 8 bits de dados no meio de cada intervalo de bit, utilizando seu próprio clock de transmissão assíncrona, tendo sincronizado com o bit de INÍCIO no começo de cada byte. Assim, um erro de clock de 7% entre o transmissor e o receptor desliza a última amostra de bit (8°) claramente para o intervalo de bit anterior ou o seguinte.

A solução é usar um oscilador externo de precisão adequada (por exemplo, um módulo de cristal oscilador, que custa cerca de 2 dólares) ou colocar apenas um cristal externo, ou ressonador cerâmico, entre os pinos OSC 1 e OSC2 que o microcontrolador disponibiliza para este fim. Escolhemos este último, usando um conveniente ressonador de 3 pinos que inclui os capacitores necessários; este componente custa cerca de 40 centavos de dólar, com uma precisão especificada de $\pm 0,5\%$.

Este microcontrolador tem uma UART interna que torna a comunicação serial muito simples.[18] O único hardware externo necessário para se conectar diretamente a uma porta COM RS-232 de um computador host é um conversor de nível (níveis RS-232 são de bipolaridade; veja a Seção 14.7.8).

---

[18] Embora a correta configuração da UART (modo do temporizador e relações de divisão, modo de dados seriais, interrupções, habilitações) de qualquer microcontrolador seja geralmente complicada. A melhor aposta é copiar, descaradamente, as configurações do exemplo que é sempre dado na seção aplicações da folha de dados (mais parecida com um data*book*: tipicamente de 300 a 400 páginas!), fornecido, sem dúvida, na expectativa de que você possa fazê-lo corretamente.

Escolhemos o popular MAX202, que opera a partir de fontes simples de +5 V e produz a tensão de ±10 V necessária com um inversor-dobrador de tensão de bomba de carga interno, que exige quatro capacitores de 0,1 μF.

Se você não quer ser incomodado com tais detalhes, você pode saltar para o MAX203 com capacitores internos; mas você vai pagar cerca de 5 dólares, em comparação com 75 centavos de dólar para o conversor básico. Confrontados com esta escolha, a maioria dos projetistas opta pela mais barata.

Se você quer se comunicar via USB, tem várias opções. Você pode escolher um microcontrolador com suporte a USB interno, como o PIC18F2450. As complexidades do USB não devem ser subestimadas, no entanto. Você precisa lidar com os protocolos USB, seja com *drivers* de software personalizados, ou com os implementados usando uma das dezesseis "classes de dispositivos" estabelecidas, tais como dispositivo de interface humana (teclado, mouse), dispositivo de armazenamento em massa (flash ou memória de disco), impressora, dispositivo de imagem (câmera), dispositivo de comunicação (Ethernet). Uma abordagem atraente e mais simples é ficar com o projeto serial assíncrono e usar um chip de interface bem projetado, como o FT232R, que se destina exatamente para este tipo de aplicação e que custa cerca de 4 dólares.[19] Ele tem a virtude de trabalhar bem, e vem com todos os *drivers* necessários e outros software para o computador *host*; isso é o que você usa, inicialmente, para configurar parâmetros como taxa de transmissão e modo, que a EEPROM do chip memoriza.

Da mesma forma você pode adaptar a interface UART nativa desse circuito para Ethernet com o uso de um módulo comercial Ethernet-serial, como o XPort da Lantronix. Esse dispositivo elegante parece um RJ45 (tomada Ethernet) um pouco alongado, com todos os eletrônicos encapsulados dentro dele, e ainda tem as habituais luzes indicadoras de atividade de rede verde e amarela. Custa cerca de 50 dólares.

Terminamos o "passeio" no circuito com os optoisoladores e sua conexão com o microcontrolador. Estes têm uma saída com fototransistor flutuante, que usamos para colocar um par de bits de entrada de porta digital em nível BAIXO quando flui corrente no LED na detecção de CA. (Os LEDs desligam durante uma parte de cada semiciclo, da ordem de 1 ms, daí os capacitores de 100 nF para manter as entradas digitais em nível BAIXO durante essas breves interrupções.) É tentador explorar os "fracos *pull-ups*" internos, mas eles não são suficientemente fracos: de acordo com as especificações, a corrente do *pull-up* podem ser tão grandes quanto 0,4 mA, o que exigiria capacitores de 1 μF para manter a tensão nas portas de entrada abaixo de 0,4 V durante o intervalo de ∼1 ms. A solução aqui é de repudiar tais táticas de intimidação: para recuperar o controle da situação, desligamos os *pull-ups* internos, e usamos *pull-ups* externos "mais fracos ainda" cuja corrente de 50 μA requer apenas capacitores de 0,1 μF.

15.4.2 Código do Microcontrolador

O código para o controle de alimentação CA é simples. Dê uma olhada no Pseudocódigo 15.2: na energização, você desativa bits da porta que energiza os relés, configura os bits de porta (como entradas ou saídas, e com ou sem *pull-ups*), configura a taxa de transmissão e o modo da porta serial, e habilita o reset de hardware tanto por queda de alimentação ("*brownout*") quanto por falha de programa ("*watchdog*"). Então, a operação normal deste microcontrolador consiste em uma consulta contínua das entradas das chaves (sem anti-repique) à procura de qualquer mudança de estado a partir da verificação anterior, juntamente com um acionamento no *watchdog*.[20] (Que bom que os microcontroladores não ficam entediados!) A ativação do botão de modo LOCAL faz com que o dispositivo entre em modo local, no qual outros botões desempenham um papel, como indicado. O programa em Pseudocódigo 15.2 executa um "anti-repique por software", atrasando a próxima verificação das entradas de comutação em 10 ms após a primeira detecção de qualquer mudança.

Esse *loop* principal é executado continuamente. Mas a porta serial não foi ignorada: durante a configuração, o UART foi configurado para gerar uma interrupção na recepção de um caractere de entrada. Assim, um comando de entrada na porta serial faz com que o programa desvie para a rotina de tratamento da interrupção, onde os sete comandos possíveis (cada um composto por um único byte de caractere de impressão) são analisados e executados. Essas ações consistem principalmente na ativação ou desativação de um único bit (seja em uma porta, para controlar um relé, ou em um registrador, para definir o modo local/remoto). O comando "s" (pedido de status) é mais interessante, exigindo que o processador obtenha os quatro bits que indicam o estado do relé (tanto o bit de saída que aciona o relé, quanto a indicação CA via opto-acoplador, para cada um dos dois canais) e o bit de modo; esses são mascarados e deslocados para um registrador e, em seguida, enviados de volta como um único byte binário.

A. Alguns Comentários

(a) microcontroladores geralmente incluem certa memória de dados não volátil, que pode ser utilizada para guardar o estado das saídas em caso de falha de alimentação ou reini-

---

[19] Você pode obtê-lo em vários tipos, por exemplo, um cabo com um conector USB em uma extremidade (em que o chip está escondido) e um conector serial de 9 pinos (com níveis de tensão RS-232) na outra; alternativamente, você pode obtê-lo com fios soltos na extremidade serial, configurados para operação em níveis lógicos de 3,3 V ou 5 V. O número de identificação atualizado é FT2232.

[20] A maioria dos engenheiros insistem em chamar isso de "chute no cachorro". Mas nosso peculiar colega Frank Cunningham ressalta que o que você está fazendo, na verdade, é acariciar o cachorro: quando você chuta um cachorro, ele late imediatamente; quando você o acaricia, ele late apenas quando você para de acariciá-lo.

Pseudocódigo 15.2 pseudocódigo do controle de potência CA

Configuração
    `Portas:` desabilitar (seta os bits) as saídas de relé (A0, A1)
        setar as portas de LEDs (A2, A3) e relés (A0, A1) como saídas
        setar as portas de chaves (B3-B7) e optoisoladores (A4, A5) como entradas
        setar as portas de entrada das chaves (B3-B7) como pull-ups fracos
        configurar UART: taxa de transmissão, 8N1, interrupções, habilitação
    `Baixa potência:` desabilitar periféricos não utilizados
    `Reinicialização automática:` habilitação de "brownout reset" e watchdog

Loop de Consulta de Chave
    ler chaves (porta B)
    se (qualquer bit de chave mudar)
        se a chave de modo local (B3) for ativada, definir modo5local
        se modo5local e qualquer chave for de H→L
            ligar (ON) ou desligar (OFF) essa saída de relé
        esperar 10 ms ("anti-repique por software")
    acionar o watchdog
    repetir o **Loop de Consulta de Chave**

Tratamento de Interrupção Serial
    obter caractere
    Se "r" ou "R", definir modo5remoto
    se "l" ou "L", definir modo5local
    se "s" ou "S", montar byte de status de 5 bits e enviar
    remoto=local
    se "A" ligar relé A
        se "a", desligar o relé A
        se "B", ligar o relé B
        se "b", desligar o relé B

---

cialização; este controlador tem 128 bytes de EEPROM para essa finalidade.

(b) É melhor manter as rotinas de serviço de interrupção curtas e simples; em particular, você evitaria tarefas que ligam o processador na rotina de serviço enquanto espera por um periférico lento para completar (por exemplo, uma porta serial!), porque isso pode fazer com que o *loop* principal perca um evento de entrada de chave. Aqui está bom, porém, já que cada comando de porta serial e cada resposta é um único byte, e dessa forma a rotina não precisa esperar por um flag ocupado para limpar.[21]

---

[21] Existe um padrão, conhecido como SCPI (Comandos Padrão para Instrumentos Programáveis), que especifica um conjunto de comandos e uma sintaxe para comunicar com instrumentos programáveis. SCPI é um pouco "prolixo", mas é claro e tem sido amplamente adotado por fabricantes de instrumentos eletrônicos (por exemplo, Agilent, Fluke, Keithley, LeCroy, Rohde & Schwarz, e Tektronix). Por exemplo, para ler uma tensão, você poderia enviar o comando MEASure: VOLTage: DC? (os caracteres minúsculos são opcionais). A resposta de medição é retornada em um formato definido.

15.5 EXEMPLO DE PROJETO 3: SINTETIZADOR DE FREQUÊNCIA

Nosso próximo exemplo ilustra uma aplicação comum de microcontroladores embarcados, a sua utilização para gerenciar as comunicações entre um painel de instrumentos (ou interface de computador) e alguns circuitos que requerem programação digital e controle. A Figura 15.5 mostra um sintetizador de frequência de dois canais, utilizando um dos interessantes chips de síntese digital direta (DDS) da Analog Devices (Seção 7.1.8). Escolhemos o AD9954 (um das dezenas de ofertas atuais de DDS), que sintetiza uma onda senoidal de alta qualidade através de uma tabela de pesquisa interna e conversão D/A. Ele pode gerar frequências de saída até 160 MHz a partir de CC, com resolução definida pela "palavra de sintonia" de 32 bits; isso corresponde a $\sim$0,1 Hz, quando um oscilador interno de 400 MHz é utilizado para o clock do chip. Embora seja possível obter chips DDS mais rápidos, este tem excelente pureza espectral, devido à sua saída de 14 bits do DAC; isso se traduz em uma onda se-

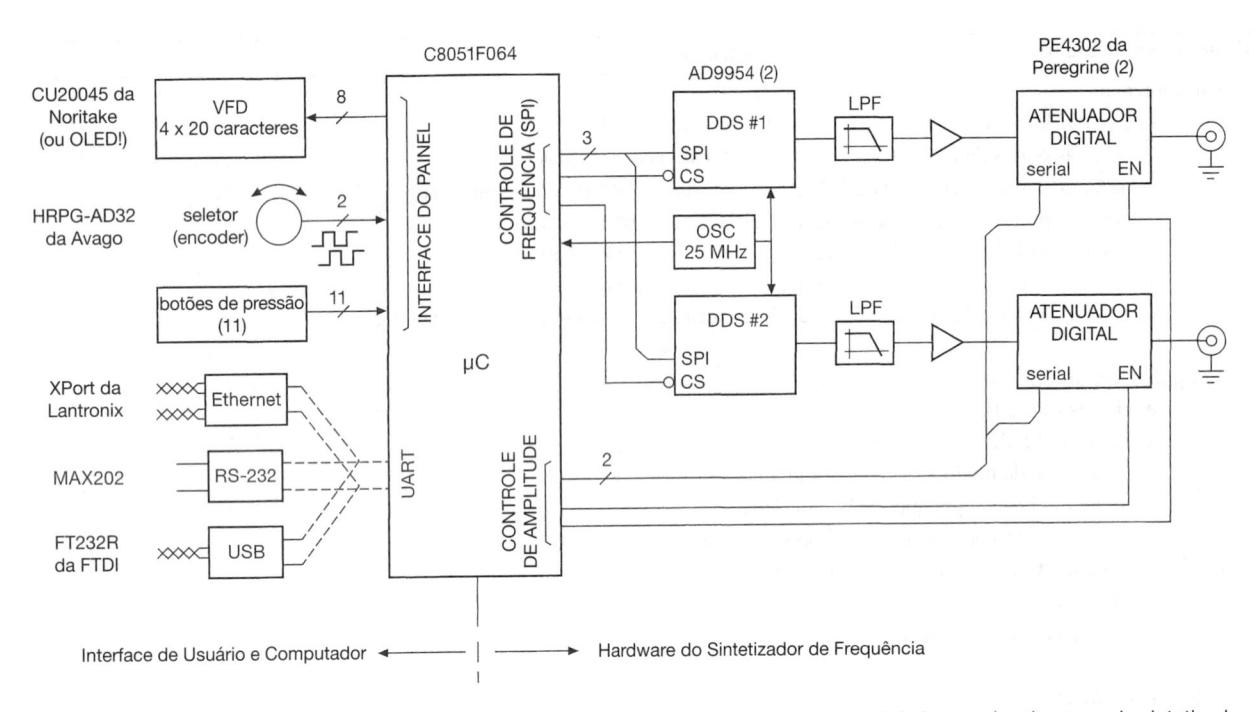

FIGURA 15.5 Um microcontrolador é ideal para fazer a interface entre chips programados digitalmente (aqui um par de sintetizadores de frequência DDS, com atenuadores programáveis) e um conjunto de displays e controles de painel operados manualmente. A interface serial do μC torna mais fácil adicionar o controle remoto do computador (aqui um par de sintetizadores de frequência DDS, com atenuadores programáveis; veja a Figura 15.6).

noidal de saída limpa, com baixos ruído de fase e "picos" (componentes de frequências espúrias).

Esse chip DDS, que custa cerca de 25 dólares, não vai fazer muita coisa até ser programado através da sua porta SPI de 4 fios. Você poderia pensar em fazer a interface do DDS para um computador portátil e executar algum software nele de modo que possa programar o chip para a frequência desejada. Mas o que você realmente gostaria é de um bom conjunto de controles manuais de painel – um botão para selecionar frequência e amplitude e um display numérico para mostrar esses valores (Figura 15.6). Isso é melhor efetuado com um microcontrolador integrado. E, é claro, esse controlador pode aceitar entradas através de uma porta USB ou Ethernet, assim, uma vez que você construiu este instrumento, pode adicionar controle remoto digital também.

O diagrama em blocos (Figura 15.5) mostra o microcontrolador conectado aos chips DDS (através de sua porta serial SPI) e aos atenuadores digitais (através de um protocolo de 2 fios semelhante, descrito em sua folha de dados). Os chips sintetizadores precisam de uma referência de clock de 400 MHz de precisão. Esta é gerada pelo multiplicador de frequência na sua malha de fase sincronizada (PLL) interna a partir de uma referência de frequência externa menor; escolhemos um cristal oscilador de 25 MHz (com multiplicação ×16 interna ao chip), que, convenientemente, pode ser o clock do microcontrolador também.

No lado do usuário existem botões e um seletor (um "*encoder* rotativo incremental" óptico) para inserir e alterar parâmetros (frequência, amplitude, fase); e há um display de caracteres de 4 linhas fluorescente a vácuo (VFD), que é de pinagem compatível com o LCD mais usual mostrado na fotografia, para informar ao usuário o que está acontecendo. VFDs custam mais do que LCDs, mas eles são esplêndidos. O controle remoto comunica através da UART serial interna ao chip, que requer apenas uma conversão de tensão para uma porta RS-232; ou você pode usar um dispositivo inteligente de conversão de formato serial, como o FT-232 da FTDI (para USB) ou o XPort de Lantronix (para Ethernet).[22]

Embora mostradas casualmente no diagrama em blocos, há detalhes adicionais sobre essas conexões de interface do usuário. O *encoder* rotativo, por exemplo, gera um par de ondas quadradas, em quadratura de 90°, a partir do qual você pode descobrir em que sentido (e quanto) tem girado. *Encoders* baratos usam contatos mecânicos, de modo que você tem que se preocupar com o repique de contato habitual. Porém, fomos de primeira classe aqui, com um codificador óptico (que dura para sempre) que gera saídas de nível lógico limpas (sem repique!). O firmware cor-

---

[22] Dispositivos de interface Ethernet adicionais estão disponíveis em empresas como a Digi International, Ipsil, Connect One, e WIZnet.

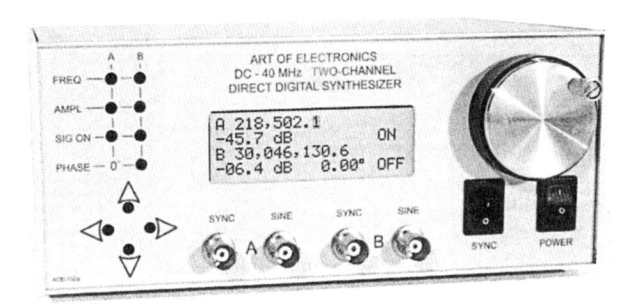

FIGURA 15.6 Sintetizador de frequência DDS duplo da Figura 15.5, com controles de painel (onze botões e um seletor tipo *encoder* rotativo) e display. (Projetado, construído, programado e documentado com excelência por Jonathan Wolff; veja www.artofelectronics.com/synthesizer).

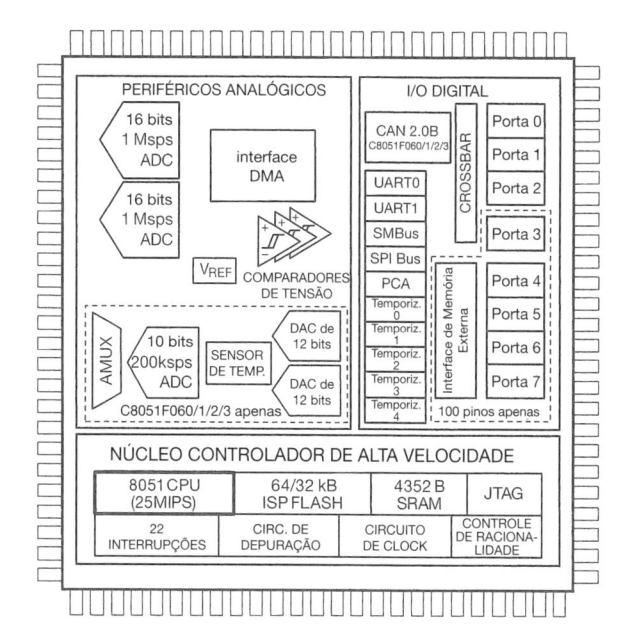

FIGURA 15.7 O venerável 8051 já percorreu um longo caminho desde sua estreia em 1980, com muitas funções adicionais e um clock por instrução (o original exigia 12) em variantes contemporâneas como a série C8051F060 da Silicon Labs, a partir da qual este diagrama foi adaptado, com sua permissão. (Curiosamente, a folha de dados de 328 páginas não revela nada sobre o significado ou função de "controle de racionalidade.")

respondente simplesmente observa o nível na outra linha quando detecta uma transição em qualquer uma das duas entradas.

Os botões são mecânicos e propensos ao repique do contato; o repique deve ser removido por software, como acontece com o exemplo do controle de alimentação CA anterior. Conectamos cada botão no seu próprio pino da porta de entrada (configurada com o fraco *pull-up* interno), que é a configuração mais simples (embora não a mais econômica). Este microcontrolador particular tem 59 pinos de portas digitais espalhados em torno de seu encapsulamento de 100 pinos (Figura 15.7), portanto, é improvável esgotar. A alternativa é uma configuração de matriz de chaves, com linhas e colunas que são conectadas pelas chaves individuais, que aqui exigiria quatro pinos a menos; vamos discutir isso, juntamente com outros contratempos, logo.

15.5.1 Código do Microcontrolador

As tarefas do microcontrolador são, resumidamente:
(a) configurar os modos dos bits de porta, parâmetros da UART e interrupção, porta SPI e *watchdog*;
(b) inicializar chips DDS e atenuadores para o último estado armazenado (retido na memória não volátil) e enviar parâmetros operacionais atuais (frequência, amplitude, fase) para display VFD;
(c) executar continuamente um *loop* principal que aciona o *watchdog*; verificar o movimento do seletor rotativo, as atuações dos botões e os bits de flag de comando serial (setados pela interrupção serial); e agir em conformidade;
(d) os serviços das interrupções UART (independentes do *loop* principal) anexa caracteres para um buffer de linha e define um *flag* (sinalizador) de software ("serial_cmd") após o recebimento de um caractere de nova linha (fim do comando).

A listagem no Pseudocódigo 15.3, embora de forma abreviada para este exemplo, explicita isso de forma mais pormenorizada.

A. Alguns Comentários (Hardware)

(a) O diagrama em blocos mostra um controle de amplitude relativamente simples, com um atenuador digital que fornece de 0 a 30 dB de atenuação em degraus de 0,5 dB. Você pode fazer muito melhor quanto ao intervalo, o tamanho do degrau e a calibração, usando a inteligência e memória do microcontrolador: o sintetizador na foto usa duas camadas adicionais de controle de amplitude, ou seja, um atenuador de 30 dB fixo que é comutado para chegar a 60 dB, e um ajuste fino ($\pm 6\%$) da "corrente de referência" do chip DDS (através de um EEpot) para fornecer resolução de 0,1 dB. Um truque adicional é necessário para fazer tudo isso valer a pena: o usuário inicialmente calibra o instrumento, relatando níveis de sinal medidos em várias configurações de frequência e amplitude em toda a faixa, conforme solicitado pelo firmware; o microcontrolador armazena esses dados de calibração em memória não volátil, recuperando-os para produzir uma característica de amplitude de saída linear e precisa.

Pseudocódigo 15.3 Pseudocódigo do Sintetizador

Configuração
    `Portas:` definir as portas dos botões e seletor rotativo como entradas
        definir as portas do atenuador como saídas
        definir as portas para o VFD como saídas ou entradas
        configurar UART: taxa de transmissão, 8N1, interrupções, habilitação
        configurar porta SPI
    `reinicialização automática:` habilitar brownout e temporizador watchdog (tempo limite = 1 s)
    `leitura de status armazenado:` copiar estado NV-armazenado para registros ativos
        limpar e recarregar VFD e DDS a partir de registradores ativos

Loop principal
    acionar o watchdog
    ler chaves e seletor rotatório
    se (qualquer bit de chave sem repique tiver mudado)
        se (frequência, amplitude, ou fase), definir novo modo
        se (seta para cima/para baixo ou seletor rotativo), incrementar/decrementar esse registrador
            atualizar DDS ou atenuador, e display
    se (bit serial.cmd) analisar comando, limpar bit serial.cmd
        incrementar/decrementar registrador correspondente
        atualizar DDS ou atenuador, e display
    repetir **Loop Principal**

Tratamento da Interrupção Serial
    anexar caracteres ao buffer de linha
    se nova linha, definir flagbit serial.cmd

(b) O DDS fornece formas de onda de saída atualizadas na frequência do clock interno de referência, neste caso f_{ref} = 400 MHz, gerando amostras sucessivas da saída com aproximação "em escada" para uma onda senoidal. O sinal de saída resultante, ajustável de 0 a 160 MHz, contém componentes espúrias fora da banda de frequência, o menor dos quais é $f_{spur} = f_{ref} - f_{out}$. É por isso que os filtros passa-baixas são necessários nas saídas DAC do DDS; normalmente, você usaria um filtro elíptico LC de múltiplas seções com uma característica de corte acentuada em f_c ~180 MHz. As saídas DAC são *correntes* diferenciais, melhor filtradas com um filtro diferencial simétrico; um exemplo é mostrado em sua folha de dados de 40 páginas.

(c) Com dois chips DDS definidos para a mesma frequência, você pode controlar a diferença de fase entre as duas saídas, desde que os chips tenham um clock de referência comum. Este DDS em particular aceita uma palavra desvio de fase de 14 bits, o equivalente a um degrau de 0,22° em fase relativa.

(d) Utilizamos bits de entrada de porta individuais para cada botão, com um retorno de terra comum, uma abordagem perfeitamente razoável aqui com apenas 11 botões, e um microcontrolador com 100 pinos. A alternativa é a utilização de uma *matriz* de linhas e colunas, com chaves como ponte nas interseções (Figura 15.8). Aqui as colunas são acionadas por pinos de saída, e as linhas são conectadas como entradas com *pull-ups* internos. Para pesquisar as chaves, o microcontrolador coloca as colunas sucessivamente em nível BAIXO, observando os níveis de entrada devolvidos a partir das linhas; o anti-repique é feito no software, tal como foi com linhas de entrada dedicadas. A implementação de uma matriz é eficiente quando existem muitas chaves, porque o número de pinos de I/O utilizados é a soma do número de linhas e colunas, em vez de o seu produto. Em alguns casos, além disso, você é forçado a fazê-lo desta maneira, porque o arranjo de chaves é construído como uma matriz; um exemplo é um teclado hexadecimal 4x4. Um cuidado: um teclado matricial gera falsas saídas se três (ou mais) teclas são pressionadas simultaneamente; descubra isso por si mesmo.

B. Alguns Comentários (Firmware)

(a) Ter um microcontrolador no comando proporciona uma boa oportunidade para adicionar recursos e funções que você nem sequer pensava. Por exemplo, o sintetizador na foto implementa um algoritmo bom (que não temos visto em outros lugares) para determinar como os dígitos são controlados pelo seletor e os botões. Os botões com as setas para a esquerda e a direita fazem a coisa óbvia, ou seja, escolhem o dígito ("ativo") a ser modificado; e os bo-

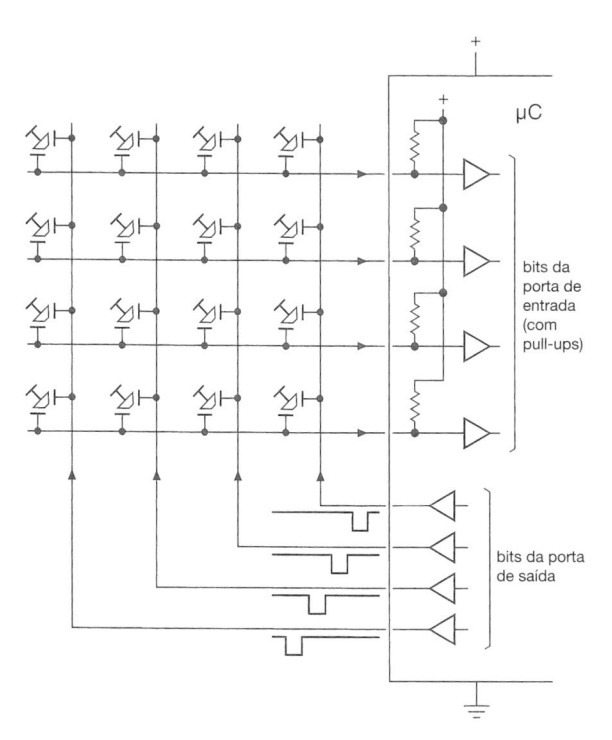

FIGURA 15.8 Uma matriz de switches pode ser consultada em um arranjo matricial de linha e coluna, aqui ilustrada com um teclado 4×4. Isto reduz o número de pinos de porta para $N_{matrix} = r + c$, em comparação com o $N_{indiv} = r \times c$ necessário para leituras dedicadas individuais.

tões para cima e para baixo incrementam e decrementam esse dígito (com *carry* ou *borrow*), considerando que você queira definir uma frequência exata. Mas o seletor é tratado de forma diferente: se você mover para a esquerda o dígito ativo, o seletor atua sobre esse dígito e todos os dígitos zero à direita, no pressuposto de que você deseja mover a frequência mais rápido, e sem a bagagem do restante dos dígitos menos significativos. Por outro lado, movendo-se o dígito ativo para a direita e girando o seletor, ele preserva os dígitos mais significativos à esquerda, no pressuposto de que você está concentrado na frequência alvo. Gostaríamos que os instrumentos comerciais usassem este sensato algoritmo!

(b) Da mesma forma que com o mouse de um computador, o movimento do seletor do painel é traduzido por um algoritmo de aceleração, de modo que um giro rápido do seletor leva você mais longe e mais rápido.

(c) O firmware cuida de captar dados de calibração inicial interpolando a partir desses dados durante a operação subsequente, tal como descrito acima. Um microcontrolador permite programar varreduras de frequência – rampas lineares, rampas cíclicas ou varreduras não lineares (por exemplo, uma varredura logarítmica, com tempo igual por oitava).

(d) E, claro, um microcontrolador reprogramável lhe permite corrigir *bugs* e inventar novos recursos (com novos *bugs*).

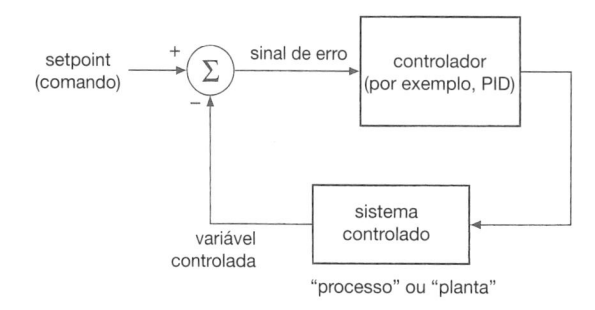

FIGURA 15.9 Sistema de controle clássico (ou "servo"). Para o nosso exemplo, o valor nominal (*setpoint*) é a temperatura desejada, a "planta" é o aquecedor-banheira-sensor, e o controlador é implementado com um microcontrolador. A entrada do μC compara a temperatura desejada com a real, e a sua saída PWM alimenta o aquecedor de imersão.

15.6 PROJETO EXEMPLO 4: CONTROLADOR TÉRMICO

Aqui está um exemplo de *controle* incorporado: imagine que queremos manter estável a temperatura de um banho líquido, bem agitado, em que colocamos tanto um elemento de aquecimento quanto um sensor de temperatura de precisão. À primeira vista a solução parece simples: basta aplicar uma abundância de realimentação, usando como sinal de erro a diferença entre a temperatura medida (conforme informado pelo sensor) e a temperatura alvo desejada. Eleve o ganho da malha até que o erro de temperatura seja pequeno o suficiente, tal como você faria com um amplificador de tensão com AOP.

Este é um problema clássico de "controle", encontrado em ambientes industriais como fábricas de produtos químicos (controle de temperatura e vazão), manufatura e robótica (controle de movimento) e assim por diante (Figura 15.9). A realimentação simples funciona mal em tais situações, porque o sistema controlado tem atrasos de tempo (e, portanto, deslocamentos de fase em atraso) que promovem a oscilação; a redução do ganho da malha para evitar tais oscilações deixa sobrar muito pouco ganho de malha, de modo que o sistema controlado se desvia da condição desejada e se move lentamente para corrigir distúrbios.

Há uma grande literatura sobre esse assunto e sobre os princípios da realimentação subjacentes à "sintonização" de um controlador visando combinar as propriedades do sistema controlado (denominado curiosamente de "planta", provavelmente como uma lembrança de antes da revolução industrial). A abordagem geral é construir (com métodos analógicos ou digitais) um assim chamado controlador "PID" (proporcional, integral, diferencial), em que o sinal de erro em função do tempo é submetido a estes três processos, e, em seguida, combinado em proporções cuidadosamente escolhidas para criar o sinal de correção que é aplicado ao sistema controlado. O procedimento para ajustar os coeficientes é basicamente simples (embora seja considerado por muitos como uma arte misteriosa) e é mais bem compreendido com um gráfico de Bode, como aqueles do Capítulo 4. Embora seja fácil de fazer amplificadores, integradores e diferenciadores com AOPs, microcontroladores são naturalmente adequados para o controle PID; eles têm adicionado benefícios, também, como a capacidade de relatar o status, aceitar e modificar parâmetros de sintonia e realizar algoritmos de controle não lineares.

15.6.1 O Hardware

Entre os sensores de temperatura mais populares estão o termopar (uma junção de dois metais diferentes que gera uma tensão, tipicamente de 20 a 40 μV/°C), o termistor (um material de resistência de coeficiente de temperatura negativo, tipicamente –4%/°C), um CI sensor de temperatura à base de silício (que explora o coeficiente de temperatura negativo de –2,1 mV/°C de uma queda direta de diodo), ou um RTD ("Detector de temperatura de resistência," de platina, um resistor de fio enrolado, normalmente normalizado a 100 Ω em 0°C, cuja resistência aumenta em 0,385%/°C). Estes sensores diferem no intervalo de temperatura, exatidão e estabilidade, velocidade da resposta, tamanho e custo. Para este exemplo escolhemos o RTD, principalmente por sua boa estabilidade; ele também tem excelente linearidade e uma vasta faixa de temperaturas de funcionamento (–200°C a +600°C). Tal como acontece com outros sensores de temperatura, ele está disponível em um ótimo formato de sonda impermeável. No outro extremo – o aquecedor – um resistor de potência é tudo o que você precisa, mais uma vez em um encapsulamento submersível (um "aquecedor de imersão").[23]

Existem várias possibilidades para o acionamento do aquecedor. A maneira mais simples é ligá-lo quando você precisa de calor, e desligá-lo caso contrário. Isso é denominado controlador "ON-OFF", e é a forma como os sistemas de aquecimento domésticos funcionam. Garantidamente ocorre uma variação cíclica da temperatura em torno do alvo, o que é menos do que ideal. É eficiente, no entanto, devido ao transistor de acionamento operar como uma chave, com muito pouca dissipação de potência.

Uma maneira melhor, se o sistema permitir, é o controle proporcional. Aqui poderíamos usar um estágio final de potência linear, variando o acionamento do aquecedor de forma contínua, de acordo com o comando do controlador. A desvantagem é que o estágio acionador linear tem de dissipar muita potência. É aí que a modulação de largura de pulso se encaixa. Ao operar o acionador de saída como uma chave, em, digamos, 10 kHz,[24] e variando o ciclo de trabalho (a fração ON de cada ciclo da chave), obtemos o melhor dos dois mundos: controle proporcional e mínima dissipação do acionador. Por essa razão, o PWM é popular em outras aplicações "lineares", por exemplo, em amplificadores de áudio (veja a Seção 2.4.1C) ou acionadores de motores.

A Figura 15.10 mostra os circuitos de um controlador de temperatura para microcontrolador. Parece bastante simples, mas, como de costume, o diabo (e a alegria) está nos detalhes.

A. O Sensor

Nós escolhemos uma generosa faixa nominal de controle de –50°C a +150°C, sobre a qual a resistência da sonda de temperatura RTD de "100 Ω" padronizada vai de 80 Ω a 160 Ω, aproximadamente.[25] Para manter insignificantes os efeitos de autoaquecimento, foi utilizada uma corrente de polarização de 2 mA, que produz tensões correspondentes de 160 mV e 320 mV no RTD, e um máximo de dissipação de autoaquecimento de apenas 0,6 mW.

Estas são tensões deveras pequenas, em comparação com intervalos de conversão ADC típicos de 1,25 V, 2,5 V ou 5 V; por isso precisamos de algum ganho, e precisamos de um deslocamento, para casar com o alcance de fundo de escala do ADC. Um arranjo em ponte, conforme mostrado, produz um sinal diferencial sem o deslocamento; escolhemos as relações de resistência para saída zero (diferencial) no meio da escala (+50°C), de modo que o sinal diferencial vai de –80 mV a +80 mV. Observe a conexão de 4 fios ("Kelvin"), para eliminar os efeitos de resistência de cabo e contato. Agora precisamos de algum ganho.

B. O Amplificador da Seção de Entrada

Microcontroladores vêm em tal variedade que normalmente você pode encontrar um com justamente as características que você deseja. As séries ADuC800 e ADuC7000 de "microcontroladores analógicos" da Analog Devices é destinada a aplicações de conversão sensíveis, e esse dispositivo em particular tem exatamente a combinação necessária aqui: um verdadeiro estágio de entrada diferencial, seguido por um amplificador de baixo ruído de ganho programável e ADC[26] de 16 bits que pode ser operado em um modo "chopper" de

---

[23] Um bom lugar para encontrar essas coisas é o impressionante *Temperature Handbook*, da Omega Engineering.

[24] Controladores de temperatura comerciais destinados a serem utilizados em sistemas com grande massa térmica e de resposta lenta tipicamente desempenham seu PWM em frequências muito baixas, na região de Hz ou mais lenta, permitindo a utilização de um relê em vez de uma chave eletrônica de saída.

[25] Tabulações precisas da resistência do Pt-RTD listam valores nominais de 80,31 Ω e 157,33 Ω a essas temperaturas, tipicamente com uma precisão de até poucos décimos de um ohm.

[26] O ADuC848 tem um ADC de 16 bits, o ADuC847 semelhante tem um ADC de 24 bits, e o ADuC845 tem dois ADCs de 24 bits.

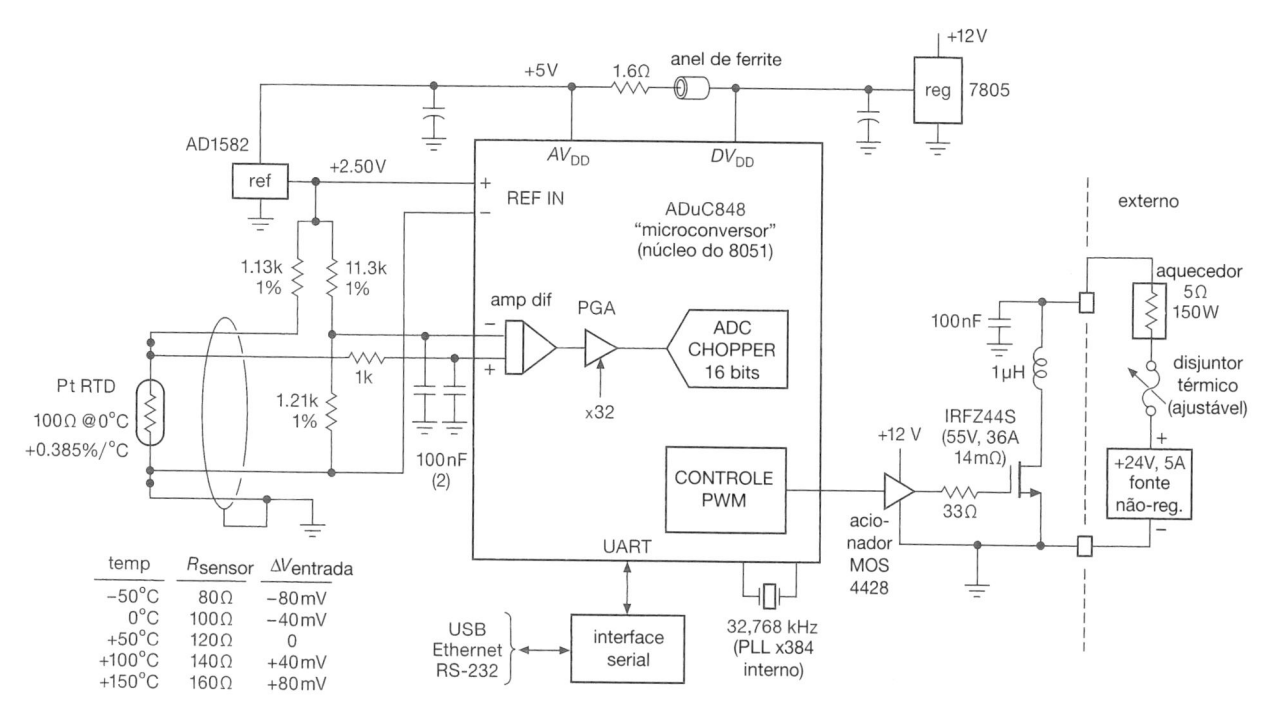

FIGURA 15.10 Controlador de temperatura, com sensor RTD de platina e aquecedor PWM linear. O "microconversor" ADuC848 inclui um ADC de 16 bits e amplificador diferencial de ganho programável, voltado para aplicações analógicas que necessitam de precisão e baixo ruído. O disjuntor térmico resetável é uma característica de segurança boa em caso de falha de hardware ou de firmware.

precisão (análogo a *Chopper* AOP) para *offset* CC e deriva baixos. A folha de dados inclui tabelas de precisão de conversores em função da taxa de conversão, mostrando 15 bits de resolução para a faixa de ±80 mV em 50 conversões/s no modo *chopper*; que corresponde a 6 milésimos de grau, bom o suficiente para este trabalho.

Sem tal conveniente microcontrolador (que a Analog Devices chama de "microconversor"), a alternativa é a utilização de um amplificador de instrumentação diferencial, de preferência um com faixa de modo comum de entrada para o seu trilho negativo, de modo que ele possa operar a partir de uma fonte simples de +5 V. A maioria dos amplificadores de instrumentação (Tabela 5.8) não tem esse recurso; mas um candidato adequado é o AD623 (a Analog Devices ataca novamente!), que também tem variação de saída trilho a trilho e pode operar a partir de uma fonte simples de +3 V a +12 V.

A Figura 15.11 mostra como você poderia utilizá-lo aqui, para acionar as entradas analógicas de um microcontrolador mais genérico: o pino de referência de saída está conectado ao ponto médio (+1,25 V) da faixa de conversão desejada, de modo que a faixa do sinal de entrada diferencial de ±80 mV está mapeada para a faixa de 0 a 2,5 V de um ADC de terminação simples genérico. (Poderíamos, em vez disso, aterrar o pino de referência e substituir o resistor de 1,21 kΩ na Figura 15.10 por 1,0 kΩ, balanceando assim a ponte na extremidade de baixa temperatura.) Para uma situação como esta, onde você precisa de amplificação precisa

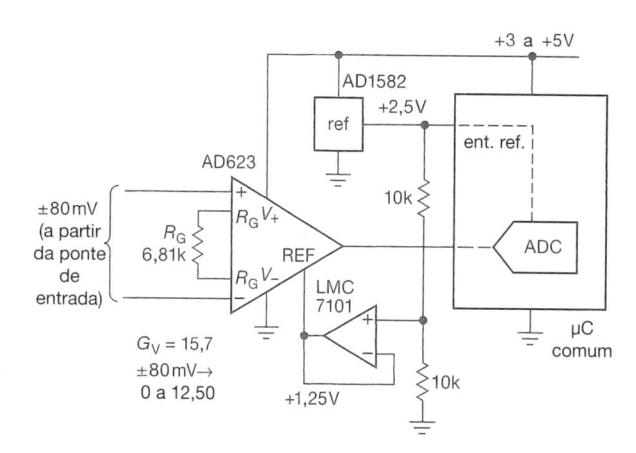

FIGURA 15.11 Como uma alternativa, um "amplificador de instrumentação" diferencial fora da placa poderia ser utilizado para mapear uma pequena faixa de sinal diferencial (aqui ±80 mV) para a faixa de entrada de terminação simples (aqui 0 a 2,5 V) de um microcontrolador genérico. Em tal implementação, o resistor de ajuste de ganho define o alcance, e o pino de entrada "de referência" define a saída no meio da escala quando a entrada estiver balanceada.

de sinais de baixo nível, você pode geralmente esperar um melhor desempenho com um pré-amplificador de instrumentação dedicado, em comparação com um microcontrolador sozinho. No entanto, o ADC no microcontrolador especial que escolhemos é excepcional e, na verdade, tem especificações de precisão e deriva melhores do que o pré-amplificador fora da placa: ele especifica *offset* de tensão e deriva típicos (no modo *chopper*) de 3 μV e 0,01 μV/°C, em comparação com os valores correspondentes do amplificador de instrumentação de 25 μV e 0,1 μV/°C.[27]

C. Clock e Fontes de Alimentação

O ADuC848 pede um cristal externo de 32,768 kHz, com o seu multiplicador de clock x384 do PLL interno ao chip gerando o clock do núcleo principal de 12,58 MHz (o controlador tem os necessários capacitores de 12 pF internos ao chip, por isso o único componente externo é o próprio cristal). O chip vem em versões de +3 V e +5 V, com detecção de queda de alimentação e reset ao energizar internos, juntamente com um temporizador *watchdog*. Escolhemos a versão de 5 V, com uma referência ADC de +2,50 V. A referência de 3 terminais (AD1582) não precisa ser de grande precisão ou estabilidade, porque o circuito de entrada é ratiométrico: a saída digital do ADC é, de fato, independente da tensão de referência. A rede *RL* desacopla o ruído digital da tensão de alimentação analógica, tal como recomendado na folha de dados.

D. Modulação por Largura de Pulso

Como observamos anteriormente, esta malha de controle PID opera com controle quase-linear do aquecedor, conseguido mediante a comutação rápida completa do aquecedor entre ON e OFF enquanto ajusta o ciclo de trabalho (fração de um ciclo durante o qual ele está ON); isso é chamado de modulação por largura de pulso (PWM – *pulse-width modulation*). Dessa forma, obtemos os benefícios do controle linear, juntamente com a eficiência da comutação saturada. Para uma aplicação como esta, com suas longas constantes de tempo térmicas, o aquecedor não vai saber a diferença entre PWM e um acionamento de tensão linear genuíno.

Em um mundo puramente analógico, você criaria o sinal de acionamento PWM da chave com um comparador analógico: uma entrada recebe um dente de serra-frequência fixa, a outra recebe uma "tensão de realimentação" que varia mais lentamente (indicando a necessidade de uma saída mais ou menos média) que define o ciclo de trabalho (Figura 15.12A). Este último pode ser simplesmente proporcional ao erro, ou em um sistema mais complicado ele poderia vir de um PID analógico como o da Figura 15.14. Aqui usamos o microcontrolador para fazer o mesmo trabalho *numericamente*, por comparação do valor de incremento de um contador (a dente de serra) com um segundo número (a realimentação) que está dentro da faixa do contador. Em um

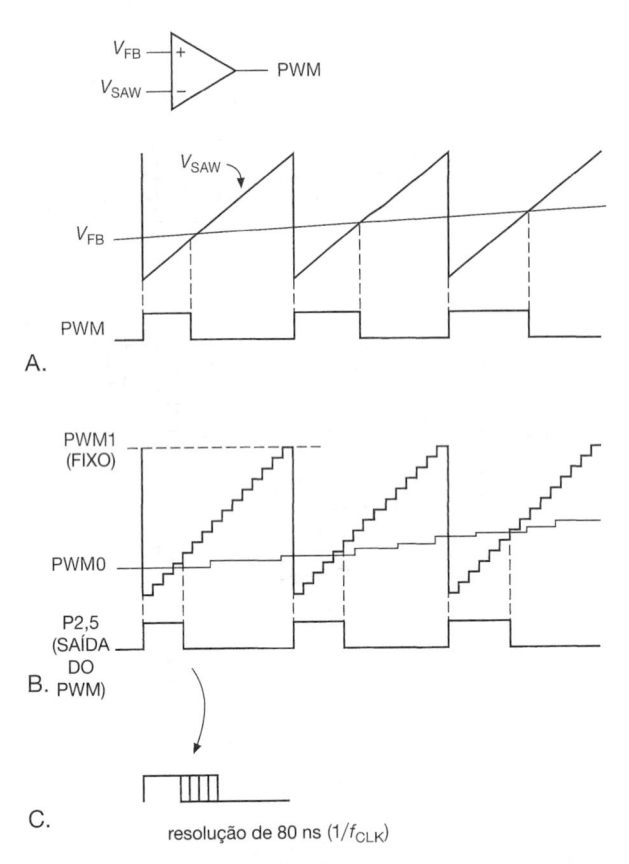

FIGURA 15.12 Modulação por largura de pulso (PWM). A. Um sinal de realimentação V_{FB} que varia lentamente é comparado com uma dente de serra (SAW) com frequência fixa para produzir a saída PWM de nível lógico. B. O PWM Digital substitui um contador com clock e o comparador de magnitude. C. A saída PWM digital tem uma granularidade de 1 /f_{CLK}.

μC sem o suporte de um PWM embutido, você teria que fazer isso no software; veja o Exercício 15.3. O ADuC848, no entanto, inclui hardware para fazer o PWM com facilidade: você define inicialmente o alcance do contador (contagem máxima) carregando um número sem sinal de 16 bits em um registrador de contagem terminal (chamado PWM1); a contagem, que é incrementada, é comparada continuamente com o valor de realimentação de 16 bits (que varia lentamente) com o valor residente noutro registrador (chamado PWM0), criando uma saída PWM de nível ALTO em um pino de porta (denominado P2.5) quando a contagem de PWM é menor do que a realimentação (Figura 15.12B)[28]

Para esta aplicação, escolhemos uma contagem máxima de 1258_{10} (através do carregamento de 04EAh, hexa, no registrador interno PWM1), para produzir uma frequência PWM de 10 kHz (clock de 12,58 MHz dividido por 1258). Os pulsos de saída PWM, então, chegam a uma taxa de 10

---

[27] Com toda a franqueza, deve-se notar que o processo *chopper*, o qual é responsável pela excelente precisão e estabilidade, reduz a largura de banda e a taxa de conversão. Para a nossa aplicação de controle térmico, com constantes de tempo da ordem de 250 ms, a velocidade não é um problema.

[28] Este modo de "PWM de Resolução de Variável Única" é um dos seis modos oferecidos por este chip elegante. Essa flexibilidade é incomum em seu microcontrolador comum.

kHz, com larguras correspondentes a um número inteiro de pulsos de clock de 12,58 MHz; isto é, eles são quantizados com um tamanho de degrau de 1/12,58 MHz, ou 80 ns (Figura 15.12C).

Exercício 15.3 Problema para um domingo chuvoso: imagine que você já tenha usado os dois pinos PWM do ADuC848, e você precisa criar mais dois PWMs de 8 bits via software. Os valores do registrador são dados e, durante a operação PWM via software, você tem o controle total do μC. Elabore o código exequível e veja o quão rápido os PWMs podem executar. O "Conjunto de Instruções do 8051de Único Ciclo Otimizado" e as temporizações são fornecidos na folha de dados (página 20 da versão atual). O ADuC848 tem um clock de 12,58 MHz.

E. Circuito de Saída

Você não pode comutar uma carga que é alimentada a partir de 24 volts a partir de uma porta de saída de microcontrolador. E você *realmente* não pode comutar 5 amperes! Então precisamos de uma chave de transistor, aqui implementada com um MOSFET de potência de tamanho modesto. E, para acionar sua porta totalmente (até +12 V) e rápido, adicionamos um chip acionador de porta.[29] O 4428 é um acionador de MOSFET padrão da indústria, bom para a conversão de uma variação de entrada de nível lógico para uma variação de tensão total na porta; este dispositivo de baixo custo (cerca de 1 dólar) tem duas saídas (inversora e não-inversora), bom para fornecer ou absorver 1,5 A numa carga de porta capacitiva. O transistor específico que escolhemos (um IRFZ44, especificado para 55 V, 36 A, encapsulamento de potência TO-220) é barato (∼2 dólares), com R_{ON} suficientemente baixo (14 mΩ máx, em $V_{GS} = 10$ V) que não precisa de um dissipador de calor. Um acionador de porta de 12 V minimiza a resistência ON, e a capacidade de acionamento de porta de 1,5 A garante tempos de subida e descida de porta rápidos, reduzindo a dissipação "classe A" do MOSFET[30] durante a comutação.

Um MOSFET de comutação com acionamento de porta saudável produz rápidas transições de dreno (escala de nanossegundo), gerando potencialmente interferência eletromagnética substancial. O pequeno indutor de saída e o capacitor formam um filtro passa-baixas de frequência característica de 0,5 MHz, que limita a taxa de variação de saída. Esse filtro ecológico tem um efeito colateral interessante, no entanto: a produção de um transiente de tensão positiva indutiva em cada desligamento (Figura 15.13). A menos que seja ceifado, o pico indutivo causa ruptura por avalanche no MOSFET. Isso soa ruim, mas na verdade MOSFETs de potência são tolerantes a esse tipo de abuso, com uma energia

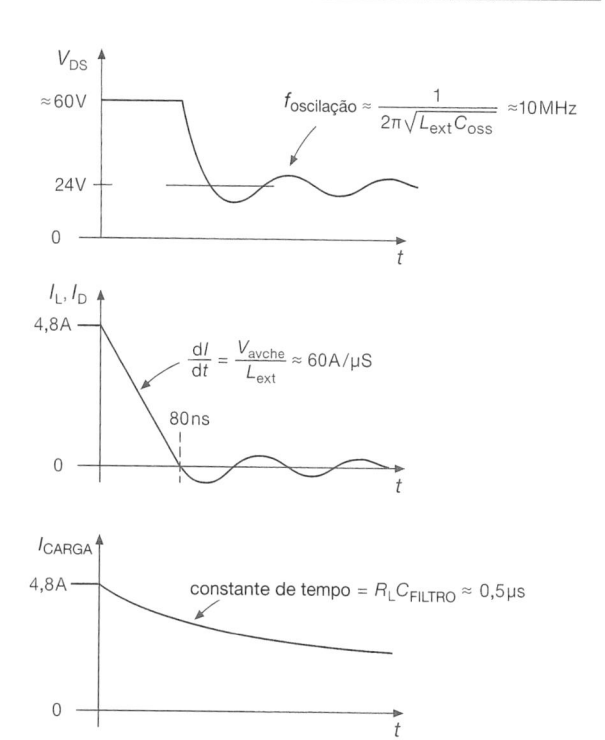

FIGURA 15.13 O filtro *LC* de saída do circuito da Figura 15.10 suaviza tensão e corrente transientes para a carga (gráfico inferior); mas o indutor em série provoca ruptura por avalanche no MOSFET (gráfico superior), durante o qual a corrente do indutor varia em forma de rampa até zero.

de avalanche repetitiva especificada limitada principalmente por efeitos de aquecimento. Para este circuito, a entrega periódica da energia armazenada de $\frac{1}{2}LI^2 f_{osc}$ no indutor meramente adiciona algum incremento permitido de dissipação de potência média do MOSFET.

No total, então, há três contribuições para o aquecimento do MOSFET: (a) a dissipação $I^2 R_{ON}$ durante a condução; (b) dissipação classe A $I_D V_{DS}$ durante a comutação; e (c) dissipação de avalanche repetitiva de $\frac{1}{2}LI^2 f_{osc}$ ao desligar a chave. O exercício seguinte os explora quantitativamente para este exemplo de circuito.

Exercício 15.4 Vamos dissecar essa última afirmação em vários passos.[31]
(a) Qual é a dissipação de potência do MOSFET quando está em ON, considerando $R_{ON} = 14$ mΩ?
(b) Agora calcule a dissipação de potência média de contribuição da condução classe A durante as transições, considerando que o PWM está operando em 10kHz. Para este cálculo, use uma carga porta-dreno ("Miller") de $Q_{GD} = 15$ nC, e considere momentaneamente que fomos tolos o suficiente para acionar a porta diretamente de uma saída lógica que é capaz de fornecer e absorver apenas 10 mA (o que é consideravelmente melhor do que essas especificações de μC: uma

---
[29] Ver a Seção 3.5.4 e Tabelas 3.4b e 3.8 nas páginas 189 a 191 e 218, respectivamente.

[30] Isto é, a potência dissipada durante os tempos de transição quando o transistor não está completamente ON ou OFF, e, portanto, tem tanto uma corrente de dreno substancial quanto uma queda de tensão dreno-fonte substancial.

[31] Consulte novamente a Seção 9.7.2 se não tiver certeza de como fazer esses cálculos.

fraca absorção de 1,6 mA a 0,4 V, e até mesmo um fornecimento mais fraco de 80 μA em 2,4 V). Você pode considerar uma rampa linear de tensão e corrente, mas para fazer o cálculo corretamente, vai ter que integrar o produto $V_{DS}I_D$ ao longo da duração da rampa (não se esqueça que existem duas rampas por ciclo).[32]

Você deve ter encontrado que a dissipação de energia global é dominada pela contribuição classe A durante a comutação; em particular, este último é quase duas vezes a dissipação em ON (580 mW versus 320 mW).

(c) O acionador de porta dissipa potência média, também; calcule-a.

(d) Recalcule a perda de comutação média, considerando agora uma corrente de acionamento de porta de 1 A.

(e) Agora calcule a contribuição da energia de avalanche do indutor para a dissipação de potência global do MOSFET (esperamos que você concorde que seja 115 mW).

(f) Verifique que a energia de avalanche de pulso único está bem abaixo da especificação da folha de dados de 86 mJ (máx).[33]

(g) Por último, sob o pressuposto de que o acionador de porta do MOSFET de 1,5 A tornou desprezível a dissipação classe A (em comparação com as perdas de condução e avalanche), calcule o aumento de temperatura da junção acima da temperatura ambiente, utilizando a resistência térmica especificada $R_{\Theta JA} = 40°C/W$ para esse MOSFET de montagem em superfície com 6 cm² de aba de cobre. Se você (e nós) fizer os cálculos corretamente, a resposta deve acabar com qualquer ansiedade residual. Note também que a dissipação de condução R_{ON} média real será menor do que a calculada, porque é melhor que o ciclo de trabalho (fração do tempo ON) seja inferior a 100%, ou estaremos em sérios apuros!

Este exercício revela alguns dos processos de engenharia essenciais de troca e interação que se passa mesmo em um circuito de saída de aparência simples assim.

(a) Escolhemos um MOSFET com R_{ON} baixo o suficiente para permitir montagem em superfície sem um dissipador de calor, se desejado (versão IRFZ44S: 40°C/W, boa para dissipação de ~1 W).

(b) A estimativa de cerca de 1/3 W para a perda de condução define a corrente de carga máxima em cerca de 5 A.

(c) Em seguida, escolhemos a tensão de alimentação do aquecedor para produzir mais de 100 W, para aquecer as coisas rapidamente.

(d) Adicionamos o filtro LC para suprimir a RFI acima de ~1 MHz.

(e) Em seguida, confirmamos que a potência de avalanche, dissipada no MOSFET a partir do amortecimento periódico da energia armazenada do indutor, acrescentou apenas uma dissipação adicional modesta, e ficou bem dentro das especificações.

(f) Finalmente, adicionamos um CI acionador de porta para minimizar as perdas de condução de classe A, que de outra forma dominariam. Durante este processo, fizemos inúmeros ajustes para a tensão de alimentação do aquecedor (+12 V, +24 V), corrente do aquecedor (2,5 A, 5 A) e tamanho do indutor (1 μH, 5 μH, 10 μH), e brincamos com a ideia de usar um MOSFET com menor R_{ON}, ou mesmo um pacote de MOSFET TO-220 com um dissipador de calor de aletas.

Por fim, estabelecemos o projeto mostrado na Figura 15.10 como um bom compromisso global. No entanto, seria perfeitamente razoável escolher um indutor de filtro maior, ou operar em corrente mais elevada, ou ambos, caso em que você usaria um MOSFET com menor R_{ON}, talvez em um encapsulamento maior afixado a um dissipador de calor. A apresentação simplista de projetos acabados muitas vezes esconde este tipo de pensamento de projeto de circuito.

15.6.2 O *Loop* de Controle

O trabalho do firmware do microcontrolador é implementar um loop de controle, para manter o banho à temperatura desejada (*setpoint*). Embora isto pareça uma realimentação simples, do tipo usado para um circuito de AOP, na realidade, ela é atormentada por atrasos de tempo térmicos; proporcionando ganho de malha suficiente para estabilizar o banho, invariavelmente levará a oscilações térmicas. Este é um problema comum em sistemas de controle industriais. Como Jim Williams escreveu,[34] "O relacionamento infeliz entre sistemas servo e osciladores é muito evidente em sistemas de controle térmico."

A solução usual é o que é conhecido como um controlador PID, em que a realimentação negativa proporcional comum (P) é aumentada pela realimentação negativa proporcional à taxa de variação do erro ("derivativo", D), e também por um termo de realimentação negativa que cresce com o tempo de acordo com o erro ("integral", I). Isto pode ser feito simplesmente com AOPs, como mostrado na Figura 15.14.

O controlador PID tem de ser "sintonizado" para as propriedades do sistema controlado, para otimizar os ganhos dos três termos de realimentação. Um procedimento empírico que funciona muito bem é o seguinte: (a) com os termos *I* e *D* desligados, aumente o ganho P até que o sistema comece a oscilar e, em seguida, recue um pouco; o sistema irá exibir *overshoot* e oscilação, mas uma oscilação não sustentada, em resposta a uma variação em degrau no *setpoint*; (b) agora adicione ganho D até que a resposta a um degrau seja criticamente amortecida;[35] (c) finalmente, enquanto assiste o

---

[32] De bandeja (se você quiser pular o cálculo): $E = V_P I_P T_{rampa}/6$ por rampa.

[33] Conforme orientação de carácter geral, se há menos do que um fator de 20 de margem de segurança, você precisa verificar a dissipação de potência pulsada usando uma "impedância térmica transiente" especificada do MOSFET. Isso porque as folhas de dados usam um determinado conjunto de condições operacionais para a sua especificação de avalanche de pulso único.

[34] Na Nota de Aplicação 5, "*Thermal techniques in measurement and control circuitry*", *Linear Technology Corporation*, dezembro de 1984.

[35] Na linguagem dos polos e zeros, você traz um zero para cancelar o polo natural de frequência mais baixa no sistema físico.

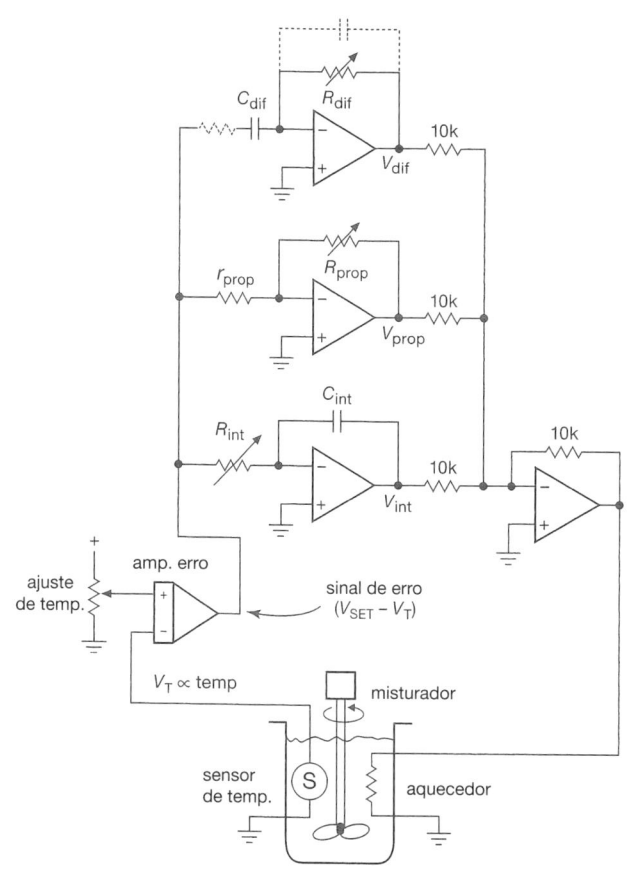

FIGURA 15.14 Uma malha de controle PID analógico. O sinal de erro (proporcional à diferença entre a temperatura real e desejada) aciona um amplificador ("proporcional"), um integrador, e um diferenciador, com ganhos ajustáveis individuais. As suas saídas combinadas formam o sinal de controle para o aquecedor. O R e C tracejados são para estabilidade do diferenciador. (Às vezes você vê a entrada diferencial obtida separadamente a partir do lado de entrada do amplificador de erro).

Pseudocódigo 15.4 Pseudocódigo do loop principal PID

Inicialização
  zerar o acumulador de integração: $I = 0$
Loop principal
  resetar o temporizador para tempo limite de 10 ms
  ler o sensor de temperatura pela enésima vez: T_n
  calcular termos de potência de saída PID individuais:
  $$P = k_P(T_{set} - T_n)$$
  $$I = I + k_I(T_{set} - T_n)$$
  $$D = -k_D(T_n - T_{n-1})$$
  combinar e atualizar PWM:
  $$\text{PWM} = P + I + D$$
  esperar até o limite de tempo do temporizador
  repetir o **loop principal**

sinal de erro em si, adicione ganho I até alcançar tempo de estabilização mínimo.[36]

15.6.3 Código do Microcontrolador

O firmware para implementar um PID em um microcontrolador começa com as configurações usuais: portas, conversores, temporizadores e comunicações. A parte interessante é o *loop* principal, onde a temperatura medida é digitalizada em intervalos de tempo iguais (chame de medição enésima de T_n), e os resultados são utilizados para calcular numericamente as saídas P, I e D a partir do "sinal" de erro $T_{erro} = T_{set} - T_n$. A listagem no Pseudocódigo 15.4 mostra a computação mais simples, supondo conhecidos os coeficientes de ajuste, k_P, k_I e k_D. Na prática, você provavelmente faria alguma suavização ou filtragem para o termo derivativo, que é propenso ao ruído. Você também pode configurar o ADC diretamente para realizar conversões periódicas, com consulta ou interrupção para sinalizar o cálculo PID do loop principal.

A. Alguns Comentários (Algoritmo)

A malha de controle PID, embora de grande popularidade, não é a única que existe. Em particular, existem algoritmos não lineares que, embora difíceis de tratar matematicamente, parecem funcionar muito bem. Um exemplo interessante é o algoritmo "*take-back.half*" (TBH), de Steve Woodward,[37] que tem a característica agradável de sintonia de "um botão:" você não precisa saber nada sobre a "planta."

O algoritmo de controle tem duas partes. Ele começa com um loop I puro (o controlador gera saída proporcional à integral do erro), que tem as vantagens da simplicidade (apenas um botão de "ajuste": o ganho do integrador), e erro médio zero. No entanto, a má notícia é que a variável controlada oscila sobre o valor de *setpoint* para sempre. A correção de Woodward é fazer uma correção de degrau em cada cruzamento zero do erro, substituindo a saída de corrente do controlador pela média do valor de corrente e o valor na última passagem por zero. Estávamos curiosos como isso seria, por isso, recrutamos um estudante hábil em matemática (aquele que aparece na Figura 15.25, na página 1094) para executar uma simulação numérica de um controlador de temperatura TBH. Você pode ver os resultados na Figura 15.15, onde marcamos a saída do controlador (potência do aquecedor) e a resposta do sistema controlado (temperatura do sensor). Começamos na temperatura ambiente (20°C), trazendo à tona seu comportamento transiente mudando o ponto de ajuste

---
[36] Outra forma de ajustar um PID, da Ziegler e Nichols (1942), utiliza o ajuste de ganho e frequência de oscilação na etapa (a) para determinar, sem mais experimentação, os ganhos D e I ótimos. Gostamos da abordagem em *Excellent Electronic Circuits*, de Tietze e Schenk (Springer, 2007).

[37] " O controlador de temperatura tem algoritmo de convergência TBH", *EDN*, página 90, 15 de setembro de 2005.

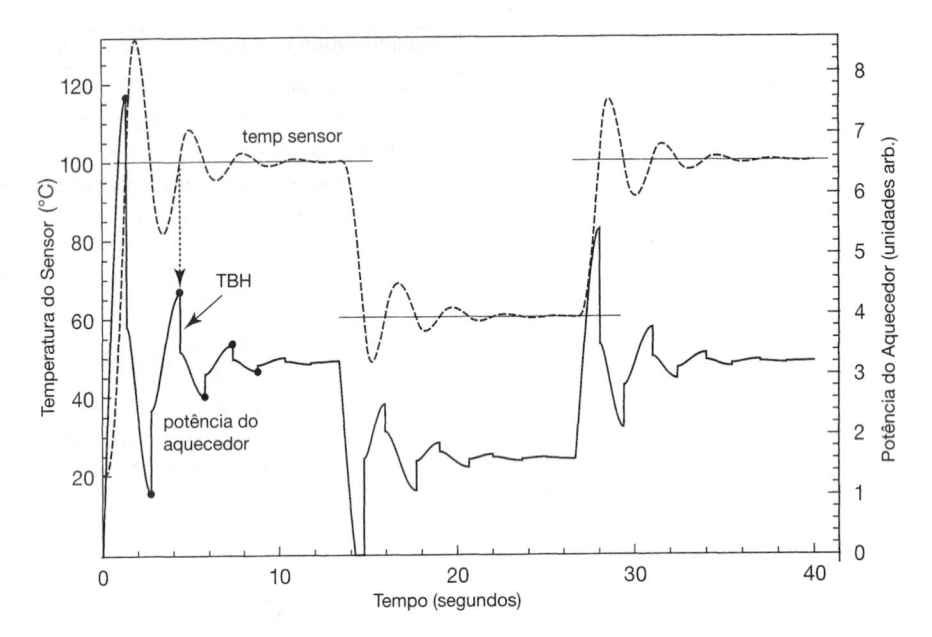

FIGURA 15.15 Um algoritmo de controle não linear: TBH de Steve Woodward. Essa simulação numérica mostra o comportamento de uma sequência de variações em degrau na temperatura alvo (alternando 60°C e 100°C). O controlador é um integrador puro, mas responde a cada momento de erro de temperatura zero (os pontos pretos), redefinindo a sua saída (potência do aquecedor) para a média do seu valor atual e o valor no reset anterior.

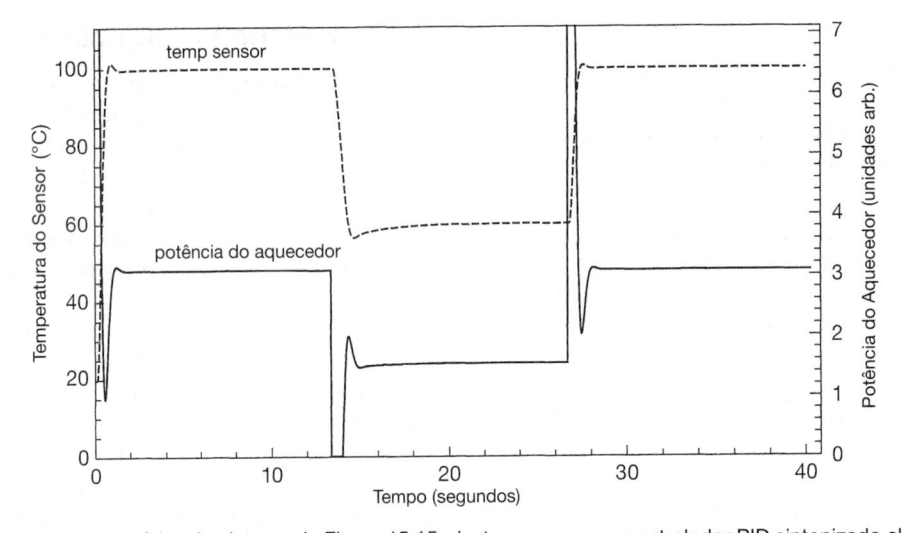

FIGURA 15.16 Simulação numérica do sistema da Figura 15.15, desta vez com um controlador PID sintonizado clássico.

entre os dois valores mostrados. Para esta simulação, foram utilizadas constantes de tempo do aquecedor e sensores de 0,5 s, tempo de atraso (a partir da vazão do fluido) de 0,1 s, e um tempo de relaxação térmico para a temperatura ambiente de 0,5 s. O único "botão" (ganho do integrador) foi criado para produzir uma convergência razoável.

Tendo estabelecido a simulação TBH, não poderíamos resistir à operação de um PID clássico. Depois de brincar com a sintonia (*três* botões, desta vez), temos os resultados mostrados na Figura 15.16. O PID faz um trabalho consideravelmente melhor do que o TBH; mas requer alguma habilidade na sintonia para encontrar os coeficientes *P*, *I* e *D* adequados para os parâmetros específicos de cada sistema controlado.

B. Alguns Comentários (Hardware):

Este exemplo ilustra como uma boa escolha de microcontrolador pode simplificar muito o hardware (e codificação): este microcontrolador combina um bom ADC (desempenho real de 16 bits), com o baixo *offset* e deriva que você consegue com *chopper*, e um amplificador diferencial interno de ganho programável, de modo que a entrada RTD de baixo nível pode ser utilizada diretamente. A entrada de referência diferencial facilita a conexão para uma conversão ratiométrica verdadeira, insensível às variações da fonte de tensão de referência. E um hardware PWM interno facilita drasticamente a sobrecarga de codificação.

Mantivemos o diagrama em blocos simplificado, de modo a não nos distrairmos do essencial do circuito de entrada analógica e dos circuitos de acionamento de saída PWM. Mas é fácil o suficiente para adicionar algumas interfaces mostradas nos exemplos de microcontroladores anteriores: um display LCD para as temperaturas real e de *setpoint*; uma inserção via teclado ou chave *thumbwheel* para parâmetros como um *setpoint* simples, ou um perfil de tempo/temperatura mais complexo; LEDs indicadores e campainhas de alarme para condições de falha, e similares.

15.7 PROJETO EXEMPLO 5: PLATAFORMA MECÂNICA ESTABILIZADA

O último exemplo com microcontrolador é divertido – uma engenhoca de duas rodas estabilizada acionada por motores (que seu inventor chama de *Psegué*), mostrado em ação na Figura 15.17.

Essa coisa é um triciclo sem a sua roda da frente, portanto instável sem uma realimentação ativa. O protótipo é, obviamente, um "Transportador Pessoal da Segway™", de Dean Kamen, que encantou o mundo na sua estreia em 2001. Estranhas e maravilhosas variantes caseiras estão surgindo, impulsionadas pelo entusiasmo da animada comunidade de nerds-entusiastas. Um desses entusiastas é o jovem que vive do outro lado da rua, que perguntou se poderia frequentar nosso laboratório para experimentar suas ideias para fazer uma plataforma motorizada estabilizada. Duvidávamos que ele teria sucesso; estávamos errados.

A Figura 15.18 mostra o sistema que ele finalmente conseguiu (depois de alguns contratempos divertidos). É um laço de controle PID digital implementado num microcontrolador ARM7 da NXP. Esse último vem muito bem encapsulado em uma placa quadrada de 6 cm, que inclui reguladores de tensão, conectores para portas analógica, digital e serial, e display LCD; ele é chamado de MINIMAX/ARM-C, vendido pela BiPOM Electronics por 100 dólares.

Para detectar o ângulo instantâneo da plataforma, Jesse usou um acelerômetro de estado sólido de dois eixos, rotacionado 45° em relação à vertical, que alimenta um amplificador de diferença. A tensão de saída é proporcional ao seno do ângulo da plataforma, passando por zero quando a plataforma está na horizontal. Isso fornece a entrada analógica para os termos proporcional e integral da malha PID; para o termo derivativo ele usou um giroscópio, cuja saída é diretamente proporcional à taxa de variação da inclinação. Você dirige essa coisa empurrando a haste vertical lateralmente, que pressiona um par de sensores de força resistivo sob a base da haste. O microcontrolador tem um enlace *Bluetooth*, para manipular os parâmetros da malha ao se deslocar sobre a plataforma. A Figura 15.19 mostra o hardware.

FIGURA 15.17 Engenhoca de duas rodas estabilizada, demonstrada por seu criador, Jesse Colman-McGill.

O lado da saída do microcontrolador aciona um par de controladores de motor CC em ponte H com saídas lógicas PWM, conforme ordenado pela malha PID. Os moto-redutores de ímã permanente têm uma força razoável, capazes de fornecer quase 1 hp.

A malha PID é estimulada por um dos temporizadores internos do microcontrolador, operando a uma pulsação de 100 Hz. O controlador PID básico é ampliado por alguns truques que foram obtidos por experiência, por exemplo, um reforçador extra para conseguir que a coisa se desloque a partir de um ponto morto, e algumas modificações para os ganhos do PID de acordo com a carga medida. Um nome fantasia para tais correções não autorizadas no PID básico é *heurística*; não importa como você os chama, eles são necessários e, com alguma sorte, eles podem funcionar bem. Veja o Pseudocódigo 15.5.

Pseudocódigo 15.5 Pseudocódigo do *Loop* Principal do *Pseguê*

Loop Principal
    resetar o temporizador para tempo limite de 10 ms
    ler sensores
        detectar inclinação dos acelerômetros (2)
        detectar a rotação do giroscópio
        detectar a força da direção (2)
    calcular PID com os parâmetros dependentes da velocidade
    aplicar regras heurísticas
        correção de zona morta
        reforçar limiar de comutação
        multiplicador de ganho PID dependente da carga
    enviar comando de torque atualizado para motores
    se incremento (em atraso) de log_loop_count
        se (log_loop_count=10) log data & clear log_loop_count
    TimerCheck: se (temporizador não expirou)
        se (byte de comando do buffer FIFO de entrada sem fios)
            acrescentar ao buffer de linha
                se (nova linha) analisar & executar
        escrever byte de registro para o buffer FIFO de saída sem fio
    repetir **TimerCheck**
    repetir **loop principal**

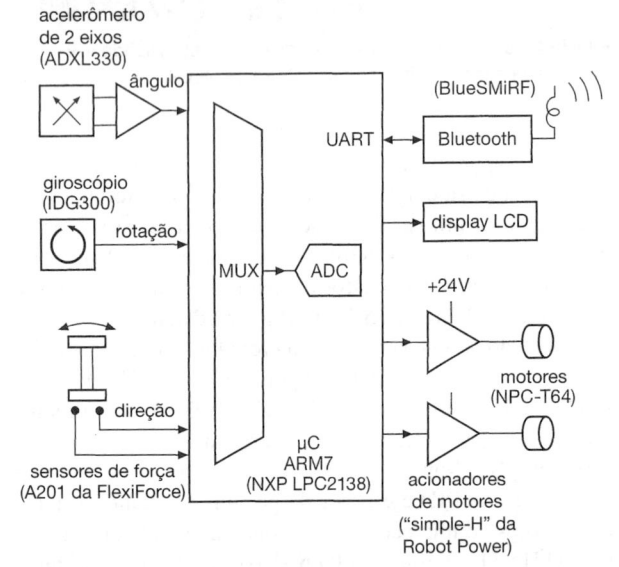

FIGURA 15.18 Diagrama em blocos da *scooter* estabilizada. O uso de módulos pré-fabricados (giroscópio, acelerômetro, wireless, placa de microcontrolador e controladores de motor) simplifica a construção e fiação. Os números de peças reais estão entre parênteses.

15.8 CIS PERIFÉRICOS PARA MICROCONTROLADORES

A nossa experiência em engenharia eletrônica vem do mundo real, onde uma enorme variedade de medições e controle interativo é necessária. Ter um microcontrolador programável é bom, e ter um monte de circuitos de interface embutidos é ótimo – mas o mundo é maior do que isso. Quando falamos em colocar algo em movimento, o que precisamos é um pneu, uma roda e outros dispositivos especializados que não estão incluídos dentro de um microcontrolador.

Nesta seção, criamos três desenhos que mostram sessenta exemplos de dispositivos de interface especializados, complementado com alguns números de identificação. É nossa esperança que você aponte seu navegador para Octopart, etc.,[38] e leia as folhas de dados para alguns destes dispositivos, como inspiração para a busca de exemplos adicionais e dispositivos alternativos.

DACs e ADCs são periféricos comuns para interação com as coisas do mundo real; se isso é tudo em que você está interessado no momento, use as Tabelas 13.2, 13.3 e 13.11 (DACs) e as Tabelas 13.5, 13.6 e 13.9 (ADCs). Estas tabe-

---
[38] Octopart é um excelente localizador de dispositivos, mostrando disponibilidade e preços de componentes em distribuidores; o site também inclui folhas de dados para a maioria dos dispositivos. Uma característica especialmente valiosa é a capacidade de ver o estado dos dispositivos e a sua disponibilidade em vários distribuidores. Se um dispositivo foi descontinuado, você vai descobrir o que era possível fazer com ele (e quais eram suas especificações), e pode torcer para que outra pessoa tenha criado um dispositivo similar. *Um cuidado*: conforme está escrito, Octopart lista apenas os componentes que são disponibilizados pelos distribuidores, e não os vendidos diretamente da fábrica. Se Octopart não mostra um dispositivo, isso não significa que você não pode obtê-lo. Às vezes, o seu fornecedor tem de ser a fábrica, mesmo os fabricantes tradicionais que também vendem através de distribuidores. Descobrimos que, na maioria dos casos, os fabricantes facilitam a compra diretamente, mesmo em pequenas quantidades.

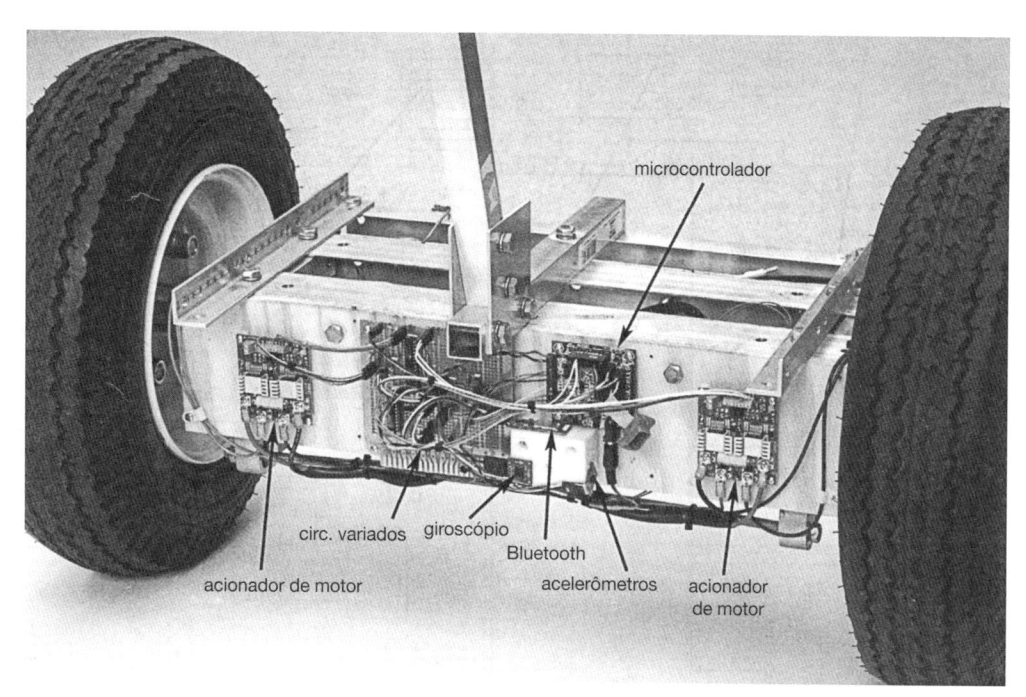

FIGURA 15.19 Veja de perto os sensores e eletrônicos. O sinal de diferença do par de acelerômetros (cada um inclinado 45° em relação à vertical) é uma medida do ângulo de inclinação dianteiro-traseiro, e o giroscópio fornece uma medida direta da derivada do tempo de inclinação. As baterias de células de gel estão no espaço atrás dos eletrônicos.

las incluem colunas indicando SPI, I^{2}C e outros métodos de interface.

Ao projetar uma engenhoca com um microcontrolador integrado, há um monte de "preocupações nos detalhes." Poderíamos abordar em várias páginas sobre como se conectar a muitos dispositivos periféricos maravilhosos. Em vez disso, apresentamos uma visita guiada, nas Figuras 15.20 a 15.22, identificada com números de acordo com os tópicos numerados que se seguem. Colocamos uma abundância de referências cruzadas para discussões relevantes em outras partes do livro, juntamente com alguns números de dispositivos selecionados. Dividimos os sessenta itens em três figuras, porque existem muitas coisas que se pode conectar a um microcontrolador: dispositivos que podem ser conectados diretamente ao µC (Figura 15.20); dispositivos que se conectam a um barramento SPI ou seus parentes próximos (Figura 15.21); e dispositivos que se conectam a um barramento I^{2}C (Figura 15.22). Sua qualidade de vida ao programar pode ser melhorada se o seu microcontrolador incluir uma interface integrada para o seu barramento escolhido, como o mostrado na Figura 10.86.

15.8.1 Periféricos com Conexão Direta

A Figura 15.20 mostra um microcontrolador fortemente incrustado com dispositivos que se conectam facilmente a "periféricos internos" padrão, tais como pinos de porta de I/O digital, portas de comunicação serial (UART, USB, Ethernet), ADCs e DACs, saídas PWM e similares. Ela também mostra importantes chips de apoio, tais como controle de energia, *watchdog* e oscilador externo. Em forma de tópicos, coletamos alguns comentários explicativos, números de identificação úteis e referências a discussões relevantes em outras partes do livro.

A. Esboço para a Figura 15.20

1. **Seletor de fonte de alimentação.** Se o sistema funciona a partir de uma bateria, um TCL7673 com dois MOSFETs canal p constitui um bom seletor de alimentação, agindo como uma OR com diodo ideal, que se conecta automaticamente à maior das duas tensões.

2. **Supervisor de alimentação, resete ao energizar, watchdog.**
   Proteção contra falha de alimentação, não deixa que o µC faça qualquer coisa importante se a sua tensão de alimentação for muito baixa; reseta ele. Veja a Seção 10.8.1B e a Tabela 10.6 na página 756. Há uma enorme variedade de opções disponíveis. Dê uma olhada nos CIs de supervisão ADM705 e TPS3306 (que incluem um *watchdog*) e a série ADM691 (que também incorporam um recurso de comutação para bateria de *backup*).

3. **Oscilador do µP.** Interno, consulte as Seções 15.2.1E e 15.9.3. Externo, consulte a Seção 7.1.6 para escolhas e cuidados.

4. **Técnicas de varredura de teclado.** Veja a Figura 15.8.

5. **Escolhas de display de painel.** LED, LCD, CFD, truques. Veja as Seções 10.6.2, 12.5.3, 14.6.

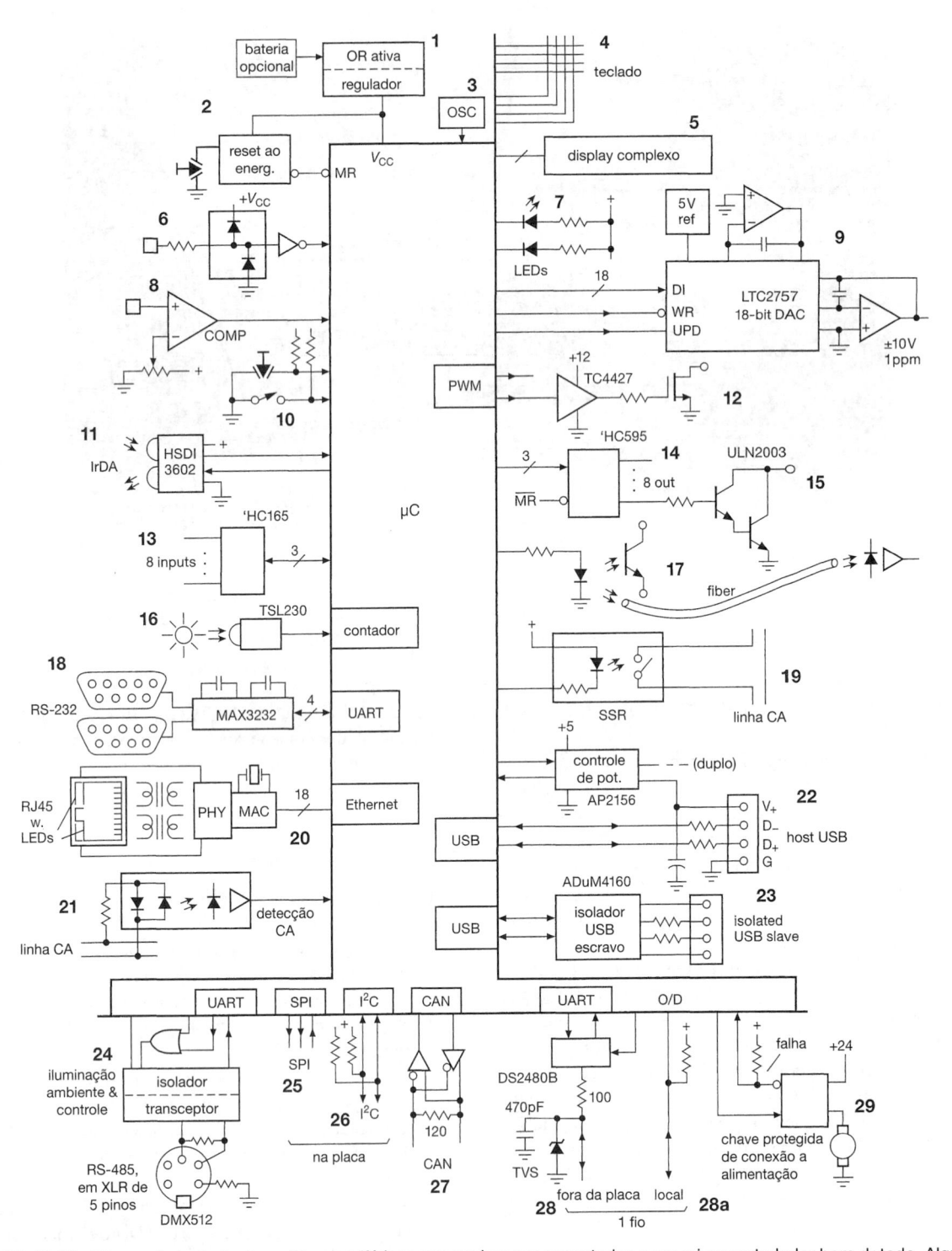

FIGURA 15.20 Uma variedade de dispositivos periféricos que podem ser conectados a um microcontrolador bem dotado. Alguns dos dispositivos exigem circuitos de interface especializados dentro do controlador. Os itens da interface marcados com números em negrito de **1** a **29** referem-se aos parágrafos descritivos na Seção 15.8.1.

6. **Entradas lógicas, externas.** Protegem o µC contra ESD com portas de entrada reparáveis pelo usuário separadas, e o µC programado do instrumento fica protegido; veja a Seção 12.1.5.
7. **LED e saídas indicadoras.** Veja as Seções 12,4, 12.4.5A, 12.5.1.
8. **Detecção de limiar analógico, discriminadores.** Veja as Seções 12.1.7 e 12,3, e a Tabela 12.2 na página 819.
9. **DACs.** Veja as Seções 13.2 e 14.6.2, e Tabelas 13.2 na página 893 e 13.3 na página 894; DAC LTC2757 paralelo de precisão 18 bits e rápido.
10. **Entradas de chaves e botões.** Veja a Seção 12.1.4.
11. **Transceptor infravermelho IrDA.** HSDI-3602.
12. **Chaves MOSFET de potência.** Veja as Seções 3.5, 12,4 e 15,6, e a Tabela 3.4b nas páginas 189 a 191. CIs acionadores de MOSFET, acionadores de porta de MOSFET de níveis lógicos até 12 V, veja a Seção 3.5.3; família clássica TC442x (veja a Figura 3.97 e Tabela 3.8 na página 218). Para PWM ver também a Seção 15.6.2.
13. **Registrador de deslocamento de entrada paralela de 8 bits.** Veja na Figura 12.40 um registrador adequado para uso na placa. 74HC165 (e outros CIs de lógica '165), 35 centavos de dólar, compare com um chip expansor I^{2}C simples de 8 bits ao custo de ~2,30 dólares.
14. **Registrador de deslocamento de saída paralela de 8 bits.** Veja a Figura 12.40, por exemplo, CI lógico 74HC595, 32 centavos de dólar; também confira o 74HC594 e o '567, que têm um buffer duplo. Para chips da SR com acionadores de potência embutidos (por exemplo, TPIC6C595 da TI), consulte a Seção 12.4 e Tabela 12.3.
15. **CIs acionadores de MOSFET e Darlington.** Veja a Seção 12.4. Acione cargas com a venerável matriz de 7 unidades Darlington ULN2003, 33 centavos de dólar, ou com MOSFETs de níveis lógicos individuais, consulte a Tabela 3.4a, na página 188. Alguns outros CIs acionadores úteis incluem ULN2803, SN75468, TPL7407, MC1413, ULN2068 e TD62783.
16. **Sensor de intensidade de luz.** TSL230 da TAOS fornece um sinal de luz-frequência, permitindo medições precisas e fáceis de níveis de luz ao longo de seis décadas. Veja a Figura 12.81.
17. **Isolação óptica.** Veja a Seção 12.7 e os desenhos e números de identificação nas Figuras 12.85 a 12.88. Optoacopladores lógicos comuns, H11L1, HCPL-2201. Enlaces de dados de fibra óptica de longa distância, com conectores, consulte a Seção 12.7 e a Figura 12.98.
18. **Interface serial de comunicação de dados.** RS-232, com níveis de ±7 V; veja a Seção 12.10.4. Use os chips clássicos DS14C88 e DS14C89, ou, para uma operação simplificada em +5 V, o MAX232 licenciado para outros fabricantes, 90 centavos de dólar a partir da TI; ou o MAX3232E com proteção ESD de 15 kV que opera de 3,3 V ou 5 V, 3 dólares. Estes têm 2 Tx e 2 Rx, portanto uma porta mais duas linhas de controle, ou duas portas. Para RS-485, consulte as Seções 12.10.3 e 14.7.8. Um chip transceptor típico é o LTC1485.
19. **Chave de potência CA.** SSR isolado, triac de cruzamento zero ou SCRs em antiparalelo: veja as Seções 12.7, 15.4 e as Figuras 12.91 a 12.93. Disponível como CIs de baixa corrente, por exemplo, o MOC3043 da Fairchild, 80 centavos de dólar, ou como módulos poderosos com terminais de parafuso.
20. **Ethernet.** Processamento do protocolo, transformador acoplado, consulte §14.7.16 e Figura 12.124. Chip fácil de usar, Silicon Labs CP2201, cerca de 4,50 dólares em quantidade de 100. Você também vai precisar de um transformador (por exemplo, PE-36023 da Pulse) e um conector RJ-45. A maioria das pessoas compra estes combinados em uma parte compacta, completa com dois LEDs indicadores, por exemplo, o J00-0065NL da Pulse, 4,75 dólares.
21. **Detecção de alimentação CA.** Para monitorar saídas de relé, fusível queimado, responder a sinais da rede CA. Opto-isolado; veja a Seção 12.7.7 e a Figura 12.94A, por exemplo, o MOC256.
22. **USB.** Suportado por um controlador no µC; veja a Figura 10.86. *Hosts* USB precisam de um supervisor de alimentação com um CL de 500mA, etc., por exemplo, o duplo AP2156 (veja a Tabela 12.5). Clientes USB, consultem as Seções 14.7.13 e 15.9.2.
23. **USB isolado.** ADuM4160, da Analog Devices.
24. **DMX512 para iluminação de ambiente e controle.** Conectores XLR de 5 pinos, a 1200 metros. 250 kbaud (UART no µC), com porta OR para o símbolo "MAB" de concepção do encapsulamento. Isolador e transceptor RS-485, MAX1480 ou MAX3480B, consulte a Seção 12.10.3. Terminação nas extremidades do transmissor e receptor. Eletricista predial: com sorte você vai manusear cabos de par trançado adequados de 120 Ω. DMX512 está sendo substituído por DALI.
25. **SPI.** Interface periférica serial. Há muitas regras de interface diferentes denominadas de SPI; leia a folha de dados do CI com muito cuidado. SPI muitas vezes são implementados como linhas para emulação de hardware via software individuais, e, como tal, SPI pode ser mais de um esquema de interface que um barramento de múltiplos dispositivos. Veja também as Seções 14.7.1 e 15.8.2 (a próxima seção).
26. **I^{2}C.** Interface de chip a chip; multimestre. Dois fios, operação wired-AND de dreno aberto, com resistores *pull-up*; veja as Seções 14.7.2 e 15.8.3. Capacitância máxima de barramento de 400 pF. Ao contrário de SPI, o barramento I^{2}C é bem especificado (e seu uso é rigorosamente controlado) com resultados previsíveis.[39]
27. **Barramento CAN.** Barramento bidirecional de dois condutores, sinalização diferencial; veja a Seção

---

[39] Especificação de barramento I^{2}C, Versão 2.1, Janeiro de 2000 (NXP Semiconductors).

14.7.15. Geralmente um transceptor de barramento CAN é necessário, por exemplo, o AMIS-42673 ou o AMIS-41683 da ON Semi, e (se não for embutido) um controlador baseado em SPI como o Microchip MCP2515.

28. **Barramento de 1 fio.** Alimentação e sinalização de dados bidirecionais em um fio; veja a Seção 14.7.3. Defendido por Dallas, agora Maxim. Transceptor UART DS2480B. USB para 1 fio, DS9490.

28a. Alternativa simples de barramento de 1 fio do µC para chips locais, I/O de dreno aberto e resistor *pull-up*.

29. **Chaves de potência.** Comutação de 60 V, 550 A para a alimentação, protegido, com realimentação contra falhas; veja a Seção 12.4.4 e Tabela 12.5; por exemplo, BTS432, IPS6031.

15.8.2 Periféricos com Conexão SPI

A Figura 15.21 mostra uma variedade de periféricos disponíveis que se comunicam através de um protocolo mestre-escravo serial SPI de 3 fios simples, O barramento SPI[40] (Seção 14.7.1) consiste normalmente em três linhas: um clock (SCLK); entrada de dados (SDI) e saída de dados (SDO'). Mas é preciso haver uma linha de *chip-select* adicional do processador para cada dispositivo escravo; esta é geralmente denominada CS', mas às vezes é chamada de outros nomes como carga (LD) ou habilitação (EN), etc. Este sinal, qualquer que seja o nome, em geral, transfere o conteúdo do registrador de deslocamento de entrada serial do dispositivo para o registrador de dados interno quando CS' é desativado (levado para nível ALTO) após os bits de dados serem deslocados para dentro. Você pode dedicar um pin do µC para o CS' de cada dispositivo, ou você pode economizar alguns pinos usando um CI decodificador 74LVC138 (ou outro '138); veja a Seção 10.3.3D. Além disso, alguns chips periféricos em um barramento podem exigir conexões individuais adicionais para o microcontrolador; por exemplo, para as interrupções, para resetar o dispositivo, etc.

O uso dos nomes dos sinais no SPI pode parecer inconsistente; por exemplo, o pino de entrada de dados (SDI) do controlador está conectado ao pino de dados de saída do dispositivo escravo (que poderia ser chamado DO). Da mesma forma, o pino SDO do mestre está conectado ao DI do escravo. Um esquema melhor é nomear seus sinais inequivocamente como MISO (entrada do mestre, saída do escravo) e MOSI (saída do mestre, entrada do escravo); veja a Seção 14.7.1. Infelizmente, você não vai encontrar esses nomes na maioria das folhas de dados dos dispositivos.

Como dissemos antes (Seção 14.7.1), o "padrão" SPI é muito fragmentado. Por exemplo, em alguns escravos SPI um único pino pode ser usado para o envio de dados em ambos os sentidos. Isto exige que o controlador inverta o sentido de um pino, de modo que possa receber dados de volta no mesmo pino que foi usado para o envio de um comando.[41]

A. Tópicos para a Figura 15.21

30. **Tela tátil.** Digitalizador de posição XY, sensível à pressão; veja a Seção 13.11.2 e a Figura 13.73: AD7873.
31. **EEPROM serial.** Encapsulamento de 8 pinos, Seção 14.4.5B: 25LC080A, AT25080, M24C02 (256 x 8, 9 centavos de dólar em carretel de 2.500 peças).
32. **Acelerômetro.** MEMS de três eixos: ADXL345, MMA7455L da Freescale.
33. **Cartão SD.** *"SecureDigital"*: SD[42], miniSD e alguns cartões de memória microSD; Seção 14.4.5C. Estes cartões se comunicam via SPI padrão, de modo que esta interface consiste simplesmente na tomada, sem eletrônica adicional necessária! Os cartões miniSD e microSD têm conectores de 10 pinos. O pino 1 é o CS'; mas também é "detector de cartão", com um resistor *pull-up* de 50k, para que você saiba que um cartão está conectado. Você coloca o pino 1 em nível baixo para iniciar o modo de comunicação SPI.
34. **Módulos "SparkFun".** Ampla seleção de módulos fáceis de usar com conexões através de pinos que atravessam furos; por exemplo, acelerômetro de três eixos (ADXL335), sensor de taxa de giroscópio de dois eixos (LPY503A), ou magnetômetro de três eixos (MAG3110 ou HMC5883). Veja também módulos Adafruit (adafruit.com), por exemplo, displays gráficos OLED disponíveis em ambas as interfaces SPI e I^2C.
35. **Potenciômetro digital.** DCP, EEPOT; relação precisa (~1%), mas a tolerância global tipicamente é de ~20%; baixa tensão; veja a Seção 3.4.3E; por exemplo, 10 kΩ, 10 bits, MAX5481 de 1024 níveis, 2,60 dólares.
36. **Resistor digital.** Resistência de tolerância 1%, opera até ±16 V; por exemplo, AD5292.
37. **ADCs.** Veja as Seções 13.11, 14.6.2, 14.7 e Tabelas 13.6 a 13.12; por exemplo, LTC2412, AD7927 (Figura 13.74), AD7734.
38. **Capacitor digital.** Informe a faixa e o tamanho do degrau; quartzo FLEcap: MAX1474.
39. **Monitor de alimentação CA.** Incluindo fator de potência, veja a Seção 13.11.1: ADE7753, com µC 8052: ADE7769; precisa de um isolador *iCoupler*, ADuM3260.

---

[40] A AN-877 da Analog Devices é uma nota de aplicação útil, que descreve a utilização do barramento SPI em vários dos seus dispositivos de conversão de alta velocidade.

[41] E é claro que esses dados aparecem nos pinos MOSI dos outros acionadores de barramento. Isso é bastante inofensivo, porque seus pinos de *chip-select* estão desativados; mas é feio.

[42] *SanDisk SD Card Product Family*, *OEM Product Manual*, Tabela 3-2, *Physical Layer Simplified Specification*, Versão 2.00, Capítulo 7.

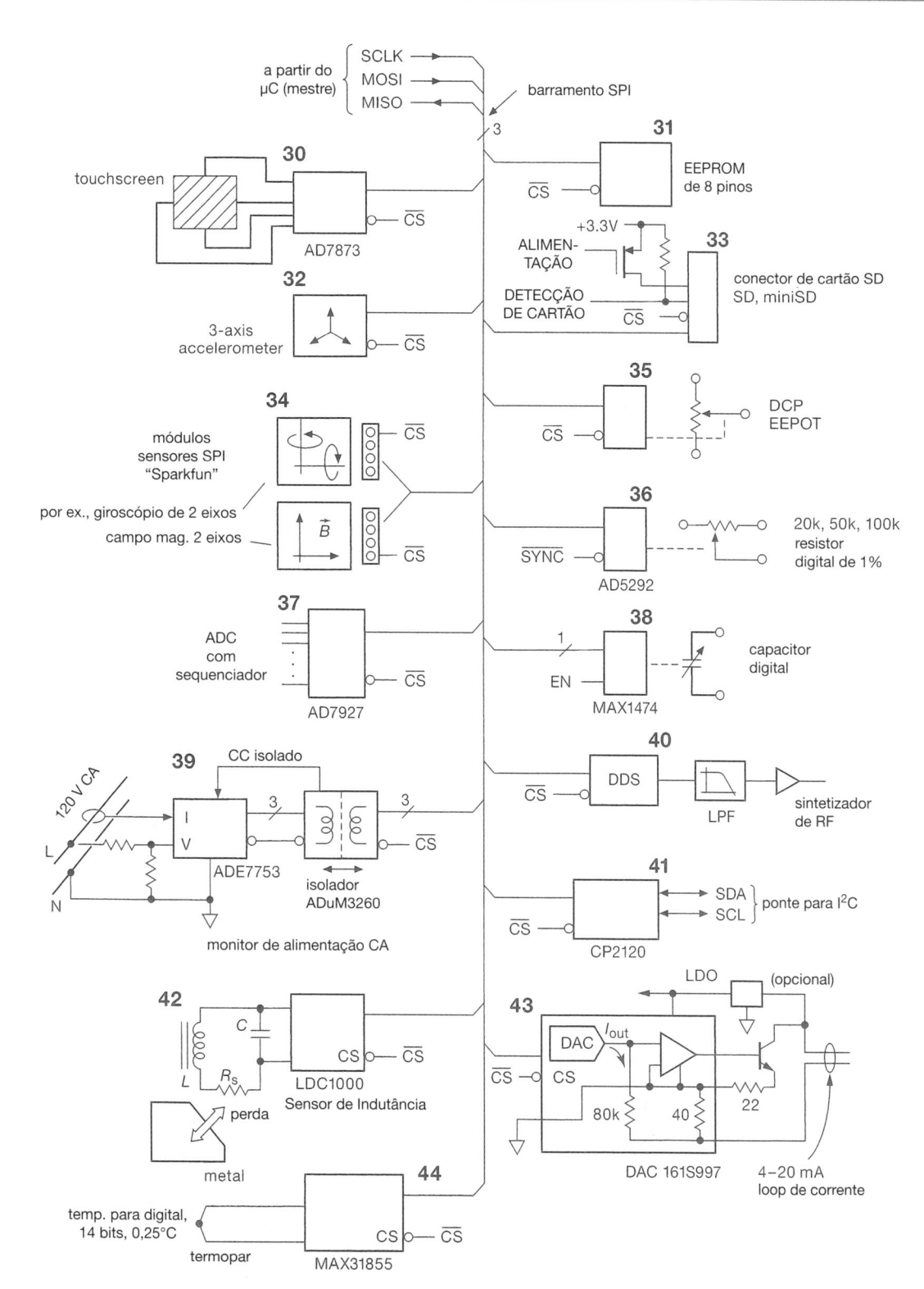

FIGURA 15.21 Uma variedade de periféricos escravos SPI, bem adaptados para aplicações de microcontroladores. As interfaces SPI marcadas com números em negrito, **30** a **44**, referem-se aos parágrafos descritivos na Seção 15.8.2.

40. **Sintetizador de frequência RF DDS.** Veja as Seções 7.1.8, 7.1.9C, 13.13.6 e 6,2 (sobre filtros *LC*); por exemplo, AD9954.[43]
41. **Ponte de SPI para I^{2}C.** CP2120 da Silicon Labs, MCP2S1S da Microchip, SC18IS600 da NXP. Veja também a próxima seção e a Seção 14.7.2.
42. **Sensor de indutância.** Veja a Tabela 13.12. A TI introduziu o primeiro CI sensor de indutância de proximidade, o LDC1000, que detecta indutância e variações de perda em um circuito ressonante *LC* externo. Frequência de operação de 5 kHz a 5 MHz.
43. **Loop de corrente de 4 a 20 mA.** Veja a Seção 14.7.8 e a Tabela 14.3. O DAC161S997 usa um DAC de saída de corrente de 16 bits para programar um sinal de corrente de precisão para o transporte de medidas analógicas em ambientes industriais.
44. **Termopar ADC.** O MAX31855 inclui compensação de junta fria para sete tipos de termopares, e fornece resolução de 0,25°C a partir de −270 a +1372°C. (Compare com o CS5532 da Cirrus, adequado para termopar, mas sem a compensação valiosa; veja a Figura 13.67.)

15.8.3 Periféricos com Conexão I^{2}C

Introduzimos o barramento I^{2}C (por vezes escrito IIC) na Seção 14.7.2, onde as suas vantagens e desvantagens foram descritas com algum detalhe. Para resumir, I^{2}C é um barramento "orientado a pacotes," half-duplex e multimestre, que se destina a comunicação serial chip a chip (I^{2}C significa entre circuitos integrados), com um protocolo de transferência de dados e endereço bem definido.[44] Em comparação com o "barramento" SPI de 3 fios mais linhas individuais de *chip-select*, I^{2}C é um verdadeiro barramento de 2 fios. A transferência de dados ocorre como a seguir: o mestre envia um byte inicial contendo um endereço de 7 bits e um bit de sentido; o escravo endereçado responde com um bit de reconhecimento, após o qual bytes de dados são movidos do remetente ao destinatário. Toda a transação é emoldurada por símbolos de INÍCIO (START) e FIM (STOP) únicos.

I^{2}C é um protocolo mais complexo do que SPI, e exige que cada dispositivo no barramento compartilhado tenha um endereço de 7 bits único. É bem adequado para periféricos com muitos registradores (você pode enviar um endereço de registro como parte do pacote), mas sua natureza half-duplex e *overhead* de endereçamento necessário o torna menos adequado para um fluxo de dados rápido e contínuo. Em geral, a escolha é feita pelo fabricante do periférico; a maioria dos microcontroladores incluem suporte para I^{2}C e SPI.[45]

A. Tópicos para a Figura 15.22

45. **Portas de bits paralelos ("GPIO" – I/O de propósito geral).** Fios definíveis, interrupção: 8 bits, STMPE801; 24 bits, STMPE2401; considere também TCA6416 de16 bits da TI.
46. *Backlight* **de LED.** Acionador de *backlight* (luz de fundo) inteligente, desvanecimento gradual, sensível à luz ambiente: ADP8860, ADP5501, ADP5520 com teclado 4×4.
47. **Relógio de tempo real (RTC).** Por exemplo, o PCA8565 da NXP (0,65 μA em 1,8 a 3,3 V, xtal de 32 kHz, com alarme e temporizador de interrupções), ou o mais extravagante PCF2129 (que inclui xtal e TCXO interno, interface SPI ou I^{2}C selecionável, e uma função agradável de registro temporal para capturar o tempo de um evento (mesmo se o seu μC estiver em estado de espera), o PCF8563 da NXP, e o S-3590A da Seiko são dispositivos populares e disponíveis por menos de um dólar.
48. **Sintetizador de clock.** Veja a Seção 13.13: FS714x da ON-Semi, Si5338 da Silicon Labs para 710 MHz, quatro saídas LVDS, com os níveis de V_{CC} separados.
49. **Acelerômetro de três eixos.** MMA7660FC, 68 centavos de dólar, MMA7455L (modo I^{2}C), ou uma variedade de módulos I^{2}C da Adafruit, como o seu sensor de pressão/temperatura barométrica MPL115A2, ou a unidade de medida inercial L3GD20+LSM-303+BMP180 10-DOF, 30 dólares. Muitos dos números de identificação da Adafruit e da SparkFun correspondem ao número de identificação de CIs sensores montados, que estão disponíveis a partir de distribuidores. Essas identificações tornam fáceis as experiências com estes dispositivos (geralmente SMD pequeno).
50. **EEPROM de 8 pinos.** Veja a Seção 14.4.5B: 24LC2S6 da Microchip (32k×8, 2,5 a 5,5 V, de baixo custo: 76 centavos de dólar), 24AA256 (1,8 V).
51. **Subsistema ADC.** Por exemplo, AD7294: 12 bits, seis entradas (3 sensores de temp, 2 de corrente), quatro saídas, alarmes, (14 dólares), veja a Figura 14.41. O AD7730, destinado para uso com *strain gauges*, balanças, etc., inclui muitas funções (mas usa a interface SPI), veja a Figura 13.75.
52. **CI de posição de motor de passo.** Por exemplo, AMIS-30624 da ON-Semi (opções de controle paralelo e I^{2}C): tem memória de posição, uma tabela de seno

---

[43] A Analog Devices é uma gigante em CIs de Síntese Digital Direta.

[44] Você vai encontrar declarações como essa nas folhas de dados de conformidade de periféricos I^{2}C: "I^{2}C é uma marca registrada da Philips Corp. A compra de componentes I^{2}C a partir de [fabricante] transmite uma licença sobre os direitos de patente do I^{2}C da Philips para usar esses componentes em um sistema I^{2}C, desde que o sistema esteja em conformidade com a Especificação do Padrão I^{2}C, conforme definido pela Philips."

[45] Para controladores sem suporte I^{2}C, você pode usar uma ponte SPI-I^{2}C (Como na Figura 15.21), acionada pelo hardware SPI interno do microcontrolador (se presente) ou emular o hardware via software através de pinos de porta individuais. A ponte cuida da temporização I^{2}C exigente e reversões de sinal *half-duplex*.

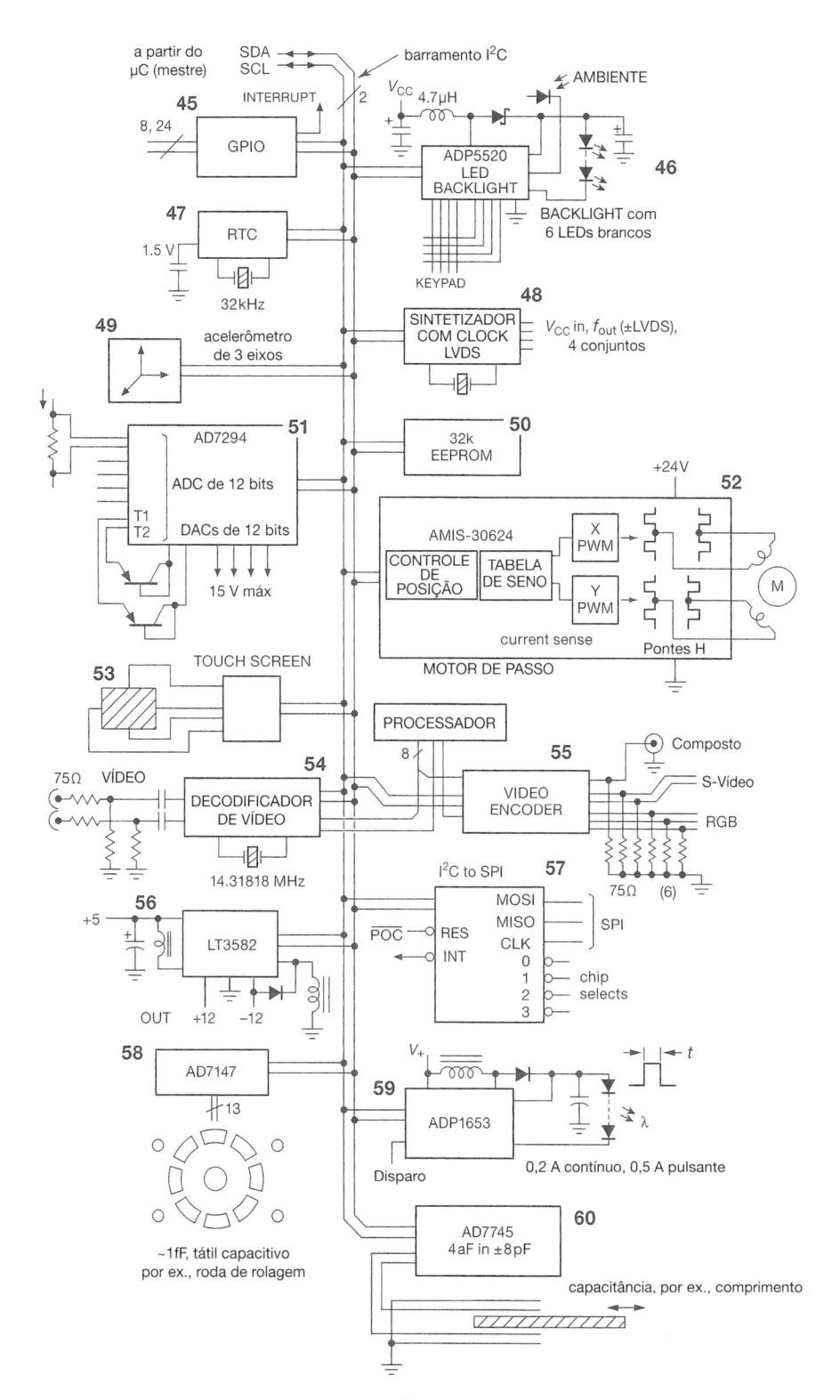

FIGURA 15.22 Uma variedade de periféricos para barramento I²C, bem adequada para aplicações de microcontroladores. As interfaces I²C marcadas com números em negrito de **45** a **60** se referem aos parágrafos descritivos na Seção 15.8.3.

para 1/16 micro passos, rampas de velocidade, duas pontes H, V_S até 29 V, 800 mA, máx.
53. **Tela tátil.** STMPE811 da ST, 1,47 dólar.
54. **Digitalizador de vídeo.** NTSC e PAL composto, S-vídeo, Seção 14.6.2 e Apêndice I; TVP5150 de 8 bits da TI, 4 dólares; TVP5147 duplo de 10 bit de 30 Msps, 5 dólares.
55. **Geração de vídeo.** Veja a Seção 14.6.2: a partir de fluxo de pixel, CS4954 da Cirrus Logic; e para HD, ADV7390-93 da Analog Devices, veja a Figura 14.36.
56. **Alimentação de comutação bipolar.** Veja a Seção 9.6; LT3582 da Linear Technology é programável em 25 mV para mais de ± 12 V (nem todos os componentes necessários são mostrados).
57. **Controlador SPI.** Barramento I^{2}C para ponte SPI; consulte Seções 14,7 e 15.8.2. SC18IS602B da NXP, mestre SPI com quatro linhas de seleção CS'.
58. **Sensor tátil capacitivo.** O AD7147 da Analog Devices fornece sensibilidade de 1 fF em 13 linhas de entrada. Use para fazer teclados tácteis de criação própria, como a roda de rolagem mostrada. STMPE321 (apenas três linhas táteis), 1,30 dólar.
59. **LED de emissão contínua ou pulsante.** O conversor reforçador ADP1653 (nas opções paralelo e I^{2}C) tem corrente programável para 200 mA em emissão contínua, ou com temporização para um pulsante de 500 mA com disparo.
60. **Sensor capacitivo de precisão.** O AD7745 da Analog Devices tem um conversor de 24 bits e fornece resolução 4aF com uma faixa de ± 8 pF, para a medição de posição de precisão, etc. O AD7746 tem dois canais. Veja a Tabela 13.12.

15.8.4 Algumas Restrições de Hardware Importantes

Sistemas de microcontroladores apresentam alguns circuitos inesperados e restrições de temporização com os quais você tem que se preocupar. Aqui estão alguns exemplos que vêm à mente; eles são discutidos com algum detalhe em outras partes do livro, como indicado pelas referências de seção.

A. Tensões de alimentação baixas

A lógica de núcleo de microcontrolador rápido continua a diminuir de tamanho, com tensões de alimentação correspondentemente mais baixas. E microcontroladores, assim como os microprocessadores - seus similares computacionalmente mais hábeis -, são vistos pela fonte CC como degraus de corrente de carga abruptos, passando do estado de espera para a plena corrente em uma escala de tempo de nossegundos. Você precisa de conversores *buck* eficientes ou reguladores POL (*point-of-load*) com baixa impedância de saída e boa resposta ao degrau; e uso liberal de capacitores SMD de desvio.

B. Conversão de nível lógico

Você está comumente lidando com várias tensões de alimentação em uma aplicação embarcada, com alguns requisitos de nível lógico incompatíveis. Veja a Seção 12.1.3 para obter vários detalhes.

C. Temporização de periférico crítica

Alguns periféricos externos de "alta manutenção" exigem grande atenção para temporização. Na próxima seção sobre software, ilustramos isto com o exemplo de um sistema ADC multicanal de alto rendimento (Seção 15.9.2), o que reforça as capacidades de temporização de um microcontrolador de velocidade modesta.

D. Fontes de alimentação CC duplas: bateria e alimentação da rede CA

Dispositivos portáteis operam a partir de baterias internas, geralmente recarregáveis por um adaptador CA. Você precisa de funções de transição perfeita, carga da bateria, proteção e similares.

E. Supervisor de reset

O telefone de mesa de um dos autores falha se os botões são pressionados muito levemente ou muito rápido. Ele trava e tem de ser reiniciado (desconectando a fonte). Isso é uma falha de projeto (tivemos três do mesmo modelo, com o mesmo comportamento), corrigida por um projeto cuidadoso com um *watchdog* e um supervisor de reset. Esta tarefa é complicada pelo uso de várias tensões de alimentação (que apresentam os seus próprios problemas, por exemplo, sequência própria durante a energização e o desligamento). Veja a Seção 10.8.1B.

15.9 AMBIENTE DE DESENVOLVIMENTO

Os cinco exemplos de projetos anteriores dão uma visão rápida da enorme gama de aplicações para as quais microcontroladores são tão bem adaptados. Mas esses dispositivos maravilhosos não farão nada até que você carregue um programa neles. Para isso, você tem que (a) fazer a codificação do programa, e (geralmente) a simulação; (b) carregar o programa no microcontrolador; e (c) verificar e depurar, se necessário (será!), o código carregado. As ferramentas de software e hardware para fazer isso (o "ambiente de desenvolvimento") estão continuamente melhorando. Aqui resumimos a situação atual, aconselhando como sempre que o praticante fique a par do que está disponível e acessível nesta área em que a eletrônica muda rapidamente.

15.9.1 Software

O uso efetivo de microcontroladores requer algum investimento em ferramentas de software (compiladores, montadores, depuradores) que são executados em alguma plataforma de computador. Junto com o custo das ferramentas vem um investimento significativo no tempo para aprender a usá-las. A maior parte da programação contemporânea é feita em C/C++, embora haja um lugar para a programação no nível de linguagem *assembly*.

A. C/C++

É importante perceber que há variações específicas na linguagem C/C++ de cada fornecedor, quando se codifica para um microcontrolador: há bibliotecas que lidam com os periféricos internos (porta SPI, ADC, temporizadores, e assim por diante), e há questões de baixo nível, como a configuração de espaços de memória peculiares.[46] Há complicações relacionadas com a temporização (frequências de clock, taxa de transmissão, intervalos do temporizador), e também com a largura de palavra do processador (8/16/32 bits). A conclusão é que o código que você está escrevendo não é C padrão e, consequentemente, não é tão facilmente transferido de uma família de microprocessadores para outra.[47]

B. Código *Assembly*

Algumas codificações de microcontrolador são feitas em código *assembly* nativo do processador. Isso é algo muito exigente, e geralmente não é o caminho certo a ser tomado quando você está escrevendo um programa que é complicado, com ramificação, controle, funções aritméticas e similares complexos. Mas ele permite que você se aproxime da máquina, com acesso a instruções (tais como operações de bit, ou leitura-alteração-escrita) que são inacessíveis em uma linguagem compilada como C. E enquanto é perfeitamente adequado escrever em código *assembly* para simples aplicações de microcontroladores, você tem que lembrar que tal código é de difícil portabilidade para uma família de processador diferente.

Codificadores de linguagem *assembly* podem escrever *loops* altamente otimizados e códigos de temporização crítica (por exemplo, para um processador digital de sinais); e rotinas de linguagem assembly podem ser chamadas a partir do programa em C quando necessário.[48] Além disso, um programa compilado que se destina a ser executado no modo autônomo (ou seja, sem um sistema operacional), necessariamente irá adquirir algum código assembly de inicialização, inserido pelo sistema de desenvolvimento, que executa tarefas como inicializar a memória e interromper vetores, copiar o código executável da memória não volátil para a memória RAM interna (se assim orientado), e semelhantes. É útil ser capaz de entender este código, especialmente quando se faz a depuração.

C. BASIC

A série BASIC "Stamp", feita pela Parallax, Inc., é composta de pequenas placas de circuitos (do tamanho de um selo) baseadas em torno de variantes de microcontroladores PIC ou Ubicom (anteriormente Scenix), que incluem um interpretador BASIC na ROM interna do μC. Ela também inclui um regulador de tensão, cristal e EEPROM não volátil para o programa de usuário e armazenamento de dados. Eles vêm em SIP de 14 pinos e em DIP de largura de 24 e 40 pinos (0,6" ou 15,2 mm), com preços começando em 30 dólares. Estes módulos incluem coisas como pinos de porta I/O digitais, PWM, porta serial e I^{2}C, suportada por extensões da Parallax[49] para a linguagem BASIC (chamada PBASIC); o código fonte PBASIC não é compilado, mas é armazenado numa forma comprimida ("separado em símbolos"), a partir do qual é executado pelo interpretador no chip. Comandos BASIC típicos ocupam de 2 a 4 bytes, na sua forma comprimida, quando carregado na EEPROM. Como esses dispositivos operam um *interpretador* embutido (em vez de executar o código compilado), eles não são muito rápidos – alguns milhares de instruções por segundo –, mas sua simplicidade os tornou bastante populares.

As pessoas tendem a pensar em BASIC como uma linguagem ineficiente (nos requisitos de velocidade e memória) –, mas, na verdade, existem compiladores BASIC que criam bons códigos assembly que são executados com rapidez. Eles não necessitam de um programa interpretador pré-carregado em tempo de execução, e têm como código destino muitos microcontroladores populares (por exemplo, AVR, PIC, e ARM).[50]

A linguagem BASIC fornece acesso fácil a microcontroladores para o programador sem sofisticação ou iniciante. Outros fabricantes se moveram para este nicho: você pode obter, por exemplo, placas do tamanho de selos, com um

---

[46] A arquitetura 8051, por exemplo, tem espaços de código internos e externos, espaços de dados internos e externos, áreas de bit endereçáveis, e registradores de funções especiais. E, para complicar ainda mais, modernas variantes do 8051 muitas vezes têm alguma memória *interna* "externa"! Os processadores AVR e ARM são consideravelmente mais simples a este respeito; o ARM, em particular, tem um único espaço de endereço "plano".

[47] Existem algumas agradáveis exceções a esta situação complicada, por exemplo, a plataforma *Arduino*, que fornece software simples e bibliotecas que fazem a programação tão fácil (ou talvez ainda mais fácil) do que o exemplar BASIC Stamp.

[48] Porém, uma *nota de advertência* sobre o código assembly embutido dentro de um programa C/C++: compiladores contemporâneos irão "otimizar" o código do programa, considerando que eles sabem mais do que o programador humano; isso pode criar sérios estragos.

[49] Por exemplo, o "BUTTON" remove o repique de um botão de entrada, executa uma repetição automática, e salta para um endereço se o botão estiver em um estado de destino.

[50] Exemplos são GCBASIC (código aberto), Swordfich, Proton PICBASIC, mikroBasic e o compilador PicBasic da MicroEngineering Labs para o PIC; compiladores BASCOM-AVR e GNU para o AVR; OshonSoft para PIC, AVR e Z80; e vários compiladores para a família ARM.

ARM7 de 32 bits que executa um BASIC *compilado*, por 50 dólares (ARMexpress, da Coridium).[51]

D. Java, Python

Alguns microcontroladores, especialmente os que possuem núcleos ARM, incluem algum suporte de hardware para linguagens como Java. E algumas linguagens de script interpretadas foram portadas para microcontroladores. Essas linguagens interpretadas são convenientes para tarefas de alto nível que não são de tempo crítico, como uma interface de usuário; mas seja cauteloso ao contar com elas para temporizar tarefas dependentes, como o controle robótico. Muitas vezes é melhor dedicar um microcontrolador separado para este último, com a programação em tempo real apropriada.

15.9.2 Restrições de Programação em Tempo Real

A programação de um microcontrolador é semelhante à programação de um computador comum, mas com algumas diferenças importantes. Já mencionamos coisas como a necessidade de inicializar "periféricos internos" através de registradores de configuração de função especial, acréscimos de linguagens específicas do fornecedor e o fato de que o código em tempo de execução é muitas vezes apenas um programa autônomo, sem nada parecido com o sistema operacional de costume.

Uma restrição adicional importante em muitas aplicações é a necessidade de se conformar com a temporização crítica. Alguns exemplos são um ADC que deve recolher amostras periódicas com precisão, uma porta serial (USB, por exemplo) cujo sincronismo deve cumprir uma especificação estreita, ou a geração de vídeo analógico.

Quando você não está lidando com uma velocidade vertiginosa, os temporizadores embutidos oferecem uma boa solução: no primeiro caso, você pode usar um dos temporizadores internos do μC, levado a um pino de saída, para disparar o ADC em alguma taxa mais lenta, digamos, 10 ksps; a conversão completa do ADC pode gerar uma interrupção, para que se possa buscar o resultado. Mas se você estiver empurrando os limites de velocidade, pode ter que recorrer uma linguagem *assembly* cuidadosamente codificada, tendo em conta a velocidade de execução do microcontrolador (clocks por instrução). Isso é complicado, e você tem que tomar cuidado para igualar temporizações em ramos e *loops*. E ainda, o código que você gera não é portátil, dependendo da velocidade de clock e do tipo de processador.

Exemplo de temporização: ADC serial de 16 bits

Para ilustrar isso com um exemplo específico, considere o ADC de aproximação sucessiva de 16 bits LTC1609 com

---

[51] Alguns outros microcontroladores programados em BASIC são BasicX (NetMedia), PICAXE (Revolution Education), KicChip, C Stamp (A-WIT Technologies), CUBLOC (comfile Technology), e zbasic (zbasic/Elba).

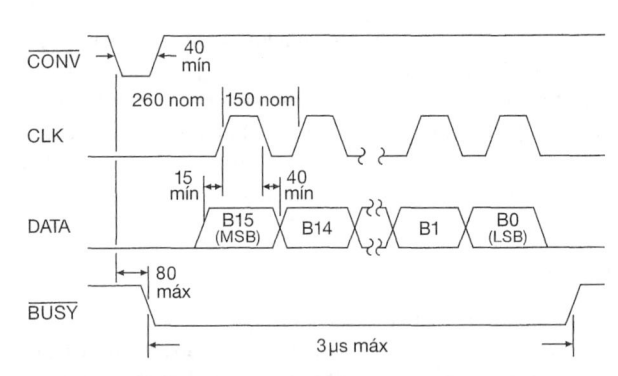

FIGURA 15.23 Temporização de dados seriais do ADC de 16 bits LTC1609 quando operando em "modo de clock interno." Os tempos estão em nanossegundos.

saída de dados serial, que vimos como a extremidade de um sistema de aquisição de dados de 16 canais no Capítulo 13 (Seção 13.12.1, Figura 13.76). Entre outras coisas em sistemas como este, você precisa se preocupar com o ruído digital que contamina a entrada analógica. Para lidar com esse problema, este conversor felizmente oferece vários modos: por exemplo, em "modo de clock interno", ele gera a conversão de pulsos de clock, e você pega os bits serializados voando em sua direção exatamente nos momentos certos; ele é muito rápido para interrupções, então você tem um loop de código altamente restrito. Em outro modo, ele faz a conversão em rajada, enquanto a interface está em "silêncio"; então, você dá clocks nos dados multibit quando o conversor está ocioso.

A Figura 15.23 mostra como ele funciona, no modo de clock interno. Você inicia a conversão com o pulso CONV', após o qual ele lhe dá os dados seriais (MSB primeiro, como acontece com todos os conversores de aproximação sucessiva), juntamente com um clock. Embora a temporização seja bastante relaxada em termos da velocidade do hardware lógico digital padrão (portas e flip-flops), ela exige uma velocidade de processador mínima substancial para trabalhar adequadamente no *software*.

Dê uma olhada no Pseudocódigo 15.6. O *loop* ESPERAR-POR-DADOS tem que completar em 150 ns, o que, como veremos em breve, requer, no mínimo, um processador com um clock de $\sim$30 MHz (com uma instrução por clock, incluindo uma instrução de deslocamento de 16 bits). PICs mais antigos, etc., não são obrigados a aplicar! Note que comandamos a comutação de canais e o ajuste de ganho ("configuração do próximo canal") PGA (amplificador de ganho programável) imediatamente após o início da conversão atual, o que pode parecer contra intuitivo. Mas este é o lugar certo para fazer isso, porque o PGA precisa de 2 μs para estabilizar e o ADC precisa de mais 2 μs para fazer a aquisição da saída do PGA antes de a conversão subsequente ser iniciada. E temos tempo para enviar esses comandos de configuração, já que há um atraso de $\sim$200 ns logo após CONV', antes de o ADC começar a jorrar clocks e dados.

Depois de sair deste *loop*, você tem $\sim$2 μs para fazer alguma coisa com os dados, e qualquer outra coisa que preci-

Pseudocódigo 15.6 Pseudocódigo do loop serial do ADC

Canal
    esperar pelo temporizador
    configurar CONV' em nível BAIXO

    configurar CONV' em nível ALTO
    configurar o próximo canal

Esperar-por-dados
    Se BUSY' em nível ALTO, sair
    Se CLK em nível BAIXO, repita Esperar-por-dados
    obter e deslocar bit de dados na palavra de 16 bits
    repetir Esperar-por-dados

Saída
    armazenar palavra de 16 bits

---

sa ser feita, antes que o conversor esteja pronto para a próxima conversão em sua velocidade máxima de 200 ksps (claro, você está sempre livre para operá-lo mais lento).

Vamos olhar mais de perto o loop de temporização crítica ESPERAR-POR-DADOS, analisando-o passo a passo. Nosso programa tem uma instrução para verificar se ele já obteve todos os bits de dados e outra para ver se um novo bit está pronto (nível ALTO no clock de saída do ADC), uma para obtê-lo e uma para voltar para mais. Considerando um clock de CPU de ciclo único de 30 MHz, este *loop* leva 133 ns. Vamos ver o que acontece conforme o μC pega os dados do ADC com clock a cada 150 ns. Ele pega o primeiro bit em algum lugar no tempo de nível ALTO do clock de 75 ns do ADC, e cerca de 17 ns antes de cada coleta sucessiva. Depois de alguns bits ele está demasiadamente adiantado, passando para o nível BAIXO do clock do ADC; por isso, precisa fazer o *loop* de volta, custando-lhe 66 ns e empurrando-o para perto do final do nível ALTO do clock do ADC de 75 ns. O μC leva mais 33 ns para pegar o bit de dados, se aproximando do final do tempo de manutenção de dados válidos do ADC de 40 ns.

Conforme o μC coleta os 16 bits sucessivos, está tudo esparramado – o que não é uma bela vista. Mas não podemos ver o que acontece; por falta de ter tempo suficiente para adicionar mais duas instruções e produzir um pulso marcador, não há nenhuma maneira de ver pelo lado de fora exatamente quando o processador faz o que faz. Em vez disso, é necessário fazer uma análise cuidadosa do processo de pensamento, uma situação comum com a programação em tempo real e as tarefas sensíveis ao tempo. Neste caso, perceberíamos o que precisa acontecer, e calcularíamos a velocidade mínima de clock do processador a partir da situação de temporização de pior caso. Esta seria quando o clock de saída do ADC fosse testado antes de uma borda de subida; o loop de volta e a leitura levam 100 ns para completar, momento em que o bit de dados tem garantidos apenas 5 ns de vida restante.

Assim, um clock de CPU de 30 MHz aparece marginalmente rápido o suficiente – mas é por um triz. E estaremos em apuros se o período do ADC for mais curto do que o valor "típico" de 150 ns, ou se o seu ciclo de trabalho for inferior a 50%, tornando o seu tempo de nível ALTO 60 ns, digamos, em vez dos 75 ns que assumimos. Para se ter uma margem de segurança melhor, seria necessário um processador mais rápido. Provavelmente melhor, porém, seria adicionar um flip-flop D externo (por exemplo, um 'LVC1G74) com clock na borda de subida de CLK, para capturar cada bit e torná-lo disponível para o μC durante todo o período de clock cheio de 150 ns. Isto nos daria um extra de 35 ns (mais o tempo de atraso do flip-flop de 5 μs). Se você não precisa da velocidade do processador por outras razões, adicionar um único flip-flop para relaxar a frequência necessária do clock da CPU é uma compensação que vale a pena.

Esse exemplo ilustra uma questão de projeto de sistema comum, ou seja, a troca entre software (e ciclos do processador) e hardware. Poderíamos ter utilizado um par de registradores de deslocamento 'LVC595 ou 'VHC595 (ver Seção 10.5.3) para o clock nos 16 bits convertidos do ADC, que o microcontrolador, em seguida, lê em bytes sensatos através de uma porta paralela. Isto reduziria a carga de software para menos de dez instruções a cada 5 μs. Mas (para além da tarefa de codificação) a execução do programa é livre, enquanto que dois chips tomam espaço e dinheiro; eles também monopolizam os pinos de I/O do processador. Por outro lado, se você não tem muito tempo de processador disponível, ou se o seu processador é muito lento, a adição de dois chips faz todo o sentido.

Protocolos seriais padronizados

Para portas seriais padronizadas como UARTs, I^2C, Ethernet ou USB, a melhor abordagem é a utilização de um microcontrolador com hardware interno dedicado. A segunda opção seria uma "ponte" externa que converte entre USB, por exemplo, e uma UART serial padrão (por exemplo, os chips fabricados pela FTDI). A empresa Hardy tem sido conhecida por implementar portas seriais em linguagem *assembly*, mas pode ser uma verdadeira façanha. Um exemplo impressionante é a implementação feita por Paul Starkjohann[52] de uma USB de 1,5 Mbps (versão 1.1) em linguagem *assembly* em um AVR da Atmel operando com um clock de 12MHz, o que exigia precisamente oito instruções por bit serial, durante a qual ele teve que extrair o fluxo de bits a partir do dado codificado em NRZI, completado com inserção de bits e caracteres de fim de pacote. Isto foi usado por Thomas Baier para controlar um gerador de RF DDS, parte de um analisador de rede vetorial completo.

Para além do desafio de conseguir a temporização certa, a comunicação serial via USB envolve muita complexidade do software, na forma de controladores e similares. Você não deve se sentir mal sobre o uso da simples e antiga UART,

---

[52] Veja http://www.obdev.at/products/vusb/index.html e http://www.obdev.at/articles/implementing-usb-1.1-in-firmware.html.

FIGURA 15.24 Os kits de desenvolvimento tornaram mais fácil começar a lidar com uma família de microcontroladores; você os adquire a partir dos fabricantes de chips, ou a partir de fornecedores terceiros. Eles geralmente incluem softwares, cabos e adaptadores de alimentação. No topo estão kits para um ARM da Atmel e um PIC24H da Microchip; no meio estão o PIC24F, o C8051F320 da Silicon Laboratories e o Freescale ColdFire (M52259); em baixo estão o MSP430 da Texas Instruments (dois tipos), o AVR da Atmel (ATmega168), e um kit de desenvolvimento FPGA (Xilinx Spartan-3E, dois tipos). Outros fornecedores além dos fabricantes são Olimex (ARM), Arduino (AVR) e DLP Design (Spartan).

talvez com uma ponte para USB (com controladores fornecidos pelo fabricante).

15.9.3 Hardware

Microcontroladores contemporâneos usam memória interna não volátil (flash) para armazenamento do código de programa, que você carrega (enquanto o μC está no próprio circuito) por um dentre vários métodos. Você costuma fazer o carregamento[53] com um "módulo" comercial (oficialmente chamado de "programador de dispositivo"), que você compra do fabricante do chip ou de terceiros. Se você comprar um kit de desenvolvimento (Figura 15.24), ele irá muitas vezes incluir um módulo de programação, juntamente com o software (para compilação, simulação, montagem e carregamento) e com uma placa de circuito em que há um microcontrolador e outro hardware (digital e portas analógicas, LEDs, uma porta serial, um conector *header* de programação, e talvez algum dispositivo display). Aqui estão os diversos protocolos de carregamento:[54]

A. *Bootloader* de Porta Serial UART

Alguns microcontroladores incluem um código de porta serial interno (na ROM), de modo que eles "acordam ouvindo comandos" de programação na porta serial UART [um serial "*bootloader* (carregador de *boot*)]. Para ativar esse modo, você tem que acionar um ou mais pinos no reset para sinalizar que você deseja programar através do UART e, assim, colocá-lo em modo de programação. Exemplos incluem a série DS89C400 da Maxim-Dallas, alguns AVRs da Atmel e alguns controladores ARM7. A comunicação é através de modos UART serial padrão (geralmente 9600 8N1); no entanto, devido ao microcontrolador aceitar níveis lógicos (unipolaridade), e não o RS-232 de bipolaridade, você tem que usar um chip de interface (como um MAX232) entre o co-

---

[53] Que, confusamente, é chamado de "programação" do dispositivo. Relutantemente usamos esse termo aqui (como sinônimo de "carregamento" neste contexto de hardware), para significar *fisicamente* a programação da memória flash de microcontroladores. Não confundir com a tarefa de programação de software ou escrita do código.

[54] Veja as Secções 14.5, 14.6.4 e 14.7.4 para mais detalhes sobre enlaces seriais de dados UART, SPI e JTAG.

nector de porta serial DE-9 de um PC e o microcontrolador.[55] Você pode, claro, escrever seu próprio código *bootloader* e carregá-lo na memória de código de usuário normal, de modo que um microcontrolador que permite sobrescrever a memória flash pode ser reprogramado através do UART. Com este método, no entanto, você não será capaz de carregar um chip não programado inicialmente através do UART (o método utilizado pelo projeto Arduino).

B. Bootloader de Porta Serial SPI

Alguns microcontroladores (por exemplo, a menor série AVR da Atmel) implementam um *bootloader* através da porta SPI.[56] Módulos de programação contemporâneos conectam o PC *host* via uma conexão USB, substituindo versões anteriores que utilizavam a porta paralela (impressora) ou a porta "COM" serial (RS232). Tal como acontece com os *bootloaders* de porta serial, você tem que acionar um pino durante a inicialização para ativar o *bootloader* SPI. Para os controladores AVR, por exemplo, você aciona o RESET'.

C. *Bootloader* de Porta Serial JTAG

O protocolo serial *boundary-scan* JTAG (Seção 14.7.4), originalmente destinado para o teste e depuração, é usado como um *bootloader* de memória flash por alguns microcontroladores. Os exemplos incluem: AVRs de maior número de pinos, o ARM7, a série C8051F da Silicon Labs e a série MAXQ da Maxim-Dallas. A porta JTAG pode ser uma de várias opções, tal como acontece com os AVRs de grande número de pinos, que permitem o *bootloader* via JTAG ou SPI (bem como a programação paralela).

D. *Bootloader* de Porta Serial Proprietário

Alguns fabricantes de microcontroladores utilizam os seus próprios protocolos seriais simples, que não estão em conformidade com normas como a SPI, I^2C ou JTAG. Pouco importa, no entanto, porque você geralmente usa apenas o módulo de programação adequado, tal como defendido pelo ambiente de desenvolvimento do fornecedor. Alguns dos controladores PIC (Microchip) são programados dessa forma; e para alguns deles você deve aplicar uma tensão elevada (+ 12 V) em um pino denominado V_{PP} (programação de "alta tensão"), enquanto outros permitem que você use tensões de alimentação de nível lógico normais (programação de "baixa tensão").

E. *Bootloader* de Porta Serial USB

Microcontroladores que incluem suporte USB costumam implementar uma opção de *bootloader* USB. Exemplos são alguns controladores da Cypress, e as séries ARM e AVR32UC3 da Atmel, que podem carregar a memória de programa durante a inicialização (*boot*) a partir de qualquer porta USB, JTAG ou UART.

F. Carregamento Paralelo

Finalmente, muitos microcontroladores fornecem uma maneira de programar a memória flash interna através de uma conexão paralela de múltiplos fios. Em alguns casos é necessário aplicar uma tensão mais alta (por exemplo, + 12 V) a um dos pinos; isso às vezes é denominado "programação de alta tensão."

G. Um Módulo de Programação "Universal"?

O projeto "*Bus Pirate*" tem o que parece ser uma grande ferramenta: por 30 dólares você adquire uma pequena peça de hardware de USB-para-qualquer-coisa, com o suporte de código aberto. Você pode abrir um terminal no seu PC e escolher entre 1-Wire, I^2C, SPI, JTAG, serial assíncrona (UART), MIDI, teclado do PC, LCDs HD44780, bibliotecas de genéricos de 2 e 3 fios para protocolos personalizados e emulação de hardware via software em scripts. Você consegue suporte de software para AVR, JTAG e alguma programação serial no próprio circuito de memória flash. Portanto, é útil para "falar" com muitos tipos de chips (não apenas programação de microcontroladores) - por exemplo, quando se depura os protocolos para falar com algum novo chip "inteligente" que precisa de seus modos de operação configurados (passamos muito tempo lutando com um display de LED alfanumérico inteligente; essa coisa teria nos economizado horas). A versão 4 do *Bus Pirate* adiciona alguns recursos (por exemplo, o modo OpenOCD JTAG), e atualmente custa 40 dólares (`http://dangerousprototypes.com`).

H. "Serrando o Galho..."

Geralmente, é possível escolher qual método de programação usar quando o μC suporta vários. No entanto, em controladores onde o *bootloader* pode ser sobrescrito, você pode acabar sobrescrevendo o carregador e, assim, sendo forçado a recorrer à programação paralela. Há outras maneiras, também, para fazer o que chamamos de "serrar o galho em que você está sentado": conseguimos fazer isso com um pequeno chip AVR, quando carregamos um programa que começou por desligar a maioria dos periféricos, *incluindo o SPI*. Isso foi um grande erro, porque desabilitou a única porta disponível para o *bootloader* serial. A programação paralela de alta tensão voltou à terra dos vivos.

Outra maneira de encerrar a sua conversa com um microcontrolador é programá-lo para usar um oscilador externo

---

[55] As portas seriais do PC estão desaparecendo rapidamente: você pode substituir um adaptador USB-RS232, ou melhor, um chip USB-UART como o FT232R; este último corresponde às necessidades de nível de lógico do μC, por isso não é necessário nenhum chip do estilo MAX232.

[56] Que pode ser uma das várias portas *bootloader* no mesmo μC: os dispositivos AVR maiores da Atmel, por exemplo, permitem a programação *bootloader*, quer através de SPI ou JTAG. Além disso, alguns μCs permitem instalar um *bootloader* personalizado na memória flash do μC, que pode fazer *bootload* a partir das portas USB, UART ou Ethernet.

do tipo errado; isto é, um que não corresponde ao hardware real que está conectado (cristal sozinho, ressonador de cerâmica ou sinal de oscilação externa a partir de um módulo de oscilador externo). Alguns microcontroladores protegem contra essa armadilha: os processadores de núcleo 8051 das Silicon Labs e os processadores de núcleo ARM, por exemplo, inicializam em um estado conhecido, operando a partir de um oscilador interno lento; você tem que codificar especificamente qualquer alteração a partir deste padrão. Se você fizer isso errado, basta corrigir o código, e recarregar a partir de uma inicialização a frio.

I. Depuração no Próprio Circuito

Microcontroladores de projetos recentes incluem hardware no próprio chip, o que permite depurar o código durante a execução no próprio circuito, definindo pontos de interrupção, examinando registradores e memória, executando um passo de cada vez (*single-stepping*), e assim por diante. (Isto costumava ser um grande negócio, que exigia chips especiais de processadores equipados com cabos extras, exigindo também esforço considerável de dinheiro.) A depuração no próprio circuito geralmente usa as mesmas portas que você usa para carregar programas; assim você só mantém o módulo de programação conectado e repete o ciclo de depuração-reprogramação até que tudo funcione direito.

Algumas famílias de processadores que atualmente incluem essas características são o AVR da Atmel, os processadores baseados no núcleo ARM, alguns processadores PIC e alguns derivados do 8051 (especialmente os da Silicon Labs).

15.9.4 O Projeto Arduino

Mencionamos o Projeto Arduino, com aprovação, várias vezes neste capítulo. O que, exatamente, é isso?

Nas palavras do site (www.arduino.cc), "Arduino é uma plataforma eletrônica de prototipagem de código aberto baseada em hardware e software flexíveis e fáceis de usar. É destinado a artistas, projetistas, entusiastas e qualquer pessoa interessada em criar objetos ou ambientes interativos... O microcontrolador na placa é programado usando as bibliotecas personalizadas em linguagem C e o ambiente de desenvolvimento Arduino... projetos Arduino podem ser independentes ou podem se comunicar com o software rodando em um computador."

Em *nossas* palavras, o *hardware* Arduino é um conjunto bem concebido de placas de baixo custo, baseado em microcontroladores Atmel (a série AVR ATmega e a série SAM3X ARM Cortex-M), com todos os componentes externos adequados: porta USB (com o chip da FTDI para converter para os pinos seriais do µC), regulador de 5 V, porta SPI, saída PWM, ADC e pinos de I/O digitais, LEDs e alguns componentes adicionais. Você pode comprar a placa padrão (atualmente denominada "*Duemilanove*") montada, por cerca de 30 dólares a partir de fornecedores aficionados como SparkFun; você também pode comprá-lo como um kit ou até mesmo gravar o seu próprio (eles fornecem arquivos CAD em formato Eagle, ou um arquivo de imagem em formato *.png).

O ambiente de desenvolvimento de *software* é de código aberto e livre: é um C desenvolvido, que usa o compilador GNU voltado para os processadores AVR e ARM. O software Arduino é uma simples interface gráfica de usuário (GUI) amigável em torno deste compilador; ele roda em Windows, Mac OS ou Linux, e permite fácil edição de código e gerenciamento de projetos. O firmware Arduino (escrito em C) que é executado no dispositivo inclui um *bootloader* com enlace de comunicação serial USB, e ou faz o *download* de um novo programa do usuário, ou expira depois de um segundo e executa o programa já presente na memória flash (código).

Há uma biblioteca de boas funções em C que você pode chamar a partir de seus próprios programas para fazer coisas como I/O de texto por meio de enlace USB, formatar números para serem impressos, configurar temporizadores e interrupções, etc. Por exemplo, val=analogRead(3) coloca a leitura de tensão no pino analógico 3 na variável val.[57] Muito pouco deste código da biblioteca está vinculado ao hardware Arduino em si, e você pode usá-lo em seus projetos baseados em AVR. Isso funciona bem, porque é totalmente em código aberto e utiliza o compilador de código aberto.

Em conjunto, o Projeto Arduino é simplesmente todos esses componentes trabalhando juntos. Uma métrica interessante de facilidade de uso de qualquer hardware mais IDE de microcontrolador pode ser a seguinte: quanto tempo demora, depois de você abrir a caixa, até que esteja fazendo algo interessante? Para o Arduino, a resposta é "cerca de 20 minutos": faça o download do software, clique com o botão direito para instalar o driver e o mini-IDE da FTDI, abra o programa Arduino, digite quatro linhas e pronto! E você não tem que saber qualquer coisa sobre hardware – a pequena placa é alimentada pelo próprio enlace USB – não precisa de qualquer hardware adicional (exceto por um cabo USB padrão).

Existem produtos sósias do Arduino com características especiais. Muitos usam os mesmos microcontroladores, a mesma pinagem (placa filha) e usam os mesmos compiladores ou similares. Por exemplo a placa "Linduino" da Linear Technology usa seu chip de isolamento USB LTM2884, proporcionando um hub USB 2.0 isolado ou periférico USB (560 V de pico ou 2.5 kV RMS por um segundo), completo com um 5 V CC isolado (até 500 mA). A placa Linduino também tem conector da placa de interface DC590 padrão da LTC, e é especialmente adequada para uso com seus ADCs de alta resolução.

---

[57] Esta facilidade de utilização vem com alguma perda de generalidade, como nas atribuições de pinos.

15.10 CONCLUSÃO

15.10.1 Quão caras são as ferramentas?

As empresas de microcontroladores e produtores terceirizados tornam mais fácil começar. Muitos deles oferecem kits de desenvolvimento enxutos, tipicamente na faixa de 50 a 200 dólares, que consistem em (a) um módulo de programação, (b) uma pequena placa com o microcontrolador e algumas guarnições (LEDs, porta serial, porta USB, I/O analógico e um conector *header* de programação) e (c) software para a compilação, montagem, carregamento e depuração.[58]

O compilador que vem com esses kits pode ser uma versão de "avaliação" gratuita de um compilador mais capaz que você pode comprar. Por exemplo, os kits de baixo custo da Silicon Labs vêm com uma versão limitada das ferramentas de compilador Keil comerciais. É cheio de recursos, mas o limita a 4 KB de código objeto compilado, e não tem a biblioteca de ponto flutuante. Os ilimitados produtos da Keil chegam a ~2,5k dólares, dos quais os usuários educacionais recebem grandes descontos. Da mesma forma, o software da Raisonance (veja a descrição do 8051 na Seção 15.3) está disponível como um download gratuito, também limitado a 4 KB de código objeto, com a versão ilimitada comparável em preço ao produto da Keil. Outra fornecedora de ferramentas de software de alta qualidade é a IAR Systems, com suporte para a maioria das famílias de microcontroladores populares: 8051, ARM, AVR, Coldfire, MAXQ, PIC, H8 e MSP430, entre outros. Outros fornecedores de compiladores e depuradores para sistemas embarcados incluem Green Hills Software, HI-TECH Software, Lauterback e Rowley Associates.

Em um desenvolvimento agradável, a comunidade de código aberto portou o compilador GNU C/C++ para a maioria dos sistemas operacionais, com a capacidade de atingir as famílias de microcontroladores AVR e ARM. Esse software livre, além de um módulo de programação, fornece o caminho de menor custo para programação C de microcontroladores com funcionalidade completa. Outra tendência encorajadora é a crescente aceitação por parte dos fabricantes de semicondutores da necessidade de um bom suporte de software. Tradicionalmente, os fabricantes de chips vêem o software na melhor das hipóteses como um mal necessário, com o qual eles preferiram que outra pessoa se preocupasse; isto felizmente parece estar mudando. Por exemplo, a Atmel integrou as ferramentas de código aberto GNU em seu ambiente Windows para compilação, simulação e depuração no circuito. E o ambiente de desenvolvimento de código aberto Eclipse, da IBM, tornou-se popular, permitindo que fabricantes e usuários criem *plug-ins* para famílias específicas de processadores. Dois exemplos são NIOS *soft-core μC Micrium*, da Altera, e as ferramentas de código aberto da ARM.

É importante perceber que os módulos de programação geralmente não são intercambiáveis em todas as famílias de processadores. Os módulos não são muito caros, então isso não é um problema sério. Em alguns casos, o hardware de programação permite mais de um protocolo de conexão. Por exemplo, o AVR Dragon da Atmel, que se conecta ao host via USB e custa cerca de 50 dólares, permite programar nos modos seriais SPI, JTAG, paralelo e de alta tensão; ele também suporta a depuração no próprio sistema. O módulo ISP AVR mais simples suporta apenas a programação SPI. Módulos de programação também são vendidos por fornecedores terceiros e aficionados, como Olimex Ltd e SparkFun Electronics; você pode encontrar mais fornecedores nas páginas de publicações de aficionados, tais como *Circuit Cellar* ou *MAKE Magazine*.

15.10.2 Quando Usar Microcontroladores

Quase sempre!

Certamente, para sistemas eletrônicos que
(a) têm displays de caracteres ou gráficos como parte de sua interface com o usuário;
(b) incluem chips que requerem configuração de registradores internos ou modos de operação;
(c) comunicam com um computador *host*, periféricos autônomos, rede ou dispositivos sem fio;
(d) requerem alguma computação, armazenamento, conversão de formato, processamento de sinal, etc.;
(e) exigem calibração ou linearização;
(f) envolvem eventos em sequência ao longo do tempo; ou
(g) estão sujeitos a atualizações ou revisões de recursos.

Microcontroladores devem ser considerados até mesmo para tradicionais funções "analógicas", como medição e controle, especialmente com a crescente ênfase em dispositivos internos orientados para analógico em processadores de empresas como a Analog Devices e Cypress.

Dispositivos lógicos programáveis (PLD, incluindo FPGAs), por outro lado, são geralmente preferidos para as tarefas que requerem tempo crítico ou um elevado grau de paralelismo. Eles são, no entanto, consideravelmente mais difíceis do que microcontroladores para programar e depurar. Qualquer sistema com PLD geralmente incluirá um microcontrolador também; e este pode tomar a forma de um núcleo processador *soft* (isto é, configurado a partir dos recursos programáveis na FPGA) ou um núcleo processador *hard* (isto é, pré-conectado dentro da FPGA "híbrida"). Exemplos de FPGA núcleos *soft* são o ARM da Actel, o Nios-Il da Altera, o Mico da Latice e o MicroBlaze da Xilinx; exemplos de processadores pré-conectados em FPGAs híbridas incluem o ARM da Altera, o FPSLIC com AVR da Atmel e o PowerPC da Xilinx.

Outra forma de lidar com as duplas exigências da temporização crítica (por exemplo, em vídeos de tempo real ou aplicações sem fio), juntamente com a necessidade para a versatilidade de um microcontrolador integrado, é a combinação de um produto padrão de aplicação específica (ASSP,

---

[58] Se você quiser ir aos poucos, existem alguns aparelhos de demonstração que lhe permitem programar apenas alguns LEDs; estes geralmente conectam em uma porta USB e custam cerca de 10 dólares. Porém, você não pode fazer muito com eles, e seria melhor usar os kits de desenvolvimento reais.

por exemplo, um decodificador MPEG ou subsistema RF de celular) com um microcontrolador de supervisão.

15.10.3 Como Selecionar um Microcontrolador

Há um benefício real em usar uma família de processadores que as pessoas ao seu redor estão usando, e, portanto, têm disponíveis as necessárias ferramentas de software e hardware, bem como a experiência. Então observe fatores como estes (dependendo da aplicação):

(a) Portas (analógica, digital e de comunicação);
(b) as funções internas (por exemplo, conversores, PWM, acionadores de LCD, etc.);
(c) cálculo de velocidade;
(d) tamanho da memória flash, EEPROM e SRAM;
(e) configurações de encapsulamento;
(f) dissipação de potência, modos de clock de baixa potência e modos de suspensão;
(g) ferramentas de software para programação, simulação e depuração no próprio circuito.

O resumo na Seção 15.3 pode fornecer um bom ponto de partida.

Ao escolher um dispositivo específico dentro de uma família de microcontroladores, as escolhas podem ser irresistíveis. Geralmente é mais fácil começar com um dispositivo "*premium*" na série; ou seja, aquele com o clock mais rápido e uma maior memória de dados (RAM) e de código (flash ROM). Acontece muitas vezes de a maior parte da família ser composta por versões reduzidas de alguns dispositivos *premium*, talvez com periféricos especializados.

Os primeiros microcontroladores foram organizados em torno de um tamanho de palavra de 8 bits, mas agora existem vários controladores de 32 bits. Algumas vantagens deste último (um espaço de endereço plano, instruções mais poderosas) são parcialmente compensadas por considerações como a complexidade da inicialização,[59] preços um pouco mais elevados e familiaridade generalizada com as famílias de processadores de 8 bits.

Mesmo se você codificar tudo em C, a maior parte de seus problemas será específico do microcontrolador: inicializar I/Os e periféricos na placa ao energizar, configurar os "bits fusíveis" (independente do código do programa) que controlam os níveis de tensão e clock, ou lidar com várias páginas de memória e locais de memória peculiares para periféricos e suas configurações. Como resultado, uma arquitetura de microcontrolador simples tem um espaço de memória plana e arquivos de cabeçalho padrão que serão muito mais fáceis de usar.

A qualidade e quantidade de bibliotecas incluídas podem ser muito importantes; por exemplo, as bibliotecas incluídas para TCP/IP, SPI, I^{2}C, etc, fazem com que seja mais fácil programar um microcontrolador Rabit. Esta é também uma vantagem importante para o Projeto Arduino, com a grande comunidade que tem crescido em torno dele, fornecendo códigos. Comentários semelhantes podem ser feitos sobre a importância de escolher um microcontrolador que tem um compilador-depurador estável. Da mesma forma, há um número de vantagens em selecionar uma placa de microcontrolador que seja configurada para rodar o Linux (como a Gumstix Overo, ou a BeagleBoard). Elas vêm com um SO muito estável e *drivers* de baixo nível, têm multitarefa preemptiva nativa, algumas boas vantagens de depuração (uma pode apenas usar SSH ou um terminal serial e ter acesso ao console) e, finalmente, elas têm impressionante hardware (incluindo controladores gráficos de desempenhos razoavelmente altos).

15.10.4 Uma Mensagem de Despedida

No caso de não termos sido completamente evidentes, microcontroladores *são* divertidos! A Figura 15.25 mostra um exemplo maluco, um chapéu de Halloween do Jason Gallicchio de 2004: assemelha-se (não por coincidência) a um coador eletrificado, com LEDs piscando e uma pilha de baterias na parte superior. Sua característica notável, porém, é a capacidade de ler a mente de seu portador. A foto mostra o que acontece quando o interlocutor do portador do chapéu responde à pergunta: "Para qual faculdade você vai?".

FIGURA 15.25 "Este chapéu lê a minha mente."

---

[59] Por exemplo, um periférico ARM precisa de código à beça apenas para ligá-lo, inicializá-lo, conectá-lo aos pinos de I/O corretos, e assim por diante.

REVISÃO DO CAPÍTULO 15

O mais breve dos resumos, do já breve tratamento dos microcontroladores do capítulo 15.

¶ A. Microcontroladores – Vusualização Geral.

Em 1960, as previsões do futuro eram de gente voando em propulsores a jato, viajando em aviões de passageiros supersônicos, e, o mais ousado de todos... *um telefone de botão de pressão em cada casa*! Dito de outra forma, eles extrapolaram as tecnologias que conheciam (transporte, telefones com fio), mas perderam a maior de todas (microeletrônica e, particularmente, microcontroladores embutidos). Não temos os propulsores a jato pessoais, mas temos acesso interativo portátil e instantâneo a notícias, informações e pessoas. Na verdade, nem precisamos dos propulsores a jato!

Microcontroladores (μCs) são processadores independentes com um conjunto completo de periféricos integrados em um único chip de baixo custo (Figura 15.1). Você obtém desempenho computacional substancial (processador de 32 bits, 100 MIPs, sem problema), além de uma variedade de ADCs, DACs, Ethernet, USB, PWM, controlador de LCD, SPI, vários UARTs e temporizadores, e, claro, memória de programa e SRAM internas ao chip, tudo em um único chip por um preço bem abaixo de 10 dólares; veja, por exemplo, o exemplo agora clássico na Figura 10.86, ou dê uma olhada em implementações da NXP do MCU (unidade de microcontrolador) ARM Cortex-M4, por exemplo, a série LPC4088. Microcontroladores são inúteis sem os seus programas de *firmware* armazenados, cuja criação pode ser o grande obstáculo para um projeto bem-sucedido. Assim, junto com a criação de silício com integração e desempenho impressionantes, a indústria tem desenvolvido e simplificado o ambiente de desenvolvimento integrado (IDE) – o processo de desenvolvimento do código inicial, simulação, carregamento para o dispositivo de destino e depuração no circuito.

Para o projetista do circuito, o microcontrolador deve ser pensado como um *componente* de circuito, como um AOP e, por vezes, até mesmo menos dispendioso. Mesmo nas suas variedades mais simples, são particularmente úteis como interfaces entre o utilizador e os outros circuitos (veja por exemplo a Figura 15.5); e em suas variedades complexas podem realizar a maior parte das funções do instrumento (como na Figura 15.18). Neste capítulo, introduzimos o assunto vasto de microcontroladores com alguns exemplos ilustrativos, para dar uma sensação do que é possível; incluímos em cada um o seu *pseudocódigo* correspondente e, para o primeiro exemplo (monitor de bronzeamento), listamos o código em linguagem C detalhado.

¶ B. Famílias Populares de Microcontroladores.

Na Seção 15.3 fornecemos uma listagem com anotações de favoritos contemporâneos. Os tipos dominantes são os dispositivos AVR (Atmel) e PIC (Microchip) mais simples, e a escolha do de maior desempenho são os processadores derivados do ARM imensamente populares (licenciados pela ARM Holdings para mais de uma dúzia de fabricantes de semicondutores). Esses últimos são usados na maioria dos smartphones em todo o mundo. A plataforma Arduino atraente (Seção 15.9.4) inclui computadores de placa única (SBCs – *single-board computers*) AVR e baseados em ARM.

¶ C. Periféricos Externos.

Microcontroladores gostam de puxar as cordas de outros chips, o que é facilmente feito com algumas conexões diretas (Figura 15.20, Seção 15.8.1), ou com barramentos seriais simples entre chips, como SPI (Figura 15.21, Seção 15.8.2) e I^{2}C (Figura 15.22, Seção 15.8.3). As figuras e notas listam e descrevem mais de 50 dispositivos periféricos úteis.

¶ D. Dicas de Projeto (Hardware).

Os cinco exemplos de projeto descritos neste capítulo (monitor de bronzeamento, controle de alimentação CA, sintetizador de frequência, controlador térmico e plataforma mecânica estabilizada) incluem uma abundância de projetos de circuitos, com instruções correspondentes. Aqui estão algumas delas:

(a) A maioria dos μCs incluem ADCs no chip, que são atraentes quando se lida com entradas analógicas; mas não ignore um simples comparador interno ao chip, que às vezes pode promover simplicidade e melhor desempenho (Figura 15.3).

(b) Um bit da porta de saída digital pode felizmente acionar MOSFETs externos ou BJTs diretamente (Figura 15.3) ou com a ajuda de um CI acionador de porta externo (Figura 15.10); ele também pode acionar um relé de estado sólido (Figura 15.4).

(c) Não negligencie a simplicidade da comunicação serial simples RS-232; ela é suportada em todos os μCs, e está viva e bem em laptops e PCs que executam um emulador de terminal e a conectam através de um adaptador USB ou Ethernet (Figura 15.5).

(d) As chaves de botão de pressão podem ser conectadas numa disposição em matriz, para minimizar a fiação (Figura 15.8); elas são lidas com uma consulta de bit na porta digital.

(e) Microcontroladores destinados à detecção e controle permitem que você os conecte diretamente a sensores de nível baixo (Figura 15.11); sua saída PWM fornece uma maneira fácil de implementar o controle proporcional.

(f) A maioria dos μCs incluem ADCs, tornando mais fácil inserir sensores de saída analógica (por exemplo, um giroscópio ou acelerômetro, Figura 15.18). Você pode encontrar uma grande quantidade de pequenos aparelhos deste tipo em sites para aficionados, como sparkfun.com ou adafruit.com.

(g) Uma maneira fácil de começar é com as placas e software Arduino (Seção 15.9.4); abra a caixa e você estará instalando e colocando em operação em 20 minutos.

¶ **E. Dicas de Programação (Firmware).**
Você vai precisar de ferramentas de software específicas de microcontroladores (compilador, montador, simulador, depurador) que são executadas em um PC *host*; e também de um módulo de hardware (Seção 15.9.3) para carregar o código objeto para o µC alvo e para executar as ferramentas de depuração. Você também precisa estar ciente das formas como a programação do microcontrolador difere da programação de um computador comum. Aqui estão algumas dicas:

(a) Existem variações específicas de cada fornecedor em C/C++ que têm a ver com as particularidades de periféricos internos ao chip (portas, temporizadores, conversores, etc.); você não está escrevendo em C padrão.

(b) O código para uma µC deve fazer uma quantidade significativa de inicialização de modos e periféricos internos; é minucioso, e requer dezenas de bytes perfeitamente configurados.

(c) Você precisa muito programar em linguagem *assembly* para tarefas de tempo crítico; em caso afirmativo, atente para compiladores demasiado inteligentes que tentam otimizar se distanciando de seu código.

(d) Os produtos destinados à fabricação devem ser avaliados e aprovados por alguém qualificado em interfaces humanas (veja a Seção 15.2.2E).

(e) Habilitar o *watchdog*! Microcontroladores bem codificados não devem falhar. Mas eles falham.

(f) Manter rotinas de interrupção curta: em um sistema simples você pode não precisar de interrupções.

(g) Temporizadores internos podem gerar sinais em pinos de saída, muito úteis quando você deseja acionar dispositivos externos (por exemplo, um ADC) com intervalos de tempo constantes (e similarmente para periféricos internos ao chip).

¶ **F. Quando Usar Microcontroladores.**
Quase sempre! Certamente, para sistemas eletrônicos que (a) tenham displays de caracteres ou gráficos como parte de sua interface com o usuário; (b) incluem chips que requerem configuração de registradores internos ou modos de operação; (c) se comunicam com um computador *host*, periféricos independentes, redes ou dispositivos sem fio; (d) requerem alguma computação, armazenamento, conversão de formato, processamento de sinal, etc; (e) exigem calibração ou linearização; (f) envolvem os eventos em sequência ao longo do tempo; ou (g) estão sujeitos a atualizações ou revisões de características. Microcontroladores devem ser considerados até mesmo para tradicionais funções "analógicas", como medição e controle, especialmente com a crescente ênfase nas funções internas orientadas para analógicas em processadores de empresas como a Analog Devices e Cypress.

Dispositivos Lógicos Programáveis (incluindo FPGAs, Capítulo 11), em contraste, são geralmente preferidos para as tarefas que requerem tempo crítico, ou um elevado grau de paralelismo. Eles são, no entanto, consideravelmente mais difíceis do que microcontroladores para programar e depurar.

¶ **G. Como Selecionar um Microcontrolador.**
Olhe primeiro para a família de processadores que as pessoas ao seu redor estão usando, e, portanto, têm disponíveis as necessárias ferramentas de software e hardware, bem como a experiência. Então observe fatores como estes (dependendo do aplicativo): (a) portas – analógicas, digitais e comunicação; (b) funções internas (por exemplo, conversores, PWM, acionadores somente de LCD, etc.); (c) calcular a velocidade; (d) flash, EEPROM, e tamanho da memória SRAM; (e) configurações de encapsulamento; (f) dissipação de energia, modos de clock de baixa potência e modos de suspensão; (g) programação de software, simulação e ferramentas de depuração no próprio circuito. O resumo na Seção 15.3 pode fornecer um bom ponto de partida.

A qualidade e quantidade de bibliotecas incluídas podem ser muito importantes (por exemplo, o Projeto Arduino, com uma grande comunidade fornecendo código que tem crescido em torno dele). Da mesma forma, é desejável escolher um microcontrolador que tem um compilador-depurador estável.

Ao escolher um dispositivo específico dentro de uma família de microcontroladores, essas escolhas podem ser irresistíveis. Geralmente é mais fácil começar com o dispositivo "premium" na série, isto é, aquele com o clock mais rápido e com as maiores memórias de dados (RAM) e de programa (flash ROM). Muitas vezes acontece de a maior parte da família consistir em versões reduzidas de alguns dispositivos superiores, talvez com periféricos especializados.

Revisão de matemática   A

Alguns conhecimentos de álgebra e trigonometria são essenciais para a compreensão completa do conteúdo deste livro. Além disso, uma certa capacidade para lidar com números complexos e derivadas (uma parte do cálculo) é útil, embora não seja inteiramente essencial. Este apêndice pretende ser um breve resumo de números complexos e diferenciação, precedido por uma série de fórmulas úteis de trigonometria, exponenciais e logaritmos. Ele não serve como substituto de um livro-texto. Como livro de apoio aos estudos de cálculo, recomendamos *Quick Calculus*, por D. Kleppner e N. Ramsey, Wiley, 2ª edição, 1985.

A.1 TRIGONOMETRIA, EXPONENCIAIS E LOGARITMOS

Aqui está um conjunto de fórmulas úteis:

$$x = \frac{-b \pm \sqrt{b^2 - 4ac}}{2a}$$

é a solução da equação quadrática

$$ax^2 + bx + c = 0.$$

$$\operatorname{sen}(x \pm y) = \operatorname{sen}x \cos y \pm \cos x \operatorname{sen}y,$$

$$\cos(x \pm y) = \cos x \cos y \mp \operatorname{sen}x \operatorname{sen}y,$$

$$\operatorname{sen} 2x = 2 \operatorname{sen}x \cos x,$$

$$\cos x \cos y = \frac{1}{2}\left[\cos(x+y) + \cos(x-y)\right],$$

$$\cos x \operatorname{sen} y = \frac{1}{2}\left[\operatorname{sen}(x+y) - \operatorname{sen}(x-y)\right],$$

$$\operatorname{sen} x \operatorname{sen} y = \frac{1}{2}\left[\cos(x-y) = \cos(x+y)\right]$$

$$e^{x+y} = e^x e^y,$$

$$e^{x-y} = e^x / e^y,$$

$$x^{a/b} = \sqrt[b]{x^a},$$

$$e^{\log_e x} = x,$$

$$\log_e(xy) = \log_e x + \log_e y,$$

$$\log_e(x/y) = \log_e x - \log_e y,$$

$$\log_e x^n = n \log_e x,$$

$$\log_e e^x = x,$$

$$\log_e x = \log_e 10 \log_{10} x \approx 2{,}3 \log_{10} x,$$

$$a^x = e^{x \log_e a}.$$

A.2 NÚMEROS COMPLEXOS

Um número complexo é um objeto da forma

$$\mathbf{N} = a + ib,$$

em que a e b são números reais e i é a raiz quadrada de -1; a é denominado parte real e b é a parte imaginária.[1] Letras em negrito ou sublinhadas onduladas são por vezes usadas para designar números complexos. Isso é algo você já *deve saber*!

Os números complexos podem ser adicionados, subtraídos, multiplicados, etc., assim como os números reais:

$$(a+ib) + (c+id) = (a+c) + i(b+d),$$

$$(a+ib) - (c+id) = (a-c) + i(b-d),$$

$$(a+ib)(c+id) = (ac-bd) + i(bc+ad),$$

$$\frac{a+ib}{c+id} = \frac{(a+ib)(c-id)}{(c+id)(c-id)} = \frac{ac+bd}{c^2+d^2} + \frac{bc-ad}{c^2+d^2} i.$$

---

[1] Os engenheiros eletricistas evitam usar a convenção universal de $i \equiv \sqrt{-1}$, usando, em vez disso, o símbolo j, a fim de evitar a duplicação da utilização do símbolo i (que designa corrente de pequeno sinal). Também fazemos essa substituição neste livro, mas não neste apêndice de matemática.

Todas estas operações são naturais, no sentido de que você acabou de tratar i como algo que multiplica a parte imaginária, e segue em frente com a aritmética comum. Note que $i^2 = -1$ (utilizado no exemplo de multiplicação) e que a divisão é simplificada pela multiplicação do numerador e denominador pelo *conjugado complexo*, o número que você obtém, alterando o sinal da parte imaginária. O conjugado complexo é por vezes indicado com um asterisco. Se

$$\mathbf{N} = a + ib,$$

então

$$\mathbf{N}^* = a - ib.$$

A magnitude (ou *módulo*) de um número complexo é um número real, sem a parte imaginária:

$$|\mathbf{N}| = |a + ib| = \sqrt{(a+ib)(a-ib)} = \sqrt{a^2 + b^2},$$

isto é,

$$|\mathbf{N}| = \sqrt{\mathbf{N}\mathbf{N}^*},$$

simplesmente obtido pela multiplicação pelo conjugado complexo e tomando a raiz quadrada. O módulo do produto (ou quociente) de dois números complexos é simplesmente o produto (ou quociente) de seus módulos.

A parte real (ou imaginária) de um número complexo é por vezes escrito como

parte real de $\mathbf{N} = \mathscr{R}e(\mathbf{N})$,
parte imaginária de $\mathbf{N} = \mathscr{I}m(\mathbf{N})$.

Você os obtém escrevendo o número na forma $a + ib$, em seguida, tomando a ou b. Isto pode envolver alguma multiplicação ou divisão, uma vez que o número complexo pode ser uma verdadeira confusão.

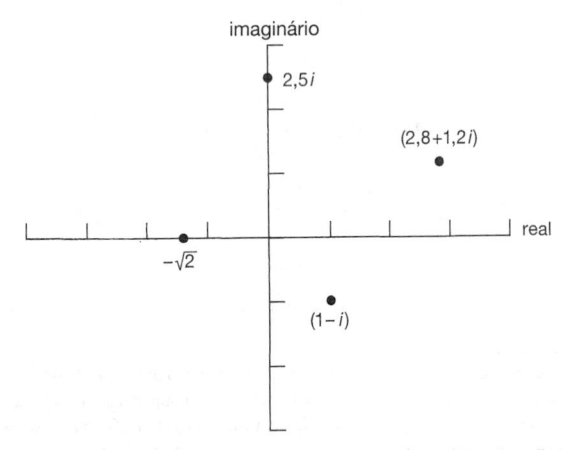

FIGURA A.1 Os números complexos no "plano complexo".

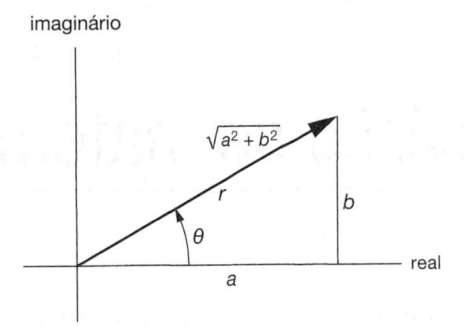

FIGURA A.2 Números complexos, como módulo e ângulo.

Os números complexos são por vezes representados no plano complexo. Ele se parece com um simples gráfico x, y, exceto que um número complexo é representado traçando sua parte real como x e sua parte imaginária como y, como mostrado na Figura A1. De acordo com esta analogia, às vezes você vê os números complexos escrito apenas como coordenadas:

$$a + ib \leftrightarrow (a, b).$$

Assim como com pares comuns x,y, números complexos podem ser representados em coordenadas polares; que é conhecido como representação "módulo, ângulo". Por exemplo, o número $a + ib$ pode também ser escrito como (Figura A.2)

$$a + ib = r\angle\theta,$$

em que[2] $r = \sqrt{a^2 + b^2}$ e $\theta = \text{tg}^{-1}(b/a)$. Isso geralmente é escrito de uma forma diferente, usando o fato surpreendente que

$$e^{i\theta} = \cos\theta + i\,\text{sen}\,\theta.$$

(Você pode deduzir o resultado anterior, conhecido como "fórmula de Euler,[3] por meio da expansão exponencial em uma série de Taylor). Assim temos as seguintes equivalências:

$$\mathbf{N} = a + ib = re^{i\theta},$$
$$r = |\mathbf{N}| = \sqrt{\mathbf{N}\mathbf{N}^*} = \sqrt{a^2 + b^2},$$
$$\theta = \text{tg}^{-1}(b/a),$$

---

[2] Cuidado: a fórmula para θ retorna apenas valores entre $-\pi/2$ e $+\pi/2$; os sinais de a e b, e não apenas o seu quociente, são necessários para um valor correto de θ em todos os quatro quadrantes.

[3] Leonhard Euler, pronunciado como "oiler".

isto é, o módulo r e o ângulo θ são simplesmente as coordenadas polares do ponto que representa o número no plano complexo. A forma polar é útil quando os números complexos têm de ser multiplicados; você só multiplica seus módulos e soma seus ângulos (ou, para dividir, você dividir seus módulos e subtrai seus ângulos):

$$(r_1 e^{i\theta_1})(r_2 e^{i\theta_2}) = r_1 r_2 e^{i(\theta_1+\theta_2)}.$$

Finalmente, para converter de polar para a forma retangular, é só usar a fórmula de Euler:

$$re^{i\theta} = r\cos\theta + ir\,\text{sen}\,\theta,$$

isto é,

$$\mathscr{R}e(re^{i\theta}) = r\cos\theta,$$
$$\mathscr{I}m(re^{i\theta}) = r\,\text{sen}\,\theta.$$

(Estes podem ser utilizados para obter facilmente a soma e a diferença de funções trigonométricas, de modo que você nunca tem que lembrar essas fórmulas incômodas. Basta resolver $e^{i(x\pm y)}$.)

Se você tem um número complexo multiplicando uma exponencial complexa, basta fazer as multiplicações necessárias. Se

$$\mathbf{N} = a + ib,$$
$$\mathbf{N}e^{i\theta} = (a+ib)(\cos\theta + i\,\text{sen}\,\theta),$$
$$= (a\cos\theta - b\,\text{sen}\,\theta),$$
$$+i(b\cos\theta + a\,\text{sen}\,\theta).$$

Ao lidar com circuitos e sinais, o argumento angular θ muitas vezes toma a forma de uma onda em evolução: $\theta = \omega t = 2\pi ft$; Assim, por exemplo, $V(t) = \mathscr{R}e(V_0 e^{i\omega t}) = V_0 \cos\omega t$, etc.

A.3 DIFERENCIAÇÃO (CÁLCULO)

Começamos com o conceito de uma função $f(x)$, isto é, uma fórmula que dá um valor de $y = f(x)$ para cada x. A função $f(x)$ deve ter um *valor único* ou seja, ela deve dar um único valor de y para cada x. Você pode pensar em $y = f(x)$ como um gráfico, como na Figura A.3. A derivada de y em relação a x, escrita como dy/dx ("dê y dê x"), é a inclinação do gráfico de y em função de x. Se você desenhar uma tangente à curva em algum ponto, sua inclinação é dy/dx *nesse ponto*; ou seja, a derivada é ela própria uma função, uma vez que tem um valor em cada ponto. Na Figura A.3 a inclinação no ponto (1,1) passa a ser 2, enquanto que

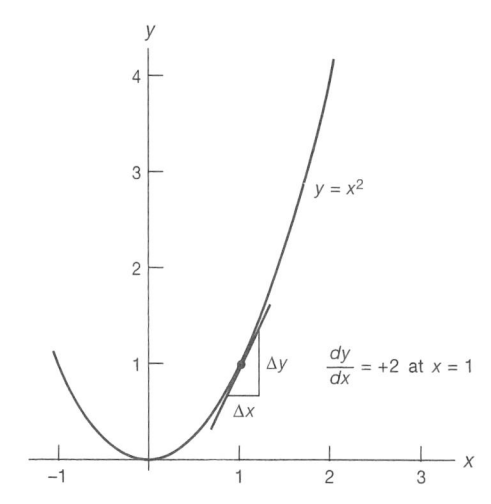

FIGURA A.3 Uma função de valor único: $f(x) = x^2$.

a inclinação na origem é zero (veremos em breve como calcular a derivada).

Em termos matemáticos, a derivada é o valor limite da razão entre a variação em y (Δy) e a variação em x (Δx), conforme Δx tende para zero.

A diferenciação é uma arte simples, e a derivadas de muitas funções comuns são tabuladas em tabelas padrão e calculadas automaticamente em programas como o Mathematica®. Aqui estão algumas regras (u e v são funções arbitrárias de x, e a representa uma constante).

A.3.1 Derivadas de Algumas Funções Comuns

$$\frac{d}{dx}a = 0$$

$$\frac{d}{dx}ax = a$$

$$\frac{d}{dx}ax^n = anx^{n-1},$$

$$\frac{d}{dx}\text{sen}\,ax = a\cos ax,$$

$$\frac{d}{dx}\cos ax = -a\,\text{sen}\,ax,$$

$$\frac{d}{dx}e^{ax} = ae^{ax},$$

$$\frac{d}{dx}\log_e x = 1/x.$$

A.3.2 Algumas Regras para Combinar Derivadas

Aqui $u(x)$ e $v(x)$ representam funções genéricas de x:

$$\frac{d}{dx}au(x) = a\frac{d}{dx}u(x),$$

$$\frac{d}{dx}(u+v) = \frac{du}{dx} + \frac{dv}{dx},$$

$$\frac{d}{dx}uv = u\frac{d}{dx}v + v\frac{d}{dx}u,$$

$$\frac{d}{dx}\left(\frac{u}{v}\right) = \frac{v\frac{du}{dx} - u\frac{dv}{dx}}{v^2},$$

$$\frac{d}{dx}\log_e u = \frac{1}{u}\frac{du}{dx}$$

$$\frac{d}{dx}\{u[v(x)]\} = \frac{du}{dv}\frac{dv}{dx}.$$

A última é muito útil e é denominada regra da cadeia.

A.3.3 Alguns Exemplos de Diferenciação

$$\frac{d}{dx}x^2 = 2x,$$

$$\frac{d}{dx}(1/x^{\frac{1}{2}}) = -\frac{1}{2}x^{-\frac{3}{2}},$$

$$\frac{d}{dx}xe^x = xe^x + e^x \quad \text{(regra do produto)}$$

$$\frac{d}{dx}e^{-x^2} = -2xe^{-x^2} \quad \text{(regra da cadeia)}$$

$$\frac{d}{dx}a^x = \frac{d}{dx}(e^{x\log_e a}) = a^x \log_e a \quad \text{(regra da cadeia)}$$

Depois de diferenciar uma função, muitas vezes você quer avaliar o valor da derivada em algum ponto. Outras vezes, você pode querer encontrar um mínimo ou máximo da função; que é a mesma coisa que ter uma derivada zero; assim você pode apenas definir a derivada igual a zero e calcular o x. Por exemplo, pode facilmente determinar que a inclinação da função representada graficamente na Figura A.3 é igual a 2 para $x = 1$ e que o seu valor mínimo ocorre em $x = 0$ (no qual a sua inclinação é zero).

Como desenhar diagramas esquemáticos

B

Um esquema bem desenhado torna mais fácil entender como um circuito funciona e ajuda bastante na solução de problemas. Um esquema ruim só cria confusão. Ao manter algumas regras e sugestões em mente, você pode desenhar um bom esquema em um tempo que não é maior do que levaria para desenhar um ruim. Neste apêndice damos conselhos de três variedades: princípios gerais, regras e dicas. Também desenhamos alguns bem ruins para ilustrar o que deve ser evitado.

B.1 PRINCÍPIOS GERAIS

- Esquemas não devem ser ambíguos. Portanto a numeração dos pinos, valores dos dispositivos, designadores de referência, polaridades, etc., devem ser claramente identificados para evitar confusão.
- Um bom esquema torna as funções do circuito claras. Portanto, mantenha as áreas funcionais distintas; não tenha medo de deixar áreas em branco na página, e não tente preencher a página. Há maneiras convencionais para desenhar subunidades funcionais; por exemplo, não desenhe um amplificador diferencial como na Figura B.1, porque a função não será facilmente reconhecida. Da mesma forma, flip-flops são geralmente desenhados com clock e entradas à esquerda, SET e CLEAR na parte superior e inferior, e as saídas à direita.

B.2 REGRAS

- As conexões entre fios são indicadas por pontos escuros e visíveis; fios que se cruzam, mas não são conectados, não têm ponto (não use aquele pequeno semicírculo, extinto em 1950).
- Quatro fios não devem se conectar em um ponto; ou seja, os fios não devem ter cruzamentos *e* conexões. Às vezes essa regra é violada, mas não é uma boa prática (porque um ponto ausente ou demasiado pequeno é um circuito diferente).
- Use sempre o mesmo símbolo para o mesmo dispositivo; por exemplo, não desenhe flip-flops de duas maneiras diferentes (exceção: os símbolos lógicos de níveis de ativação mostram cada porta de duas maneiras possíveis).

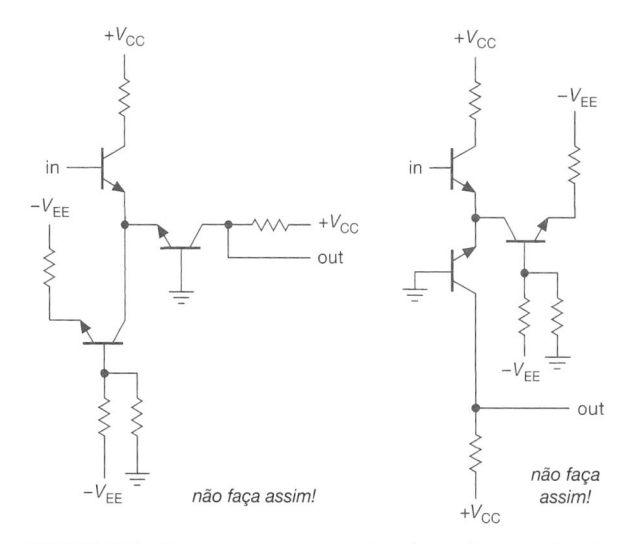

FIGURA B.1 Organize os componentes de modo que a função (aqui um amplificador diferencial) seja clara. Não corrompa a apresentação para economizar espaço.

- Fios e componentes estão alinhados horizontalmente ou verticalmente, a menos que haja uma boa razão para fazer o contrário.
- Coloque a identificação de números de pino do lado de fora de um símbolo e os nomes de sinais do lado de dentro.
- Todas as partes devem ter valores ou tipos indicados; também é melhor que todos os dispositivos sejam identificados ("ref desenho"), por exemplo, R_7 ou U_3.

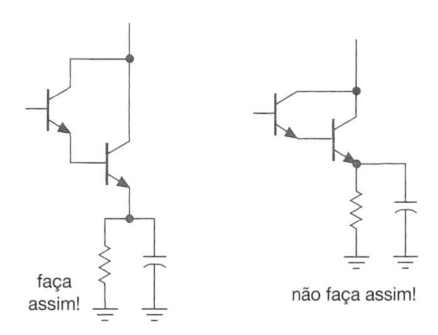

FIGURA B.2 Faça os pontos de conexões e as ligações fora dos símbolos dos componentes.

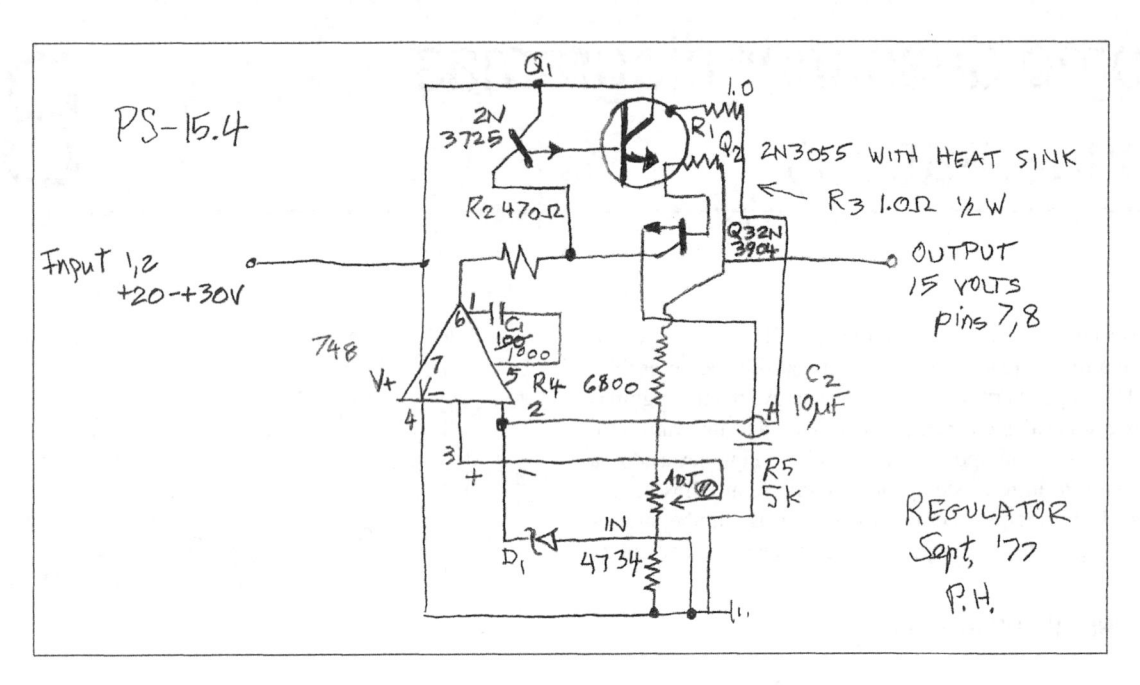

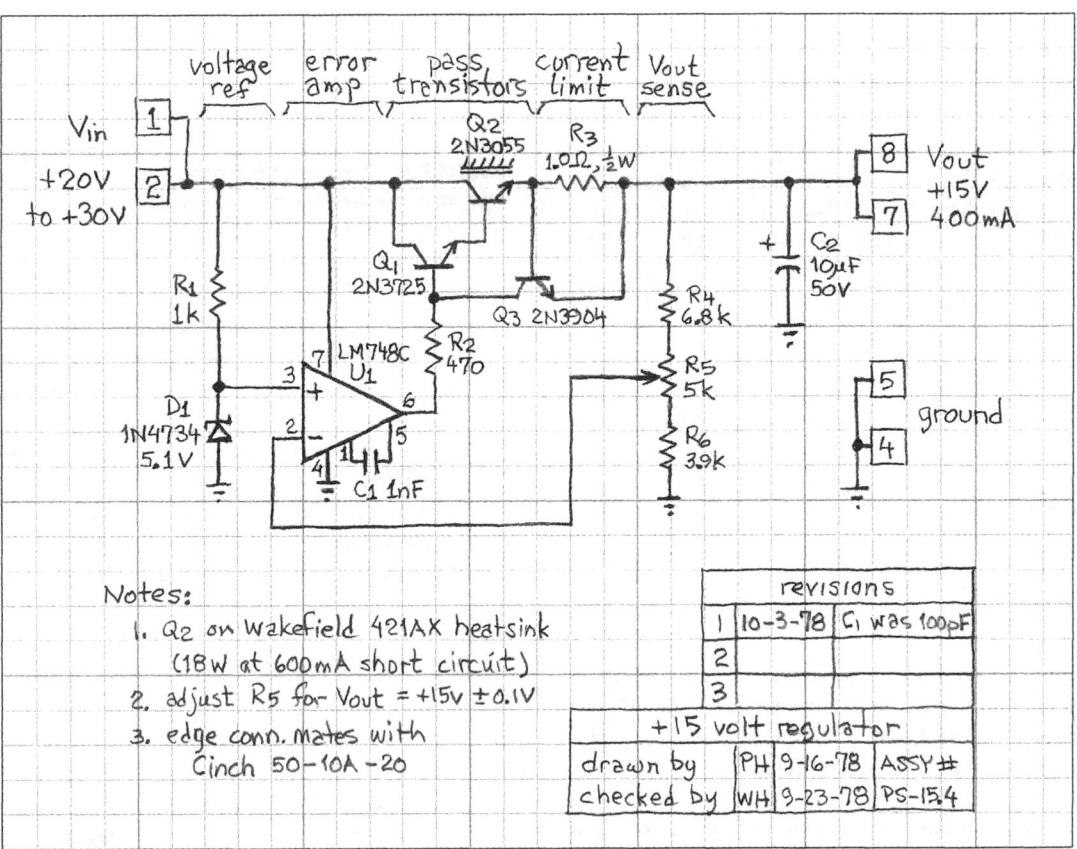

1102 Apêndice B Como desenhar diagramas esquemáticos

FIGURA B.3 Um desenho bom (talvez bom demais) sobre "papel da engenharia", e um muito ruim. Adivinhe qual é qual.

B.3 SUGESTÕES

- Identifique os dispositivos imediatamente adjacentes ao símbolo, formando um grupo distinto contendo símbolo, identificação e o tipo ou valor.
- Em geral, os sinais vão da esquerda para a direita; não seja radical nisso, privilegia a clareza sempre.
- Coloque as tensões de alimentação positivas no topo da página e as negativas na parte inferior. Assim, transistores *npn* normalmente terão seu emissor na parte inferior, enquanto que os tipo *pnp* terão seu emissor na parte superior.
- Não tente colocar todos os fios ao redor aos trilhos de alimentação, ou do fio terra comum. Em vez disso, use o símbolo de terra e as identificações como + V_{CC} para indicar essas tensões, quando necessário.
- É útil identificar os sinais e os blocos funcionais, bem como mostrar as formas de onda; em diagramas lógicos é especialmente importante identificar as linhas de sinal, por exemplo, RESET' ou CLK.
- É útil fazer os pontos de conexões ou ligações fora dos símbolos dos componentes (a uma certa distância). Por exemplo, desenhe transistores como na Figura B.2.
- Deixe algum espaço em torno de símbolos de circuito; por exemplo, não desenhe componentes ou fios muito perto do símbolo de um AOP. Isso mantém o desenho organizado e deixa um espaço para identificação, números de pinos, etc.
- Identifique todas as caixas que não são óbvias: comparador *versus* AOP; registo de deslocamento *versus* contador, etc. Não tenha medo de inventar um novo símbolo.
- Use pequenos retângulos, ovais ou círculos para indicar conexões de cartão de borda, pinos de conector, etc. Seja consistente.
- O percurso do sinal através de chaves deve ser claro. Não force o leitor a seguir fios por toda a página para descobrir como um sinal é comutado.
- As conexões da fonte de alimentação são normalmente implícitas para AOPs e dispositivos lógicos. No entanto, mostre quaisquer conexões incomuns (por exemplo, um amplificador operacional operando a partir de uma fonte simples, onde V_ = terra) e a disposição de entradas não utilizadas.
- É muito útil incluir uma pequena tabela dos números de circuitos integrados (CIs), tipos e conexões de fonte de alimentação (números de pinos para V_{CC} e terra, por exemplo).
- Inclua uma área de título na parte inferior da página, com o nome do circuito, o nome do instrumento, quem fez o desenho, quem projetou ou verificou, a data e o número da montagem. Também inclua uma área de revisão, com colunas para o número da revisão, data e assunto.
- Recomendamos o desenho de esquemas à mão livre em papel quadriculado (linhas de grade suaves, duas por centímetro), ou em papel comum sobre um papel de gráfico. Isso é rápido e dá resultados muito bons. Use lápis escuro (nós gostamos de dureza HB, 0,5 mm de diâmetro) ou caneta; evite esferográfica ou caneta de ponta porosa.

B.4 UM EXEMPLO SIMPLES

Como exemplo, desenhamos um circuito simples (Figura B.3) mostrando dois esquemas, um "terrível" e outro "bom," do mesmo circuito; o primeiro viola quase todas as regras e é quase impossível de entender. Veja quantos maus hábitos pode encontrar neste esquema. Temos visto todos eles em esquemas desenhados por profissionais!

C
Tipos de resistores

C.1 UM POUCO DE HISTÓRIA

Durante meio século as pessoas usaram resistores com terminais: se você olhar para dentro de um rádio muito antigo (antes ∼1950), verá objetos cilíndricos coloridos com alguns pontos coloridos pintados sobre eles, e um fio enrolado em torno de cada extremidade que sai perpendicularmente ao eixo ("terminais radiais"). Estes resistores de composição de carbono evoluíram para os resistores padrão de "terminais axiais" (ainda cilíndricos, mas com listras coloridas ao redor do corpo e com os terminais agora saindo de cada extremidade) que dominaram a última metade do século 20 (e que recomendado para aplicações não críticas em nossas edições de livros anteriores). Resistores de terminais axiais ainda são populares para algumas aplicações, como as que usam *protoboards* no laboratório. Eles também são usados em aplicações que requerem resistência muito alta (≥ 100 MΩ), ou de especificações de tensão ou potência elevadas, ou para os resistores de precisão muito elevada.

No entanto, a eletrônica contemporânea tem abraçado encapsulamentos de montagem em superfície pela sua alta densidade (dispositivos SMT são *pequenos*, e você não tem que ocupar espaço com furos para os terminais). Resistores de montagem em superfície, assim como com outros componentes SMT de dois terminais (capacitores, indutores), estão disponíveis em uma variedade de tamanhos de encapsulamento, caracterizados por um código de quatro dígitos que informa comprimento e largura em unidades de 0,010"; por exemplo, um encapsulamento "0603" é de 0,06" x 0,003" (1,5 mm x 0,75 mm). Somos a favor deste tamanho ou o encapsulamento maior 0805 para prototipagem em geral de circuitos de montagem em superfície. Os encapsulamentos menores (0402, 0201, e até mesmo "01005") são bem difíceis de manipular – você basicamente tem que trabalhar com um microscópio (e não espirrar).

C.2 VALORES DE RESISTÊNCIA DISPONÍVEIS

Você não consegue todos os valores de resistência antiga. As resistências disponíveis se encontram no que é chamado de Década Padrão EIA, nomeado pelo número de valores por década (assim E24 – usado para resistores de tolerância de 5% – tem 24 valores, com espaçamento de cerca de 10%; veja a seguir). Resistores com tolerância de 1% são muito baratos atualmente, custando pouco mais do que um resistor análogo de 5%,[1] assim você pode muito bem usar resistores de 1% como padrão. Eles vêm no conjunto E96 de valores padrão (96 valores por década, com espaçamento de cerca de 2%; assim, 481 valores de 10 Ω a 1 MΩ, veja a seguir). Resistores de maior precisão (por exemplo, 0,1%) estão, por vezes, disponíveis no super conjunto **E192**,[2] e em valores inteiros convenientes (por exemplo, 250, 300, 400 ou 500) que não estão incluídos nas sequências EIA.

Aqui está o conjunto de valores **E24** de "5%" (o subgrupo **E12**, usado para componentes de 10%, é mostrado em **negrito**):

10	16	**27**	43	**68**
11	**18**	30	**47**	75
12	20	**33**	51	**82**
13	**22**	36	**56**	91
15	24	**39**	62	**100**

E aqui está o conjunto **E96** de valores de "1%" (o conjunto **E48**, usados para componentes de 2%, ou para um conjunto reduzido de dispositivos de 1%, está em **negrito**):

100	137	**187**	255	**348**	475	**649**	887
102	**140**	191	**261**	357	**487**	665	**909**
105	143	**196**	267	**365**	499	**681**	931
107	**147**	200	**274**	374	**511**	698	**953**
110	150	**205**	280	**383**	523	**715**	976
113	**154**	210	**287**	392	**536**	732	
115	158	**215**	294	**402**	549	**750**	
118	**162**	221	**301**	412	**562**	768	
121	165	**226**	309	**422**	576	**787**	
124	**169**	232	**316**	432	**590**	806	
127	174	**237**	324	**442**	604	**825**	
130	**178**	243	**332**	453	**619**	845	
133	182	**249**	340	**464**	634	**866**	

---

[1] Por exemplo, o catálogo da Digi-Key mostra uma seleção completa de resistores de montagem em superfície da série CRCW da Vishay/Dale, em tamanhos desde 1210 até 0201. Para o tamanho 0603, os preços atuais para resistores de 1% e 5% são de 2,5 centavos de dólar e 2,3 centavos de dólar cada, respectivamente, em quantidades de 200. (Você vai pagar cerca de três vezes esse valor em quantidades de 10, e cerca de um quinto, em uma bobina completos de 5.000 resistores.)

[2] O conjunto completo E192, juntamente com subconjuntos, está disponível em http://www.logwell.com/tech/components/resistor_values.html.

C.3 MARCAÇÃO DE RESISTÊNCIA

Resistores com terminais podem ser marcados de duas maneiras: (a) com um conjunto de quatro ou cinco faixas de cores, indicando a resistência e tolerância; ou (b) com um código de resistência de 4 dígitos, seguidos por uma letra que indica a tolerância. Resistores de montagem em superfície utilizam um (a) um código de resistência de 3 ou 4 dígitos, ou, para os menores tamanhos de encapsulamentos, (b) nenhuma marcação!

Embora possa parecer confuso para o iniciante, a prática de bandas de cor faz com que seja fácil de reconhecer valores de resistência em um circuito ou caixa de componentes, sem ter que procurar uma legenda impressa. Cada cor corresponde a um dígito, em um tipo de formato de ponto flutuante (com o último dígito indicando a potência de dez); a última faixa de cor significa a tolerância.

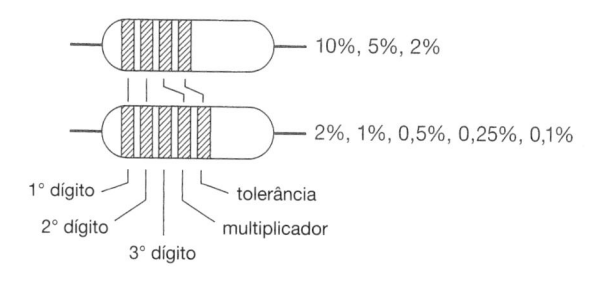

cor	dígito	multiplicador	tolerância	(sufixo tol.)
preto	0	1	–	
marrom	1	10	1%	F
vermelho	2	100	2%	G
laranja	3	1k	–	
amarelo	4	10k	–	
verde	5	100k	0,5%	D
azul	6	1M	0,25%	C
violeta	7	10M	0,1%	B
cinza	8	–	0,05%	A, W
branco	9	–	–	
ouro	–	0,1	5%	J
prata	–	0,01	10%	K
(nenhum)	–	–	20%	M
			0,02%	N, Q, P
			0,01%	T, L
			0,005%	V
			0,0025%	X
			0,002%	U
			0,001%	S

FIGURA C.1 Código de cor de resistor, usado em alguns resistores de terminais axiais (especialmente dos tipos de filme de carbono e composição de carbono). A resistência é lida como um número inteiro de 2 ou 3 dígitos (dependendo da precisão do resistor) seguido por uma banda que indica o multiplicador de potência de 10. Por exemplo, amarelo-violeta-laranja-ouro é de 47 kΩ ± 5%, e amarelo-branco-branco-preto-marrom é 499 Ω ± 1%. O sufixo tolerância alfabética é usado em resistores com valores numéricos de resistência impressos.

Veja a Figura C.1. Resistores com marcações numéricas usam o mesmo sistema, mas com os dígitos impressos ao longo do corpo do resistor (para resistores com terminais), ou no lado superior de um encapsulamento de montagem em superfície; uma letra final significa a tolerância, como mostrado na figura.

C.4 TIPOS DE RESISTORES

As escolhas habituais para uso geral são dispositivos de filme metálico (terminal axial) ou (de montagem em superfície). Resistores de montagem em superfície de filme fino oferecem características melhoradas (precisão, estabilidade e capacidade de operar em ambientes criogênicos). Para aplicações de potência costumamos usar resistores de fio enrolado, seja em um pacote de cerâmica refrigerado a ar ou um encapsulamento de metal refrigerado a condução ("tipo Dale"). Resistores de alto valor (> 10 MΩ, por exemplo) são geralmente de construção de óxido metálico (por exemplo, "Mini-Mox" ou "Super Mox" da Ohmite, ou a série RNX da Vishay). Resistores de filme não são tolerantes com alta potência de pico; para tais aplicações use algo como cerâmica ou composição de carbono, ou outros estilos especificados para uso da potência de pico. Para o máximo de estabilidade e baixo coeficiente de temperatura, você não consegue superar os excelentes tipos de metal de folha da Vishay. Eles exploram um design inteligente, em que o coeficiente de temperatura positivo do elemento de metal resistivo (firmemente ligado a um substrato isolante) é cancelado pelo coeficiente de temperatura negativo induzido por deformação causada pela expansão diferencial do substrato.[3] Listamos algumas propriedades comparativas de resistores na Tabela C.1.

Resistores de propósito geral são muito baratos – resistores de filme de montagem em superfície custam alguns centavos cada um, em pequenas quantidades, e apenas frações de um centavo cada um em quantidades de rolos completos (5.000 peças, para tamanho 0603). Os distribuidores podem não estar dispostos a vender menos de 25 a 50 peças de um valor; assim, uma caixa de variedade (por exemplo, a partir Yageo ou Vishay/BC) pode ser uma compra inteligente. Particularmente gostamos da embalagem e dos bons preços dos kits da SMT Zone (www.smtzone.com).

C.5 CONFUSÃO

As marcações nos componentes devem ser claras e inequívocas. Mas nem sempre é assim! Veja a Figura 1.130 para algumas identificações confusas, tanto para resistor quanto outros dispositivos.

---

[3] Confira: patente americana de 1982 de Felix Zandman, *Precision resistor with improved temperature characteristics* (resistor de precisão com características de temperatura melhoradas).

TABELA C.1 Tipos de resistores selecionados

Parâmetro	composição de carbono (RC-07)	filme espesso SMT-0603 (CRCW da Vishay)	filme fino SMT-0603 (Super RN73da KOA)	filme metálico axial (RN-55D)	folha metálica SMT (VSMP da Vishay)	Unidades
Tolerâncias	5%, 10%	1%, 5%	0,05%-1%	0,1%-1%	0,01%-1%	$\Delta R/R$
Coef. temp.	~1000	100, 200	5, 10, 25, 50, 100	50, 100	0,05 (typ)	ppm/C
estabilidade	10%	2%	0,25%	0,5%	0,01%	$\Delta R/R$
Umidade	10%	2%	0,5%	0,5%	0,02%	$\Delta R/R$
Ciclo térmico	2%	2%	0,25%	0,25%	0,01%	$\Delta R/R$
Baixa temp.	3%	-	-	0,25%	0,01%	$\Delta R/R$
Sobrecarga	2%	0,5%	0,1%	0,25%	0,01%	$\Delta R/R$
Soldagem	3%	0,5%	0,1%	0,25%	0,01%	$\Delta R/R$
Vibração	2%	-	-	0,25%	-	$\Delta R/R$
Coef. tensão	-	-	-	5	0,1	ppm/V
autoaquecimento	-	-	-	-	5ppm	$\Delta R/R$
Preço (aprox.)	$0,35	$0,025	$0,32	$0,05	$10	cada, quant.
(para tol. e CT)	(5%)	(1%, TC=200)	(0,1%, TC=25)	(1%, TC=100)	(0,01%, TC=0,05)	100

Propriedades de tipos de resistores selecionados. Os lendários resistores de "composição de carbono" de terminais axiais foram substituídos pelos tipos baratos de filme metálico (ou filme de carbono), com propriedades muito melhoradas (exceto a tolerância de pico de potência) Gostamos dos resistores de filme metálico CMF-55 da Vishay (versão industrial do RN-55D da MIL). Para a maioria das aplicações de montagem em superfície os tipos "filme grosso" (um composto de metal-cerâmica) são excelentes, apesar dos resistores de filme fino e filme metálico terem propriedades um pouco melhores. O extraordinário resistor hermeticamente fechado de ultraprecisão "Z-foil" da Vishay é listado para mostrar o que de melhor está atualmente disponível (mas se você tiver que perguntar o preço, provavelmente não poderá pagar por ele). É interessante notar que um parâmetro como um coeficiente de tensão de 5 ppm/V corresponde a uma variação de 0,1% ao longo de um intervalo de funcionamento completo de 200 V.

Teorema de Thévenin D

No Capítulo 1 enunciamos (mas não "provamos") o Teorema de Thévenin, que diz: qualquer rede de dois terminais cujo circuito interno consiste unicamente de resistores, baterias e fontes de corrente, interligados de alguma forma, é equivalente (e indistinguível) a partir de a rede de dois terminais que consiste de uma única bateria V_{TH} em série com uma única resistência R_{TH};[1] Veja a Figura D.1 Não provamos isso, porque, no espírito deste livro, não *provamos* nada; em vez disso, mostramos como projetar circuitos. Vamos fazer uma exceção aqui, porque é bom ver *algo* provado, certo?

D.1 A PROVA

Para elementos do circuito lineares (aqui resistores), as "equações nodais" (lei de Kirchhoff para tensão, LKT, e lei de Kirchhoff para correntes, LKC) são um conjunto de equações lineares. Assim, podemos encontrar qualquer grandeza do circuito (tensão ou corrente), que depende de todas as "fontes independentes" (baterias, fontes de corrente), ativando cada fonte, por sua vez, e somando as contribuições parciais. (Isto é exatamente análogo ao uso da superposição para encontrar, digamos, o campo elétrico a partir de um conjunto de encargas.) Esta técnica é frequentemente útil na análise de circuitos.

Aqui desejamos imitar o V versus I do circuito real com o equivalente de Thévenin (mais simples) de uma única bateria em série com um único resistor. Imagine que determinamos a função V versus I através da aplicação de uma corrente externa I_{ext} que flui através do circuito de dois terminais, e observando o produto resultante V entre os mesmos dois terminais. V depende de I_{ext} e de todas as baterias internas (V_{int}) e fontes de corrente (I_{int}).

1. Ajuste todo $V_{int} = 0$ e todos os $I_{int} = 0$; ou seja, substitua todas as baterias internas por curtos-circuitos e todas as fontes de corrente por circuitos abertos. Agora, com um determinado I_{ext} aplicada, observe V_1
2. Defina $R_T = V_1/I_{ext}$. (Eles devem ser proporcionais, pela linearidade.)
3. Agora defina $I_{ext} = 0$, e conecte as baterias internas e fontes de corrente. Observe V_2, que chamaremos de V_T.
4. Finalmente, por sobreposição deve ser o caso em que

$$V_{(real)} = V_1 + V_2 = I_{ext}R_T + V_T$$

Isto é verdade para todo I_{ext}. e é exatamente o que você obtém com o circuito equivalente de Thévenin, quando conectado a qualquer carga (que não precisa ser linear); veja a Figura D.2.

Para resumir: (a) você determina R_T e V_T primeiro encontrando a tensão de circuito aberto, o que equivale a V_T; em seguida, (b) você encontra a corrente de curto-circuito (*short-circuit*), I_{SC}, o que equivale a razão entre V_T e R_T. Em outras palavras, $V_T = V_{OC}$ e $R_T = V_{OC}/I_{SC}$. Você pode fazer isso por meio de análise, se você conhece o circuito "caixa preta"; ou por medição, se não o conhece.

D.1.1 Dois Exemplos – Divisores de Tensão

As Figuras D.3. e D.4 mostram dois exemplos simples, variações em divisor resistivo. Curiosamente, os seus circuitos equivalentes de Thévenin são diferentes, mesmo que os valores de resistência e as tensões de circuito aberto sejam os mesmos.

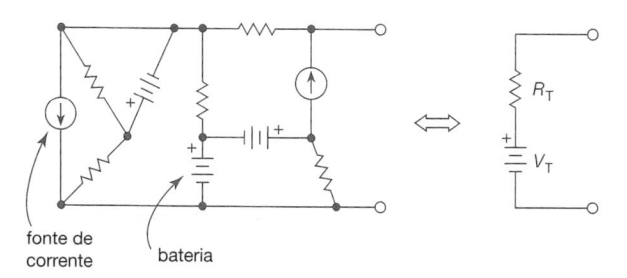

FIGURA D.1 Teorema de Thévenin: um único resistor em série com uma única bateria pode imitar qualquer configuração de uma rede de dois terminais feita a partir de resistências, baterias e fontes de corrente.

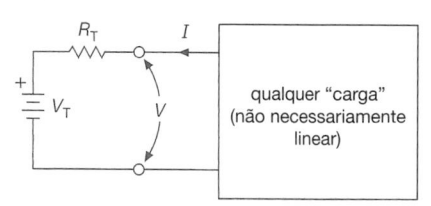

FIGURA D.2 O circuito equivalente de Thévenin se comporta exatamente como a rede original, independentemente da natureza da carga.

---
[1] Um teorema relacionado é o de Norton, em que o circuito equivalente é composto por um resistor R_N em paralelo com uma fonte de corrente I_N

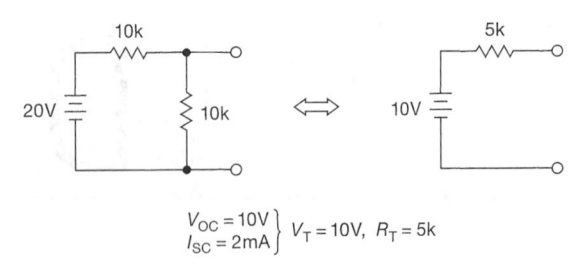

FIGURA D.3 Equivalente de Thévenin de um divisor resistivo simples. Note que R_T é a resistência do divisor em paralelo (como se a fonte de tensão fosse substituída por um curto-circuito).

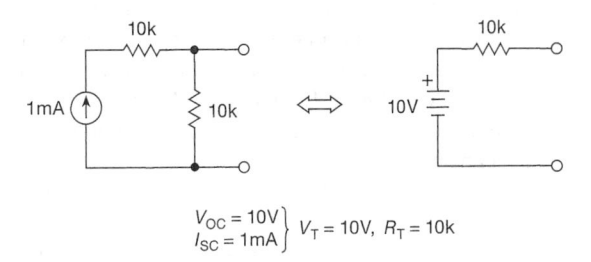

$V_{OC} = 10V$, $I_{SC} = 2mA$ } $V_T = 10V$, $R_T = 5k$

FIGURA D.4 Note que a resistência equivalente de Thévenin *não* é aqui igual à resistência em paralelo dos componentes do divisor. Em vez disso, é igual ao valor do resistor sozinho na saída (como se a fonte de corrente fosse substituída por um circuito aberto).

$V_{OC} = 10V$, $I_{SC} = 1mA$ } $V_T = 10V$, $R_T = 10k$

D.2 TEOREMA DE NORTON

É possível substituir um circuito de Thévenin por um circuito de Norton, que consiste de uma fonte de corrente I_N em paralelo com um resistor R_N (Figura D.5). É fácil mostrar que $I_N = I_{SC}$ e $R_N = R_T(= V_{OC}/I_{SC})$. Assim, para os dois exemplos acima, os equivalentes de Norton são mostrados na Figura D.6.

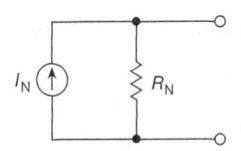

FIGURA D.5 Circuito equivalente de Norton: uma fonte de corrente em paralelo com um resistor.

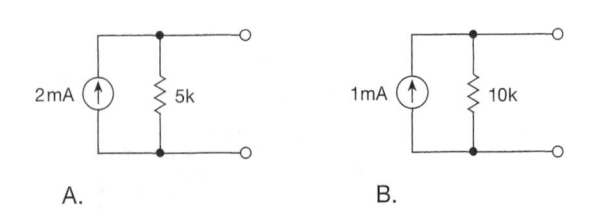

FIGURA D.6 Equivalente de Norton dos circuitos da Figura D.3 (A) e Figura D.4 (B).

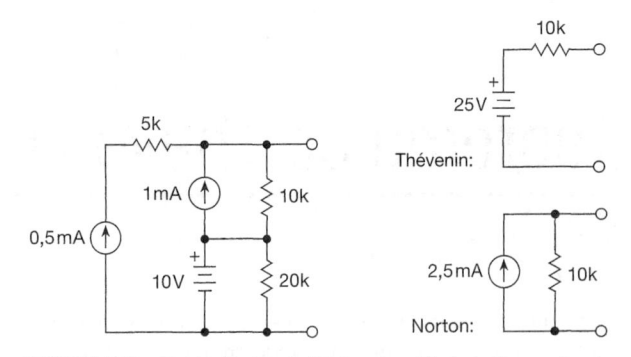

FIGURA D.7 Equivalentes de Thévenin e Norton de um circuito que parece complicado.

$$V_O = \frac{\Sigma V_i/R_i}{\Sigma 1/R_i} = \frac{\Sigma V_i G_i}{\Sigma G_i}$$

$(G_i \equiv 1/R_i)$

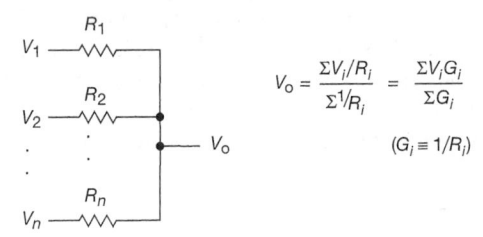

FIGURA D.8 O teorema de Millman para circuitos em paralelo.

D.3 OUTRO EXEMPLO

A Figura D.7 mostra um circuito que parece complicado, e nele é muito fácil de ver que $V_{OC} = 25$ V (a parte inferior do resistor 10k está em +10 V, e 1,5 mA flui para a parte superior) e esse $I_{SC} = 2,5$ mA (10 V sobre 10 k, mais as duas fontes de corrente). Deles você pode obter os circuitos equivalentes mostrados.

D.4 TEOREMA DE MILLMAN

Uma ferramenta relacionada – e útil – é o *Teorema de Millman* (também conhecido como o teorema de gerador em paralelo), que é útil quando se lida com circuitos com vários ramos em paralelo. Ele é mostrado na Figura D.8, onde um conjunto de tensões de entrada V_i são combinadas via resistores R_i, produzindo uma tensão de saída V_O. Esta última é apenas $V_o = (\Sigma V_i G_i)/\Sigma G_i$, onde G_i são as condutâncias $G_i \equiv 1/R_i$. A tensão de entrada V_i pode, evidentemente, incluir terra, formando um divisor de tensão. O teorema de Millman, que vem a partir da classe mais geral de teoremas de rede, pode ser generalizado para incluir *correntes* de entrada I_k; cuja soma é acrescentada ao numerador (mas cujas resistências em série, se alguma, não aparecem no denominador).

Índice

NOTAS

Fonte do número da página	negrito	principal abordagem do assunto
Itálico	figura	
sufixos	ff	"e páginas seguintes"
	g	gráfico
	p	foto
	s	imagem de tela (osciloscópio ou analisador de espectro)
	t	tabela
prefixo	W	material disponível na Web, no site do Grupo A

8051, *veja* microcontrolador

A

ABEL, *veja* dispositivo lógico programável (PLD)
abreviações, W1166
abuso, *veja* argumento
acelerômetro, 1078, 1079p, 1082-1084
acionador de linha
    amplificador de diferença, 351
acionador piezoelétrico, 207, *332*
acrônimos, W1166
Adafruit, 1082
ADC, *veja também* conversor, AD/DA, **900-956**, 1061, 1082
    acoplamento de entrada por transformador, 951
    aproximação sucessiva, 902, 908s, 910t, **908-913**
        exemplo de projeto, *912*, 910-913
        redistribuição de carga, 950
    comparação, **938-940**
    delta-sigma, *veja* delta-sigma
    disputa, 939t
    entrada diferencial, 380
    escolha, **938-940**
    especialidades, 942-943t
    exemplo de temporização, 1088-1090
    exemplos de projeto, **946-955**
    flash, 903, **902-908**
        acionamento (exemplo de projeto), *906*, 904-908
    folding, 904
    half-flash, 904
    integração, 902, **912-940**
        como filtro passa-baixas, 940-941
        dupla rampa, 902, **914-916**
        múltipla rampa, 902, *919*, **918-921**, 921t
        rampa simples, 902, 914, **914**
        rejeição da rede elétrica, 915
        rejeição de modo normal, 915
    introdução, 879-880
    micropotência, 916t, 941-943
    monitor CA, 943-945
    para o termopar, 1084
    paralelo, **902-908**
    rastreamento, 909
    resolução
        efetiva, 935
        livre de ruído, 935
    RF
        acionamento (exemplo de projeto), *906*, 904-908
    ruído
        amostragem *veja* integração, 940-941
        filtragem fora da banda, 911
    selecionados, 905t
    sensor em ponte, 945-947, *947*
    sequenciador, 945-946
    sistema de aquisição de dados (DAQ), **946-955**
        SPI isolado, 950-*951*
        SAR de 16 canais multiplexado, *948*, **946-950**
        $\Delta\Sigma$ de 8 canais paralelo, 953, 954, 952-955
        SAR de 8 canais paralelo, *951*, 952, **950-952**
    subamostragem
        deliberada, 907-908
    subsistema, 1084
    tabelas, 905t, 910t, 916t, 921t, 935t, 937t, 939t, 942-943t
    técnicas, 902-903
    V para *f*, 902, 912-913
ADC de rastreamento, 909
admitância, 69, 90
ajustado com laser, 244, 305, 352, 357, 361, 416
alegria
    e dor, 65
aliasing, *901*, 931
    conversão subamostrada, 907-908
    em DACs, 900
    osciloscópio digital, W1164
alimentado em CA
    topologias de alimentação CC, 630
alta tensão, *veja também* regulador de tensão
    distância de isolação de superfície, 663, 664, 665p
    espaço livre, 663
    gerador pulso, 333, 917, 918
alto-falante
    como microfone, 486
amostra
    clock PLL, 907-908
amostragem, 419, *901*, **901**ff
    critério de Nyquist, 900, *901*
    direta FI para digital, 907-908
    passa-faixa, 907-908
    profundidade
        e faixa dinâmica, 900
    sobre, *veja também* delta-sigma, 901, *901*, 923
        relação (OSR), 924
    sub, *901*, **901**ff
        conversão de banda, 907-908
    taxa
        e aliasing, 900, *901*
        e largura de banda, 900
    taxa e aliasing, 931
amostragem dupla correlacionada, 553, 570
amostragem e retenção, 183, *veja também* AOP

amp, 1
amplificador
  AOP, *veja* AOP
    baixo nível de ruído, 522-524t
    BJT híbrido, *534-535*
    fonte simples, 261
    JFET híbrido, 153g, *545*
  áudio balanceado, 376
  autocancelamento (examplo de projeto), 297
    erros de entrada, 306
  chaveado, 108-109s, 673
  classe A, 106-107
  classe AB, 108
  classe B, 108
  classe D, 108-109s
  composto, 332, 543-547, 920
    taxa de variação de, 920
  corrente, *veja* amplificador de transimpedância
  de ganhos programáveis (PGA), 370, 371 t
  descompensado, 515
  detecção de corrente, 278
  diferença, 353t, **347-356**
    ajuste de CMRR, 356
    ajuste de *offset*, 355
    CMRR, 355g
    como fonte de corrente, 350-351
    faixa de entrada de modo comum, 354
    nó de filtro, 355
  diferencial, 375t, **372-380**
    BJT, 102ff
    carga de espelho de corrente, 105, 153, 496
    CMRR, 376, 383
    como amplificador CC, 104
    como comparador, 105
    compensação, 379
    distorção, 386g
    divisor de fase, 105
    escolha, **383-387**
    faixa de entrada de modo comum, 376, 383
    ganho de, 103
    impedância de entrada de, 376
    JFET, **152**ff
    polarização, 104
    resistor de definição de ganho, 376
    ruído, 386, 496, 520
    saída de tensão de modo comum, 376
    taxa de variação de, 385
    tensão de alimentação, 383
    tensão de *offset*, 383
    usar com entrada de terminação simples, 376
    uso com ADCs, 380-382
    velocidade, 383
  emissor comum, **87**ff
    bootstrapping, 111
    ganho de, 94

    ganho máximo de, 98
    impedância de entrada, 95
    não linearidade, 94, 95, 96s
    polarização, **95**ff
    reexaminado (Ebers-Moll), 93
    resistor de emissor como realimentação, 96
    resistor de emissor desviado, 96
  enlace analógico de banda larga, 353, 380
  equalização, 381, 870-871
  erro
    em regulador chaveado, *646, 651*, 651-655
    em regulador linear, 596-597
  erros de entrada, 30 I
  erros de saída, 307
  fotodiodo, 234, 548
  fotomultiplicador, *843*
  ganho
    previsibilidade de, 117
  ganho comutável, 182
  ganho programável (PGA), 948
  híbrido
    baixo nível de ruído, 534-535
  impedância de entrada
    efeito da realimentação na, 118
  impedância de saída
    efeito da realimentação na, 119
  instrumentação, *veja* amplificador de instrumentação
    entrada JFET, 512
  isolação, 583ff, **585**ff
    capacitiva, 586
  JFET, **146**ff
    AOP híbrido, 152, 153g, 155-156g, 343-347, 534-535
    baixo nível de ruído, **509-520**
    cascode com, 148
    diferencial, 152
    par de realimentação em série, 15, 151g
  laboratório, propósito geral, 274
  largura de banda *versus* planicidade, 385g
  logarítmico, *veja* AoE 2ª ed., página 212-216
  mais silencioso do mundo, 50, 507-508g
  patch clamp, 552
  piezoelétrico, 208, *209*
  proteção de entrada, 210
  ruído, *veja também* ruído
    total *versus* frequência, 531-532g
    total *versus* R*s, 526g
  sensor, 1019
  soma, 234
  STM, 553
  totalmente diferencial, *veja* amplificador diferencial
  operacional de transcondutância, *veja* OTA (amplificador operacional de transcondutância)

    transformador na realimentação, 285, *536*
    transimpedância, *veja* amplificador de transimpedância
    vídeo e RF, 274, 532-533
  amplificador composto, *veja* amplificador, composto
  amplificador de instrumentação, 273, 297, 363t, **356-373**, 1071
    ajuste de CMRR, 365-367
    ajuste de *offset*, 365-367
    autozero, 370
    CMRR, 363t, 364g, 364-366
    como fonte de corrente, 367-368
    configurações, 357, 359-360, 368
    construindo o seu próprio, 359-361
    corrente de entrada, 362
    descasamento CMRR *versus R*fonte, 365-367g
    em DAQ, 948-950
    EMI, 365-366
    PGA, 370, 371T
    ruído, 362
    variedades, 362
  amplificador de transimpedância, 233, **537**ff, *548*
    bootstrap, 547
    calibrador de corrente, *555*
    cascode com *bootstrap*, 550
    cascode regulado (RGC), 550-551
    comercial, 570
    composto, **543**ff
    entrada de cascode, **548**ff
    estabilidade, 537
    largura de banda, 537-539
    melhor do mundo, *545*
    patch clamp, 552
    realimentação capacitiva, 552, 570
    ruído, 497
      en-*C*, 538, 540, 541g, 542s, 544s
      entrada, 538
    STM, *553*
  amplificador de transresistência, *veja* amplificador de transimpedância
  amplitude
    RMS, 1
  analógico
    versus digital 703
  analógico-digital, *veja* ADC
  AOP, **223**ff, 224p
    acinamento de lógica a partir de, 808-809
    alta potência, 272t
    alta tensão, 272t
    alta velocidade, 310t
    amostragem e retenção, 256
    amplificador CA, 226
      polarização, 261
    amplificador de diferença, 227, **347-356**
      ajuste de CMRR, 356
      ajuste de *offset*, 355

nó de filtro, 355
amplificador de fotodiodo, 234
amplificador de transimpedância, *veja*
 amplificador de transimpedância
amplificador híbrido com JFET, 152,
 153g, 155-156g, 343-347, 534-535, *545*
amplificador inversor, 225
amplificador não inversor, 226
amplificador somador, 234
autozero, 272, 295, 335T, **333-342**ff,
 370
 corrente de ruído, 570g
 externo, 341
 FEMs térmicas e, 340
 ruído integrado, 338g
 ruído, 336g, 336, 337s, 569t
 seleção, **338**ff
 baixo nível de ruído, 522-524t
 escolha, **525-533**
 híbrido, *534-535*
 carga capacitiva
 estabilidade, 265g
 estabilização, 263s, 264
chip (LT1028), 527-528p
chopper estabilizado, *veja* AOP,
 autozero
circuito de saída de Monticelli, 318
circuito de valor absoluto, 257
circuitos básicos, 225-231
circuitos não lineares, 236
CMRR e PSRR, 249
CMRR, 305, 328-329
como regulador de tensão, 235
compensação de frequência, 247, *veja*
 AOP, compensação
compensação, **280**ff
conversor corrente-tensão, 233
corrente de entrada baixa, 303t
corrente de entrada, 163, 244, 252, 302,
 325
 BJT melhor do que JFET, 303g
 de autozero, 339
 efeito sobre integrador, 258
 medição, 325-326
 temperatura, variação com, 303g
 tensão de modo comum, variação
 com, 304, 304g, 305
corrente de *offset* de entrada, 244, 252
corrente de saída, 251, 272t
deriva da tensão de *offset*, 244
descompensado, 283, 328-329, 542, 550
deslocamento de fase, 247
desvio a partir do ideal, 243-249
desvio de trilho de alimentação, 262
 estabilidade, 262, 263s
detector de cruzamento zero, 269
detector de pico
 reset, 255
detector de pico ativo, 254
diferenciador, 260
distorção, 329-331, 332g

taxa de variação, 248s
versus frequência, 311g
entrada
 proteção, 362
erro de fase, 314, 315g, 315t
 compensação ativa, 314, 315g, 315t
erro de ganho, 312g
esquemático
 LF411, 243
 TLC271, 266
faixa de entrada de modo comum, 245
 de amplificador de diferença, 354
 de autozero, 340
faixa de entrada diferencial, 232, 246
faixa de saída, 231
fonte de corrente, **228-230**, *242*, 254,
 344, 367-368, 623, 895
 Howland, 229, 230
fonte simples, 261, 265-270, 322
fotômetro, 265
ganho de tensão, 247
 versus frequência, 247g
ganho, 249
 versus frequência, 281g
gerador de largura de pulso
 programável, 241
ideal, 243
impedância de entrada, 245, 250, 301
impedância de saída, 246, 250, 309
 efeito sobre filtro MFB, 414g
 efeito sobre filtro VCVS, 414g
 versus frequência, 250g, 311, 312g
instrumentação, *veja* amplificador de
 instrumentação
integrador, 230, 231s, 257-260
inversão de fase, 275
inversor opcional, 232
JFET
 rápido, 155-156t
JFET híbrido, *veja* AOP, amplificador
 híbrido com JFET
largura de banda, 247, 249, 308, 328-
 329, 329g
limitação, 913
limitações, efeito sobre circuitos, 249-
 254
limitador ativo, 257
linearidade, 251
micropotência, 273
milivoltímetro sensível (exemplo de
 projeto), 253, 293, 296t
miscelânea, 232
não linearidade do ganho, 312-314
 medição, 313
olhar detalhado, 242-253
oscilador
 VCO de precisão, 267
oscilador de relaxação, *veja* oscilador,
 relaxação
oscilador triangular, 239
parâmetros, 245t

não especificados, 296
pinagem, *225*
pino de compensação, 320t
polarização cancelada, 125
 corrente de ruído, 327
 melhor do que JFET, 303g
potência e alta tensão, 272t
precauções, 231
precisão, **292**ff, 320-321t
 escolha, 319
 representativa, 302t
 versus velocidade, 329
proteção de entrada, 259, 362
PSRR, 306, 328-329, 532-533
rastreador de sinal, 276g
rastreio e retenção, 256
realimentação de corrente, 270
 pico *versus* R de ajuste de ganho, 379g
realimentação dividida, 264
realimentação em CC, 232
reforçador de potência, 234
reforçador *push-pull*, 234
regras de ouro, 225
representativo, 271t
retificador ativo, 238, 257
ruído, 528g, 529g, 531-533s, **521-533**
 1/*f*, 528, 529g
 autozero, **334**ff, 334s
 integrado, 338g, 530-531, 531-532g,
 531-532t
 de baixa frequência, 564-565
 versus *C*in, 531-533g
 0, 01 a 10 Hz, 1/*f*, *V*n(pp), 522-523t,
 530-531g, **531-533**, 564-565
seguidor, 227
 com *bootstrap*, 233
sinal de realimentação, 232
tabelas de, 271-272t, 296t, 302-303t,
 310t, 320-321t, 335t, 522-524t
taxa de variação, 248g, 251, 328-329
 de autozero, 340
 distorção, 248s
 versus entrada diferencial, 308g
tempo de estabilização, 308ff, 320-321t,
 328-329ff
 de autozero, 340
tensão de alimentação, 248, 322
 de autozero, 338
tensão de *offset*, 244, 251, 304, 323
 circuito de teste, 323
 de autozero, 339
 efeito sobre o integrador, 258
tensão e corrente de ruído, 249, 323,
 324g, *veja também* ruído, 326
 de autozero, 339
 de polarização cancelada, 327
 versus corrente de alimentação, 525g
testador de tensão *pinch-off*, 240
transcondutância, *veja* OTA
 (amplificador operacional de
 transconductância)

trilho a trilho, **315**ff
  cruzamento de entrada, 316, 317g
  distorção, 317g, 318
  ganho, 318g
  impedância de saída, 316
  saturação de saída, 317
  variação de saída, 247g
  variação de saída
    versus frequência, 251g, 307g
    versus resistência de carga, 246g
aproximação sucessiva, *veja* ADC
Arduino, 1086, **1092-1093**, *veja também* microcontrolador
área de operação segura (SOA), 1929, 216, 627
argumento, *veja* computador
ARM, *veja* microcontrolador
Arte da Eletrônica
  logotipo em relógio de pulso, 448p
assíncrona, *veja* lógica, *veja também* memória
atenuador, 17
  impedância casada, W1123, W1124t
aterramento, 579ff
  entre os instrumentos, 583
  erros, 582
ativo em nível ALTO, ativo em nível BAIXO, *veja* lógica
áudio
  acionador balanceado, 376
  analógico, W1131
  taxa de amostragem, 902
autocorrelação
  de PRBS, 978
autozero, *veja* AOP
AVR, *veja* microcontrolador

B

banco
  instrumentos
    favoritos, W1152
banda larga
  enlace analógico, 380
barramento, *veja também* computador, 1029t
  multiponto, 990
  ponto a ponto, 990
barramento de 1 fio, *veja* computador, barramento de dados
barramento de dados, *veja* barramento, *veja* computador
barreira de potencial, *veja* referência de tensão
base
  resistência de espalhamento, *veja* FBB
bateria, 2, **686**ff, 688p
  armazenamento de energia
    versus capacitor, 690t
  backup, 36
  características, 687, 689t
  curvas de descarga, 687g

densidade de energia
  versus capacitor, 690g
densidade de potência
  versus capacitor, 690g
escolhendo, 688
ion de lítio
  carga, 688
primária, 686
recarregável, *veja* bateria, secundária
resistência em série, 9
secundária, 686
  carga, 687
BCD, *veja* número
besta, o número da, 666
beta, *veja* BJT
bibliografia, **W1154**ff
binário
  busca, 908
  número, *veja* número
biologia
  visão do engenheiro eletricista, 805-806
bits
  número efetivo de, 928, 929
  preparação, W1138
BJT (transistor de junção bipolar), **71**ff
  baixo nível de ruído, 501-502t
    desafio, 507-508g, **505-509**
    seleção, **500-505**, 507-508
    substituição por JFET, 500
  beta, 72, 74g, 503-504g, 501-504t
  carga indutiva, 75
  circuitos básicos, 91
  coeficiente de temperatura de V_{BE}, 92
  como um amplificador de transcondutância, 91
  compartilhamento de corrente em, 112
  conexão em série de, 697
  conexão Sziklai, 110ff, 148, 207, 214, 229, 598, 608
  corrente de ruído, 483, 493
    versus corrente, 484g
    versus frequência, 484g
  corrente de saturação, I_S, 91
  Darlington, **108-109**ff, 1081
    beta versus corrente, 110g
  gerador de pulso, 458, 459s
  impedância de emissor, 92
  lógica com, 124
  modelo de Ebers-Moll, 90
  modelo simples, 72
  notação terminal, 71
  paralelismo, 112
  pinagem, 72, 502
  potência, 106t
  produto ganho-largura de banda, 549g
  projeto de baixo ruído com, 492-509
  r_{bb}, 481ff, 483g, 488, 50lt, 503, 505ff
  regra prática, 91
  relação de corrente, 102g
  representação, 74t
  ruído, 481

  a partir de NF, 489-492
  circuito de teste, 557
  modelo, 488
  resistência, 494
  versus JFET, 517
seguidor de emissor, *veja* seguidor de emissor
superbeta, 111, 252, 302t, 323, 326
tabela de, 74T, 106T, 501 t
tensão de ruído, 481, 493
  cálculo (exemplo de circuito), 486
  de *in* a *R*s, 483
  gráficos, 494
  versus a corrente, 482-483g
  versus frequência, 485g
  versus rbb, 483g
topologias de circuito básicas, 90
versus MOSFET de potência e IGBT, 201, 202T, 208t
Black, Harold, 116, 118, *veja também* realimentação
Blackman-Harris, *veja* janela, amostragem
blindagem, 579ff
Bluetooth, 1061
bobina
  acionador
    precisão, 898, **897-899**
bobina de Rogowski, 944-945
bom
  diagrama, 1102
boost, *veja* modo de comutação
bootstrap, **111**ff
  cancelamento de fuga, capacitor, 897-898
  cascode, em TIA, 550
  de fonte de alimentação, 359-360
  de seguidor de AOP, 233
  de TIA, 547
  filtro duplo T, 414
borda, *veja também* jitter
  anterior, 25
  detector, 26
  posterior, 25
buck, *veja* modo de comutação
buffer
  ganho unitário, 311, 843
  lógica, 23, 218t, 798g, 817
byte, 990

C

cabo
  acionamento, **856-874**
  através de sinais digitais, **856-874**
  blindado, 587, *veja também* cabo, coaxial
  cat-5, 864
  cat-6, 864
  coaxial, **W1116-W1123**, **W1126**
    acionamento com a lógica, **858-864**, W1120

counterwound hélice, W1130p, W1130s
reflexões, **858**-864, W1116s, W1118-W1119s
terminação, **858-864**, W1117
diferencial, **864-874**
equalização, 864
par trançado, **864-874**
pré-ênfase, 864
STP, 864
televisão
analógica, W1134
terminação
de retorno, 860, W1118-W1120, W1122
dupla, 860, W1122
série, 860, W1118-W1120
UTP, 864
cálculo, 1099
calor, **623**ff
CAN bus, 1043, *veja também* computador, barramento de dados, 1061, 1081
capacitância
da chave analógica, 178-181
desaparece no cabo terminado, 860, W1116
junção, 114
multiplicador, 508-509, 557, 578, 579g
porta, 197
realimentação, 113, *veja também* efeito Miller
sensor, 1086
capacitivo
acoplamento, 581
isolador, 586
capacitor, **18**tf, 20p
absorção dielétrica, 28, 211, 298, 300, 301g, 326, 422, 915
armazenamento de energia
versus bateria, 690t
armazenamento de energia em, 19, 686
armazenamento, 55
corrente de ondulação, 634-635
armazenamento, em fonte de alimentação, 633-634
bloqueio, 19, 43
bomba de carga, 638
cerâmico
ESR e estabilidade, 616
circuito de descarga HV, 211
circuito RC, 21
comutado, filtro, **415-418**
corrente através de, 19, 46
corrente de ondulação, 634-635, 633-635s, 659, *veja também* corrente
corrente reativa, 47g
densidade de energia
versus bateria, 690g
densidade de potência
versus bateria, 690g
desvio, 19, 54

digital, 1082
efeito piezoelétrico em, 682
eletrolítico, 20p, 232, 301g, 392, 580, 596-597, 633-634ff, 633-635, 661, 690t, 856
elimina acoplamento CC, 496
especificação para a rede elétrica, 631, 631 p, 664p, 671p
resistor de descarga, 631
ESR
atenuação do filtro, efeito sobre, 393g
aumento da ondulação a partir de, 639
filme, 19, 20p, 279, 300, 326, 422, 438, 631p
flutuante
acionamento de MOSFETs, 822, 847
na conversão de potência, 184, **638**ff
fuga, 300
solução com *bootstrap*, 298
multiplicador, *veja* capacitância
mylar, 19, 20p
não ideal no filtro, 392
paralelo, 21
reatância, 42, 45, 49g
série, 21
speed-up, 808-809s
temporização, 55
tipos "X" e "Y", *veja* capacitor, especificado para a rede elétrica
tipos, 20
variável, 64
capacitor comutado
filtro, **415**
integrador, 416
ressonador, 454
captação de sinais, 442
modo comum, 584
carga
amortecedor de, 618
capacitiva
AOP, 263s, 264
lógica, 857
indutiva, 38
carregadores, 686
carregamento, 11s, 11g, 79
carregar
bomba de, 638, *veja* capacitor, flutuante, *veja também* modo de comutação
integrador, *veja também* AoE 2ª ed., pp 640-643
integrador (contador de Coulomb), *933*
porta MOSFET, 1979, 198s
redistribuição
ADC, 950
DAC, 909
cartão SD, 1061, 1082
Cartão SIM, 1061
CAS, 1019

cascode, 102, 114, 115, 146, **148**ff, 345, *369*, *377*, *534-535*, 545, 548, 550
dobrado, 149, 377, 498, 536
regulado (RGC), 552
regulador, para HV, 693, 698
série, para HV, 697
catálogos, W1153
CC
capacitar de bloqueio, 43
comutação de potência, 202
divisor de alimentação, 262
CD de áudio, 902
ceifamento, 81
célula 1T1C, 1018
célula 6T, 1015-1016
célula de Gilbert, 162
célula solar, 2
césio, *veja* oscilador, padrão atômico
chave
abrir antes de fechar (BBM), 179
alavanca, 57p
alternância, 196
analógica, *veja* chave analógica, 948
multiplexador, 948
anti-repique, 729, 802
flip-flop *SR* como, 730
latch como, 730
botão, 58
chave T, *179*
como dispositivo de entrada, 802-804
comutação a seco, 58
comutação para a fonte, 821, 825, 826t
DIP, 57p
flutuante, 203
lógica simples com, 58
matriz, 1069
mecânica, 56, 57p
montagem em PCB, 57p
MOSFET, *veja* modo de comutação; MOSFET
opto-interruptor, 851-852
proteção, **823-825**
protegido, 175, 824, 825t
rede elétrica, 631
reed, 573
repique, 802, 803s
rotativa, 58
three-way, 59
chave analógica, 176t
em aplicações de conversão, **916-918**
estilo 4053, 917t, 916-918
família lógica, 916-918
FET, **171-184**
aplicações, 182-184
capacitância, 178-181
chave T, 179
CMOS, 172
conexão, 179g
limitações, 174
injeção de carga, 180
JFET, 172

latchup, 174
multiplexador, 173
protegido, 175
resistência ON, 171, 173g, 175-178
velocidade, 178
injeção de carga, 176t, 180, 181g
porta de transmissão, *veja* lógica
*versus R*ON, 182g
choque, 29, *veja também* indutor
modo comum, 584
CI
descontinuado, 273 (quadro)
encapsulamentos
DIP, 3p, 57p, 65p, 73P, 224p, 225, 269, 340, 443p, 663, 715p, 720, 758, 765p, 792, 861, 1037, 1059
SMT, 73P, 224p, 225, 269, 340, 443p, 715p, 758, 765p
interface paralela, 1028, 1030, *veja também* computador, barramento de dados
interface serial, **1032-1037**, *veja também* computador, barramento de dados
ciclo de trabalho
limitação, 465-466
circuito
BJT
básico, 91
carga, *veja* carga
diagrama
como desenhar, **1101**ff
disjuntor, 630
integrado, *veja* CI
linear, 14
paralelo, 2
RC
forma de onda de descarga, 21g
simplificação Thévenin, 23
resistor
atalhos, 6
ressonante, **52**ff
série, 2
paralelo, 5
resistor, 5
circuito de saída de Monticelli, 318
circuito de valor absoluto, 257
circuito equivalente de Norton, 66, 1108
circuito equivalente de Thévenin, **9**ff
exemplos, *1107*
circuito impresso
SMT *versus* PTH, 268, *269*
circuito integrado, *veja* CI
circuitos reativos, 40ff
potência em, 47
clock
assimetria, 757
em tempo real, 1084
geração com PLL, 972
recuperação de, 1037-1042
CML (lógica de modo de corrente), 874
CMOS, *veja* chave analógica, *veja* lógica

CMRR, 103
ajuste, 359-360
amplificador de instrumentação, 364g
em alta frequência, preservando, 359-360
isolação de malha de terra, 583
coaxial, *veja* cabo
acionamento, W1116-W1122
sinais digitais através de, W1116-W1122
codificação Manchester, **1039-1042**
codificador de prioridade, *veja* lógica
código 8b/10b, 1041
código ASCII, 1039, 1040t
código bifásico, 1041
código de Gray, 708
coeficiente de temperatura
maneiras de especificar, 683g
Coldfire, *veja* microcontrolador
com histerese
SMPS, *veja* modo de comutação
comparador, 24, 236, *veja também* Schmitt trigger, 812-814t, **809-817**
acionamento lógico a partir de, 806-809
corrente de entrada, 814, 814g
corrente de saída, 811, 811g
discriminador de janela, *veja* AoE 2ª ed., página 669
entrada
faixa de modo comum, 812-814
esquemático, LM393, *270*
histerese
interna, 815-816
magnitude digital, 728
precauções, 816-817
tempo de resposta, 816-817g
tensão
diferencial, 815-816
offset, 812-814
tensão de alimentação, 815-816
tensão de saturação, 811g
variação de saída, 810-811
velocidade, 815-816
complemento de 2, *veja* número, códigos
complexo
conjugado, 1098
números, 1097
plano, 1098
compliance, 8, *veja também* fonte de corrente
computador, *veja também* microcontrolador
acesso direto à memória (DMA), 1010-1012
armazenamento de número na memória, 1048
arquitetura, 990-992
Harvard, 991
von Neumann, 991
barramento de dados, 990, 1029t
1 fio, 1035-1036
CAN bus, **1043-1045**

DADOS, 992, 997
decodificador de endereço de PLD, 1000
ENDEREÇO, 992, 997
eSATA, 1037
Ethernet, 1045
FireWire, 1042
GPIB, 1031
I2C, *1034*, **1034-1035**
JTAG, 1036, *1036*
linhas de controle, 992
paralelo, 1028
PATA, 1031
PC104/ISA, 992
PCIe, 1037
porta de impressora (Centronics), 1031
SAS, 1037
SATA, 1037
SCSI, 1031
série, **1032-1037**
sinais, **997-1013**, 1013t
sinais, resumo de, 1012
SPI, *1032*, *1033*, **1032-1034**
STROBE, 997
USB, 1042
BASIC, 1086
C/C++, 1086
código objeto, 993
conjunto de instruções
argumento, 994
modos de endereçamento, 994-995
sub-rotina, 996
x86, **1008**
x86, simplificado, 994t, **993-994**
CPU, 990
decodificador de instruções, 990
desenho vetorial XY, 1000
flags, 990
I/O em tempo real, 992
I/O programado, **998-1005**
bit de status, *1002*
ciclo de escrita, 998
ciclo de leitura, 1001
entrada de dados, 1001
registrador de comando, 1004-1005
registrador de status, 1002
saída de dados, 998, *999*
instrução, 990
interface de barramento de teclado, 1003, 1005
interrupção de software, 1010
interrupção, **1005-1010**
autovetorada, 1009
compartilhada, 1008
consulta, 1008
máscara, 1010
reconhecimento, 1009
rotina de tratamento, 1006-1008
software, 1010
Java, 1088

linguagem assembly, 993, 1086
linguagem de máquina, 993
memória, 991, *veja também* memória cache, 991
orientado para barramento, 991
palavra, 990
PC104, 997p, 1013, *1014*, 1015P
pilha, 995
   ponteiro de, 990
porta, 992
programa
   contador de, 990
   exemplo, 996
progresso em, 990p
Python, 1088
registrador, 990, 994-995
SBC, 997p, 1013
sub-rotina, 996
terminologia, 989
UART, *veja* UART
comutação
   amplificador, 108-109s, 673
   perda, 662
condução
   ângulo, 633-635
condutância, 6
conector
   BNC, 56, 59, 62p
   borda de placa, 61
   cabo blindado, 59
   circular, 61p
   DisplayPort, W1145
   DVI, W1145
   evitar estes, 63p
   fotos de, 60-63p, W1144p
   HDMI, W1144
   multipino, 61
   retangular, 60p
   RF e blindado, 62p
   vídeo, W1143ff, W1144p
conexão Kelvin, 277
confusão central, 65p
constante de tempo, **22**
contador, *veja também* lógica
   temporização com, 465-466
controlador de temperatura, *veja* controlador térmico
controlador térmico, 123
   microcontrolador, **1069-1077**
controle de potência CA
   microcontrolador, **1062-1065**
con*versor*, *veja também* ADC; DAC
   AD/DA
      erros, 881
      linearidade, **899-900**
      parâmetros de desempenho, 879-880
   alimentação
      bomba de carga, 183
      boost, 30
      buck, 30
      capacitor flutuante, 183

conversor CC-CC, *veja* fonte de alimentação, *veja* modo de comutação
conversor de impedância generalizada, 398
   largura de banda de AOP, efeito sobre, 399g
conversor de impedância negativa, 397
coordenadas polares, 1097
compensação
   ativa
      de erro de fase de AOP, 314, 315g, 315t
      de amplificador de transimpedância (TIA), 537, 541g, *545*
   pole-zero, 284
   polo dominante, 282
componentes
   identificações confusas, 65p
   melhor evitar, 63p
   muito pequeno, 65p, 269, 627p, 713, 821
   onde comprar, W1150
   passivo, 56ff
corrente, **1**
   classe A, 754
   crítica, em SMPS, *veja* modo de comutação
   detecção, 944-945
   energização, 661, 668
   entrada
      de AOP, 244
      de lógica digital, 795
      do amplificador de instrumentação, 362
   entrada do comparador, 814, 814g
   espelho, *veja* espelho de corrente
   espião de, 754
   fonte, *veja* fonte de corrente
   lei de Kirchhoff para corrente, 2
   limitação, 596-597
      do transistor de passagem fora da placa, 695
      redução de corrente, 693, 694g, 824, 824g
   loop, 1084
   modo
      PWM, em SMPS, 652, *veja também* modo de comutação
   ondulação, 634-635
      na polarização zener, 596, 598
      no capacitor de armazenamento, 634-635
      no conversor *boost*, 647
      no conversor *buck*, 644
      no conversor de ponte, 659
   pulsação em SMPS, 649
   reativa, 41
   ruído, *veja* ruído
   saída do comparador, 811, 811g
   sensor de carga, 277
   shoot-through (alta corrente de pico), 186, 660, 760, 760g, 856, 942-943

shunt, 277, 944-945
   transformador de, 944-945
   transitório
      estágio de saída, 856
corrente de energização, *veja* corrente, energização
corrente de saída
   crítica, em SMPS, *veja* modo de comutação
Coulomb, 18, *veja também* carga, integrador
CPLD, *veja* dispositivo lógico programável (PLD)
cristal, *veja* oscilador, cristal
crossover
   entrada, *veja* AOP
crowbar, *veja também* regulador de tensão sobretensão, 598, **690**ff, 691
CUPL, *veja* dispositivo lógico programável (PLD)

D

DAC, *veja também* conversor, AD/DA, **881-900**, 1061, 1081
   1 bit, *veja* delta-sigma
   áudio, 939t
   cadeia de resistor, **881-882**, 882
   delta-sigma, *veja* delta-sigma
   direcionamento de corrente, *884*, **883-886**
      gerando tensão de saída, **885-886**, 886
   escolha, 891
   exemplar, seis, 887-888, 889t
   exemplos de aplicações, **891-899**
   frequência-tensão, 890
   glitch de mudança de código, 892
   introdução, 879-880
   multiplicação, **884-885**, 894t
   para a correção de zero, 948
   para correção de *offset*, 948
   PWM como, 888
   PWM para, conversor, 889
   R–2R, **882-883**, 883
   redistribuição de carga, 909, *909*
   selecionado, 893t
   tabelas, 889t, 893, 894t
DAC multiplicador, *veja* DAC, multiplicação
Darlington, *veja* BJT
   foto, 842
dB, 15ff
dB por oitava, 51-52
DDS, *veja* oscilador, DDS
decibel, *veja* dB
decodificador, *veja* lógica
degrau, 17
   resposta
      comparação de filtro, *406*, 409g
delta-sigma, 902, 915-916
   ADC "industrial", 936-937
   ADC de 20 bits, 934
   ADC de 24 bits, 934-937

ADC de áudio, 937t
ADC para áudio profissional, 936-938, 940
ADC, 935t, **922-940**
   filtro digital em, 924, *926*
atraso de tempo, 931
CI multicanal rápido, 955, 956
DAC, 930-931, 938-939
desmistificação, 923-931
diagrama em bloco, *924*
ENOB, 928, 929
espectro, 931g
exemplos de aplicações, **932-940**
faixa dinâmica, 925, 929
   versus OSR e *m*, 929g
integrador de carga, 933
mágica no modulador, 927
mais simples, 922
modelamento do ruído, 927g, 927-931
modulador, *925*, 925-929
   ordem maior, 928, 929
monitor de bronzeamento, 922-923
monotonicidade, 931
o paradoxo, 923-924, 926
prós e contras, **931-932**
rejeição da rede elétrica, 954-955, 955
microcontrolador, implementado com, 932-933
simulação, 929g, 930g, 931g, **928-931**
tons inativos, 931-932
   atenuante, 932
   simulação, 933g
versus a competição, **938-940**
dente de serra, *veja* oscilador
depuração
   microcontrolador, no circuito, 1092-1093
deriva térmica, *veja também* segunda ruptura, 108ff, 112, 187, 212ff, *214*
   ausente em MOSFET, 138-139, 215ff
derivada, 1099
descarga
   curvas, de bateria, 687g
   de fonte de alta tensão, 21 I
   RC, 21
descarga eletrostática, *veja* ESD
deslocador de fase
   constante-amplitude, 88, *89*
deslocamento de fase
   comparação do filtro, 404g
   e estabilidade da realimentação, **280-285**, *veja também* gráfico de Bode
   oscilador, 438
   RC passa-baixas, 50g
detecção síncrona, *veja* largura de banda, estreitamento
detector
   óptico, **840-843**
detector de cruzamento zero, *269*
detector de pico
   ativo, 254
   passivo, 254

detector de relâmpago (exemplo de projeto), 497
diafonia (*crosstalk*), 581, 588
diagrama do olho, 1028
dielétrica
   absorção, 300-301, 301g
   constante, 18
diferença de potencial, *veja* tensão
diferenciação, 1099
diferenciador
   AOP, 260
   ponte, 415
   RC, 25, 26s, 51
diferencial, *veja* amplificador
   cabo, **864-874**
   pseudo, 584
digital, *veja também* lógica
   conquista sobre o analógico, história, 703
   filtragem, 419
   lógica, *veja também* porta
   multímetro, 10
   potenciômetro, 63
   processamento de sinais (DSP), 418-422
      amostragem, 419
   televisão
      cabo, W1138
      espectro, W1136s
      satélite, W1139
      transmissão, W1138
   versus analógico, 703
digital-analógico, *veja* DAC
dimensão
   medidas, 794
diodo, **31**ff, 32
   como conversor logarítmico, 37
   compensação de queda, 35
   corpo, MOSFET, 199
   corrente direta, 294-295, 295g
   foto, 841p, 841-842
      amplificador, 548
   I versus *V*, 92g
   Iimitador, 37
   JFET como, 294
   laser, *veja* diodo laser
   LED, *veja* LED
   limitador indutivo, 38
   limitador, 36
   matriz de proteção, 80s
   PIN, 837p
   porta AND, 711
   porta, 36
   queda direta, 31
   regulador de corrente, 143g
   representativo, 31T
   túnel, W1113
   varactor, 64, 440, 960, 969, 971
      capacitância *versus* tensão, 441g
   zener, 12ff, 82, 674, *veja também* tensão
      baixa tensão, 13g
      CI, 676

      coeficiente de temperatura, 674
      deriva, 675
      o surpreendente LTZ1000, 675
      polarização, 675
      referência
      resistência dinâmica, 13
      ruído, 674, 676
diodo laser, 830p, 835s, 834-836, 836s, *973-974*
   corrente, 835s
   linearização, 836s
DIP (Dual In-Line Package), *veja* CI, encapsulamentos
direto
   conversor, *veja* modo de comutação
display, 837-840
   inteligente, 839-840
      códigos, 840
   LCD
      temporização de interface, 1028
   vetor xy
      interface, 1000
DisplayPort, *veja* conector
dispositivo lógico programável (PLD), 728, 737, 745-746, **764**ff, *veja também* lógica, 765p
   ABEL, 764, 775, *776*
   aviso, **782**ff
   codificação comportamental, 777
   codificação estrutural, 777
   cPLD, 764, 766
   gerador de bit PRBS, **772-777**
   CUPL, 764
   decodificador de endereço, 1000
   encapsulamentos, 765p
   entrada HDL, **775**ff
   FPGA, 764, **768-770**, 1031
      elemento lógico, *770*
      memória de configuração, 769, 770
   GAL, 764
   HDL, 766, *veja também* lógica
   inserção de esquemas, **773**ff, *774*
   netlist, 769
   PAL, 764, **765-768**
      circuito, *766-767*
      macrocélula, 764, *768*
   PALASM, 764
   PLA, *768*
   programador, 769
   quando usar, 782ff, 785
   sinal misto, 769
   software, 769
   Verilog, 766, 775, *778-781*
   VHDL, 766, 777
dispositivos de display, 62
dispositivos descontinuados, 273 (quadro)
disputa
   ADC de baixa potência, 941-943
   ADCs, SAR *versus* $\Delta\Sigma$, 939
   JFET *versus* BJT, 517
   na terra do ADC, 939t

dissipador de calor, **624**ff, 625p
   dimensionamento, 626g
   folha de PCB como, 626, 627G
   isolante, 626
   LED, 835P
   resistência térmica de, 626g
   teste de chiar, 625
distorção
   a partir da taxa de variação, 386g
   cruzamento, 309
      efeito do feedback, 235s
      no seguidor *push-pull*, 107
   de AOP, 329-331, 332g
      trilho a trilho, 318
   de amplificador diferencial, 386
   ultra-baixa, oscilador, 437
distorção de cruzamento, *veja* distorção
divisão do trilho, 262, 277
divisor
   tensão, 7
DMM, 10
   de precisão da Agilent, 342-347
   favoritos, W1152
Dobkin, Bob, 604, 679
dupla rampa
   conversão, *veja* ADC
dupla simétrica, *veja* regulador de tensão
DVI, *veja* conector

E
EEPOT, 63
efeito Early, **92**
   em espelho de corrente, 101
efeito Miller, **113**ff
efeito piezoelétrico
   capacitor, em, 682
efeito Seebeck, *veja* EMF térmica
efeito triboelétrico, 573
eletrômetro, 297, 570-574
EMF, 2
   reversa, 28
   térmica, 340, 675
EMF térmica, 339-340, *veja também* AOP, autozero, *veja* EMF, 675
EMI
   em amplificadores de instrumentação, 365-366
emissor
   óptico, 829-840
e_n-C, *veja* amplificador de transimpedância
energia
   armazenamento
      bateria *versus* capacitor, 690t
   densidade
      bateria *versus* capacitor, 690g
   no capacitor, 19
   no indutor, 28
engenheiro eletricista
   visão da biologia, 805-806
ENOB (número efetivo de bits), 900, 905t, 928, 929, 932, 936-937, 985

entrada
   proteção, 804-807, 949
entrada não usada, *veja também* lógica
   em ADC, 935
equalização, 381, 864, 870, 871s
equalizador de atraso, 415
erro
   componente, 299
   estimativa, 293, 295-299
eSATA, *veja* computador, barramento de dados
escada
   R-2R, 234
      substituído por redistribuição de carga, 909
ESD, 200, *veja também* modelo de corpo humano; proteção de entrada contra picos, 259, 362
ESL, *veja* capacitor; resistência
espaço (RS-232), 871
espaço livre, 663
espectro
   analisador, 567
espelho de corrente, **101**ff
   carga ativa, 105, 153, 496
   compliance, 101, 104
   Wilson, 102, 146
espelho Wilson, *102, 146*
esquemático
   diagrama
      como desenhar, **1101**ff
   inserção
      em SPICE, W1146
ESR, *veja* capacitor
estação de dessoldagem
   favorita, W1152
Ethernet, 867, *veja também* computador, barramento de dados, **1045-1046**, 1061, 1081
   codificação 8b/10b em, 1041
   codificação Manchester em, 1040
Euler, Leonhard, 1098
EX-OR, *veja* lógica, portas

F
faixa dinâmica
   de conversor delta-sigma, 925, 929
   de filtros de capacitores chaveados, 418
   versus precisão, 292
farad, 18
fase
   detector, 575, *veja também* PLL
   divisor, 105
      com BJTs discretos, 88
   equalizador, 415
   erro
      de AOP, 314, 315g, 315t
   filtro de sequência, 455-456, 456g
fasor, 51
fator de crista, 568, 981

feio
   diagrama, 1102
ferramentas
   favoritas, W1152
ferro de solda
   favorito, W1152
FET, **131**ff, *veja também* JFET, MOSFET
   amplitude de valores de V_{GS}, 140g
   amplitude dos valores na fabricação, 138-140
   árvore genealógica, 136
   características de transferência, 135g, 137g, 139-140g, 142g
   casamento, 139-140
   chave analógica, *veja* chave analógica
   chave linear, *veja* chave analógica
   chave, 132
   circuitos básicos, 140
   coeficiente de temperatura de I_D, 138-139g
   corrente de porta dinâmica, 164
   corrente de saturação, I_{DSS}, 134, 136, 139-140g, 361, 847
   curvas V–I, 132, 133g
   enriquecimento e depleção, 135
   fuga
      circuito para solucionar a, 259
   Gmax, 141t
   interdigitação, 140
   JFET e MOSFET, 134
   lei quadrática, 137ff, 165
   modo depleção
      como fonte de corrente, 622
   região de saturação, **137-142**, 147, 158, **165**ff
   região de sublimar, 138-139, 139-140g, 166g, *168*
   região linear, 137
   semelhança com BJT, 132
   tensão de limiar (Vth), 137ff, 138-139g, 147
   transcondutância (gm), 132, 141 T, **146**
FEXT (*far-end crosstalk*), 581
fibras ópticas, 853p
   ST/SC, 855
   TOSLINK (EIAJ), 852-853, 854s
   Versatile Link, 853
filtro
   analógico FIR, 983
   anti-*aliasing*, 395, 901, 902
   atenuação
      degradado por ESR, 393g
   ativo, **396-399, 406-415**
      passa-altas, 408
      passa-baixas, 241, 401-408
      passa-faixa, 411-413
      Sallen e Key, 242g
   atraso de tempo, 404g
   Bessel, 403
      VCVS, 408
   Butterworth, 401, 401g

LC, W**1109**ff, W1110T
VCVS, 408
capacitor comutado, 415-418
   senoide a partir de quadrada, 435, 436s
Chebyshev, 401
   fase e amplitude, 400g
   VCVS, 408
   versus *RC*, 396g
comparação, 402g
deslocamento de fase, 404g
diferenciador em ponte, 415
digital, 419-422
   de PRBS, 979
   em delta-sigma, 924, 926
   resposta, 421g
duplo T, 414
ecológico, 1073
efeito de capacitores não ideais, 392
efeito de tolerâncias de componentes, 402g
eletricamente sintonizável, 412
elíptico, *403*, 1068
equalização de ondulação, 401
equalizador de atraso, 415
fonte de alimentação, 32
implementação, **406-418**
largura de banda de ruído, 564-565t, 563-565g
LC, 54g, 54p, 55s, 393
   multiseção, 394
linearidade, 422
maximamente plano, 401
nó de amplificador de diferença, 355
notch, 4L4
parâmetros de desempenho, 399
parede de tijolos, 391
passa-altas RC
   aproximado, 43
   exato, 48
passa-baixas
   FIR, 420
   IIR, 420
   precisão CC, 418
passa-baixas RC
   aproximado, 42g
   comutável, 182
   diagrama fasorial, 52
   exato, 50
   mudança de fase de, 50g
passa-faixa
   largura de banda de ruído, 564-565t, 563-565g
passa-todas, 415
passivo, **391-396**
RC
   deslocamento de fase, 393g
   efeito de carga de, 44
   impedância de pior caso de, 44
   resposta, 392g
realimentação múltipla, 413
   efeito ddo Zout do AOP, 414g

rede elétrica, 631
resposta ao degrau, 405g, 406t
   comparação, *406*, 409g
resposta finita ao impulso (FIR), 419, 421g
resposta infinita ao impulso (IIR), 420
Sallen e Key, 399, 409-410
sequência de fase, 455-456, 456g
Thomson, 403
tipos, 400-406
variável de estado, 410-413
   passa-faixa, 411
VCVS, 407, 408t
   efeito do Zout do AOP, 414g
filtro de capacitor comutado, **418**
filtro de variável de estado, 410-413
filtro duplo T, 414
filtro Sallen e Key, 399, 409-410
fio
   longo
      sinais digitais através, **856-874**, W**1116**-W**1122**
FIR, *veja* filtro, digitais
FireWire, *veja* computador, barramento de dados
flash
   conversão, *veja* ADC
flip-flop, *veja* lógica
flutuante
   amplificador, 367-368
   capacitor, *veja* capacitor, flutuante
flyback, *veja* modo de comutação
folha de dados, muito grande, 1063
fonte
   flutuante, para polarização, *215*
   onda senoidal, 41
fonte de alimentação, **594**ff, 595p, *veja também* regulador de tensão
   alta tensão, **695**ff, *696*
   capacitor de armazenamento, 633-634
      corrente de ondulação, 634-635
   carga ressonante, 39
   favoritos, W1152
   filtragem, 32
   isolado, *veja* modo de comutação, isolado
   limitador, 692
   limite de corrente, 596-597
      do transistor de passagem fora da placa, 695
      redução de corrente, 693, 694g
   linear
      em comparação com modo de comutação, *veja também* modo de comutação, 633-638
      topologia, em comparação com SMPS, *630*
   modo de comutação, **636-637**ff, *veja também* modo de comutação
      alimentado por CA, *veja* modo de comutação, isolado

   CIs controladores, 658t
   CIs de modo de corrente, 654t
   CIs de modo de tensão, 653-655t
   em comparação com linear, *630*, 633-638
   programável, 1086
   módulos comerciais, 684, 685p
   multiplicador de tensão, 34
   não regulado
      a partir da rede elétrica CA, **628**ff
      bancada *versus* SPICE, 634-635
      fator de potência, 633-635
   proteção contra sobretensão, 598, **691**ff
   regulada, 123
   regulador, 34
   retificador, 634-635
      picos de amortecimento, 634-635
   ruído, *veja* ruído, fonte de alimentação
   simétrica, 34
   tensão de ondulação, 33
   zener como, 595
fonte de alimentação ininterrupta (UPS), 673
fonte de corrente, **85**ff, **620**ff, 623g
   alta tensão, 622, 696
   amplificador de diferença como, 350-351
   amplificador de instrumentação como, 367-368
   AOP, **228-230**, *242*, *254*, *344*, *367-368*, *623*, *895*
      Howland, 229, 230
   BJT, 85-88, 146, 534-535
   CIs, 621
   compliance, 8, 27, 28, 86, *895*
   deficiências de, 87
   discreta, 622
   flutuante, 895-898
   JFET e BJT comparação, 145
   JFET, 142
   largura de banda de, 254
   modo depleção
      FET como, 211, 622, 623G, 696
   nanoamp
      programável de ampla compliance, 896
      pulsado, 555
   nanoamp de ampla compliance, 894-898
   oscilação em, 442
   precisão, 367-368, *898*, **897-898**
   regulador 3 terminais como, 620
   resistor como, 85
   ruído de, **487-489**
   taxa de variação de, 367-368
   transistor, *veja* fonte de corrente, BJT/JFET/modo depleção
força eletromotriz, *veja* EMF
forma de onda
   amostragem, 419

fórmula de Wheeler, 28
fotodiodo, 841-842, *veja também* diodo, foto
fotômetro
    fonte simples, 265
fotomultiplicador, 842-843
    amplificador, *843*
fotoresistor, 206, 844-845, 845p
fototransistor, 841-842
FPGA, *veja* dispositivo lógico programável (PLD)
frequência
    análise de circuitos reativos, **41**ff
    angular, 14
    compensação, **280**ff
        em regulador linear, 596-597
    conversão, 562
    para conversor de tensão, 890
    síntese, 451
    sintetizador, 17, 1082
        microcontrolador, **1065-1069**
fuga, *veja também* capacitor; JFET, *veja também* indutância
    espectro, 420
função de transferência, 7
fusível, 630

G

GAL, *veja* dispositivo lógico programável (PLD)
gerador de função, 17
    arbitrária, 18
    favoritos, W1152
gerador de paridade, 728
glitch, *veja também* lógica
    mudança de código em DAC, 892
glossário, W1166
GPIB, *veja* computador, barramento de dados
GPIO, 1084
gráfico de Bode, **280-285**, 311, 899, 961, 963
gráfico de Gummel, 92g, 500
Gummel-Poon, 93
gyrator, 397ff

H

Hamming, *veja* janela, amostragem
Hanning, *veja* janela, amostragem
HDL, *veja* dispositivo lógico programável (PLD)
HDMI, *veja* conector
henry, *veja* indutor
heterodino, 562
Hewlett, William, 437
hexadecimal, *veja* número
histerese, 237, *veja também* Schmitt trigger
    em diodo túnel, W1114
    térmica, 683

histerese térmica, 683
humano
    interface, do sistema (HI), 1059
    modelo do corpo (HBM), 200, 804ff
humano
    transistor, 75

I

I²C, 887, *veja* computador, barramento de dados, 1061, 1081
    em DAQ, 954
    periféricos do microcontrolador, **1084-1086**
IEEE 1394 (FireWire), *veja* computador, barramento de dados
IGBT (transistor bipolar de porta isolada), 207
    desaturação, 847
Iinearidade
    conversor, 881, 899
        INL *versus* DNL, 899-900
impedância, **40**ff
    característica, de linha de transmissão, W1116
    conversor, generalizado (GIC), 398
        largura de banda de AOP, efeito sobre, 399g
    conversor, negativo (NIC), 397
    de amplificador emissor comum, 88
    de fontes e cargas, 79
    de *LC*, 52
    de seguidor de emissor, 80
    em paralelo, 46
    em série, 46
    entrada
        de amplificador de diferença, 352
        de amplificador diferencial, 376
        de AOP, 245
    saída
        casamento de linha de transmissão, W1122
        de AOP RRO, 316
        de AOP, 309
        pequenos sinais, 81
        saída, de AOP, 246
inclinação, *veja* integrador
índice, W1171
indutância
    da bobina, 28
    da saída do AOP, 250g
    fugas, **632-635**, 656, 668
        energia na, 669-670
        transformador na rede elétrica, 633-634
    magnetização, 669-670
    sensor, 1084
indutância em série equivalente, *veja* capacitor; resistor
indutivo
    cargas, 38
    pico, 38, *veja também* pico

indutor, **28**ff, 29p
    energia armazenada
        no conversor de modo de comutação, 636-637
    equilíbrio volt-segundo, 30
    flyback, como transformador, 656
    reatância, 44, 45, 49g
    variável, 64p
injeção de carga
    ausência de, 843, 849-850
    em ADC, 911
    em amostragem e retenção, 256
    em chave analógica, 176t, 180, 181g
        versus RON, 182g
    em filtro de capacitor comutado, 418
    no integrador, 9J8
integração
    conversão, *veja* ADC
integrador
    AOP, 230, 231s, 257-260
    capacitor comutado, 416
    inclinação, 257-260
    no filtro ativo, 410
    no oscilador de quadratura, 453
    RC, 26, 51
interdigitação, 140
interferência, 478, 579ff
    intersímbólica, 870
interferência eletromagnética, *veja* EMI
Internet
    transmissão de vídeo, W1140
interrupção, *veja* computador
interruptor
    óptico, 851-852
interruptor óptico, *veja* optoeletrônica
inversão
    conversor de modo de comutação, *veja* modo de comutação
inversor
    AOP, 225
    bomba de carga, 183
    capacitor flutuante, 183
    conversão de potência CA, 673s
    lógico
        CMOS, 185
    opcional, 232
IP, *veja* dispositivo lógico programável (PLD)
IrDA, 1061, 1081
ISA, *veja* computador, barramento de dados
isolação
    barreira no SMPS desligado, 663
isolação de superfície, 665
isolado, *veja* alimentado em CA

J

janela
    amostragem, 420-421
    chave, 573
    discriminador, *veja* AoE 2ª ed., página 669

média, 562, 941g
quartzo, 769, 1022-1023
JFET (transistor de efeito de campo de junção), *veja também* FET, 217t
   ajustando o *offset* com DAC, 345
   amplificador diferencial, 152
   amplificador híbrido, 152, 153g, 155-156g, 343-347
      compensação, 154g
      versus AOP FET, 155-156
   amplificador, **146**ff
      baixo nível de ruído, 509-520
      com cascode, 148
      erro de ganho g_{os}, 167
      fonte comum, 149
      ganho máximo G_{max}, 167
      instrumentação, 512
   amplitude de valores de V_{GS}, 140g
   AOP
      rápido, 155-156t
   baixo nível de ruído, 516t
      seleção, **515-517**
   capacitância, 170
   características de transferência, **165**ff, eu 166-167g, 169g
   circuitos lineares, **142**ff
   como diodo, 294
   como resistor variável, **161**ff
      linearização, 161, 162g
   condutância de saída, 166
   corrente de porta dinâmica, 164
   corrente de porta, 163g
      ionização por impacto, 164g, 546
   corrente de ruído, **511**
   cuidados e alimentação do, 346
   curvas características, 43g
   fonte de corrente, 142
      autopolarização, 143g, 145g
      como seguidor BJT *pulldown*, 144
   fuga, *veja* corrente de porta de JFET
   G_{max}, 141t
   mini-tabela, 141t
   oscilador em ponte de Wien, 437
   oscilador, 155-156, 441
      espectro, 442g
      no PLL, 395
   par de realimentação série, I50, 151g
   referência de tensão, **680**
   referência *pinch-off*, **680**
   região de sublimiar, 166g, 167g, 168g, **166-169**
   região sublimiar profunda, 166g
   ruído $1/f$, 510, 517g
   ruído, 509g, **509-520**
      versus BJT, 517
   seguidor de fonte, *veja* seguidor de fonte
   símbolos esquemáticos, 135
   tensão de limiar (V_{th}), 137, 138-139g, 147, 150, 166, 167g, 169g
   tensão de ruído, 346, **509-511**, 518g
      teoria *versus* medição, 509g

   versus transcondutância, 509g
   tensão *pinch-off*, V_P, 136
   testador de tensão *pinch-off*, 240
   transcondutância, 132, 141t, 146
      dentro de uma família, 169, 169g
      versus corrente de dreno, 168, 168g
      versus tensão de dreno, 170
      versus MOSFET, 170g
jitter, 427, 457, 464, 870, 907-908, 931, 964, 966, 971, 973ff
Joule, 2
JTAG, 769, 1036, *veja também*
   computador, barramento de dados, 1061
   bootloader, 1091

L

lâmpada, 62
largura de banda
   de AOP, 308
   de ruído, 477
   estreitamento, **575**ff
      detecção síncrona, 398, 562, 576, **575-578**, 851-852
      média de sinal, 576
latch, *veja* lógica
latchup
   em chave analógica, 174
LC, *veja também* filtro, LC
   filtro Butterworth, **W1109**ff, W1110t
   filtro, 54g, 54p, 55s
   impedância, 52
   notch, 52
   tanque, 52
LCD, 1061, 1066, *veja* optoeletrônica
LED, 62, 830p, **829-834**
   acionador BJT, 76
   acionador de corrente constante, 834
   acionador, 1086
   backlight, 1084
   comprimento de onda, 76
   detecção síncrona, 578
   display multiplexado, 750-752
   display, 837
   estimativa de tensão, 752
   iluminação angular, 832g
   lâmpada (exemplo de projeto), 833
   luminária, 835p
   montagem em painel, 832t
   pulsado, 466-467, 834
   queda direta, 76, 826-827g
Lehrer, Tom, 1099
lei de Ohm, **4**
   generalizada, 46
   não obedecida pelo diodo, 31
leis de Kirchhoff, 2, 1107
leitura e referências, W1154ff
limitador
   diodo, 37
limitar, *veja também* SCR
   ativo, 257
   diodo, 36

fonte de alimentação, 692
reset ativo, em SMPS, 657
saída de AOP, 913
transientes de entrada, em SMPS, 669
linear
   circuito, 14
linha de atraso
   elementos concentrados, W1126, W1128p, W1129
      impedância de, W1127
   linha de transmissão, W1128p, W1130s
linha de transmissão, **W1116**ff
   atenuador resistivo, W1123, W1124t
   casada
      capacitância desaparece, W1116
   casamento de impedância, W1122
      banda estreita sem perdas, W1125
      banda larga sem perdas, W1124
      perda mínima, W1123, W1124t
   diferencial, 864-873
      LVDS, 868-873
   e ondas senoidais, W1120ff
   impedância característica, W1116
   linha de atraso, W1128p
   não terminado, 859s, 860s, 858-860, W1119
   oscilação, W1119s
   par trançado, W1117
   perda, W1121, W1122g
   reflexão, W1117, W1118s
   sinais digitais em, **858-873**
      dissipação de potência, 874g
   terminação, 860-864, **W1117**ff
      de retorno, W1118
      série, W1118
Little Logic, *veja* mini-logic
LKC, LKT, *veja* leis de Kirchhoff
LMOS, *veja* mini-logic
lógica
   0 e 1, 704
   acionamento
      a partir de AOP, 808-809
      a partir de comparador, 806-809
      cargas externas, 721, 817, **817-829**
   acionamento de cargas AC a partir de, 821, 822
   acionamento de cargas negativas a partir de, 821, 822
   alternância, *196*
   ALTO e BAIXO, 704
   assimetria do clock, 757
   assíncrono, 733
   ativa em nível ALTO, ativa em nível BAIXO, 714
   atraso
      versus potência, 792g
      versus tensão, 794g
   através de cabos, **856-874**, **W1116-W1122**
      comparação, 874
   barramento de dados, 720, 721

Índice 1183

bloqueio, 755
buffer, *veja* buffer, lógica
características de entrada, **795-796**
características de saída, **796-797**
    tensão *versus* corrente, 798g
carga capacitiva, 857
chave, 172, **725-726**ff, 916ff, 917t
ciclo de vida, 715g
CMOS, 714
    assimetria de limiar, 760
    características, **717-720**
    circuito, *717*
    corrente de pico, 760
    entradas abertas com, 760
    minimização de potência, 754
    modos de falha, 760
    problemas, 760
    saídas fracas, 826-827
codificador de prioridade, 727
coletor aberto, 721
combinacional, 708
combinatorial, 708
comparador de magnitude, 728
concorrência, 724, 738, 756, *veja também* pulso estreito
contador, 742t, **741-744**
    assíncrono, 733, 734s
    módulo *n*, 748-751
    modulo *n*, temporização, 750g
    ondulação, 733, 734s
    síncrono, 737, 737
corrente de entrada, 795g, **795**
decodificador, 726-727
    código Verilog para, 727
demultiplexador, 726-727
digital *versus* analógico, 703
display multiplexado, 750-752
dividido por 2, 731
dividido por 3, 734-736, 743s
    código Verilog para, 736
    glitch assíncrono, 743
dreno aberto, 721
ECL, 722
encapsulamentos de CIs, 715p
enlace robusto, W1120
entradas não usadas, 717-718, 738, 754, 759, 806-807
    truque do LVDS, 800
estados excluídos, 735
estados, 704, 797g
expansão, 726-727
famílias, 704, 706t
    características, **717-720**
    ciclo de vida, 715g
    circuito, *791*
    CMOS, 791-794
    ECL, 790
    entrada e saída, 717-718
    história, 790-794
    níveis lógicos, 706 (quadro), 717-718

RTL, 790
tensão de alimentação, 717-718
TTL, 790
velocidade e potência, 719
velocidade *versus* potência, 719g
velocidade *versus* tensão, 719g
fan-out, 711, 720, **794-797**
    nenhum na porta de transmissão, 725-726
FIFO, 747
flip-flop, *196*, **729-733**
    alternante, 732
    com clock, 730
    disparado por borda, 731
    mestre-escravo, 732
    RS, 729
    tempo de *hold*, 732
    tempo de *setup*, 732
    Tipo D, 731
    Tipo JK, 731
    Tipo T, 731
função de transferência, 796g
funções sequenciais, **729-745**
    diversas, 746-748
    exemplo de temporização, 750
gerador de paridade, 728
gerador de pulso
    com flip-flops e contadores, 738-740
    exemplo de projeto, 738-740
glitch, 738, 743s
HDL, 711, *veja também* dispositivo lógico programável (PLD)
identidades, 722t
interfaceamento, **790-874**
    entre famílias lógicas, 799, **798-801**
latch, 739-740
linguagem de descrição de hardware, *veja também* dispositivo lógico programável (PLD), *veja* lógica, HDL
mapa de Karnaugh, 723
máquina de estado, 734-737
    Mealy, Moore, 736
metaestabilidade, 732, 733s, 756
mini, 712, 715
minimização, 723
MOSFET, 184
multiplexador, 724
    expansão, 726-727
multiplicador-acumulador, 728
negativo-verdadeiro, 714
níveis, 706 (quadro)
nível lógico ativo, 713
nível, 17
nMOS
    características de entrada, 828
    características de saída, 826-827
    interfaceamento, 826-829
padrão
    CIs combinacionais, 724
    CIs sequenciais, 739-740
    portas, 716t

quando usar, 782, 785
porta de transmissão, 172, **725-726**ff, 917t, 1015-1016
porta, **708-724**, *veja também* buffer, lógica
    2 entradas, 724
    AND, **709**
    circuitos, discretos, 711
    circuitos, integrados, 717
    exemplo, 712, 714
    EX-OR, 710, 737, 753, 771 ff, 782, 957, 975, 983
    implementação da EX-OR, 723
    inversor, 709
    NAND, 710, *veja também* memóra, não volátil
    NOR, 710, *veja também* memória, não volátil
    NOT, 709
    OR, **709**
    padrão, 709
    permutabilidade, 713
    transmissão, 172, **725-726**ff
positivo-verdadeiro, 714
potência
    dinâmica, 754
    minimização, 754
problemas, **755-760**, 760
    regras não especificadas, 757
projeto de micropotência, 753
proteção de entrada, 804-807
pulso estreito, *veja* pulso estreito
registrador de deslocamento, 1081
    RAM como, 745
    realimentação do PRBS, 976
    temporização, 746g
registrador, 739-740, *veja também* computador
    deslocamento, **743-744**
    potência, 819t
regras não especificadas, 757
reset na inicialização, 755
reset/supervisor, 756t
RTL, 712
sincronizador, 737
síncrono, 734
sintaxe, 711
sobrecarga de entrada, 806-807
somador, 728
    código Verilog para, 729
sondagem, 808-809, 809-810s, 810-811p
tabela-verdade, 708
tempo de *hold*, 732
tempo de propagação, 710s
tempo de remoção, 758
tempo de *setup*, 732
TIL, 714
    características de saída, 826-827
    características, **717-720**
    circuito, *717*

ruído em, 758
três estados, 720
unidade lógica e aritmética (ALU), 728, 990
velocidade, 710s
   versus poder, 792g
   versus tensão, 794g
wired-AND, 722, 1081
wired-OR, 721, 722
loop PID, *veja* realimentação
luz noturna, 206
LVDS, 705, 864, **868-871**
   condicionamento de sinal, 870, 871s
   níveis, *873*
   potência, 874g
   teste de tortura, 869s
LVPECL (PECL de baixa tensão), 874

M

malha de fase sincronizada, *veja* PLL
mapa de Karnaugh, *veja* lógica
máquina de estados finitos (FSM), *veja* lógica
Marca (RS-232), 871
matemática, **1097**ff
MDAC, *veja* DAC, multiplicação
medidor, 61
melhor do mundo
   ADC ΔΣ rápido de multicanal, *956*
   amplificador de baixo *en*, 505
   capacitor baixa memória (Tefton), 301g
   DAC PWM, 889
   DMM, 344
   fonte de alimentação de baixo ruído, 580
   fonte de corrente de precisão, *898*
   gráfico de ruído de AOP, 531-532g
   oscilador de baixa distorção, 438
   referência de tensão, 675, 677t, 681-682, 684, 892
   resistor de precisão, 227, 300, 1106
   TIA, *547*
memória, *veja também* lógica, *veja também* computador, *veja também* microcontrolador, **1014-1027**
   cache, 991
   computador, 991
   conclusão, 1026-1027
   configuração, para FPGA, 769
   dinâmica, 991, **1018-1023**
      assíncrona, 1018, *1020*
      síncrona, 1020-1021
      temporização, *1020-1022*
   estática *versus* dinâmica, 1015
   estática, 991, **1015-1018**
      assíncrona, 1015-1016, *1015-1016*
      síncrona, 1018
      temporização, 1017
   flash, 991
   HDD, 992
   não volátil, **1020-1026**

EEPROM, **1022-1025**, 1053, 1082, 1084
EPROM, 1022-1023
ferroelétrica, 1022, **1025**
flash NAND, 1024, 1025
flash NOR, 1024, 1024
flash, 1022, **1024-1053**
magnetoresistiva, 1022, **1026**
mudança de fase, 1022, **1026**
porta flutuante, 1022
PROM, 1022-1023
ROM de máscara, 1022-1023
pseudo-estática, 1017
RAM
   como registrador de deslocamento, 745
ROM
   em máquina de estado, 735
SSD, 992
voláteis, 991
voláteis/não voláteis, 1014
metaestabilidade, *veja* lógica
mho, 6
microcomputador
   terminologia, 989
microcontrolador, 747, 749, 887, **1053-1094**
   8051, 1060, *1067*
   ambiente de desenvolvimento, **1086-1093**
      custo, 1092-1093
   ARM, 1060
   AVR, 1060
   características de saída, 798g
   carregar o código, 1059
   CIs periféricos, 1078-1086
      conexão direta, *1080*, **1079-1082**
      conexão I2C, *1085*, **1084-1086**
      conexão SPI, *1083*, **1082-1084**
   código *assembly*
      gerador PRBS, 779, 783
   código de carregamento, **1089-1093**
      bootloader JTAG, 1091
      bootloader paralelo, 1091
      bootloader proprietário, 1091
      bootloader SPI, 1091
      bootloader UART, 1090
      bootloader USB, 1091
   código em linguagem C
      gerador PRBS, 782, 784
   como selecionar, 1094
   como temporizador, 469
   conclusão, **1092-1094**
   controlador térmico (exemplo de projeto), **1069-1077**
      circuito, 1071
      diagrama em blocos, 1069
      loop de controle, 1074, 1075
      pseudocódigo, 1075
   controle de alimentação CA (exemplo de projeto), **1062-1065**

circuito, 1063
pseudocódigo, 1064, 1065
depuração no próprio circuito, 1092-1093
diagrama em blocos, 1054
famílias populares, 1059-1060
gerador PRBS, 777ff
implementação de ADC delta-sigma, 932-933
kit de desenvolvimento, 1090p
monitor de bronzeamento (exemplo de projeto), **1054-1059**
   circuito, 1055
   código em linguagem C, *1058*
   pseudocódigo, 1056, *1057*
MSP430, 1061
periféricos
   no próprio chip, **1061-1062**
PIC, 1060
plataforma estabilizada (exemplo de projeto), 1077p, **1077-1078**, 1079p
   diagrama em blocos, 1078
   pseudocódigo, 1078
programação no próprio circuito, 1053
quando usar, 785, 1093
Rabbit, 1060
restrições em tempo real, **1088-1090**
restrições, 1086
sintetizador de frequência (exemplo de projeto), 1067p, **1065-1069**
   diagrama em blocos, 1066
   pseudocódigo, 1067, 1068
software, **1086-1088**
   BASIC, 1086
   C/C++, 1086
   código *assembly*, 1086
   Java, 1088
   Python, 1088
terminologia, 989
microconversor, 1070
microfone
   alto-falante como, 486
   pré-amplificador de fita, 505
microfone de fita, 505
micropotência
   projeto digital, 753
microstrip, 858, W1117-W1119, *veja também* stripline
MiniGate, *veja* mini-logic
mini-logic, 715p, 715-719, 725-726, 772, 800, 916
misturador, 562
modelo de Ebers-Moll, **90**ff
modo comum, *veja* amplificador, *veja* AOP, *veja* comparador
   captação de, 584, *veja também* CMRR
   teste de tortura, 869s
modo de comutação
   comutação de corrente zero (ZCS), 823
   comutação de tensão zero (ZVS), 823

modo de comutação (SMPS), *veja também*
regulador de tensão, **636-637**ff
  baixo nível de ruído, 649
  boost, **647**
  buck, **642**ff
  buck, exemplos, 644ff
  buck-boost, **651**
  CIs controladores, 658t
  CIs de modo de corrente, 654t
  CIs de modo de tensão, 653-655t
  compensada internamente, 645-646
  comutação de corrente zero (ZCS), 650, 662, 850, 1062
  comutação de tensão zero (ZVS), 650, 659, 671, 850, 1062
  conclusão, não isolado, **649**ff
  conversor em ponte, **659**
  conversor forward, **656**
  corrente de saída crítica, 643
  eficiência, 636-637
  em comparação com linear, *630*, 633-638
  equações de projeto, 644, 647-648, 656, 657, 659
  espectro de ruído, 636-637g
  flyback, **655**
    tração elétrica, 671
    transformador no, 670
  formas de onda, *643, 647, 648, 652, 666, 667s*
  histerese, 644
  inversora, **648**
  isolada, **653-655**ff
    flyback, 655
    topologias, *655*
  isolada, **660**ff
    conclusão, 672-673
    correção de fator de potência (PFC), 661, 668
    corrente de energização, 661, 668
    exemplo do mundo real, **665**ff
    quando usar, 672-673
    tensão dupla, 660
  modo de condução contínua, 644, 670
  modo de condução crítica, 643
  modo de tensão, 652
  modos de PWM, 651
  não isolada, **641**ff
    boost, **647**
    buck, **642**ff
    buck, exemplos, 644ff
    buck-boost, 651
    conclusão, **649**ff
    equações de projeto, 644, 647-648
    formas de onda, *643, 647, 648, 652*
    histerese, 644
    internamente compensado, 645-646
    inversora, **648**
  núcleo, entreferro, 656, 670
  perda, 662
  ponte-H, *655,* 659

ponto de carga (POL), 637, 686
pulsação de corrente, 649
ruído, 649
sem indutor, **638**ff, 639g, 639t
  ondulação, 639, 641
  regulada, 641
soft start, 650
topologias, 638
  em comparação com linear, *630*
modulação
  amplitude
    homódina, 970
    síncrona, 970
  BPSK, 970
  de amplitude (AM), 55, 56s
  delta, 910
  frequência
    demodulação com PLL, 969
    demodulação em quadratura, 969
    detectar Foster-Seeley, 970
    detector de inclinação, 970
    detector de relação, 970
  QAM, 970
modulação de amplitude em quadratura, *veja* QAM
modulador
  delta-sigma, 925-929
  magia em, 927
módulo, 1091, 1093
módulo de potência de entrada IEC, 629
monitor de bronzeamento
  AOP, divisor de corrente, 279
  AOP, em duas etapas, 279
  AOP, integração, 278
  com ADC, *922*
  com microcontrolador, **1054-1059**
  delta-sigma, 922-923
monoestável, 77, 242, 459, 462-463t, **460-466**, 555, 460
  coeficiente de temporização, 464g
  exemplos de aplicações, 465-466
  precauções, 462-464
  problemas com, 462-464
  proteção para dispositivos pulsados, 466-467
  redisparável, 462-463
monotonicidade
  conversor, 881
MOSFET, *veja também* FET
  acionador de porta, 218t, 861
  alta tensão
    barreira de isolação de superfície, 665p
  capacitância de porta, 1979, **197**ff
  características de transferência, 212g
  chave lógica, 184-186
  chave, *veja também* modos de comutação
    comutação para a fonte, 825, 826t
    proteção, **823-825**
    protegida, 824, 825t
  conexão em série, 697

construção, 134
corrente de porta dinâmica, 164
especificação de avalanche, 1073
limiar de porta, 136
modo depleção, 209, 210T
  como fonte de corrente, 622
  como proteção de entrada, 210
  descarga HV, 211
  extensão *V*IN do regulador, 211, 693
  fonte de corrente, 211
potência, **187**ff, 187-191t
  acionador piezoelétrico, 207
  amplificador piezoelétrico, 208
  aplicações de comutação, *195, 196,* 194-196
  aplicações lineares, 208
  aplicações, **202**ff
  capacitância de dreno, 198
  capacitância de porta, 197g
  carga de porta, 197, 198s
  chave protegida, 205
  chave, 206t
  comutação para a alimentação, **202**ff, 204
  cuidados de comutação, 196
  deriva térmica, 213
  diodo de corpo, 199
  especificação de potência, 199
  estabilidade térmica, 187
  exemplos de chaves, 206
  lateral, 214g
  luz ao anoitecer, 206
  nível lógico, 192, *193*
  paralelismo, 201, 212-215
  proteção de porta, 199
  resistores de limitação de corrrente de fonte, 213
  ruptura da porta, 199
  seguidor *push-pull*, 214
  versus BJT e IGBT, 201, 202t, 208t
precauções de manuseio, 200
  danos de porta, 201p
referência de porta flutuante, *veja* referência de tensão
RON *versus* temperatura, 213g
ruído, 519
símbolos esquemáticos, 134
versus JFET, 170
motor de passo, 1084
MOV, *veja* varistor
MPEG-2, W1137
MPEG-4, 1061, W1137
MSP430, *veja* microcontrolador
multímetro, 2, 10 (box)
multiplexador, *veja também* lógica
  chave analógica FET, 173
  em DAQ, 948
multiplicador da taxa
  como PWM, 890
multiplicar
  como, 762

multirampa
  conversão, *veja* ADC
multivibrador monoestável, *veja* monoestável

N

Nakamura, Shuji, 62
NAND, *veja* lógica, *veja* memória, não volátil
não linearidade
  erro do conversor, 881, 899
não monotonicidade
  erro do conversor, 881
negativo-verdadeiro, *veja* lógica
netlist, *veja* dispositivo lógico programável (PLD)
NEXT (*crosstalk near-end*), 581
nível lógico ativo, 713
nomenclatura de terminal, 131
NOR, *veja* lógica, *veja* memória, não volátil
NRZ, 1041
NRZI, 1041
núcleo em forma de pote, 29
número
  a vida, o universo e tudo mais, 42
  armazenamento na memória, 1048
  BCD, 706
  código Gray, 708, 709
    conversão binária, 711
  códigos, **705**ff, 880
  complemento de 2, 707, 1046
    aritmética do, 708
  da besta, 666
  hex, 705
    notação, 705
  inteiro
    justificação, 1046-1047
    sinalizado, 707t
  offset binário, 707
  ponto flutuante, 708, **1046-1048**
    formatos, 1046-1047
  sinal-magnitude, 707
nybble, 990
Nyquist
  ruído, 474

O

offset binário, *veja* número, códigos
OLED, *veja também* optoeletrônica, 839
onda acústica de superfície, *veja* oscilador, SAW
onda quadrada, 16
  convertendo para onda senoidal, 394s
  quadratura, 455-456
onda senoidal, 14
  a partir de onda quadrada, 394s, 435
  inversor, 673s
  modificada, 673s
  oscilador, *veja* oscilador, onda senoidal

onda senoidal modificada, 673s
onda triangular, 15
ondulação, 633-635, 636-637s, 639g
  corrente, 644
  efeito da frequência de modo de comutação, 641
  efeito do ESR do capacitor, 639
  em fonte não regulada, 599, **632**ff
  filtragem, 619
  rejeição, 605
ontem, 273 (quadro)
optoacoplador, 805-806, 837p, 844-845p, *845-847*, **843-849**, *848-852*
  analógico, 586, 847
optoeletrônica, **829-856**
  acoplador, *veja* optoacoplador
  classificação, *829*, 831 (quadro)
  detector, 837p, 841p
  diodo PIN, 837p
  display
    LED, multiplexado, 750-752
  displays, 830p, 837p
  emissores, 830p
  fibra óptica, 853p, *veja também* fibra óptica
  fotocondutivo, 437
  fotomultiplicador, 837p
  interruptor, 578, 844-845p
  LCD, 837p, 839, *840*, W1143
    interface de temporização, *1028*
  OLED, W1143
  optoacoplador, 1081
  plasma, W1143
  sensor de imagem, 841p
  tela da televisão, W1143
  variedades, 837p
optoisolator, *veja* optoacoplador
oscilação
  parasita, 426, 427s, 442
  transição lógica lenta, a partir de, 801s
oscilação
  em SMPS, 668
oscilação de baixa frequência, 286
oscilador, **425-457**
  AOP
    onda triangular, 239
    baixa distorção, 437
  CMOS, 426-427
  controlado por tensão, 267, **434**ff, 435, *959*
    no PLL, **959-960**
  cristal de quartzo, **443-450**
  cristal, 443p, **443-450**
    circuitos, *446-447*
    micropotência, 448, 449g
    modos série e paralelo, 444, 445g
    módulos, 449
    uma advertência, 449
  DDS, 451, *453*, 455-456, 1066, 1082
  dente de serra, 430, 917-918, *918*
  deslocamento de fase, 438

emissor acoplado, 440
JFET, 155-156
  baixo nível de ruído, 441
  espectro, 442g
jitter, 457
LC, 439
  ciclo de trabalho de 50%, 429
  ciclo de trabalho de faixa total, 430
  eletricamente sintonizável, 440, 555, 430t, **428-432**
  local (LO), 562, 971
  não é necessário no exemplo de μC, 1056
  onda senoidal, **435-443**
    ponte de Wien, 436-438
  oscilações parasitas em, 426, 427s
  padrão atômico, 451
  PLL, 452
  programado por resistor, 432g
  programável, 267
  quadratura, 454s-456s, **453-456**
  ratiométrico, 431
  relaxação, *267*, **425-435**
    AOP, 425
    lógica CMOS, *426*, 427s
    unijunção, 427
  ressonador cerâmico, 450
  SAW, 450
  silício, 432, 432t
  TCXO, OCXO, 450
  tipos, 452t
  triangular, 239, 267, 431
  VCO de precisão, 267
  VCXO, **446**, 960, 964, 969, 971
oscilador programável, 267
osciloscópio, 2, W**1158**ff
  analógico, W*1159*
  dicas, W1160
  digital, W1152, W**1162**ff, W*1163*
    aliasing, W1164
    tempo morto, W1164
  ponta de prova, 67, W1160, W*1161*
  assimetria, W1164
OTA (amplificador operacional de transcondutância), 100

P

PAL, *veja* dispositivo lógico programável (PLD)
PALASM, *veja* dispositivo lógico programável (PLD)
par de realimentação em série, 122
  com JFET, 150, 151g
par trançado
  banda larga analógica sobre, 352
paralelo
  bootloader, 1091
  conversão, *veja* AOC
  impedâncias, 46
  modo de cristal ressonante, 444, 445g
  MOSFETs, 201
  resistores, 5

parâmetros
  não especificados, 296
parede de tijolos, *veja* filtro
passeio aleatório, 981
PATA, *veja* computador, barramento de dados
PC 104, *veja* computador, barramento de dados
PCIe, *veja* computador, barramento de dados
PCMCIA, 1061
PECL (lógica ECL positiva), 874
pequeno sinal, 12, 45, **80**, **90**, 147, 583
  impedância, 81, 245
  símbolo para, 45, 80, 90, 1097
  transistor, 74t
perda
  comutação, 662
permeabilidade, 29
PGA, *veja* amplificador, ganho programável
PIC, *veja* microcontrolador
pico, *veja também* injeção de carga, 17
  a partir da descarga, 200
  a partir de flyback, 39, 193
  a partir de indutância de dispersão, 669
  a partir de um degrau, 199, 634-635
  borda diferenciada, 25, 26s
  corrente de terra, 856, 857
  em acionador de SMPS, 669
  lógica de acionamento de carga capacitiva, 857
  no domínio da frequência, 977
  no retificador de alimentação, 634-635
PicoGate, *veja* mini-logic
piezoelétrico, 24
pipoca
  ruído, 477, *478*
piroeletricidade
  detector, 841p
PLA, *veja* dispositivo lógico programável (PLD)
plataforma estabilizada
  microcontrolador, 1077p, **1077-1078**
PLD, *veja* dispositivo lógico programável (OLP)
  gerador de ruído, 981
  características de saída, 798g
PLL, 452, 972t, **955-974**, 1071
  aplicações, **966-974**
  captura e bloqueio, **964-965**
  circuito de filtro, 961
  clock de amostragem, 907-908
  com oscilador JFET, 394
  demodulação AM, 970
  demodulação BPSK, 971
  demodulação FM, 969
  detector de fase, *957*, 958s, **956-959**, *959*s
    folga, 958-959
    zona morta, 958-959

diagrama em blocos, 956
estabilidade de malha, 961
ganho de malha, 962, 963 (quadro)
geração de clock, 972
loop
  diagrama em blocos, *961*
multiplicador de frequência (exemplo de projeto), **961-964**
  circuito, *962*
projeto, **960-964**
regeneração de sinal, 971
rejeição de ruído e *jitter*, 974
remoção de sinal espúrio, 394
sicronização do deslocamento laser, *973*, 973-974
sincronização de pulso, 971
síntese de frequência, **966-969**
  aproximação racional, *969*, 968-969
  n-fracionário, *966*, **966-967**
  "tentativa e erro", 963
VCO, **959-960**
  tipo 4046, *959*, 959s
PMT, *veja* fotomultiplicador
polarização
  tee, 836
polarização
  com queda VBE compensada, 97
  com realimentação CC, 98
  de seguidor de emissor, 83
  ruim, 85
polo, 52
polo dominante
  compensação, 282
ponte de Wien, *veja* oscilador
ponte H, 655, 659, 889
porta, *veja também* lógica
  atraso
    versus potência, 792g
    versus tensão, 794g
  lógica
    CMOS, 185
    como gerador de pulso, 459
    universal, 715
  velocidade
    versus potência, 719g, 792g
    versus tensão, 719g, 794g
porta de impressora (Centronics), *veja* computador, barramento de dados
porta de transmissão, *veja* lógica
positivo-verdadeiro, *veja* lógica
pot, *veja* potenciômetro
potência
  compensações
    ruído, 483g, 509g, 525g
    velocidade, 792g
  comutação
    com acionador fora da placa, 237
    com MOSFETs, 192-200
  densidade
    bateria *versus* capacitor, 690g
  detecção CA, 1081

dinâmica, 754
em circuitos reativos, 47
em resistor, 6
encapsulamento de semicondutores, 628-629p
espectro
  de PRBS, 979
  de SMPS, 636-637
fator, 47
  correção em SMPS isolada, 668
  em SMPS isolada, 661
  na fonte não regulada, 633-635
fonte de precisão, 285
micro, *veja* micropotência
minimização, em projetos CMOS, 754
monitor de CA, 1082
projeto, **623**ff
supervisor, 1079
transferência, 11
transistor, 624
  conexão em série, 698
um minuto de, 23
uma hora de (exemplo de projeto), 466-467
potenciômetro, 7, 8p
  digital, 63, 184, 412, 1082
PRBS, **974-982**
  com a lógica ECL, 981, 983p
  com cPLD, 772
  com lógica discreta, *559*, *771-772*
  com microcontrolador, **777**ff
    código assembly, 779, *783*
    código em linguagem C, 782, *784*
  com PLDs, 981
  conclusão, 981
  diagrama de olho, 871s
  digital
    filtro, 979
    espectro de potência, 979
  fonte de ruído
    circuito, *980*
  gerador de ruído, 559, *771*
  espectro, 560s
  registro de deslocamento com realimentação, *976*
    derivações, 976t
    propriedades, 976
  ruído analógico, 975, **977-983**
  sequência de "chips", 975
  tensão de ruído analógico, 978-981
precisão
  versus faixa dinâmica, 292
pré-ênfase, 864, 870, 871s
prefixos, 4 (quadro)
primeiro a entrar, primeiro a sair, *veja* lógica
profundidade do efeito pelicular, W1122g
programador de dispositivo, 769
programável (com tensão)
  fonte de alimentação, *608*, *610*
  fonte de corrente, *228-230*, *367-368*, *896*

fonte de tensão, *195*, *892*
gerador de pulso, *918*
oscilador, *267*
temporizador (monoestável), *242*
projetados por mestres
   amplificador de instrumentação, *361*, 359-362
   conversores de multipla rampa da Keysight, *919*, 918-922
   DMM de precisão, 342-347
   fonte de corrente programável de nanoamperes, *896*
   paralelismo de MOSFETs, *214*
   preamp SR560, 514, 512-515
   SMPS a partir da rede elétrica, 595p, 666, 667s, 665-671
projeto de referência, 671
proteção, 359-360, 587
pseudo-diferencial, 275, 584
PSoC, *veja* microcontrolador
PTAT, *veja também* barreira de potencial, 92, 104, 431, *606*, *680*, **679-680**
pulso, 16
   a partir do degrau, *77*, 459s, 458-469
   ciclo de trabalho
      limitante, 465-466
   com modulação, *veja* PWM
   estreito, *veja* pulso estreito, *veja também* lógica
   formando rede, W1126
   gerador, 17
      alta tensão, *333*, 917
      com BJTs discretos, 77-79
      com flip-flops e contadores, 738-740
      disparável (exemplo de projeto), 738-740, *739-740*
      largura de pulso programável, 241
      n pulsos, 752-753, *753*
      pulso simples, 738-740
   limitando a largura de, 465-466
   sincronização
      com PLL, 971
pulso estreito, 737, *738*, 743s, 748, 753, *veja também* concorrência lógica, 757
pulso único, *738-740*
push-pull
   estágio de saída BJT, 106-108
      distorção de cruzamento, 107
      estabilidade térmica, 108
      polarização, 107
   reforçador de potência com AOP, 234
PWM, *veja também* modo de comutação, 1061, 1071, 1077
   como conversor digital-analógico, 888
   controlador térmico, **1069-1077**
   controle de torque do motor, *890*
   em conversores de modo de comutação, 645ff
   intensidade da luz, *834*
   multiplicador da taxa, 890
   para o conversor DAC, 889

Q

Q (fator de qualidade), 52
QAM, 456, W1138
quadratura
   demodulação de FM, 969
   encoder, 852, 877
   modulação, 577
   oscilador, 454s-456s, **453-456**
quantização
   ruído, 927-931
      ganho, 927
      modelo, 927

R

R-2R, *veja* escada
Rabbit, *veja* microcontrolador
rádio AM, 55, 56s
radiofrequência, *veja* RF
ramo
   serrar o galho em que você está sentado, 1091
rampa, 15
   gerador, 27
rampa simples
   conversão, *veja* ADC
RAS, 1019
raster (bitmap), W1132
rastreador de sinal, 276g
rastreamento-retenção, *veja também* AOP, 911
razão de onda estacionária, *veja* VSWR
razão de rejeição de modo comum, *veja* CMRR
r_{bb}, *veja* BJT (transistor de junção bipolar)
realimentação, **115**ff
   controle não linear, 1075
   detecção de corrente de saída, 120
   detecção de tensão de saída, 117
   dividida, 264, 285, 913
   efeito sobre circuitos amplificadores, **117**ff
   estabilidade, 120
      com carga indutiva, 899
   exemplos BJT, 121
   ganho de malha fechada, 116
   não linear, 276
   no PLL, 961
   ON-OFF, 1070
   PID, 1069, 1074, 1077
      circuito, 1075
      convergência, 1076
reatância, **40**ff
   gráfico de, 49
rede elétrica
   capacitor, 631
      resistor de descarga, 631
   chave, 631
   CI monitor, *943-944*, 943-945
   entrada, 629
   filtro, 631
   rejeição em ADC de integração, 915

transformador, 632
   especificação, 633-634
   indutância de fuga, 633-634
rede L, W1123
rede pi, W1109, W1124
rede T, W1109, W1124
redução de corrente, *veja* fonte de alimentação; regulador de tensão
referência de tensão, **674**ff
   2 terminais, 677t
   3 terminais, 678t
   autoaquecimento, 684
   barreira de potencial, 104, 599, 602, 604 (quadro), *606*, 611, 677, 678t, **679**
      como sensor de temperatura, 680
      ruído na, 679, 681, 682
   coeficiente de temperatura, 683
   deriva, 683
   em DAQ, 949-950
   exposição a raios X, 684
   fonte de corrente com, 895
   JFET *pinchoff*, **680**
   porta flutuante de MOSFET, **681**
   precisão, 681, 683
   PTAT, *veja* PTAT
   ruído, 682g, **682**
   série, 678t
   shunt, 677t
   umidade, 684
   VBE, *veja* referência de tensão, barreira de potencial
   zener, 674
      CI, 676, 677T
      coeficiente de temperatura, 674
      deriva, 675
      em comparação com barreira de potencial, 679
      LTZI000, o espetacular, 675
      polarização com *bootstrap*, 676
      polarização, 675
      resistência dinâmica, 674
      ruído, 674, 676
registrador, *veja* lógica
registrador de deslocamento, *veja* lógica
regra da cadeia, 1099
regulação
   secundário, em SMPS, 671
regulador, *veja* regulador de tensão
regulador de tensão
   3 terminais
      como fonte de corrente, 620
      HV flutuante, 698
   723, **598**ff
      em defesa de, 600
   alta tensão, *609-610*, **695**ff, *696*
   amortecedor de carga, 618
   AOP, 235
   baixa queda de tensão (LDO), **610**ff, 612-613g, 614-615t
   baixa queda de tensão, 599
   comutação, 609

Índice **1189**

controle de rampa, 606
corrente de referência, 611
esquemático, LM317, *603, 606*
estendendo VIN, 211, 693
estilo 317, 604 (quadro), 605t
   circuito, *606*
   como fonte de corrente, 620
   controle do ventilador proporcional, 608
   corrente no pino ADJ, 605
   dicas, 604, *607*
   dupla tensão, *612-613*
   esquemático, *603, 606*
   fonte de alimentação de laboratório dupla simétrica, 608
   fonte de alta tensão, 609
estilo 7800, 602t,
estilo LT3080, 611
   como fonte de corrente, 620
filtragem, 619
limite de corrente, 693
   redução de corrente, 694
linear
   3 terminais ajustável, **602**ff, *veja também* regulador de tensão, estilo 317
   3 terminais fixo, **601**, 602t
   alta tensão, 693, 698
   amplificador de erro, 596-597
   classificação, 601
   corrente no pino de terra, 616
   crowbar, 598
   desvio, 616
   escolha, 612-613
   estabilidade da realimentação, 596-597
   estabilidade de LDO, 616
   inversão de polaridade, 616
   limite de corrente, 596-597
   particularidades, 612-613
   pinagem, 612-613
   resposta transitória, 616, 618s
   ruído, 618
   tensão de saída mínima, 606g
   tutorial, **595**tf, *596*
proteção contra falha, 619
seguidor de emissor, 82-83
totalmente integrado, **600**ff
relé
   acionamento a partir de lógica, 817-820
   eletromecânico, 59
   estado sólido, *veja* SSR
   optoacoplado, 843-852
renovação, *veja* memória, dinâmica
reset
   do núcleo, em SMPS, 657
   inicialização lógica, 755
resistência
   de chave analógica, 175
   dinâmica, 12
   fonte, 11

fuga, 10
interna, 11
negativa, W1113
pequeno sinal, 12
térmica, *veja* resistência térmica
resistência em série equivalente, *veja* capacitor
resistência térmica, 216, **624**ff
   de dissipadores de calor, 626g
   de folha de PCB, 627g
   transitório, 628, 1074
resistor, **3**ff, 3p, 5 (box)
   chip
      tamanhos, 4
   código de cores, 1105t
   coeficiente de temperatura, 1106
   coeficiente de tensão, 698, 1106
   controle de corrente de emissor, 113
   descarga, para capacitor de rede elétrica, 631
   digital, 1082
   em paralelo, 5
   em série, 5
   exatidão, 1106
   fio enrolado, 3p, 8p, 63p, 59L, 1070, 1105
   não linearidade, 698, 1106
   potência, 6
   propriedades, 300
   série E96, 1104t
   tipos, **1104**ff, 1106t
   valores padrão, 1104
   variável, 63
      JFET, 161
resistor de fio enrolado, *veja* resistor, fio enrolado
resposta transitória
   do regulador de tensão, 616
ressonador cerâmico, 450
ressonante
   carga, 39
   circuito, **52**ff
reta de carga, 156g, W**1112**ff
retificação, **31**ff
retificador, **31**ff, 634-635
   ativo, 238
   fonte de alimentação
      picos, 634-635
   meia-onda, 32
   onda completa com derivação central, 33
   onda completa, 32
      ativo, 257
   ponte, 32
   queda direta, 31
   recuperação rápida, 670
   sinal, 35
retificador controlado de silício (SCR), *veja* SCR
revisão do projeto, 1059
revistas, W1153

RF
   acionando cabo, 862-863
RFI (interferência de radiofreqüência), 582
RLL, 1041
máquina de estado, *veja* lógica
RS-232, **871-874**, 1039p, **1038-1039**, 1081
   alimentação, 874g
   ambiguidade de temporização, 1038
   CIs acionadores, 872
   e comprimento do cabo, 872s
   gerador de byte pseudoaleatório, 771
   níveis, *873*
   sinais, 1039t
   taxas, 873g
RS-422, 865s, 866s, **865-867**
   alimentação, 874g
   níveis, *873*
RS-485, 865s, 866s, **865-867**, **1038-1039**
   alimentação, 874g
   isolado, *868*
   níveis, *873*
RTC, 1084
RTD, *veja* sensor, temperatura
RTD e platina, *veja* sensor, temperatura
Rubídio, *veja* oscilador, padrão atômico
ruído, 15, *veja também* AOP, **473-481**, *veja também* amplificador
   $1/f$, 476
      AOP, 324g
      frequência de corte, 565-566
      integrado, 565-566g
      JFET, 510, 517g
      largura de banda filtrada, 564-565t
      para sempre?, 565-566, 567s
   acoplado capacitivamente, 581
   aleatório genuíno, 982
      circuito, *983*
   amplificador de instrumentação, 362
   amplificador diferencial, 520
   analógico
      PRBS filtrado, 975, **977-983**
   AOP, 522t-524t, 528g, 529g, 531-533s, **521-533**
      autozero, 334ff, 334s
      escolha, 525-533
      versus C_{in}, 531-533g
   biestável, 477
   BJT, *veja* BJT, ruído
      circuito de teste, 557
   branco, 474-476
   choque de modo comum, 584
   corrente, **483-484**
      de cancelamento de polarização de AOP, 327, 527-528
      medição ultra baixa, 570, 572
      medição, **569**ff
   curva de probabilidade de excedência, 574g
   de fontes chaveadas, 649
   densidade, 474, **479**
      tensão, **481-483**

digital
　geração com PRBS, **974**ff
do regulador de tensão, 618
en-C, 538, 540g, 542s
especificação de baixa frequência, 564-565
excesso, 475ff
fator de crista, 568, 981
figura, **479-480**, 480g
　exemplo, 492
　gráfico de contorno, *490, 492*
filtrado
　ao longo de décadas, 567s
filtrando fora da banda, 911
filtros passa-faixa
　resposta, 563-565g
flicker, *veja* ruído, 1/*f*
fonte
　circuito PRBS, 980
fonte de alimentação de modo de comutação, 636-637g
fonte de alimentação, **578**ff, 580g, 580t, 913
　multiplicador de capacitância, 508-509, 557, 578, 579g
fonte de corrente, **487-489**
fontes, **558**ff
gaussiano, 475g, 979, 980
gerador, 559
　PRBS, 559
　rosa, 559
imunidade, 705
integrado
　cálculo, 563-564
　de AOPs, 338g, 530-531, 531-532g, 531-532t
integrais de, 564-565t
interferência como, 478
JFET, *veja* JFET, ruído
Johnson, *veja* ruído Johnson
largura de banda, 477, **561**ff
　de *LC*, 562
　de uma média, 562
　multiseção *RC*, 561
limitado em banda, 477
magneticamente acoplado, 581
máximo, 574
medição, **556**ff
　circuito de teste do transistor, *557*
　quente-frio, 557
miscelânea de, 574
modelamento, *veja também* modo delta-sigma, **927-931**
Nyquist, *veja* ruído Johnson
pico *versus* RMS, 531-533, 564-565, 568, 569, 935
pipoca, 477, 478
pseudoaleatório, *veja* PRBS
quantização, 574, 927-931
　ganho, 927
　modelo, 927

rajada, 477
referência de tensão, **682**, *veja também* tensão
resistência, **494**
RMS *versus* magnitude, 574
seguidor de emissor, **487-489**
shot, 327, 476t, **475-476**
taxa de cruzamento de limiar, 574
telégrafo, *477*
temperatura, **480**
tempo médio, 574
tensão
　a partir de PRBS filtrado, 978
tipos de, 474, 477
unidades de, 474
zener, 674, 676
ruído Johnson, 475g, 475t, 482, 494g, **474-526**, 526g
　como fonte de ruído, 555ff, 556
　contribuição do resistor de ganho, 152, 352, 358, 376, 906
　　maior em ganho baixo, 387
　exemplo de cálculo, 486
　no amplificador diferencial, 520
　no AOP, 526
　no canal do JFET, 509
　no resistor de realimentação do TIA, 537-550
ruptura, *veja também* segunda ruptura
　base-emissor, 82
　porta MOSFET, 199

S

S/PDIF, 1061
saída
　corrente, AOP, 251, 272t
　corrente, comparador, 811, 811g
　variação do comparador, 810-811
saída livre, 759
SAS, *veja* computador, barramento de dados
SATA, *veja* computador, barramento de dados
saturação
　de núcleo magnético, 657, 659
　em BJT, 73
Schmitt trigger, 237, 269, 459, 717, 754, 801s, 803s, 807-810s
　capacitores *speed-up*, 808-809s
　com BJTs discretos, 79
SCR
　crowbar de sobretensão, 598, **691**ff
　latchup, 759
SCSI, *veja* computador, barramento de dados
seguidor, *veja* seguidor de emissor, seguidor de fonte, AOP
seguidor de emissor, 79-85, *veja também* BJT
　cancelamento de *offset*, 85, 87
　com fontes divididas, 84

　com um JFET absorvendo a corrente, 144
　como regulador de tensão, 82-83
　exemplo, 84
　impedância de saída de, 93
　polarização, 83
　reexaminado (Ebers-Moll), 93
　ruído de, 487-489
seguidor de fonte
　JFET, **156**ff
　　baixa distorção, 160, 161g
　　com carga ativa, 158
　　ganho, 157
　　impedância de entrada, 157
　　impedância de saída, 157
　　tutorial, *159*
　MOSFET de potência *push-pull*, 214
segunda ruptura, 192, 216, 627
sensor, *1079-1086*
　alimentação CA, *943-945*
　átomo, 553ff
　bronzeamento, **278-280**, *922*, **1054-1059**
　capacitivo, *505*
　carregamento, *933*
　corrente, *278, 943-945*
　garra, *372*
　luz, *497*, 539ff, *547, 549*, 578, 837p, 841p, 840-843, 844-845p
　relâmpago, 497
　som, 486, 505ff
　strain gauge, 297ff, 588, *937*
　temperatura, **1070**
　　RTC, 1069ff, *1071*
　　RTD, 347, 1070
　　semicondutor, 621, 680
　　termistor, *123, 372*, 608, 1070
　　thermopar, *veja* AoE 2ª ed., pp 988-992, 339, 341t, 367-368, 675, *937*, 1070, 1084
sensor de temperatura, *veja* sensor
sequência de bits, *veja* delta-sigma
sequência de bits pseudo-aleatória, *veja* PRBS
SERDES, 855, 869
serial, *veja* computador, barramento de dados, *veja* lógica
série
　impedâncias, 46
　modo de cristal ressonante, 444, 445g
　resistores, 5
　terminação, **858**ff
servo, 1069
SH-4, *veja* microcontrolador
shoot-through, *veja* corrente
shunt
　corrente, 277
siemens, 6, 90, 147
simulação, *veja* SPICE
sinais, **14**ff
sinal
　amostragem, 419
　gerador, 17

média, 576
misturado
    PLD, 769
proteção, 359-360, 587
regeneração
    com PLL, 971
relação sinal-ruído, *veja* SNR
taxa de variação, *362*
sinal espúrio
    remoção, 394
sinalização diferencial de baixa tensão, *veja* LVDS
síncrona *veja também* lógica, *veja também* memória
síncrono, *veja* largura de banda, estreitamento
SingleGate, *veja* mini-logic
síntese digital direta, veja oscilador, DDS
sintetizador
    clock, 1084
sistema de aquisição de dados, *veja* DAQ
SMU, 554, W1115
    favoritos, W1152
SNR, **478-481**
snubber, *39, 630*, 634-635, 656, 660, 669
sobreamostragem, *veja* amostragem
sobretemperatura
    sensor, 13203, 602-604 (quadro), 671
    ausente, 695
soft start, 606, *607*, 650
solenóide, 29
somador, *veja* lógica
sonda
    para sinais lógicos, 808-809, 810-811p
sondagem
    sinais digitais, 808-809, 809-810s, 810-811p
SparkFun, 1082
SPI, *887*, *veja também* computador, barramento de dados, 1061, 1081, 1084, 1086
    bootloader, 1091
    em ADC, *936-937, 943-946*
    em DAQ, *946-947*, 951, 954
    exemplo de ADC SAR, 909
    isolação em DAQ, 950-951
    periféricos do microcontrolador, **1082-1084**
SPICE
    alimentação desregulada
        comparação de banco, 634-635, 633-635g
    análise de amplificador, 314, *315*
    análise de cristal, 443-446
    comparação com a bancada, 150, 459s, 633-635s
    de filtros de análise, *393, 399, 414, 456, 560*
    primer, **W1146**ff
    simulação
        comparação com banco, W1148s
SSR, 24, 59, 848-849, **848-850**, *850-852*, 1062, 1081
STM (microscópio de tunelamento por varredura), **553**ff
    imagem do cristal Si, 553p
STP, 583
stripline, 456, 858, 864, 871s, W1117, *veja também microstrip*
subamostragem, *veja também* ADC, *veja* amostragem
superbeta, *veja* BJT
susceptância, 90
Sziklai, *veja* BJT

T

tabelas, *veja* Tabela de Conteúdos
tabela-verdade, *veja* lógica
taxa de variação, *veja também* AOP
    causa interferência, 581, 588, 705
    de amplificador composto, *920*
    de amplificador diferencial, 385
    de AOP, 248, 308, 328-330, 340, 515, 862-863
    de fonte de corrente, 367-368
    de sinal, *362*
    e *jitter*, 457
    em osciladores, 426
    filtrado, *1073*
    muito lenta, 760, 808-809
    reduzida, 607, 650, 759, *820*, 865, 871
TBH (*take-back-half*), 1075
    convergência, 1076g
teclado
    interface de barramento paralelo, 1003, 1005
tecnologia de montagem em superfície (SMT), 65, 66p, 627p
televisão
    analógica
        transmissão, W1134
        cabo, W1134
        gravação, W1135
        espectro, W1136s
    cabo
        transmissão comutada, W1142
    digital, **W1136**ff
        radiodifusão, W1138
        cabo, W1138
        gravação, W1142
        satélite, W1139
        espectro, W1136s
    satélite
        uplink, W1140p
    tutorial, W1131ff
temperatura
    coeficiente, *veja também* referente, por exemplo, tensão de referência, etc.
    estabilizada
        oscilador, 450
        referência de tensão, 681
tempo
    atraso
        comparação de filtro, 404g
        circuito de atraso, 23
    hold, *veja* lógica
    propagação, *veja* lógica
    remoção, *veja* lógica
    setup, *veja* lógica
tempo de abertura, 940
tempo de estabilização, 309g
    de AOP, 308ff, 320t, 328-329ff
tempo de setup, *veja* lógica
tempo de subida, 16
temporizador
    CIs para, 467-468
    controle de câmera (exemplo de projeto), 467-468
    microcontrolador como, 469
    programável, 242
    um segundo por hora, 467-468
    uma hora energizado, 466-467
temporizadores, **457-469**, 555, 460
tensão, 1
    alta, *veja* alta tensão
    como uma quantidade complexa, **44**ff
    compliance, 8
    conversor
        capacitor flutuante, 183
    de carga, 10
    de modo comum, *veja* amplificador
    de referência, *veja* referência de tensão
    divisor, 7
        ajustável, 7
        equação, 7
        generalizado, 48
    duplicador, *veja também* bomba de carga, 34, *639*, 660, 872, 1063
    fonte, 8
        8 canais, 893, *895*
        baixo nível de ruído, 891, *892*
    fonte, geral de laboratório, 891, *892*
    lei de Kirchhoff para tensão, 2
    limiar
        de lógica digital, *veja também* lógica, 796, 797
    modo
        PWM, em SMPS, 652, *veja também* modo de comutação
    multiplicador, 34
    offset em AOP, *veja* AOP
    offset, *veja também* amplificador; AOP
        AOP, 244
        comparador, 812-814
        correção com DAC, 948
    ondulação da fonte de alimentação, 33
    pico, *veja* pico
    queda
        de diodo, 31
    queda, *veja* regulador de tensão
    regulador, *veja* regulador de tensão
    ruído, *veja* ruído

sinal, 14, 17, 21-27, 35-37, 43-45, 49g
termoelétrica, 341t
triboelétrica, 573
variação da saída do comparador, 810-811
teorema de Millman, 6, 1108
teorema de Thévenin, **1107**ff
generalizado, 55
terminação
de linha de transmissão, **858**ff, W1117
termistor, *veja* sensor
termopar, *veja* sensores, temperatura
terra, 2
malha, 582
repique, 758-759, 856
ruído, 856
traçado em forma de grade, 758
teste de chiar, 625
TIA, *veja* amplificador de transimpedância
TIL, *veja* lógica
TinyLogic, *veja* mini-logic
tiristor, 208
tolerância, 6, 300
efeito sobre a resposta do filtro, 402
tomada de parede
conexões e fios, 628ff
toroide
choque de modo comum, 585
totem pole, 695
touchscreen, 944-946, 1082, 1084
traçador de curvas, W1115
transcondutância, 89, *veja também* BJT, FET, JFET
transcondutor, *veja* OTA (amplificador operacional de transcondutância)
transdutor, *veja* sensor
transformador, **30**
em malha de realimentação, 285, 286g, *536*
isolador de sinal, 586
para entrada de ADC de banda larga, 382
rede elétrica, 632
especificação, 633-634
indutância de dispersão, 633-634
sinal, **535-537**
SMPS isolado, **653-655**ff, *veja também* modo de comutação
variável, 64p

transistor
bipolar, *veja* BJT
chave BJT, 73-79
conexão em série, 697
de efeito de campo, *veja* FET
diamante, 100
digital, 712
encapsulamentos, 73p
foto, 841p, 841-842
humano, 75
passagem, 594, 695
proteção, 695
perfeito, 99
pré-polarizado, 712
resistência térmica, 624, *veja também* resistência térmica
resistor de polarização, 712
unijunção, 427
transistor bipolar, *veja* BJT
transistor de efeito de campo, *veja* FET
transitório
captura, em PLL, 964
resistência térmica, 628
travamento, *veja* lógica, problemas
trigonometria, 1097
trilho a trilho, *veja* AOP
tubo de raios catódicos (CRT), W1143
TVS, 39

U

UART, *veja também* computador, **1038**ff, 1061ff, *1071*, 1089-1090
bootloader, 1090
um segundo por hora (exemplo de projeto), 467-468
uma hora energizado (exemplo de projeto), 466-467
umidade
e danos ao MOSFET, 200
efeito sobre CIs, 684
unidade de alimentação e medição (SMU), 897-898
unidade de alimentação e medição, *veja* SMU
UPS, *veja* fonte de alimentação ininterrupta
USB, **1042**, *veja também* computador, barramento de dados, 1061, 1081
adaptador para RS-232, 871
bootloader, 1091

varactor, 64, 960, 969, 971
oscilador sintonizado, 440

V

Variac, 64p
variação acústica, 207
varistor, 39
VCO, *veja* oscilador, controlado por tensão
ventilação, 627, *veja também* AoE 2ª ed., página 858
controle proporcional, 608
Verilog, *veja também* lógica, *veja* dispositivo lógico programável (PLD)
V-*f*
conversão, *veja* ADC
VFD, 839
VHDL, *veja* dispositivo lógico programável (PLD)
Victoreen, 3p, 698
vídeo
analógicos, W1132
composto, W1133s
conectores, W**1143**ff, W1144p
digitalizador, 1084
modulação, W1133
sobre Internet, W1140
volt, 1
voltímetro, 2
sensível (exemplo de projeto), 253, 293
VOM, 10
VSWR, W1121

W

watts, 2
Widlar, Bob, 97, 101ff, 307, 598ff, 604, 679
WiFi, 1062
Williams, Jim, 316, 330, 438, 1074, W1154
Willison, John, 968
wired-AND, wired-OR, *veja* lógica

Z

zener, *veja* diodo, zener
ativo, 692
ZigBee, 1061
ZVS, ZVC, *veja* modo de comutação